Dictionnaire jeunesse

9001, boul. Louis-H.-La Fontaine, Anjou (Québec) Canada H1J 2C5
Téléphone : 514 351-6010 • Télécopieur : 514 351-3534

Direction de l'édition
Emmanuelle Bruno

Charge de projet et révision linguistique
Raymonde Abenaim

Direction de la production
Danielle Latendresse

Direction de la coordination
Rodolphe Courcy

Conception graphique
Josée Lavigne, Catapulte

Infographie
Interscript

Cartographie
Claude Bernard, Studio Artifisme

Recherche photographique (noms communs)
Louise Chabot

Recherche photographique (noms propres)
Rodolphe Courcy

Les Éditions CEC inc. remercient le gouvernement du Québec de l'aide financière accordée à l'édition de cet ouvrage par l'entremise du Programme de crédit d'impôt pour l'édition de livres, administré par la SODEC.

Le *Dictionnaire jeunesse* est une adaptation du *Dictionnaire Hachette junior*,
© Hachette Livre, 2006.

Dictionnaire jeunesse
© 2011, Les Éditions CEC inc.
9001, boul. Louis-H.-La Fontaine
Anjou (Québec) H1J 2C5

Dépôt légal : 2011
Bibliothèque et Archives nationales du Québec
Bibliothèque et Archives Canada

ISBN 978-2-7617-3286-4

Imprimé au Canada
1 2 3 4 5 15 14 13 12 11

Rédaction
(noms propres et planches thématiques)
Danielle Leclerc
Katia Luca

Révision linguistique
(noms propres et planches thématiques)
Alice Bergeron
Louise Blouin, Avantexte
Francine Noël

Correction d'épreuves
Jacinthe Caron
Marie Théorêt
Alice Bergeron
Francine Cloutier

Couverture :

Yves Boudreau couverture avant (mg) ; couverture arrière (mg)

Stéphane Vallières couverture avant (md)

©IStockphoto/5049794/©Tyson Paul couverture avant (bd)

©Hachette couverture arrère (md)

©ShutterStock /39127699 couverture avant (bd) couverture arrière 55220686 (hd)

Illustrateurs

Bertrand Lachance **31** (h) ; **32** ; **35** (hd et d) ; **39** ; **53** (h) ; **93** ; **109** (h) ; **117** ; **125** (d) ; **149** (b) ; **276** ; **320** (h) ; **330** ; **334** (b) ; **341** (h) ; **347** (hg et bd) ; **372** (b) ; **373** (m et h) ; **435** ; **446** (hm) ; **484** (b) ; **570** (bg) ; **575** (hm) ; **575** (hd) ; **575** (mhd) ; **575** (mbg) ; **625** ; **692** (gadoulka, cymbalum) ; **792** (b) ; **793** (m) ; **956-957** (h) ; **957** (h) ; **988** (d) ; **989** (d) ; **1009** (g et b)

Catapulte **12** (f)

Daniela Zekinas **75**

Irina Pustai **34** (h)

Jacques Lamontagne **34** (d) ; **35** (m et b) **552** (mg) ; **552** (hd) ; **552** (bd) ; **552** (bg) ; **553** (hd) ; **553** (f) ; **586** (hd) ; **586** (mg) ; **586** (bd) ; **587** (hg) ; **587** (hg) ; **587** (f) ; **936** (hg) ; **936** (hd) ; **937** (hg) ; **936-937** (b)

Jean-Luc Trudel **34** (g et m) ; **35** (g)

Jocelyne Bouchard **323** ; **337** (d) ; **534** ; **650** ; **785** (pirates)

Luc Normandin **936** (mg) ; **936** (bgc) ; **936** (bc) ; **937** (d)

Patrick Bizier **806** (g) ; **1310-1317**

Stéphane Vallières **2** (g) ; **6** ; **11** (d) ; **16** ; **23** ; **29** (b) ; **46** (h) ; **47** (hd et m) ; **59** (h) ; **60-61** ; **75** (modelage) ; **86** (h) ; **124** (b) ; **127** (hg) ; **139** (m) ; **147** (b) ; **155** (bd) ; **163** (m) ; **164** (hg) ; **216** (h) ; **236** ; **346** ; **406** (hd et b) ; **406-407** (f) ; **407** (b et h) ; **426** (bg) ; **454** (f) ; **454** (bg) ; **454** (bd) ; **454** (md) ; **454** (md) ; **454** (f) ; **455** (m) ; **455** (md) ; **455** (bm) ; **455** (bd) ; **457** (h) ; **526-527** ; **570** (mg et md) ; **638** (baleine bleue, narval) ; **647** ; **649** ; **710** (fond) ; **732** (hd) ; **766** (bg) ; **804-805** (poissons) ; **946** ; **1040** (mg) ; **1076** (m)

Yves Boudreau **3** ; **9** (d) ; **36** (h) ; **62** ; **69** ; **77** ; **111** ; **190-191** (l'adoubement) ; **784** (b)

Raymonde Abenaim

Emmanuelle Bruno

Lise Harou, sociolinguiste

Annie Desnoyers, consultante en grammaire

- **pour la révision des entrées liées à la géographie**
  Éric Mottet, professeur, Département de géographie, UQAM
  Albert Chifoi, Département de géographie, UQAM
- **pour la révision des entrées liées à l'histoire**
  Valérie Shaffer, Université du Québec en Abitibi-Témiscamingue
- **pour la révision des planches thématiques**
  Céline Audet, professeure en aquaculture, Institut des sciences de la mer de Rimouski
  Jean-Luc Legault, professeur de physique, cégep de Saint-Jérôme
  Jacques Marcoux, météorologue, Environnement Canada
  Claude Nadeau, ornithologue amateur
- **pour leurs judicieux conseils pédagogiques**
  Karine Brossoit et l'équipe d'enseignants, école Dubois, CSRDN
  Lucie Archambault, enseignante, école de la Seigneurie, CSSMI
  François Charbonneau, enseignant, école de la Seigneurie, CSSMI
  Annie Jean, enseignante, école de la Seigneurie, CSSMI

Il remercie également toutes les autres personnes qui ont fait des commentaires ou suggestions au cours de la préparation de cet ouvrage.

Enfin, l'Éditeur tient à exprimer sa reconnaissance à Jean-Claude Boulanger, professeur à l'Université Laval et lexicographe, qui a été associé à l'élaboration des trois précédentes éditions du *Dictionnaire CEC jeunesse*.

Table des matières

Présentation du dictionnaire

Cette édition du dictionnaire est le fruit d'un long travail de réflexion et de consultation. En effet, l'équipe de rédaction a pris le parti d'une mise à jour minutieuse du vocabulaire de la langue d'usage afin de mieux rendre compte de la réalité québécoise et nord-américaine d'aujourd'hui dans ses multiples facettes, tant langagières que socioculturelles. Dans cette optique, la nomenclature retenue :

- définit de nouvelles réalités sociales (*service de garde*, *garde partagée*, *cyberdépendance*, *taxage*, *cinéma-maison*, par exemple) ;
- rend compte des nouvelles technologies (*binette*, *bloguer*, *fureter*, *avatar*, *message texte*, par exemple) ;
- actualise certaines réalités existantes (*demi-frère*, *famille monoparentale*, *famille recomposée*, par exemple).

L'équipe de rédaction a aussi tenu à refléter l'univers des jeunes et à mieux représenter leur discours et leur environnement par la mention :

- d'innombrables locutions appartenant aussi bien à la langue familière que standard ;
- de plusieurs mots spécifiques des programmes disciplinaires ;
- des gentilés des régions québécoises, des provinces canadiennes, des communautés autochtones ainsi que de tous les États du monde.

À l'instar des autres langues vivantes, le français évolue au fil du temps, tout comme son orthographe. En effet, depuis la parution du premier dictionnaire de l'Académie française, en 1694, se sont succédé de nombreuses réformes de l'orthographe visant à appliquer à plus de mots les grandes règles régulières de construction orthographique et à éliminer les cas d'exception. Les derniers changements en ce sens datent de 1990 et sont désignés sous le nom de *rectifications de l'orthographe*. Ils sont expliqués en substance à la page VII. Par ailleurs, chaque entrée touchée par une rectification orthographique comporte une note indiquant la nouvelle orthographe optionnelle suggérée.

Soucieux d'offrir un ouvrage de référence particulièrement convivial, l'Éditeur a mis l'accent sur la présentation graphique et typographique du dictionnaire, et donc opté pour une maquette attrayante et dynamique. La typographie recourt en maints aspects à la couleur ainsi qu'à divers pictogrammes pour une plus grande lisibilité. Par ailleurs, l'iconographie abondante et variée (2000 illustrations et photos) a pour objectif de soutenir les définitions, et les 45 planches thématiques, celui de faire le lien avec les programmes disciplinaires et des sujets susceptibles d'intéresser l'élève du primaire.

L'équipe de rédaction espère avoir ainsi produit, au bénéfice de l'élève, un outil fascinant à feuilleter, à consulter, voire même à parcourir pour le pur plaisir de la découverte.

Les rectifications orthographiques

Les rectifications de l'orthographe du français touchent quelques milliers de mots et sont officiellement recommandées par le Conseil supérieur de la langue française et approuvées par l'Académie française. Ces rectifications de l'orthographe de 1990 ont porté sur différents aspects. Voici un résumé des principales règles visées par ces changements.

Le trait d'union / La soudure dans les nombres

Auparavant, seuls certains nombres composés s'écrivaient avec des traits d'union.	**Maintenant**, ils sont tous reliés par des traits d'union.
vingt et un	vingt-et-un
deux cent trente-six	deux-cent-trente-six
trois millions six cent mille vingt-huit	trois-millions-six-cent-mille-vingt-huit

Le trait d'union / La soudure dans les autres mots

Auparavant, les mots composés d'un préfixe s'écrivaient souvent avec un trait d'union.	**Maintenant**, ce trait d'union fait place à la soudure dans les mots composés avec *contr(e)-*, *entr(e)-*, *extra-*, *infra-*, *intra-*, *ultra-*.
à contre-courant, agro-alimentaire, entre-temps, extra-terrestre, mini-jupe	à contrecourant, agroalimentaire, entretemps, extraterrestre, minijupe
D'autres mots, comme les mots d'origine étrangère, les mots composés de préfixes savants et les onomatopées se soudent aussi.	
basket-ball, hot dog	basketball, hotdog
tic tac ou tic-tac, tam-tam	tictac, tamtam

Le pluriel

Auparavant, les noms composés d'un verbe et d'un nom ou d'une préposition et d'un nom s'écrivaient parfois avec un *s* au singulier, d'autres prenaient la marque du pluriel au pluriel.	**Maintenant**, la marque du pluriel apparaît à la fin du mot, seulement quand le mot est au pluriel.
un compte-gouttes, des compte-gouttes	un compte-goutte, des compte-gouttes
un après-midi, des après-midi	un après-midi, des après-midis
un sans-abri, des sans-abri	un sans-abri, des sans-abris
un cure-dent, des cure-dent	un cure-dent, des cure-dents

Les mots empruntés à d'autres langues

Auparavant, les mots empruntés formaient leur pluriel selon les règles de la langue d'origine.	**Maintenant**, les mots empruntés suivent la règle du pluriel du français.
un ravioli, des ravioli	un ravioli, des raviolis
un sandwich, des sandwiches	un sandwich, des sandwichs
un Inuk, des Inuit	un Inuit, des Inuits
un maximum, des maxima	un maximum, des maximums

Les consonnes doubles

Auparavant, certains verbes en *-eler* ou *-eter* se conjuguaient sur le modèle de *peler* ou d'*acheter*; d'autres, sur le modèle d'*appeler* ou de *jeter*.	**Maintenant**, les verbes en *-eler* ou *-eter* se conjuguent sur le modèle de *peler* (èl) ou d'*acheter* (èt). Leurs dérivés en *-ment* suivent la même règle.
j'amoncelle, amoncellement	j'amoncèle, amoncèlement
j'époussetterai	j'époussèterai
je gèle	je gèle
	Exception : les verbes *appeler*, *jeter* et leurs composés restent inchangés.

Les anomalies de l'orthographe

Certaines anomalies sont corrigées.

Auparavant	**Maintenant**
asseoir	assoir
douceâtre	douçâtre
levraut	levreau
relais	relai
quincaillier	quincailler
féerique	féérique
oignon	ognon
eczéma	exéma
igloo	iglou
acupuncture	acuponcture
fjord	fiord

Les accents dans les syllabes qui contiennent un *e* pouvant être muet

Auparavant, devant une syllabe qui contenait un *e* pouvant être muet, on écrivait parfois *é* même quand la prononciation est *è*.	**Maintenant**, on généralise le è dans ce type de mots, ainsi qu'au futur et au conditionnel des verbes qui se conjuguent sur le modèle de *céder*.
un événement, un avènement	un évènement, un avènement
réglementaire, un règlement	règlementaire, un règlement
je cède, je céderai	je cède, je cèderai
ils règlent, ils régleraient	ils règlent, ils règleraient

Les accents dans les mots empruntés

Auparavant, certains mots empruntés étaient accentués selon les règles de la langue d'origine.	**Maintenant**, ils sont accentués de la même manière qu'en français.
un revolver	un révolver
de la tequila	de la téquila
une pizzeria	une pizzéria
un cameraman	un caméraman

Les accents circonflexes sur les lettres *i* et *u*

Auparavant, les lettres *i* et *u* pouvaient s'écrire avec un accent circonflexe.	**Maintenant**, l'accent circonflexe disparait, sauf dans deux cas : dans les terminaisons verbales du passé simple et du subjonctif, et quand il s'agit d'éviter la confusion avec d'autres mots (*je crois* [croire] et *je croîs* [croître])
une bûche, une ruche	une buche, une ruche
entraîner, nous entraînons	entrainer, nous entrainons
je connais, connaître, il connaît	je connais, connaitre, il connait
de la moutarde, un coût	de la moutarde, un cout

Le tréma sur les voyelles

Auparavant, le tréma sur une voyelle indiquait soit que la voyelle se prononçait, soit que c'était la lettre précédente qu'il fallait prononcer.	**Maintenant**, le tréma apparaît seulement sur la lettre qui doit se prononcer ; en ce sens, il a été ajouté à quelques mots.
aiguë, ambiguë, ambiguïté	aigüe, ambigüe, ambigüité
arguer	argüer
gageure	gageüre

Les composantes

Les noms communs

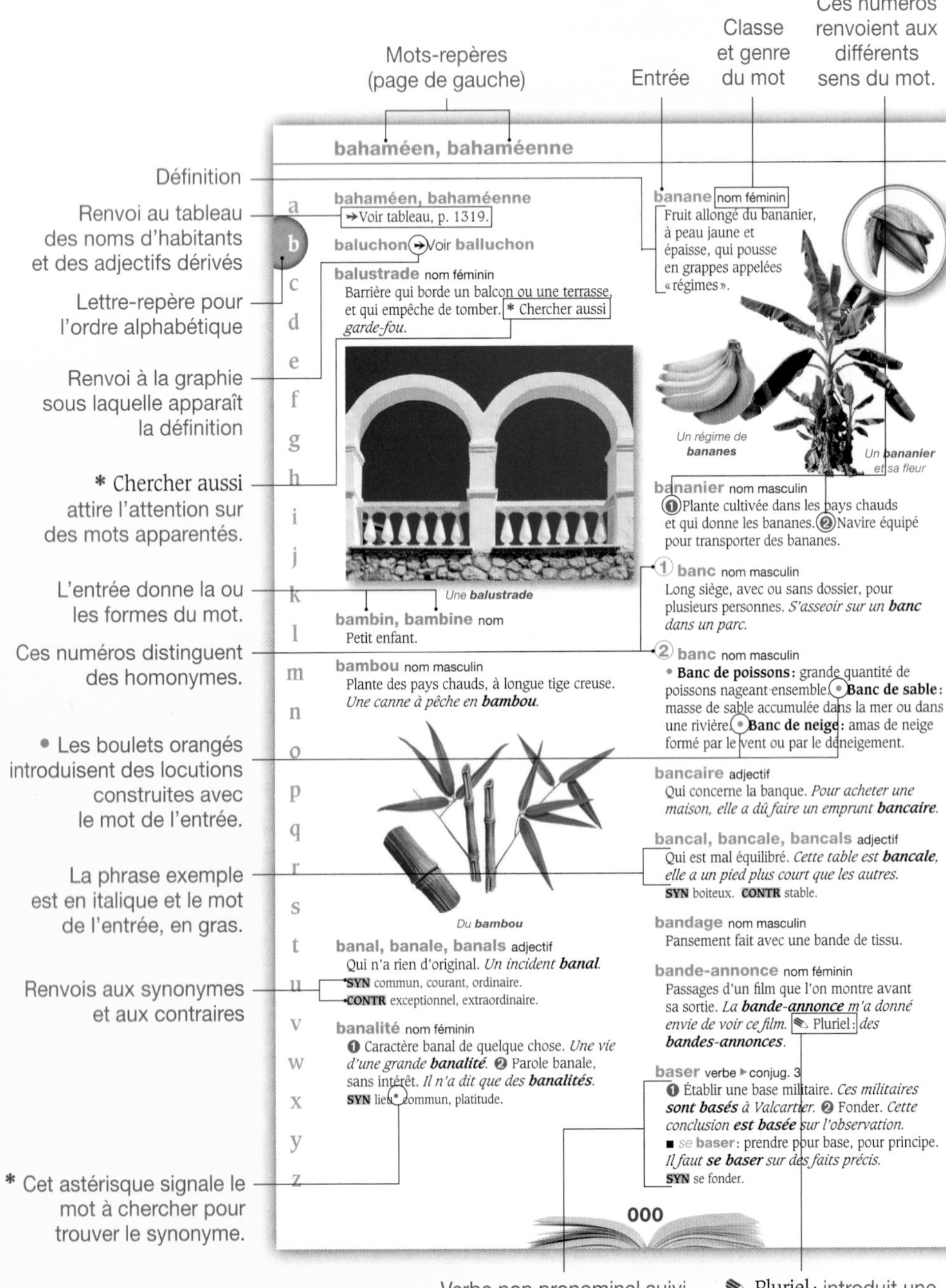

du dictionnaire

Mots-repères (page de droite)

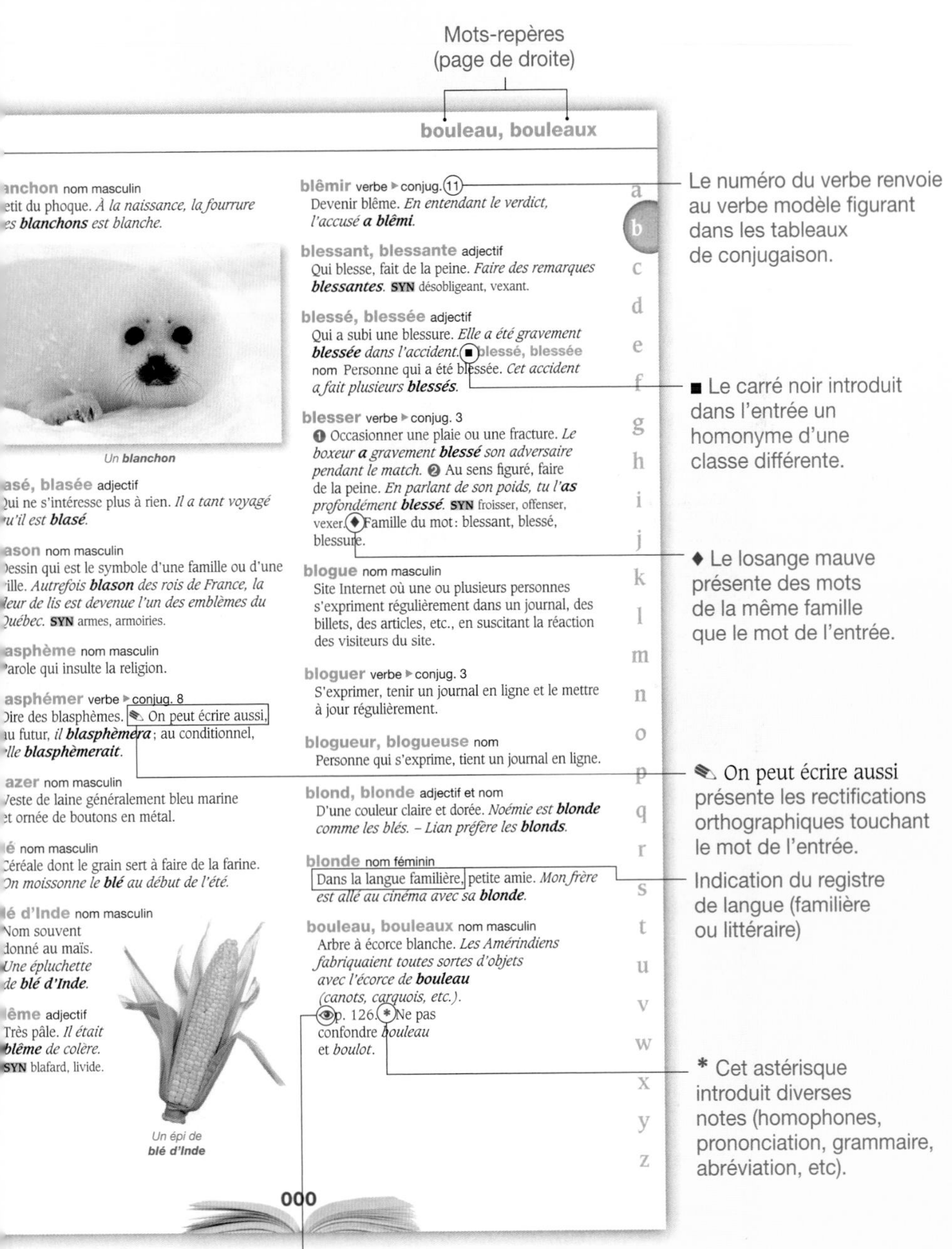

👁 Ce pictogramme renvoie à une illustration, à une planche thémathique ou à une carte.

Les planches thématiques

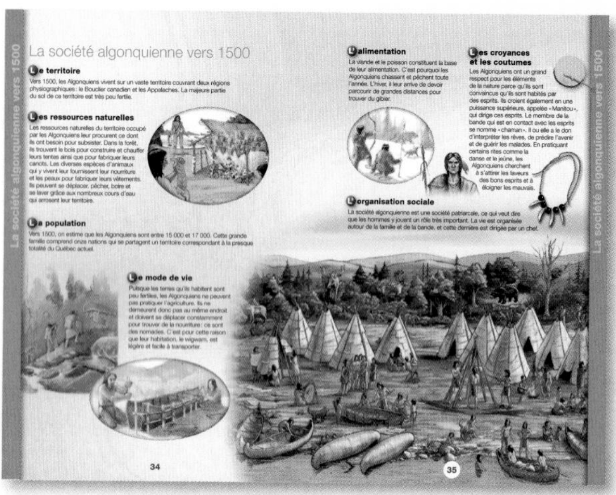

La société algonquienne vers 1500

La société algonquienne vers 1500

Le territoire

Vers 1500, les Algonquiens vivent sur un vaste territoire couvrant deux régions physiographiques : le Bouclier canadien et les Appalaches. La majeure partie du sol de ce territoire est très peu fertile.

Les ressources naturelles

Les ressources naturelles du territoire occupé par les Algonquiens leur procurent ce dont ils ont besoin pour subsister. Dans la forêt, ils trouvent le bois pour construire et chauffer leurs tentes ainsi que pour fabriquer leurs canots. Les diverses espèces d'animaux qui y vivent leur fournissent leur nourriture et les peaux pour fabriquer leurs vêtements. Ils peuvent se déplacer, pêcher, boire et se laver grâce aux nombreux cours d'eau qui arrosent leur territoire.

La population

Vers 1500, on estime que les Algonquiens sont entre 15 000 et 17 000. Cette grande famille comprend onze nations qui se partagent un territoire correspondant à la presque totalité du Québec actuel.

Le mode de vie

Puisque les terres qu'ils habitent sont peu fertiles, les Algonquiens ne peuvent pas pratiquer l'agriculture. Ils ne demeurent donc pas au même endroit et doivent se déplacer constamment pour trouver de la nourriture : ce sont des nomades. C'est pour cette raison que leur habitation, le wigwam, est légère et facile à transporter.

L'alimentation

La viande et le poisson constituent la base de leur alimentation. C'est pourquoi les Algonquiens chassent et pêchent toute l'année. L'hiver, il leur arrive de devoir parcourir de grandes distances pour trouver du gibier.

Les croyances et les coutumes

Les Algonquiens ont un grand respect pour les éléments de la nature parce qu'ils sont convaincus qu'ils sont habités par des esprits. Ils croient également en une puissance supérieure, appelée « Manitou », qui dirige ces esprits. Le membre de la bande qui est en contact avec les esprits se nomme « chaman ». Il ou elle a le don d'interpréter les rêves, de prédire l'avenir et de guérir les malades. En pratiquant certains rites comme la danse et le jeûne, les Algonquiens cherchent à s'attirer les faveurs des bons esprits et à éloigner les mauvais.

L'organisation sociale

La société algonquienne est une société patriarcale, ce qui veut dire que les hommes y jouent un rôle très important. La vie est organisée autour de la famille et de la bande, et cette dernière est dirigée par un chef.

34

35

L'acériculture

L'acériculture

L'acériculture consiste à cultiver et à exploiter l'érable à sucre. Les acériculteurs recueillent la sève des érables pour fabriquer différents produits comme le sirop, le beurre, la tire, les bonbons et le sucre en pain ou granulé.

Bien avant que les Européens arrivent au Canada, les Amérindiens pratiquaient déjà l'acériculture. Les premiers colons ont continué de la faire et, au fil du temps, les techniques et la technologie se sont beaucoup améliorées. Le temps des sucres est l'une des plus belles traditions québécoises.

L'entaillage

Les érables sont entaillés au printemps lorsque la température est tout près du point de congélation. On pratique de une à trois entailles sur l'arbre, selon sa taille, à l'aide d'un vilebrequin ou d'une perceuse électrique et d'un foret.

On insère ensuite un chalumeau dans l'entaille pour permettre à la sève de couler dans les seaux qui sont suspendus au-dessous. Cette eau d'érable contient généralement de 2 % à 3 % de sucre.

La récolte

La méthode traditionnelle consiste à récolter l'eau d'érable à la main, au moins une fois par jour, alors que les installations modernes utilisent de la tuyauterie. Il s'agit d'un réseau de tubes de plastique qui, à partir des chalumeaux, suit une pente descendante pour amener l'eau d'érable jusqu'au réservoir de la cabane à sucre. On peut aussi se servir d'une pompe à vide pour augmenter la récolte. Cette méthode est plus hygiénique et exige moins de travail que la récolte traditionnelle.

L'évaporation

En général, la sève contient environ 97 % d'eau. Puisque le sirop ne doit pas en compter plus de 34 %, on fait évaporer la sève au-dessus d'un évaporateur qui maintient une constante ébullition. Après évaporation, l'eau d'érable épaissit et se transforme en sirop. Il faut de 35 à 40 litres de sève pour produire un litre de sirop.

Le filtrage et l'emballage

Pendant l'évaporation, le sucre et les minéraux se déposent au fond de l'évaporateur. On les enlève en passant le sirop chaud dans des filtres, ce qui permet d'obtenir un beau sirop clair. Le sirop est ensuite mis dans des contenants de verre, de plastique ou de métal galvanisé pendant qu'il est encore très chaud. Cette température élevée stérilise les contenants et empêche la formation de moisissures.

12

13

Les tableaux de conjugaison

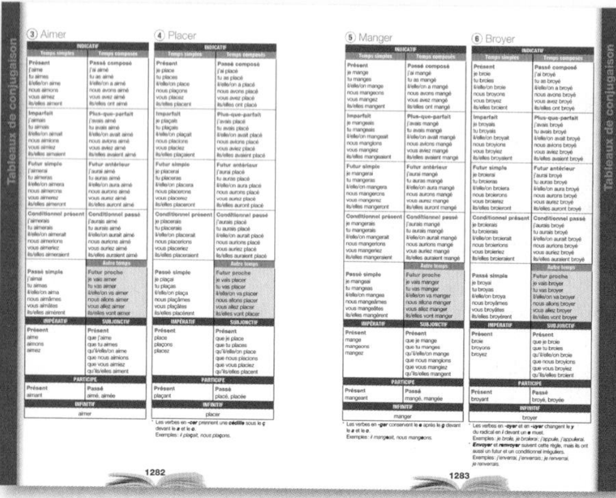

Tableaux de conjugaison

③ Aimer

INDICATIF	
Temps simples	Temps composés
Présent j'aime tu aimes il/elle/on aime nous aimons vous aimez ils/elles aiment	**Passé composé** j'ai aimé tu as aimé il/elle/on a aimé nous avons aimé vous avez aimé ils/elles ont aimé
Imparfait j'aimais tu aimais il/elle/on aimait nous aimions vous aimiez ils/elles aimaient	**Plus-que-parfait** j'avais aimé tu avais aimé il/elle/on avait aimé nous avions aimé vous aviez aimé ils/elles avaient aimé
Futur simple j'aimerai tu aimeras il/elle/on aimera nous aimerons vous aimerez ils/elles aimeront	**Futur antérieur** j'aurai aimé tu auras aimé il/elle/on aura aimé nous aurons aimé vous aurez aimé ils/elles auront aimé
Conditionnel présent j'aimerais tu aimerais il/elle/on aimerait nous aimerions vous aimeriez ils/elles aimeraient	**Conditionnel passé** j'aurais aimé tu aurais aimé il/elle/on aurait aimé nous aurions aimé vous auriez aimé ils/elles auraient aimé
	Autre temps
Passé simple j'aimai tu aimas il/elle/on aima nous aimâmes vous aimâtes ils/elles aimèrent	**Futur proche** je vais aimer tu vas aimer il/elle/on va aimer nous allons aimer vous allez aimer ils/elles vont aimer
IMPÉRATIF	SUBJONCTIF
Présent aime aimons aimez	**Présent** que j'aime que tu aimes qu'il/elle/on aime que nous aimions que vous aimiez qu'ils/elles aiment
PARTICIPE	
Présent aimant	**Passé** aimé, aimée
INFINITIF	
aimer	

④ Placer

INDICATIF	
Temps simples	Temps composés
Présent je place tu places il/elle/on place nous plaçons vous placez ils/elles placent	**Passé composé** j'ai placé tu as placé il/elle/on a placé nous avons placé vous avez placé ils/elles ont placé
Imparfait je plaçais tu plaçais il/elle/on plaçait nous placions vous placiez ils/elles plaçaient	**Plus-que-parfait** j'avais placé tu avais placé il/elle/on avait placé nous avions placé vous aviez placé ils/elles avaient placé
Futur simple je placerai tu placeras il/elle/on placera nous placerons vous placerez ils/elles placeront	**Futur antérieur** j'aurai placé tu auras placé il/elle/on aura placé nous aurons placé vous aurez placé ils/elles auront placé
Conditionnel présent je placerais tu placerais il/elle/on placerait nous placerions vous placeriez ils/elles placeraient	**Conditionnel passé** j'aurais placé tu aurais placé il/elle/on aurait placé nous aurions placé vous auriez placé ils/elles auraient placé
	Autre temps
Passé simple je plaçai tu plaças il/elle/on plaça nous plaçâmes vous plaçâtes ils/elles placèrent	**Futur proche** je vais placer tu vas placer il/elle/on va placer nous allons placer vous allez placer ils/elles vont placer
IMPÉRATIF	SUBJONCTIF
Présent place plaçons placez	**Présent** que je place que tu places qu'il/elle/on place que nous placions que vous placiez qu'ils/elles placent
PARTICIPE	
Présent plaçant	**Passé** placé, placée
INFINITIF	
placer	

* Les verbes en ***-cer*** prennent une **cédille** sous le **ç** devant le ***a*** et le ***o***.
Exemples : *il plaçait, nous plaçons.*

1282

⑤ Manger

INDICATIF	
Temps simples	Temps composés
Présent je mange tu manges il/elle/on mange nous mangeons vous mangez ils/elles mangent	**Passé composé** j'ai mangé tu as mangé il/elle/on a mangé nous avons mangé vous avez mangé ils/elles ont mangé
Imparfait je mangeais tu mangeais il/elle/on mangeait nous mangions vous mangiez ils/elles mangeaient	**Plus-que-parfait** j'avais mangé tu avais mangé il/elle/on avait mangé nous avions mangé vous aviez mangé ils/elles avaient mangé
Futur simple je mangerai tu mangeras il/elle/on mangera nous mangerons vous mangerez ils/elles mangeront	**Futur antérieur** j'aurai mangé tu auras mangé il/elle/on aura mangé nous aurons mangé vous aurez mangé ils/elles auront mangé
Conditionnel présent je mangerais tu mangerais il/elle/on mangerait nous mangerions vous mangeriez ils/elles mangeraient	**Conditionnel passé** j'aurais mangé tu aurais mangé il/elle/on aurait mangé nous aurions mangé vous auriez mangé ils/elles auraient mangé
	Autre temps
Passé simple je mangeai tu mangeas il/elle/on mangea nous mangeâmes vous mangeâtes ils/elles mangèrent	**Futur proche** je vais manger tu vas manger il/elle/on va manger nous allons manger vous allez manger ils/elles vont manger
IMPÉRATIF	SUBJONCTIF
Présent mange mangeons mangez	**Présent** que je mange que tu manges qu'il/elle/on mange que nous mangions que vous mangiez qu'ils/elles mangent
PARTICIPE	
Présent mangeant	**Passé** mangé, mangée
INFINITIF	
manger	

* Les verbes en ***-ger*** conservent le **e** après le **g** devant le ***a*** et le ***o***.
Exemples : *il mangeait, nous mangeons.*

⑥ Broyer

INDICATIF	
Temps simples	Temps composés
Présent je broie tu broies il/elle/on broie nous broyons vous broyez ils/elles broient	**Passé composé** j'ai broyé tu as broyé il/elle/on a broyé nous avons broyé vous avez broyé ils/elles ont broyé
Imparfait je broyais tu broyais il/elle/on broyait nous broyions vous broyiez ils/elles broyaient	**Plus-que-parfait** j'avais broyé tu avais broyé il/elle/on avait broyé nous avions broyé vous aviez broyé ils/elles avaient broyé
Futur simple je broierai tu broieras il/elle/on broiera nous broierons vous broierez ils/elles broieront	**Futur antérieur** j'aurai broyé tu auras broyé il/elle/on aura broyé nous aurons broyé vous aurez broyé ils/elles auront broyé
Conditionnel présent je broierais tu broierais il/elle/on broierait nous broierions vous broieriez ils/elles broieraient	**Conditionnel passé** j'aurais broyé tu aurais broyé il/elle/on aurait broyé nous aurions broyé vous auriez broyé ils/elles auraient broyé
	Autre temps
Passé simple je broyai tu broyas il/elle/on broya nous broyâmes vous broyâtes ils/elles broyèrent	**Futur proche** je vais broyer tu vas broyer il/elle/on va broyer nous allons broyer vous allez broyer ils/elles vont broyer
IMPÉRATIF	SUBJONCTIF
Présent broie broyons broyez	**Présent** que je broie que tu broies qu'il/elle/on broie que nous broyions que vous broyiez qu'ils/elles broient
PARTICIPE	
Présent broyant	**Passé** broyé, broyée
INFINITIF	
broyer	

* Les verbes en ***-oyer*** et en ***-uyer*** changent le ***y*** du radical en ***i*** devant un **e** muet.
Exemples : *je broie, je broierai ; j'appuie, j'appuierai.*
* ***Envoyer*** et ***renvoyer*** suivent cette règle, mais ils ont aussi un futur et un conditionnel irréguliers.
Exemples : *j'enverrai, j'enverrais ; je renverrai, je renverrais.*

1283

Les noms propres

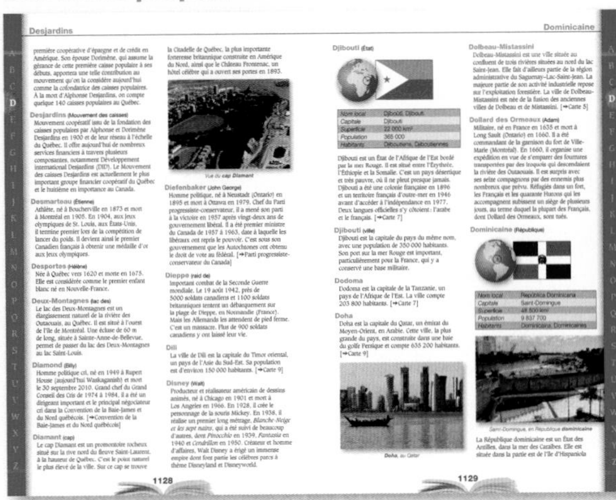

première coopérative d'épargne et de crédit en Amérique. Son épouse Dorimène, qui assume la gérance de cette première caisse populaire à ses débuts, apportera une telle contribution au mouvement qu'on la considère aujourd'hui comme la cofondatrice des caisses populaires. À la mort d'Alphonse Desjardins, on compte quelque 140 caisses populaires au Québec.

Desjardins (Mouvement des caisses)
Mouvement coopératif issu de la fondation des caisses populaires par Alphonse et Dorimène Desjardins en 1900 et de leur réseau à l'échelle du Québec. Il offre aujourd'hui de nombreux services financiers à travers plusieurs composantes, notamment Développement international Desjardins (DID). Le Mouvement des caisses Desjardins est actuellement le plus important groupe financier coopératif du Québec et le huitième en importance au Canada.

Desmarteau (Étienne)
Athlète, né à Boucherville en 1873 et mort à Montréal en 1905. En 1904, aux Jeux olympiques de St. Louis, aux États-Unis, il termine premier lors de la compétition de lancer du poids. Il devient ainsi le premier Canadien français à obtenir une médaille d'or aux Jeux olympiques.

Desportes (Hélène)
Née à Québec vers 1620 et morte en 1675. Elle est considérée comme le premier enfant blanc né en Nouvelle-France.

Deux-Montagnes (lac des)
Le lac des Deux-Montagnes est un élargissement naturel de la rivière des Outaouais, au Québec. Il est situé à l'ouest de l'île de Montréal. Une écluse de 60 m de long, située à Sainte-Anne-de-Bellevue, permet de passer du lac des Deux-Montagnes au lac Saint-Louis.

Diamond (Billy)
Homme politique cri, né en 1949 à Rupert House (aujourd'hui Waskaganish) et mort le 30 septembre 2010. Grand chef du Grand Conseil des Cris de 1974 à 1984, il a été un dirigeant important et le principal négociateur cri dans la Convention de la Baie-James et du Nord québécois. [→Convention de la Baie-James et du Nord québécois]

Diamant (cap)
Le cap Diamant est un promontoire rocheux situé sur la rive nord du fleuve Saint-Laurent, à la hauteur de Québec. C'est le point naturel le plus élevé de la ville. Sur ce cap se trouve la Citadelle de Québec, la plus importante forteresse britannique construite en Amérique du Nord, ainsi que le Château Frontenac, un hôtel célèbre qui a ouvert ses portes en 1893.

Vue du cap Diamant

Diefenbaker (John George)
Homme politique, né à Neustadt (Ontario) en 1895 et mort à Ottawa en 1979. Chef du Parti progressiste-conservateur, il a mené son parti à la victoire en 1957 après vingt-deux ans de gouvernement libéral. Il a été premier ministre du Canada de 1957 à 1963, date à laquelle les libéraux ont repris le pouvoir. C'est sous son gouvernement que les Autochtones ont obtenu le droit de vote au fédéral. [→Parti progressiste-conservateur du Canada]

Dieppe (raid de)
Important combat de la Seconde Guerre mondiale. Le 19 août 1942, près de 5000 soldats canadiens et 1100 soldats britanniques tentent un débarquement sur la plage de Dieppe, en Normandie (France). Mais les Allemands les attendent de pied ferme. C'est un massacre. Plus de 900 soldats canadiens y ont laissé leur vie.

Dili
La ville de Dili est la capitale du Timor oriental, un pays de l'Asie du Sud-Est. Sa population est d'environ 150 000 habitants. [→Carte 9]

Disney (Walt)
Producteur et réalisateur américain de dessins animés, né à Chicago en 1901 et mort à Los Angeles en 1966. En 1928, il crée le personnage de la souris Mickey. En 1938, il réalise un premier long métrage, *Blanche-Neige et les sept nains*, qui a été suivi de beaucoup d'autres, dont *Pinocchio* en 1939, *Fantasia* en 1940 et *Cendrillon* en 1950. Créateur et homme d'affaires, Walt Disney a érigé un immense empire dont font partie les célèbres parcs à thème Disneyland et Disneyworld.

Djibouti (État)

Nom local	Djibouti, Djibouti
Capitale	Djibouti
Superficie	22 000 km²
Population	365 000
Habitants	Djiboutiens, Djiboutiennes

Djibouti est un État de l'Afrique de l'Est bordé par la mer Rouge. Il est situé entre l'Érythrée, l'Éthiopie et la Somalie. C'est un pays désertique et très pauvre, où il ne pleut presque jamais. Djibouti a été une colonie française en 1896 et un territoire français d'outre-mer en 1946 avant d'accéder à l'indépendance en 1977. Deux langues officielles s'y côtoient: l'arabe et le français. [→Carte 7]

Djibouti (ville)
Djibouti est la capitale du pays du même nom, avec une population de 350 000 habitants. Son port sur la mer Rouge est important, particulièrement pour la France, qui y a conservé une base militaire.

Dodoma
Dodoma est la capitale de la Tanzanie, un pays de l'Afrique de l'Est. La ville compte 203 800 habitants. [→Carte 7]

Doha
Doha est la capitale du Qatar, un émirat du Moyen-Orient, en Arabie. Cette ville, la plus grande du pays, est construite dans une baie du golfe Persique et compte 635 200 habitants. [→Carte 9]

Doha, au Qatar

Dolbeau-Mistassini
Dolbeau-Mistassini est une ville située au confluent de trois rivières situées au nord du lac Saint-Jean. Elle fait d'ailleurs partie de la région administrative du Saguenay–Lac-Saint-Jean. La majeure partie de son activité industrielle repose sur l'exploitation forestière. La ville de Dolbeau-Mistassini est née de la fusion des anciennes villes de Dolbeau et de Mistassini. [→Carte 5]

Dollard des Ormeaux (Adam)
Militaire, né en France en 1635 et mort à Long Sault (Ontario) en 1660. Il a été commandant de la garnison du fort de Ville-Marie (Montréal). En 1660, il organise une expédition en vue de s'emparer des fourrures transportées par des Iroquois qui descendaient la rivière des Outaouais. Il est surpris avec ses seize compagnons par des ennemis plus nombreux que prévu. Réfugiés dans un fort, les Français et les quarante Hurons qui les accompagnent subissent un siège de plusieurs jours, au terme duquel la plupart des Français, dont Dollard des Ormeaux, sont tués.

Dominicaine (République)

Nom local	República Dominicana
Capitale	Saint-Domingue
Superficie	48 500 km²
Population	9 837 700
Habitants	Dominicains, Dominicaines

Saint-Domingue, en République dominicaine

La République dominicaine est un État des Antilles, dans la mer des Caraïbes. Elle est située dans la partie est de l'île d'Hispaniola

L'atlas

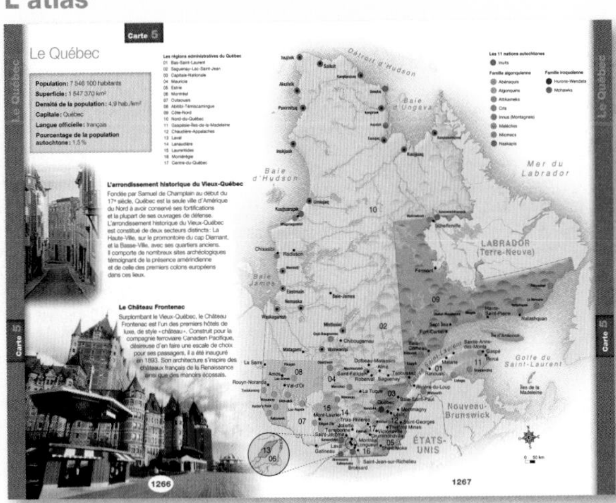

Carte 5

Le Québec

Population: 7 546 100 habitants
Superficie: 1 547 370 km²
Densité de la population: 4,9 hab./km²
Capitale: Québec
Langue officielle: français
Pourcentage de la population autochtone: 1,5 %

Les régions administratives du Québec
01 Bas-Saint-Laurent
02 Saguenay–Lac-Saint-Jean
03 Capitale-Nationale
04 Mauricie
05 Estrie
06 Montréal
07 Outaouais
08 Abitibi-Témiscamingue
09 Côte-Nord
10 Nord-du-Québec
11 Gaspésie–Îles-de-la-Madeleine
12 Chaudière-Appalaches
13 Laval
14 Lanaudière
15 Laurentides
16 Montérégie
17 Centre-du-Québec

L'arrondissement historique du Vieux-Québec
Fondée par Samuel de Champlain au début du 17e siècle, Québec est la seule ville d'Amérique du Nord à avoir conservé ses fortifications et la plupart de ses ouvrages de défense. L'arrondissement historique du Vieux-Québec est constitué de deux secteurs distincts: La Haute-Ville, sur le promontoire du cap Diamant, et la Basse-Ville, avec ses quartiers anciens. Il comporte de nombreux sites archéologiques témoignant de la présence amérindienne et de celle des premiers colons européens dans ces lieux.

Le Château Frontenac
Surplombant le Vieux-Québec, le Château Frontenac est l'un des premiers hôtels de luxe, de style «château». Construit pour la compagnie ferroviaire Canadien Pacifique, désireuse d'en faire une escale de choix pour ses passagers, il a été inauguré en 1893. Son architecture s'inspire des châteaux français de la Renaissance ainsi que des manoirs écossais.

Les 11 nations autochtones
Inuits
Famille algonquienne: Abénaquis, Algonquins, Attikameks, Cris, Innus (Montagnais), Malécites, Micmacs, Naskapis
Famille iroquoienne: Hurons-Wendats, Mohawks

Les annexes

Des locutions illustrées

Accrocher ses patins.
Cesser une activité, prendre sa retraite.

Avoir les deux pieds dans la même bottine.
Être maladroit.

Avoir les mains pleines de pouces.
Manquer d'habileté, être très maladroit.

Avoir un mot sur le bout de la langue.
Connaître un mot, mais ne pas s'en souvenir.

Ce n'est pas la mer à boire.
Ce n'est pas tellement difficile.

Couper la poire en deux.
Faire quelques concessions pour se mettre d'accord.

Couper les cheveux en quatre.
Entrer dans des détails inutiles.

Être cousu d'or.
Être très riche.

Noms communs

a nom masculin invariable
Première lettre de l'alphabet. *Le **a** est une voyelle. Il y a trois **a** dans Canada.* • **De a à z :** du début à la fin.

a- préfixe
Indique la négation, la privation (***a**pesanteur*, ***a**symétrique*).

à préposition
❶ Sert à exprimer une relation de lieu : *Aller **à** la campagne* ; de temps : *Rentrer **à** minuit* ; de moyen : *Se déplacer **à** bicyclette* ; de manière : *Marcher **à** reculons* ; de prix : *Un livre **à** trente dollars.* ❷ Sert à introduire un complément du nom : *Un stylo **à** bille* ; un complément du verbe : *Parler **à** ses voisins* ; un complément de phrase : ***À** 15 h, nous irons au cinéma.* ✎ L'accent grave permet de distinguer la préposition de la forme du verbe *avoir* (elle, il *a*). ***À*** se contracte avec les déterminants *le* ou *les*. ➔Voir ***au***, ***aux***.

abaisser verbe ▸ conjug. 3
Faire descendre plus bas. *Mon père **a abaissé** le niveau d'eau de la piscine.* **SYN** baisser. **CONTR** relever. ■ **s'abaisser** : perdre sa fierté. *Je ne **m'abaisserai** pas à lui faire des excuses.*

abandon nom masculin
❶ Action d'abandonner quelque chose ou quelqu'un. *Les **abandons** de chiens sont fréquents à la période des déménagements.* ❷ Fait de ne pas continuer. *Le boxeur a perdu par **abandon** au troisième round.* • **À l'abandon :** dont plus personne ne s'occupe, qu'on laisse sans soin. *Une ferme **à l'abandon**.*

abandonner verbe ▸ conjug. 3
❶ Laisser une personne ou un animal et ne plus s'en soucier. *Elle **a abandonné** son chat parce qu'elle partait en vacances.* ❷ Quitter définitivement un lieu. *Ils ont dû **abandonner** leur maison après le séisme.* ❸ Renoncer à faire quelque chose. *Comprenant qu'il allait perdre, il **a abandonné** la partie.*

abasourdir verbe ▸ conjug. 11
Provoquer de la stupéfaction. *Kevin nous **abasourdit** avec ses histoires incroyables.* **SYN** sidérer, stupéfier.

abat nom masculin
Aux quilles, action d'abattre toutes les quilles avec la première boule.

abat-jour nom masculin invariable
Accessoire de tissu ou de papier placé autour d'une lampe pour atténuer la lumière de l'ampoule. ✎ On peut écrire aussi, au pluriel, *des **abat-jours***.

*Un **abat-jour***

abats nom masculin pluriel
Cœur, foie, tripes, langue, cervelle, rognons, rate et poumons des animaux de boucherie.

abattage nom masculin
❶ Action d'abattre, de faire tomber. *L'**abattage** des arbres se fait à la tronçonneuse.* **SYN** ② coupe. ❷ Action d'abattre un animal. *L'**abattage** d'un bœuf.*

abattement nom masculin
Fait d'être abattu, découragé. *Ce deuil l'a plongé dans un profond **abattement**.*

abattoir nom masculin
Bâtiment où l'on abat les animaux de boucherie.

abattre verbe ▸ conjug. 31
❶ Renverser, faire tomber par terre. *Les bûcherons **ont abattu** le vieil érable.* ❷ Tuer un animal. ❸ Tuer quelqu'un en tirant sur lui. *Le shérif **a abattu** le bandit.* ❹ Ôter ses forces, son courage ou sa gaieté à quelqu'un. *L'accident de son frère **l'a abattue**.* ■ **s'abattre** : tomber brutalement sur quelque chose. *La foudre **s'est abattue** sur le chêne.* ♦ Famille du mot : abat-jour, abattage, abattement, abattoir, abattu, rabattre.

abattu, abattue adjectif
Découragé, démoralisé. *À cause de son échec, elle est très **abattue**.*

abbaye nom féminin
Bâtiment où des religieux vivent en communauté sous la direction d'un abbé. * Chercher aussi *couvent, monastère*.

abbé nom masculin
Prêtre catholique. *L'**abbé** Marquette est le nouveau curé de la paroisse.*

a b c nom masculin invariable
Ce que l'on doit commencer par apprendre. *Le calcul est l'**a b c** des mathématiques.*
SYN base, rudiments.

abcès nom masculin
Poche de pus. *Cet **abcès** dentaire me fait mal.*

abdiquer verbe ▸ conjug. 3
Renoncer au pouvoir. *La reine va **abdiquer** en faveur de son fils.*

abdomen nom masculin
Partie du corps qui contient l'appareil digestif. 👁p. 246, 570.
SYN ventre.

abdominal, abdominale, abdominaux adjectif
Qui concerne l'abdomen. *Des douleurs **abdominales**.*
■ **abdominaux** nom masculin pluriel Muscles de l'abdomen.

Les **abdominaux**

abécédaire nom masculin
Petit livre servant à apprendre l'alphabet.

abeille nom féminin
Insecte qui vit dans une ruche et qui produit du miel et de la cire. 👁p. 570.
* Chercher aussi *apiculture, essaim*.

Une **abeille**

abénaquis, abénaquise adjectif et nom
De la nation amérindienne des Abénaquis. *La culture **abénaquise**. – Les **Abénaquis**, les **Abénaquises**.* 👁carte 5. ■ **abénaquis** nom masculin Langue parlée par les Abénaquis. ✎ Attention ! Le nom, qui désigne les membres de la nation abénaquise, s'écrit avec une majuscule.

aberrant, aberrante adjectif
Qui n'a pas de bon sens, pas de logique. *Faire de la moto sans casque, c'est **aberrant** !*
SYN absurde, déraisonnable, insensé.

aberration nom féminin
Attitude aberrante. *C'est une **aberration** de se réfugier sous un arbre par temps d'orage.*
SYN absurdité, folie.

abêtir verbe ▸ conjug. 11
Rendre bête. *Ce travail long et monotone finit par **abêtir**.*

abîme nom masculin
Gouffre qui paraît sans fond. *Les **abîmes** océaniques atteignent plus de onze mille mètres dans l'océan Pacifique.* ✎ On peut écrire aussi ***abime***.

abîmer verbe ▸ conjug. 3
Mettre en mauvais état. *En pataugeant dans la boue, Cédric **a abîmé** ses chaussures.*
SYN détériorer, gâter. ✎ On peut écrire aussi ***abimer***.

abject, abjecte adjectif
Qui entraîne le mépris. *La torture est une pratique **abjecte**.* **SYN** honteux, ignoble, méprisable.

ablutions nom féminin pluriel
• **Faire ses ablutions** : se laver.

aboiement nom masculin
Cri du chien. *Les **aboiements** du chien m'ont réveillé à quatre heures du matin.*

abois nom masculin pluriel
• **Être aux abois :** être dans une situation désespérée. *Il **est aux abois**, car on l'expulse demain de son domicile.*

abolir verbe ▸ conjug. 11
Annuler, supprimer une loi ou une coutume. *La peine de mort **a été abolie** officiellement au Canada le 14 juillet 1976.* SYN abroger.

abolition nom féminin
Action d'abolir. *L'**abolition** de l'esclavage.* SYN suppression.

abominable adjectif
❶ Qui fait horreur. *Cet homme a commis un crime **abominable**.* SYN horrible. ❷ Très désagréable, très mauvais. *Le chat de Murielle a un caractère **abominable**. Il fait un temps **abominable**.* SYN affreux, détestable, exécrable.

abondamment adverbe
Beaucoup, en abondance. *Il pleut **abondamment** depuis deux heures.* CONTR légèrement.

abondance nom féminin
Grande quantité. *L'**abondance** des chutes de neige a provoqué la fermeture des écoles.*

abondant, abondante adjectif
Qui est en grande quantité. *Cette année, les récoltes sont **abondantes**.* ♦ Famille du mot : abondamment, abondance, abonder, surabondance, surabondant.

abonder verbe ▸ conjug. 3
Se trouver en abondance. *Le gibier **abonde** dans cette forêt.* SYN pulluler, regorger. CONTR manquer.

abonné, abonnée nom
Personne qui a pris un abonnement. *Cette offre est réservée aux **abonnés** du théâtre.*

abonnement nom masculin
Paiement fait à l'avance pour la livraison chez soi d'un journal, d'une revue, etc., ou pour une série de spectacles. *Un **abonnement** d'un an à un magazine.*

abonner verbe ▸ conjug. 3
Payer d'avance pour avoir le droit de recevoir régulièrement un produit ou de profiter d'un service. *Mes parents m'**ont abonné** à ce journal.* ■ **s'abonner** : prendre un abonnement pour soi. ***S'abonner** à la câblodistribution.*

abord nom masculin
• **Au premier abord :** à première vue, au départ. • **Être d'un abord facile** ou **difficile :** être quelqu'un à qui l'on peut s'adresser facilement ou difficilement. ■ **abords** nom masculin pluriel Ce qui entoure immédiatement un lieu. *Les **abords** de la gare étaient à l'abandon.* SYN alentours, environs. * Chercher aussi *d'abord.*

abordable adjectif
Qui n'est pas très cher. *Les fruits et les légumes de saison sont **abordables**.* CONTR inabordable.

abordage nom masculin
❶ Fait d'aborder. *Les rochers rendent l'**abordage** risqué.* SYN accostage. ❷ Assaut donné à un navire. *Les pirates se lancèrent à l'**abordage** du navire.*

*Un **abordage***

aborder verbe ▸ conjug. 3
❶ S'approcher d'un quai, d'une rive. *Le vent empêche le bateau d'**aborder**.* SYN accoster. ❷ S'approcher de quelqu'un pour lui parler. *Tim **a abordé** une passante pour lui demander son chemin.* ❸ Commencer à faire une chose, à parler de quelque chose. *Maxime **aborda** enfin la question qui nous intéressait tous.* ♦ Famille du mot : abord, abordable, abordage, inabordable.

aboutir verbe ▸ conjug. 11
❶ Se terminer quelque part. *Cette petite route **aboutit** à la ferme.* SYN conduire, mener. ❷ Avoir pour résultat. *L'enquête **a abouti** à l'arrestation des coupables.*

aboutissement nom masculin
Ce à quoi on aboutit. *Cette découverte est l'**aboutissement** de longues recherches.* SYN couronnement, résultat.

aboyer verbe ▸ conjug. 6
Pousser des aboiements. *Le chien **aboie** dès qu'on s'approche de la porte.*

abracadabrant, abracadabrante adjectif
Qui est tout à fait invraisemblable. *Une histoire **abracadabrante**.*

abrasif, abrasive adjectif
Se dit d'une matière qui nettoie ou polit par frottement. *Il va falloir utiliser une poudre **abrasive** pour nettoyer cette casserole.* ■ **abrasif** nom masculin Matière qui nettoie ou polit par frottement. *Le sable est souvent utilisé comme **abrasif** l'hiver.*

abrégé nom masculin
Condensé d'un texte ou d'un discours. *Lorenzo a lu un **abrégé** de cette histoire.* SYN résumé. • **En abrégé** : en bref, ou sous forme d'abréviation. *S'il vous plaît s'écrit SVP **en abrégé**.*

abréger verbe ▸ conjug. 5
Rendre plus court. *Ton histoire est trop longue, tu dois l'**abréger**.* SYN écourter, raccourcir. ✎ On peut écrire aussi, au futur, *il **abrègera***; au conditionnel, *elle **abrègerait***. ♦ Famille du mot : abrégé, abréviation.

s'abreuver verbe ▸ conjug. 3
Boire, en parlant des animaux. *Le soir, les chevreuils viennent **s'abreuver** dans le lac.*

abreuvoir nom masculin
Grand récipient où l'on fait boire les animaux. * Attention ! Le mot *abreuvoir* ne s'emploie que pour les animaux. * Chercher aussi *fontaine*.

abréviation nom féminin
Forme abrégée d'un mot, réduite à quelques lettres. *Km est l'**abréviation** de « kilomètre ».*

abri nom masculin
Endroit où l'on est protégé des intempéries ou du danger. *Il va pleuvoir, trouvons un **abri** !* ♦ Famille du mot : abribus, abrité, abriter, sans-abri.

abribus nom masculin
Abri situé à l'arrêt d'autobus.

abricot nom masculin
Fruit de l'abricotier, de couleur orangée.

*Des **abricots***

abricotier nom masculin
Arbre fruitier qui donne les abricots.

abrier verbe ▸ conjug. 10
Dans la langue familière, couvrir. *Elle **a abrié** l'enfant qui s'était endormi.* ■ **s'abrier** : se couvrir, s'habiller chaudement.

abrité, abritée adjectif
Qui est à l'abri des intempéries. *Ce coin de jardin est bien **abrité**.*

abriter verbe ▸ conjug. 3
❶ Mettre à l'abri. *Un muret **abrite** le jardin du vent.* SYN protéger. ❷ Recevoir comme occupant. *Cette maison peut **abriter** plusieurs familles.* SYN accueillir, héberger, loger. **s'abriter** : se mettre à l'abri. *Yannick est venu **s'abriter** sous mon parapluie.*

abrupt, abrupte adjectif
❶ Très raide. *Une route **abrupte**.* SYN escarpé. ❷ Brutal, direct. *Une réponse **abrupte**.*

*Une paroi **abrupte***

abruti, abrutie adjectif et nom
Qui est stupide, sans intelligence. *Elle a l'air complètement **abrutie**. – Cet **abruti** a tout gâché.* SYN idiot.

abrutir verbe ▸ conjug. 11
Rendre incapable de penser ou d'agir. *Ce bruit continuel nous **abrutit**.*

abrutissant, abrutissante adjectif
Qui abrutit. *Ce vacarme est **abrutissant**.*

absence nom féminin
❶ Fait de ne pas être là. *Son **absence** était due à une maladie.* CONTR présence. ❷ Manque de quelque chose ou de quelqu'un. *L'**absence** de témoins complique l'enquête.* ♦ Famille du mot : absent, absentéisme, s'absenter.

absent, absente adjectif et nom
Qui n'est pas là. *Thomas est malade, il sera **absent** quelques jours. – S'il y a trop d'**absents**, la sortie sera annulée.* CONTR présent.

absentéisme nom masculin
Fait d'être souvent absent de l'école, du travail. *On se préoccupe de la croissance du taux d'**absentéisme** scolaire dans cette région.*

s'**absenter** verbe ▸ conjug. 3
Quitter un moment le lieu où l'on est. *Lou **s'est absentée** un instant.*

absolu, absolue adjectif
Complet, total. *Les dictateurs exercent un pouvoir **absolu**.*

absolument adverbe
D'une manière absolue. *Ce que tu dis est **absolument** faux.* SYN complètement, entièrement, tout à fait.

absorbant, absorbante adjectif
❶ Qui absorbe les liquides. *L'éponge est **absorbante**.* ❷ Qui occupe quelqu'un complètement. *Jessica fait un travail **absorbant**.*

absorber verbe ▸ conjug. 3
❶ S'imprégner de liquide. *La terre **absorbe** l'eau.* ❷ Boire ou manger. *Le malade n'a rien pu **absorber**.* SYN avaler. ❸ Occuper entièrement l'esprit de quelqu'un. *Son travail l'**a** tant **absorbé** qu'il n'a pas vu le temps* passer.

s'**abstenir** verbe ▸ conjug. 19
❶ Se priver volontairement de quelque chose. *Le tabac est dangereux, il vaut mieux **s'abstenir** de fumer.* ❷ Ne pas voter. *Ne sachant pas pour qui voter, il **s'est abstenu**.* ♦ Famille du mot : abstention, abstinence.

abstention nom féminin
Non-participation à un vote. *Il y a eu 45 % d'**abstentions** aux élections.*

abstinence nom féminin
Fait de se priver de quelque chose, notamment de certains aliments. *La religion catholique recommandait autrefois l'**abstinence** de viande le vendredi.*

abstrait, abstraite adjectif
❶ Qui désigne une qualité, une idée, et non un objet. *« Beauté », « malheur » sont des mots **abstraits**.* CONTR concret. ❷ Se dit d'une forme d'art qui ne représente pas la réalité. *Diane aime beaucoup l'art **abstrait**.*

absurde adjectif
Contraire au bon sens. *C'est **absurde** de vouloir ouvrir cette boîte de conserve avec un couteau.* SYN aberrant, idiot, stupide.

absurdité nom féminin
Chose absurde. *C'est une **absurdité** de croire tout ce qu'il raconte.* SYN aberration, idiotie, stupidité.

abus nom masculin
Fait d'abuser de quelque chose. *L'**abus** d'alcool nuit à la santé.* • **Faire des abus :** trop manger et trop boire. • **Il y a de l'abus ! :** c'est exagéré ! ♦ Famille du mot : abuser, abusif.

abuser verbe ▸ conjug. 3
Faire un trop grand usage de quelque chose ou en profiter d'une façon exagérée. *Tu **abuses** de ma patience.*

abusif, abusive adjectif
Qui est exagéré. *Il fait une consommation **abusive** de sucreries.*

acacia nom masculin
Arbre aux branches souvent épineuses, qui donne des grappes de fleurs blanches ou jaunes au printemps.

*Un **acacia***

a b c d e f g h i j k l m n o p q r s t u v w x y z

académicien, académicienne nom
Membre d'une académie.

académie nom féminin
Réunion d'écrivains, de savants ou d'artistes reconnus. *L'**Académie** des lettres du Québec défend la qualité et l'originalité de la culture québécoise.* ✎ Attention ! *Académie* s'écrit avec une majuscule quand on désigne une institution en particulier.

acadianisme nom masculin
Mot, locution ou façon de s'exprimer propres au français de l'Acadie. * Chercher aussi *amérindianisme*, *canadianisme*, *québécisme*.

acadien, acadienne adjectif et nom
De l'Acadie. *Une chanteuse **acadienne**.* – *Les **Acadiens**, les **Acadiennes**.* ✎ Attention ! Le nom, qui désigne les habitants, s'écrit avec une majuscule.

acajou nom masculin
Bois rouge-brun très dur, utilisé en ébénisterie. *Une table en **acajou**.*

acarien nom masculin
Petit parasite invisible à l'œil nu, qui provoque ou peut provoquer des allergies.

*Un **acarien***

accablant, accablante adjectif
Qui accable. *Il fait une chaleur **accablante**.* **SYN** écrasant.

accabler verbe ▸ conjug. 3
Peser sur quelqu'un de façon pénible. *Il nous **accable** de travail.* **SYN** surcharger.

accalmie nom féminin
Moment de calme pendant une tempête, un orage. *La pluie cesse, profitons de cette **accalmie** pour rentrer.*

accaparer verbe ▸ conjug. 3
❶ Garder pour soi. *N'**accapare** pas le dictionnaire, je veux aussi le consulter.*
❷ Retenir l'attention, le temps de quelqu'un. *Martin cherche à **accaparer** l'attention de ses parents.*

accéder verbe ▸ conjug. 8
❶ Atteindre un endroit. *Il faut prendre ce chemin pour **accéder** au chalet.* ❷ Parvenir à une situation, une fonction. *Ce parti **a accédé** au pouvoir.* ✎ On peut écrire aussi, au futur, *il **accèdera***; au conditionnel, *elle **accèderait**.*
♦ Famille du mot : accès, accessible, accession, inaccessible.

accélérateur nom masculin
Sur un véhicule à moteur, pédale ou manette qui sert à accélérer. *Dans une voiture, l'**accélérateur** est à droite du frein.*

accélération nom féminin
Action d'accélérer. *L'**accélération** des travaux a permis de les terminer deux mois plus tôt.*

accélérer verbe ▸ conjug. 8
❶ Augmenter la vitesse. *Le conducteur **accélère** pour monter la côte.* **CONTR** ralentir.
❷ Faire aller plus vite. *L'entrepreneure **accélère** la construction de la maison.* **SYN** activer. ✎ On peut écrire aussi, au futur, *il **accélèrera***; au conditionnel, *elle **accélèrerait**.*
♦ Famille du mot : accélérateur, accélération.

accent nom masculin
❶ Prononciation particulière aux habitants d'un pays, d'une région. *L'**accent** acadien.*
❷ Signe que l'on place au-dessus de certaines voyelles et qui peut en changer la prononciation. *« Accéder » a un **accent** aigu, « accès » un **accent** grave, « âcre » un **accent** circonflexe.* • **Mettre l'accent :** insister. *Yohan **a mis l'accent** sur le rôle qu'il avait joué dans cette histoire.*

accentuer verbe ▸ conjug. 3
❶ Mettre les accents sur les voyelles.
❷ Augmenter. *Les écologistes **ont accentué** la pression sur le gouvernement.* ■ **s'accentuer** : devenir plus important. *Le froid **s'est accentué** depuis hier.* **SYN** s'accroître, augmenter.

acceptable adjectif
Dont on peut se contenter. *Il nous a proposé un prix tout à fait **acceptable**.* **SYN** honnête. **CONTR** inacceptable.

acceptation nom féminin
Fait d'accepter. *Le conseil municipal a donné son **acceptation** au projet.* **SYN** accord, consentement.

accepter verbe ▸ conjug. 3
❶ Consentir à recevoir ce qui est donné. *J'**accepte** ce cadeau avec plaisir.* **CONTR** refuser.
❷ Être d'accord pour faire quelque chose. *Elle **accepte** de me prêter son livre.* ♦ Famille du mot : acceptable, acceptation, inacceptable.

① **accès** nom masculin
Voie permettant d'accéder à un endroit. *Cet escalier donne **accès** au grenier.* ♦ Famille du mot : accéder, accessible, accession, inaccessible.

② **accès** nom masculin
Manifestation soudaine d'un état ou d'un sentiment. *Un **accès** de fièvre.* **SYN** poussée. *Un **accès** de ferveur.*

accessible adjectif
Que l'on peut atteindre facilement. *Le haut de la tour est **accessible** par cet escalier.* **CONTR** inaccessible.

accession nom féminin
Fait d'accéder à une fonction, à une situation. *Ce prêt a favorisé son **accession** à la propriété.*

accessoire adjectif
Qui n'est pas essentiel. *Il y a un détail que je n'ai pas compris, mais c'est **accessoire**.* **SYN** annexe, secondaire. ■ **accessoire** nom masculin Élément qui complète une pièce principale. *Sur une bicyclette, les sacoches sont des **accessoires**.*

accident nom masculin
❶ Évènement imprévu qui cause du désagrément. *Il m'est arrivé un petit **accident** ; j'ai renversé du jus d'orange sur ma robe.* ❷ Évènement imprévu qui peut faire des victimes, des dégâts. *Un **accident** de voiture.*

*Un **accident***

• **Accident de travail** : accident qui se produit sur le lieu et durant les heures de travail.
• **Accident de terrain** : inégalité de terrain, bosse ou trou dans le sol. ♦ Famille du mot : accidenté, accidentel, accidentellement.

① **accidenté, accidentée** adjectif
Qui a subi un accident. *Un véhicule **accidenté**.* ■ **accidenté, accidentée** nom Qui a été victime d'un accident. *Les **accidentés** de la route ont été rapidement secourus.*

② **accidenté, accidentée** adjectif
Qui présente des trous et des bosses ou de fortes pentes. *Le sentier **accidenté** ralentit la marche des randonneurs.* **CONTR** plat, uni.

accidentel, accidentelle adjectif
❶ Qui arrive par accident. *Une chute **accidentelle**.* ❷ Qui est dû au hasard. *Une découverte **accidentelle** a permis de fabriquer le premier antibiotique.* **SYN** fortuit, imprévu.

accidentellement adverbe
❶ De façon accidentelle. *Il s'est blessé **accidentellement**.* ❷ Par hasard. *J'ai appris la nouvelle **accidentellement**.*

acclamation nom féminin
Action d'acclamer. *Son discours a été salué par des **acclamations**.*

acclamer verbe ▸ conjug. 3
Saluer par des cris d'enthousiasme. *Les spectateurs **ont acclamé** le vainqueur.* **SYN** applaudir, ovationner. **CONTR** huer.

acclimatation nom féminin
Fait d'acclimater des plantes ou des animaux à un nouveau milieu. *L'**acclimatation** de ces animaux exige beaucoup de précautions.*

acclimater verbe ▸ conjug. 3
Adapter des animaux ou des plantes à un nouveau climat. *Certaines races bovines **ont été acclimatées** au Canada.*

accolade nom féminin
❶ Signe ({ }) qui sert à réunir plusieurs lignes. ❷ Geste qui consiste à prendre une personne dans ses bras pour la saluer ou la féliciter. *Le ministre a donné l'**accolade** aux récipiendaires de l'Ordre du Canada.*

*Une **accolade***

accoler verbe ▸ conjug. 3
Mettre l'un contre l'autre, côte à côte. *Les deux amies **ont accolé** leurs bureaux.*

accommodant, accommodante adjectif
Avec qui il est facile de s'entendre. *Son heureux caractère le rend très* ***accommodant****.*
SYN arrangeant, conciliant. **CONTR** intransigeant.

accommodement nom masculin
Arrangement à l'amiable. • **Accommodement raisonnable :** compromis fait par une collectivité afin de permettre à un groupe minoritaire d'obtenir un droit dans un esprit de respect mutuel.

accommoder verbe ▸ conjug. 3
❶ Préparer des aliments pour les manger. *Il y a mille façons d'****accommoder*** *les pâtes.* **SYN** cuisiner. ❷ Disposer de manière à faire convenir. *Mon père* ***a accommodé*** *la maison en aménageant une rampe d'accès pour le fauteuil roulant de ma grand-mère.*
■ **s'accommoder :** se contenter de quelque chose. *Je n'ai pas choisi de vivre ici, je dois* ***m'****en* ***accommoder****.*

accompagnateur, accompagnatrice nom
❶ Personne qui accompagne un groupe pour le guider ou s'occuper de lui. *Les enfants font le voyage avec deux* ***accompagnateurs****.*
❷ Musicien qui accompagne un chanteur.

Une ***accompagnatrice***

accompagnement nom masculin
❶ Ce qui est servi avec une viande, un poisson. *Comme* ***accompagnement****, le chef propose un gratin d'aubergines.* ❷ Musique qui accompagne un chanteur. *Il est difficile de chanter sans* ***accompagnement****.*

accompagner verbe ▸ conjug. 3
❶ Aller avec une personne jusqu'à l'endroit où elle se rend pour la guider ou lui tenir compagnie. *Sa mère l'****accompagne*** *chez le dentiste.* ❷ Être servi avec quelque chose, en parlant d'un mets. *Quels légumes* ***accompagnent*** *la viande ?* ❸ Jouer d'un instrument pour soutenir un chanteur. *Myriam* ***accompagne*** *les chanteurs au piano.*
♦ Famille du mot : accompagnateur, accompagnement, raccompagner.

accompli, accomplie adjectif
Qui est parfait en son genre. *Une hôtesse* ***accomplie****.* **SYN** modèle. • **Le fait accompli :** ce qui est irréversible. *Être mis devant* ***le fait accompli****.*

accomplir verbe ▸ conjug. 11
Faire quelque chose jusqu'au bout. *Combien de temps te faut-il pour* ***accomplir*** *ce parcours ?* **SYN** effectuer, exécuter, réaliser. ■ **s'accomplir :** se produire, se réaliser. *Toutes ses prévisions* ***se sont accomplies****.* ♦ Famille du mot : accompli, accomplissement.

accomplissement nom masculin
Fait d'accomplir. *L'****accomplissement*** *d'un travail.* **SYN** réalisation.

accord nom masculin
❶ Bonne entente entre des personnes. *Ces familles vivent en parfait* ***accord*** *dans l'immeuble.* ❷ Arrangement entre des individus, des groupes, des États. *Les deux entreprises ont conclu un* ***accord*** *commercial.*
❸ Permission accordée. *Je veux bien vous emmener, mais il me faut l'****accord*** *de vos parents.* **SYN** autorisation, consentement.
❹ Fait de jouer plusieurs notes à la fois sur un instrument de musique. *Helena joue des* ***accords*** *sur sa guitare.* ❺ Fait de s'accorder, en parlant du déterminant, de l'adjectif et du verbe. *L'****accord*** *de l'adjectif se fait en genre et en nombre avec le nom ou le pronom auquel il se rapporte.* ➔Voir aussi ***d'accord*** (adverbe).

accordéon nom masculin
Instrument de musique à air, à soufflet et à clavier. • **En accordéon :** plié à la manière d'un accordéon. *Un pantalon* ***en accordéon****.*

Un ***accordéon***

accordéoniste nom
Personne qui joue de l'accordéon.

accorder verbe ▸ conjug. 3
❶ Accepter de donner ce qui a été demandé. *Elle lui **a accordé** un rendez-vous.* CONTR refuser. ❷ Régler un instrument de musique pour qu'il joue juste. *Avant de commencer à jouer, Maïna **accorde** sa guitare.* ■ **s'accorder** ❶ Se mettre d'accord avec quelqu'un. *David et Laura **s'accordent** toujours pour faire des farces.* SYN s'entendre. ❷ Prendre le genre, le nombre ou la personne d'un autre mot. *Le verbe **s'accorde** avec le sujet.* ♦ Famille du mot : accord, accordeur, désaccord.

accordeur, accordeuse nom
Personne dont le métier est d'accorder certains instruments de musique. *Une **accordeuse** de pianos.*

accostage nom masculin
Fait d'accoster. *Les marins surveillent l'**accostage** du bateau.*

accoster verbe ▸ conjug. 3
❶ S'approcher d'un quai, d'une rive. *Le bateau est arrivé, il est en train d'**accoster**.* SYN aborder. ❷ S'approcher de quelqu'un pour lui parler. *Xavier **a accosté** un passant dans la rue.* SYN aborder.

accotement nom masculin
Chacun des bas-côtés de la route. *Ma mère s'est arrêtée sur l'**accotement** pour changer un pneu.*

accouchement nom masculin
Action d'accoucher.

accoucher verbe ▸ conjug. 3
Mettre un enfant au monde. *Ma cousine **a accouché** d'un garçon.*

s'accouder verbe ▸ conjug. 3
S'appuyer sur les coudes. *Yann **s'accoude** à (ou sur) la balustrade.*

accoudoir nom masculin
Appui pour s'accouder. *Les **accoudoirs** d'un fauteuil.* SYN bras.

Des **accoudoirs**

accouplement nom masculin
Fait de s'accoupler. *Le mulet est le produit de l'**accouplement** de l'âne et de la jument.*

s'accoupler verbe ▸ conjug. 3
S'unir pour avoir des petits. *Beaucoup d'animaux **s'accouplent** au printemps.*

accourir verbe ▸ conjug. 16
Venir en courant le plus vite possible. *Ils **sont accourus** dès qu'ils ont entendu mes cris.* * Attention ! *Accourir* se conjugue avec l'auxiliaire *être* ou *avoir* : *il **a accouru**, elle **est accourue**.*

accoutrement nom masculin
Habillement extravagant. *Tu ne peux pas aller à l'école dans cet **accoutrement**.*

s'accoutrer verbe ▸ conjug. 3
S'habiller de manière ridicule, bizarre. *Il **s'était accoutré** d'un chapeau à plumes et d'un pantalon trop large pour lui.* SYN s'affubler.

Un **accoutrement**

accoutumance nom féminin
Fait d'être accoutumé à quelque chose. *Elle s'est guérie de son **accoutumance** au tabac.* SYN dépendance, habitude.

accoutumer verbe ▸ conjug. 3
• **Être accoutumé à quelque chose** : avoir l'habitude de quelque chose. *Sylvia n'**est** pas **accoutumée à** se lever tôt.* ■ **s'accoutumer** : s'habituer. *Malika **s'est** bien **accoutumée** à sa nouvelle école.*

accro adjectif et nom
Dans la langue familière, qui nourrit une grande passion pour quelque chose. *Ses amies disent qu'elle est **accro** de danse. – Un **accro** des jeux vidéo.*

accroc nom masculin
❶ Déchirure faite en s'accrochant. *En passant entre les fils barbelés, Mathieu a fait un **accroc** à son pantalon.* ❷ Incident fâcheux. *L'évènement s'est déroulé sans **accroc**.*

accrochage nom masculin
Léger heurt entre deux véhicules. *Mon père a eu un **accrochage**, il doit faire débosseler une aile de sa voiture.*

a b c d e f g h i j k l m n o p q r s t u v w x y z

accrocher verbe ▸ conjug. 3
❶ Suspendre à un crochet ou attacher avec un crochet. *On **a accroché** un tableau au mur du bureau.* **CONTR** décrocher. ❷ Déchirer au passage. *Elle **a accroché** sa robe à un clou qui dépassait.* ❸ Heurter légèrement. *Le camion **a accroché** une voiture.* ■ **s'accrocher** ❶ Se retenir fermement à quelque chose. ***Accroche-toi** à la rampe pour ne pas glisser!* **SYN** s'agripper, se cramponner. ❷ Faire preuve de ténacité. *Si tu veux être le meilleur, il faut **t'accrocher**.* ♦ Famille du mot: accroc, accrochage, décrochage, décrocher, décrocheur, raccrocher.

accroire verbe
• **Faire accroire quelque chose à quelqu'un:** dans la langue familière, essayer de lui faire croire une chose fausse. *Elle veut me **faire accroire** qu'elle sait piloter un avion.*
* Attention! *Accroire* ne s'emploie qu'à l'infinitif, précédé de *faire* ou de *laisser*.

accroissement nom masculin
Fait de s'accroître. *L'**accroissement** de la population de Montréal, de Toronto et de Vancouver est attribuable à l'immigration internationale.* **SYN** augmentation, expansion. **CONTR** diminution.

accroître verbe ▸ conjug. 37
Rendre plus grand. *La nageuse **a accru** son avance sur ses concurrentes.* **SYN** augmenter. ■ **s'accroître**: devenir plus important, se développer. *La patience **s'accroît** en général avec l'âge.* **CONTR** décroître. ✎ On peut écrire aussi ***(s')accroitre***.

s'accroupir verbe ▸ conjug. 11
S'asseoir sur les talons. *L'enquêteuse **s'est accroupie** pour examiner les empreintes.*

accueil nom masculin
Fait de recevoir quelqu'un. *Cette personne s'occupe de l'**accueil** des visiteurs.*

accueillant, accueillante adjectif
Qui accueille bien les gens. *On se sent bien dans cette famille **accueillante**.* **SYN** hospitalier.

accueillir verbe ▸ conjug. 13
Recevoir quelqu'un chez soi. *Ils nous **ont accueillis** chez eux avec beaucoup de simplicité.* ♦ Famille du mot: accueil, accueillant.

acculer verbe ▸ conjug. 3
Pousser, réduire. *Cette blessure **a acculé** l'athlète à l'abandon.*

accumulateur nom masculin
Appareil qui emmagasine de l'électricité et la restitue sous forme de courant.

accumulation nom féminin
Quantité de choses accumulées. *Une **accumulation** de journaux.*

accumuler verbe ▸ conjug. 3
Amasser ou rassembler petit à petit. *Élise ne jette jamais rien, elle **accumule** tout dans son garde-robe.* **SYN** entasser. ■ **s'accumuler**: s'entasser. *Pendant son absence, le courrier **s'est accumulé** dans la boîte aux lettres.*
♦ Famille du mot: accumulateur, accumulation.

accusateur, accusatrice adjectif et nom
Qui accuse quelqu'un. *Justin m'a jeté un regard **accusateur**. – Sarah souhaite répondre à ses **accusateurs**.*

accusation nom féminin
Parole qui accuse une personne. *Une **accusation** injuste, mensongère.*

accusé, accusée nom
Personne que l'on accuse. *L'**accusé** comparaît devant la Cour.* ■ **accusé** nom masculin
• **Accusé de réception:** formulaire postal faisant savoir à l'expéditeur que l'on a reçu son envoi.

accuser verbe ▸ conjug. 3
❶ Dire que quelqu'un est coupable de quelque chose. *On l'**a accusé** d'être parti sans payer.* ❷ Rendre quelque chose plus visible. *Ses rides profondes **accusent** son âge.* **SYN** souligner.
• **Accuser réception d'une lettre, d'un colis:** faire savoir à l'expéditeur qu'on l'a bien reçu.
♦ Famille du mot: accusateur, accusation, accusé.

acéré, acérée adjectif
Pointu et tranchant. *La panthère a des griffes **acérées**.*

acériculteur, acéricultrice nom
Personne qui fait de l'acériculture. *Cette **acéricultrice** des Cantons-de-l'Est tient une cabane à sucre.* 👁p. 12.

acériculture nom féminin
Culture de l'érable à sucre. 👁p. 12.

achalandage nom masculin
Clientèle. *L'**achalandage** d'une épicerie.*

L'***acériculture***

achalandé, achalandée adjectif
Qui a beaucoup de clients. *Une boutique très **achalandée**.*

achalant, achalante adjectif et nom
Dans la langue familière, qui dérange, qui agace. *Les maringouins étaient si **achalants** que Fanny s'est réfugiée sous la tente. – Cet **achalant** perturbe toute la classe.* SYN agaçant, énervant.

achaler verbe ▸ conjug. 3
Dans la langue familière, importuner, agacer. *Jules **achale** sans cesse sa petite sœur.*

acharné, acharnée adjectif
Qui montre de la détermination, de l'obstination. *Un candidat **acharné**.*

acharnement nom masculin
Fait de s'acharner. *Irina travaille avec **acharnement** pour réussir.*

s'**acharner** verbe ▸ conjug. 3
Attaquer violemment et avec obstination. *La lionne **s'acharne** sur sa proie. Le sort **s'acharne** contre lui.* ♦ Famille du mot : acharné, acharnement.

achat nom masculin
❶ Action d'acheter une chose. *L'**achat** d'une voiture.* SYN acquisition. ❷ Ce que l'on a acheté. *Tous mes **achats** sont dans mon sac.*

acheminer verbe ▸ conjug. 3
Diriger quelque chose vers une destination. *Les camions de la Croix-Rouge **acheminent** la nourriture jusqu'au camp de réfugiés.* ■ s'**acheminer** : avancer, aller. *Mes grands-parents **s'acheminent** vers leur troisième âge.*

acheter verbe ▸ conjug. 8
Payer pour obtenir quelque chose. *Arrête au dépanneur et **achète** du lait.* SYN acquérir. CONTR vendre. ♦ Famille du mot : achat, acheteur, rachat, racheter.

acheteur, acheteuse nom
Personne qui achète. SYN acquéreur. CONTR vendeur.

achèvement nom masculin
Action d'achever. *L'**achèvement** de ce pont est prévu pour l'été.* SYN fin. CONTR commencement.

achever verbe ▸ conjug. 8
❶ Terminer jusqu'au bout. *Il faut **achever** ce travail avant la nuit.* SYN finir. CONTR commencer. ❷ Tuer un animal blessé. ■ s'**achever** : se terminer. *La fête **s'est achevée** par un feu d'artifice.* ♦ Famille du mot : achèvement, inachevé, parachever.

achigan nom masculin
Poisson d'eau douce d'Amérique du Nord. *L'**achigan** est très combatif.* 👁p. 454.

Un ***achigan***

achopper verbe ▸ conjug. 3
Buter sur une difficulté. *Chang **a achoppé** sur la dernière question.*

acide adjectif
Qui est piquant et aigre au goût. *Cette pomme est trop **acide**, je ne peux pas la manger.* ■ **acide** nom masculin Produit chimique qui attaque certains matériaux en les rongeant. *Le vinaigre, le citron contiennent de l'**acide**.* ♦ Famille du mot : acidité, acidulé.

acidité nom féminin
Goût acide. *L'**acidité** du citron, de la lime.*

acidulé, acidulée adjectif
Qui a un goût légèrement acide. *Des bonbons **acidulés**.*

acier nom masculin
Métal très dur, alliage de fer et de carbone.

L'acériculture

L'acériculture consiste à cultiver et à exploiter l'érable à sucre. Les acériculteurs recueillent la sève des érables pour fabriquer différents produits comme le sirop, le beurre, la tire, les bonbons et le sucre en pain ou granulé.

Bien avant que les Européens arrivent au Canada, les Amérindiens pratiquaient déjà l'acériculture. Les premiers colons ont continué de le faire et, au fil du temps, les techniques et la technologie se sont beaucoup améliorées. Le temps des sucres est l'une des plus belles traditions québécoises.

L'entaillage

Les érables sont entaillés au printemps lorsque la température est tout près du point de congélation. On pratique de une à trois entailles sur l'arbre, selon sa taille, à l'aide d'un vilebrequin ou d'une perceuse électrique et d'un foret.

On insère ensuite un chalumeau dans l'entaille pour permettre à la sève de couler dans les seaux qui sont suspendus au-dessous. Cette eau d'érable contient généralement de 2 % à 3 % de sucre.

La récolte

La méthode traditionnelle consiste à récolter l'eau d'érable à la main, au moins une fois par jour, alors que les installations modernes utilisent de la tuyauterie. Il s'agit d'un réseau de tubes de plastique qui, à partir des chalumeaux, suit une pente descendante pour amener l'eau d'érable jusqu'au réservoir de la cabane à sucre. On peut aussi se servir d'une pompe à vide pour augmenter la récolte. Cette méthode est plus hygiénique et exige moins de travail que la récolte traditionnelle.

L'évaporation

En général, la sève contient environ 97 % d'eau. Puisque le sirop ne doit pas en compter plus de 34 %, on fait évaporer la sève au-dessus d'un évaporateur qui maintient une constante ébullition. Après évaporation, l'eau d'érable épaissit et se transforme en sirop. Il faut de 35 à 40 litres de sève pour produire un litre de sirop.

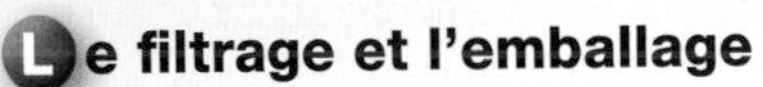

Le filtrage et l'emballage

Pendant l'évaporation, le sucre et les minéraux se déposent au fond de l'évaporateur. On les enlève en passant le sirop chaud dans des filtres, ce qui permet d'obtenir un beau sirop clair. Le sirop est ensuite mis dans des contenants de verre, de plastique ou de métal galvanisé pendant qu'il est encore très chaud. Cette température élevée stérilise les contenants et empêche la formation de moisissures.

a b c d e f g h i j k l m n o p q r s t u v w x y z

aciérie nom féminin
Usine où l'on fabrique de l'acier.

Une **aciérie**

acné nom féminin
Maladie de la peau qui se caractérise par des boutons sur le visage.

acolyte nom masculin
Dans un sens péjoratif, complice que l'on traîne toujours avec soi. *Le bandit et ses* ***acolytes*** *se sont enfuis en entendant les sirènes de police.*

a commercial nom masculin
En informatique, symbole (@) utilisé dans les adresses de courrier électronique. **SYN** arobas, arrobas.

acompte nom masculin
Partie du prix que l'on paie à l'avance. *Il faut verser un* ***acompte*** *à la commande.* **SYN** avance.

à-côté nom masculin
❶ Élément annexe, secondaire. *Les* ***à-côtés*** *d'une profession.* ❷ Gain que l'on fait en surplus d'un revenu principal. *En effectuant de petits travaux pour les locataires de l'immeuble, ce concierge se fait des* ***à-côtés****.*
✎ Pluriel : *des* ***à-côtés****.*

à-coup nom masculin
Secousse ou irrégularité dans le fonctionnement d'une machine. *J'entends des* ***à-coups*** *dans le moteur de la voiture.* • **Par à-coups :** de façon irrégulière. *Je n'ai pu dormir que* ***par à-coups****.*
✎ Pluriel : *des* ***à-coups****.*

acoustique nom féminin
Qualité d'un lieu en ce qui concerne la façon dont on y entend les sons. *Cette salle de concert a une très bonne* ***acoustique****.*

acquéreur nom masculin
Acheteur. *La maison voisine a été vendue, mais je ne connais pas son* ***acquéreur****.*

acquérir verbe ▸ conjug. 18
❶ Acheter. *Le cultivateur est content d'avoir pu* ***acquérir*** *cette terre.* **CONTR** vendre.
❷ Arriver à posséder. *Il* ***a acquis*** *une grande expérience dans son métier.* ❸ Prendre. *Ce terrain* ***acquiert*** *de la valeur d'année en année.*
♦ Famille du mot : acquéreur, acquisition.

acquiescer verbe ▸ conjug. 4
Donner son accord, dire oui. *Pour toute réponse, Ophélie* ***a acquiescé*** *d'un signe de tête.* **SYN** approuver.

acquisition nom féminin
❶ Action d'acquérir quelque chose. *Ma grand-mère a fait l'****acquisition*** *d'une nouvelle voiture.* **SYN** achat. ❷ La chose que l'on a acquise. *Elle m'a montré sa nouvelle* ***acquisition****.*

acquit nom masculin
• **Par acquit de conscience :** pour n'avoir pas de doute ni de remords par la suite. *J'ai fermé la porte mais,* ***par acquit de conscience****, je vais vérifier.*

acquittement nom masculin
Décision d'un tribunal qui acquitte un accusé. *Le jury a prononcé l'****acquittement*** *de l'accusée.*

acquitter verbe ▸ conjug. 3
❶ Déclarer non coupable. *Le tribunal* ***a acquitté*** *l'accusé faute de preuves.* **CONTR** condamner. ❷ Payer ce qui est dû. ***Acquitter*** *ses factures.* ■ **s'acquitter :** accomplir quelque chose que l'on doit faire. *Jérémy* ***s'est acquitté*** *de sa mission avec succès.*

acre nom masculin
Ancienne mesure de superficie valant environ quatre mille mètres carrés. * Ne pas confondre *acre* et *âcre*.

âcre adjectif
Piquant et irritant. *Cette boisson a un goût* ***âcre*** *qui brûle la gorge.* * Ne pas confondre *âcre* et *acre*.

âcreté nom féminin
Caractère d'un goût ou d'une odeur âcre.

acrobate nom
Artiste qui exécute des exercices physiques périlleux, des tours de force ou d'adresse. *Les trapézistes, les funambules, les équilibristes sont des **acrobates**.* ♦ Famille du mot : acrobatie, acrobatique.

acrobatie nom féminin
Exercice d'équilibre, d'adresse.

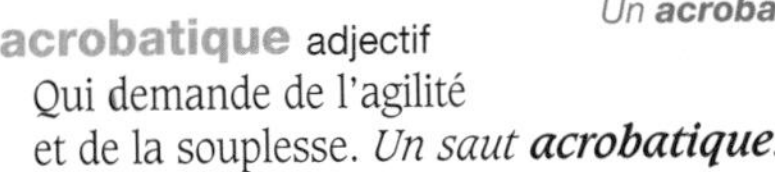
*Un **acrobate***

acrobatique adjectif
Qui demande de l'agilité et de la souplesse. *Un saut **acrobatique**.*

acrostiche nom masculin
Poème dans lequel les premières lettres de chaque vers, lues verticalement, forment un nom. *Pour l'anniversaire de Jennifer, Arnaud a composé un **acrostiche**.*

acrylique adjectif
Qui est fait à base de certains produits chimiques. *De la peinture **acrylique**.*
■ **acrylique** nom masculin Fibre textile acrylique. *Des vêtements en **acrylique**.*

① **acte** nom masculin
❶ Ce qui est fait par une personne. *Abdel est assez grand pour comprendre les conséquences de ses **actes**.* SYN action. ❷ Chacune des parties qui constituent une pièce de théâtre. *Cette comédie se joue en trois **actes**.*

② **acte** nom masculin
Document officiel qui établit un fait. *L'**acte** de vente de la maison sera signé chez la notaire.*

acteur, actrice nom
Personne qui interprète un rôle. *Un **acteur** de théâtre, une **actrice** de cinéma.* SYN comédien.

actif, active adjectif
❶ Qui aime agir ou qui accomplit avec énergie beaucoup de choses. *Huan ne s'ennuie jamais, elle est très **active**.* SYN dynamique. ❷ Qui agit avec efficacité. *Ce médicament est très **actif** contre les maux de tête.* ♦ Famille du mot : activement, activer, activité, inactif.

① **action** nom féminin
❶ Ce que fait une personne qui agit. *Faire une bonne, une mauvaise **action**.* ❷ Fait d'agir. *Nous avons assez discuté, il est temps de passer à l'**action**.* ❸ Déroulement des évènements. *L'**action** de ce film se déroule au Japon.* SYN intrigue. • **Film d'action** : film dans lequel les évènements se passent à un rythme très rapide. ❹ Effet produit par quelque chose. *La tache a disparu sous l'**action** du détachant.* ♦ Famille du mot : actionner, réacteur, réaction.

② **action** nom féminin
Part du capital d'une entreprise qu'une personne peut acheter. * Chercher aussi ② *Bourse*.

action de grâce nom féminin
Témoignage de reconnaissance pour les bienfaits divins. *La fête de l'**Action de grâce** est célébrée au Canada le deuxième lundi d'octobre.* ✎ On écrit aussi ***Action de grâces***. ✎ Attention ! *Action* s'écrit avec une majuscule quand on désigne cette fête.

actionnaire nom
Personne qui possède des actions d'une société. *Chaque année, l'entreprise verse des bénéfices à ses **actionnaires**.*

actionner verbe ▸ conjug. 3
Mettre en marche. *En tournant la clé de contact, on **actionne** le démarreur.*

activement adverbe
De manière active et efficace. *Tout le monde s'occupe **activement** des préparatifs de la fête.*

activer verbe ▸ conjug. 3
❶ Rendre plus rapide. *Il faut **activer** les travaux de réparation.* SYN accélérer. ❷ Rendre plus fort, plus intense. ***Activer** un feu en soufflant dessus.* ■ **s'activer** : s'affairer. *Toute la famille **s'active** autour du sapin de Noël pour le décorer.*

activité nom féminin
❶ Fait d'être actif. *Bien qu'elle soit âgée, ma grand-mère démontre toujours une grande **activité**.* SYN dynamisme. CONTR inertie. ❷ Manière d'occuper son temps. *En dehors des heures de classe, ses **activités** préférées sont le judo et la musique.* ❸ Animation qui règne dans un lieu. *Avant la représentation, il règne une **activité** intense dans les coulisses du théâtre.* • **En activité** : en action, en service. *Un volcan **en activité**.*

a b c d e f g h i j k l m n o p q r s t u v w x y z

actualiser verbe ▸ conjug. 3
Rendre plus actuel, mettre à jour. *Il faut **actualiser** cet atlas.*

actualité nom féminin
Ce qui se passe maintenant, à l'heure actuelle. *Il se tient au courant de l'**actualité** en lisant les journaux.* ■ **actualités** nom féminin pluriel Nouvelles données à la radio ou à la télévision. *Elle ne manque jamais de regarder les **actualités** télévisées.*

actuel, actuelle adjectif
Qui existe maintenant, dans le présent. *Le taxage est un problème très **actuel**.* ♦ Famille du mot : actualiser, actualité, actuellement.

actuellement adverbe
En ce moment. *Rappelez plus tard, il est **actuellement** absent.*

acuponcteur, acuponctrice ou **acupuncteur, acupunctrice** nom
Personne qui pratique l'acuponcture. *Un nouvel **acuponcteur** s'est installé dans le quartier.*

acuponcture ou **acupuncture** nom féminin
Procédé médical d'origine chinoise, qui consiste à piquer des points précis du corps avec de fines aiguilles.

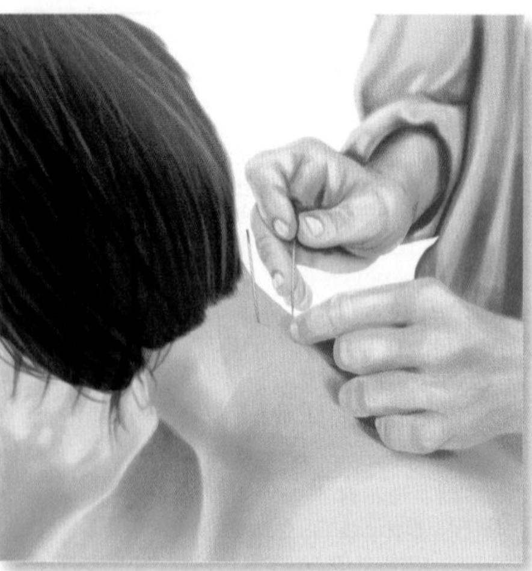

L'acuponcture

adaptable adjectif
Qui peut être adapté. *Les casques d'écoute sont **adaptables** à la tête.*

adaptateur nom masculin
Dispositif permettant le branchement d'un appareil électrique. *Cette console vidéo est vendue avec un **adaptateur**.*

adaptation nom féminin
❶ Fait de s'adapter. *Cet élève a besoin d'une période d'**adaptation** pour se sentir à l'aise dans sa nouvelle école.* ❷ Action d'adapter une œuvre littéraire. *Ce film est l'**adaptation** d'un roman de Chrystine Brouillet.*

adapter verbe ▸ conjug. 3
❶ Fixer ou ajuster une chose à une autre. *On peut **adapter** un flash à ce type d'appareil photo.* ❷ Faire correspondre deux choses. *Thomas a réussi à **adapter** sa technique de jeu à celle de son adversaire.* ❸ Transformer une œuvre littéraire pour en faire un spectacle. *On **a adapté** ce célèbre roman pour la télévision.* ■ **s'adapter** : s'habituer. *Ces animaux exotiques ont beaucoup de mal à **s'adapter** au climat froid de ce pays.* ♦ Famille du mot : adaptable, adaptateur, adaptation, inadapté, se réadapter.

additif nom masculin
Produit ajouté à un autre. *C'est un jus de fruit naturel, sans aucun **additif**.*

addition nom féminin
❶ Opération d'arithmétique qui consiste à ajouter plusieurs nombres pour en obtenir la somme. *On utilise le signe plus (+) pour faire une **addition**.* ❷ Total de ce qu'il faut payer au restaurant. *Deux cafés et l'**addition**, s'il vous plaît !* ♦ Famille du mot : additif, additionner.

additionner verbe ▸ conjug. 3
❶ Faire une addition. *Il faut **additionner** les nombres inscrits sur cette page.* ❷ Ajouter en mélangeant. *Il **a additionné** son eau d'un peu de jus de citron.*

adepte nom
Partisan d'une doctrine ou amateur d'une activité. *Farah est une **adepte** du yoga.*

adéquat, adéquate adjectif
Qui convient parfaitement. *Pour faire du ski, il faut prévoir un équipement **adéquat**.*
* Attention ! La dernière syllabe de ce mot se prononce *koi, koite*.

adhérence nom féminin
Fait d'adhérer, de coller. *Les pneus neufs ont une meilleure **adhérence** à la route que les pneus usagés.*

adhérent, adhérente nom
Personne qui a adhéré à une organisation, à un club. *Après votre inscription au club, vous recevrez votre carte d'**adhérent**.*

adhérer verbe ▸ conjug. 8
❶ Coller fortement à quelque chose, y rester attaché, fixé. *Ce pansement **adhère** bien à la peau.* ❷ Devenir membre d'une organisation. *Nathan a payé sa cotisation pour **adhérer** au club de tennis.* ✎ On peut écrire aussi, au futur, *il **adhèrera***; au conditionnel, *elle **adhèrerait**.* ♦ Famille du mot: adhérence, adhérent, adhésif, adhésion.

adhésif, adhésive adjectif
Qui adhère. *Du ruban **adhésif**.*

adhésion nom féminin
Action d'adhérer à une organisation. *L'**adhésion** au club de ping-pong est gratuite.* SYN inscription.

adieu! interjection
Mot que l'on dit à quelqu'un que l'on ne reverra pas pendant longtemps, ou que l'on ne reverra jamais. ***Adieu** mes amis! dit-il, ne m'oubliez pas!* ■ **adieu** nom masculin • **Faire ses adieux**: dire au revoir. *Elle est venue nous **faire ses adieux** la veille de son départ.*

adjacent, adjacente adjectif
Qui se trouve juste à côté, qui est voisin. *Elle habite dans la rue **adjacente** à l'hôtel de ville.*

adjectif nom masculin
Mot qui sert à décrire ou à préciser un nom ou un pronom. *«Joli» et «nombreux» sont des **adjectifs**.*

adjoint, adjointe nom
Personne qui aide une autre personne dans son travail. *La directrice n'est pas là, mais vous pouvez voir son **adjoint**.*

adjuger verbe ▸ conjug. 5
Attribuer en récompense. *On lui **a adjugé** le deuxième prix du concours d'horticulture ornementale.* ■ **s'adjuger**: s'approprier, s'emparer de. *Charles **s'est adjugé** la plus grosse part de tarte.*

admettre verbe ▸ conjug. 33
❶ Accepter quelqu'un dans un groupe, dans un lieu. *Fiona **est admise** au cégep.* ❷ Tolérer ou permettre quelque chose. *Mes parents n'**admettent** pas que je mange dans ma chambre.* ❸ Reconnaître quelque chose, l'accepter comme vrai. *Il a fini par **admettre** qu'il avait tort.* ♦ Famille du mot: admissible, admission, inadmissible.

administrateur, administratrice nom
Personne responsable de l'administration d'une entreprise.

administratif, administrative adjectif
Qui concerne l'administration. *Ils sont deux pour gérer ce commerce: lui s'occupe de la vente et elle, du travail **administratif**.*

administration nom féminin
❶ Gestion, organisation d'une entreprise ou d'un groupe. *L'**administration** de la Ville est confiée au maire.* ❷ L'ensemble des services publics. *Ornella travaille dans l'**Administration**.* ✎ Attention! Au sens 2, ce mot s'écrit avec une majuscule.

administrer verbe ▸ conjug. 3
❶ Diriger un groupe de personnes. *Le maire **administre** sa municipalité avec l'aide du conseil municipal.* SYN gérer. ❷ Faire absorber ou donner quelque chose. *On lui **a administré** un médicament pour le faire dormir.* ♦ Famille du mot: administrateur, administratif, administration.

admirable adjectif
Qui mérite l'admiration. *Émile Nelligan a écrit des vers **admirables**.*

admirablement adverbe
D'une façon admirable, très bien. *Elle dessine **admirablement**.*

admirateur, admiratrice nom
Personne qui admire une autre personne. *L'astronaute salue ses **admirateurs**.*

admiratif, admirative adjectif
Plein d'admiration. *Béatrice jette un regard **admiratif** sur les étalages de jouets.*

admiration nom féminin
Sentiment que l'on éprouve face à ce qui est beau, remarquable ou respectable. *Jorge est plein d'**admiration** pour sa grande sœur.*

admirer verbe ▸ conjug. 3
Éprouver de l'admiration. *Geneviève **admire** beaucoup ses parents. Des touristes **admirent** le rocher Percé.* ♦ Famille du mot: admirable, admirablement, admirateur, admiratif, admiration.

admissible adjectif
❶ Que l'on peut admettre. *Il n'est pas **admissible** de faire preuve de violence.* CONTR inadmissible. ❷ Qui peut être admis à un

a b c d e f g h i j k l m n o p q r s t u v w x y z

emploi, une fonction. *Hommes et femmes sont également **admissibles** à tous les emplois.*

admission nom féminin
Fait d'admettre ou d'être admis. *Noémie aimerait obtenir son **admission** au même cégep que son amie.*

ADN nom masculin
Acide qui véhicule l'hérédité d'une personne. *Une analyse de son **ADN** a permis de le disculper de l'accusation de meurtre portée contre lui.*

adolescence nom féminin
Période de la vie entre l'enfance et l'âge adulte. *À quinze ans, Liza est en pleine **adolescence**.*

adolescent, adolescente nom
Jeune garçon, jeune fille qui est à l'âge de l'adolescence. * Abréviation familière : ***ado***.

Des **adolescents**

adonner verbe ▸ conjug. 3
❶ Dans la langue familière, convenir. *Venez à l'heure qui vous **adonne** le mieux.* ❷ Dans la langue familière, arriver au bon ou au mauvais moment sans l'avoir prévu. *Ça **adonne** bien que tu sois là, je voulais justement te voir.*
■ **s'adonner** : dans la langue familière, s'entendre. *Fabrice et Nicolas aiment jouer ensemble parce qu'ils **s'adonnent** bien.*
■ **s'adonner à** : pratiquer un sport, une activité. *Mes cousines **s'adonnent** avec passion **à** la musique.*

adopter verbe ▸ conjug. 3
❶ Prendre légalement une personne pour fils ou pour fille. ***Adopter** un orphelin.* ❷ Admettre ou choisir une idée, une attitude. *Thomas **a adopté** un comportement désagréable pendant tout le jeu.* ❸ Approuver, être d'accord. *Le conseil municipal **a adopté** le projet de rénovation de l'aréna.* ♦ Famille du mot : adoptif, adoption.

adoptif, adoptive adjectif
❶ Qui a été adopté. *La fille de notre voisine est une enfant **adoptive**.* ❷ Qui a adopté quelqu'un. *Il porte le nom de famille de ses parents **adoptifs**.*

adoption nom féminin
❶ Fait d'adopter un enfant. *L'**adoption** d'un bébé.* ❷ Action d'adopter quelque chose. *L'**adoption** du budget a été retardée.*

adorable adjectif
Qui plaît par sa beauté, sa gentillesse. *Ce sont des grands-parents **adorables**.*

adorateur, adoratrice nom
❶ Personne qui adore une divinité. *Les Incas étaient des **adorateurs** du Soleil.* ❷ Admirateur passionné. *Cette star a de nombreux **adorateurs**.*

adoration nom féminin
❶ Culte rendu à une divinité. **SYN** vénération. ❷ Amour et admiration passionnés pour quelqu'un. *Matys est en **adoration** devant sa mère.*

adorer verbe ▸ conjug. 3
❶ Prier et vénérer un dieu. *Les adeptes des religions monothéistes **adorent** un seul dieu.* ❷ Aimer énormément. *Ce grand-père **adore** ses petits-enfants. Anakim **adore** le sucre à la crème.* **CONTR** détester. ♦ Famille du mot : adorable, adorateur, adoration.

s'adosser verbe ▸ conjug. 3
S'appuyer le dos contre quelque chose. *Liam **s'est adossé** au mur.*

Une personne **adossée**

adoucir verbe ▸ conjug. 11
❶ Rendre plus doux au toucher ou au goût. *Ce savon **adoucit** la peau.* ❷ Rendre moins dur, moins pénible. *Son réconfort **a adouci** ma peine.*
■ **s'adoucir** : devenir plus doux. *Sa voix **s'adoucit** pour parler aux enfants.*

adoucissant, adoucissante adjectif
Qui adoucit. *Une crème **adoucissante**.*

adoucissement nom masculin
Fait de s'adoucir, de s'atténuer. *L'**adoucissement** de la température nous a permis d'éteindre le chauffage.*

① **adresse** nom féminin
Indication du domicile d'une personne. *Sur son permis de conduire figurent son nom et son **adresse**.* • **Adresse électronique:** identification d'un internaute grâce à laquelle il peut communiquer avec d'autres internautes par courrier électronique. • **À l'adresse de quelqu'un:** à l'intention de quelqu'un. *Il a prononcé quelques mots de bienvenue **à l'adresse des** nouveaux arrivants.*

② **adresse** nom féminin
❶ Qualité d'une personne adroite. *Ce jeu demande beaucoup d'**adresse**.* ❷ Doigté. *Grâce à son **adresse**, il a réussi à lui dire ce qu'il pensait sans le fâcher.* SYN habileté. CONTR maladresse. ♦ Famille du mot: adroit, adroitement, maladresse, maladroit, maladroitement.

adresser verbe ▸ conjug. 3
❶ Envoyer quelque chose à quelqu'un. *Jade **a adressé** une lettre de remerciements à sa tante.* ❷ Exprimer quelque chose à l'intention de quelqu'un. *Son oncle passe son temps à lui **adresser** des reproches.* ■ **s'adresser à quelqu'un** ❶ Lui parler. *Ce n'est pas **à** Yann, mais **à** toi que je **m'adresse**.* ❷ Recourir à lui pour une aide ou un renseignement. *Pour visiter l'appartement, **adressez-vous au** concierge.* • **Adresser la parole à quelqu'un:** lui parler. *Depuis cet incident, il ne lui **adresse** plus **la parole**.*

adroit, adroite adjectif
❶ Qui se sert de ses mains avec habileté, avec adresse. *Son père est un bricoleur très **adroit**.* SYN habile. CONTR maladroit, malhabile. ❷ Qui sait se tirer d'une situation difficile. *Elle est trop **adroite** pour se laisser tromper par des ruses.* SYN astucieux, malin.

adroitement adverbe
De façon adroite. *Nora a très **adroitement** rattrapé le ballon.* SYN habilement. CONTR maladroitement.

adulte adjectif
Qui est arrivé à son développement définitif. *C'est un chien **adulte**, il ne grandira plus.* • **L'âge adulte:** l'âge qui succède à l'adolescence et précède la vieillesse. ■ **adulte** nom Personne adulte.

advenir verbe ▸ conjug. 19
Arriver ou se produire par hasard. *Quoi qu'il **advienne**, je serai là jeudi.* * Attention! *Advenir* ne s'emploie qu'à la troisième personne du singulier.

adverbe nom masculin
Mot invariable que l'on joint à un adjectif, à un verbe ou à un autre adverbe afin d'en préciser le sens: *Il parle **doucement**.* L'adverbe peut aussi être un complément de phrase: ***Demain**, je commencerai mon entraînement. «Très», «trop», «énormément» sont des **adverbes**.*

adversaire nom
❶ Personne opposée à une autre au cours d'une compétition. *Les deux **adversaires** sont à égalité depuis le début du match.* SYN compétiteur, concurrent, rival. CONTR partenaire. ❷ Personne qui s'oppose avec force à certaines choses. *C'est un **adversaire** du progrès.* SYN ennemi. CONTR partisan.

adverse adjectif
Qui est contraire, opposé. *Ils ont battu l'équipe **adverse**.* ♦ Famille du mot: adversaire, adversité.

adversité nom féminin
Situation malheureuse qui semble due à la malchance. *Elle a montré du courage dans l'**adversité**.*

aération nom féminin
Action d'aérer. *Ouvre la fenêtre, ta chambre a besoin d'**aération**.*

aérer verbe ▸ conjug. 8
Renouveler l'air dans un lieu. *Tous les matins, j'**aère** longuement ma chambre.* ✎ On peut écrire aussi, au futur, *il **aèrera***; au conditionnel, *elle **aèrerait***.

aérien, aérienne adjectif
❶ Qui est installé à l'air libre. *Des lignes téléphoniques **aériennes**.* ❷ Qui se fait par les airs, par avion. *La navigation **aérienne**.* * Chercher aussi *ferroviaire, fluvial, maritime*.

aéro- préfixe
Placé au début d'un mot pour former un autre mot, *aéro-* signifie «air» et désigne soit l'atmosphère (***aéro**dynamique*), soit l'aviation (***aéro**gare*).

aérobique adjectif
Se dit d'une gymnastique caractérisée par des mouvements très rapides exécutés sur une musique très rythmée.

a b c d e f g h i j k l m n o p q r s t u v w x y z

aérodrome nom masculin
Terrain aménagé pour permettre le décollage et l'atterrissage des avions.

aérodynamique adjectif
Qui offre peu de résistance à l'air. *La carrosserie de cette voiture a une forme **aérodynamique**.*

aérogare nom féminin
Ensemble des installations d'un aéroport destinées aux voyageurs. *Les voyageurs enregistrent leurs bagages à l'**aérogare**.*

aéroglisseur nom masculin
Véhicule qui glisse au-dessus de l'eau ou de la terre grâce à un coussin d'air. * Chercher aussi *hydroglisseur*.

Un ***aéroglisseur***

aéromodélisme nom masculin
Construction de modèles réduits d'avions. *Vincent se passionne pour l'**aéromodélisme**.*

aéronautique nom féminin
Science de la navigation aérienne et technique de construction des avions. *Le secteur de l'**aéronautique** est très actif dans cette région.*

aéronef nom masculin
Tout appareil qui se déplace dans les airs. *Les avions, les hélicoptères, les dirigeables sont des **aéronefs**.*

aéroport nom masculin
Ensemble formé par l'aérodrome, l'aérogare et tous les bâtiments destinés à l'entretien des avions. *L'**aéroport** de Montréal est l'un des plus actifs du Canada.*

aérosol nom masculin
Petit appareil qui permet de vaporiser un liquide sous pression. *Ce désodorisant est vendu en **aérosol**.* * Chercher aussi *atomiseur*, *pulvérisateur*. ■ **aérosol** adjectif invariable *Une bombe **aérosol**.*

aérospatial, aérospatiale, aérospatiaux adjectif
Qui concerne les techniques de l'aviation hors de l'espace terrestre. *L'industrie **aérospatiale** est très présente à Montréal.* ■ **aérospatiale** nom féminin Industrie aérospatiale. *Julie Payette est une légende de l'**aérospatiale**.*

affable adjectif
Accueillant et aimable. *Très **affable**, le gardien accueille les visiteurs.*

affaiblir verbe ▸ conjug. 11
Rendre faible. *Sa maladie l'**a** beaucoup **affaibli**.* ■ **s'affaiblir** : diminuer. *Le bruit de l'orage **s'affaiblissait** peu à peu.*

affaiblissement nom masculin
Fait de s'affaiblir. *Le marathonien commence à montrer des signes d'**affaiblissement**.*

Un ***aéroport***

affaire nom féminin
❶ Ce qui concerne quelqu'un, ce qu'il a à faire. *Ne t'occupe pas de ça, c'est mon **affaire**!* ❷ Problème compliqué dont s'occupent une ou plusieurs personnes. *Il faut discuter de cette **affaire** avant de prendre une décision.* ❸ Opération commerciale ou financière. *Faire une bonne, une mauvaise **affaire**.* • **Avoir affaire à quelqu'un**: être en rapport avec lui pour discuter d'une question. • **Être à son affaire**: être attentif, faire quelque chose consciencieusement. • **Faire l'affaire**: convenir, être adapté. *Je n'ai pas de tournevis, mais un couteau **fera l'affaire**.* • **Se tirer d'affaire**: se sortir d'une situation difficile ou périlleuse. ■ **affaires** nom féminin pluriel ❶ Activités commerciales ou financières. *En ce moment, les **affaires** ne marchent pas. C'est une femme d'**affaires** qui a très bien réussi.* ❷ Ensemble des questions qui concernent les intérêts d'une personne, d'un gouvernement. *Le ministère des **Affaires** extérieures du Canada.* ❸ Objets personnels. *Prendre soin de ses **affaires**.*

affairé, affairée adjectif
Qui a beaucoup de choses à faire. *Aux heures des repas, les serveurs du restaurant sont très **affairés**.* SYN occupé.

s'**affairer** verbe ▶ conjug. 3
S'occuper activement de l'exécution d'une tâche. *Tout le monde **s'affaire** à la cuisine pour que le repas soit prêt à temps.* SYN s'activer.

affaissement nom masculin
Fait de s'affaisser. *Le poids de la neige a provoqué l'**affaissement** de la toiture.*

s'**affaisser** verbe ▶ conjug. 3
❶ Plier ou baisser sous le poids de quelque chose. *La route **s'est affaissée** après le passage du camion.* ❷ Tomber lourdement, sans forces. *Victime d'un malaise, le vieil homme **s'est affaissé**.* SYN s'écrouler, s'effondrer.

s'**affaler** verbe ▶ conjug. 3
Se laisser tomber avec lourdeur. *Gary **s'est affalé** sur le sofa.*

affamé, affamée adjectif
Qui a très faim. *Après cette journée au grand air, les enfants sont **affamés**.*

affectation nom féminin
❶ Fait d'être affecté, prétentieux. *Elle parle avec une telle **affectation** qu'elle en est ridicule.* CONTR naturel. ❷ Désignation à un poste, à une fonction. *Mon parrain a reçu une nouvelle **affectation** dans une succursale de l'entreprise.*

affecté, affectée adjectif
❶ Qui manque de naturel, de simplicité. *Au lieu de répondre naturellement quand on lui parle, Étienne prend un ton **affecté**.* SYN précieux. ❷ Ému par un évènement. *Il est très **affecté** par la mort de sa grand-mère.*

affecter verbe ▶ conjug. 3
❶ Faire semblant d'éprouver un sentiment. *Atsanik **affecte** l'indifférence pour cacher sa déception.* SYN feindre. ❷ Réserver une chose ou un endroit à un certain usage. *La maire a décidé d'**affecter** ces logements aux personnes à faible revenu.* ❸ Donner un poste, une fonction à quelqu'un. *On **a affecté** cette infirmière au service des urgences de l'hôpital.* ❹ Causer de la peine, de la tristesse. *La nouvelle de son accident **a affecté** tous ses amis.* ❺ Produire un effet sur quelque chose. *Dernièrement, de nombreuses tempêtes de neige **ont affecté** les États-Unis.* ♦ Famille du mot: affectation, affecté, désaffecté.

affectif, affective adjectif
Qui concerne les sentiments. *Le bonheur est un état **affectif**.*

① **affection** nom féminin
Sentiment d'attachement, de tendresse, d'amitié à l'égard de quelqu'un. *Avoir de l'**affection** pour sa famille, ses amis.* ♦ Famille du mot: affectif, affectionner, affectueusement, affectueux.

*Une démonstration d'**affection***

② **affection** nom féminin
Maladie. *Sa toux provient d'une **affection** de la gorge.*

affectionner verbe ▶ conjug. 3
Avoir de l'affection, une prédilection pour quelqu'un ou quelque chose. *Halinka **affectionne** les vêtements bleus.*

affectueusement adverbe
De manière affectueuse. *Elle a embrassé son neveu **affectueusement**.* SYN tendrement.

affectueux, affectueuse adjectif
Qui exprime de l'affection, de la tendresse. *Léa est très **affectueuse** avec ses grands-parents.* CONTR dur, froid, indifférent.

affermir verbe ▸ conjug. 11
Rendre plus ferme, plus fort, plus solide. *Le sport **affermit** les muscles. Les encouragements de ses parents **ont affermi** sa confiance.* SYN renforcer. CONTR affaiblir.

affichage nom masculin
Action d'afficher. *Panneau, tableau d'**affichage**.*

affiche nom féminin
❶ Grande feuille imprimée ou illustrée que l'on fixe sur un mur pour informer le public de quelque chose. *Une **affiche** publicitaire.* ❷ Grande photographie servant à décorer. *Manuel a mis une **affiche** de son groupe préféré dans sa chambre.* ♦ Famille du mot: affichage, afficher, affichette.

*Une **affiche** publicitaire*

afficher verbe ▸ conjug. 3
❶ Faire savoir quelque chose au moyen d'une affiche. *La directrice **a affiché** les règlements de l'école dans toutes les salles de classe.* ❷ Exprimer clairement quelque chose. *Il **a affiché** sa mauvaise humeur.*

affichette nom féminin
Petite affiche. *Kevin a posé des **affichettes** dans le quartier pour retrouver son chat.*

affilé, affilée adjectif
Aiguisé et pointu. *Ce couteau a une lame bien **affilée**.* CONTR émoussé.

d'**affilée** adverbe
Sans interruption. *Le spectacle a duré trois heures **d'affilée**.*

affiler verbe ▸ conjug. 3
Rendre tranchant. ***Affiler** une lame de couteau.* SYN affûter, aiguiser.

s'**affilier** verbe ▸ conjug. 10
S'inscrire comme membre d'un parti, d'un organisme. *Il **s'est affilié** à une association de protection des espèces menacées.*

affinité nom féminin
Attirance entre des personnes qui ont des goûts en commun. *Philippe s'ennuie avec son cousin, car ils n'ont aucune **affinité**.*

affirmatif, affirmative adjectif
Qui exprime une affirmation. *Sa demande a été acceptée, elle a reçu une réponse **affirmative**.* CONTR négatif. ■ **affirmative** nom féminin • **Répondre par l'affirmative:** répondre oui. CONTR négative.

affirmation nom féminin
Ce que l'on affirme. *La police doit vérifier les **affirmations** du témoin.* SYN déclaration.

affirmer verbe ▸ conjug. 3
Dire avec certitude et fermeté qu'une chose est vraie. *Benoît **affirme** qu'il n'est pour rien dans cette affaire.* SYN assurer, certifier, garantir. ■ s'**affirmer**: exprimer fortement sa personnalité. *Cette jeune fille autrefois timide **s'affirme** de plus en plus.* ♦ Famille du mot: affirmatif, affirmation, affirmative.

affliction nom féminin
Très grande peine. *La mort de sa femme l'a plongé dans une profonde **affliction**.*

affligeant, affligeante adjectif
Qui afflige. *Cette forêt dévastée par l'incendie est un spectacle **affligeant**.* SYN consternant, désolant.

affliger verbe ▸ conjug. 5
Causer de l'affliction. *La nouvelle de sa disparition nous **a affligés**.* SYN attrister, peiner. ♦ Famille du mot: affliction, affligeant.

affluence nom féminin
Rassemblement d'un grand nombre de personnes dans un même endroit. *Les autobus sont bondés aux heures d'**affluence**.* * Ne pas confondre *affluence* et *influence*.

Un ***affluent***

affluent nom masculin
Cours d'eau qui se jette dans un autre cours d'eau. *La rivière Richelieu est un* ***affluent*** *du fleuve Saint-Laurent.*

affluer verbe ▸ conjug. 3
Arriver en grand nombre au même endroit. *Pendant le carnaval, les touristes* ***affluent*** *à Québec.* ♦ Famille du mot : affluence, affluent, afflux.

afflux nom masculin
Fait d'affluer dans un même endroit. *Il y a toujours un* ***afflux*** *de clients dans ce magasin au moment des soldes.*

affolant, affolante adjectif
Qui affole. *Cette voiture roule à une vitesse* ***affolante***. **SYN** terrifiant.

affolement nom masculin
Fait de s'affoler. *Le bruit de l'explosion a provoqué un* ***affolement*** *général.* **SYN** panique, terreur.

affoler verbe ▸ conjug. 3
Causer une grande frayeur. *Le bruit* ***affole*** *ce chiot.* ■ s'**affoler** : perdre la tête. *Inutile de* ***s'affoler****, sa blessure n'est pas grave.* ♦ Famille du mot : affolant, affolement.

affranchir verbe ▸ conjug. 11
❶ Rendre libre, indépendant. ***Affranchir*** *un pays occupé.* ❷ Mettre sur une lettre ou un colis le timbre qui correspond au prix de son transport. ***As****-tu* ***affranchi*** *correctement les cartes postales avant de les envoyer ?* **SYN** timbrer.

① **affranchissement** nom masculin
❶ Action de rendre libre. *L'****affranchissement*** *des esclaves.* ❷ Au sens figuré, libération. *Sa grand-mère a lutté pour l'****affranchissement*** *des femmes et l'égalité entre les sexes.* **SYN** émancipation.

② **affranchissement** nom masculin
Prix à payer pour l'acheminement d'une lettre, d'un colis. *L'****affranchissement*** *d'une lettre dépend de son poids.*

affreusement adverbe
❶ De façon affreuse. *Il a été **affreusement** blessé dans un accident.* SYN horriblement. ❷ Extrêmement. *Elle est **affreusement** en retard dans son travail.*

affreux, affreuse adjectif
❶ Horrible. *Une scène **affreuse**.* ❷ Très laid. *Arrête de faire des grimaces, tu te rends **affreux**!* SYN hideux. ❸ Très désagréable, très mauvais. *Aujourd'hui, il fait un temps **affreux**.*

affront nom masculin
Insulte faite à quelqu'un en public. *Jordan lui a fait un **affront** en le traitant de menteur devant ses amis.*

affrontement nom masculin
Action de s'affronter. *L'**affrontement** entre les adversaires a été bref.*

affronter verbe ▸ conjug. 3
Faire face courageusement à un danger, à une difficulté. *Les pêcheurs **ont affronté** une terrible tempête pendant la nuit.* ■ **s'affronter**: se battre. *Les deux équipes de hockey **s'affronteront** en finale.*

affubler verbe ▸ conjug. 3
Habiller quelqu'un de façon ridicule. *On l'avait **affublé** d'un faux nez.* ■ **s'affubler**: s'habiller d'une manière ridicule. ***S'affubler** de vêtements criards.*

affût nom masculin
Endroit où le chasseur se poste pour guetter le gibier. • **Être à l'affût**: être en train de guetter ou d'attendre. *Elle **est** toujours **à l'affût** d'une bonne affaire.* ✎ On peut écrire aussi ***affut***.

affûter verbe ▸ conjug. 3
Aiguiser. *Ces ciseaux ne coupent plus, il faut les **affûter**.* ✎ On peut écrire aussi ***affuter***.

afghan, afghane adjectif et nom
D'Afghanistan. *La population **afghane**. – Les **Afghans**, les **Afghanes**.* ✎ Attention! Le nom, qui désigne les habitants, s'écrit avec une majuscule.

afin de préposition
Indique le but, l'intention. *Il va à son agence de voyages **afin de** réserver des billets.*

afin que conjonction
Indique le but, l'intention. *Parlez plus fort **afin que** tout le monde puisse vous entendre.*

africain, africaine adjectif et nom
D'Afrique. *Les pays **africains**. – Les **Africains**, les **Africaines**.* ✎ Attention! Le nom, qui désigne les habitants, s'écrit avec une majuscule.

*Un masque **africain***

*Une scène d'**affrontement***

agaçant, agaçante adjectif
Qui agace. *Arrête de m'interrompre sans arrêt, c'est **agaçant**!* **SYN** énervant, irritant.

agacement nom masculin
Fait d'être agacé. *Tous ces retards ont provoqué l'**agacement** des voyageurs.* **SYN** énervement, irritation.

agacer verbe ▶ conjug. 4
Provoquer l'énervement ou l'irritation. *Anna m'**agace** avec ses réflexions désagréables.* **SYN** énerver, irriter. ♦ Famille du mot : agaçant, agacement.

agate nom féminin
Pierre très dure formée de couches de couleurs variées. *Des billes d'**agate**.*

Une **agate**

âge nom masculin
❶ Période d'existence d'une personne depuis sa naissance. *Brian a huit ans, le même **âge** qu'Éloïse.* ❷ Période qui concerne une époque précise de l'histoire de l'humanité. *L'**âge** de pierre, l'**âge** du bronze, l'**âge** du fer.* • **Avoir un certain âge :** ne plus être très jeune. • **L'âge de raison :** l'âge où un enfant est capable de comprendre la différence entre le bien et le mal. • **Le troisième âge, l'âge d'or :** l'âge entre soixante-cinq et soixante-quinze ans. • **Le quatrième âge :** l'âge au-dessus de soixante-quinze ans.

âgé, âgée adjectif
Vieux. *Mon grand-père est trop **âgé** pour faire de l'alpinisme.* • **Être âgé de :** avoir tel âge. *Le père de Sébastien **était âgé d'**environ trente ans quand il s'est marié.*

agence nom féminin
Entreprise qui propose des services à ses clients. *Une **agence** de voyages, une **agence** immobilière.*

agencement nom masculin
Manière d'agencer des choses. *Si on achète un lit plus grand, il faudra changer l'**agencement** de cette chambre.*

agencer verbe ▶ conjug. 4
Arranger, disposer des choses dans un certain ordre. *Ils **ont** très bien **agencé** leurs bureaux.*

agenda nom masculin
Carnet où l'on note, jour par jour, les rendez-vous et les choses à faire. *Un **agenda** électronique.* **SYN** mémento.

s'**agenouiller** verbe ▶ conjug. 3
Se mettre à genoux. *Samuel **s'est agenouillé** pour ramasser ses papiers.*

① **agent, agente** nom
Personne employée par une entreprise, une administration, qui s'occupe des relations avec le public ou les particuliers. *Une **agente** technique.* • **Agent, agente d'assurances :** personne représentant une compagnie d'assurances. *Mon père a consulté une **agente d'assurances**.* • **Agent, agente d'immeubles :** personne qui s'occupe de l'achat et de la vente d'immeubles. *Un **agent d'immeubles** efficace.* • **Agent, agente de voyages :** personne qui exploite une agence de voyages. *Des **agents de voyages**.* • **Agent, agente de bord :** personne chargée de s'occuper des passagers à bord d'un avion. • **Agent secret, agente secrète :** personne chargée d'une mission secrète, qui espionne pour le compte d'un pays.

Un **agent** secret

② **agent** nom masculin
Produit, substance qui a une certaine action, un certain effet. *Cette lessive contient des **agents** blanchissants* (qui ont pour effet de rendre le linge plus blanc). • **Agent de conservation :** produit qui sert à la conservation des aliments. *Cette sauce ne contient aucun **agent de conservation**.*

agglomération nom féminin
Ensemble d'habitations qui constituent un village, une ville. *Dans cette **agglomération**, la vitesse est limitée à trente kilomètres à l'heure.*

aggloméré nom masculin
Matière formée de petites particules de bois agglomérées. *Des étagères en **aggloméré**.*

a b c d e f g h i j k l m n o p q r s t u v w x y z

s'agglomérer verbe ▸ conjug. 8
Se transformer en masse compacte. *Le sucre **s'est aggloméré** sous l'effet de l'humidité.* ✎ On peut écrire aussi, au futur, *il **s'agglomèrera***; au conditionnel, *elle **s'agglomèrerait**.* ♦ Famille du mot : agglomération, aggloméré.

s'agglutiner verbe ▸ conjug. 3
Se serrer les uns contre les autres. *La foule **s'agglutine** sur les lieux du festival de jazz.*

aggravation nom féminin
Fait de s'aggraver. *On annonce une **aggravation** du conflit.* **CONTR** amélioration.

aggraver verbe ▸ conjug. 3
❶ Rendre plus grave. *Le froid **a aggravé** sa grippe.* ❷ Empirer. *Cette nouvelle **aggrave** son chagrin.* ■ **s'aggraver** : devenir plus grave. *Sa maladie **s'est** brusquement **aggravée**.* **SYN** empirer. **CONTR** s'améliorer.

agile adjectif
Qui est souple et rapide. *Être **agile** comme un singe.* **SYN** leste, vif.

agilité nom féminin
Fait d'être agile. *Le chat retombe sur ses pattes avec **agilité**.* **SYN** souplesse. **CONTR** lourdeur.

agir verbe ▸ conjug. 11
❶ Faire quelque chose, accomplir une action. *Il faut **agir** rapidement.* ❷ Se conduire, se comporter. *Tu **as** mal **agi** en lui mentant.* ❸ Produire un effet, être efficace. *Ce médicament **agit** très vite.* • **Il s'agit de quelque chose :** il est question de quelque chose. ***De** quoi **s'agit-il** dans ce livre ? **Il s'agit d'**une histoire qui se passe à l'époque de la Nouvelle-France.* • **Il s'agit de :** il faut. *Maintenant, **il s'agit de** se presser si on veut arriver à temps.* * Attention ! *S'agir* ne s'emploie qu'à la troisième personne du singulier. ♦ Famille du mot : agissements, réagir.

agissements nom masculin pluriel
Suite d'actes malhonnêtes. *La police a mis fin aux **agissements** de ces voleurs.*

agitateur, agitatrice nom
Personne qui pousse les autres à manifester ou à se révolter.

agitation nom féminin
❶ Mouvements d'une foule qui donnent une impression de désordre. *Il règne une grande **agitation** dans l'aréna pendant les matchs de finale.* ❷ Mouvement de mécontentement politique ou social. *L'**agitation** étudiante.* * Chercher aussi *émeute, mutinerie, trouble.*

agiter verbe ▸ conjug. 3
Faire bouger fortement, secouer. ***Agiter** ce produit avant usage.* ■ **s'agiter** : bouger, ne pas tenir en place. *Les enfants **s'agitent** dans la voiture quand le voyage dure trop longtemps.* ♦ Famille du mot : agitateur, agitation.

agneau, agneaux nom masculin
Petit de la brebis et du bélier. *Des **agneaux** à peine nés.*

*Des **agneaux***

agnelle nom féminin
Agneau femelle.

agonie nom féminin
Moment de la vie qui précède immédiatement la mort. *Il est mort après une courte **agonie**.*

agoniser verbe ▸ conjug. 3
Être à l'agonie, sur le point de mourir. *Les oiseaux **agonisent** sur la plage à cause de la marée noire.*

agrafe nom féminin
Attache métallique. *Certaines **agrafes** servent à assembler des papiers, d'autres à unir les bords opposés d'un vêtement.* ♦ Famille du mot : agrafer, agrafeuse, dégrafer.

agrafer verbe ▸ conjug. 3
Fixer avec une agrafe. *Olivia **agrafe** ses feuilles pour les rassembler.*

agrafeuse nom féminin
Petit instrument qui sert à agrafer.

agraire adjectif
Qui concerne les champs et l'agriculture. *Une politique **agraire**.*

agrandir verbe ▸ conjug. 11
Rendre plus grand, plus important. *Nous avons décidé d'abattre un mur pour **agrandir** le sous-sol.*

agrandissement nom masculin
❶ Action d'agrandir. *On a fermé le magasin pour faire des travaux d'**agrandissement**.* ❷ Reproduction d'une photo dans un format plus grand. *Cette belle photo mériterait un **agrandissement**.*

agréable adjectif
❶ Qui fait plaisir. *Ce voyage a été très **agréable**.* ❷ Que l'on fréquente avec plaisir. *Nos nouveaux voisins sont très **agréables**.* **SYN** plaisant, sympathique. **CONTR** déplaisant, désagréable. ♦ Famille du mot : agréablement, désagréable, désagréablement.

agréablement adverbe
D'une façon agréable. *Son succès inattendu nous a **agréablement** surpris.*

agréer verbe ▸ conjug. 3
❶ S'emploie à la fin d'une lettre, comme synonyme d'accepter. *Veuillez **agréer** mes meilleurs sentiments.* ❷ Approuver officiellement. *Cette transaction commerciale **a été agréée** par tous les membres du conseil d'administration.* **CONTR** refuser, rejeter.

agrément nom masculin
Accord, autorisation. *Il faut l'**agrément** du propriétaire pour faire des travaux dans l'appartement.* • **D'agrément :** qui est fait pour le plaisir. *Un voyage **d'agrément**.*

agrémenter verbe ▸ conjug. 3
Rendre plus joli ou plus agréable. *De nombreuses plantes vertes **agrémentent** la salle familiale.* **SYN** orner.

agrès nom masculin pluriel
Appareils de gymnastique. *Les barres parallèles, la corde, les anneaux sont des **agrès**.*

agresser verbe ▸ conjug. 3
Attaquer brutalement quelqu'un. *Notre voisin s'est fait **agresser** dans la rue par des voyous.* ♦ Famille du mot : agresseur, agressif, agression, agressivité.

agresseur nom masculin
Personne qui a commis une agression. *La victime a fait une description de son **agresseur** aux policiers.*

agressif, agressive adjectif
Qui a tendance à attaquer les autres même si on ne lui a rien fait. *N'approchez pas de ce chien : il est très **agressif** !* **SYN** hargneux. **CONTR** doux.

agression nom féminin
Action d'agresser. *Cette femme vient d'être victime d'une **agression**.*

agressivité nom féminin
Caractère agressif. *Son **agressivité** la rend impopulaire.*

agricole adjectif
Qui concerne l'agriculture. *Ils travaillent tous les deux dans une exploitation **agricole**.*

agriculteur, agricultrice nom
Personne qui travaille dans l'agriculture. *C'est une **agricultrice** de la Beauce.* **SYN** cultivateur. * Chercher aussi *paysan*.

agriculture nom féminin
Culture de la terre, ensemble des travaux visant à produire des végétaux et à élever des animaux utiles à l'être humain.

*L'**agriculture***

agripper verbe ▸ conjug. 3
Saisir en serrant fortement. *Il **agrippe** la rampe par crainte de tomber.* ■ **s'agripper** : s'accrocher, se cramponner. *L'enfant apeurée **s'agrippait** au pantalon de son père.*

agroalimentaire adjectif et nom
Qui transforme les produits de l'agriculture en produits alimentaires. *Cette usine **agroalimentaire** transforme le maïs en maïs soufflé. – Il travaille dans l'**agroalimentaire**.*

agronome nom
Spécialiste de l'agronomie. *Cette **agronome** est une spécialiste de la lutte contre les maladies du maïs.*

agronomie nom féminin
Ensemble des connaissances qui servent à l'agriculture.

a b c d e f g h i j k l m n o p q r s t u v w x y z

agrume nom masculin
Fruit juteux comme l'orange, le citron, le pamplemousse, la mandarine et la clémentine.

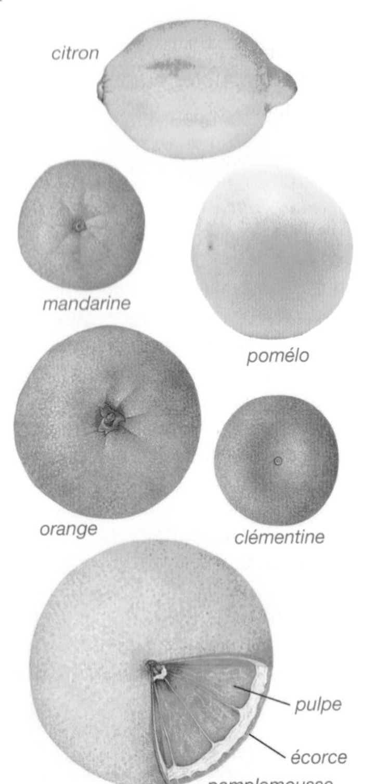

Des **agrumes**

aguerrir verbe ▸ conjug. 11
Habituer à supporter des choses pénibles. *Toutes les épreuves qu'il a subies l'**ont aguerri**.*

aguets nom masculin pluriel
• **Être aux aguets :** rester immobile à observer, à guetter. *Le lion rôde, les antilopes **sont aux aguets**.*

ah ! interjection
Mot qui sert à exprimer la satisfaction, le mécontentement, la surprise, etc. ***Ah !** comme c'est agréable ! **Ah !** tu ne m'as pas écouté !*

ahuri, ahurie adjectif
Qui est très étonné par ce qu'il lui arrive. *Lise est **ahurie** d'apprendre cette incroyable nouvelle.* **SYN** abasourdi, hébété.

ahurissant, ahurissante adjectif
Très étonnant. *Je n'arrive pas à croire cette histoire, elle est vraiment **ahurissante** !* **SYN** incroyable.

aide nom féminin
Action d'aider quelqu'un. *Pour finir ses devoirs, Jonathan a eu besoin de l'**aide** de sa grande sœur.* • **À l'aide ! :** au secours ! • **À l'aide de quelque chose :** en se servant de quelque chose. *David arrache un clou **à l'aide de** tenailles.* ■ **aide** nom Personne qui en aide une autre dans son travail. *Le maçon a demandé à son **aide** de lui apporter un sac de ciment.*

aide-mémoire nom masculin invariable
Petit livre qui résume ce qu'il faut savoir.
✎ On peut écrire aussi, au pluriel, *des **aide-mémoires***.

aider verbe ▸ conjug. 3
Joindre ses efforts à ceux d'une autre personne. *Olivier **aide** son amie à faire sa recherche.*
■ **s'aider :** se servir de quelque chose. *L'aveugle **s'aide** de sa canne blanche pour repérer les obstacles.* ♦ Famille du mot : aide, aide-mémoire, entraide, s'entraider.

aïe ! interjection
Mot qui exprime la douleur. *Nathaniel a crié « **aïe !** » quand il s'est foulé la cheville.*

aïeul, aïeule nom
Dans la langue littéraire, grand-père ou grand-mère. ■ **aïeux** nom masculin pluriel Ancêtres. *Dans ma famille, nos **aïeux** sont originaires d'Irlande.*

aigle nom masculin
Grand oiseau de proie qui vit dans les montagnes. * Chercher aussi *aire*, *rapace*.

aiglefin nom masculin
Poisson voisin de la morue.
✎ On écrit aussi ***églefin***.

Un **aigle**

aiglon, aiglonne nom
Petit de l'aigle.

aigre adjectif
❶ Qui a un goût piquant et acide. *Ce lait est **aigre** : il a tourné.* ❷ Au sens figuré, qui est blessant, désagréable. *Elle m'a parlé d'un ton **aigre**.* ■ **aigre** nom masculin • **Tourner à l'aigre :** prendre un caractère blessant et agressif. *La discussion **tourne à l'aigre** entre les deux automobilistes.* ♦ Famille du mot : aigre-doux, aigrelet, aigreur, aigrir.

aigre-doux, aigre-douce adjectif
❶ Qui est doux et aigre à la fois. *Une sauce **aigre-douce**.* ❷ Au sens figuré, dont l'aigreur

se cache sous une douceur apparente. *Tenir des propos **aigres-doux**.* ✎ Pluriel : ***aigres-doux**, **aigres-douces***.

aigrelet, aigrelette adjectif
Un peu aigre. *Une sauce **aigrelette**.*

aigrette nom féminin
Touffe de longues plumes sur la tête de certains oiseaux, comme le paon ou le héron.

*Une **aigrette***

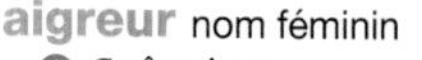

aigreur nom féminin
❶ Goût aigre. *L'**aigreur** du vinaigre.* ❷ Au sens figuré, méchanceté. *L'**aigreur** d'une remarque.*

aigrir verbe ▸ conjug. 11
❶ Devenir aigre. *Ce jus d'orange n'est plus bon : il **a aigri**.* * Chercher aussi *vinaigre*. ❷ Au sens figuré, rendre irritable ou désagréable. *Ses échecs l'**ont aigri**.*

aigu, aiguë adjectif
❶ Pointu, tranchant. *Une flèche **aiguë**.* • **Angle aigu :** angle plus petit que l'angle droit. 👁p. 484. * Chercher aussi *obtus*. ❷ Se dit d'un son qui est très haut. *Une voix **aiguë**. Les enfants poussaient des cris **aigus**.* **SYN** perçant. ❸ Très vif, intense. *Le blessé éprouve par moments une douleur **aiguë**.* ✎ On peut écrire aussi, au féminin, ***aigüe***. ♦ Famille du mot : aiguisage, aiguise-crayon, aiguiser.

aiguillage nom masculin
Dispositif qui permet à un train de passer d'une voie de chemin de fer à une autre.

aiguille nom féminin
❶ Petite tige d'acier pointue, qui sert à coudre ou à tricoter. *Hélène enfile une **aiguille** pour recoudre un bouton.* ❷ Fine tige métallique creuse qui sert à injecter un liquide. *Pour faire une piqûre, il faut une seringue et une **aiguille**.* ❸ Tige rigide qui sert à indiquer l'heure et les minutes sur une montre, une horloge. *La grande **aiguille** indique les minutes.* ❹ Feuille étroite et pointue des conifères. *Des **aiguilles** de pin, de mélèze.*

aiguiller verbe ▸ conjug. 3
❶ Diriger un train sur une autre voie. ❷ Au sens figuré, orienter. *Il vaudrait mieux **aiguiller** la conversation sur un autre sujet.* ♦ Famille du mot : aiguillage, aiguilleur.

aiguilleur, aiguilleuse nom
Personne chargée de manœuvrer un aiguillage. • **Aiguilleur, aiguilleuse du ciel :** personne chargée de guider les avions en vol depuis le sol.

aiguillon nom masculin
Dard des insectes qui piquent.

aiguisage nom masculin
Action d'aiguiser. *Avant son match de hockey, il a fait faire l'**aiguisage** de ses patins.*

aiguise-crayon nom masculin
Instrument servant à aiguiser les crayons. **SYN** taille-crayon. ✎ Pluriel : *des **aiguise-crayons***.

aiguiser verbe ▸ conjug. 3
Rendre plus tranchant. *Les couteaux coupent mal, il faudrait les **aiguiser**.* **SYN** affiler, affûter. * Chercher aussi ① *meule*, *rémouleur*.

aïkido nom masculin
Sport japonais proche du judo.

ail nom masculin
Plante dont on utilise les bulbes odorants pour assaisonner les aliments. *Il met de l'**ail** dans le gigot.* ✎ Pluriel : *des **ails*** ou *des **aulx***.

aile nom féminin
❶ Organe des oiseaux et de certains insectes, qui leur sert à voler. *L'aigle déploie ses **ailes**.*

*Des **ailes** d'abeille*
*Des **ailes** de monarque*
*Des **ailes** d'aigle*

*Des **ailes** de chauve-souris*

a b c d e f g h i j k l m n o p q r s t u v w x y z

👁p. 570, 720. ❷ Partie fixe de chaque côté d'un avion, qui le soutient dans l'air. 👁p. 93. ❸ Partie d'un moulin à vent que le vent fait tourner. ❹ Partie de la carrosserie d'une voiture, au-dessus de chaque roue. *L'**aile** avant gauche de la voiture est cabossée.* 👁p. 88. ❺ Partie latérale d'un bâtiment. *Ce célèbre tableau se trouve dans l'**aile** sud du musée.* ❻ Partie latérale de quelque chose. *Les **ailes** du nez. L'**aile** gauche de l'équipe de basketball.* • **Voler de ses propres ailes:** être indépendant, se passer de l'aide d'autrui. ♦ Famille du mot: ailé, aileron, ailier.

ailé, ailée adjectif
Qui a des ailes. *La chauve-souris est un mammifère **ailé**.*

aileron nom masculin
❶ Extrémité de l'aile d'un oiseau. ❷ Nageoire d'un requin. ❸ Volet mobile situé sur le bord de l'aile d'un avion, qui le fait changer de direction. 👁p. 93.

ailier, ailière nom
Dans certains sports, membre d'une équipe qui joue à l'extrême droite (***ailier** droit*) ou à l'extrême gauche (***ailière** gauche*).

ailleurs adverbe
Dans un autre endroit. *Ce restaurant est trop bruyant, allons **ailleurs**.* ➔Voir aussi ***d'ailleurs*** (adverbe).

aimable adjectif
Qui traite bien les gens et cherche à leur faire plaisir. *Ce commerçant est très **aimable** avec ses clients.* **SYN** avenant, courtois.

aimablement adverbe
De façon aimable. *Ils nous ont **aimablement** reçus chez eux.*

aimant nom masculin
Morceau d'acier qui attire le fer. * Chercher aussi *magnétique*.

aimanté, aimantée adjectif
Qui a la propriété d'attirer le fer. *L'aiguille **aimantée** de la boussole indique le nord.*

aimer verbe ▸ conjug. 3
❶ Éprouver de l'amour pour quelqu'un, en être amoureux. ❷ Avoir de l'affection, de la tendresse pour quelqu'un. *Julianne **aime** beaucoup son grand-père.* ❸ Avoir un goût très vif pour quelque chose. *Bruce **aime** la nature.* • **Aimer mieux:** préférer. *Pour dormir, j'**aime mieux** laisser la fenêtre entrouverte.* ■ *s'***aimer**: éprouver de l'amour l'un pour l'autre. *Ils **s'aiment** et rien ne peut les séparer.* ♦ Famille du mot: aimable, aimablement, amabilité, amant, amateur.

aine nom féminin
Partie du corps située entre le haut de la cuisse et le bas du ventre. 👁p. 246.

aîné, aînée adjectif
Personne plus âgée qu'une autre. *Dominique est mon frère **aîné**: il a trois ans de plus que moi.* **CONTR** cadet. ■ **aîné, aînée** nom Enfant le plus âgé d'une famille. **CONTR** benjamin. ■ *les* **aînés** nom masculin pluriel Les personnes âgées. *Il y a de nombreuses activités pour **les aînés** dans mon quartier.* ✎ On peut écrire aussi ***ainé***, ***ainée***, ***ainés***.

ainsi adverbe
De cette façon. *C'est **ainsi** qu'il faut faire.* • **Pour ainsi dire:** presque. *Il fait **pour ainsi dire** nuit.* ■ **ainsi que** conjonction ❶ Comme. *Tout s'est passé **ainsi que** tu l'avais dit.* ❷ Et aussi. *J'ai mis un manteau **ainsi qu**'une tuque.*

air nom masculin
❶ Gaz que nous respirons et qui constitue l'atmosphère. *L'**air** pénètre dans le corps par le nez et par la bouche.* • **Au grand air:** en pleine nature. • **En plein air:** dehors. • **En l'air:** vers le ciel. *Regarder **en l'air**.* Au sens figuré, peu sérieux. *Faire des promesses **en l'air**.* • **Par air:** par voie aérienne. *Voyager **par air** plutôt que par mer.* • **Prendre l'air:** sortir, faire une promenade. ❷ Mélodie d'une chanson, d'une musique. *Chanter un **air** d'opéra.* ❸ Expression du visage. *Il a pris un **air** étonné.* • **Avoir l'air:** sembler, paraître. *Martin **a l'air** d'un vrai clown avec ces vêtements.* • **Prendre de grands airs:** faire le fier.

aire nom féminin
❶ Terrain aménagé pour une activité. *Les enfants jouent sur l'**aire** de jeu. L'**aire** d'atterrissage des hélicoptères.* • **Aire de repos:** espace aménagé en bordure d'une autoroute, où les conducteurs peuvent s'arrêter pour se reposer. ❷ Surface, superficie. *On calcule l'**aire** d'un rectangle en multipliant la longueur par la largeur.* ❸ Nid d'un aigle.

aisance nom féminin
❶ Manière d'être ou d'agir qui donne une impression de facilité. *Cet avocat s'exprime avec **aisance**.* ❷ Situation de fortune qui permet de bien vivre. *Son salaire élevé lui permet de vivre dans l'**aisance**.*

aise nom féminin
État d'une personne qui n'est pas gênée. *Tamar est à l'**aise** dans ses vêtements. Yannick est mal à l'**aise**, car il doit parler en public.* • **Se mettre à l'aise :** se débarrasser de vêtements gênants. • **Mettre quelqu'un à l'aise :** faire en sorte qu'il ne se sente pas intimidé, embarrassé. • **En prendre à son aise :** ne pas se gêner, avoir du toupet.
■ **aises** nom féminin pluriel • **Prendre ses aises :** s'installer confortablement sans éprouver de gêne. ♦ Famille du mot : aisance, aisé, aisément, malaise.

aisé, aisée adjectif
❶ Qui est facile à faire, à comprendre. *Voilà un problème **aisé** à résoudre.* **CONTR** ardu. ❷ Qui a assez d'argent pour ne manquer de rien. *Elle vient d'une famille **aisée**.*

aisément adverbe
De façon aisée. *Nous avons **aisément** trouvé notre chemin.* **SYN** facilement. **CONTR** difficilement.

aisselle nom féminin
Creux qui se trouve sous le bras, sous l'articulation de l'épaule. 👁p. 246.

ajonc nom masculin
Arbrisseau épineux sauvage, à fleurs jaunes.

ajournement nom masculin
Action de remettre à un autre jour. *L'**ajournement** d'un match.*

ajourner verbe ▸ conjug. 3
Remettre à un autre jour. *À cause du mauvais temps, nous avons dû **ajourner** le pique-nique.* **SYN** repousser, retarder.

ajout nom masculin
Ce qu'on ajoute. *Nous avons fait quelques **ajouts** à la liste des invités.* **CONTR** suppression.

ajouter verbe ▸ conjug. 3
❶ Mettre en plus. *Ce plat est fade, il faudrait **ajouter** du poivre.* ❷ Additionner. *Si on **ajoute** 8 à 13, on obtient 21.* ♦ Famille du mot : ajout, rajouter.

ajustage nom masculin
Action d'ajuster les pièces d'une machine ou d'un objet. *L'**ajustage** est effectué par l'ajusteur ou l'ajusteuse.*

ajusté, ajustée adjectif
Qui moule le corps. *Myriam porte une robe très **ajustée**.* **SYN** serré. **CONTR** ample.

ajuster verbe ▸ conjug. 3
Adapter exactement une chose à une autre. *Il faut bien **ajuster** le couvercle de la cocotte. Ce pantalon est trop long, il faudra l'**ajuster** à ta taille.* ♦ Famille du mot : ajustage, ajusté, ajusteur, rajuster.

ajusteur, ajusteuse nom
Personne qui se spécialise dans la fabrication et l'ajustage des pièces mécaniques.

alambic nom masculin
Appareil servant à fabriquer de l'alcool par distillation.

Un **alambic**

alarmant, alarmante adjectif
Qui est très inquiétant. *Les prévisions sont **alarmantes** : on craint l'arrivée d'un cyclone.*

alarme nom féminin
Sonnerie qui avertit d'un danger. *En essayant de pénétrer dans la maison, les cambrioleurs ont déclenché l'**alarme**.* • **Donner l'alarme :** avertir d'un danger. *Les gardiens **ont donné l'alarme**.* ♦ Famille du mot : alarmant, alarmer.

alarmer verbe ▸ conjug. 3
Inquiéter beaucoup. *N'**alarmez** pas inutilement vos parents.* ■ **s'alarmer** : s'inquiéter. *Ne **vous alarmez** pas, c'est une blessure très légère.*

albanais, albanaise
➜Voir tableau, p. 1319.

albatros nom masculin
Le plus grand des oiseaux de mer. *L'envergure de l'**albatros** peut atteindre trois mètres.*

Des **albatros**

albertain, albertaine adjectif et nom
De la province de l'Alberta. *Les parcs nationaux **albertains**. – Les **Albertains**, les **Albertaines**.*
✎ Attention ! Le nom, qui désigne les habitants, s'écrit avec une majuscule.

album nom masculin
❶ Sorte de livre personnel destiné à recevoir des collections diverses. *Classer des photos dans un **album**.* ❷ Livre d'images. *Victor adore les **albums** de bandes dessinées.* ❸ Disque de variétés. *Clara a acheté le dernier **album** de son chanteur favori.* * Attention ! La deuxième syllabe du mot *album* se prononce *bome*.

alchimie nom féminin
Science mêlée de magie, qui existait au Moyen Âge.

alchimiste nom
Personne qui pratiquait l'alchimie. *Les **alchimistes** cherchaient à transformer des métaux ordinaires en or.*

alcool nom masculin
❶ Substance qui résulte de la distillation de jus de raisin ou de céréales fermenté. *La bière contient de l'**alcool**.* ❷ Boisson qui contient une certaine quantité de cette substance. *L'abus d'**alcool** est dangereux pour la santé.*
♦ Famille du mot : alcoolique, alcoolisé, alcoolisme, alcootest.

alcoolique adjectif et nom
Qui est intoxiqué par l'alcool et ne peut plus s'en passer.

alcoolisé, alcoolisée adjectif
Qui contient de l'alcool. *La bière est une boisson **alcoolisée**.*

alcoolisme nom masculin
Maladie des alcooliques. *Une campagne publicitaire de lutte contre l'**alcoolisme**.*

alcootest nom masculin
Appareil dans lequel on souffle et qui permet de mesurer le taux d'alcool dans le sang. *Cette conductrice a été soumise à un **alcootest**.*

aléa nom masculin
Chose imprévisible. *Cette expédition en terre inconnue comporte beaucoup d'**aléas**.*
SYN risque.

aléatoire adjectif
Qui est hasardeux, imprévisible. *Gagner à ce jeu est très **aléatoire**.*

alentour adverbe
Autour. *Nous avons roulé sur une route déserte où il n'y avait rien **alentour**.* ■ **alentours** nom masculin pluriel Environs d'un lieu. • **Aux alentours de** : autour de. *Nous nous sommes promenés **aux alentours du** village. Il était **aux alentours de** midi quand je l'ai vu.*

① **alerte** adjectif
Qui a des mouvements lestes et vifs. *Il faut faire du sport à tout âge pour rester dynamique et **alerte**.*

② **alerte** nom féminin
Signal qui avertit d'un danger. *Voyant que le lion s'était échappé, la gardienne du zoo a donné l'**alerte**.* **SYN** alarme.

alerter verbe ▸ conjug. 3
Donner l'alerte. *Les voisins **ont alerté** les pompiers en voyant le feu prendre naissance.*
SYN avertir, prévenir.

alevin nom masculin
Jeune poisson avec lequel on repeuple les rivières et les lacs.

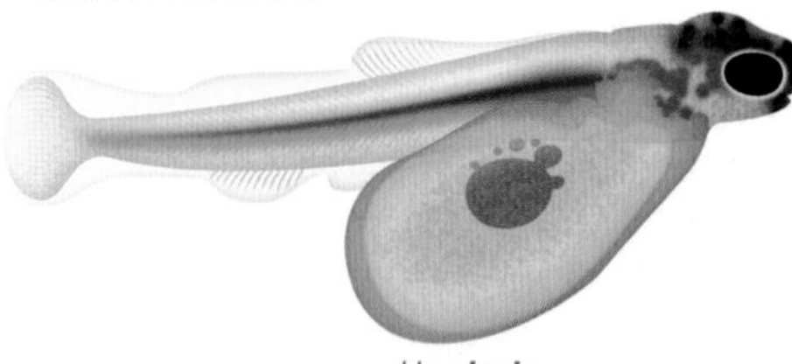

*Un **alevin***

algèbre nom féminin
En mathématique, manière spéciale de faire des opérations en utilisant des lettres à la place des nombres. *$x + 3 = 4$ est une formule d'**algèbre**.*
* Chercher aussi *géométrie*.

algérien, algérienne
➛Voir tableau, p. 1319.

algonquien, algonquienne adjectif
Propre aux Amérindiens appartenant à un grand groupe de nations autochtones du Canada et des États-Unis, qui comprennent notamment les Algonquins de souches communes et de langues apparentées établis de la côte Atlantique à celle du Pacifique. ■ **Algonquien, Algonquienne** nom Amérindien appartenant à ce groupe de nations. *Les Abénaquis, les Algonquins, les Attikameks, les Cris, entre autres, font partie des **Algonquiens**.* 👁p. 34, carte 5.

algonquin, algonquine adjectif et nom
De la nation amérindienne des Algonquins. *Une tradition **algonquine**. – Les **Algonquins**, les **Algonquines**.* ✎ Attention! Le nom, qui désigne les membres de la nation algonquine, s'écrit avec une majuscule. ■ **algonquin** nom masculin Langue parlée par les Algonquins.

algue nom féminin
Plante aquatique. *Il y a beaucoup d'**algues** dans ce lac. Certaines **algues** marines sont comestibles.*

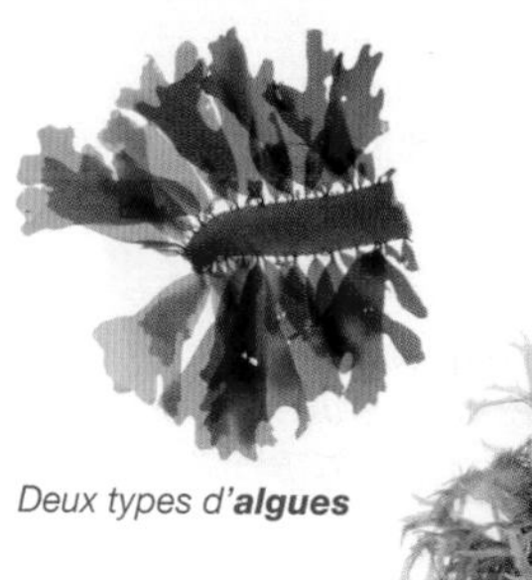

*Deux types d'**algues***

alibi nom masculin
Preuve qu'une personne n'était pas présente au moment où un délit ou un crime a été commis. *Il a un **alibi**: à l'heure du vol, il déjeunait au restaurant.*

aliéné, aliénée nom
Terme vieilli pour désigner une personne souffrant de troubles mentaux. *Un asile d'**aliénés**.*

alignement nom masculin
Fait d'être aligné. *Plusieurs des piquets de cette clôture ne sont pas dans l'**alignement**.*

aligner verbe ▸ conjug. 3
Disposer en ligne droite. ***Aligner** des pots de fleurs sur le rebord d'une fenêtre.* ■ **s'aligner**: se mettre en ligne. *Les nageuses **se sont alignées** pour le départ.*

aliment nom masculin
Produit qui sert à nourrir les êtres vivants. *On range certains **aliments** dans le réfrigérateur.* ♦ Famille du mot: alimentaire, alimentation, alimenter, sous-alimentation, sous-alimenté.

alimentaire adjectif
Qui concerne les aliments. *Le pain, le lait, la viande sont des produits **alimentaires**.*

alimentation nom féminin
❶ Manière de se nourrir. *Il faut manger de tout pour avoir une **alimentation** équilibrée.* 👁p. 36. ❷ Produits alimentaires. *Un magasin d'**alimentation**.* ❸ Action de fournir. *Dans cette région, l'**alimentation** en eau est souvent interrompue.*

alimenter verbe ▸ conjug. 3
❶ Donner des aliments. *Xavier **alimente** ses oiseaux avec des graines.* SYN nourrir. ❷ Fournir ce qui est nécessaire. *Cette source **alimente** en eau toute la région.*

s'aliter verbe ▸ conjug. 3
Se mettre au lit. *Adrian a dû **s'aliter** à cause de la grippe.*

allaitement nom masculin
Action d'allaiter.

allaiter verbe ▸ conjug. 3
Nourrir un petit de son lait ou donner le sein à un nourrisson. *Notre chienne **allaite** ses petits.*

*Une mère **allaitant** son bébé*

alléchant, alléchante adjectif
❶ Qui est appétissant. *Ce rôti a une odeur **alléchante**.* ❷ Qui est tentant, séduisant. *Une offre **alléchante**.*

allécher verbe ▸ conjug. 8
Attirer quelqu'un en lui faisant envie. *La pâtissière a mis ses gâteaux sur le comptoir pour **allécher** les clients.* ✎ On peut écrire aussi, au futur, *il **allèchera***; au conditionnel, *elle **allècherait***.

allée nom féminin
❶ Chemin bordé d'arbres ou de verdure. ❷ Passage libre entre deux rangées de sièges. *Au cinéma, je préfère m'asseoir près d'une **allée**.* ■ **allées** nom féminin pluriel • **Allées et venues**: déplacements de personnes qui vont et viennent. SYN va-et-vient.

La société algonquienne vers 1500

Le territoire

Vers 1500, les Algonquiens vivent sur un vaste territoire couvrant deux régions physiographiques : le Bouclier canadien et les Appalaches. La majeure partie du sol de ce territoire est très peu fertile.

Les ressources naturelles

Les ressources naturelles du territoire occupé par les Algonquiens leur procurent ce dont ils ont besoin pour subsister. Dans la forêt, ils trouvent le bois pour construire et chauffer leurs tentes ainsi que pour fabriquer leurs canots. Les diverses espèces d'animaux qui y vivent leur fournissent leur nourriture et les peaux pour fabriquer leurs vêtements. Ils peuvent se déplacer, pêcher, boire et se laver grâce aux nombreux cours d'eau qui arrosent leur territoire.

La population

Vers 1500, on estime que les Algonquiens sont entre 15 000 et 17 000. Cette grande famille comprend onze nations qui se partagent un territoire correspondant à la presque totalité du Québec actuel.

Le mode de vie

Puisque les terres qu'ils habitent sont peu fertiles, les Algonquiens ne peuvent pas pratiquer l'agriculture. Ils ne demeurent donc pas au même endroit et doivent se déplacer constamment pour trouver de la nourriture : ce sont des nomades. C'est pour cette raison que leur habitation, le wigwam, est légère et facile à transporter.

L'alimentation

La viande et le poisson constituent la base de leur alimentation. C'est pourquoi les Algonquiens chassent et pêchent toute l'année. L'hiver, il leur arrive de devoir parcourir de grandes distances pour trouver du gibier.

Les croyances et les coutumes

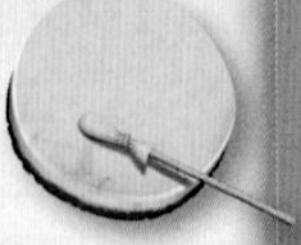

Les Algonquiens ont un grand respect pour les éléments de la nature parce qu'ils sont convaincus qu'ils sont habités par des esprits. Ils croient également en une puissance supérieure, appelée « Manitou », qui dirige ces esprits. Le membre de la bande qui est en contact avec les esprits se nomme « chaman ». Il ou elle a le don d'interpréter les rêves, de prédire l'avenir et de guérir les malades. En pratiquant certains rites comme la danse et le jeûne, les Algonquiens cherchent à s'attirer les faveurs des bons esprits et à éloigner les mauvais.

L'organisation sociale

La société algonquienne est une société patriarcale, ce qui veut dire que les hommes y jouent un rôle très important. La vie est organisée autour de la famille et de la bande, et cette dernière est dirigée par un chef.

L'alimentation

Tous les êtres humains ont des besoins alimentaires communs. Diverses substances nutritives assurent le bon fonctionnement de notre organisme : l'eau, les lipides, les glucides, les protides, les vitamines et les minéraux. Puisque ces substances se complètent les unes les autres, il est important de varier notre alimentation pour rester en santé.

L'eau

L'**eau** est une substance essentielle à la vie. Chez l'enfant, l'eau représente environ 70 % de la masse corporelle, mais certaines parties du corps en contiennent plus que d'autres. Il est recommandé de boire de l'eau régulièrement, et en plus grande quantité lorsqu'on bouge beaucoup ou qu'il fait très chaud. L'eau étanche bien la soif et ne contient aucune calorie.

Les lipides

Les **lipides** sont les substances nutritives les plus riches en énergie. Entre autres, les lipides aident le corps à absorber certaines vitamines et facilitent la formation des cellules nerveuses et des hormones. Une alimentation équilibrée comporte de 25 % à 30 % de lipides d'origine animale ou végétale.

Des sources de lipides

Les glucides

Les **glucides** sont des hydrates de carbone qui fournissent au corps l'énergie nécessaire pour fonctionner et pour maintenir sa température. Les glucides se classent en deux catégories : les glucides simples, que l'organisme absorbe et digère rapidement, et les glucides complexes, qui sont absorbés et digérés plus lentement. Une alimentation équilibrée comporte habituellement 50 % de glucides.

Des sources de glucides simples

Des sources de glucides complexes contenant de l'amidon

Des sources de glucides contenant des fibres alimentaires

Les protides

Les **protides** sont des substances nutritives composées de carbone, d'hydrogène, d'oxygène et d'azote. Une fois absorbés et digérés par l'organisme, les protides forment des protéines à usage alimentaire, qui servent notamment à entretenir et à renouveler les tissus ainsi qu'à favoriser la croissance de l'organisme. Une alimentation équilibrée comporte de 10 % à 15 % de protides.

Des sources de protides

Les vitamines

Les **vitamines** sont des substances d'origine animale ou végétale que notre corps ne peut pas fabriquer. On les trouve dans les aliments, les principales étant les vitamines A, B, C, D, E et K. Les vitamines sont essentielles au bon fonctionnement de l'organisme.

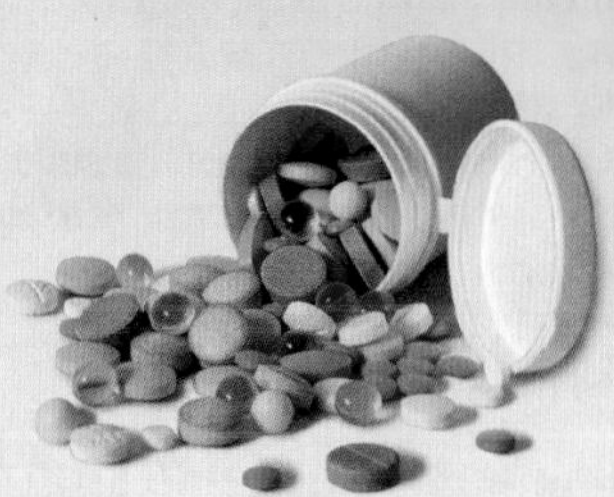

Les minéraux

Les **minéraux** sont présents dans divers aliments d'origine animale ou végétale, sous la forme de composés chimiques dissous dans l'eau que l'on appelle « sels minéraux ». Les principaux éléments que fournissent les sels minéraux sont le calcium, le chlore, le fer, le fluor, l'iode, le magnésium, le phosphore, le potassium, le sodium et le zinc.

Pour aider les gens à adopter une alimentation saine et équilibrée, Santé Canada publie un **guide alimentaire** où les aliments sont classés en quatre grands groupes. Ces aliments contiennent souvent diverses substances nutritives (par exemple, la viande contient à la fois des protides et des lipides). Les quantités et les groupes d'aliments à consommer par jour varient selon le sexe, l'âge, la taille, l'activité physique, etc.

GROUPES ALIMENTAIRES	NOMBRE DE PORTIONS PAR JOUR POUR LES GARÇONS ET LES FILLES	
	De 4 à 8 ans	De 9 à 13 ans
Légumes et fruits	5	6
Produits céréaliers	4	6
Lait et substituts	2	3-4
Viandes et substituts	1	1-2

a b c d e f g h i j k l m n o p q r s t u v w x y z

allégé, allégée adjectif
Se dit d'un aliment dont on a réduit la quantité de gras ou de sucre. *Un fromage **allégé**.*

allègement ou **allégement** nom masculin
Action d'alléger. *Les syndiqués demandent un **allègement** de leur temps de travail.* **SYN** diminution, réduction.

alléger verbe ▸ conjug. 8
Rendre plus léger. *Il faut **alléger** cette valise : on peut à peine la soulever.* **CONTR** alourdir. ✎ On peut écrire aussi, au futur, *il **allègera***; au conditionnel, *elle **allègerait**.* ♦ Famille du mot : allégé, allègement.

allègre adjectif
Qui est de bonne humeur, plein d'entrain. *Mon grand-père est toujours **allègre**.*

allégresse nom féminin
Joie très vive.

allemand, allemande adjectif et nom
D'Allemagne. *L'industrie automobile **allemande**. – Les **Allemands**, les **Allemandes**.* ✎ Attention ! Le nom, qui désigne les habitants, s'écrit avec une majuscule.
■ **allemand** nom masculin Langue parlée par les Allemands.

① **aller** verbe ▸ conjug. 56
❶ Se rendre quelque part. *Cet été, nous **allons** en Gaspésie.* ❷ Mener quelque part. *Cette petite route **va** au village.* **SYN** conduire. ❸ Être sur le point de. *Il **va** pleuvoir, le ciel est menaçant.* ❹ Se porter, se sentir dans tel état. *Je **vais** très bien, merci !* ❺ Convenir à quelqu'un, lui être adapté. *Ce chapeau te **va** très bien.* • **S'en aller :** partir. *Il est tard, je dois **m'en aller**.* * Attention ! *Aller* se conjugue avec l'auxiliaire *être* : *je **suis allé** à Bécancour.*

② **aller** nom masculin
❶ Trajet effectué pour se rendre à un endroit. *Faire l'**aller** en train et le retour en avion.* ❷ Billet de train ou d'avion dans lequel le prix du retour n'est pas compris. *Je voudrais un **aller** pour Toronto, s'il vous plaît.* **CONTR** retour.

allergène nom masculin
Substance qui provoque ou peut provoquer des allergies. ■ **allergène** adjectif Qui provoque ou peut provoquer des allergies. *Un aliment **allergène**.*

allergie nom féminin
Réaction maladive du corps à diverses substances. *De plus en plus d'enfants font des **allergies** alimentaires.*

allergique adjectif
❶ Qui souffre d'allergie. *Sonoko est **allergique** aux noix.* ❷ Au sens figuré, qui n'aime pas du tout quelque chose. *Il est **allergique** au mensonge.*

alliage nom masculin
Métal obtenu en fondant ensemble plusieurs métaux ou un métal et d'autres substances. *L'acier est un **alliage** à base de fer et de carbone.*

alliance nom féminin
❶ Accord entre deux partis ou deux pays. ❷ Anneau porté à l'annulaire de la main gauche par les gens mariés.

allié, alliée nom
❶ Personne qui aide quelqu'un. *Dans la bagarre, Mathilde a été mon **alliée**.* ❷ Groupe de personnes ayant conclu une alliance. *Des pays **alliés**.*

s'**allier** verbe ▸ conjug. 10
Conclure une alliance. *Ces pays **se sont alliés** pour lutter contre le terrorisme.* **SYN** s'unir. ♦ Famille du mot : alliage, alliance, allié.

alligator nom masculin
Crocodile d'Amérique. 👁p. 892. * Chercher aussi *caïman*.

*Un **alligator***

allo- préfixe
Placé au début d'un mot pour former un autre mot, *allo-* signifie « autre » (***allo**phone*).

allo ! ou **allô !** interjection
Mot que l'on dit au début d'une conversation téléphonique. ***Allo !** ne quittez pas !*

allocation nom féminin
Somme d'argent versée régulièrement. *Mon oncle a perdu son emploi : il touche une **allocation** de chômage.*

allocution nom féminin
Discours bref. *La ministre doit prononcer une **allocution** lors de la cérémonie.*

allongé, allongée adjectif
Qui a une forme étendue en longueur. *Le cheval a une tête **allongée**.*

allongement nom masculin
Augmentation de la longueur ou de la durée. *Les progrès de la médecine ont permis un **allongement** de la vie.*

allonger verbe ▸ conjug. 5
❶ Rendre plus long. *Ce détour **a allongé** notre voyage.* **SYN** rallonger. **CONTR** raccourcir. ❷ Étendre un membre. *À cause d'une crampe, il a dû **allonger** sa jambe.* ■ **s'allonger** : se mettre en position horizontale. *Ingrid **s'allonge** dans l'herbe pour observer la fourmilière.*

allophone adjectif et nom
Dont la langue maternelle n'est ni le français ni l'anglais. *Depuis longtemps, le Québec accueille de nombreux immigrés **allophones**. – L'intégration des **allophones** dans la société d'accueil.*

allouer verbe ▸ conjug. 3
Attribuer une somme d'argent. *La directrice **a alloué** deux mille dollars pour les sorties scolaires.*

allumage nom masculin
Système électrique qui permet de faire exploser le combustible dans les moteurs à explosion.

allumer verbe ▸ conjug. 3
❶ Mettre le feu à quelque chose. ***Allumer** des bûches dans la cheminée.* ❷ Faire fonctionner une lumière, un appareil électrique. ***Allume** la lampe s'il ne fait pas assez clair. **Allume** le téléviseur.* **CONTR** éteindre. ■ **s'allumer** : s'éclairer. *Les réverbères **s'allument** plus tôt en hiver.* ♦ Famille du mot : allumage, allumette, rallumer.

allumette nom féminin
Bâtonnet en bois ou en carton dont une extrémité est inflammable par frottement.

allure nom féminin
❶ Vitesse à laquelle on se déplace. *Les voitures roulaient à toute **allure** juste avant l'accident.* ❷ Dans la langue familière, aspect, apparence. *Adriana a une drôle d'**allure** avec cette nouvelle coiffure.* • **Avoir de l'allure** : avoir du sens. *Son explication de l'incident **n'a pas d'allure**.*

allusion nom féminin
Façon de parler d'une personne ou d'une chose d'une manière vague, sans donner de précisions. *Il a fait de nombreuses **allusions** à son passé.*

alluvions nom féminin pluriel
Dépôts de terre apportés par un fleuve ou une rivière. *Les **alluvions** sont un excellent engrais.*

alors adverbe
❶ À ce moment-là. *Il était **alors** dix heures précises.* ❷ Dans ce cas, dans ces conditions. *Tu as fini tes devoirs ? **Alors**, tu peux aller jouer.* ■ **alors que** conjonction Bien que, tandis que. *Ils projettent une randonnée **alors qu'**il pleut.*

alouette nom féminin
Petit oiseau au plumage gris et brun qui vit surtout dans les campagnes.

*Une **alouette***

alourdir verbe ▸ conjug. 11
Rendre plus lourd. *Ces livres volumineux vont **alourdir** ton sac à dos.* **CONTR** alléger.

alphabet nom masculin
Ensemble des lettres d'une langue, classées dans un ordre déterminé. *Réciter l'**alphabet** de a à z.* ♦ Famille du mot : alphabétique, alphabétisation, alphabétiser, analphabète, analphabétisme. * Chercher aussi *phonétique*.

alphabétique adjectif
❶ Qui concerne l'alphabet. *Les caractères **alphabétiques**.* ❷ Qui est dans l'ordre de l'alphabet, de a à z. *Dans un dictionnaire, les mots sont classés par ordre **alphabétique**.*

alphabétisation nom féminin
Action d'alphabétiser. *L'**alphabétisation** des travailleurs immigrés.*

alphabétiser verbe ▸ conjug. 3
Apprendre à lire et à écrire à quelqu'un qui n'est pas allé à l'école.

a b c d e f g h i j k l m n o p q r s t u v w x y z

alphanumérique adjectif
Qui comporte des lettres et des chiffres. *Ce code* ***alphanumérique*** *lui permet d'avoir accès à son dossier.*

alpinisme nom masculin
Sport qui consiste à faire de l'escalade en montagne.

Un **alpiniste**

alpiniste nom
Personne qui fait de l'alpinisme. *Des* ***alpinistes*** *font l'ascension de l'Everest.*

altération nom féminin
Fait de s'altérer, de s'abîmer. *La rouille est une* ***altération*** *du fer.* **SYN** détérioration.

altercation nom féminin
Dispute violente. *Après l'accident, il y a eu une* ***altercation*** *entre les deux automobilistes.*

altérer verbe ▸ conjug. 8
❶ Détériorer ou changer l'état de quelque chose. *La chaleur* ***altère*** *la viande.* ❷ Donner soif. *Cette marche sous le soleil nous* ***a altérés.*** ■ **s'altérer** : se détériorer. *Sous l'effet du soleil, les couleurs* ***s'altèrent.*** ✎ On peut écrire aussi, au futur, *il* ***(s')altèrera*** ; au conditionnel, *elle* ***(s')altèrerait.*** ♦ Famille du mot : altération, désaltérer, inaltérable.

alternance nom féminin
Fait d'alterner. *Ces deux films passent en* ***alternance*** *dans la même salle, l'un l'après-midi, l'autre le soir.*

alternatif, alternative adjectif
Qui va dans un sens puis dans l'autre, avec régularité. *Le balancier d'une pendule a un mouvement* ***alternatif.***

alternative nom féminin
Choix que l'on doit faire entre deux solutions. *Partir ou rester : il n'y a pas d'autre* ***alternative.***

alternativement adverbe
Tour à tour. *Les élèves rangent la classe* ***alternativement.***

alterner verbe ▸ conjug. 3
Se succéder régulièrement. *Les quatre saisons* ***alternent*** *tout au long de l'année.* ♦ Famille du mot : alternance, alternatif, alternative, alternativement.

altitude nom féminin
❶ Hauteur d'un lieu au-dessus du niveau de la mer. *L'****altitude*** *du mont Jacques-Cartier est de deux mille deux cent soixante-huit mètres.* ❷ Élévation au-dessus du sol. *L'avion volait à basse* ***altitude.***

alto nom masculin
Instrument de musique à cordes, un peu plus gros que le violon.

Un **alto**

altruisme nom masculin
Caractère d'une personne qui aime aider les autres. *Milan fait preuve d'****altruisme*** *en participant à une action humanitaire.* **CONTR** égoïsme.

altruiste adjectif et nom
Qui fait preuve d'altruisme. *Un comportement* ***altruiste.*** *– Ces* ***altruistes*** *se dévouent sans compter.* **CONTR** égoïste.

aluminerie nom féminin
Usine de fabrication de l'aluminium. *Ma mère travaille dans une **aluminerie**.*

aluminium nom masculin
Métal très léger fabriqué à partir de la bauxite. *Le Canada est au troisième rang mondial des producteurs d'**aluminium**.* * Attention ! La dernière syllabe du mot *aluminium* se prononce *niome*.

alunir verbe ▸ conjug. 11
Se poser sur la Lune. *Le vaisseau spatial **a aluni** sans problème.* * Chercher aussi *amerrir*, *atterrir*.

alunissage nom masculin
Action d'alunir. *Le premier **alunissage** a eu lieu le 21 juillet 1969.*

alvéole nom féminin
❶ Petite cavité construite par les abeilles à l'intérieur d'une ruche. *Le miel est recueilli dans les **alvéoles**.* ❷ Minuscule cavité située dans les poumons, permettant les échanges entre l'air et le sang.

Des ***alvéoles***

amabilité nom féminin
Caractère d'une personne aimable. *Cette personne est connue pour son **amabilité**.* **SYN** courtoisie, gentillesse.

amadouer verbe ▸ conjug. 3
Flatter pour obtenir quelque chose. *Le cavalier tentait d'**amadouer** son cheval en lui caressant l'encolure.*

amaigrir verbe ▸ conjug. 11
Rendre maigre ou plus maigre qu'avant. *Cette longue maladie l'**a amaigri**.*

amaigrissant, amaigrissante adjectif
Qui fait maigrir. *Un régime **amaigrissant**.*

amaigrissement nom masculin
Fait d'être amaigri. *Son **amaigrissement** révèle un problème de santé.*

amalgame nom masculin
Mélange d'éléments qui ne vont pas bien ensemble. *Son dessin n'est qu'un **amalgame** de couleurs.*

amande nom féminin
Fruit à coque dure de l'amandier. *Une tarte aux **amandes**.* • **En amande** : de forme allongée. *Des yeux **en amande**.* * Ne pas confondre *amande* et *amende*.

Des ***amandes***

amandier nom masculin
Arbre dont le fruit est l'amande.

Les fleurs, les feuilles et le fruit de l'***amandier***

amant nom masculin
Homme avec lequel une femme a des relations sexuelles en dehors du mariage. * Chercher aussi *maîtresse*.

amarre nom féminin
Cordage servant à attacher ou à retenir un bateau. *Les marins larguent les **amarres** avant le départ du navire.*

amarrer verbe ▸ conjug. 3
Attacher par des amarres. *Les bateaux **sont amarrés** dans le port.* ♦ Famille du mot : amarre, démarrage, démarrer, démarreur.

amas nom masculin
Accumulation de choses. *Après l'accident, la voiture n'était plus qu'un **amas** de ferraille.* **SYN** amoncellement, tas.

amasser verbe ▸ conjug. 3
Faire un amas. *Marina **a amassé** des dizaines de timbres depuis qu'elle a commencé sa collection.* **SYN** accumuler.

a b c d e f g h i j k l m n o p q r s t u v w x y z

amateur, amatrice nom et adjectif
❶ Personne qui a du goût pour quelque chose. *Jacinthe est une* ***amatrice*** *de théâtre.*
❷ Personne qui exerce une activité sans être professionnelle. *Le club des photographes* ***amateurs*** *de ma ville organise une exposition. Une ornithologue* ***amateur***. **CONTR** professionnel.
✎ Attention ! Comme adjectif, *amateur* est invariable en genre.

ambassade nom féminin
Résidence de l'ambassadeur et de ses services.

ambassadeur, ambassadrice nom
Personne qui représente officiellement un État dans un pays étranger. *L'****ambassadeur*** *de France au Canada.* * Chercher aussi *consul*, *diplomate*.

ambiance nom féminin
❶ Atmosphère, climat qui règne dans un lieu, un groupe. *Simon adore l'****ambiance*** *des courses automobiles.* ❷ Atmosphère gaie et animée. *Alexis n'a pas son pareil pour mettre de l'****ambiance*** *dans une fête.*

ambiant, ambiante adjectif
Qui concerne le milieu qui nous entoure. *Ce fromage doit être dégusté à température* ***ambiante***.

ambidextre adjectif
Qui est à la fois droitier et gaucher. *Un joueur de tennis* ***ambidextre***.

ambigu, ambiguë adjectif
Que l'on peut comprendre de plusieurs façons. *À l'oral, les phrases « la personne qui l'a ramené » et « la personne qu'il a ramenée » sont* ***ambiguës***. **CONTR** clair. ✎ On peut écrire aussi, au féminin, ***ambigüe***.

ambiguïté nom féminin
Chose ambiguë. *Sa réponse à mes questions est pleine d'****ambiguïtés***. ✎ On peut écrire aussi ***ambigüité***.

ambitieux, ambitieuse adjectif et nom
Qui a de l'ambition, qui tient à réussir. *Anna est très* ***ambitieuse***. *– Les* ***ambitieux*** *veulent toujours plus de succès.*

ambition nom féminin
❶ Désir très fort. *Élias aime peindre et il a l'****ambition*** *d'exposer ses toiles.* ❷ Volonté de réussir dans la vie. *Son* ***ambition*** *la mènera très loin.* ♦ Famille du mot : ambitieux, ambitionner.

ambitionner verbe ▸ conjug. 3
❶ Viser, chercher à obtenir. *Ce député* ***ambitionne*** *un poste de ministre.* ❷ Abuser, exagérer. *Quand ses parents lui permettent de sortir le soir, Emma* ***ambitionne*** *et elle rentre très tard.*

ambre nom masculin
• **Ambre jaune :** résine fossile dure et translucide, servant à faire des bijoux.

De l'**ambre**

ambré, ambrée adjectif
Qui a la couleur de l'ambre jaune. *Le sucre prend une teinte* ***ambrée*** *à la cuisson.*

ambulance nom féminin
Véhicule aménagé pour transporter les blessés et les malades. *L'****ambulance*** *fait retentir sa sirène pour demander le passage.*

ambulancier, ambulancière nom
Personne qui conduit une ambulance.

ambulant, ambulante adjectif
Qui se déplace d'un endroit à un autre pour proposer des services. *La bibliothèque* ***ambulante*** *passe une fois par mois dans ce petit village.* ♦ Famille du mot : ambulance, ambulancier.

âme nom féminin
Partie de l'être humain, distincte du corps, qui lui permettrait de penser et d'éprouver des sentiments. *Certaines religions considèrent que l'****âme*** *est immortelle.* • **Corps et âme :** entièrement, complètement. *Ernesto se donne* ***corps et âme*** *à son travail.* • **Rendre l'âme :** mourir.

amélioration nom féminin
Fait de s'améliorer. *Sa santé est en nette* ***amélioration*** *: elle pourra reprendre son travail sous peu.* **CONTR** aggravation.

améliorer verbe ▸ conjug. 3
Rendre meilleur. *Kim veut* ***améliorer*** *son jeu au hockey.*

aménagement nom masculin
Action d'aménager un lieu. *La maison nécessite encore quelques* ***aménagements*** *avant d'être habitable.*

aménager verbe ▶ conjug. 5
Organiser un lieu pour le rendre utilisable. *Ils **ont aménagé** cette vieille ferme en maison de campagne.*

amende nom féminin
Somme à payer si l'on n'obéit pas à la loi. *On risque une **amende** si l'on ne boucle pas sa ceinture de sécurité.* SYN contravention.
• **Faire amende honorable :** reconnaître ses torts. * Ne pas confondre *amende* et *amande*.

amener verbe ▶ conjug. 8
❶ Conduire quelqu'un quelque part. *Je l'**ai amené** chez le médecin avant que son malaise s'aggrave.* ❷ Être la cause de quelque chose. *Ses mauvaises fréquentations risquent de lui **amener** des ennuis.* SYN causer, occasionner.
❸ Obliger à faire quelque chose. *Ta désobéissance persistante va m'**amener** à sévir.*

s'**amenuiser** verbe ▶ conjug. 3
Devenir plus faible ou plus petit. *À mesure que tu t'éloignes, le bruit de tes pas **s'amenuise**.*

amer, amère adjectif
❶ Qui a un goût désagréable. *Ce sirop pour la toux est **amer**.* CONTR doux. ❷ Au sens figuré, se dit de ce qui est pénible, douloureux. *Un chagrin **amer**.* ♦ Famille du mot : amèrement, amertume.

amèrement adverbe
De manière amère. *Il pleut si souvent qu'il regrette **amèrement** d'avoir choisi de camper.*

américain, américaine adjectif et nom
Des États-Unis d'Amérique. *Les villes **américaines**. – Les **Américains**, les **Américaines**.* ✎ Attention ! Le nom, qui désigne les habitants, s'écrit avec une majuscule.

amérindianisme nom masculin
Mot, locution d'origine amérindienne. *Les mots « achigan » et « ouaouaron » sont des **amérindianismes**.* * Chercher aussi *acadianisme*, *anglicisme*, *canadianisme*, *québécisme*.

amérindien, amérindienne adjectif et nom
Relatif aux autochtones d'Amérique du Nord. *Les noms de lieux **amérindiens** font souvent référence à la nature. – Beaucoup d'**Amérindiens** vivent encore de chasse et de pêche.* ✎ Attention ! Le nom, qui désigne les membres des nations amérindiennes, s'écrit avec une majuscule.

amerrir verbe ▶ conjug. 11
Se poser sur l'eau. *L'hydravion **a amerri** au milieu du lac.*

amertume nom féminin
❶ Sentiment de découragement et de forte déception. *Son échec l'a rempli d'**amertume**.*
❷ Goût amer. *L'**amertume** de l'endive.*

améthyste nom féminin
Pierre précieuse de couleur violette. *La pierre de cette bague est une **améthyste**.*

Une **améthyste**

ameublement nom masculin
Ensemble des meubles utilisés pour l'aménagement d'une pièce ou d'une maison. SYN mobilier.

ameuter verbe ▶ conjug. 3
Rassembler des personnes en poussant des hurlements. *Arrête de hurler, tu vas **ameuter** tout le voisinage !*

ami, amie nom
Personne à laquelle on est lié par l'affection et la sympathie. *On doit toujours pouvoir compter sur ses **amis**.* SYN camarade, copain. CONTR ennemi. ♦ Famille du mot : amical, amicalement, amitié, inamical.

Une **Amérindienne**

a b c d e f g h i j k l m n o p q r s t u v w x y z

à l'amiable adverbe
En conciliant directement deux intérêts opposés. *Koumar et Élodie ont réglé leur conflit* ***à l'amiable****.*

amiante nom masculin
Matière minérale fibreuse qui résiste à l'action du feu. *La poussière d'****amiante*** *provoque de graves maladies.*

amical, amicale, amicaux adjectif
Qui relève de l'amitié. *En partant, ma voisine m'a fait un salut* ***amical****. Des gestes* ***amicaux****.* **CONTR** hostile, inamical.

amicalement adverbe
De manière amicale. *Ils m'ont* ***amicalement*** *proposé de me raccompagner.*

amidon nom masculin
Substance végétale utilisée pour fabriquer la colle. *Le riz, les pommes de terre, les haricots contiennent de l'****amidon****.*

amincir verbe ▸ conjug. 11
Faire paraître plus mince. *Elle affirme que le noir l'****amincit****.* ■ **s'amincir** : devenir plus mince. *Philippe* ***s'est aminci*** *depuis qu'il a repris le sport.*

amincissant, amincissante adjectif
Qui amincit. *Cette crème* ***amincissante*** *n'a jamais fait ses preuves.*

amiral, amirale, amiraux nom
Officier du grade le plus haut dans la marine militaire.

amitié nom féminin
Sentiment qui existe entre deux personnes amies. *Leur* ***amitié*** *date de l'école primaire.* **SYN** affection. **CONTR** hostilité. ■ **amitiés** nom féminin pluriel Témoignage d'amitié. *La prochaine fois que tu verras Bachir, adresse-lui mes* ***amitiés****.*

amnésie nom féminin
Perte de la mémoire. *Justin a souffert d'****amnésie*** *après son accident.*

amnésique adjectif et nom
Qui souffre d'amnésie. *Cet enfant* ***amnésique*** *a même oublié son nom. – Une* ***amnésique****.*

amnistie nom féminin
Annulation de certaines condamnations.

amoindrir verbe ▸ conjug. 11
Rendre moins grand ou moins fort. *Sa longue maladie l'****a amoindri****.*

s'amollir verbe ▸ conjug. 11
Devenir mou. *Laisse le sorbet* ***s'amollir*** *un peu avant de le servir.* **SYN** ramollir.

amonceler verbe ▸ conjug. 9
Mettre des choses en tas. **SYN** entasser. ✎ On peut écrire aussi, au présent, *j'****amoncèle*** ; au futur, *tu* ***amoncèleras*** ; au conditionnel, *elle* ***amoncèlerait****.*

amoncellement nom masculin
Ensemble d'objets amoncelés. **SYN** amas, entassement, tas. ✎ On peut écrire aussi ***amoncèlement****.*

amont nom masculin
Partie d'un cours d'eau la plus proche de la source. *Sur le fleuve Saint-Laurent, Sorel est en* ***amont*** *de Rivière-du-Loup.* **CONTR** aval.

amorce nom féminin
❶ Appât que l'on jette dans l'eau pour attirer le poisson. ❷ Dispositif destiné à déclencher une explosion. *La poudre explosera quand on aura enflammé l'****amorce****.* ❸ Petite charge de poudre enveloppée de papier. *Un pistolet à* ***amorces****.* ❹ Au sens figuré, début de quelque chose. *Ces quelques idées sont l'****amorce*** *d'un grand projet.* **SYN** ébauche. ♦ Famille du mot : amorcer, désamorcer.

Des **amorces** de pêche

amorcer verbe ▸ conjug. 4
❶ Jeter de l'amorce dans l'eau pour appâter le poisson. *Il* ***amorce*** *avec du pain pour attirer le poisson.* ❷ Garnir une charge d'explosif d'une amorce. **CONTR** désamorcer. ❸ Commencer à faire quelque chose. *Le syndicat* ***a amorcé*** *des négociations avec les dirigeants de l'usine.*

amorphe adjectif
Qui est mou et sans énergie. *Ses médicaments le rendent complètement* ***amorphe****.* **CONTR** actif, énergique, vif.

amorti nom masculin
Façon de toucher le ballon ou la balle en l'empêchant de rebondir pour en ralentir le déplacement. *Le joueur a tenté un* ***amorti*** *et a réussi à contrôler le ballon.*

amortir verbe ▸ conjug. 11
Atténuer la violence ou l'intensité de quelque chose. *Le tapis* ***amortit*** *les bruits de pas.* CONTR amplifier.

amortisseur nom masculin
Pièce mécanique qui sert à amortir les secousses dans un véhicule. 👁p. 88.

amour nom masculin
❶ Sentiment très fort d'affection et d'attirance sexuelle que l'on éprouve pour quelqu'un. *C'est le grand* ***amour*** *entre Alex et Lise.* ❷ Sentiment profond d'affection entre des personnes. *L'****amour*** *maternel, l'****amour*** *filial. L'****amour*** *du prochain.* ❸ Intérêt très vif pour une chose, une activité. *Il est devenu écologiste par* ***amour*** *de la nature.* • **Faire l'amour :** avoir des relations sexuelles avec quelqu'un.
♦ Famille du mot : amoureux, amour-propre.

amoureux, amoureuse adjectif et nom
Qui éprouve de l'amour pour quelqu'un ou quelque chose. *Julien est* ***amoureux*** *de Veronica. – Les* ***amoureux*** *du plein-air.*

amour-propre nom masculin
Sentiment très vif que l'on a de sa valeur personnelle. *Elle a refusé mon aide par* ***amour-propre****.* SYN fierté.

amovible adjectif
Qui peut être démonté ou enlevé. *La doublure de ce manteau est* ***amovible****.* CONTR inamovible.

amphibie adjectif
❶ Qui peut vivre dans l'air et dans l'eau. *Les tortues de mer sont des animaux* ***amphibies****.* ❷ Qui peut fonctionner sur terre et dans l'eau. *Des véhicules* ***amphibies****.*

amphibien nom masculin
Animal amphibie. *Les crapauds et les grenouilles sont des* ***amphibiens****.* 👁p. 46.

amphithéâtre nom masculin
❶ Dans l'Antiquité, théâtre circulaire avec des gradins. ❷ Salle garnie de gradins. *À l'université, certains cours ont lieu dans l'****amphithéâtre****.*

amphore nom féminin
Vase à deux anses, en terre cuite, utilisé dans l'Antiquité. *Les* ***amphores*** *servaient à transporter des graines ou des liquides.*

Une ***amphore***

ample adjectif
Qui est large, peu serré. *Des vêtements* ***amples*** *préservent mieux du froid.* CONTR ajusté, étriqué, étroit.
♦ Famille du mot : amplement, ampleur, amplificateur, amplifier.

amplement adverbe
De façon ample, plus que suffisante. *Je n'ai plus faim, tu m'avais* ***amplement*** *servi.* SYN largement.

ampleur nom féminin
❶ Caractère ample. *Cette jupe manque d'****ampleur****.* ❷ Degré d'importance. *Il faut évaluer l'****ampleur*** *des dégâts.*

amplificateur nom masculin
Appareil qui amplifie le son. *Guillaume a branché sa guitare électrique sur un* ***amplificateur****.* * Abréviation : ***ampli***.

amplifier verbe ▸ conjug. 10
Rendre plus puissant, plus fort. *Ses talons* ***amplifient*** *le bruit de ses pas.* CONTR amortir, atténuer. ■ **s'amplifier** : augmenter. *Plus on approche du chantier, plus le bruit* ***s'amplifie****.*

ampoule nom féminin
❶ Enveloppe de verre contenant un filament que le courant électrique rend lumineux. *L'****ampoule*** *de la lampe ne fonctionne plus.* ❷ Petit tube de verre qui contient un médicament. *Le médecin m'a prescrit des* ***ampoules*** *de vitamines.* ❸ Cloque provoquée par un frottement ou une brûlure. *Elle a une* ***ampoule*** *au talon.*

amputation nom féminin
Opération chirurgicale consistant à couper un membre ou une partie d'un membre. *Ces soins permettront d'éviter l'****amputation****.*

amputé, amputée nom
Personne qui a subi une amputation. *Les* ***amputés*** *de guerre.*

Les amphibiens

Un ouaouaron

Les amphibiens sont de petits vertébrés à sang froid et à peau lisse et humide, sans écailles. Ils vivent dans des milieux très humides, car leur peau absorbe l'humidité dont ils ont besoin. Sur leur mince peau se trouvent des glandes produisant du mucus ou du venin. Le cycle de vie des amphibiens comporte deux stades : ils naissent en milieu aquatique (sous forme larvaire) et poursuivent leur vie adulte en milieu terrestre ou aquatique. Il y a trois ordres d'amphibiens.

Les anoures

Les anoures, qui n'ont pas de queue, regroupent les grenouilles, les rainettes et les crapauds, dont le ouaouaron.

Une grenouille léopard

Un crapaud oriental

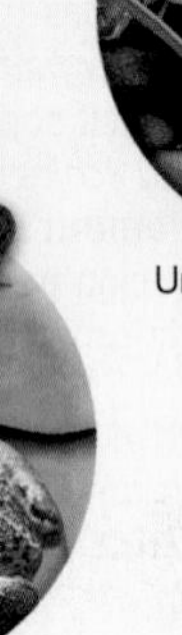

Une grenouille commune

Une grenouille venimeuse bleue

Une grenouille tomate

Une rainette aux yeux rouges

Un crapaud commun

Une rainette verte

Des têtards

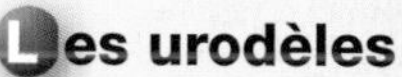

Les urodèles

Les urodèles, qui ont une queue visible, incluent les tritons et les salamandres.

Une salamandre maculée

L'elfe rouge (jeune triton vert)

Un triton vert

Les apodes

Les apodes, qui n'ont pas de pattes, comprennent principalement les cécilies d'Amérique du Sud.

Deux variétés de cécilies

amputer verbe ▸ conjug. 3
Faire subir une amputation. *Il a fallu l'**amputer** d'un doigt.* ♦ Famille du mot : amputation, amputé.

amulette nom féminin
Petit objet que l'on porte sur soi comme porte-bonheur. *Han embrasse toujours son **amulette** avant un examen.* **SYN** grigri, talisman.

Une *amulette*

amusant, amusante adjectif
Qui amuse. *Mon petit frère trouve **amusant** de marcher dans les flaques d'eau.* **SYN** plaisant.

amuse-gueule nom masculin
Petit hors-d'œuvre servi avant un repas.
✎ Pluriel : *des **amuse-gueules**.*

amusement nom masculin
Activité qui amuse. *Son plus grand **amusement** est de cacher les jouets de son frère.* **SYN** divertissement.

amuser verbe ▸ conjug. 3
Faire rire ou distraire quelqu'un. *Benoît nous **amuse** toujours avec ses imitations.* **SYN** divertir, égayer. ■ **s'amuser** : se distraire, jouer. *Elle **s'amuse** à faire des ricochets dans l'eau.* ♦ Famille du mot : amusant, amuse-gueule, amusement.

amygdale nom féminin
Chacune des deux glandes situées de part et d'autre de la gorge. *Lauranne s'est fait enlever les **amygdales**.* * Attention ! Le *g* du mot *amygdale* ne se prononce pas.

an nom masculin
Durée de douze mois. *Il a vécu trois **ans** en Angleterre. Farida a huit **ans**.* • **Le jour de l'An** ou **le premier de l'An** : le premier jour de l'année, le 1er janvier.

anachronique adjectif
❶ Qui ne correspond pas à l'époque dont il est question. *Dactylographier un texte à la machine à écrire est totalement **anachronique** aujourd'hui.* ❷ Qui appartient au passé. **SYN** démodé, désuet.

anachronisme nom masculin
Ce qui est anachronique. *Dans ce film, un soldat romain porte une montre au poignet : c'est un **anachronisme**.*

anagramme nom féminin
Mot formé en changeant l'ordre des lettres d'un autre mot. *« Chien » est une **anagramme** de « niche ».*

analogie nom féminin
Ressemblance, point commun entre des choses. *Il y a des **analogies** entre le crapaud et la grenouille.* **SYN** ressemblance.

analogue adjectif
Qui présente une analogie. *Ces deux outils ont un usage **analogue** : ils servent à raboter le bois.* **SYN** semblable.

analphabète adjectif et nom
Qui ne sait ni lire ni écrire.

analphabétisme nom masculin
Fait d'être analphabète. *L'école permet de lutter contre l'**analphabétisme**.*

analyse nom féminin
Recherche des éléments qui composent une chose. *Une **analyse** de sang permettra de vérifier son taux de cholestérol.* • **Analyse grammaticale** : recherche de la classe d'un mot, de son genre, de son nombre, de sa personne et de sa fonction.

analyser verbe ▸ conjug. 3
Faire l'analyse de quelque chose. *On **a analysé** minutieusement les débris de l'avion après l'accident. **Analyser** un mot dans une phrase.*

ananas nom masculin
Fruit exotique à l'écorce épaisse et à la pulpe jaune.

Des *ananas*

anarchie nom féminin
Grand désordre causé par l'absence d'autorité ou d'organisation. *C'est l'**anarchie** dans ce secteur de la ville : les feux de circulation sont en panne.* ♦ Famille du mot : anarchique, anarchiste.

anarchique adjectif
Qui relève de l'anarchie. *Le spectacle s'est déroulé de façon **anarchique**.*

anarchiste nom
Partisan de l'anarchie.

anatomie nom féminin
Science qui étudie le corps des êtres vivants. *L'**anatomie** fait partie des études médicales.*

anatomique adjectif
De l'anatomie. *Cette planche **anatomique** permet de comprendre la digestion.*

ancestral, ancestrale, ancestraux adjectif
Qui date du temps de nos ancêtres. *La bénédiction paternelle le jour de l'An est une coutume **ancestrale** au Québec.*

ancêtre nom
Personne dont on descend, plus éloignée que les grands-parents. *C'est un de mes **ancêtres** qui a fondé le village où j'habite.* ■ **ancêtres** nom masculin pluriel Personnes qui ont vécu dans les siècles passés.

anchois nom masculin
Petit poisson que l'on conserve souvent dans le sel, l'huile ou le vinaigre.

ancien, ancienne adjectif
❶ Qui existe depuis longtemps. *Cette église est très **ancienne**.* CONTR moderne, nouveau. ❷ Qui a cessé d'être ce qu'il était. *C'est une **ancienne** danseuse de ballet.* * Chercher aussi ① *ex-*.
■ **ancien, ancienne** nom Personne qui exerce une activité depuis longtemps. *Monique est une **ancienne** dans l'entreprise.* CONTR nouveau.
♦ Famille du mot : anciennement, ancienneté.

anciennement adverbe
Dans le passé. *Ce restaurant était **anciennement** une boulangerie.* SYN autrefois.

ancienneté nom féminin
❶ Caractère de ce qui est ancien. *L'**ancienneté** de ces timbres leur donne une grande valeur.*
❷ Temps passé à exercer une fonction. *Avoir dix ans d'**ancienneté**.*

ancre nom féminin
Pièce de métal que l'on jette au fond de l'eau pour immobiliser le bateau auquel elle est reliée par un câble ou une chaîne. *Lever l'**ancre**. Jeter l'**ancre**.*

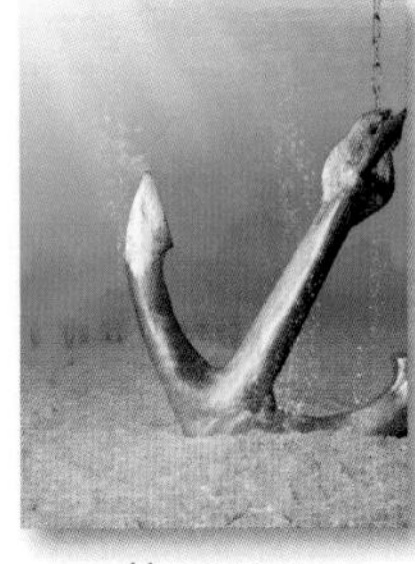
Une **ancre**

ancrer verbe ▸ conjug. 3
❶ Immobiliser un bateau en jetant l'ancre. *Ils **ont ancré** leur bateau près de la jetée.*
❷ Au sens figuré, fixer une idée dans l'esprit de quelqu'un. *Ta recommandation **est** bien **ancrée**, sois rassuré !*

andorran, andorrane
➜Voir tableau, p. 1319.

androïde nom masculin
Sorte de robot d'apparence humaine. *Les **androïdes** des films de science-fiction.*

âne nom masculin
❶ Mammifère à grandes oreilles, plus petit que le cheval. *L'ânon est le petit de l'**âne** et de l'ânesse.* * Chercher aussi *braire*.
❷ Personne bornée.
• **Têtu comme un âne** : très têtu.
♦ Famille du mot : ânerie, ânesse, ânon.

Un **âne**

anéantir verbe ▸ conjug. 11
Détruire complètement. *Un incendie **a anéanti** des centaines d'hectares de forêt.*

anéantissement nom masculin
Fait d'anéantir. *L'**anéantissement** de la récolte risque de provoquer la famine.*

anecdote nom féminin
Court récit d'un fait curieux, intéressant. *Les magazines sont pleins d'**anecdotes** sur la vie des stars.*

anecdotique adjectif
Qui a le caractère d'une anecdote. *Ce n'est qu'un détail **anecdotique** dans cette histoire.*

anémie nom féminin
Maladie du sang qui entraîne une grande fatigue. ♦ Famille du mot : anémier, anémique.

anémier verbe ▸ conjug. 10
Rendre anémique. *La mauvaise alimentation et la maladie l'**ont anémié**.*

anémique adjectif
Qui souffre d'anémie. *Marek est devenu **anémique** à force de manger insuffisamment.*

a b c d e f g h i j k l m n o p q r s t u v w x y z

anémomètre nom masculin
Appareil qui sert à mesurer la vitesse du vent.

Une *anémone*

anémone nom féminin
Plante dont les fleurs ont des couleurs vives.

ânerie nom féminin
Bêtise, sottise, niaiserie. *Je ne le crois pas: il dit toujours des **âneries**.*

ânesse nom féminin
Femelle de l'âne.

anesthésie nom féminin
Suppression de la douleur grâce à un anesthésique administré avant une opération chirurgicale. *Une **anesthésie** locale.* ♦ Famille du mot: anesthésier, anesthésique, anesthésiste.

anesthésier verbe ▸conjug. 10
Faire une anesthésie. *On l'**a anesthésié** avant de l'opérer.* **SYN** endormir.

anesthésique nom masculin
Médicament qui rend insensible à la douleur.

anesthésiste nom
Médecin spécialisé dans les anesthésies. *L'**anesthésiste** assiste le chirurgien pendant l'opération.*

aneth nom masculin
Plante aromatique qui porte aussi le nom de « fenouil ». *Émilie raffole des cornichons à l'**aneth**.*

De l'*aneth*

ange nom masculin
❶ Dans certaines religions, être envoyé par Dieu. ❷ Au sens figuré, personne qui a toutes les qualités. *Brad est adorable: c'est un **ange**.* • **Être aux anges**: être ravi. • **Une patience d'ange**: une patience sans limite.

Un *ange*

angélique adjectif
Qui évoque un ange par sa beauté et sa bonté. *Un visage **angélique**.*

angine nom féminin
Maladie de la gorge. *Si tu as mal à la gorge, c'est peut-être une **angine**.* • **Angine de poitrine**: douleur à la poitrine, accompagnée d'angoisse.

anglais, anglaise adjectif et nom
D'Angleterre. *La monarchie **anglaise**. – Les **Anglais**, les **Anglaises**.* ✎ Attention! Le nom, qui désigne les habitants, s'écrit avec une majuscule. ■ **anglais** nom masculin Langue parlée en Grande-Bretagne, aux États-Unis, au Canada et dans plusieurs autres pays du monde. ♦ Famille du mot: anglicisme, anglophone, anglo-saxon.

angle nom masculin
❶ En mathématique, portion d'espace comprise entre deux demi-droites qui ont une même origine. *Pour mesurer un **angle**, on utilise un rapporteur.* 👁p. 484. ❷ Coin. *Mets cette table dans un **angle** du salon.*

anglicisme nom masculin
Emprunt à la langue anglaise qui peut être un mot, une expression ou une tournure propre à cette langue. *Le mot « casting » est un **anglicisme**.* * Chercher aussi *acadianisme, amérindianisme, canadianisme, québécisme*.

anglophone adjectif et nom
De langue anglaise. *On recherche une secrétaire **anglophone**. – Au Québec, les **anglophones** sont en minorité.*

anglo-saxon, anglo-saxonne adjectif et nom
Relatif aux populations de civilisation britannique. *Prendre le thé à dix-sept heures est une coutume* ***anglo-saxonne***. ■ **Anglo-Saxon, Anglo-Saxonne** nom De civilisation, de culture britanniques. *Les* ***Anglo-Saxons****, les* ***Anglo-Saxonnes***. ✎ Attention ! Le nom, qui désigne les personnes de culture britannique, s'écrit avec une majuscule.

angoissant, angoissante adjectif
Qui provoque l'angoisse. *Faire un cauchemar* ***angoissant***.

angoisse nom féminin
Profonde inquiétude causant un malaise. *Mes parents éprouvent de l'****angoisse*** *quand je rentre tard.* SYN anxiété. CONTR calme, sérénité.

angoissé, angoissée adjectif
Qui ressent de l'angoisse. *Je n'ai pas de ses nouvelles depuis plusieurs jours, je suis* ***angoissée***.

angoisser verbe ▸ conjug. 3
Causer de l'angoisse. *Ce film d'horreur nous* ***a angoissés***.

angolais, angolaise
➔ Voir tableau, p. 1319.

angora adjectif
❶ Qui a des poils longs et doux. *Des lapins* ***angoras***. ❷ Qui est fait de poils de chèvre ou de lapin angora. *Un chandail en laine* ***angora***.

anguille nom féminin
Poisson qui a la forme d'un serpent. *L'****anguille*** *naît dans la mer, mais elle grandit en eau douce.*

Une **anguille**

anguleux, anguleuse adjectif
Qui présente des angles vifs. *Un visage* ***anguleux***.

anicroche nom féminin
Petite difficulté. *Le voyage s'est déroulé sans* ***anicroche***.

animal, animaux nom masculin
❶ Être vivant capable de se déplacer, par opposition aux végétaux. *L'abeille, le chien, l'être humain sont des* ***animaux***. ❷ Être vivant qui n'est pas doté de la parole, par opposition à l'être humain. *La Société protectrice des* ***animaux***. SYN bête. ■ **animal, animale, animaux** adjectif Qui concerne les animaux. *Certaines espèces* ***animales*** *sont en voie de disparition.* * Chercher aussi *minéral*, *végétal*.

animalerie nom féminin
Magasin où l'on vend de petits animaux et des articles qui les concernent.

animateur, animatrice nom
❶ Personne qui anime une réunion, une émission de télévision, un débat. *L'****animatrice*** *de l'émission était très drôle.* ❷ Personne chargée d'organiser et de diriger les activités dans un camp de vacances, une maison des jeunes, un centre de loisirs.

animation nom féminin
❶ Caractère de ce qui est animé. *Amir et Tanya discutent avec* ***animation***. ❷ Activité organisée. *Ce camp de jour propose de nombreuses* ***animations***. ❸ Technique des dessins animés. *Un film d'****animation***.

animé, animée adjectif
Qui est plein de vie, de mouvement. *Cette rue est très* ***animée*** *lors du festival de jazz.* CONTR morne, mort. • **Être animé :** être vivant, animal ou plante. CONTR inanimé. • **Dessin animé :** film dont les images sont faites d'une succession de dessins qui donne l'impression du mouvement.

animer verbe ▸ conjug. 3
❶ Faire bouger quelque chose. ***Animer*** *une marionnette en manipulant les fils qui la soutiennent.* ❷ Diriger une réunion en lui donnant un caractère vivant. ***Animer*** *un débat télévisé.* ❸ Inciter quelqu'un à agir. *Il* ***est animé*** *par une ambition sans limites.* ■ **s'animer** : montrer de la vie, de l'enthousiasme. *La foule* ***s'anime*** *quand les joueurs pénètrent dans l'aréna.* SYN s'exalter. ♦ Famille du mot : animateur, animation, animé, inanimé, ranimer, réanimation.

animisme nom masculin
Croyance selon laquelle les objets inanimés ont une âme analogue à l'âme humaine.

animosité nom féminin
Sentiment d'hostilité envers quelqu'un. *Des paroles pleines d'****animosité***. SYN ressentiment.

anis nom masculin
Plante utilisée pour parfumer des bonbons ou des boissons.

De l'**anis** étoilé

ankyloser verbe ▸conjug. 3
Provoquer une raideur dans une articulation. *Cette maladie **ankylose** les articulations.* ■ **s'ankyloser**: être atteint d'ankylose. *Ne reste pas à genoux, tu vas **t'ankyloser**.*

anneau, anneaux nom masculin
❶ Petit cercle qui sert à attacher, à retenir. *Une chaîne est formée d'**anneaux** accrochés les uns aux autres.* ❷ Bijou circulaire que l'on porte généralement au doigt ou aux oreilles.

année nom féminin
❶ Période d'un an qui commence le 1er janvier et se termine le 31 décembre. *Une **année** riche en évènements.* ❷ Période de douze mois, quel qu'en soit le début. *Voilà deux **années** que je ne l'ai pas vu.* ❸ Période d'activité de moins de douze mois. *L'**année** scolaire dure dix mois.*

année-lumière nom féminin
Distance que la lumière parcourt en un an. *Une **année-lumière** correspond à environ neuf milliards et demi de kilomètres.* ✎ Pluriel: *des **années-lumière**.*

annexe adjectif
Qui vient en complément d'une chose principale. *Les cours d'éducation physique ont lieu dans un bâtiment **annexe** de l'école.* ■ **annexe** nom féminin Chose ou bâtiment annexe. *La porcherie est située dans une **annexe** de la ferme.*

annexer verbe ▸conjug. 3
Rattacher un territoire à un pays. *Les États-Unis **ont annexé** le Texas en 1845.*

annexion nom féminin
Action d'annexer. *L'**annexion** de l'Alaska aux États-Unis remonte à 1867.*

anniversaire nom masculin
❶ Fête donnée pour l'anniversaire de la naissance de quelqu'un. *Toute la classe est invitée à l'**anniversaire** de Cybelle.* * Chercher aussi *centenaire*. ❷ Jour rappelant un évènement qui a eu lieu au moins un an plus tôt. *Le 11 septembre marque l'**anniversaire** de l'effondrement des tours du World Trade Center à New York.*

annonce nom féminin
Fait d'annoncer quelque chose. *Les étudiants ont organisé une manifestation à l'**annonce** de la hausse des droits de scolarité.* • **Petites annonces**: textes publiés dans un journal par des personnes ou des entreprises qui ont des emplois à proposer, des services à offrir, des objets à vendre. **SYN** annonces classées.

annoncer verbe ▸conjug. 4
❶ Informer officiellement de quelque chose. *Ils viennent d'**annoncer** leur mariage.* ❷ Donner un signal. *L'arbitre a sifflé pour **annoncer** la fin du match.* ❸ Publier une annonce publicitaire. *Cette entreprise **annonce** ses produits à la télévision.* ❹ Être l'indice de quelque chose. *Ce ciel tout noir **annonce** un orage.* ♦ Famille du mot: annonce, annonceur.

annonceur, annonceuse nom
❶ Personne ou entreprise qui paie pour que soient publiées ses annonces, sa publicité. ❷ À la radio ou à la télévision, personne chargée de présenter les émissions, d'annoncer les programmes et de donner les nouvelles.

annotation nom féminin
Remarque que l'on porte sur un texte, un devoir. *L'enseignant écrit ses **annotations** en rouge.*

annoter verbe ▸conjug. 3
Écrire des annotations. *Les enseignants **annotent** les travaux des élèves.*

annuaire nom masculin
Répertoire publié chaque année et donnant divers renseignements. *L'**annuaire** téléphonique.*

annuel, annuelle adjectif
❶ Qui a lieu chaque année. *La fête **annuelle** de l'école a toujours lieu en juin.* ❷ Qui ne dure qu'un an. *Les plantes **annuelles** fleurissent à la belle saison.* * Chercher aussi *bimensuel, bimestriel, hebdomadaire, mensuel, quotidien, trimestriel.*

annuellement adverbe
De façon annuelle. *Les anciens élèves de cette école se rassemblent* ***annuellement***.

annulaire nom masculin
Quatrième doigt de la main en partant du pouce. *Les gens mariés portent souvent un anneau à l'****annulaire*** *gauche.* 👁p. 331.

annulation nom féminin
Action d'annuler. *L'****annulation*** *d'un contrat.*

annuler verbe ▸ conjug. 3
❶ Rendre nul, sans effet. *Le contrat* ***a été annulé***. ❷ Supprimer quelque chose de prévu. ***Annuler*** *un spectacle.*

anoblir verbe ▸ conjug. 11
Donner un titre de noblesse (chevalier, comte, duc, etc.). *La reine Élisabeth II* ***a anobli*** *de nombreuses personnalités du monde des arts.*

anodin, anodine adjectif
❶ Sans gravité. *Un malaise* ***anodin***.
❷ Insignifiant. *Cette nouvelle est tout à fait* ***anodine***.

anomalie nom féminin
Chose anormale. *Il y a une* ***anomalie*** *dans le bruit du moteur.* **SYN** bizarrerie.

ânon nom masculin
Petit de l'âne et de l'ânesse.
* Chercher aussi *braire*.

Un ***ânon***

ânonner
verbe ▸ conjug. 3
Lire ou réciter avec peine, ou sans y mettre le ton.

anonymat nom masculin
Caractère de ce qui est anonyme. *Le témoin a préféré garder l'****anonymat***. * Chercher aussi *incognito*.

anonyme adjectif
Dont l'auteur ne dit pas son nom ou dont on ne connaît pas le nom. *Un coup de téléphone* ***anonyme*** *a averti la police.*

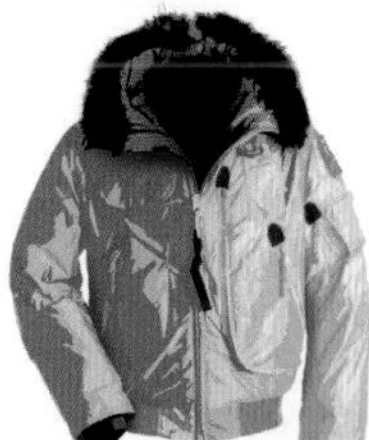
Un ***anorak***

anorak nom masculin
Blouson de sport matelassé et imperméable. *Rosalie a mis son* ***anorak*** *pour aller skier.*

anorexie nom féminin
Refus de se nourrir.
CONTR boulimie.

anorexique adjectif
Qui concerne l'anorexie. *Une obsession* ***anorexique***. ■ **anorexique** nom Qui est atteint d'anorexie. *Un, une* ***anorexique***.
CONTR boulimique.

anormal, anormale, anormaux adjectif
Qui n'est pas normal. *Le magnétoscope doit être en panne : il fait un bruit* ***anormal***.
SYN bizarre.

anormalement adverbe
De manière anormale. *L'hiver a été* ***anormalement*** *doux.* **SYN** exceptionnellement.
CONTR normalement.

anse nom féminin
❶ Partie d'un objet qui permet de le tenir ou de le porter. *L'****anse*** *d'une tasse à café.* ❷ Petite baie. *Le bateau a jeté l'ancre dans une* ***anse***.
* Chercher aussi *crique*, *golfe*.

*d'***antan** adjectif
Du temps passé. *Ma grand-mère nous raconte souvent des aspects de la vie* ***d'antan***.

antarctique adjectif
De la région du pôle Sud. *Le continent* ***antarctique***.

Le paysage ***antarctique***

a b c d e f g h i j k l m n o p q r s t u v w x y z

antécédent nom masculin
Mot, groupe de mots ou phrase repris par un pronom. *Dans la phrase « J'ai enfin trouvé la robe dont tu m'as parlé », « robe » est l'**antécédent** de « dont ».* ■ **antécédents** nom masculin pluriel Actes du passé de quelqu'un. *L'accusé a bénéficié de l'indulgence de la juge en raison de ses bons **antécédents**.*

antenne nom féminin
❶ Organe long et mince placé sur la tête de certains animaux, qui leur permet de se diriger et de sentir. *Les homards, les abeilles, les papillons ont des **antennes**.* 👁p. 570. ❷ Dispositif qui permet de recevoir les émissions de radio ou de télévision. *Une **antenne** de télévision.* • **Passer à l'antenne :** passer à la télévision ou à la radio.

Des **antennes**

antérieur, antérieure adjectif
❶ Qui a eu lieu avant. *L'invention du cinéma est **antérieure** à celle de la télévision.* ❷ Qui est placé devant. *Les muscles **antérieurs** de la cuisse permettent de tendre la jambe.* CONTR postérieur.

antérieurement adverbe
À un moment antérieur. *Comme nous l'avons précisé **antérieurement**, nous devons modifier la date de cette activité.* SYN précédemment. CONTR ultérieurement.

anthologie nom féminin
Recueil de textes. *Cet ouvrage est une **anthologie** de la poésie canadienne.*

anthropologie nom féminin
Science qui étudie l'espèce humaine.

anthropologue nom
Spécialiste de l'anthropologie.

anthropophage nom et adjectif
Personne qui mange de la chair humaine. *Une tribu **anthropophage**.* SYN cannibale.

anti- préfixe
Placé au début d'un mot pour former un autre mot, *anti-* signifie « contre » et marque l'opposition (***anti**conformiste*), la protection contre quelque chose (***anti**vol*).

antiatomique adjectif
Qui protège des bombes atomiques et des radiations. *Un abri **antiatomique**.*

antibactérien, antibactérienne adjectif et nom masculin
Qui combat les bactéries. *L'usage de ce produit **antibactérien** réduit les risques de contamination. – C'est un **antibactérien** puissant.*

antibiotique nom masculin
Médicament qui lutte contre les infections microbiennes. *Le premier **antibiotique**, la pénicilline, a été découvert en 1928 par Alexander Fleming.*

antibrouillard adjectif et nom masculin
• **Phare antibrouillard :** phare conçu pour éclairer dans le brouillard. *Des phares **antibrouillards**. – Des **antibrouillards**.*

antibruit adjectif invariable
Qui protège du bruit. *Des murs **antibruit** ont été construits le long de l'autoroute.*
✎ On peut écrire aussi *des murs **antibruits***.

anticipation nom féminin
• **Film, roman d'anticipation :** dont les aventures se déroulent dans l'avenir.
* Chercher aussi *science-fiction*.

anticiper verbe ▸ conjug. 3
Faire comme si un évènement était déjà arrivé. *N'**anticipez** pas la victoire, il faut d'abord gagner le match.*

anticonceptionnel, anticonceptionnelle adjectif
Qui permet d'éviter la grossesse. *Une méthode **anticonceptionnelle**.* * Chercher aussi *prendre la pilule**.

anticonformiste adjectif et nom
Qui ne se conforme pas aux usages établis. *Cette artiste est **anticonformiste**. – Des **anticonformistes**.* CONTR conformiste.

anticorps nom masculin
Substance fabriquée par l'organisme pour se défendre contre les microbes.

anticyclone nom masculin
Zone de hautes pressions atmosphériques. *Quand un **anticyclone** recouvre une région, il fait beau.*

antidote nom masculin
Remède contre un poison. *Le lait était souvent employé comme **antidote** autrefois.* **SYN** contrepoison.

antigel nom masculin
Produit qui empêche l'eau de geler. *En hiver, on met de l'**antigel** dans les radiateurs d'automobiles.*

antiguayen, antiguayenne
➔Voir tableau, p. 1319.

antilope nom féminin
Mammifère ruminant à cornes des savanes africaines.

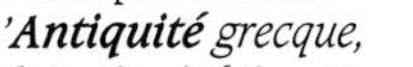
Une **antilope**

antipathie nom féminin
Sentiment d'hostilité à l'égard de quelqu'un. *Entre eux, l'**antipathie** a été immédiate.* **CONTR** sympathie.

antipathique adjectif
Qui inspire de l'antipathie. *Sa mine toujours boudeuse le rend **antipathique**.* **SYN** déplaisant, désagréable. **CONTR** sympathique.

antipodes nom masculin pluriel
❶ Région de la terre diamétralement opposée à une autre. *L'Australie est située aux **antipodes** du Canada.* ❷ Au sens figuré, très différent, opposé. *Tes opinions sont aux **antipodes** des miennes.*

antipoison adjectif invariable
• **Centre antipoison :** hôpital équipé pour soigner les personnes qui ont avalé un poison. *Des centres **antipoison**.* ✎ On peut écrire aussi *des centres **antipoisons**.* ■ **antipoison** nom masculin Substance qui agit contre un poison. *Des **antipoisons** efficaces.*

antipollution adjectif invariable
Qui limite la pollution. *Cette industrie a adopté des mesures **antipollution**.* ✎ On peut écrire aussi *des mesures **antipollutions**.*

antiquaire nom
Personne qui vend des antiquités. *Mon père a acheté ce fauteuil chez une **antiquaire**.*

antique adjectif
❶ Très ancien. *Une horloge **antique**.* ❷ Qui date de l'Antiquité. *Les pyramides d'Égypte sont des monuments **antiques**.* ♦ Famille du mot : antiquaire, antiquité.

antiquité nom féminin
❶ Objet d'art ancien, meuble ancien, qui ont de la valeur. *Cette amphore est une véritable **antiquité**.* ❷ Période qui va de la fin de la préhistoire à la chute de l'Empire romain. *L'**Antiquité** grecque, l'**Antiquité** égyptienne.* ✎ Attention ! Au sens 2, *Antiquité* s'écrit avec une majuscule.

Un vase **antique**

antiraciste adjectif et nom
Qui est contre le racisme. *Une loi **antiraciste**. – De nombreux **antiracistes** ont manifesté devant le Parlement.*

antisémite adjectif et nom
Qui est hostile aux Juifs. *Des propos **antisémites**. – Un **antisémite** notoire.*

antisémitisme nom masculin
Racisme dirigé contre les Juifs.

antiseptique nom masculin
Produit qui détruit les microbes et arrête l'infection. *Le peroxyde est un **antiseptique**.*

antivenimeux, antivenimeuse adjectif
Qui agit contre l'action du venin. *Un sérum **antivenimeux** l'a aidé à lutter contre la morsure du scorpion.*

antiviral, antivirale, antiviraux adjectif
Qui est actif contre les virus. *Un médicament **antiviral**.*

antivol nom masculin
Dispositif destiné à empêcher le vol. *La plupart des véhicules automobiles sont munis d'un **antivol**.* ✎ Pluriel : *des **antivols**.*

a b c d e f g h i j k l m n o p q r s t u v w x y z

antonyme nom masculin
Mot dont le sens est contraire à celui d'un autre mot. *« Vitesse » et « lenteur » sont des **antonymes**.* **SYN** contraire. **CONTR** synonyme.

antre nom masculin
Caverne qui sert d'abri à un fauve. *L'**antre** du tigre.* **SYN** repaire, tanière. * Ne pas confondre *antre* et *entre*.

anus nom masculin
Orifice du rectum par lequel sortent les excréments. 👁p. 320.

anxiété nom féminin
Vive inquiétude causée par l'incertitude, l'attente. *L'**anxiété** se lisait dans son regard.*

anxieusement adverbe
Avec anxiété. *Arlène attend **anxieusement** les résultats de son examen.*

anxieux, anxieuse adjectif
Très inquiet. *Un regard **anxieux**.* ♦ Famille du mot : anxiété, anxieusement.

aorte nom féminin
Artère principale du cœur, qui porte le sang chargé d'oxygène à tout l'organisme.

août nom masculin
Huitième mois de l'année, qui compte trente et un jours. ✎ Attention ! Le nom des mois s'écrit avec une minuscule. ✎ On peut écrire aussi ***aout***.

apaisant, apaisante adjectif
Qui apaise. *Tes paroles **apaisantes** me rassurent.*

apaisement nom masculin
Fait de s'apaiser. *Depuis qu'il a dit ce qu'il avait sur le cœur, Gad éprouve un sentiment d'**apaisement**.*

apaiser verbe ▸conjug. 3
Calmer quelqu'un ou quelque chose. *Jonathan **a apaisé** le bébé en lui chantant une berceuse.* ■ **s'apaiser** : se calmer. *Le vent **s'est apaisé**.*

aparté nom masculin
• **En aparté** : à part, à voix basse. *Elle n'arrête pas de faire des commentaires **en aparté**.*

apathique adjectif
Qui est sans réaction, sans énergie. *Au réveil, Antoine est généralement **apathique**.* **SYN** amorphe, indolent, léthargique.

apercevoir verbe ▸conjug. 21
Commencer à voir. *On **apercevait** au loin la chaîne des Chic-Chocs.* **SYN** discerner, entrevoir. ■ **s'apercevoir** : se rendre compte. *Tout le monde **s'est aperçu** de ton absence.* **SYN** remarquer. ♦ Famille du mot : aperçu, inaperçu.

aperçu nom masculin
Remarque brève, non développée sur un sujet. *La journaliste a donné un **aperçu** de la situation.*

apéritif nom masculin
Boisson parfois alcoolisée que l'on prend avant le repas. * Abréviation : ***apéro***.

apesanteur nom féminin
Absence de pesanteur. *En état d'**apesanteur**, les astronautes flottent dans la cabine du vaisseau spatial.* **CONTR** pesanteur. * Chercher aussi *attraction* terrestre*.

Un astronaute en **apesanteur**

① **à peu près** adverbe
Environ. *Il y a **à peu près** cent personnes dans la salle.* **SYN** approximativement.

② **à-peu-près** nom masculin invariable
Ce qui est superficiel et peu précis. *Hugo se contente toujours d'**à-peu-près** dans ses explications.* **SYN** approximation.

apeuré, apeurée adjectif
Rempli de peur. ***Apeuré**, le chat a couru se cacher sous le lit.* **SYN** effrayé.

aphone adjectif
Sans voix. *Anaïs est **aphone** : elle a perdu la voix.*

à-pic nom masculin
Paroi très abrupte. ✎ Pluriel : *des **à-pics***.

apicole adjectif
Qui concerne l'apiculture. *Les techniques **apicoles** s'améliorent sans cesse.*

apiculteur, apicultrice nom
Personne qui pratique l'apiculture. *Les **apiculteurs** élèvent des abeilles dans des ruches pour récolter le miel.* ♦ Famille du mot: apicole, apiculture.

apiculture nom féminin
Élevage des abeilles.

*L'**apiculture***

apitoiement nom masculin
Fait de s'apitoyer. *Des larmes d'**apitoiement**.*

apitoyer verbe ▸conjug. 6
Faire éprouver de la pitié. *Nora essaie d'**apitoyer** tout le monde sur son sort.* SYN attendrir. ■ **s'apitoyer**: éprouver de la pitié. *Il **s'apitoie** sur le sort des sinistrés.*

aplanir verbe ▸conjug. 11
❶ Rendre plan, uni. *Le bulldozer **aplanit** le chemin.* ❷ Au sens figuré, faire disparaître. *La discussion a permis d'**aplanir** les désaccords.*

aplatir verbe ▸conjug. 11
Rendre plat. *Quelqu'un s'est assis sur mon chapeau et l'**a** complètement **aplati** !*

aplomb nom masculin
Trop grande confiance en soi. *Il faut avoir de l'**aplomb** pour répondre comme il l'a fait.* SYN culot, toupet. • **D'aplomb**: en équilibre stable. *Une chaise parfaitement **d'aplomb**.*

apnée nom féminin
• **Plonger en apnée**: en bloquant sa respiration et sans bouteille d'oxygène.

apocalypse nom féminin
Catastrophe effroyable qui fait penser à la fin du monde. *L'éruption du volcan avait tout détruit, c'était un spectacle d'**apocalypse**.*

apocalyptique adjectif
Terrifiant au point de faire penser à la fin du monde. *Après le tremblement de terre, la ville avait un aspect **apocalyptique**.*

apogée nom masculin
Le plus haut point, le sommet de quelque chose. *C'est au cours de la saison de hockey 1944-1945 que la gloire de Maurice Richard a été à son **apogée**.* SYN comble, faîte, zénith.
* Attention ! Même s'il se termine en *-ée*, ce mot est du genre masculin.

① **apostrophe** nom féminin
Signe (') qui indique l'élision d'une voyelle. *Dans « l'iris », l'**apostrophe** signale qu'on a supprimé le « e » du déterminant.*

② **apostrophe** nom féminin
Parole grossière et brusque. *L'arbitre a expulsé un joueur qui lui lançait des **apostrophes**.* SYN insulte, invective.

apostropher verbe ▸conjug. 3
Adresser brutalement la parole à quelqu'un. *Les enfants, qui faisaient trop de bruit, se sont fait **apostropher** par une voisine.* SYN interpeller.

apothéose nom féminin
Le plus beau moment d'un spectacle, d'une fête. *Ce but magnifique a été l'**apothéose** du match.*

apôtre nom masculin
❶ Chacun des douze disciples du Christ.
❷ Au sens figuré, personne qui défend une idée avec ardeur. *Les **apôtres** de la non-violence.*

apparaître verbe ▸conjug. 37
❶ Devenir visible. *La lune **apparut** derrière les nuages.* CONTR disparaître. ❷ Avoir l'air, sembler. *Laura **apparaît** triste à ceux qui ne la connaissent pas bien.* SYN paraître.
* Attention ! *Apparaître* se conjugue avec l'auxiliaire *être*: *il **est apparu** soudainement.*
✎ On peut écrire aussi, à l'infinitif, ***apparaitre***; au présent, *elle **apparait***; au futur, *il **apparaitra***; au conditionnel, *ils **apparaitraient**.* ♦ Famille du mot: apparition, réapparaître, réapparition.

a b c d e f g h i j k l m n o p q r s t u v w x y z

appareil nom masculin
❶ Instrument destiné à exécuter un travail. *Un **appareil** photographique, un **appareil** ménager, un **appareil** dentaire.* ❷ Téléphone. *Le téléphone sonne: décroche l'**appareil**!* ❸ Avion. *L'**appareil** décollera dans dix minutes.* ❹ Ensemble des organes qui remplissent une fonction. *Les poumons font partie de l'**appareil** respiratoire.* • **Dans le plus simple appareil**: tout nu. ♦ Famille du mot: appareillage, appareiller.

① **appareillage** nom masculin
Ensemble d'appareils destinés à un usage défini. *L'**appareillage** électronique d'un bureau.*

② **appareillage** nom masculin
Action d'appareiller. *Les manœuvres d'**appareillage** d'un navire.*

appareiller verbe ▸ conjug. 3
Lever l'ancre et quitter le port. *Le navire vient d'**appareiller** et rejoint la haute mer.* **CONTR** mouiller.

apparemment adverbe
Selon les apparences. ***Apparemment**, elle n'est pas encore arrivée.* * Attention! La terminaison *emment* se prononce *amant*.

apparence nom féminin
Aspect extérieur. *Ce bébé est d'**apparence** chétive.*

apparent, apparente adjectif
❶ Qui se voit bien. *Une tache très **apparente**.* **SYN** visible. **CONTR** invisible. ❷ Qui n'est pas tel qu'il paraît. *Derrière le calme **apparent**, l'explorateur flairait le danger.* ♦ Famille du mot: apparemment, apparence.

apparenté, apparentée adjectif
Qui a un lien de parenté avec quelqu'un. *Par sa mère, Valérie est **apparentée** aux Fortin.*

apparition nom féminin
❶ Fait d'apparaître. *L'**apparition** des premiers bourgeons annonce le printemps.* **CONTR** disparition. ❷ Vision d'un être surnaturel, d'un fantôme. *C'était une maison hantée; certains prétendaient y avoir vu des **apparitions**.*

appartement nom masculin
Logement de plusieurs pièces dans un immeuble. * Abréviation: ***app.***

appartenance nom féminin
Fait d'appartenir, de faire partie. *Leur **appartenance** au même club de soccer les a rapprochés.*

appartenir verbe ▸ conjug. 19
❶ Être la propriété de quelqu'un. *Cette voiture **appartient** à notre voisin.* ❷ Faire partie d'un ensemble. *Les chiens et les renards **appartiennent** à la même famille d'animaux.*

appât nom masculin
❶ Nourriture employée pour attirer les animaux que l'on veut attraper. *Pour exterminer les rats, on a placé des **appâts** empoisonnés.* **SYN** amorce. ❷ Au sens figuré, ce qui excite la convoitise. *L'**appât** du gain l'a rendu malhonnête.*

appâter verbe ▸ conjug. 3
Attirer quelqu'un en le tentant. ***Appâter** quelqu'un avec de belles promesses.*

appauvrir verbe ▸ conjug. 11
Rendre pauvre. *C'est la perte de centaines d'emplois qui **a appauvri** la région.* **CONTR** enrichir.

appauvrissement nom masculin
Fait de s'appauvrir. *Les mauvaises récoltes ont provoqué l'**appauvrissement** de ces agriculteurs.* **CONTR** enrichissement.

appel nom masculin
❶ Action d'appeler. *L'équipe de secours a entendu les **appels** d'une femme qui se trouvait sous les décombres.* ❷ Coup de téléphone. *Il y a eu un **appel** pour toi.* • **Faire appel à quelqu'un**: lui demander un service. • **Faire l'appel**: appeler chaque personne d'un groupe par son nom pour savoir qui est présent et qui est absent. *L'éducateur **a fait l'appel** pour vérifier si tout le monde était là.*

appeler verbe ▸ conjug. 9
❶ Se servir de sa voix ou d'un geste pour faire venir quelqu'un. *Maman m'**a appelé** pour venir manger.* ❷ Téléphoner. *Florence t'**a appelée** tout à l'heure, elle rappellera.* ❸ Rendre nécessaire. *Ce problème **appelle** une explication.* **SYN** exiger, réclamer. ❹ Donner un nom. *Ils **appelleront** leur fils Maxime.* **SYN** dénommer, nommer. ■ **s'appeler**: avoir un nom. *Leur fille **s'appelle** Charlotte.* **SYN** se nommer. ♦ Famille du mot: appel, appellation, rappeler.

appellation nom féminin
Nom par lequel on désigne quelque chose. *Le colibri est aussi connu sous l'**appellation** d'« oiseau-mouche ».* **SYN** nom.

appendice nom masculin
❶ Petite poche allongée, au bout du gros intestin. 👁p. 320. ❷ Supplément placé à la fin d'un livre. *En **appendice**, vous trouverez les tableaux de conjugaison.*

appendicite nom féminin
Inflammation de l'appendice. *Une crise d'**appendicite**.*

Un **appentis**

appentis nom masculin
Petite construction appuyée à une maison. *Le bois de chauffage est rangé sous un **appentis**.*

s'appesantir verbe ▸conjug. 11
S'arrêter sur un sujet, en parler trop longuement. *Je trouve inutile de **s'appesantir** sur des détails.* **SYN** insister.

appétissant, appétissante adjectif
Qui met en appétit. *Miam! Ces odeurs de cuisine sont très **appétissantes**!*

Des légumes **appétissants**

appétit nom masculin
Envie de manger. *On voit que Shawn est en santé: il a un bon **appétit**.* • **Ouvrir l'appétit, mettre en appétit:** donner faim. *Le grand air nous **a ouvert l'appétit**.* * Chercher aussi *fringale*. • **Couper l'appétit:** enlever l'envie de manger. *L'émotion lui **avait coupé l'appétit**.*

applaudir verbe ▸conjug. 11
Battre des mains pour exprimer son approbation. *Les spectateurs **applaudissent** les musiciens.*

applaudissements nom masculin pluriel
Battements de mains de ceux qui applaudissent. *Quand le rideau s'est baissé, il y a eu un tonnerre d'**applaudissements**.*

applicable adjectif
Qui peut ou doit être appliqué. *Cette loi est **applicable** dans tous les cas.* **CONTR** inapplicable.

application nom féminin
❶ Action d'appliquer. *L'**application** d'une couche de peinture.* ❷ Mise en pratique. *L'**application** d'un nouveau procédé.* ❸ Soin que l'on met à ce que l'on fait. *Astrid colorie son dessin avec **application**.*

applique nom féminin
Appareil d'éclairage fixé au mur.

appliqué, appliquée adjectif
Qui travaille avec soin. *Arthur est un élève **appliqué**.* **SYN** consciencieux, sérieux, travailleur.

appliquer verbe ▸conjug. 3
❶ Poser ou étendre sur une surface. ***Appliquer** un pansement sur une plaie.* ❷ Mettre en pratique. ***Appliquer** une règle de grammaire.* ■ **s'appliquer:** mettre tout son soin à faire son travail. *Vous devez **vous appliquer** davantage.* ♦ Famille du mot: applicable, application, applique, appliqué, inapplicable.

appoint nom masculin
Complément. *Ce petit radiateur électrique n'est pas puissant, mais il est utile comme **appoint**.* • **D'appoint:** supplémentaire. *Un lit **d'appoint**.*

apport nom masculin
Ce qui est apporté. *Les travaux de cette chercheuse sont un **apport** considérable à la science.* **SYN** contribution.

apporter verbe ▸conjug. 3
❶ Porter quelque chose à quelqu'un. ***Apporte-moi** mon châle, s'il te plaît.* **CONTR** emporter, remporter. ❷ Être la source de, procurer. *Ses enfants lui **apportent** beaucoup de joie.* **SYN** donner. ❸ Mettre une qualité particulière à ce que l'on fait. *Yannick **apporte** beaucoup de soin à tout ce qu'il fait.* ♦ Famille du mot: apport, rapport, rapporter, rapporteur.

apposer verbe ▸conjug. 3
Appliquer sur une surface. ***Apposer** des affiches sur les murs.*

appréciable adjectif
❶ Marqué, considérable. *La différence de prix entre ces deux sofas en cuir est **appréciable**.* ❷ Que l'on apprécie beaucoup. *Ce raccourci nous a fait gagner un temps **appréciable**.* **SYN** précieux, utile.

Les appareils de gymnastique

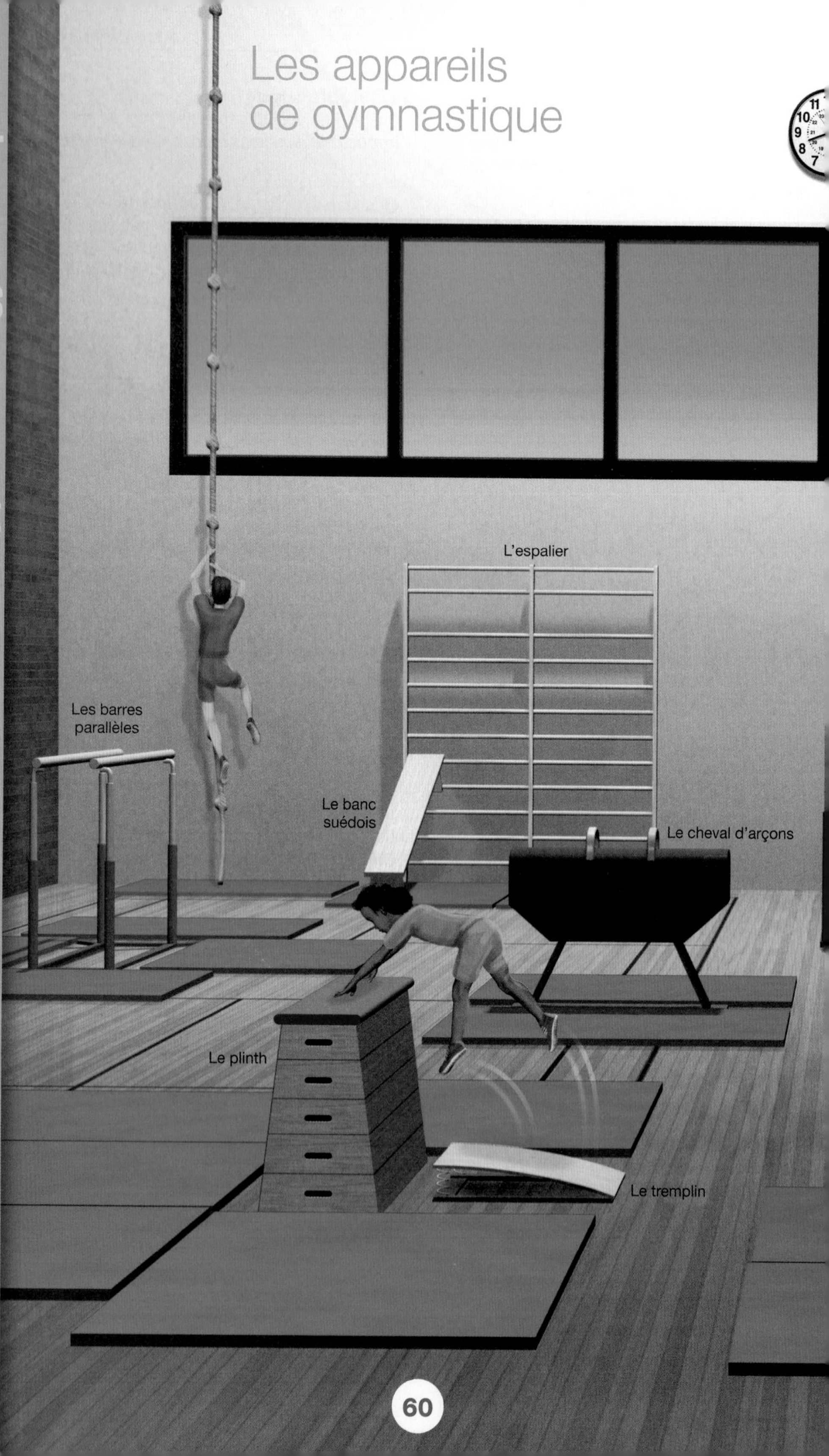

L'espalier

Les barres parallèles

Le banc suédois

Le cheval d'arçons

Le plinth

Le tremplin

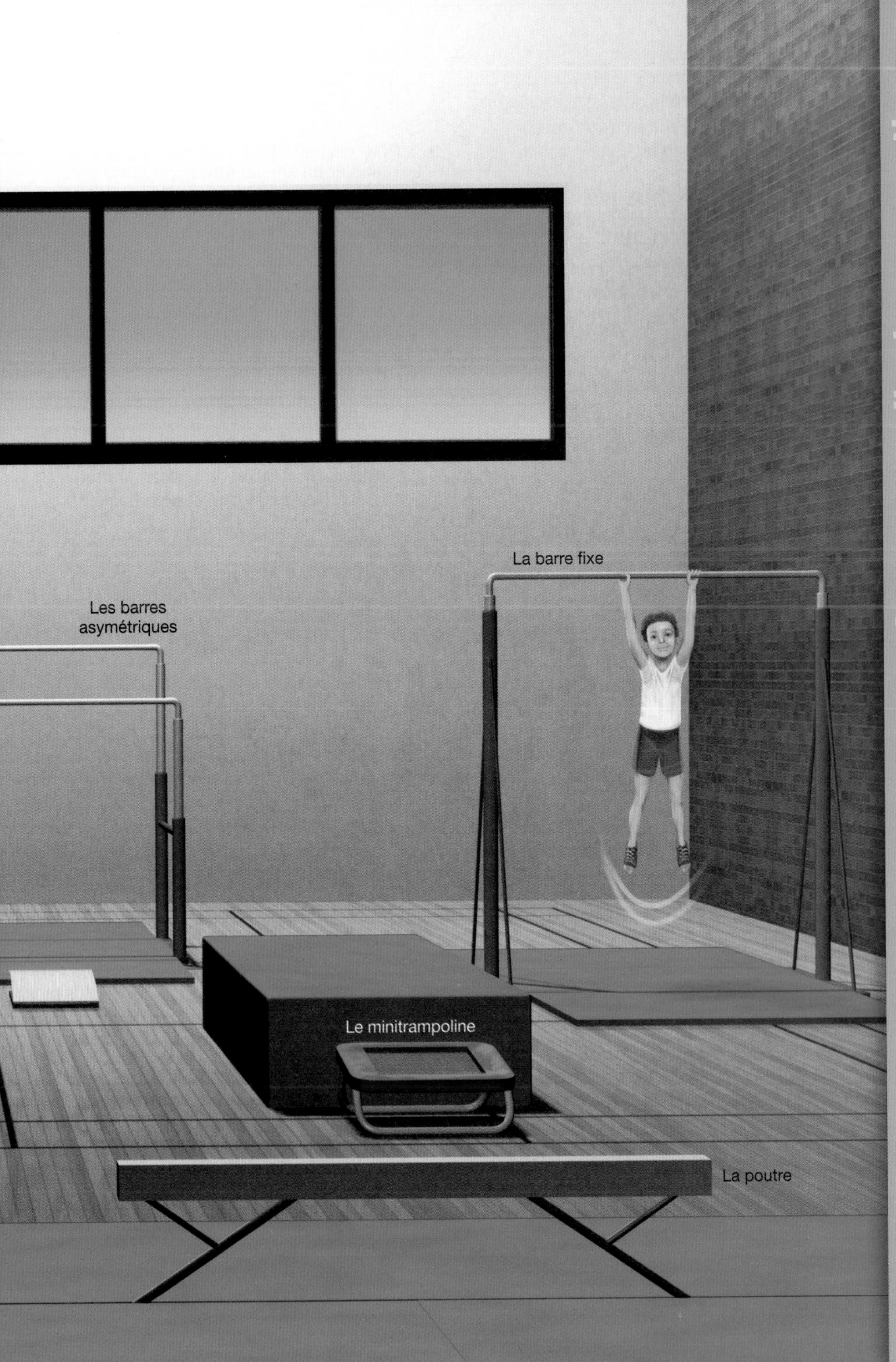
La barre fixe
Les barres asymétriques
Le minitrampoline
La poutre
Des tapis de sol

appréciation nom féminin
Manière dont on apprécie quelque chose. *Les **appréciations** portées par mon enseignant sur mes travaux sont encourageantes.* **SYN** observation, remarque.

apprécier verbe ▸ conjug. 10
❶ Évaluer, déterminer quelque chose. *Il est difficile d'**apprécier** la valeur de ce vieux bahut.* **SYN** estimer. ❷ Bien aimer quelque chose ou quelqu'un. *J'**apprécie** beaucoup sa gentillesse.* ♦ Famille du mot : appréciable, appréciation, inappréciable.

appréhender verbe ▸ conjug. 3
❶ Arrêter quelqu'un. *Les trafiquants de drogue **ont été appréhendés** à la frontière.* ❷ S'inquiéter d'avance de quelque chose. *J'**appréhende** de sortir à cause du verglas.* **SYN** craindre, redouter.

appréhension nom féminin
Action d'appréhender quelque chose. *On éprouve toujours une certaine **appréhension** avant de passer un examen.* **SYN** anxiété, crainte, inquiétude.

apprendre verbe ▸ conjug. 32
❶ Acquérir des connaissances. *Zora **apprend** à jouer aux échecs.* ❷ Faire acquérir des connaissances. *Ma sœur m'**a appris** à fabriquer un cerf-volant.* **SYN** enseigner. ❸ Recevoir une information. *Il a pleuré quand il **a appris** le décès de son grand-père.* ❹ Faire connaître une information. *On m'**apprend** que vous partez en Asie.* **SYN** annoncer, informer. ♦ Famille du mot : apprenti, apprentissage.

***Apprendre** à jouer aux échecs*

apprenti, apprentie nom
Personne qui apprend un métier manuel. *Notre plombier a embauché une **apprentie**.*

apprentissage nom masculin
Action d'apprendre par la pratique. *Sarkis suit un **apprentissage** en plomberie.*

s'**apprêter** verbe ▸ conjug. 3
Se préparer à faire quelque chose. *Il **s'apprête** à partir en voyage.* **SYN** se disposer.

apprivoiser verbe ▸ conjug. 3
Habituer un animal sauvage à vivre avec les humains. *Anna a recueilli une mouffette blessée et l'**a apprivoisée**.* **SYN** domestiquer. * Chercher aussi ② *dresser*.

approbateur, approbatrice adjectif
Qui manifeste de l'approbation. *Un geste **approbateur**.* **CONTR** désapprobateur, réprobateur.

approbation nom féminin
Action d'approuver. *Bruno a demandé l'**approbation** de ses parents avant d'acheter un jeu vidéo.* **SYN** accord, assentiment, consentement. **CONTR** désapprobation. ♦ Famille du mot : approbateur, approuver, désapprobateur, désapprobation.

approchant, approchante adjectif
Qui est semblable. *Si vous n'avez plus ce modèle, donnez-moi quelque chose d'**approchant**.* **SYN** analogue.

approche nom féminin
• **À l'approche de** : au moment où quelque chose est proche. ***À l'approche de** Noël, il y a une grande effervescence dans les magasins.*
• **Aux approches de** : près de. *La circulation ralentit **aux approches du** centre-ville.* **SYN** abords.

approcher verbe ▸ conjug. 3
❶ Mettre plus près. ***Approche** la lampe si tu veux pouvoir lire.* ❷ Devenir plus proche dans le temps. *Son départ **approche**.* ❸ Être sur le point d'atteindre quelque chose. *On **approche** de la maison.* ■ s'**approcher** : venir plus près. *Ne **t'approche** pas du bord de la falaise, tu risques de tomber !*

approfondir verbe ▸ conjug. 11
❶ Rendre plus profond. ***Approfondir** un trou.* ❷ Au sens figuré, étudier quelque chose à fond. ***Approfondir** une question.*

approprié, appropriée adjectif
Qui convient bien pour ce que l'on a à faire. *Maude a pu réparer la roue de sa bicyclette, car elle avait les outils **appropriés**.* **SYN** adapté, adéquat, convenable.

s'**approprier** verbe ▸ conjug. 10
S'attribuer une chose et la garder. *Laurence **s'est approprié** le jeu vidéo préféré de son frère.* **SYN** s'adjuger.

approuver verbe ▸conjug. 3
Être d'accord avec ce que quelqu'un fait ou dit. *J'**approuve** ce que tu viens de dire.* CONTR désapprouver, désavouer.

approvisionnement nom masculin
Action d'approvisionner. *Des camions-citernes assurent l'**approvisionnement** de la station-service.* SYN ravitaillement.

approvisionner verbe ▸conjug. 3
Fournir les provisions dont on a besoin. *Les organisations humanitaires **ont approvisionné** la région sinistrée en vivres et en médicaments.* ■ **s'approvisionner**: se procurer des provisions. *Au village, il n'y a qu'une épicerie où l'on peut **s'approvisionner**.* SYN se fournir.

*S'**approvisionner** au marché*

approximatif, approximative adjectif
Qui n'est qu'une approximation. *La distance **approximative** de la Terre à la Lune est de 380 000 kilomètres.* CONTR exact, précis.

approximation nom féminin
Estimation assez proche de la réalité. *Par **approximation**, je peux vous dire que cela pèse environ sept kilos.* ♦ Famille du mot: approximatif, approximativement.

approximativement adverbe
À peu près, environ. *D'après moi, il faut **approximativement** une heure pour traverser la ville.* CONTR exactement, précisément.

appui nom masculin
❶ Ce qui sert à soutenir. *Un accoudoir est un **appui** pour le coude.* ❷ Au sens figuré, soutien apporté à quelqu'un. *Sans votre **appui**, je n'aurais pas pu réussir.* SYN aide. • **À l'appui:** avec des documents ou des preuves pour appuyer ce que l'on affirme.

appuie-tête nom masculin invariable
Coussin fixé sur le dossier d'un siège pour y appuyer la tête. *Tous les sièges de la voiture ont des **appuie-tête**.* 👁p. 88. ✎ On peut écrire aussi, au pluriel, *des **appuie-têtes***.

appuyer verbe ▸conjug. 6
❶ Placer une chose contre un support pour qu'elle tienne. *Boris **appuie** son vélo contre le mur.* ❷ Apporter une aide, un soutien. ***Appuyer** un candidat à une élection.* SYN soutenir. ❸ Soutenir ce que l'on dit avec des arguments. *Elle **appuie** son récit sur plusieurs témoignages.* SYN étayer. ❹ Pousser ou peser sur quelque chose. *Karine **appuie** sur le bouton de la sonnette.* ❺ Mettre l'accent sur. *Dans son discours, il **a appuyé** sur cette question.* SYN s'appesantir, insister. ■ **s'appuyer**: se servir de quelque chose ou de quelqu'un comme soutien. ***Appuie-toi** sur moi.* ♦ Famille du mot: appui, appuie-tête.

âpre adjectif
❶ Qui racle la langue ou la gorge. *Les canneberges fraîches sont **âpres**.* ❷ Qui est violent, pénible. *Une **âpre** bataille les a opposés.*

après préposition
Sert à indiquer… ❶ le temps. ***Après** l'école, je vais à la piscine.* ❷ le lieu. *Tournez à gauche, juste **après** l'église.* ■ **après** adverbe Plus tard. *Finissez d'abord de manger, vous jouerez **après**.* SYN ensuite. CONTR auparavant, avant. • **Après tout:** tout compte fait, finalement. ➛Voir aussi ***d'après*** (préposition).

après-demain adverbe
Le jour qui suivra demain. *Mylène ne viendra pas aujourd'hui, mais **après-demain**.* * Chercher aussi *surlendemain*.

après-midi nom masculin ou féminin invariable
Moment de la journée compris entre midi et le soir. *Durant les longs **après-midi** d'été, les enfants faisaient la sieste.* ✎ On peut écrire aussi, au pluriel, *des **après-midis***. * Chercher aussi *avant-midi*.

après-vente adjectif invariable
• **Service après-vente:** service qui assure l'entretien et la réparation d'appareils après l'achat. ✎ On peut écrire aussi, au pluriel, *des services **après-ventes***.

âpreté nom féminin
Caractère âpre, pénible. *Les deux adversaires ont lutté avec **âpreté**.* **SYN** rudesse, violence. **CONTR** douceur.

a priori adverbe
À première vue, au premier abord. ***A priori**, cela me semble envisageable.* **CONTR** a posteriori. ✎ On peut écrire aussi ***à priori***.

à propos de préposition
Au sujet de quelque chose. ***À propos de** la fête, sais-tu quand elle a lieu ?*

à-propos nom masculin invariable
Qualité d'une parole ou d'une action qui vient au bon moment. *Sa remarque était pleine d'**à-propos**.*

Des **aras**

apte adjectif
Qui remplit les conditions nécessaires pour faire quelque chose. *Nathan a été déclaré **apte** à faire du parachutisme.* ♦ Famille du mot : aptitude, inapte, inaptitude.

aptitude nom féminin
Disposition d'une personne pour une activité particulière. *Chloé a des **aptitudes** pour le saut en hauteur.* **SYN** capacité, talent.

aquarelle nom féminin
Peinture exécutée avec des couleurs délayées dans de l'eau. *Quand on veut faire une **aquarelle**, il faut travailler rapidement.*

aquarium nom masculin
❶ Récipient de verre dans lequel on élève des poissons, des animaux aquatiques.
❷ Établissement où l'on peut voir des collections d'animaux aquatiques. * Attention ! La dernière syllabe du mot *aquarium* se prononce *riome*.

aquatique adjectif
Qui vit dans l'eau ou au bord de l'eau. *La quenouille est une plante **aquatique**.*

aqueduc nom masculin
❶ Canal aérien ou souterrain qui conduit l'eau d'un endroit à un autre. * Chercher aussi *gazoduc*, *oléoduc*. ❷ Ensemble des canalisations de distribution de l'eau. *Quelques maisons de la banlieue ne sont pas encore desservies par un **aqueduc**.*
* Attention ! Le *c* du mot *aqueduc* se prononce.

ara nom masculin
Grand perroquet d'Amérique du Sud, à longue queue et aux couleurs vives.

arabe adjectif et nom
D'Arabie ou originaire d'Arabie. *Les pays **arabes**. – Les **Arabes**.* ✎ Attention ! Le nom, qui désigne les habitants, s'écrit avec une majuscule. ■ **arabe** nom masculin Langue parlée par les Arabes.

arabesque nom féminin
Ensemble de lignes courbes, sinueuses. *La longue queue du cerf-volant décrit des **arabesques** dans le ciel.*

arachide nom féminin
Plante tropicale dont les graines sont utilisées pour fournir de l'huile (l'huile d'***arachide***), sont mangées grillées (cacahuètes) ou sont broyées pour en faire du beurre d'***arachide***.

araignée nom féminin
Petit animal invertébré à huit pattes, qui tisse une toile et immobilise ses proies en leur injectant un venin. *L'**araignée** se nourrit d'insectes.*

Une **araignée**

arbalète nom féminin
Arme du Moyen Âge constituée d'un arc que l'on tend à l'aide d'un mécanisme.
👁p. 190.

arbitrage nom masculin
Action d'arbitrer. *L'**arbitrage** de ce match n'a soulevé aucune protestation.*

arbitraire adjectif
❶ Qui dépend uniquement de la volonté de quelqu'un. *La composition de cette équipe est **arbitraire**.* ❷ Qui dépend de la volonté, du caprice de quelqu'un sans tenir compte de la loi, de la justice. *Une décision **arbitraire**.*

arbitre nom
❶ Personne désignée pour arbitrer. *L'**arbitre** a sifflé pour signaler une faute commise par une des joueuses.* ❷ Personne chargée de déterminer qui a tort et qui a raison. *Je veux bien servir d'**arbitre** dans votre dispute.* SYN conciliateur, médiateur. ♦ Famille du mot: arbitrage, arbitraire, arbitrer.

arbitrer verbe ▸conjug. 3
❶ Contrôler le respect des règles et le bon déroulement d'un match, d'un jeu. ***Arbitrer** un match de tennis.* ❷ Intervenir comme arbitre dans un conflit.

arborer verbe ▸conjug. 3
Porter quelque chose sur soi avec fierté. *Il **arbore** un costume neuf.*

arborescent, arborescente adjectif
Qui a la forme d'un arbre, qui a des ramifications. *Les fougères **arborescentes** de la forêt équatoriale.*

arboricole adjectif
❶ Relatif à l'arboriculture. *Au Canada, les techniques **arboricoles** sont à la fine pointe du progrès.* ❷ Qui vit sur les arbres. *Certains serpents sont **arboricoles**.*

arboriculteur, arboricultrice nom
Spécialiste d'arboriculture. *J'ai acheté un lilas chez une **arboricultrice**.* * Chercher aussi *jardinier, horticulteur, pépiniériste.*

arboriculture nom féminin
Culture des arbres fruitiers et des arbres d'ornement.

arbre nom masculin
Grande plante fixée en terre par des racines et dont le tronc porte des branches. *L'érable, le chêne, le pin, le pommier sont des **arbres**.* 👁p. 66.
• **Arbre généalogique:** schéma qui montre les liens de parenté entre tous les membres d'une même famille.
♦ Famille du mot: arborescent, arboricole, arboriculteur, arboriculture, arbrisseau, arbuste.

arbrisseau, arbrisseaux nom masculin
Petit arbre pourvu de branches à partir de la base. *Le framboisier est un **arbrisseau**.* * Chercher aussi *arbuste.*

arbuste nom masculin
Petit arbre. *L'aulne et l'aubépine sont des **arbustes**.* * Chercher aussi *arbrisseau.*

arc nom masculin
❶ Arme formée d'une pièce de bois ou de métal tendue par une corde. *Autrefois, on chassait avec un **arc** et des flèches.* 👁p. 190. ❷ Portion de cercle. *Dessine avec ton compas un **arc** de cercle de trente degrés.* ❸ Ligne courbe d'une voûte. • **Arc de triomphe:** monument voûté construit pour célébrer une victoire. ♦ Famille du mot: arcade, s'arc-bouter, arceau, arc-en-ciel, arqué.

arcade nom féminin
Salle où l'on trouve des jeux électroniques payants. • **Arcade sourcilière:** partie du visage au-dessus de l'œil où poussent les sourcils. 👁p. 246.

*s'***arcbouter** ou *s'***arc-bouter** verbe ▸conjug. 3
Pousser de tout son corps pour résister à une pression. *Laure **s'arcboutait** contre la porte pour empêcher Zachary d'entrer.*

arceau, arceaux nom masculin
Petit arc de métal. *Au croquet, on doit faire passer les boules sous des **arceaux**.*

arc-en-ciel nom masculin
Phénomène lumineux en forme d'arc, qui se produit quand le soleil apparaît après une averse. *Le violet, l'indigo, le bleu, le vert, le jaune, l'orange et le rouge sont les sept couleurs de l'**arc-en-ciel**.* ✎ Pluriel: *des **arcs-en-ciel**.*

*Un **arc-en-ciel***

archaïque adjectif
Qui est très ancien et n'a plus cours aujourd'hui. *L'invention de l'ordinateur a fait de la machine à écrire un objet **archaïque**.* SYN primitif. CONTR moderne.

arche nom féminin
Voûte en forme d'arc, soutenue par des piliers. *L'**arche** du pont est visible de loin.*

a b c d e f g h i j k l m n o p q r s t u v w x y z

L'arbre

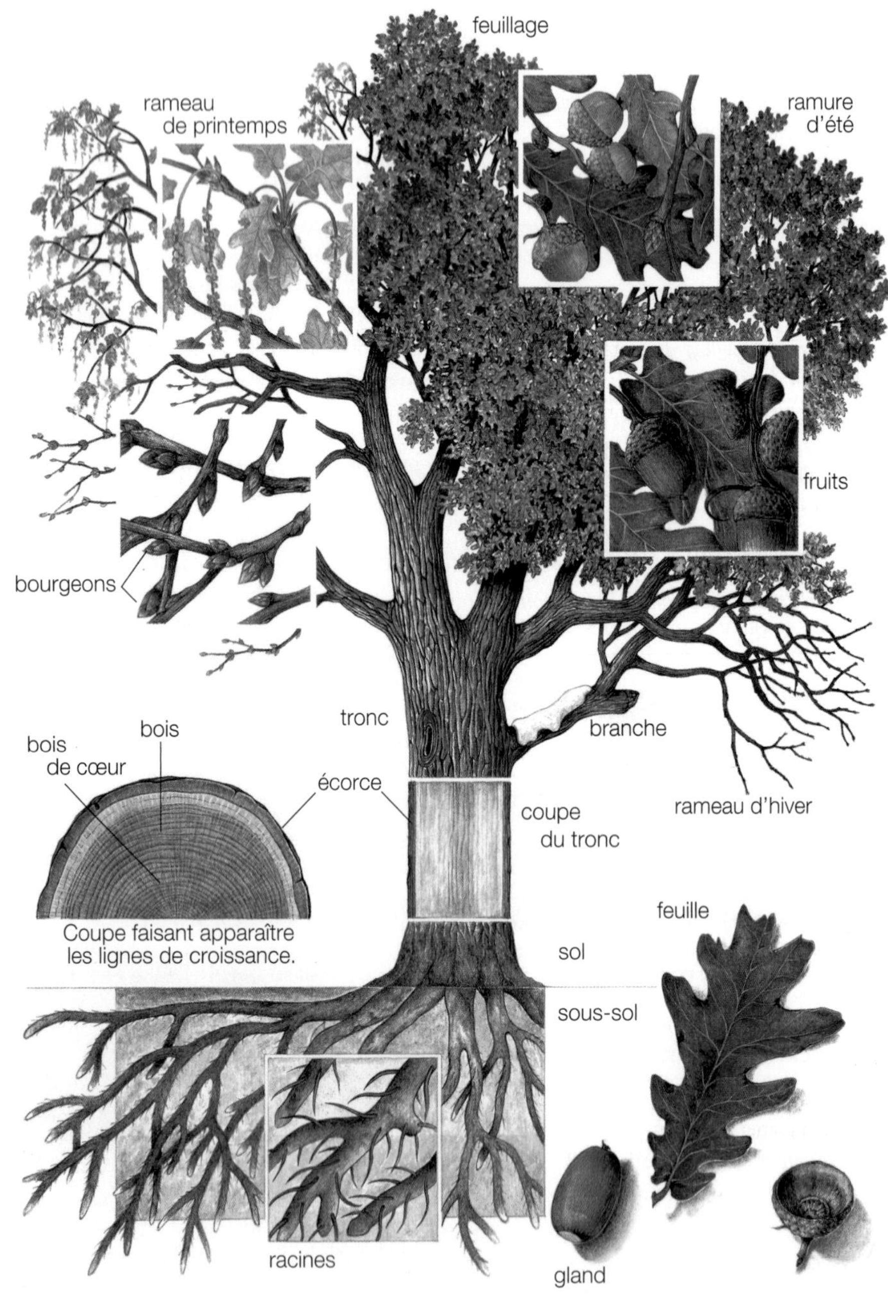

Cet arbre, un chêne, est représenté aux différentes saisons, avec des détails agrandis du tronc, du feuillage, des fruits et des racines.

archéologie nom féminin
Science qui étudie les civilisations anciennes. ♦ Famille du mot : archéologique, archéologue.

archéologique adjectif
Qui concerne l'archéologie. *Des fouilles **archéologiques** sous-marines.*

archéologue nom
Spécialiste d'archéologie.

archer nom masculin
Tireur à l'arc.

archet nom masculin
Baguette sur laquelle sont tendus des crins qui servent à faire vibrer les cordes de certains instruments. *Il faut un **archet** pour jouer du violon ou du violoncelle.* 👁p. 692.

archevêque nom masculin
Dans l'Église catholique, prêtre de rang supérieur à celui de l'évêque.

archipel nom masculin
Groupe d'îles.

*Un **archipel** dans le golfe du Saint-Laurent (îles de la Madeleine)*

architecte nom
Personne qui dessine les plans d'une construction et en dirige la réalisation.

architecture nom féminin
❶ Art d'imaginer et de construire des édifices. *Ma sœur fait des études d'**architecture**.* 👁p. 74. ❷ Forme d'un édifice, manière dont il est construit. *L'**architecture** de la gare Windsor est caractéristique de la fin du 19e siècle.*

archives nom féminin pluriel
❶ Documents anciens qui sont classés et conservés pendant de longues périodes. *Pour connaître l'histoire de ta ville, tu peux consulter les **archives** municipales.* ❷ Lieu où l'on conserve ces documents.

arctique adjectif
De la région du pôle Nord. *La steppe **arctique**.* 👁p. 804.

ardemment adverbe
Avec ardeur. *Omar souhaite **ardemment** retourner en Tunisie.* SYN vivement.

ardent, ardente adjectif
❶ Qui est très vif et passionné. *Daphnée a un **ardent** besoin de se dépasser.* SYN fervent, violent. ❷ Qui est très chaud, qui brûle. *Un soleil **ardent**.* SYN brûlant. ♦ Famille du mot : ardemment, ardeur.

ardeur nom féminin
Enthousiasme que l'on met à ce que l'on fait. *Travailler avec **ardeur**.* SYN entrain, zèle.

ardoise nom féminin
❶ Roche de couleur gris foncé qui se sépare en plaques minces. *Un plancher d'**ardoises**.* ❷ Tablette sur laquelle on écrit avec une craie et que l'on peut effacer avec une éponge. *Les écoliers d'autrefois écrivaient sur une **ardoise**.*

ardu, ardue adjectif
Très difficile. *Un problème **ardu**.* SYN compliqué, dur. CONTR aisé, facile.

are nom masculin
Unité de surface pour mesurer les terrains, qui vaut cent mètres carrés.

aréna nom masculin
Établissement où se trouve une patinoire. *Le dernier match de la saison aura lieu dimanche, à l'**aréna**.*

arène nom féminin
Piste située au centre d'un amphithéâtre. *Les gladiateurs combattaient dans l'**arène**.* ■ **arènes** nom féminin pluriel Amphithéâtre où ont lieu des courses de taureaux.

*Une **arène***

arête nom féminin
❶ Os mince et pointu du squelette de la plupart des poissons. ❷ Ligne d'intersection de deux surfaces. *Un dé à jouer a six faces et douze **arêtes**.*

argent nom masculin
❶ Métal précieux blanc et brillant. *Des boucles d'oreilles en **argent**.* ❷ Pièces ou billets de banque servant à payer ce que l'on achète. *As-tu de l'**argent** sur toi ?* • **Argent de poche :** petite somme d'argent donnée régulièrement aux enfants par leurs parents. • **Prendre pour argent comptant :** croire naïvement ce qui est dit, ce qui est promis. ♦ Famille du mot : argenté, argenterie, désargenté.

argenté, argentée adjectif
❶ Recouvert d'une couche d'argent. *Un pendentif en métal **argenté**.* ❷ Qui a la couleur, l'éclat de l'argent. *Sous le soleil, la rivière a des reflets **argentés**.*

argenterie nom féminin
Vaisselle et couverts en argent.

argentin, argentine adjectif et nom
D'Argentine. *Le tango est une danse d'origine **argentine**. – Les **Argentins**, les **Argentines**.* ✎ Attention ! Le nom, qui désigne les habitants, s'écrit avec une majuscule.

argile nom féminin
Terre molle et imperméable, utilisée pour fabriquer des poteries, des briques. **SYN** glaise. 👁p. 74.

argileux, argileuse adjectif
Qui contient de l'argile. *La terre de cette région est **argileuse**.*

argot nom masculin
Ensemble de mots très familiers qui s'emploient entre gens d'un même milieu. *En **argot**, une « bolle » est une personne dont l'intelligence et les performances sont très supérieures à la moyenne.* * Chercher aussi *jargon*.

argument nom masculin
Raisonnement cherchant à convaincre. *Vanessa m'a fourni d'excellents **arguments** pour me décider à suivre des cours de natation.* **SYN** raison.

Un **arlequin**

argumentation nom féminin
Manière d'argumenter. *Son **argumentation** était irréprochable.*

argumenter verbe ▸ conjug. 3
Donner des preuves, des arguments. *L'avocat **a argumenté** longuement pour défendre sa cliente.*

aride adjectif
Se dit d'un endroit très sec, où il ne pousse rien. *Un désert **aride**.* **CONTR** fertile.

Un désert **aride**

aridité nom féminin
Fait d'être aride. *L'**aridité** de ce sol rend l'agriculture impossible.* **SYN** sécheresse. **CONTR** fertilité.

aristocrate nom
Personne qui appartient à l'aristocratie. **SYN** noble. ♦ Famille du mot : aristocratie, aristocratique.

aristocratie nom féminin
Ensemble des membres de la noblesse. *Autrefois, l'**aristocratie** était très puissante.*

aristocratique adjectif
❶ Qui appartient à la noblesse. *Une famille **aristocratique**.* ❷ Digne de l'aristocratie. *Un train de vie **aristocratique**.* **SYN** distingué, raffiné.

arithmétique nom féminin
Partie de la mathématique qui étudie les nombres. *Les quatre opérations de l'**arithmétique** sont l'addition, la soustraction, la multiplication et la division.*

arlequin nom masculin
Personnage de théâtre masqué, vêtu d'un costume bigarré.

armateur nom masculin
Personne qui s'occupe de faire équiper les navires du matériel nécessaire pour le commerce ou la pêche.

armature nom féminin
Ensemble d'éléments rigides qui soutiennent quelque chose. *La toile d'un cerf-volant est tendue sur une **armature**.*

arme nom féminin
❶ Instrument fait pour attaquer ou se défendre. ***Arme** à feu, **arme** blanche (couteau, épée, etc.), **arme** atomique.* • **Fait d'armes**: exploit guerrier. • **Passer quelqu'un par les armes**: le fusiller. • **Prendre les armes**: se préparer au combat. • **Rendre** ou **déposer les armes**: se rendre, cesser le combat. ❷ Au sens figuré, moyen utilisé pour vaincre, gagner. *En lui montrant ta faiblesse, tu lui as donné une **arme** contre toi.* ■ **armes** nom féminin pluriel Dessin qui sert d'emblème. *Les **armes** de la ville.* **SYN** armoiries, blason. ♦ Famille du mot: armé, armée, armement, armer, armure, armurier, désarmant, désarmement, désarmer.

armé, armée adjectif
❶ Qui porte des armes sur soi. *Des soldats **armés**.* • **Attaque à main armée**: attaque faite par des personnes armées. ❷ Renforcé par des tiges de métal. *Une dalle en béton **armé**.*

armée nom féminin
❶ Ensemble des forces militaires d'un pays. *On distingue l'**armée** de l'air (l'aviation), l'**armée** de mer (la marine) et l'**armée** de terre (l'infanterie, l'artillerie et les blindés).* ❷ Au sens figuré, grand nombre, multitude. *Une **armée** de partisans.* **SYN** foule, quantité.

armement nom masculin
Ensemble des armes d'un soldat, d'une troupe ou d'un pays.

arménien, arménienne
➛Voir tableau, p. 1319.

armer verbe ▸conjug. 3
❶ Donner des armes. *La guérilla **a armé** les paysans.* **CONTR** désarmer. ❷ Rendre prêt à fonctionner. ***Armer** un fusil, **armer** un appareil photo.* ❸ Équiper un navire de son gréement. ■ **s'armer de**: au sens figuré, faire une grande provision de choses. ***Armons-nous de** patience, il y a une file d'attente à la caisse.*

armistice nom masculin
Accord conclu entre des pays en guerre pour arrêter les combats. *Signer un **armistice**.*
* Chercher aussi *trêve*.

armoire nom féminin
Meuble haut et fermé dans lequel on range du linge, des provisions, des ustensiles de cuisine, etc. • **Armoire à glace**: dans la langue familière, personne qui a une forte carrure.

armoiries nom féminin pluriel
Emblème d'une famille noble ou d'une ville.
SYN armes, blason.

armure nom féminin
Vêtement de métal que les chevaliers portaient autrefois pour se protéger au combat.
👁p. 190.

Une **armure**

armurier nom masculin
Personne qui fabrique ou vend des armes.

arobas nom masculin
Symbole du *a* commercial (@).
✎ On écrit aussi ***arrobas***.

aromate nom masculin
Plante utilisée en cuisine pour parfumer un plat. *Elle a ajouté dans le bouillon une feuille de laurier et un peu de thym comme **aromates**.*
* Chercher aussi *assaisonnement, condiment, épice*.

aromatique adjectif
Qui sert d'aromate, qui sent bon. *Le basilic est une plante **aromatique**.*

aromatiser verbe ▸conjug. 3
Parfumer avec des aromates. *Juan aime **aromatiser** son thé avec un peu de cannelle.*

arôme nom masculin
Odeur agréable d'une plante ou d'un aliment. *Le délicieux **arôme** des beignes chauds envahit la cuisine.* ♦ Famille du mot: aromate, aromatique, aromatiser. * Chercher aussi *bouquet, effluve, fumet, parfum*.

a b c d e f g h i j k l m n o p q r s t u v w x y z

arpenter verbe ▸ conjug. 3
❶ Mesurer et calculer la surface des terrains. ❷ Parcourir un endroit à grands pas. *Des voyageurs énervés par l'attente **arpentaient** l'aérogare.*

*Un **arpenteur***

arpenteur, arpenteuse nom
Spécialiste qui arpente des terrains.

arqué, arquée adjectif
Courbé en forme d'arc. *Elle avançait, le dos **arqué** sous le poids de son sac.*

arrachage nom masculin
Action d'arracher. *Les agriculteurs se servent de machines pour l'**arrachage** des pommes de terre.*

d'**arrache-pied** adverbe
Avec acharnement. *Maria travaille **d'arrache-pied** à la préparation de son examen.* ✎ On peut écrire aussi ***d'arrachepied***.

arracher verbe ▸ conjug. 3
❶ Faire sortir en tirant. *Ma mère a mis des gants pour **arracher** les mauvaises herbes.* ❷ Réussir à avoir quelque chose. *Lucas **a arraché** à son père l'autorisation de se coucher plus tard.* ❸ Faire quitter difficilement un endroit ou un état. *Le matin, on n'arrive pas à l'**arracher** de son lit.* ♦ Famille du mot : arrachage, d'arrache-pied.

arrangeant, arrangeante adjectif
Qui accepte de s'arranger, de se mettre d'accord. *Il a payé son loyer avec un peu de retard, mais sa propriétaire est **arrangeante**.* SYN accommodant, conciliant.

arrangement nom masculin
❶ Manière d'arranger. *Avec ce nouveau bureau, il faudra changer l'**arrangement** de ta chambre.* ❷ Accord pour résoudre un conflit. *Au lieu de faire un procès, il vaudrait mieux trouver un **arrangement**.* SYN accord, compromis.

arranger verbe ▸ conjug. 5
❶ Installer d'une certaine manière ou dans l'ordre qui convient. *Nikita **a arrangé** sa chambre avec beaucoup de goût.* ❷ Remettre en bon état. *Le robinet fuit, il va falloir le faire **arranger**.* SYN réparer. ❸ Faire le nécessaire pour trouver la meilleure solution. *Essayez d'**arranger** cette affaire le mieux possible.* SYN régler. ❹ Être satisfaisant. *Faisons notre réunion lundi, cela **arrangera** tout le monde.* SYN convenir. CONTR déranger. ■ s'**arranger** ❶ S'améliorer. *Espérons que l'état de la malade va **s'arranger**.* ❷ Se mettre d'accord. *Après une longue dispute, ils ont fini par **s'arranger**.* SYN s'entendre. ❸ Se débrouiller. *Ils **se sont arrangés** pour voyager dans le même avion.* ♦ Famille du mot : arrangeant, arrangement.

arrestation nom féminin
Fait d'arrêter quelqu'un. *Les policiers ont procédé à l'**arrestation** des voleurs.*

arrêt nom masculin
❶ Fait de s'arrêter. *Il est interdit de descendre avant l'**arrêt** de l'autobus.* ❷ Lieu où s'arrête un véhicule. *Rendez-vous à huit heures à l'**arrêt** d'autobus.* ❸ Panneau de signalisation routière exigeant un arrêt. SYN stop. ❹ Moment où une action s'arrête. *L'enseignante a exigé l'**arrêt** des bavardages. Il a neigé sans **arrêt** toute la nuit.*

arrêté, arrêtée adjectif
Qui n'est pas près de changer. *Il a déjà des idées bien **arrêtées** sur ce qu'il fera plus tard.* ■ **arrêté** nom masculin Décision prise par une autorité gouvernementale. *Un **arrêté** ministériel.*

arrêter verbe ▸ conjug. 3
❶ Empêcher quelqu'un ou quelque chose d'avancer. *Mon père **a arrêté** sa voiture devant la porte.* ❷ Faire cesser. *On a dû **arrêter** le match à cause de la pluie.* ❸ Faire prisonnier. *Les policiers **ont arrêté** les cambrioleurs.* ❹ Fixer son choix. *Nous devons **arrêter** la date de notre voyage.* SYN décider. ■ s'**arrêter** ❶ Cesser. *Le bébé **s'est arrêté** de pleurer.* ❷ Cesser de fonctionner. *La pendule vient de **s'arrêter**.* ❸ Faire une halte, un arrêt. *Gregory **s'est arrêté** de ratisser les feuilles mortes pour pouvoir se reposer.* ♦ Famille du mot : arrestation, arrêt, arrêté.

arrière adverbe
• **En arrière** : à une certaine distance derrière les autres ou en reculant. CONTR en avant. ■ **arrière** nom masculin ❶ Partie qui se trouve derrière. *Les enfants sont montés à l'**arrière** de la voiture.* ❷ Joueur placé derrière les autres. *Les **arrières** protègent le but.* ■ **arrière** adjectif invariable Qui se trouve derrière. *Les feux **arrière** de la voiture s'allument quand on freine.*

arriéré, arriérée adjectif
❶ Qui a une intelligence peu développée pour son âge. ❷ Qui est en retard sur son époque. *Il a des idées très **arriérées**.* SYN démodé, rétrograde. CONTR moderne.

arrière-boutique nom féminin
Local qui se trouve à l'arrière d'un magasin. *L'épicier range ses réserves dans son **arrière-boutique**.* ✎ Pluriel: *des **arrière-boutiques***.

arrière-garde nom féminin
Troupe de soldats qui marche à l'arrière d'une armée pour la protéger. CONTR avant-garde. ✎ Pluriel: *des **arrière-gardes***.

arrière-goût nom masculin
Goût qui reste dans la bouche après avoir bu ou mangé. *Ce médicament a un **arrière-goût** amer.* ✎ Pluriel: *des **arrière-goûts***. ✎ On peut écrire aussi ***arrière-gout***.

arrière-grand-mère nom féminin
Mère de la grand-mère ou du grand-père. ✎ Pluriel: *des **arrière-grands-mères***.

arrière-grand-père nom masculin
Père de la grand-mère ou du grand-père. ✎ Pluriel: *des **arrière-grands-pères***.

arrière-grands-parents nom masculin pluriel
Parents de la grand-mère ou du grand-père.

arrière-pensée nom féminin
Pensée ou intention cachée. *Je ne voulais pas te vexer, j'ai dit ça sans aucune **arrière-pensée**.* ✎ Pluriel: *des **arrière-pensées***.

arrière-petits-enfants nom masculin pluriel
Enfants des petits-enfants.

arrière-plan nom masculin
Partie d'un tableau ou d'une photo qui paraît la plus éloignée. *À l'**arrière-plan** de ce portrait, on aperçoit un bouquet de fleurs.* ✎ Pluriel: *des **arrière-plans***.

*Les montagnes sont en **arrière-plan**.*

arrière-train nom masculin
Partie arrière du corps d'un animal. *Assis sur son **arrière-train**, le chien attend son maître.* ✎ Pluriel: *des **arrière-trains***.

arrivage nom masculin
Livraison de marchandises. *Le poissonnier attend un **arrivage** de crevettes de Matane.*

arrivant, arrivante nom
Personne qui vient d'arriver. *Les nouveaux **arrivants** ont reçu un accueil chaleureux de la part de leurs voisins.*

arrivée nom féminin
Moment ou lieu où l'on arrive. *Les spectateurs attendent l'**arrivée** de la chanteuse. La première coureuse vient de franchir la ligne d'**arrivée**.* CONTR départ.

arriver verbe ▸ conjug. 3
❶ Atteindre un lieu. *Nos amis doivent **arriver** à Rivière-du-Loup ce soir.* ❷ Être proche. *C'est bientôt l'été, les vacances **arrivent**.* ❸ Avoir lieu. *Ce genre d'accident n'**arrive** pas très souvent.* SYN se produire. ❹ Réussir à accomplir quelque chose. *Je n'**arrive** pas à fermer cette valise.* ❺ Atteindre un certain niveau. *Adam a encore grandi, il m'**arrive** déjà à l'épaule. Dans cette piscine, l'eau m'**arrive** au menton.* ✎ Attention ! *Arriver* se conjugue avec l'auxiliaire *être*: *ils **sont arrivés***. ♦ Famille du mot: arrivage, arrivant, arrivée.

arrobas ➜Voir **arobas**

arrogance nom féminin
Attitude hautaine et insolente. *Elliot se croit tout permis, il est d'une telle **arrogance** !* SYN insolence, mépris.

arrogant, arrogante adjectif
Qui montre de l'arrogance. *Elle parle toujours d'un ton **arrogant** à ses employés.*

arrondi, arrondie adjectif
Qui est de forme plus ou moins ronde. *Anne nous regardait avec des yeux **arrondis** par la surprise.*

arrondir verbe ▸ conjug. 11
❶ Donner une forme ronde. *Le menuisier **arrondit** un pied de table.* ❷ Au sens figuré, ajouter ou retrancher pour obtenir un compte rond. *Vous me devez neuf dollars et douze cents, mais j'**arrondis** à neuf dollars.*

arrondissement nom masculin
Division administrative de certaines grandes villes.

a b c d e f g h i j k l m n o p q r s t u v w x y z

arrosage nom masculin
Action d'arroser. *Les enfants s'amusent à s'arroser avec le tuyau d'**arrosage**.*

arroser verbe ▸ conjug. 3
Mouiller en versant de l'eau ou un autre liquide. *Mon voisin m'a demandé d'**arroser** ses plantes pendant son absence.* ♦ Famille du mot : arrosage, arroseuse, arrosoir.

arroseuse nom féminin
Véhicule équipé pour arroser les rues.

arrosoir nom masculin
Récipient qui sert à arroser les plantes.

arsenal, arsenaux nom masculin
❶ Atelier de construction et de réparation des navires de guerre. ❷ Dépôt d'armes et de munitions. *L'**arsenal** de l'ennemi a été bombardé.*

arsenic nom masculin
Poison très violent. *L'autopsie a prouvé qu'il avait été empoisonné à l'**arsenic**.*

art nom masculin
❶ Ensemble des activités humaines ayant pour but la création d'œuvres. *La peinture, la musique, la danse sont des **arts**.* • **Œuvre d'art :** production littéraire, artistique. *Les tableaux, les statues, les films sont des **œuvres d'art**.* ❷ Ensemble des œuvres d'art réalisées pendant une certaine période ou dans un lieu donné. *L'**art** chinois.* ❸ Ensemble des techniques qui concernent un métier. *L'**art** culinaire est l'**art** de faire la cuisine.* ❹ Manière de faire quelque chose. *Aïcha a l'**art** de réconcilier tout le monde.* ♦ Famille du mot : artiste, artistique.

artéfact nom masculin
Objet travaillé ou créé par l'être humain. *Une exposition d'**artéfacts** inuits et amérindiens.*

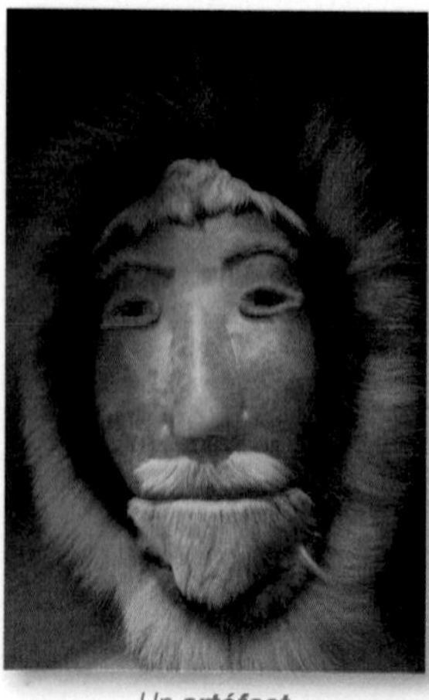
Un **artéfact**

artère nom féminin
❶ Vaisseau sanguin qui part du cœur vers les organes du corps. ❷ Grande rue dans une ville. *Il y a des embouteillages dans les principales **artères** de la ville.*

artériel, artérielle adjectif
Qui concerne les artères. *Mon grand-père doit surveiller sa tension **artérielle**.*

arthrite nom féminin
Maladie des articulations. *Ma grand-mère commence à souffrir d'**arthrite**.* * Chercher aussi *rhumatisme*.

artichaut nom masculin
Légume dont on mange la base des feuilles et le fond.

Un **artichaut** et sa fleur

article nom masculin
❶ Texte écrit publié dans un journal. *Ma sœur collectionne tous les **articles** sur l'astronaute Julie Payette.* ❷ Paragraphe dans un texte de loi ou dans un contrat. *L'**article** premier de la Charte des droits et libertés de la personne du Québec affirme que « tout être humain a droit à la vie, ainsi qu'à la dignité, à l'intégrité et à la liberté de sa personne ».* ❸ Objet que l'on peut acheter dans un magasin. *En ce moment, les **articles** de jardinage sont en solde.* * Chercher aussi *denrée, marchandise, produit*.

articulaire adjectif
Qui concerne les articulations. *Des douleurs **articulaires**.*

articulation nom féminin
❶ Endroit où les os s'articulent entre eux. *À la suite d'une chute, Han souffre de l'**articulation** du genou.* ❷ Manière d'articuler les mots. *Lis lentement ce paragraphe en faisant attention à l'**articulation**.* **SYN** élocution.

articulé, articulée adjectif
Qui est formé d'éléments mobiles qui s'articulent entre eux. *Cette marionnette a des membres **articulés**.*

articuler verbe ▸ conjug. 3
Prononcer distinctement les mots. *Loïc essaie de bien **articuler** pour qu'on le comprenne.* ■ **s'articuler** : être uni par une jointure qui permet de bouger. *Le pied **s'articule** sur la jambe au niveau de la cheville.* ♦ Famille du mot : articulaire, articulation, articulé, désarticulé.

artifice nom masculin
Moyen habile et trompeur. *Il s'est déguisé en policier et a réussi à s'enfuir grâce à cet* ***artifice.*** **SYN** ruse, stratagème.

artificiel, artificielle adjectif
Qui est créé par l'être humain. *Un lac* ***artificiel.*** **CONTR** naturel.

artificiellement adverbe
D'une manière artificielle. *Ce jus de fruits est coloré* ***artificiellement.***

artillerie nom féminin
❶ Matériel de guerre comprenant les canons et leurs munitions. *Un tir d'****artillerie*** *a détruit le village.* ❷ Partie de l'armée qui se sert de canons. *Ces soldats ont servi dans l'****artillerie.***

artisan, artisane nom
Personne qui exerce un métier manuel pour son propre compte. *Cette* ***artisane*** *fabrique de magnifiques bijoux. Les relieurs, les peintres, les graveurs sont des* ***artisans.*** ♦ Famille du mot : artisanal, artisanat.

artisanal, artisanale, artisanaux adjectif
Qui concerne les artisans et leurs œuvres. *Une exposition* ***artisanale.***

Des poupées **artisanales**

artisanat nom masculin
Ensemble des métiers artisanaux. *Les produits de l'****artisanat*** *d'une région.*

artiste nom
❶ Personne qui crée des œuvres d'art. *Ce peintre est maintenant un* ***artiste*** *célèbre.* ❷ Personne qui interprète des œuvres théâtrales, cinématographiques ou musicales. *Cette émission de télévision réunit de nombreux* ***artistes*** *: des musiciens, des acteurs, des chanteurs.*

artistique adjectif
Qui concerne l'art. *Samuel a choisi le chant comme activité* ***artistique.***

arubain, arubaine
➔Voir tableau, p. 1319.

as nom masculin
❶ Carte à jouer marquée d'un seul signe. *Avec les quatre* ***as****, tu es sûre de gagner la partie.* ❷ Face de dé ou de domino marquée d'un seul point. ❸ Personne qui est excellente dans son domaine. *Svetlana est un* ***as*** *de la planche à voile.*

ascendance nom féminin
Origine familiale. *Aquene est d'****ascendance*** *inuite.* * Chercher aussi *descendance*.

① **ascendant, ascendante** nom
Ancêtre. *Alexandre a des* ***ascendants*** *russes.* **CONTR** ② descendant.

② **ascendant** nom masculin
Influence, autorité que l'on exerce sur quelqu'un. *Hélène a beaucoup d'****ascendant*** *sur son jeune frère.*

③ **ascendant, ascendante** adjectif
Qui va de bas en haut. *Un vent* ***ascendant*** *entraîne le cerf-volant vers les nuages.* **CONTR** descendant.

ascenseur nom masculin
Appareil qui sert à monter ou à descendre les étages d'un immeuble. *Si l'****ascenseur*** *est en panne, il nous faudra monter à pied.*

ascension nom féminin
❶ Action de monter. *Nous avons atteint le sommet du mont Washington après une* ***ascension*** *de plusieurs heures.* ❷ Action de s'élever dans les airs. *Faire une* ***ascension*** *en montgolfière.*

aseptiser verbe ▸conjug. 3
Nettoyer en détruisant les microbes. ***Aseptiser*** *une salle d'opération, un instrument chirurgical.* **SYN** désinfecter.

asiatique adjectif et nom
D'Asie. *Les pays* ***asiatiques****. – Les* ***Asiatiques.*** ✎ Attention ! Le nom, qui désigne les habitants, s'écrit avec une majuscule.

Une petite **Asiatique**

Les arts plastiques

Les arts plastiques, aussi appelés « beaux-arts », visent la création d'œuvres qui varient selon les lieux, les époques et les cultures. Bien avant de découvrir l'écriture, les êtres humains communiquaient leur vision du monde et leurs sentiments en peignant ou en gravant sur les murs des grottes. Le langage des formes, des volumes, des textures et des couleurs est connu et utilisé encore aujourd'hui. Les arts plastiques demeurent un moyen de communication universel. L'architecture, la sculpture, la gravure et la peinture sont des **arts plastiques**.

Les matériaux

Voici quelques **matériaux** servant à réaliser des créations plastiques, personnelles ou médiatiques : la craie de cire, le crayon-feutre, la gouache, le papier et le carton, le pastel à l'huile, le pastel sec, la pâte à modeler, l'argile et le fusain.

Des craies de cire

Des crayons-feutres

De la gouache

Du papier et du carton

Des pastels

De la pâte à modeler

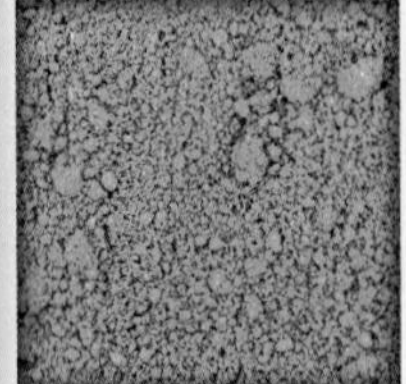

De l'argile

Du fusain

Les outils

Pour réaliser une création plastique, on peut aussi se servir d'**outils** comme la brosse, les ciseaux, le pinceau, l'éponge, la souris et le crayon électronique.

Les techniques

De même, diverses **techniques** telles le collage, le dessin, la peinture, le modelage, la gravure et l'impression peuvent être employées.

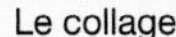

Le collage

Le dessin

La peinture

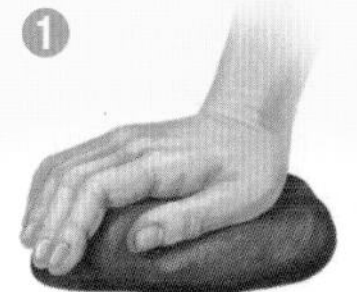

Le modelage

La gravure

L'impression

a b c d e f g h i j k l m n o p q r s t u v w x y z

asile nom masculin
❶ Endroit qui sert d'abri ou de refuge. *Des sans-abri cherchent un **asile** pour la nuit.* ❷ Nom donné autrefois à un hôpital psychiatrique.

aspect nom masculin
Manière dont une personne ou une chose nous apparaît. *Avec ses vitres brisées et son toit défoncé, la maison avait un **aspect** misérable. Cette matière plastique a l'**aspect** du cuir.* SYN allure. * Attention ! Dans le mot *aspect*, les lettres *ct* ne se prononcent pas.

asperge nom féminin
Légume de forme allongée dont on mange les jeunes pousses. *Des **asperges** à la vinaigrette.*

*Une botte d'**asperges***

asperger
verbe ▸ conjug. 5
Mouiller en projetant un liquide. *William **a aspergé** sa petite sœur avec le boyau d'arrosage.*

aspérité nom féminin
Petite bosse qui dépasse sur une surface. *Sébastien a dû s'accrocher aux **aspérités** du rocher pour l'escalader.*

asphalte nom masculin
Matière noire utilisée pour recouvrir les routes. *Les ouvriers étendent une couche d'**asphalte** sur la chaussée.* * Chercher aussi *bitume, goudron, macadam.*

asphyxie nom féminin
Arrêt de la respiration. *Il a failli mourir par **asphyxie** à cause de la fumée dégagée par l'incendie.* SYN étouffement. * Chercher aussi *suffocation.*

asphyxier verbe ▸ conjug. 10
Causer la mort par asphyxie.

aspirant, aspirante nom
Personne qui aspire à obtenir un titre. *Un **aspirant** champion.*

aspirateur nom masculin
Appareil électrique servant à aspirer la poussière.

aspiration nom féminin
❶ Action d'aspirer un liquide. *L'**aspiration** d'un liquide par une pompe.* ❷ Fait d'aspirer à quelque chose de meilleur. *La vie à la campagne satisfait toutes ses **aspirations**.*

aspiré, aspirée adjectif
• Le **« h » aspiré :** la lettre « h » au début de certains mots, qui empêche de faire la liaison avec le mot précédent. *On prononce « des héros » sans faire la liaison du « s » avec le « é » parce que le mot « héros » commence par un **« h » aspiré**.*

aspirer verbe ▸ conjug. 3
❶ Faire entrer de l'air dans ses poumons. *Avant de plonger, **aspirez** profondément !* ❷ Attirer un liquide, un gaz, etc. ***Aspirer** de l'eau avec une pompe, de la poussière avec un aspirateur.* • **Aspirer à quelque chose :** le désirer avec force. *Après tant d'aventures, elle **aspire à** une vie tranquille.* ♦ Famille du mot : aspirateur, aspiration, aspiré.

s'**assagir** verbe ▸ conjug. 11
Devenir plus sage. *Leurs jumeaux **se sont assagis** en grandissant.*

assaillant, assaillante nom
Personne qui attaque. *Les **assaillants** ont été repoussés après un dur combat.*

assaillir verbe ▸ conjug. 14
Attaquer avec violence, à l'improviste. *Des voyous **ont assailli** un passant pour lui voler son portefeuille.*

assainir verbe ▸ conjug. 11
Rendre plus sain, plus propre. *L'eau du lac est polluée, il faudra l'**assainir** avant d'autoriser la baignade.*

assainissement nom masculin
Action d'assainir. *Les travaux d'**assainissement** de la rivière sont achevés.*

assaisonnement nom masculin
Manière d'assaisonner un plat. *Boris mélange du sel, de l'huile et du vinaigre pour l'**assaisonnement** de la salade.* * Chercher aussi *aromate, condiment, épice.*

assaisonner verbe ▸ conjug. 3
Ajouter du sel ou des épices à un plat pour lui donner plus de goût. *Ma mère **assaisonne** le bouilli avec un peu de thym, du laurier et une pincée de poivre.*

assassin nom masculin
Personne qui a assassiné une autre personne. SYN criminel, meurtrier. ♦ Famille du mot: assassinat, assassiner.

assassinat nom masculin
Action d'assassiner. SYN meurtre. * Chercher aussi *crime*, *homicide*.

assassiner verbe ▶ conjug. 3
Tuer quelqu'un volontairement.

assaut nom masculin
Attaque menée contre un lieu ou une personne. *Les troupes s'élancent à l'**assaut** de la forteresse.* • **Donner l'assaut:** commencer l'attaque. • **Prendre d'assaut:** se précipiter en foule quelque part. *Les clients **ont pris d'assaut** le magasin pour profiter des soldes annoncés.*

Un **assaut**

assèchement nom masculin
Opération destinée à assécher un lieu. *On a prévu l'**assèchement** de ces marais.*

assécher verbe ▶ conjug. 8
Enlever l'eau d'un endroit pour le mettre à sec. *Ce terrain est trop humide, il faudrait l'**assécher**.* SYN drainer. ✎ On peut écrire aussi, au futur, *il **assèchera***; au conditionnel, *elle **assècherait***.

assemblage nom masculin
Ensemble d'éléments assemblés. *Cette mosaïque est faite d'un **assemblage** de carreaux de céramique multicolores.*

assemblée nom féminin
Groupe de personnes réunies dans un but commun. *Cette **assemblée** de dirigeants d'entreprises a adopté un programme de création d'emplois.*

assembler verbe ▶ conjug. 3
Réunir des éléments pour en faire un tout. *Vera **assemble** les pièces de sa maquette avant de les coller.* ■ **s'assembler**: se réunir. *Les gens **se sont assemblés** sur les plaines d'Abraham pour regarder le feu d'artifice.* SYN se rassembler. ♦ Famille du mot: assemblage, assemblée, rassemblement, rassembler.

asséner verbe ▶ conjug. 8
Donner un coup violent. *Le boxeur **a asséné** un coup de poing décisif à son adversaire.* ✎ On peut écrire aussi, au futur, *elle **assènera***; au conditionnel, *il **assènerait***.

assentiment nom masculin
Accord ou consentement. *Marie-Soleil a pris cette décision sans l'**assentiment** de ses parents.*

s'asseoir verbe ▶ conjug. 29
Poser son derrière sur un siège, par terre, etc. *Il n'y a plus de siège, **asseyons-nous** par terre.* ✎ On peut écrire aussi ***s'assoir***.

assez adverbe
❶ Autant qu'il en faut. *Il y a **assez** de gâteau pour tout le monde.* SYN suffisamment.
❷ Moyennement. *Yuan est **assez** bonne en orthographe.* • **En avoir assez:** être agacé, excédé. *J'**en ai assez** de vous entendre crier.*

assidu, assidue adjectif
Qui est appliqué et persévérant. *Xavier réussit grâce à un travail **assidu**.* ♦ Famille du mot: assiduité, assidûment.

assiduité nom féminin
Qualité d'une personne assidue. *Naomi fréquente la bibliothèque avec **assiduité**.*

assidûment adverbe
De façon assidue. *Jade étudie ses leçons **assidûment**.* ✎ On peut écrire aussi ***assidument***.

assiégeant, assiégeante nom
Qui fait le siège d'un lieu. *Les **assiégeants** ont attendu la nuit pour prendre la ville d'assaut.*

assiéger verbe ▶ conjug. 5
Encercler un lieu pour obliger ses occupants à se rendre. *Les habitants résistent aux ennemis qui **assiègent** leur ville.* SYN investir. ✎ On peut écrire aussi, au futur, *il **assiègera***; au conditionnel, *elle **assiègerait***.

a b c d e f g h i j k l m n o p q r s t u v w x y z

assiette nom féminin
Pièce de vaisselle dans laquelle on mange. *Des **assiettes** en porcelaine, en carton. Des **assiettes** plates, des **assiettes** creuses.*

assiettée nom féminin
Contenu d'une assiette. *Tout le monde a eu droit à une **assiettée** de pâtes.*

assigner verbe ▸ conjug. 3
Attribuer quelque chose à quelqu'un. *On **a assigné** les places du fond aux élèves les plus grands.*

assimilation nom féminin
❶ Ensemble des transformations que les aliments subissent dans le corps après la digestion. ❷ Fait de comprendre et de savoir utiliser ce qu'on apprend. *L'**assimilation** des connaissances.*

assimiler verbe ▸ conjug. 3
❶ Considérer comme semblable. *C'est une erreur d'**assimiler** les baleines à des poissons.* ❷ Transformer les aliments absorbés en énergie pour l'organisme. *C'est un bébé, son organisme n'**assimile** que le lait.* ❸ Au sens figuré, comprendre et retenir ce que l'on apprend. *Il faut lire attentivement cette règle de grammaire pour pouvoir l'**assimiler**.*

assis, assise adjectif
• **Place assise** : place où l'on peut s'asseoir. *Il ne reste plus de **place assise** dans cette salle.*

assistance nom féminin
❶ Ensemble des assistants. *Le spectacle s'est déroulé devant une **assistance** enthousiaste.* ❷ Aide apportée à quelqu'un. *Des passants ont porté **assistance** aux victimes de l'accident.* SYN secours.

assistant, assistante nom
❶ Personne qui assiste à quelque chose. *La plupart des **assistants** ont quitté la réunion avant la fin.* ❷ Personne qui aide une autre personne dans son travail. *La directrice est absente, mais vous pouvez vous renseigner auprès de son **assistant**.*

assister verbe ▸ conjug. 3
❶ Être présent au moment où quelque chose se produit. *Les policiers ont interrogé les personnes qui **ont assisté** à l'accident.* ❷ Aider, seconder. *Deux infirmières **assistaient** le chirurgien pendant l'opération.* ♦ Famille du mot : assistance, assistant.

association nom féminin
Groupe de personnes ayant un intérêt commun. *Mes parents font partie d'une **association** pour la protection des animaux.* SYN organisation.

associativité nom féminin
Propriété d'une opération qui permet d'en regrouper les termes ou les éléments sans en changer le résultat.

associé, associée nom
Personne qui participe au travail, aux frais et aux bénéfices d'une entreprise. *Cet hôtel est dirigé par quatre **associées**.*

associer verbe ▸ conjug. 10
❶ Faire participer ou donner une part de responsabilité. *Mme Hébert **a associé** ses fils à son commerce.* ❷ Réunir. *Il **associe** des idées pour écrire une histoire.* ■ **s'associer** : s'entendre avec une ou plusieurs personnes en vue d'une réalisation commune. *Elles **se sont associées** pour monter un garage.* SYN s'allier, se lier, s'unir. ♦ Famille du mot : association, associativité, associé.

assoiffé, assoiffée adjectif
Qui a soif. *Ils sont rentrés **assoiffés** après leur entraînement sportif.*

*Une personne **assoiffée***

assombrir verbe ▸ conjug. 11
❶ Rendre plus sombre. *Cette tapisserie foncée **assombrit** la pièce.* CONTR éclaircir. ❷ Au sens figuré, rendre triste. *Le vol de notre voiture **a assombri** nos derniers jours de vacances.* ■ **s'assombrir** ❶ Devenir plus sombre. *Le ciel **s'assombrit**.* ❷ Au sens figuré, devenir triste. *Son humeur **s'est assombrie** à cause de son échec.* CONTR s'éclaircir.

assommant, assommante adjectif
Très ennuyeux. *Un film **assommant**.*

assommer verbe ▸ conjug. 3
Étourdir quelqu'un en le frappant à la tête. *En tombant d'une fenêtre, le pot de fleurs **a assommé** une passante.*

assortiment nom masculin
Ensemble de choses assorties. *Le dessert se composait d'un **assortiment** de crèmes glacées.*

assortir verbe ▸ conjug. 11
Mettre ensemble des choses qui s'accordent bien. *Ma mère **a assorti** les rideaux au couvre-lit de la chambre.*

s'**assoupir** verbe ▸ conjug. 11
S'endormir peu à peu. *Le bébé **s'est assoupi** pendant la tétée.* **SYN** somnoler.

assoupissement nom masculin
Fait de s'assoupir. *Un petit bruit l'a tiré brusquement de son **assoupissement**.*

assouplir verbe ▸ conjug. 11
❶ Rendre plus souple. *Ce produit **assouplit** le cuir.* ❷ Rendre moins sévère. *Le directeur **a assoupli** le règlement de l'école.* ■ s'**assouplir** ❶ Devenir plus souple. *Grâce au sport, son corps **s'est assoupli**.* ❷ Devenir moins rigide. *Le caractère de Janik **s'est assoupli**.*

assouplissement nom masculin
Action de s'assouplir. *Le yoga comprend beaucoup de mouvements d'**assouplissement**.*

*Un exercice d'**assouplissement***

assouplisseur nom masculin
Produit de rinçage qui sert à assouplir le linge.

assourdir verbe ▸ conjug. 11
❶ Rendre sourd pendant un court moment. *Le bruit du marteau-piqueur nous **a assourdis**.* ❷ Rendre moins sonore. *Un épais tapis de neige **assourdissait** nos pas.*

assourdissant, assourdissante adjectif
Qui assourdit. *Le bruit **assourdissant** d'une sirène.*

assouvir verbe ▸ conjug. 11
Calmer un besoin ou une envie. *Mathias se sent capable d'avaler un poulet entier pour **assouvir** sa faim.*

assumer verbe ▸ conjug. 3
Accepter les conséquences d'un choix. *Elle **assume** pleinement ses responsabilités de présidente.*

assurance nom féminin
❶ Garantie certaine. *Je lui ai donné l'**assurance** que je serai présent à la réunion.* ❷ Contrat qui assure contre certains risques. *Il a pris une **assurance** contre l'incendie.* ❸ Confiance en soi. *Mon frère a perdu toute son **assurance** pendant son exposé oral.* **CONTR** timidité.

assuré, assurée adjectif
Qui montre de l'assurance. *Megan a répondu d'un ton **assuré**.* **CONTR** timide. ■ **assuré, assurée** nom Personne qui a un contrat d'assurance.

assurément adverbe
Sûrement, certainement. *Elle acceptera **assurément** notre invitation.*

assurer verbe ▸ conjug. 3
❶ Affirmer que quelque chose est sûr. *Il m'**a assuré** qu'il viendrait.* ❷ Payer pour garantir quelque chose contre certains risques. *Mon frère aîné **a assuré** sa voiture ; il sera remboursé en cas d'accident.* ❸ Accomplir un travail ou une fonction. *L'infirmière de nuit **assure** la surveillance des malades.* ■ s'**assurer** ❶ Vérifier que quelque chose est sûr. *Les passagers doivent **s'assurer** de n'avoir rien oublié dans l'avion.* ❷ Passer un contrat d'assurance. *Mes parents **se sont assurés** contre les risques climatiques.* ♦ Famille du mot : assurance, assuré, assurément, assureur.

assureur, assureuse nom
Personne dont le métier est d'établir des contrats d'assurance.

astérisque nom masculin
Signe d'imprimerie en forme d'étoile (*). *Placé après un mot, l'**astérisque** indique un renvoi à ce mot.*

asthmatique adjectif et nom
Qui souffre d'asthme.

asthme nom masculin
Maladie respiratoire qui provoque des crises d'étouffement. *Carlos a du mal à respirer, c'est peut-être une crise d'**asthme**.*

astiquer verbe ▸ conjug. 3
Frotter pour faire briller. ***Astiquer** des meubles.*

Les **astres** du système solaire

astre nom masculin
Étoile ou planète. *Les astronomes observent les **astres** à l'aide de télescopes.* ♦ Famille du mot : astrologie, astrologique, astrologue, astronaute, astronautique, astronome, astronomie, astronomique.

astreignant, astreignante adjectif
Qui ne laisse pas beaucoup de temps libre. *Ces médecins ont un horaire très **astreignant**.*

astreindre verbe ▶ conjug. 35
Forcer à faire quelque chose. *Sa mauvaise vue l'**astreint** à porter des lunettes.*
SYN contraindre, obliger.

astrologie nom féminin
Croyance voulant que la position des astres dans le ciel influence le caractère et la vie des êtres humains.

astrologique adjectif
Qui concerne l'astrologie. *Des prédictions **astrologiques**.*

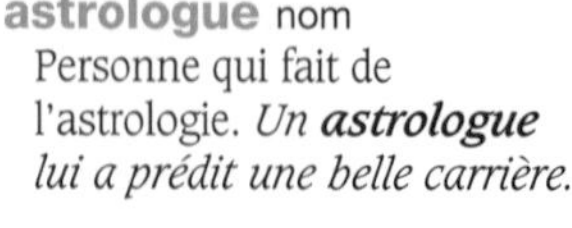

Les signes **astrologiques**

astrologue nom
Personne qui fait de l'astrologie. *Un **astrologue** lui a prédit une belle carrière.*

astronaute nom
Pilote ou passager d'un engin spatial.
SYN cosmonaute.

astronautique nom féminin
Science de la navigation dans l'espace interplanétaire.

astronome nom
Spécialiste d'astronomie. *La jeune Tuyen veut devenir **astronome**.*

astronomie nom féminin
Science qui étudie les astres et la structure de l'Univers.

astronomique adjectif
❶ Qui concerne l'astronomie. *Une lunette **astronomique** est un instrument qui permet d'observer les astres.* ❷ Dans un sens figuré, très élevé, exagéré. *Cette montre est vendue à un prix **astronomique**.*

astuce nom féminin
Moyen habile. *Ariane trouve toujours une **astuce** pour échapper aux corvées.* ♦ Famille du mot : astucieusement, astucieux.

astucieusement adverbe
De façon astucieuse. *Jean-Michel a très **astucieusement** détourné la conversation.*

astucieux, astucieuse adjectif
Qui est plein d'ingéniosité. *Un bricoleur **astucieux**. Une solution **astucieuse**.*

asymétrie nom féminin
Absence de symétrie.

asymétrique adjectif
Qui est composé de deux parties qui ne sont pas symétriques. *Le visage que tu as dessiné est complètement **asymétrique**.* **CONTR** symétrique.

atelier nom masculin
❶ Lieu où travaille un artiste ou un artisan. *L'**atelier** d'une sculpteure, d'un peintre.*
❷ Groupe de travail. *Lors du dernier congrès de biologie, les responsables ont organisé des **ateliers**.*

athée nom et adjectif
Personne qui ne croit en aucun dieu.
SYN incroyant.

athlète nom
❶ Sportif qui fait de l'athlétisme. *Cette **athlète** vient de remporter l'épreuve du saut en hauteur.*
❷ Personne qui a un corps musclé et puissant. *Ali a un corps d'**athlète**.* ♦ Famille du mot : athlétique, athlétisme.

*Une **athlète***

athlétique adjectif
Qui a la carrure et la souplesse d'un athlète. *Une personne **athlétique**.*

athlétisme nom masculin
Ensemble des sports individuels de compétition. *Les épreuves d'**athlétisme** regroupent la course à pied, les sauts et les lancers (poids, disque, javelot, marteau).*

atlantique adjectif
Qui concerne l'océan Atlantique. *La côte **atlantique** du Canada.* • **Les provinces atlantiques :** l'Île-du-Prince-Édouard, le Nouveau-Brunswick, la Nouvelle-Écosse, Terre-Neuve-et-Labrador.

atlas nom masculin
Recueil de cartes de géographie.

atmosphère nom féminin
❶ Couche d'air qui entoure la Terre.
❷ Au sens figuré, ambiance. *À Noël, il y a une **atmosphère** de fête dans la maison.*

atmosphérique adjectif
Qui concerne l'atmosphère. *De mauvaises conditions **atmosphériques** ont retardé l'atterrissage de l'avion.* * Chercher aussi *météorologique*.

atoca nom masculin
Fruit rouge à saveur acidulée dont on fait des confitures. *On sert souvent la dinde avec des **atocas**.* **SYN** canneberge.

atocatière nom féminin
Terrain où poussent des atocas.

atome nom masculin
Particule minuscule de matière. *Les **atomes** unis entre eux forment la matière de tout ce qui existe dans l'Univers.*
♦ Famille du mot : atomique, atomiseur.

atomique adjectif
• **Énergie atomique :** énergie produite par la désintégration du noyau de l'atome. **SYN** énergie nucléaire*.

atomiseur nom masculin
Flacon muni d'un bouchon spécial sur lequel on appuie pour projeter un liquide en fines gouttelettes. *Un **atomiseur** de parfum.*
SYN vaporisateur.
* Chercher aussi *aérosol, pulvérisateur*.

*Un **atomiseur***

a b c d e f g h i j k l m n o p q r s t u v w x y z

atours nom masculin pluriel
• **Ses plus beaux atours:** ses plus beaux vêtements et bijoux. *La reine était parée de **ses plus beaux atours**.*

atout nom masculin
❶ Dans certains jeux de cartes, couleur qui vaut plus que les autres. *Naomie a gagné la partie grâce à l'**atout** pique.* ❷ Au sens figuré, chose qui avantage. *La connaissance de l'espagnol est un **atout** dans son métier.*

âtre nom masculin
Foyer d'une cheminée. *Le bois sec crépite dans l'**âtre**.*

atroce adjectif
❶ Qui est d'une cruauté horrible. *Un crime **atroce**.* ❷ Très douloureux, insupportable. *Les rescapés de l'incendie ont subi d'**atroces** brûlures.* ♦ Famille du mot: atrocement, atrocité.

atrocement adverbe
De manière atroce. *Ses blessures le font **atrocement** souffrir.*

atrocité nom féminin
Acte atroce. *Les coupables des **atrocités** commises pendant la guerre vont être jugés.* SYN horreur.

s'attabler verbe ▸ conjug. 3
S'asseoir à table. *Les invités **se sont attablés** devant un bon souper.*

attachant, attachante adjectif
Qui inspire la sympathie, l'affection. *C'est un enfant très **attachant**.*

attache nom féminin
Objet qui sert à attacher. *Une ficelle, une courroie, une agrafe sont des **attaches**.*
■ **attaches** nom féminin pluriel Liens d'affection. *Hassan s'est établi au Québec, mais il a gardé des **attaches** avec son pays natal.*

attaché, attachée adjectif
Qui aime beaucoup une personne ou une chose. *Laure est très **attachée** à sa marraine.*

attachement nom masculin
Sentiment d'affection que l'on porte à une personne ou à une chose. *Maude a gardé beaucoup d'**attachement** pour l'infirmière qui a pris soin d'elle à l'hôpital.*

attacher verbe ▸ conjug. 3
❶ Faire tenir à l'aide d'un lien. *Vadim **a attaché** son chien au lampadaire.* CONTR détacher. ❷ Faire tenir ensemble. ***Attacher** les lacets de ses chaussures.*
• **Attacher de l'importance à quelque chose:** prendre cette chose au sérieux.
■ **s'attacher** ❶ Se mettre à aimer quelqu'un ou quelque chose. *Ofelia **s'est** beaucoup **attachée** à ses parents adoptifs.* ❷ S'efforcer de faire quelque chose. *Hydie **s'est attachée** à faire consciencieusement son exercice.* ♦ Famille du mot: attachant, attache, attaché, attachement, rattachement, rattacher.

attaquant, attaquante nom
❶ Personne qui attaque. *Les soldats ont repoussé leurs **attaquants**.* ❷ Dans les sports d'équipe, personne chargée de marquer des buts.
* Chercher aussi *défenseur*.

Un **attaquant**

attaque nom féminin
❶ Action d'attaquer. *L'**attaque** ennemie a échoué devant les remparts de la ville.* ❷ Critique violente. *Dans son discours, elle a lancé des **attaques** contre ses adversaires politiques.* ❸ Action qui implique tous les joueurs d'une même équipe et qui vise à tenter de marquer des buts. *L'**attaque** doit être énergique pour assurer la victoire de l'équipe.*
* Chercher aussi *défense*.

attaquer verbe ▸ conjug. 3
❶ Engager le combat. *Les troupes ennemies **ont attaqué** pendant la nuit.* ❷ Commettre un acte de violence. ***Attaquer** une banque.* ❸ Critiquer avec violence. *L'opposition **attaque** la politique du premier ministre.* ❹ Abîmer, ronger. *L'acide **attaque** les métaux.* ❺ Commencer à exécuter quelque chose. *Après sa collation, ma sœur **a attaqué** ses devoirs.* ■ **s'attaquer à** ❶ S'en prendre à. *Les voleurs **se sont attaqués à** une caisse populaire.* ❷ Entreprendre. *Je vais **m'attaquer à** cette recherche immédiatement.* ♦ Famille du mot: attaquant, attaque, contre-attaque, contre-attaquer, inattaquable.

s'attarder verbe ▸ conjug. 3
Se mettre en retard, prendre plus de temps que prévu. *Sonia et Chinh* ***se sont attardés*** *en revenant de l'école.*

atteindre verbe ▸ conjug. 35
❶ Parvenir à toucher. *Zoé n'arrive pas à* ***atteindre*** *le bouton de la sonnette.* ❷ Toucher une cible. *La fléchette* ***a atteint*** *le centre de la cible.* ❸ Arriver dans un endroit. *L'avion* ***atteindra*** *Sept-Îles à huit heures.*

atteinte nom féminin
• **Hors d'atteinte :** impossible à atteindre.
• **Porter atteinte :** nuire, faire du tort. *Ces mensonges* ***portent atteinte*** *à sa réputation.*

attelage nom masculin
Ensemble d'animaux attelés. *Un* ***attelage*** *de quatre chevaux noirs tirait le carrosse de la princesse.*

Un **attelage**

atteler verbe ▸ conjug. 9
Attacher des animaux à un véhicule pour qu'ils le tirent. *On* ***a attelé*** *le cheval à la carriole pour emmener les enfants en promenade.* **CONTR** dételer. ✎ On peut écrire aussi, au présent, ***j'attèle*** ; au futur, *tu* ***attèleras*** ; au conditionnel, *nous* ***attèlerions***. ♦ Famille du mot : attelage, dételer.

attelle nom féminin
Support rigide qui maintient en place un os fracturé.

attendre verbe ▸ conjug. 31
❶ Rester à un endroit jusqu'à ce que quelqu'un ou quelque chose arrive. ***Attendre*** *l'autobus.* ***Attends****-moi devant l'entrée sud du centre commercial.* ❷ Espérer ou souhaiter quelque chose. *Nous* ***attendons*** *les vacances avec impatience.* • **Attendre un enfant :** pour une femme, être enceinte. ■ **s'attendre à quelque chose :** penser que cela va arriver et s'y préparer. *S'il pleut en hiver, il faut* ***s'attendre à*** *du verglas sur les routes.* ♦ Famille du mot : attente, inattendu.

attendrir verbe ▸ conjug. 11
Rendre quelqu'un plus tendre, plus indulgent. *Les grosses larmes du bébé* ***ont attendri*** *toute la famille.* **SYN** émouvoir.

attendrissant, attendrissante adjectif
Qui attendrit, émeut. *Ces chiots qui viennent de naître sont vraiment* ***attendrissants***. **SYN** touchant.

attendrissement nom masculin
Fait de s'attendrir.

attentat nom masculin
Attaque pour tenter d'assassiner quelqu'un ou pour détruire quelque chose. *L'****attentat*** *a fait quatre victimes.*

attente nom féminin
❶ Période passée à attendre. *Il y a une heure d'****attente*** *avant de voir le médecin.* ❷ Ce qu'on espérait. *Le résultat de son bricolage ne correspond pas à son* ***attente***.

attenter verbe ▸ conjug. 3
• **Attenter à la vie de quelqu'un :** chercher à le tuer.

attentif, attentive adjectif
Qui écoute avec attention. *Cette tâche est difficile, soyez très* ***attentifs*** *!* **CONTR** distrait, inattentif.

attention nom féminin
❶ Faculté de se concentrer et de ne pas se laisser distraire. *Marielle suit le match avec beaucoup d'****attention***. • **Faire attention à quelque chose :** prendre garde. ***Faites attention au*** *chien, il est dangereux.* ❷ Marque de gentillesse, d'affection pour quelqu'un. *Anna est pleine d'****attentions*** *pour ses amis.* ♦ Famille du mot : attentif, attentionné, attentivement, inattentif, inattention.

attentionné, attentionnée adjectif
Qui a beaucoup d'attentions pour quelqu'un. *Julien et Camille sont très* ***attentionnés*** *envers leurs grands-parents.*

attentivement adverbe
De façon attentive. *Écouter **attentivement**.*

atténuant, atténuante adjectif
• **Circonstances atténuantes :** faits qui diminuent la responsabilité d'un accusé et allègent la sentence prononcée contre lui.

atténuer verbe ▸ conjug. 3
Rendre moins fort, moins intense. *Ce médicament devrait **atténuer** rapidement la douleur.* ■ **s'atténuer** : devenir moins fort. *Le vent **s'est atténué**.* **SYN** diminuer. **CONTR** augmenter.

atterrer verbe ▸ conjug. 3
Plonger dans la stupeur et la consternation. *Son échec nous **a** tous **atterrés**.*

atterrir verbe ▸ conjug. 11
Se poser sur le sol. *Attachez vos ceintures, l'avion va **atterrir** dans quinze minutes.* **CONTR** décoller.

atterrissage nom masculin
Action d'atterrir. *Nascan regarde l'avion se poser sur la piste d'**atterrissage**.*

*Un **atterrissage***

attestation nom féminin
Document écrit qui atteste un fait. *Il a dû fournir une **attestation** de domicile.*

attester verbe ▸ conjug. 3
Garantir qu'une chose est vraie, exacte. *Je peux **attester** qu'il est innocent.* **SYN** certifier.

attikamek adjectif et nom
De la nation amérindienne des Attikameks. *Une fête **attikamek**. – De nombreux **Attikameks** ont été évacués de leur village à cause des incendies de forêt.* ✎ Attention ! Le nom, qui désigne les membres de la nation attikamek, s'écrit avec une majuscule. 👁carte 5.
■ **attikamek** nom masculin Langue parlée par les Attikameks.

attirail nom masculin
Ensemble d'objets plus ou moins nécessaires à une activité. *Mon père a emporté tout son **attirail** de pêche.*

attirance nom féminin
Sentiment de sympathie ou d'amour envers quelqu'un. *Elle a tout de suite ressenti une **attirance** pour lui.*

attirant, attirante adjectif
Qui attire, intéresse, plaît. *Cette offre est très **attirante**. Un physique **attirant**.* **SYN** agréable, séduisant. **CONTR** repoussant.

attirer verbe ▸ conjug. 3
❶ Faire venir. *La confiture **attire** les abeilles.* ❷ Éveiller l'intérêt ou le désir. *Zacharie **est** très **attiré** par le théâtre.* ♦ Famille du mot : attirance, attirant.

attiser verbe ▸ conjug. 3
Activer un feu, le rendre plus fort. *Le vent **attise** le feu de forêt.*

attitude nom féminin
❶ Manière de se tenir. *Sophie a une **attitude** très gracieuse quand elle danse.* ❷ Façon d'agir, de se comporter. *Son **attitude** agressive est inacceptable.* **SYN** comportement.

attraction nom féminin
❶ Force qui attire. *L'**attraction** terrestre est la force qui attire les choses vers le sol.* * Chercher aussi *apesanteur*. ❷ Activité, amusement ou spectacle. *Les kiosques de tir, les manèges, les autos tamponneuses sont des **attractions**.*

attrait nom masculin
Ce qui attire, charme. *Léo n'a jamais éprouvé le moindre **attrait** pour le patinage.*

attrape nom féminin
• **Farces et attrapes :** objets servant à faire des farces.

attraper verbe ▸ conjug. 3
❶ Réussir à saisir quelque chose en mouvement. *Je te lance le ballon, essaie de l'**attraper** !* ❷ Avoir une maladie contagieuse. *Liam **a attrapé** la varicelle.* **SYN** contracter. ❸ Dans la langue familière, tromper. *Sa farce a réussi : il nous **a** bien **attrapés** !* ❹ Dans la langue familière, réprimander. *Il s'est fait **attraper** pour avoir bousculé sa petite sœur.*

attrayant, attrayante adjectif
Qui présente un attrait. *C'est un spectacle **attrayant** pour les enfants.*

attribuer verbe ▸ conjug. 3
❶ Accorder quelque chose à quelqu'un. *C'est à Raphaëlle qu'on **a attribué** le premier prix de dessin.* ❷ Considérer comme l'auteur. *On **attribue** à Armand Bombardier l'invention de la motoneige.* ♦ Famille du mot: attribut, attribution.

attribut nom masculin
• **Attribut du sujet:** adjectif ou groupe du nom qui, placé après le verbe *être* ou après un verbe pouvant être remplacé par le verbe *être* (*sembler*, *paraître*, *devenir*, etc.), est lié à un nom ou à un pronom au moyen de ce verbe. *Dans la phrase « ce chat est gris », « gris » est l'**attribut du sujet** « chat ».*

attribution nom féminin
Action d'attribuer. *L'**attribution** d'une récompense.* ■ **attributions** nom féminin pluriel Ce que quelqu'un est chargé de faire. *Visiter les chantiers fait partie des **attributions** d'un architecte.*

attrister verbe ▸ conjug. 3
Rendre triste. *Son départ nous **a** profondément **attristés**.* **SYN** chagriner, peiner. **CONTR** réjouir.

attroupement nom masculin
Rassemblement de personnes. *Un **attroupement** s'est formé dans la rue après l'accident.*

s'**attrouper** verbe ▸ conjug. 3
Se rassembler quelque part. *Les touristes **se sont attroupés** autour du guide.* **CONTR** se disperser.

au déterminant
Déterminant contracté qui est une combinaison de *à* et *le*. *Aller **au** (à + le) cinéma.*

aubaine nom féminin
❶ Avantage inattendu. *Sergio a payé dix dollars pour ce jeu, c'est une **aubaine**!* ❷ Article bon marché.

① **aube** nom féminin
Lumière qui vient juste avant le lever du soleil. *Les skieurs sont partis à l'**aube**.* **SYN** aurore.

② **aube** nom féminin
Pale d'une roue hydraulique. • **Roue à aubes:** roue munie de pales transversales que le poids de l'eau fait tourner et qui fait avancer les bateaux à vapeur.

aubépine nom féminin
Arbuste épineux qui donne des fleurs blanches ou roses très parfumées.

auberge nom féminin
Hôtel-restaurant généralement situé à la campagne.

aubergine nom féminin
Fruit violet à la peau lisse, consommé comme légume.

Des **aubergines**

aubergiste nom
Personne qui tient une auberge.

aucun, aucune déterminant
Pas un seul. *Coralie n'a fait **aucune** faute dans son texte.* ■ **aucun, aucune** pronom Pas une seule chose, pas une seule personne. *De tous les candidats, **aucun** n'a été sélectionné.*

audace nom féminin
Courage face à un danger ou à une difficulté. *Tu ne manques pas d'**audace** pour plonger de si haut!* **SYN** cran, hardiesse.

L'**aube**

a b c d e f g h i j k l m n o p q r s t u v w x y z

a b c d e f g h i j k l m n o p q r s t u v w x y z

audacieux, audacieuse adjectif
Qui a de l'audace, qui en exige. *Ce projet semble bien **audacieux**.*

① **au-delà** adverbe et préposition
Plus loin. *Le chemin s'arrête ici, on ne peut aller **au-delà**. La forêt commence **au-delà** de la rivière.*

② **au-delà** nom masculin
• **L'au-delà :** ce qui est au-delà de la mort. ***L'au-delà** est-il un paradis ou un enfer ?*
✎ Pluriel : *des **au-delàs**.*

audible adjectif
Que l'on peut entendre. *Parle plus fort, ce que tu dis est à peine **audible**.* **CONTR** inaudible.

audience nom féminin
❶ Entretien accordé par un personnage important. *La gouverneure générale a accordé une **audience** privée aux récipiendaires de l'Ordre du Canada.* ❷ Séance d'un tribunal. *Le deuxième jour de l'**audience**, on a entendu les témoins.* ❸ Ensemble des auditeurs. *Cette émission passe trop tard dans la nuit pour avoir une grande **audience**.* ♦ Famille du mot : audible, auditeur, auditoire, auditorium.

audiovisuel, audiovisuelle adjectif
Qui utilise le son et l'image. *On peut utiliser des méthodes **audiovisuelles** pour apprendre une langue étrangère.*

auditeur, auditrice nom
Personne qui écoute une émission ou un discours.

auditif, auditive adjectif
Qui concerne l'audition. *Ma grand-mère a des troubles **auditifs**.*

audition nom féminin
❶ Fait de pouvoir entendre les sons. *L'abus du baladeur peut entraîner une perte d'**audition**.* ❷ Action d'entendre. *La juge procède à l'**audition** des témoins.* ❸ Séance d'essai que font les artistes pour se faire engager.

auditoire nom masculin
Ensemble des auditeurs. *La conférence a passionné tout l'**auditoire**.* **SYN** public.

auditorium nom masculin
Salle équipée pour enregistrer ou écouter de la musique. * Attention ! La dernière syllabe du mot *auditorium* se prononce *riome*.

auge nom féminin
Bassin dans lequel on donne à boire et à manger aux animaux de ferme.

*Une **auge***

augmentation nom féminin
Action ou fait d'augmenter. *Il a obtenu une **augmentation** de salaire.* **SYN** hausse. **CONTR** baisse, diminution.

augmenter verbe ▸ conjug. 3
❶ Rendre plus grand, plus élevé ou plus cher. ***Augmenter** les impôts, les prix.* **SYN** accroître. **CONTR** baisser, réduire. ❷ Devenir plus grand, plus élevé ou plus cher. *Le chômage **a augmenté**. Les prix vont encore **augmenter**.* **CONTR** baisser, diminuer.

augure nom masculin
• **Être de bon** ou **de mauvais augure :** laisser présager de bonnes ou de mauvaises nouvelles. *Quand mon père rentre en sifflant, c'**est de bon augure**.*

aujourd'hui adverbe
❶ Ce jour même. ***Aujourd'hui**, c'est l'anniversaire de Yaël.* ❷ À notre époque, de nos jours. ***Aujourd'hui**, on doit à la science l'allongement de la durée de vie.*

aulne nom masculin
Arbuste qui pousse dans les terres humides.
✎ On écrit aussi ***aune***.
* Attention ! Le *l* du mot *aulne* ne se prononce pas.

*Des feuilles d'**aulne***

aumône nom féminin
Somme d'argent qu'on donne par charité. *Des sans-abri demandaient l'**aumône** dans le métro.*

aumônier nom masculin
Prêtre qui travaille dans un hôpital, une prison ou un régiment.

aune ➛Voir **aulne**

auparavant adverbe
Avant, d'abord. *Si tu veux gagner le tournoi, entraîne-toi **auparavant**.* CONTR après.

auprès de préposition
Sert à indiquer... ❶ la proximité. *Viens t'asseoir **auprès de** moi.* ❷ le point de vue. *Ibrahim est considéré comme un garçon excentrique **auprès de** ses camarades.* ❸ la comparaison. *Ta recherche n'est pas très bonne **auprès de** celles des autres élèves.*

auquel ➛Voir **lequel**

auréole nom féminin
❶ Cercle lumineux qui entoure la tête du Christ et des saints dans les tableaux. ❷ Trace circulaire laissée autour de l'endroit où une tache a été nettoyée.

auriculaire nom masculin
Petit doigt de la main. 👁p. 331.

aurore nom féminin
Lumière qui vient juste avant le lever du soleil. *Les cultivateurs ont commencé à travailler dès l'**aurore**.* SYN aube.

auscultation nom féminin
Action d'ausculter.

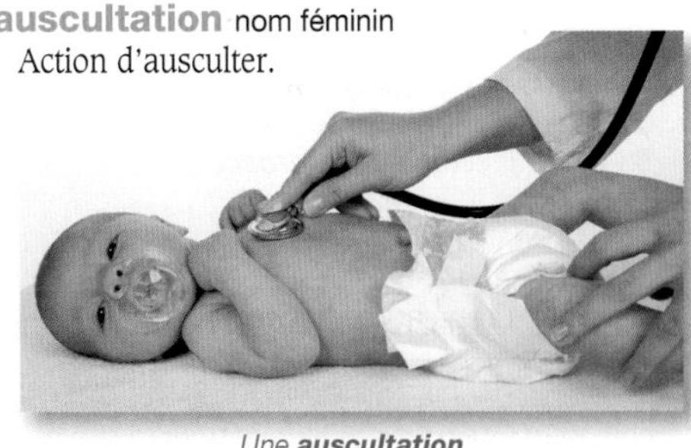

*Une **auscultation***

ausculter verbe ▸conjug. 3
Écouter le bruit du corps pour faire un diagnostic. *La pédiatre **a ausculté** attentivement le bébé.* SYN examiner.

aussi adverbe
❶ De même. *Anne-Laure est malade et son frère **aussi**.* ❷ De façon égale. *Latifa est **aussi** grande que moi.* ❸ Tellement, à ce point. *Je ne pensais pas qu'il était **aussi** âgé.* ❹ En plus. *Il faut acheter du pain et **aussi** du lait.* ■ **aussi** conjonction C'est pourquoi, par conséquent. *Je le savais déjà, **aussi** cela ne m'a pas surpris.*

aussitôt adverbe
Tout de suite, à l'instant même. *On a appelé les pompiers et ils sont arrivés **aussitôt**.* ■ **aussitôt que** conjonction Dès que. *Nous souperons **aussitôt que** tu seras rentré.*

austère adjectif
Qui manque de gaieté, de fantaisie. *Une tenue **austère**.*

austérité nom féminin
Caractère austère. *En cette période d'**austérité**, il va falloir diminuer nos dépenses.*

austral, australe, australs ou **austraux** adjectif
Qui se situe au sud de l'équateur ou à proximité du pôle Sud. *L'hémisphère **austral**.* CONTR boréal.

australien, australienne
➛Voir tableau, p. 1319.

autant adverbe
❶ En quantité égale ou de manière égale. *J'ai **autant** d'amis que toi.* ❷ En si grande quantité. *On ne pensait pas qu'il y aurait **autant** de monde sur les routes.* SYN tant. • **D'autant plus que:** pour cette raison supplémentaire. *Quang a **d'autant plus** faim **qu'**il n'a pas soupé hier soir.*

autel nom masculin
Table sur laquelle le prêtre célèbre la messe.

auteur, auteure nom
❶ Personne qui écrit des livres ou qui crée une œuvre. *Gabrielle Roy est une **auteure** importante dans la littérature canadienne.* ❷ Personne qui est responsable d'une action. *La directrice recherche les **auteurs** de ce dégât.*

authenticité nom féminin
Caractère authentique de quelque chose. *On doute de l'**authenticité** de ce tableau.*

authentique adjectif
❶ Qui n'est pas une imitation, un faux ou une copie. *La marchande d'art garantit que ce tableau de Marc-Aurèle Fortin est **authentique**.* CONTR faux. ❷ Qui est vrai, véridique. *C'est **authentique**, je n'ai rien inventé!* SYN réel. CONTR faux.

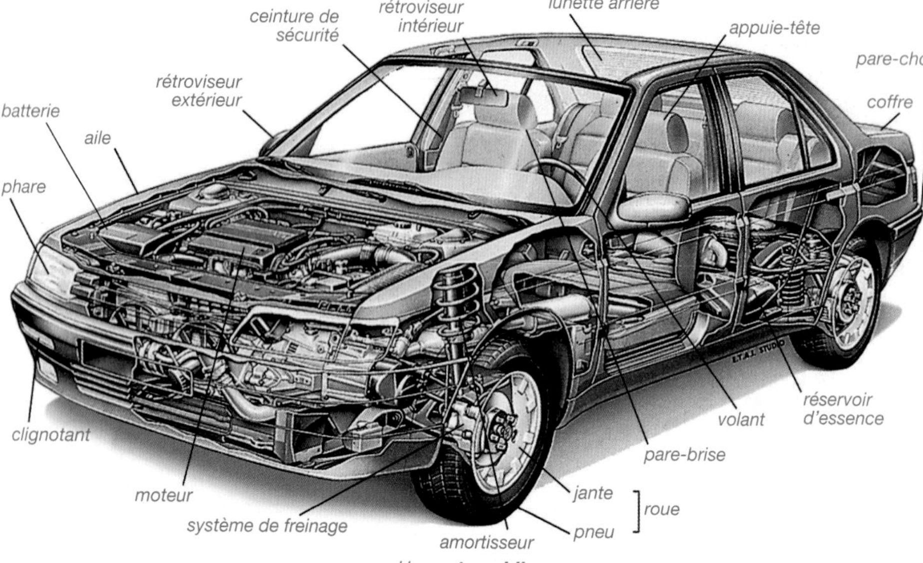

Une **automobile**

autiste adjectif et nom
Qui souffre d'un repliement sur soi qui empêche les contacts avec le monde extérieur.

auto nom féminin
Abréviation de *automobile*. **SYN** voiture.

auto- préfixe
Placé au début d'un mot pour former un autre mot, *auto-* signifie « de soi-même » (***auto****biographie*).

autobiographie nom féminin
Récit de la vie d'une personne écrit par elle-même. *Cette auteure a écrit son* ***autobiographie*** *peu avant de mourir.*

autobus nom masculin
Véhicule qui sert au transport en commun dans les villes. **SYN** bus.• **Autobus scolaire** : véhicule réservé au transport des élèves entre leur domicile et l'école.

autochtone adjectif et nom
❶ Descendant de populations qui habitent depuis longtemps un pays, un territoire.
❷ En Amérique du Nord, descendant des premiers peuples que sont les Inuits, les Indiens et les Métis. *Nahima est d'ascendance* ***autochtone***. *– Les* ***Autochtones*** *du Canada.* carte 5.  Attention ! Le nom, qui désigne les personnes appartenant à ces peuples, s'écrit avec une majuscule.

autocollant, autocollante adjectif
Qui colle tout seul. *Ces timbres sont* ***autocollants***. ■ **autocollant** nom masculin
Image autocollante. *Jasmine a plein d'****autocollants*** *sur la porte de sa chambre.*

autodéfense nom féminin
Fait de se défendre par ses propres moyens en cas d'agression. *Maria suit des cours de karaté pour assurer son* ***autodéfense***.

autodidacte nom
Personne qui s'est instruite toute seule, sans l'aide d'enseignants.

auto-école nom féminin
Établissement où l'on apprend à conduire une voiture. ✎ Pluriel : *des* ***auto-écoles***.
✎ On peut écrire aussi ***autoécole***.

autoévaluation nom féminin
Jugement qu'une personne porte sur son propre travail, ses apprentissages, ses comportements.

autographe nom masculin
Signature d'une personne. *Demander un* ***autographe*** *à une actrice, à une personne célèbre.*

automate nom masculin
Machine qui a l'aspect d'un être animé et qui est capable d'imiter ses mouvements grâce à un mécanisme.

automatique adjectif
❶ Qui se fait grâce à un mécanisme qui fonctionne sans que personne s'en occupe. *Dans le métro, la fermeture des portes est* ***automatique****.* ❷ Que l'on fait sans y penser, sans intervention de la volonté. *Des gestes* ***automatiques****.* **SYN** machinal.

automatiquement adverbe
De façon automatique. *À sept heures, la cafetière se met en marche* ***automatiquement****.*

automatiser verbe ▸conjug. 3
Équiper d'un fonctionnement automatique. *Mme Bourgon* ***a*** *entièrement* ***automatisé*** *son usine.*

automnal, automnale, automnaux adjectif
De l'automne. *Des couleurs* ***automnales****.*

automne nom masculin
Saison de l'année qui suit l'été et qui vient avant l'hiver.

automobile nom féminin
Véhicule à moteur muni de roues, qui sert à transporter des personnes et des bagages. *Cette* ***automobile*** *a un moteur puissant.* **SYN** voiture. * Abréviation : ***auto***. 👁p. 88. ■ **automobile** adjectif Qui se rapporte aux voitures. *Le sport* ***automobile****.*

automobiliste nom
Personne qui conduit une automobile.

autoneige nom féminin
Véhicule à chenilles à plusieurs places, spécialement adapté au transport sur la neige.

autonome adjectif
❶ Qui se gouverne ou s'administre tout seul. *Un pays* ***autonome****.* ❷ Qui se débrouille tout seul. *Micha est un enfant très* ***autonome****, il a horreur qu'on l'aide.*

autonomie nom féminin
❶ Indépendance dont bénéficie un pays ou une personne autonome. ❷ Durée pendant laquelle une machine peut fonctionner sans apport d'énergie. *Ce cellulaire a une* ***autonomie*** *de dix heures.*

autopsie nom féminin
Examen d'un cadavre par un médecin pour rechercher les causes de la mort. *L'****autopsie*** *montre qu'il s'agit d'une mort naturelle.*

autorisation nom féminin
Fait d'autoriser. *Pour sortir de l'école avant l'heure, il faut obligatoirement l'****autorisation*** *de la directrice.* **SYN** permission. **CONTR** défense, interdiction.

autoriser verbe ▸conjug. 3
Donner à quelqu'un la permission de faire quelque chose. *Les parents d'Ingrid l'****autorisent*** *à se coucher tard le samedi soir.* **SYN** permettre. **CONTR** défendre, interdire.

autoritaire adjectif
Qui fait preuve d'une grande autorité. *Cette dompteuse est très* ***autoritaire*** *avec ses lions.*

autorité nom féminin
Pouvoir de commander, de se faire obéir. *Mon parrain a de l'****autorité*** *sur ses enfants.* • **Faire autorité :** être reconnu par tous comme le meilleur dans une spécialité. *Ses recherches sur les fourmis* ***font autorité****.* ■ **autorités** nom féminin pluriel Représentants de l'État (le gouvernement, l'Administration, etc.).

autoroute nom féminin
Voie rapide réservée aux automobiles, aux camions, etc., et où il n'y a pas de feux de circulation ni de croisements.

auto-stop nom masculin
Pratique qui consiste à faire signe aux voitures pour se faire transporter gratuitement. *L'****auto-stop*** *est interdit sur les autoroutes.* * Chercher aussi *faire du pouce**. ✎ On peut écrire aussi ***autostop***.

auto-stoppeur, auto-stoppeuse nom
Personne qui fait de l'auto-stop. ✎ Pluriel : *des* ***auto-stoppeurs***. ✎ On peut écrire aussi *un* ***autostoppeur***, *une* ***autostoppeuse***.

autour de préposition
❶ Dans l'espace qui entoure quelque chose. *La Terre tourne* ***autour du*** *Soleil.* ❷ Environ, à peu près. *Elle a payé ce terrain* ***autour de*** *vingt mille dollars.* ■ **autour** adverbe Dans l'espace qui entoure. *Nous avons un jardin avec une haie* ***autour****.*

autre adjectif
❶ Qui n'est pas le même. *Prends un* ***autre*** *couteau, celui-ci ne coupe pas.* **SYN** différent. ❷ Qui vient en plus. *Veux-tu un* ***autre*** *jus de fruits ?* **SYN** supplémentaire. ■ **autre** pronom Une personne ou une chose différente ou supplémentaire. *Si tu n'aimes pas ce gâteau, prends-en un* ***autre****.*

a b c d e f g h i j k l m n o p q r s t u v w x y z

autrefois adverbe
Dans le temps passé. ***Autrefois**, on ne savait pas que la Terre était ronde.* SYN jadis. CONTR actuellement, aujourd'hui.

autrement adverbe
❶ D'une autre façon. *Tu devrais t'habiller **autrement**.* SYN différemment. ❷ Sans quoi, sinon. *Mets ta tuque, **autrement** tu vas attraper froid.*

autrichien, autrichienne
➔Voir tableau, p. 1319.

autruche nom féminin
Très grand oiseau incapable de voler, mais qui court très vite. 👁p. 720.

Une **autruche**

autrui pronom
Les autres personnes que soi. *Guillaume est égoïste, il est plutôt indifférent à **autrui**.*

auvent nom masculin
Petit toit incliné au-dessus d'une porte ou d'une fenêtre.

aux déterminant
Déterminant contracté qui est une combinaison de *à* et *les*. *Aller **aux** (à + les) îles de la Madeleine.*

auxiliaire nom masculin
Verbe que l'on utilise pour former, avec un participe passé, les temps composés. *«Avoir» et «être» sont les **auxiliaires** de conjugaison.* ■ **auxiliaire** adjectif Qui est employé pour aider quelqu'un ou pour compléter quelque chose. *Une infirmière **auxiliaire**.*

auxquels, auxquelles ➔Voir **lequel**

aval nom masculin
Partie d'un cours d'eau la plus éloignée de la source. • **En aval de:** dans la direction de la descente d'un cours d'eau. *Québec est **en aval de** Montréal sur le fleuve Saint-Laurent.* CONTR amont.

avalanche nom féminin
Glissement d'une énorme masse de neige le long d'une pente de montagne. *Des skieurs ont été emportés par une **avalanche**.*

Une **avalanche**

avaler verbe ▸conjug. 3
❶ Faire descendre dans la gorge. *Le serpent **avale** sa proie tout entière.* ❷ Dans un sens figuré et familier, croire naïvement quelque chose. *Elle est si naïve qu'elle **avale** tout ce qu'on lui dit.*

avance nom féminin
❶ Marche en avant. *L'**avance** des troupes ennemies.* SYN progression. ❷ Distance qui sépare quelqu'un de quelqu'un d'autre qui le suit. *Ce coureur a une très nette **avance** sur le second.* ❸ Temps gagné sur quelque chose. *Elsa a pris de l'**avance** dans son travail.* ❹ Somme d'argent versée avant la date normale de paiement. *Demander une **avance** sur ses frais de déplacement.* • **À l'avance, d'avance:** avant le moment fixé ou prévu. *L'excursion a été préparée longtemps **à l'avance**.*

avancé, avancée adjectif
❶ En avance sur les autres. *Gabriel est très **avancé** pour son âge.* SYN précoce. ❷ Qui est très moderne. *Ce téléviseur est d'une technologie très **avancée**.*

avancement nom masculin
❶ Manière d'avancer, de progresser. *Le chef de chantier surveille l'**avancement** des travaux.* ❷ Progression dans une carrière professionnelle. *Grâce à son acharnement au travail, elle a obtenu de l'**avancement**.* **SYN** promotion.

avancer verbe ▸conjug. 4
❶ Pousser ou déplacer quelque chose vers l'avant. ***Avance** ta chaise, tu es trop loin de la table.* **CONTR** reculer. ❷ Aller vers l'avant. *Il est difficile d'**avancer** dans cette foule.* ❸ Effectuer plus tôt que prévu. *On **a avancé** notre retour de vacances à cause du mauvais temps.* **CONTR** différer, retarder. ❹ Marquer une heure plus tardive que l'heure réelle. *L'horloge **avance** de dix minutes.* **CONTR** retarder. ❺ Faire progresser. *Ève **a** bien **avancé** le rangement de ses timbres.* ❻ Verser une avance ou prêter de l'argent. *Benjamin m'**a avancé** cinq dollars.* ❼ Progresser. *Les travaux n'**avancent** pas vite à cause du gel.* ♦ Famille du mot : avance, avancé, avancement.

avant préposition
Sert à indiquer… ❶ le temps. *J'arriverai **avant** toi. Passe me voir **avant** midi.* **CONTR** après. ❷ le lieu. *Sa maison est juste **avant** la boulangerie.* **CONTR** après. ■ **avant** adverbe Plus tôt. *Il habite à Sorel depuis un an ; **avant**, il habitait à Québec.* **SYN** auparavant. • **En avant :** devant soi. *Mettre un pied **en avant**.* **CONTR** en arrière. ■ **avant** nom masculin ❶ Partie qui est située devant. *Le capot de la voiture se trouve à l'**avant**.* **CONTR** arrière. ❷ Joueur placé devant les autres. *Les **avants** d'une équipe de soccer.* ■ **avant** adjectif invariable Qui est placé à l'avant. *Le pneu **avant** de ton vélo est dégonflé. Les roues **avant** d'une voiture.* **CONTR** arrière.

avantage nom masculin
Ce qui donne une supériorité sur les autres. *Elle a l'**avantage** de parler plusieurs langues.* **SYN** atout. **CONTR** désavantage, inconvénient. • **À l'avantage de quelqu'un :** à son profit, en sa faveur. **CONTR** au détriment. • **Prendre l'avantage sur quelqu'un :** le dominer dans une lutte, une compétition. ♦ Famille du mot : avantager, avantageusement, avantageux, désavantage, désavantager, désavantageux.

avantager verbe ▸conjug. 5
Donner un avantage, une supériorité à quelqu'un. *Sa grande expérience l'**a** beaucoup **avantagé**.* **SYN** favoriser. **CONTR** désavantager.

avantageusement adverbe
De façon avantageuse. *Ce système remplace **avantageusement** le précédent.*

avantageux, avantageuse adjectif
Qui procure un avantage. *C'est plus **avantageux** d'acheter pendant les soldes.* **SYN** économique, intéressant. **CONTR** désavantageux.

avant-bras nom masculin invariable
Partie du bras qui va du coude au poignet. *Le radius est un os de l'**avant-bras**.* 👁p. 246.

avant-dernier, avant-dernière adjectif et nom
Qui est juste avant le dernier. *Le 30 décembre est l'**avant-dernier** jour de l'année.* ✎ Pluriel : ***avant-derniers**, **avant-dernières**.*

avant-garde nom féminin
❶ Partie d'une armée qui est envoyée en avant du reste des troupes. **CONTR** arrière-garde. ❷ Au sens figuré, ensemble de ceux qui sont à la pointe du progrès. *L'**avant-garde** artistique.* ✎ Pluriel : *des **avant-gardes**.*

avant-gardiste adjectif et nom
Qui est à l'avant-garde en ce qui concerne les arts. *Un, une artiste **avant-gardiste**. – Ces peintres sont des **avant-gardistes**.* **SYN** novateur.

avant-goût nom masculin
Première impression que l'on a de quelque chose. *Ce soleil radieux nous donne un **avant-goût** de l'été.* ✎ Pluriel : *des **avant-goûts**.* ✎ On peut écrire aussi ***avant-gout***.

avant-hier adverbe
Le jour qui a précédé hier. *Aujourd'hui, c'est samedi ; **avant-hier**, on était jeudi.*

avant-midi nom masculin ou féminin invariable
Période de la journée qui commence au lever du soleil et se termine à midi. **SYN** matin, matinée. ✎ On peut écrire aussi, au pluriel, *des **avant-midis***. * Chercher aussi *après-midi*.

avant-propos nom masculin invariable
Courte préface au début d'un livre. **SYN** introduction.

avant-veille nom féminin
Jour qui vient juste avant la veille. *Je devais partir lundi, mais je suis tombée malade l'**avant-veille** de mon départ, c'est-à-dire samedi.* ✎ Pluriel : *des **avant-veilles**.*

avare adjectif et nom
Qui ne pense qu'à accumuler de l'argent et à en dépenser le moins possible. *Elle est bien trop* ***avare*** *pour te prêter de l'argent. – Un vieil* ***avare****.* CONTR dépensier, généreux. • **Être avare de quelque chose :** ne pas donner facilement quelque chose. *Il* ***est avare de*** *compliments.*

avarice nom féminin
Défaut d'une personne avare.

avarie nom féminin
Dégât survenu à un bateau. *Le voilier a subi de grosses* ***avaries*** *pendant la tempête.*

avarié, avariée adjectif
Qui est abîmé, pourri. *La viande est* ***avariée*** *à cause de la chaleur.* CONTR frais.

avatar nom masculin
Personnage virtuel qui incarne l'internaute dans le cadre d'une discussion dans le cyberespace, d'un jeu interactif ou d'un entraînement sportif. *L'****avatar*** *de Sofia lui ressemble un peu.*

Des ***avatars***

avec préposition
Sert à introduire divers compléments pouvant exprimer plusieurs sens. *Il est venu* ***avec*** *sa fille* (accompagnement). ***Avec*** *cette chaleur, les fruits s'abîment* (cause). *Manger sa soupe* ***avec*** *une cuillère* (moyen). *Il écoute* ***avec*** *attention* (manière).

avenant, avenante adjectif
Qui est aimable et accueillant. *Ce commerçant est très* ***avenant*** *avec ses clients.*

à l'**avenant** adverbe
De la même manière. *Tout se dégrade dans cette maison : le toit, les murs, et tout le reste est* ***à l'avenant****.*

avènement nom masculin
Moment où un roi commence son règne.
* Ne pas confondre *avènement* et *évènement*.

avenir nom masculin
❶ Évènements futurs. *On ne peut pas prévoir l'****avenir****.* ❷ Ce que quelqu'un ou quelque chose deviendra plus tard. *Leïla est jeune, mais elle pense déjà à son* ***avenir****.* • **À l'avenir :** à partir de maintenant. ***À l'avenir****, je serai plus prudent.* SYN désormais, dorénavant.

aventure nom féminin
❶ Évènement extraordinaire ou imprévu, vécu par quelqu'un. *As-tu lu les* ***aventures*** *de Tintin ?* ❷ Entreprise nouvelle et risquée. *Liv aime les voyages et l'****aventure****.*
• **À l'aventure :** sans but précis. • **Dire la bonne aventure :** prédire l'avenir. ♦ Famille du mot : s'aventurer, aventureux, aventurier, mésaventure.

s'**aventurer** verbe ▸ conjug. 3
Prendre un risque en allant quelque part. *Les enfants n'ont pas osé* ***s'aventurer*** *dans la grotte.*

aventureux, aventureuse adjectif
❶ Qui est plein d'aventures, d'imprévus. *Mener une vie* ***aventureuse****.* ❷ Qui a peu de chances de réussir. *Elle s'est lancée dans un projet* ***aventureux****.* SYN risqué.

aventurier, aventurière nom
Personne qui recherche l'aventure par goût du risque. *Les navigateurs solitaires sont de véritables* ***aventuriers****.*

avenue nom féminin
Large rue dans une ville.

s'**avérer** verbe ▸ conjug. 8
Se révéler, se montrer. *Le gel* ***s'est avéré*** *catastrophique pour les arbres fruitiers.*
✎ On peut écrire aussi, au futur, *il* ***s'avèrera*** ; au conditionnel, *elle* ***s'avèrerait****.*

averse nom féminin
Pluie soudaine et abondante, mais de courte durée. *On a attendu la fin de l'****averse*** *avant de vous rejoindre.* • **Averse de neige :** forte chute de neige de courte durée. *La météo annonce une* ***averse de neige****.* SYN bordée de neige.

aversion nom féminin
Sentiment d'antipathie ou de dégoût. *Chloé a une profonde* ***aversion*** *pour les coquerelles.* SYN répulsion. CONTR sympathie.

avertir verbe ▸ conjug. 11
Informer quelqu'un pour le mettre en garde. *On nous* ***a avertis*** *d'un risque de tempête de neige.* **SYN** aviser, prévenir, signaler. ♦ Famille du mot : avertissement, avertisseur.

avertissement nom masculin
❶ Ce qu'on dit pour avertir. *Tu aurais dû écouter les* ***avertissements*** *de tes parents.* **SYN** conseil, recommandation. ❷ Réprimande, rappel à l'ordre. *Ce joueur agressif a reçu un* ***avertissement*** *de l'arbitre.*

avertisseur nom masculin
Appareil sonore servant à avertir.

aveu nom masculin
Fait d'avouer une chose. *Mylène nous a fait un* ***aveu*** *: elle nous avait menti.*

aveuglant, aveuglante adjectif
Qui aveugle. *Une lumière* ***aveuglante****.* **SYN** éblouissant.

aveugle adjectif et nom
Qui est privé de la vue. *Cette handicapée est* ***aveugle****. – Certains chiens sont dressés pour guider des* ***aveugles****.* ■ **aveugle** adjectif
❶ Qui est incapable de voir la réalité. *Son amour pour ses enfants le rend* ***aveugle****.*
❷ Que l'on accorde totalement et sans réfléchir. *Une confiance* ***aveugle****.* **SYN** absolu. ♦ Famille du mot : aveuglant, aveuglement, aveuglément, aveugler, à l'aveuglette. * Chercher aussi *borgne, cécité, malvoyant.*

aveuglement nom masculin
Manque de jugement, de lucidité.

aveuglément adverbe
Sans réfléchir. *Ne sachant comment monter ce meuble, j'ai suivi* ***aveuglément*** *les instructions de montage.*

aveugler verbe ▸ conjug. 3
Gêner la vue, éblouir. *Nathan a mis des lunettes noires pour ne pas* ***être aveuglé*** *par le soleil.*

à l'**aveuglette** adverbe
❶ Sans y voir, comme un aveugle. *Dans le noir, on se dirige* ***à l'aveuglette****.* **SYN** à tâtons*.
❷ Au sens figuré, sans savoir où l'on va. *Se lancer* ***à l'aveuglette*** *dans une aventure.*

aviateur, aviatrice nom
Personne qui pilote un avion. *Amelia Earhart a été la première* ***aviatrice*** *à traverser l'Atlantique en 1928.*

aviation nom féminin
❶ Ensemble des activités qui se rapportent aux avions, à la navigation aérienne. *Kevin lit un livre sur l'histoire de l'****aviation****.* ❷ Ensemble des avions. *L'****aviation*** *civile.*

avide adjectif
Qui désire très fortement quelque chose et en veut toujours davantage. *Emma est* ***avide*** *de connaissances.* **SYN** insatiable.

avidité nom féminin
Désir très fort et immodéré de quelque chose. *Tristan mange avec* ***avidité****.*

s'**avilir** verbe ▸ conjug. 11
Devenir vil, méprisable. *Il* ***s'avilit*** *à mentir sans cesse.* **SYN** s'abaisser.

avion nom masculin
Appareil à moteur servant au transport aérien. *Elle voudrait apprendre à piloter un* ***avion****.*
♦ Famille du mot : aviateur, aviation.

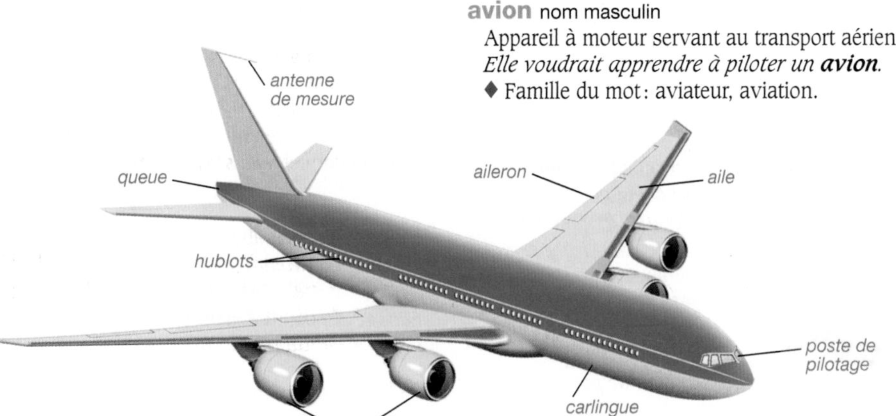

Un ***avion***

aviron nom masculin
❶ Rame d'une embarcation. *Si le vent tombe, il faudra se servir des **avirons**.* ❷ Sport nautique pratiqué avec un bateau à rames. *Alexandre s'est inscrit dans un club d'**aviron**.*

avis nom masculin
❶ Ce que l'on pense de quelque chose. *J'ai besoin de ton **avis** avant de me décider.* **SYN** opinion, point de vue. ❷ Information écrite. ***Avis** au public: les chiens sont interdits dans le magasin.*

avisé, avisée adjectif
Qui agit intelligemment. *Une conseillère très **avisée**.* **SYN** sage.

aviser verbe ▸conjug. 3
❶ Apercevoir soudain. *Au cinéma, nous étions sur le point de nous asseoir au premier rang quand nous **avons avisé** deux places libres au fond.* **SYN** remarquer. ❷ Avertir ou prévenir quelqu'un. *Tu ne nous **as** pas **avisés** de ton arrivée.* ■ **s'aviser**: se risquer à. *Ne **vous avisez** surtout pas de recommencer!*

① **avocat, avocate** nom
Personne qui défend les accusés devant la justice. *Pour gagner son procès, il va lui falloir un bon **avocat**.*

② **avocat** nom masculin
Fruit vert à gros noyau, ayant plus ou moins la forme d'une poire. *En entrée, on nous a servi un **avocat** aux crevettes.*

Des **avocats**

avoine nom féminin
Céréale dont les grains servent à nourrir les chevaux, les poules, et qui est aussi utilisée pour l'alimentation humaine. *Des biscuits à l'**avoine**.*

① **avoir** verbe ▸conjug. 1
❶ Posséder un bien. *Stéphane aimerait **avoir** un chat.* ❷ Posséder une caractéristique. *Jade **a** les yeux bleus.* ❸ Obtenir quelque chose. *J'**ai eu** ce disque pour cinq dollars.* ❹ Éprouver, ressentir quelque chose. *J'**ai** faim. Feng **a** mal aux dents.* ❺ Être âgé de tant. *Antoine **a** dix ans.* ❻ Dans la langue familière, tromper. *Tu as payé bien trop cher, tu t'es fait **avoir**!*
• **Avoir à**: devoir. *J'**ai** des courses **à** faire.*
• **Il y a**: il existe. ***Il y a** plein de poussière sur les meubles.* ✎ Attention! *Avoir* est également employé comme auxiliaire pour conjuguer les verbes aux temps composés (par ex.: *j'**ai** mangé, nous **avons** joué*).

② **avoir** nom masculin
Ce que l'on possède. *Comme **avoir**, ils n'ont qu'une modeste maison.*

avoisinant, avoisinante adjectif
Qui est voisin, tout proche. *On a trouvé des champignons dans le boisé **avoisinant**.*

avortement nom masculin
Fait d'avorter.

avorter verbe ▸conjug. 3
❶ Arrêter la grossesse avant son terme, accidentellement ou volontairement. ❷ Au sens figuré, ne pas réussir. *Tous ses projets **ont** malheureusement **avorté**.* **SYN** échouer.

avouer verbe ▸conjug. 3
❶ Reconnaître que quelque chose est vrai. *J'**avoue** que j'ai eu très peur.* ❷ Reconnaître que l'on est coupable. *La voleuse **a avoué**.* **CONTR** nier.

avril nom masculin
Quatrième mois de l'année, qui compte trente jours. ✎ Attention! Le nom des mois s'écrit avec une minuscule.

axe nom masculin
❶ Tige qui traverse le milieu d'un objet. *La roue tourne autour de son **axe**.* ❷ Ligne imaginaire qui traverse la Terre du pôle Nord au pôle Sud. *La Terre tourne autour de son **axe**.* ❸ Grande voie routière. *Il y a toujours de la circulation dans les grands **axes**.*

axer verbe ▸conjug. 3
Au sens figuré, organiser autour d'un thème. ***Axer** un débat sur une question d'ordre social.*

azalée nom féminin
Arbuste à fleurs décoratives.

Une **azalée**

azerbaïdjanais, azerbaïdjanaise
➔Voir tableau, p. 1319.

azote nom masculin
Gaz qui constitue la plus grande partie de l'air. *L'air contient 78 % d'**azote**.*
* Chercher aussi *hydrogène*, *oxygène*.

azur nom masculin
Couleur bleue, en particulier celle du ciel.

azyme adjectif
• **Pain azyme**: pain sans levain.

b nom masculin invariable
Deuxième lettre de l'alphabet. *Le **b** est une consonne.*

babillage nom masculin
Fait de babiller. *Le **babillage** des enfants est entrecoupé de rires.*

babillard nom masculin
Tableau d'affichage. *La date du bal de fin d'études a été affichée au **babillard**.*

babiller verbe ▸ conjug. 3
Parler beaucoup et dire des choses sans importance. *Ces jeunes enfants **babillent**.*
♦ Famille du mot : babillage, babillard.

babines nom féminin pluriel
Lèvres de certains animaux. *Le chien retrousse ses **babines** : il est menaçant.* • **S'en lécher les babines** : se réjouir à la pensée d'une chose agréable. *John **se lèche les babines** à la vue de son dessert préféré.*

babiole nom féminin
❶ Petit objet de peu de valeur. *Joëlle est déçue : on ne lui a offert que des **babioles**.* SYN cossin. ❷ Chose sans importance. *C'est stupide de se disputer pour des **babioles**.*

bâbord nom masculin
Côté gauche d'un bateau quand on regarde vers l'avant. *Sur ce bateau de croisière, la piscine est à **bâbord**.* CONTR tribord.

babouin nom masculin
Singe d'Afrique dont le museau ressemble à celui d'un chien.

① **bac** nom masculin
Grand récipient. *Un **bac** à glace, un **bac** à fleurs. Un **bac** de recyclage.*

② **bac** nom masculin
Abréviation courante de *baccalauréat*.

baccalauréat nom masculin
Premier diplôme universitaire. SYN ② bac.
* Chercher aussi *doctorat*, *maîtrise*.

bâche nom féminin
Grande toile imperméable. *Nous avons mis des **bâches** au-dessus de la tente pour la protéger.*

bachelier, bachelière nom
Personne qui a obtenu un baccalauréat.

bâcler verbe ▸ conjug. 3
Faire quelque chose trop vite et sans s'appliquer. *David **a bâclé** la révision de son texte.*

*Un **babouin***

a **b** c d e f g h i j k l m n o p q r s t u v w x y z

bacon nom masculin
Lard fumé découpé en tranches minces. *Des œufs et du **bacon**.*

bactérie nom féminin
Micro-organisme formé d'une seule cellule, qui peut transmettre des maladies. * Chercher aussi *germe*, *microbe*, *virus*.

badaud, badaude nom
Personne qui regarde par curiosité ce qui se passe dans la rue. *Les **badauds** s'attardent devant les vitrines de Noël.* **SYN** flâneur.

badigeonner verbe ▸ conjug. 3
❶ Recouvrir une surface avec une peinture facile à étaler. *Nous **avons badigeonné** ces murs d'une peinture à l'eau.* ❷ Enduire d'un médicament liquide. *L'infirmière **a badigeonné** la blessure d'Anaïs avec du mercurochrome.*

badminton nom masculin
Jeu voisin du tennis, qui se joue avec des raquettes légères et un volant.

Un volant

Des raquettes de **badminton**

bafouer verbe ▸ conjug. 3
Traiter avec mépris ou tourner en ridicule. *C'est humiliant d'**être bafoué** devant ses amis.*

bafouiller verbe ▸ conjug. 3
Parler d'une manière peu compréhensible. *Julie est si timide qu'elle **a bafouillé** en récitant son poème.* **SYN** bredouiller.

bagage nom masculin
❶ Sac ou valise que l'on emporte avec soi en voyage. *Ces **bagages** n'entreront pas tous dans le coffre de la voiture.* • **Plier bagage :** partir. ❷ Au sens figuré, ensemble des connaissances d'une personne. *Il faut avoir un bon **bagage** en mathématique pour faire des études scientifiques.*

bagarre nom féminin
Dans la langue familière, violente dispute avec échange de coups. *La discussion s'est terminée en **bagarre**.* **SYN** bataille, rixe. ♦ Famille du mot : se bagarrer, bagarreur.

se **bagarrer** verbe ▸ conjug. 3
Dans la langue familière, se battre. *Vous n'allez pas **vous bagarrer** pour si peu ?*

bagarreur, bagarreuse adjectif
Qui aime se bagarrer. **SYN** batailleur.

bagatelle nom féminin
Chose sans importance. *Ils se sont disputés pour une **bagatelle**.*

bagel nom masculin
Petit pain en forme de beigne, à la mie très ferme. *Tao aime les **bagels** au saumon.* ✎ On peut écrire aussi ***baguel***.

bagnard nom masculin
Condamné au bagne. **SYN** forçat.

bagne nom masculin
Lieu où étaient autrefois détenus les condamnés aux travaux forcés.

bagnole nom féminin
Dans la langue familière, auto, voiture.

bagou nom masculin
Dans la langue familière, grande facilité à parler. *Pour être un bon vendeur, il faut avoir du **bagou**.* ✎ On écrit aussi ***bagout***.

bague nom féminin
Bijou en forme d'anneau, que l'on porte au doigt.

baguette nom féminin
❶ Petit bâton mince. *Dans certains pays d'Asie, on mange avec des **baguettes**.* • **Baguette magique :** petit bâton dont se servent les fées et les magiciens pour faire des choses surnaturelles. • **Mener quelqu'un à la baguette :** le diriger avec sévérité. ❷ Pain long et mince. *Acheter une **baguette** à la boulangerie.*

Des **baguettes**

bah ! interjection
Mot qui sert à exprimer l'indifférence. *Tu as cassé une assiette, **bah !***

bahaméen, bahaméenne
➻Voir tableau, p. 1319.

bahreïnien, bahreïnienne
➻Voir tableau, p. 1319.

bahut nom masculin
Buffet bas. *J'ai rangé les assiettes et les verres dans le* ***bahut****.*

① **baie** nom féminin
Endroit de la côte où la mer avance dans la terre.

La **baie** de Oak à Victoria (Colombie-Britannique)

② **baie** nom féminin
Grande ouverture servant de fenêtre ou de porte-fenêtre. *De grandes* ***baies*** *vitrées donnent sur le fleuve.*

③ **baie** nom féminin
Petit fruit à graines ou à pépins. *Les framboises et les bleuets sont des* ***baies****.*

baignade nom féminin
Action de se baigner. *Ici, la rivière est dangereuse, la* ***baignade*** *est interdite.*

baigner verbe ▸conjug. 3
❶ Mettre dans l'eau ou faire prendre un bain. *Mon chien n'aime pas qu'on le* ***baigne****.*
❷ Tremper dans un liquide. *Les morceaux de viande* ***baignent*** *dans la sauce.* ■ *se* **baigner**: prendre un bain. *L'eau du lac était froide, personne ne* ***s'est baigné****.*

baigneur, baigneuse nom
Personne qui se baigne. *Les* ***baigneurs*** *sont plus nombreux en été.*

baignoire nom féminin
Grande cuve pour prendre des bains. *Après son bain, Enzo nettoie la* ***baignoire****.*

bail, baux nom masculin
Contrat fixant la durée et les conditions de location d'un bien. *Mes parents ont signé un* ***bail*** *de deux ans avec le propriétaire de notre logement.*

bâillement nom masculin
Action de bâiller.

bâiller verbe ▸conjug. 3
❶ Ouvrir involontairement la bouche toute grande en inspirant et en expirant. *Tu t'endors, tu n'arrêtes pas de* ***bâiller****!* ❷ Être entrouvert, mal fermé ou mal ajusté. *Une porte, un vêtement qui* ***bâille****.*

bâillon nom masculin
Morceau de tissu que l'on applique sur la bouche de quelqu'un pour l'empêcher de parler ou de crier.

bâillonner verbe ▸conjug. 3
Mettre un bâillon sur la bouche de quelqu'un. *Les ravisseurs* ***ont bâillonné*** *leur otage.*

bain nom masculin
Fait de se mettre dans l'eau pour se laver ou pour nager. *Béatrice prend un* ***bain*** *tous les soirs.* • **Bain de soleil:** exposition du corps aux rayons du soleil, pour bronzer. • **Être dans le bain:** être entièrement engagé dans une activité, mêlé à un évènement. • **Mettre dans le même bain:** juger des personnes de la même façon pour un même évènement. • **Jeter le bébé avec l'eau du bain:** supprimer ce qu'il y a de plus important avec ce qui ne l'est pas.
♦ Famille du mot: baignade, baigner, baigneur, baignoire, bain-marie, balnéaire.

bain-marie nom masculin
Façon de cuire lentement un aliment en le mettant dans un récipient placé au-dessus d'un autre récipient contenant de l'eau bouillante. *Faire fondre du chocolat au* ***bain-marie****.*
✎ Pluriel: *des* ***bains-marie****.*

baïonnette nom féminin
Petite épée qui se fixe au bout d'un fusil.

① **baiser** verbe ▸conjug. 3
Toucher avec ses lèvres, embrasser. ***Baiser*** *le front de quelqu'un.*

② **baiser** nom masculin
Geste de tendresse qui consiste à toucher quelqu'un avec ses lèvres. *Fanny m'a donné un gros* ***baiser*** *sur la joue.* **SYN** bec, bise, bisou.

baisse nom féminin
Fait de baisser. *Une* ***baisse*** *de la température. La* ***baisse*** *des prix.* **SYN** diminution.
CONTR augmentation, hausse.

baisser verbe ▸ conjug. 3
❶ Mettre plus bas. *Si tu as trop chaud, **baisse** la vitre pour avoir de l'air.* **SYN** abaisser. **CONTR** relever. ❷ Courber une partie du corps. ***Baisser** la tête.* **SYN** pencher. ❸ Diminuer la force, l'intensité ou le prix de quelque chose. ***Baisse** un peu le son de la radio. **Baisser** les impôts.* **CONTR** augmenter. ❹ Devenir moins fort, moins haut ou moins cher. *La température **a** beaucoup **baissé**. Attendre que les prix **baissent**.* **SYN** diminuer. **CONTR** augmenter, monter. ■ *se* **baisser** : se pencher vers le bas. *Le joueur **se baisse** pour ramasser la balle.*

baklava nom masculin
Pâtisserie orientale à pâte feuilletée garnie de miel et d'amandes.

bal nom masculin
Réunion de gens qui dansent. *Les finissants du secondaire organisent leur **bal** de fin d'études.*

balade nom féminin
Dans la langue familière, promenade. *Serge et Nathalie ont fait une grande **balade** à vélo.*

se **balader** verbe ▸ conjug. 3
Dans la langue familière, se promener. ***Se balader** dans les rues de la ville.* **SYN** flâner.

baladeur nom masculin
Appareil portatif, relié à un casque d'écoute léger, qui permet d'écouter de la musique tout en se déplaçant.
• **Baladeur MP3** : petit baladeur numérique qui permet de stocker une grande quantité d'œuvres musicales.

*Un **baladeur***

balafre nom féminin
Longue entaille sur le visage. **SYN** cicatrice.

balafré, balafrée adjectif
Qui porte une balafre. *Un visage **balafré**.*

balai nom masculin
Brosse souple fixée au bout d'un long manche pour balayer. *Raphaël a passé un coup de **balai** dans l'entrée.* ♦ Famille du mot : balai-brosse, balayage, balayer, balayeur, balayeuse. * Chercher aussi ② *vadrouille*.

balance nom féminin
Appareil qui sert à peser. *Le boucher pose le rôti sur la **balance**.* 👁p. 575.

balancement nom masculin
Mouvement de quelque chose qui se balance. *Le **balancement** d'une barque sur le lac.*

balancer verbe ▸ conjug. 4
Donner un mouvement de va-et-vient. ***Balancer** les bras.* ■ *se* **balancer** : s'élancer ou s'incliner alternativement en avant et en arrière. *Ying **se balance** sur une balançoire du parc.* ♦ Famille du mot : balancement, balancier, balançoire.

balancier nom masculin
❶ Pièce d'une horloge qui se balance autour d'un axe et rend son fonctionnement régulier. ❷ Très long bâton qui sert de contrepoids. *Sur la corde, le funambule garde l'équilibre grâce à un **balancier**.*

balançoire nom féminin
Siège suspendu au bout de deux cordes, sur lequel on peut se balancer.

balayage nom masculin
Action de balayer. *Le **balayage** des feuilles mortes.*

balayer verbe ▸ conjug. 7
❶ Nettoyer le sol avec un balai. *Il y a de la poussière, il faut **balayer** ta chambre.* ❷ Au sens figuré, pousser violemment devant soi. *Le vent **a balayé** les nuages : le ciel est tout bleu.*

balayeur, balayeuse nom
Personne chargée de balayer, de nettoyer les rues.

balayeuse nom féminin
Véhicule servant à balayer les rues.

balbutiement nom masculin
Fait de balbutier. *Elle a expliqué son retard dans un vague **balbutiement**.*

balbutier verbe ▸ conjug. 10
Parler en articulant difficilement ou de façon confuse. *Il était tellement intimidé qu'il n'a pu que **balbutier** quelques mots.* **SYN** bafouiller, bredouiller.

balcon nom masculin
❶ Terrasse entourée d'une balustrade et se trouvant sur la façade d'une maison ou d'un immeuble. *Les soirs d'été, il nous arrive souvent de prendre l'air sur le **balcon**.* ❷ Dans une salle de spectacle, galerie située au-dessus du parterre. * Chercher aussi *loge*, *orchestre*.

baleine nom féminin
❶ Mammifère marin de très grande taille. *La **baleine** bleue peut peser jusqu'à cent cinquante tonnes.* 👁p. 638. ❷ Chacune des tiges flexibles servant à tendre la toile d'un parapluie. ♦ Famille du mot : baleineau, baleinier.

Une **baleine**

baleineau, baleineaux nom masculin
Petit de la baleine.

baleinier nom masculin
Navire spécialisé dans la pêche à la baleine.

balisage nom masculin
Action de baliser. *Le **balisage** d'une piste d'aviation sert à la rendre bien visible.*

balise nom féminin
Signal servant à guider les bateaux ou les avions. *Des **balises** signalent la piste.* ♦ Famille du mot : balisage, baliser.

Une **balise**

baliser verbe ▸ conjug. 3
Munir de balises. *L'entrée du port **est balisée** par des bouées lumineuses.*

ballant, ballante adjectif
Qui pend et se balance dans le vide. *Jasmine est assise sur une branche d'arbre, les jambes **ballantes**.*

ballast nom masculin
❶ Couche de pierres sur laquelle sont posées les traverses supportant les rails d'une voie ferrée. ❷ Réservoir d'eau d'un sous-marin qui lui permet de plonger ou de remonter.

balle nom féminin
❶ Petit objet en forme de boule qui sert à jouer. *Une **balle** de tennis.* • **Saisir la balle au bond** : saisir l'occasion sans attendre. • **Se renvoyer la balle** : s'accuser mutuellement d'être responsable de quelque chose. ❷ Petit projectile métallique d'une arme à feu. *Une **balle** de revolver.*

balle molle nom féminin
Sport d'équipe semblable au baseball, pratiqué sur un terrain de plus petite dimension et avec une plus grosse balle. *Une partie dure moins longtemps à la **balle molle** qu'au baseball.*

ballerine nom féminin
❶ Danseuse de ballet. ❷ Chaussure de femme qui ressemble à un chausson de danse.

ballet nom masculin
Danse exécutée sur scène par plusieurs personnes, spectacle de danse. *Ce soir, nous allons voir un **ballet** des Grands Ballets canadiens.*

ballon nom masculin
❶ Grosse balle. *Au football, le **ballon** est ovale.* ❷ Petit sac de caoutchouc qui se gonfle quand on souffle dedans. *Les enfants ont décoré la classe avec des **ballons** multicolores.* • **Ballon dirigeable** : gros ballon constitué d'une enveloppe contenant un gaz plus léger que l'air et d'une nacelle qui peut transporter des passagers. *Faire un voyage en **ballon dirigeable**.* * Chercher aussi *montgolfière*.

Un **ballon dirigeable**

ballonné, ballonnée adjectif
Qui est gonflé comme un ballon. *Après ce repas, j'ai le ventre tout **ballonné**.*

ballot nom masculin
Paquet de vêtements ou de marchandises. *Un gros **ballot** de linge.*

ballotter verbe ▸ conjug. 3
Secouer dans tous les sens. *La mer est houleuse, les passagers du bateau **sont ballottés**.*

balluchon ou **baluchon** nom masculin
Petit paquet de vêtements.

balnéaire adjectif
Qui concerne les bains de mer. *Miami est une station **balnéaire**.*

a b c d e f g h i j k l m n o p q r s t u v w x y z

balourd, balourde nom et adjectif
Qui est maladroit, sans finesse. *C'est un grand **balourd**, il a les deux pieds dans la même bottine. – Elle est assez **balourde**.*
SYN lourdaud.

baluchon ➜Voir **balluchon**

balustrade nom féminin
Barrière qui borde un balcon ou une terrasse, et qui empêche de tomber. * Chercher aussi *garde-fou*.

Une **balustrade**

bambin, bambine nom
Petit enfant.

bambou nom masculin
Plante des pays chauds, à longue tige creuse. *Une canne à pêche en **bambou**.*

Du **bambou**

banal, banale, banals adjectif
Qui n'a rien d'original. *Un incident **banal**.*
SYN commun, courant, ordinaire.
CONTR exceptionnel, extraordinaire.

banalité nom féminin
❶ Caractère banal de quelque chose. *Une vie d'une grande **banalité**.* ❷ Parole banale, sans intérêt. *Il n'a dit que des **banalités**.*
SYN lieu* commun, platitude.

banane nom féminin
Fruit allongé du bananier, à peau jaune et épaisse, qui pousse en grappes appelées «régimes».

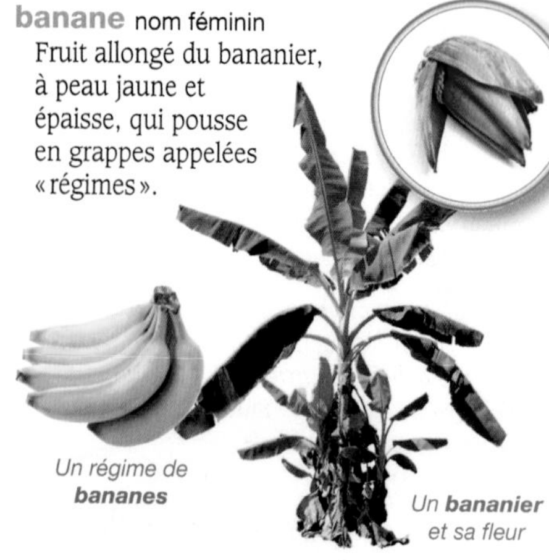
Un régime de **bananes**

Un **bananier** et sa fleur

bananier nom masculin
❶ Plante cultivée dans les pays chauds et qui donne les bananes. ❷ Navire équipé pour transporter des bananes.

① **banc** nom masculin
Long siège, avec ou sans dossier, pour plusieurs personnes. *S'asseoir sur un **banc** dans un parc.*

② **banc** nom masculin
• **Banc de poissons :** grande quantité de poissons nageant ensemble. • **Banc de sable :** masse de sable accumulée dans la mer ou dans une rivière. • **Banc de neige :** amas de neige formé par le vent ou par le déneigement.

bancaire adjectif
Qui concerne la banque. *Pour acheter une maison, elle a dû faire un emprunt **bancaire**.*

bancal, bancale, bancals adjectif
Qui est mal équilibré. *Cette table est **bancale**, elle a un pied plus court que les autres.*
SYN boiteux. **CONTR** stable.

bandage nom masculin
Pansement fait avec une bande de tissu.

① **bande** nom féminin
Morceau de tissu, de papier, de cuir, etc., qui est beaucoup plus long que large. *Une **bande** de papier adhésif.* • **Bande dessinée :** suite de dessins qui raconte une histoire. *Kim lit une **bande dessinée**.* * Abréviation : ***BD***. • **Bande magnétique :** long ruban sur lequel sont enregistrés des sons ou des images. ♦ Famille du mot : bandage, bande-annonce, bandeau, bandelette, bander, plate-bande.

② **bande** nom féminin
Groupe de personnes. *Elsa se promène avec sa* ***bande*** *d'amies.* • **Faire bande à part:** rester à l'écart d'un groupe.

③ **bande** nom féminin
Communauté d'Amérindiens. *Le conseil de* ***bande*** *se réunit régulièrement.* 👁p. 34.

bande-annonce nom féminin
Passages d'un film que l'on montre avant sa sortie. *La* ***bande-annonce*** *m'a donné envie de voir ce film.* ✎ Pluriel: *des* ***bandes-annonces***.

bandeau, bandeaux nom masculin
Étroite bande de tissu pour retenir les cheveux ou couvrir les yeux. *Pour jouer à ce jeu, on se met un* ***bandeau*** *sur les yeux.*

bandelette nom féminin
Bande longue et étroite. *Les momies égyptiennes étaient entourées de* ***bandelettes***.

bander verbe ▸conjug. 3
❶ Entourer d'une bande de tissu. ***Bander*** *une cheville foulée.* ❷ Tendre avec effort. ***Bander*** *la corde d'un arc.*

banderole nom féminin
Bande de tissu tendue entre deux bâtons et portant une inscription. *Les grévistes préparent des* ***banderoles*** *pour la manifestation.*

bandit nom masculin
Malfaiteur. *Des* ***bandits*** *ont attaqué la banque.* **SYN** gangster.

banditisme nom masculin
Activité des bandits. *La police lutte contre le* ***banditisme***.

bandoulière nom féminin
• **En bandoulière:** qui est tenu par une courroie passée d'une épaule au côté opposé du corps. *Marco porte son sac* ***en bandoulière***.

bangladais, bangladaise
➔Voir tableau, p. 1319.

banjo nom masculin
Sorte de petite guitare ronde. *Dans cet orchestre de jazz, un musicien joue du* ***banjo***.

Un ***banjo***

banlieue nom féminin
Ensemble des agglomérations qui entourent une grande ville. *Myriam a déménagé en* ***banlieue*** *de Québec.*

banlieusard, banlieusarde nom
Personne qui habite la banlieue. *Ces* ***banlieusards*** *prennent le métro ou l'autobus pour aller travailler en ville.*

bannière nom féminin
Sorte de drapeau étendard d'un groupe. *Les partisans agitent la* ***bannière*** *de leur équipe sportive.*

bannir verbe ▸conjug. 11
❶ Condamner quelqu'un à quitter son pays. ❷ Au sens figuré, rejeter, supprimer. *Depuis qu'il est malade, mon père* ***a*** *complètement* ***banni*** *le gras et le sucre.*

banque nom féminin
Entreprise où l'on peut déposer de l'argent et en emprunter. *Il a fait un emprunt à la* ***banque*** *pour acheter une voiture.* ♦ Famille du mot: bancaire, banquier.

banquet nom masculin
Grand repas de fête. *Cent personnes ont été invitées à ce* ***banquet***. * Chercher aussi *festin*.

banquette nom féminin
Siège rembourré à plusieurs places. *Sonia a oublié son sac d'école sur la* ***banquette*** *arrière de la voiture.*

banquier, banquière nom
Personne qui dirige une banque.

banquise nom féminin
Immense masse de glace qui se forme à la surface des mers polaires. *Les ours blancs, les phoques, les morses vivent sur la* ***banquise***. 👁p. 804. * Chercher aussi *iceberg*.

Une ***banquise***

baobab nom masculin
Grand arbre au tronc énorme, qui pousse dans les régions tropicales d'Afrique et d'Australie.

Un **baobab**

baptême nom masculin
Sacrement par lequel une personne devient chrétienne. • **Baptême de l'air :** premier vol en avion ou en hélicoptère. ♦ Famille du mot : baptiser, baptistaire.

baptiser verbe ▸ conjug. 3
❶ Donner à quelqu'un le sacrement du baptême. ❷ Donner pour nom. *Shana **a baptisé** son chat « Plume ».*

baptistaire nom masculin et adjectif
Document attestant le baptême. *Fournir un **baptistaire**. – Signer le registre **baptistaire**.*

baquet nom masculin
Grand récipient généralement en bois.

bar nom masculin
❶ Endroit où l'on sert des boissons. *Ils ont rendez-vous au **bar** de l'hôtel.* * Chercher aussi *bistro*, *café*. ❷ Comptoir où l'on peut boire ou manger debout ou assis sur de hauts tabourets. • **Bar laitier :** endroit où l'on ne sert que des rafraîchissements glacés (crèmes glacées, yogourts glacés, sorbets, etc.).

baragouiner verbe ▸ conjug. 3
Dans la langue familière, parler très mal une langue. *Mélodie **baragouine** un peu l'italien.*

baraque nom féminin
❶ Construction légère et provisoire. *Pour le festival, on a dressé des **baraques** sur la place.* ❷ Dans la langue familière, maison en mauvais état. **SYN** bicoque.

baraquement nom masculin
Ensemble de baraques. *Pendant la récolte, les ouvriers agricoles sont logés dans des **baraquements**.*

baratin nom masculin
Discours mensonger pour persuader quelqu'un. *N'écoute pas ce qu'il te dit, c'est du **baratin**.* **SYN** boniment.

barbadien, barbadienne
➔Voir tableau, p. 1319.

barbare adjectif et nom
Qui est cruel, féroce. *Cette guerre est particulièrement **barbare**. – Ils se sont comportés comme des **barbares**.*

barbarie nom féminin
Comportement barbare. *Les accusés avaient commis des actes de **barbarie**.* **SYN** sauvagerie.

barbe nom féminin
Poils des joues et du menton des hommes. *Mon grand-père a une **barbe** blanche.* • **Rire dans sa barbe :** rire discrètement, en se cachant. ♦ Famille du mot : barbant, barber, barbiche, barbu, imberbe.

barbecue nom masculin
❶ Appareil de cuisson installé en plein air. *On a fait griller des hot-dogs sur le **barbecue**.* ❷ Repas de grillades. *Mes parents ont invité leurs amis à un **barbecue**.* * Abréviation : ***BBQ***.

barbelé, barbelée adjectif
Qui porte des petites pointes. *Du fil de fer **barbelé** entoure ce champ.* ■ **barbelé** nom masculin Fil de fer barbelé. *Ce champ est entouré de **barbelés**.*

barber verbe ▸ conjug. 3
❶ Dans la langue familière, ennuyer. ❷ Provoquer. *Hugo n'a pas cessé de **barber** sa sœur.*

barbiche nom féminin
Petite touffe de barbe à la pointe du menton. **SYN** bouc.

barboter verbe ▸ conjug. 3
S'agiter dans l'eau. *Les canards **barbotent** au milieu du lac.*

barboteuse nom féminin
Petite piscine peu profonde destinée aux enfants. **SYN** pataugeoire.

barbouillage nom masculin
Écriture ou dessin réalisé de façon maladroite.

barbouiller verbe ▸ conjug. 3
Étaler une matière qui salit. *Après avoir mangé son gâteau, Mariana **était** toute **barbouillée** de chocolat.*

barbu, barbue adjectif
Qui a une barbe. **CONTR** imberbe.

barda nom masculin
Grand ménage ou travaux faits dans une maison. *Nous sommes dans le **barda**.*

bardé, bardée adjectif
❶ Qui est entouré de minces tranches de lard. *Un rôti **bardé**.* ❷ Qui est couvert de choses nombreuses. *Un soldat **bardé** de décorations.*

bardeau nom masculin
Petite planchette mince que l'on utilise pour couvrir les toits. *Un toit en **bardeaux** de cèdre.*

① **barder** verbe ▸ conjug. 3
Entourer de minces tranches de lard. *La bouchère **barde** un rôti de bœuf.*

② **barder** verbe ▸ conjug. 3
Dans la langue familière, tourner mal ou devenir violent. *Si mon père voit cette vitre cassée, ça va **barder**!*

barème nom masculin
Répertoire de données chiffrées. *La comptable se sert d'un **barème** pour calculer les impôts.*

baril nom masculin
Petit tonneau. *Un **baril** de vin.* * Chercher aussi *barrique*, *fût*.

bariolé, bariolée adjectif
Qui a des couleurs vives et variées. *Le clown portait un costume **bariolé**.*

barmaid nom féminin
Serveuse dans un bar. ✎ Pluriel: *des **barmaids***.

barman nom masculin
Serveur dans un bar. ✎ Pluriel: *des **barmans***.

bar-mitsvah nom féminin invariable
Cérémonie religieuse au cours de laquelle les garçons juifs deviennent majeurs. *Samuel est invité à la **bar-mitsvah** de David.* ✎ On peut écrire aussi ***barmitsva***.

baromètre nom masculin
Instrument qui indique les variations de la pression atmosphérique. *Le **baromètre** monte: il va faire beau.*

baron, baronne nom
Titre de noblesse inférieur à celui de comte, de comtesse. *Madame la **baronne**.*

barque nom féminin
Petit bateau sans pont. ♦ Famille du mot: débarcadère, débarquement, débarquer, embarcation, embarquement, embarquer.

barrage nom masculin
❶ Obstacle installé pour barrer une route. *Un **barrage** de police.* ❷ Grand mur construit en travers d'un cours d'eau pour retenir l'eau. *Les **barrages** servent à irriguer les terres, à produire de l'électricité, à empêcher les inondations.* 👁p. 372.

*Le **barrage** Daniel-Johnson (Québec)*

① **barre** nom féminin
❶ Morceau de matière rigide, long et étroit. *Une **barre** de fer.* • **Avoir un coup de barre:** dans la langue familière, être brusquement très fatigué. ❷ Produit alimentaire de forme allongée et étroite. *Manger une **barre** de chocolat.* ❸ Agrès pour faire des exercices de gymnastique. *La **barre** fixe, les **barres** parallèles.* ❹ Levier qui commande le gouvernail d'un bateau. *Anna est fière de tenir la **barre** du voilier.* ♦ Famille du mot: barreau, barrer, barreur. ❺ Trait droit. *N'oublie pas la **barre** du « t » !*

② **barre** nom féminin
Emplacement d'un tribunal réservé aux témoins qui viennent faire une déposition. *Le témoin est appelé à la **barre**.*

① **barreau, barreaux** nom masculin
Petite barre. *Fais attention, il manque un **barreau** à l'échelle.* • **Être derrière les barreaux:** être en prison.

a b c d e f g h i j k l m n o p q r s t u v w x y z

② **barreau** nom masculin
Ensemble des avocats qui exercent leur profession. *Un avocat du **barreau** de Québec.*

barrer verbe ▸ conjug. 3
❶ Mettre un obstacle pour empêcher de passer. *Cet arbre abattu par la foudre **barre** la route.* SYN couper, obstruer. ❷ Tirer un trait sur un mot ou sur une ligne. *Dans cet exercice, il faut **barrer** les verbes à l'infinitif.* SYN biffer, rayer.

barrette nom féminin
Petite pince munie d'un système de fermeture pour retenir les cheveux.

*Une **barrette***

barreur, barreuse nom
Personne qui barre un bateau, qui tient la barre.

barricade nom féminin
Entassement d'objets divers pour barrer une rue, un lieu de passage. *Les manifestants élèvent des **barricades** au milieu de la rue.*

barricader verbe ▸ conjug. 3
Fermer solidement. *Avant l'arrivée du cyclone, il faut **barricader** portes et fenêtres.* ■ *se* **barricader** : s'enfermer avec soin.

barrière nom féminin
❶ Assemblage de morceaux de bois ou de métal fermant un passage. *Les **barrières** du passage à niveau sont baissées.* * Chercher aussi *bastingage*, *rambarde*. ❷ Obstacle séparant des personnes ou des choses. *Cette chaîne de montagnes est une **barrière** naturelle entre les deux pays.* * Chercher aussi *frontière*.

barrique nom féminin
Gros tonneau. *Il y a deux cents litres de vin dans cette **barrique**.* * Chercher aussi *baril*, *fût*, *tonnelet*.

*Une **barrique***

barrir verbe ▸ conjug. 11
Pousser des barrissements. *Les éléphants **barrissent**.*

barrissement nom masculin
Cri de l'éléphant ou du rhinocéros.

baryton nom masculin
Chanteur dont la voix est plus grave que celle du ténor et plus haute que celle de la basse. * Chercher aussi *basse*, *ténor*.

① **bas, basse** adjectif
❶ Qui a peu de hauteur. *Faites attention de ne pas vous cogner, le plafond de cette grotte est très **bas**.* CONTR haut. ❷ Qui a un faible niveau. *Les températures sont **basses** pour la saison.* CONTR élevé. ❸ Qui donne un son grave. *Elle n'arrive pas à chanter les notes trop **basses**.* CONTR aigu, haut. ❹ Qui est vil, méprisable. *Je ne le croyais pas capable de sentiments aussi **bas**.* • **À voix basse** : bas. *Parler **à voix basse**.* CONTR à voix haute, à haute voix. • **Au bas mot** : au minimum, au moins. • **Avoir la vue basse** : avoir une mauvaise vue. • **En bas âge** : très jeune. • **Faire main basse sur quelque chose** : s'en emparer, le voler.

② **bas** nom masculin
Partie inférieure de quelque chose. *Le **bas** de ta jupe est décousu.* CONTR haut. • **Des hauts et des bas** : des bonnes et des mauvaises périodes, successivement. *Dans la vie, il y a **des hauts et des bas**.*

③ **bas** nom masculin
Vêtement féminin qui couvre le pied et la jambe et monte jusqu'au haut de la cuisse. *Une paire de **bas** en nylon.* • **Avoir un bas de laine** : avoir des économies. • **Bas-culotte** : sous-vêtement féminin d'une seule pièce, constitué d'une culotte et de bas. ✎ Pluriel : *des **bas-culottes***. SYN collant.

④ **bas** adverbe
❶ À faible hauteur. *L'avion volait trop **bas** quand il a percuté la montagne.* ❷ En baissant la voix. *Parlons plus **bas**, le bébé dort.* CONTR haut. • **En bas** : au-dessous, au rez-de-chaussée. *Elle habite **en bas**.* CONTR en haut. • **En bas de** : au niveau inférieur. *Nous nous sommes rencontrés **en bas de** l'immeuble.* CONTR en haut de. • **À bas !** : cri d'hostilité, de révolte. ***À bas** la dictature !* CONTR vive ! • **Mettre bas** : mettre un petit au monde, en parlant des animaux. • **Tomber bien bas** : être dans un mauvais état physique ou moral. ♦ Famille du mot : bassement, bassesse, basset.

basané, basanée adjectif
Brun, bronzé. *Aïcha a un joli teint **basané**.*

bas-côté nom masculin
Bord d'une route. *L'automobiliste s'est garé sur le **bas-côté** pour changer le pneu.* SYN accotement. ✎ Pluriel : *des **bas-côtés***.

basculant, basculante adjectif
Qui peut basculer. *Ce camion est pourvu d'une benne **basculante**.*

bascule nom féminin
❶ Appareil servant à peser des objets très lourds. ❷ Machine, appareil dont l'une des extrémités s'abaisse quand l'autre se lève. *Un fauteuil à **bascule**.*

basculer verbe ▸ conjug. 3
❶ Faire tomber. *Le vent a fait **basculer** le pot de fleurs dans le vide.* ❷ Au sens figuré, changer d'état de manière brusque et définitive. *Christophe **a basculé** dans le camp de nos adversaires.*

base nom féminin
❶ Partie inférieure d'une chose. *La **base** d'une colonne.* ❷ Côté d'un triangle opposé à l'angle pris comme sommet. ❸ Principal ingrédient d'un mélange. *Un gâteau à **base** de chocolat.* ❹ Ensemble d'installations militaires. *Une **base** aérienne.* ❺ Ensemble des membres d'un syndicat ou d'un parti politique qui ne font pas partie de la direction. ❻ Ce qu'il est important de connaître dans une matière. *Le solfège est la **base** de la musique.* * Chercher aussi *a b c*, *rudiments*. • **Être à la base de :** être à l'origine de. *C'est Claudia qui **est à la base de** ce projet.*

baseball nom masculin
Jeu de balle qui oppose deux équipes de neuf joueurs et où un joueur tente de frapper une balle lancée par un joueur de l'équipe adverse pour ensuite marquer un point en parcourant quatre buts. *Le **baseball** se pratique avec une balle dure.* ✎ Pluriel : *des **baseballs**.*

*Un bâton, un gant et une balle de **baseball***

baser verbe ▸ conjug. 3
❶ Établir une base militaire. *Ces militaires **sont basés** à Valcartier.* ❷ Fonder. *Cette conclusion **est basée** sur l'observation.*
■ *se* **baser** : prendre pour base, pour principe. *Il faut **se baser** sur des faits précis.*
SYN se fonder.

bas-fond nom masculin
Endroit où l'eau est peu profonde, mais où l'on peut naviguer. ✎ Pluriel : *des **bas-fonds**.*
✎ On peut écrire aussi *un **basfond**, des **basfonds**.* * Chercher aussi *haut-fond*.

basilic nom masculin
Plante aromatique que l'on utilise comme condiment.

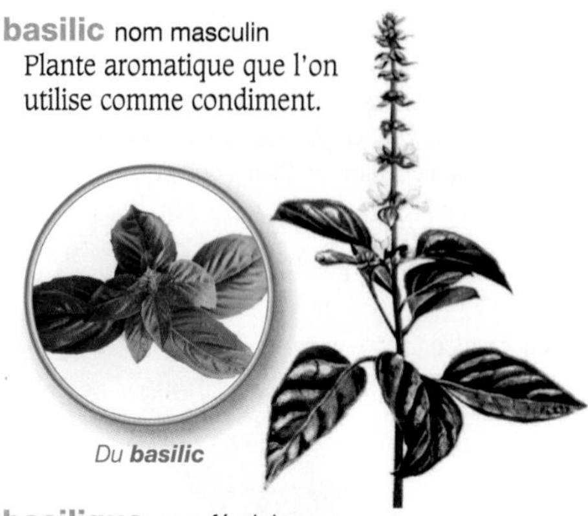
*Du **basilic***

basilique nom féminin
Grande église. *La **basilique** Sainte-Anne-de-Beaupré.*

basketball nom masculin
Jeu de ballon entre deux équipes de cinq joueurs. *Au **basketball**, chaque équipe tente de faire passer le ballon dans le panier de l'équipe adverse.* ✎ Pluriel : *des **basketballs**.*
* Abréviation : ***basket***.

basketteur, basketteuse nom
Personne qui joue au basketball.

bas-laurentien, bas-laurentienne adjectif et nom
De la région du Bas-Saint-Laurent. *Le territoire **bas-laurentien**. – Les **Bas-Laurentiens**, les **Bas-Laurentiennes**.* ✎ Attention ! Le nom, qui désigne les habitants, s'écrit avec une majuscule.

bas-relief nom masculin
Sculpture effectuée sur un bloc et dont le relief est peu marqué. *Ce temple est orné d'un **bas-relief**.* ✎ Pluriel : *des **bas-reliefs**.*

basse nom féminin
❶ La plus grave des voix d'homme. * Chercher aussi *baryton*, *ténor*. ❷ Sons les plus graves d'un instrument de musique. ❸ Guitare à quatre cordes qui produit des sons graves.
♦ Famille du mot : bassiste, basson, contrebasse.

basse-cour nom féminin
❶ Partie de la ferme réservée à l'élevage des volailles. ❷ Ensemble des animaux de basse-cour. ✎ Pluriel : *des **basses-cours**.*
✎ On peut écrire aussi *une **bassecour**, des **bassecours**.*

bassement adverbe
D'une manière basse, méprisable. *Elle a agi **bassement**.*

bassesse nom féminin
Acte bas, méprisable. *Il a osé tricher alors que nous lui faisions confiance, quelle **bassesse** !*
CONTR dignité, grandeur d'âme, noblesse.

basset nom masculin
Chien très bas sur pattes.
👁p. 194.

Un **basset**

① **bassin** nom masculin
❶ Récipient creux, en général de forme ronde. SYN cuvette. ❷ Construction servant à recevoir de l'eau. *Au fond du parc, il y a un **bassin**.* ❸ Partie d'un port où se trouvent les bateaux. SYN dock.

② **bassin** nom masculin
Région arrosée par un fleuve et ses affluents. *Le **bassin** du Saint-Laurent.*

③ **bassin** nom masculin
Ensemble des os de la base du tronc, sur lesquels s'articulent les os des cuisses.

bassine nom féminin
Grande cuvette à anses à usage domestique.

bassiste nom
Guitariste qui joue de la basse. *La **bassiste** d'un groupe de rock.*

basson nom masculin
Instrument de musique à vent, au son grave. 👁p. 692.

bastingage nom masculin
Barrière qui borde le pont d'un navire. *S'accouder au **bastingage**.*
SYN rambarde.

bastion nom masculin
Construction en saillie dans une fortification.

Un **basson**

bas-ventre nom masculin
Partie du ventre située au-dessous du nombril.
✎ Pluriel : *des **bas-ventres***.

bataille nom féminin
❶ Combat entre des armées ennemies. *La **bataille** de Châteauguay a eu lieu en 1813.* ❷ Lutte entre des personnes. *Leur prise de bec a fini en **bataille**.* SYN bagarre. • **Se livrer bataille** : se battre. • **Avoir les cheveux en bataille** : en désordre. *Il a toujours **les cheveux en bataille**.* ♦ Famille du mot : batailleur, bataillon.

batailleur, batailleuse adjectif et nom
Qui aime se battre. SYN bagarreur.
CONTR pacifique.

bataillon nom masculin
Unité militaire constituée de plusieurs compagnies et dirigée par un commandant.

bâtard, bâtarde adjectif et nom
Qui est issu d'un croisement entre deux races différentes. *Une chienne **bâtarde**. – Ce jeune chiot est un **bâtard** issu d'un croisement entre un labrador et un boxer.*

bateau, bateaux nom masculin
❶ Véhicule qui sert à se déplacer sur l'eau. *Les barques, les paquebots, les yachts, les canots, les voiliers sont des **bateaux**.* 👁p. 108. • **Bateau-mouche** : bateau qui offre aux passagers une promenade le long d'un fleuve. *Les **bateaux-mouches** du fleuve Saint-Laurent.* 👁p. 108. * *Bateau-mouche* est le nom d'une marque. ❷ Abaissement de la bordure d'un trottoir devant une sortie de voiture. *Le long d'un **bateau**, le stationnement est interdit.*

Le **bastingage** d'un bateau

batelier, batelière nom
Personne qui conduit les bateaux sur les fleuves ou sur les canaux.

bâti, bâtie adjectif
• **Bien bâti :** se dit de quelqu'un de robuste.

① **bâtiment** nom masculin
❶ Construction ou édifice généralement de grandes dimensions. *Cet hôpital comporte plusieurs **bâtiments**.* ❷ Ensemble des métiers qui s'occupent de la construction. *Les maçons, les peintres, les couvreurs sont des ouvriers du **bâtiment**.*

② **bâtiment** nom masculin
Grand navire. *Les porte-avions sont des **bâtiments** de guerre.*

bâtir verbe ▸ conjug. 11
❶ Construire des maisons, des bâtiments. ***Bâtir** un immeuble, une école.* SYN édifier. ❷ Au sens figuré, établir. *Elle **a bâti** sa fortune en quelques années.* ♦ Famille du mot : bâti, bâtiment, bâtisse.

bâtisse nom féminin
Grand bâtiment.

bâton nom masculin
❶ Morceau de bois long et mince. *Anton taille une branche pour en faire un **bâton**.* ❷ Objet en forme de bâton. *Un **bâton** de dynamite. Un **bâton** de hockey, de baseball.* • **Mettre des bâtons dans les roues de quelqu'un :** s'opposer à ses projets. • **Parler, discuter à bâtons rompus :** en passant d'un sujet à un autre. • **Avoir le gros bout du bâton :** avoir l'avantage dans une négociation, une discussion.

bâtonnet nom masculin
Petit bâton. *Les enfants se servent de **bâtonnets** de bois pour faire leur bricolage.*

batracien nom masculin
Animal vertébré amphibie. *La grenouille et le crapaud sont des **batraciens**.* 👁p. 46.

battage nom masculin
❶ Action de battre des céréales. *Le **battage** du blé permet de séparer les grains de l'épi.* ❷ Dans la langue familière, publicité tapageuse. *La presse a fait un énorme **battage** autour de ce film.*

① **battant, battante** adjectif
• **Le cœur battant :** avec le cœur qui bat très fort. • **Pluie battante :** pluie violente.

② **battant, battante** nom
Personne déterminée et combative. *Alicia est une **battante**, elle ne renonce jamais.*

③ **battant** nom masculin
❶ Barre de métal suspendue à l'intérieur d'une cloche et qui en frappe la paroi. ❷ Partie mobile d'une porte ou d'une fenêtre. *Benjamin ouvre les deux **battants** de la porte.*

battement nom masculin
❶ Pulsation. *Les **battements** du cœur.* ❷ Bruit produit par ce qui bat. *Un **battement** d'ailes. Le **battement** de la pluie contre la vitre.* ❸ Intervalle de temps. *Il y a dix minutes de **battement** entre les deux cours.*

batterie nom féminin
❶ Ensemble de pièces d'artillerie. ❷ Ensemble d'ustensiles de cuisine. *Acheter une **batterie** de casseroles.* ❸ Ensemble d'instruments de musique à percussion. *Cette **batterie** comporte deux tambours, des cymbales et une grosse caisse.* 👁p. 692. ❹ Appareil qui emmagasine l'électricité nécessaire à un véhicule. *Ma mère a dû recharger la **batterie** de sa voiture.* 👁p. 88.
* Chercher aussi *accumulateur, allumage*.

① **batteur, batteuse** nom
Personne qui joue de la batterie dans un orchestre.

*Un **batteur***

a **b** c d e f g h i j k l m n o p q r s t u v w x y z

Les bateaux

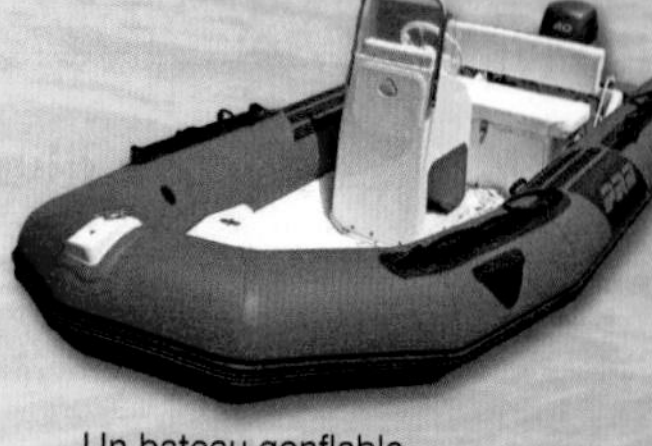
Un bateau gonflable

Dès l'instant où il a compris le principe de flottabilité, l'être humain a conçu le moyen de se déplacer sur l'eau pour mieux pêcher, transporter des marchandises et découvrir des lieux inaccessibles par voie terrestre. Des pirogues de la préhistoire en passant par les bateaux à vapeur jusqu'aux gigantesques paquebots et aéroglisseurs d'aujourd'hui, l'évolution technique des bateaux s'est faite en parallèle aux grandes découvertes de l'être humain. Comme autrefois, certains bateaux sont encore propulsés par la force des bras ou celle du vent, tandis que d'autres fonctionnent à l'énergie solaire ou grâce à des moteurs de plus en plus performants. Voici quelques types de bateaux que nous pouvons voir sur nos nombreux cours d'eau.

Un traversier

Un bateau-mouche

Un bateau fonctionnant à l'énergie solaire

Un brise-glace

Un catamaran

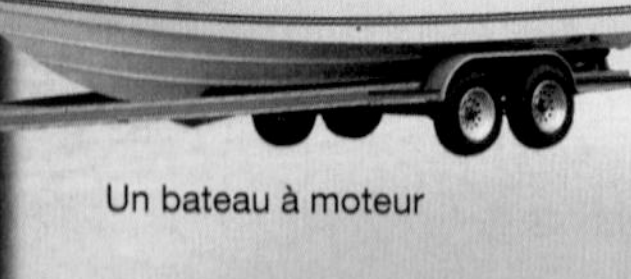
Un bateau à moteur

Un pétrolier

Un yacht

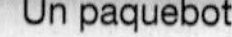
Un paquebot

Les parties d'un bateau

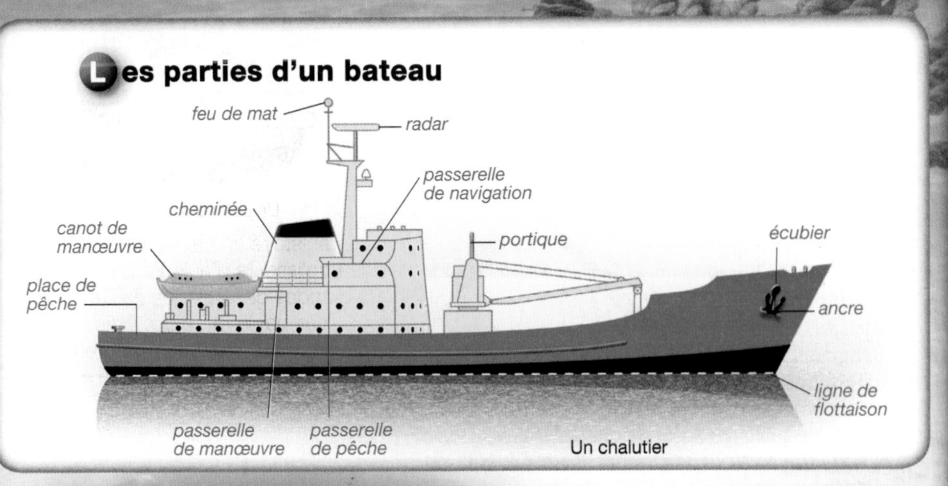

Un chalutier

Un bateau de croisière

Un bateau de sauvetage

Un porte-conteneurs

Un voilier

② **batteur** nom masculin
Appareil ménager pour battre les aliments. *Audrey se sert du **batteur** pour faire de la mousse au chocolat.*

Un **batteur**

battre verbe ▸ conjug. 31
❶ Donner des coups. *Pourquoi **as**-tu **battu** ton petit frère ?* **SYN** frapper, taper. ❷ Remporter une victoire sur quelqu'un. *Laura **a battu** son adversaire au tennis.* ❸ Taper sur quelque chose. ***Battre** les tapis (pour en faire sortir la poussière). **Battre** le blé (pour séparer les grains de l'épi).* ❹ Agiter pour mélanger. ***Battre** des œufs pour faire une omelette.* ❺ Taper de façon répétée. *Le cœur **bat** plus vite quand on a peur. La porte **bat**, car elle est mal fermée.* ❻ Parcourir dans tous les sens. *La police **a battu** la forêt pour retrouver l'enfant disparu.* **SYN** fouiller. • **Battre des mains :** les frapper l'une contre l'autre. • **Battre en retraite :** reculer ou céder. • **Battre la mesure :** indiquer le rythme d'un morceau de musique. *Le chef d'orchestre **bat la mesure**.* ■ *se* **battre** ❶ Se donner des coups. *Cessez de **vous battre** !* ❷ Combattre, lutter. ***Se battre** contre l'intolérance.* ♦ Famille du mot : battage, battant, battement, batterie, batteur, battu, battue, imbattable.

battu, battue adjectif
• **Terre battue :** sol tassé.

battue nom féminin
Action de parcourir les bois pour faire sortir le gibier ou de fouiller un secteur pour rechercher une personne.

batture nom féminin
Partie du rivage laissée à découvert par la marée descendante. *Les **battures** de Beauport.*

baudet nom masculin
Âne. • **Être chargé comme un baudet :** être très chargé.

baume nom masculin
Pommade qui calme la douleur. *J'ai massé ma cheville foulée avec un **baume**.* • **Mettre du baume au cœur :** faire du bien, consoler. *J'avais du chagrin, sa lettre m'**a mis du baume au cœur**.*

bauxite nom féminin
Minerai d'aluminium. *Les gisements de **bauxite** sont généralement situés dans les régions tropicales.*

bavard, bavarde
adjectif et nom
Qui parle beaucoup. *Étienne est **bavard**. – Quelle **bavarde** !* ♦ Famille du mot : bavardage, bavarder.

bavardage nom masculin
Fait de bavarder.

bavarder verbe ▸ conjug. 3
Parler de choses sans importance. **SYN** causer.

bave nom féminin
❶ Salive qui s'écoule de la bouche. ❷ Liquide gluant que produisent certains mollusques. *La **bave** de l'escargot, de la limace.* ♦ Famille du mot : baver, bavette, baveux, bavure.

baver verbe ▸ conjug. 3
❶ Laisser couler de la bave. *Les bébés **bavent** souvent.* * Chercher aussi *saliver*. ❷ Déborder en se mélangeant à d'autres couleurs. *Je dois recommencer mon dessin, la couleur **a bavé** partout.*

bavette nom féminin
❶ Pièce de tissu que l'on attache autour du cou des bébés. ❷ Tranche de bœuf tirée d'une partie fibreuse de l'animal. *Un bifteck de **bavette**.*

baveux, baveuse adjectif
❶ Qui bave. *Un vieux chien **baveux**.* ❷ Dans la langue familière, arrogant. *Cette humoriste est **baveuse**.* • **Omelette baveuse :** omelette pas très cuite, encore un peu liquide.

bavure nom féminin
❶ Trace d'encre ou de couleur qui a bavé. *En dessinant à l'encre, j'ai fait des **bavures**.* ❷ Au sens figuré, abus ou erreur regrettable. *Une **bavure** policière.* • **Sans bavure :** de façon parfaite, impeccable.

bazar nom masculin
Magasin où l'on vend toutes sortes de choses.

BBQ nom masculin
Abréviation de *barbecue*.

Une ***BD***

BD nom féminin
Abréviation de *bande dessinée.*

béant, béante adjectif
Qui est grand ouvert. *Un gouffre* ***béant.***
* Chercher aussi *bée.*

béat, béate adjectif
Qui exprime une totale satisfaction. *Elle a toujours un sourire* ***béat.***

béatifier verbe ▸ conjug. 10
Considérer comme bienheureux. *Le frère André* ***a été béatifié*** *vingt-huit ans avant d'être canonisé.*

beau, bel, belle, beaux adjectif
❶ Qui est agréable à regarder ou à écouter. *Un* ***beau*** *paysage, un* ***bel*** *enfant, une* ***belle*** *chanson.* SYN joli. CONTR laid. ❷ Qui est réussi, digne d'admiration. *Le peintre a vraiment fait du* ***beau*** *travail.* ❸ Qui est convenable moralement. *En lui donnant tes économies, tu as fait un* ***beau*** *geste.* ❹ Qui est clair et ensoleillé, en parlant du temps; calme, en parlant de la mer. *Une* ***belle*** *journée. La mer est* ***belle*** *aujourd'hui.* • **De plus belle:** de nouveau et de plus en plus. • **Un beau jour, un beau matin:** un jour, un matin, alors que ce n'était pas prévu. * Attention! On emploie ***bel*** devant un nom masculin commençant par une voyelle ou un «h» muet: *un* ***bel*** *été, un* ***bel*** *hiver.* ■ **beau** nom masculin • **Faire le beau:** en parlant d'un chien, se tenir sur les pattes de derrière. ■ **beau** adverbe • **Avoir beau dire** ou **beau faire:** le dire, le faire en vain. *J'****ai eu beau dire****, il n'a pas changé d'avis.* ♦ Famille du mot: beauté, embellir.

beauceron, beauceronne adjectif et nom
De la région de la Beauce. *L'industrie* ***beauceronne*** *est en plein essor. – Les* ***Beaucerons****, les* ***Beauceronnes.***
✎ Attention! Le nom, qui désigne les habitants, s'écrit avec une majuscule.

beaucoup adverbe
❶ En grande quantité. *On a pêché* ***beaucoup*** *de poissons.* CONTR peu. ❷ Avec une grande intensité. *Lola a* ***beaucoup*** *aimé ce film.* SYN énormément. CONTR peu. • **De beaucoup:** avec une grande différence. *Élodie est* ***de beaucoup*** *la meilleure comédienne de la troupe.* SYN de loin. CONTR de peu.

beau-fils nom masculin
❶ Mari ou conjoint de la fille. SYN gendre.
❷ Fils que l'un des conjoints a eu d'une union antérieure. ✎ Pluriel: *des* ***beaux-fils.***
* Chercher aussi *belle-fille.*

beau-frère nom masculin
❶ Frère du conjoint ou de la conjointe.
❷ Mari ou conjoint de la sœur. ✎ Pluriel: *des* ***beaux-frères.*** * Chercher aussi *belle-sœur.*

beau-père nom masculin
❶ Père du conjoint ou de la conjointe.
❷ Pour un enfant, nouveau mari ou conjoint de sa mère. ✎ Pluriel: *des* ***beaux-pères.***
* Chercher aussi *belle-mère, beaux-parents.*

beauté nom féminin
❶ Qualité de ce qui est beau. *La* ***beauté*** *d'un visage, d'un paysage, d'une œuvre d'art.* CONTR laideur. ❷ Générosité d'une action ou d'un sentiment. *J'apprécie la* ***beauté*** *de son geste.*

beaux-arts nom masculin pluriel
Ensemble des arts plastiques, c'est-à-dire le dessin, la peinture, la sculpture, la gravure et l'architecture. 👁p. 74.

beaux-parents nom masculin pluriel
Le beau-père et la belle-mère.

bébé nom masculin
❶ Tout petit enfant. SYN nourrisson, poupon.
❷ Petit d'un animal. *Un* ***bébé*** *tigre.*

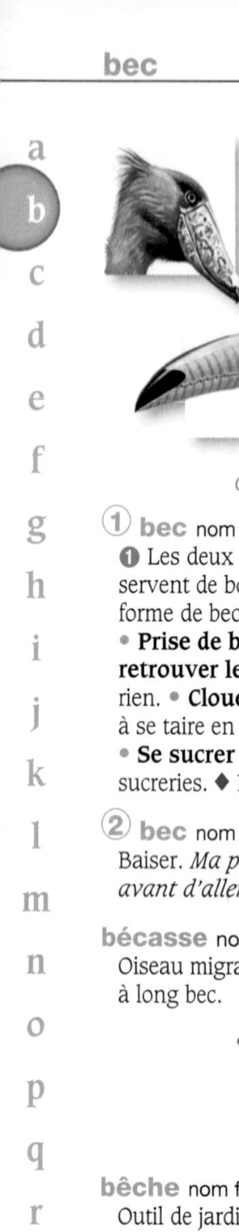

Quelques **becs** d'oiseaux

① **bec** nom masculin
❶ Les deux parties dures et pointues qui servent de bouche aux oiseaux. ❷ Objet en forme de bec. *Le **bec** de la théière est cassé.* • **Prise de bec :** violente dispute. • **Se retrouver le bec à l'eau :** se retrouver devant rien. • **Clouer le bec à quelqu'un :** l'obliger à se taire en lui opposant de bons arguments. • **Se sucrer le bec :** manger des friandises, des sucreries. ♦ Famille du mot : bécasse, becquée.

② **bec** nom masculin
Baiser. *Ma petite sœur m'a donné un **bec** avant d'aller se coucher.* **SYN** bise, bisou.

bécasse nom féminin
Oiseau migrateur à long bec.

Une **bécasse**

bêche nom féminin
Outil de jardinage en forme de pelle plate, qui sert à labourer la terre.

bêcher verbe ▸ conjug. 3
Retourner la terre avec une bêche. *Il faut **bêcher** la terre avant de semer.* * Chercher aussi *biner*, *piocher*.

becquée nom féminin
Nourriture qu'un oiseau donne à ses petits avec son bec. *Dans son nid, l'hirondelle donne la **becquée** à ses petits.*

La **becquée**

bedaine nom féminin
Dans la langue familière, gros ventre.

bedonnant, bedonnante adjectif
Qui a un gros ventre. *Mon oncle est **bedonnant**.*

bée adjectif féminin
• **Bouche bée :** avoir la bouche ouverte d'étonnement ou d'admiration. * Chercher aussi *béant*.

bégaiement nom masculin
Fait de bégayer.

bégayer verbe ▸ conjug. 7
Parler avec difficulté, en répétant certaines syllabes.

bégonia nom masculin
Plante à fleurs de couleurs vives.

Des **bégonias**

bègue adjectif et nom
Qui bégaie. *Cette enfant est **bègue**. – Ce **bègue** souffre de son handicap.* ♦ Famille du mot : bégaiement, bégayer.

beige adjectif
Qui est d'une couleur brun très clair. ■ **beige** nom masculin Couleur beige. *Mélanie porte souvent du **beige**.*

beigne nom masculin
Pâtisserie en forme d'anneau, faite d'une pâte cuite dans l'huile bouillante. *Niv adore les **beignes** au miel.*

bel →Voir **beau**

bêlement nom masculin
Cri du mouton et de la chèvre.

bêler verbe ▸ conjug. 3
Pousser des bêlements.

belette nom féminin
Petit mammifère carnivore au poil brun et au corps allongé.

belge adjectif et nom
De Belgique. *Du chocolat* ***belge****. – Les* ***Belges****.*
✎ Attention ! Le nom, qui désigne les habitants, s'écrit avec une majuscule.

bélier nom masculin
❶ Mouton mâle. *Le* ***bélier*** *porte des cornes recourbées.* * Chercher aussi *agneau, bêler.*
❷ Machine de guerre du Moyen Âge, qui servait à enfoncer les portes et les murailles des châteaux assiégés.

bélizien, bélizienne
➜Voir tableau, p. 1319.

belle ➜Voir **beau**

belle-famille nom féminin
Famille du conjoint ou de la conjointe.
✎ Pluriel : *des* ***belles-familles****.*

belle-fille nom féminin
❶ Femme ou conjointe du fils. SYN bru. ❷ Fille que l'un des conjoints a eue d'une union précédente. ✎ Pluriel : *des* ***belles-filles****.*
* Chercher aussi *beau-fils.*

belle-mère nom féminin
❶ Mère du conjoint ou de la conjointe. ❷ Pour un enfant, nouvelle conjointe de son père.
✎ Pluriel : *des* ***belles-mères****.* * Chercher aussi *beaux-parents, beau-père.*

belle-sœur nom féminin
❶ Sœur du conjoint ou de la conjointe.
❷ Femme ou conjointe du frère. ✎ Pluriel : *des* ***belles-sœurs****.* * Chercher aussi *beau-frère.*

belliqueux, belliqueuse adjectif
Qui est agressif, porté à la violence. *Un homme* ***belliqueux****.* SYN guerrier. CONTR pacifique.

béluga ou **bélouga** nom masculin
Petit cétacé blanc des régions arctiques. *L'été dernier, j'ai vu des* ***bélugas*** *dans le golfe du Saint-Laurent.* 👁p. 804.

Des ***bélugas***

belvédère nom masculin
Construction aménagée sur une hauteur, d'où l'on peut contempler le paysage. *Le panorama est magnifique depuis le* ***belvédère*** *du mont Saint-Hilaire.*

bémol nom masculin
En musique, signe qui abaisse d'un demi-ton la note devant laquelle il est placé. *Des* ***bémols****.*
■ **bémol** adjectif invariable *Un mi* ***bémol****.*
* Chercher aussi *dièse.*

bénédiction nom féminin
❶ Cérémonie par laquelle un religieux bénit quelqu'un ou quelque chose. *Recevoir la* ***bénédiction*** *du pape.* ❷ Évènement heureux. *C'est une* ***bénédiction*** *qu'il pleuve enfin dans cette région aride.* CONTR malédiction.

bénéfice nom masculin
Somme d'argent que l'on gagne quand on revend plus cher ce que l'on a acheté ou ce que l'on a produit. *Cette entreprise est prospère, car elle fait de gros* ***bénéfices****.* SYN gain, profit. CONTR perte. * Chercher aussi *commerce.* • **Au bénéfice de :** pour, en faveur de. *Ce téléthon est fait* ***au bénéfice des*** *enfants malades.*
♦ Famille du mot : bénéficiaire, bénéficier.

bénéficiaire adjectif
Qui bénéficie de quelque chose. *Mon oncle est* ***bénéficiaire*** *d'une pension d'invalidité.*

bénéficier verbe ▸conjug. 10
Tirer avantage ou profit de quelque chose. *Mervin* ***a bénéficié*** *d'une place gratuite pour aller au théâtre.* SYN profiter.

bénéfique adjectif
Qui fait du bien. *Son séjour à la campagne lui a été très* ***bénéfique****.* SYN profitable.

bénévolat nom masculin
Travail fait par une personne bénévole.

bénévole adjectif et nom
Qui fait quelque chose gratuitement et sans y être obligé. *Des personnes* ***bénévoles*** *ont organisé une activité pour aider les sans-abri. – On demande des* ***bénévoles*** *pour visiter les aînés dans cette résidence pour personnes âgées.*

bénin, bénigne adjectif
Qui est sans gravité. *Le rhume est une maladie* ***bénigne****.* CONTR grave, malin.

béninois, béninoise
➜Voir tableau, p. 1319.

a b c d e f g h i j k l m n o p q r s t u v w x y z

bénir verbe ▸ conjug. 11
❶ Demander à Dieu de protéger une personne ou une chose. *Le pape **a béni** la foule des fidèles.* ❷ Au sens figuré, être très content et reconnaissant pour quelque chose. *Je **bénis** le hasard qui vous a mis sur ma route.*
SYN louer. CONTR maudire. ♦ Famille du mot: bénédiction, bénit, bénitier.

bénit, bénite adjectif
Rendu sacré par une cérémonie religieuse. *De l'eau **bénite**.* * Ne pas confondre *bénit* (adjectif) et *béni* (participé passé de *bénir*).

bénitier nom masculin
Petit bassin contenant de l'eau bénite, à l'entrée d'une église.

benjamin, benjamine nom
Personne la plus jeune d'une famille ou d'un groupe. *Heng est le **benjamin** des enfants.*
CONTR aîné. * Chercher aussi *cadet*.

benne nom féminin
Grande caisse qui se trouve à l'arrière d'un camion et qui peut basculer. *La **benne** bascule pour décharger le gravier.*

*La **benne** d'un camion*

béquille nom féminin
❶ Grande canne sur laquelle on appuie l'aisselle pour s'aider à marcher. ❷ Support qui maintient debout à l'arrêt une bicyclette ou une moto.

berbère adjectif et nom
Relatif aux autochtones de l'Afrique du Nord. *La cuisine **berbère**. – Cet auteur est un **Berbère**.* ✎ Attention! Le nom, qui désigne les membres de ce groupe, s'écrit avec une majuscule.

berceau, berceaux nom masculin
Petit lit de bébé, que l'on peut balancer.

bercement nom masculin
Action de bercer. *L'enfant s'est endormi au doux **bercement** de la musique.*

bercer verbe ▸ conjug. 4
❶ Balancer doucement et régulièrement. *Le père **berce** son bébé pour l'endormir.*
❷ Au sens figuré, calmer, endormir. ♦ Famille du mot: berceau, bercement, berceuse.

berceuse nom féminin
Chanson douce et lente que l'on chante pour endormir un bébé.

béret nom masculin
Coiffure ronde, souple et plate. *Ma sœur porte souvent un **béret**.*

berge nom féminin
Bord d'un cours d'eau. *Mickaëlle promène son chien sur la **berge** du canal.*

berger, bergère nom
Personne qui garde les moutons. *Un jeune **berger**.* • **L'étoile du berger:** la planète Vénus. ■ **berger** nom masculin Race de chiens que l'on peut dresser à garder les troupeaux. *Un **berger** allemand.* 👁p. 194. ♦ Famille du mot: bergère, bergerie.

bergère nom féminin
Fauteuil large et profond.

bergerie nom féminin
Bâtiment où l'on abrite les moutons. * Chercher aussi *écurie*, *étable*, *porcherie*.

berline nom féminin
Modèle d'automobile à quatre portes. * Chercher aussi *cabriolet*, *coupé*, *familiale*, *limousine*.

berlingot nom masculin
❶ Bonbon en forme de pyramide. *Antoine suce un **berlingot**.* ❷ Emballage de carton en forme de pyramide. *Du lait en **berlingot**.*

berlue nom féminin
• **Avoir la berlue:** dans la langue familière, avoir des visions, des hallucinations. *C'est bien lui? Je n'**ai** pas **la berlue**?*

bermuda nom masculin
Pantalon qui s'arrête aux genoux.

bernache nom féminin
Oie sauvage à bec court et menu. *La **bernache** du Canada est aussi appelée «outarde».*
👁p. 720.

*Une **bernache***

berne nom féminin
• **Drapeau en berne :** drapeau que l'on fixe à mi-mât pour l'empêcher de flotter, en signe de deuil. *À l'annonce de la mort d'un chef d'État, on met les **drapeaux en berne**.*

berner verbe ▶ conjug. 3
Tromper quelqu'un en le ridiculisant. *Il m'**a berné** avec tous ses mensonges.* **SYN** duper.

besace nom féminin
Sac formé de deux poches, que l'on porte sur l'épaule.

besogne nom féminin
Travail que l'on est obligé de faire. *Pour Jamila, ranger sa chambre est une rude **besogne**.* **SYN** tâche.

besoin nom masculin
❶ Chose indispensable. *J'ai **besoin** de ton aide.* ❷ Manque de tout ce qui est nécessaire pour vivre. *Ces gens sont dans le **besoin**.* **SYN** misère. * Chercher aussi *gêne*, *pauvreté*.
• **Au besoin :** si c'est vraiment nécessaire.
■ **besoins** nom masculin pluriel • **Faire ses besoins :** évacuer ses excréments. *Le chat **fait ses besoins** dans sa litière.*

bestial, bestiale, bestiaux adjectif
Qui fait penser à une bête. *Il a un air **bestial**.*

bestiaux nom masculin pluriel
Gros animaux de la ferme (vaches, porcs, chevaux). *Un marchand de **bestiaux**.* **SYN** bétail.

bestiole nom féminin
Petite bête ou insecte. *Cette **bestiole** m'a piqué.*

bétail nom masculin singulier
Ensemble des bestiaux. *Cette riche cultivatrice a cent têtes de **bétail**.* * Chercher aussi *cheptel*.

① **bête** adjectif
❶ Qui manque d'intelligence. *Mathilde comprend vite : elle est loin d'être **bête**.* **SYN** idiot, sot, stupide. **CONTR** intelligent.
❷ Étourdi. *Je suis **bête** d'avoir oublié de les inviter !* ❸ Rude, sec. *Daniel s'est montré **bête** avec Ève.* ♦ Famille du mot : abêtir, bêtement, bêtise, embêtement, embêter.

② **bête** nom féminin
Animal. *Gabriel aime les **bêtes**. Le tigre, la panthère sont des **bêtes** féroces.* • **La bête noire de quelqu'un :** la chose ou la personne dont il a horreur. *La grammaire est **sa bête noire**.* • **Une bête puante :** dans la langue familière, une mouffette. *Une **bête puante** a aspergé mon chien.* ♦ Famille du mot : bestial, bestiole, bétail.

bêtement adverbe
D'une manière bête ou étourdie. *Rire **bêtement**. Il a **bêtement** oublié ses clés.*
• **Tout bêtement :** tout simplement.

bêtise nom féminin
❶ Manque d'intelligence. *Il est d'une **bêtise** rare.* **SYN** sottise, stupidité. **CONTR** intelligence.
❷ Action ou parole bête. *Dire des **bêtises**.* **SYN** ânerie, sottise. ❸ Dans la langue familière, injure. *Sous l'effet de la colère, elle m'a dit des **bêtises**.*

béton nom masculin
Matériau de construction fait d'un mélange de sable, de gravier et de ciment.

bétonnière nom féminin
Machine qui sert à préparer le béton.

bette nom féminin
Plante potagère dont on mange les feuilles et les tiges blanches. * On dit aussi ***blette***.

betterave nom féminin
Plante cultivée pour sa grosse racine. *Des **betteraves** marinées.*

beuglement nom masculin
Cri des bovins. *On entendait le **beuglement** des vaches dans l'étable.* **SYN** meuglement, mugissement.

beugler verbe ▶ conjug. 3
Pousser des beuglements. *Le taureau s'est mis à **beugler**.* **SYN** meugler, mugir.

beurre nom masculin
❶ Matière grasse obtenue en battant la crème du lait. *J'ai mis du **beurre** dans la purée de pommes de terre.* ❷ Matière grasse obtenue en broyant certaines graines. *Du **beurre** d'arachide, du **beurre** d'amande.* • **Passer dans le beurre :** rater, manquer son coup. *Maude a cru renvoyer la balle avec force, mais elle **est passée dans le beurre**.*
♦ Famille du mot : beurrée, beurrer, beurrier.

beurrée nom féminin
Tranche de pain recouverte de beurre ou d'une autre substance comme la confiture, le miel. *Une **beurrée** de confiture.*

beurrer verbe ▶ conjug. 3
Étaler du beurre sur quelque chose. *Maxime **beurre** un moule à gâteaux.*

a b c d e f g h i j k l m n o p q r s t u v w x y z

beurrier nom masculin
Récipient dans lequel on met le beurre pour le servir.

bévue nom féminin
Erreur commise par maladresse. *Yuri a encore commis une* ***bévue****.*

bhoutanais, bhoutanaise
➔Voir tableau, p. 1319.

bi- préfixe
Placé au début d'un mot pour former un autre mot, *bi-* signifie « deux » (***bi****lingue*) ou « deux fois » (***bi****centenaire*).

biais nom masculin
Moyen habile et détourné. *La question le gênait, il a cherché un* ***biais*** *pour l'esquiver.* • **De biais, en biais :** en diagonale, en oblique. *Une planche coupée* ***en biais****.*

bibelot nom masculin
Petit objet décoratif. *Le buffet est couvert de* ***bibelots****.*

biberon nom masculin
Petite bouteille munie d'une tétine, avec laquelle on donne à boire aux bébés.

bible nom féminin
❶ Livre saint des chrétiens, qui comprend l'Ancien et le Nouveau Testament. *Pour les Juifs, la* ***Bible*** *ne comprend que l'Ancien Testament.* 👁p. 270. * Chercher aussi *Coran*. ❷ Au sens figuré, livre où l'on trouve tout ce que l'on cherche sur un sujet précis. *Ce livre sur les oiseaux est une vraie* ***bible*** *!* ✎ Attention ! Au sens 1, *Bible* s'écrit avec une majuscule.

biblio- préfixe
Placé au début d'un mot pour former un autre mot, *biblio-* signifie « livre » (***biblio****bus*, ***biblio****thèque*).

bibliobus nom masculin
Camionnette qui sert de bibliothèque ambulante.

bibliothécaire nom
Personne qui s'occupe d'une bibliothèque.

bibliothèque nom féminin
❶ Meuble servant à ranger des livres. *Les rayons de la* ***bibliothèque****.* ❷ Établissement où l'on peut lire et emprunter des livres. *Zora va souvent lire à la* ***bibliothèque*** *municipale.*

biblique adjectif
De la Bible. *Adam et Ève sont des personnages* ***bibliques****.*

biceps nom masculin
Muscle du bras. *Pour montrer son* ***biceps****, Domenico plie l'avant-bras en serrant le poing.*

biche nom féminin
Femelle du cerf. * Chercher aussi *bramer, faon*.

Une **biche**

bichonner
verbe ▸ conjug. 3
S'occuper de quelque chose avec beaucoup de soin. *Tous les samedis, notre voisine* ***bichonne*** *sa voiture.* ■ *se* **bichonner** : se pomponner. *Valérie est coquette : elle passe des heures à* ***se bichonner****.*

bicolore adjectif
Qui est de deux couleurs. *Le drapeau du Québec est* ***bicolore*** *: il est bleu et blanc.* * Chercher aussi *multicolore, tricolore*.

bicoque nom féminin
Dans la langue familière, petite maison peu solide. **SYN** baraque.

bicyclette nom féminin
Véhicule à deux roues avec un guidon et des pédales. **SYN** vélo.

① **bidon** nom masculin
Récipient fermé par un bouchon et contenant un liquide. *Un* ***bidon*** *d'huile, un* ***bidon*** *de lave-glace.*

② **bidon** adjectif invariable
Dans la langue familière, inventé de toutes pièces. *C'est complètement* ***bidon****, ton histoire !*

bidonville nom masculin
Quartier très pauvre où les maisons sont faites avec des matériaux de récupération (tôles, planches, cartons).

Un **bidonville**

Une **bicyclette**

biélorusse
➜Voir tableau, p. 1319.

① **bien** adjectif invariable
❶ Qui a beaucoup de qualités. *C'est **bien**, ce que tu as fait en arts.* **CONTR** mauvais. ❷ Qui est conforme à la morale, qui est juste et honnête. *C'est une femme très **bien**.* ❸ Qui est à l'aise et content. *On est **bien** chez nous !* ❹ Qui est en bonne santé. *Annabelle est vraiment **bien** en ce moment.* • **Être bien avec quelqu'un :** s'entendre avec lui.

② **bien** nom masculin
❶ Ce qui est bien, conforme à la morale. *Il faut apprendre à distinguer le **bien** du mal.* **CONTR** mal. ❷ Ce qui est agréable ou bon pour quelqu'un. *Le séjour à la mer lui a fait le plus grand **bien**.* ❸ Ce que l'on possède. *Avoir des **biens**. Il a dû vendre tous ses **biens**.* **SYN** fortune, richesse. • **Mener quelque chose à bien :** réussir à le terminer.

③ **bien** adverbe
❶ D'une manière satisfaisante, correcte. *Jérémie écrit très **bien**.* **CONTR** mal. ❷ Très ou beaucoup. *On s'est **bien** amusés.* ❸ Vraiment. *Mais oui, c'est **bien** lui !* ❹ Au moins. *Cela fait **bien** six mois que je ne l'ai pas vu.* ❺ Nécessairement, obligatoirement. *Il va **bien** falloir s'habituer.* • **Bien du (de la, des) :** beaucoup. *Je te souhaite **bien du** plaisir.* • **Bien fait ! :** bien mérité ! • **Tant bien que mal :** comme on a pu.

④ **bien !** interjection
• **Eh bien ! :** marque la surprise ou la résignation. ***Eh bien !** vous voilà !*

bien-aimé, bien-aimée adjectif et nom
Que l'on aime tendrement. *Avant le départ, Katy embrasse son père **bien-aimé**. – Mon grand frère écrit à sa **bien-aimée**.* ✎ Pluriel : *des **bien-aimés**, des **bien-aimées**.*

bien-être nom masculin invariable
❶ Fait de se sentir bien. *Auprès du feu, Gregory éprouve une sensation de **bien-être**.* **CONTR** malaise. ❷ Aisance financière qui permet de vivre bien. *Son salaire lui permet de vivre dans le **bien-être**.* **CONTR** besoin, gêne.
✎ On peut écrire aussi ***bienêtre***.

bienfaisance nom féminin
Action de faire du bien en aidant les autres. *On a donné des vêtements à une œuvre de **bienfaisance**.*

bienfaisant, bienfaisante adjectif
Qui fait du bien. *L'exercice est **bienfaisant** pour la santé.* **SYN** bénéfique. **CONTR** néfaste, nocif.

bienfait nom masculin
Effet bénéfique de quelque chose. *Les **bienfaits** du sommeil.* **CONTR** méfait. ♦ Famille du mot : bienfaisance, bienfaisant, bienfaiteur.

bienfaiteur, bienfaitrice nom
Personne qui fait du bien aux autres. *Lucille Teasdale a été une **bienfaitrice**.*

bienheureux, bienheureuse adjectif
Qui est très heureux. *La paix a toujours régné dans ce pays **bienheureux**.* ■ **bienheureux, bienheureuse** nom Personne heureuse et sans souci. *Il dort comme un **bienheureux**.*
■ **bienheureux, bienheureuse** adjectif et nom Personne qui a été béatifiée par le pape.

bien que conjonction
Indique une opposition. *Notre cousin agriculteur aime son métier **bien qu**'il ait rêvé d'être vétérinaire.* SYN quoique. * Attention! *Bien que* se construit avec le subjonctif.

bienséance nom féminin
Ce qu'il convient de dire et de faire en société. *C'est une règle de **bienséance** de remercier quand on reçoit un cadeau.*

bien sûr ➔Voir **sûr**

bientôt adverbe
Dans peu de temps. *Je reviens **bientôt**.* • **À bientôt:** mots que l'on dit à quelqu'un que l'on quitte. ***À bientôt**, j'espère.* SYN prochainement. * Chercher aussi *à la prochaine**, *au revoir**.

bienveillance nom féminin
Attitude compréhensive à l'égard des autres. *Le directeur écoute les élèves avec **bienveillance**.* CONTR malveillance.

bienveillant, bienveillante adjectif
Qui fait preuve de bienveillance. *Mes grands-parents sont toujours **bienveillants** avec moi.* CONTR malveillant.

bienvenu, bienvenue adjectif
Que l'on est content de voir arriver. *Après cette chaleur étouffante, la pluie est **bienvenue**.* ■ **bienvenu, bienvenue** nom Que l'on accueille avec plaisir. *Soyez les **bienvenus** chez nous!* ■ **bienvenue** nom féminin • **Souhaiter la bienvenue:** accueillir quelqu'un par des paroles aimables.

bière nom féminin
Boisson alcoolisée fermentée, à base de céréales. *Le houblon sert à fabriquer la **bière**.* * Chercher aussi *canette*, *chope*, *malt*. • **Bière d'épinette:** boisson gazeuse parfumée à l'écorce d'épinette.

biffer verbe ▶ conjug. 3
Rayer. SYN barrer.

bifteck nom masculin
Tranche de viande de bœuf. *J'aime mon **bifteck** bien cuit.* SYN steak.

bifurcation nom féminin
Endroit où la route bifurque. *À la **bifurcation**, vous prendrez à droite.* SYN embranchement, fourche.

bifurquer verbe ▶ conjug. 3
❶ Se séparer en deux branches. *On ne sait pas par où passer, car le chemin **bifurque**.* ❷ Changer de direction. *À l'intersection, la voiture **a** soudain **bifurqué**.*

bigarré, bigarrée adjectif
Qui a des couleurs vives et variées. *Le clown porte un costume **bigarré**.* SYN bariolé. CONTR uni.

bigoudi nom masculin
Petit rouleau autour duquel on enroule les mèches de cheveux pour les faire boucler.

bijou, bijoux nom masculin
❶ Objet de parure. *Les boucles d'oreilles, les bagues, les bracelets sont des **bijoux**.* ❷ Chose très bien faite, belle et raffinée. *Ce coffret finement sculpté est un vrai **bijou**.* ♦ Famille du mot: bijouterie, bijoutier. * Chercher aussi *joyau*, *parure*.

bijouterie nom féminin
Magasin du bijoutier.

bijoutier, bijoutière nom
Personne qui fabrique ou vend des bijoux. * Chercher aussi *joaillier*, *orfèvre*.

bikini nom masculin
Maillot de bain féminin composé d'un soutien-gorge et d'une culotte. * *Bikini* est le nom d'une marque.

bilan nom masculin
❶ Comptes détaillés d'une année, dans lesquels on fait le total des dépenses et des recettes. *La comptable de l'entreprise a fait le **bilan** annuel.* ❷ État, résultat final. *Cet article de journal fait le **bilan** des recherches sur le cancer.*

bilatéral, bilatérale, bilatéraux adjectif
❶ Qui a deux côtés. *Dans ma rue, le stationnement **bilatéral** est autorisé.* ❷ Qui engage deux parties. *Le Canada et le Mexique ont signé un accord **bilatéral**.* SYN réciproque.

bilboquet nom masculin
Jeu d'adresse qui consiste à envoyer en l'air une boule percée d'un trou et à la rattraper sur un manche pointu.

bile nom féminin
Liquide amer et jaunâtre produit par le foie. * Chercher aussi *fiel*. • **Se faire de la bile:** dans la langue familière, s'inquiéter.

Un **bilboquet**

bilingue adjectif et nom
Qui parle deux langues. *Dans cette entreprise, tout le personnel est **bilingue**. – Ce poste sera confié à un ou une **bilingue**.* Chercher aussi *polyglotte, unilingue* ■ **bilingue** adjectif Qui est en deux langues. *Une affiche **bilingue**.*

bilinguisme nom masculin
Fait d'être bilingue pour une personne, un peuple, un pays.

billard nom masculin
❶ Jeu dans lequel on pousse des boules avec l'extrémité d'un bâton, sur une table spéciale couverte d'un tapis. ❷ Table sur laquelle on joue au billard. ❸ Salle où l'on joue au billard.

bille nom féminin
❶ Petite boule en verre, en terre ou en acier. *Pendant la récréation, nous avons joué aux **billes**.* ❷ Tronçon d'arbre sans branches, prêt à être découpé. *Le camion transporte des **billes** de chênes.* SYN billot. • **Stylo (à) bille :** stylo à encre grasse dont la pointe est terminée par une petite bille.

billet nom masculin
❶ Monnaie de papier. *Un **billet** de vingt dollars.* ❷ Rectangle de papier ou de carton prouvant que l'on a payé sa place. *Un **billet** de cinéma.* SYN ticket.

billetterie nom féminin
Guichet, service qui délivre des billets de spectacles.

billot nom masculin
❶ Gros bloc de bois dont le dessus est plat. *Un **billot** pour couper du bois.* ❷ Bille de bois.

bimensuel, bimensuelle adjectif
Qui paraît deux fois par mois. *Un magazine **bimensuel**.* * Ne pas confondre *bimensuel* et *bimestriel*. * Chercher aussi *hebdomadaire, quotidien*.

bimestriel, bimestrielle adjectif
Qui paraît tous les deux mois. *Une revue **bimestrielle**.* * Ne pas confondre *bimestriel* et *bimensuel*.

bimoteur nom masculin
Avion à deux moteurs. * Chercher aussi *biréacteur*.

biner verbe ▸ conjug. 3
Remuer la terre à l'aide d'une binette. *Pour enlever les mauvaises herbes, mon père **bine** le potager.*

binette nom féminin
❶ Outil de jardinage qui sert à biner. ❷ Dans la langue familière, visage. *Une **binette** rieuse.* ❸ Dans les courriels, symbole utilisé pour traduire l'état d'esprit de l'expéditeur d'un message. *La **binette** de Paolo, dans son courriel de ce matin, m'a rassurée.*

bingo nom masculin
Jeu de hasard qui se joue à l'aide de cartes comportant des cases numérotées.

① **bio-** préfixe
Placé au début d'un mot pour former un autre mot, *bio-* signifie « vie » (***bio**graphie, **bio**sphère*).

② **bio** adjectif
Abréviation de *biologique*. Se dit de produits alimentaires cultivés sans pesticide ni engrais chimique et de produits d'entretien qui se dégradent facilement dans l'environnement. *Des produits **bios**.*

biodégradable adjectif
Qui se détruit naturellement. *Les emballages **biodégradables** sont écologiques.*

biographe nom
Auteur d'une biographie.

biographie nom féminin
Histoire de la vie d'une personne. *David a lu une **biographie** de Maurice Richard.*

biologie nom féminin
Science qui étudie les êtres vivants.

biologique adjectif
❶ Relatif à la biologie. *Elle fait des recherches **biologiques**.* ❷ Qui est cultivé ou fabriqué sans produit chimique. *Ce maraîcher vend des légumes **biologiques**.* * Chercher aussi ② *bio*. • **Mère biologique :** femme dont l'ovule a servi à la fécondation. • **Père biologique :** homme dont le sperme a servi à la fécondation.

biologiste nom
Spécialiste de la biologie.

biosphère nom féminin
Partie de la terre, des océans et de l'atmosphère où vivent des êtres humains, des animaux et des végétaux.

bip nom masculin
Bref signal sonore émis par certains appareils. *Après le **bip**, veuillez laisser votre message.*

bipède adjectif et nom masculin
Être vivant qui a deux pieds. *Le pingouin est **bipède**. – Les êtres humains sont des **bipèdes**.*

Un **bipède**

a b c d e f g h i j k l m n o p q r s t u v w x y z

a b c d e f g h i j k l m n o p q r s t u v w x y z

biréacteur nom masculin
Avion à deux réacteurs. * Chercher aussi *bimoteur*.

bis, bise adjectif
D'une couleur entre le gris et le brun. *Un drap de toile **bise**. Le pain **bis** contient du son.* * Attention ! Le *s* de l'adjectif masculin *bis* ne se prononce pas.

biscornu, biscornue adjectif
❶ Irrégulier. *Cette maison est **biscornue**.* ❷ Étrange et compliqué. *Il a toujours des idées **biscornues**.* SYN bizarre, saugrenu.

biscotte nom féminin
Tranche de pain séchée au four. *J'ai cassé ma **biscotte** en la beurrant.*

biscuit nom masculin
Petite pâtisserie plate généralement à pâte sèche. *Ma tante m'a servi un verre de lait avec des **biscuits**.*

① **bise** nom féminin
Vent du nord froid et sec. * Ne pas confondre *bise* et *brise*.

② **bise** nom féminin
Dans la langue familière, baiser. *Tu ne me fais pas la **bise** ?* SYN bec, bisou.

biseau, biseaux nom masculin
• **En biseau** : en oblique. *Tailler un morceau de bois **en biseau**.*

biseauté, biseautée adjectif
Dont les bords sont taillés en biseau. *Une vitre **biseautée**.*

bison nom masculin
Grand bœuf sauvage qui a une bosse sur le cou et une épaisse crinière. *Dans les parcs naturels d'Amérique du Nord, on trouve des **bisons**. Des **bisons** d'élevage.*

bisou nom masculin
Dans la langue familière, baiser affectueux. *Mon petit frère me demande toujours un **bisou** avant d'aller au lit.*

Bison

bissauguinéen, bissauguinéenne
➔Voir tableau, p. 1319.

bissectrice nom féminin
Droite qui divise un angle en deux angles égaux.

bissextile adjectif féminin
• **Année bissextile** : qui a 366 jours (au lieu de 365) et dont le mois de février a 29 jours (au lieu de 28). *Les années 2004 et 2008 ont été des années **bissextiles**.*

bistouri nom masculin
Instrument coupant, à lame courte, utilisé par les chirurgiens pour inciser. SYN scalpel.

bistre adjectif invariable
De couleur brun foncé. *Du papier **bistre**.*

bistro nom masculin
Dans la langue familière, café. *Ils sont attablés au **bistro** du coin.* ✎ On écrit aussi ***bistrot***. * Chercher aussi *bar*.

bitume nom masculin
Matière noire utilisée pour recouvrir les routes. * Chercher aussi *asphalte*, *goudron*, *macadam*.

bitumineux, bitumineuse adjectif
Qui contient du bitume. *Les sables **bitumineux** d'Athabasca, en Alberta.*

bivouac nom masculin
Campement provisoire. *Les randonneurs installent leur **bivouac** dans une clairière.*

bivouaquer verbe ▸conjug. 3
Camper. *Nous **bivouaquerons** à cet endroit ce soir.*

bizarre adjectif
Curieux ou anormal. *Un bruit **bizarre**.* SYN étrange, insolite. CONTR banal, ordinaire. ♦ Famille du mot : bizarrement, bizarrerie.

bizarrement adverbe
De façon bizarre. *Il se conduit **bizarrement**.*

bizarrerie nom féminin
Chose bizarre. *Dans son récit, il y a vraiment des **bizarreries**.*

blafard, blafarde adjectif
❶ Qui est pâle, blême. *Le malade a le teint **blafard**.* SYN livide. ❷ Décoloré, sans éclat. *Une lumière **blafarde**.*

① **blague** nom féminin
❶ Chose dite ou faite pour plaisanter. *C'est une **blague**, c'était pour rire!* SYN ① farce, plaisanterie. ❷ Erreur, bêtise. *Cette **blague** pourrait lui coûter cher.* SYN sottise. ♦ Famille du mot: blaguer, blagueur.

② **blague** nom féminin
Petit sac dans lequel on met le tabac. *Le marin a sorti sa **blague** à tabac et a bourré sa pipe.*

blaguer verbe ▸conjug. 3
Dire des blagues. *Ne t'inquiète pas, il **blague**!* SYN plaisanter.

blagueur, blagueuse nom et adjectif
Personne qui dit, qui fait des blagues. *Ce **blagueur** nous a joué un tour! – Mon grand-père est très **blagueur**.*

blaireau, blaireaux nom masculin
❶ Mammifère sauvage au pelage noir et blanc. *Le **blaireau** est carnivore.* ❷ Petite brosse douce faite autrefois en poils de blaireau, avec laquelle on fait mousser le savon à barbe avant de se raser.

*Un **blaireau***

blâme nom masculin
Réprimande que l'on fait à quelqu'un qui a commis une faute grave. *Cette grave erreur mérite un **blâme** sévère.*

blâmer verbe ▸conjug. 3
Donner un blâme à quelqu'un. *Quand elle a triché, ses amis l'**ont blâmée**.* SYN condamner, désapprouver. CONTR féliciter.

blanc, blanche adjectif
❶ Qui a la couleur du lait ou de la neige. *Ma grand-mère a les cheveux tout **blancs**.* ❷ Qui est de couleur claire. *Du pain **blanc**.* ❸ Où rien n'est écrit. *Comme je ne savais pas pour qui voter, j'ai remis un bulletin **blanc**.* • **Blanc comme neige:** innocent de ce dont on l'accuse. • **Blanc comme un linge:** livide sous le coup d'une émotion. • **Donner carte blanche à quelqu'un:** lui donner une entière liberté pour faire quelque chose. • **Nuit blanche:** sans sommeil. ■ **Blanc, Blanche** nom Être humain dont la peau est de couleur claire. *Les Noirs et les **Blancs**.* ✎ Attention! Dans ce sens, *Blanc* s'écrit avec une majuscule. ■ **blanc** nom masculin ❶ Couleur blanche. *Le **blanc** est le mélange des sept couleurs de l'arc-en-ciel.* ❷ Peinture de couleur blanche. *Un tube de **blanc**.* ❸ Espace non écrit dans une page. *Laissez un **blanc** entre les paragraphes, ce sera plus lisible.* ❹ Vin blanc. *Vous désirez du **blanc** ou du rouge?* ❺ Chair de la poitrine de la volaille. *Tu veux du **blanc** ou une cuisse?* ❻ Albumine de l'œuf. *Ma mère bat des **blancs** en neige.* • **Coupe à blanc:** abattage unique de tous les arbres d'un terrain. ♦ Famille du mot: blanchâtre, blanche, blancheur, blanchir, blanchissage, blanchisserie, blanchon.

blanc-bec nom masculin
Jeune homme sans expérience, qui croit tout savoir. ✎ Pluriel: *des **blancs-becs**.*

blanchâtre adjectif
D'un blanc pas très net. *Peu à peu, la nuit fait place à une lueur **blanchâtre**.*

blanche nom féminin
Note de musique qui vaut deux noires.

blancheur nom féminin
Couleur blanche. *La **blancheur** de la neige.*

blanchir verbe ▸conjug. 11
❶ Rendre blanc. *En Grèce, on **blanchit** les maisons à la chaux.* ❷ Devenir blanc. *Ses cheveux **ont blanchi** dernièrement.* ❸ Dire que quelqu'un est innocent. *Il **a été blanchi** de l'accusation portée contre lui.* ❹ Vaincre, l'emporter sur une équipe adverse par un compte à zéro. *Leur équipe **a été blanchie** par le compte de trois à zéro.*

blanchissage nom masculin
Fait de blanchir une équipe. *Le **blanchissage** de leur équipe les a humiliés.*

blanchon nom masculin
Petit du phoque. *À la naissance, la fourrure des **blanchons** est blanche.*

*Un **blanchon***

blasé, blasée adjectif
Qui ne s'intéresse plus à rien. *Il a tant voyagé qu'il est **blasé**.*

blason nom masculin
Dessin qui est le symbole d'une famille ou d'une ville. *Autrefois **blason** des rois de France, la fleur de lis est devenue l'un des emblèmes du Québec.* **SYN** armes, armoiries.

blasphème nom masculin
Parole qui insulte la religion.

blasphémer verbe ▸ conjug. 8
Dire des blasphèmes. ✎ On peut écrire aussi, au futur, *il **blasphèmera***; au conditionnel, *elle **blasphèmerait***.

blazer nom masculin
Veste de laine généralement bleu marine et ornée de boutons en métal.

*Un épi de **blé d'Inde***

blé nom masculin
Céréale dont le grain sert à faire de la farine. *On moissonne le **blé** au début de l'été.*

blé d'Inde nom masculin
Nom souvent donné au maïs. *Une épluchette de **blé d'Inde**.*

blême adjectif
Très pâle. *Il était **blême** de colère.* **SYN** blafard, livide.

blêmir verbe ▸ conjug. 11
Devenir blême. *En entendant le verdict, l'accusé **a blêmi**.*

blessant, blessante adjectif
Qui blesse, fait de la peine. *Faire des remarques **blessantes**.* **SYN** désobligeant, vexant.

blessé, blessée adjectif
Qui a subi une blessure. *Elle a été gravement **blessée** dans l'accident.* ■ **blessé, blessée** nom Personne qui a été blessée. *Cet accident a fait plusieurs **blessés**.*

blesser verbe ▸ conjug. 3
❶ Occasionner une plaie ou une fracture. *Le boxeur **a** gravement **blessé** son adversaire pendant le match.* ❷ Au sens figuré, faire de la peine. *En parlant de son poids, tu l'**as** profondément **blessé**.* **SYN** froisser, offenser, vexer. ♦ Famille du mot : blessant, blessé, blessure.

blessure nom féminin
❶ Dommage corporel causé par un choc, une arme, etc. *Les coupures, les plaies, les éraflures, les entorses, les brûlures sont des **blessures**.* ❷ Chagrin ou humiliation. *Une **blessure** d'amour-propre.*

blette ➔Voir **bette**

bleu, bleue adjectif
❶ Qui a la couleur du ciel par beau temps. *Laura a les yeux **bleus**.* ❷ Se dit d'une viande qui est à peine cuite. • **Peur bleue :** très grande peur. ■ **bleu** nom masculin ❶ Couleur bleue. *Le **bleu** du ciel.* ❷ Marque sur la peau causée par un coup. *En tombant dans l'escalier, Gilles s'est fait un **bleu**.* **SYN** ecchymose, hématome. ❸ Vêtement de travail en toile bleue. *L'ouvrier a mis son **bleu** (de travail).* ❹ Fromage dont on laisse moisir la pâte, qui devient bleue par endroits. *Le roquefort est un **bleu**.* ❺ Membre du Parti conservateur. *Aux dernières élections fédérales, les **bleus** ont été portés au pouvoir.* * Chercher aussi *rouge*. ♦ Famille du mot : bleuâtre, bleuet, bleuetière, bleuir, bleuté.

bleuâtre adjectif
Presque bleu. *Une fumée **bleuâtre** s'élève des cheminées d'usine.*

bleuet nom masculin
Baie bleu-noir d'Amérique du Nord. *Une tarte aux **bleuets**.*

*Des **bleuets***

bleuetière nom féminin
❶ Terrain où pousse le bleuet. ❷ Exploitation agricole du bleuet.

bleuir verbe ▸ conjug. 11
Devenir bleu. *Il fait si froid que mes mains* ***bleuissent****.*

bleuté, bleutée adjectif
Légèrement bleu. *Margot a des cheveux très noirs avec des reflets* ***bleutés****.*

blindage nom masculin
Protection métallique très épaisse. *Le* ***blindage*** *de ce navire le protège contre les torpilles des sous-marins.*

blindé, blindée adjectif
Recouvert d'un blindage. *Un camion* ***blindé****.*
■ **blindé** nom masculin Véhicule militaire recouvert d'un blindage.

blinder verbe ▸ conjug. 3
Renforcer avec un blindage. *Il a fait* ***blinder*** *sa porte pour se protéger des cambrioleurs.*
♦ Famille du mot : blindage, blindé.

blizzard nom masculin
Vent glacé accompagné d'une violente tempête de neige. *La ville a été paralysée toute une journée par un* ***blizzard****.*

bloc nom masculin
❶ Gros morceau d'une matière dure. *Un* ***bloc*** *de glace.* ❷ Ensemble de feuilles de papier détachables. *Un* ***bloc*** *de papier à lettres.* ❸ Ensemble d'éléments groupés. *Un* ***bloc*** *d'immeubles.* ♦ Famille du mot : blocage, bloc-notes, bloquer, débloquer.

blocage nom masculin
Action de bloquer. *Le* ***blocage*** *de la serrure est dû à la rouille.*

bloc-notes nom masculin
Petit bloc de feuilles détachables servant à prendre des notes. ✎ Pluriel : *des* ***blocs-notes****.*

blocus nom masculin
Action d'isoler un pays, une ville et de l'empêcher d'importer ou d'exporter des marchandises. *Le* ***blocus*** *empêche ce pays de s'approvisionner.*

blogue nom masculin
Site Internet où une ou plusieurs personnes s'expriment régulièrement dans un journal, des billets, des articles, etc., en suscitant la réaction des visiteurs du site.

bloguer verbe ▸ conjug. 3
S'exprimer, tenir un journal en ligne et le mettre à jour régulièrement.

blogueur, blogueuse nom
Personne qui s'exprime, tient un journal en ligne.

blond, blonde adjectif et nom
D'une couleur claire et dorée. *Noémie est* ***blonde*** *comme les blés. – Lian préfère les* ***blonds****.*

blonde nom féminin
Dans la langue familière, petite amie. *Mon frère est allé au cinéma avec sa* ***blonde****.*

bloquer verbe ▸ conjug. 3
❶ Empêcher la circulation. *C'est le camion des poubelles qui* ***bloque*** *la rue.* **SYN** boucher, obstruer. ❷ Serrer un mécanisme pour l'empêcher de bouger. *Ne serre pas trop cette vis, tu vas la* ***bloquer****!* ❸ Geler. *Le gouvernement* ***a bloqué*** *les salaires.* ❹ Arrêter quelque chose dans son mouvement. *Le boxeur* ***a bloqué*** *le coup de poing de son adversaire.* ❺ Empêcher le fonctionnement. *Cet obstacle* ***bloque*** *le fonctionnement normal du ventilateur.*

se **blottir** verbe ▸ conjug. 11
Se serrer ou se mettre en boule. *Le chat* ***se blottit*** *sur le canapé.* **SYN** se pelotonner.

blouse nom féminin
Chemisier. *Marina porte une* ***blouse*** *à fleurs.*

blouson nom masculin
Veste courte et serrée à la taille. *Un* ***blouson*** *en cuir.*

blues nom masculin
Style musical pratiqué à l'origine par les Noirs des États-Unis. *Ce chanteur de* ***blues*** *a beaucoup de succès.* * Chercher aussi *jazz.*

bluff nom masculin
Dans la langue familière, attitude d'une personne qui exagère pour impressionner les gens. *Sarah prétend gagner beaucoup d'argent, mais c'est du* ***bluff****.*

a b c d e f g h i j k l m n o p q r s t u v w x y z

boa nom masculin
Grand serpent non venimeux d'Amérique du Sud. *Le **boa** étouffe ses proies dans ses anneaux avant de les avaler.* 👁p. 892. * Chercher aussi *python*.

*Un **boa***

bobine nom féminin
Petit cylindre sur lequel on enroule du fil, une pellicule de film, etc. ♦ Famille du mot : embobiner, rembobiner.

bocal, bocaux nom masculin
❶ Récipient de verre à large ouverture, dont on se sert pour conserver les aliments. *Des conserves en **bocaux**.* ❷ Aquarium de forme sphérique. *Il y a trois poissons rouges dans le **bocal**.*

bœuf nom masculin
❶ Bœuf adulte châtré. *Les **bœufs** sont attelés à la charrue.* * Chercher aussi *beugler*, *meugler*, *mugir*, *vache*, *veau*. ❷ Viande de bœuf ou de vache. *Je voudrais du **bœuf** pour faire un bouilli.* * Attention ! Le *f* du pluriel *bœufs* ne se prononce pas.

bof ! interjection
Exprime l'indifférence ou le manque d'enthousiasme. *Préfères-tu aller au cinéma ou au restaurant ? – **Bof !***

bogue nom masculin
Erreur dans un logiciel ou un système d'exploitation, nuisible à son fonctionnement. *Il y a un **bogue** dans ce logiciel.*

bohème nom
Personne qui vit sans souci du lendemain. *Elle a mené une vie de **bohème** jusqu'à ce qu'elle ait un enfant.*

bohémien, bohémienne nom
Personne qui appartient à un groupe nomade européen. **SYN** tsigane, gitan.

boire verbe ▸ conjug. 39
❶ Avaler un liquide. *Il **boit** de l'eau.* ❷ Absorber beaucoup d'alcool. *Ce pauvre homme s'est mis à **boire** après la mort de sa femme.* ❸ Absorber un liquide. *La terre sèche **a bu** toute l'eau.* • **Boire les paroles de quelqu'un :** les écouter avec admiration. • **À boire et à manger :** dans la langue familière, mélange de bonnes et de mauvaises choses, de vrai et de faux. *Dans cette histoire, il y a **à boire et à manger**.* ♦ Famille du mot : boisson, breuvage, buvard, buveur, imbuvable.

bois nom masculin
❶ Matière fournie par le tronc et les branches des arbres. *Pour construire des meubles, on utilise du **bois**.* 👁p. 66, 126. • **Bois de construction :** bois utilisé pour construire des maisons. 👁p. 126. • **Bois franc :** bois dur, comme celui de l'érable et du chêne. *Des planchers en **bois franc**.* • **Touchons du bois :** formule que l'on dit pour éloigner la malchance. • **Voir de quel bois on se chauffe :** voir de quoi on est capable (menace). *S'il refuse de me rendre mon jeu vidéo, il **verra de quel bois je me chauffe** !* ❷ Petite forêt. *Il y a un **bois** derrière la ferme.* • **N'être pas sorti du bois :** n'être pas au bout de ses peines.
■ **bois** nom masculin pluriel Cornes ramifiées des orignaux, des caribous, des wapitis, etc. * Chercher aussi *ramure*. ♦ Famille du mot : boisé, boiserie, déboisement, déboiser, reboisement, reboiser, sous-bois.

*Des **bois** de caribou* — *Des **bois** d'orignal* — *Des **bois** de chevreuil* — *Des **bois** de renne* — *Des **bois** de daim*

*Divers **bois***

boisé, boisée adjectif
Couvert d'arbres. *Une région **boisée**.* ■ **boisé** nom masculin Terrain couvert d'arbres. *Il y a un **boisé** en face de chez nous.*

boiserie nom féminin
Panneau de bois qui recouvre les murs d'une pièce. *Les murs du salon sont recouverts de **boiseries**.*

boisson nom féminin
Tout liquide qui se boit. *Le thé est une **boisson** qui peut se boire chaude ou froide.*

*Une **boisson***

boîte nom féminin
Récipient que l'on peut fermer. *Une **boîte** de conserve, une **boîte** à outils.* • **Boîte aux lettres :** boîte dans laquelle on dépose le courrier. • **Boîte à chansons :** petite salle où se produisent des chansonniers. ✎ On peut écrire aussi ***boite***. ♦ Famille du mot : boîtier, déboîter, emboîter. * Chercher aussi *cabaret*.

boiter verbe ▸ conjug. 3
Marcher en penchant le corps d'un côté. *Elle a eu un accident de bicyclette, depuis elle **boite**.* ♦ Famille du mot : boiteux, boitiller.

boiteux, boiteuse adjectif et nom
Qui boite. *Il est **boiteux** depuis sa naissance. – Une **boiteuse**.* ■ **boiteux, boiteuse** adjectif ❶ Qui n'est pas stable. *Une chaise **boiteuse**.* **SYN** bancal. ❷ Au sens figuré, qui est mal construit. *Une phrase **boiteuse**.*

boîtier nom masculin
Sorte de boîte qui renferme un mécanisme, une recharge, etc. *Le **boîtier** d'une montre, d'un appareil photo.* ✎ On peut écrire aussi ***boitier***.

boitiller verbe ▸ conjug. 3
Boiter légèrement.

bol nom masculin
❶ Grande tasse sans anse. *Elle boit son café dans un **bol**.* ❷ Contenu d'un bol. *Geneviève boit un **bol** de chocolat chaud.* • **Prendre un bol d'air :** aller marcher, s'aérer. • **En avoir ras le bol :** en avoir assez, être exaspéré.

boléro nom masculin
Petite veste courte sans manches.

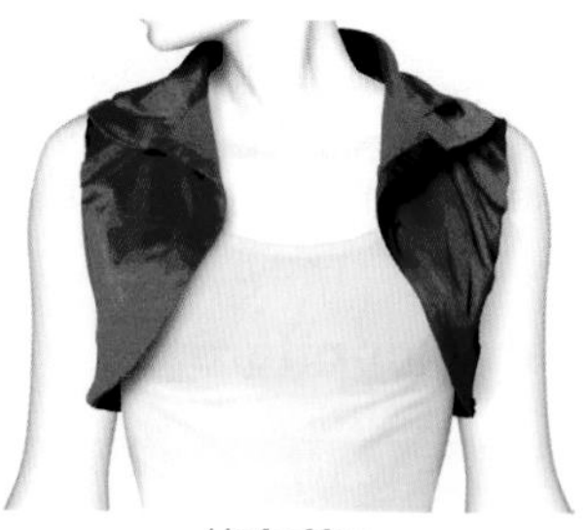
*Un **boléro***

bolide nom masculin
Véhicule très rapide. *Ce **bolide** file à toute vitesse.*

bolivien, bolivienne adjectif et nom
De Bolivie. *La jungle **bolivienne**. – Les **Boliviens**, les **Boliviennes**.* ✎ Attention ! Le nom, qui désigne les habitants, s'écrit avec une majuscule.

bolo nom masculin
Jeu constitué d'une raquette de bois et d'une balle retenue par un élastique.

bombance nom féminin
• **Faire bombance :** manger et boire d'excellentes choses, en grande quantité.

bombardement nom masculin
Action de bombarder. *Ce film de guerre montre le **bombardement** d'un village.*

bombarder verbe ▸ conjug. 3
Lancer des bombes ou des obus sur une cible. *L'aviation ennemie **a bombardé** les voies de chemin de fer.* ♦ Famille du mot : bombardement, bombardier, bombe.

bombardier nom masculin
Avion équipé pour lâcher des bombes.

bombe nom féminin
❶ Projectile qui explose. *La **bombe** n'a pas explosé, car elle a été désamorcée.* ❷ Bouteille métallique contenant un liquide sous pression, destiné à être pulvérisé. *On a peint des graffitis à la **bombe** sur ce mur.* • **Faire l'effet d'une bombe :** provoquer une énorme surprise.

bombé, bombée adjectif
Arrondi vers l'extérieur. *Le couvercle de cette boîte est **bombé**.*

Le bois

Il existe deux types de bois : le bois des **conifères**, aussi appelés « résineux », et le bois des **feuillus**. Celui-ci est généralement dense, donc plus dur que le bois tendre des conifères, lequel s'use et se raye facilement.

Différents conifères

Arbres	Exemples de produits	Exemples d'utilisations
L'épinette		• Bois de construction • Contreplaqué • Instruments de musique
Le mélèze		• Poteaux • Construction navale • Bardeaux • Cadres de fenêtre (finition) • Clôtures
Le pin		• Bois de construction • Panneaux de particules • Portes et fenêtres • Mâts • Meubles
La pruche		• Contreplaqué • Poutres (ponts) • Traverses de chemin de fer
Le sapin		• Bois de construction • Poteaux
Le thuya		• Bardeaux • Clôtures • Terrasses • Meubles d'extérieur • Coffres à linge

Différents feuillus

Arbres	Exemples de produits	Exemples d'utilisations
Le bouleau jaune 		• Contreplaqué • Parquets et boiseries • Meubles • Ustensiles de cuisine • Sculptures
Le cerisier 		• Parquets et boiseries • Meubles • Pipes • Cercueils • Instruments de musique
Le chêne 		• Tonneaux • Parquets et boiseries • Meubles • Ponts • Construction navale
L'érable 		• Panneaux de particules • Parquets et boiseries • Meubles • Ustensiles de cuisine • Instruments de musique
Le frêne 		• Panneaux de particules • Parquets et boiseries • Bâtons de hockey • Manches d'outils • Tonneaux
Le noyer 		• Boiseries • Meubles • Manches d'outils • Instruments de musique
Le peuplier 		• Bois d'œuvre • Contreplaqué • Panneaux de particules • Allumettes • Caisses de fruits
Le tilleul 		• Sculptures • Crayons • Bois d'œuvre • Cadres • Instruments de musique

a b c d e f g h i j k l m n o p q r s t u v w x y z

bon, bonne adjectif
❶ Qui a un goût agréable. *Miam ! C'est* ***bon****, cette mousse au chocolat !* CONTR mauvais. ❷ Qui est agréable et qui plaît beaucoup. *Je prendrais bien une* ***bonne*** *douche.* ❸ Qui a les qualités voulues, qui est satisfaisant. *Pour être pilote, il faut avoir une très* ***bonne*** *vue.* ❹ Qui est de qualité. *Bravo ! C'est du* ***bon*** *travail.* ❺ Qui fait bien ce qu'il a à faire. *C'est une* ***bonne*** *chirurgienne.* ❻ Qui est conforme à la morale. *Une* ***bonne*** *action.* CONTR mauvais. ❼ Qui aime faire le bien, qui veut du bien aux autres. *C'est un homme* ***bon****.* SYN généreux. CONTR méchant. ❽ Sert à insister sur certains mots. *De* ***bon*** *matin. Il y a un* ***bon*** *moment qu'elle est partie.* • **À quoi bon ? :** à quoi cela servira-t-il ? • **Bon pour :** qui est approprié, adapté à. *Prends ce sirop, c'est* ***bon pour*** *la toux.* ■ **bon** nom masculin ❶ Ce qui est bon, avantageux. *Les vacances, ça a du* ***bon*** *!* ❷ Document écrit contre lequel on reçoit un objet ou de l'argent. *Un* ***bon*** *de réduction. Un* ***bon*** *pour un échantillon gratuit. Un* ***bon*** *d'achat.* ■ **bon** adverbe • **Il fait bon :** il est agréable de. ***Il fait bon*** *se promener dans la nature.* • **Pour de bon :** réellement. *Cette fois, on part* ***pour de bon*** *!* • **Sentir bon :** avoir une bonne odeur. • **Tenir bon :** résister. ■ **bon !** interjection Exprime l'approbation. ***Bon !*** *C'est bien !* • **Ah bon ? :** exprime la surprise. *Elle est partie hier. –* ***Ah bon ?***

bonbon nom masculin
Petite friandise sucrée. *Des* ***bonbons*** *acidulés.* ✎ Attention au *n* devant le *b*.

bonbonne nom féminin
Grosse bouteille. *Une* ***bonbonne*** *de gaz.* ✎ Attention au *n* devant le *b*.

bonbonnière nom féminin
Petite boîte à bonbons. ✎ Attention au *n* devant le *b*.

bond nom masculin
Saut brusque et rapide. *Le chat a fait un* ***bond****.* • **Faire faux bond à quelqu'un :** ne pas faire ce qu'on lui avait promis. *Le plombier devait venir ce matin, mais il nous* ***a fait faux bond****.*

bondé, bondée adjectif
Complètement plein. *La salle d'attente est* ***bondée****.* SYN comble.

bondir verbe ▸ conjug. 11
Faire des bonds. *Le chevreuil* ***bondit*** *en s'enfuyant.* • **Bondir sur une proie :** se précipiter pour l'attraper. ♦ Famille du mot : rebond, rebondi, rebondir, rebondissement.

bonheur nom masculin
État d'une personne heureuse. *Pour ma famille, c'est un* ***bonheur*** *de partir en randonnée.* SYN joie. CONTR malheur. • **Porter bonheur :** attirer la chance. *On dit que les trèfles à quatre feuilles* ***portent bonheur****.* • **Par bonheur :** heureusement. • **Au petit bonheur :** au hasard. *Il distribue des cadeaux* ***au petit bonheur****.*

bonhomme nom masculin
Dans la langue familière, homme. *Julien est un drôle de petit* ***bonhomme****.* ✎ Pluriel : *des* ***bonshommes****.* * Attention ! Quand on prononce le pluriel *bonshommes*, on doit faire la liaison (bonshommes).

boniment nom masculin
Discours mensonger. *Anna m'a raconté des* ***boniments****.* SYN baratin.

bonjour nom masculin
Formule de salutation adressée à une personne que l'on rencontre ou que l'on quitte. *Quand il croise sa voisine le matin, il lui dit* ***bonjour****.* * Chercher aussi *au revoir**, *bonsoir*. • **Simple comme bonjour :** très simple.

bon marché adjectif invariable
Qui ne coûte pas cher. *J'ai trouvé des livres d'occasion très* ***bon marché****.*

bonne nom féminin
Employée de maison chargée des travaux ménagers. SYN domestique. * Aujourd'hui, on emploie plus couramment *employée de maison* que *bonne*, qui est péjoratif.

bonnet nom masculin
Coiffure souple et sans bord. *Il faisait si froid qu'il avait enfoncé son* ***bonnet*** *sur les oreilles.*

bonsaï nom masculin
Arbre que l'on taille pour qu'il reste nain. *La technique du* ***bonsaï*** *vient du Japon.*

Un ***bonsaï***

bonsoir nom masculin
Formule de salutation adressée généralement le soir à une personne que l'on rencontre ou que l'on quitte. *Il est temps d'aller vous coucher, les enfants, je vais venir vous dire **bonsoir**.* * Chercher aussi *au revoir**, *bonjour*.

bonté nom féminin
Qualité d'une personne qui est bonne et généreuse. *Cette femme est la **bonté** même.* CONTR méchanceté. • **Avoir la bonté de faire quelque chose**: être assez aimable pour le faire. *Il **a eu la bonté de** m'aider à transporter mes bagages.*

bon vivant nom masculin et adjectif
Personne qui aime bien boire, manger et s'amuser. *Mes grands-parents sont de **bons vivants**. – Il était **bon vivant** avant que la maladie le frappe.*

boomerang nom masculin
Morceau de bois recourbé qui revient vers la personne qui l'a lancé s'il n'atteint pas la cible.

Un **boomerang**

bord nom masculin
❶ Côté, limite extrême. *Le **bord** d'une route. Le **bord** d'une falaise.* ❷ Rive. *Les **bords** d'une rivière.* ❸ Rivage, côte. *Le **bord** de la mer.* • **À bord de**: dans. *Béatrice aimerait monter **à bord d'**un hélicoptère.* • **À ras bord**: jusqu'en haut. *Le verre est rempli **à ras bord**.* • **Au bord de**: tout près de. *Leur maison est **au bord de** la route.* • **Être au bord des larmes**: être sur le point de pleurer. ♦ Famille du mot: bordée, border, bordure, débordement, déborder, rebord.

bordée de neige nom féminin
Grosse averse de neige.

border verbe ▸conjug. 3
❶ Occuper le bord d'un lieu. *Des peupliers **bordent** le sentier.* ❷ Rentrer le bord des draps et des couvertures sous le matelas. *Mon père vient me **border** le soir dans mon lit.*

bordure nom féminin
Ce qui est au bord de quelque chose. *La **bordure** du trottoir. Notre maison est en **bordure** du lac.*

boréal, boréale, boréals ou **boréaux** adjectif
Qui est au Nord. *L'hémisphère **boréal**.* CONTR austral. • **Aurore boréale**: phénomène lumineux en forme d'arc qui se produit la nuit dans l'hémisphère Nord.

borgne adjectif et nom
Qui ne voit que d'un œil. *Elle est devenue **borgne** à la suite d'un accident. – Ce **borgne** porte un bandeau noir.* * Chercher aussi *aveugle*, *malvoyant*.

borne nom féminin
Pierre ou autre marque qui sert à indiquer les limites d'un terrain ou une distance. ■ **bornes** nom féminin pluriel • **Dépasser les bornes**: dépasser les limites permises, exagérer. *Avec une telle insolence, il **dépasse les bornes**.* ♦ Famille du mot: borné, borne-fontaine, se borner.

borné, bornée adjectif
Qui a l'esprit étroit. *On ne peut pas discuter avec lui, il est trop **borné**.* CONTR intelligent, ouvert.

borne-fontaine nom féminin
Prise d'eau placée sur un trottoir ou en bordure d'un terrain, pour servir aux pompiers en cas d'incendie. ✎ Pluriel: *des **bornes-fontaines***.

se **borner** verbe ▸conjug. 3
Ne faire que ce qui est nécessaire, sans plus. *Elle n'a pas tout dit, elle **s'est bornée** à l'essentiel.* SYN se limiter.

bosnien, bosnienne
➛Voir tableau, p. 1319.

bosquet nom masculin
Petit groupe d'arbres ou d'arbustes.

bosse nom féminin
❶ Enflure qui apparaît après un choc. *En se cognant le front, Philippe s'est fait une **bosse**.* ❷ Grosseur anormale dans le dos. *Sa **bosse** est due à une malformation de la colonne vertébrale.* ❸ Grosseur naturelle sur le dos de certains animaux. *Le dromadaire, le zébu et le bison ont une **bosse**.* ❹ Endroit bombé d'une surface. *Le terrain est plein de creux et de **bosses**.* • **Avoir la bosse de quelque chose**: dans la langue familière, être doué pour cela. *Elle **a la bosse des** affaires.* ♦ Famille du mot: bosseler, bossu, débosseler.

bosseler verbe conjug. 9
Déformer par des bosses. *En percutant un poteau, il **a bosselé** sa voiture.* ✎ On peut écrire aussi, au présent, *je **bossèle***; au futur, *tu **bossèleras***; au conditionnel, *elle **bossèlerait***.

bossu, bossue adjectif et nom
Qui a une bosse dans le dos. *Une personne **bossue**. – Ce **bossu** souffre de sa difformité.*

bot, bote adjectif
• **Pied bot :** pied mal formé.

botanique nom féminin
Science qui étudie les plantes. ■ **botanique** adjectif Où l'on cultive des plantes, des arbres qui sont rares ou que l'on veut étudier. *Un jardin **botanique**.*

botaniste nom
Spécialiste de la botanique.

botswanais, botswanaise
➔Voir tableau, p. 1319.

① **botte** nom féminin
Chaussure qui enferme le pied et une partie de la jambe. *Une paire de **bottes**.* ♦ Famille du mot : botté, bottillon, bottine.

② **botte** nom féminin
Assemblage de végétaux liés ensemble. *Une **botte** de radis, une **botte** de poireaux.*

*Une **botte** de radis*

① **botté, bottée** adjectif
Qui porte des bottes. *Le Chat **botté** est un personnage des contes de Perrault.*

② **botté** nom masculin
Au soccer et au football, coup de pied donné dans le ballon.

botter verbe ▸ conjug. 3
Donner un coup de pied. *Chloé **botte** le ballon avec le pied gauche.*

bottillon nom masculin
Botte courte qui s'arrête au-dessus de la cheville.

bottine nom féminin
Chaussure montante serrée à la cheville.

bouc nom masculin
❶ Mâle de la chèvre. * Chercher aussi *bêler*. • **Bouc émissaire :** personne sur laquelle on fait retomber les fautes de tout un groupe. ❷ Barbiche sur la pointe du menton. *Cédric s'est laissé pousser un **bouc**.*

*Un **bouc**.*

boucane nom féminin
Dans la langue familière, fumée. *Le bois vert fait beaucoup de **boucane** en brûlant.*

boucaner verbe ▸ conjug. 3
❶ Sécher la viande à la fumée. * Chercher aussi *fumer*. ❷ Dans la langue familière, dégager de la boucane. *La cheminée **boucane**.*

bouche nom féminin
❶ Chez l'être humain, ouverture dans le bas du visage, qui communique avec l'appareil digestif et les voies respiratoires. *Les dents et la langue se trouvent dans la **bouche**.* 👁p. 246.
❷ Entrée ou ouverture de quelque chose. *Une **bouche** d'égout. Une **bouche** de métro.* • **De bouche à oreille :** en se répétant d'une personne à l'autre. • **Faire la fine bouche :** se montrer dédaigneux, difficile.

bouché, bouchée adjectif
❶ Fermé. *Une bouteille mal **bouchée**.* ❷ Obstrué. *Un lavabo **bouché**.*

bouchée nom féminin
❶ Quantité d'aliments que l'on peut mettre en une fois dans la bouche. *Finis ton pâté chinois, il n'en reste plus qu'une **bouchée**.* ❷ Repas léger. *Après le spectacle, nous irons prendre une **bouchée**.* • **Pour une bouchée de pain :** très peu cher. • **Mettre les bouchées doubles :** travailler deux fois plus vite. *Elle **a mis les bouchées doubles** pour finir son travail à temps.* • **Ne faire qu'une bouchée de quelqu'un :** le vaincre facilement.

① **boucher** verbe ▸ conjug. 3
❶ Fermer un trou en le remplissant. *Avant de peindre le mur, il faudra **boucher** les trous et les fissures.* ❷ Fermer avec un bouchon. *Johan **bouche** le tube de dentifrice.* ❸ Obstruer. *Des débris de nourriture **bouchent** l'évier et empêchent l'eau de s'écouler.* ♦ Famille du mot : bouché, bouchon, débouché, déboucher, reboucher.

② **boucher, bouchère** nom
Personne qui vend de la viande.

boucherie nom féminin
Magasin où l'on vend de la viande.

bouchon nom masculin
❶ Ce qui sert à fermer une bouteille, un tube, etc. *Remettre le **bouchon** d'une bouteille de jus d'orange.* ❷ Embouteillage. *Il y a un énorme **bouchon** sur le pont Laviolette.*

boucle nom féminin
❶ Accessoire qui permet de fermer une ceinture. ❷ Mèche de cheveux en spirale. *Mia a de belles **boucles** blondes.* ❸ Grande courbe. *À cet endroit, la rivière fait une **boucle**.* **SYN** méandre. • **Boucles d'oreilles :** bijoux qui se portent aux oreilles. ♦ Famille du mot : bouclé, boucler, bouclette.

bouclé, bouclée adjectif
Frisé. *Des cheveux **bouclés**.*

boucler verbe ▸ conjug. 3
❶ Fermer en attachant avec une boucle. *En voiture, il faut **boucler** sa ceinture de sécurité.* ❷ Faire des boucles. *Camille a les cheveux qui **bouclent**.* **SYN** friser. ❸ Fermer un espace en bouchant les issues. *La police **a bouclé** le quartier.* **SYN** cerner, encercler.

bouclette nom féminin
Petite boucle.

bouclier nom masculin
Épaisse plaque que l'on porte à un bras pour se protéger des coups.

bouddhisme nom masculin
Discipline spirituelle d'Asie, fondée au 5e siècle avant l'ère chrétienne par un sage indien nommé Bouddha. 👁p. 270.

*Une représentation du Bouddha, chef spirituel du **bouddhisme***

bouddhiste nom
Adepte du bouddhisme. 👁p. 270.

bouder verbe ▸ conjug. 3
Faire une mine renfrognée et se taire pour bien montrer que l'on est fâché. ♦ Famille du mot : bouderie, boudeur.

bouderie nom féminin
Attitude de quelqu'un qui boude. *Sa **bouderie** n'a duré qu'un instant.*

boudeur, boudeuse adjectif
Qui exprime du mécontentement. *Marek a pris un air **boudeur**.* **SYN** renfrogné. ■ **boudeur, boudeuse** nom Personne qui boude. *Tu n'es qu'une grande **boudeuse** !*

boudin nom masculin
Boyau rempli de sang et de graisse de porc, qui se mange cuit. *Hier, j'ai mangé du **boudin** au restaurant.*

boudiné, boudinée adjectif
Qui est serré dans un vêtement trop étroit.

boue nom féminin
Terre très mouillée. *Cette voiture a roulé dans la **boue**.* ♦ Famille du mot : boueux, éboueur, garde-boue. * Ne pas confondre *boue* et *bout*.

bouée nom féminin
❶ Anneau gonflable que l'on met autour de la taille pour flotter. *Une **bouée** de sauvetage.* ❷ Objet flottant qui sert de repère. *L'entrée du port est balisée par des **bouées**.* * Chercher aussi *balise*, *flotteur*.

boueux, boueuse adjectif
Plein de boue. *Un chemin **boueux**.*

bouffant, bouffante adjectif
Très ample et qui semble gonflé d'air. *Un chemisier à manches **bouffantes**.* CONTR collant.

bouffe nom féminin
Dans la langue familière, nourriture, repas. *Sandra aime la bonne **bouffe**.*

bouffée nom féminin
❶ Quantité de fumée que l'on aspire en une fois. *Mon grand-père fume sa pipe par petites **bouffées**.* ❷ Souffle d'air. *Va prendre une **bouffée** d'air frais, cela te fera du bien.*
♦ Famille du mot : bouffant, bouffi.

bouffer verbe ▸ conjug. 3
Dans la langue familière, manger.

bouffi, bouffie adjectif
Enflé, boursouflé. *Des yeux **bouffis** de fatigue, de sommeil.*

bouffon, bouffonne nom
Personne qui amuse, qui fait rire. *Jonathan a fait le **bouffon** pendant toute la soirée.* SYN pitre. ■ **bouffon, bouffonne** adjectif
Drôle et un peu grotesque. *Le clown se trouve dans une situation **bouffonne**.*

bougeoir nom masculin
Petit chandelier bas, sans pied, généralement muni d'une anse. *Ma grand-mère a reçu des **bougeoirs** pour Noël.*

bougeotte nom féminin
• **Avoir la bougeotte** : dans la langue familière, être incapable de rester sans bouger. *La voilà repartie à l'autre bout du monde, elle **a** vraiment **la bougeotte** !*

bouger verbe ▸ conjug. 5
❶ Faire un mouvement ou changer de place. *En classe, Karina n'arrête pas de **bouger**.*
❷ Remuer. *Les feuilles **bougeaient** au gré du vent.* ❸ Changer, se modifier. *Malgré la crise, le prix des denrées alimentaires n'**a** pas beaucoup **bougé**.*

bougie nom féminin
❶ Petit bâton de cire ou de paraffine, qui brûle grâce à une mèche. *Christophe a soufflé sur les **bougies** de son gâteau d'anniversaire.*
* Chercher aussi *chandelle*. ❷ Dans un moteur, pièce qui produit une étincelle destinée à enflammer l'essence. * Chercher aussi *allumage*.

bougon, bougonne adjectif et nom
Dans la langue familière, qui bougonne souvent. *Bruno est vraiment **bougon** ce matin, il a sans doute mal dormi. – C'est une grande **bougonne** !* SYN bougonneux, grincheux, grognon.

bougonner verbe ▸ conjug. 3
Dans la langue familière, grommeler. *Quand Xavier est contrarié, il passe son temps à **bougonner**.* ♦ Famille du mot : bougon, bougonneux.

bougonneux, bougonneuse adjectif et nom
Qui bougonne souvent. SYN bougon, grincheux, grognon.

bouillant, bouillante adjectif
❶ Qui est en train de bouillir. *L'eau est **bouillante** : tu peux y verser les pâtes.* ❷ Très chaud. *Il s'est brûlé la langue en buvant du thé **bouillant**.* ❸ Plein d'ardeur et de fougue. *Être **bouillant** d'impatience, d'indignation, de colère.* SYN impétueux.

① **bouilli, bouillie** adjectif
Que l'on a fait bouillir. *Ma mère prépare un biberon avec du lait en poudre et de l'eau **bouillie**.*

② **bouilli** nom masculin
Plat de viande et de légumes bouillis. *À midi, on nous a servi un excellent **bouilli**.*
SYN pot-au-feu.

bouillie nom féminin
Aliment constitué de farine cuite dans du lait ou de l'eau. *Alex fait manger de la **bouillie** à sa petite sœur.* • **En bouillie** : complètement écrasé. *On a retrouvé les fruits **en bouillie** au fond du sac à provisions.*

bouillir verbe ▸ conjug. 15
❶ S'agiter et former des bulles sous l'action de la chaleur. *L'eau **bout** à cent degrés Celsius.*
❷ Cuire dans un liquide bouillant. *Faire **bouillir** des pommes de terre.* ❸ Au sens figuré, être dans un état de grande excitation. ***Bouillir** de rage, d'indignation.* ♦ Famille du mot : bouillant, bouilli, bouilloire, bouillon, bouillonner, court-bouillon, ébouillanter.

bouilloire nom féminin
Récipient à bec verseur dans lequel on fait bouillir de l'eau. *Une **bouilloire** électrique.*

bouillon nom masculin
Potage obtenu en faisant bouillir des aliments dans de l'eau. *Un **bouillon** de légumes. Un*

***bouillon** de poulet.* • **À gros bouillons :** en formant de grosses bulles. *La soupe bout **à gros bouillons**.*

bouillonner verbe ▶conjug. 3
Faire de grosses bulles. *La lave **bouillonne** dans le cratère du volcan.*

boulanger, boulangère nom
Personne qui tient une boulangerie. *Gabriel est allé chez la **boulangère** pour acheter du pain et des muffins.*

boulangerie nom féminin
Magasin où l'on vend du pain. *Une odeur appétissante vient de la **boulangerie**.*

Une **boulangerie**

boule nom féminin
Objet en forme de sphère. *Valérie a abattu trois quilles avec la première **boule**. Une bataille de **boules** de neige.* • **Perdre la boule :** s'affoler, devenir fou. ♦ Famille du mot : boulet, boulette, boulier.

bouleau, bouleaux nom masculin
Arbre à écorce blanche. *Les Amérindiens fabriquaient toutes sortes d'objets avec l'écorce de **bouleau** (canots, carquois, etc.).* 👁p. 126. * Ne pas confondre *bouleau* et *boulot*.

Un **bouleau**

bouledogue nom masculin
Chien au museau aplati et aux pattes courtes. 👁p. 194.

Un **bouledogue**

boulet nom masculin
❶ Boule de métal que tiraient autrefois les canons. *Aujourd'hui, les canons ne tirent plus de **boulets**, mais des obus.* ❷ Boule de métal très lourde, que l'on attachait autrefois à la cheville de certains condamnés pour les empêcher de s'enfuir. ❸ Au sens figuré, charge pénible. *Le remboursement de cet emprunt est pour lui un vrai **boulet**.*

boulette nom féminin
Petite boule. *Des **boulettes** de viande à la sauce tomate.*

boulevard nom masculin
Dans une ville, voie très large, souvent bordée d'arbres. * Abréviation : ***boul.***

bouleversant, bouleversante adjectif
Très émouvant. *C'est l'histoire **bouleversante** d'une famille sinistrée.*

bouleversement nom masculin
Changement profond et brutal. *La crise économique a provoqué des **bouleversements** dans de nombreux pays.*

bouleverser verbe ▶conjug. 3
❶ Mettre dans un grand désordre. *Amélie **a bouleversé** sa chambre pour retrouver son baladeur.* ❷ Changer brusquement et complètement. *L'informatique **a bouleversé** les habitudes de travail.* ❸ Causer une émotion profonde. *L'accident de Farid nous **a profondément bouleversés**.* ♦ Famille du mot : bouleversant, bouleversement.

boulier nom masculin
Cadre comportant des boules qui glissent sur des tringles, dont on se sert pour compter.

Un **boulier**

boulimie nom féminin
Trouble psychologique se traduisant par le besoin d'absorber de grandes quantités de nourriture. *Il n'arrive pas à calmer sa faim, c'est de la **boulimie**.* CONTR anorexie.

a b c d e f g h i j k l m n o p q r s t u v w x y z

boulimique adjectif
Qui concerne la boulimie. *Un comportement **boulimique**.* ■ **boulimique** nom Qui est atteint de boulimie. *Un, une **boulimique**.* CONTR anorexique.

boulon nom masculin
Tige de métal qui s'adapte sur un écrou. *La roue est en train de se dévisser, il faut resserrer les **boulons**.*

① **boulot, boulotte** adjectif
Petit et gros. *Notre voisine est une femme **boulotte**.*

② **boulot** nom masculin
Dans la langue familière, travail. *C'est l'heure d'aller au **boulot**. Abattre un gros **boulot**.*
* Ne pas confondre *boulot* et *bouleau*.

bouquet nom masculin
❶ Assemblage de fleurs coupées. *Dylan a offert un **bouquet** de fleurs à sa fiancée.* ❷ Parfum, arôme d'un vin. *Ce vin manque de **bouquet**.*
• **C'est le bouquet!**: dans la langue familière, cela dépasse les limites, c'est le comble.

bouquin nom masculin
Dans la langue familière, livre. *Prête-moi quelques **bouquins** de science-fiction.*
♦ Famille du mot: bouquiner, bouquiniste.

bouquiner verbe ▸ conjug. 3
Dans la langue familière, lire. *Abdel aime bien **bouquiner** le soir, après le souper.*

bouquiniste nom
Personne qui vend des livres d'occasion. *J'ai acheté ce vieux livre chez un **bouquiniste**.*

bourbier nom masculin
❶ Endroit couvert de boue. *Quand il pleut, ce chemin se transforme en un véritable **bourbier**.* ♦ Famille du mot: bourbeux, s'embourber. ❷ Au sens figuré, affaire compliquée. SYN guêpier.

bourdon nom masculin
Gros insecte couvert de poils qui ressemble à une abeille. • **Faux bourdon**: mâle de l'abeille.
♦ Famille du mot: bourdonnement, bourdonner.

Un **bourdon**

bourdonnement nom masculin
Son grave et continu. *Le **bourdonnement** d'une abeille, d'un moteur d'avion.*

bourdonner verbe ▸ conjug. 3
Produire un bourdonnement. *Quand elles volent, les abeilles et les mouches **bourdonnent**.*

bourg nom masculin
Gros village. * Chercher aussi *faubourg*.

bourgade nom féminin
Petit bourg. SYN village.

bourgeois, bourgeoise nom
❶ Au Moyen Âge, personne riche qui habitait un bourg ou une ville. ❷ Personne qui n'exerce pas un travail manuel et qui a un niveau de vie assez élevé. *C'est un quartier riche, surtout habité par des **bourgeois**.* CONTR ouvrier, prolétaire. ■ **bourgeois, bourgeoise** adjectif
Qui concerne les bourgeois, leur mode de vie. *Un quartier **bourgeois**. Mener une vie **bourgeoise**.* SYN riche.

bourgeoisie nom féminin
Ensemble des bourgeois. *Cette famille appartient à la **bourgeoisie**.* * Chercher aussi *noblesse*, *prolétariat*.

bourgeon nom masculin
Petite pousse d'une plante qui donnera une feuille ou une fleur. *Les pommiers sont couverts de **bourgeons** qui vont s'ouvrir.*
👁p. 66.

Des **bourgeons**

bourgeonner verbe ▸ conjug. 3
Se couvrir de bourgeons. *Les arbres commencent à **bourgeonner**.*

bourka nom féminin
Vêtement épais, ajouré à la hauteur des yeux, qui couvre tout le corps des musulmanes dans certains pays. *Le port de la **bourka** est souvent remis en question dans les pays occidentaux.*
✎ On écrit aussi *burka* et *burqa*. * Chercher aussi *foulard, hidjab*, *niquab*, *tchador*, *voile*.

bourrade nom féminin
Coup que l'on donne avec le poing, le coude ou l'épaule. *Kim m'a accueilli par une **bourrade** affectueuse.*

bourrasque nom féminin
Coup de vent violent et brusque. *Une **bourrasque** a arraché la toile de la tente.*

bourratif, bourrative adjectif
Dans la langue familière, qui alourdit l'estomac. *Océane n'arrive pas à finir le gâteau, il est trop **bourratif**.* CONTR léger.

bourreau, bourreaux nom masculin
❶ Personne chargée d'exécuter les condamnés à mort. ❷ Personne qui martyrise d'autres personnes. • **Un bourreau de travail**: une personne qui travaille énormément.

bourrelet nom masculin
❶ Bande que l'on met autour des fenêtres pour empêcher l'air froid de passer. *On a calfeutré les fenêtres avec des **bourrelets** de mousse.* ❷ Pli de graisse sur le corps. *Le bébé a plein de petits **bourrelets** autour du cou.*

bourrer verbe ▸ conjug. 3
❶ Remplir complètement en tassant. *Jade **a** tellement **bourré** sa valise qu'elle n'arrive pas à la fermer.* ❷ Faire manger en trop grande quantité. *Ma marraine nous **a bourrés** de sucre à la crème.* SYN gaver. ❸ Remplir vite l'estomac. *Ce gâteau **bourre**.* ❹ Remplir de tabac. ***Bourrer** une pipe.* • **Bourrer le crâne**: abrutir en répétant quelque chose avec insistance. ■ *se* **bourrer**: dans la langue familière, se gaver. *Ces enfants **se sont bourrés** de crème glacée.* SYN s'empiffrer.

bourru, bourrue adjectif
Peu aimable, rude. *Nicolas est très sensible malgré son air **bourru**.*

① **bourse** nom féminin
❶ Petit sac où l'on met de l'argent, des pièces de monnaie. ❷ Somme d'argent versée par l'État, une institution ou un organisme à un étudiant ou à un chercheur pour l'aider à payer ses études ou ses recherches. *Ces étudiants ont obtenu une **bourse**.* ♦ Famille du mot: boursier, débourser, remboursement, rembourser.

② **Bourse** nom féminin
Bâtiment où l'on peut vendre et acheter des actions, des valeurs. ✎ Attention! Ce mot s'écrit avec une majuscule.

① **boursier, boursière** nom et adjectif
Personne qui bénéficie d'une bourse pour faire ses études. *Il y a trois **boursiers** dans la classe. – Elle est **boursière**.*

② **boursier, boursière** adjectif
Qui concerne la Bourse. *Des opérations **boursières**.*

boursouflé, boursouflée ou **boursoufflé, boursoufflée** adjectif
Qui est enflé par endroits. *Éric a tellement pleuré qu'il a le visage tout **boursouflé**.*

boursouflure ou **boursoufflure** nom féminin
Partie du corps boursouflée. *Les bras de Sonoko sont couverts de **boursouflures** dues à des piqûres de moustiques.*

bousculade nom féminin
Mouvement de foule au cours duquel tout le monde se bouscule. *Tout le monde voulait voir la championne, c'était la **bousculade**.* SYN cohue.

bousculer verbe ▸ conjug. 3
❶ Pousser, heurter. *Il **bouscule** ses camarades pour pouvoir monter le premier dans l'autobus.* ❷ Obliger quelqu'un à se dépêcher. *Inutile de **bousculer** tes sœurs, nous pouvons prendre notre temps.* ■ *se* **bousculer**: se pousser brutalement. *Ne **vous bousculez** pas pour entrer: il y a de la place pour tout le monde.*

bouse nom féminin
Excrément des ruminants. *Le pré est plein de **bouses** de vache.*

boussole nom féminin
Instrument comportant un cadran sur lequel une aiguille aimantée indique le nord. *L'invention de la **boussole** a révolutionné la navigation.*

*Une **boussole***

a b c d e f g h i j k l m n o p q r s t u v w x y z

bout nom masculin
❶ Extrémité d'une chose, d'un endroit. *Marc a le **bout** des doigts gelés. Vous trouverez le lac au **bout** du chemin.* ❷ Petite partie de quelque chose. *Un **bout** de pain, un **bout** de ficelle.* SYN morceau. ❸ Fin de quelque chose. *Maryse a regardé le film jusqu'au **bout**.* • **Être à bout :** être épuisé ou excédé. • **Pousser quelqu'un à bout :** l'exaspérer. • **Venir à bout :** arriver à finir. *J'ai l'impression qu'ils ne **viendront** jamais **à bout** de ces travaux.* * Ne pas confondre *bout* et *boue*.

boutade nom féminin
Chose que l'on dit pour plaisanter. *Ne te fâche pas, ce n'était qu'une **boutade** !* SYN plaisanterie.

boute-en-train nom masculin invariable
Personne gaie et pleine d'entrain. *La fête était très réussie grâce à ce **boute-en-train** de Julie !* ✎ On peut écrire aussi *un **boutentrain**, des **boutentrains**.*

bouteille nom féminin
❶ Récipient à goulot étroit, qui sert à contenir un liquide. *Cette **bouteille** contient un litre.* ❷ Contenu d'une bouteille. *Les enfants ont bu toute la **bouteille** de jus d'orange au déjeuner.* ❸ Récipient en métal contenant du gaz liquide. *Les plongeurs sont équipés de **bouteilles** d'oxygène.*

bouteur nom masculin
Gros engin de chantier muni de chenilles et d'une lame d'acier en forme de pelle, qui sert à niveler ou à déblayer. *Mon père sait manœuvrer un **bouteur**.* SYN bulldozer. * Chercher aussi *excavatrice*, *pelle* mécanique*.

boutique nom féminin
Petit magasin. *Il y a une **boutique** de vêtements à côté du bureau de poste.*

① **bouton** nom masculin
❶ Petit objet, souvent rond, qui sert à fermer un vêtement. *Mary a perdu un **bouton** de sa veste.* ❷ Élément d'un mécanisme ou d'un appareil, qui sert à le faire fonctionner. *Il faut appuyer sur le **bouton** de la télécommande pour augmenter le son.* ♦ Famille du mot : boutonner, boutonnière, déboutonner.

② **bouton** nom masculin
Bourgeon d'une plante. *Les rosiers sont couverts de **boutons** qui commencent à s'ouvrir.*

③ **bouton** nom masculin
Petite grosseur qui se forme à la surface de la peau. *Mon cousin a le visage couvert de **boutons**.*

boutonner verbe ▸ conjug. 3
Fermer à l'aide de boutons. *Il fait froid, vous devriez **boutonner** vos manteaux.* CONTR déboutonner.

boutonneux, boutonneuse adjectif
Qui a des boutons sur la peau. *Un visage **boutonneux**.*

boutonnière nom féminin
Petite fente d'un vêtement dans laquelle on passe un bouton. *Ce bouton est trop gros : il ne passera pas dans la **boutonnière**.*

Des **boutonnières**

bouton-pression nom masculin
Sorte de bouton que l'on attache en appuyant dessus.

bouture nom féminin
Partie coupée d'une plante que l'on met en terre pour qu'elle forme des racines. *Des **boutures** de bégonias.*

bovidé nom masculin
Mammifère ruminant. *Les bœufs, les chèvres, les moutons et les antilopes sont des **bovidés**.*

bovin, bovine adjectif
Qui se rapporte aux bovins. *Cette agricultrice s'est spécialisée dans l'élevage **bovin**.* ■ **bovin** nom masculin Sorte de mammifère ruminant. *Les bœufs, les buffles et les bisons sont des **bovins**.* * Chercher aussi *ovin*, *porcin*.

boxe nom féminin
Sport opposant deux adversaires qui se battent avec les poings en portant des gants spéciaux. *Les différentes parties d'un combat de **boxe** sont des rounds, et le match se déroule sur un ring.* ♦ Famille du mot : boxer, boxeur.

boxer verbe ▸ conjug. 3
Pratiquer la boxe. *Le frère de Julien **boxe** depuis plusieurs années.*

boxeur, boxeuse nom
Personne qui fait de la boxe. *La sœur de Frédéric est une **boxeuse** amateur.*

*Des **boxeurs***

boyau, boyaux nom masculin
❶ Intestin d'un animal. *Les **boyaux** de certains animaux servent à fabriquer les cordes des instruments de musique.* ❷ Pneu fin et léger d'un vélo de course. ❸ Tuyau souple. *Un **boyau** d'arrosage.*

boycott ou **boycottage** nom masculin
Action de boycotter. *Tous les membres de l'association ont décidé le **boycott** de la réunion. Cette entreprise a été durement touchée par le **boycottage** de ses produits.*

boycotter verbe ▸conjug. 3
Refuser de participer à quelque chose ou d'acheter certains produits pour montrer son désaccord. *Nous avons décidé de **boycotter** ce commerçant qui vend trop cher.*

bracelet nom masculin
❶ Bijou que l'on porte autour du poignet. *Des **bracelets** en plastique multicolores.* ❷ Attache en cuir, en métal ou en caoutchouc qui sert à fixer une montre au poignet. *Un **bracelet** de montre.*

braconnage nom masculin
Action de braconner. *Il a été arrêté pour **braconnage**.*

braconner verbe ▸conjug. 3
Pêcher ou chasser dans des conditions interdites par la loi. *Un garde-chasse l'a surprise en train de **braconner**.* ♦ Famille du mot : braconnage, braconnier.

braconnier, braconnière nom
Personne qui pratique le braconnage. *Des **braconniers** ont posé des pièges dans le bois.*

braguette nom féminin
Ouverture verticale sur le devant d'un pantalon ou d'un short.

braillard, braillarde adjectif et nom
Qui braille. *Un bébé **braillard**. – Je voudrais bien faire taire cette **braillarde**.*

braille nom masculin
Système de lecture et d'écriture pour les aveugles, qui utilise des points en relief. *C'est Louis Braille, organiste aveugle, qui a inventé le **braille** au 20e siècle.*

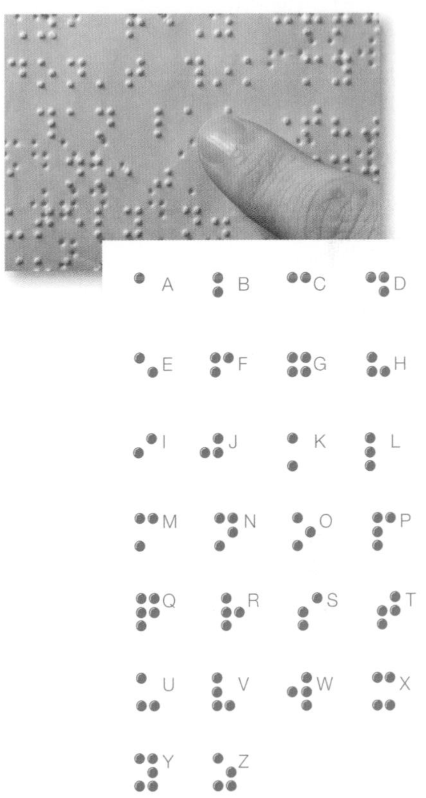

*Le **braille***

brailler verbe ▸conjug. 3
❶ Dans la langue familière, crier, parler très fort. **SYN** hurler. ❷ Pleurer bruyamment. *Le bébé se met à **brailler** dès qu'on veut le mettre au lit.*

braiment nom masculin
Cri de l'âne.

braire verbe ▸conjug. 40
Pousser des braiments. *L'âne s'est mis à **braire**.*

a b c d e f g h i j k l m n o p q r s t u v w x y z

a b c d e f g h i j k l m n o p q r s t u v w x y z

braise nom féminin
Morceau de bois ou de charbon qui brûle sans flamme. *Les campeurs font griller du pain au-dessus de la* ***braise***. * Chercher aussi *tison*.

braisé, braisée adjectif
Cuit à feu doux dans un récipient fermé. *De la viande* ***braisée***.

bramer verbe ▸ conjug. 3
Faire entendre son cri, en parlant du cerf ou du daim.

bran nom masculin
Partie la plus grossière du son. • **Bran de scie :** sciure de bois.

brancard nom masculin
❶ Chacune des deux longues pièces de bois entre lesquelles on attelle une bête de trait. *Les* ***brancards*** *d'une carriole, d'une charrette.* ❷ Sorte de lit formé d'une toile tendue entre deux longues tiges de bois ou de métal. SYN civière. *On a emporté les blessés sur des* ***brancards***. • **Ruer dans les brancards :** se rebiffer, refuser d'obéir.

branchages nom masculin pluriel
Branches coupées. *Les enfants ramassent des* ***branchages*** *pour le feu de camp.*

branche nom féminin
❶ Ramification d'un arbre, qui pousse sur le tronc et porte les feuilles. *Benjamin est assis à califourchon sur la plus grosse* ***branche*** *du pommier.* 👁p. 66. • **Entendre à travers les branches :** apprendre par ouï-dire. *J'****ai entendu à travers les branches*** *que nos voisins divorçaient.* ❷ Partie. *Une* ***branche*** *de notre famille vit au Nouveau-Brunswick.* * Chercher aussi *arbre* généalogique*. ❸ Partie allongée et articulée d'un objet. *Les* ***branches*** *d'une paire de lunettes, d'une pince.* ❹ Route qui part d'une autre route. *À cet endroit, la route se divise en deux* ***branches***. ❺ Partie d'une chose qui se divise. *La poésie, le théâtre et le roman sont des* ***branches*** *de la littérature.* ♦ Famille du mot : branchages, embranchement.

branchement nom masculin
Action de brancher quelque chose. *Le* ***branchement*** *sans fil à Internet est possible dans ce café.* SYN raccordement.

brancher verbe ▸ conjug. 3
Raccorder à une prise électrique ou mettre en communication. ***Brancher*** *le fer à repasser, la bouilloire électrique.* CONTR débrancher. ■ se **brancher :** dans la langue familière, se décider. *Tu pars, tu ne pars pas : il va falloir que tu* ***te branches*** *!* ♦ Famille du mot : branchement, débrancher.

branchie nom féminin
Organe respiratoire des animaux aquatiques. *Les poissons respirent dans l'eau grâce à leurs* ***branchies***.

brandir verbe ▸ conjug. 11
Agiter quelque chose à bout de bras. *Les manifestants défilent en* ***brandissant*** *des pancartes.*

branlant, branlante adjectif
Qui n'est pas stable. *Son mobilier se compose d'une vieille table et de quelques chaises* ***branlantes***. CONTR solide, stable.

branle nom masculin
• **Se mettre en branle :** se mettre en mouvement. *Le défilé* ***s'est mis en branle*** *à l'heure prévue.* SYN s'ébranler.

branle-bas nom masculin invariable
Agitation qui précède une action. *La pièce va commencer, c'est le* ***branle-bas*** *général dans les coulisses.*

branler verbe ▸ conjug. 3
Bouger par manque de stabilité. *Il faudrait caler le pied de la chaise pour qu'elle ne* ***branle*** *pas.* ♦ Famille du mot : branlant, branle, branle-bas, ébranler, inébranlable.

braquer verbe ▸ conjug. 3
❶ Diriger vers un point précis. *Il* ***braque*** *sa lampe de poche vers le coin sombre de la pièce.* ❷ Tourner le volant d'un véhicule pour le faire changer de direction. *L'automobiliste* ***a braqué*** *à gauche pour éviter le fossé.* ■ se **braquer :** s'opposer avec obstination. *Au moindre reproche, Laetitia* ***se braque***.

bras nom masculin
❶ Membre supérieur de l'être humain, entre l'épaule et la main. *En levant le* ***bras***, *il peut toucher le haut de la fenêtre.* 👁p. 246. ❷ Côté d'un siège qui sert à poser le bras. *Les* ***bras*** *d'un fauteuil.* • **À bras ouverts :** de manière très chaleureuse. • **À tour de bras :** avec force ou avec excès. • **Avoir le bras long :** avoir de l'influence. • **Baisser les bras :** renoncer.

• **Les bras m'en tombent :** je suis stupéfait, abasourdi. • **Bras de mer :** étroite étendue de mer entre les terres. * Chercher aussi *détroit*. • **Le bras droit de quelqu'un :** son principal collaborateur. ♦ Famille du mot : avant-bras, brassard, brasse, brassée.

brasier nom masculin
Violent incendie. *Ce gigantesque* ***brasier*** *que tu aperçois au loin, c'est un incendie de forêt.*

bras-le-corps adverbe
❶ En serrant très fort avec ses deux bras. *Le pompier a saisi l'enfant* ***à bras-le-corps*** *et l'a transporté hors du brasier.* ❷ Au sens figuré, énergiquement. *Elle a décidé de prendre ce problème* ***à bras-le-corps****.*

brassage nom masculin
❶ Action de brasser la bière. ❷ Mélange. *Le* ***brassage*** *des cartes.*

brassard nom masculin
Bande de tissu que l'on porte autour du bras. *Le capitaine de l'équipe de soccer porte un* ***brassard*** *pendant le match.*

Un ***brassard***

brasse nom féminin
Nage sur le ventre dans laquelle les mouvements des bras et des jambes sont symétriques. * Chercher aussi *crawl*.

brassée nom féminin
Quantité de choses que l'on peut tenir entre ses bras. *Une* ***brassée*** *de fleurs, une* ***brassée*** *de bois.*

brasser verbe ▸ conjug. 3
Remuer pour mélanger. ***Brassez*** *bien les cartes avant de rejouer !* • **Brasser des affaires :** traiter de nombreuses affaires en même temps. • **Brasser la bière :** la fabriquer. ♦ Famille du mot : brassage, brasserie, brasseur.

brasserie nom féminin
❶ Usine où l'on fabrique la bière. ❷ Restaurant où l'on boit surtout de la bière et où l'on peut prendre des repas simples. * Chercher aussi *taverne*.

brasseur, brasseuse nom
Personne qui fabrique ou qui vend de la bière.

bravade nom féminin
Action de braver, de défier. *Par* ***bravade****, Samuel provoque toujours ceux qui sont plus forts que lui.*

brave adjectif
❶ Courageux. *Il s'est montré* ***brave*** *face à ses ennemis.* **SYN** vaillant. **CONTR** lâche. ❷ Honnête et bon. *Vous pouvez leur faire confiance, ce sont de* ***braves*** *gens.* * Attention ! *Brave* se place après le nom dans le sens 1 et avant le nom dans le sens 2. ♦ Famille du mot : bravade, bravement, braver, bravoure.

bravement adverbe
Avec bravoure. *Il s'est* ***bravement*** *défendu.* **SYN** courageusement, vaillamment.

braver verbe ▸ conjug. 3
❶ Affronter avec courage. ***Braver*** *un danger, une tempête.* ❷ Tenir tête à quelqu'un. *Justine* ***a bravé*** *son père.* **SYN** défier, provoquer.

bravo ! interjection
Mot que l'on dit pour exprimer son admiration. *« **Bravo !** Vous avez réussi ! »* ■ **bravo** nom masculin Applaudissement. *La violoniste a salué sous les* ***bravos*** *enthousiastes du public.*

bravoure nom féminin
Qualité d'une personne brave, courageuse. *Ce pompier a reçu une médaille pour sa* ***bravoure****.* **SYN** courage, vaillance.

brebis nom féminin
Mouton femelle. *Un fromage au lait de* ***brebis****.* * Chercher aussi *agneau, bêler, mouton*.

Une ***brebis*** *et son petit*

a b c d e f g h i j k l m n o p q r s t u v w x y z

brèche nom féminin
Ouverture dans un mur, un obstacle. *Les récifs que le navire a heurtés ont fait une **brèche** dans sa coque.*

bredouille adjectif
• **Revenir bredouille**: sans avoir rien pris à la chasse ou à la pêche, ou sans avoir obtenu quoi que ce soit.

bredouiller verbe ▸ conjug. 3
Parler d'une manière confuse et précipitée. *Bianca a réussi à **bredouiller** quelques mots malgré sa timidité.* **SYN** bafouiller, balbutier.

bref, brève adjectif
Qui ne dure pas longtemps. *Nous avons fait un **bref** séjour dans la Beauce.* **SYN** court.

breloque nom féminin
Petit bijou accroché à une chaîne ou à un bracelet.

brésilien, brésilienne adjectif et nom
Du Brésil. *La samba est une danse d'origine **brésilienne**. – Les **Brésiliens**, les **Brésiliennes**.* ✎ Attention ! Le nom, qui désigne les habitants, s'écrit avec une majuscule.

bretelle nom féminin
❶ Courroie que l'on passe sur l'épaule pour porter un objet. *La **bretelle** d'une gourde. Les **bretelles** d'un sac à dos.* ❷ Portion de route qui relie une voie à une autoroute. *La **bretelle** d'accès à l'autoroute est signalée par un panneau.*
■ **bretelles** nom féminin pluriel Bandes de tissu passées sur chaque épaule pour retenir un vêtement. *Ben porte des **bretelles** rouges.*

Des **bretelles**

bretzel nom masculin
Biscuit en forme de huit, qui peut être salé ou sucré. *Marlène grignote des **bretzels**.*

breuvage nom masculin
Boisson un peu bizarre. *Il prétendait qu'un **breuvage** mystérieux lui donnait des pouvoirs surnaturels.*

brève ➔Voir **bref**

brevet nom masculin
❶ Diplôme attestant que l'on a réussi à un examen ou que l'on est apte à faire quelque chose. *Elle a obtenu son **brevet** de pilotage.* ❷ Papier officiel remis à un inventeur pour certifier qu'il est bien l'auteur d'une invention ou d'une découverte (et qu'il est le seul à avoir le droit d'en tirer un profit).

breveter verbe ▸ conjug. 9
Protéger une invention par un brevet. ✎ On peut écrire aussi, au présent, *il **brevète***; au futur, *elle **brevètera***; au conditionnel, *nous **brevèterions***.

bribe nom féminin
Petit bout de quelque chose. *À travers la porte, il entendait des **bribes** de conversation.* **SYN** fragment.

bric-à-brac nom masculin invariable
Amas de vieux objets de toutes sortes. *Cela m'étonnerait que vous trouviez quelque chose d'intéressant dans ce **bric-à-brac**.*

bricolage nom masculin
Action de bricoler. *Ces enfants de maternelle font du **bricolage** et de la peinture.*

bricole nom féminin
❶ Dans la langue familière, petit objet de peu de valeur. **SYN** babiole, cossin. ❷ Chose sans importance. *Ils se sont fâchés pour des **bricoles**.* **SYN** futilité.

bricoler verbe ▸ conjug. 3
❶ Faire de petits travaux manuels dans la maison. *Florence adore **bricoler** pendant ses heures de loisir.* ❷ Réparer quelque chose avec ce que l'on a sous la main. *Stefan **a bricolé** un nouveau guidon pour son vélo.* ♦ Famille du mot: bricolage, bricole, bricoleur.

bricoleur, bricoleuse nom
Personne qui aime bricoler. *Ma grande sœur est capable de réparer n'importe quoi, c'est une adroite **bricoleuse**.*

bride nom féminin
❶ Harnais relié au mors et fixé à la tête du cheval pour le diriger. *Retenir un cheval en tirant sur la **bride**.* • **À bride abattue:** à toute vitesse. • **Laisser (à quelqu'un) la bride sur le cou:** le laisser libre d'agir comme il veut. ❷ Petit anneau de tissu qui sert à attacher ou à suspendre. *Le petit bouton qui ferme son corsage s'attache avec une **bride**.*
♦ Famille du mot: bridé, brider, débridé.

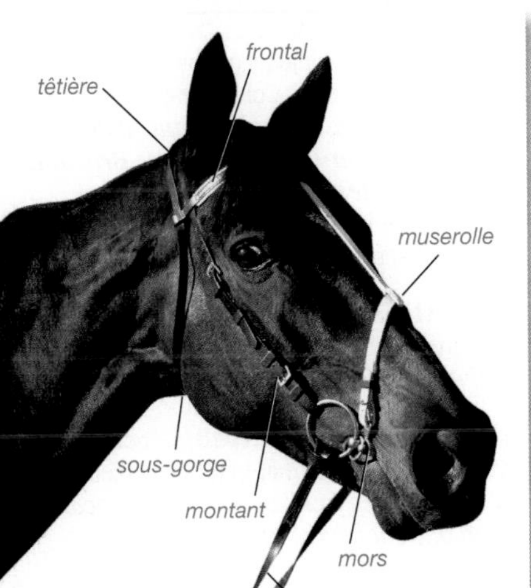

*Les parties d'une **bride***

bridé, bridée adjectif
• **Yeux bridés:** yeux dont les paupières forment une fente étroite. *Certains Asiatiques ont les **yeux bridés**.*

brider verbe ▸ conjug. 3
Mettre la bride à un cheval. • **Brider quelqu'un:** ne pas le laisser libre d'agir comme il veut.

bridge nom masculin
Jeu de cartes qui oppose deux équipes de deux personnes. *Faire une partie de **bridge**.*

brièvement adverbe
De façon brève, en peu de mots. *Il a **brièvement** raconté son voyage, sans donner de détails.* CONTR longuement.

brigade nom féminin
Groupe de policiers. *La **brigade** spéciale est intervenue.*

brigadier, brigadière scolaire nom
Personne chargée de veiller à la sécurité des élèves traversant une rue près de l'école.

brigand nom masculin
Malfaiteur qui pratique le vol, le pillage. *Au Moyen Âge, les **brigands** attaquaient les voyageurs.* SYN bandit, voleur.

brillamment adverbe
De manière brillante. *Zachary a **brillamment** réussi son évaluation en science et technologie.*

① **brillant, brillante** adjectif
❶ Qui brille. *Un sol **brillant** de propreté. Des yeux **brillants** de joie.* ❷ Qui est remarquable, exceptionnel. *Ibrahim a fait des études **brillantes**.* ■ **brillant** nom masculin Éclat, lustre. *Le **brillant** de la nacre.*

② **brillant** nom masculin
Diamant taillé. *Une bague ornée d'un **brillant**.*

briller verbe ▸ conjug. 3
❶ Produire une lumière vive. *Le soleil, les étoiles **brillent**.* ❷ Manifester une émotion. *Ses yeux **brillent** de plaisir.* SYN étinceler. ❸ Provoquer l'admiration ou attirer l'attention. *L'actrice **a brillé** dans son interprétation.*
♦ Famille du mot: brillamment, brillant.

brimer verbe ▸ conjug. 3
Faire subir des épreuves humiliantes. *Ces manifestants affirment que les policiers **ont brimé** leurs droits.*

brin nom masculin
❶ Tige mince d'une plante. *Un **brin** d'herbe, un **brin** de persil.* ❷ Morceau de fil. *Un **brin** de laine.* ❸ Petite quantité. *Il tombe quelques **brins** de neige.*

brindille nom féminin
Petite branche très mince. *L'oiseau construit son nid avec des **brindilles**.*

brio nom masculin
Virtuosité et talent. *La pianiste a interprété avec **brio** un concerto de Mozart.*

brioche nom féminin
Pâtisserie à pâte légère.

brique nom féminin
Bloc rectangulaire de terre cuite, utilisé comme matériau de construction. • **Attendre quelqu'un avec une brique et un fanal:** l'attendre de pied ferme dans l'intention de lui demander des explications sur quelque chose qu'il a fait. ■ **brique** adjectif invariable De la couleur rougeâtre des briques. *Une robe rouge **brique**.*

a b c d e f g h i j k l m n o p q r s t u v w x y z

briquet nom masculin
Petit appareil qui produit du feu. *Un* ***briquet*** *jetable. Un* ***briquet*** *rechargeable.*

briqueterie nom féminin
Usine où l'on fabrique des briques. ✎ On peut écrire aussi ***briquèterie***.

bris nom masculin
Action de briser. *Ils ont été arrêtés pour* ***bris*** *de vitrines.*

brise nom féminin
Vent doux et régulier. *Une* ***brise*** *légère agitait doucement le feuillage.* * Ne pas confondre *brise* et *bise*.

brisé, brisée adjectif
• **Ligne brisée:** en mathématique, ligne composée d'une suite d'angles aigus. SYN zigzag. 👁p. 484.

brise-glace nom masculin invariable
Navire dont la coque est renforcée à l'avant et qui peut briser la glace. *Le* ***brise-glace*** *ouvre un passage à travers la banquise pour les autres navires.* 👁p. 108. ✎ On peut écrire aussi, au pluriel, *des* ***brise-glaces***.

Un ***brise-glace***

briser verbe ▸ conjug. 3
❶ Casser. ***Briser*** *une vitre.* ❷ Au sens figuré, détruire ou faire échouer. *Cet accident* ***a brisé*** *sa carrière.* ❸ Au sens figuré, causer une grande fatigue. *Cette randonnée nous* ***a brisés.*** SYN épuiser. ■ *se* **briser** ❶ Se casser. *Ces verres de cristal* ***se brisent*** *au moindre choc.* ❷ Éclater sous forme d'écume, à cause d'un obstacle ou du vent. *Les vagues* ***se brisent*** *contre la falaise.* ♦ Famille du mot: bris, brisé, brise-glace.

britannique adjectif et nom
Du Royaume-Uni. *Le flegme* ***britannique.*** – *Les* ***Britanniques.*** ✎ Attention! Le nom, qui désigne les habitants, s'écrit avec une majuscule. * Chercher aussi *anglo-saxon*.

britanno-colombien, britanno-colombienne adjectif et nom
De la province de la Colombie-Britannique. *L'industrie de la pêche* ***britanno-colombienne.*** – *Les* ***Britanno-Colombiens****, les* ***Britanno-Colombiennes.*** ✎ Attention! Le nom, qui désigne les habitants, s'écrit avec des majuscules.

brocante nom féminin
Commerce de vieux objets ou d'objets d'occasion. *J'ai acheté ce meuble dans une* ***brocante***.

brocanteur, brocanteuse nom
Personne qui achète et vend des objets d'occasion. *En fouillant chez une* ***brocanteuse****, mon oncle a trouvé un très joli vase.*

broche nom féminin
❶ Bijou muni d'un fermoir, qui s'épingle sur un vêtement. *Anaïs porte une* ***broche*** *en argent sur sa veste.* ❷ Tige pointue qui sert à faire rôtir un morceau de viande. *Un poulet cuit à la* ***broche.*** ♦ Famille du mot: brochette, embrocher.

broché, brochée adjectif
Dont les feuilles sont assemblées à l'intérieur d'une couverture souple. *Les livres reliés sont plus résistants que les livres* ***brochés***.

brocher verbe ▸ conjug. 3
Assembler les feuilles d'un livre en les collant à l'intérieur d'une couverture souple. *L'imprimeur* ***a broché*** *ces livres.*

brochet nom masculin
Poisson d'eau douce très vorace. *Le* ***brochet*** *a une mâchoire garnie de dents acérées.* 👁p. 454.

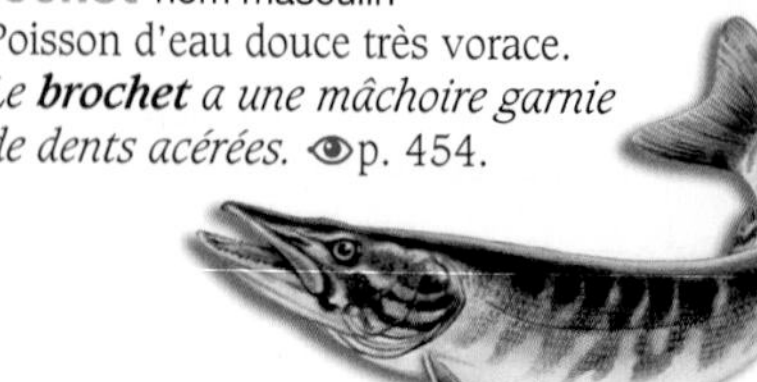

Un ***brochet***

brochette nom féminin
❶ Petite broche sur laquelle on enfile des morceaux de viande, de poisson ou de légumes que l'on fait griller. ❷ Petits morceaux de viande embrochés que l'on fait griller. *Mon grand-père fait cuire des **brochettes** de poulet.*

brochure nom féminin
Petit livre broché. *Mes parents ont pris quelques **brochures** sur l'Inde à l'agence de voyages.*

brocoli nom masculin
Variété de chou-fleur vert.

broder verbe ▸ conjug. 3
❶ Coudre des dessins sur une étoffe pour l'orner. *Ma sœur **a brodé** des petites fleurs sur le col de son chemisier.* ❷ Au sens figuré, embellir un récit en ajoutant des détails inventés. *Je crois que Paolo **brode** un peu quand il raconte ses exploits.*

broderie nom féminin
Ornement brodé sur un tissu. *Rachel porte une écharpe de soie ornée de **broderies**.*

bronche nom féminin
Chacun des deux conduits qui amènent l'air aux poumons. 👁p. 988.

broncher verbe ▸ conjug. 3
Manifester son impatience ou son désaccord. *Alain a accepté sa punition sans **broncher**.*

bronchite nom féminin
Inflammation des bronches. *Hélène tousse beaucoup à cause de sa **bronchite**.*

bronzage nom masculin
Couleur cuivrée que prend la peau quand on bronze. *Avec un tel **bronzage**, on voit que tu rentres de vacances.*

bronze nom masculin
Métal constitué d'un alliage de cuivre et d'étain. *Une statue en **bronze**.* ♦ Famille du mot : bronzage, bronzer.

bronzer verbe ▸ conjug. 3
Brunir au soleil. *Zoé **a** beaucoup **bronzé** pendant son séjour au bord de la mer.*

*Une statue en **bronze***

brossage nom masculin
Action de brosser.

brosse nom féminin
Ustensile de nettoyage constitué de poils ou de fibres assemblés sur un support. *Une **brosse** à dents, à cheveux, à chaussures.* • **Cheveux en brosse** : courts et droits sur la tête. ♦ Famille du mot : brossage, brosser.

brosser verbe ▸ conjug. 3
❶ Frotter avec une brosse. ***Brosser** un vêtement.* ❷ Au sens figuré, faire une description rapide. *L'enseignant nous **a brossé** un tableau de la crise économique actuelle.*
■ *se* **brosser** : se nettoyer avec une brosse. ***Se brosser** les dents, **se brosser** les ongles.*

brou nom masculin
Enveloppe verte de la noix. • **Brou (de noix)** : teinture brune que l'on retire de l'écorce des noix. *Teindre un meuble au **brou**.*

brouette nom féminin
Petit véhicule à une roue, que l'on pousse devant soi. *Carlo pousse une **brouette** remplie de terre.* 👁p. 630.

brouhaha nom masculin
Bruit confus que font des gens qui parlent en même temps. *Le **brouhaha** a cessé dans la salle quand le spectacle a commencé.*

brouillard nom masculin
Nuage formé par de minuscules gouttes d'eau en suspension dans l'air, qui gêne la visibilité. *Les voitures roulent au ralenti à cause du **brouillard**.*
SYN brume.

brouiller verbe ▸ conjug. 3
❶ Mélanger, mettre en désordre. *Le cambrioleur **a brouillé** les pistes. Michel **a brouillé** tous mes dossiers en fouillant dans mon bureau.* • **Œufs brouillés** : dont on mélange le jaune et le blanc durant la cuisson. ❷ Rendre difficile à comprendre. *Des parasites **brouillent** les émissions de radio.* **SYN** troubler. ❸ Rendre confus. *Vos explications n'ont fait que **brouiller** mes idées.*
SYN embrouiller. **CONTR** éclaircir.
♦ Famille du mot : brouillard, brouillon, débrouillard, embrouiller.

a b c d e f g h i j k l m n o p q r s t u v w x y z

a b c d e f g h i j k l m n o p q r s t u v w x y z

se **brouiller** verbe ▸ conjug. 3
Se fâcher avec quelqu'un à la suite d'un désaccord. *Après de nombreuses disputes, ils* ***se sont brouillés*** *définitivement.*

① **brouillon, brouillonne** adjectif
Qui manque d'ordre, de méthode. *Tu es trop* ***brouillon*** *pour que je te prête mes affaires.* **SYN** désordonné. **CONTR** ordonné.

② **brouillon** nom masculin
Ce que l'on écrit d'abord, avant de le recopier. *Veux-tu lire le* ***brouillon*** *de ma rédaction ?*

broussaille nom féminin
Végétation composée de mauvaises herbes, de ronces emmêlées. *Les enfants sont sortis des* ***broussailles*** *couverts d'égratignures.* • **Cheveux en broussaille :** emmêlés et mal peignés.

brousse nom féminin
Dans les pays tropicaux, étendue couverte de buissons et d'arbustes. * Chercher aussi *pampa, savane, steppe.*

brouter verbe ▸ conjug. 3
Manger de l'herbe en l'arrachant avec les dents. *Des chèvres* ***broutent*** *en bordure du chemin.*

Un bouc en train de ***brouter***

broyage nom masculin
Action de broyer.

broyer verbe ▸ conjug. 6
Réduire en pâte ou en poudre en écrasant. *On* ***broie*** *des grains de blé pour faire de la farine.* • **Broyer du noir :** avoir le cafard, être triste.

broyeur nom masculin
Appareil servant à broyer. *Jette ces déchets dans le* ***broyeur*** *à ordures.*

bru nom féminin
Femme ou conjointe du fils. *La femme de mon grand frère est la* ***bru*** *de mes parents.* **SYN** belle-fille. * Chercher aussi *gendre.*

bruine nom féminin
Pluie très fine. 👁p. 710.

bruiner verbe ▸ conjug. 3
Pleuvoir sous forme de bruine. *Dans certains pays, il* ***bruine*** *souvent.* * Attention ! *Bruiner* ne s'emploie qu'à la troisième personne du singulier.

bruissement nom masculin
Bruit léger et continu. *Le* ***bruissement*** *léger des feuilles agitées par la brise.*

bruit nom masculin
❶ Son perçu par l'oreille. *La perceuse fait un* ***bruit*** *insupportable.* ❷ Au sens figuré, nouvelle qui circule, que l'on raconte partout. *Le* ***bruit*** *court qu'ils se sont séparés.* **SYN** rumeur. • **Faire du bruit :** provoquer beaucoup d'intérêt, d'émotion. *Le mariage de ce chanteur populaire* ***a fait*** *beaucoup* ***de bruit.*** ♦ Famille du mot : bruitage, bruyamment, bruyant, ébruiter.

bruitage nom masculin
Reconstitution artificielle des bruits qui accompagnent une scène de film.

brûlant, brûlante adjectif
Très chaud. *La soupe est* ***brûlante.*** ✎ On peut écrire aussi ***brulant, brulante.***

brûlé nom masculin
Ce qui a brûlé. *Ça sent le* ***brûlé*** *dans la cuisine. La viande a un goût de* ***brûlé.*** ✎ On peut écrire aussi ***brulé.***

à **brûle-pourpoint** adverbe
Brusquement et sans prévenir. *Il a été incapable de répondre quand on l'a interrogé* ***à brûle-pourpoint.*** **SYN** de but* en blanc. ✎ On peut écrire aussi ***à brule-pourpoint.***

brûler verbe ▸ conjug. 3
❶ Se consumer sous l'action des flammes. *Des bûches* ***brûlent*** *dans la cheminée.* **SYN** flamber. *La forêt* ***a*** *entièrement* ***brûlé*** *dans l'incendie.* ❷ Subir une cuisson trop forte. *Éteins le four, le gâteau est en train de* ***brûler.*** ❸ Détruire par le feu. ***Brûler*** *des mauvaises herbes.* ❹ Ne pas s'arrêter à un signal. ***Brûler*** *un feu rouge, un stop.* **SYN** griller. ❺ Au sens figuré, être sur le point de trouver la solution. *C'est presque la bonne réponse, tu* ***brûles !*** • **Brûler de faire quelque chose :** le désirer avec force, avec

ardeur. *Il **brûlait de** voyager à travers le monde.* ■ se **brûler** : se faire une brûlure. *Il **s'est brûlé** avec de l'eau bouillante.* ✎ On peut écrire aussi ***bruler***. ♦ Famille du mot : brûlant, brûlé, brûleur, brûlis, brûlot, brûlure.

brûleur nom masculin
Partie d'un appareil dans laquelle brûle le combustible. *Cette cuisinière à gaz comporte quatre **brûleurs**.* ✎ On peut écrire aussi ***bruleur***.

brûlis nom masculin
Partie d'un bois ravagée par le feu ou d'un champ dont les herbes et les broussailles ont été brûlées. ✎ On peut écrire aussi ***brulis***.

brûlot nom masculin
Petit insecte dont la piqûre produit une sensation de brûlure. ✎ On peut écrire aussi ***brulot***.

brûlure nom féminin
❶ Blessure ou dégât causés par le feu. *Il s'est fait une **brûlure** au bras.* ❷ Sensation de chaleur, d'irritation ou d'acidité. *La **brûlure** d'une piqûre d'insecte. Des **brûlures** d'estomac.* ✎ On peut écrire aussi ***brulure***.

brume nom féminin
❶ Brouillard léger. *Le soleil a fini par dissiper la **brume** matinale.* ❷ Brouillard (qui peut être très épais) en mer. *Lorsqu'il y a de la **brume**, les bateaux s'annoncent par des coups de sirène.*

*De la **brume***

brumeux, brumeuse adjectif
Couvert de brume. *Un ciel **brumeux**.*

brun, brune adjectif
D'une couleur sombre qui tire sur le noir. *Des cheveux **bruns**. Une robe **brune**.* ■ **brun, brune** adjectif et nom Qui a les cheveux bruns. *Ils sont **bruns** tous les deux – Leur fille est une jolie **brune**.* ♦ Famille du mot : brunante, brunâtre, brunir.

brunante nom féminin
• **À la brunante :** à la tombée de la nuit.
* Chercher aussi *crépuscule*.

brunâtre adjectif
D'une couleur qui se rapproche du brun.

brunch nom masculin
Repas copieux servi à midi, généralement le dimanche, qui tient lieu à la fois de déjeuner et de dîner. *Le **brunch** est constitué en général d'un buffet.* ✎ Pluriel : des ***brunchs***. ■ **bruncher** verbe ▸ conjug. 3 Prendre un brunch.

brunéien, brunéienne
➜Voir tableau, p. 1319.

brunir verbe ▸ conjug. 11
Devenir brun. *Marek **a** beaucoup **bruni** pendant ses vacances à la mer.* SYN bronzer.

brusque adjectif
❶ Soudain et imprévu. *Anna s'est retournée d'un mouvement **brusque**. Une **brusque** montée de température.* ❷ Qui est fait sans douceur. *Il m'a repoussé d'un geste **brusque**.* ♦ Famille du mot : brusquement, brusquer, brusquerie.

brusquement adverbe
De façon brusque. *L'automobiliste a freiné **brusquement**.* SYN brutalement, subitement.

brusquer verbe ▸ conjug. 3
❶ Traiter quelqu'un sans douceur. *Ce n'est pas en le **brusquant** que vous obtiendrez quelque chose de lui.* SYN bousculer. ❷ Faire quelque chose plus vite que prévu. *Cet incident **a brusqué** les évènements.* SYN précipiter.

brusquerie nom féminin
Manière d'agir brusque. *Elsa nous a répondu avec **brusquerie**.* SYN rudesse. CONTR douceur.

brut, brute adjectif
Qui est encore dans son état naturel, sans avoir été transformé par l'être humain. *Pour faire de l'essence, on raffine le pétrole **brut**.* • **Diamant brut :** diamant non taillé. • **Poids brut :** qui comprend le poids de la marchandise et celui de l'emballage. CONTR poids net*.

brutal, brutale, brutaux adjectif
❶ Qui est dur et violent. *Je ne joue plus avec lui : il est trop **brutal**.* ❷ Sans précaution, sans ménagement. *Elle lui a annoncé cette mauvaise nouvelle d'une manière **brutale**.* ❸ Qui est imprévu et soudain. *Une chute **brutale** de la température.* ♦ Famille du mot : brutalement, brutaliser, brutalité, brute.

a b c d e f g h i j k l m n o p q r s t u v w x y z

brutalement adverbe
❶ De façon brutale. *Leïla m'a* ***brutalement*** *poussé contre le mur.* **SYN** durement, violemment. ❷ Brusquement, subitement. *La situation a* ***brutalement*** *changé.*

brutaliser verbe ▸ conjug. 3
Traiter avec brutalité. *Il est cruel de* ***brutaliser*** *les animaux.* **SYN** maltraiter.

brutalité nom féminin
Comportement brutal. *Je ne supporte pas sa* ***brutalité*** *envers son chien.* **SYN** dureté, rudesse.

brute nom féminin
Personne violente et grossière. *Cette* ***brute*** *a bousculé tout le monde.*

bruyamment adverbe
De façon bruyante. *L'équipe gagnante a* ***bruyamment*** *fêté sa victoire.*

bruyant, bruyante adjectif
❶ Qui fait beaucoup de bruit. *Des voisins* ***bruyants****.* ❷ Où il y a beaucoup de bruit. *La cafétéria est très* ***bruyante*** *à l'heure des repas.*

bruyère nom féminin
Plante sauvage à petites fleurs roses ou mauves. *La* ***bruyère*** *pousse entre autres dans les terrains sableux.*

De la **bruyère**

buanderie nom féminin
Pièce ou espace où l'on fait la lessive dans une maison ou un établissement à usage collectif. *Il y a plusieurs laveuses et sécheuses dans la* ***buanderie*** *de cet immeuble.* **SYN** salle de lavage*.

buccal, buccale, buccaux adjectif
Qui concerne la bouche. *Ce médicament se prend par voie* ***buccale****.* **SYN** oral.

bûche nom féminin
Morceau de bois de chauffage. *Les* ***bûches*** *flambent dans la cheminée.* • **Bûche de Noël :** pâtisserie en forme de bûche que l'on mange à Noël. ✎ On peut écrire aussi ***buche****.* ♦ Famille du mot : bûcher, bûcheron.

① **bûcher** nom masculin
Amas de bois sur lequel on fait brûler une personne. *Autrefois, on brûlait sur un* ***bûcher*** *toutes les personnes accusées de sorcellerie.* ✎ On peut écrire aussi ***bucher****.*

② **bûcher** verbe ▸ conjug. 3
❶ Travailler beaucoup. *Dang a dû* ***bûcher*** *pour son examen.* ❷ Couper du bois. ✎ On peut écrire aussi ***bucher****.*

bûcheron, bûcheronne nom
Personne qui abat des arbres. ✎ On peut écrire aussi *un* ***bucheron****, une* ***bucheronne****.*

budget nom masculin
Ensemble des dépenses et des revenus prévus. *Cet appartement est trop cher pour leur* ***budget****.*

buée nom féminin
Vapeur d'eau qui se condense sur une surface froide. *Je ne vois plus rien, il y a de la* ***buée*** *sur mes lunettes.*

buffet nom masculin
❶ Meuble servant à ranger la vaisselle, les couverts. ❷ Table où sont présentés les aliments et les boissons lors d'une réception. *Les invités se pressaient autour du* ***buffet****.* ❸ Ensemble de ces aliments et boissons. *Ma mère et ses sœurs ont préparé un excellent* ***buffet****.*

buffle nom masculin
Bovidé de la même taille que le bœuf.

Un **buffle**

buis nom masculin
Arbuste dont le feuillage est toujours vert, et le bois, très dur.

buisson nom masculin
Groupe d'arbustes entremêlés. *L'oiseau a fait son nid dans un* ***buisson****.* **SYN** fourré.

buissonnière adjectif féminin
• **Faire l'école buissonnière :** aller se promener au lieu d'aller à l'école.

bulbe nom masculin
Partie renflée de certaines plantes, qui reste sous terre. *On a planté des* ***bulbes*** *de tulipes dans le parc.*

bulgare
➜Voir tableau, p. 1319.

bulldozer nom masculin
Gros engin qui sert à creuser et à niveler le sol. SYN bouteur. ✎ On peut écrire aussi ***bulldozeur***.

bulle nom féminin
❶ Sphère remplie d'air qui se forme dans un liquide. *Des **bulles** de savon, des **bulles** d'eau gazeuse.* ❷ Dans une bande dessinée, espace entouré d'un trait, qui est réservé au texte des paroles prononcées par les personnages.

bulletin nom masculin
❶ Document sur lequel sont inscrites des notes, des observations. *Le **bulletin** de notes sera transmis aux parents des élèves dans quelques jours. Un **bulletin** de santé.* ❷ Papier servant à voter. *Pour voter, on met dans l'urne le **bulletin** sur lequel on a coché le nom du candidat de son choix.* ❸ Émission d'informations à la radio ou à la télévision. *C'est l'heure du **bulletin** météorologique.*

bureau, bureaux nom masculin
❶ Meuble, parfois muni de tiroirs, sur lequel on écrit, on travaille. *Samuel a rangé ses cahiers dans le premier tiroir de son **bureau**.* ❷ Pièce spécialement aménagée pour travailler. *La directrice reçoit les parents d'élèves dans son **bureau**.* ❸ Lieu de travail des employés d'une entreprise. *Mes parents prennent le métro pour aller au **bureau**.* ❹ Lieu où sont installés des services ouverts au public. *Un **bureau** de poste. Le **bureau** d'aide sociale.*

burette nom féminin
Petit tube effilé et gradué. 👁p. 575.

burin nom masculin
Outil en acier, taillé en biseau, qui sert à entailler le métal, le bois ou la pierre. *Sculpter une statue au **burin**.*

Un **burin**

burinage nom masculin
Action de marquer un objet de valeur pour prévenir le vol. *David a pu récupérer son vélo grâce au **burinage** effectué dans son quartier.*

burka ➜Voir **bourka**

burkinabé, burkinabée
➜Voir tableau, p. 1319.

Un personnage **burlesque**

burqa ➜Voir **bourka**

burlesque adjectif
D'un comique extravagant. *Dans ses films, Charlie Chaplin se trouve souvent dans des situations **burlesques**.*

burundais, burundaise
➜Voir tableau, p. 1319.

bus nom masculin
Abréviation familière d'*autobus*.

buse nom féminin
Oiseau de proie qui ressemble au faucon.
* Chercher aussi *rapace*.

Une **buse**

buste nom masculin
❶ Partie supérieure du corps humain, au-dessus de la taille. SYN torse. ❷ Sculpture qui représente la tête et le haut de la poitrine d'un personnage. *Un **buste** de Félix Leclerc orne le hall de l'école.*

but nom masculin
❶ Point que l'on vise, que l'on cherche à atteindre. *La flèche a atteint son **but**.* ❷ Ce que l'on cherche à accomplir. *Le **but** de Sacha est de devenir musicien.* ❸ Dans certains sports, espace dans lequel on doit faire pénétrer le ballon, la rondelle. *Le gardien de **but** a dévié la trajectoire du ballon.* ❹ Point marqué quand le ballon, la rondelle atteint l'intérieur du but. *Véronique a marqué un **but**.*
• **De but en blanc :** brusquement, sans préparation. SYN à brûle-pourpoint. * Ne pas confondre *but* et *butte*.

a b c d e f g h i j k l m n o p q r s t u v w x y z

butane nom masculin
Gaz utilisé comme combustible. *Un briquet au **butane**.*

buté, butée adjectif
Qui s'entête dans ses opinions. *Cet adolescent est trop **buté** pour écouter vos conseils.*

buter verbe ▸ conjug. 3
❶ Heurter avec le pied. *Akitoki **a buté** contre une pierre et s'est tordu la cheville.* ❷ Essayer de résoudre une difficulté sans y parvenir. *Fanny **a buté** sur le dernier problème de géométrie.* ♦ Famille du mot : buté, butoir.

se **buter**
S'entêter. *Dirk **se bute** dès qu'on essaie de lui expliquer quelque chose.*

butin nom masculin
Ce que l'on prend à un ennemi ou ce que l'on vole à quelqu'un. *Les pirates se sont partagé le **butin**.* 👁p. 784.

butiner
verbe ▸ conjug. 3
Récolter le pollen et le nectar des fleurs. *Des abeilles **butinent** les roses.*

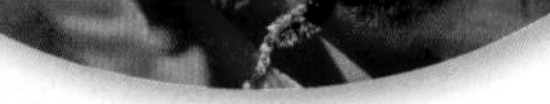

*Un insecte en train de **butiner***

butoir nom masculin
❶ Obstacle destiné à arrêter les locomotives ou les wagons. *La locomotive a heurté le **butoir** à l'extrémité de la voie ferrée.* ❷ Pièce qui empêche une porte de heurter le mur.

butte nom féminin
Petite élévation de terrain. *La balle de golf est tombée derrière la **butte**.* SYN monticule.
* Ne pas confondre *butte* et *but*.

buvable adjectif
Que l'on peut boire. *Ce café est à peine **buvable** tellement il est fort.*

buvard nom masculin
Papier spécial qui sert à absorber l'encre. *Avant de plier sa lettre, elle a séché l'encre avec un **buvard**.*

buveur, buveuse nom
Personne qui consomme une boisson en grande quantité. *Gabrielle est une grande **buveuse** de lait.*

bye! interjection
Dans la langue familière, formule que l'on utilise quand on quitte une personne. ***Bye!** À demain.* SYN au revoir.

c nom masculin invariable
❶ Troisième lettre de l'alphabet. *Le **c** est une consonne.* ❷ Chiffre romain (C) qui signifie cent. ❸ Symbole de centi- (c) et de degré Celsius (°C).

c' →Voir ② **ce**

ça pronom
Dans la langue familière, cela ou ceci. *Qui t'a dit **ça** ? Ne mange pas **ça** !*

çà adverbe
• **Çà et là :** un peu partout, sans ordre. *Des coquelicots poussent **çà et là** au bord du chemin.*

caban nom masculin
Manteau court en tissu épais, comme celui que portaient les marins autrefois.

Un **caban**

cabane nom féminin
Petite maison de bois qui peut servir d'abri. *Dans la forêt, il y a une **cabane** où les bûcherons peuvent s'abriter.*
• **Cabane à sucre :** petit bâtiment construit dans une érablière où l'on fait le sucre et le sirop d'érable. 👁p. 12.

cabanon nom masculin
Remise. *Mon père range ses outils dans le **cabanon**.*

cabaret nom masculin
Endroit où l'on peut voir un spectacle, danser, manger et boire.

cabine nom féminin
❶ Petite construction servant à un usage particulier. ***Cabine** téléphonique.* ❷ Petite chambre, dans un bateau. ❸ Petit local à usage déterminé. *Une **cabine** d'essayage, une **cabine** d'ascenseur.* ❹ Partie d'un véhicule réservée au conducteur ou au pilote. *Une **cabine** spatiale, une **cabine** de pilotage.*

cabinet nom masculin
❶ Bureau d'un médecin, d'un dentiste ou d'un avocat. *Un **cabinet** d'avocat.* ❷ Ensemble des personnes qui travaillent avec un ministre. *Le premier ministre a réuni son **cabinet**.* • **Cabinet de toilette :** petite pièce équipée d'un lavabo où l'on peut faire sa toilette.

câblage nom masculin
Opération de connexion des circuits d'un appareil électrique ou électronique. *Le **câblage** d'un ordinateur.*

câble nom masculin
❶ Grosse corde métallique. *Les cabines du téléphérique sont suspendues à un **câble**.* * Chercher aussi *cordage*. ❷ Gros fil de métal qui transporte l'électricité. ***Câble** électrique, **câble** téléphonique.* ❸ Abréviation de *câblodistribution*. *S'abonner au **câble**.*

câblé, câblée adjectif
Qui utilise la câblodistribution. *Une région **câblée**.*

a b c d e f g h i j k l m n o p q r s t u v w x y z

câbler verbe ▸ conjug. 3
Aménager un réseau de télédiffusion par câble.

câblodistribution nom féminin
Réseau de distribution d'émissions de télévision au moyen de câbles spéciaux.

caboche nom féminin
Dans la langue familière, tête. *Il n'a vraiment rien dans la* ***caboche****!*

cabochon nom masculin
❶ Dans la langue familière, tête. *N'avoir rien dans le* ***cabochon****.* ❷ Dans la langue familière, sot. *Ce garçon est un* ***cabochon****.* **SYN** cruche.

cabossé, cabossée adjectif
Qui présente des creux et des bosses. *Cette casserole est toute* ***cabossée****.*

cabosser verbe ▸ conjug. 3
Déformer par des bosses. *Les deux automobilistes* ***ont cabossé*** *leurs voitures.*

cabotin, cabotine adjectif et nom
Se dit d'une personne qui aime attirer l'attention sur elle. *Elvira est très* ***cabotine****, elle manque de naturel.*

se **cabrer** verbe ▸ conjug. 3
Se dresser sur ses pattes de derrière. *En arrivant devant l'obstacle, le cheval* ***s'est cabré****.*

cabri nom masculin
Chevreau.

cabriole nom féminin
Petit saut. *Les enfants font des* ***cabrioles*** *sur la pelouse.* **SYN** culbute, galipette, pirouette.

cabriolet nom masculin
Voiture décapotable. * Chercher aussi *berline, coupé, familiale, limousine.*

caca nom masculin
Dans la langue familière, excréments. *Le chien a fait* ***caca*** *sur le tapis.*

cacahouète ou **cacahuète** nom féminin
Graine de l'arachide. *Elle mange des* ***cacahouètes*** *grillées.*

cacao nom masculin
❶ Poudre obtenue avec les graines du cacaoyer. *Le* ***cacao*** *sert à fabriquer le chocolat.*
❷ Boisson faite de lait parfumé avec du cacao en poudre. *Au déjeuner, Élodie boit du* ***cacao****.* **SYN** chocolat.

cacaoyer nom masculin
Arbuste tropical dont la graine fournit le cacao.

Un **cacaoyer**

cachalot nom masculin
Très gros mammifère marin carnivore. *Le* ***cachalot*** *fait partie des cétacés.*

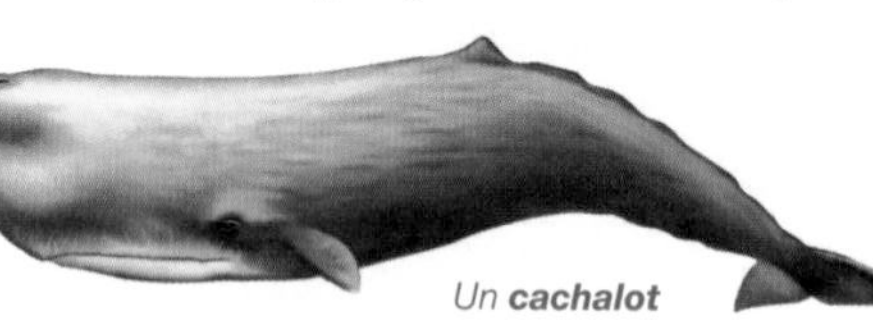

Un **cachalot**

cache nom masculin
Papier ou carton utilisé pour cacher une partie d'une surface. *L'enseignante met un* ***cache*** *pour masquer la partie d'un texte qu'elle ne veut pas photocopier.* ■ **cache** nom féminin Endroit où l'on peut se cacher ou cacher quelque chose. **SYN** cachette.

cache-cache nom masculin invariable
Jeu où un joueur doit trouver les autres qui se sont cachés. *Viens, nous allons jouer à* ***cache-cache****.* ✎ On peut écrire aussi ***cachecache***. * Chercher aussi *cachette*.

cachemire nom masculin
Tissu très doux fait avec du poil de chèvre. *Un foulard en* ***cachemire****.*

① **cacher** verbe ▸ conjug. 3
❶ Mettre quelqu'un ou quelque chose dans un endroit difficile à découvrir. *Pour lui faire une farce, Ahmed* ***a caché*** *les lunettes de sa sœur.* **SYN** camoufler, dissimuler. ❷ Empêcher de voir. *Les nuages* ***cachent*** *le soleil.* ❸ Ne pas laisser paraître. *Fabrice a eu du mal à* ***cacher*** *son émotion.* **CONTR** dévoiler, exprimer. • **Ne pas cacher quelque chose à quelqu'un**: le lui dire. ■ se **cacher**: se mettre hors de la vue. *Le chat* ***s'est caché*** *derrière l'armoire.*
♦ Famille du mot: cache, cache-cache, cachette, cachotterie, cachottier.

② **cacher, cachère** adjectif
Qui est préparé selon les prescriptions du judaïsme. *Ce boucher vend de la viande **cachère**.* * Attention ! L'adjectif masculin se prononce comme l'adjectif féminin.

cachet nom masculin
❶ Marque imprimée avec un tampon. *Le **cachet** de la poste indique la date de l'envoi d'une lettre.* ❷ Charme particulier d'un endroit. *Ce petit village a beaucoup de **cachet**.* ❸ Salaire d'un musicien ou d'un acteur. *Ce musicien de jazz vient de percevoir son **cachet**.* ❹ Comprimé. *Le malade avale un **cachet** avec un peu d'eau.*

cacheter verbe ▸ conjug. 9
Fermer une enveloppe en la collant.
CONTR décacheter. ✎ On peut écrire aussi, au présent, *je **cachète***; au futur, *tu **cachèteras***; au conditionnel, *elle **cachèterait***.

cachette nom féminin
Endroit pour se cacher ou pour cacher quelque chose. *Ce buisson est une très bonne **cachette** pour le chat.* • **En cachette** : sans se faire voir, en secret. • **Jouer à la cachette** : jouer à cache-cache. *Après l'école, Sandra et ses amies **jouent à la cachette**.*

cachot nom masculin
Cellule de prison petite et sombre.

cachotterie nom féminin
Petit secret pour cacher quelque chose sans importance. *Tu me fais des **cachotteries** !*
✎ On peut écrire aussi ***cachoterie***.

cachottier, cachottière adjectif
Qui fait des cachotteries. *Cette enfant est **cachottière**, c'est difficile de savoir ce qu'elle pense.* ✎ On peut écrire aussi ***cachotier***, ***cachotière***.

cacophonie nom féminin
Ensemble de sons discordants.

cactus nom masculin
Plante grasse épineuse des pays chauds.

*Des **cactus***

c.-à-d. ➔Voir **c'est-à-dire**

cadastre nom masculin
Registre contenant les plans de tous les terrains et bâtiments d'une ville ou d'une localité ainsi que le nom des propriétaires. *On peut consulter le **cadastre** à l'hôtel de ville.*

cadavérique adjectif
Qui est d'une maigreur ou d'une pâleur semblable à celle d'un cadavre. *Hien est malade, il a une mine **cadavérique**.*

cadavre nom masculin
Corps d'une personne morte ou d'un animal mort.

cadeau, cadeaux nom masculin
Ce que l'on offre à quelqu'un. *Comme **cadeaux** de Noël, Nicolas a eu un vélo et des livres.* • **Faire cadeau d'une chose** : la donner. *Je n'ai pas eu à acheter ce meuble, c'est mon voisin qui m'en **a fait cadeau**.* • **Ne pas faire de cadeau à quelqu'un** : être très sévère avec lui.

cadenas nom masculin
Objet que l'on utilise à la place d'une serrure pour verrouiller une porte, une boîte, etc. *Aurélie a perdu la clé du **cadenas** de son casier.*

cadenasser verbe ▸ conjug. 3
Fermer avec un cadenas. *La porte de la remise **est cadenassée**.*

cadence nom féminin
❶ Rythme régulier de sons ou de mouvements. *Le chef d'orchestre indique la **cadence** aux musiciens.* • **En cadence** : à intervalles réguliers, en suivant le rythme. *Les enfants tapent du pied **en cadence**.* ❷ Vitesse d'une action. *Si tu veux finir ton travail à temps, il va falloir accélérer la **cadence**.*

cadencé, cadencée adjectif
Qui se fait en cadence. *Le pas des soldats est **cadencé** : une, deux, une, deux !*

① **cadet, cadette** adjectif et nom
Qui est né après l'aîné. *Anaïs a un an de moins que son frère Marek : c'est sa sœur **cadette**. – Marek est l'aîné, et Anaïs, la **cadette**.*
■ **cadet, cadette** nom Personne plus jeune qu'une autre. *Elle est sa **cadette** de cinq ans.*

a b c d e f g h i j k l m n o p q r s t u v w x y z

② **cadet, cadette** nom
Membre d'un groupe de jeunes qui font l'apprentissage de certaines activités militaires. *L'an prochain, Bruce rejoindra son frère chez les* ***cadets****.*

cadrage nom masculin
Action de cadrer une photo.

cadran nom masculin
Surface marquée de divisions d'un appareil de mesure. *Le* ***cadran*** *d'une horloge.* • **Faire le tour du cadran:** dormir douze heures de suite. • **Cadran solaire:** système qui indique l'heure grâce à l'ombre d'une tige sur une surface.

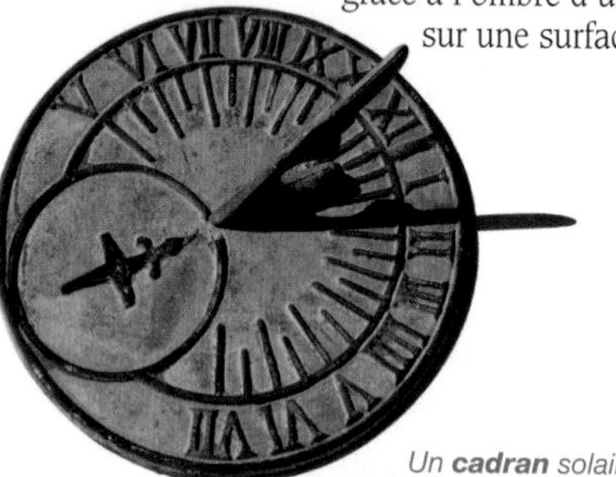
Un ***cadran*** *solaire*

① **cadre** nom masculin
❶ Bordure entourant un tableau, une photo, un miroir, etc. *Myriam a acheté des* ***cadres*** *pour encadrer ses photos.* ❷ Ce qui constitue l'environnement de quelque chose. *Cet hôtel est situé dans un* ***cadre*** *enchanteur.* **SYN** décor. ❸ Ce qui constitue les limites d'un domaine d'activités. *Il doit assumer cette responsabilité, c'est dans le* ***cadre*** *de ses fonctions.* ❹ Ensemble des parties assemblées qui constituent une armature. *Le* ***cadre*** *d'un vélo.* 👁p. 117. ♦ Famille du mot: cadrage, cadrer, cadreur, encadrement, encadrer.

② **cadre** nom
Personne qui assure une fonction d'encadrement ou de direction. *La mère d'Ali est* ***cadre*** *dans une banque.*
* Chercher aussi *employé, ouvrier, salarié.*

cadrer verbe ▸ conjug. 3
❶ Orienter son appareil photo de façon à centrer l'image. *Le photographe prend soin de bien* ***cadrer*** *la photo.* ❷ Au sens figuré, être en accord, concorder avec quelque chose. *Ce que tu dis* ***cadre*** *avec ce que Léa m'a raconté.* **SYN** correspondre.

cadreur, cadreuse nom
Personne chargée des prises de vues d'un film, d'une émission de télévision. **SYN** opérateur de prises de vues.

caduc, caduque adjectif
❶ Qui tombe chaque automne. *Les érables ont des feuilles* ***caduques****.* **CONTR** persistant. ❷ Qui n'est plus valable. *Ce règlement est* ***caduc****.* **SYN** périmé.

① **cafard** nom masculin
Petit insecte noir ou brun. **SYN** blatte, coquerelle.

② **cafard** nom masculin
• **Avoir le cafard:** être triste, démoralisé ou mélancolique.

café nom masculin
❶ Graine du caféier, avec laquelle on fait une boisson. *Le* ***café*** *est grillé et moulu avant son utilisation.* ❷ Boisson chaude faite avec ces graines. *Ma mère boit du* ***café*** *au déjeuner.* ❸ Établissement où l'on peut consommer des boissons. *Nous nous sommes installés à la terrasse d'un* ***café****.* ♦ Famille du mot: caféier, caféine, décaféiné.

caféier nom masculin
Arbuste des régions tropicales dont le fruit contient du café.

Des ***caféiers***

caféine nom féminin
Substance stimulante contenue dans le café, le thé, les boissons énergisantes et certaines boissons gazeuses.

cafétéria nom féminin
Espèce de restaurant où l'on peut généralement se servir soi-même à un comptoir. *À l'école, certains élèves mangent à la **cafétéria**.* ✎ Pluriel : *des **cafétérias**.*

cafetière nom féminin
Récipient servant à faire et à servir le café.

cafouiller verbe ▸ conjug. 3
❶ Dans la langue familière, mal fonctionner. *Le moteur de la voiture **cafouille**.* ❷ Dans la langue familière, s'embrouiller. *Noémie **a cafouillé** en répondant à la question.*

cage nom féminin
Abri fermé par des barreaux ou un grillage. *Au cirque, les lions sont présentés dans une **cage**.*
• **Cage d'escalier :** espace qu'occupe un escalier dans un immeuble ou une maison.
• **Cage d'ascenseur :** espace dans lequel l'ascenseur monte et descend.

cageot nom masculin
Caisse en bois léger servant à transporter des fruits ou des légumes. *Un **cageot** de pommes.*

cagnotte nom féminin
❶ Mise accumulée par les joueurs à certains jeux. ❷ Argent mis en commun par les membres d'un groupe. *Les élèves font une **cagnotte** pour le voyage de fin d'année.*

cagoule nom féminin
❶ Sorte de capuchon percé à l'endroit de chaque œil. *Le cambrioleur portait une **cagoule** pour ne pas être reconnu.* ❷ Passe-montagne. *Pour skier, Benoît met une écharpe et une **cagoule**.*

cahier nom masculin
Ensemble de feuilles de papier réunies entre elles et servant à écrire, à dessiner. *Juliette a un **cahier** pour chaque matière qu'elle étudie.*

cahin-caha adverbe
Tant bien que mal, péniblement. *Les affaires marchent **cahin-caha**.* ✎ On peut écrire aussi ***cahincaha***.

cahot nom masculin
Secousse d'une voiture sur une route pleine de trous et de bosses. *Cette voiture a une très bonne suspension, on ne sent pas les **cahots**.*
♦ Famille du mot : cahotant, cahoter, cahoteux.

cahotant, cahotante adjectif
Qui est secoué par des cahots. *Une roulotte **cahotante**.*

cahoter verbe ▸ conjug. 3
Être secoué par des cahots. *La voiture **cahote** sur le chemin de terre.*

cahoteux, cahoteuse adjectif
Qui provoque des cahots. *Rouler sur une piste **cahoteuse**.*

caïd nom masculin
Dans la langue familière, chef. *La police vient d'arrêter un **caïd** du trafic de la drogue.*
• **Jouer les caïds :** se montrer autoritaire. *Mathieu veut commander tout le monde, il **joue les caïds**.*

caille nom féminin
Oiseau qui ressemble à une petite perdrix.

*Une **caille** et ses œufs*

cailler verbe ▸ conjug. 3
Devenir épais, presque solide. *Le jus de citron fait **cailler** le lait.* **SYN** coaguler.

caillot nom masculin
Petite masse d'un liquide qui s'est solidifié, coagulé. *Un **caillot** de sang.*

caillou, cailloux nom masculin
Petite pierre. *Un tas de **cailloux**.*

caillouteux, caillouteuse adjectif
Couvert de pierres. *Un chemin **caillouteux**.*

caïman nom masculin
Crocodile d'Amérique. * Chercher aussi *alligator*.

*Des petits **caïmans***

a b c d e f g h i j k l m n o p q r s t u v w x y z

a b c d e f g h i j k l m n o p q r s t u v w x y z

caisse nom féminin
❶ Grande boîte servant à emballer des marchandises, à transporter des objets. *Un camion de livraison décharge des* ***caisses*** *de fruits devant l'épicerie.* ❷ Tiroir où un commerçant range l'argent de sa recette. ❸ Guichet où se font les transactions bancaires, monétaires. • **Caisse populaire :** établissement financier qui fonctionne comme une banque. *Alphonse et Dorimène Desjardins sont les fondateurs des* ***caisses populaires*** *au Québec.* ❹ Endroit d'un magasin où l'on paye ses achats. *Il y a souvent une file d'attente à la* ***caisse*** *de ce magasin.* ❺ Tambour. • **Grosse caisse :** gros tambour. ♦ Famille du mot : caissier, encaisser.

caissier, caissière nom
Personne qui tient une caisse dans un magasin ou une banque.

cajoler verbe ▸ conjug. 3
Câliner. *Maïka* ***cajole*** *son petit frère.*

cajou nom masculin
Fruit dont l'amande ressemble à une grosse cacahouète. *Pour la collation, on a mangé des noix de* ***cajou****.*

cajun adjectif
Propre aux francophones de la Louisiane. *La musique* ***cajun****.* ■ **Cajun** nom Francophone de la Louisiane. *Les* ***Cajuns*** *sont fiers de leurs racines.* ✎ Attention ! Le nom, qui désigne les membres de la communauté cajun, s'écrit avec une majuscule.

calamar ➔ Voir **calmar**

calamité nom féminin
Catastrophe qui frappe beaucoup de gens. *Les guerres, la famine, les inondations sont des* ***calamités****.* SYN désastre, fléau.

calandre nom féminin
Élément de décoration et de protection situé à l'avant de certaines voitures.

calcaire nom masculin
Roche sédimentaire souvent blanchâtre. *Le marbre et la craie sont du* ***calcaire****.* ■ **calcaire** adjectif Qui contient du calcaire dissous. *Dans cette région, l'eau est très* ***calcaire****.*

calciné, calcinée adjectif
Complètement brûlé, carbonisé. *Le hangar a brûlé : il n'en reste que des débris* ***calcinés****.*

calcium nom masculin
Métal blanc et mou, très abondant dans la nature et dans les organismes vivants. *Le lait et le fromage contiennent du* ***calcium****.*
* Attention ! La deuxième syllabe du mot *calcium* se prononce *ciome*.

calcul nom masculin
❶ Arithmétique. *Josh est meilleur en français qu'en* ***calcul****.* ❷ Opération faite en combinant des nombres. *Ces* ***calculs*** *sont faux, il faut les refaire.* ❸ Au sens figuré, action de prévoir quelque chose. *C'était un mauvais* ***calcul*** *de partir à cette heure-ci.* ♦ Famille du mot : calculateur, calculer, calculette, incalculable.

calculateur, calculatrice adjectif
Qui agit en essayant de prévoir ce qui va se passer pour en tirer profit. ■ **calculatrice** nom féminin Machine électronique servant à faire des calculs.

calculer verbe ▸ conjug. 3
❶ Chercher un résultat en faisant des calculs. *Cette pièce fait 4 mètres sur 5 :* ***calcule*** *sa surface.* ❷ Au sens figuré, préparer, préméditer quelque chose. *William* ***a*** *bien* ***calculé*** *son coup.*

calculette nom féminin
Calculatrice de poche.

① **cale** nom féminin
Pièce que l'on glisse sous un objet pour le rendre d'aplomb ou l'empêcher de rouler. *La table est bancale, il faut mettre une* ***cale*** *sous un de ses pieds.* ♦ Famille du mot : cale-pied, caler.

② **cale** nom féminin
Partie d'un bateau où l'on entrepose les marchandises. *Un passager clandestin s'était caché au fond de la* ***cale****.* • **Cale sèche :** bassin que l'on peut vider pour réparer la coque d'un bateau.

calé, calée adjectif
Dans la langue familière, qui est bon dans une matière ou une activité. *Alexandra est très* ***calée*** *en informatique.* SYN compétent.

calèche nom féminin
Voiture à cheval à quatre roues, munie d'une capote repliable. *Autrefois, on se déplaçait en* ***calèche****.*

Une ***calèche***

caleçon nom masculin
Sous-vêtement d'homme en forme de culotte. *Mon frère met des **caleçons** noirs.*

calembour nom masculin
Jeu de mots fondé sur des sons semblables. *Cet hôtel s'appelle « Au lion d'or » (= au lit on dort) ; son nom est un **calembour**.*

calendrier nom masculin
❶ Tableau sur lequel sont inscrits les mois, les jours, les fêtes d'une année. *Regarde sur le **calendrier** quel jour est Pâques cette année.* ❷ Programme d'activités échelonnées sur une période donnée. *L'entreprise qui a construit leur maison n'a pas respecté le **calendrier** des travaux.*

cale-pied nom masculin
Accessoire fixé sur les pédales d'un vélo pour maintenir le pied bien en place. ✎ Pluriel : *des **cale-pieds**.*

calepin nom masculin
Petit carnet sur lequel on prend des notes. *Ying écrit ses rendez-vous sur un **calepin**.*

caler verbe ▸ conjug. 3
❶ Immobiliser un objet en mettant une cale à l'endroit qui convient. *Il faudrait **caler** cette armoire : les portes ferment mal.* ❷ S'arrêter brusquement. *La voiture **a calé** dans la côte.* ❸ Enfoncer dans un liquide. *Surchargée, la barque **cale** dans l'eau.*

calfeutrer verbe ▸ conjug. 3
Boucher les fentes autour des portes ou des fenêtres pour empêcher l'air froid d'entrer. ■ *se* **calfeutrer** : s'enfermer. *Elle **se calfeutre** chez elle et ne voit personne.*

calibre nom masculin
❶ Diamètre intérieur du canon d'une arme à feu. *Un pistolet à gros **calibre**.* ❷ Taille ou grosseur de quelque chose. *Trier des fruits selon leur **calibre**.* ❸ Au sens figuré, importance, valeur. *Les joueurs de cette équipe sont de même **calibre**.*

calibrer verbe ▸ conjug. 3
Trier selon le calibre. *Calibrer des œufs.*

① **calice** nom masculin
Vase en métal précieux qui sert à célébrer la messe. *Le prêtre verse le vin de messe dans le **calice**.*

*Un **calice***

② **calice** nom masculin
Enveloppe d'une fleur qui s'épanouit lors de la floraison. 👁p. 446.

à **califourchon** adverbe
Assis avec une jambe de chaque côté. *Kristin est assise **à califourchon** sur un banc.*
SYN à cheval.

câlin, câline adjectif
Qui aime donner des baisers, des caresses, et en recevoir. *Benjamin est très **câlin** quand il est sur les genoux de sa grand-mère.* ■ **câlin** nom masculin Geste de tendresse. *Amina fait des **câlins** à son petit frère.*

câliner verbe ▸ conjug. 3
Faire des câlins. *Philippe **câline** son chaton.*
SYN cajoler.

calligramme nom masculin
Poème dont les vers sont disposés en forme de dessin.

J'ai trouvé un castor…

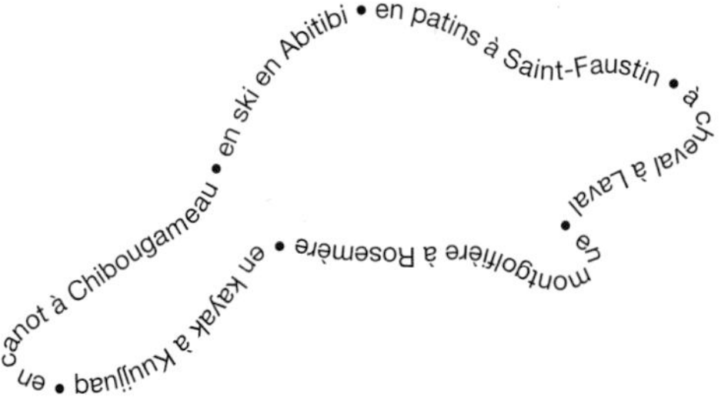

*Un **calligramme***

calligraphie nom féminin
Art de bien tracer les caractères d'écriture.

calmant nom masculin
Médicament qui calme la douleur ou l'angoisse. ■ **calmant, calmante** adjectif Apaisant. *Une tisane **calmante**.*

calmar nom masculin
Mollusque marin muni de tentacules. *Certains **calmars** géants atteignent dix mètres de long.*
* On dit aussi ***calamar***.

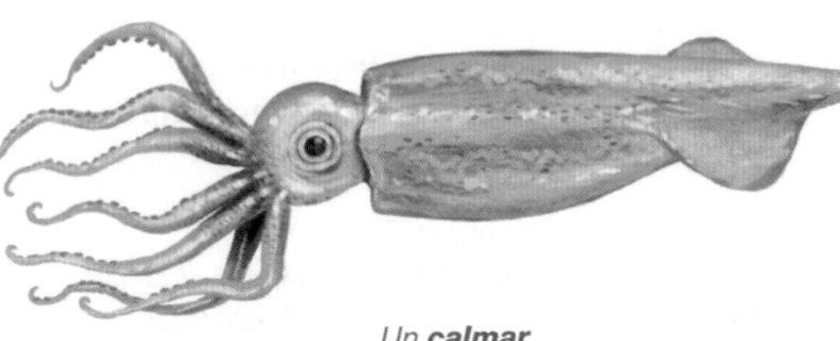

*Un **calmar***

calme adjectif
❶ Où il n'y a pas d'agitation, pas de bruit. *Nous habitons un quartier très **calme**, il n'y passe que peu de voitures.* CONTR bruyant. ❷ Qui est tranquille, paisible. *Sandrine est une fillette **calme**.* CONTR agité, nerveux, turbulent. ■ **calme** nom masculin ❶ État calme. *Rien ne troublait le **calme** de la nuit.* ❷ Humeur paisible. *Il a gardé son **calme** dans l'accident.* SYN sang-froid. • **Calme plat :** absence totale de vent sur la mer. ♦ Famille du mot : accalmie, calmant, calmement, calmer.

calmement adverbe
De façon calme. *Il parle toujours **calmement**, sans s'énerver.*

calmer verbe ▸ conjug. 3
❶ Rendre plus calme. *La berceuse **a calmé** le bébé.* SYN apaiser. ❷ Rendre moins vif, moins violent. *La malade prend des cachets qui **calment** la douleur.* ■ *se* **calmer** ❶ Devenir plus calme. *L'enfant a fini par **se calmer** dans les bras de son père.* ❷ Devenir moins violent. *L'orage **s'est calmé**.* SYN s'apaiser.

calomnie nom féminin
Accusation mensongère contre quelqu'un. *Si l'on m'accuse d'avoir triché, c'est une **calomnie** !* * Chercher aussi *médisance*.

calomnier verbe ▸ conjug. 10
Dire des calomnies. *Ce candidat aux élections estime **avoir été calomnié** par son adversaire.* SYN diffamer.

calorie nom féminin
Unité employée pour mesurer l'énergie fournie à l'organisme par les aliments. *Les graisses sont riches en **calories**.*

calorifère nom masculin
Appareil destiné au chauffage d'une maison par la circulation d'eau ou d'air chauds dans les conduits.

calotte nom féminin
Petit bonnet rond qui ne couvre que le sommet de la tête. • **Calotte glaciaire :** vaste étendue de glace qui recouvre les pôles.

calque nom masculin
Copie d'un dessin faite à l'aide d'un papier transparent placé dessus. • **Papier calque :** papier transparent qui sert à faire des calques.

calquer verbe ▸ conjug. 3
❶ Faire un calque. *Maïa **calque** un cheval.* ❷ Imiter, copier exactement. *Elle **calque** ses manières sur celles de sa sœur.*

calumet nom masculin
Pipe à tuyau long des Amérindiens.

*Un **calumet***

calvaire nom masculin
❶ Croix érigée à la croisée de deux routes ou à une bifurcation, qui rappelle la mort du Christ. ❷ Au sens figuré, longue suite de souffrances. *Sa maladie a été un véritable **calvaire**.* SYN martyre.

calvitie nom féminin
État d'une personne qui n'a plus ou presque plus de cheveux.

camarade nom
Personne que l'on voit souvent, avec qui on pratique une activité. *Yann a invité ses **camarades** de classe pour son anniversaire.* SYN copain, copine.

camaraderie nom féminin
Bonne entente qui existe entre des camarades. *Il y a un bon esprit de **camaraderie** dans cette classe.*

cambodgien, cambodgienne
↠Voir tableau, p. 1319.

cambouis nom masculin
Graisse noire. *Le garagiste a les mains pleines de **cambouis**.*

cambrer verbe ▸ conjug. 3
Redresser une partie du corps en la creusant en arrière. *La gymnaste **cambre** fièrement le dos à la fin de son exercice.*

cambriolage nom masculin
Action de cambrioler. *Il y a eu un **cambriolage** cette nuit à la bijouterie.*

cambrioler verbe ▸ conjug. 3
Commettre un vol après être entré de force dans un lieu fermé. *Leur chalet **a** déjà **été cambriolé** plusieurs fois.* SYN dévaliser. ♦ Famille du mot : cambriolage, cambrioleur.

cambrioleur, cambrioleuse nom
Personne qui fait un cambriolage. *Les **cambrioleurs** se sont fait arrêter.*

caméléon nom masculin
Petit reptile qui peut changer de couleur en fonction du milieu où il se trouve pour se cacher. 👁p. 892.

Un **caméléon**

camelot nom
Personne qui livre des journaux à domicile.

camelote nom féminin
Dans la langue familière, marchandise de mauvaise qualité. *Cette montre s'arrête tout le temps, c'est vraiment de la **camelote**!*

camembert nom masculin
Fromage rond à pâte molle, fait avec du lait de vache.

caméra nom féminin
Appareil qui sert à filmer. * Chercher aussi *caméscope*. • **Caméra Web:** petite caméra numérique installée sur un ordinateur permettant de diffuser sur le Web des données en temps réel. **SYN** webcam.

camerounais, camerounaise
➛Voir tableau, p. 1319.

caméscope nom masculin
Caméra portative servant à filmer en vidéo. *Nous avons filmé des moments de nos vacances avec un **caméscope**.* * *Caméscope* est le nom d'une marque.

camion nom masculin
Gros véhicule servant à transporter des marchandises. *Un **camion** de déménagement.* **SYN** poids lourd. ♦ Famille du mot: camionnette, camionneur.

camionnette nom féminin
Petit camion.

camionneur, camionneuse nom
Personne qui conduit un camion. **SYN** routier.

camisole nom féminin
Vêtement ajusté ou maillot de corps sans manches couvrant le torse.

camomille nom féminin
Plante dont les fleurs servent à faire de la tisane. 👁p. 446.

Des fleurs de **camomille**

camouflage nom masculin
Action de camoufler. *Les soldats se sont mis en tenue de **camouflage**.*

camoufler verbe ▸conjug. 3
Rendre difficile à reconnaître. *Pour le combat de nuit, les soldats **camouflent** leur visage avec de la suie.*

camp nom masculin
❶ Terrain où une armée installe ses tentes ou ses baraquements. ❷ Endroit où sont rassemblés des gens. *Un **camp** de réfugiés.* ❸ Chacun des partis ou des groupes qui s'opposent. *Il ne sait pas quel **camp** choisir.* • **Lever le camp** ou **ficher le camp:** dans la langue familière, s'en aller. • **Camp de vacances:** lieu spécialement aménagé pour recevoir des jeunes durant leurs vacances. *Francesco a hâte d'aller au **camp de vacances** pour faire du canot et de l'équitation.* • **Camp forestier:** lieu où sont regroupées les habitations et les installations servant aux bûcherons en forêt. • **Camp d'entraînement:** période de préparation intensive à laquelle sont soumis les sportifs (baseball, hockey, etc.) avant d'entreprendre une saison. ♦ Famille du mot: campement, camper, campeur, camping.

campagnard, campagnarde adjectif
De la campagne. *Un repas **campagnard**.*
■ **campagnard, campagnarde** nom
Personne qui vit à la campagne. **CONTR** citadin.

① **campagne** nom féminin
Lieu peu peuplé, offrant champs, forêts, lacs, rivières, etc., où se pratiquent les activités rurales. *Nous sommes allés nous promener à la **campagne**.*

② **campagne** nom féminin
Expédition militaire. *Les **campagnes** de Napoléon Ier sont célèbres.* • **Campagne électorale:** ensemble des actions menées par un candidat pour se faire élire. • **Campagne publicitaire:** opération destinée à faire connaître et vendre un produit ou une idée.

campanule nom féminin
Plante à fleurs en forme de clochettes.

a b c d e f g h i j k l m n o p q r s t u v w x y z

campement nom masculin
Endroit où l'on campe. *Les scouts ont installé leur **campement** au bord de la rivière.*

camper verbe ▸ conjug. 3
Faire du camping. *Cheng et Maëlie sont partis **camper** en Gaspésie.* ■ *se* **camper**: se tenir devant quelqu'un avec fermeté. *Alexia **se campe** devant son frère pour l'empêcher de passer.*

campeur, campeuse nom
Personne qui fait du camping.

camping nom masculin
❶ Fait de loger sous une tente ou dans une tente-roulotte. *Faire du **camping**.* ❷ Terrain aménagé pour les campeurs. *Ce **camping** est très proche de la plage.*

canadianisme nom masculin
Mot ou expression propre au français du Canada. * Chercher aussi *acadianisme*, *amérindianisme*, *anglicisme*, *québécisme*.

canadien, canadienne
adjectif et nom
Du Canada. *Le drapeau **canadien**.* – *Les **Canadiens**, les **Canadiennes**.* ✎ Attention ! Le nom, qui désigne les habitants, s'écrit avec une majuscule.

canadienne nom féminin
Manteau court et épais.

canaille nom féminin
Personne malhonnête qui trompe tout le monde. *Cet homme est une vraie **canaille**.* **SYN** crapule, fripouille*.

canal, canaux nom masculin
❶ Cours d'eau artificiel servant à la navigation. *Le **canal** de Panama traverse l'Amérique centrale.* ❷ Conduite servant à amener de l'eau pour l'arrosage. *Dans cette région sèche, l'irrigation des cultures se fait grâce à des **canaux**.* ♦ Famille du mot : canalisation, canaliser.

canalisation nom féminin
❶ Action de canaliser. *Les travaux de **canalisation** d'une rivière.* ❷ Tuyau dans lequel passe un liquide ou un gaz. *Le gel a endommagé les **canalisations** d'eau.* **SYN** conduite.

canaliser verbe ▸ conjug. 3
❶ Rendre navigable un cours d'eau ou améliorer sa navigation. ❷ Au sens figuré, diriger dans une certaine direction. *Le policier **canalise** la circulation.*

canapé nom masculin
❶ Long siège à dossier. *Annabelle s'allonge sur le **canapé** pour lire sa BD.* ❷ Petite tranche de pain garnie. *L'hôtesse a préparé des **canapés** au saumon.*

canard nom masculin
Oiseau aux pattes palmées, qui sait nager et voler. *Cette fermière élève des **canards**.* 👁p. 454, 720.

canari nom masculin
Petit oiseau jaune au chant mélodieux. *Ma tante a acheté une grande cage pour ses **canaris**.* * Chercher aussi *serin*.

*Un **canari***

cancan nom masculin
Dans la langue familière, commérage. *Je refuse d'écouter ces **cancans**.* **SYN** potins.

cancer nom masculin
Maladie très grave. *Fumer peut provoquer le **cancer** du poumon.* ♦ Famille du mot : cancéreux, cancérigène, cancérologue.

cancéreux, cancéreuse adjectif
Qui est dû au cancer. *Une tumeur **cancéreuse**.* ■ **cancéreux, cancéreuse** nom Personne qui a un cancer.

cancérigène adjectif
Qui provoque le cancer. *On a découvert que l'amiante était **cancérigène**.*

cancérologue nom
Médecin spécialiste du cancer.

cancre nom masculin
Dans la langue familière, très mauvais élève.

candélabre
nom masculin
Chandelier à plusieurs branches.

*Un **candélabre***

candeur nom féminin
Grande naïveté. **SYN** innocence.

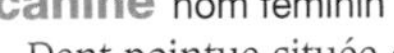

candidat, candidate nom
Personne qui se présente à un examen, à un jeu, à une élection, ou qui fait une demande d'emploi. *Sa tante est **candidate** aux élections municipales.*

candidature nom féminin
Fait d'être candidat. *On peut poser sa **candidature** en répondant à cette annonce.*

candide adjectif
Qui manifeste de la candeur. *Un air **candide**.* **SYN** naïf.

cane nom féminin
Femelle du canard.

caneton nom masculin
Petit de la cane.

Un **caneton**

canette ou **cannette** nom féminin
❶ Petite boîte en métal de forme cylindrique contenant une boisson.
❷ Bobine de fil sur une machine à coudre.

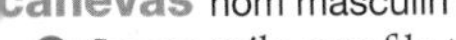

canevas nom masculin
❶ Grosse toile aux fils très espacés qui sert de support pour les ouvrages de tapisserie.
❷ Plan d'un ouvrage. *Justin a fait le **canevas** de son exposé.*

caniche nom masculin
Chien à poil frisé. 👁p. 194.

canicule nom féminin
Période de l'été où il fait très chaud.

canif nom masculin
Petit couteau de poche dont la lame se replie dans le manche.

canin, canine adjectif
Qui concerne les chiens. *Une exposition **canine**.*

Un **caniche**

canine nom féminin
Dent pointue située entre les incisives et les molaires. 👁p. 298.

caniveau, caniveaux nom masculin
Rigole qui longe le trottoir et permet l'écoulement des eaux.

canne nom féminin
Bâton sur lequel on s'appuie pour marcher. *Mon oncle ne peut plus marcher sans sa **canne**.* • **Canne à pêche :** bâton flexible auquel on accroche le fil et l'hameçon pour pêcher. • **Canne à sucre :** plante tropicale à hautes tiges dont on extrait du sucre (le sucre de canne).

Un champ de **canne à sucre**

canneberge nom féminin
Petit fruit au goût acidulé que l'on appelle aussi *atoca*.

cannelle nom féminin
Poudre brune parfumée faite avec l'écorce séchée d'un arbre tropical. *Ma mère met de la **cannelle** dans la tarte aux pommes.*

cannelloni nom masculin
Pâte alimentaire de forme cylindrique remplie de farce.

cannibale adjectif et nom
Qui mange de la chair humaine. *Une tribu **cannibale**. – Des **cannibales**.*

canoé ou **canoë** nom masculin
Embarcation étroite et légère manœuvrée à la pagaie et utilisée en compétition sportive. *Le dimanche, Svetlana va faire du **canoé** sur la rivière.* **SYN** canot.
* Chercher aussi *kayak*, *pirogue*.

① canon nom masculin
❶ Arme à feu constituée d'un long tube de métal servant à lancer des obus. *Les **canons** ont bombardé la ville.* ❷ Tube d'une arme à feu portative au bout duquel sort la balle. *Nettoyer le **canon** d'un revolver.*

Un **canon**

② canon nom masculin
Chant à deux ou plusieurs voix dans lequel on entonne successivement la même mélodie de façon décalée.

canoniser verbe ▸ conjug. 3
Admettre quelqu'un parmi les saints de l'Église catholique. *Le frère André **a été canonisé** le 17 octobre 2010.*

canot nom masculin
❶ Embarcation étroite et sans gouvernail, relevée aux deux extrémités, que l'on manœuvre à la pagaie. **SYN** canoé. * Chercher aussi *kayak*, *pirogue*. ❷ Embarcation non munie d'un pont, à rame, à voile ou à moteur. *Les navires sont pourvus de **canots** de sauvetage.* ♦ Famille du mot : canotable, canotage, canoter, canoteur.

canotable adjectif
Se dit d'un cours d'eau sur lequel on peut faire du canotage.

canotage nom masculin
Action de canoter. *Faire du **canotage**.*

canoter verbe ▸ conjug. 3
Se promener en canot.

canoteur, canoteuse nom
Personne qui pratique le canotage.

cantaloup nom masculin
Melon à écorce rugueuse et à chair orange.
* Attention ! Le *p* du mot *cantaloup* ne se prononce pas.

Un **cantaloup**

cantatrice nom féminin
Chanteuse d'opéra.

cantine nom féminin
Local d'une école ou d'une entreprise où l'on sert à manger. *Les jours de semaine, Émilie dîne à la **cantine**.* • **Cantine mobile** : camionnette équipée pour fournir des boissons, des aliments à emporter, sur un circuit donné. *La **cantine mobile** passe deux fois par jour dans cette zone industrielle.*

cantique nom masculin
Chant religieux. *À la messe, on chante des **cantiques**.*

canton nom masculin
Subdivision territoriale. *La région historique des **Cantons**-de-l'Est porte le nom officiel d'Estrie.*

cantonnement nom masculin
Logement provisoire pour des troupes.

cantonner verbe ▸ conjug. 3
Mettre des troupes dans un cantonnement. ■ *se* **cantonner** : se borner à faire quelque chose. *Il **s'est cantonné** à répondre à la question.*

canular nom masculin
Histoire inventée pour mystifier quelqu'un.

canyon nom masculin
Vallée très profonde et étroite, creusée par un cours d'eau. *Ce film a été tourné dans le **canyon** du Colorado.*

Le **canyon** du Colorado

caoutchouc nom masculin
Matière élastique et imperméable faite avec le latex de l'hévéa ou produite par l'industrie chimique. *Avec le **caoutchouc**, on fabrique des pneus.* * Attention ! Le *c* final du mot *caoutchouc* ne se prononce pas.

caoutchouteux, caoutchouteuse adjectif
Qui a la consistance du caoutchouc. *Un caramel* ***caoutchouteux***.

cap nom masculin
❶ Bande de terre qui s'avance dans la mer. SYN pointe. ❷ Direction suivie par un bateau ou un avion. *Le voilier a mis le* ***cap*** *sur le port.*

Le ***cap*** *Bon-Ami*

capable adjectif
❶ Qui peut faire quelque chose. *Es-tu* ***capable*** *de soulever cette boîte de livres ?* CONTR incapable. ❷ Apte à bien faire quelque chose. *Mme Charron cherche un employé* ***capable***. SYN compétent.

capacité nom féminin
❶ Compétence de quelqu'un. *Cet élève a beaucoup de* ***capacités***. SYN aptitude. ❷ Ce que contient un récipient. *Quelle est la* ***capacité*** *de ce réservoir d'essence ?* SYN contenance.

cape nom féminin
Grand manteau sans manches, que l'on porte sur les épaules.

capillaire adjectif
Qui concerne les cheveux. *Mon père se sert d'une lotion* ***capillaire***. • **Vaisseaux capillaires :** vaisseaux sanguins fins comme des cheveux.

capitaine nom masculin
❶ Grade militaire. *Les* ***capitaines*** *sont des officiers.* ❷ Personne qui commande un navire. *L'oncle de Dahlia est le* ***capitaine*** *de ce bateau.* ❸ Chef d'une équipe sportive. *Le* ***capitaine*** *de l'équipe de football félicite ses joueurs.*

① **capital, capitale, capitaux** adjectif
Qui est très important. *Ce témoignage sera* ***capital*** *pour l'avocat.* SYN décisif, essentiel, fondamental. CONTR secondaire. • **Peine capitale :** peine de mort.

② **capital, capitaux** nom masculin
❶ Somme d'argent que l'on place et qui rapporte des intérêts. ❷ Ensemble des biens que possède une personne. SYN fortune, patrimoine. ♦ Famille du mot : capitalisme, capitaliste.

capitale nom féminin
❶ Ville où se trouve le gouvernement d'un État. *Ottawa est la* ***capitale*** *du Canada.* ❷ Lettre majuscule. *Les noms propres commencent par une* ***capitale***. SYN majuscule.

capitalisme nom masculin
Système économique dans lequel les terres et les entreprises d'un pays appartiennent aux gens qui ont des capitaux, et non à l'État.

capitaliste adjectif
Qui a un rapport avec le capitalisme. *Les États-Unis et le Canada sont des pays* ***capitalistes***.
■ **capitaliste** nom Personne qui possède de gros capitaux. *Cet hôtel a été construit par un* ***capitaliste***. CONTR prolétaire.

capitonné, capitonnée adjectif
Qui est rembourré avec de la laine ou avec une autre matière souple. *Ce fauteuil* ***capitonné*** *est très confortable.*

capitulation nom féminin
Fait de capituler. *La* ***capitulation*** *d'un pays, d'une armée.*

capituler verbe ▸ conjug. 3
Cesser le combat et s'avouer vaincu. *Les ennemis étaient trop nombreux ; l'armée a dû* ***capituler***. SYN se rendre.

caporal, caporale, caporaux nom
Grade militaire le moins élevé.

capot nom masculin
Partie de la carrosserie qui protège le moteur d'une voiture. *Le garagiste soulève le* ***capot*** *pour mettre de l'huile dans le moteur.*

capote nom féminin
❶ Toit pliant d'une voiture décapotable.
❷ Grand manteau de soldat.

capoter verbe ▸conjug. 3
❶ Se retourner par accident, en parlant d'un véhicule. *La voiture roulait trop vite et **a capoté** dans un virage.* ❷ Dans la langue familière et au sens figuré, échouer. *Notre projet **a capoté**.* ❸ Dans la langue familière, s'emballer, perdre le contrôle de soi. *Elle **capote** chaque fois qu'elle écoute son chanteur préféré.*

câpre nom féminin
Fleur d'un arbuste (le câprier), que l'on conserve en bouton dans du vinaigre et qui sert de condiment. *On accompagne souvent le saumon fumé de **câpres**.*

*Des **câpres***

caprice nom masculin
Envie soudaine d'obtenir quelque chose. *Il n'est pas question de céder aux **caprices** de cet enfant gâté.* SYN fantaisie, lubie.

capricieux, capricieuse adjectif
Qui fait beaucoup de caprices. *Gabrielle est très **capricieuse**.*

① **capsule** nom féminin
Sorte de bouchon plat qui recouvre le goulot d'une bouteille. *Ces bouteilles de boissons gazeuses sont fermées par une **capsule**.*
♦ Famille du mot : décapsuler, décapsuleur.

② **capsule** nom féminin
• **Capsule spatiale :** partie habitable d'une fusée ou d'un satellite.

*Une **capsule** spatiale*

capter verbe ▸conjug. 3
❶ Recueillir en canalisant. ***Capter** l'eau d'une source.* ❷ Recevoir une émission. *Dans cette région éloignée, on ne peut **capter** qu'une chaîne de télévision.* • **Capter l'attention de quelqu'un :** la retenir.

captif, captive adjectif et nom
Qui est prisonnier. *Un animal **captif**. – Les **captifs** souhaiteraient être relâchés.*

captivant, captivante adjectif
Qui captive. *Ma grand-mère m'a raconté une histoire **captivante**.* SYN passionnant.

captiver verbe ▸conjug. 3
Intéresser énormément. *William **est** tellement **captivé** par son livre qu'il a oublié son match de hockey.* SYN passionner.

captivité nom féminin
❶ Fait d'être captif. *Beaucoup d'animaux ne peuvent pas vivre en **captivité**.* CONTR liberté.
❷ Fait d'être prisonnier. *La **captivité** de cette journaliste a duré deux ans.*

capture nom féminin
❶ Fait de capturer. *La **capture** d'un ours.*
❷ Prise. *Les zoologistes ont procédé à la **capture** de l'animal pour l'identifier.*

capturer verbe ▸conjug. 3
Attraper vivant. *Les gardes-chasses ont endormi l'ours pour le **capturer**.*

capuche nom féminin
Capuchon d'un vêtement. *Mon manteau a une **capuche** amovible.*

capuchon nom masculin
❶ Bonnet fixé à un vêtement. SYN capuche.
❷ Partie qui couvre un stylo.

capucine nom féminin
Plante ornementale comestible à feuilles rondes et à fleurs jaunes, orangées ou rouges.

*Une **capucine***

capverdien, capverdienne
➔Voir tableau, p. 1319.

caquet nom masculin
❶ Cri de la poule quand elle pond. ❷ Bavardage désagréable, prétentieux. • **Rabaisser** ou **rabattre le caquet de quelqu'un :** le forcer à se taire, à être plus modeste. • **Avoir le caquet bas :** être découragé, déprimé. *Mélanie **a le caquet bas** aujourd'hui : elle vient d'apprendre qu'elle ne participera pas aux championnats de volleyball.*

caqueter verbe ▸ conjug. 9
❶ Pousser de petits cris, en parlant de la poule. *Les poules **caquettent** quand elles pondent.* ❷ Au sens figuré, bavarder, jacasser. ✎ On peut écrire aussi, au présent, *elle **caquète***; au futur, *elle **caquètera***; au conditionnel, *elle **caquèterait***.

car conjonction
Indique la cause. *Couvre-toi, **car** il fait froid.*
SYN parce que.

carabine nom féminin
Fusil léger. *Raphaël s'exerce au tir à la **carabine**.*

carabiné, carabinée adjectif
Dans la langue familière, qui est fort et violent. *Maya a un rhume **carabiné**.*

caracoler verbe ▸ conjug. 3
Faire de petits sauts, en parlant d'un cheval. *L'écuyère fait **caracoler** son cheval sur la piste du cirque.*

① **caractère** nom masculin
Signe d'imprimerie. *Les livres pour enfants sont imprimés en gros **caractères**.*

② **caractère** nom masculin
❶ Marque distinctive, particulière. *Ces symptômes présentent tous les **caractères** de la grippe.* ❷ Manière d'être, de se comporter. *Émile a un bon **caractère**, il est toujours de bonne humeur.* • **Avoir du caractère**: être énergique ou avoir une forte personnalité.
♦ Famille du mot: caractériel, caractériser, caractéristique.

caractériel, caractérielle adjectif et nom
Qui présente des troubles du caractère. *Cet élève agressif est **caractériel**. – Une **caractérielle**.*

caractériser verbe ▸ conjug. 3
Être le caractère qui distingue une chose d'une autre. *Ce qui **caractérise** cette voiture, c'est sa faible consommation d'essence.*

caractéristique adjectif
Qui est particulier, distinctif. *L'odeur **caractéristique** du café.* **SYN** typique.
■ **caractéristique** nom féminin Principale particularité qui caractérise quelque chose. *Le langage est une **caractéristique** de l'être humain.*

carafe nom féminin
Large bouteille en verre à goulot étroit. *Le serveur nous a apporté une **carafe** d'eau.*

Une **carafe**

carambolage nom masculin
Accident dans lequel plusieurs voitures se heurtent à la suite. *Le verglas a causé un **carambolage**.*

caramel nom masculin
❶ Sucre fondu qui a pris une couleur brune et une consistance épaisse. *Ce chocolat est fourré au **caramel**.* ❷ Bonbon fait avec du caramel. *Des **caramels** mous.*

caraméliser verbe ▸ conjug. 3
❶ Enduire de caramel. ***Caraméliser** un gâteau.* ❷ Transformer en caramel. *Charlotte fait **caraméliser** du sucre.*

carapace nom féminin
Enveloppe très dure qui protège le corps de certains animaux. *La tortue rentre dans sa **carapace** quand elle a peur.*

Une **carapace** de tortue

Une **carapace** d'oursin

Une **carapace** de crabe

Une **carapace** de tatou

carat nom masculin
Quantité d'or fin contenue dans un objet en or. *Une chaîne en or à 18 **carats**.*

caravanage nom masculin
Faire du camping avec une caravane. *On a fait du **caravanage** au bord d'un lac.*

caravane nom féminin
Groupe de personnes qui se déplacent ensemble pour traverser des zones peu sûres. *Une **caravane** de nomades traverse le désert.*

a b c d i j k l m n o p q r s t u v w x y z

caravelle nom féminin
Bateau à voiles utilisé aux 15e et 16e siècles. *Une des* ***caravelles*** *de Jacques Cartier s'appelait « La Grande Hermine ».*

Une ***caravelle***

carbone nom masculin
Substance chimique qui est le constituant principal du charbon.

carbonique adjectif
• **Gaz carbonique :** mélange gazeux de carbone et d'oxygène.

carboniser verbe ▸conjug. 3
Brûler complètement. *Le rôti est resté trop longtemps au four : il* ***est carbonisé.***
SYN calciner.

carburant nom masculin
Combustible utilisé pour faire fonctionner un moteur. *L'essence et le kérosène sont des* ***carburants.*** • **Carburant diesel :** carburant destiné à alimenter les moteurs diesels. *Le* ***carburant diesel*** *est moins polluant qu'autrefois.*

carburateur nom masculin
Partie du moteur à explosion où le carburant se mélange à l'air.

carcajou nom masculin
Mammifère carnivore des régions froides.
SYN glouton.

carcasse nom féminin
❶ Ensemble des os d'un animal mort. *Une* ***carcasse*** *de poulet.* **SYN** squelette.
❷ Charpente, armature. *La* ***carcasse*** *d'un appareil, d'un bâtiment.*

cardiaque adjectif
Qui concerne le cœur. *Une maladie* ***cardiaque***
■ **cardiaque** adjectif et nom Qui a une maladie du cœur. *On vient de découvrir qu'elle est* ***cardiaque.*** *– Un médicament pour les* ***cardiaques.***

cardigan nom masculin
Veste de laine à manches longues qui se boutonne devant.

① **cardinal, cardinale, cardinaux** adjectif
• **Points cardinaux :** qui servent de repère pour se situer. *Les quatre* ***points cardinaux*** *sont le nord, le sud, l'est et l'ouest.*

② **cardinal, cardinaux** nom masculin
Dans l'Église catholique, évêque de rang élevé. *Le pape est élu par les* ***cardinaux.***

③ **cardinal, cardinaux** nom masculin
Oiseau au plumage rouge vif.

cardiologue nom
Médecin spécialiste du cœur.

cardiovasculaire adjectif
Relatif au cœur et aux vaisseaux sanguins. *Le système* ***cardiovasculaire.***
👁p. 988.

Un ***cardi***

carême nom masculin
Pour les catholiques, période de pénitence entre le Mardi gras et Pâques. *Le* ***carême*** *est une période de quarante jours.*

carence nom féminin
Insuffisance de ce qui est nécessaire. *Pour éviter une* ***carence*** *en vitamines, il faut avoir une alimentation saine et variée.*

caresse nom féminin
Geste tendre et affectueux. *Mon chat ronronne toujours quand je lui fais des* ***caresses.***

caresser verbe ▸conjug. 3
Faire des caresses. *Loan* ***caresse*** *la peau douce du bébé.*

cargaison nom féminin
Ensemble de marchandises transportées. *Les pêcheurs rapportent une belle* ***cargaison*** *de poissons.*

cargo nom masculin
Navire spécialisé dans le transport de marchandises.

cari nom masculin
❶ Poudre jaune faite d'un mélange d'épices indiennes. *Du riz au* ***cari***. ❷ Plat préparé avec cette poudre. *Ce* ***cari*** *de légumes est trop piquant.* * On dit aussi ***curry***.

caribou nom masculin
Renne d'Amérique du Nord. 👁p. 804.

Un ***caribou***

caricature nom féminin
Dessin satirique où les traits caractéristiques d'une personne sont exagérés. ♦ Famille du mot: caricaturer, caricaturiste.

caricaturer verbe ▸conjug. 3
Faire la caricature de quelqu'un. *Serge Chapleau* ***caricature*** *souvent des politiciens.*

caricaturiste nom
Artiste qui fait des caricatures.

carie nom féminin
Maladie de la dent aboutissant à une cavité dans l'ivoire. *Il faut se brosser les dents régulièrement pour éviter les* ***caries***.

carié, cariée adjectif
Qui a une carie. *Cette dent est* ***cariée***: *tu dois aller chez le dentiste.*

carillon nom masculin
❶ Ensemble de cloches qui sonnent avec un son différent. ❷ Sonnerie d'une horloge qui se déclenche à intervalles réguliers.

carillonner verbe ▸conjug. 3
Sonner longuement. *Les cloches* ***carillonnent*** *pour annoncer un mariage.*

carlingue nom féminin
Partie d'un avion où se trouvent l'équipage et les passagers. 👁p. 93.

carmin adjectif invariable
De couleur rouge vif. *Des étoffes* ***carmin***.

carnage nom masculin
Massacre d'hommes ou d'animaux en grand nombre. *Cette guerre a été un véritable* ***carnage***. **SYN** tuerie.

carnassier, carnassière adjectif et nom
Animal qui se nourrit de chair. *La belette est* ***carnassière***. *– Les fauves sont des* ***carnassiers***.

carnaval nom masculin
Grande fête avec des défilés et des bals costumés. *Le* ***carnaval*** *de Québec.*

carnet nom masculin
❶ Petit cahier. *J'ai noté son numéro de téléphone dans mon* ***carnet*** *d'adresses.* **SYN** calepin. ❷ Série de billets, de timbres ou de chèques.

carnivore adjectif et nom
Qui se nourrit de viande. *Les tigres et les lions sont* ***carnivores***. *–* *Les* ***carnivores*** *ont des canines très développées.* * Chercher aussi *frugivore, granivore, herbivore, insectivore, omnivore.*

carotide nom féminin
Artère du cou qui conduit le sang du cœur à la tête. 👁p. 988.

carotte nom féminin
Plante potagère dont on mange la racine orangée. *Un gâteau aux* ***carottes***.

carpe nom féminin
Gros poisson d'eau douce. • **Être muet comme une carpe**: ne pas dire un mot.

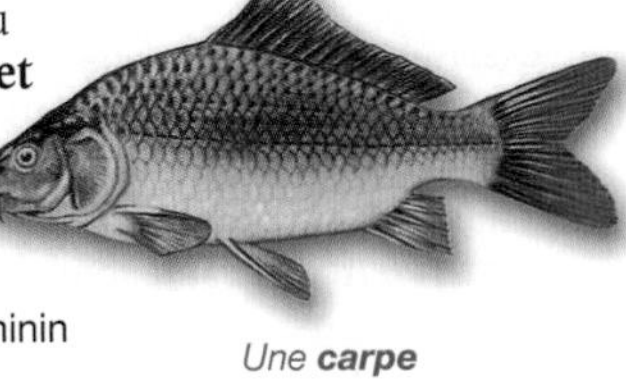

Une ***carpe***

carpette nom féminin
Petit tapis.

carquois nom masculin
Étui servant à mettre des flèches. *Les tireurs à l'arc portent un* ***carquois***.

carre nom féminin
❶ Baguette de métal fixée sur les bords inférieurs des skis. ❷ Tranchant d'un patin à glace.

carré, carrée adjectif
Qui a la forme d'un carré. *Cette pièce est* ***carrée***: *elle fait 3 mètres sur 3.* • **Mètre carré (m^2)**: mesure de surface qui correspond à la surface d'un carré de un mètre de côté. *Ce terrain a 12 m de long et 8 m de large: sa surface est égale à* $12 \times 8 = 96$ m^2. ■ **carré** nom masculin
❶ Figure géométrique qui a quatre côtés égaux et quatre angles droits. 👁p. 484. ❷ Nombre

multiplié par lui-même. *25 est le* ***carré*** *de 5 ($5 \times 5 = 5^2$).* • **Carré au chocolat :** petit gâteau carré au chocolat.

carreau, carreaux nom masculin
❶ Petite plaque qui sert à recouvrir le sol ou les murs. *Le sol de la cuisine est recouvert de* ***carreaux*** *de céramique.* ❷ Dessin en forme de carré. *Han porte une jupe à* ***carreaux****.* ❸ Vitre d'une fenêtre. *Les enfants ont cassé un* ***carreau*** *en jouant au ballon.* ❹ Une des quatre couleurs du jeu de cartes, en forme de losange rouge. *Un as de* ***carreau****.* * Chercher aussi *cœur, pique, trèfle.* • **Rester sur le carreau :** rester à terre, tué ou blessé. • **Se tenir à carreau :** être sur ses gardes.
♦ Famille du mot : carreauté, carrelage, carreler, carreleur.

carreauté, carreautée adjectif
Décoré de dessins qui forment des carreaux. *Un tissu* ***carreauté****.*

carrefour nom masculin
Endroit où se croisent deux ou plusieurs routes. *Attention, ce* ***carrefour*** *est très dangereux !*
SYN croisement.

carrelage nom masculin
Sol recouvert de carreaux assemblés. *Il faudra remplacer ce tapis par du* ***carrelage****.*
* Chercher aussi *dallage, pavage.*

carreler verbe ▸ conjug. 9
Recouvrir avec des carreaux. *Le maçon* ***a carrelé*** *la salle de bains.* ✎ On peut écrire aussi, au présent, *il* ***carrèle*** ; au futur, *elle* ***carrèlera*** ; au conditionnel, *tu* ***carrèlerais****.*

carreleur, carreleuse nom
Personne qui pose des carrelages.

carrément adverbe
Franchement et nettement. *Agnès a dit* ***carrément*** *à Gary ce qu'elle pensait de lui.*

① **carrière** nom féminin
Endroit d'où l'on extrait des matériaux de construction. *Une* ***carrière*** *de sable, de pierre, de marbre.*

② **carrière** nom féminin
Profession dans laquelle on progresse. *Lorenzo ne sait pas quelle* ***carrière*** *il choisira plus tard.*

carriole nom féminin
❶ Petite charrette couverte. ❷ Autrefois, voiture d'hiver montée sur patins et tirée par des chevaux.

carrossable adjectif
Où l'on peut rouler sans difficulté. *Ce chemin détrempé par la pluie n'est pas* ***carrossable****.*
SYN praticable. **CONTR** impraticable.

carrosse nom masculin
Autrefois, voiture luxueuse tirée par des chevaux. *La reine d'Angleterre se déplace en* ***carrosse*** *les jours de cérémonie.*

Un **carrosse**

carrosserie nom féminin
Partie extérieure d'une voiture. *Les ailes d'une voiture font partie de la* ***carrosserie****.* 👁p. 88.

carrousel nom masculin
Manège de chevaux de bois.

carrure nom féminin
Largeur du dos entre les épaules. *Alexis a vraiment une* ***carrure*** *d'athlète !*

① **carte** nom féminin
❶ Petit carton portant des figures et des dessins rouges ou noirs sur une face, qui fait partie d'un jeu. *Minh fait une partie de* ***cartes*** *avec sa grand-mère.* • **C'est ma dernière carte :** c'est ma dernière chance. • **Jouer cartes sur table :** agir avec franchise, sans rien dissimuler.
❷ Petit carton de forme rectangulaire sur lequel sont inscrites diverses informations. *Une* ***carte*** *d'identité.* • **Carte de crédit :** document en forme de carte qui permet de faire des achats sans paiement immédiat. • **Carte postale :** carton illustré dont le verso sert à la correspondance. • **Carte professionnelle :** petit carton portant les coordonnées et la fonction de quelqu'un.

② **carte** nom féminin
Liste des plats et des boissons dans un restaurant. *Choisir un plat à la* ***carte****.*

③ **carte** nom féminin
En géographie, dessin qui représente, à une certaine échelle, un pays, une région, etc. *Un atlas est un recueil de **cartes**.* • **Carte routière :** carte qui indique les routes d'une région.

cartilage nom masculin
Tissu résistant et de consistance élastique qui recouvre certaines parties du corps et les articulations. *Les oreilles et le nez sont faits de **cartilage**.*

cartilagineux, cartilagineuse adjectif
Qui est fait de cartilage. *Le squelette des requins est **cartilagineux**.*

cartographe nom
Spécialiste de la cartographie. *Une **cartographe**.*

cartographie nom féminin
Dessin des cartes géographiques, des plans des villes.

cartomancien, cartomancienne nom
Personne qui prétend lire l'avenir dans les cartes à jouer.

carton nom masculin
Papier épais et rigide. *Axel a fabriqué un masque avec du **carton**.* 👁p. 74.

cartonné, cartonnée adjectif
Fait de carton. *Un emballage **cartonné**.*

cartouche nom féminin
❶ Petit tube contenant de la poudre et un projectile, qui se charge dans une arme à feu. *Le chasseur prend son fusil et ses **cartouches**.* ❷ Étui contenant de l'encre, du gaz. *Je dois remplacer la **cartouche** d'encre de mon imprimante.* **SYN** recharge.

cartouchière nom féminin
Ceinture servant à transporter des cartouches.

cas nom masculin
❶ Ce qui arrive ou est arrivé. *Aujourd'hui il est en retard, mais ce n'est pas souvent le **cas**.* ❷ Apparition d'une maladie. *Il y a eu plusieurs **cas** de grippe dans notre classe.* • **En cas de** ou **au cas où :** si telle chose se produit. ***En cas d'**incendie, il faut appeler les pompiers. Préviens-moi **au cas où** tu changerais d'avis.* • **En tout cas :** quoi qu'il arrive, de toute façon. • **Faire cas de quelque chose :** y attacher de l'importance. *Fang n'**a fait** aucun **cas de** mes conseils.*

casanier, casanière adjectif
Qui aime rester chez soi. *Mon grand-père n'aime pas voyager, il est très **casanier**.*

cascade nom féminin
❶ Chute d'eau qui tombe de rocher en rocher. *L'eau tombait en **cascade** sur plusieurs mètres de hauteur.* ❷ Scène dangereuse au cinéma. *La vedette du film est doublée pour les **cascades** en voiture.*

*Une **cascade** dans la région de la Côte-de-Beaupré*

cascadeur, cascadeuse nom
Comédien spécialiste des cascades. *Pour les scènes dangereuses du film, un **cascadeur** double l'acteur principal.*

① **case** nom féminin
Habitation traditionnelle en matériaux légers, dans certains pays d'Afrique. 👁p. 512.
SYN hutte, paillote.

② **case** nom féminin
❶ Compartiment d'une boîte, d'un meuble. *Range les jetons de ton jeu dans une **case** et les dés dans une autre.* ❷ Armoire métallique où l'on range des vêtements, des objets. * Chercher aussi *casier*. ❸ Chacune des divisions tracées sur une surface. *Les **cases** d'un échiquier. Mettez une croix dans la **case** qui correspond à votre réponse.*

caser verbe ▸ conjug. 3
Trouver la place pour ranger quelque chose. *Impossible de **caser** ce fauteuil dans ma chambre !* ■ *se* **caser** : dans la langue familière, se marier.

a b c d e f g h i j k l m n o p q r s t u v w x y z

a b c d e f g h i j k l m n o p q r s t u v w x y z

caserne nom féminin
Bâtiment où sont logés les pompiers.

casier nom masculin
❶ Meuble de rangement qui comporte des cases. *Un **casier** à CD.* ❷ Dans un vestiaire, une école, compartiment métallique. *Liam a laissé ses livres dans son **casier**.* * Chercher aussi *case*. • **Casier judiciaire** : liste des condamnations prononcées contre quelqu'un. *Ce malfaiteur a un lourd **casier judiciaire**.* ❸ Piège employé pour la pêche des crustacés. *Des **casiers** à homards.*

casino nom masculin
Établissement où l'on joue de l'argent. *L'entrée du **casino** est interdite aux mineurs.*

casque nom masculin
❶ Coiffure rigide qui protège la tête. 👁p. 526. ❷ Appareil muni de deux écouteurs. *Ce **casque** peut s'adapter à un baladeur, à une radio ou à une télévision.* • **En avoir plein le casque** : dans la langue familière, en avoir assez.

casqué, casquée adjectif
Qui est coiffé d'un casque. *Tous les motocyclistes doivent être **casqués**.*

casquette nom féminin
Coiffure plate garnie d'une visière.

cassant, cassante adjectif
❶ Qui se casse facilement. *La pâte à tarte a durci et elle est devenue **cassante**.* ❷ Au sens figuré, qui est autoritaire et dur. *Il lui a dit d'un ton **cassant** qu'elle avait tort.*

casseau ou **cassot** nom masculin
Petit contenant léger, carré ou rectangulaire, dans lequel on présente les petits fruits à la vente. *Un **casseau** de bleuets.*

casse-cou nom et adjectif invariables
Personne qui aime prendre des risques sans se soucier du danger. *Sur son vélo, Esther est une vraie **casse-cou**. – Un sportif **casse-cou**.* ✎ On peut écrire aussi, au pluriel, *des **casse-cous***.

casse-croûte nom masculin invariable
❶ Dans la langue familière, repas léger. *Si la randonnée dure toute la journée, il faudra prévoir des **casse-croûte**.* ❷ Petit restaurant servant des repas légers. *Nous nous sommes arrêtés à ce **casse-croûte** pour prendre une bouchée.* ✎ On peut écrire aussi *un **casse-croute**, des **casse-croutes***.

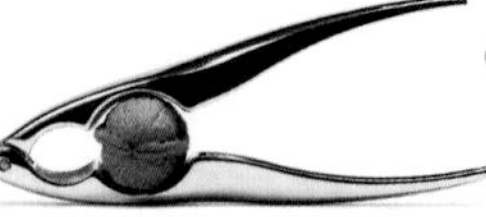
*Un **casse-noix***

casse-noix nom masculin invariable
Petit instrument qui sert à casser les coques de noix.

casse-pieds nom et adjectif invariables
Dans la langue familière, personne qui dérange, énerve. *Elle me téléphone sans arrêt pour des bêtises, quelle **casse-pieds** !* ✎ On peut écrire aussi *un, une **casse-pied**, des **casse-pieds***.

casser verbe ▸conjug. 3
❶ Mettre en plusieurs morceaux. *Inès **a cassé** une pile d'assiettes en débarrassant la table.* **SYN** briser. ❷ Mettre hors d'usage. *Ne tire pas sur le fil du téléphone, tu vas le **casser**.* • **Casser la croûte** : dans la langue familière, manger. • **Casser les oreilles de quelqu'un** : dans la langue familière, le déranger en faisant trop de bruit. • **Casser les pieds de quelqu'un** : l'ennuyer. ■ *se* **casser** : se fracturer. *Édouard **s'est cassé** la jambe en faisant du ski.*
♦ Famille du mot : cassant, casse, casse-cou, casse-croûte, casse-noix, casse-pieds, casse-tête, cassure, incassable.

casserole nom féminin
Ustensile de cuisine muni d'un manche ou de poignées, dans lequel on fait cuire les aliments.

casse-tête nom masculin invariable
❶ Jeu de patience composé de petites pièces découpées qu'il faut assembler pour former une image. ❷ Au sens figuré, ce qui est très compliqué à faire ou à résoudre. *Cette devinette est un vrai **casse-tête**.* ✎ On peut écrire aussi, au pluriel, *des **casse-têtes***.

cassette nom féminin
Étui contenant une bande magnétique utilisable dans un magnétophone ou un magnétoscope.

cassis nom masculin
Petite baie noire comestible provenant d'une variété de groseillier. *Du sirop de **cassis**, de la confiture de **cassis**.*

cassot ➜ Voir **casseau**

cassure nom féminin
Endroit où un objet a été cassé. *Le vase a été recollé : la **cassure** est visible.*

castagnettes nom féminin pluriel
Petit instrument de musique d'origine espagnole, fait de deux morceaux de bois que l'on fait claquer l'un contre l'autre dans la paume de la main. 👁p. 692.

caste nom féminin
Groupe de gens qui, s'estimant supérieurs ou différents, cherchent à maintenir leurs privilèges.

castor nom masculin
Rongeur à large queue plate qui vit au bord de l'eau. *Les **castors** vivent en petites colonies et construisent, sur les rivières, des digues qui leur servent d'abris.* 👁p. 638.

Un **castor**

castrer verbe ▸conjug. 3
Enlever à un animal mâle ses organes génitaux. *Un bœuf est un taureau qui **a été castré**.*
SYN châtrer.

cataclysme nom masculin
Catastrophe naturelle qui entraîne de grands bouleversements. *Les raz de marée, les tremblements de terre, les cyclones sont des **cataclysmes**.*

catalogne nom féminin
Étoffe artisanale, généralement multicolore, dont on fait des tapis, des couvertures, etc.

catalogue nom masculin
❶ Brochure qui propose des objets à vendre. *Karen commande ses vêtements par **catalogue**.* ❷ Répertoire de données informatiques. *J'ai consulté le **catalogue** de la bibliothèque municipale.*

catamaran nom masculin
Voilier à deux coques. *Les **catamarans** sont des embarcations très rapides.* 👁p. 108.
* Chercher aussi *trimaran*.

Un **catamaran**

catapulte nom féminin
Autrefois, machine de guerre qui servait à lancer de lourds projectiles.

Une **catapulte**

cataracte nom féminin
❶ Grande chute d'eau. *Les **cataractes** les plus célèbres du monde sont les chutes du Niagara.* ❷ Maladie qui rend opaque le cristallin de l'œil. *La **cataracte** peut causer la perte de la vue.*

catastrophe nom féminin
Évènement dramatique. *Plus de cent personnes ont péri dans cette **catastrophe** aérienne.*
• **En catastrophe :** à toute vitesse et sans préparation. *Ils sont partis **en catastrophe**.*

catastrophique adjectif
Qui a des conséquences dramatiques. *Cette sécheresse est **catastrophique** pour les agriculteurs.* **SYN** désastreux.

catéchisme nom masculin
Petit livre dans lequel l'instruction religieuse pour les chrétiens est résumée.

catégorie nom féminin
Ensemble de personnes, d'animaux ou de choses appartenant à la même espèce, au même genre. *Ce boxeur est dans la **catégorie** des poids moyens.*

catégorique adjectif
Qui est clair, net et sans réplique. *Dans sa réponse, elle a été **catégorique**.*
CONTR confus, évasif, hésitant.

a b c d e f g h i j k l m n o p q r s t u v w x y z

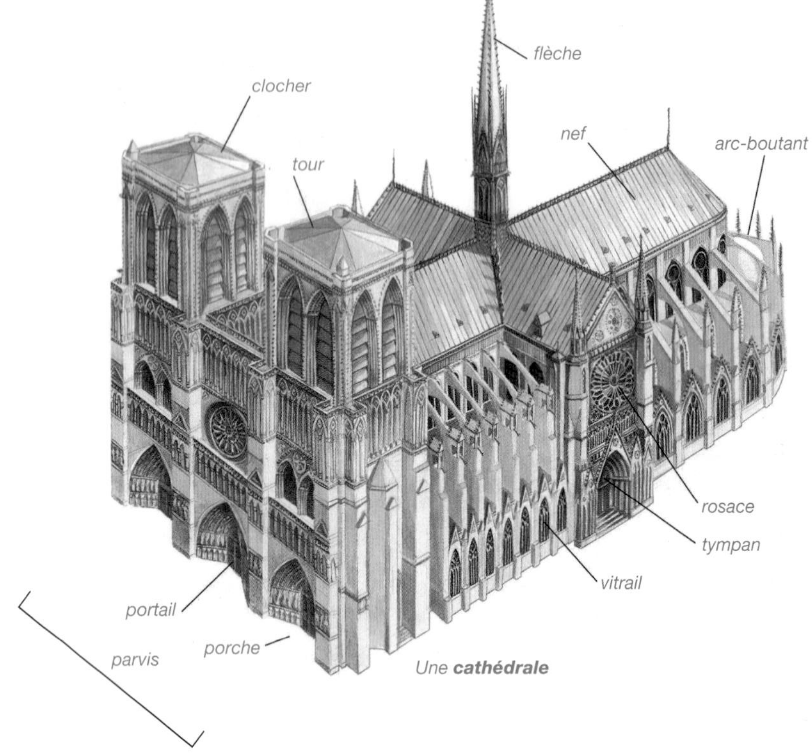

Une **cathédrale**

cathédrale nom féminin
Grande église sous l'autorité d'un évêque. *La **cathédrale** de Westminster, à Londres.*

catholicisme nom masculin
Religion des catholiques.

catholique nom
Chrétien qui obéit au pape. *Les **catholiques** vont à l'église pour prier.* ■ **catholique** adjectif
Qui a rapport au catholicisme. *La messe est une cérémonie **catholique**.*

en **catimini** adverbe
En cachette. *Il s'est glissé **en catimini** dans la cuisine pour finir le gâteau.*

cauchemar nom masculin
Rêve effrayant. *Il s'est réveillé en pleurant parce qu'il avait fait un **cauchemar**.*

caucus nom masculin
Réunion de membres d'un parti politique, au cours de laquelle sont débattues des questions d'ordre politique.

cause nom féminin
❶ Ce qui est à l'origine d'un évènement, d'un fait. *On ne sait rien des **causes** de l'incendie.* ❷ Idée ou principe que l'on défend. *Cette association soutient la **cause** des sans-abri.* • **Avoir gain de cause :** obtenir ce que l'on demandait. • **En connaissance de cause :** en sachant de quoi il s'agit. • **À cause de :** en raison de. *Tous les vols ont été annulés **à cause du** mauvais temps.* • **Mettre en cause :** accuser. • **Remettre en cause :** mettre en doute en soulevant des aspects critiques, réexaminer.

① **causer** verbe ▸ conjug. 3
Être la cause de quelque chose. *Ces pluies torrentielles **ont causé** un glissement de terrain.* **SYN** provoquer.

② **causer** verbe ▸ conjug. 3
Bavarder. *Elle **a causé** un instant avec sa voisine de palier.*

causeuse nom féminin
Petit canapé à deux places.

caustique adjectif
❶ Qui attaque et brûle la peau. *Ce produit est **caustique**.* ❷ Au sens figuré, qui blesse par des moqueries méchantes. *Son humour **caustique** a éloigné tous ses amis.*
SYN acerbe, mordant.

n o p q r s t u v w x y z

caution nom féminin
Somme d'argent qu'on laisse en garantie quand on loue quelque chose. *La **caution** versée pour ces vélos vous sera remboursée à la fin de la location.*

cavalerie nom féminin
Troupes à cheval. *La **cavalerie** de la Gendarmerie royale du Canada.*

① **cavalier, cavalière** nom
❶ Personne qui monte à cheval. * Ne pas confondre *cavalier* et *chevalier*. * Chercher aussi *écuyer*. ❷ Partenaire avec qui on forme un couple. *Le valseur entraîne sa **cavalière**.*
• **Faire cavalier seul :** agir tout seul, de son côté.

*Une **cavalière***

② **cavalier, cavalière** adjectif
Qui agit sans se soucier de la gêne qu'il peut causer. *C'est un peu **cavalier** de sa part d'arriver avec une heure de retard !*

cavalièrement adverbe
De manière cavalière. *Arielle traite trop **cavalièrement** les personnes âgées.* **CONTR** respectueusement.

cave nom féminin
Local situé dans le sous-sol d'un bâtiment. *La chaudière se trouve dans la **cave** de la maison.*

caveau, caveaux nom masculin
Lieu creusé dans un cimetière et à l'intérieur duquel sont réunies les sépultures d'une famille.

caverne nom féminin
Grotte. *Les ours hibernent dans des **cavernes**.*
• **Hommes des cavernes :** à l'époque préhistorique, personnes qui vivaient dans des cavernes.

caviar nom masculin
Œufs d'esturgeon noirs ou gris. *Le **caviar** est un mets très cher.*

cavité nom féminin
Partie creuse de quelque chose. *Des poissons vivent dans les **cavités** des roches sous-marines.* **SYN** creux, trou.

CD nom masculin invariable
Abréviation de *disque compact*, disque où sont enregistrés des sons lus par un laser.

CD-Rom nom masculin invariable
Abréviation de *cédérom*.

① **ce, cet, cette, ces** déterminant
Déterminant démonstratif qui sert à désigner une personne ou une chose présente dans la situation. ***Ce** film est ennuyeux. **Cet** hiver est très froid. Je n'ai jamais vu **cette** femme. **Ces** vêtements sont en solde.* * ***Ce*** devient ***cet*** devant un nom masculin qui commence par une voyelle ou un « h » muet. ***Ce***, ***cet***, ***cette***, ***ces*** peuvent être renforcés par les éléments -***ci*** et -***là*** placés après le nom et joints par un trait d'union : ***cet** homme-**là***, ***ces** arbres-**ci***. * Ne pas confondre *cet*, *cette*, *sept* et *set*.

② **ce** pronom
Pronom démonstratif qui s'emploie devant le verbe *être*. ***Ce** sont des amis.* * ***Ce*** devient ***c'*** devant les formes du verbe *être* qui commencent par une voyelle. ***C'**est gentil !* * Ne pas confondre *ce* et *se*.

ceci pronom
Pronom démonstratif qui désigne la chose que l'on montre et qui est la plus proche. *Lisez d'abord **ceci**, nous lirons les pages suivantes plus tard.*

cécité nom féminin
État d'une personne aveugle. *Depuis sa naissance, il est atteint de **cécité**.* * Chercher aussi *borgne*, *malvoyant*.

céder verbe ▸ conjug. 8
❶ Laisser ou donner ce que l'on a. *L'autobus était bondé, j'**ai cédé** ma place à une dame âgée.* ❷ Ne pas s'opposer. *Elle **cède** à tous les caprices de son fils.* **CONTR** résister.
❸ S'effondrer ou se rompre. *Le toit de la grange **a cédé** sous le poids de la neige.*
✎ On peut écrire aussi, au futur, *il **cèdera***; au conditionnel, *elle **cèderait***.

cédérom nom masculin invariable
Disque compact qui contient des sons, des images ou des textes. *Marianne a acheté une encyclopédie sur **cédérom**.* * Abréviation : ***CD-Rom***.

cédille nom féminin
Signe que l'on place sous un *c* quand il est suivi de *a*, *o* ou *u* pour indiquer qu'on doit le prononcer comme un *s*. *Le c s'écrit avec une **cédille** (ç) dans les mots « maçon », « reçu ».*

cèdre nom masculin
❶ Grand conifère. *Le **cèdre** est l'emblème du Liban.* ❷ Nom d'une espèce de thuya. *Une haie de **cèdres**.*

Une haie de **cèdres**

cégep nom masculin
Établissement public d'enseignement collégial général ou professionnel, dont le niveau se situe entre le secondaire et l'université. ✎ Pluriel : *des **cégeps**.*

cégépien, cégépienne nom
Élève qui fréquente un cégep.

ceinture nom féminin
❶ Bande de tissu ou de cuir qui sert à maintenir un vêtement autour de la taille. *Serre bien la **ceinture** de ton pantalon.* ❷ Bande de tissu dont la couleur indique un niveau dans les arts martiaux. *Yasmine est **ceinture** orange de judo.* • **Ceinture de sécurité :** courroie qui permet, dans les avions et les autos, de s'attacher à son siège pour être retenu en cas de choc. 👁p. 88. • **Ceinture fléchée :** ceinture de laine traditionnelle, rouge et à motifs multicolores en forme de flèches. *Lors du défilé du carnaval, de nombreux spectateurs portaient une **ceinture fléchée**.* • **Se serrer la ceinture :** dans la langue familière, réduire ses dépenses. ❸ Milieu du corps. *N'allez pas plus loin, vous avez déjà de l'eau jusqu'à la **ceinture** !* **SYN** taille. ♦ Famille du mot : ceinturer, ceinturon.

ceinturer verbe ▸ conjug. 3
❶ Entourer d'une ceinture. ❷ Attraper quelqu'un au niveau de la ceinture. *Le policier a réussi à **ceinturer** le voleur avant de le plaquer au sol.*

ceinturon nom masculin
Ceinture large. *Les soldats portent un **ceinturon**.*

cela pronom
Pronom démonstratif qui désigne la chose que l'on montre et qui est la plus éloignée. *Laisse la vaisselle, nous ferons **cela** plus tard.*

célébrant, célébrante nom
❶ Personne qui célèbre un office religieux. *C'est un évêque qui a été le **célébrant** de cette messe.* ❷ Officier de l'état civil chargé de recevoir le consentement des futurs époux lors d'un mariage, ou toute personne qualifiée pour exercer ce rôle. *Aujourd'hui, les futurs mariés peuvent choisir comme **célébrant** une personne de leur entourage.*

célébration nom féminin
Action de célébrer. *La **célébration** du mariage se déroulera samedi.*

célèbre adjectif
Très connu. *Louis Cyr était **célèbre** pour sa force.*

célébrer verbe ▸ conjug. 8
Fêter un évènement avec éclat. *Les partisans **ont célébré** la victoire de leur équipe.* ✎ On peut écrire aussi, au futur, *je **célèbrerai*** ; au conditionnel, *nous **célèbrerions***.

célébrité nom féminin
❶ Grande renommée. *Cette chercheuse a acquis la **célébrité** grâce à ses découvertes.* **SYN** notoriété. ❷ Personne célèbre. *Ce pianiste est une **célébrité** internationale.*

céleri ou **cèleri** nom masculin
Légume dont on mange les tiges, les feuilles ou la racine (céleri-rave). *Une crème de **céleri**.*

Un pied de **céleri**

céleste adjectif
Du ciel. *Cette nuit-là, des milliers d'étoiles illuminaient la voûte **céleste**.*

célibat nom masculin
État d'une personne célibataire. *Dans la religion catholique, les prêtres s'engagent à vivre dans le **célibat**.*

célibataire adjectif et nom
Qui n'est pas marié ou qui n'a pas de conjoint. *Mon grand frère est encore **célibataire**. – Une **célibataire**.*

celle → Voir **celui**

cellier nom masculin
❶ Pièce où l'on conserve le vin et les provisions. *Pour aménager un **cellier**, il faut un endroit sec et frais.* ❷ Meuble spécialement conçu pour stocker des bouteilles de vin.

cellophane nom masculin
Mince pellicule transparente que l'on utilise pour l'emballage. *Ces muffins sont emballés dans du **cellophane**.* * *Cellophane* est le nom d'une marque. * Au Québec, ce nom s'emploie au masculin et surtout au féminin dans le reste de la francophonie.

cellulaire nom masculin
Petit téléphone portable alimenté par une pile rechargeable. *Dans les écoles, il est interdit d'utiliser son **cellulaire** pendant les cours.* **SYN** portable. * On dit aussi *téléphone **cellulaire***.

① **cellule** nom féminin
Élément très petit qui constitue les organismes vivants. *Une **cellule** est composée d'une membrane et d'un noyau.*

② **cellule** nom féminin
Petite pièce fermée. *Le prisonnier a scié les barreaux de sa **cellule** pour s'échapper de la prison.*

cellulite nom féminin
Couche anormale de graisse et d'eau située sous la peau, sur certaines parties du corps.

cellulose nom féminin
Matière qui entre dans la composition des plantes. *On fabrique du papier à partir de la **cellulose** du bois.*

celui, celle, ceux, celles pronom
Pronom démonstratif qui représente la personne ou la chose dont on parle. *Ce n'est pas mon blouson, c'est **celui** de Chloé. Je n'aime pas cette robe noire, je préfère **celle** à fleurs. Les cheveux de Loïc sont plus longs que **ceux** de Song.* * ***Celui***, ***celle***, ***ceux*** et ***celles*** peuvent être accompagnés des éléments ***-ci*** et ***-là***: ***celui-ci*** indique ce qui est le plus proche, et ***celui-là***, ce qui est le plus éloigné.
* Ne pas confondre *celle*, *sel* et *selle*.

cendre nom féminin
Ce qui reste d'une matière qui a brûlé. *Le feu s'est éteint et il ne reste que des **cendres** dans la cheminée.*

cendrier nom masculin
Récipient destiné à recueillir les cendres et les mégots de cigarettes.

censé, censée adjectif
• **Être censé faire quelque chose:** devoir, en principe, faire quelque chose. *Elle **était censée** nous rejoindre devant le cinéma.* * Ne pas confondre *censé* et *sensé*.

censitaire nom masculin
Nom donné aux colons qui recevaient un lopin de terre pour le cultiver, lorsqu'ils s'installaient en Nouvelle-France. 👁p. 936.

censure nom féminin
Contrôle exercé par les autorités sur les films ou les livres avant que leur parution soit autorisée ou interdite. *Ce film a été interdit aux moins de 18 ans par la **censure**.*

censurer verbe ▸ conjug. 3
Interdire quelque chose par la censure. *Autrefois, certains journaux **étaient censurés**.*

cent déterminant numéral
Dix fois dix (100). *Il y avait au moins **cent** personnes dans la salle.* • **Pour cent:** en pourcentage par rapport à cent. *La proportion des élèves absents est d'au moins trente **pour cent** (30 %).* ♦ Famille du mot: centaine, centenaire, centième, centigramme, centilitre, centimètre, centuple.

centaine nom féminin
❶ Nombre de cent unités. *Dans 600, 6 est le chiffre des **centaines**.* ❷ Environ cent. *Il y a une **centaine** de places assises dans cette salle.*

centenaire adjectif et nom
Qui a cent ans ou plus. *Un arbre **centenaire**.* * Chercher aussi *séculaire*. – *Il y a plusieurs **centenaires** dans sa famille.* ■ **centenaire** nom masculin Centième anniversaire. *On va bientôt fêter le **centenaire** de mon arrière-grand-père.*

> **centi-** préfixe
> Placé devant le nom d'une unité de mesure, *centi-* divise par cent cette unité de mesure (***centi**litre* = centième partie du litre).

centième adjectif et nom
Qui occupe le rang numéro 100. *Le **centième** concurrent vient de passer la ligne d'arrivée.* – *Elle est la **centième** à postuler pour cet emploi.* ■ **centième** nom masculin Ce qui est contenu cent fois dans un tout. *Le nombre 5 est le **centième** de 500.*

centigramme nom masculin
Centième partie d'un gramme. * Abréviation: ***cg***.

centilitre nom masculin
Centième partie d'un litre. * Abréviation: ***cl***.

centimètre nom masculin
❶ Centième partie d'un mètre. * Abréviation: ***cm***. ❷ Ruban divisé en centimètres, qui sert à prendre des mesures.

a b c d e f g h i j k l m n o p q r s t u v w x y z

centrafricain, centrafricaine
➔Voir tableau, p. 1319.

central, centrale, centraux adjectif
Qui se trouve au centre. *L'Amérique **centrale** est située entre l'Amérique du Nord et l'Amérique du Sud.*

centrale nom féminin
Usine qui produit de l'électricité. *On distingue les **centrales** nucléaires, les **centrales** thermiques et les **centrales** hydroélectriques.*

centraliser verbe ▸conjug. 3
Regrouper en un seul endroit. *La mémoire d'un ordinateur peut **centraliser** des millions d'informations.*

centre nom masculin
❶ Point situé à égale distance des bords d'une surface, d'un espace. *Le **centre** d'une piste de danse.* **SYN** milieu. ❷ Lieu qui a une certaine importance. *Cette région est un **centre** touristique.* ❸ Couloir central d'une patinoire, situé entre l'aile droite et l'aile gauche, où évoluent les joueurs de centre. *La mise au jeu, au **centre** de la patinoire, exige la vigilance absolue des joueurs.* ❹ Ensemble des joueurs chargés d'effectuer les mises au jeu et de passer la rondelle ou le ballon aux autres joueurs de l'équipe. *L'action du **centre** a été décisive pendant cette partie gagnante.* • **Centre commercial:** endroit regroupant de nombreux magasins. • **Centre d'intérêt:** ce qui intéresse quelqu'un. ♦ Famille du mot: central, centrale, centraliser, centrer, centre-ville, centrifuge, décentraliser, excentrique.

centrer verbe ▸conjug. 3
Placer au centre. *Colle cette image sur la feuille en essayant de bien la **centrer**.*

centre-ville nom masculin
Quartier central d'une ville. *Elle tient une boutique dans le **centre-ville**.* ✎ Pluriel: *des **centres-villes**.*

centricois, centricoise adjectif et nom
De la région du Centre-du-Québec. *Une athlète **centricoise**. – Les **Centricois**, les **Centricoises**.* ✎ Attention! Le nom, qui désigne les habitants, s'écrit avec une majuscule.

centrifuge adjectif
Se dit d'une force qui repousse vers l'extérieur. *Le motocycliste s'incline dans le virage pour lutter contre la force **centrifuge**.*

centuple nom masculin
Nombre qui est cent fois plus grand. *Trois cents est le **centuple** de trois.* • **Au centuple:** en quantité beaucoup plus grande.

cependant conjonction
Indique une opposition. *Mégane refuse de porter des lunettes; **cependant**, elle en a besoin.* **SYN** pourtant, toutefois.

céramique nom féminin
❶ Art de fabriquer des objets en terre cuite, en faïence, en porcelaine, en grès. ❷ Matériau dans lequel sont fabriqués certains objets manufacturés comme les tuiles utilisées en construction. *Des vases, des carreaux en **céramique**.*

cerceau, cerceaux nom masculin
❶ Ancien jouet constitué d'un cercle de bois que les enfants faisaient rouler à l'aide d'un bâton. ❷ Cercle rigide utilisé comme jeu ou en gymnastique rythmique.

Des **cerceaux**

cercle nom masculin
❶ Ligne courbe fermée sur elle-même et dont tous les points sont à égale distance du centre. *En mathématique, on apprend à calculer la circonférence du **cercle**.* 👁p. 484. ❷ Ensemble de personnes ou de choses disposées en rond. *Un **cercle** de badauds s'était formé autour de la magicienne.* ❸ Regroupement de personnes qui s'adonnent à une même activité. *À l'école, nous avons fondé un **cercle** de lecture.* • **Cercle vicieux:** situation dont on n'arrive pas à sortir. ♦ Famille du mot: encerclement, encercler.

cercueil nom masculin
Caisse dans laquelle on place le corps d'un mort avant de l'enterrer.

céréale nom féminin
Plante que l'on cultive pour ses graines qui servent à nourrir les êtres humains et les animaux. *Le blé, le riz, le maïs, l'orge, l'avoine, le seigle sont des **céréales**. Pain aux six **céréales**.* ■ **céréales** nom féminin pluriel
Flocons d'avoine, de riz, de maïs que l'on mange au déjeuner dans du lait.

cérébral, cérébrale, cérébraux adjectif
Du cerveau. *La boîte crânienne protège les deux lobes **cérébraux**.*

cérémonial nom masculin
Ensemble des règles que l'on doit respecter au cours d'une cérémonie. *Les personnes invitées par la reine doivent se conformer au **cérémonial** de la cour.*

cérémonie nom féminin
Célébration solennelle d'un évènement. *Hier, nous avons assisté à une **cérémonie** de remise des prix aux gagnants.* • **Sans cérémonie :** avec simplicité et sans politesse exagérée.
♦ Famille du mot : cérémonial, cérémonieux.

cérémonieux, cérémonieuse adjectif
Qui montre une courtoisie exagérée. *Ne sois pas si **cérémonieux**, nous sommes entre amis.* **CONTR** naturel, simple.

cerf nom masculin
Mammifère ruminant mâle portant des cornes appelées « bois ». • **Cerf de Virginie :** chevreuil.
* Chercher aussi *biche*, *bramer*, *chevreuil*, *faon*.
* Ne pas confondre *cerf*, *serf*, *serre* et *serres*.

Un **cerf**

cerfeuil nom masculin
Plante aromatique qui ressemble au persil.

cerf-volant nom masculin
Objet fait de toile ou de papier tendu sur une armature, que l'on fait voler dans le vent en le manœuvrant avec une ficelle. ✎ Pluriel : *des **cerfs-volants**.*

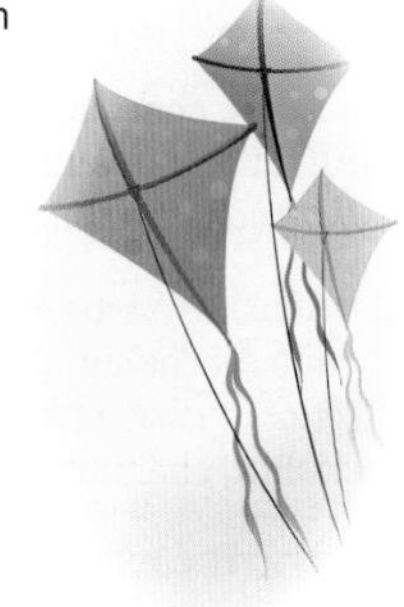

Des **cerfs-volants**

cerise nom féminin
Petit fruit rond et à noyau du cerisier, le plus souvent rouge.

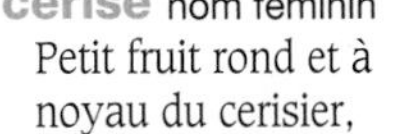

cerisier nom masculin
Arbre fruitier qui donne les cerises. 👁p. 126.

cerne nom masculin
Marque bleuâtre qui apparaît sous les yeux quand on est malade ou fatigué.

cerné, cernée adjectif
Entouré d'un cerne. *Des yeux **cernés**.*

cerner verbe ▸ conjug. 3
Encercler. *L'ours est pris au piège, les gardes-chasses l'**ont cerné**.*

certain, certaine adjectif
❶ Qui est convaincu de quelque chose. *Elle est **certaine** de réussir.* ❷ Qui doit se produire. *Avec une telle avance, la victoire de notre équipe est **certaine**.* **SYN** assuré, sûr. **CONTR** douteux, incertain. ❸ Indique une quantité vague. *Il habite ici depuis un **certain** temps.* ❹ S'emploie pour désigner quelqu'un que l'on ne connaît pas. *Une **certaine** Mme Béliveau a laissé un message pour vous.* ■ **certains, certaines** pronom Quelques personnes. *Ce film était si ennuyeux que **certains** ont préféré partir avant la fin.* ♦ Famille du mot : certainement, incertain.

certainement adverbe
De façon certaine. *Mon père sera **certainement** heureux de votre visite.* **SYN** assurément, évidemment, sûrement.

certes adverbe
Bien sûr. *Xavier est **certes** content de partir, mais il regrette de quitter ses amis.* **SYN** évidemment.

certificat nom masculin
❶ Document officiel qui certifie quelque chose. *Un **certificat** médical.* ❷ Diplôme. *Ma sœur a terminé son **certificat** en communication.*

certifier verbe ▸ conjug. 10
Affirmer que quelque chose est certain. *La directrice **a certifié** que l'examen aurait lieu à la fin de l'année.* **SYN** garantir.

certitude nom féminin
❶ Chose certaine, sûre. *Il n'est pas coupable, c'est maintenant une **certitude**.* ❷ Fait d'être certain de quelque chose. *Elle a la **certitude** de remporter la victoire.*

cérumen nom masculin
Matière épaisse et jaunâtre qui se forme dans les oreilles.

a b c d e f g h i j k l m n o p q r s t u v w x y z

cerveau, cerveaux nom masculin
Organe situé dans le crâne, qui commande les nerfs et permet à l'être humain de penser et de parler.

cervelet nom masculin
Organe situé à l'arrière du cerveau. *Le **cervelet** assure l'équilibre et la coordination des mouvements du corps.*

cervelle nom féminin
❶ Cerveau d'un animal, que l'on peut manger. *Des **cervelles** d'agneau, de veau.* ❷ Cerveau. • **Tête sans cervelle :** personne qui ne réfléchit pas, qui est étourdie. • **Se creuser la cervelle :** essayer de trouver une idée, de se rappeler quelque chose.

cervical, cervicale, cervicaux adjectif
Qui concerne le cou, la nuque. *Les vertèbres **cervicales**.*

cervidé nom masculin
Mammifère ruminant dont le mâle porte des bois. *Le cerf, l'orignal, le caribou sont des **cervidés**.*

ces ➜Voir ① **ce**

césarienne nom féminin
Intervention chirurgicale visant à sortir l'enfant du ventre de sa mère en incisant la paroi abdominale.

cessation nom féminin
Fait de cesser. *Un traité de paix a été signé après la **cessation** des hostilités.* **SYN** arrêt.

cesse ➜Voir **sans cesse**

cesser verbe ▸conjug. 3
Ne pas continuer ou ne pas durer. *Le bébé **a cessé** de pleurer.* **SYN** s'arrêter. ♦ Famille du mot : cessation, sans cesse, cessez-le-feu, incessant.

cessez-le-feu nom masculin invariable
Arrêt provisoire des combats. *Les combattants ont décidé un **cessez-le-feu**.* **SYN** trêve.

c'est-à-dire conjonction
Annonce une explication ou une précision sur ce que l'on vient de dire. *Il arrivera à 11 h 50, **c'est-à-dire** un peu avant midi.* **SYN** soit.
* Abréviation : ***c.-à-d.***

cet ➜Voir ① **ce**

cétacé nom masculin
Mammifère marin. *Les baleines, les cachalots et les dauphins sont des **cétacés**.*

cette ➜Voir ① **ce**

ceux ➜Voir **celui**

chacal nom masculin
Animal sauvage d'Asie ou d'Afrique qui ressemble au renard. *Les **chacals** se nourrissent de cadavres d'animaux.*

*Un **chacal***

chacun, chacune pronom
❶ Quelqu'un, personne indéfinie. ***Chacun** pourra donner son avis.* ❷ Pronom indéfini singulier représentant chaque personne ou chaque chose d'un ensemble. ***Chacun** des élèves a été interrogé par l'enseignante.*

chagrin nom masculin
Grande peine. *Jonathan a eu beaucoup de **chagrin** quand son meilleur ami a déménagé à Québec.* **SYN** tristesse.

chagriner verbe ▸conjug. 3
Causer du chagrin. *Tes reproches m'**ont** beaucoup **chagriné**.* **SYN** attrister, peiner.

chahut nom masculin
Agitation bruyante. *J'ai demandé à mes petits frères de cesser leur **chahut**.* **SYN** tapage.

chahuter verbe ▸conjug. 3
Faire du chahut. *Quand l'enseignant est entré, toute la classe **chahutait**.* ♦ Famille du mot : chahut, chahuteur.

chahuteur, chahuteuse adjectif
Qui aime chahuter. *Des enfants **chahuteurs**.*

chaîne nom féminin
❶ Suite d'anneaux accrochés les uns aux autres. *Ingrid a cassé plusieurs maillons de sa **chaîne** en or. Une **chaîne** de vélo.* 👁p. 117. ❷ Ensemble de montagnes. *La **chaîne** des Appalaches.* ❸ Ensemble d'appareils connectés entre eux, qui sert à écouter de la musique. *Une **chaîne** stéréophonique.* ❹ Réseau de télévision. *C'est l'heure des dessins animés sur cette **chaîne**.* ❺ Dans une usine, installation où chaque ouvrier fait toujours le même geste. *Une **chaîne** de montage.* ❻ Ensemble d'établissements commerciaux de même nature et appartenant à une même organisation. *Ce magasin fait partie d'une **chaîne**.* • **Chaîne alimentaire**: cycle ordonné dans lequel tous les êtres vivants, du végétal à l'humain, se nourrissent les uns des autres. • **En chaîne**: en série, l'un à la suite de l'autre. *Ce bris de machine a provoqué des réactions **en chaîne**.* ✎ On peut écrire aussi ***chaine***. ♦ Famille du mot: chaînette, chaînon, enchaînement, enchaîner.

chaînette nom féminin
Petite chaîne. *La **chaînette** d'un porte-clés.* ✎ On peut écrire aussi ***chainette***.

chaînon nom masculin
Maillon. ✎ On peut écrire aussi ***chainon***.

chair nom féminin
❶ Matière qui constitue les muscles du corps d'un être humain ou d'un animal. *La **chair** recouvre les os et elle est protégée par la peau.* ❷ Partie tendre et comestible d'un fruit. *Les moineaux ont picoré la **chair** des cerises.* SYN pulpe. • **Être bien en chair**: être plutôt gros. *Ma marraine **est** une femme **bien en chair**.* • **Avoir la chair de poule**: avoir les poils de la peau qui se hérissent à cause du froid, de l'émotion ou de la peur. • **En chair et en os**: en personne. *Elle a vu son chanteur préféré **en chair et en os**.*

chaire nom féminin
Dans une église, tribune élevée où le prêtre fait ses sermons.

chaise nom féminin
Siège individuel à dossier et sans bras. • **Chaise longue**: siège sur lequel on peut s'allonger. • **Chaise berçante**: chaise dans laquelle on peut se bercer.

châle nom masculin
Grande pièce de tissu dont on se couvre les épaules. *Charlotte portait un **châle** de soie sur une robe décolletée.* * Chercher aussi ②*fichu*.

chalet nom masculin
Maison de campagne située près d'un lac, d'une rivière ou encore dans une région montagneuse. *L'été prochain, nous louerons un **chalet** dans les Laurentides.*

chaleur nom féminin
❶ Température élevée. *Hier, il a fait une **chaleur** étouffante.* CONTR froid. ❷ Au sens figuré, manière d'agir amicale et enthousiaste. *Nous avons été accueillis avec **chaleur**.* CONTR froideur. ♦ Famille du mot: chaleureusement, chaleureux.

chaleureusement adverbe
D'une manière chaleureuse. *Il a été **chaleureusement** applaudi par sa famille et ses amis.* SYN chaudement. CONTR froidement.

chaleureux, chaleureuse adjectif
Plein de chaleur, d'enthousiasme. *Les spectateurs ont réservé un accueil **chaleureux** à la chef d'orchestre.* CONTR froid.

Une **chaîne alimentaire**

a b c d e f g h i j k l m n o p q r s t u v w x y z

chaloupe nom féminin
❶ Grand canot à rames ou à moteur. *En cas de naufrage, les passagers d'un navire sont évacués dans des **chaloupes** de sauvetage.* ❷ Petite barque.

Des **chaloupes**

① **chalumeau, chalumeaux** nom masculin
Appareil qui projette un gaz enflammé. *Alain a appris avec son oncle à faire des soudures au **chalumeau**.*

② **chalumeau** nom masculin
Tube de métal ou de plastique que l'on insère dans l'entaille pratiquée dans le tronc d'un érable pour recueillir la sève. 👁p. 12.

chalut nom masculin
Grand filet de pêche. *Le bateau de pêche traîne derrière lui un **chalut**.*

chalutier nom masculin
Bateau équipé pour la pêche au chalut. 👁p. 108.

se **chamailler** verbe ▸ conjug. 3
Dans la langue familière, se disputer. *Ces deux garnements ne cessent de **se chamailler**.*

chaman nom masculin
Personne qui joue le rôle de prêtre, de devin et de guérisseur en intervenant auprès des esprits. *Le **chaman** est un personnage puissant dans les sociétés amérindiennes.* 👁p. 34, 586.
* Attention ! La deuxième syllabe du mot *chaman* se prononce *mane*.

chamarré, chamarrée adjectif
Décoré d'ornements de couleurs vives. *Les chars du carnaval ont des décorations **chamarrées**.*

chambouler verbe ▸ conjug. 3
Dans la langue familière, mettre en désordre. *Tanya **a chamboulé** tous les placards pour retrouver sa raquette de ping-pong.*

chambranle nom masculin
Encadrement d'une porte ou d'une fenêtre fixé au mur.

chambre nom féminin
❶ Pièce où l'on dort. *Thomas aimerait bien avoir une **chambre** pour lui tout seul.* • **Femme de chambre :** employée chargée de l'entretien des chambres dans un hôtel ou un motel. *La **femme de chambre** de l'hôtel a fait les lits et le ménage.* ❷ Pièce ayant une fonction précise. • **Chambre des communes :** assemblée des élus du peuple au Parlement canadien. *La **Chambre** consacre une heure de chaque séance à l'étude des projets de loi.* ✎ Attention ! Dans ce sens, *Chambre* s'écrit avec une majuscule. • **Chambre froide :** pièce à très basse température, dans laquelle on conserve des aliments. • **Chambre forte :** pièce où se trouvent les coffres-forts. *On a cambriolé la **chambre forte** de la banque.* • **Chambre à air :** tuyau de caoutchouc gonflé d'air qui se trouve à l'intérieur d'un pneu.

chameau, chameaux nom masculin
Grand mammifère ruminant d'Asie qui a deux bosses sur le dos. *Les **chameaux** sont adaptés à la vie dans les déserts.*
* Chercher aussi *dromadaire*.

Un **chameau**

chamelier nom masculin
Personne chargée de conduire des chameaux ou des dromadaires.

chamelle nom féminin
Femelle du chameau et du dromadaire.

chamois nom masculin
Mammifère ruminant des montagnes d'Europe, à cornes recourbées, très agile. • **Peau de chamois :** peau spécialement traitée pour le nettoyage. *Elle essuie sa voiture avec une **peau de chamois**.*

champ nom masculin
❶ Terrain cultivé. *Un **champ** de blé, de maïs.* ❷ Terrain qui sert à certaines activités. *Un **champ** de courses, un **champ** de bataille.* ❸ Domaine d'activité. *La physique est un **champ** de la science.* • **À tout bout de champ :** à chaque instant ou à tout propos. • **Au champ d'honneur :** à la guerre. *Ce soldat est mort **au champ d'honneur**.* • **Champ de bataille :** lieu où se déroulent des combats.

champagne nom masculin
Vin blanc mousseux fabriqué en Champagne, une région de France.

champêtre adjectif
Qui se rapporte aux champs, à la campagne. *Justin rêve d'une vie **champêtre**.*

champignon nom masculin
❶ Plante sans chlorophylle formée d'un pied et d'un chapeau, qui pousse en milieu humide. *Une crème de **champignons**.* ❷ Parasite qui peut se développer sur les plantes, les animaux ou les humains. ❸ Au sens familier, pédale d'accélérateur d'une voiture. *Appuyer sur le **champignon**.* • **Pousser comme un champignon :** se développer rapidement, grandir très vite.

Des **champignons**

champion, championne nom
❶ Meilleur sportif dans sa catégorie. *Il a été **champion** du monde de natation.* ❷ Personne qui excelle dans un domaine. *Béatrice est une **championne** en informatique.* **SYN** as.

championnat nom masculin
Épreuve sportive dans laquelle le vainqueur reçoit le titre de champion. *Le **championnat** de patinage artistique se tient à Vancouver.*

chance nom féminin
❶ Hasard heureux qui favorise quelqu'un. *Mark a gagné le gros lot, il a eu beaucoup de **chance**. C'est un coup de **chance** d'avoir pu voyager ensemble.* **CONTR** malchance. • **Tenter sa chance :** essayer d'obtenir quelque chose. ❷ Probabilité pour qu'une chose se produise. *Il y a des **chances** qu'il neige demain.*
* Attention ! Dans ce sens, *chances* s'emploie au pluriel. ❸ Occasion. *Nous n'avons pas eu la **chance** de nous revoir.* ♦ Famille du mot : chanceux, malchance, malchanceux.

chancelant, chancelante adjectif
❶ Qui chancelle. *À peine né, le veau est **chancelant** sur ses pattes.* **SYN** vacillant. ❷ Au sens figuré, fragile. *Depuis quelques mois, sa santé est **chancelante**.*

chanceler verbe ▸ conjug. 9
Perdre l'équilibre. *Touché par une balle, l'animal **a chancelé** puis s'est effondré.* **SYN** tituber, vaciller. ✎ On peut écrire aussi, au présent, *je **chancèle***; au futur, *tu **chancèleras***; au conditionnel, *elle **chancèlerait***.

chanceux, chanceuse adjectif
Qui a de la chance. *Marion est **chanceuse** au jeu, elle a toujours de bonnes cartes.*

chandail nom masculin
Tricot généralement en laine, que l'on enfile par la tête.

chandelier nom masculin
Support pour les chandelles et les bougies. *Des **chandeliers** ornent le dessus de la cheminée.*

Un **chandelier**

chandelle nom féminin
Sorte de bougie. *Les **chandelles** servaient autrefois à s'éclairer.* • **Devoir une fière chandelle à quelqu'un :** avoir une grande reconnaissance envers lui. • **Le jeu n'en vaut pas la chandelle :** ce que l'on veut obtenir ne vaut pas le mal que l'on se donne.

change nom masculin
Action de changer une monnaie contre une autre. *Il y a un bureau de **change** à l'aéroport.* • **Perdre au change :** être désavantagé par un échange ou un changement.

changeant, changeante adjectif
Qui change souvent. *Un temps **changeant**.* • **Humeur changeante :** humeur instable, inconstante. *Paolo est d'**humeur changeante**.*

changement nom masculin
Fait de changer. *Mélodie a constaté de nombreux **changements** en revenant vivre dans son ancien quartier.* **SYN** modification, transformation.

changer verbe ▸ conjug. 5
❶ Rendre différent. *Le magicien **a changé** le foulard en lapin. Il **a changé** tous ses projets.* **SYN** modifier, transformer. ❷ Devenir différent. *Laurence **a** beaucoup **changé** en grandissant.* ❸ Remplacer une chose par une autre. ***Changer** de tenue, de chaussures. Mathis **a changé** le mobilier de sa chambre.* ❹ Quitter un endroit pour un autre. ***Changer** de quartier.* ❺ Échanger une monnaie contre une autre. *En arrivant à Rome, Melissa **a changé** ses dollars contre des euros.* ❻ Mettre une couche propre à un bébé. ■ *se* **changer** : changer de vêtements. *Il est rentré trempé par l'orage et il a dû **se changer**.* ♦ Famille du mot : change, changeant, changement, échange, échanger, interchangeable, rechange.

a b c d e f g h i j k l m n o p q r s t u v w x y z

chanson nom féminin
Texte que l'on a mis en musique. *Depuis hier, cette **chanson** me trotte dans la tête.*

chansonnette nom féminin
Petite chanson.

chansonnier, chansonnière nom
Personne qui compose et interprète elle-même ses chansons. *Certains **chansonniers** québécois sont renommés dans toute la francophonie.*

chant nom masculin
❶ Art de chanter. *Pia suit des cours de **chant**.* ❷ Composition musicale destinée à la voix. *Des **chants** religieux, des **chants** folkloriques.* * Chercher aussi *chanson*. ❸ Sons produits par les oiseaux. *Le **chant** du merle.*

chantage nom masculin
Fait d'exiger quelque chose de quelqu'un en le menaçant. *Je ne céderai pas : arrête ton **chantage** !*

① **chanter** verbe ▸ conjug. 3
Émettre des sons musicaux. *Farida **chante** dans une chorale. On entendait les oiseaux **chanter**.* ♦ Famille du mot : chanson, chansonnette, chansonnier, chant, chanteur, chantonner.

② **chanter** verbe ▸ conjug. 3
• **Faire chanter quelqu'un :** lui faire un chantage.

chanteur, chanteuse nom
Personne qui chante. *Une **chanteuse** de jazz. Un **chanteur** d'opéra.*

chantier nom masculin
Endroit où l'on effectue des travaux de construction. *Le port du casque est obligatoire sur le **chantier**.* • **Chantier forestier :** lieu où l'on abat les arbres et où l'on coupe le bois en forêt. • **Chantier naval :** lieu où l'on construit des navires. • **Mettre en chantier :** commencer. *Ma grand-mère **a mis en chantier** une courtepointe avec ses amies.*

chantonner verbe ▸ conjug. 3
Chanter à mi-voix. *Cherry **chantonnait** en époussetant les meubles.* **SYN** fredonner.

chanvre nom masculin
Plante dont on utilise les fibres pour fabriquer de la toile et des cordes.

chaos nom masculin
Désordre généralisé. *De nombreuses révoltes ont plongé le pays dans le **chaos**.* * Attention ! Le mot *chaos* se prononce *kao*.

chaotique adjectif
Qui évoque un chaos. *Après le tremblement de terre, les maisons ne formaient plus qu'un entassement **chaotique**.* * Attention ! Les deux premières syllabes du mot *chaotique* se prononcent *kao*.

chaparder verbe ▸ conjug. 3
Dans la langue familière, voler des choses de peu de valeur. *Le chien a profité de notre absence pour **chaparder** une saucisse dans la cuisine.*

chape nom féminin
Objet qui recouvre quelque chose, revêtement. *La **chape** de ce pneu de camion s'est détachée. Le maçon est en train de refaire la **chape** qui recouvre le sol du garage.*

chapeau, chapeaux nom masculin
❶ Coiffure rigide que l'on porte surtout à l'extérieur. *Un **chapeau** de paille, de feutre.* ❷ Partie supérieure des champignons. • **Sur les chapeaux de roues :** dans la langue familière, à très grande vitesse. *Il a pris le virage **sur les chapeaux de roues**.* • **Tirer son chapeau à quelqu'un :** lui témoigner de l'admiration.

chapelet nom masculin
Objet de piété formé de grains enfilés que l'on fait glisser l'un après l'autre entre les doigts tout en récitant des prières. 👁p. 270.

chapelier, chapelière nom
Personne qui fait ou qui vend des chapeaux.

*Un plant de **chanvre***

*Un cordage de **chanvre***

chapelle nom féminin
❶ Petite église. 👁 p. 185. ❷ Partie d'une église où il y a un autel. *Cette **chapelle** est consacrée à saint Jean.*

chapelure nom féminin
Miettes de pain sec ou de biscottes écrasées. *Les escalopes panées sont couvertes de **chapelure** avant la cuisson.* **SYN** panure.

chapiteau, chapiteaux nom masculin
❶ Grande tente. *Le cirque a dressé son **chapiteau** dans le Vieux-Québec.* ❷ Partie supérieure d'une colonne. *Des **chapiteaux** sculptés surmontent les piliers du temple.*

*Un **chapiteau***

chapitre nom masculin
❶ Chacune des parties d'un livre. *Dès le premier **chapitre**, ce livre est passionnant.* ❷ Sujet dont on parle. *Je ne suis pas d'accord avec vous sur ce **chapitre**.* • **Avoir voix au chapitre :** avoir le droit d'intervenir dans une discussion, une décision, un projet.

chaque déterminant invariable
Déterminant indéfini qui désigne une personne ou une chose. *Je lui ai demandé de remettre **chaque** livre à sa place.*

char nom masculin
❶ Voiture à deux roues tirée par des chevaux. *Dans l'Antiquité, les **chars** étaient utilisés pour la guerre et la course.* ❷ Voiture décorée transportant des personnes déguisées. *Le défilé des **chars** du carnaval.* • **Char (d'assaut) :** véhicule blindé monté sur des chenilles et armé d'un canon. **SYN** tank.

charabia nom masculin
Langage incorrect et confus. *Ce que tu dis est incompréhensible, c'est du **charabia**.* **SYN** jargon.

charade nom féminin
Sorte de devinette. *Voici un exemple de **charade** : Mon premier est un rongeur (rat). Mon second est une boisson alcoolisée (vin). Mon tout est un précipice. Réponse : ravin.*

charbon nom masculin
Matière noire combustible que l'on extrait du sol et qui produit de l'énergie. *Autrefois, les locomotives à vapeur fonctionnaient au **charbon**.* **SYN** houille. • **Charbon de bois :** bois à moitié brûlé servant de combustible. • **Être sur des charbons ardents :** être très impatient ou très anxieux. *Christopher attend le résultat de son examen, il **est sur des charbons ardents**.*

charbonnier, charbonnière nom
Personne qui vend du charbon.

charcuterie nom féminin
Produits préparés avec de la viande de porc. *En entrée, il y a une assiette de **charcuterie** avec du saucisson, du jambon et du pâté.*

charcutier, charcutière nom
Personne qui tient une charcuterie ou qui prépare des produits de charcuterie.

chardon nom masculin
Plante sauvage à feuilles épineuses.

chardonneret nom masculin
Petit oiseau chanteur aux couleurs vives.

*Un **chardonneret***

charge nom féminin
❶ Ce que porte une personne, un animal ou une chose. *Cette valise est une **charge** trop lourde pour un enfant.* **SYN** fardeau. ❷ Travail à faire ou mission à accomplir. *Les grands auront la **charge** de surveiller les plus petits.* **SYN** responsabilité. ❸ Attaque brusque et violente. *La **charge** des rhinocéros a pris les chasseurs par surprise.* ❹ Quantité d'explosif ou de poudre. *Une **charge** de dynamite.* • **Être à la charge de quelqu'un :** dépendre entièrement de lui. • **Prendre en charge :** s'occuper entièrement de quelqu'un ou de quelque chose. • **Revenir à la charge :** insister. ■ **charges** nom féminin pluriel Indices de la culpabilité d'un suspect. *De lourdes **charges** pèsent contre lui, mais il clame son innocence.*

a b c d e f g h i j k l m n o p r s t u v w x y z

a b c d e f g h i j k l m n o p q r s t u v w x y z

chargement nom masculin
❶ Marchandises chargées pour être transportées. *Quand le camion s'est renversé, son **chargement** s'est répandu sur la route.* ❷ Action de charger. *L'avion pourra décoller quand le **chargement** des bagages sera terminé.* CONTR déchargement.

charger verbe ▸ conjug. 5
❶ Mettre une charge sur une personne, un animal ou dans un véhicule. *Des employés **chargent** les bagages dans les soutes de l'avion.* CONTR décharger. ❷ Introduire dans un appareil ou une arme ce qui est nécessaire à son fonctionnement. ***Charger** un fusil.* ❸ Confier une mission ou une responsabilité à quelqu'un. *On m'**a chargé** de surveiller mon frère.* ❹ Foncer sur quelqu'un pour l'attaquer. *Affolés par les bruits, les éléphants **ont chargé** les chasseurs.* ■ *se* **charger** : prendre la responsabilité de quelque chose. *Kirsten **se charge** d'acheter les billets pour le spectacle.* ♦ Famille du mot : charge, chargement, chargeur, décharge, déchargement, décharger, recharge, rechargeable, recharger, surcharge, surcharger.

chargeur nom masculin
Pièce d'une arme à feu qui contient les cartouches. *Le **chargeur** d'un pistolet.*

chariot nom masculin
Voiture à quatre roues qui sert à transporter des objets lourds ou encombrants. *Un **chariot** à bagages. Au supermarché, les clients mettent leurs achats dans un **chariot**.* ✎ On peut écrire aussi ***charriot***.

charisme nom masculin
Influence, ascendant qu'une personne exerce sur les autres. *Cet homme politique a beaucoup de **charisme**.* * Attention ! La première syllabe du mot *charisme* se prononce *ka*.

charitable adjectif
Qui fait preuve de charité. *Des gens **charitables** ont pris soin de ce pauvre homme.* CONTR égoïste.

charité nom féminin
Bonté et générosité envers les autres. • **Faire la charité à quelqu'un** : lui donner un peu d'argent.

charivari nom masculin
Bruit assourdissant. *C'est impossible de dormir avec un tel **charivari**.* SYN tapage, vacarme.

charlatan nom masculin
Personne qui trompe les gens en abusant de leur confiance. *Ce guérisseur est un **charlatan**.*

charleston nom masculin
Danse rapide dans laquelle on lance les jambes sur le côté en serrant les genoux. *En 1925, le **charleston** était très à la mode.*

charlevoisien, charlevoisienne
adjectif et nom
De la région de Charlevoix. *Le tourisme **charlevoisien**. – Les **Charlevoisiens**, les **Charlevoisiennes**.* ✎ Attention ! Le nom, qui désigne les habitants, s'écrit avec une majuscule.

charmant, charmante adjectif
Séduisant, agréable. *Un homme **charmant**. Une auberge **charmante**.*

charme nom masculin
❶ Attrait exercé par une personne. *Son sourire lui donne un **charme** irrésistible.* SYN séduction. ❷ Enchantement magique. *La princesse endormie était victime d'un **charme** que lui avait jeté un magicien.* • **Se porter comme un charme** : être en très bonne santé. ♦ Famille du mot : charmant, charmer, charmeur.

charmer verbe ▸ conjug. 3
Séduire par son charme. *Son humour et sa gaieté **charment** les gens.*

charmeur, charmeuse adjectif
Qui cherche à charmer. *Un sourire **charmeur**. Une voix **charmeuse**.*

charnière nom féminin
Assemblage de deux pièces qui pivotent autour d'une tige. *Les **charnières** d'une porte.*

Une **charnière**

charnu, charnue adjectif
❶ Qui est épais. *Des lèvres **charnues**.* ❷ Qui a beaucoup de chair. *Cette pêche est **charnue**.*

charognard nom masculin
Animal qui se nourrit de charognes. *Les hyènes, les chacals et les vautours sont des **charognards**.*

charogne nom féminin
Cadavre d'animal en train de pourrir. *Les vautours se sont jetés sur une **charogne**.*

charpente nom féminin
Assemblage de pièces de bois ou de métal qui soutient une construction. *Les maisons ont généralement une **charpente** en bois.* * Chercher aussi *poutre*.

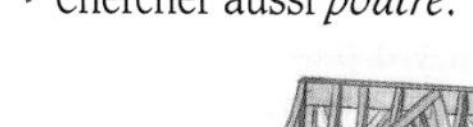

Une ***charpente***

charpentier, charpentière nom
Personne qui construit des charpentes.

charpie nom féminin
• **Mettre en charpie :** déchirer en petits morceaux. *Le chat **a mis** le mouchoir **en charpie**.* **SYN** déchiqueter.

charretier, charretière nom
Personne qui conduit une charrette.

charrette nom féminin
Voiture à deux roues tirée par un animal ou une personne. *Le foin a été chargé sur une **charrette**.*

① **charrier** verbe ▸ conjug. 10
❶ Transporter dans une charrette. ***Charrier** du bois.* ❷ Entraîner le long du courant. *La rivière en crue **charriait** des masses de boue.*

② **charrier** verbe ▸ conjug. 10
Dans la langue familière, exagérer. *Elle dit que lorsqu'elle fait du parachutisme, elle n'ouvre son parachute qu'à la dernière minute. Je crois qu'elle **charrie**.*

charrue nom féminin
Machine agricole qui sert à labourer. *Autrefois, la **charrue** était tirée par des bœufs ou des chevaux.* • **Mettre la charrue avant les bœufs :** commencer par où l'on devrait finir.

charte nom féminin
Loi fondamentale. *La **Charte** canadienne des droits et libertés.* ✎ Attention ! *Charte* s'écrit avec une majuscule quand le mot désigne une loi en particulier.

chas nom masculin
Trou d'une aiguille. *Ce fil est trop épais : il ne passe pas par le **chas** de l'aiguille.*

① **chasse** nom féminin
❶ Action de chasser. *La saison de la **chasse** est commencée.* ❷ Action de poursuivre quelqu'un ou de rechercher quelque chose. *La police fait la **chasse** aux trafiquants de drogue.*

② **chasse** nom féminin
• **Chasse d'eau :** système qui envoie une certaine quantité d'eau pour nettoyer la cuvette des toilettes. *Actionner, tirer la **chasse d'eau**.*

① **chasse-neige** nom masculin invariable
Véhicule qui sert à déblayer la neige. *La route sera dégagée après le passage du **chasse-neige**.* ✎ On peut écrire aussi, au pluriel, *des **chasse-neiges***.

Un ***chasse-neige***

② **chasse-neige** nom masculin invariable
❶ Position d'une personne qui freine à skis. ❷ Descendre à skis dans cette position. *Descendre en **chasse-neige**.* ✎ On peut écrire aussi, au pluriel, *des **chasse-neiges***.

Faire du ***chasse-neige***

chasser verbe ▸ conjug. 3
❶ Poursuivre des animaux sauvages pour les tuer. *Il part **chasser** avec son chien.* ❷ Faire partir ou éloigner. *Ils **ont chassé** Shana de leur équipe. Le vent **chasse** les nuages.* ♦ Famille du mot : chasse, chasse-neige, chasseur.

a b c d e f g h i j k l m n o p q r s t u v w x y z

a b c d e f g h i j k l m n o p q r s t u v w x y z

chasseur, chasseuse nom
❶ Personne qui chasse. *Ces **chasseurs** sont dans leur cache.* ❷ Personne qui recherche quelque chose. *Des **chasseuses** d'autographes.* ■ **chasseur** nom masculin Avion de guerre très rapide. *Un **chasseur** à réaction.*

châssis nom masculin
Armature qui soutient un ensemble. *Le **châssis** d'une voiture soutient la carrosserie.*

chaste adjectif
Qui pratique la chasteté.

chasteté nom féminin
Fait de s'abstenir de relations sexuelles. *Ils ont fait le choix de vivre dans la **chasteté**.*

chat nom masculin
Petit mammifère domestique au poil doux. *Le **chat** miaule pour attirer l'attention.* • **Donner sa langue au chat :** s'avouer incapable de répondre à une question, de trouver la solution d'une devinette. • **Il n'y a pas un chat :** se dit familièrement quand il n'y a personne dans un lieu. ♦ Famille du mot : chaton, chatte.

châtaigne nom féminin
Fruit comestible du châtaignier, qui ressemble au marron. *Des **châtaignes** grillées.*

châtaignier nom masculin
Arbre qui donne les châtaignes.

châtain, châtaine adjectif
Se dit de cheveux brun clair ou d'une personne aux cheveux brun clair. *Son frère est blond, mais elle est **châtaine**.*

*Diverses races de **chats***

château, châteaux nom masculin
Grande et belle habitation située en campagne où vivaient autrefois les rois et les seigneurs. *Le **château** Ramezay.* • **Château fort :** château fortifié du Moyen Âge. • **Château d'eau :** grand réservoir d'eau construit en hauteur et qui alimente une agglomération.

châtelain, châtelaine nom
Personne qui possède un château, qui y habite.

châtier verbe ▸ conjug. 10
Dans la langue littéraire, punir. *« Qui aime bien, **châtie** bien », dit un proverbe.*

châtiment nom masculin
Punition très sévère.

① **chaton** nom masculin
Petit du chat. *La chatte joue avec ses **chatons**.*

② **chaton** nom masculin
Grappe de fleurs en forme d'épi de certains arbres. *Les saules et les noyers ont des **chatons**.*

chatouille nom féminin
Dans la langue familière, chatouillement.

chatouillement nom masculin
Action de chatouiller. *Le bébé rit aux éclats quand on lui fait des **chatouillements**.*

chatouiller verbe ▸ conjug. 3
Effleurer certaines parties du corps de façon à provoquer le rire. *Chen n'aime pas qu'on le **chatouille** dans le cou.* ♦ Famille du mot : chatouille, chatouillement, chatouilleux.

chatouilleux, chatouilleuse adjectif
❶ Qui est sensible aux chatouilles. *Mia est très **chatouilleuse**.* ❷ Dans la langue familière, susceptible. *Benoît n'aime pas qu'on lui parle de sa taille. Il est très **chatouilleux** sur ce sujet.*

chatoyant, chatoyante adjectif
Qui chatoie. *Le soleil couchant donnait des couleurs **chatoyantes** à la rivière.*

chatoyer verbe ▸ conjug. 6
Avoir des reflets changeants. *Sa robe de soie **chatoyait** à la lumière.*

châtrer verbe ▸ conjug. 3
Castrer. *Le vétérinaire **châtre** ces jeunes taureaux pour en faire des bœufs.*

chat sauvage nom masculin
Mammifère carnivore dont la fourrure est recherchée.

chatte nom féminin
Femelle du chat. *La **chatte** de Patricia attend des petits.*

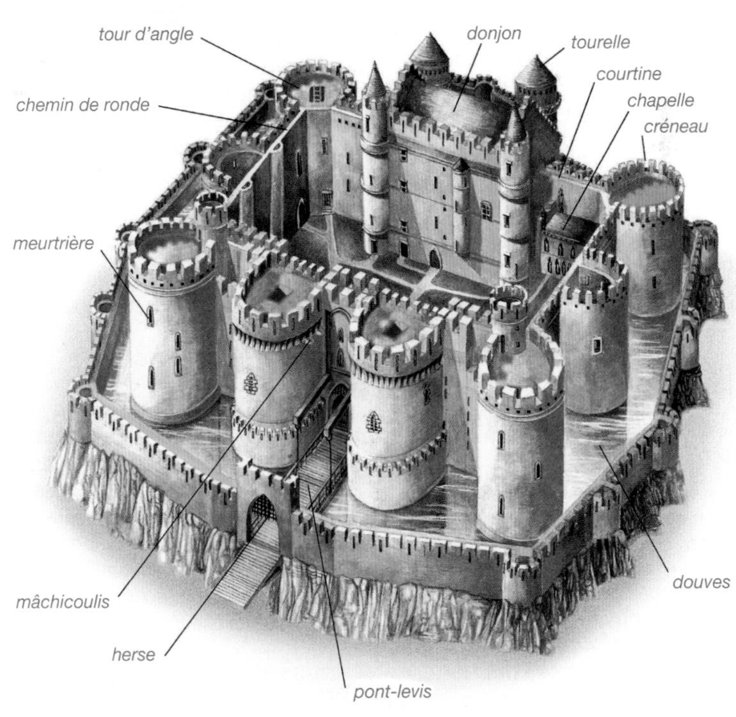

Un **château fort**

a b c d e f g h i j k l m n o s t u v w x y z

chaud, chaude adjectif
❶ Dont la température est élevée. *La soupe n'est plus assez **chaude**: il faut la réchauffer.* CONTR froid. ❷ Qui protège du froid. *Je te suggère de mettre un manteau **chaud** si tu veux sortir.* ❸ Dans un sens figuré, qui est animé et passionné. *Nous avons gagné, mais la lutte a été **chaude**.* SYN ardent. ■ **chaud** nom masculin • **Au chaud:** dans un endroit chaud. *Dimanche, nous sommes restés **au chaud** près de la cheminée.* • **Ne faire ni chaud ni froid:** laisser indifférent. *Cela **ne me fait ni chaud ni froid** que tu protestes.* • **Avoir chaud:** éprouver une sensation de chaleur. • **Avoir eu chaud:** avoir échappé de justesse à un danger. ■ **chaud** adverbe • **Il fait chaud:** la température est élevée.

chaudement adverbe
❶ De façon à avoir chaud. *S'habiller **chaudement**.* ❷ Au sens figuré, avec enthousiasme. *On m'a **chaudement** recommandé ce film.* SYN chaleureusement.

chaudière nom féminin
❶ Appareil qui produit de la chaleur. *La **chaudière** à gaz alimente le chauffage central.* ❷ Machine qui fournit la chaleur nécessaire pour produire de l'énergie mécanique. *La **chaudière** d'une locomotive.* ❸ Seau. *Une **chaudière** d'eau.*

*Un **chaudron***

chaudron nom masculin
Récipient en métal muni d'une anse, dans lequel on fait cuire des aliments.

chauffage nom masculin
Installation qui fournit de la chaleur. *On étouffe ici, tu devrais baisser le **chauffage**.* • **Chauffage central:** installation qui permet de chauffer tous les logements d'un immeuble à partir d'une seule chaudière.

chauffard nom masculin
Mauvais conducteur. *Le **chauffard** a failli causer un accident après avoir brûlé un feu rouge.*

chauffe-eau nom masculin invariable
Appareil qui fournit de l'eau chaude. *Un **chauffe-eau** électrique.*

chauffer verbe ▸ conjug. 3
❶ Rendre chaud. *Ce radiateur n'est pas suffisant pour **chauffer** toute la pièce.* ❷ Devenir chaud. *Le repas est en train de **chauffer**.* ■ *se* **chauffer**: s'exposer à la chaleur. *Il **se chauffe** les mains au-dessus du feu de bois.* ♦ Famille du mot: chauffage, chauffe-eau, chaufferette, chaufferie, s'échauffer, réchauffer, surchauffé.

chaufferette nom féminin
❶ Petit radiateur électrique portatif. ❷ Dispositif de chauffage d'une voiture.

chaufferie nom féminin
Local de la chaudière. *La **chaufferie** d'un bateau, d'un immeuble.*

chauffeur, chauffeuse nom
Personne qui conduit un véhicule. *Une **chauffeuse** d'autobus, un **chauffeur** de taxi.*

chaume nom masculin
❶ Partie inférieure de la tige des céréales. *Après la moisson, il ne reste plus que les **chaumes** dans les champs.* ❷ Paille servant à couvrir les maisons. *En France et en Grande-Bretagne, on voit encore des maisons au toit de **chaume**.*

chaumière nom féminin
Petite maison au toit de chaume.

*Une **chaumière***

chaussée nom féminin
Partie d'une rue ou d'une route où circulent les véhicules. *Attention, la **chaussée** est glacée.*

chausse-pied nom masculin
Instrument en forme de lame incurvée servant à se chausser facilement. ✎ Pluriel: *des **chausse-pieds**.* ✎ On peut écrire aussi *un **chaussepied**, des **chaussepieds**.*

chausser verbe ▸ conjug. 3
❶ Mettre des chaussures. *Marina **chausse** ses bottes. Loukian **chausse** sa petite sœur.* • **Chausser des skis, des raquettes:** les fixer à ses chaussures. ❷ Porter des chaussures de telle pointure. *Son frère **chausse** du 11.* ■ *se* **chausser**: mettre ses chaussures. ***Chausse-toi**, nous allons sortir.* CONTR se déchausser. ♦ Famille du mot: chausse-pied, chaussette, chausson, chaussure, déchausser.

chaussette nom féminin
Vêtement qui couvre le pied et le bas de la jambe. *Des **chaussettes** en laine, en coton.*

① **chausson** nom masculin
Chaussure souple. *Des **chaussons** de gymnastique, de ballerine.*

② **chausson** nom masculin
Pâtisserie qui contient de la compote de fruits. *Un **chausson** aux pommes.*

chaussure nom féminin
Partie de l'habillement qui couvre et protège le pied. *Il a fait réparer les semelles de ses **chaussures**.* SYN soulier.

chauve adjectif
Qui n'a pas ou presque pas de cheveux. *Mon grand-père est devenu **chauve** en vieillissant.* CONTR chevelu. * Chercher aussi *calvitie*.

chauve-souris nom féminin
Mammifère nocturne dont le corps ressemble à celui de la souris, avec des ailes. ✎ Pluriel : *des **chauves-souris**.* ✎ On peut écrire aussi ***chauvesouris***.

Une **chauve-souris**

chauvin, chauvine adjectif
Qui manifeste une admiration exagérée pour son pays, sa ville ou sa région. *Alexia est tellement **chauvine** qu'elle ne supporte aucune critique de son pays.*

chaux nom féminin
Matière blanche qui provient du calcaire. *Une ferme aux murs blanchis à la **chaux**.*

chavirer verbe ▸ conjug. 3
❶ Se renverser ou se retourner complètement. *Une grosse vague a fait **chavirer** le bateau.* ❷ Au sens figuré, émouvoir. *Ce documentaire sur les orphelins du sida nous **a chavirés**.*

cheddar nom masculin
Fromage de lait de vache, à pâte dure.

chef nom
Personne qui dirige, qui commande, qui gouverne. *Une **chef** d'État. Un **chef** de bande. Une **chef** d'entreprise.* * Chercher aussi *directeur, dirigeant, patron, supérieur*. • **Chef d'orchestre :** personne qui dirige un orchestre. • **Chef de bord :** capitaine d'un bateau de plaisance. • **Chef cuisinier :** personne qui dirige la cuisine d'un restaurant, d'un hôtel.

chef-d'œuvre nom masculin
Œuvre d'une grande beauté réalisée par un artiste. *Au musée des Beaux-Arts, j'ai vu les **chefs-d'œuvre** de grands peintres.* ✎ Pluriel : *des **chefs-d'œuvre**.* * Attention ! Le *f* du mot *chef-* dans *chef-d'œuvre* ne se prononce pas.

chefferie nom féminin
Direction d'un parti politique. *Une course à la **chefferie**.*

cheftaine nom féminin
Jeune femme responsable d'un groupe de scouts. * Chercher aussi ② *guide, jeannette, louveteau*.

chemin nom masculin
❶ Petite route de terre à la campagne. *Nous avons suivi un **chemin** qui traverse le bois.* ❷ Trajet ou distance à parcourir. *Nous avions fait la moitié du **chemin** lorsque nous sommes tombés en panne.* SYN parcours. ❸ Direction que l'on doit prendre. *Pourriez-vous m'indiquer le **chemin** pour aller au village ?* • **Faire son chemin :** réussir dans la vie. • **Ne pas y aller par quatre chemins :** aller droit au but, agir ou parler franchement.

chemin de fer nom masculin
Moyen de transport qui utilise la voie ferrée. *Voyager par **chemin de fer**.* SYN train.

cheminée nom féminin
❶ Endroit où l'on fait du feu dans une maison. *Et si l'on faisait un feu dans la **cheminée** ?* ❷ Extrémité du conduit par lequel passe la fumée. *Sur les toits, les **cheminées** fument.*

Une **cheminée**

cheminot, cheminote nom
Personne qui travaille pour les chemins de fer. *Le conducteur du train est un **cheminot**.*

① **chemise** nom féminin
Vêtement en tissu léger qui couvre le torse et se boutonne devant. *Une **chemise** à manches longues.* • **Chemise de nuit :** longue chemise que l'on met pour dormir.

a b c d e f g h i j k l m n o p q r s t u v w x y z

a b c d e f g h i j k l m n o p q r s t u v w x y z

② **chemise** nom féminin
Feuille de carton pliée en deux dans laquelle on range des documents.

chemisier nom masculin
Corsage. *Un **chemisier** en soie.*
SYN blouse.

chenal, chenaux nom masculin
Passage assez profond où les bateaux peuvent naviguer. *Il y a plusieurs **chenaux** dans le fleuve Saint-Laurent.*

chenapan nom masculin
Enfant qui se conduit mal. *Ces **chenapans** ont encore cassé une vitre!*
SYN garnement.

chêne nom masculin
Grand arbre dont le bois très dur est utilisé en menuiserie. *Les fruits du **chêne** sont des glands.* 👁p. 66, 126.

Un **chêne**

Un **gland**

chenet nom masculin
Chacun des deux supports en métal sur lesquels on pose les bûches dans la cheminée.

chenil nom masculin
Endroit où l'on garde les chiens, où on les élève, où on les dresse.

① **chenille** nom féminin
Larve du papillon. *La **chenille** tisse son cocon.*
👁p. 570.

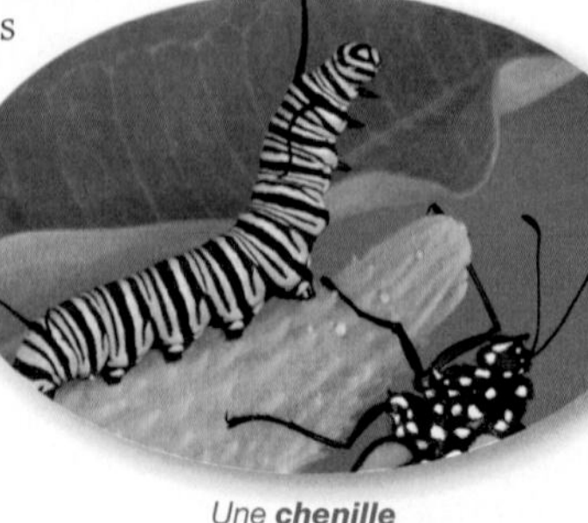
Une **chenille**

② **chenille** nom féminin
Large bande métallique articulée, entraînée par des roues. *Les motoneiges peuvent se déplacer sur tous les terrains grâce à leurs **chenilles**.*

cheptel nom masculin
Ensemble des bestiaux. *Le **cheptel** de ce fermier se compose de soixante vaches, vingt bœufs et trente brebis.*

chèque nom masculin
Document sur lequel on indique à sa banque la somme à payer à quelqu'un. *Vous avez oublié de signer votre **chèque**.*

chéquier nom masculin
Carnet de chèques.

① **cher, chère** adjectif
❶ Que l'on aime beaucoup. *C'est un vieil ami qui m'est très **cher**.* ❷ S'emploie dans des formules de politesse. ***Chère** madame, comment allez-vous?*

② **cher, chère** adjectif
Qui coûte beaucoup d'argent. *Cette jupe est belle, mais très **chère**.* CONTR bon marché. ■ **cher** adverbe À un prix élevé. *Ce magasin vend vraiment trop **cher**.*
• **Ne pas valoir cher:** au sens figuré, être peu recommandable. • **Faire payer cher quelque chose à quelqu'un:** se venger de lui.

chercher verbe ▸conjug. 3
❶ Essayer de trouver. *Voilà une heure que je te **cherche** dans tout le magasin!* SYN rechercher. ❷ S'efforcer de faire quelque chose. *Je **cherche** à comprendre pourquoi il a fait ça.* SYN essayer. ❸ Tenter de provoquer. ***Chercher** le trouble.*
♦ Famille du mot: chercheur, recherche, rechercher.

chercheur, chercheuse nom
Personne qui fait des recherches scientifiques. *Ma tante est **chercheuse** dans un laboratoire.* • **Chercheur d'or:** personne qui cherche de l'or.

chère nom féminin
• **Bonne chère:** nourriture copieuse et savoureuse. *Faire **bonne chère**.*

chèrement adverbe
❶ Cher, à prix élevé. *Vendre **chèrement**.* ❷ Tendrement. *Julien aime **chèrement** ses grands-parents.*

chéri, chérie adjectif et nom
Que l'on aime tendrement. *Un enfant **chéri**.* – *Ma petite sœur est la **chérie** de la famille.*

chérir verbe ▸ conjug. 11
Aimer tendrement. *Il **chérit** sa femme et ses enfants.* CONTR détester, haïr.

chérubin nom masculin
Petit enfant doux et particulièrement mignon.

chétif, chétive adjectif
Qui est de santé fragile. *Marjorie est une enfant **chétive**.* SYN malingre. CONTR robuste, vigoureux.

cheval, chevaux nom masculin
❶ Mammifère herbivore de grande taille utilisé comme monture et pour tirer des charges. *La femelle du **cheval** est la jument, et ses petits sont la pouliche et le poulain. Le **cheval** hennit.* 👁p. 638. * Chercher aussi ① *étalon*.
❷ Équitation. *Elle fait du **cheval** depuis deux ans.* • **À cheval** : à califourchon. *Noah est assis **à cheval** sur une branche.* • **Cheval de bois** : jouet représentant un cheval. *Mon père installe mes petites sœurs sur les **chevaux de bois** du carrousel.* • **Monter sur ses grands chevaux** : se mettre en colère. • **Remède de cheval** : remède brutal mais très efficace.
♦ Famille du mot : chevalin, chevauchée, chevaucher.

*Un **cheval***

chevaleresque adjectif
Qui est noble et généreux, digne des anciens chevaliers. *Il est toujours très **chevaleresque** avec les dames.*

chevalerie nom féminin
Ordre des chevaliers au Moyen Âge. *Les seigneurs féodaux qui prenaient part aux croisades faisaient partie de la **chevalerie**.* 👁p. 190. ♦ Famille du mot : chevaleresque, chevalier.

chevalet nom masculin
Support de bois sur pieds. *Les peintres posent leur toile sur un **chevalet**.*

chevalier nom masculin
Seigneur du Moyen Âge qui combattait à cheval. *Les **chevaliers** devaient loyauté et protection à leurs seigneurs.* 👁p. 190.
* Ne pas confondre *chevalier* et *cavalier*.

chevalin, chevaline adjectif
Qui concerne le cheval. *Une boucherie **chevaline**.*

chevauchée nom féminin
Longue course à cheval.

chevaucher verbe ▸ conjug. 3
Voyager à cheval. *Ils **ont chevauché** toute la journée pour arriver à temps.*
■ *se* **chevaucher** : se recouvrir en partie. *Je n'arrive pas à lire ce texte, les lettres **se chevauchent**.*

chevelu, chevelue adjectif
Qui a les cheveux épais et longs. *Un homme **chevelu**.*

chevelure nom féminin
Ensemble des cheveux. *Tous les matins, Kyoko brosse sa **chevelure**.*

chevet nom masculin
Partie du lit où l'on pose la tête. *Une lampe de **chevet** est placée près de la tête du lit.* SYN tête de lit. • **Livre de chevet** : livre favori, qu'on relit souvent. • **Rester au chevet de quelqu'un** : rester auprès de son lit, auprès de lui quand il est malade.

cheveu, cheveux nom masculin
Poil qui pousse sur la tête. *Des **cheveux** blonds.* 👁p. 246. • **Faire dresser les cheveux sur la tête** : causer une grande peur. • **Couper les cheveux en quatre** : entrer dans des détails inutiles. • **Tiré par les cheveux** : compliqué et peu vraisemblable. ♦ Famille du mot : chevelu, chevelure, échevelé.

Les chevaliers

Les chevaliers comme Gauvain, Lancelot du Lac ou Perceval peuplent notre imaginaire avec leur code d'honneur, leurs armures et leurs aventures, qui semblent toutes plus excitantes les unes que les autres.

Mais c'étaient avant tout des guerriers qui se mettaient au service de rois, de princes et de l'Église. La cérémonie par laquelle un homme devenait chevalier s'appelait l'« adoubement ».

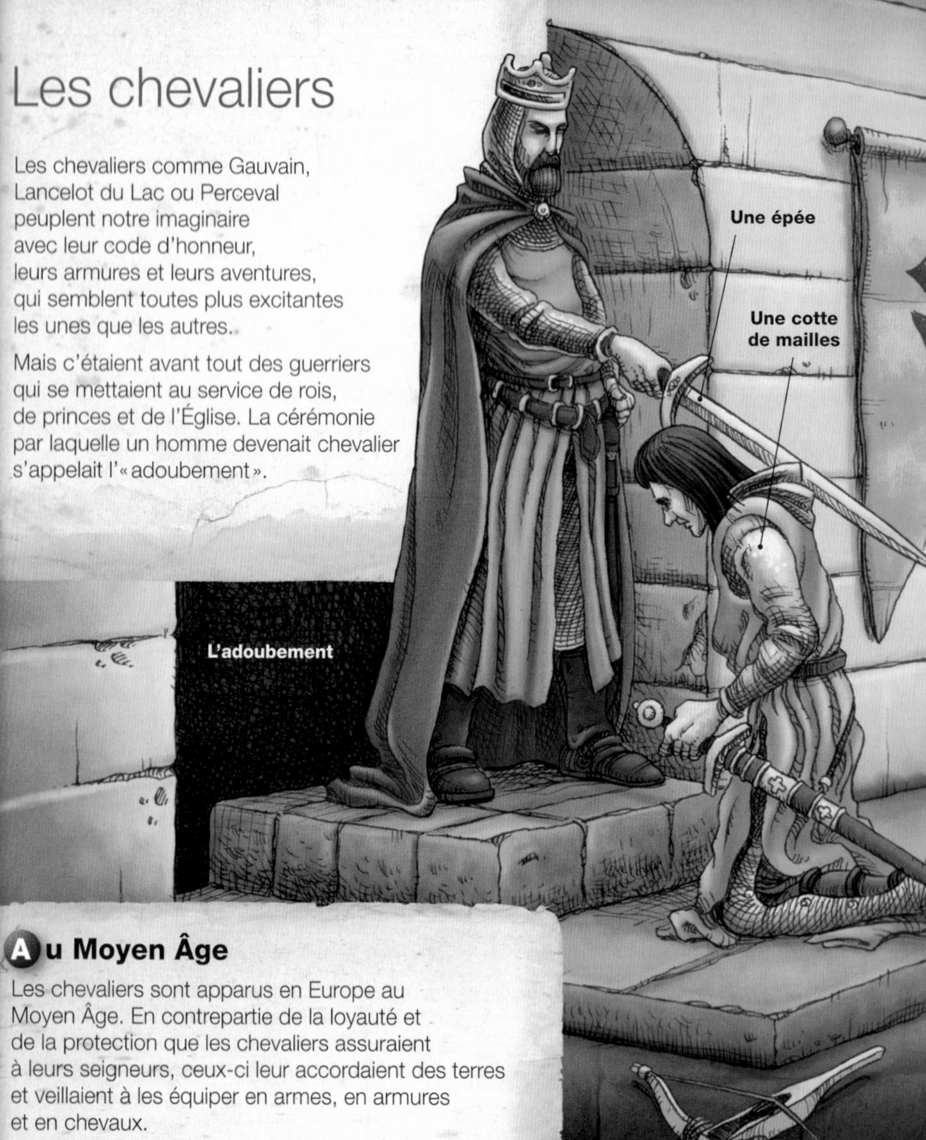

Au Moyen Âge

Les chevaliers sont apparus en Europe au Moyen Âge. En contrepartie de la loyauté et de la protection que les chevaliers assuraient à leurs seigneurs, ceux-ci leur accordaient des terres et veillaient à les équiper en armes, en armures et en chevaux.

Accéder à la chevalerie exigeait aussi de respecter un code d'honneur strict, le code chevaleresque.

La défense des territoires et les guerres saintes

L'activité principale des chevaliers était la guerre. Ils se battaient autant pour défendre les territoires de leur seigneur que pour agrandir leurs propres territoires et accroître leurs richesses. Ils étaient également au service de l'Église, qui leur confiera des missions.

Les armes et les armures

L'armure est un ensemble d'équipements destiné à protéger le chevalier. Simple cotte de mailles, au départ, elle servait à protéger le visage, la tête et les tibias. Le reste du corps était protégé par un très grand bouclier.

Puis, pour rendre l'armure plus efficace, on y a ajouté du cuir bouilli sur des plaques de métal. Ce type d'armure portait le nom de « brigandine ».

Enfin, au 14e siècle sont apparues les armures intégrales en acier, telles que nous les connaissons. Elles avaient comme objectif de protéger tout le corps du chevalier ainsi que celui de son cheval.

En ce qui concerne les armes utilisées, l'épée a toujours été l'arme de prédilection des chevaliers. Cependant, ils disposaient aussi de lances, de dagues, d'arcs et, plus tard, d'arbalètes.

Une armure en acier

Le tournoi

Pour s'entraîner au combat et aux armes, et prouver également leur habileté et leur courage, les chevaliers ont conçu, vers le 11e siècle, des tournois. Ceux-ci réunissaient plusieurs épreuves, souvent en équipes, dont la simulation de combat, la joute, les jeux d'adresse, etc. Les participants devaient respecter certaines règles et s'affrontaient pour des enjeux allant de la faveur d'une belle à un règlement de comptes.

a b c d e f g h i j k l m n o p q r s

① **cheville** nom féminin
Articulation qui relie la jambe et le pied. *Sa robe lui arrive aux* ***chevilles****.* 👁p. 246.

② **cheville** nom féminin
Petit morceau de bois ou de plastique qui sert à assembler des pièces de bois ou à fixer une vis dans un trou. *Les éléments de ce meuble sont assemblés par des* ***chevilles****.*

chèvre nom féminin
Mammifère ruminant domestique qui a des cornes recourbées et de longs poils. *Du fromage de* ***chèvre****.* * Chercher aussi *bêler*, *bouc*.

chevreau, chevreaux nom masculin
Petit de la chèvre. *Gambader comme un* ***chevreau****.* SYN cabri. * Chercher aussi *bêler*.

chèvrefeuille nom masculin
Plante grimpante à fleurs très parfumées.

chevreuil nom masculin
Cerf de Virginie, que l'on chasse pour sa chair. *Les cornes du* ***chevreuil*** *s'appellent des bois.* 👁p. 124. * Chercher aussi *bramer*.

Un ***chevreuil***

chevron nom masculin
❶ Barre de bois qui, dans une charpente, s'appuie sur les poutres. ❷ Signe en forme de V retourné. *Ce militaire porte deux galons en* ***chevron*** *sur chaque manche.* • **À chevrons :** à motif en zigzags. *Un parquet* ***à chevrons****.*

chevronné, chevronnée adjectif
Qui a beaucoup d'expérience. *Un comédien* ***chevronné****.* SYN expérimenté.

chevrotant, chevrotante adjectif
• **Voix chevrotante :** qui tremble comme celle des chèvres quand elles bêlent.

chez préposition
Sert à introduire un nom de personne, un pronom ou un nom de peuple... ❶ pour indiquer un lieu. *Je vais* ***chez*** *le médecin. Qiao est* ***chez*** *elle.* ❷ pour indiquer une caractéristique. *C'est une habitude* ***chez*** *lui de se lever tôt.* ❸ pour indiquer une époque. ***Chez*** *les anciens Égyptiens, le Soleil était vénéré.*
* Attention ! On va ***chez*** le boulanger et ***à*** la boulangerie, car après *chez*, on a un nom de personne, un pronom ou une appellation de personne, et après *à*, un nom de lieu.

chialer verbe ▸ conjug. 3
Dans la langue familière, se plaindre. *Tu* ***chiales*** *encore pour rien !* SYN râler.

chic adjectif invariable
❶ Élégant et raffiné. *Jennifer est très* ***chic*** *avec ses beaux vêtements.* ❷ Très gentil. *William est un* ***chic*** *type.* ■ **chic** nom masculin invariable Élégance. *Cette robe n'a aucun* ***chic****.* ■ **chic** adverbe Élégamment. *S'habiller* ***chic****.*

① **chicane** nom féminin
Passage en zigzag installé sur une route. *Cette* ***chicane*** *oblige les voitures à ralentir.*

② **chicane** nom féminin
Dans la langue familière, querelle. *Maya ne voit plus Alex depuis leur dernière* ***chicane****.* SYN litige.

chicaner verbe ▸ conjug. 3
Gronder, réprimander. *Sa grand-mère l'****a chicané*** *parce qu'elle considère qu'il ne lui rend pas souvent visite.* ■ *se* **chicaner :** se quereller. *Nos voisins* ***se chicanent*** *souvent.*

chiche adjectif
Qui ne donne qu'à regret. *Être* ***chiche*** *de paroles.* SYN avare. CONTR prodigue.

chicorée nom féminin
Plante dont on mange les feuilles en salade.

De la **chicorée**

chicoter verbe ▸ conjug. 3
Tracasser, inquiéter. *Elle n'a pas donné de ses nouvelles depuis cinq jours; ça me* ***chicote****.*

chien nom masculin
Mammifère carnivore domestique. *Le* ***chien*** *aboie quand le facteur passe devant la maison.* 👁p. 194.
• **Avoir un mal de chien :** avoir beaucoup de mal. • **De chien :** très mauvais ou très difficile. *Une humeur* ***de chien****. Un temps* ***de chien****.*
• **En chien de fusil :** allongé sur le côté, les jambes repliées vers soi. • **Entre chien et loup :** à la tombée de la nuit. • **Être comme chien et chat :** se disputer continuellement.
• **Se regarder en chiens de faïence :** s'observer en se défiant du regard, avec hostilité. ♦ Famille du mot : chenil, chienne, chiot.

chiendent nom masculin
Mauvaise herbe envahissante.

chienne nom féminin
Femelle du chien.

chiffon nom masculin
Morceau de vieux tissu. *Juan se sert d'un* ***chiffon*** *pour nettoyer son vélo.* ♦ Famille du mot : chiffonné, chiffonner, chiffonnier.

chiffonné, chiffonnée adjectif
Froissé. *Des vêtements* ***chiffonnés****.*

chiffonner verbe ▸ conjug. 3
Faire prendre de mauvais plis à un tissu ou à un papier. *La nappe* ***est*** *toute* ***chiffonnée****, il faut la repasser.* **SYN** friper, froisser.

chiffonnier nom masculin
Meuble haut à tiroirs multiples.

Un **chiffonier**

chiffre nom masculin
❶ Chacun des signes qui permettent d'écrire les nombres. *Neuf s'écrit 9 en* ***chiffres*** *arabes et IX en* ***chiffres*** *romains.* ❷ Total d'une somme. *Le* ***chiffre*** *des dépenses est élevé.* **SYN** montant. ♦ Famille du mot : chiffré, chiffrer, déchiffrer, indéchiffrable.

chiffré, chiffrée adjectif
Écrit dans un langage secret. *Ce message qui semble incompréhensible est un message* ***chiffré****.* * Chercher aussi *codé*.

chiffrer verbe ▸ conjug. 3
Évaluer en chiffres. *L'électricienne* ***a chiffré*** *le coût des travaux.* ■ *se* **chiffrer** : atteindre telle quantité, tel nombre. *Ses dettes* ***se chiffrent*** *en milliers de dollars.*

chignon nom masculin
Coiffure consistant à attacher les cheveux roulés en boule derrière la tête.

chilien, chilienne adjectif et nom
Du Chili. *Les Andes* ***chiliennes****. – Les* ***Chiliens****, les* ***Chiliennes****.* ✎ Attention ! Le nom, qui désigne les habitants, s'écrit avec une majuscule.

chimère nom féminin
Rêve irréalisable. *Tes projets sont des* ***chimères****.* **SYN** illusion.

chimérique adjectif
Qui n'est qu'une chimère. *Son espoir de remporter le championnat est* ***chimérique****.*

chimie nom féminin
Science qui étudie la composition, les propriétés et les transformations de la matière (les liquides, les gaz, les métaux, les organismes vivants, etc.). ♦ Famille du mot : chimique, chimiste.
* Chercher aussi *physique*.

chimiothérapie nom féminin
Traitement de certaines maladies comme le cancer à l'aide de substances chimiques.

chimique adjectif
❶ Qui a rapport avec la chimie. *H_2O est la formule* ***chimique*** *de l'eau.* ❷ Fabriqué grâce à la chimie. *De nos jours, les agriculteurs utilisent souvent des engrais* ***chimiques****.*

chimiste nom
Spécialiste de la chimie.

Les chiens

Les chiens auraient été domestiqués il y a environ 15 000 ans. C'est donc dire que la présence du chien aux côtés de l'être humain ne date pas d'hier. Au début de ses relations avec l'humain, le chien avait un rôle utilitaire : il était gardien, berger, chasseur ou même sauveteur. Il semblerait même qu'il n'existait alors qu'un seul type de chien, qui ressemblait au loup. Petit à petit, une confiance mutuelle s'est établie entre l'humain et le chien, faisant de ce dernier l'animal de compagnie le plus populaire dans nos familles. La complicité qui existe parfois avec le chien est telle que l'on dit de cet animal qu'il ne lui manque que la parole… Voici quelques-unes des innombrables races canines que l'on peut voir dans notre environnement.

Un bouvier bernois

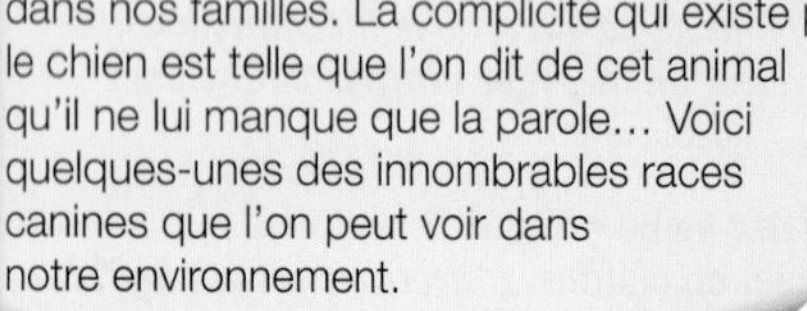

Un basset

Un dalmatien

Un colley

Un shar-pei

Un beagle

Un doberman

Un schnauzer

Un bouledogue anglais

Un golden retriever

Des labradors

Un poméranien

Un caniche

Un grand danois

Un chihuahua

Un saint-bernard

Un épagneul

Un berger allemand

Un yorkshire-terrier

Un husky

Un boxer

a b c d e f g h i j k l m n o p q r s t u v w x y z

chimpanzé nom masculin
Grand singe d'Afrique.

chinois, chinoise adjectif et nom
De Chine. *La porcelaine **chinoise**.* – *Les **Chinois**, les **Chinoises**.*
✎ Attention ! Le nom, qui désigne les habitants, s'écrit avec une majuscule.
■ **chinois** nom masculin
Langue parlée par les Chinois.

chinook nom masculin
Vent sec et chaud qui souffle des Rocheuses sur les Prairies.

Un **chimpanzé**

chiot nom masculin
Petit du chien et de la chienne.

chipie nom féminin
Femme désagréable. *Cette **chipie** accuse toujours les autres.*

chiquenaude nom féminin
Coup donné avec un doigt replié contre le pouce puis brusquement détendu. *D'une **chiquenaude**, Justine a fait rouler sa bille.* **SYN** pichenotte.

chiropraticien, chiropraticienne nom
Spécialiste de la chiropratique. * Abréviation : ***chiro***. * Attention ! La première syllabe du mot *chiropraticien* se prononce *ki*.

chiropratique nom féminin
Traitement médical consistant en manipulations sur diverses parties du corps, particulièrement la colonne vertébrale. * Attention ! La première syllabe du mot *chiropratique* se prononce *ki*.

chirurgical, chirurgicale, chirurgicaux adjectif
Relatif à la chirurgie. *Il est en salle d'opération pour subir une intervention **chirurgicale**.*

chirurgie nom féminin
Partie de la médecine qui concerne les opérations.
♦ Famille du mot : chirurgical, chirurgien.

chirurgien, chirurgienne nom
Médecin spécialiste de chirurgie.

chlore nom masculin
Substance chimique ayant un pouvoir désinfectant. *L'eau du robinet a parfois un goût de **chlore**.*

chloroforme nom masculin
Liquide qui endort lorsqu'on le respire.

chlorophylle nom féminin
Substance qui donne aux plantes leur couleur verte. *La **chlorophylle** ne peut se former que s'il y a de la lumière.*

choc nom masculin
❶ Rencontre violente entre des choses. *Le **choc** des deux voitures a endommagé leur carrosserie.* **SYN** heurt. ❷ Au sens figuré, émotion violente. *Ça m'a fait un **choc** de le voir dans cet état.* **SYN** coup.
♦ Famille du mot : choquant, choquer, s'entrechoquer, pare-chocs.

chocolat nom masculin
❶ Aliment à base de cacao et de sucre. *Une tablette de **chocolat**.* ❷ Lait parfumé au chocolat. *Julien boit du **chocolat** chaud au déjeuner.*

① **chœur** nom masculin
Groupe de personnes qui chantent ensemble. *Les chansons de ce disque sont interprétées par un **chœur**.* • **En chœur** : tous ensemble. *Les enfants se sont mis à chanter **en chœur**.*

② **chœur** nom masculin
Partie d'une église où se trouve l'autel.
• **Enfant de chœur** : enfant qui assiste le prêtre lors des offices religieux.

choisi, choisie adjectif
Recherché et peu courant. *Ariel utilise toujours un vocabulaire **choisi**.* **CONTR** banal, vulgaire.

choisir verbe ▸ conjug. 11
Adopter de préférence telle personne ou telle chose. *Entre ces deux films, je **choisis** le film d'aventures.*

choix nom masculin
❶ Action de choisir. *Entre la mer et la montagne, le **choix** est difficile.* ❷ Possibilité de choisir. *Ce ne sont pas les jeux qui manquent, tu as le **choix**.* ❸ Ensemble de choses parmi lesquelles on peut choisir. *Vous aurez un grand **choix** dans ce magasin.* • **Au choix** : avec la liberté de choisir. *Dans le menu, vous avez **au choix** gâteau au fromage ou tarte au sucre.*
• **De choix** : de grande qualité. *C'est une viande **de choix**.* • **L'embarras du choix** : la difficulté de choisir une chose parmi d'autres.
♦ Famille du mot : choisi, choisir.

choléra nom masculin
Grave maladie des intestins, très contagieuse et parfois mortelle.

cholestérol nom masculin
Graisse qui se trouve dans le sang. *Avoir trop de* ***cholestérol*** *peut provoquer des maladies du cœur et des artères.*

chômage nom masculin
État d'une personne qui n'a pas de travail. *M. Guay est au* ***chômage****.*

chômer verbe ▸ conjug. 3
Être sans travail. *Mon cousin n'a toujours pas trouvé d'emploi ; il* ***chôme*** *depuis un an.*
• **Ne pas chômer :** travailler beaucoup.
♦ Famille du mot : chômage, chômeur.

chômeur, chômeuse nom
Personne qui est au chômage.

chope nom féminin
Grand verre à anse. *Une* ***chope*** *de bière.*

Une **chope**

choquant, choquante adjectif

Qui choque. *Des plaisanteries* ***choquantes****.*

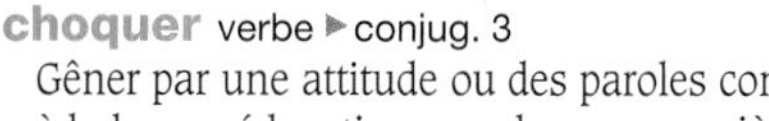
choquer verbe ▸ conjug. 3
Gêner par une attitude ou des paroles contraires à la bonne éducation, aux bonnes manières. *La grossièreté de Fabrizio nous* ***a choqués****.* **SYN** heurter. ■ *se* **choquer :** se mettre en colère. *Il* ***se choque*** *facilement.*

chorale nom féminin
Personnes qui se réunissent pour chanter en chœur. *Liam fait partie d'une* ***chorale****.*

chorégraphe nom
Personne qui crée des chorégraphies.

chorégraphie nom féminin
Ensemble des pas et des mouvements que font les danseurs dans un ballet.

choriste nom
Personne qui chante dans une chorale ou dans un chœur.

chose nom féminin
❶ Tout objet que l'on peut voir ou toucher. *Noémie a beaucoup trop de* ***choses*** *dans son sac.* ❷ Fait ou évènement. *J'ai plein de* ***choses*** *à te raconter.* * Chercher aussi *quelque chose.*

chou, choux nom masculin
❶ Légume dont on mange les feuilles cuites ou en salade. *J'aime tous les* ***choux****, le* ***chou*** *blanc, le* ***chou*** *vert, le* ***chou*** *rouge.* • **Chou de Bruxelles :** variété de petit chou qui pousse en grappes sur une longue tige. ❷ Petit gâteau rond dont la pâte est soufflée. *Des* ***choux*** *à la crème.*

chouchou, chouchoute nom
Dans la langue familière, favori. *Marissa est la* ***chouchoute*** *de sa grand-mère.*

chouchouter verbe ▸ conjug. 3
Dans la langue familière, choyer. *C'est leur seul enfant ; ils ont tendance à le* ***chouchouter****.* **SYN** dorloter.

choucroute nom féminin
❶ Chou fermenté, salé et coupé en fines lamelles. ❷ Plat composé de ce chou, de pommes de terre et de charcuterie.

① **chouette** nom féminin
Rapace nocturne aux gros yeux ronds, qui chasse la nuit. 👁p. 454.
* Chercher aussi *hululer.*

② **chouette** adjectif
Dans la langue familière, bien. *Elle est* ***chouette****, ta casquette !*
■ **chouette !** interjection
Exprime un vif contentement. ***Chouette !*** *On va au restaurant !*

Une **chouette**

chou-fleur nom masculin
Variété de chou dont les fleurs forment une grosse boule blanche que l'on mange comme légume. ✎ Pluriel : *des* ***choux-fleurs****.*

choyer verbe ▸ conjug. 6
Entourer de tendresse. *John aime bien* ***choyer*** *sa petite sœur.* **SYN** chouchouter, dorloter.

chrétien, chrétienne adjectif
Relatif au christianisme. *Noël et Pâques sont des fêtes* ***chrétiennes****.* ■ **chrétien, chrétienne** nom Personne qui croit que Jésus-Christ est le fils de Dieu. *Les protestants, les catholiques, les orthodoxes sont des* ***chrétiens****.* 👁p. 270.

chrétienté nom féminin
Ensemble de tous les chrétiens.

christianisme nom masculin
Religion des chrétiens.

christophien, christophienne
➔Voir tableau, p. 1319.

chrome nom masculin
Métal blanc et brillant. *Pour empêcher l'acier de rouiller, on le recouvre de* ***chrome****.*

chromé, chromée adjectif
Recouvert de chrome. *Autrefois, les voitures avaient des pare-chocs* ***chromés****.*

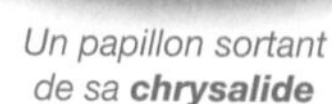
Un papillon sortant de sa **chrysalide**

chron-, chrono- préfixe
Placé au début d'un mot pour former un autre mot, *chron-*, *chrono-* indique un lien avec le temps (***chron****ique*, ***chrono****mètre*).

① **chronique** adjectif
Qui dure longtemps en se manifestant périodiquement. *Les rhumatismes et l'asthme sont des maladies* ***chroniques****.* CONTR aigu.

② **chronique** nom féminin
Article ou émission portant sur un sujet particulier. *Cette journaliste est chargée de la* ***chronique*** *politique du journal.*

chroniqueur, chroniqueuse nom
Journaliste chargé d'une chronique. *Une* ***chroniqueuse*** *financière.*

chronologie nom féminin
Ordre dans lequel les évènements se déroulent. *Nous avons établi en classe une* ***chronologie*** *des évènements de la Conquête.*

chronologique adjectif
• **Ordre chronologique :** ordre qui suit la chronologie. *Dans cet exercice, il fallait retrouver l'****ordre chronologique*** *de différentes inventions.*

chronomètre nom masculin
Montre de précision qui mesure les dixièmes, les centièmes et parfois les millièmes de seconde. 👁p. 575.

Un **chronomètre**

chronométrer verbe ▸conjug. 8
Mesurer le temps avec un chronomètre. *Je vais* ***chronométrer*** *ta course.* ✎ On peut écrire aussi, au futur, *elle* ***chronomètrera*** ; au conditionnel, *il* ***chronomètrerait***.

chrysalide nom féminin
Chenille dans son cocon, avant qu'elle se transforme en papillon. *Le papillon est sorti de sa* ***chrysalide****.* * Chercher aussi *imago*, *larve*, *métamorphose*.

chrysanthème nom masculin
Fleur d'automne aux couleurs variées.

chuchotement nom masculin
Bruit produit par une voix qui chuchote. *Dans la salle, c'était le silence ; on entendait à peine quelques* ***chuchotements****.*

chuchoter verbe ▸conjug. 3
Parler à voix basse. *Félix m'****a chuchoté*** *quelques mots à l'oreille.* SYN murmurer.

chut! interjection
S'emploie pour demander le silence. ***Chut!*** *Le film va commencer!*

chute nom féminin
❶ Fait de tomber. *Il a fait une* ***chute*** *dans l'escalier.* ❷ Eau d'une rivière qui tombe d'une grande hauteur. *Les* ***chutes*** *Montmorency font 83 m de haut.* ❸ Fin brutale. *La révolte a provoqué la* ***chute*** *du gouvernement.* SYN effondrement.

Les **chutes** Montmorency

chuter verbe ▸ conjug. 3
Baisser beaucoup et brusquement. *La température **a chuté** de dix degrés en une nuit.*

chypriote
➔Voir tableau, p. 1319.

ci adverbe
❶ Après un nom ou un pronom démonstratif, désigne celui qui est le plus proche dans le temps ou dans l'espace. *Helena est très occupée ces jours-**ci**. Je n'aime pas cette robe-là, je préfère celle-**ci**.* * Chercher aussi *celui*.
❷ Devant quelques adverbes ou adjectifs, synonyme d'ici. ***Ci**-joint la notice de montage.*
* Ne pas confondre *ci*, *scie*, *si* et *six*.

cible nom féminin
Objet visé avec un projectile. *Pénélope a lancé la flèche au milieu de la **cible**.*

ciboulette nom féminin
Plante potagère aromatique qui fait partie des fines herbes. *Une omelette à la **ciboulette**.*

cicatrice nom féminin
Trace restant sur la peau après la guérison d'une plaie. *À l'endroit où Marco s'est brûlé, on voit une **cicatrice**.*

cicatriser verbe ▸ conjug. 3
Guérir en se refermant. *Cette plaie **cicatrisera** très vite.* ■ *se* **cicatriser** : se guérir en se refermant. *Cette blessure a mis du temps à **se cicatriser**.*

cidre nom masculin
Boisson alcoolisée faite de jus de pomme fermenté.

ciel, ciels ou **cieux** nom masculin
❶ L'espace au-dessus de nos têtes. *Un beau **ciel** bleu. Cette artiste peint très bien les **ciels**. Ils sont allés vivre sous d'autres **cieux**.*
❷ Espace dans lequel se trouvent Dieu et les anges dans certaines religions. **SYN** paradis.
• **À ciel ouvert** : à l'air libre. *Une mine **à ciel ouvert**.* * Au sens 1, le pluriel est ***ciels*** ou ***cieux*** ; au sens 2, le pluriel est toujours ***cieux***.

cierge nom masculin
Grande bougie que l'on fait brûler dans une église.

cigale nom féminin
Insecte dont le mâle chante quand il fait très chaud. *On entend le chant strident des **cigales** en été.*

Une ***cigale***

cigare nom masculin
Rouleau de feuilles de tabac destiné à être fumé.

cigarette nom féminin
Petit rouleau de tabac haché, enveloppé dans une fine feuille de papier, destiné à être fumé.

ci-gît adverbe
Formule gravée sur certaines tombes qui veut dire « ici repose ».

cigogne nom féminin
Grand oiseau migrateur au plumage noir et blanc, au bec long et pointu et aux pattes rouges. *Les **cigognes** passent l'hiver dans les pays chauds.*

Une ***cigogne***

cil nom masculin
Chacun des poils qui bordent les paupières.

cime nom féminin
Sommet d'un arbre ou d'une montagne. *Les nuages masquent la **cime** des montagnes.*

ciment nom masculin
Poudre grise très fine que l'on mélange avec de l'eau et qui durcit en séchant. *Le maçon a délayé le **ciment** pour refaire l'entrée de garage.* ♦ Famille du mot : cimenter, cimenterie.

cimenter verbe ▸ conjug. 3
Faire tenir ou recouvrir avec du ciment. *On **a cimenté** le sol.*

cimenterie nom féminin
Fabrique de ciment.

cimetière nom masculin
Lieu où les morts sont enterrés. *Dans ce village, le **cimetière** est derrière l'église.*

cinéaste nom
Personne qui réalise des films.

a b c d e f g h i j k l m n o p q r s t u v w x y z

cinéma nom masculin
❶ Art de réaliser des films. *Créé en 1895 par les frères Lumière, le **cinéma** est devenu parlant en 1927.* ❷ Salle où l'on peut voir des films. *Aller au **cinéma**.* • **Cinéma maison :** équipement visuel et sonore que l'on installe à domicile pour le visionnement de films. ❸ Dans la langue familière, bluff. *Elle a fait tout un **cinéma**, mais on ne l'a pas crue.* ♦ Famille du mot : cinéaste, cinémathèque, cinématographique, ciné-parc, cinéphile.

cinémathèque nom féminin
Endroit où l'on conserve, archive et projette des films.

cinématographique adjectif
Du cinéma. *L'industrie **cinématographique**.*

ciné-parc nom masculin
Cinéma en plein air où les spectateurs regardent le film de leur voiture. *Les **ciné-parcs** de la banlieue.* ✎ On peut écrire aussi *un **cinéparc**, des **cinéparcs**.*

cinéphile nom
Personne qui aime le cinéma.

cinglant, cinglante adjectif
❶ Vif et blessant. *Une réplique **cinglante**.* SYN mordant. ❷ Qui fouette. *Un vent **cinglant**.*

cinglé, cinglée adjectif et nom
Dans la langue familière, fou. *Il faut être **cinglé** pour faire ça ! – Ces **cinglés** ont vandalisé des abribus.*

cingler verbe ▸ conjug. 3
❶ Frapper avec un objet flexible. *Le dompteur **cingle** le lion avec son fouet.* SYN fouetter. ❷ Fouetter, en parlant de la pluie, de la neige ou du vent. *La pluie lui **cinglait** le visage.*

cinq déterminant invariable
Quatre plus un (5). *Une étoile à **cinq** branches.* ■ **cinq** nom masculin invariable Chiffre ou nombre cinq. *Lou arrive le **cinq** du mois prochain.*

cinquantaine nom féminin
Nombre d'environ cinquante. *Une **cinquantaine** de personnes. Mme Berthiaume approche de la **cinquantaine**.*

cinquante déterminant invariable
Cinq fois dix (50). ***Cinquante** ans font un demi-siècle.* ♦ Famille du mot : cinquantaine, cinquantième.

cinquantième adjectif et nom
Qui occupe le rang numéro cinquante. *Ils en étaient au **cinquantième** jour de navigation.* ■ **cinquantième** nom masculin Ce qui est contenu cinquante fois dans un tout. *Deux est le **cinquantième** de cent.*

cinquième adjectif et nom
Qui occupe le rang numéro cinq. *Jamal habite au **cinquième** étage. – Marie-Ève est la **cinquième** sur la liste.* ■ **cinquième** nom masculin Ce qui est contenu cinq fois dans un tout. *Vingt est le **cinquième** de cent.*

cintre nom masculin
Support courbe muni d'un crochet, que l'on utilise pour suspendre les vêtements. *Pour que son manteau ne se froisse pas, Laurent le met sur un **cintre**.*

cirage nom masculin
Produit avec lequel on entretient et on fait briller le cuir.

circoncision nom féminin
Petite opération consistant à enlever le prépuce qui recouvre le bout du pénis.

circonférence nom féminin
Ligne courbe qui limite la surface d'un cercle. * Chercher aussi *périmètre*.

circonflexe adjectif
• **Accent circonflexe :** accent qui se met sur certaines voyelles. *Fête, hôpital, âme s'écrivent avec un **accent circonflexe**.*

circonscription nom féminin
Division administrative d'un territoire. *La députée rend souvent visite aux maires de sa **circonscription**.* • **Circonscription électorale :** division politique d'un territoire.

circonscrire verbe ▸ conjug. 47
Contenir dans une certaine limite. *Les pompiers tentent de **circonscrire** l'incendie.*

circonspect, circonspecte adjectif
Prudent et réfléchi. *C'est un homme très **circonspect**, il réfléchit avant de parler.* * Attention ! Les lettres *ct* du masculin *circonspect* peuvent se prononcer ou non.

circonspection nom féminin
Fait d'être circonspect. *Cette accusation est grave, il faut agir avec **circonspection**.*

circonstance nom féminin
Conditions dans lesquelles s'est passé un évènement. *Les enquêteurs tentent de reconstituer les **circonstances** de l'explosion.*

circuit nom masculin
❶ Parcours qui ramène au point de départ. *La guide propose aux touristes un **circuit** de la ville.* ❷ Piste où ont lieu des courses automobiles. *Le **circuit** Gilles-Villeneuve.* ❸ Ensemble de fils électriques où passe le courant. *Couper le **circuit**.* * Chercher aussi *court-circuit*.

circulaire adjectif
Qui a la forme d'un cercle ou qui décrit un cercle. *Du haut du belvédère, nous avons jeté un coup d'œil **circulaire** sur le paysage. Une scie **circulaire**.*

circulation nom féminin
❶ Mouvement du sang dans les artères. *William Harvey a découvert la **circulation** sanguine en 1628.* ❷ Va-et-vient des personnes et des véhicules. *La **circulation** est fluide sur l'autoroute.*

circulatoire adjectif
• **Appareil circulatoire :** ensemble des organes de la circulation du sang dans le corps. *Le cœur et les vaisseaux sanguins constituent l'**appareil circulatoire**.* 👁p. 988.

circuler verbe ▸conjug. 3
❶ Se déplacer dans un conduit ou sur une voie de communication. *L'eau **circule** dans les caniveaux. Quand il y a des embouteillages, les voitures **circulent** lentement.* ❷ Se déplacer en faisant un circuit. *Le sang **circule** dans les artères et dans les veines.* ❸ Au sens figuré, se répandre. *Catherine m'a mis au courant de la rumeur qui **circule**.* ♦ Famille du mot : circulation, circulatoire.

cire nom féminin
Matière molle et jaunâtre produite par les abeilles. *Avec la **cire**, on fait des bougies, du cirage, de la **cire** à parquet, etc.* ♦ Famille du mot : cirage, ciré, cirer, cireur, cireuse, cireux.

ciré, cirée adjectif
Que l'on a passé à la cire. *Sacha a glissé sur le plancher **ciré**.*

cirer verbe ▸conjug. 3
Frotter avec de la cire ou du cirage. *Tes chaussures brillent, elles **sont** bien **cirées**.*

cireur, cireuse nom
Personne qui cire les chaussures, généralement dans la rue.

cireuse nom féminin
Appareil qui sert à cirer les sols.

cireux, cireuse adjectif
• **Teint cireux :** un peu jaunâtre comme la cire.

cirque nom masculin
Piste ronde entourée de gradins où des clowns, des acrobates, des dompteurs présentent des numéros. *Le **cirque** a dressé son chapiteau dans le Vieux-Montréal.*

*Un **cirque***

cirrus nom masculin
Nuage mince et allongé. 👁p. 710.

cisaille nom féminin
Gros ciseaux servant à couper les métaux ou de petites branches. * Ce mot s'emploie généralement au pluriel.

cisailler verbe ▸conjug. 3
Couper avec des cisailles. ***Cisailler** du fil de fer.*

ciseau, ciseaux nom masculin
Instrument d'acier tranchant et taillé en biseau à l'une de ses extrémités. *On travaille le bois, le fer, la pierre au **ciseau**.* ■ **ciseaux** nom masculin pluriel Instrument à deux lames dont on se sert pour couper. *Une paire de **ciseaux** à ongles.* 👁p. 74.

ciseler verbe ▸conjug. 8
Sculpter avec un ciseau. *L'orfèvre **cisèle** un bracelet.* ✎ On peut écrire aussi, au présent, *je **cisèle***; au futur, *tu **cisèleras***; au conditionnel, *elle **cisèlerait***.

a b c d e f g h i j k l m n o p q r s t u v w x y z

citadelle nom féminin
Forteresse qui protégeait une ville. *La **citadelle** de Québec.*

citadin, citadine nom
Personne qui habite dans une ville. *Les fins de semaine, les **citadins** aiment aller se promener à la campagne.* **CONTR** campagnard.

citation nom féminin
Passage extrait d'un livre ou d'un discours, que l'on cite.

cité nom féminin
Ville importante.

citer verbe ▸ conjug. 3
❶ Donner le nom de quelqu'un ou de quelque chose. *Peux-tu **citer** les principaux fleuves canadiens ?* ❷ Répéter exactement ce que quelqu'un a dit ou écrit. *La Fontaine est son auteur favori ; elle **cite** souvent la moralité de ses fables.*

citerne nom féminin
Grand réservoir destiné à recevoir un liquide (eau de pluie, carburant, etc.). *Une **citerne** à mazout.* **SYN** cuve, réservoir.

citoyen, citoyenne nom
Personne qui habite un État et en a la nationalité. *Voter est l'un des devoirs des **citoyens**.*

citoyenneté nom féminin
Qualité de citoyen. *Hui est né au Québec. Il a la **citoyenneté** canadienne.*

citron nom masculin
Agrume jaune et acide. *Du thé au **citron**.* 👁 p. 28.
♦ Famille du mot : citronnelle, citronnier.

*Des **citrons***

citronnelle nom féminin
Plante aromatique à odeur de citron. *Du poulet à la **citronnelle**.*

*De la **citronnelle***

citronnier nom masculin
Petit arbre des régions chaudes qui produit les citrons.

citrouille nom féminin
Grosse courge ronde. *À l'Halloween, nous avons mis des **citrouilles** décorées à l'entrée de la maison.*

*Des **citrouilles***

civet nom masculin
Ragoût de viande (lapin, lièvre, gibier) cuit avec du vin rouge et des oignons. *Un **civet** de lapin.*

civière nom féminin
Sorte de lit servant à transporter les blessés ou les malades. *On a emporté la blessée sur une **civière**.* **SYN** brancard.

civil, civile adjectif
❶ Qui concerne le citoyen. *Les institutions **civiles**.* ❷ Qui n'est pas militaire. *Après la guerre, les soldats reviennent à la vie **civile**.* ❸ Qui n'est pas religieux. *Le mariage **civil** est célébré au Palais de justice.* ■ **civil** nom masculin Personne qui n'appartient pas à l'armée. *En temps de guerre, les militaires défendent les **civils**.* • **En civil** : sans uniforme. *Un policier **en civil**.*

civilisation nom féminin
❶ Manière de vivre et de penser d'un peuple, ainsi que ses réalisations dans le domaine des arts, des sciences et des techniques. *La **civilisation** romaine.* ❷ Ensemble des progrès apportés par les sciences et les techniques. *L'électronique est un bienfait de la **civilisation**.*

civiliser verbe ▸ conjug. 3
Apporter sa civilisation à un autre peuple. *Les Grecs **ont civilisé** les Romains.*

civique adjectif
Du citoyen. *Les droits **civiques** sont les droits que la loi donne aux citoyens.*

civisme nom masculin
Attitude responsable d'un citoyen. *Appeler le service d'urgence quand une personne est en détresse, c'est faire preuve de **civisme**.*

clair, claire adjectif
❶ Qui est bien éclairé. *La cuisine est une pièce très **claire**.* **SYN** lumineux. **CONTR** obscur, sombre. ❷ Qui est peu coloré. *Un pantalon de toile **claire**.* **CONTR** foncé. ❸ Qui est pur et transparent. *L'eau **claire** d'une source.* **SYN** limpide. **CONTR** trouble. ❹ Qui est aigu et net, en parlant d'un son. *Une voix **claire**.* **CONTR** sourd. ❺ Qui est facile à comprendre. *Une idée simple et **claire**.* **CONTR** confus. ■ **clair** nom masculin • **Clair de lune:** lumière de la lune. • **Tirer au clair:** éclaircir, élucider. ■ **clair** adverbe • **Il fait clair:** il fait jour. • **Voir clair:** bien voir et, au sens figuré, comprendre. *Quel temps! On n'y **voit** plus **clair**. Il essaie de me leurrer, mais je **vois clair** dans son jeu.* ♦ Famille du mot: clairement, clarifier, éclairage, éclaircie, éclaircir, éclaircissement, éclairer.

clairement adverbe
De façon claire. *Elle s'est expliquée **clairement**.* **CONTR** vaguement.

clairière nom féminin
Endroit sans arbres dans un bois, une forêt. *Nous avons vu un chevreuil traverser la **clairière**.*

clairon nom masculin
Instrument de musique à vent, surtout utilisé dans la musique militaire.

*Un **clairon***

claironner verbe ▸ conjug. 3
Dire très fort et à tout le monde. *Brian est allé **claironner** partout qu'il avait gagné la course.* **SYN** proclamer.

clairsemé, clairsemée adjectif
Qui est peu serré, peu nombreux. *Il n'y a pas grand monde, la foule est **clairsemée**.* **CONTR** dense.

clairvoyant, clairvoyante adjectif
Qui a un jugement lucide. *Mon père saura me conseiller: c'est un homme **clairvoyant**.* **SYN** avisé, perspicace.

clamer verbe ▸ conjug. 3
Exprimer quelque chose à voix haute et avec force. *L'accusée **clame** son innocence.* **SYN** proclamer.

clameur nom féminin
Cris qui expriment la joie ou la colère. *Une **clameur** s'est élevée de la foule.*

clan nom masculin
Groupe distinct. *À la suite d'une dispute, notre équipe s'est divisée en deux **clans**.* **SYN** camp.

clandestin, clandestine adjectif
Qui se fait en cachette et de manière illégale. *Une activité **clandestine**.* ♦ Famille du mot: clandestinement, clandestinité.

clandestinement adverbe
De manière clandestine. *Ils se réunissent **clandestinement** pour comploter.* **SYN** secrètement.

clandestinité nom féminin
Situation d'une personne clandestine. *Les opposants à la dictature doivent vivre dans la **clandestinité**.*

clapier nom masculin
Cage à lapins.

clapoter verbe ▸ conjug. 3
Produire le bruit léger et répété de l'eau. *L'eau **clapotait** contre la barque.*

clapotis nom masculin
Bruit de l'eau qui clapote. *On entend le **clapotis** du lac dans la nuit d'été.* * On dit aussi ***clapotement***.

claquage nom masculin
Déchirure musculaire. *Samantha s'est fait un **claquage** au tennis.*

① **claque** nom féminin
Coup donné avec le plat de la main. *Donner, recevoir une **claque**.* **SYN** gifle.

② **claque** nom féminin
Sorte de chaussure souple en caoutchouc que les hommes portent en hiver par-dessus les souliers pour les protéger de la boue et de la neige. * Chercher aussi *couvre-chaussure*.

claquement nom masculin
Bruit produit par ce qui claque. *Le **claquement** d'une portière.*

claquer verbe ▸ conjug. 3
❶ Produire un bruit sec. *La porte mal fermée **claque** à cause du vent.* ❷ Refermer brutalement. *Mégane est partie furieuse en **claquant** la porte.* • **Claquer des dents:** grelotter de froid, de fièvre ou de peur. ■ *se* **claquer** • **Se claquer un muscle:** se déchirer un muscle. *Il ne s'était pas échauffé, il **s'est claqué un muscle**.* ♦ Famille du mot: claquage, claque, claquement, claquette.

a b c d e f g h i j k l m n o p q r s t u v w x y z

claquette nom féminin
Manière de danser en marquant le rythme grâce à des chaussures dont les semelles sont munies de plaques de métal. *Danser la **claquette**.*

clarifier verbe ▸conjug. 10
Rendre plus clair et plus compréhensible. *Votre exposé **a clarifié** la question.* SYN éclaircir. CONTR embrouiller.

clarinette nom féminin
Instrument de musique à vent. 👁p. 692.

Une ***clarinette***

clarté nom féminin
❶ Lumière. *La **clarté** du jour.* ❷ Qualité de ce qui est clair et compréhensible. *Chloé s'exprime avec **clarté**.* SYN netteté. CONTR confusion.

① **classe** nom féminin
❶ Catégorie de personnes qui ont à peu près les mêmes revenus, un genre de vie commun. *La **classe** ouvrière.* ❷ Ensemble d'objets, d'idées, d'animaux, de plantes, etc., qui ont des caractéristiques communes. *La **classe** des vertébrés.*

② **classe** nom féminin
❶ Groupe d'élèves suivant les mêmes cours. *Toute la **classe** est allée au planétarium.* ❷ Salle où ont lieu les cours. *On n'entendait pas un bruit dans la **classe**.* • **En classe :** à l'école.

classement nom masculin
❶ Action de classer. *Le **classement** des photos dans un album.* ❷ Place obtenue lors d'une épreuve. *Ce joueur de tennis a gagné dix places au **classement** général.*

classer verbe ▸conjug. 3
Ranger selon un certain ordre, certaines catégories. ***J'ai classé** mes photos de vacances.* CONTR déclasser. • **Classer une affaire :** la considérer comme terminée, ne plus s'en occuper. *Les bijoux volés ayant été retrouvés, **l'affaire a été classée**.* ■ *se* **classer** : obtenir un certain rang dans un classement. *Éloi **s'est classé** premier à l'épreuve de ski de fond.*
◆ Famille du mot : classe, classement, classeur, déclasser, reclasser.

classeur nom masculin
❶ Chemise servant à classer des papiers. *Victor achète des feuilles de **classeur** à deux trous.* • **Classeur à anneaux :** classeur muni d'anneaux dans lequel on classe des feuilles mobiles. SYN reliure* à anneaux.
❷ Meuble de bureau à tiroirs ou à compartiments. *Ma mère conserve les papiers importants dans un **classeur**.*

classique adjectif
❶ Que l'on étudie en classe et que l'on considère comme des modèles. *Racine, Goethe, Shakespeare sont des écrivains **classiques**.* ❷ Traditionnel et sans fantaisie. *Salomé est très **classique** dans son habillement.* • **Musique classique :** musique des grands compositeurs occidentaux des siècles passés.

clause nom féminin
Article d'un contrat ou d'une loi qui précise ce que chaque signataire s'engage à respecter. *Une des **clauses** du bail précise que les animaux de compagnie sont interdits.*

claustrophobe adjectif
Qui est atteint de claustrophobie. *Mia ne prend jamais l'ascenseur, elle est **claustrophobe**.*

claustrophobie nom féminin
Fait de ressentir une angoisse insupportable quand on se trouve dans un lieu fermé. *Elle déteste prendre l'avion à cause de sa **claustrophobie**.*

clavardage nom masculin
Dialogue en direct entre internautes.

clavarder verbe ▸conjug. 3
Dialoguer en temps réel et de façon interactive avec d'autres internautes. *Tous les soirs après le souper, elle **clavarde** avec ses amies.*

clavecin nom masculin
Instrument de musique à cordes pincées, qui ressemble au piano.

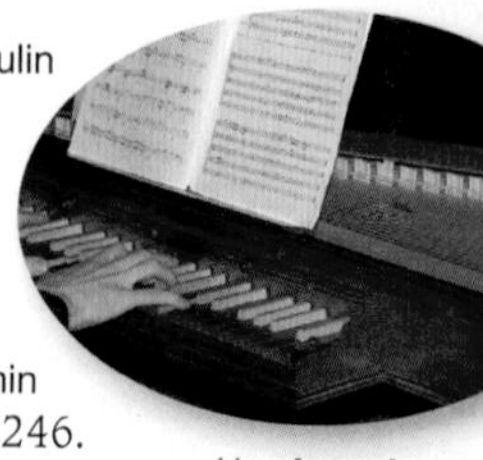
Un ***clavecin***

clavicule nom féminin
Os de l'épaule. 👁p. 246.

clavier nom masculin
Ensemble des touches d'un piano, d'un accordéon, d'un ordinateur, etc.

clé nom féminin
❶ Instrument qui sert à ouvrir ou à fermer une serrure, à mettre le contact, etc. *La porte est fermée à **clé**. Où as-tu mis les **clés** de la voiture ?* • **Mettre sous clé :** mettre dans un endroit fermé à clé. *Tu devrais **mettre** ces produits dangereux **sous clé**.* ❷ Outil qui permet de serrer ou de desserrer les écrous et les boulons. ❸ Au sens figuré, ce qui rend les choses explicables. *Antoine a découvert la **clé** du mystère.* ❹ Signe placé au début d'une portée de musique et qui indique la tonalité. *La **clé** de sol.* • **Prendre la clé des champs :** s'évader. • **Clé USB :** petit dispositif que l'on branche à un port USB et qui sert de mémoire pour stocker des données ou les transporter d'un ordinateur à un autre. ✎ On écrit aussi ***clef***.

*Une **clé USB***

*Une **clé** de voiture*

*Des **clés***

*Une **clé** à molette*

clématite nom féminin
Plante grimpante à fleurs de couleurs variées.

clémence nom féminin
Attitude indulgente envers les coupables. *Faire preuve de **clémence** en graciant un condamné.*

clément, clémente adjectif
❶ Qui fait preuve de clémence. *Les vainqueurs se sont montrés **cléments** vis-à-vis des vaincus.* **SYN** indulgent. **CONTR** sévère. ❷ Qui n'est pas froid. *Cette région jouit d'un hiver **clément**.* **SYN** doux. **CONTR** rigoureux.

clémentine nom féminin
Agrume sans pépins qui ressemble à une petite orange. 👁p. 28. * Chercher aussi *mandarine*.

cleptomane nom
Personne qui ne peut s'empêcher de commettre des vols.

clergé nom masculin
Ensemble de personnes au service d'une religion. *Dans le **clergé** catholique, il y a des prêtres, des abbés, des évêques, des cardinaux.*

cliché nom masculin
❶ Photographie. *La photographe a pris plusieurs **clichés** du mariage.* ❷ Expression toute faite, idée banale. *« Le feuillage d'or de l'automne » est un **cliché**.* **SYN** lieu* commun.

client, cliente nom
Personne qui achète quelque chose ou qui paie pour un service. *Le vendeur sert les clients.*

clientèle nom féminin
Ensemble des clients. *Cette dentiste a une nombreuse **clientèle**.*

cligner verbe ▸ conjug. 3
Ouvrir et fermer rapidement les paupières. *Le soleil sur la neige me fait **cligner** les yeux.*

clignotant, clignotante adjectif
Qui clignote. *Une lumière **clignotante**.*
■ **clignotant** nom masculin Lumière qui clignote sur un véhicule pour signaler un changement de direction. *Il a mis son **clignotant** gauche pour dépasser.* 👁p. 88.

clignoter verbe ▸ conjug. 3
S'allumer et s'éteindre à intervalles courts et réguliers. *Les feux de détresse de la voiture **clignotent**.*

climat nom masculin
Temps qu'il fait dans une région. *Sur la majeure partie du territoire, le Québec a un **climat** continental.* ♦ Famille du mot : acclimatation, acclimater, climatique, climatisation, climatiser, climatiseur.

climatique adjectif
Du climat. *Il y a d'importantes différences **climatiques** entre le Canada et le Mexique.*

climatisation nom féminin
Ensemble d'appareils qui permettent de climatiser un local. *Ils viennent d'installer la **climatisation** dans leur maison.* * Chercher aussi *air conditionné**.

climatiser verbe ▸ conjug. 3
Maintenir une température fraîche dans un lieu clos au moyen d'appareils de climatisation. *Ils **ont climatisé** leur maison.*

climatiseur nom masculin
Appareil servant à climatiser une salle, un local.

clin d'œil nom masculin
Signe que l'on fait en clignant de l'œil. *Étienne a fait un **clin d'œil** à Emma.* • **En un clin d'œil :** très vite.

a b c d e f g h i j k l m n o p q r s t u v w x y z

clinique nom féminin
Établissement où l'on peut recevoir des soins de santé. *M. Trudel a été opéré dans une **clinique**.* * Chercher aussi *hôpital*.

clinquant, clinquante adjectif
Qui brille d'un grand éclat, mais qui est sans valeur. *Un bijou **clinquant**.*

clip nom masculin
Film court qui illustre une chanson.
SYN vidéoclip.

clique nom féminin
Groupe de personnes qui se mettent ensemble pour manigancer. *Ils font tous partie de la même **clique**, méfie-toi !* **SYN** ② bande.

cliquer verbe ▸ conjug. 3
Appuyer sur la souris d'un ordinateur pour effectuer une opération.

cliquetis nom masculin
Bruit léger d'objets qui s'entrechoquent. *On entendait le **cliquetis** régulier des aiguilles à tricoter.*

clochard, clocharde nom
Personne qui n'a ni domicile ni travail.
SYN sans-abri, vagabond.

cloche nom féminin
❶ Instrument sonore en forme de coupe renversée, pourvu d'un battant. *Les **cloches** de l'église sonnent pour annoncer les cérémonies religieuses.* • **Être sauvé par la cloche :** être sauvé d'une situation difficile par le son du gong. ❷ Ustensile en forme de cloche. *Une **cloche** à gâteau.* ♦ Famille du mot : clocher, clochette.

à **cloche-pied** adverbe
En sautant sur un seul pied. *Les enfants jouent à faire la course **à cloche-pied**.* ✎ On peut écrire aussi ***à clochepied***.

clocher nom masculin
Haute tour d'une église où sont suspendues les cloches. 👁p. 170.

clochette nom féminin
Petite cloche. *On entend tinter les **clochettes** des chèvres.*

cloison nom féminin
Mur intérieur qui sépare deux pièces. *On entend mon grand-père ronfler à travers la **cloison**.*

cloisonner verbe ▸ conjug. 3
Diviser par une cloison. *On **a cloisonné** cette grande pièce pour en faire deux chambres.*

cloître nom masculin
❶ Monastère où des religieux ou des religieuses vivent reclus. ❷ Dans un monastère, galerie couverte qui entoure une cour ou un jardin. ✎ On peut écrire aussi ***cloitre***.

*Un **cloître***

se **cloîtrer** verbe ▸ conjug. 3
Se mettre à l'écart des autres. *Depuis la mort de sa femme, il **se cloître** chez lui.* **SYN** s'enfermer. ✎ On peut écrire aussi ***se cloitrer***.

clone nom masculin
Copie exacte d'un être vivant. *Dans ce roman, un savant fou fabrique des **clones** d'hommes et de femmes.*

clopin-clopant adverbe
En boitant un peu. *Les éclopés de la course sont arrivés **clopin-clopant**.* ✎ On peut écrire aussi ***clopinclopant***.

cloporte nom masculin
Petit animal à carapace qui vit dans les endroits obscurs et humides.

cloque nom féminin
Poche remplie de liquide, qui apparaît sous la peau. *Mes chaussures neuves m'ont fait des **cloques** au talon.* **SYN** ampoule.

clore verbe ▸ conjug. 55
❶ Dans la langue littéraire, fermer. *Tu vas maintenant **clore** les paupières et dormir.* ❷ Terminer, arrêter. ***Clore** une discussion.* ♦ Famille du mot : clôture, clôturer, enclos.

clôture nom féminin
❶ Ce qui entoure et ferme un terrain. *Il faut peindre la **clôture** chaque été.* ❷ Ce qui termine quelque chose. *La présidente a prononcé le discours de **clôture**.*

clôturer verbe ▶ conjug. 3
❶ Entourer d'une clôture. *L'éleveur* ***a clôturé*** *son champ.* ❷ Mettre fin à quelque chose. *Un feu d'artifice* ***a clôturé*** *la fête de la Saint-Jean.* **SYN** achever, finir.

clou nom masculin
❶ Petite tige métallique pointue, qui sert à fixer quelque chose. *Ning ne sait pas planter un* ***clou*** *sans se taper sur les doigts.* **SYN** pointe. ❷ Moment le plus réussi d'un spectacle. *Le numéro de l'équilibriste a été le* ***clou*** *de la soirée.* • **Maigre comme un clou :** très maigre. • **Cogner des clous :** dans la langue familière, commencer à s'endormir. ♦ Famille du mot : clouer, clouté.

clouer verbe ▶ conjug. 3
Fixer avec des clous. ***Clouer*** *une pancarte sur un mur.* • **Clouer le bec à quelqu'un :** dans la langue familière, faire une réponse qui l'oblige à se taire.

clouté, cloutée adjectif
Garni de clous. *Des chaussures* ***cloutées****.*

clown nom masculin
Artiste de cirque qui fait des numéros comiques.

clownerie nom féminin
Farce ou grimace de clown. *Ses* ***clowneries*** *font rire toute la classe.* **SYN** pitrerie.

CLSC nom masculin
Sigle de ***c****entre* ***l****ocal de* ***s****ervices* ***c****ommunautaires. Les résidents de ce quartier bénéficient des services d'un* ***CLSC****.*

club nom masculin
Groupe de personnes qui se réunissent régulièrement pour une activité. *Un* ***club*** *sportif, un* ***club*** *de philatélistes.*

club sandwich nom masculin
Sandwich fait de trois tranches de pain grillées entre lesquelles on a disposé du poulet ou du jambon, du bacon, de la laitue et des tomates. ✎ Pluriel : *des* ***clubs sandwichs****.*

co-, com-, con- préfixe
Placé au début d'un mot pour former un autre mot, *co-*, *com-*, *con-* indique l'association (***co****équipier*, ***com****battre*, ***con****texte*).

coagulation nom féminin
Fait de coaguler. *La chaleur provoque la* ***coagulation*** *du blanc d'œuf.*

coaguler verbe ▶ conjug. 3
Devenir solide. *Quand le lait tourne, il* ***coagule****.* **SYN** cailler, figer.

se **coaliser** verbe ▶ conjug. 3
Faire une coalition. *Vous* ***vous coalisez*** *tous contre moi !* **SYN** s'allier, se liguer.

coalition nom féminin
Alliance contre un ennemi commun. *Durant la Seconde Guerre mondiale, les Alliés ont formé une* ***coalition*** *contre Hitler.*

coassement nom masculin
Cri des grenouilles et des crapauds. * Ne pas confondre *coassement* et *croassement*.

coasser verbe ▶ conjug. 3
Pousser des coassements. *Les grenouilles et les crapauds* ***coassent****.* * Ne pas confondre *coasser* et *croasser*.

cobaye nom masculin
Petit rongeur souvent adopté comme animal de compagnie. **SYN** cochon d'Inde. • **Servir de cobaye :** servir comme sujet d'expérience.

Un **cobaye**

cobra nom masculin
Serpent venimeux d'Afrique et d'Asie. *Le* ***cobra*** *indien est appelé aussi serpent à lunettes.* 👁p. 892.

cocarde nom féminin
Insigne rond aux couleurs du drapeau d'un pays. *Les avions militaires portent une* ***cocarde*** *aux couleurs de leur pays.*

Un **cobra**

cocasse adjectif
Étonnant et comique à la fois. *Cette histoire* ***cocasse*** *nous a bien fait rire.*

coccinelle nom féminin
Coléoptère rouge ou orangé à points noirs, que l'on appelle aussi « bête à bon Dieu ». *Les* ***coccinelles*** *se nourrissent de pucerons.* 👁p. 570.

Des **coccinelles**

a b c d e f g h i j k l m n o p q r s t u v w x y z

coccyx nom masculin
Dernier os du bas de la colonne vertébrale. *Boris s'est fêlé le **coccyx** en tombant sur le derrière.* * Attention ! La deuxième syllabe du mot *coccyx* se prononce *sisse*.

① **cocher** verbe ▸ conjug. 3
Marquer d'un signe un mot ou une case dans une liste. *Sur le programme, j'**ai coché** les films que je vais voir cette semaine.*

② **cocher, cochère** nom
Personne qui conduit les voitures à cheval. *Le **cocher** a fouetté le cheval, et le fiacre est parti à vive allure.*

cochère adjectif féminin
• **Porte cochère :** grande porte à deux battants.

cochon nom masculin
Mammifère domestique élevé pour sa chair. *Les **cochons** grognent dans la porcherie.* SYN porc. • **Cochon de lait :** petit cochon qui tète encore sa mère. • **Cochon d'Inde :** cobaye. 👁p. 638. • **Temps de cochon :** très mauvais temps. • **Tête de cochon :** mauvais caractère. • **Tour de cochon :** méchanceté.
■ **cochon, cochonne** nom Personne sale ou gloutonne.

cochonnerie nom féminin
❶ Dans la langue familière, saleté. *Le chien a fait des **cochonneries** sur la moquette.* ❷ Objet de mauvaise qualité. *Tu peux jeter ces **cochonneries** à la poubelle.*

cochonnet nom masculin
❶ Jeune cochon. ❷ Petite boule qui sert de but à la pétanque.

Un **cochonnet**

coco nom masculin
Œuf, dans le langage des enfants. • **Noix de coco :** fruit du cocotier.

cocon nom masculin
Enveloppe de fils de soie que certaines chenilles tissent et dans laquelle elles s'enroulent. * Chercher aussi *chrysalide*. 👁p. 570.

cocorico nom masculin
Mot qui imite le cri du coq. *Au lever du jour, le coq pousse de sonores **cocoricos**.*

cocotier nom masculin
Grand palmier des régions tropicales, dont le fruit est la noix de coco.

Un **cocotier**

Des **noix de coco**

① **cocotte** nom féminin
Marmite en fonte. *J'ai fait cuire un bouilli dans la **cocotte**.*

② **cocotte** nom féminin
Dans la langue familière, pomme de pin. *Les enfants ont ramassé des **cocottes** pour l'activité de bricolage.*

① **code** nom masculin
Ensemble des lois et des règlements à respecter dans des domaines précis. *Le **code** de vie de l'école, le **code** de la route.*

② **code** nom masculin
❶ Langage secret compris par le destinataire du message seulement. *Le **code** convenu, c'est deux coups de sifflet longs, puis un bref.* ❷ Combinaison secrète de chiffres. *Tapez votre **code**, s'il vous plaît.* • **Code postal :** combinaison de lettres et de chiffres attribuée à chaque secteur de livraison qui doit figurer dans l'adresse postale. ♦ Famille du mot : code-barres, codé, décoder.

code-barres nom masculin
Code formé de barres verticales qui figure sur les produits de consommation. *À la caisse, le **code-barres** est lu par un lecteur optique.* ✎ Pluriel : *des **codes-barres**.*

codé, codée adjectif
Rédigé en code. *Les espions correspondent par messages **codés**.* * Chercher aussi *chiffré*.

codéine nom féminin
Substance tirée de l'opium utilisée dans le traitement de certains maux. *Un sirop à la **codéine**.*

coéquipier, coéquipière nom
Joueur qui fait partie de la même équipe qu'un autre. *Au tennis, Aïcha est ma **coéquipière**.* * Chercher aussi *équipier*.

cœur nom masculin
❶ Muscle qui fait circuler le sang dans les vaisseaux. 👁p. 988. ❷ Endroit où sont supposés naître les sentiments (bonté, amour, affection). *Cédric a bon **cœur**. Je vous embrasse de tout mon **cœur**.* ❸ Partie centrale de quelque chose. *Un **cœur** de salade. Le **cœur** du problème.* ❹ Une des quatre couleurs du jeu de cartes. *Dix de **cœur**, roi de **cœur**.* * Chercher aussi *carreau, pique, trèfle*. • **Avoir le cœur gros, le cœur serré :** avoir du chagrin. • **Avoir mal au cœur :** avoir la nausée. • **De bon cœur :** volontiers. CONTR à contrecœur*. • **En avoir le cœur net :** vérifier si une chose est vraie ou non. • **Par cœur :** de mémoire. • **S'en donner à cœur joie :** s'amuser autant que l'on peut. ♦ Famille du mot : à contrecœur, écœurant, écœuranterie, écœurer.

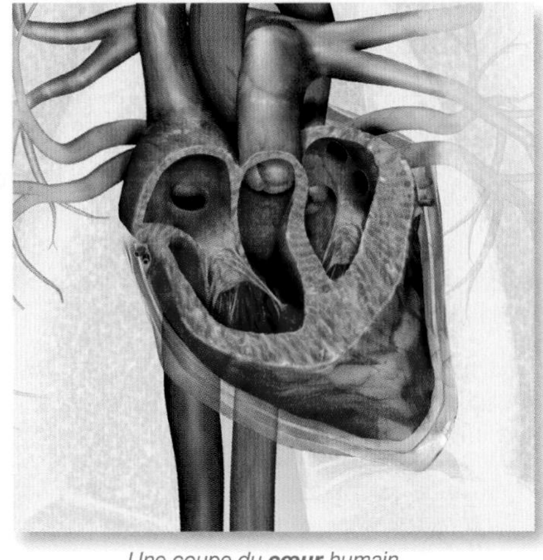
*Une coupe du **cœur** humain*

coffre nom masculin
❶ Contenant muni d'un couvercle. *Un **coffre** à jouets, un **coffre** à linge.* ❷ Endroit prévu pour mettre les bagages dans une voiture. 👁p. 88. ♦ Famille du mot : coffre-fort, coffret.

coffre-fort nom masculin
Armoire métallique très solide et munie d'une serrure spéciale, où l'on garde de l'argent, des papiers et des objets précieux. ✎ Pluriel : *des **coffres-forts**.*

coffret nom masculin
Petit coffre, boîte où l'on range des bijoux ou d'autres objets précieux.

cognac nom masculin
Alcool de raisin que l'on produit en France, dans la région de Cognac.

cognée nom féminin
Grosse hache à long manche utilisée pour abattre les arbres.

cogner verbe ▸ conjug. 3
Donner des coups. *Raphaël **cogne** contre la porte pour qu'on lui ouvre.* ■ **se cogner :** se heurter contre quelque chose. *Laurie s'est fait un bleu en **se cognant** contre un meuble.*

cohabiter verbe ▸ conjug. 3
Partager un logement avec quelqu'un. *Sandra **cohabite** avec sa cousine.* * Chercher aussi *colocataire*.

cohérence nom féminin
Fait d'être cohérent. *Le scénario du film manque de **cohérence**.* CONTR incohérence.

cohérent, cohérente adjectif
Dont toutes les idées s'enchaînent logiquement. *Son raisonnement se tient, il est **cohérent**.* SYN logique. CONTR incohérent. ♦ Famille du mot : cohérence, incohérence, incohérent.

cohésion nom féminin
Caractère d'un groupe dont les membres s'entendent bien. *Il y a une grande **cohésion** dans l'équipe.*

cohorte nom féminin
Groupe de gens. *Cette **cohorte** d'élèves sera la première à apprendre l'espagnol.*

cohue nom féminin
Foule de gens qui se bousculent. *La veille de Noël, c'est la **cohue** dans les magasins.* SYN bousculade.

coiffe nom féminin
Bonnet en tissu ou en dentelle, que les femmes portaient autrefois.

coiffer verbe ▸ conjug. 3
❶ Peigner les cheveux de quelqu'un. *Florence **coiffe** sa petite sœur.* ❷ Couvrir la tête de quelqu'un. *Mon grand-père **est** souvent **coiffé** de sa casquette.* ♦ Famille du mot : coiffe, coiffeur, coiffure, décoiffer, recoiffer.
■ *se* **coiffer** : s'arranger les cheveux. *Sa mère **se coiffe** avec beaucoup de soin.*

coiffeur, coiffeuse nom
Personne dont le métier est de couper et de coiffer les cheveux. *Tes cheveux sont trop longs, tu devrais aller chez le **coiffeur**.*

coiffure nom féminin
❶ Manière dont les cheveux sont arrangés. *Cette **coiffure** te rajeunit.* ❷ Ce qui sert à couvrir la tête. *La casquette est la **coiffure** préférée d'Abdel.*

coin nom masculin
❶ Angle formé par deux lignes ou deux plans. *Le **coin** de la table. Les quatre **coins** d'une pièce.* * Chercher aussi *encoignure, recoin.*
❷ Petit espace ou portion d'espace. *Erik lit dans son **coin**.* ❸ Endroit paisible. *On a passé les vacances dans un **coin** magnifique.*
SYN endroit.

coincer verbe ▸ conjug. 4
Empêcher de bouger ou de fonctionner. *La clé **est coincée** dans la serrure.* **SYN** bloquer.

coïncidence nom féminin
Faits qui se produisent ensemble par hasard. *Sébastien et Jade se sont retrouvés dans le même métro : quelle **coïncidence** !*

coïncider verbe ▸ conjug. 3
❶ Avoir lieu au même moment. *Mon anniversaire et celui de ma cousine **coïncident**.* ❷ Correspondre parfaitement. *Tous les témoignages **coïncident**.* **SYN** concorder.

col nom masculin
❶ Partie d'un vêtement qui entoure le cou. *Il relève le **col** de son manteau.*
❷ Passage entre deux montagnes.

coléoptère nom masculin
Insecte dont les ailes sont protégées par des élytres. *Les hannetons, les coccinelles, les cigales sont des **coléoptères**.* ◉p. 570. * Chercher aussi *élytre*.

*Un **coléoptère***

colère nom féminin
Réaction de mécontentement généralement violente. *Il s'est mis dans une grande **colère**.* **SYN** fureur, ① rage.

coléreux, coléreuse adjectif
Qui se met rapidement en colère. **SYN** irascible.

colibri nom masculin
Oiseau d'Amérique très petit et très coloré, appelé aussi « oiseau-mouche ». ◉p. 720.

*Un **colibri***

colimaçon nom masculin
Escargot. *Les enfants ont trouvé plusieurs **colimaçons**.* • **Escalier en colimaçon :** en spirale, qui tourne.

*Un **escalier en colimaçon***

colin-maillard nom masculin
Jeu où l'un des joueurs, qui a les yeux bandés, cherche à tâtons à attraper les autres et à les reconnaître.

colique nom féminin
Mal de ventre. *Le bébé a des **coliques**.*

colis nom masculin
Paquet envoyé à quelqu'un. *Poster un **colis**.*

collaborateur, collaboratrice nom
Personne qui travaille avec d'autres personnes. *La directrice de l'usine a félicité ses **collaborateurs**.*

collaboration nom féminin
Action de collaborer. *Ce travail a été terminé grâce à la **collaboration** de tous.* SYN aide, participation.

collaborer verbe ▸conjug. 3
Coopérer. *Plusieurs auteurs **ont collaboré** à ce livre.* ♦ Famille du mot : collaborateur, collaboration.

collage nom masculin
❶ Action de coller. ❷ Composition d'éléments collés. *Ce **collage** est fait de papiers recyclés.* 👁p. 74.

collant, collante adjectif
❶ Qui colle. *Il recolle une page déchirée avec du papier **collant**.* ❷ Qui moule le corps. *Annick ne se sent pas à l'aise dans des vêtements trop **collants**.* SYN serré. CONTR ample, bouffant. ■ **collant** nom masculin Sous-vêtement qui réunit la culotte et les bas. *Mahala porte souvent des **collants** imprimés.*

collation nom féminin
Repas léger et rapide. *Kevin prend une **collation** avant d'aller jouer au hockey.* * Chercher aussi ② *goûter*.

colle nom féminin
❶ Matière utilisée pour faire adhérer deux surfaces. *Il faut de la **colle** pour recoller ce jouet cassé.* ❷ Dans la langue familière, question difficile. *Je vais te poser une **colle**.*

collecte nom féminin
Action de rassembler de l'argent ou des objets. *Organiser une **collecte** pour aider les sans-abri. La **collecte** des ordures ménagères.*

collectif, collective adjectif
Qui concerne plusieurs personnes en même temps. *Ils ont adressé une demande **collective** à la direction.* • **Équipements collectifs** : bâtiments, installations qui servent à un groupe de personnes. CONTR individuel. ♦ Famille du mot : collectivement, collectivité.

collection nom féminin
❶ Ensemble d'objets que l'on a réunis et que l'on garde pour le plaisir. *Mon grand frère a une **collection** de jouets anciens.* ❷ Ensemble de vêtements créés par un couturier. *Les mannequins défilent pour présenter la **collection** d'hiver.* ♦ Famille du mot : collectionner, collectionneur.

collectionner verbe ▸conjug. 3
Réunir en collection. *Ma mère **collectionne** les cartes postales.*

collectionneur, collectionneuse nom
Personne qui fait une collection. *Une **collectionneuse** de timbres.*

collectivement adverbe
De façon collective. *Les grévistes ont exprimé **collectivement** leurs revendications.* CONTR individuellement.

collectivité nom féminin
Ensemble des gens qui composent un groupe. *Ce problème concerne la **collectivité**.*

collège nom masculin
Établissement d'enseignement intermédiaire entre l'école secondaire et l'université, ou établissement privé d'enseignement au secondaire. * Chercher aussi *cégep*.

collégial, collégiale adjectif
Du cégep. *Pablo vient de terminer ses études **collégiales**.* * Chercher aussi *primaire, secondaire, supérieur, universitaire*.

collégien, collégienne nom
Élève d'un collège.

collègue nom
Personne avec qui l'on travaille dans la même entreprise. *Ma mère dîne souvent avec ses **collègues**.*

coller verbe ▸conjug. 3
❶ Faire tenir avec de la colle. ***Coller** du papier peint sur les murs.* CONTR décoller. ❷ Appliquer contre une surface. *Thu **a collé** son visage à la vitre.* ♦ Famille du mot : autocollant, collage, collant, colle, colleur, décoller, recoller.

collet nom masculin
❶ Partie du vêtement féminin qui entoure le cou. ❷ Piège comportant un lacet à nœud coulant pour prendre de petits animaux par le cou. *Un lièvre a été pris au **collet**.* • **Être collet monté** : être guindé, manquer de naturel. *Ces gens **sont très collet monté**.* • **Saisir quelqu'un au collet** : l'attraper violemment par le col, ou procéder à son arrestation.

colleur, colleuse nom
• **Colleur, colleuse d'affiches** : personne qui colle des affiches sur les murs.

collier nom masculin
❶ Bijou qui se porte autour du cou. ❷ Courroie que l'on attache au cou de certains animaux. *Mon chien a son nom inscrit sur son **collier**.* • **Donner un coup de collier** : fournir un gros effort.

a b c d e f g h i j k l m n o p q r s t u v w x y z

collimateur nom masculin
Appareil qui permet de viser. *Le **collimateur** d'un fusil.* • **Avoir quelqu'un dans le collimateur :** le surveiller étroitement pour être prêt à l'attaquer.

colline nom féminin
Élévation de terrain de faible hauteur, au sommet arrondi.

collision nom féminin
Choc brutal entre deux corps en mouvement. *La **collision** entre les deux trains n'a heureusement fait aucune victime.* • **Entrer en collision :** se heurter.

colloque nom masculin
Réunion de spécialistes d'une discipline généralement en nombre limité, pour discuter d'une question donnée. *Un **colloque** d'astronomie.* * Chercher aussi *congrès*, *séminaire*, *table ronde*.

colmater verbe ▸ conjug. 3
Boucher de façon hermétique. *La fuite d'eau **a été colmatée**.*

colocataire nom
Personne qui partage un logement avec quelqu'un d'autre. * Chercher aussi *cohabiter*.

colombe nom féminin
Pigeon blanc ou gris. *La **colombe** portant dans son bec un rameau d'olivier est le symbole de la Paix.*

Une **colombe**

colombien, colombienne adjectif et nom
De Colombie. *Les plantations de café **colombiennes**. – Les **Colombiens**, les **Colombiennes**.* ✎ Attention ! Le nom, qui désigne les habitants, s'écrit avec une majuscule.

colon nom masculin
Personne qui habite une colonie. *Après sa découverte, l'Amérique a été occupée par des **colons** venus d'Europe.* ♦ Famille du mot : colonie, colonisation, coloniser.

côlon nom masculin
Partie de l'intestin, appelée aussi « gros intestin ». 👁 p. 320.

colonel, colonelle nom
Officier d'un grade élevé.

colonie nom féminin
❶ Territoire dépendant d'un autre pays qui l'occupe et l'administre. *Autrefois, les pays européens avaient des **colonies**.* ❷ Groupe d'animaux qui vivent ensemble. *Une **colonie** de fourmis.*

colonisation nom féminin
Action de coloniser un pays, une région. *La **colonisation** des Laurentides a pris son essor au 19e siècle.*

coloniser verbe ▸ conjug. 3
Transformer un pays en colonie ou y installer des colons.

colonnade nom féminin
Alignement de colonnes. *Les **colonnades** des temples grecs.*

colonne nom féminin
❶ Support vertical d'un bâtiment, de forme cylindrique. *La cathédrale Marie-Reine-du-Monde de Montréal a de hautes **colonnes**.* **SYN** pilier. ❷ Chacune des sections verticales qui divisent une page. *Ce dictionnaire est imprimé sur deux **colonnes**.* ❸ Suite d'individus, d'animaux ou de véhicules en marche. *Une **colonne** de fourmis.* **SYN** file. • **Colonne vertébrale :** ensemble des vertèbres **SYN** épine dorsale.

colorant nom masculin
Produit qui sert à colorer certaines matières ou certains aliments. *Les bonbons sont souvent pleins de **colorants**.*

coloration nom féminin
Action de colorer. *Ma sœur s'est fait faire une **coloration** chez le coiffeur.* **SYN** teinture.

colorer verbe ▸ conjug. 3
Donner une certaine couleur. *Le peintre met un peu de noir dans la peinture blanche pour la **colorer** en gris.* ■ se **colorer** : se teinter. *Au coucher du soleil, le ciel **se colore** de rouge.*

coloriage nom masculin
Action de colorier un dessin. *Ma petite sœur adore faire du **coloriage**.*

colorier verbe ▸ conjug. 10
Ajouter des couleurs à un dessin. *Un album d'images à **colorier**.*

coloris nom masculin
Couleur ou nuance de couleur. *Shan a choisi un **coloris** clair pour les murs de sa chambre.* **SYN** teinte.

colossal, colossale, colossaux adjectif
Qui est très grand, gigantesque. *La tour du CN à Toronto est un édifice* ***colossal****.*

colosse nom masculin
Homme très grand et très fort.

colporter verbe ▶conjug. 3
Répandre partout une nouvelle ou une rumeur. *Je lui ai suggéré de ne plus* ***colporter*** *ces ragots.*

colporteur, colporteuse nom
Marchand ambulant qui vend de petites marchandises à domicile ou dans la rue.

colza nom masculin
Plante à fleurs jaunes. *Avec les graines de* ***colza****, on fait de l'huile.*

Un champ de **colza**

com- ➔Voir **co-**

coma nom masculin
État grave dans lequel un patient perd ses fonctions de conscience, de sensibilité et sa capacité de se mouvoir. *Le malade est toujours dans le* ***coma****.*

combat nom masculin
❶ Bataille entre troupes ennemies. *Les* ***combats*** *font rage dans cette région.* SYN affrontement. ❷ Lutte entre deux adversaires. *Un* ***combat*** *de boxe.*

combatif, combative
ou **combattif, combattive** adjectif
Qui est plein d'ardeur pour gagner un combat, une lutte. *Ce joueur de tennis est très* ***combatif****.*

combattant, combattante nom
Personne qui participe à un combat. *Il y a eu des blessés parmi les* ***combattants****.*

combattre verbe ▶conjug. 31
❶ Se battre contre quelqu'un. ***Combattre*** *jusqu'à la victoire.* ❷ Lutter contre quelque chose. *Ce sirop* ***combat*** *la toux.* ***Combattre*** *l'injustice.* ♦ Famille du mot : combat, combatif, combattant.

combien adverbe
Mot qui sert à demander une quantité, un prix, un poids. ***Combien*** *y a-t-il d'élèves dans la classe ?* ***Combien*** *coûte ce stylo ?*

combinaison nom féminin
❶ Assemblage d'éléments selon un ordre donné. *Cette* ***combinaison*** *de styles d'ameublement est harmonieuse.* SYN arrangement, disposition. ❷ Succession de chiffres qui permet d'ouvrir un coffre-fort, une serrure. * Chercher aussi ② *code*. ❸ Vêtement qui réunit en une seule pièce une veste et un pantalon. *Une* ***combinaison*** *de ski, de plongée.*

combine nom féminin
Dans la langue familière, moyen astucieux, parfois peu honnête. *Édouard a toujours des* ***combines*** *pour payer toutes sortes de choses moins cher.*

combiné nom masculin
Partie d'un téléphone que l'on décroche et qui permet de parler et d'écouter.

combiner verbe ▶conjug. 3
❶ Arranger différents éléments dans un certain ordre. *On peut* ***combiner*** *les chiffres à l'infini.* ❷ Préparer quelque chose ou l'organiser. *Houda essaie de* ***combiner*** *avec son frère une sortie à l'insu de leurs parents.*

① **comble** adjectif
Bondé. *Une salle* ***comble****.*

② **comble** nom masculin
Le plus haut degré. *Pour Justine, le* ***comble*** *du bonheur serait de gagner le match.* • **De fond en comble :** de haut en bas, partout. ■ **combles** nom masculin pluriel Partie d'un bâtiment qui se trouve juste sous le toit. *Ils ont aménagé une chambre sous les* ***combles****.* * Chercher aussi *grenier*.

combler verbe ▶conjug. 3
❶ Boucher un creux, remplir un vide. *Le peintre* ***a comblé*** *les fissures avec du plâtre.* ❷ Satisfaire totalement. *Ta proposition m'****a comblé****.* ❸ Donner énormément de choses. *Mon grand-père m'****a comblé*** *de cadeaux.*

combustible adjectif
Qui peut brûler. *Le pétrole est* ***combustible****.* CONTR incombustible. ■ **combustible** nom masculin Matière que l'on brûle pour produire de la chaleur ou de l'énergie. *Le bois, le charbon, le pétrole sont des* ***combustibles****.*

combustion nom féminin
Fait de brûler. *La* ***combustion*** *du charbon.*

a b c d e f g h i j k l m n o p q r s t u v w x y z

comédie nom féminin
❶ Pièce de théâtre ou film amusants. *Maïka adore les **comédies** de Molière.* ❷ Action de faire semblant. *Loïc prétend qu'il est malade, mais c'est de la **comédie**.*

comédien, comédienne nom
Acteur qui joue au théâtre ou au cinéma. *Cette excellente **comédienne** a eu le prix d'interprétation.* ■ **comédien, comédienne** adjectif Qui fait souvent semblant. *Il est très **comédien**, il ne faut pas toujours le croire quand il se plaint.*

comestible adjectif
Qui peut être mangé. *Ma mère sait reconnaître les champignons **comestibles**.*

comète nom féminin
Astre qui passe dans le ciel suivi d'une traînée lumineuse.

Une **comète**

cométique nom masculin
Traîneau tiré par des chiens. *Chez les Inuits, le **cométique** était un moyen de transport fort utile avant l'arrivée de la motoneige.*

comique adjectif
Qui fait rire. *Ce spectacle **comique** nous a beaucoup amusés.* **SYN** amusant, drôle. ■ **comique** nom masculin Ce qui fait rire. *Elle a le sens du **comique**.* ■ **comique** nom Comédien qui joue des personnages comiques. *Charlie Chaplin était un grand **comique**.*

comité nom masculin
Groupe de personnes chargées d'organiser quelque chose. *Ma grande sœur fait partie d'un **comité** de protection de l'environnement.*

commandant, commandante nom
Officier qui commande une troupe, un navire. • **Commandant, commandante de bord:** pilote d'un avion.

commande nom féminin
❶ Action de commander une marchandise. *La commerçante a passé une **commande** à son fournisseur.* ❷ Appareil qui fait fonctionner un mécanisme. *Dans les avions, beaucoup de **commandes** sont automatiques.*

commandement nom masculin
❶ Pouvoir de commander. *Le général a pris le **commandement** des opérations.* ❷ Ordre. *Il obéit aux **commandements**.*

commander verbe ▸ conjug. 3
❶ Donner l'ordre de faire quelque chose. *On nous **a commandé** de sortir quand le signal d'alarme a retenti.* **SYN** ordonner. ❷ Être le chef. *Le chef **commande** et les autres obéissent.* **SYN** diriger. ❸ Faire une demande pour acheter quelque chose à un commerçant. ***J'ai commandé** un livre à la librairie.* ❹ Faire fonctionner un mécanisme. *C'est ce bouton qui **commande** l'ouverture de la porte.*
♦ Famille du mot: commandant, commande, commandement, décommander, télécommande.

commanditaire nom
Personne ou entreprise qui finance une manifestation sportive ou culturelle, ou une personne, dans un but publicitaire.

commanditer verbe ▸ conjug. 3
Financer une manifestation sportive ou culturelle, ou une personne, dans un but publicitaire. *C'est une marque de boisson gazeuse qui **commandite** cette compétition sportive.* **SYN** parrainer.

commando nom masculin
Groupe de soldats spécialement entraînés pour exécuter des opérations surprises.

comme conjonction
Sert à indiquer… ❶ la comparaison. *Luigi est malin **comme** un singe.* ❷ la cause. ***Comme** il pleut, on va rester à la maison.* **SYN** puisque. ❸ la manière. *Je ferai **comme** tu voudras.* **SYN** ainsi que. ❹ le temps. *Il est sorti **comme** j'arrivais.* **SYN** au moment où. ❺ la qualité. *Elle a été choisie **comme** chef de classe.* **SYN** en tant que. ■ **comme** adverbe Indique l'exclamation. ***Comme** tu as grandi!* **SYN** que.

commémoratif, commémorative adjectif
Qui commémore un évènement. *Une plaque **commémorative** rappelle la tragédie de l'École polytechnique.*

commémoration nom féminin
Fait de commémorer. *Le premier ministre assiste à la **commémoration** du 11 novembre.*

commémorer verbe ▸ conjug. 3
Rappeler le souvenir d'un évènement. *Une cérémonie **a commémoré** la mort de Louis Riel.* ♦ Famille du mot : commémoratif, commémoration.

commencement nom masculin
Fait de commencer. *Le premier janvier marque le **commencement** d'une nouvelle année.* **SYN** début. **CONTR** fin.

commencer verbe ▸ conjug. 4
❶ Faire la première partie, le début de quelque chose. *Huong **a commencé** un dessin.* **CONTR** finir, terminer. ❷ Être à son début. *Le film **commence** à vingt heures précises.* **SYN** débuter. ❸ Se mettre à faire quelque chose. *Mon petit frère **commence** à parler.* ♦ Famille du mot : commencement, recommencer.

comment adverbe
Sert à indiquer… ❶ la manière ou le moyen. *Sais-tu **comment** ça marche ? **Comment** voyages-tu, en train ou en avion ?* ❷ l'étonnement, la surprise ou la colère. ***Comment**, tu n'es pas encore prêt ?*

commentaire nom masculin
Remarque sur un évènement ou un texte que l'on commente. *À la radio, on a entendu de nombreux **commentaires** sur cet incident politique.*

commentateur, commentatrice nom
Journaliste qui commente les évènements de l'actualité, du sport, etc. *Un **commentateur** sportif.*

commenter verbe ▸ conjug. 3
Donner des explications ou faire des remarques sur un texte, un évènement. *Son père est journaliste, il **commente** tous les jours l'actualité à la radio.* ♦ Famille du mot : commentaire, commentateur.

commérage nom masculin
Propos malveillants sur quelqu'un. *Je n'aime pas les **commérages**.* **SYN** cancan, potins, racontar. * Attention ! Ce mot s'emploie surtout au pluriel.

commerçant, commerçante nom
Personne qui fait du commerce ou qui tient un commerce. *La plupart des **commerçants** de mon quartier ferment le dimanche.*
■ **commerçant, commerçante** adjectif
Où il y a beaucoup de magasins. *Cette rue est très **commerçante**.*

commerce nom masculin
❶ Fait d'acheter et de vendre des marchandises. ❷ Boutique ou magasin. *Ses parents tiennent un **commerce** dans le centre-ville.* ♦ Famille du mot : commerçant, commercial, commercialiser.

commercial, commerciale, commerciaux adjectif
Qui a un rapport avec le commerce. *Pour être vendeur dans cette entreprise, il faut avoir fait des études **commerciales**.*

commercialiser verbe ▸ conjug. 3
Rendre disponible dans le commerce. *Cette voiture est un prototype, elle n'**est** pas encore **commercialisée**.*

commère nom féminin
Personne curieuse qui passe son temps à raconter ce qu'elle sait sur les autres.

commettre verbe ▸ conjug. 33
Faire un acte répréhensible. ***Commettre** un crime. **Commettre** une erreur.*

commis nom
Personne qui s'occupe de diverses tâches dans un bureau, un commerce. *La bouchère a engagé une **commis**.*

commissaire nom
Membre d'une commission.

① **commission** nom féminin
❶ Message confié à une personne qui est chargée de le transmettre à une autre. *James m'a chargé d'une **commission** pour toi.* ❷ Somme d'argent proportionnelle au prix de vente de quelque chose. *Sur chacune de leurs ventes, les vendeurs reçoivent une **commission**.*
■ **commissions** nom féminin pluriel Courses ou achats. *Léa a pris un grand sac pour faire les **commissions**.*

② **commission** nom féminin
Groupe de personnes qui se réunissent pour étudier une affaire et prendre des décisions. *Une **commission** d'enquête vient d'être créée.*
• **Commission scolaire :** organisme responsable de l'administration des écoles dans un quartier, une région.

commissure nom féminin
Coin de la bouche. *La **commissure** des lèvres.*

① **commode** adjectif
❶ Qui est pratique à utiliser. *Ce sac à dos est **commode** pour voyager.* ❷ Qui est simple, facile à faire. *Ce serait plus **commode** de faire ces calculs avec une calculatrice.* CONTR compliqué. • **Ne pas être commode :** avoir un caractère difficile, être désagréable. *Il est de mauvaise humeur et **n'est pas commode** ce matin.* ♦ Famille du mot : accommodement, accommoder, commodité.

② **commode** nom féminin
Meuble à tiroirs, plus large que haut, qui sert le plus souvent à ranger du linge.

Une **commode**

commodité nom féminin
Qualité de ce qui est commode. *Par **commodité**, on ne prendra qu'une seule voiture.* ■ **commodités** nom féminin pluriel Éléments de confort. *Il paraît que cet hôtel a toutes les **commodités**.*

commotion nom féminin
Choc soudain et violent, ou émotion très forte. *Il a fait une **commotion** cérébrale.*

commun, commune adjectif
❶ Qui sert à plusieurs personnes ou qui est partagé avec d'autres. *Il y a une salle **commune** dans cette résidence pour personnes âgées.* CONTR individuel, particulier. ❷ Qui est très répandu. *Les kangourous sont des animaux très **communs** en Australie.* SYN courant. CONTR rare. • **En commun :** à plusieurs, ensemble. *Ils ont fait ce travail **en commun**.*

communautaire adjectif
En groupe. *Les moines mènent une vie **communautaire** dans leur monastère.*

communauté nom féminin
Groupe de personnes qui vivent ensemble et mettent tout en commun. *Une **communauté** religieuse.*

commune nom féminin
• **Chambre des communes :** assemblée des élus du peuple au Parlement canadien.
* La ***Chambre des communes*** se dit aussi « les ***Communes*** ».

communiant, communiante nom
Personne qui communie, qui reçoit le sacrement de l'eucharistie. * Chercher aussi *communion*.

communicatif, communicative adjectif
❶ Qui se communique facilement. *Son rire est **communicatif** : toute la classe s'est mise à rire.* ❷ Qui se confie et parle facilement. *Il est très **communicatif** et dit tout ce qu'il pense.* SYN expansif, ouvert. CONTR renfermé, taciturne.

communication nom féminin
❶ Action de communiquer une information. *La ministre a fait une **communication** à la télévision.* ❷ Conversation téléphonique. *La **communication** a été coupée.* ❸ Ce qui permet de passer d'un endroit à un autre. *Il y a une porte de **communication** entre la salle à manger et la cuisine.* • **Moyen de communication :** ce qui permet de communiquer. *La radio, les journaux, Internet sont des **moyens de communication**.* • **Voie de communication :** circuit aménagé pour se rendre d'un endroit à un autre. *Les routes, les canaux, les autoroutes, les lignes de chemin de fer, par exemple, sont des **voies de communication**.*

communier verbe ▸ conjug. 10
Recevoir la communion. ♦ Famille du mot : communiant, communion.

Une **communauté**

communion nom féminin
Sacrement de l'eucharistie dans l'Église catholique. * Chercher aussi *hostie*.

communiqué nom masculin
Message officiel transmis au public par la presse, la radio, la télévision ou Internet.

communiquer verbe ▸ conjug. 3
❶ Faire connaître quelque chose. *Les médias **ont communiqué** la nouvelle très tôt ce matin.* SYN transmettre. ❷ Échanger de l'information. *Internet permet de **communiquer** avec le monde entier.* ❸ Faire partager un sentiment ou une maladie. *Elle a réussi à nous **communiquer** son angoisse.* ❹ Permettre de passer directement d'un lieu à un autre. *La cuisine **communique** avec la salle à manger.* ■ se **communiquer** : se transmettre. *Le virus de la grippe **se communique** facilement.* ♦ Famille du mot : communicatif, communication, communiqué.

communisme nom masculin
Système politique et économique dans lequel les usines et les terres d'un pays appartiennent à tous les citoyens.

communiste adjectif
Qui a un rapport avec le communisme. *Un régime **communiste**.* ■ **communiste** nom
Partisan du communisme.

comorien, comorienne
➜Voir tableau, p. 1319.

compact, compacte adjectif
❶ Qui est très épais ou très dense. *Une foule **compacte** se pressait le jour du concert.*
❷ Qui est de format réduit. *Une chaîne stéréo **compacte**.*

compagne nom féminin
Celle qui partage les activités, la vie de quelqu'un. *Sur cette photo, je suis avec mes **compagnes** de classe.* * Chercher aussi *camarade*, *copine*.

compagnie nom féminin
❶ Présence auprès de quelqu'un. *J'apprécie beaucoup sa **compagnie**.* • **Tenir compagnie à quelqu'un** : rester près de lui. • **En compagnie de quelqu'un** : avec lui.
❷ Société commerciale. *Son père travaille dans une **compagnie** d'assurances.*

compagnon nom masculin
Celui qui partage les activités, la vie de quelqu'un. *Leurs **compagnons** de voyage étaient très dynamiques.* * Chercher aussi *camarade*, *copain*.

comparable adjectif
Qui est à peu près égal à autre chose. *Ces deux voitures ont des performances **comparables**.*

comparaison nom féminin
❶ Fait de comparer des personnes ou des choses. *Si on fait la **comparaison** entre les prix, c'est ce magasin qui vend le moins cher.*
❷ Fait d'associer des personnes ou des choses dans le langage. *L'expression « Fort comme un bœuf » est une **comparaison**.*

comparaître verbe ▸ conjug. 37
Se présenter devant un tribunal. ✎ On peut écrire aussi, à l'infinitif, ***comparaitre*** ; au présent, *il **comparait*** ; au futur, *elle **comparaitra*** ; au conditionnel, *ils **comparaitraient***.

comparatif, comparative adjectif
Qui sert à comparer. *Une étude **comparative** a révélé que cette option est la meilleure.*

comparer verbe ▸ conjug. 3
❶ Examiner les ressemblances et les différences entre des personnes ou des choses. *Il faut **comparer** les prix avant d'acheter.* ❷ Dire que quelque chose ou quelqu'un ressemble à quelque chose ou quelqu'un d'autre. *Le poète **a comparé** la jeune fille à une fleur.* ♦ Famille du mot : comparable, comparaison, comparatif, incomparable.

comparse nom
Complice. *Le cambrioleur et ses **comparses** ont réussi à s'enfuir.*

compartiment nom masculin
❶ Division dans un meuble, une boîte. SYN case. ❷ Voiture de chemin de fer aménagée pour les voyageurs.

comparution nom féminin
Fait de comparaître en justice. *La **comparution** des témoins est prévue pour demain.*

compas nom masculin
❶ Petit instrument formé de deux tiges articulées qui sert à tracer des cercles.
❷ Sorte de boussole dont se servent les marins et les aviateurs. *Le **compas** indique le cap.*

Un **compas** géométrique

Un **compas** de navigation

compassion nom féminin
Sentiment de pitié et de sympathie pour quelqu'un qui souffre. *Adriana éprouve beaucoup de **compassion** pour les sans-abri.*

compatible adjectif
Qui peut s'adapter ou s'accorder à quelque chose. *Ce logiciel n'est pas **compatible** avec ton ordinateur.* **CONTR** incompatible.

compatir verbe ▸ conjug. 11
Éprouver de la compassion. *Nous **compatissons** à votre chagrin.*

compatriote nom
Personne originaire du même pays qu'une autre. *Pendant notre séjour au Mexique, nous avons rencontré des **compatriotes**.*

compensation nom féminin
• **En compensation:** pour compenser autre chose. *Les agriculteurs ont reçu une subvention **en compensation** de la perte de leurs récoltes.* **SYN** en contrepartie.

compenser verbe ▸ conjug. 3
Rétablir un équilibre avec autre chose. *Ses qualités **compensent** ses défauts.*

compétence nom féminin
❶ Qualité d'une personne compétente. *Tout le monde apprécie sa **compétence**.* **CONTR** incompétence. ❷ Aptitude reconnue d'une autorité à faire quelque chose. *Cette affaire est de la **compétence** du maire.*

compétent, compétente adjectif
Qui connaît bien son métier ou son domaine. *Cette médecin est très **compétente**.* **SYN** capable. ♦ Famille du mot: compétence, incompétence, incompétent.

compétiteur, compétitrice nom
Concurrent. *Des **compétiteurs** sportifs.* **SYN** adversaire, rival.

compétitif, compétitive adjectif
Qui peut entrer en compétition avec autre chose. *Le prix de cette voiture est **compétitif**.* **SYN** concurrentiel.

*Une **compétition** de nage synchronisée*

compétition nom féminin
Épreuve sportive. *Zoé doit participer à une **compétition** de nage synchronisée.*

compétitionner verbe ▸ conjug. 3
Participer à une compétition sportive.

compilation nom féminin
❶ Action ou fait de compiler. *La **compilation** des résultats du vote.* ❷ Disque réunissant une sélection de succès musicaux.

compiler verbe ▸ conjug. 3
Réunir des extraits de documents. *Pour leur recherche, ils **ont compilé** des informations de différentes sources.*

complainte nom féminin
Chanson populaire plaintive et triste.

se **complaire** verbe ▸ conjug. 41
Prendre plaisir à faire quelque chose. *On dirait qu'elle **se complaît** à bouder.* ✎ On peut écrire aussi *il, elle **se complait**.*

complaisance nom féminin
Qualité d'une personne complaisante. *Il a eu la **complaisance** de me raccompagner.* **SYN** amabilité.

complaisant, complaisante adjectif
Qui cherche à plaire à autrui. *Notre voisin se montre toujours **complaisant**.* **SYN** serviable.

complément nom masculin
❶ Ce que l'on ajoute pour compléter quelque chose. *J'aurais besoin d'un **complément** d'information pour ma recherche.* ❷ Mot, groupe de mots ou phrase qui complète un autre mot, un autre groupe de mots ou une autre phrase. *« Pomme » est le **complément** du verbe « manger » dans la phrase « Tanya mange une pomme ». « Depuis une semaine » est le **complément** de phrase dans la phrase « Depuis une semaine, j'ai commencé des cours de natation ».*

complémentaire adjectif
Qui apporte un complément. *Pour des renseignements **complémentaires**, il faut s'adresser à l'accueil.*

① **complet, complète** adjectif
❶ Auquel il ne manque rien. *Il y a 52 cartes, le jeu est **complet**.* **CONTR** incomplet. ❷ Qui est total, absolu. *Dormir dans l'obscurité **complète**.* ❸ Qui ne peut contenir davantage. *L'hôtel est **complet**, il ne reste plus de chambre libre.* **SYN** comble, plein. ♦ Famille du mot : complètement, compléter, incomplet.

② **complet** nom masculin
Costume d'homme composé d'un pantalon, d'une veste et parfois d'un gilet taillés dans le même tissu. *Pour la cérémonie, mon père a mis un **complet** gris.*

complètement adverbe
De façon complète. *Cette maison a été **complètement** détruite par l'incendie.* **SYN** entièrement, totalement. **CONTR** partiellement.

compléter verbe ▸ conjug. 8
Rendre plus complet. *Je vais en quelques mots **compléter** ce qu'il a dit.* ✎ On peut écrire aussi, au futur, *tu **complèteras***; au conditionnel, *elle **complèterait***.

① **complexe** adjectif
Compliqué. *C'est une histoire très **complexe**, je n'y comprends rien.*

② **complexe** nom masculin
• **Avoir des complexes :** manquer de confiance en soi, être timide, être mal à l'aise.

③ **complexe** nom masculin
Ensemble de constructions reliées les unes aux autres et destinées à des activités diverses. *Ce **complexe** compte de nombreux commerces et restaurants, ainsi que trois salles de cinéma.*

complexé, complexée adjectif
Qui a des complexes. *Linh est **complexée** à cause de son poids.*

complexité nom féminin
Caractère complexe de quelque chose. *Cette situation est d'une grande **complexité**.*

complication nom féminin
❶ Caractère compliqué de quelque chose. *Cet appareil est d'une telle **complication** que je ne m'en sers pas.* **CONTR** simplicité. ❷ Élément nouveau qui aggrave une maladie ou qui perturbe le bon fonctionnement de quelque chose. *Depuis sa chirurgie, les **complications** se sont multipliées.*

complice nom
Personne qui aide une autre personne à faire quelque chose de mal. *Le malfaiteur et ses **complices** ont été arrêtés.* **SYN** comparse. ■ **complice** adjectif Qui prouve une complicité. *Un sourire **complice**.*

complicité nom féminin
Fait d'être complice avec quelqu'un.

compliment nom masculin
Paroles élogieuses pour féliciter quelqu'un. *Tous mes **compliments** pour ton succès !* **SYN** éloge, félicitations.

complimenter verbe ▸ conjug. 3
Faire des compliments. *Ses parents **l'ont complimenté** pour ses résultats scolaires.* **SYN** féliciter.

compliqué, compliquée adjectif
Qui est difficile à comprendre ou à faire. *Ce problème de mathématique est vraiment **compliqué**.* **SYN** complexe. **CONTR** simple.

compliquer verbe ▸ conjug. 3
Rendre plus compliqué. ■ *se* **compliquer** : devenir compliqué. *La situation **se complique**.* • **Se compliquer la vie :** agir de telle sorte que l'on se rend la vie plus difficile. ♦ Famille du mot : complication, compliqué.

complot nom masculin
Projet secret préparé par plusieurs personnes et dirigé contre quelqu'un ou quelque chose. **SYN** conspiration.

comploter verbe ▸ conjug. 3
Préparer un complot. *Je crois qu'ils **complotent** un mauvais coup.* • **Comploter contre quelqu'un :** préparer un complot contre lui.

comportement nom masculin
Façon de se comporter. *Il a un **comportement** bizarre ces temps-ci.* **SYN** attitude, conduite.

① **comporter** verbe ▸ conjug. 3
Se composer de. *Ce livre **comporte** des illustrations et des photographies.* **SYN** comprendre.

② *se* **comporter** verbe ▸ conjug. 3
Se conduire. *David **s'est comporté** comme un grand garçon.*

composant nom masculin
Chacun des éléments composant une chose. *L'azote et l'oxygène sont des **composants** de l'air.* **SYN** constituant.

composé, composée adjectif
Constitué de plusieurs éléments. *Ce bouquet **composé** réunit de jolies fleurs champêtres.* • **Mot composé :** mot formé de plusieurs mots avec ou sans trait d'union. *Porte-clés est un **mot composé**.* • **Temps composé :** temps formé avec un auxiliaire et le participe passé du verbe conjugué. *Dans la phrase « Il a bu son lait », le verbe « boire » est à un **temps composé**.*

composer verbe ▸ conjug. 3
❶ Faire quelque chose en assemblant différents éléments. *J'**ai composé** une délicieuse boisson avec différents jus de fruits.* ❷ Taper l'un après l'autre les chiffres d'un numéro de téléphone ou d'un code. *En cas d'urgence, il faut **composer** le 911.* ❸ Produire une œuvre musicale ou littéraire. ***Composer** une chanson, un poème.* ■ *se* **composer** : être formé, constitué de plusieurs éléments. *Le repas **se compose** de trois plats.* **SYN** comporter, comprendre. ♦ Famille du mot : composant, composé, compositeur, composition.

compositeur, compositrice nom
Personne qui compose de la musique.

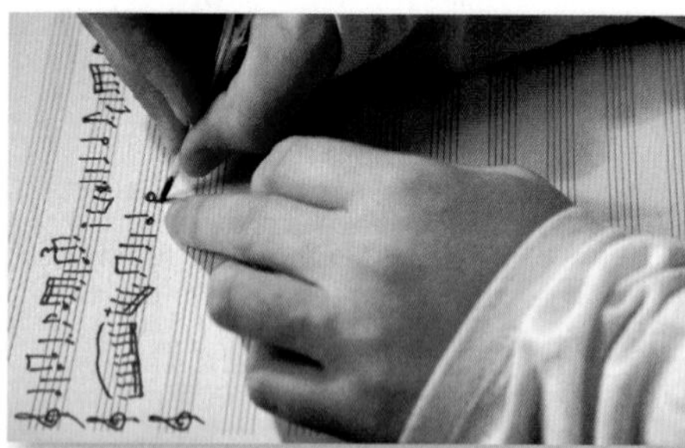

Un **compositeur**

composition nom féminin
❶ Action ou façon de composer. *La **composition** de ce produit est indiquée sur l'étiquette.* ❷ Création d'une œuvre. *Ce musicien travaille à la **composition** d'une musique de film.*

compost nom masculin
Engrais produit à partir de déchets végétaux qui ont fermenté. **SYN** humus.

compostage nom masculin
Processus de transformation de déchets végétaux en compost, par décomposition.

composter verbe ▸ conjug. 3
Transformer des déchets végétaux en compost. ***Composter** des feuilles mortes.*

composteur nom masculin
Bac dans lequel on dépose les déchets végétaux pour les transformer en compost.

compote nom féminin
Dessert composé de fruits cuits généralement avec du sucre. *Une **compote** de pommes.*

compréhensible adjectif
Que l'on peut comprendre facilement. *Mon petit frère fait des progrès : son langage devient de plus en plus **compréhensible**.* **CONTR** incompréhensible.

compréhensif, compréhensive adjectif
Qui comprend et admet facilement le point de vue des autres. *Les parents de ma cousine sont très **compréhensifs**.* **SYN** bienveillant, indulgent.

compréhension nom féminin
❶ Fait de comprendre. *Sans la ponctuation, la **compréhension** d'un texte est difficile.* ❷ Fait d'être compréhensif. *L'enseignant fait preuve de beaucoup de **compréhension** envers les élèves qui ont des difficultés.* ♦ Famille du mot : compréhensible, compréhensif, incompréhensible, incompréhension.

① **comprendre** verbe ▸ conjug. 32
❶ Avoir une idée claire du sens de quelque chose. *J'**ai compris** le problème de mathématique.* **SYN** saisir. ❷ Se montrer compréhensif envers quelqu'un. *Marine considère que ses parents ne la **comprennent** pas.*

② **comprendre** verbe ▸ conjug. 32
Être composé de plusieurs choses. *Le mois de janvier **comprend** trente et un jours.* **SYN** comporter.

compresse nom féminin
Morceau de tissu fin que l'on met sur une plaie.

compresser verbe ▸ conjug. 3
Serrer ou presser. *En **compressant** une plaie, on empêche le sang de couler.* **SYN** comprimer. ♦ Famille du mot : compression, décompresser, décompression, incompressible.

compression nom féminin
❶ Fait de comprimer. *La **compression** d'un gaz.* ❷ Au sens figuré, réduction d'un effectif. *On prévoit une **compression** du personnel dans cette entreprise.*

① **comprimé, comprimée** adjectif
Que l'on a comprimé. *Un gaz **comprimé**.*

_e compostage

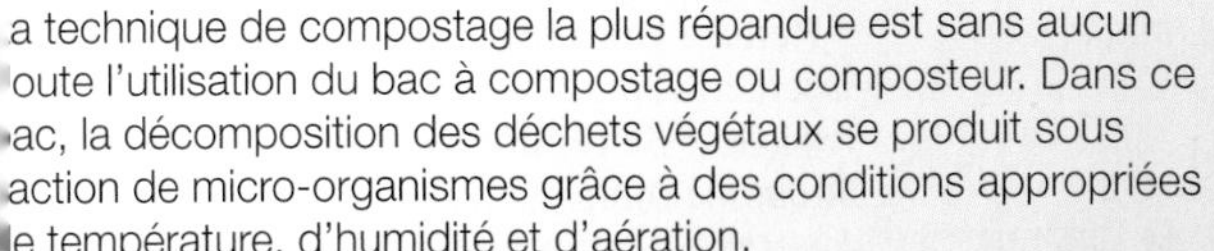
a technique de compostage la plus répandue est sans aucun
oute l'utilisation du bac à compostage ou composteur. Dans ce
ac, la décomposition des déchets végétaux se produit sous
action de micro-organismes grâce à des conditions appropriées
e température, d'humidité et d'aération.

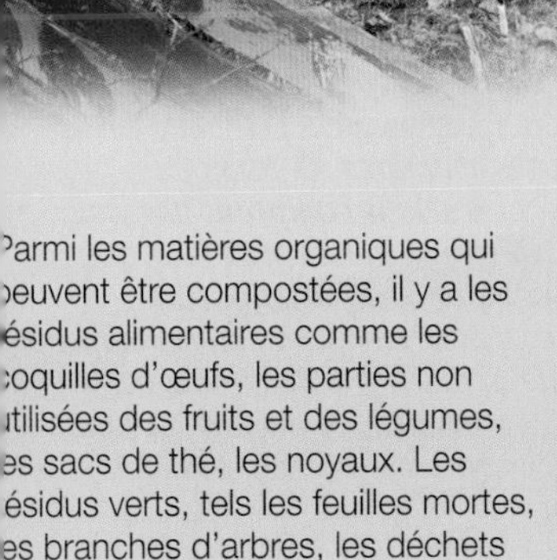

'armi les matières organiques qui
euvent être compostées, il y a les
ésidus alimentaires comme les
oquilles d'œufs, les parties non
tilisées des fruits et des légumes,
es sacs de thé, les noyaux. Les
ésidus verts, tels les feuilles mortes,
es branches d'arbres, les déchets
le jardinage, les sapins de Noël,
euvent aussi être déposés dans
e bac.

Les matières organiques qui ont été compostées se décomposent et produisent de l'humus, qui peut être utilisé comme engrais pour les arbustes, les fleurs, les potagers.

Ainsi, au lieu de se retrouver dans les sites d'enfouissement, les déchets trouvent une utilité. Le compostage est un procédé naturel qui permet de récupérer environ 40 % de ce qui se trouve normalement dans les sacs à ordures.

② comprimé nom masculin
Médicament en forme de pastille. *Si tu as mal à la tête, prends un **comprimé** d'aspirine.* **SYN** cachet. * Chercher aussi *gélule*, *pilule*.

comprimer verbe ▸ conjug. 3
❶ Serrer fortement. *Ces chaussures trop étroites me **compriment** les pieds.* ❷ Diminuer le volume d'un corps en serrant fortement. *L'air **comprimé** est utilisé dans l'industrie.* **CONTR** dilater.

compris, comprise adjectif
Qui est compté, inclus dans un prix. *Les taxes sont **comprises** dans le prix.* • **Y compris:** en incluant. *Dans l'autobus, il y a vingt-cinq personnes, **y compris** l'enseignante et le chauffeur.*

compromettre verbe ▸ conjug. 33
Risquer de faire échouer quelque chose. *Tes mauvaises notes risquent de **compromettre** ton entrée au cégep.* ■ *se* **compromettre**: perdre sa bonne réputation. *Il **s'est compromis** en vendant des marchandises volées.*

compromis nom masculin
Arrangement intermédiaire entre deux solutions. *Ils ont fini par trouver un **compromis**: ils paieront chacun la moitié des réparations.*

comptabilité nom féminin
Compte des recettes et des dépenses. *C'est le père de Boualem qui fait la **comptabilité** du garage.*

comptable nom
Personne qui s'occupe de la comptabilité d'une entreprise.

comptant adverbe
• **Payer comptant:** payer avec de l'argent, entièrement et immédiatement. **CONTR** à crédit.

compte nom masculin
Action de compter. *Chloé fait le **compte** de ses dépenses d'épicerie.* **SYN** calcul. • **Faire ses comptes:** pour un commerçant, calculer ses recettes et ses dépenses. • **Être à son compte:** avoir sa propre affaire, ne pas travailler pour un employeur. • **À bon compte:** à bon marché. • **Compte à rebours:** énumération de nombres en ordre décroissant. • **Compte bancaire:** compte ouvert dans une banque, où sont enregistrés les dépôts, retraits et chèques. • **Compte d'épargne:** somme d'argent mise en réserve à la banque. • **En fin de compte, tout compte fait:** finalement. • **Être loin du compte:** se tromper sur le résultat. • **Pour le compte de quelqu'un:** en étant payé par lui. • **Rendre compte de quelque chose:** le raconter. *Tom nous **a rendu compte de** son voyage.* • **Se rendre compte de quelque chose:** le comprendre, s'en apercevoir. *Jonathan ne **se rend** pas **compte de** sa force.* • **Tenir compte de quelque chose:** y attache[r] de l'importance.

compte-gouttes
nom masculin invariable
Instrument permettant de compter les gouttes d'un liquide. 👁 p. 575.
✎ On peut écrire aussi, au singulier, *un **compte-goutte***.

Un **compte-gou[ttes]**

compter verbe ▸ conjug. 3
❶ Réciter les nombres les uns après les autres. *Je **compte** jusqu'à trois: un, deux, trois.* ❷ Calculer le nombre, la quantité. *Maude **compte** ses disques compacts.* ❸ Comporter, comprendre. *Cette maison **compte** trois chambres.* ❹ Avoir de l'importance. *Ses amis **comptent** beaucoup pour elle.* ❺ Avoir l'intention de faire quelque chose. *Je **compte** partir demain matin.* ❻ Avoir confiance en quelqu'un. *Je **compte** sur toi pour m'aider.* ♦ Famille du mot: comptabilité, comptable, comptant, compte, compte-gouttes, compte rendu, compteur, décompter.

compte rendu nom masculin
Résumé qui décrit, explique quelque chose. *Il nous a fait un bref **compte rendu** de la réunion.* **SYN** rapport. ✎ Pluriel: *des **comptes rendus***.

① compteur nom masculin
Appareil qui sert à compter et à enregistrer certaines grandeurs. *Le **compteur** d'électricité indique la consommation d'électricité.*

② compteur, compteuse nom
Personne qui marque des points dans un sport d'équipe (hockey, basketball, soccer, etc.). **SYN** ① marqueur.

comptine nom féminin
Petit texte récité ou chanté. *« Ma petite vache a mal aux pattes... » est une **comptine** connue des enfants.*

comptoir nom masculin
❶ Table longue et étroite sur laquelle un commerçant présente la marchandise et sert ses clients. ❷ Dans un café, sorte de table haute sur laquelle sont servies les consommations. *Manger un sandwich debout au **comptoir**.* SYN bar. • **Comptoir de cuisine:** dans une cuisine, surface de travail. *Le grille-pain est rangé sur le **comptoir de cuisine**.*

comte, comtesse nom
Titre de noblesse inférieur à celui de marquis et supérieur à celui de vicomte.

comté nom masculin
❶ Ensemble des terres qui appartenaient à un comte. ❷ Division administrative du territoire.

comtesse ➔Voir **comte**

con- ➔Voir **co-**

concasser verbe ▸conjug. 3
Réduire en petits morceaux. ***Concasser** des pierres.* SYN broyer.

concave adjectif
Dont la surface est en creux. *Un miroir **concave**.* CONTR convexe.

Des bols **concaves**

concentration nom féminin
Fait de se concentrer. *Cet exercice demande beaucoup de **concentration**.* SYN attention. • **Camp de concentration:** lieu où des prisonniers sont rassemblés dans des conditions effroyables. *Des millions de gens sont morts dans les **camps de concentration** nazis, durant la Seconde Guerre mondiale.* * Chercher aussi *Shoah*.

concentré, concentrée adjectif
Se dit d'un produit alimentaire auquel on a enlevé une partie de son eau. *Du lait **concentré**.* SYN condensé. ■ **concentré** nom masculin Substance concentrée. *Du **concentré** de tomate.*

concentrer verbe ▸conjug. 3
Regrouper dans un même lieu. *La plupart des cinémas de la ville **sont concentrés** dans ce quartier.* CONTR disperser. ■ *se* **concentrer**: fixer son attention. *Il y a trop de bruit, je ne peux pas **me concentrer**.* ◆ Famille du mot: concentration, concentré, déconcentrer.

concentrique adjectif
• **Cercles concentriques:** qui ont le même centre et des diamètres différents. *Quand on jette un caillou dans le lac, il se forme des **cercles concentriques**.*

Des cercles **concentriques**

concept nom masculin
Idée, représentation mentale. *Il s'agit d'un nouveau **concept** d'émission de variétés.*

conception nom féminin
Façon de concevoir quelque chose, idée que l'on a de quelque chose. *Leurs **conceptions** de l'honnêteté sont très différentes.* SYN jugement, opinion, vue.

concerner verbe ▸conjug. 3
Avoir un rapport direct avec quelqu'un ou quelque chose. *Cette affaire ne me **concerne** pas.*

concert nom masculin
Exécution en public d'une œuvre musicale. *Un **concert** de jazz, de musique classique.*

se **concerter** verbe ▸conjug. 3
Discuter pour se mettre d'accord avant d'agir. *Tous les élèves **se sont concertés** pour décorer la classe.*

concerto nom masculin
Morceau de musique dans lequel l'orchestre joue en alternance avec un ou plusieurs instruments. *Des **concertos** pour piano et orchestre.*

concession nom féminin
Fait de renoncer à certaines de ses exigences pour parvenir à un accord. *Pour que la paix soit possible, il faut que les deux pays fassent des **concessions**.*

concessionnaire nom
Représentant officiel d'une marque de produits dans une région donnée. *Ce garagiste est le seul **concessionnaire** de cette marque de voitures.* SYN dépositaire.

concevoir verbe ▸ conjug. 21
Former une idée dans son esprit. *C'est une architecte célèbre qui* ***a conçu*** *cet édifice.* **SYN** imaginer.

concierge nom
Personne qui s'occupe de l'entretien d'un immeuble.

conciliabule nom masculin
Conversation secrète et à voix basse. *Mélanie et Raphaël ont tenu un* ***conciliabule*** *pendant la récréation.*

conciliant, conciliante adjectif
Qui est toujours prêt à trouver un accord. *Il s'est montré très* ***conciliant*** *en acceptant cet arrangement.* **SYN** accommodant, arrangeant.

conciliateur, conciliatrice nom
Personne qui cherche à mettre d'accord des personnes, à les amener à s'entendre. **SYN** arbritre, médiateur.

conciliation nom féminin
Accord, arrangement entre des personnes. *Parvenir à une* ***conciliation****.*

concilier verbe ▸ conjug. 10
❶ Mettre d'accord des personnes qui ne s'entendent pas. ❷ Faire aller ensemble des choses qui semblent incompatibles. *Gregory essaie de* ***concilier*** *ses études et ses loisirs.*
♦ Famille du mot: conciliant, conciliateur, conciliation, inconciliable, réconciliation, réconcilier.

concis, concise adjectif
Qui dit l'essentiel en peu de mots. *Elle a écrit une lettre* ***concise****.* **SYN** bref.

concision nom féminin
Caractère concis. *Son récit est d'une remarquable* ***concision****.*

concitoyen, concitoyenne nom
Personne qui habite la même ville ou le même pays. *La mairesse s'est adressée à ses* ***concitoyens****.*

concluant, concluante adjectif
Qui permet de juger du résultat de quelque chose. *Cet essai n'a pas été* ***concluant****, il va falloir en faire un autre.*

conclure verbe ▸ conjug. 51
❶ Terminer un discours ou un écrit. *Il a dit pour* ***conclure*** *qu'il fallait rester optimiste.* ❷ Arriver à un accord. *Ces deux pays ont fini par* ***conclure*** *un traité de paix.* **SYN** signer. ❸ Aboutir à un jugement après avoir réfléchi. *S'il n'est pas là, j'en* ***conclus*** *qu'il a eu un empêchement.* **SYN** déduire. ♦ Famille du mot: concluant, conclusion.

conclusion nom féminin
❶ Ce qui conclut un discours ou un texte. *Ton exposé est bon, mais il manque une* ***conclusion****.* * Chercher aussi *développement, introduction*. ❷ Fait de conclure un accord. *Les deux pays sont parvenus à la* ***conclusion*** *d'un traité de paix.* ❸ Conséquence que l'on tire d'un raisonnement. *Quelles* ***conclusions*** *peut-on tirer de cette histoire?*

concombre nom masculin
Fruit allongé de couleur verte, qui se mange cru.

Des **concombres**

concordance nom féminin
Fait de coïncider. *La* ***concordance*** *de deux témoignages.*

concordant, concordante adjectif
Qui concorde. *Leurs avis sont* ***concordants****.* **CONTR** discordant.

concorder verbe ▸ conjug. 3
Être en accord, en harmonie. *Leurs témoignages* ***concordent*** *parfaitement.* **SYN** coïncider.
♦ Famille du mot: concordance, concordant.

concourir verbe ▸ conjug. 16
❶ Participer à un concours ou à une compétition. *Cette plongeuse n'****a*** *pas* ***concouru****, car elle était blessée.* ❷ Travailler ensemble à une action. *Tous les élèves* ***ont concouru*** *au succès de la fête de l'école.* **SYN** contribuer.

concours nom masculin
❶ Épreuve où le nombre de places est fixé d'avance et où seuls les candidats qui ont les meilleurs résultats obtiennent un diplôme, un prix ou un emploi. *Ma sœur n'a pas réussi le* ***concours*** *et n'a donc pas été admise à ce programme de formation.* ❷ Fait de concourir à une action. *C'est grâce à ton* ***concours*** *que nous avons réussi.* **SYN** aide, contribution.
• **Concours de circonstances:** suite de hasards. *Cet accident est dû à un* ***concours de circonstances*** *défavorables.*

concret, concrète adjectif
Qui désigne une chose que l'on peut voir et toucher. *Crayon, chaise, cahier sont des noms **concrets**.* CONTR abstrait. ♦ Famille du mot : concrètement, se concrétiser.

concrètement adverbe
Dans la réalité, en pratique. *Qu'est-ce que je peux faire **concrètement** pour t'aider ?*

se **concrétiser** verbe ▸ conjug. 3
Devenir réel, concret. *Elle aimerait bien que ses projets **se concrétisent**.* SYN se matérialiser.

concurrence nom féminin
Rivalité d'intérêts. *Les supermarchés font de la **concurrence** aux petits commerçants.*

concurrencer verbe ▸ conjug. 4
Faire concurrence à. *Notre épicier a baissé ses prix pour **concurrencer** le supermarché.*

concurrent, concurrente nom
❶ Personne qui participe à une compétition ou à un concours. *Tous les **concurrents** de la course portent un dossard.* ❷ Entreprise ou commerçant qui vend les mêmes produits qu'un autre. *Je ne vais plus chez cette maraîchère, je vais chez l'un de ses **concurrents**.* SYN compétiteur, rival. ♦ Famille du mot : concurrence, concurrencer, concurrentiel.

concurrentiel, concurrentielle adjectif
Compétitif. *Des produits **concurrentiels**.* * Attention ! Le *t* du mot *concurrentiel* se prononce comme un *s*.

condamnable adjectif
Qui mérite d'être condamné. *Son attitude est tout à fait **condamnable**.* CONTR louable.

condamnation nom féminin
Fait d'être condamné. *La **condamnation** de l'accusé n'a surpris personne.* * Attention ! Le *m* dans *condamnation* ne se prononce pas.

condamné, condamnée nom
Personne qui a été condamnée. *Le **condamné** a été emprisonné.* * Attention ! Le *m* dans *condamné* ne se prononce pas.

condamner verbe ▸ conjug. 3
❶ Déclarer quelqu'un coupable et le punir. *Le tribunal l'**a condamné** à verser une amende.* CONTR acquitter. ❷ Obliger. *L'avion a du retard, ce qui nous **condamne** à attendre.* ❸ Fermer définitivement une ouverture. *Pour pouvoir mettre ce meuble, il va falloir **condamner** la porte.* ❹ Désapprouver totalement. *La population **condamne** les décisions du premier ministre.* ♦ Famille du mot : condamnable, condamnation, condamné. * Attention ! Le *m* dans *condamner* ne se prononce pas.

condensation nom féminin
Transformation de la vapeur d'eau en gouttelettes.

condensé nom masculin
Bref résumé. *Ce livre n'est pas le texte intégral, c'est un **condensé**.*

condenser verbe ▸ conjug. 3
Rendre plus concis, plus court. *L'exercice consiste à **condenser** l'histoire en dix lignes.* SYN résumer. ■ *se* **condenser** : passer de l'état gazeux à l'état liquide. *La vapeur d'eau **se condense** en buée sur les vitres.* ♦ Famille du mot : condensation, condensé.

condiment nom masculin
Produit qui donne plus de goût aux aliments. *Le poivre, la moutarde, la cannelle sont des **condiments**.* * Chercher aussi *aromate*, *assaisonnement*, *épice*.

condition nom féminin
❶ Ce qui est nécessaire pour qu'une chose arrive. *Pour s'inscrire au programme sport-études, il y a plusieurs **conditions** à remplir.*
• **À condition de :** si. *Je veux bien y aller, **à condition de** partir maintenant.*
• **À condition que :** pourvu que. *Je suis d'accord, **à condition que** vous le soyez aussi.* ❷ Situation sociale. *Ses parents sont de **condition** modeste.* ❸ Forme physique. *Thomas était en excellente **condition** le jour de la compétition.* ■ **conditions** nom féminin pluriel Ensemble de circonstances. *Les **conditions** de travail dans cette usine sont particulièrement pénibles.* ♦ Famille du mot : conditionné, conditionnel, conditionnement, inconditionnel.

conditionné, conditionnée adjectif
• **Air conditionné :** air traité par un système qui assure une température constante dans un lieu. *Cet immeuble est équipé d'un système d'**air conditionné**.* * Chercher aussi *climatisation*.

conditionnel nom masculin
Temps de verbe du mode indicatif qui exprime un fait ou une action à venir incertain ou imaginaire. *Dans la phrase « Si Emmanuel avait assez d'argent, il achèterait une console de jeu », le verbe « achèterait » est au **conditionnel**.* * Chercher aussi *futur*, *imparfait*, *passé*, *présent*.

a b c d e f g h i j k l m n o p q r s t u v w x y z

condoléances nom féminin pluriel
Témoignage de compassion formulé à l'occasion d'un décès. *Je vous présente toutes mes* ***condoléances****.*

condor nom masculin
Grand vautour d'Amérique du Sud. *Les* ***condors*** *se nourrissent de charognes.*

Un ***condor***

① **conducteur, conductrice** nom
Personne qui conduit un véhicule. *Une* ***conductrice*** *d'autobus.* **SYN** chauffeur.

② **conducteur, conductrice** adjectif
Qui transmet la chaleur ou l'électricité. *Des métaux* ***conducteurs****.* ■ **conducteur** nom masculin Matière qui transmet la chaleur ou l'électricité. *Le cuivre est un bon* ***conducteur****.* **CONTR** isolant.

conduire verbe ▸ conjug. 43
❶ Accompagner une personne quelque part. *Je vais vous* ***conduire*** *au cinéma.* ❷ Diriger et manœuvrer un véhicule. *Oumou apprend à* ***conduire****.* ❸ Mener quelque part. *Plusieurs chemins* ***conduisent*** *au lac.* **SYN** aller.
■ *se* **conduire** : avoir une bonne ou une mauvaise conduite. *Les enfants* ***se sont*** *très bien* ***conduits*** *pendant la cérémonie.* **SYN** se comporter, se tenir. ♦ Famille du mot : conducteur, conduit, conduite, reconduire.

conduit nom masculin
Tuyau dans lequel passe un liquide ou un gaz. *Un* ***conduit*** *de cheminée.*

conduite nom féminin
❶ Action de conduire un véhicule. *La* ***conduite*** *est très difficile sur le verglas.* ❷ Manière d'agir, de se conduire. *Sa* ***conduite*** *a été jugée irréprochable.* **SYN** comportement. ❸ Canalisation. *Le plombier est venu réparer la* ***conduite*** *d'eau qui fuyait.*

cône nom masculin
Solide dont la base est un cercle et le sommet une pointe. *Ton cornet de crème glacée a la forme d'un* ***cône****.* 👁p. 484.

confection nom féminin
❶ Action de confectionner. *La* ***confection*** *de ce dessert est très longue.* **SYN** préparation. ❷ Industrie du vêtement. *Un atelier de* ***confection****.*

confectionner verbe ▸ conjug. 3
❶ Préparer ou faire quelque chose. *Brian* ***a confectionné*** *une très jolie boîte pour la fête des Mères.* ❷ Coudre. ***Confectionner*** *une robe.* **SYN** fabriquer.

confédération nom féminin
Groupement d'États, de fédérations. *La* ***Confédération*** *des syndicats nationaux (CSN) est un groupement de syndicats.*
* Chercher aussi *fédération*.

conférence nom féminin
Réunion où une personne fait un exposé. *Cet historien a fait une* ***conférence*** *sur Louis Riel.* • **Conférence de presse** : réunion organisée pour informer les journalistes.

conférencier, conférencière nom
Personne qui parle d'un sujet particulier devant un public, qui fait une conférence.

confesser verbe ▸ conjug. 3
Avouer ses torts. *J'ai très mal réagi, je le* ***confesse****.* ■ *se* **confesser** : dans la religion catholique, avouer ses fautes, ses péchés à un prêtre. ♦ Famille du mot : confession, confessionnal.

confession nom féminin
❶ Ce que dit une personne qui se confesse ou qui avoue. ❷ Appartenance à une religion. *Il est de* ***confession*** *musulmane.*

confessionnal, confessionnaux nom masculin
Dans une église, sorte de cabine où l'on se confesse.

confetti nom masculin
Petite rondelle de papier de couleur. *On a lancé des* ***confettis*** *sur les mariés.*

confiance nom féminin
Sentiment que l'on éprouve quand on sait que quelqu'un est honnête, que l'on peut se fier à lui. *Tu peux lui faire **confiance**, il fera ce qu'il a promis.* CONTR défiance, méfiance. • **Confiance en soi:** sentiment de quelqu'un qui est sûr de lui, qui est plein d'assurance. *Kim a **confiance en elle**, elle sait qu'elle peut réussir.*

confiant, confiante adjectif
Qui fait confiance à quelqu'un ou à quelque chose. *Annabelle est une enfant **confiante**.* CONTR méfiant.

confidence nom féminin
Secret que l'on confie à quelqu'un ou que l'on reçoit. *Ethan m'a fait des **confidences**.* ♦ Famille du mot: confident, confidentiel.

confident, confidente nom
Personne à qui l'on fait des confidences. *Cinzia est ma **confidente**: je lui dis tous mes secrets.*

confidentiel, confidentielle adjectif
Qui doit rester tout à fait secret, comme une confidence. *Une information **confidentielle**.* * Attention! Le *t* du mot *confidentiel* se prononce comme un *s*.

confier verbe ▸ conjug. 10
❶ Laisser à la garde de quelqu'un. *Quand Chen part en vacances, il **confie** son chat à sa grand-mère.* ❷ Dire en confidence. *Je vais te **confier** un secret.* ■ **se confier**: faire des confidences. *C'est à sa mère qu'elle **se confie** le plus facilement.*

confiné, confinée adjectif
• **Air confiné:** air contenu dans un local fermé et donc non renouvelé. * Chercher aussi *vicié*.

confins nom masculin pluriel
Limites d'une région ou d'un pays. *Ce village se situe aux **confins** du désert.*

confirmation nom féminin
❶ Action de confirmer. *La **confirmation** du vol doit se faire 48 heures avant le départ de l'avion.* ❷ Dans la religion catholique, sacrement qui confirme la grâce reçue au baptême.

confirmer verbe ▸ conjug. 3
Affirmer que quelque chose est exact ou certain. *La nouvelle est sûre, elle vient d'**être confirmée**.*

confiscation nom féminin
Action de confisquer. *Les inspecteurs ont procédé à la **confiscation** des produits alimentaires contaminés.*

confiserie nom féminin
❶ Magasin où l'on vend des bonbons, des sucreries. ❷ Ensemble des sucreries. *Les caramels, les fruits confits, les bonbons sont des **confiseries**.*

Des **confiseries**

confisquer verbe ▸ conjug. 3
Prendre provisoirement un objet à quelqu'un. *Mon père **a confisqué** mon téléphone.*

confit, confite adjectif
Conservé dans du sucre, du vinaigre ou de la graisse. *Des fruits **confits**.* ■ **confit** nom masculin Viande cuite et conservée dans sa graisse. *Du **confit** de canard.*

confiture nom féminin
Fruits que l'on a fait cuire avec du sucre pour les conserver. *Une **confiture** de bleuets.*

conflit nom masculin
❶ Grave désaccord entre deux États. *Un **conflit** armé.* ❷ Opposition entre deux personnes. *C'est un vieux **conflit** entre eux!*

confluent nom masculin
Endroit où deux cours d'eau se rencontrent. *Tadoussac est au **confluent** de la rivière Saguenay et du fleuve Saint-Laurent.*

confondre verbe ▸ conjug. 31
Prendre une personne ou une chose pour une autre. *Les deux sœurs se ressemblent tellement que je les **confonds** toujours. Ne **confonds** pas les mots «mer» et «mère».* CONTR distinguer.

conforme adjectif
❶ Qui est en accord avec un modèle ou un règlement. *Cette nouvelle installation électrique est **conforme** aux normes actuelles.* ❷ Identique, pareil. *Elle est la copie **conforme** de sa sœur jumelle.* ♦ Famille du mot: conformément, se conformer, conformisme, conformiste, conformité.

a b c j k l m n o p q r s t u v w x y z

a b c d e f g h i j k l m n o p q r s t u v w x y z

conformément adverbe
En conformité avec. *Il fait beau aujourd'hui, **conformément** aux prévisions météorologiques.* CONTR contrairement.

se **conformer** verbe ▶ conjug. 3
Agir en conformité avec quelque chose. *Il faut **se conformer** aux usages du pays que l'on visite.* SYN se soumettre.

conformisme nom masculin
Attitude de ceux qui agissent comme tout le monde, sans originalité.

conformiste adjectif et nom
Qui fait preuve de conformisme. *Ma tante ne fait jamais rien qui puisse nous surprendre, elle est très **conformiste**.* CONTR anticonformiste, marginal.

conformité nom féminin
• **En conformité avec :** en accord avec. *Ce qu'il fait n'est pas toujours **en conformité avec** ce qu'il prêche.*

confort nom masculin
Tout ce qui rend la vie quotidienne plus facile et plus agréable. *Cette maison a tout le **confort** moderne : eau, électricité, climatisation et chauffage.* ♦ Famille du mot : confortable, confortablement, inconfort, inconfortable.

confortable adjectif
Qui donne une sensation de confort. *Ce lit est **confortable**, j'y ai très bien dormi.*

confortablement adverbe
De façon confortable. *Installez-vous **confortablement** pour travailler.*

confrère nom masculin
Personne qui exerce la même profession qu'une autre. *Notre médecin est en vacances, nous allons consulter un de ses **confrères**.*
* Chercher aussi *collègue*, *consœur*.

confrontation nom féminin
Fait de confronter. *La **confrontation** des différents témoins est nécessaire.*

confronter verbe ▶ conjug. 3
Mettre des personnes en présence pour comparer ce qu'elles affirment. ***Confronter** des témoins, des points de vue.*

confus, confuse adjectif
❶ Qui est difficile à comprendre. *Son explication était **confuse**.* SYN embrouillé. CONTR clair. ❷ Qui éprouve un sentiment de confusion. *Je suis **confuse** de vous avoir fait attendre.* SYN honteux.

confusion nom féminin
❶ Fait de confondre. *Faire une **confusion** entre deux personnes.* ❷ Caractère confus, embrouillé. *Quelle **confusion** dans ses idées !* CONTR clarté. ❸ Sentiment de gêne ou de honte. *Rougir de **confusion**.*

congé nom masculin
Période pendant laquelle on ne travaille pas. *Mon père a pris quelques jours de **congé** pour s'occuper de ma petite sœur.* SYN vacances.
• **Donner son congé à quelqu'un :** le congédier.

congédier verbe ▶ conjug. 10
Renvoyer quelqu'un de son travail. *Il ne travaille plus dans cette entreprise, il **a été congédié**.* SYN licencier, remercier.

congélateur nom masculin
Appareil électroménager dans lequel on congèle les aliments pour les conserver.

congélation nom féminin
Action de congeler.

congeler verbe ▶ conjug. 8
Soumettre un aliment à une très basse température dans le but de le conserver. ***Congeler** de la sauce à spaghettis.* ♦ Famille du mot : congélateur, congélation, décongélation, décongeler.

congénère nom
Personne ou animal de la même espèce. *Il faut laisser les animaux sauvages vivre en liberté avec leurs **congénères**.*

congénital, congénitale, congénitaux adjectif
Qui existe dès la naissance. *Il est atteint d'une maladie **congénitale**.*

congestion nom féminin
Maladie due à du sang accumulé dans une partie du corps. *Elle a une **congestion** pulmonaire.*

congestionné, congestionnée adjectif
❶ Qui est rouge à cause d'un afflux de sang. *Il a couru si vite qu'il a le visage tout **congestionné**.* ❷ Encombré, bloqué. *Une route **congestionnée**.*

congolais, congolaise
➜Voir tableau, p. 1319.

se **congratuler** verbe ▸ conjug. 3
Se féliciter mutuellement. *Les joueuses* ***se congratulent*** *après avoir marqué un but.*

congrès nom masculin
Assemblée de personnes réunies en grand nombre pour échanger des idées sur leurs intérêts communs. *Un* ***congrès*** *médical.* * Chercher aussi *colloque*, *séminaire*, *table ronde*.

congressiste nom
Personne qui participe à un congrès.

conifère nom masculin
Espèce d'arbre qui porte des aiguilles et dont le fruit est en forme de cône. *Le sapin et le pin sont des* ***conifères***. 👁p. 126. * Chercher aussi *résineux*.

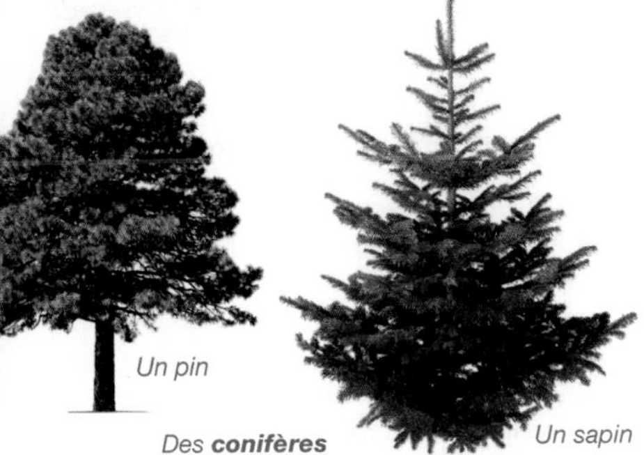

Des ***conifères***

conique adjectif
Qui a la forme d'un cône.

conjecture nom féminin
Opinion fondée sur des suppositions. *Comme on ne sait rien de précis, on ne peut faire que des* ***conjectures***. * Ne pas confondre *conjecture* et *conjoncture*.

conjoint, conjointe nom
Personne avec laquelle on est marié ou avec laquelle on vit maritalement. *Votre* ***conjointe*** *est-elle avec vous ?* * Chercher aussi *époux*.

conjonction nom féminin
Mot invariable qui sert à unir deux mots, deux groupes de mots ou deux phrases. *Les* ***conjonctions*** *sont des marqueurs de relation.*

conjoncture nom féminin
Situation de l'économie ou de la société. *La* ***conjoncture*** *économique est difficile pour les entreprises.* * Ne pas confondre *conjoncture* et *conjecture*.

conjugaison nom féminin
Ensemble des formes d'un verbe en fonction de la forme, du mode, du temps, de la personne et du nombre.

conjugal, conjugale, conjugaux adjectif
Qui concerne les conjoints, les époux. *Le domicile* ***conjugal***.

conjuguer verbe ▸ conjug. 3
Réciter ou écrire la conjugaison d'un verbe. ***Conjugue*** *le verbe « prendre » à l'imparfait.* • **Conjuguer ses efforts :** unir ses efforts. *Les deux amies* ***ont conjugué leurs efforts*** *pour rétablir l'harmonie dans l'équipe.*

connaissance nom féminin
❶ Fait de connaître. *Pour ce poste, la* ***connaissance*** *de plusieurs langues est indispensable.* ❷ Personne que l'on connaît. *C'est une vieille* ***connaissance***, *nous étions ensemble à la maternelle.* **SYN** relation. • **En connaissance de cause :** en sachant bien ce que l'on fait, consciemment. • **Faire connaissance :** rencontrer quelqu'un pour la première fois. • **Perdre connaissance :** s'évanouir. ■ **connaissances** nom féminin pluriel Choses que l'on a apprises et que l'on sait. *Halinka a déjà des* ***connaissances*** *solides en français.*

connaisseur, connaisseuse nom
Personne qui s'y connaît dans un domaine. *Cet expert est un grand* ***connaisseur*** *en art.*

connaître verbe ▸ conjug. 37
❶ Savoir après avoir appris. *Ma mère* ***connaît*** *bien l'espagnol, elle le parle couramment.* **CONTR** ignorer. ❷ Avoir déjà rencontré quelqu'un ou vu quelque chose et savoir qui ils sont. *Je* ***connais*** *Philippe depuis longtemps.* ***Connais****-tu cette plante ?* ❸ Être déjà allé quelque part. *Hélène* ***connaît*** *bien la Grèce : elle y va souvent.* ❹ Avoir. *On ne pensait pas que ce film* ***connaîtrait*** *un tel succès.* • **S'y connaître en :** être compétent dans un domaine. *Liang* ***s'y connaît en*** *musique.* ■ *se* **connaître** ❶ Être capable de porter un jugement sur soi. *Il admet être impulsif : il* ***se connaît*** *bien.* ❷ Être liés. *Ils* ***se connaissent*** *depuis leur plus jeune âge.* ✎ On peut écrire aussi *(se)* ***connaitre***. ♦ Famille du mot : connaissance, connaisseur, connu, inconnu, méconnaissable, méconnaissance, méconnaître, méconnu.

connecter verbe ▸ conjug. 3
Relier un appareil à un circuit. *Cet ordinateur* ***est connecté*** *à un réseau.*

a b c d e f g h i j k l m n o p q r s t u v w x y z

connexion nom féminin
Fait de connecter. *Établir une **connexion** à l'aide d'un câble.*

connivence nom féminin
Accord secret entre des personnes. *Il y a une grande **connivence** entre le frère et la sœur.* **SYN** complicité.

connu, connue adjectif
Qui est célèbre. *Cet acteur est très **connu**.* **CONTR** inconnu.

conquérant, conquérante nom
Personne qui fait des conquêtes militaires. *Les **conquérants** sont entrés dans la ville.* ■ **conquérant, conquérante** adjectif Qui est prétentieux, sûr de lui. *Un air **conquérant**.*

conquérir verbe ▸ conjug. 18
Occuper par la force. *Les troupes rebelles ont fini par **conquérir** toute la région.* **SYN** envahir, soumettre. ♦ Famille du mot : conquérant, conquête, reconquérir, reconquête.

conquête nom féminin
Action de conquérir un pays. *La **conquête** de la Gaule par les Romains.*

consacrer verbe ▸ conjug. 3
❶ Donner un caractère sacré, religieux à un lieu. *Ce temple **est consacré** à une divinité du bouddhisme.* ❷ Employer son temps à une activité. *Julie **consacre** ses loisirs au sport.* ■ **se consacrer à** : se vouer à. *Xavier **se consacre à** ses recherches scientifiques.*

consciemment adverbe
En ayant conscience de ce que l'on fait. *C'est tout à fait **consciemment** qu'elle a agi ainsi.* * Attention ! La terminaison *emment* se prononce *amant*.

conscience nom féminin
Ce qui permet à chacun de juger de ce qui est bien et de ce qui est mal. *Il a un problème de **conscience**, il ne sait pas s'il doit accepter ou non.* • **Avec conscience** : consciencieusement. • **Avoir conscience de quelque chose** : s'en rendre compte. ***As-tu conscience du** danger qui existe à plonger de si haut ?* • **Avoir quelque chose sur la conscience, ne pas avoir la conscience tranquille** : savoir que l'on a fait quelque chose de mal. • **Perdre conscience** : s'évanouir. ♦ Famille du mot : consciemment, consciencieusement, consciencieux, conscient, inconsciemment, inconscience, inconscient.

consciencieusement adverbe
De façon consciencieuse. *Avant de partir, ils ont tout rangé **consciencieusement**.*

consciencieux, consciencieuse adjectif
Qui fait son travail de façon sérieuse et appliquée. *Des élèves **consciencieux**.*

conscient, consciente adjectif
Qui a la conscience de quelque chose. *Es-tu **conscient** des risques que tu prends en roulant à vélo sans casque ?* **CONTR** inconscient.

conscription nom féminin
Enrôlement obligatoire dans l'armée des hommes en âge de servir. *À la fin de 1944, le gouvernement canadien a imposé la **conscription**.* * Chercher aussi *mobilisation*.

consécration nom féminin
Fait d'être reconnu publiquement. *Ce prix d'interprétation est la **consécration** de son talent d'actrice.*

consécutif, consécutive adjectif
Qui se suit dans le temps ou dans l'espace, ou selon un ordre. *La semaine dernière, il a neigé pendant quatre jours **consécutifs**.*

conseil nom masculin
❶ Avis que l'on donne à quelqu'un sur ce qu'il doit faire. *J'ai besoin de tes **conseils** avant de prendre une décision.* ❷ Réunion ou assemblée au cours de laquelle des gens discutent et donnent leur avis. *Le **Conseil** des ministres, le **conseil** municipal.* ♦ Famille du mot : conseiller, déconseiller.

① **conseiller** verbe ▸ conjug. 3
Donner comme conseil. *Le ciel est gris, je te **conseille** de prendre ton parapluie.* **SYN** recommander. **CONTR** déconseiller.

② **conseiller, conseillère** nom
❶ Personne qui donne des conseils. *Des **conseillères** d'orientation.* ❷ Personne qui fait partie d'un conseil. *Il est **conseiller** municipal.*

consensus nom masculin
Accord entre des personnes. *Après des heures de discussion, un **consensus** s'est établi.* * Attention ! Le *s* final du mot *consensus* se prononce.

consentement nom masculin
Fait de consentir. *Il a agi sans le **consentement** de ses parents.* **SYN** accord, approbation. **CONTR** interdiction.

consentir verbe ▸ conjug. 15
Être d'accord pour que quelque chose se fasse. *Ils **consentent** à nous aider.* **SYN** accepter, autoriser. **CONTR** interdire.

conséquence nom féminin
Résultat d'une action ou d'un évènement. *Cet accident est une **conséquence** de son étourderie.* **SYN** suite.

conséquent, conséquente adjectif
Qui est logique, en accord avec soi-même. *Cet homme est **conséquent**, il aime la tranquillité et vit à la campagne.* • **Par conséquent:** comme conséquence. *Les postiers sont en grève, **par conséquent** il n'y a pas de distribution de courrier.* **SYN** donc.

① **conservateur, conservatrice**
nom et adjectif
❶ Qui est attaché aux habitudes sociales, aux idées du passé. *Les membres de ma famille sont pour la plupart **conservateurs**.* **CONTR** progressiste. ❷ Membre du Parti conservateur. *Les **conservateurs** se sont réunis pour élire un nouveau chef.* **SYN** bleu. *– Le Parti **conservateur**.* * Chercher aussi *libéral*.

② **conservateur, conservatrice** nom
Personne qui s'occupe d'un musée ou d'une bibliothèque.

conservation nom féminin
Fait de se conserver en bon état. *On a découvert une momie en parfait état de **conservation**.*

conservatoire nom masculin
Établissement d'enseignement artistique. ***Conservatoire** de danse, de musique.*

conserve nom féminin
Aliment conservé longtemps dans une boîte métallique ou un bocal. *Ma grand-mère fait des **conserves** de tomates. Ouvrir une boîte de **conserve**.*

Des **conserves**

conserver verbe ▸ conjug. 3
❶ Ne pas perdre ou ne pas jeter. *Elle **conserve** dans son portefeuille une photo de son amoureux.* ❷ Continuer d'avoir. *Elle **avait conservé**, malgré les années, tout son charme.* ❸ Maintenir en bon état. *Pour garder son arôme au café, **conservez**-le dans un contenant hermétique.* **SYN** garder. **CONTR** perdre. ♦ Famille du mot: conservateur, conservation, conservatoire, conserve.

considérable adjectif
Qui est très important. *Son entraînement sportif exige des efforts **considérables**.*

considérablement adverbe
D'une façon considérable. *Depuis dix ans, le nombre de voitures a **considérablement** augmenté.* **SYN** énormément.

considération nom féminin
❶ Réflexion faite sur un sujet. *Justin se perd en **considérations** inutiles.* ❷ Respect que l'on porte à une personne. *Elle jouit de la **considération** générale.* **SYN** estime. **CONTR** mépris. • **Prendre quelque chose en considération:** en tenir compte, y accorder de l'attention.

considérer verbe ▸ conjug. 8
❶ Examiner avec attention. *Elle **considérait** la nouvelle venue avec intérêt.* **SYN** observer. ❷ Apprécier les qualités de quelqu'un. *Il **est** très **considéré** dans son milieu de travail.* **CONTR** déconsidérer, mépriser. ❸ Penser ou estimer. *Je **considère** qu'il a eu tort. On la **considère** comme une très bonne chirurgienne.* ✎ On peut écrire aussi, au futur, *je **considèrerai***; au conditionnel, *tu **considèrerais***.

consigne nom féminin
❶ Instruction que l'on doit respecter exactement. *La **consigne** est formelle: personne ne doit entrer ici.* ❷ Endroit où les bagages sont gardés. *J'ai mis mes valises à la **consigne**.* ❸ Somme remboursée au retour d'un emballage, d'une bouteille vide.

consigner verbe ▸ conjug. 3
❶ Faire payer pour un emballage une somme qui est remboursée si on le rapporte. *Ce fournisseur d'eau embouteillée **consigne** ses contenants.* ❷ Noter par écrit. *Elle **consignait** dans un carnet toutes les péripéties de son voyage.*

a b c d e f g h i j k l m n o p q r s t u v w x y z

consistance nom féminin
État plus ou moins solide d'une matière. *La lave qui sortait du cratère avait une* ***consistance*** *visqueuse.*

consistant, consistante adjectif
Épais, presque solide. *Une soupe* ***consistante****.* ♦ Famille du mot : consistance, inconsistant.

consister verbe ▸ conjug. 3
❶ Avoir pour objet principal. *Votre travail* ***consistera*** *à renseigner le public.* ❷ Être composé de telle ou telle chose. *Tout leur mobilier* ***consiste*** *en une table et un lit.*

consœur nom féminin
Femme qui exerce la même profession que quelqu'un d'autre. *L'avocat a demandé l'avis de sa* ***consœur****.* * Chercher aussi *collègue, confrère.*

consolateur, consolatrice adjectif
Qui console. *Il a su trouver des paroles* ***consolatrices****.*

consolation nom féminin
Ce qui console. *Des paroles de* ***consolation****.* **SYN** réconfort.

console nom féminin
Petite table que l'on appuie contre un mur. • **Console de jeux vidéo :** appareil de jeux électroniques prenant la forme d'un boîtier et composé également d'un écran et d'une manette ou relié à un téléviseur.

Une **console de jeux vidéo**

consoler verbe ▸ conjug. 3
Essayer de calmer un chagrin. *Lucas prend sa petite sœur dans ses bras pour la* ***consoler****.* ♦ Famille du mot : consolateur, consolation, inconsolable.

consolidation nom féminin
Action de consolider. *La* ***consolidation*** *d'un mur.*

consolider verbe ▸ conjug. 3
Rendre plus solide. *Le menuisier* ***a consolidé*** *la charpente en remplaçant des poutres.*

consommateur, consommatrice nom
❶ Personne qui achète et utilise les produits du commerce. *L'Office de la protection du* ***consommateur****.* ❷ Personne qui prend une consommation. *Quelques* ***consommateurs*** *se trouvaient au bar.*

consommation nom féminin
❶ Quantité consommée. *Elle s'efforce de réduire sa* ***consommation*** *d'électricité.* ❷ Ce que l'on boit dans un café, un restaurant. *Il a proposé de payer les* ***consommations****.*

consommer verbe ▸ conjug. 3
❶ Utiliser pour se nourrir. *Les habitants des pays riches* ***consomment*** *beaucoup de viande.* ❷ Utiliser pour fonctionner. *Cette voiture* ***consomme*** *beaucoup d'essence.* ♦ Famille du mot : consommateur, consommation.

consonne nom féminin
❶ Son du langage. ❷ Lettre qui représente ce son. *Dans le mot « vivre », il y a trois* ***consonnes*** *(v, v, r) et deux voyelles (i, e).*

conspirateur, conspiratrice nom
Personne qui conspire. *Les* ***conspirateurs*** *se réunissaient la nuit dans cette maison.*

conspiration nom féminin
Entente secrète entre gens qui conspirent. *La* ***conspiration*** *contre le gouvernement a été déjouée.* **SYN** complot.

conspirer verbe ▸ conjug. 3
S'entendre en secret pour renverser le pouvoir. *Ils* ***conspirent*** *pour renverser le dictateur.* **SYN** comploter. ♦ Famille du mot : conspirateur, conspiration.

constamment adverbe
De façon constante. *Il répète* ***constamment*** *la même chose.* **SYN** sans* cesse.

constance nom féminin
Persévérance dans la manière d'agir. *Travailler avec* ***constance****.* ♦ Famille du mot : constamment, constant, inconstant.

constant, constante adjectif
Qui reste toujours semblable. *La climatisation maintient dans la pièce une température* ***constante****.*

constat nom masculin
Indication par écrit de ce qui a été constaté. *L'assureur a fait un* ***constat*** *des dégâts causés par la fuite d'eau.*

constatation nom féminin
Ce qui a été constaté. *Elle m'a fait part de ses* ***constatations****.* **SYN** observation.

constater verbe ▸ conjug. 3
S'apercevoir d'un fait. *J'****ai constaté*** *que mon endurance au froid avait augmenté.* **SYN** noter, observer, remarquer. ♦ Famille du mot : constat, constatation.

constellation nom féminin
Groupe d'étoiles. *On a donné des noms aux* ***constellations*** *du ciel.* 👁p. 406.

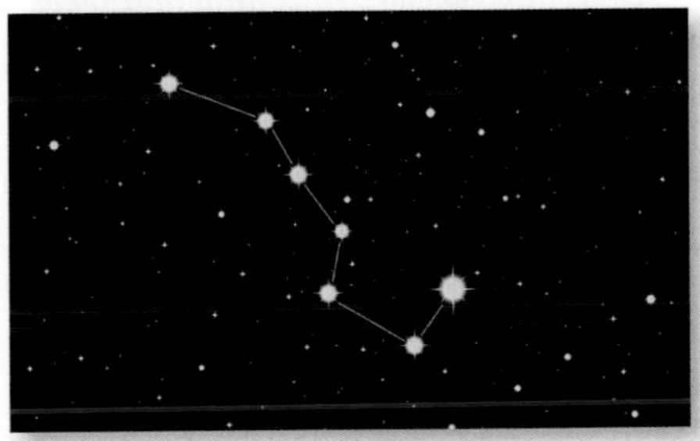
La ***constellation*** *de la Grande Ourse*

constellé, constellée adjectif
Couvert d'une multitude d'éléments éparpillés, comme les étoiles. *Un pantalon* ***constellé*** *de taches de peinture.* **SYN** parsemé.

consternant, consternante adjectif
Qui consterne. *Les nouvelles qui viennent de ce pays sont* ***consternantes****.* **SYN** désolant.

consternation nom féminin
État d'une personne consternée. *La mort du champion a plongé le pays dans la* ***consternation****.*

consterner verbe ▸ conjug. 3
Causer de la tristesse. *Qu'il ait si peu d'amis me* ***consterne****.* **SYN** attrister, désoler. ♦ Famille du mot : consternant, consternation.

constipation nom féminin
Indisposition qui rend difficile l'évacuation des selles. *Ce malade a une tendance à la* ***constipation****.* **CONTR** diarrhée.

constipé, constipée adjectif
Qui souffre de constipation.

constituant, constituante adjectif
Qui entre dans la constitution de quelque chose. *L'oxygène est un élément* ***constituant*** *de l'air.*

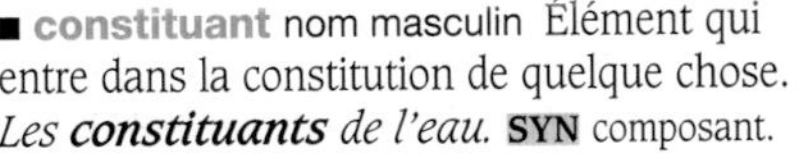
■ **constituant** nom masculin Élément qui entre dans la constitution de quelque chose. *Les* ***constituants*** *de l'eau.* **SYN** composant.

constitué, constituée adjectif
D'une certaine constitution physique. *Le bébé est bien* ***constitué****.*

constituer verbe ▸ conjug. 3
❶ Former un tout. *Ces vingt-quatre élèves* ***constituent*** *une classe.* ❷ Mettre sur pied. *Nous* ***avons constitué*** *une équipe de soccer.* **SYN** organiser. • **Se constituer prisonnier :** se rendre aux autorités. ♦ Famille du mot : constituant, constitution, constitutionnel, reconstituer, reconstitution.

constitution nom féminin
❶ Manière dont une chose est constituée. *La chimie étudie la* ***constitution*** *de la matière.* **SYN** composition. ❷ Nature physique d'une personne. *Mia a une* ***constitution*** *robuste.* ❸ Action de constituer. *La* ***constitution*** *de l'équipe a été décidée par l'entraîneur.* ❹ Ensemble des lois fondamentales d'un État. *La* ***Constitution*** *du Canada.* ✎ Attention ! Au sens 4, ce mot s'écrit avec une majuscule.

constitutionnel, constitutionnelle adjectif
Qui est en accord avec la Constitution d'un pays. *L'opposition prétend que cette loi n'est pas* ***constitutionnelle****.*

constructeur, constructrice nom
Personne ou entreprise qui construit des bâtiments ou des machines. *Un* ***constructeur*** *d'avions.*

Un immeuble en ***construction***

constructif, constructive adjectif
Capable d'imaginer des solutions efficaces, de faire des propositions intelligentes. *Un esprit* ***constructif****.*

construction nom féminin
❶ Action de construire. *Un immeuble en* ***construction****.* **CONTR** démolition. ❷ Ce qui est construit. *Les maisons et les ponts sont des* ***constructions****.* ❸ Arrangement de groupes de mots dans la phrase. *La* ***construction*** *de cette phrase est simple : un groupe nominal et un groupe verbal.* **SYN** syntaxe.

a b c d e f g h i j k l m n o p q r s t u v w x y z

construire verbe ▸ conjug. 43
❶ Fabriquer en assemblant des matériaux. *M. Marquis **construit** un cabanon.* **SYN** bâtir, édifier. **CONTR** démolir, détruire. ❷ Organiser les mots ou les groupes de mots d'une phrase suivant les règles de la grammaire. *On **construit** la phrase de base avec un groupe du nom et un groupe du verbe.* ♦ Famille du mot : constructeur, constructif, construction, reconstruction, reconstruire.

consul, consule nom
Diplomate qui s'occupe des intérêts de ses compatriotes dans un pays étranger. *Il est **consul** du Canada à Lyon.* * Chercher aussi *ambassadeur*.

consulat nom masculin
Bureau du consul. *On s'adresse au **consulat** pour avoir un visa.*

consultation nom féminin
❶ Fait de consulter. *La **consultation** d'un expert.* ❷ Examen d'un malade par un médecin. *Il a emmené sa fille en **consultation** chez une pédiatre.*

consulter verbe ▸ conjug. 3
❶ Demander l'avis ou le conseil de quelqu'un. *Il est allé **consulter** une spécialiste.* ❷ Regarder quelque chose pour trouver un renseignement. *Quand Maïa ne comprend pas un mot, elle **consulte** son dictionnaire.*

se **consumer** verbe ▸ conjug. 3
Être détruit par le feu. *Les bûches **se consument** dans la cheminée.*

contact nom masculin
❶ Fait de toucher. *Au **contact** du feu, Gary a vite retiré sa main.* ❷ Lien qui s'établit entre des personnes. *Je suis resté en **contact** avec lui.* • **Prendre contact avec quelqu'un :** entrer en relation avec lui. *Avez-vous **pris contact avec** la mairesse ?* • **Contact électrique :** liaison entre deux fils électriques qui se touchent, permettant au courant de passer. *Mettre, couper le **contact**.* • **Lentille** ou **verre de contact :** lentille qui corrige la vue et que l'on met directement sur l'œil.

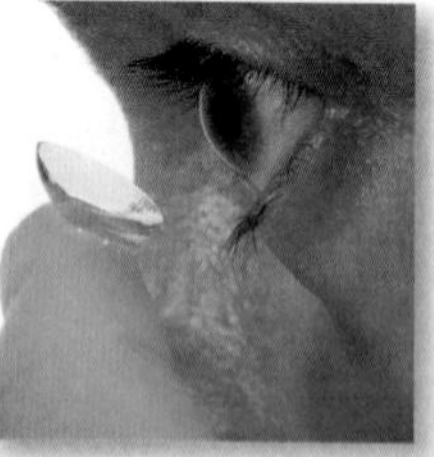

Un **verre de contact**

contacter verbe ▸ conjug. 3
Prendre contact avec une personne. *Elle **a contacté** un avocat.*

contagieux, contagieuse adjectif
❶ Qui se transmet facilement. *La grippe est une maladie **contagieuse**.* **SYN** transmissible. ❷ Qui peut communiquer sa maladie. *Les tuberculeux sont **contagieux**.* ❸ Communicatif. *Le fou rire de Yasmina est **contagieux**.*

contagion nom féminin
Transmission d'une maladie d'une personne à une autre. *Pour éviter la **contagion**, il faut porter un masque.*

contamination nom féminin
Fait d'être contaminé. *La **contamination** de l'eau dans cette région provient des déchets d'une usine.*

contaminer verbe ▸ conjug. 3
❶ Transmettre une maladie. *La bête malade **a contaminé** le troupeau.* ❷ Rendre nocif pour la santé. *Cette bactérie **a contaminé** l'eau potable.*

conte nom masculin
Récit d'aventures merveilleuses. *Un recueil de **contes** inuits.* ♦ Famille du mot : conter, conteur.

contemplation nom féminin
Action de contempler. *Elle était en **contemplation** devant la façade de la cathédrale.*

contempler verbe ▸ conjug. 3
Regarder quelque chose longuement en l'admirant. *Elle **contemplait** la mer au soleil couchant.*

contemporain, contemporaine
adjectif et nom
❶ Qui vit à la même époque qu'une autre personne. *Toi et moi, nous sommes **contemporains**. – Émile Nelligan était un **contemporain** d'Helen Keller.* ❷ Qui appartient à l'époque dans laquelle nous vivons. *Un spectacle de danse **contemporaine**.* **SYN** moderne.

contenance nom féminin
❶ Quantité que peut contenir un récipient. *Ce réservoir a une **contenance** de cent litres.* **SYN** capacité. ❷ Façon de se comporter dans une situation particulière. *Devant mes reproches, elle ne savait plus quelle **contenance** prendre.* • **Perdre contenance :** être tout à coup embarrassé, se troubler. *Paco **perd contenance** facilement.*

contenant nom masculin
Tout objet pouvant contenir quelque chose. *Une bouteille, une caisse et un portefeuille sont des **contenants**.*

conteneur nom masculin
Très grande caisse métallique qui sert au transport de marchandises. *On a envoyé nos meubles par bateau, dans un* ***conteneur****.*

contenir verbe ▸ conjug. 19
❶ Comprendre en soi. *Ce coffret* ***contient*** *de vieilles lettres.* **SYN** renfermer. ❷ Pouvoir recevoir telle quantité. *Cette salle* ***contient*** *mille personnes.* ❸ Empêcher quelqu'un d'avancer. *Les policiers ne pouvaient* ***contenir*** *la foule.* **SYN** retenir. ■ *se* **contenir** : se maîtriser. *Ne vous fâchez pas, essayez de* ***vous contenir****.* **SYN** se retenir. ♦ Famille du mot : contenance, contenant, conteneur, contenu, décontenancer.

content, contente adjectif
Qui est joyeux, satisfait. *Ling est* ***contente*** *d'apprendre à skier.* **SYN** heureux. ♦ Famille du mot : contentement, contenter, mécontent, mécontentement, mécontenter.

Une fillette **contente**

contentement nom masculin
État d'une personne qui est contente. *Le vainqueur ne pouvait cacher son* ***contentement****.* **SYN** satisfaction. **CONTR** mécontentement.

contenter verbe ▸ conjug. 3
Donner satisfaction à quelqu'un. *Charles est facile à* ***contenter****, il suffit de lui donner des pâtes ou du riz.* **SYN** satisfaire. **CONTR** mécontenter. ■ *se* **contenter** : n'avoir besoin de rien de plus. *Pour dîner, il* ***s'est contenté*** *d'une tranche de jambon.*

contenu nom masculin
❶ Ce qu'il y a dans quelque chose. *Le* ***contenu*** *de cette boîte est indiqué sur l'étiquette.* ❷ Idées exprimées dans un texte, une œuvre. *J'ai oublié le* ***contenu*** *de son discours.*

conter verbe ▸ conjug. 3
Raconter. *Notre tante Erika nous* ***a conté*** *l'histoire de sa migration vers le Canada.*

contestable adjectif
Que l'on peut contester. *Votre point de vue me paraît* ***contestable****.* **SYN** discutable. **CONTR** incontestable.

contestataire adjectif et nom
Qui conteste et exprime son désaccord. *Des étudiants* ***contestataires*** *ont organisé la manifestation. – C'est une* ***contestataire****.*

contestation nom féminin
Fait de contester. *Il y a eu des* ***contestations*** *à propos du déroulement du vote.* **SYN** discussion.

contester verbe ▸ conjug. 3
Refuser d'admettre que quelque chose est exact ou justifié. *Certains politiciens* ***contestent*** *les décisions du ministre.* **CONTR** approuver. ♦ Famille du mot : contestable, contestataire, contestation, incontestable, incontesté.

conteur, conteuse nom
Personne qui sait raconter des histoires. *Ma grand-mère a un vrai talent de* ***conteuse****.*

contexte nom masculin
❶ Texte qui entoure un mot, un groupe de mots ou une phrase et qui lui donne son sens. *Selon le* ***contexte****, le mot « cher » peut avoir des sens très différents.* ❷ Circonstances d'un évènement. *Dans le* ***contexte*** *actuel, il est difficile d'être plus généreux.*

contigu, contiguë adjectif
Qui est situé à côté d'une autre chose. *Nos deux copropriétés sont* ***contiguës****, elles se touchent.* **SYN** attenant. * Attention ! Le tréma sur le *e* dans *contiguë* indique que le *u* qui précède se prononce. ✎ On peut écrire aussi, au féminin, ***contigüe****.*

Des copropriétés **contiguës**

continent nom masculin
Chacune des six grandes étendues de terre du globe terrestre, par opposition aux océans. *L'Europe, l'Asie, l'Afrique, l'Amérique, l'Océanie, l'Antarctique sont les six* ***continents****.*

a b c d e f g h i j k l m n o p q r s t u v w x y z

continental, continentale, continentaux adjectif
Qui concerne l'intérieur des continents. *Le climat* ***continental*** *est froid et sec en hiver, et chaud en été.*

continu, continue adjectif
Qui n'est pas interrompu. *Les vagues de la mer font un mouvement* ***continu.*** **CONTR** discontinu.

continuation nom féminin
Le fait de continuer. *Le gel a empêché la* ***continuation*** *des travaux.* **SYN** poursuite.

continuel, continuelle adjectif
Qui continue ou se répète sans arrêt. *Nos vacances ont été gâchées par une pluie* ***continuelle.*** **SYN** incessant.

continuellement adverbe
❶ Fréquemment. *Sa moto tombe* ***continuellement*** *en panne.* **SYN** constamment, sans* cesse. ❷ De façon continuelle. *J'essaie de la joindre, mais la ligne est* ***continuellement*** *occupée.*

continuer verbe ▸ conjug. 3
❶ Poursuivre ce qui est commencé. *Elle a décidé de* ***continuer*** *ses études.* **CONTR** arrêter, cesser. ❷ Ne pas s'arrêter. *L'histoire n'est pas finie, elle* ***continue.*** **SYN** se poursuivre. ♦ Famille du mot : continu, continuation, continuel, continuellement, continuité, discontinu.

continuité nom féminin
Caractère de ce qui est continu. *Ma grand-mère veille à la* ***continuité*** *des traditions familiales.*

contorsion nom féminin
Mouvement acrobatique exagéré qui tord le corps. *Les* ***contorsions*** *des acrobates.*

contour nom masculin
Ligne qui marque la limite de quelque chose. *L'artiste commence par dessiner le* ***contour*** *du visage.*

contourner verbe ▸ conjug. 3
Passer autour de quelque chose sans le traverser. *Pour arriver au village, il faut* ***contourner*** *la forêt.*

contraception nom féminin
Fait d'empêcher la grossesse. *Les moyens de* ***contraception****.*

① **contracter** verbe ▸ conjug. 3
S'engager par contrat. ***Contracter*** *une assurance contre le vol.*

② **contracter** verbe ▸ conjug. 3
Être atteint par une maladie. ***Contracter*** *la rougeole, la varicelle.*

③ **contracter** verbe ▸ conjug. 3
Raidir un muscle. *L'athlète* ***contracte*** *tous ses muscles quand il soulève les haltères.* **SYN** durcir, tendre. ■ *se* **contracter** : se raidir. *Ses mâchoires* ***se sont contractées*** *sous l'effet de la colère.* **SYN** se tendre. ♦ Famille du mot : contraction, décontracté, se décontracter, décontraction.

contraction nom féminin
Fait de se contracter. *Les* ***contractions*** *de son visage révèlent sa souffrance.*

contradiction nom féminin
❶ Fait de contredire quelqu'un ou de se contredire. *Il n'arrête pas d'affirmer le contraire de ce que dit sa sœur. Il a l'esprit de* ***contradiction.*** ❷ Affirmation qui en contredit une autre. *La juge a relevé des* ***contradictions*** *dans les témoignages.*

Des **contorsions**

contradictoire adjectif
Qui contredit ce qui a été dit. *Les récits des témoins ne concordent pas, ils sont même* ***contradictoires****.* SYN incompatible, opposé.

contraindre verbe ▸ conjug. 35
Forcer à faire ce que l'on ne veut pas faire. *Le règlement* ***contraint*** *ces ouvriers à porter un casque.* SYN astreindre, obliger.

contrainte nom féminin
❶ Usage de la force ou de la menace pour obliger quelqu'un à faire quelque chose. *Sous la* ***contrainte****, il a dû s'exécuter.* ❷ Obligation à laquelle on ne peut échapper. *Les* ***contraintes*** *de la vie en société.*

contraire adjectif
Qui va dans le sens opposé. *Les deux voitures se dirigent en sens* ***contraire****. C'est* ***contraire*** *au règlement.* ■ **contraire** nom masculin
❶ L'inverse, l'opposé de quelque chose. *Il suffit qu'on lui demande quelque chose pour qu'il fasse le* ***contraire****.* ❷ Mot de sens opposé. *« Froid » est le* ***contraire*** de *« chaud ».*
SYN antonyme. CONTR synonyme.

contrairement adverbe
À l'opposé, à l'inverse de. ***Contrairement*** *à ce qui était annoncé, il n'y a pas de panne de métro.* CONTR conformément.

contrariant, contrariante adjectif
Qui contrarie. *J'ai oublié mes lunettes, c'est très* ***contrariant****.* SYN ennuyeux, fâcheux.

contrarier verbe ▸ conjug. 10
❶ Faire obstacle à quelque chose. *Un accident* ***a contrarié*** *ses projets.* SYN contrecarrer. CONTR aider, favoriser. ❷ Causer du mécontentement. *Ce que tu lui as dit l'****a*** *beaucoup* ***contrarié****.* SYN mécontenter. CONTR réjouir. ♦ Famille du mot : contrariant, contrariété.

contrariété nom féminin
Sentiment d'une personne contrariée. *La* ***contrariété*** *se lisait sur son visage.*
SYN irritation, mécontentement.
CONTR satisfaction.

contraste nom masculin
❶ Différence ou opposition entre deux choses. *Quel* ***contraste*** *entre l'aridité du désert et la fraîcheur de cette oasis !* ❷ Différence de lumière entre les parties claires et les parties sombres d'une image. *Il n'y a pas de* ***contrastes*** *sur cette photo.*

contraster verbe ▸ conjug. 3
Être en contraste. *Sa grosse voix d'adulte* ***contraste*** *avec son air enfantin.* SYN s'opposer.

contrat nom masculin
Accord écrit fixant les droits et les obligations de chacun. *Elle a signé un* ***contrat*** *d'assurance pour sa maison et sa voiture.*

contravention nom féminin
Condamnation à payer une amende.

contre préposition
Sert à indiquer… ❶ le contact. *Le maçon appuie une échelle* ***contre*** *le mur.* ❷ l'opposition. *L'équipe du Canada joue* ***contre*** *l'équipe de Russie.* ❸ l'échange. *Je te donne un autocollant* ***contre*** *une carte de hockey.* ❹ Dans le sens inverse. *Il est difficile de nager* ***contre*** *le courant.* • **Contre toute attente :** contrairement à ce que l'on attendait. ***Contre toute attente****, Sharon a gagné le match.* • **Par contre :** indique une opposition. *Elle est très intelligente,* ***par contre*** *elle a mauvais caractère.* ■ **contre** nom masculin • **Le pour et le contre :** les avantages et les inconvénients.

contre-attaque nom féminin
Attaque qui répond à celle de l'ennemi. *Le général est passé à son tour à l'offensive en lançant une* ***contre-attaque****.* ✎ Pluriel : *des* ***contre-attaques****.*

contre-attaquer verbe ▸ conjug. 3
Faire une contre-attaque. *Et voici l'équipe canadienne de soccer qui* ***contre-attaque*** *!*
✎ On peut écrire aussi ***contrattaquer****.*

contrebalancer verbe ▸ conjug. 4
Rétablir l'équilibre. *Les gains* ***contrebalancent*** *les pertes.* SYN compenser.

contrebande nom féminin
Passage de marchandises en fraude d'un lieu à un autre. *Des marchandises de* ***contrebande****.*

contrebandier, contrebandière nom
Personne qui fait de la contrebande. *Les* ***contrebandiers*** *prennent des petits chemins pour éviter les douaniers.*

en **contrebas** adverbe
À un niveau plus bas. *Le village est situé* ***en contrebas*** *de la route.*

contrebasse nom féminin
Grand instrument de musique à quatre cordes qui produit des sons très graves, dont on joue avec ou sans archet.

Une ***contrebasse***

a b c d e f g h i j k l m n o p q r s t u v w x y z

a b c d e f g h i j k l m n o p q r s t u v w x y z

contrecarrer verbe ▶ conjug. 3
Mettre des obstacles aux projets de quelqu'un. *Sa décision **a contrecarré** notre projet de voyage.* **SYN** contrarier. **CONTR** favoriser.

à **contrecœur** adverbe
Avec réticence. *Elle a accepté de surveiller son petit frère **à contrecœur**.* **SYN** à regret*. **CONTR** de bon cœur*, volontiers.

contrecoup nom masculin
Conséquence indirecte d'un évènement. *Ces temps-ci, elle est très peureuse : c'est le **contrecoup** du cambriolage qu'elle a subi récemment.*

contre-courant nom masculin
• **À contre-courant :** dans le sens inverse du courant. *La nageuse s'épuise en allant **à contre-courant**.*

contredire verbe ▶ conjug. 46
Affirmer le contraire. *Pourquoi me **contredisez-vous** sans arrêt ?* ■ se **contredire** : affirmer le contraire de ce que l'on a dit à un moment antérieur. *L'accusé ne cesse de **se contredire** quand on l'interroge.* * Attention ! (*Se*) *contredire* se conjugue comme *dire*, sauf à la deuxième personne du pluriel du présent de l'indicatif et de l'impératif : *vous* (*vous*) ***contredisez***.

contrée nom féminin
Dans la langue littéraire, région. *L'histoire se passe dans une lointaine **contrée**.*

contrefaçon nom féminin
Imitation malhonnête. *Cette montre est très bien imitée, mais c'est une **contrefaçon**.*

contrefaire verbe ▶ conjug. 42
Faire une contrefaçon. *Quelqu'un **a contrefait** la signature du directeur.*

contrefort nom masculin
Pilier ou gros mur qui renforce et soutient une construction. *L'inondation a endommagé les **contreforts** du pont.*

contre-indication nom féminin
Cas où la prescription d'un médicament devient dangereuse. *La notice accompagnant ce médicament signale les **contre-indications**.* ✎ Pluriel : *des **contre-indications***. ✎ On peut écrire aussi ***contrindication***.

à **contre-jour** adverbe
Devant une lumière qui éclaire un objet par-derrière. *Je ne vois pas son visage, il est **à contre-jour**.* ✎ On peut écrire aussi ***à contrejour***.

contremaître, contremaîtresse nom
Personne qui dirige une équipe d'ouvriers.

contrepartie nom féminin
• **En contrepartie :** en échange, en compensation. *J'aide Maxime en mathématique, **en contrepartie**, il m'aide en français.*

contreplaqué nom masculin
Matériau formé de lamelles de bois collées les unes sur les autres. *Une étagère en **contreplaqué**.*

contrepoids nom masculin
Poids qui équilibre un autre poids. *Pour équilibrer les grues, on les munit d'un **contrepoids**.*

*Faire **contrepoids***

contrepoison nom masculin
Remède qui supprime les effets d'un poison. **SYN** antidote.

contrer verbe ▶ conjug. 3
S'opposer efficacement à quelqu'un ou à quelque chose. *Les footballeurs ont réussi **à contrer** l'attaque de l'équipe adverse.*

contresens nom masculin
Mauvaise compréhension du sens d'un mot que l'on traduit d'une langue étrangère.
• **À contresens :** en sens inverse du sens normal. *Il roulait **à contresens** dans une rue à sens unique.*

contretemps nom masculin
Ennui ou incident qui retarde quelqu'un. *Ce **contretemps** lui a fait manquer le début du film.*

contribuable nom
Personne qui paie des impôts.

contribuer verbe ▸ conjug. 3
Aider à la réalisation de quelque chose. *Tous les élèves **ont contribué** à la réalisation du spectacle de fin d'année.* SYN collaborer, coopérer, participer.

contribution nom féminin
Fait de contribuer à quelque chose. *Claudia est pleine d'idées, sa **contribution** à la fête a été très utile.* SYN aide, apport, concours, participation.

contrôle nom masculin
❶ Action de contrôler. *Hier, les pompiers sont venus à l'école pour faire un **contrôle** de sécurité.* SYN inspection, vérification. ❷ Maîtrise que l'on a de quelque chose. *À cause du verglas, le conducteur a perdu le **contrôle** de sa voiture.*

contrôler verbe ▸ conjug. 3
Vérifier si tout est en règle ou en état de marche. *Les douaniers **contrôlent** les passeports. Le mécanicien **contrôle** le niveau d'huile.*
■ *se* **contrôler** : rester maître de soi. *Ju est inquiète, mais elle **se contrôle** très bien.* SYN se maîtriser. ♦ Famille du mot : contrôle, contrôleur, incontrôlable.

contrôleur, contrôleuse nom
Personne chargée de contrôler. *La **contrôleuse** a vérifié tous les formulaires.* • **Contrôleur, contrôleuse de la navigation aérienne** : personne qui guide les avions en vol ou lors du décollage et de l'atterrissage.

*Un **contrôleur** de la navigation aérienne*

controverse nom féminin
Discussion où des opinions différentes s'affrontent. *L'implantation d'éoliennes dans notre municipalité soulève la **controverse**.* SYN polémique.

controversé, controversée adjectif
Qui est mis en doute et contesté par certains. *L'existence des extraterrestres est très **controversée**.*

contusion nom féminin
Blessure causée par un coup, sans plaie ni fracture. *L'accident n'est pas trop grave, Loïc n'a que des **contusions**.* SYN bleu. * Chercher aussi *ecchymose*, *hématome*.

convaincant, convaincante adjectif
Qui convainc. *L'avocat s'est montré très **convaincant**.* SYN persuasif.

convaincre verbe ▸ conjug. 36
Parvenir à faire partager son point de vue. *J'ai réussi à **convaincre** Audrey de venir au cinéma avec nous.* SYN persuader.

convalescence nom féminin
Période de repos après une maladie. *La fracture est soudée, mais une **convalescence** est nécessaire.*

convalescent, convalescente adjectif et nom
Qui est en convalescence. *Elle n'est pas complètement guérie, elle est encore **convalescente**. – Cette maison de repos accueille des **convalescents**.*

convenable adjectif
❶ Qui respecte les règles de la politesse, les convenances. *Tu pourrais avoir une tenue plus **convenable**.* SYN correct. CONTR déplacé, inconvenant, incorrect. ❷ Qui est acceptable, sans plus. *Dans ce restaurant, la nourriture est **convenable**.* SYN correct, passable.

convenablement adverbe
De façon convenable, comme il faut. *Les enfants ont su se tenir **convenablement**.* SYN correctement.

convenance nom féminin
• **À sa convenance** : à son goût. *Noémie a enfin trouvé un jean **à sa convenance**.*
■ **convenances** nom féminin pluriel Règles de la politesse. *Respecter les **convenances**.*

convenir verbe ▸ conjug. 19
❶ Être bien adapté. *Cette couleur te **convient** particulièrement bien.* SYN aller. ❷ Satisfaire quelqu'un. *On se retrouve samedi, cela te **convient** ?* ❸ Reconnaître quelque chose. *Je me suis trompé, j'en **conviens**.* SYN admettre.

a b c d e f g h i j k l m n o p q r s t u v w x y z

a b c d e f g h i j k l m n o p q r s t u v w x y z

❹ Se mettre d'accord sur quelque chose. *Nous **avons convenu** d'aller à l'aréna ensemble.* • **Comme convenu :** comme on l'a décidé. ♦ Famille du mot : convenable, convenablement, convenance, inconvenant.

convention nom féminin
❶ Accord entre des personnes, des entreprises, des États. *Le Canada a signé des **conventions** fiscales avec plusieurs pays.* • **Convention collective :** entente signée entre un employeur et les représentants des employés au sujet des conditions de travail. ❷ Ce qu'il convient de faire ou de dire en public. *Il est très attaché aux **conventions**.*

convergence nom féminin
Fait de converger. *La **convergence** de leurs opinions les a rapprochés.* CONTR divergence.

convergent, convergente adjectif
Qui converge. *Les deux chercheuses ont des points de vue **convergents**.* CONTR divergent.

converger verbe ▸ conjug. 5
❶ Aboutir au même endroit. *Plusieurs rues **convergent** vers la ville.* ❷ Parvenir au même résultat. *Sur ce point, les théories scientifiques **convergent**.* CONTR diverger. ♦ Famille du mot : convergence, convergent.

conversation nom féminin
Échange de paroles entre des personnes. *Entre eux, la **conversation** est toujours très animée.* SYN discussion, ② entretien.

*Une **conversation***

converser verbe ▸ conjug. 3
Avoir une conversation avec quelqu'un. *Ils **ont conversé** tard dans la nuit.*

conversion nom féminin
❶ Action de convertir ou de se convertir. *En Nouvelle-France, le clergé catholique a obtenu la **conversion** de nombreux Amérindiens.* ❷ Passage d'une unité de mesure à une autre. *Pour savoir le prix d'un objet en France, il faut faire la **conversion** des euros en dollars.*

convertir verbe ▸ conjug. 11
❶ Amener des personnes à changer de religion. ❷ Transformer une unité de mesure en une autre unité. ***Convertissez** 500 centimètres en mètres.* ■ se **convertir** : changer de religion.

convexe adjectif
Dont la surface est arrondie vers l'extérieur. *Un miroir **convexe**.* 👁p. 484. SYN bombé. CONTR concave.

conviction nom féminin
❶ Ce dont on est convaincu. *J'ai la **conviction** de l'avoir déjà rencontré.* SYN certitude. ❷ Ce à quoi l'on croit. *Il a des **convictions** politiques que je ne partage pas.* SYN opinion.

convier verbe ▸ conjug. 10
❶ Inviter quelqu'un pour une occasion particulière. *Je vous **convie** à mon anniversaire.* ❷ Inciter quelqu'un à faire quelque chose. *L'urgence de la situation nous **convie** à une action immédiate.*

convive nom
Participant à un repas. *Les **convives** sont nombreux autour de la table.*

convivial, conviviale, conviviaux adjectif
❶ Qui est gai et chaleureux. *J'aime l'atmosphère **conviviale** de ce petit restaurant.* ❷ Facile à utiliser. *Un logiciel **convivial**.*

convocation nom féminin
Document par lequel on convoque quelqu'un. *Arthur a reçu une **convocation** pour son examen.*

convoi nom masculin
Groupe de personnes ou de véhicules qui suivent ensemble la même route. *Sur l'autoroute, nous avons doublé un **convoi** de camions.*

*Un **convoi** de camions*

convoiter verbe ▸ conjug. 3
Avoir très envie de quelque chose. *Les pirates **convoitaient** les trésors que transportaient les navires.*

convoitise nom féminin
Fait de convoiter quelque chose. *Guillaume regarde avec **convoitise** les médailles gagnées par sa sœur.* SYN envie.

convoquer verbe ▸ conjug. 3
❶ Faire venir quelqu'un auprès de soi. *La contremaîtresse **a convoqué** un ouvrier dans son bureau.* ❷ Demander à des personnes de se réunir. *Le syndicat **a convoqué** ses membres à une réunion.*

convoyer verbe ▸ conjug. 6
Accompagner un convoi pour le protéger. *La police **a convoyé** le camion blindé jusqu'au port d'embarquement.* **SYN** escorter.

convulsion nom féminin
Contraction saccadée et involontaire des muscles. *Sous l'effet de la fièvre, le malade a été pris de **convulsions**.*

coopératif, coopérative adjectif
❶ Qui coopère facilement. *Il n'est guère **coopératif** quand il faut faire le ménage.* ❷ Qui est fondé sur la coopération. *Un mouvement **coopératif**.*

coopération nom féminin
❶ Action de coopérer. *Pour que la fête soit réussie, j'ai besoin de votre **coopération**.* **SYN** aide, collaboration. ❷ Aide aux pays qui sont en voie de développement. *Le Canada pratique une politique de **coopération** économique avec l'Afrique.*

coopérative nom féminin
Association de gens qui se mettent ensemble pour produire, acheter ou vendre. *Une **coopérative** laitière.*

coopérer verbe ▸ conjug. 8
Travailler ensemble à la réalisation de quelque chose. *Plusieurs équipes de chercheurs **ont coopéré** à la mise au point de ce vaccin.* **SYN** collaborer, contribuer, participer. ✎ On peut écrire aussi, au futur, *tu **coopèreras***; au conditionnel, *elle **coopèrerait**.* ♦ Famille du mot: coopératif, coopération, coopérative.

coordination nom féminin
❶ Action de coordonner. *La bonne **coordination** des équipes de secours a permis de retrouver l'enfant.* ❷ Liaison entre des mots, des groupes de mots ou des phrases qui ont la même fonction. *« Mais, ou, et, donc, car, ni, or » sont des conjonctions utilisées pour la **coordination**.*

coordonnées nom féminin pluriel
Adresse, numéro de téléphone, adresse électronique, etc. *Je n'ai pas pu te joindre, je n'avais pas tes **coordonnées**.*

coordonner verbe ▸ conjug. 3
Mettre ensemble divers éléments pour être plus efficace. *Les équipes de secours **ont coordonné** leurs efforts pour porter assistance aux sinistrés.*

copain, copine nom
Dans la langue familière, ami. *Un **copain** d'enfance. Ingrid est allée à la piscine avec toutes ses **copines**.*
SYN camarade.

Des **copines**

copeau, copeaux nom masculin
Fine lamelle de matière enlevée par le tranchant d'un outil. *Le menuisier a fait un tas de **copeaux** avec son rabot.*

copiage nom masculin
Fait de copier lors d'un examen. *Dans le code de vie de l'école, le **copiage** est considéré comme une fraude.*

copie nom féminin
❶ Texte qui en reproduit un autre exactement. *J'ai gardé une **copie** de ma lettre.* **SYN** double. ❷ Reproduction plus ou moins exacte d'une œuvre d'art. *Ce tableau n'est pas un original, c'est une **copie**.* ❸ Feuille sur laquelle les élèves font leurs devoirs. *L'enseignant va nous rendre nos **copies**.* ♦ Famille du mot: copiage, copier, recopier.

copier verbe ▸ conjug. 10
❶ Reproduire fidèlement un texte ou un dessin. *Ma sœur **a copié** un poème dans son cahier.* ❷ Reproduire frauduleusement le travail de son voisin de classe. *Pendant l'examen, Alicia **a copié** sur son voisin.*

copieusement adverbe
D'une manière copieuse. *Zacharie s'est servi **copieusement**.* **SYN** abondamment.

copieux, copieuse adjectif
Qui est très abondant. *Un déjeuner **copieux**.* **SYN** plantureux. **CONTR** frugal.

copilote nom
Personne qui assiste le pilote d'un avion.

copine → Voir **copain**

copropriétaire nom
Personne qui possède une maison ou un appartement en copropriété. *L'assemblée des **copropriétaires** a voté la réfection du toit.*

copropriété nom féminin
❶ Habitation appartenant à plusieurs propriétaires. *Un immeuble en **copropriété**.* ❷ Partie d'une habitation en copropriété. *Elle a acheté une **copropriété** dans le Vieux-Montréal.*

coq nom masculin
Mâle de la poule.
* Chercher aussi *poule*, *poussin*, *cocorico*. • **Être comme un coq en pâte :** être dorloté, ne manquer de rien. • **Passer du coq à l'âne :** passer d'un sujet à un autre.
* Ne pas confondre *coq* et *coque*.

Un **coq**

① **coque** nom féminin
Enveloppe dure de certains fruits. *Julia casse la **coque** des noix avec une pierre.* SYN coquille. • **Œuf à la coque :** œuf cuit avec sa coquille dans l'eau bouillante, mais sans qu'il soit dur.
* Ne pas confondre *coque* et *coq*.

② **coque** nom féminin
Partie d'un bateau ou d'un avion. * Ne pas confondre *coque* et *coq*.

coquelicot nom masculin
Fleur des champs rouge vif. *Le **coquelicot** est une variété de pavot.*

coqueluche nom féminin
❶ Maladie contagieuse qui fait tousser. *La **coqueluche** atteint surtout les enfants.* ❷ Personne que tout le monde aime. *Kewanee est la **coqueluche** de l'équipe.*

coquerelle nom féminin
Petit insecte noir ou marron. *Leur cuisine était infestée de **coquerelles**.* SYN cafard.

coqueron nom masculin
Dans la langue familière, endroit exigu, logement très petit et modeste. *Avant d'arriver dans notre immeuble, nos voisins habitaient un **coqueron**.*

coquet, coquette adjectif
Qui prend soin de son aspect pour plaire aux autres. *Mon grand-père est très **coquet**.*

coquetel nom masculin
❶ Boisson obtenue en mélangeant des alcools et des sirops. ❷ Réception pour fêter un évènement.

coquetier nom masculin
Petite coupe dans laquelle on sert un œuf à la coque.

coquetterie nom féminin
Attitude d'une personne coquette. *Par **coquetterie**, Cyril a voulu changer la monture de ses lunettes.*

coquillage nom masculin
Mollusque marin ayant une coquille. *Les huîtres, les moules et les palourdes sont des **coquillages**.*

coquille nom féminin
❶ Enveloppe dure qui recouvre et protège le corps de la plupart des mollusques. *Une **coquille** d'huître, d'escargot.* ❷ Enveloppe dure de certains fruits. *Une **coquille** de noix.* SYN coque. ❸ Enveloppe des œufs des reptiles et des oiseaux. • **Rentrer dans sa coquille :** se refermer sur soi-même.

coquin, coquine adjectif et nom
Qui est farceur, malin et espiègle. *Des yeux **coquins**. – Tu es un petit **coquin** !*

① **cor** nom masculin
Durcissement de la peau sur un orteil. *Après avoir longtemps porté des chaussures étroites, elle a maintenant des **cors** aux pieds.*

② **cor** nom masculin
Instrument de musique à vent en cuivre. *Un **cor** de chasse.* 👁p. 692. • **À cor et à cri :** en insistant bruyamment.

corail, coraux nom masculin
❶ Petit animal marin à squelette calcaire rouge orangé. *Les **coraux** vivent dans les mers chaudes.* ❷ Matière très dure dont sont constitués les coraux et que l'on utilise en bijouterie. *Un bracelet en **corail**.*

Des **coraux**

corallien, corallienne adjectif
Formé par des coraux. *Une île **corallienne**.*

Coran nom masculin
Livre sacré de la religion musulmane. 👁p. 270.
✎ Attention ! Le mot *Coran* s'écrit avec une majuscule. * Chercher aussi *Bible*.

coranique adjectif
Du Coran. *Dans les écoles **coraniques**, les enfants apprennent le Coran par cœur.*

corbeau, corbeaux nom masculin
Oiseau à plumage noir ou gris. *Les **corbeaux** croassent.*

corbeille nom féminin
Panier léger, sans anse. *Une **corbeille** à fruits.*

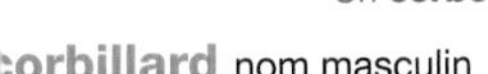
Un **corbeau**

corbillard nom masculin
Voiture qui transporte les morts au cimetière. SYN fourgon* mortuaire.

cordage nom masculin
Grosse corde utilisée sur les bateaux. *Le pêcheur arrime son bateau avec des **cordages**.*
* Chercher aussi *câble*.

corde nom féminin
❶ Assemblage de fils tressés, très résistant. *Une **corde** de chanvre.* ❷ Fil tendu sur un instrument de musique. *La guitare, le violon, le violoncelle et la contrebasse sont des instruments à **cordes**.* 👁p. 692. • **Avoir plus d'une corde à son arc :** avoir plusieurs moyens pour parvenir à un but. • **Cordes vocales :** membranes de la gorge qui produisent les sons en vibrant au passage de l'air. • **Corde à danser :** corde munie de poignées, que l'on fait tourner pour sauter. SYN corde à sauter. • **Corde à linge :** corde tendue entre deux supports, sur laquelle on étend le linge à sécher. • **Corde de bois :** bois coupé empilé sur environ quatre mètres cubes. • **Être sur la corde raide :** être dans une situation délicate.
♦ Famille du mot : cordage, cordeau, cordée, cordelette, corder, cordon, s'encorder.

cordeau nom masculin
Fine corde tendue entre deux piquets pour obtenir une ligne droite. *Le paysagiste trace les allées du jardin au **cordeau**.*

cordée nom féminin
Petit groupe d'alpinistes qui s'attachent les uns aux autres par une corde par mesure de sécurité.

corder verbe ▸ conjug. 3
Empiler. *Ma mère **corde** les bûches près du foyer.*

cordial, cordiale, cordiaux adjectif
Qui est amical et chaleureux. *Il nous a accueillis par des paroles **cordiales**.* CONTR froid, hostile.
♦ Famille du mot : cordialement, cordialité.

cordialement adverbe
De manière cordiale. *Elle lui a serré la main **cordialement**.* CONTR froidement.

cordialité nom féminin
Qualité d'une personne cordiale. *Ils ont mis beaucoup de **cordialité** dans leur accueil.*

cordillère nom féminin
Chaîne de montagnes élevées. *Les **cordillères** canadiennes longent la côte du Pacifique.*

cordon nom masculin
❶ Petite corde. *Nora a perdu le **cordon** de son capuchon.* ❷ Rangée de personnes. *Un **cordon** de policiers protège le chef d'État de la foule.*
• **Tenir les cordons de la bourse :** veiller de près aux dépenses d'une famille.

cordon-bleu nom masculin
Personne qui fait très bien la cuisine. *Ma tante Marie invente des recettes, c'est un fin **cordon-bleu**.* ✎ Pluriel : *des **cordons-bleus***.

cordonnier, cordonnière nom
Personne qui répare les chaussures.

coréen, coréenne adjectif et nom
De Corée (du Nord ou du Sud). *L'industrie **coréenne**. – Les **Coréens**, les **Coréennes**.*
✎ Attention ! Le nom, qui désigne les habitants, s'écrit avec une majuscule. ■ **coréen** nom masculin Langue parlée par les Coréens.

coriace adjectif
❶ Dur comme du cuir. *Une viande **coriace**.* CONTR tendre. ❷ Au sens figuré, qui est difficile à vaincre. *Une adversaire **coriace**.*

coriandre nom féminin
Plante aromatique utilisée comme condiment.

De la **coriandre**

cormier nom masculin
Arbre produisant de petits fruits rouge orangé. **SYN** sorbier.

cormoran nom masculin
Oiseau de mer au plumage sombre et au bec crochu. *Le **cormoran** plonge dans l'eau pour attraper des poissons.* 👁p. 804.

Un **cormoran**

corne nom féminin
❶ Chacune des pointes dures qui poussent sur la tête de la plupart des ruminants. *Les vaches, les chèvres et les béliers ont des **cornes**.*
❷ Matière dure des cornes, des sabots, etc. *Un peigne en **corne**.* ❸ Pliure faite au coin d'une feuille de papier. *J'ai fait une **corne** à la page où je dois reprendre ma lecture.*

cornée nom féminin
Partie transparente du globe de l'œil, située devant l'iris.

corneille nom féminin
Oiseau noir de la même espèce que le corbeau. *La **corneille** est omnivore.*

cornemuse nom féminin
Instrument de musique formé de plusieurs tuyaux et d'une poche de cuir que l'on gonfle en soufflant. 👁p. 692.

Une **cornemuse**

corner verbe ▸ conjug. 3
Plier le coin d'une feuille de papier.

cornet nom masculin
Biscuit en forme de cône. *Un **cornet** de crème glacée.*

corniche nom féminin
❶ Élément décoratif situé en haut d'un meuble ou d'un bâtiment. *La **corniche** d'une armoire.*
❷ Route à flanc de montagne. *Une route en **corniche**.*

cornichon nom masculin
Petit concombre conservé dans du vinaigre. *J'ai mangé un smoked meat avec des **cornichons**.*

cornu, cornue adjectif
Qui porte des cornes. *Un animal **cornu**.*

corolle nom féminin
Ensemble des pétales d'une fleur. *Certaines fleurs ouvrent leur **corolle** le matin et la ferment le soir.* 👁p. 446.

coroner nom
Officier de justice chargé d'enquêter sur les causes et les circonstances d'une mort suspecte. *La **coroner** a communiqué aux médias son rapport d'enquête.*

corporation nom féminin
Ensemble de personnes exerçant le même métier. *La **corporation** des artisans et artisanes.*

corporel, corporelle adjectif
Du corps humain. *Safia suit des cours d'expression **corporelle**.*

corps nom masculin
❶ Partie physique de l'être humain et des animaux. *Le **corps** humain est composé de la tête, du tronc et des membres.* 👁p. 246.
❷ Cadavre. *Le coroner examine le **corps** repêché dans le fleuve.* ❸ Tout objet matériel. *La pierre est un **corps** solide. Les astres sont des **corps** célestes.* ❹ Partie principale de quelque chose. *Le **corps** d'une lampe.* ❺ Ensemble de personnes qui appartiennent à une même profession. *Le **corps** médical.*
• **À corps perdu :** avec toute son énergie. • **Corps à corps :** combat où les adversaires se battent directement l'un contre l'autre. ♦ Famille du mot : corporation, corporel, corpulence, corpulent, corpuscule, incorporer.

corpulence nom féminin
Grandeur et grosseur du corps humain. *Un homme de forte **corpulence**.*

corpulent, corpulente adjectif
Grand et gros. *Les lanceurs de poids sont souvent des athlètes **corpulents**.*

corpuscule nom masculin
Minuscule partie de matière.

correct, correcte adjectif
❶ Conforme aux règles. *Son orthographe est très **correcte**.* CONTR inexact. ❷ Qui respecte les règles, les usages. *Une tenue **correcte** est exigée dans l'établissement.* SYN convenable. ❸ Qui est acceptable, sans plus. *Une nourriture tout juste **correcte**.* SYN convenable. ♦ Famille du mot : correctement, correcteur, correction, incorrect.

correctement adverbe
❶ De manière correcte, sans faute. *Spencer prononce **correctement** le français.* SYN bien. ❷ De manière convenable. *Mes parents exigent que je me tienne **correctement**.* SYN bien, convenablement.

correcteur, correctrice adjectif
Qui corrige un défaut, une faute. *Des verres **correcteurs**.* ■ **correcteur, correctrice** nom Personne qui corrige des devoirs, des travaux ou des textes à imprimer. *Une **correctrice** d'épreuves.*

correction nom féminin
❶ Action de corriger. *Nous allons faire la **correction** de l'exercice.* ❷ Faute corrigée. *L'enseignant a fait ses **corrections** au stylo rouge.* ❸ Châtiment corporel pour punir quelqu'un. *Il avait reçu une **correction** parce qu'il avait volé.* ❹ Comportement correct. *Son attitude est d'une parfaite **correction**.* SYN décence, politesse.

correspondance nom féminin
❶ Fait de correspondre, de se ressembler. *Il y a une certaine **correspondance** entre les deux écritures.* ❷ Liaison entre deux moyens de transport. *Il ne faut pas manquer la **correspondance** avec le train de 9 heures.* ❸ Billet qui permet de changer d'autobus ou de métro durant un même trajet. ❹ Relation par écrit (courrier, courriels). *Les deux amis ont une **correspondance** suivie.*

correspondant, correspondante nom
❶ Personne avec qui on est en relation par écrit ou par téléphone. *Le **correspondant** anglais de Thomas lui a écrit pour l'inviter.* ❷ Personne chargée par un média de transmettre, du lieu où elle se trouve, des nouvelles, des articles sur les évènements qui s'y déroulent.

correspondre verbe ▸ conjug. 31
❶ Être en rapport ou en accord. *Ta clé **correspond** bien à cette serrure.* ❷ Être en communication directe. *Les deux pièces **correspondent** par un petit couloir.* SYN communiquer. ❸ Échanger régulièrement des lettres, des courriels. *Depuis que Mathieu a déménagé, il **correspond** avec Anaïs.* ♦ Famille du mot : correspondance, correspondant.

corrida nom féminin
Spectacle au cours duquel un torero affronte un taureau dans une arène. *En Espagne, nous avons assisté à une **corrida**.* * Chercher aussi *picador, matador, toréro.*

*Une **corrida***

corridor nom masculin
Couloir. *Les chambres du premier étage donnent sur un **corridor**.*

corrigé nom masculin
Solution d'un exercice, d'un devoir. *Le **corrigé** d'un problème de mathématique.* * Chercher aussi *solutionnaire.*

corriger verbe ▸ conjug. 5
❶ Supprimer les erreurs éventuelles et les remplacer par la forme exacte. *Nous allons **corriger** la dictée. L'enseignante **corrige** les travaux des élèves.* ❷ Donner une correction. *Le chat s'est fait **corriger** parce qu'il avait mangé dans mon assiette.*

corrompre verbe ▸ conjug. 34
Pousser quelqu'un à faire des choses malhonnêtes en lui offrant de l'argent. *L'accusé a tenté de **corrompre** des témoins.*

corrosif, corrosive adjectif
Qui ronge et brûle les tissus, les métaux. *L'acide est **corrosif**.*

Le corps humain

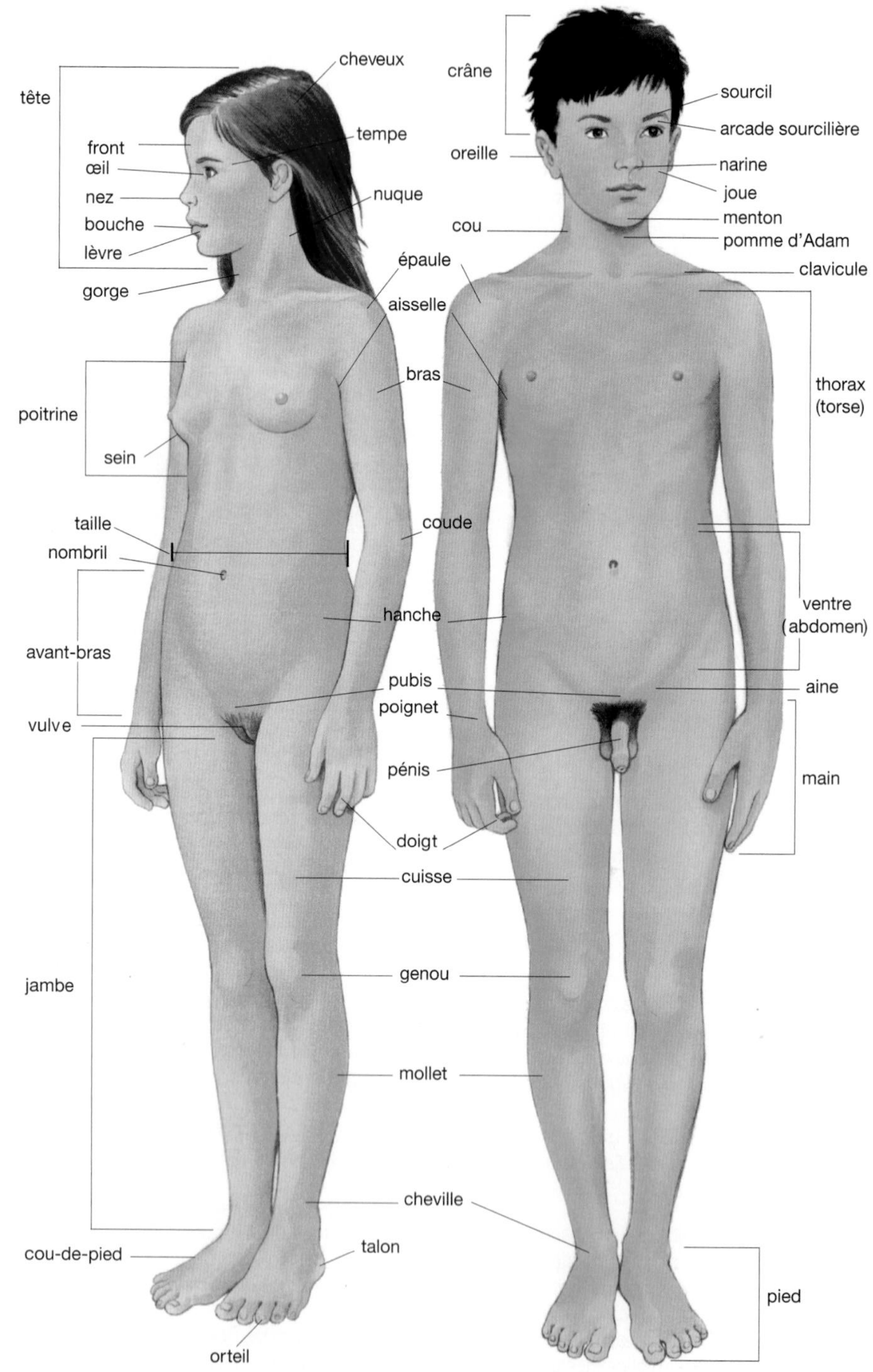

corrosion nom féminin
Fait d'être rongé, détruit lentement par une réaction chimique. *La rouille provoque la* ***corrosion*** *du fer.*

De la **corrosion**

corruption nom féminin
Action de corrompre. *La* ***corruption*** *de fonctionnaires est illégale.*

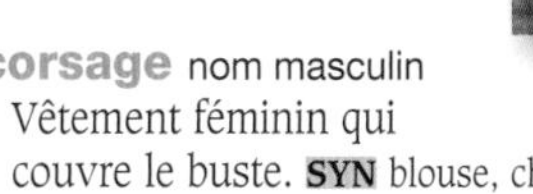

corsage nom masculin
Vêtement féminin qui couvre le buste. **SYN** blouse, chemisier.

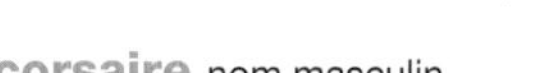

corsaire nom masculin
Autrefois, marin qui attaquait les navires des pays ennemis. *Robert Surcouf a été un célèbre* ***corsaire****.* 👁p. 784. * Chercher aussi *pirate*.

corsé, corsée adjectif
Qui a beaucoup de goût. *Un café* ***corsé****, un vin* ***corsé****.*

corser verbe ▸conjug. 3
Rendre quelque chose plus difficile, mais aussi plus intéressant. *Pour* ***corser*** *le jeu, nous avons prévu des gages pour les perdants.*
■ *se* **corser** : se compliquer et devenir intéressant. *C'est là que l'histoire* ***se corse****.*

corset nom masculin
Sous-vêtement rigide destiné à serrer, à maintenir la taille et le ventre. *Autrefois, les femmes portaient des* ***corsets*** *pour avoir une taille fine.*

cortège nom masculin
Groupe de personnes qui défilent à l'occasion d'une cérémonie, d'une manifestation. *Les mariés sont à la tête du* ***cortège****.*

corvée nom féminin
❶ Travail pénible ou désagréable que l'on est obligé de faire. *Mes parents nous ont confié la* ***corvée*** *de ramasser les feuilles mortes.* **CONTR** plaisir.
❷ Travail en commun fait bénévolement pour aider quelqu'un.

cosmétique nom masculin
Produit de beauté pour la peau ou les cheveux.

cosmique adjectif
Qui concerne l'espace interplanétaire. *Un voyage* ***cosmique*** *à travers la galaxie.* **SYN** spatial.

cosmonaute nom
Astronaute. *Julie Payette a été la première* ***cosmonaute*** *québécoise.*

cosmopolite adjectif
Où l'on rencontre des personnes du monde entier. *Montréal, Toronto et New York sont des villes* ***cosmopolites****.*

cosmos nom masculin
Espace qui se trouve au-delà de l'atmosphère terrestre. * Attention ! Le *s* final du mot *cosmos* se prononce. ♦ Famille du mot : cosmique, cosmonaute, cosmopolite.

cosse nom féminin
Enveloppe qui recouvre les graines des petits pois, des haricots, des fèves. **SYN** gousse.

Une **cosse**

cossin nom masculin
Dans la langue familière, petit objet de peu de valeur. **SYN** babiole.

cossu, cossue adjectif
Qui indique la richesse. *Un immeuble* ***cossu****.*

costaricain, costaricaine adjectif et nom
Du Costa Rica. *Les provinces* ***costaricaines****. – Les* ***Costaricains****, les* ***Costaricaines****.*
✎ Attention ! Le nom, qui désigne les habitants, s'écrit avec une majuscule.

costaud, costaude adjectif et nom
Dans la langue familière, fort. *Il faudrait quatre gars* ***costauds*** *pour déplacer le piano.*

costume nom masculin
❶ Manière de s'habiller qui change selon les époques, les régions, etc. *J'ai visité un musée du* ***costume****.* ❷ Vêtement que l'on porte sur scène ou pour se déguiser. *Un* ***costume*** *de Pierrot.* ❸ Vêtement d'homme composé d'un pantalon, d'une veste et parfois d'un gilet taillés dans le même tissu. *Mon père s'est acheté un nouveau* ***costume****.* **SYN** complet.

Un **costume**

costumé, costumée adjectif
• **Bal costumé :** bal où les gens sont vêtus d'un déguisement.

a b c d e f g h i j k l m n o p q r s t u v w x y z

cote nom féminin
❶ Estimation de la valeur d'un objet, de la popularité d'une personne. *La **cote** d'un tableau. La **cote** du premier ministre a baissé.* ❷ Indication d'une dimension ou d'un niveau sur un plan. *Sur les plans d'architecte, la longueur et la largeur des pièces sont indiquées par des **cotes**.* * Ne pas confondre *cote*, *côte* et *cotte*.

① **côte** nom féminin
❶ Chacun des os longs et courbes de la cage thoracique. *L'être humain a douze paires de **côtes**.* ❷ Rivage de la mer. *Cette **côte** est sablonneuse.* • **Côte à côte :** l'un à côté de l'autre. ♦ Famille du mot : côtelette, côtier, entrecôte. * Ne pas confondre *côte*, *cote* et *cotte*.

② **côte** nom féminin
Pente d'une route. *Le cycliste grimpe la **côte**.* * Chercher aussi *descente*, *montée*.

coté, cotée adjectif
Qui est estimé, renommé. *Ce restaurant est très **coté**.* • **Coté en Bourse :** qui est inscrit à la Bourse des valeurs. *Une société **cotée à la Bourse** de New York.*

côté nom masculin
❶ Partie droite ou gauche de quelque chose. *Je dors toujours sur le **côté** droit.* **SYN** flanc. *La cycliste roule sur le **côté** de la route.* ❷ Partie d'un lieu opposée à une autre, direction. *Elle habite de l'autre **côté** de la rue. Ils sont allés du **côté** de la rivière.* ❸ Segment de droite qui délimite une figure géométrique. *Un quadrilatère a quatre **côtés**.* 👁p. 484. ❹ Aspect de quelque chose. *Il voit toujours le bon **côté** des choses.* ❺ Parti, camp auquel on appartient. *Dans cette affaire, je suis de ton **côté**.* • **À côté de :** près de. *Anne-Sophie s'est assise **à côté de** moi.* • **Aux côtés de :** auprès de. *L'infirmier reste **aux côtés de** la malade.* • **Mettre de côté :** mettre en réserve. *Ils **ont mis** de l'argent **de côté** pour leurs vacances.* • **Laisser de côté quelque chose ou quelqu'un :** ne pas s'en occuper.

coteau, coteaux nom masculin
Versant d'une colline. ✎ Attention ! Il n'y a pas d'accent circonflexe sur le *o* de *coteau*.

côtelette nom féminin
Côte d'un animal de boucherie découpée avec la viande qui y est attachée. *Des **côtelettes** de porc.*

côtier, côtière adjectif
Qui se trouve au bord de la mer. *Les régions **côtières** sont venteuses.*

cotisation nom féminin
❶ Somme que chaque personne doit verser régulièrement pour être membre d'une association ou d'un organisme. ❷ Contribution à une dépense commune.

cotiser verbe ▸ conjug. 3
Verser une cotisation. *Mon père **cotise** à une caisse de retraite.* ■ **se cotiser :** donner chacun de l'argent pour réunir une somme. *Ils **se sont cotisés** pour aider les sinistrés de l'incendie.*

coton nom masculin
❶ Matière textile qui provient du cotonnier. *Des chaussettes en **coton**.* ❷ Étoffe, fil que l'on fabrique avec cette matière textile. ❸ Morceau d'ouate. *Elle nettoie la plaie avec du **coton** hydrophile.* ♦ Famille du mot : cotonnade, cotonnier.

*Un champ de **coton***

cotonnade nom féminin
Étoffe de coton. *Une jupe de **cotonnade**.*

cotonnier nom masculin
Arbuste qui fournit le coton.

coton-tige nom masculin
Bâtonnet dont les deux extrémités sont enveloppées d'ouate. *Se nettoyer les oreilles avec un **coton-tige**.* ✎ Pluriel : *des **cotons-tiges***.

côtoyer verbe ▸ conjug. 6
Avoir des relations avec quelqu'un. *Cette journaliste **côtoie** les plus grands comédiens.* **SYN** fréquenter, rencontrer.

Une **cote** de mailles

cotte nom féminin
• **Cotte de mailles :** armure souple faite de fils de métal, que les chevaliers du Moyen Âge portaient pour se protéger. 👁p. 190.
* Ne pas confondre *cotte*, *cote* et *côte*.

cou nom masculin
Partie du corps qui relie la tête au tronc. 👁p. 246.

couchage nom masculin
• **Sac de couchage :** sorte de grand sac fait dans une matière isolante, dans lequel dorment les campeurs. SYN duvet.

couchant adjectif masculin
• **Soleil couchant :** soleil qui est en train de se coucher. ■ **couchant** nom masculin Endroit du ciel, à l'ouest, où l'on voit le soleil se coucher. *Se diriger vers le **couchant**.*

① **couche** nom féminin
Épaisseur de matière déposée sur une surface. *Une **couche** de peinture.*

② **couche** nom féminin
Protection absorbante. *Le bébé a sali sa **couche**, il pleure pour qu'on le change.*

① **coucher** verbe ▸ conjug. 3
❶ Mettre au lit. *Linh **a couché** sa petite sœur.* CONTR lever. ❷ Passer la nuit. *Yohan **couche** dans la même chambre que son frère.* SYN dormir. ❸ Incliner presque au ras du sol. *La pluie **a couché** les blés.* ■ **se coucher** ❶ Se mettre au lit. ❷ Disparaître à l'horizon. *À partir de janvier, le soleil **se couche** plus tard.* CONTR se lever. ♦ Famille du mot : couchage, couchant, couche, coucher, couchette, recoucher.

② **coucher** nom masculin
Action de se coucher. *Prendre ce médicament au **coucher**.* • **Coucher de soleil :** passage du soleil en dessous de l'horizon. *J'ai pris une photo du **coucher de soleil**.* CONTR lever.

couchette nom féminin
Lit étroit dans un train ou sur un bateau.

coucou nom masculin
❶ Petit oiseau que l'on appelle ainsi à cause de son chant et qui pond ses œufs dans le nid d'autres oiseaux. ❷ Pendule dont la sonnerie imite le chant du coucou. ❸ Plante sauvage à fleurs jaunes, qui pousse au début du printemps. ■ **coucou !** interjection Mot que l'on dit pour annoncer gaiement sa présence. ***Coucou !** c'est moi !*

Un **coucou**

coude nom masculin
❶ Articulation du bras et de l'avant-bras. *Ma mère n'aime pas que je mette mes **coudes** sur la table.* 👁p. 246. ❷ Partie de la manche qui recouvre le coude. *Ma chemise est usée aux **coudes**.* ❸ Courbe très accentuée. *Le chemin fait un **coude**.* • **Coude à coude :** très proches les uns des autres. *Restons **coude à coude**.* • **Se serrer les coudes :** être solidaires, s'entraider. • **Jouer des coudes :** se débrouiller pour atteindre un objectif en ayant recours à tous les moyens. ♦ Famille du mot : s'accouder, accoudoir, coudé, coudée.

coudé, coudée adjectif
Qui forme un coude. *Un tuyau **coudé**.*

coudée nom féminin
• **Avoir les coudées franches :** être libre d'agir comme on veut.

cou-de-pied nom masculin
Partie bombée sur le dessus du pied, entre les orteils et la cheville. 👁p. 246. ✎ Pluriel : *des **cous-de-pied**.*

coudière nom féminin
Accessoire servant à protéger le coude, dans certains sports. *Les **coudières** d'une joueuse de hockey.* 👁p. 526.

coudre verbe ▸ conjug. 53
Joindre en se servant d'un fil et d'une aiguille. *Gabriel **a cousu** un bouton à sa veste. Je **couds** une robe pour ma poupée.* ♦ Famille du mot : découdre, décousu, recoudre.

a b c d e f g h i j k l m n o p q r s t u v w x y z

couenne nom féminin
Peau de porc grillée. *Laurence enlève la **couenne** du jambon.*

① **couette** nom féminin
Édredon de plumes que l'on met en général dans une housse amovible. **SYN** douillette.

② **couette** nom féminin
Touffe de cheveux retenue par un lien. *Amélie s'est fait des **couettes**.*

couguar ou **cougouar** nom masculin
Animal sauvage d'Amérique, au pelage beige, qui ressemble à un grand chat. **SYN** puma.

coulant, coulante adjectif
• **Nœud coulant :** nœud dont la boucle glisse et se resserre quand on tire. *Le lasso des cow-boys est terminé par un **nœud coulant**.*

coulée nom féminin
Masse de matière liquide ou pâteuse qui coule et se répand. *Une **coulée** de boue. Une **coulée** de lave.*

couler verbe ▸ conjug. 3
❶ Se déplacer en suivant la pente du terrain. *Tous les fleuves **coulent** vers la mer.* ❷ Laisser échapper un liquide. *Le robinet **coule**.* ❸ Verser à l'état liquide. *Pour fabriquer une chandelle, on **coule** la cire liquide dans un moule.* ❹ S'enfoncer dans l'eau. *Cette bouée t'empêchera de **couler**.* **SYN** sombrer. **CONTR** flotter. ❺ Faire sombrer une embarcation. *Une torpille **a coulé** le navire.* ■ *se* **couler** : se glisser sans bruit. *Le chat **s'est coulé** sous le lit.* • **Se la couler douce :** mener une vie facile, ne pas faire beaucoup d'efforts.
♦ Famille du mot : coulant, coulée.

couleur nom féminin
❶ Impression produite sur l'œil par la lumière. *Les sept **couleurs** de l'arc-en-ciel sont le rouge, l'orange, le jaune, le vert, le bleu, l'indigo et le violet.* 👁p. 251. **SYN** coloris. ❷ Ce qui n'est ni noir ni blanc ni gris. *Dans les années 1950, les films étaient en noir et blanc, et non en **couleurs**.* ❸ Chacun des symboles d'un jeu de cartes. *Pique, cœur, trèfle et carreau sont les quatre **couleurs** aux cartes.* • **Annoncer la couleur :** bien faire comprendre ses intentions. ■ **couleurs** nom féminin pluriel Bonne mine de quelqu'un. *Raphaëlle a pris des **couleurs** au camp de vacances.* • **En voir de toutes les couleurs :** avoir toutes sortes d'ennuis. • **Rêver en couleurs :** s'illusionner.

couleuvre nom féminin
Serpent à tête arrondie, non venimeux.

*Une **couleuvre***

coulissant, coulissante adjectif
Qui coulisse. *Des portes **coulissantes**.*

coulisse nom féminin
❶ Rainure le long de laquelle glisse une porte ou une fenêtre. *Le placard de l'entrée se ferme par une porte à **coulisse**.* **SYN** glissière. ❷ Trace que laisse un liquide sur une surface. *Il y a des **coulisses** de peinture sur le mur.* ■ **coulisses** nom féminin pluriel Partie d'un théâtre située derrière les décors et invisible pour les spectateurs. *Dans les **coulisses**, les acteurs attendent le moment d'entrer en scène.*
♦ Famille du mot : coulissant, coulisser.

coulisser verbe ▸ conjug. 3
Glisser le long d'une coulisse. *Cette fenêtre **coulisse** facilement.*

couloir nom masculin
Passage long et étroit entre les pièces d'une maison, d'un appartement. *La cuisine est au bout du **couloir**.* **SYN** corridor. • **Couloir aérien :** partie du ciel réservée à un avion afin qu'il évite les collisions avec les autres avions. • **Couloir d'autobus :** voie réservée à la circulation des autobus.

coup nom masculin
❶ Mouvement ou geste destiné à frapper. *Un **coup** de poing.* ❷ Émotion violente. *Cette défaite a été un **coup** terrible pour notre équipe.* ❸ Décharge d'une arme à feu. *Les chasseurs ont tiré plusieurs **coups** de fusil.* ❹ Bruit dû à un choc. *Des **coups** de marteau.* ❺ Geste ou mouvement rapide. *Jeter un **coup** d'œil. Se donner un **coup** de peigne. Donner un **coup** de balai.* ❻ Manifestation soudaine et brutale d'une force. *Un **coup** de vent a arraché quelques bardeaux du toit.* ❼ Chaque essai pour faire quelque chose. *Élodie a réussi du premier **coup**.* • **À tout coup :** à chaque fois, toujours. *Quand je joue aux échecs avec Simon, il gagne **à tout coup**.* • **Après coup :** après ou trop tard. *Il a réalisé **après coup** que le salon de coiffure était fermé le lundi.*

Les couleurs

Nous percevons les couleurs grâce à la lumière. Cette lumière, que nous voyons blanche, est en réalité composée des sept couleurs de l'arc-en-ciel. Lorsqu'un objet reçoit de la lumière, il absorbe ces couleurs, sauf une : la couleur que nous percevons. Un ballon rouge, par exemple, absorbe toutes les couleurs, sauf le rouge, qu'il rejette. Aussi, lorsqu'il fait noir, les objets semblent noirs, car il n'y a pas de lumière.

Les couleurs primaires et secondaires

Trois couleurs pigmentaires servent de couleurs de base : le bleu, le jaune et le rouge. Ces couleurs sont les **couleurs primaires**.

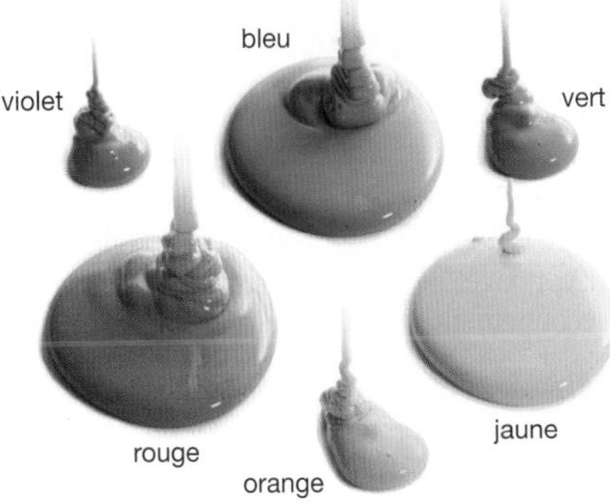

En peinture, lorsqu'on mélange à proportions égales deux de ces couleurs primaires, on obtient les **couleurs secondaires** : l'orange, le vert et le violet.

Les couleurs chaudes

Le jaune, le rouge et l'orange sont des **couleurs chaudes**. Elles sont généralement associées à la chaleur, au plaisir, à l'énergie et à la passion.

Les couleurs froides

Le bleu, le vert et le violet sont des **couleurs froides**. On les associe souvent au calme, à la tranquillité et à la fraîcheur.

Diverses combinaisons permettent de créer une multitude de couleurs différentes, pâles ou foncées, discrètes ou voyantes, semblables ou contrastées.

• **Coup d'État:** révolution. • **Coup de soleil:** insolation, brûlure causée par le soleil. • **Coup de téléphone** ou **coup de fil:** appel téléphonique. • **Faire d'une pierre deux coups:** obtenir deux résultats avec une seule action. • **Coup sur coup:** à la suite. *Remporter plusieurs victoires* ***coup sur coup****.* • **Sur le coup:** immédiatement. • **Tout d'un coup, tout à coup:** brusquement, soudain. ♦ Famille du mot: à-coup, contrecoup.

coupable adjectif et nom
Qui a commis une faute ou un délit. *Je me sens* ***coupable*** *d'avoir oublié ton anniversaire. – La* ***coupable*** *a été punie.* **CONTR** innocent.

coupant, coupante adjectif
Qui coupe. *Le bord de cette boîte est très* ***coupant****.*

① **coupe** nom féminin
Manière de couper ou de tailler. *J'aime beaucoup ta nouvelle* ***coupe*** *de cheveux. La* ***coupe*** *de ce costume est démodée.*

② **coupe** nom féminin
❶ Verre ou récipient à pied, large et peu profond. *Une* ***coupe*** *à fruits. Une* ***coupe*** *à sorbet.* ❷ Compétition dont la récompense est une coupe de métal précieux. *La* ***coupe*** *Stanley est l'emblème du championnat de hockey.*

coupé nom masculin
Automobile à deux portes. * Chercher aussi *berline, cabriolet, familiale, limousine.*

coupe-circuit nom masculin
Dispositif qui arrête le passage d'un courant électrique dans un circuit. ✎ Pluriel: *des* ***coupe-circuits****.*

coupe-ongles
nom masculin invariable
Petite pince servant à se couper les ongles. ✎ On peut écrire aussi, au singulier, *un* ***coupe-ongle****.*

coupe-papier
nom masculin invariable
Lame servant à couper du papier plié, à ouvrir une enveloppe. ✎ On peut écrire aussi, au pluriel, *des* ***coupe-papiers****.*

couper verbe ▸ conjug. 3
❶ Diviser à l'aide d'un instrument tranchant. ***Couper*** *du pain, du bois.* ❷ Être tranchant. *Ces ciseaux* ***coupent*** *mal.* ❸ Diminuer ou raccourcir à l'aide d'un instrument. *La coiffeuse m'****a coupé*** *les cheveux.* ❹ Traverser un lieu ou passer au milieu. *Un petit chemin* ***coupe*** *la route principale. Pour arriver plus vite, nous* ***avons coupé*** *par ce bois.* ❺ Interrompre le passage ou le fonctionnement. *On* ***a coupé*** *l'eau pendant les travaux.* ***Couper*** *la parole à quelqu'un.* ❻ Aux cartes, jouer un atout quand on n'a pas la couleur demandée. ***Couper*** *à pique.* • **Couper l'herbe sous le pied de quelqu'un:** devancer quelqu'un, agir avant lui. ■ *se* **couper** ❶ Se faire une blessure, une coupure. *Mon père* ***s'est coupé*** *en se rasant.* **SYN** s'entailler. ❷ Se croiser. *Plusieurs routes* ***se coupent*** *à ce carrefour.* ♦ Famille du mot: coupant, coupe, coupé, coupe-circuit, coupe-ongles, coupe-papier, coupe-vent, coupure, découpage, découper, entrecouper, recoupement, recouper.

coupe-vent nom masculin invariable
Vêtement qui protège du vent. *Emportez vos* ***coupe-vent*** *si vous allez faire du bateau.* ✎ On peut écrire aussi, au pluriel, *des* ***coupe-vents****.*

La ***coupole*** *de l'oratoire Saint-Joseph*

couple
nom masculin
❶ Deux personnes unies par des liens amoureux. *Isabelle et Octavio forment un* ***couple*** *sympathique.* ❷ Un mâle et une femelle. *Un* ***couple*** *de perruches.*

couplet
nom masculin
Chacune des parties d'une chanson séparées par un refrain. *Entre chaque* ***couplet****, nous reprendrons le refrain ensemble.* * Chercher aussi *strophe.*

coupole nom féminin
Toit en forme de demi-sphère. *On aperçoit d'ici la* ***coupole*** *de l'oratoire Saint-Joseph.* **SYN** dôme.

oupure nom féminin
❶ Blessure faite par un objet tranchant. *Je vais mettre un pansement sur cette **coupure**.* **SYN** entaille. ❷ Interruption momentanée. *Une **coupure** d'électricité, d'eau.* ❸ Billet de banque. *Il a payé en **coupures** de vingt dollars.* • **Coupure de journal:** article découpé dans un journal.

our nom féminin
❶ Espace entouré de murs ou de bâtiments. *La **cour** de l'école. La **cour** d'un immeuble.* ❷ Nom de certains tribunaux. *Il a été convoqué à la **cour** municipale.* • **Faire la cour à quelqu'un:** chercher à lui plaire, à le séduire. *Jonathan **fait la cour à** Anabelle.*

*Une **cour** d'école*

ourage nom masculin
❶ Force morale qui permet de faire face aux dangers ou aux difficultés. *Il a eu le **courage** de dénoncer ceux qui l'avaient taxé.* **SYN** bravoure. **CONTR** lâcheté. ❷ Ardeur à faire quelque chose. *Elle a eu le **courage** de ranger ses affaires alors qu'elle était épuisée.* **SYN** énergie. **CONTR** indolence, mollesse.
♦ Famille du mot: courageusement, courageux, décourageant, découragement, décourager, encourageant, encouragement, encourager.

courageusement adverbe
Avec courage. *Elle s'est **courageusement** jetée à l'eau pour sauver l'enfant de la noyade.*

courageux, courageuse adjectif
Qui a du courage, de l'énergie. *Il n'a pas abandonné et s'est montré **courageux** durant toute l'expédition.* **SYN** brave. **CONTR** lâche.

couramment adverbe
❶ De manière courante, habituelle. *C'est une expression qui s'emploie **couramment**.* **SYN** habituellement, souvent. **CONTR** rarement. ❷ Bien, avec aisance. *Elle parle **couramment** l'italien et l'espagnol.*

① **courant, courante** adjectif
Que l'on rencontre ou que l'on fait fréquemment. *Cette espèce d'oiseaux est très **courante** en Amérique du Nord.* **SYN** commun, ordinaire, répandu. **CONTR** rare. • **Eau courante:** eau qui circule dans des tuyaux et qui coule d'un robinet.

② **courant** nom masculin
❶ Mouvement de l'eau. *Des branches d'arbres sont emportées par le **courant**.* ❷ Électricité qui passe dans les fils. *Une prise de **courant**. Une panne de **courant**.* • **Au courant:** informé de quelque chose. *Nous ne sommes pas **au courant** de ce qui s'est passé.* • **Courant d'air:** air en mouvement dans un lieu. • **Dans le courant de:** pendant une période. *Danyela viendra **dans le courant de** la semaine prochaine.*

courbature nom féminin
Douleur musculaire. *Le lendemain du match, il était plein de **courbatures**.* ✎ On peut écrire aussi ***courbatture***.

courbaturé, courbaturée adjectif
Qui ressent des courbatures. *Après un après-midi de vélo, elle est rentrée toute **courbaturée**.* ✎ On peut écrire aussi ***courbatturé***, ***courbatturée***.

courbe adjectif
Qui a une forme arrondie. *L'arc-en-ciel dessine une ligne **courbe** dans le ciel.* **CONTR** ① droit.
■ **courbe** nom féminin ❶ Ligne courbe. *Le sentier faisait de larges **courbes** à travers le bois.* 👁p. 484. ❷ Ligne représentant une évolution. *Une **courbe** de température.*
* Chercher aussi *diagramme*, *graphique*.
♦ Famille du mot: courber, courbette, recourbé.

courber verbe ▸conjug. 3
❶ Donner une forme courbe à ce qui était droit. *Le poids de la neige **courbait** les branches.* ❷ Incliner une partie du corps. ***Courber** la tête.*
■ *se* **courber**: s'incliner. *Pour saluer le public, les acteurs **se sont courbés** devant lui.*

courbette nom féminin
• **Faire des courbettes:** être d'une politesse exagérée. *C'est un hypocrite qui **fait des courbettes** à tout le monde.*

coureur, coureuse nom
Personne qui participe à une course. *Un **coureur** à pied. Une **coureuse** cycliste.* • **Coureur des bois:** trappeur, chasseur. *Ce **coureur des bois** vivait de la vente des fourrures.*

courge nom féminin
Plante potagère à fruits volumineux, comme le potiron ou la citrouille.

courgette nom féminin
Variété de petite courge.

Diverses **courgettes**

courir verbe ▸ conjug. 16
❶ Se déplacer avec rapidité. *Elle **a couru** pour nous rattraper.* ❷ Se propager. *Le bruit **court** qu'ils vont s'installer à Québec.* **SYN** se répandre. ❸ Aller un peu partout à la recherche de quelque chose. *Elle a passé sa journée à **courir** les librairies, à la recherche d'un livre introuvable.* ❹ Participer à une course. ***Courir** un marathon.* • **Courir (quelque chose):** tenter ou affronter quelque chose. ***Courir** sa chance. **Courir** un danger.* ♦ Famille du mot: accourir, coureur, course, coursier.

couronne nom féminin
❶ Cercle de métal qui se porte sur la tête comme symbole de pouvoir. *Pour la cérémonie, la reine Elizabeth II était coiffée de sa **couronne**.* ❷ Cercle de fleurs ou de feuilles tressées. *La fillette portait une **couronne** de fleurs.* ❸ Capsule de métal ou de céramique qui recouvre une dent abîmée. *Il va chez la dentiste pour se faire poser une **couronne**.* ♦ Famille du mot: couronnement, couronner.

Une **couronne**

Une **couronne** de fleurs

couronnement nom masculin
❶ Cérémonie au cours de laquelle un souverain est couronné. *Le **couronnement** d'un roi, d'un empereur.* * Chercher aussi sacre. ❷ Ce qui récompense de longs efforts. *Cette victoire a été le **couronnement** de sa carrière de sportif.* **SYN** aboutissement.

couronner verbe ▸ conjug. 3
❶ Donner le titre de souverain à quelqu'un en lui remettant solennellement une couronne. ❷ Décerner une récompense ou un prix. *Le jury **a couronné** ce livre.*

courriel nom masculin
Courrier transmis d'ordinateur à ordinateur à travers un réseau de téléinformatique. *Marina a reçu un **courriel** de son père.* **SYN** courrier* électronique.

courrier nom masculin
Tout ce qui est transmis par l'intermédiaire de la poste. *Est-ce que le **courrier** est arrivé? – Oui, il y a deux lettres et un dépliant publicitaire.* • **Courrier des lecteurs:** lettres de lecteurs publiées dans certaines pages d'un journal. • **Courrier électronique:** courriel.

courroie nom féminin
Bande souple qui sert à lier. *Fixe bien la **courroie** de ta ceinture de sécurité.*

cours nom masculin
❶ Mouvement de l'eau qui coule. *Des bateaux remontaient lentement le **cours** du fleuve.* ❷ Ce qui se déroule dans le temps. *Les ouvriers ont dû interrompre le **cours** des travaux.* ❸ Série d'activités d'enseignement portant sur une matière. *Donner un **cours** de français.* ❹ Prix d'une marchandise qui varie suivant les jours. *Le **cours** du café a baissé aujourd'hui.* • **Au cours de:** pendant. *Il y aura une éclipse de lune **au cours de** la nuit.* • **Cours d'eau:** fleuve, rivière, ruisseau, torrent. • **En cours:** en train de se produire. *Les travaux sont **en cours** de réalisation.*

course nom féminin
❶ Action de courir. *Joël et Kirsten ont comparé leur vitesse à la **course**.* ❷ Épreuve sportive de vitesse. ***Course** à pied. **Course** cycliste. **Course** automobile.* ❸ Achats ou commissions. *Elle est allée faire des **courses** au supermarché.*

Une **course** cycliste

coursier, coursière nom
Personne chargée de transporter des colis, de transmettre des lettres. *Un **coursier** est venu nous livrer ces documents importants.*
* Chercher aussi *messageries*.

① **court, courte** adjectif
❶ Qui est de faible longueur. *Je préfère avoir les cheveux **courts**.* ❷ Qui ne dure pas longtemps. *Nous avons passé de **courtes** vacances au chalet.* SYN bref. CONTR long.
• **Avoir la mémoire courte :** oublier un peu trop facilement une promesse faite ou un service que l'on vous a rendu. ■ **court** adverbe De manière courte. *Tes cheveux sont coupés trop **court**.* • **Couper court à quelque chose :** l'arrêter immédiatement. • **Être à court de quelque chose :** en manquer. *Il s'est trouvé **à court d'**idées.* • **Prendre quelqu'un de court :** le surprendre sans lui laisser le temps de réagir.

② **court** nom masculin
Terrain de tennis.

court-circuit nom masculin
Coupure de courant due à un mauvais contact entre deux fils électriques. *Tout l'immeuble est privé d'électricité à cause d'un **court-circuit**.*
✎ Pluriel : *des **courts-circuits***.

courtepointe nom féminin
Couverture de lit piquée.

courtisan nom masculin
Homme qui vivait à la cour d'un roi. *Les **courtisans** cherchaient à obtenir les faveurs du roi.*

courtiser verbe ▸ conjug. 3
Faire la cour à quelqu'un. *Il s'est marié avec la jeune fille qu'il **courtisait** depuis un an.*

court-métrage nom masculin
Film qui dure moins d'une demi-heure.
✎ Pluriel : *des **courts-métrages***.

courtois, courtoise adjectif
Qui est très poli. CONTR grossier, impoli.

courtoisie nom féminin
Qualité d'une personne courtoise. *Elle nous a reçus avec beaucoup de **courtoisie**.*
* Chercher aussi *politesse*.

couscous nom masculin
Plat fait avec de la semoule, des légumes, de la viande et une sauce épicée. *Ce restaurant marocain est réputé pour son **couscous**.*

Un **couscous**

cousin, cousine nom
Enfant de l'oncle ou de la tante de quelqu'un. *Ton père est mon oncle, donc nous sommes **cousins**.*

coussin nom masculin
Petit sac rembourré qui sert à s'appuyer ou à s'asseoir. *Des **coussins** de cuir, de velours.*
• **Coussin d'air :** couche d'air qui maintient un véhicule au-dessus de la terre ou de l'eau. *Les aéroglisseurs se déplacent sur **coussin d'air**.*
• **Coussin gonflable :** dispositif de sécurité d'une voiture consistant en un coussin qui se gonfle instantanément en cas d'accident pour protéger le conducteur ou les passagers.

coût nom masculin
Prix de quelque chose. *La garagiste a évalué le **coût** des réparations.* SYN montant. • **Coût de la vie :** montant des dépenses nécessaires à la vie de tous les jours. ✎ On peut écrire aussi ***cout***.

coûtant adjectif masculin
• **Prix coûtant :** prix réel d'une marchandise sans compter le bénéfice du vendeur. ✎ On peut écrire aussi ***coutant***.

couteau, couteaux nom masculin
Instrument formé d'une lame tranchante et d'un manche. *Un **couteau** à pain. Un **couteau** de cuisine.* • **Être à couteaux tirés avec quelqu'un :** s'entendre très mal avec lui.

coutellerie nom féminin
❶ Fabrique ou magasin de couteaux, d'instruments tranchants. ❷ Ensemble des produits de coutellerie.

coûter verbe ▸ conjug. 3
❶ Valoir tel prix. *Ce blouson **coûte** cent dollars.* ❷ Occasionner des frais, des dépenses. *L'aménagement de la maison nous **a coûté** cher.* ❸ Avoir des conséquences malheureuses. *Cette erreur aurait pu lui **coûter** son poste.*
❹ Causer des désagréments. *Ce travail lui **aura coûté** bien des efforts.* • **Coûter la vie :** causer la mort. *L'accident lui **a coûté la vie**.*
• **Coûte que coûte :** à n'importe quelle condition. *Je finirai ce travail **coûte que coûte** !* ✎ On peut écrire aussi ***couter***.
♦ Famille du mot : coût, coûtant, coûteux.

coûteux, coûteuse adjectif
Qui coûte cher. *Le homard est un aliment **coûteux**.* SYN onéreux. CONTR économique.
✎ On peut écrire aussi ***couteux***, ***couteuse***.

coutume nom féminin
Habitude ou tradition. *Chaque année, pour Noël, nous avons pour **coutume** de décorer un sapin.* * Chercher aussi *tradition*, *usage*.

a b c d e f g h i j k l m n o p q r s t u v w x y z

couture nom féminin
❶ Action de coudre. *Ma tante fait beaucoup de* ***couture****.* ❷ Suite de points cousus à la main ou à la machine. *Il a déchiré les* ***coutures*** *de son pantalon.* • **Sous, sur toutes les coutures :** très attentivement. *La question a été examinée* ***sous toutes les coutures****.*

couturier, couturière nom
Personne qui coud ou confectionne des vêtements. *La* ***couturière*** *lui a confectionné une robe magnifique.*

couvée nom féminin
Ensemble d'oisillons couvés en même temps. *Ces deux poussins sont de la même* ***couvée****.*
* Chercher aussi *nichée*, *portée*.

Une ***couvée***

couvent nom masculin
Maison où vivent en communauté des moines ou des religieuses. **SYN** monastère.

couver verbe ▸ conjug. 3
❶ Couvrir de son corps les œufs d'une couvée jusqu'à ce qu'ils éclosent. *Les oiseaux* ***couvent*** *leurs œufs.* ❷ Au sens figuré, protéger de façon exagérée. *C'est un enfant très fragile qui* ***a été couvé*** *par sa mère.* ❸ Porter les microbes d'une maladie avant qu'elle se déclare. *Rachid* ***couve*** *une grippe.* ❹ Brûler doucement sans qu'on voie de flamme. *Le feu* ***couve*** *sous la cendre.* ♦ Famille du mot : couvée, couveuse.

Poules en train de ***couver***

couvercle nom masculin
Ustensile qui sert à couvrir un récipient. *Un* ***couvercle*** *de casserole, de boîte, de bocal.*

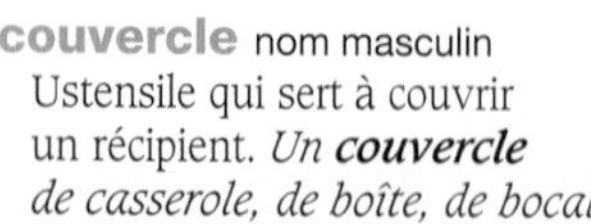

① **couvert, couverte** adjectif
❶ Habillé chaudement. *Tu vas t'enrhumer si tu n'es pas assez* ***couvert****.* ❷ Qui est abrité par un toit. *Une piscine* ***couverte****.* • **Ciel couvert :** nuageux.

② **couvert** nom masculin
La cuillère, la fourchette et le couteau. *Des* ***couverts*** *en argent.* • **Mettre le couvert :** mettre la table.

③ **à couvert** adverbe
À l'abri. *Mettons-nous* ***à couvert****, il commence à pleuvoir.*

couverture nom féminin
❶ Pièce de tissu épais qui sert à tenir chaud. *La chatte s'est pelotonnée sous la* ***couverture****.* ❷ Ce qui couvre, protège un livre ou un cahier. *Avec le temps, la* ***couverture*** *de mon livre s'est détériorée.* ❸ Ce qui couvre une maison. *Cette ferme a une* ***couverture*** *en bardeaux d'asphalte.* **SYN** toiture.

couveuse nom féminin
❶ Appareil qui garde les œufs au chaud pour les faire éclore. *Ces poussins sont nés en* ***couveuse****.* ❷ Appareil où l'on met les nouveau-nés fragiles. *En* ***couveuse****, les bébés sont protégés du froid et des microbes.*

couvre-chaussure nom masculin
Chaussure en caoutchouc que l'on porte par-dessus la chaussure pour la protéger de la boue et de la neige. ✎ Pluriel : *des* ***couvre-chaussures****.* * Chercher aussi ② *claque*.

couvre-feu nom masculin
Interdiction de sortir après une certaine heure. *Pendant les guerres ou les révolutions, tout le monde doit être rentré chez soi avant l'heure du* ***couvre-feu****.* ✎ Pluriel : *des* ***couvre-feux****.*

couvre-lit nom masculin
Pièce d'étoffe qui recouvre un lit par-dessus les draps et la couverture. *Un* ***couvre-lit*** *à fleurs.* **SYN** dessus-de-lit. ✎ Pluriel : *des* ***couvre-lits****.*

couvreur, couvreuse nom
Personne dont le métier est de poser et de réparer les toitures. *Le* ***couvreur*** *a remplacé les bardeaux arrachés par le vent.*

couvrir verbe ▸ conjug. 12
❶ Placer par-dessus pour protéger. *Il **a couvert** le bébé avec un drap. **Couvrir** un livre de classe.* ❷ Mettre un couvercle. ***Couvre** le plat pour qu'il ne refroidisse pas !* ❸ Être répandu sur une surface. *Des papiers **couvraient** son bureau.* ❹ Disposer des choses en grande quantité. *Elle **a couvert** tout un pan de mur avec des photos.* ❺ Parcourir une distance. *Les cyclistes **ont couvert** cent kilomètres dans la journée.* ❻ Masquer un son. *Les applaudissements **ont couvert** sa voix.* ❼ Protéger quelqu'un pour lui éviter des ennuis. *C'est lui le fautif, mais ses complices le **couvrent**.* ■ *se* **couvrir** ❶ S'habiller chaudement. *Il fait froid, il faut bien **se couvrir**.* ❷ S'obscurcir. *Le ciel **s'est couvert** (de nuages).* ♦ Famille du mot : couvert, couverture, couvre-chaussure, couvre-feu, couvre-lit, couvreur, découvrir, recouvrir.

covoiturage nom masculin
Mode de transport consistant, pour plusieurs personnes, à utiliser un seul véhicule pour un même trajet. *Les grandes villes encouragent la pratique du **covoiturage**.*

cow-boy nom masculin
Gardien de troupeaux dans l'ouest des États-Unis. *Kevin aime bien lire les aventures de ce **cow-boy** solitaire.* ✎ Pluriel : *des **cow-boys***. ✎ On peut écrire aussi ***cowboy***.

coyote nom masculin
Animal sauvage d'Amérique du Nord, proche du renard. *Les **coyotes** se nourrissent de charognes.*

Un **coyote**

crabe nom masculin
Crustacé marin qui a quatre paires de pattes et une paire de pinces. *Le **crabe** des neiges est une espèce dont la chair est très appréciée.*

Un **crabe**

crac ! interjection
Mot qui exprime le bruit sec d'une chose qui se casse ou se déchire. *Et **crac !** le pantalon s'est déchiré.*

crachat nom masculin
Salive ou mucus que l'on crache.

cracher verbe ▸ conjug. 3
❶ Rejeter de la salive ou du mucus hors de sa bouche. *Il est impoli de **cracher** par terre.* ❷ Projeter quelque chose hors de sa bouche. *Ils s'amusent à **cracher** des noyaux de cerises le plus loin possible.*

craie nom féminin
❶ Roche calcaire, blanche et tendre. ❷ Bâtonnet de craie qui sert à écrire. *Mia dessine sur le trottoir avec ses **craies** de couleur.* • **Craie de cire :** bâtonnet de cire de couleur qui sert à colorier. 👁p. 74.

craindre verbe ▸ conjug. 35
❶ Avoir peur de quelque chose. *Depuis qu'il s'est fait mordre, il **craint** les chiens.* **SYN** appréhender, redouter. ❷ Supporter difficilement. *Mets-toi à l'ombre si tu **crains** le soleil.* ♦ Famille du mot : crainte, craintif.

crainte nom féminin
Sentiment de peur ou d'inquiétude. *N'ayez **crainte**, nous serons à l'heure.*

craintif, craintive adjectif
Qui a peur de tout. *C'est un chat très **craintif**.* **SYN** peureux. **CONTR** audacieux, hardi.

cramoisi, cramoisie adjectif
Rouge foncé. *Elle a beaucoup couru, elle a le visage **cramoisi**.* **SYN** écarlate.

crampe nom féminin
Contraction douloureuse mais passagère d'un muscle. *Il a eu une **crampe** au mollet pendant qu'il nageait.*

a b c d e f g h i j k l m n o p q r s t w x y z

crampon nom masculin
Pointe fixée sous une chaussure pour éviter de glisser. *Les joueurs de soccer portent des chaussures à **crampons**.*

se **cramponner** verbe ▸ conjug. 3
S'accrocher fermement pour ne pas tomber. *Ma petite sœur **se cramponne** à la rampe quand elle descend l'escalier.* **SYN** s'agripper.

① **cran** nom masculin
❶ Entaille faite pour accrocher ou retenir quelque chose de mobile. *L'étagère est trop haute, descends-la d'un **cran**. Un couteau à **cran** d'arrêt.* ❷ Trou dans une courroie, une ceinture. *Ton pantalon tombe, tu dois resserrer ta ceinture d'un **cran**.*

② **cran** nom masculin
Dans la langue familière, courage. *Il lui a fallu du **cran** pour sortir les passagers de la voiture en flammes.* **SYN** audace.

crâne nom masculin
Partie osseuse de la tête, qui contient le cerveau. *On vient de trouver le **crâne** d'un humain préhistorique.* 👁p. 246.

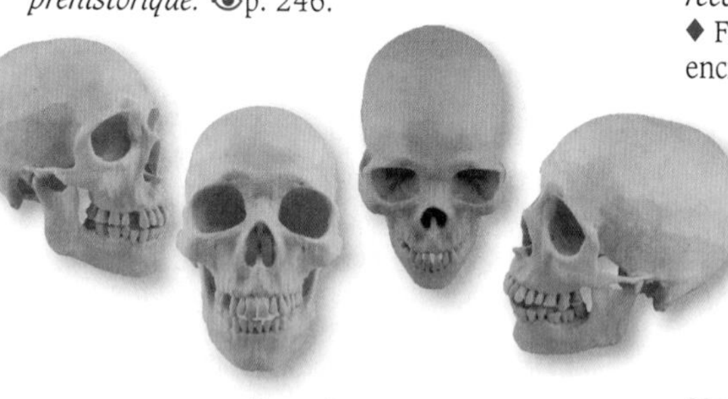
Des **crânes**

crânien, crânienne adjectif
Du crâne. *La boîte **crânienne** contient le cerveau.*

crapaud nom masculin
Batracien à peau rugueuse qui ressemble à une grosse grenouille. *Les **crapauds** coassent.* 👁p. 46.

Un **crapaud**

crapule nom féminin
Canaille. *Cet homme est une vraie **crapule**.* **SYN** escroc.

crapuleux, crapuleuse adjectif
Digne d'une crapule. *Un crime **crapuleux**.*

craquelé, craquelée adjectif
Qui a des craquelures. *Le cuir de ce vieux portefeuille est sec et **craquelé**.*

craquelin nom masculin
Petit biscuit salé ou non qui craque sous la dent

craquement nom masculin
Bruit sec produit par quelque chose qui se brise. *Le **craquement** d'une branche.*

craquer verbe ▸ conjug. 3
❶ Faire entendre des craquements. *En automne, les feuilles mortes **craquent** sous les pieds.* ❷ Se briser ou céder en produisant un craquement. *L'étagère **a craqué** sous le poids des livres.* ❸ S'effondrer à cause de la fatigue ou de l'énervement. *Il n'en peut plus, il est sur le point de **craquer**.* • **Plein à craquer :** trop plein. *La salle était **pleine à craquer**.*

crasse nom féminin
Saleté qui s'accumule. *Une couche de **crasse** recouvrait le sol de la maison abandonnée.*
♦ Famille du mot : crasseux, décrasser, encrasser.

crasseux, crasseuse adjectif
Couvert de crasse. *Tu devrais laver ce pantalon, il est **crasseux**.*

cratère nom masculin
❶ Orifice d'un volcan. *Des fumées s'échappent du **cratère**.* 👁p. 1076. ❷ Grand trou dans le sol. *Le **cratère** de Manicouagan est l'un des plus grands **cratères** produits par une météorite entrée en collision avec la Terre.*

Le **cratère** du volcan Rano Kau

cravache nom féminin
Baguette flexible dont se servent les cavaliers. *D'un petit coup de **cravache**, le jockey a mis son cheval au galop.*

cravacher verbe ▸ conjug. 3
Frapper avec une cravache. *La cavalière **a cravaché** son cheval.*

cravate nom féminin
Bande d'étoffe qui passe sous le col de la chemise et que l'on noue par-devant. *Mettre une **cravate**. Nouer sa **cravate**.*

crawl nom masculin
Nage sur le ventre dans laquelle on lance les bras en avant l'un après l'autre, tout en battant des pieds. *Le **crawl** est une nage plus rapide que la brasse.*

crayon nom masculin
Baguette contenant une mine, qui sert à écrire. *Un **crayon** noir. Une boîte de **crayons** de couleur.* * Chercher aussi *crayon-feutre**.

crayonner verbe ▸ conjug. 3
Écrire ou dessiner avec un crayon. *Elle **a crayonné** un plan de sa maison sur un bout de papier.*

créancier, créancière nom
Personne à qui l'on doit de l'argent. *Ses **créanciers** exigent d'être remboursés.* **CONTR** débiteur.

créateur, créatrice nom
Personne qui crée ou invente quelque chose. *Un **créateur** d'entreprise.* • **Le Créateur :** Dieu. ■ **créateur, créatrice** adjectif Inventif. *Un esprit **créateur**.* **SYN** créatif.

créatif, créative adjectif
Qui a un don pour créer, inventer des choses. *C'est une fille originale et **créative**.* **SYN** créateur, inventif.

création nom féminin
❶ Action de créer. *La **création** de cette machine a demandé de longs efforts.* ❷ Chose créée. *L'artiste a exposé ses dernières **créations**.*

créativité nom féminin
Qualité d'une personne créative. *Elle encourage la **créativité** des tout-petits.*

créature nom féminin
Être vivant. *Certains croient à l'existence de **créatures** extraterrestres.*

crécelle nom féminin
Petit instrument en bois qui produit un bruit quand on le fait tourner.

Une **crécelle**

crèche nom féminin
Représentation reconstituant la naissance de Jésus dans une étable. *Dans notre famille, c'est une tradition de préparer la **crèche** de Noël.*

crédibilité nom féminin
Vraisemblance. *Cette histoire est farfelue ; elle manque totalement de **crédibilité**.*

crédible adjectif
Que l'on peut croire. *Je pense qu'il n'exagère pas, toutes ses aventures sont **crédibles**.* **SYN** plausible, vraisemblable.

crédit nom masculin
❶ Prêt d'argent accordé pour un achat. *La banque lui a accordé un **crédit** pour acheter sa voiture, maintenant il doit le rembourser et payer des intérêts.* ❷ Possibilité de payer plus tard ou en plusieurs fois. *Ils ont acheté leurs électroménagers à **crédit**.* **CONTR** comptant. ❸ Somme d'argent disponible sur un compte en banque. **CONTR** débit. ❹ Somme d'argent prévue pour certaines dépenses particulières. *La commission scolaire a obtenu des **crédits** pour l'achat d'ordinateurs.* ❺ Confiance que l'on a en quelqu'un. *Ce maire jouit d'un grand **crédit** auprès de ses concitoyens.* ❻ À l'Université, valeur exprimant l'importance des cours d'une formation. *Un cours de trois **crédits**.*

créditer verbe ▸ conjug. 3
Verser de l'argent sur un compte. *L'argent que vous venez de déposer à la banque va **être crédité** à votre compte.* **CONTR** débiter.

crédule adjectif
Qui croit tout ce qu'on lui dit. **SYN** naïf.

crédulité nom féminin
Défaut d'une personne crédule. *Ce charlatan profite de la **crédulité** des gens.* **SYN** naïveté.

créer verbe ▸ conjug. 3
❶ Faire exister quelque chose qui n'existait pas avant. *Selon la Bible, Dieu **a créé** le ciel et la terre.* ❷ Inventer. ***Créer** un parfum.* **SYN** concevoir, élaborer, réaliser. ❸ Être la cause

a b c d e f g h i j k l m n o p q r s t u v w x y z

de quelque chose. *L'arrivée du nouveau directeur va **créer** des changements dans l'école.* **SYN** causer, provoquer. ♦ Famille du mot: créateur, créatif, création, créativité, créature, procréation.

crémaillère nom féminin
Tige de fer avec des crans pour suspendre une marmite dans la cheminée. • **Pendre la crémaillère:** fêter son installation dans un nouveau logement.

crématoire adjectif
• **Four crématoire:** four dans lequel on brûle les cadavres.

crématorium nom masculin
Lieu où l'on incinère les morts. * Attention! La dernière syllabe du mot *crématorium* se prononce *riome*.

crème nom féminin
❶ Matière grasse du lait avec laquelle on fait le beurre. *Ambre verse de la **crème** sur ses fraises.* * Chercher aussi *écrémer*. ❷ Dessert fait avec du lait et des œufs. *Voulez-vous de la **crème** à l'érable?* ❸ Produit onctueux utilisé pour les soins de la peau. *Une **crème** pour les mains, pour le visage. Une **crème** solaire.* ❹ Au sens figuré, ce qu'il y a de mieux, l'élite. *La **crème** des artistes assistait à cette fête.* ■ **crème** adjectif invariable D'une couleur blanche à peine teintée de jaune. *Un jaune **crème**. Des chaussettes **crème**.* ♦ Famille du mot: crème glacée, crémerie, crémeux, crémier.

crème glacée nom féminin
Crème aromatisée et congelée, servie comme dessert ou comme rafraîchissement. *J'aime la **crème glacée** au chocolat.* **SYN** glace.

Un cornet de **crème glacée**

crémerie ou **crèmerie** nom féminin
Magasin où l'on vend des produits laitiers. *Nous sommes allés chercher des sorbets à la **crémerie**.*

crémeux, crémeuse adjectif
Qui a la consistance de la crème. *Le glaçage du gâteau est bien **crémeux**.*

crémier, crémière nom
Personne qui tient une crémerie.

créneau, créneaux nom masculin
❶ Ouverture rectangulaire faite en haut d'une muraille. *Dans les châteaux forts, les **créneaux** servaient à observer l'ennemi et à lancer des projectiles.* 👁p. 185. ❷ Manœuvre que l'on fait pour garer sa voiture entre deux autres voitures.

créole nom
Personne de race blanche née aux Antilles ou à La Réunion. ■ **créole** nom masculin Langue parlée aux Antilles. ■ **créole** nom féminin Grand anneau d'oreille. *Elle porte des **créoles** en argent.*

① **crêpe** nom masculin
❶ Tissu léger, en soie ou en laine, d'aspect ondulé. ❷ Caoutchouc spécial qui ne glisse pas. *Des chaussures à semelles de **crêpe**.*

② **crêpe** nom féminin
Fine galette faite avec de la farine, des œufs et du lait. *Faire sauter des **crêpes** dans une poêle.*

crêperie nom féminin
Établissement où l'on vend, où l'on mange des crêpes.

crépi nom masculin
Couche de ciment ou de plâtre que l'on applique sur un mur. *La façade de cette maison est recouverte d'un **crépi**.*

crépitement nom masculin
Bruit sec et continu. *Le **crépitement** des bûches dans le foyer.*

crépiter verbe ▸conjug. 3
Produire des crépitements. *On entendait la grêle **crépiter** sur les vitres des fenêtres.*

crépu, crépue adjectif
Qui frise en boucles très serrées. *Avoir les cheveux **crépus**.*

crépuscule nom masculin
Moment de la journée entre le coucher du soleil et la nuit noire. *Nous risquons de nous perdre dans le bois si nous rentrons après le **crépuscule**.* **SYN** tombée* de la nuit. * Chercher aussi *à la brunante**.

crescendo adverbe
De plus en plus fort. *Ce morceau de musique doit se jouer **crescendo**.*

cresson nom masculin
Plante comestible qui pousse dans l'eau douce. *Une salade de **cresson**.*

Du **cresson**

crête nom féminin
❶ Excroissance de chair rouge et dentelée qui se dresse sur la tête de certains oiseaux. *La **crête** d'un coq, d'une poule.* ❷ Partie la plus haute. *La **crête** d'une vague, d'une montagne.* **SYN** sommet. *La **crête** d'un toit.* **SYN** faîte.

crétin, crétine nom
Imbécile. *Il s'est fait traiter de **crétin**.* **SYN** idiot.

cretons nom masculin pluriel
Sorte de pâté fait avec du porc ou du veau haché. *Un bagel aux **cretons**.*

creuser verbe ▸ conjug. 3
❶ Faire un trou, un creux. *Le chien **creuse** la terre pour enterrer son os.* ❷ Rendre creux. *Ève **a creusé** un morceau de bois pour en faire une petite barque.* • **Se creuser la tête, la cervelle :** réfléchir longuement et intensément pour trouver une idée, une solution.

creuset nom masculin
Récipient qui sert à faire fondre certains matériaux.

creux, creuse adjectif
❶ Qui est vide à l'intérieur. *Le tronc **creux** d'un vieil arbre.* **CONTR** plein. ❷ Qui présente une partie concave. *Servir de la soupe dans une assiette **creuse**.* **CONTR** plat. ❸ Au sens figuré, vide de sens, sans intérêt. *Un discours **creux**.*
■ **creux** nom masculin ❶ Partie creuse de quelque chose. *Ce terrain est plein de **creux** et de bosses.* **SYN** trou. ❷ Profondeur. *Ces plongeurs descendent à dix mètres de **creux**.*
• **Avoir un petit creux :** dans la langue familière, avoir faim. • **Le creux de la main :** la paume repliée en forme de coupe.

crevaison nom féminin
Fait de crever, ce qui en résulte. *La **crevaison** d'un pneu. La cycliste s'est arrêtée au bord de la route pour réparer une **crevaison**.*

crevant, crevante adjectif
Dans la langue familière, très fatigant. *Ce long voyage était **crevant**.*

crevasse nom féminin
❶ Fente profonde sur une surface. *Des **crevasses** s'étaient formées sur la façade de la vieille bâtisse.* **SYN** lézarde. ❷ Cassure profonde dans un glacier. *Les alpinistes ont contourné une **crevasse**.* ❸ Petite fente qui se forme à la surface de la peau. *Elle a des **crevasses** aux mains à cause du froid.* **SYN** gerçure.

Une **crevasse**

crevé, crevée adjectif
Dans la langue familière, épuisé. *Après le match, les joueurs étaient **crevés**.*

crever verbe ▸ conjug. 8
❶ S'ouvrir en éclatant. *Un des pneus de sa voiture **a crevé**.* ❷ Percer, faire éclater. ***Crever** un ballon.* ❸ Mourir, en parlant des animaux, des plantes. *Il faut arroser ces plantes, sinon elles vont **crever**.* • **Crever de faim, de soif, de froid :** dans la langue familière, avoir très faim, très soif, très froid. • **Crever les yeux :** au sens figuré, être évident. ♦ Famille du mot : crevaison, crevant, increvable.

crevette nom féminin
Petit crustacé marin comestible, à dix pattes et au corps allongé. *Mon père pêche la **crevette**.*

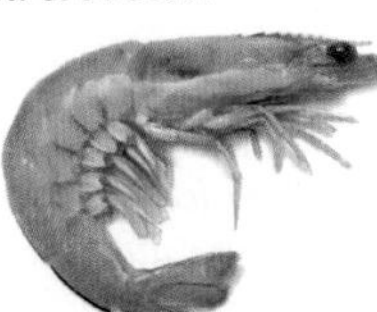

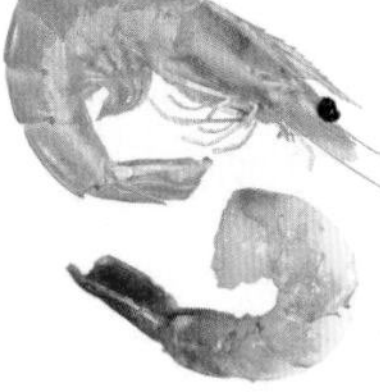

Des **crevettes**

a b c d e f g h i j k l m n o p q r s t u v w x y z

cri nom masculin
❶ Son perçant émis par la voix. *Pousser des **cris** de joie, de surprise, de frayeur.* ❷ Son caractéristique émis par un animal. *Le hululement est le **cri** de la chouette.* • **Pousser les hauts cris :** protester avec force. • **Dernier cri :** dernière mode. *Une robe **dernier cri**.* ♦ Famille du mot : criant, criard, crier, s'écrier, se récrier.

cri, crie adjectif et nom
De la nation amérindienne des Cris. *La culture **crie**. – Les **Cris**, les **Cries**.* 👁carte 5.
✎ Attention ! Le nom, qui désigne les membres de la nation crie, s'écrit avec une majuscule.
■ **cri** nom masculin Langue parlée par les Cris.

criant, criante adjectif
❶ Que l'on ne peut nier. *Une ressemblance **criante**.* SYN évident. ❷ Qui provoque l'indignation. *Une injustice **criante**.* SYN révoltant, scandaleux.

criard, criarde adjectif
❶ Qui émet des sons perçants et désagréables. *Une voix **criarde**.* CONTR doux. ❷ Qui choque la vue. *Une cravate aux couleurs **criardes**.*

crible nom masculin
Instrument percé de trous utilisé pour trier des matériaux de grosseurs différentes. *Un **crible** à sable.* SYN passoire, tamis. • **Passer au crible :** examiner attentivement pour distinguer le vrai du faux.

cribler verbe ▸ conjug. 3
Percer de nombreux trous. *La cible **était criblée** de balles.* • **Être criblé de dettes :** avoir beaucoup de dettes.

cric nom masculin
Appareil à levier servant à soulever des charges très lourdes. *Pour changer la roue de la voiture, il a fallu se servir du **cric**.*

crier verbe ▸ conjug. 10
❶ Pousser des cris. ***Crier** de joie, de colère. **Crier** de toutes ses forces.* ❷ Parler d'une voix forte. *Ce n'est pas la peine de **crier**, je vous entends très bien.*

crime nom masculin
❶ Faute très grave punie par la loi. *Les auteurs de l'enlèvement seront jugés pour leur **crime**.* ❷ Assassinat. *On a retrouvé l'arme du **crime** à côté du cadavre.* * Chercher aussi *homicide, meurtre.*

criminalité nom féminin
Ensemble de faits criminels. *Depuis un an, la **criminalité** a baissé dans cette ville.*

criminel, criminelle nom
Personne coupable d'une faute grave. *La police a arrêté un **criminel** qui avait commis plusieurs attaques à main armée.* ■ **criminel, criminelle** adjectif Qui est causé par un criminel. *La mort de cet homme n'est pas accidentelle, c'est un acte **criminel**.*

crin nom masculin
Poil long et rêche qui pousse sur le cou et sur la queue de certains animaux, en particulier du cheval.

crinière nom féminin
Ensemble des crins qui garnissent le cou de certains animaux. *La **crinière** d'un lion.*

crique nom féminin
Partie du littoral qui s'enfonce dans la terre en formant un abri. *Le voilier a jeté l'ancre dans une petite **crique**.* * Chercher aussi *anse*.

criquet nom masculin
Insecte herbivore qui ressemble à une sauterelle. *Un nuage de **criquets** a dévasté les champs de blé de cette région.* 👁p. 570.

*Un **criquet***

crise nom féminin
❶ Aggravation brusque d'une maladie. ***Crise** d'asthme. **Crise** cardiaque. **Crise** d'urticaire.* ❷ Réaction brusque due à une émotion. ***Crise** de colère. **Crise** de larmes. **Crise** de nerfs.* ❸ Période difficile. *Le chômage est une des conséquences de la **crise** économique.*

crisper verbe ▸ conjug. 3
Provoquer la contraction des muscles. *La peur lui **crispait** le visage.* ■ **se crisper** : se raidir, se contracter.

crisser verbe ▸ conjug. 3
Produire un bruit aigu, grinçant. *Le coup de frein a fait **crisser** les pneus de la voiture.*

cristal, cristaux nom masculin
❶ Roche transparente et dure. ❷ Variété de verre très pur, qui résonne quand on le heurte. *Un verre en **cristal**.* ❸ Élément de forme géométrique. *Des **cristaux** de neige, de sel.*
♦ Famille du mot : cristallin, cristallisé.

① **cristallin, cristalline** adjectif
Pur et clair comme du cristal. *Une eau **cristalline**. Chanter d'une voix **cristalline**.*

② **cristallin** nom masculin
Partie transparente de l'œil, en forme de lentille, qui se trouve derrière la pupille. 👁p. 717.

cristallisé, cristallisée adjectif
Qui est formé de petits cristaux. *Du sucre **cristallisé**.*

critère nom masculin
Raison qui justifie un choix. *Quand il achète un vêtement, il n'a qu'un seul **critère** : la coupe.*

① **critique** adjectif
❶ Qui risque d'entraîner des changements importants. *Une période **critique**.* SYN décisif.
❷ Grave. *Un malade dans un état **critique**.*
SYN alarmant, dangereux.

② **critique** nom féminin
❶ Action de critiquer. *J'en ai assez de vos **critiques**.* SYN reproche. CONTR éloge, louange.
❷ Jugement que l'on porte sur une œuvre d'art, sur un livre. *Ce journaliste fait des **critiques** cinématographiques.* ■ **critique** nom Personne qui a pour profession d'écrire des critiques. *Elle est **critique** littéraire dans un magazine.*

critiquer verbe ▸conjug. 3
Juger en faisant remarquer les défauts. *Elle passe son temps à **critiquer** ses voisins.*
SYN blâmer. CONTR louer.

croassement nom masculin
Cri du corbeau et de la corneille. *Le corbeau **croasse** mais la grenouille coasse.* * Ne pas confondre *croassement* et *coassement*.

croasser verbe ▸conjug. 3
Pousser des croassements. * Ne pas confondre *croasser* et *coasser*.

croate
➔Voir tableau, p. 1319.

croc nom masculin
Canine de certains carnivores. *Les **crocs** d'un chien, d'un lion et d'un ours.*

croc-en-jambe nom masculin
Mouvement destiné à faire tomber quelqu'un en plaçant le pied devant sa jambe. SYN jambette.
✎ Pluriel : *des **crocs-en-jambe***. * Attention ! Au singulier comme au pluriel, le mot *croc-en-jambe* se prononce *croquanjambe*.

① **croche** nom féminin
Note de musique qui vaut la moitié d'une noire.

② **croche** adjectif
❶ Qui n'est pas droit. *Redresse le tableau, il est **croche**.* ❷ Dans la langue familière, qui est malhonnête, traître. *Elle se méfie de lui, car il est parfois **croche**.* ■ **croche** nom masculin Dans la langue familière, courbe. *Au bout du chemin, il y a un **croche** avant d'arriver au chalet.* ■ **croche** adverbe Dans la langue familière, de travers. *Marcher **croche**.*

crochet nom masculin
❶ Pièce de métal recourbée, utilisée pour suspendre ou accrocher des objets. *Elle suspend le torchon à un **crochet**.* ❷ Grosse aiguille à pointe recourbée. *Elle fait des tricots au **crochet**.* ❸ Signe qui ressemble à une parenthèse. *La prononciation d'un mot est généralement indiquée par des symboles phonétiques entre **crochets**.* ❹ Coup de poing donné en arc de cercle. *Un **crochet** puissant.*
❺ Dent des serpents venimeux. *Les **crochets** venimeux de la vipère.* • **Vivre aux crochets de quelqu'un** : vivre à ses frais.

crocheter verbe ▸conjug. 8
❶ Ouvrir à l'aide d'un crochet. *Les cambrioleurs **ont crocheté** la serrure de la porte d'entrée.* ❷ Confectionner un ouvrage au crochet. *Elle **a crocheté** un châle.* ✎ On peut écrire aussi, au présent, *je **crochète*** ; au futur, *tu **crochèteras*** ; au conditionnel, *elle **crochèterait***.

*Des **crocs***

crochu, crochue adjectif
Recourbé en forme de crochet. *La perruche a un bec **crochu**.*

crocodile nom masculin
Grand reptile carnivore des pays chauds, à pattes courtes et aux longues mâchoires. 👁p. 890. * Chercher aussi *alligator, caïman.* • **Larmes de crocodile :** larmes hypocrites pour essayer de tromper, d'apitoyer quelqu'un.

*Un **crocodile***

crocus nom masculin
Plante à bulbe qui fleurit au début du printemps. *Les fleurs de **crocus** peuvent être blanches, violettes ou jaunes.*

*Des **crocus***

croire verbe ▸ conjug. 38
❶ Penser que quelque chose est vrai, qu'une personne est sincère. *Je le **crois** quand il dit qu'il est malade.* ❷ Supposer sans être vraiment sûr. *Je **crois** qu'elle sera d'accord avec nous.* **SYN** estimer, penser. ❸ Être convaincu de l'existence de quelqu'un ou de quelque chose. *Je ne comprends pas que tu **croies** aux fantômes.* • **Croire en Dieu :** être convaincu de l'existence de Dieu, avoir la foi. ♦ Famille du mot : croyable, croyance, croyant, incroyable, incroyant.

croisade nom féminin
❶ Au Moyen Âge, expédition guerrière menée par des chrétiens pour délivrer la Terre sainte de l'occupation musulmane. ❷ Lutte destinée à défendre une cause. *Cette association mène une **croisade** pour la paix.*

*Une **croisade***

croisée nom féminin
• **Croisée des chemins :** endroit où des chemins se croisent.

croisement nom masculin
❶ Endroit où deux routes se croisent. *En arrivant au **croisement**, tournez à gauche.* **SYN** carrefour. ❷ Reproduction d'animaux ou de plantes d'espèces proches. *Le mulet résulte d'un **croisement** entre un âne et une jument.*

croiser verbe ▸ conjug. 3
❶ Placer en croix l'un sur l'autre. ***Croiser** les bras.* ❷ Passer au travers d'une route, d'un chemin. *Un sentier **croise** la route juste avant le lac.* ❸ Passer à côté de quelqu'un qui va dans la direction opposée. *Elle **a croisé** sa voisine en sortant.* ❹ Aller et venir dans une même zone maritime. *Des bateaux de plaisance **croisent** sur le Saint-Laurent.* ■ **se croiser :** passer l'un à côté de l'autre en allant dans des directions opposées. *Ils **se sont croisés** devant l'école.* • **Se croiser les bras :** refuser de travailler. *Tu devrais m'aider au lieu de **te croiser les bras**.* ♦ Famille du mot : croisade, croisée, croisement, croisière, entrecroiser.

croisière nom féminin
Voyage d'agrément en bateau. *Ils ont fait une **croisière** dans les Antilles.*

croissance nom féminin
❶ Fait de grandir, de se développer. *Sandrine est en pleine **croissance**.* ❷ Fait d'augmenter, de progresser. *La production de légumes biologiques est en **croissance**.*
SYN accroissement. **CONTR** diminution.

① **croissant, croissante** adjectif
Qui va en s'accroissant. *Les nombres 2, 4, 6, 8 sont en ordre **croissant**.* **CONTR** décroissant.

② **croissant** nom masculin
❶ Forme de la lune à son premier et à son dernier quartier. ❷ Pâtisserie en forme d'arc de cercle.

croître verbe ▸ conjug. 37
❶ Devenir plus grand. *Le peuplier est un arbre qui **croît** très vite.* **SYN** se développer. ❷ Devenir plus important. *Notre production de fruits **croît** régulièrement.* **SYN** s'accroître, augmenter, grandir. **CONTR** décroître, diminuer. ✎ Attention ! *Croître* garde son accent circonflexe aux formes homonymes du verbe « croire » : *je **croîs**, je **crûs***. ✎ On peut écrire aussi ***croitre*** sans accent circonflexe à l'infinitif, au futur et au conditionnel. ♦ Famille du mot : accroissement, accroître, croissance, croissant, décroître, surcroît.

croix nom féminin
❶ Figure ou signe formés de deux traits qui se croisent. *Mettez une **croix** dans la case de votre choix.* ❷ Dans l'Antiquité, instrument de supplice fait de deux pièces de bois, l'une verticale, l'autre horizontale. *Jésus est mort sur la **croix**.* ❸ Objet en forme de croix qui rappelle la croix de Jésus. 👁p. 270. **SYN** crucifix.

croquant, croquante adjectif
Qui croque sous la dent. *Des cornichons **croquants**.*

croque-monsieur nom masculin invariable
Sandwich grillé garni de jambon et de fromage. ✎ On peut écrire aussi *un **croquemonsieur**, des **croquemonsieurs***.

croque-mort nom masculin
Dans la langue familière, employé des pompes funèbres. *Les **croque-morts** déposent le cercueil dans la fosse.* ✎ Pluriel : *des **croque-morts***. ✎ On peut écrire aussi ***croquemort***.

croquer verbe ▸ conjug. 3
❶ Faire un bruit sec sous la dent. *Ces céréales **croquent** sous la dent.* ❷ Manger en broyant avec les dents. *Le chien **croque** un os.*

croquet nom masculin
Jeu dans lequel on pousse des boules sous des arceaux, à l'aide d'un maillet. *Les enfants ont fait une partie de **croquet**.*

croquette nom féminin
❶ Boulette frite. *Des **croquettes** de poulet, de poisson.* ❷ Aliment sous forme de boulette croquante pour les chats ou les chiens.

croquis nom masculin
Dessin rapide et simplifié. *En vacances, elle fait des **croquis** de paysages.* **SYN** esquisse.

cross-country nom masculin
Course à pied sur un parcours tout-terrain. *Nous allons organiser un **cross-country** dans les bois.* ✎ Pluriel : *des **cross-countries*** ou ***cross-countrys***. ✎ On peut écrire aussi ***crosscountry***. ♦ Famille du mot : cyclocross, motocross.

crosse nom féminin
❶ Partie d'une arme à feu que l'on tient pour tirer ou que l'on appuie contre l'épaule. *La **crosse** d'un pistolet, d'un fusil.* ❷ Bâton recourbé au sommet. *La **crosse** d'un évêque.* ❸ Sport d'origine amérindienne qui se joue avec une balle et un bâton terminé par une sorte de panier. *Une équipe de **crosse**.*
• **Crosse de fougère :** jeune pousse de fougère, que l'on consomme cuite. *Mon père a ramassé des **crosses de fougère** dans le bois.*

Un **crotale**

crotale nom masculin
Serpent très venimeux d'Amérique. *Le **crotale** s'appelle aussi « serpent à sonnette » à cause du bruit de crécelle que fait sa queue.*

crotte nom féminin
Excrément de certains animaux. *Des **crottes** de chien, de lapin, de chèvre.*
♦ Famille du mot : crotté, crottin.

crotté, crottée adjectif
Couvert de boue. *Mes souliers sont tout **crottés**.*

crottin nom masculin
Excrément du cheval, du mouton. *Le **crottin** de cheval fait du très bon fumier.*

crouler verbe ▸ conjug. 3
❶ Tomber en ruine. *Les murs de cette vieille maison **croulent** de plus en plus.* **SYN** s'écrouler. ❷ Être surchargé. *Les branches du sapin **croulaient** sous les guirlandes.*

croupe nom féminin
Partie postérieure du corps du cheval.

croupir verbe ▸ conjug. 11
❶ Stagner et devenir mauvais à boire. *L'eau de la mare **croupit**.* ❷ Au sens figuré, rester dans un endroit sans pouvoir en sortir. ***Croupir** en prison.*

croustillant, croustillante adjectif
Qui croustille. *Un pain à la croûte dorée et **croustillante**.*

croustiller verbe ▸ conjug. 3
Croquer sous la dent. *J'aime les biscuits qui **croustillent**.*

croustilles nom féminin pluriel
Minces rondelles de pommes de terre frites. *Un sac de **croustilles** au ketchup.*

croûte nom féminin
❶ Partie extérieure plus dure de certains aliments. *Des **croûtes** de pain. La **croûte** d'un fromage.* • **Casser la croûte**: manger. • **Gagner sa croûte**: gagner sa vie, travailler pour vivre. ❷ Plaque dure qui se forme en séchant. *Ta blessure se cicatrise, il ne reste plus que la **croûte**.* • **Croûte terrestre**: écorce terrestre. ✎ On peut écrire aussi ***croute***.

croûton nom masculin
❶ Extrémité d'un pain, formée surtout de croûte. *Je n'aime pas le **croûton**, je préfère la mie.* ❷ Petit morceau de pain grillé ou frit. *Elle met souvent des **croûtons** dans la salade.* ✎ On peut écrire aussi ***crouton***.

croyable adjectif
Que l'on peut croire. *Cette aventure est à peine **croyable**.* **CONTR** incroyable.

croyance nom féminin
❶ Le fait de croire en quelque chose de vrai, de vraisemblable ou de possible. *Sa **croyance** en un avenir meilleur est inébranlable.* **SYN** conviction. ❷ Ce que l'on croit en matière de religion. *Je ne partage pas ses **croyances**, mais je les respecte.*

croyant, croyante adjectif et nom
Qui croit en Dieu. *Elle est très **croyante**. – Des **croyants** de plusieurs traditions religieuses se sont réunis pour parler de la foi.* **CONTR** athée, incroyant.

① **cru, crue** adjectif
❶ Qui n'a pas été cuit. *Rosalie préfère manger les tomates **crues**, en salade.* ❷ Qui est violent, brutal. *Des paroles **crues**. Une lumière **crue**.* **SYN** tamisé.

② **cru** nom masculin
Vignoble produisant un vin particulier. *Son oncle lui a fait goûter des vins des meilleurs **crus** californiens.*

cruauté nom féminin
Fait d'être cruel. *Elle lutte contre la **cruauté** envers les animaux.* **SYN** férocité.

cruche nom féminin
❶ Pot muni d'une anse et d'un bec verseur. *Il y a de l'eau fraîche dans la **cruche**.* ❷ Dans la langue familière, imbécile. *C'est une vraie **cruche** !* **SYN** cabochon.

crucial, cruciale, cruciaux adjectif
Très important. *Cette décision est **cruciale** pour ton avenir.* **SYN** capital, essentiel.

crucifier verbe ▸ conjug. 10
Clouer quelqu'un sur une croix pour le faire mourir. *Dans l'Antiquité romaine, on **crucifiait** les esclaves révoltés.*

crucifix nom masculin
Objet de culte en forme de croix.

cruciverbiste nom
Amateur, amatrice de mots croisés.

crudités nom féminin pluriel
Légumes crus.

crue nom féminin
Élévation du niveau d'un cours d'eau pouvant provoquer son débordement. *La **crue** du fleuve a atteint deux mètres.* **CONTR** décrue.

*Un **crucifix***

cruel, cruelle adjectif
❶ Qui prend plaisir à faire souffrir. *Le tigre est un animal **cruel**.* SYN féroce. ❷ Qui provoque une grande souffrance. *La mort d'un ami est un chagrin **cruel**.*

cruellement adverbe
❶ De manière cruelle. *Le chien l'a mordu **cruellement**.* ❷ De manière très douloureuse. *Sa blessure le fait **cruellement** souffrir.*

crustacé nom masculin
Animal aquatique recouvert d'une carapace. *Les crabes, les crevettes, les homards sont des **crustacés**.*

crypte nom féminin
Partie souterraine d'une église. *Olivier visite la **crypte** de la cathédrale.*

Une **crypte**

cubain, cubaine adjectif et nom
De Cuba. *La politique **cubaine**. – Les **Cubains**, les **Cubaines**.* ✎ Attention ! Le nom, qui désigne les habitants, s'écrit avec une majuscule.

cube nom masculin
❶ Objet à six faces formant des carrés égaux. *Mon petit frère fait des constructions avec ses **cubes**.* 👁p. 484. ❷ Nombre multiplié trois fois par lui-même. *Le **cube** de deux est huit* ($2^3 = 2 \times 2 \times 2 = 8$).

cubique adjectif
Qui a la forme d'un cube. *Un vase **cubique**.*

cubitus nom masculin
Un des deux os de l'avant-bras. *L'avant-bras est formé du radius et du **cubitus**.* * Chercher aussi *humérus*.

cueillette nom féminin
Action de cueillir. *La **cueillette** des pommes.*

cueillir verbe ▸ conjug. 13
Détacher une fleur, un fruit de sa tige ou de sa branche. *Juliette **a cueilli** des marguerites dans les champs.*

cuillère ou **cuiller** nom féminin
Ustensile formé d'une partie creuse prolongée par un manche. *Une **cuillère** à soupe, à dessert, à café.*

cuillérée ou **cuillerée** nom féminin
Contenu d'une cuillère. *Ajoute une **cuillérée** à soupe de farine.*

cuir nom masculin
Peau d'un animal spécialement préparée pour fabriquer certains objets. *Un blouson de **cuir**.*
• **Cuir chevelu** : peau du crâne sur laquelle poussent les cheveux.

cuirasse nom féminin
❶ Partie d'une armure qui protégeait le torse. ❷ Blindage épais qui protège la coque d'un navire de guerre.

cuire verbe ▸ conjug. 43
❶ Soumettre un aliment à l'action de la chaleur. *Le cuisinier fait **cuire** un gâteau dans le four.* ❷ Faire durcir au feu. ***Cuire** des poteries.* ♦ Famille du mot : cuisant, cuisson, cuit.

cuisant, cuisante adjectif
Qui fait mal, qui vexe profondément. *C'est une défaite **cuisante** pour toute notre équipe.*

cuisine nom féminin
❶ Pièce où l'on prépare les repas. *Nous avons dîné dans la **cuisine**.* ❷ Manière de préparer les aliments. *La **cuisine** de ma grand-mère est savoureuse.* ♦ Famille du mot : cuisiner, cuisinier, cuisinière.

cuisiner verbe ▸ conjug. 3
Faire la cuisine. *Mon père **cuisine** bien.*

cuisinier, cuisinière nom
Personne qui fait la cuisine. *Ce restaurant est tenu par une **cuisinière** réputée.* * Chercher aussi *chef*.

cuisinière nom féminin
Appareil qui sert à chauffer, à faire cuire les aliments. *On a acheté une nouvelle **cuisinière**.*

cuissarde nom féminin
Botte qui monte jusqu'en haut des cuisses. *Il porte des **cuissardes** quand il va pêcher la truite dans la rivière.*

a b c d e f g h i j k l m n o p q r s t u v w x y z

cuisse nom féminin
Partie de la jambe entre le genou et la hanche. *Émile s'est blessé à la **cuisse**.* 👁p. 246.

cuisson nom féminin
Action de cuire. *La **cuisson** de ce poulet ne doit pas dépasser deux heures.*

cuit, cuite adjectif
Qui a subi une cuisson. *Ces pâtes sont trop **cuites**.* **CONTR** cru.

cuivre nom masculin
Métal de couleur rougeâtre. *Du fil de **cuivre**. Des casseroles en **cuivre**.* ■ **cuivres** nom masculin pluriel Instruments de musique à vent en cuivre. *Le saxophone, la trompette, le trombone, le clairon sont des **cuivres**.* 👁p. 692.

*Des instruments à vent en **cuivre***

cuivré, cuivrée adjectif
Qui a la couleur du cuivre. *Des cheveux aux reflets **cuivrés**.*

cul nom masculin
Synonyme grossier de fesses. **SYN** derrière.

culbute nom féminin
Saut qui consiste à rouler sur soi-même, les jambes passant par-dessus la tête. **SYN** cabriole, roulade.

culbuter verbe ▸ conjug. 3
Faire une culbute. *Il **a culbuté** dans l'escalier.* **SYN** basculer.

cul-de-sac nom masculin
Impasse. *Cette rue est sans issue, c'est un **cul-de-sac**.* ✎ Pluriel : *des **culs-de-sac***.

culinaire adjectif
Qui concerne la cuisine. *Juan apprécie beaucoup les talents **culinaires** de sa mère.*

culminant, culminante adjectif
• **Point culminant :** point le plus élevé. *Le mont Logan, dans le territoire du Yukon, est le **point culminant** du Canada.*

culminer verbe ▸ conjug. 3
Atteindre son point le plus haut. *Le mont D'Iberville **culmine** à 1622 m.*

① **culot** nom masculin
Partie inférieure en métal de certains objets. *Le **culot** d'une ampoule, d'une cartouche de fusil.*

② **culot** nom masculin
Dans la langue familière, assurance exagérée. *Tu as du **culot** de me dire que tu n'es pour rien dans ce dégât !* **SYN** aplomb, toupet.

culotte nom féminin
❶ Pantalon d'homme qui s'arrête au-dessus des genoux. *Ces joueurs de soccer portent une **culotte** noire et un maillot bleu.* ❷ Sous-vêtement de femme qui couvre les fesses et le ventre.

culotté, culottée adjectif
Dans la langue familière, qui a du culot. *Elle est vraiment **culottée** de venir ici sans être invitée.* **SYN** effronté.

culpabilité nom féminin
Fait d'être coupable. *L'enquête de la police a prouvé la **culpabilité** de l'accusé.* **CONTR** innocence.

culte nom masculin
❶ Amour et respect que l'on manifeste à un dieu ou à un saint par des cérémonies. ❷ Ensemble des cérémonies propres à une religion. *Les **cultes** juif, catholique, musulman.* 👁p. 270. ❸ Cérémonie religieuse des protestants. *Tous les dimanches, le pasteur célèbre le **culte**.* ❹ Admiration passionnée. *Ce chanteur est l'objet d'un véritable **culte**.*

cultivable adjectif
Qui peut être cultivé. *Ces terrains sont **cultivables**.* **CONTR** inculte.

cultivateur, cultivatrice nom
Personne qui cultive et exploite une terre. **SYN** agriculteur. * Chercher aussi *paysan*.

cultivé, cultivée adjectif
❶ Mis en culture. *Un champ **cultivé**.* ❷ Qui a de la culture, des connaissances. *Il est très intelligent ; de plus, il est **cultivé**.* **CONTR** inculte.

cultiver verbe ▸ conjug. 3
❶ Travailler la terre pour qu'elle produise des plantes. *Mes grands-parents **cultivent** leur*

jardin. ❷ Faire pousser des plantes. *Dans ce champ, on* ***cultive*** *des betteraves.* ♦ Famille du mot : cultivable, cultivateur.

se cultiver verbe ▸ conjug. 3
S'instruire pour enrichir et former son esprit. *La lecture l'a aidé à* ***se cultiver****.*

① culture nom féminin
❶ Action de cultiver la terre. *Pratiquer la* ***culture*** *des céréales, de la vigne, des légumes.* ❷ Champ cultivé ou plantes cultivées. *Cet agriculteur a perdu une partie de ses* ***cultures*** *à cause de la sécheresse.*

② culture nom féminin
❶ Ensemble des connaissances acquises par une personne. *Boris a une très bonne* ***culture*** *musicale.* ❷ Ensemble des connaissances propres à un pays, à une civilisation. *Noémie s'intéresse beaucoup à la* ***culture*** *africaine.*

culturel, culturelle adjectif
Qui concerne la culture. *Le centre* ***culturel*** *organise une exposition.*

cumin nom masculin
Plante dont les graines sont utilisées comme condiment.

Du ***cumin***

cumul nom masculin
Action de cumuler.

cumuler verbe ▸ conjug. 3
Exercer plusieurs activités à la fois. *Il* ***cumule*** *son emploi de coursier et ses cours à l'université.*

cumulus nom masculin
Gros nuage blanc et arrondi. 👁p. 710.
* Attention ! Le *s* du mot *cumulus* se prononce.

cupide adjectif
Qui aime l'argent de façon excessive.
SYN avide. **CONTR** désintéressé, généreux.

cupidité nom féminin
Défaut d'une personne cupide.

curare nom masculin
Poison violent d'origine végétale. *Certaines peuplades d'Amérique du Sud enduisaient leurs flèches de* ***curare****.*

cure nom féminin
Traitement destiné à améliorer sa santé. *Il fait une* ***cure*** *d'amaigrissement.*

curé nom masculin
Prêtre catholique chargé d'une paroisse.

cure-dent nom masculin
Bâtonnet pointu servant à se curer les dents.
✎ Pluriel : *des* ***cure-dents****.*

curer verbe ▸ conjug. 3
Nettoyer en grattant. *Il faudrait* ***curer*** *le fond de ce bassin, il est couvert de vase.*

curieusement adverbe
D'une manière bizarre. *Didier est* ***curieusement*** *habillé ce matin : il porte à la fois du rouge, du vert et du jaune !*

curieux, curieuse adjectif
❶ Qui montre de la curiosité, de l'intérêt pour quelque chose. *Il est* ***curieux*** *de tout ce qui concerne les animaux.* ❷ Qui est indiscret. *Je ne te dirai rien, tu es trop* ***curieuse****.* ❸ Qui étonne. *Il lui est arrivé une histoire* ***curieuse****.*
SYN bizarre, étrange. ■ **curieux, curieuse** nom
Personne curieuse. *La police a demandé aux* ***curieux*** *de s'éloigner du lieu de l'accident.*

curiosité nom féminin
❶ Désir de connaître, de savoir. *Cette énigme avait éveillé la* ***curiosité*** *de la détective.*
❷ Défaut d'une personne indiscrète. *Il est d'une* ***curiosité*** *insatiable.* ❸ Chose étonnante ou intéressante. *Le rocher Percé est une* ***curiosité*** *de la nature.*

curry ➔Voir **cari**

curseur nom masculin
Repère mobile sur un appareil. *Il règle le son de son lecteur MP3 avec le* ***curseur*** *du volume.*

cursif, cursive adjectif
• **Écriture cursive :** écriture tracée à la main et non en caractères d'imprimerie. *Gabriel apprend à écrire en* ***écriture cursive****.*

cutané, cutanée adjectif
Qui se rapporte à la peau. *L'eczéma est une maladie* ***cutanée****.*

cuve nom féminin
Grand récipient servant à la fermentation du vin et à divers usages industriels. *Une* ***cuve*** *à vin.*
♦ Famille du mot : cuvée, cuvette.

cuvée nom féminin
Vin produit par une vigne en une année. *Cette année, la* ***cuvée*** *est excellente.*

a b c d e f g h i j k l m n o p q r s t u v w x y z

Des objets de culte

Des objets de culte

Toutes les traditions religieuses ont leurs objets de culte, qu'il s'agisse d'objets proprement dits ou de symboles et rituels.

Chez les **chrétiens,** plusieurs objets sont sacrés ou dignes de respect.

La Bible est un recueil de livres sacrés divisé en deux parties : l'Ancien Testament, qui raconte l'histoire du peuple juif, et le Nouveau testament, qui rapporte les paroles et les actions de Jésus-Christ.

Certains chrétiens se servent d'un chapelet pour prier. Il s'agit d'un collier à grains que l'on fait glisser entre les doigts et dont chaque grain correspond à une prière.

La croix rappelle celle sur laquelle Jésus a été mis à mort.

Certains **autochtones** vivant selon les croyances de leurs ancêtres croient que les éléments de la nature sont animés par des esprits. Pour communiquer avec ceux-ci, ils recourent à divers objets.

Le hochet de prière sert à invoquer l'esprit de la Vie.

Le chant et la danse permettent de communiquer avec les esprits. On chante en cercle au son d'un tambour, un objet rituel qui symbolise la Terre.

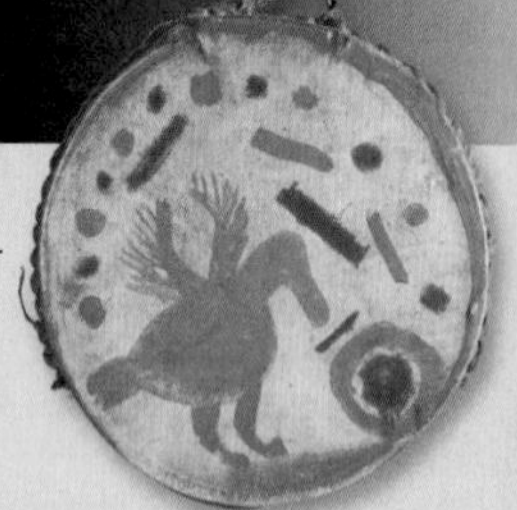

Les **juifs** pratiquent le judaïsme, la plus ancienne religion monothéiste, laquelle remonte à près de 4000 ans.

Lorsqu'ils prient, les hommes portent la kippa, une petite calotte qui couvre le dessus de la tête, en signe de respect envers Dieu.

La Torah, constituée des cinq premiers livres de la Bible, est le texte de base du judaïsme. Elle est traditionnellement écrite à la main, sur des rouleaux de parchemin.

La menorah est un symbole biblique devenu l'emblème de l'État d'Israël. Ce chandelier en or à sept branches, qui était allumé dans le Temple de Jérusalem, incarne la lumière divine.

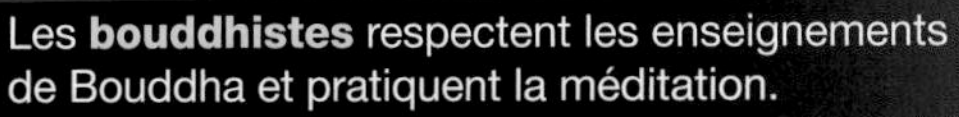

Les **bouddhistes** respectent les enseignements de Bouddha et pratiquent la méditation.

Ils consultent le Tripitaka, un ensemble de textes énonçant les règles à suivre pour vivre selon la philosophie du Bouddha.

Lorsqu'ils méditent, les bouddhistes récitent un mantra, une série de sons répétée plusieurs fois. Le chapelet bouddhique sert à compter ces répétitions.

Les bouddistes peuvent également recourir à un moulin à prières, un objet généralement cylindrique contenant un rouleau de papier sur lequel le mantra sacré est écrit plusieurs fois.

De plus, pour libérer leur esprit des pensées quotidiennes, ils contemplent des mandalas. Le mandala est une image géométrique symbolisant l'Univers, représentée à l'intérieur d'un cercle.

L'islam est la religion pratiquée par les **musulmans**. Selon la tradition, le fondateur de l'islam, le prophète Mahomet, a reçu de l'archange Gabriel des révélations d'Allah, nom de Dieu en arabe.

Le chapelet de l'islam comporte 99 grains, chacun correspondant à un des noms de Dieu selon le Coran : le Sage, le Bienfaiteur, le Guide, le Créateur, etc.

L'islam interdit toute représentation imagée de Dieu. Les musulmans ont donc recours à des motifs et des symboles liés au divin. Par exemple, les murs d'une mosquée peuvent être ornés de motifs géométriques qui évoquent l'éternité de Dieu.

Le Coran, le livre sacré de l'islam, contient les commandements de Dieu tels que consignés par Mahomet.

a b c d e f g h i j k l m n o p q r s t u v w x y z

cuvette nom féminin
❶ Récipient large et peu profond. SYN bassin. *Une **cuvette** en plastique.* ❷ Partie des toilettes qui contient l'eau.

cyanure nom masculin
Poison très violent.

cybercafé nom masculin
Établissement où l'on consomme des boissons et où les clients disposent d'ordinateurs branchés à l'Internet.

cybercrime nom masculin
Crime commis via un système informatique, ou ayant pour cible un système informatique ou l'un de ses éléments. *Le **cybercrime** est un nouveau type de délinquance.*

cyberdépendance nom féminin
État de dépendance lié à l'utilisation prolongée et répétée de l'ordinateur ou de l'Internet qui incite à en faire un usage sans cesse accru. *La **cyberdépendance** finit par modifier le style de vie.*

cyberespace nom masculin
Espace virtuel dans lequel naviguent les internautes de la planète. *Le **cyberespace** exerce une grande fascination sur le grand-père de Miroslav.*

cyclable adjectif
• **Piste cyclable :** partie d'une route réservée aux cyclistes.

cyclamen nom masculin
Plante à fleurs roses, mauves ou blanches et à tiges recourbées.

Des **cyclamens**

① **cycle** nom masculin
Ensemble d'évènements qui se passent toujours dans le même ordre. *Le **cycle** des saisons.*

② **cycle** nom masculin
Nombre d'années d'études formant une division de l'enseignement. *Les études primaires sont composées de trois **cycles** de deux ans.*

cyclique adjectif
Qui se reproduit selon un certain cycle. *Ce volcan entre en activité de manière **cyclique**.*

cyclisme nom masculin
Sport de bicyclette. *Le **cyclisme** est un sport qui muscle les jambes.* ♦ Famille du mot : cyclable, cycliste, cyclomoteur.

cycliste nom
Personne qui fait de la bicyclette. *La voiture a failli renverser un **cycliste**.* ■ **cycliste** adjectif Qui a rapport au cyclisme. *Des coureurs **cyclistes**.*

cycl(o)- préfixe
Placé au début d'un mot pour former un autre mot, *cycl(o)-* signifie « cercle » (***cycl**one*, ***cycl**ope*).

cyclomoteur nom masculin
Bicyclette munie d'un moteur de faible puissance.

cyclone nom masculin
Tempête très violente formant un tourbillon de vent. *Les **cyclones** sont fréquents dans les régions tropicales.* SYN typhon. • **Œil du cyclone :** zone de calme située au centre d'un cyclone.

cyclope nom masculin
Dans la mythologie grecque, géant qui n'avait qu'un œil au milieu du front.

cygne nom masculin
Grand oiseau blanc au long cou et aux pattes palmées. *Des **cygnes** majestueux glissent sur le lac.* * Ne pas confondre *cygne* et *signe*.

cylindre nom masculin
❶ Objet en forme de rouleau. *Le tambour a la forme d'un **cylindre**.* 👁p. 484. ❷ Partie du moteur dans laquelle glissent des pistons.

cylindrique adjectif
Qui a la forme d'un cylindre. *Ma pompe à vélo a une forme **cylindrique**.*

cymbale nom féminin
Instrument de musique à percussion composé de deux disques que l'on frappe l'un contre l'autre.

cynique adjectif et nom
Qui se moque des règles morales et sociales. *C'est un homme **cynique**. – Ce **cynique** aime provoquer les gens.*

cynisme nom masculin
Attitude d'une personne cynique.

cyprès nom masculin
Conifère au tronc droit et élancé, aux feuilles persistantes vert sombre. *Une allée de **cyprès**.*

Dd

d nom masculin invariable
Quatrième lettre de l'alphabet. *Le* ***d*** *est une consonne.*

d' ➜Voir **de**

d'abord adverbe
En premier, avant de faire autre chose. *Tu iras jouer plus tard, il faut* ***d'abord*** *que tu finisses tes devoirs.* **CONTR** après, ensuite.

d'accord adverbe
Indique l'approbation. *Tu viens avec nous ? –* ***D'accord !*** • **Être d'accord :** être du même avis ou accepter. *Julien* ***est d'accord*** *pour venir avec nous.*

dactylo nom
Personne dont le métier est de transcrire des textes à l'aide d'une machine à écrire ou d'un ordinateur.

dactylographier verbe ▸conjug. 10
Taper un texte à la machine ou le saisir à l'ordinateur.

Un **dahlia**

dada nom masculin
Dans la langue familière, passe-temps. *La lecture a toujours été son* ***dada***. **SYN** marotte.

dahlia nom masculin
Plante à grosses fleurs rondes et très colorées.

daigner verbe ▸conjug. 3
Vouloir bien faire quelque chose malgré un certain dédain. *Ce prétentieux* ***a*** *quand même* ***daigné*** *nous dire bonjour.*

d'ailleurs adverbe
❶ De plus. *Roberto ne peut pas venir avec nous,* ***d'ailleurs*** *il a une partie de hockey.* **SYN** du reste. ❷ D'un autre lieu. *Je viens* ***d'ailleurs*** *: je suis née en Afrique.*

daim nom masculin
❶ Mammifère sauvage de la famille du cerf. *Le pelage du* ***daim*** *est brun tacheté de blanc.* ❷ Cuir très fin ressemblant à la peau de cet animal. *Une veste en* ***daim***.

Un **daim**

dallage nom masculin
Ensemble de dalles. *Le bord de la piscine est fait d'un* ***dallage*** *en pierres.* * Chercher aussi *carrelage.*

dalle nom féminin
Plaque dure servant à recouvrir un sol. *Le bruit de nos pas résonne sur les* ***dalles.*** ♦ Famille du mot : dallage, daller. * Chercher aussi *carreau.*

daller verbe ▸conjug. 3
Recouvrir le sol avec des dalles. *Elle a fait* ***daller*** *la terrasse.* * Chercher aussi *carreler.*

dalmatien nom masculin
Chien blanc au pelage tacheté de noir ou de brun. 👁p. 194.

daltonien, daltonienne nom
Qui est atteint d'une anomalie de la perception des couleurs. *Les* ***daltoniens*** *ne peuvent faire la différence entre certaines couleurs.*

dame nom féminin
❶ Femme. *Notre voisine est une* ***dame*** *très gentille.* * Chercher aussi *madame.* ❷ L'une des figures du jeu de cartes, qui représente une reine. *La* ***dame*** *de trèfle.*
■ **dames** nom féminin pluriel Jeu qui se joue à deux avec des pions noirs et blancs que l'on déplace sur un damier.

Un ***dalmatien***

damer verbe ▸conjug. 3
Tasser la neige. *Cette piste de ski vient d'****être damée.***

damier nom masculin
Plateau carré divisé en cases noires et blanches, sur lequel on joue aux dames.

damnation nom féminin
Condamnation à aller en enfer après la mort. *Elle est athée et ne croit pas à la* ***damnation.***

damner verbe ▸conjug. 3
Condamner à la damnation.

dan nom masculin
Chacun des degrés dans la hiérarchie des ceintures noires de judo ou de karaté. * Attention ! Le *n* du mot *dan* se prononce.

se **dandiner** verbe ▸conjug. 3
Balancer son corps d'un mouvement régulier. *Les oies se dirigent vers la mare en* ***se dandinant.***

danger nom masculin
Ce qui constitue un risque grave. *Ce jouet ne présente aucun* ***danger*** *pour les enfants.* ♦ Famille du mot : dangereusement, dangereux.

dangereusement adverbe
De façon dangereuse. *C'est une aventurière, elle aime vivre* ***dangereusement.***

dangereux, dangereuse adjectif
❶ Qui présente un danger. *Cette petite route est très* ***dangereuse*** *: il faut rouler lentement.* SYN périlleux. ❷ Qui peut faire du mal. *Le carcajou est un animal* ***dangereux.*** CONTR inoffensif.

danois, danoise
➔Voir tableau, p. 1319.

dans préposition
Sert à indiquer… ❶ le lieu. *L'oiseau est* ***dans*** *la cage.* CONTR hors de. ❷ le temps. ***Dans*** *un mois, ce sera les vacances.* ❸ l'approximation. *J'ai payé mon billet de train* ***dans*** *les cent dollars.* ❹ l'intention, le but. *Il s'entraîne* ***dans*** *l'espoir de réussir.*

danse nom féminin
Art ou manière de danser. *Des cours de* ***danse.*** *La valse, le tango, le rock sont des* ***danses.*** • **Danse à claquettes :** danse rythmée avec les pieds qui frappent du talon ou de la pointe sur le parquet.

danser verbe ▸conjug. 3
Exécuter une suite de mouvements en suivant le rythme d'une musique. *Ma grand-mère* ***danse*** *très bien la valse et le tango.* • **Ne pas savoir sur quel pied danser :** ne pas savoir ce que l'on doit faire. ♦ Famille du mot : danse, danseur.

danseur, danseuse nom
❶ Personne qui danse pour s'amuser. *Thomas est un excellent* ***danseur*** *de rock.* ❷ Artiste dont le métier est de danser. *Elle aimerait devenir* ***danseuse*** *de ballet.* SYN ballerine.
• **En danseuse :** en pédalant debout sur les pédales. *Le coureur cycliste montait la côte* ***en danseuse.***

d'après préposition
Indique le point de vue. ***D'après*** *moi, il va faire beau demain.* SYN selon.

dard nom masculin
Organe creux et pointu de certains animaux leur servant à piquer. *Les guêpes, les abeilles ont un* ***dard.*** SYN aiguillon.

date nom féminin
❶ Indication du jour, du mois et de l'année. *Quelle est la **date** de ta naissance ?* ❷ Moment où un évènement s'est produit. *Les grandes **dates** de l'histoire du Nouveau Monde.*
• **De longue date** : depuis longtemps. *Ce sont des amis **de longue date**.*

dater verbe ▸ conjug. 3
❶ Inscrire la date sur un document. *Ce chèque n'**est** pas **daté**.* ❷ Exister depuis une certaine date. *Cette maison **date** du début du 19e siècle.* SYN remonter. • **Cela ne date pas d'hier** : cela existe depuis longtemps. ❸ Déterminer la date de quelque chose. *Les historiens ont réussi à **dater** le manuscrit.*

datte nom féminin
Petit fruit allongé, très sucré, produit par certains palmiers. *Un carré aux **dattes**.*

dattier nom masculin
Variété de palmier qui donne les dattes.

Des **dattes**

Un **dattier**

dauphin nom masculin
Mammifère marin vivant généralement en groupe. *Les **dauphins** sont des cétacés.* 👁p. 638.

Des **dauphins**

daurade nom féminin
Poisson de mer aux reflets dorés. ✎ On écrit aussi ***dorade***.

davantage adverbe
❶ En plus grande quantité. *Ces fraises sont délicieuses, j'en voudrais **davantage**.* SYN plus. CONTR moins. ❷ Plus longtemps. *Je ne peux pas rester **davantage**.*

① **de** déterminant
Le déterminant *des* se transforme souvent en *de* quand le nom qu'il introduit est précédé d'un adjectif et que ce nom est au pluriel. *J'ai des amis. J'ai **de** bons amis.* Dans une phrase négative, les déterminants *un, une, des* se transforment en *de* quand ils sont dans un groupe du nom complément du verbe. *J'ai acheté* un *vélo neuf. Je n'ai pas acheté **de** vélo neuf. J'ai appris* des *leçons. Je n'ai pas appris **de** leçon.* Le déterminant *de* se transforme en *d'* devant une voyelle (***d'****autres amis*) ou un « h » muet (*un brin **d'**herbe*).

② **de** préposition
Sert à donner diverses indications. *Arriver **de** Vancouver* (provenance). *Se munir **d'**un parapluie* (moyen). *Le livre **d'**Hélène* (appartenance). *Un blouson **de** cuir* (matière). La préposition *de* se combine avec les déterminants *le* et *les* pour former les déterminants contractés *du* et *des*. *Je reviens **du*** (de + le) *concert. J'aime les films **des*** (de + les) *réalisateurs italiens.*
* Chercher aussi ① *de*.

dé nom masculin
❶ Petit cube dont chaque face est marquée de points allant de 1 à 6 et dont on se sert dans certains jeux de hasard. ❷ Petit étui en métal qui protège le doigt quand on coud.

dé-, des-, dés- préfixes
Placés au début de certains mots pour former d'autres mots, *dé-, des-, dés-* marquent la séparation, la négation ou la privation (***dé****caféiner*) ou encore l'action contraire (***dé****barrer*).

déambuler verbe ▸ conjug. 3
Se promener sans but précis. *Aïcha adore **déambuler** dans les rues du centre-ville.*

débâcle nom féminin
❶ Rupture soudaine de la couche de glace d'un cours d'eau, emportée par le courant.
* Chercher aussi *embâcle*. ❷ Débandade d'une armée. SYN déroute.

déballage nom masculin
Action de déballer. *Le **déballage** des boîtes après le déménagement.* CONTR emballage.

déballer verbe ▸ conjug. 3
Sortir quelque chose de son emballage. *Les enfants **déballent** leurs cadeaux de Noël.* CONTR ① emballer.

a b c d e f g h i j k l m n o p q r s t u v w x y z

débandade nom féminin
Fuite en désordre. *Quelle* ***débandade*** *dans l'immeuble quand le feu s'est déclaré!*

se **débarbouiller** verbe ▸ conjug. 3
Se laver le visage. *Il est allé* ***se débarbouiller*** *dès qu'il s'est rendu compte qu'il avait du chocolat autour de la bouche.*

débarbouillette nom féminin
Carré de tissu éponge avec lequel on fait sa toilette. * Chercher aussi *gant* de toilette.*

débarcadère nom masculin
Endroit aménagé pour débarquer ou embarquer des personnes, des marchandises. * Chercher aussi *embarcadère.*

① **débardeur, débardeuse** nom
Personne qui charge et décharge les navires.

② **débardeur** nom masculin
Tricot décolleté et sans manches que l'on porte sur un autre vêtement.

Un ***débardeur***

débarquement nom masculin
Action de débarquer. *Le* ***débarquement*** *des passagers.*

débarquer verbe ▸ conjug. 3
❶ Descendre d'un bateau ou d'un avion. *Après la traversée de l'Atlantique, nous* ***avons débarqué*** *à l'aéroport de Londres.* **CONTR** embarquer. ❷ Faire sortir des objets ou des personnes d'un bateau ou d'un avion. *Les débardeurs* ***ont débarqué*** *les caisses.*
♦ Famille du mot: débarcadère, débarquement.

débarras nom masculin
Endroit où l'on met les objets encombrants. *Le sous-sol sert de* ***débarras.*** • **Bon débarras!:** se dit quand on voit avec soulagement partir quelqu'un ou disparaître quelque chose.

débarrasser verbe ▸ conjug. 3
Enlever ce qui encombre. *Nous allons* ***débarrasser*** *le garage de tout ce fouillis.*
■ *se* **débarrasser** ❶ Jeter quelque chose. *Elle* ***s'est débarrassée*** *de ses vieux meubles.* ❷ Éloigner quelqu'un. *J'ai prétexté un rendez-vous pour* ***me débarrasser*** *de mon visiteur.*

débat nom masculin
Discussion entre des personnes. *Le* ***débat*** *sur cette question a duré plusieurs heures.*
■ **débats** nom masculin pluriel Discussion dans une assemblée politique. *Les* ***débats*** *de l'Assemblée nationale.*

débattre verbe ▸ conjug. 31
Discuter de quelque chose. *Les deux candidats vont* ***débattre*** *à la télévision du programme de leur parti.* ■ *se* **débattre**: s'agiter en faisant des efforts pour se libérer. *On a essayé de l'attaquer, mais il a réussi à* ***se débattre*** *et à fuir.* **SYN** se démener.

débauche nom féminin
Comportement d'une personne qui se livre à des excès, à des vices.

débaucher verbe ▸ conjug. 3
Licencier. *Cette entreprise* ***a débauché*** *vingt employés.* **SYN** congédier. **CONTR** embaucher.

débile nom
• **Débile mental:** personne dont l'intelligence ne s'est pas développée normalement. ■ **débile** adjectif Dans la langue familière, stupide. *Une émission télévisée* ***débile.***

① **débit** nom masculin
❶ Vente de marchandises au détail. *Ce petit magasin n'a pas un grand* ***débit.*** ❷ Quantité d'eau, d'électricité qui s'écoule en un temps donné. *À la fonte des neiges, le* ***débit*** *de ce torrent est impressionnant.* ❸ Manière de parler. *Cette actrice a un* ***débit*** *trop rapide, j'ai du mal à la comprendre.*

② **débit** nom masculin
Compte des sommes que l'on doit ou qui ont été débitées. **CONTR** crédit. ♦ Famille du mot: débiter, débiteur.

① **débiter** verbe ▸ conjug. 3
❶ Vendre au détail. *La commerçante* ***débite*** *ses marchandises.* ❷ Laisser s'écouler un liquide. *Sais-tu combien ce fleuve* ***débite*** *de mètres cubes à la seconde?* ❸ Réciter d'un ton monotone. *L'enfant* ***a débité*** *sa comptine.*

② **débiter** verbe ▸ conjug. 3
Retirer une somme d'un compte. *Ma mère a fait un chèque de cent dollars, la banque va* ***débiter*** *son compte de ces cent dollars.* **CONTR** créditer.

③ débiter verbe ▸ conjug. 3
Couper en morceaux. *Dans cette scierie, on **débite** les billes de pin pour en faire des planches.*

débiteur, débitrice nom
Personne qui doit de l'argent. *Je ne vous ai pas encore remboursé: je suis votre **débiteur**.* **CONTR** créancier.

déblayage nom masculin
Action de déblayer. *En hiver, le **déblayage** de la neige dans les rues prend beaucoup de temps.*

déblayer verbe ▸ conjug. 7
Débarrasser un lieu de ce qui l'encombre. *Quand cette maison s'est écroulée, il a fallu **déblayer** la rue. Elle **a déblayé** la neige devant l'entrée de la maison.*

débloquer verbe ▸ conjug. 3
❶ Remettre en état de marche ce qui était bloqué. *La serrure est rouillée, on n'arrive pas à la **débloquer**.* ❷ Supprimer les obstacles. *Il faut **débloquer** la situation.*

débogage nom masculin
Élimination des bogues d'un logiciel ou d'un matériel informatique.

déboguer verbe ▸ conjug. 3
Éliminer les bogues d'un logiciel ou d'un matériel informatique.

déboires nom masculin pluriel
Évènement qui déçoit. *Ils ont des **déboires** avec leur nouvelle voiture.* **SYN** ennuis.

déboisement nom masculin
Action de déboiser. **CONTR** reboisement.

Un **déboisement**

déboiser verbe ▸ conjug. 3
Dégarnir un lieu de ses bois, de ses arbres. *Depuis que cette région **a été déboisée**, il y a souvent des glissements de terrain.* **CONTR** reboiser.

se **déboîter** verbe ▸ conjug. 3
Faire sortir un os de son articulation. *Jérémie **s'est déboîté** le genou en jouant au tennis.* **SYN** se démettre, se luxer. ✎ On peut écrire aussi ***se déboiter***.

débordement nom masculin
❶ Fait de déborder. *Le **débordement** d'une rivière.* ❷ Excès. *Un **débordement** de joie.* **SYN** effusion.

déborder verbe ▸ conjug. 3
❶ Passer par-dessus le bord. *Avec toutes ces pluies, la rivière risque de **déborder**.* ❷ Être plein de. *Cet enfant **déborde** d'énergie.* • **Être débordé:** être surchargé de travail.

débosselage nom masculin
Action de débosseler.

débosseler verbe ▸ conjug. 9
Réparer les carrosseries d'automobiles. ✎ On peut écrire aussi, au présent, *il **débossèle***; au futur, *tu **débossèleras***; au conditionnel, *elle **débossèlerait***.

débosseleur, débosseleuse nom
Personne qui fait le débosselage des carrosseries d'automobiles.

débouché nom masculin
❶ Endroit ou marché pour vendre un produit. *Cette entreprise cherche des **débouchés** à l'étranger.* ❷ Perspective d'emploi. *Ce diplôme n'offre pas beaucoup de **débouchés**.*

① déboucher verbe ▸ conjug. 3
❶ Enlever le bouchon. *Pas besoin de tire-bouchon pour **déboucher** cette bouteille.* **CONTR** boucher. ❷ Retirer ce qui bouche. *Marissa est assez bricoleuse pour **déboucher** le lavabo.*

② déboucher sur verbe ▸ conjug. 3
❶ Aboutir à un endroit. *Ce chemin **débouche sur** le lac.* ❷ Offrir comme débouché. *Ces études peuvent **déboucher sur** plusieurs emplois.*

a b c d e f g h i j k l m n o p q r s t u v w x y z

a b c d e f g h i j k l m n o p q r s t u v w x y z

débouler verbe ▸ conjug. 3
Descendre ou arriver très vite. *L'enfant **a déboulé** l'escalier.*

débourser verbe ▸ conjug. 3
Dépenser une certaine somme d'argent. *Ce repas vous est offert, vous n'aurez rien à **débourser**.* SYN payer.

debout adverbe
❶ Dans la position verticale. *Je ne suis pas fatigué, je peux rester **debout**.* ❷ Levé. *À six heures du matin, elle est déjà **debout**.* • **Dormir debout** : être très fatigué. • **Tenir debout** : être vraisemblable. *Cette histoire ne **tient** pas **debout**.*

déboutonner verbe ▸ conjug. 3
Défaire les boutons d'un vêtement. *Marek a chaud, il **a déboutonné** son manteau.* CONTR boutonner.

débraillé, débraillée adjectif
Qui a une tenue négligée, en désordre. *Philippe vient de se rouler dans l'herbe, il est tout **débraillé**.*

débrancher verbe ▸ conjug. 3
Enlever un appareil d'un branchement. *Pour ne pas être dérangée, ma sœur **a débranché** le téléphone.* CONTR brancher.

débrayage nom masculin
❶ Action de débrayer. *Dans une voiture, la pédale de **débrayage** est à gauche de celle du frein.* CONTR embrayage. ❷ Arrêt de travail, grève. *Un **débrayage** d'une heure a eu lieu ce matin.*

débrayer verbe ▸ conjug. 7
❶ Faire cesser la liaison entre le moteur et les roues d'un véhicule. *Il faut **débrayer** pour changer de vitesse sur une voiture à transmission manuelle.* CONTR embrayer.
❷ Cesser le travail en faisant grève. *Les employés de cette usine ont décidé de **débrayer**.*

débridé, débridée adjectif
Qui est sans limites. *Esteban a une imagination **débridée**.*

débris nom masculin
Morceau d'un objet qui a été cassé. *Le chat a cassé le vase, je vais ramasser les **débris**.*

débrouillard, débrouillarde adjectif
Qui est capable de se débrouiller. *Elle est assez **débrouillarde** pour s'en sortir toute seule.*

débrouillardise nom féminin
Qualité d'une personne débrouillarde.

débrouiller verbe ▸ conjug. 3
Éclaircir quelque chose d'embrouillé. *Le détective a fini par **débrouiller** cette affaire.* SYN démêler. ■ *se* **débrouiller** : se tirer d'affaire habilement. *Ce n'est pas la peine de l'aider, il sait **se débrouiller** tout seul.* ♦ Famille du mot : débrouillard, débrouillardise.

débroussailler verbe ▸ conjug. 3
Enlever les broussailles. *Pour arriver à la maison abandonnée, il a fallu **débroussailler** le chemin.*

débusquer verbe ▸ conjug. 3
Faire sortir de son refuge. *Les chasseurs **ont débusqué** un lièvre.*

début nom masculin
Commencement. *Dès le **début**, cette histoire est intéressante.* CONTR fin. • **Faire ses débuts** : faire ses premiers pas dans un domaine. *Ce chanteur **a fait ses débuts** à Chicoutimi.*

débutant, débutante adjectif et nom
Personne qui débute dans une activité. *Une conductrice **débutante**. – Ce sont des **débutants**.* SYN apprenti, novice.

débuter verbe ▸ conjug. 3
❶ Commencer. *Le match doit **débuter** à 20 heures.* CONTR finir, se terminer.
❷ Commencer à apprendre ou à faire quelque chose. *Marianne **débute** en gymnastique.*
♦ Famille du mot : début, débutant.

***Débuter** en gymnastique*

DEC nom masculin
Sigle de ***D**iplôme d'**é**tudes **c**ollégiales.*

déca- préfixe
Placé devant le nom d'une unité de mesure, *déca-* multiplie par dix cette unité de mesure (***déca**litre* = dix litres).

en **deçà de** préposition
De ce côté-ci. *Il faut rester **en deçà de** la clôture.* CONTR au-delà de.

décacheter verbe ▸ conjug. 9
Ouvrir une enveloppe en la décollant. **CONTR** cacheter. ✎ On peut écrire aussi, au présent, *je **décachète***; au futur, *tu **décachèteras***; au conditionnel, *nous **décachèterions***.

décadence nom féminin
Période de déclin ou d'affaiblissement. *Cette région autrefois très riche est tombée en **décadence**.*

décaféiné, décaféinée adjectif
Sans caféine. *Le soir, mes parents boivent du café **décaféiné**.*

décalage nom masculin
Écart dans le temps ou dans l'espace. *Il y a une heure de **décalage** horaire entre Montréal et Winnipeg.*

décalcomanie nom féminin
Procédé qui permet de reporter des dessins sur un objet à décorer. *Hélène a décoré son cahier avec des **décalcomanies**.*

décaler verbe ▸ conjug. 3
Déplacer dans le temps ou dans l'espace. ***Décaler** un rendez-vous d'une heure.*

décalitre nom masculin
Unité de capacité qui vaut dix litres. * Abréviation: ***dal***.

décalquer verbe ▸ conjug. 3
Reproduire une image après l'avoir tracée sur un papier transparent.

décamètre nom masculin
Unité de longueur qui vaut dix mètres. * Abréviation: ***dam***.

décamper verbe ▸ conjug. 3
Dans la langue familière, s'enfuir. *L'averse a fait **décamper** tout le monde.*

décantation nom féminin
Action de décanter.

décanter verbe ▸ conjug. 3
Laisser se déposer les matières solides contenues dans un liquide. *Laisser **décanter** du vin avant de le servir.*

décaper verbe ▸ conjug. 3
Gratter la rouille ou la peinture qui recouvre une surface. *Il faut **décaper** la table du jardin avant de la repeindre.*

décapiter verbe ▸ conjug. 3
Trancher la tête. *En 1793, le roi Louis XVI **a été décapité**.*

décapotable adjectif
Qui est équipé d'un toit ou d'une capote que l'on peut enlever ou replier. *Une voiture **décapotable**.* ■ **décapotable** nom féminin
Voiture décapotable. *Il emprunte souvent la **décapotable** de sa mère.*

*Une **décapotable***

décapsuler verbe ▸ conjug. 3
Enlever la capsule qui bouche une bouteille.

décapsuleur nom masculin
Ustensile pour décapsuler les bouteilles. **SYN** ouvre-bouteille.

*Un **décapsuleur***

décéder verbe ▸ conjug. 8
Mourir, pour une personne. *Il **est décédé** à la suite d'une longue maladie.* * Attention! *Décéder* se conjugue toujours avec l'auxiliaire *être*. ✎ On peut écrire aussi, au futur, *il **décèdera***; au conditionnel, *elle **décèderait***.

déceler verbe ▸ conjug. 8
Trouver quelque chose qui était peu apparent. ***Déceler** l'origine d'une fuite, d'une panne.* **SYN** détecter.

décembre nom masculin
Douzième et dernier mois de l'année, qui compte trente et un jours. ✎ Attention! Le nom des mois s'écrit avec une minuscule.

décemment adverbe
D'une manière décente. *S'habiller **décemment** pour une cérémonie.* * Attention! La terminaison *emment* se prononce *amant*.

décence nom féminin
Discrétion, respect des convenances. *Il n'a pas eu la **décence** de se taire pendant la conférence.*

décennie nom féminin
Période de dix ans. *Les ordinateurs se sont multipliés durant la dernière **décennie**.*

décent, décente adjectif
Qui est convenable, correct. *La directrice exige des élèves une tenue **décente**.* ♦ Famille du mot : décemment, décence, indécent.

décentralisation nom féminin
Action de décentraliser. *La **décentralisation** a créé des emplois dans cette région.*

décentraliser verbe ▸ conjug. 3
Transférer dans différentes régions d'un pays des entreprises ou des bureaux centralisés dans la capitale. *Cette entreprise **est décentralisée** ; ses bureaux régionaux peuvent prendre des décisions importantes.*

déception nom féminin
Sentiment que l'on éprouve quand quelque chose que l'on espérait ne se produit pas. *Lucas n'est pas venu à la fête, quelle **déception** !*
SYN désappointement, désillusion. **CONTR** joie.

décerner verbe ▸ conjug. 3
Donner une récompense ou des honneurs à quelqu'un. *Les juges **ont décerné** la médaille d'or à cette championne de patinage.*
SYN attribuer.

décès nom masculin
Fait de décéder. *Elle est bien triste depuis le **décès** de son mari.* **SYN** mort.

décevant, décevante adjectif
Qui déçoit. *Malgré tous nos efforts, le résultat est bien **décevant**.*

décevoir verbe ▸ conjug. 21
Causer une déception parce qu'un espoir ne s'est pas réalisé. *Votre refus de venir me **décevrait** beaucoup. Les résultats de Karen **ont déçu** ses parents.* ♦ Famille du mot : déception, décevant.

déchaîné, déchaînée adjectif
Qui est très excité. *Les gens étaient **déchaînés** après la victoire de l'équipe de hockey.* ✎ On peut écrire aussi ***déchainé***, ***déchainée***.

déchaîner verbe ▸ conjug. 3
Provoquer une réaction intense. *Une scène comique du film **a déchaîné** les rires des spectateurs.* ■ se **déchaîner** : devenir très violent. *La tempête de neige **s'est déchaînée** et a causé plusieurs accidents.* ✎ On peut écrire aussi ***déchainer***.

déchanter verbe ▸ conjug. 3
Perdre ses illusions. *On espérait gagner, mais on **a** vite **déchanté** : ils étaient les meilleurs.*

décharge nom féminin
❶ Endroit où l'on jette les ordures. *Dans cette **décharge**, on trie les déchets pour les recycler.* **SYN** dépotoir. ❷ Coup tiré avec une arme à feu. *Le chevreuil a été abattu d'une **décharge** en plein front.* ❸ Choc produit par le passage du courant électrique. *En touchant la prise de courant, j'ai reçu une **décharge** électrique.*

déchargement nom masculin
Action de décharger. *Les passagers attendent le **déchargement** des bagages.*
CONTR chargement.

décharger verbe ▸ conjug. 5
❶ Débarrasser de son chargement. *J'ai aidé ma mère à **décharger** la voiture.* **CONTR** charger. ❷ Vider une arme à feu en tirant toutes les balles. ❸ Débarrasser de sa charge électrique. *La voiture ne démarre pas car la batterie **est déchargée**.* ❹ Faire une partie d'un travail à la place de quelqu'un. *Je **décharge** un peu mes parents de leurs tâches ménagères.*

décharné, décharnée adjectif
Très maigre. *Ces enfants sont **décharnés** à cause de la famine.*

déchausser verbe ▸ conjug. 3
Enlever les chaussures de quelqu'un. *Sébastien **déchausse** sa petite sœur.* ■ se **déchausser** : enlever ses chaussures. *Vos bottes sont toutes mouillées, vous devriez **vous déchausser**.*
CONTR se chausser.

déchéance nom féminin
Décadence physique, morale ou sociale. *Pauvre homme, quelle **déchéance** depuis qu'il a perdu son emploi !*

déchet nom masculin
Ordure, résidu. *Certains **déchets** peuvent être recyclés.*

déchiffrer verbe ▸ conjug. 3
Arriver à lire ce qui est mal écrit ou difficile à comprendre. *Si tu écris mal, personne n'arrivera à **déchiffrer** ton écriture.*

déchiqueter verbe ▶ conjug. 9
Mettre en morceaux, en lambeaux. ***Déchiqueter*** *des documents.* ✎ On peut écrire aussi, au présent, *il* ***déchiquète***; au futur, *tu* ***déchiquèteras***; au conditionnel, *nous* ***déchiquèterions***.

déchirant, déchirante adjectif
Qui émeut beaucoup. *Le convoi de réfugiés offrait un spectacle* ***déchirant****.*

déchirement nom masculin
Grande douleur morale. *Son décès a été un* ***déchirement*** *pour nous.*

déchirer verbe ▶ conjug. 3
❶ Mettre en morceaux. *Mélanie* ***déchire*** *sa lettre et la recommence.* ❷ Faire un accroc. *En montant à l'arbre, Thomas* ***a déchiré*** *son pantalon.* • **Déchirer le cœur:** causer un grand chagrin. ♦ Famille du mot: déchirant, déchirement, déchirure.

déchirure nom féminin
Endroit où quelque chose s'est déchiré. *Chloé avait une* ***déchirure*** *à sa robe. Une* ***déchirure*** *musculaire.*

déchoir verbe ▶ conjug. 23
Perdre sa dignité en tombant dans un statut inférieur à celui que l'on avait. *Il* ***a été déchu*** *de son rang.*

déchu, déchue adjectif
Qui a perdu son autorité, son prestige. *Accusée de fraude, elle a été* ***déchue*** *de ses fonctions.*

déci- préfixe
Placé devant le nom d'une unité de mesure, *déci-* divise par dix cette unité de mesure (***déci****litre* = un dixième de litre).

décibel nom masculin
Unité de puissance d'un son.

décidé, décidée adjectif
❶ Qui n'hésite pas. *Il marche d'un pas* ***décidé****.* **SYN** résolu. **CONTR** indécis. ❷ Qui est fixé, réglé. *La date du départ est déjà* ***décidée****.*

décidément adverbe
Vraiment, à coup sûr. ***Décidément****, elle n'a pas de chance!*

décider verbe ▶ conjug. 3
❶ Choisir de faire quelque chose. *Mes parents* ***ont décidé*** *d'aller passer leur fin de semaine à Québec.* ❷ Convaincre quelqu'un de faire quelque chose. *J'essaie de le* ***décider*** *à venir avec nous en vacances.* **SYN** persuader.
■ *se* **décider**: prendre une résolution. *Marie* ***s'est*** *enfin* ***décidée*** *à apprendre à nager.*
♦ Famille du mot: décidé, décidément, décisif, décision, indécis, indécision.

décigramme nom masculin
Dixième partie du gramme. * Abréviation: ***dg***.

décilitre nom masculin
Dixième partie du litre. * Abréviation: ***dl***.

décimal, décimale, décimaux adjectif
• **Nombre décimal:** nombre qui a des chiffres après la virgule. * Chercher aussi *entier*.
• **Système décimal:** manière de compter qui a pour base le nombre dix. ■ **décimale** nom féminin Chacun des chiffres placés après la virgule. *Le nombre 4,75 a deux* ***décimales****: 7 et 5.*

décimer verbe ▶ conjug. 3
Faire mourir beaucoup de gens ou d'animaux. *Une grave maladie* ***a décimé*** *ce troupeau de moutons.*

décimètre nom masculin
Dixième partie du mètre. * Abréviation: ***dm***.

décisif, décisive adjectif
Qui décide du résultat définitif. *Tes prochaines notes seront* ***décisives*** *pour ton admission au cégep.* **SYN** capital, déterminant.

décision nom féminin
❶ Ce que l'on a décidé de faire. *Ma* ***décision*** *est prise: je jouerai au soccer cet été.* ❷ Qualité d'une personne ferme et résolue. *Elle agit toujours avec* ***décision****, sans hésitation.* **CONTR** indécision.

déclamer verbe ▶ conjug. 3
Réciter à haute voix, d'un ton solennel. *Autrefois, les acteurs* ***déclamaient*** *leurs textes.*

Déclamer un texte

déclaration nom féminin
Ce que l'on dit pour déclarer quelque chose. *Le premier ministre a fait une* ***déclaration*** *aux médias.* • **Déclaration de revenus:** formulaire que l'on remplit chaque année pour déclarer ses revenus.

déclarer verbe ▸ conjug. 3
❶ Faire savoir ou annoncer quelque chose. *Samuel nous* ***a déclaré*** *qu'il n'était pas d'accord.* ❷ Faire connaître officiellement. *Il faut* ***déclarer*** *ses revenus tous les ans.* ■ *se* **déclarer**: commencer à se manifester. *Le feu* ***s'est*** *d'abord* ***déclaré*** *dans le garage.*

① **déclasser** verbe ▸ conjug. 3
Déranger l'ordre, le classement. *Ces fiches* ***sont*** *toutes* ***déclassées.*** **CONTR** classer.

② **déclasser** verbe ▸ conjug. 3
Classer à un rang inférieur. *Le coureur* ***a été déclassé****, car il n'a pas respecté le règlement.* **SYN** rétrograder.

déclenchement nom masculin
Fait de se déclencher. *Le* ***déclenchement*** *de l'alarme a alerté les pompiers.*

déclencher verbe ▸ conjug. 3
❶ Faire fonctionner un mécanisme. *Ce bouton* ***déclenche*** *automatiquement la fermeture des portes.* ❷ Provoquer une réaction. *Ce qu'elle a dit* ***a déclenché*** *un éclat de rire général.*

déclic nom masculin
Bruit sec provoqué par un mécanisme qui déclenche quelque chose. *Le* ***déclic*** *d'un appareil photo.*

déclin nom masculin
Fait de décliner. *Le* ***déclin*** *du jour. Le* ***déclin*** *d'un royaume, d'une civilisation.*

① **décliner** verbe ▸ conjug. 3
Perdre de sa force, de sa puissance. *Sa force* ***a décliné****, il ne peut plus soulever ces boîtes.* **SYN** baisser, diminuer.

② **décliner** verbe ▸ conjug. 3
❶ Refuser poliment quelque chose. *Odile* ***a décliné*** *mon offre.* ❷ Énoncer pour dire qui l'on est. *La policière m'a demandé de* ***décliner*** *mon identité.*

décocher verbe ▸ conjug. 3
• **Décocher une flèche:** la lancer avec un arc ou une arbalète.

décoder verbe ▸ conjug. 3
Traduire les signes d'un message codé en langage clair. *Autrefois, les marins devaient* ***décoder*** *le morse.*

décodeur nom masculin
Appareil qui permet de décoder des signaux. *Pour avoir accès à ce programme de télévision, il faut un* ***décodeur.***

décoiffer verbe ▸ conjug. 3
Dépeigner. *Un coup de vent* ***a décoiffé*** *Sarah.*

décollage nom masculin
Fait de décoller. *Le* ***décollage*** *de l'avion est prévu pour 15 heures.* **CONTR** atterrissage.

Un ***décollage***

décollé, décollée adjectif
Séparé du reste. *Des oreilles* ***décollées.***

① **décoller** verbe ▸ conjug. 3
Détacher ce qui était collé. *Quel beau timbre! Je vais le* ***décoller*** *de l'enveloppe.* **CONTR** coller.

② **décoller** verbe ▸ conjug. 3
Quitter le sol. *L'avion vient de* ***décoller.*** **CONTR** atterrir.

décolleté, décolletée adjectif
Qui laisse voir le cou, les épaules et le haut de la poitrine. *Une robe* ***décolletée.*** ■ **décolleté** nom masculin Endroit où un vêtement est décolleté. *Un* ***décolleté*** *en pointe.*

décolonisation nom féminin
Action de décoloniser. *La **décolonisation** de l'Afrique a commencé après la Deuxième Guerre mondiale.*

décoloniser verbe ▸ conjug. 3
Accorder son indépendance à une colonie. *Ce pays **a été décolonisé** il y a vingt ans.*

décolorer verbe ▸ conjug. 3
Faire perdre sa couleur initiale. *Le soleil **a décoloré** le parasol.* ■ se **décolorer** : perdre sa couleur. *Cette chemise **s'est décolorée** au lavage.*

décombres nom masculin pluriel
Ruines et débris laissés par une destruction. *Les secouristes fouillent les **décombres**, à la recherche des disparus.*

Des **décombres**

décommander verbe ▸ conjug. 3
Annuler une commande, une invitation ou un rendez-vous. *Elle a envoyé un courriel à son fournisseur pour **décommander** certains articles.*

décomposé, décomposée adjectif
Qui a l'air bouleversé par l'émotion, la peur. *Il était **décomposé** en apprenant la nouvelle.*

décomposer verbe ▸ conjug. 3
❶ Séparer les parties qui composent quelque chose. *Kevin **a décomposé** le nombre 1683 : 1000 + 600 + 80 + 3 = 1683.* ❷ Pourrir. *Le soleil est en train de **décomposer** cette viande.* ■ se **décomposer** : pourrir. *Le cadavre de cet écureuil est en train de **se décomposer**.*

décomposition nom féminin
❶ Action de décomposer. *La **décomposition** d'un problème.* ❷ Fait de se décomposer. *Le cadavre de cette mouffette est en **décomposition**.*

décompresser verbe ▸ conjug. 3
Dans la langue familière, relâcher la tension nerveuse. *Ernesto ira quelques jours au chalet pour **décompresser**.*

déconcentrer verbe ▸ conjug. 3
Disperser l'attention de quelqu'un. *Les cris du public **ont déconcentré** l'athlète.*

déconcertant, déconcertante adjectif
Qui déconcerte. *Une attitude **déconcertante**.* **SYN** déroutant, surprenant.

déconcerter verbe ▸ conjug. 3
Surprendre quelqu'un et le troubler. *Ta réponse me **déconcerte**, je ne m'y attendais pas.* **SYN** décontenancer, dérouter, désarçonner, désorienter.

déconfit, déconfite adjectif
Qui est déçu et abattu. *Chahid est **déconfit** à cause de son échec.*

déconfiture nom féminin
Échec complet. *Notre équipe n'a pas gagné un seul match, c'est la **déconfiture**.*

décongélation nom féminin
Action de décongeler. **CONTR** congélation.

décongeler verbe ▸ conjug. 8
Ramener un aliment congelé à une température normale. *Mon père a sorti le poulet du congélateur pour le **décongeler**.*

déconnecter verbe ▸ conjug. 3
Débrancher un appareil. *J'**ai déconnecté** le téléphone pour pouvoir dormir en paix.*

déconseiller verbe ▸ conjug. 3
Conseiller de ne pas faire quelque chose. *Je te **déconseille** d'aller voir ce film.* **CONTR** conseiller.

décontamination nom féminin
Réduction ou élimination d'une contamination. *La **décontamination** du sol de ce jardin communautaire a été saluée par tout le quartier.*

a b c d e f g h i j k l m n o p q r s t u v w x y z

décontaminer verbe ▸ conjug. 3
Éliminer ou réduire les effets d'une contamination sur un territoire donné. *Le sol de cette ancienne station-service vient d'**être décontaminé**.*

décontenancer verbe ▸ conjug. 4
Déconcerter. *Cette question inattendue l'**a décontenancée**; elle n'a pas su quoi répondre.*

décontracté, décontractée adjectif
❶ Calme, détendu physiquement. *Pendant la piqûre, il est resté **décontracté**.*
❷ Insouciant, à l'aise partout. *Éliane est une fille **décontractée**.* SYN détendu.
CONTR embarrassé, soucieux, tendu.

se **décontracter** verbe ▸ conjug. 3
Détendre son corps. *Loïc a du mal à **se décontracter** avant un examen.* SYN se relaxer.

décontraction nom féminin
Fait d'être décontracté.

décor nom masculin
❶ Ensemble d'accessoires utilisés pour décorer un lieu. *Elle a modifié le **décor** de son salon.*
❷ Environnement. *Ils habitent en haut de la montagne, dans un **décor** de rêve.* SYN cadre.

*Un **décor***

décorateur, décoratrice nom
Personne qui décore, aménage des lieux, ou qui crée des décors de théâtre ou de cinéma.

décoratif, décorative adjectif
Qui décore agréablement. *Ces bouquets de fleurs sont très **décoratifs**.*

décoration nom féminin
❶ Façon de décorer un lieu. *Ma mère prévoit changer la **décoration** de ma chambre.*
❷ Insigne pour honorer ou récompenser quelqu'un. *Cette artiste a reçu un nombre impressionnant de **décorations**.* SYN médaille.
❸ Ornement. *Des **décorations** d'Halloween.*

décorer verbe ▸ conjug. 3
❶ Garnir un lieu d'accessoires pour le rendre plus beau. *Le salon **est décoré** avec des tableaux.* SYN orner. ❷ Remettre une décoration à quelqu'un. *La mairesse **a décoré** ce pompier pour sa bravoure.* ♦ Famille du mot: décor, décorateur, décoratif, décoration.

décortiquer verbe ▸ conjug. 3
Enlever l'enveloppe dure ou la coquille d'un aliment. ***Décortiquer** des noix.* SYN écaler.

découdre verbe ▸ conjug. 53
Défaire ce qui était cousu. *En tirant sur un fil, j'**ai décousu** l'ourlet de mon pantalon.*

découler verbe ▸ conjug. 3
Être la conséquence logique de quelque chose. *Cette défaite **découle** de notre manque d'entraînement.* SYN provenir, résulter.

découpage nom masculin
❶ Action de découper. *Le **découpage** d'une volaille.* ❷ Image à découper. *Un album de **découpages**.*

découper verbe ▸ conjug. 3
❶ Couper en morceaux ou en tranches. *Veux-tu **découper** la dinde?* ❷ Couper une image avec des ciseaux, en suivant les contours. *Il **a découpé** cette illustration dans un magazine.*
■ *se* **découper**: apparaître nettement. *Le sommet de la tour **se découpe** sur le ciel.*
SYN se détacher.

décourageant, décourageante adjectif
Qui décourage. *Plus je répare cette voiture et plus elle tombe en panne: c'est **décourageant**!*
SYN démoralisant. CONTR encourageant.

découragement nom masculin
Fait d'être découragé. *Ses amis l'ont aidé à sortir de son **découragement**.*

décourager verbe ▸ conjug. 5
Faire perdre le courage. *La défaite l'**a découragé**.* SYN démoraliser. CONTR encourager.
• **Décourager quelqu'un de quelque chose**: lui ôter l'envie, le goût de cette chose. *Il nous **a découragés d'**entreprendre ce voyage.*
SYN dissuader.

décousu, décousue adjectif
❶ Dont la couture est défaite. *Un ourlet **décousu**.* ❷ Au sens figuré, qui n'a pas de suite logique. *Ses propos étaient **décousus**, je n'ai rien compris de ce qu'il a dit.*
SYN incohérent.

découverte nom féminin
Fait de découvrir des choses inconnues. *Ce sont quatre chercheurs de l'Université de Toronto qui ont fait la **découverte** de l'insuline.*

découvrir verbe ▸ conjug. 12
❶ Trouver quelque chose qui était caché ou inconnu. ***Découvrir** un trésor. Christophe Colomb **a découvert** l'Amérique en 1492.* ❷ Apercevoir quelque chose. *En arrivant au sommet de la montagne, on **a découvert** le paysage.* ■ *se* **découvrir** ❶ Enlever un vêtement ou une partie de ses vêtements. *Le proverbe dit : « En avril ne **te découvre** pas d'un fil ».* ❷ Retirer son chapeau. *Il **se découvre** toujours pour saluer les dames.* ❸ S'éclaircir, en parlant du temps, du ciel. **SYN** se dégager. **CONTR** se couvrir.

décrasser verbe ▸ conjug. 3
Débarrasser de la crasse. *Il faut **décrasser** le conduit de la cheminée avant de faire du feu.* **SYN** nettoyer. **CONTR** encrasser.

décret nom masculin
Décision prise par le gouvernement. *Un **décret** municipal limite la vitesse dans cette rue à 30 km/h.*

décréter verbe ▸ conjug. 8
❶ Ordonner par décret. *Le maire **a décrété** la fermeture de ce dépotoir.* ❷ Décider fermement, avec autorité. *Cette athlète **a décrété** qu'elle arrêtait la compétition.*

décrire verbe ▸ conjug. 47
❶ Faire la description de quelque chose ou de quelqu'un. *Les commentateurs sportifs **décrivent** le match.* **SYN** dépeindre. ❷ Suivre une trajectoire courbe. *La patineuse **décrit** une large boucle sur la glace.*

décrochage nom masculin
Action de décrocher. *Cette enseignante s'acharne à lutter contre le **décrochage**.* **CONTR** raccrochage.

décrocher verbe ▸ conjug. 3
❶ Défaire ce qui était accroché. *Avant de repeindre la pièce, il a fallu **décrocher** les tableaux.* **CONTR** accrocher. ❷ Soulever le téléphone de son support. *Le téléphone sonne, tu ne veux pas **décrocher** ?* **CONTR** raccrocher. ❸ Abandonner ses études. *Il **a décroché** avant la fin de son secondaire.* **CONTR** raccrocher. ❹ Dans la langue familière, obtenir. *Emma espère **décrocher** une médaille olympique.*

décrocheur, décrocheuse nom
Élève qui quitte l'école avant la fin des études secondaires.

décroissant, décroissante adjectif
Qui est dans un ordre allant du plus grand au plus petit. *Dans un compte à rebours, on compte dans l'ordre **décroissant** : 5, 4, 3, 2, 1, 0.* **CONTR** croissant.

décroître verbe ▸ conjug. 37
Diminuer peu à peu. *Les jours commencent à **décroître** dès le début de l'été.* **CONTR** croître. ✎ On peut écrire aussi ***décroitre***.

décrue nom féminin
Baisse du niveau des eaux après une crue. *La **décrue** du fleuve est commencée.* **CONTR** crue.

déçu, déçue adjectif
Triste, désappointé. *Il est très **déçu** d'avoir été éliminé.*

décupler verbe ▸ conjug. 3
❶ Multiplier par dix. ❷ Au sens figuré, augmenter énormément. *La colère **a décuplé** sa force.*

Être **déçu**

dédaigner verbe ▸ conjug. 3
Traiter avec dédain. *Il **a** toujours **dédaigné** les honneurs et refusé toute décoration.* **SYN** mépriser.

dédaigneux, dédaigneuse adjectif
Qui est hautain et méprisant. *Une moue **dédaigneuse**.*

dédain nom masculin
Mépris ou arrogance envers autrui. *Elle nous a regardés avec **dédain**.*

dédale nom masculin
Labyrinthe. *Ce vieux quartier est un véritable **dédale**.*

dedans adverbe
À l'intérieur. *Je me suis dépêché d'ouvrir la boîte pour voir ce qu'il y avait **dedans**.* **CONTR** dehors. • **En dedans :** à l'intérieur. • **Là-dedans :** dans cet endroit. ■ **dedans** nom masculin Intérieur de quelque chose. *Le **dedans** de cette maison est en meilleur état que le dehors.*

a b c d e f g h i j k l m n o p q r s t u v w x y z

dédicace nom féminin
Phrase écrite pour quelqu'un sur un livre, par son auteur. *« À Anthony, avec toute mon affection » est une gentille **dédicace**.*

dédicacer verbe ▸ conjug. 4
Écrire une dédicace. *Élodie a fait **dédicacer** son livre par l'auteure.*

dédier verbe ▸ conjug. 10
❶ Offrir en hommage par une inscription. *Cet auteur **a dédié** son livre à ses parents.* ❷ Consacrer un lieu à un dieu ou à un saint. *Cette chapelle **est dédiée** à saint Joseph.*

se **dédire** verbe ▸ conjug. 46
Revenir sur ce que l'on avait dit ou promis. *Le témoin **s'est** tout à coup **dédit**.*
✎ Attention ! *Se dédire* se conjugue comme le verbe *dire*, sauf à la deuxième personne du pluriel du présent : *vous **vous dédisez***.

dédommagement nom masculin
Indemnité accordée en compensation d'un dommage. *L'assurance a versé des **dédommagements** aux victimes.*

dédommager verbe ▸ conjug. 5
Accorder un dédommagement à quelqu'un. *J'ai cassé ton vélo, je vais te **dédommager**.* SYN indemniser.

dédoubler verbe ▸ conjug. 3
Partager une chose en deux. *Il y a trop d'élèves dans cette classe, on va la **dédoubler**.* ■ se **dédoubler** : être à deux endroits à la fois, faire deux choses à la fois. *Il ne peut pas **se dédoubler** et venir t'aider et m'aider en même temps.*

dédramatiser verbe ▸ conjug. 3
Rendre moins dramatique. *Ce conflit n'est pas grave, il faut le **dédramatiser**.* CONTR dramatiser.

déduction nom féminin
❶ Action de déduire une somme. *Avez-vous fait la **déduction** de ce que j'ai déjà versé ?* ❷ Raisonnement qui permet de déduire logiquement. *Pierre est beaucoup plus mûr que Felipe : la **déduction** que l'on peut faire, c'est que Felipe est plus jeune que Pierre.*

déduire verbe ▸ conjug. 43
❶ Enlever une somme d'un total. *Sur les vingt dollars que je te dois, je **déduis** les dix dollars que tu me dois : je ne te dois donc plus que dix dollars.* SYN soustraire. ❷ Tirer la conséquence logique de quelque chose. *En voyant ton manteau ici, j'en **ai déduit** que tu n'étais pas loin.* SYN conclure.

déesse nom féminin
Divinité féminine. *Vénus était la **déesse** romaine de l'Amour.*

*La **déesse** hindoue Durga*

défaillance nom féminin
❶ Moment de faiblesse. *Cette athlète a été victime d'une **défaillance** juste avant la fin du match.* ❷ Arrêt du fonctionnement normal d'une machine. *À cause de la **défaillance** du système de sécurité, on a volé des tableaux au musée.*

défaillant, défaillante adjectif
Qui a une défaillance. *Sa mémoire est **défaillante**, il ne se souvient de rien.*

défaillir verbe ▸ conjug. 14
S'évanouir. *Il a tellement faim qu'il est sur le point de **défaillir**.* ♦ Famille du mot : défaillance, défaillant.

défaire verbe ▸ conjug. 42
❶ Faire à l'inverse de ce qui avait été fait avant. *En arrivant à l'hôtel, elle **a défait** sa valise.* ❷ Détacher ou dénouer quelque chose. *Fais attention, ton nœud **est défait**.* ❸ Vaincre. *Nous **avons défait** l'équipe adverse.* ■ *se* **défaire** ❶ Se détacher. *Tes lacets viennent de **se défaire**.* ❷ Se débarrasser de quelque chose. ***Se défaire** de ses livres.*

défaite nom féminin
Fait de perdre une bataille ou une compétition. *La **défaite** de l'équipe de soccer a consterné les partisans.* CONTR victoire.

défaitiste adjectif
Qui n'a pas l'espoir de gagner, de réussir. *Ne sois pas si **défaitiste**, je suis sûr que tu vas réussir.* SYN pessimiste.

défaut nom masculin
❶ Ce qui n'est pas bien dans le caractère d'une personne. *C'est un orgueilleux et un paresseux, ce sont ses principaux **défauts**.* CONTR qualité. ❷ Partie mal faite. *Cette robe a un **défaut** au col.* SYN imperfection. • **En défaut:** en faute. *Cette automobiliste est passée au feu rouge, le policier l'a prise **en défaut**.* CONTR en règle. • **À défaut de:** en l'absence de. ***À défaut de** jus, il a bu de l'eau.* SYN faute de. • **Faire défaut:** manquer. *Sa mémoire lui **fait** parfois **défaut**.*

défavorable adjectif
Qui n'est pas favorable. *Un vent **défavorable** empêche le voilier de rentrer au port.* CONTR favorable, propice.

défavoriser verbe ▸ conjug. 3
Donner à quelqu'un moins d'avantages qu'aux autres. *En lui donnant moins d'argent de poche qu'à son jumeau, tu l'**as défavorisé**.* SYN désavantager. CONTR favoriser.

défection nom féminin
❶ Fait de ne pas venir là où l'on était attendu. *La **défection** de plusieurs membres nous a obligés à reporter la réunion.* ❷ Abandon d'une cause, d'un parti.

défectueux, défectueuse adjectif
Qui a un défaut empêchant le bon fonctionnement. *Cet appareil photo est **défectueux**.*

défendre verbe ▸ conjug. 31
❶ Aider, soutenir ou protéger quelqu'un qui est attaqué. *Anna était là pour **défendre** ses amis.* • **À son corps défendant:** à contrecœur. ❷ Interdire à quelqu'un de faire quelque chose. *Ma mère nous **défend** de jouer avec des allumettes.* CONTR autoriser, permettre. ■ *se* **défendre**: résister à une attaque. *Il **s'est** courageusement **défendu** contre ses assaillants.* ♦ Famille du mot: autodéfense, défense, défenseur, défensif.

① **défense** nom féminin
❶ Protection d'un lieu. *Ce général a organisé la **défense** de la ville.* CONTR attaque. ❷ Action qui implique tous les joueurs d'une même équipe et qui vise à contrer l'attaque des adversaires qui tentent de marquer des buts. *La **défense** était faible pendant ces éliminatoires.* * Chercher aussi *attaque*. ❸ Ensemble des joueurs qui appuient le gardien de but pour empêcher l'équipe adverse de marquer des buts. ❹ Fait de défendre, d'interdire. *Sur ce mur est écrit «**Défense** d'afficher».* SYN interdiction. ❺ Action de se défendre, de résister à une attaque. *Un geste de **défense**.* ❻ Action de défendre quelqu'un qui est attaqué. *L'avocat assure la **défense** de l'accusée. Elle prend toujours la **défense** de son petit frère.*

② **défense** nom féminin
Très longue dent recourbée de certains mammifères. *Les éléphants, les morses, les sangliers ont des **défenses**.*

*Des **défenses** de morse, d'éléphant et de sanglier*

a b c d e f g h i j k l m n o p q r s t u v w x y z

défenseur nom masculin
❶ Personne qui défend quelqu'un ou quelque chose. *Le héros de ce film est le **défenseur** des faibles.* ❷ Dans les sports d'équipe, ensemble des joueurs chargés d'appuyer le gardien de but et d'empêcher les joueurs de l'équipe adverse de lancer au but. * Chercher aussi *attaquant*.

défensif, défensive adjectif
Qui sert à défendre. *Autrefois, les boucliers servaient d'armes **défensives**.* **CONTR** offensif.
■ **défensive** nom féminin
• **Être sur la défensive:** être prêt à se défendre.

déferlement nom masculin
Fait de déferler. *Écouter le **déferlement** des vagues.*

déferler verbe ▸ conjug. 3
❶ Retomber en roulant et se briser. *Les vagues forment de l'écume en **déferlant** sur les rochers.* ❷ Au sens figuré, se précipiter quelque part. *La foule **déferle** dans cette rue.*

défi nom masculin
❶ Provocation qu'on lance à quelqu'un pour voir s'il est capable de faire quelque chose. *Je te mets au **défi** de courir aussi vite que moi.* ❷ Difficulté à surmonter. *C'est un **défi** d'assembler ce meuble sans feuillet d'instructions.*

déficience nom féminin
Insuffisance physique ou intellectuelle.

déficient, déficiente adjectif
Qui présente une déficience. *Sa vision est **déficiente**.*

déficit nom masculin
Somme d'argent qui manque pour que les recettes équilibrent les dépenses. *Cette entreprise a un léger **déficit** cette année.* **CONTR** bénéfice. • **Déficit d'attention:** tendance à se laisser distraire et à se disperser, incapacité à se concentrer en situation d'apprentissage.

déficitaire adjectif
Qui présente un déficit. *Cette compagnie d'assurances a fermé car elle était trop **déficitaire**.* **CONTR** bénéficiaire.

défier verbe ▸ conjug. 10
Proposer un défi à quelqu'un. *Mathis m'**a défié** aux échecs.*

se **défier de** verbe ▸ conjug. 10
Dans la langue littéraire, se méfier.

défigurer verbe ▸ conjug. 3
Abîmer ou déformer un visage. *Il **a été défiguré** dans l'accident.*

*Un **défilé** de mode*

défilé nom masculin
❶ Passage très étroit entre deux montagnes. **SYN** gorge. ❷ Groupe de personnes qui avancent en rang ou en file. *Un **défilé** de mode.*

défiler verbe ▸ conjug. 3
❶ Marcher en file, en rang. *Les manifestants **ont défilé** en scandant des slogans.* ❷ Se suivre sans interruption. *Les clients **défilent** sans cesse dans cette boulangerie.*

se **défiler** verbe ▸ conjug. 3
Dans la langue familière, se dérober. *Je comptais sur lui pour m'aider, mais il **s'est défilé**.*

défini, définie adjectif
❶ Qui est précis. *On lui a donné à faire un travail bien **défini**.* **CONTR** imprécis, vague. ❷ Se dit d'un déterminant qui sert à désigner des choses, des animaux ou des gens précis. *Le, la, les sont les déterminants **définis**.* **CONTR** indéfini.

définir verbe ▸ conjug. 11
Expliquer avec précision, donner la définition. ***Définir** un mot, une expression.* ♦ Famille du mot: défini, définition, indéfini.

définitif, définitive adjectif
Que l'on ne peut plus changer. *On attend le résultat **définitif** des élections.* **CONTR** provisoire. • **En définitive:** en fin de compte. ***En définitive**, c'est lui qui avait raison.*

définition nom féminin
Explication du sens d'un mot. *Le dictionnaire donne la **définition** des mots.*

définitivement adverbe
De façon définitive, pour toujours. *Ils se sont installés **définitivement** à l'étranger.*

déflagration nom féminin
Explosion violente. *La **déflagration** a fait trembler les vitres.*

défoncer verbe ▸ conjug. 4
Casser en enfonçant. *En reculant, le camion **a défoncé** le mur.*

déforestation nom féminin
Destruction d'une forêt ou résultat de cette action. *La **déforestation** est à l'origine de catastrophes climatiques.* 👁p. 386.

déformant, déformante adjectif
Qui déforme. *Un miroir **déformant**.*

*Un miroir **déformant***

déformation nom féminin
Fait de déformer. *Cette maladie provoque une **déformation** des jambes.*

déformer verbe ▸ conjug. 3
Changer la forme de quelque chose. *Ce miroir **déforme** les visages.* ■ *se* **déformer**: perdre sa forme. *Mon chandail **s'est** complètement **déformé** au lavage.*

défoulement nom masculin
Fait de se défouler. *Cette crise de rire a été un bon **défoulement**.*

se **défouler** verbe ▸ conjug. 3
Se libérer en faisant ce que l'on a envie de faire. *Les enfants **se défoulent** en jouant au ballon.*

défraîchi, défraîchie adjectif
Qui a perdu son éclat, ses couleurs. *Ce vêtement est **défraîchi**.* ✎ On peut écrire aussi ***défraichi***, ***défraichie***.

défrayer verbe ▸ conjug. 7
Rembourser quelqu'un de ses frais. *L'entreprise le **défraie** de ses frais de déplacement.* • **Défrayer la chronique**: faire beaucoup parler de soi.

défricher verbe ▸ conjug. 3
Détruire les herbes et les plantes qui encombrent un terrain. *Les ronces et les mauvaises herbes ont envahi ce terrain, il faut le **défricher**.*

défunt, défunte nom
Personne décédée. *Selon la volonté du **défunt**, l'enterrement aura lieu dans l'intimité.*

dégagé, dégagée adjectif
❶ Qui n'est pas couvert. *Le ciel est **dégagé** aujourd'hui.* ❷ Qui montre de l'aisance. *Malgré sa peur, elle parlait d'un ton **dégagé**.* **CONTR** embarrassé.

dégagement nom masculin
❶ Action de dégager ou fait de se dégager. ❷ Au hockey, lancer de la rondelle hors de la zone de but. *Le joueur, en difficulté dans son territoire, a fait un **dégagement**.*

dégager verbe ▸ conjug. 5
❶ Débarrasser quelque chose de ce qui l'encombre. *Il va falloir **dégager** le couloir pour faire passer le piano.* ❷ Laisser échapper quelque chose. *Ces fleurs **dégagent** un parfum agréable.* **SYN** répandre. ❸ Envoyer la rondelle très loin. *Le joueur de hockey **dégage** vers l'avant.* ■ *se* **dégager** ❶ Apparaître quelque part. *Une épaisse fumée **se dégage** du bâtiment en feu.* ❷ S'éclaircir. *Le ciel **se dégage**, il va faire beau.* ♦ Famille du mot: dégagé, dégagement.

dégainer verbe ▸ conjug. 3
Sortir une arme de son étui. ***Dégainer** un pistolet, une épée.*

dégarnir verbe ▸ conjug. 11
Vider un lieu de ce qui le garnit. *Il n'y a plus un seul livre ici, toutes les étagères **ont été dégarnies**.* **SYN** dépouiller. **CONTR** garnir. ■ *se* **dégarnir**: perdre ses cheveux. *Son crâne **se dégarnit**.*

dégât nom masculin
Destruction causée par une catastrophe, un accident. *La grêle a causé de gros **dégâts** aux cultures.* **SYN** dégradation, dommage.

dégel nom masculin
Période de fonte des neiges ou des glaces. *C'est le début du **dégel**, il faut se méfier des embâcles.* **CONTR** gel.

dégeler verbe ▸ conjug. 8
Faire fondre ce qui était gelé. *À la fin de l'hiver, les rivières commencent à **dégeler**.* **CONTR** geler.

*Un **dégel***

a b c d e f g h i j k l m n o p q r s t u v w x y z

dégénérer verbe ▸ conjug. 8
Se transformer en quelque chose de pire. *Sa grippe **a dégénéré** en pneumonie.* ✎ On peut écrire aussi, au futur, *il **dégénèrera***; au conditionnel, *elle **dégénèrerait**.*

dégivrage nom masculin
Action de dégivrer. *Le système de **dégivrage** de la voiture n'est pas efficace.*

dégivrer verbe ▸ conjug. 3
Enlever le givre. *Ce matin, j'ai dû **dégivrer** les vitres de la voiture.*

dégivreur nom masculin
Dispositif servant à dégivrer le pare-brise et parfois la vitre arrière d'une automobile. *Heureusement que le **dégivreur** de cette voiture fonctionne bien, parce que la visibilité est limitée !*

dégonfler verbe ▸ conjug. 3
Laisser s'échapper l'air qui gonflait quelque chose. ***Dégonfler** un pneu.* CONTR gonfler.
■ *se* **dégonfler** ❶ Se vider de son air. *Ton ballon est en train de **se dégonfler**.* ❷ Dans la langue familière, ne pas oser faire quelque chose. *Étienne voulait faire une farce au professeur, mais au dernier moment, il **s'est dégonflé**.*

dégouliner verbe ▸ conjug. 3
Couler lentement. *La gouttière doit être bouchée, il y a de l'eau qui **dégouline** le long du mur.*

dégourdi, dégourdie adjectif
Qui est malin et débrouillard. *Cet enfant est très **dégourdi** pour son âge.*

dégourdir verbe ▸ conjug. 11
Faire cesser l'engourdissement. *Marchons un peu, ça va nous **dégourdir** les jambes !*

dégoût nom masculin
Impression désagréable que l'on a devant quelque chose d'écœurant. *Julie a poussé un cri de **dégoût** en voyant le rat.* SYN répulsion.
✎ On peut écrire aussi ***dégout***.

dégoûtant, dégoûtante adjectif
❶ Qui est très sale. *Ce torchon est **dégoûtant**.* SYN répugnant. ❷ Qui est ignoble, honteux. *Ils se sont conduits de façon **dégoûtante**.* ✎ On peut écrire aussi ***dégoutant***, ***dégoutante***.

dégoûter verbe ▸ conjug. 3
Inspirer du dégoût. *Ce plat de rognons me **dégoûte**. Jade **est dégoûtée** par les matchs de boxe.* SYN écœurer. ♦ Famille du mot : dégoût, dégoûtant. ✎ On peut écrire aussi ***dégouter***.

dégradation nom féminin
Fait de se dégrader. *L'humidité a provoqué la **dégradation** des murs.* SYN dégât, détérioration.

dégradé nom masculin
Diminution progressive de l'éclat d'une couleur. *Un **dégradé** de bleus.*

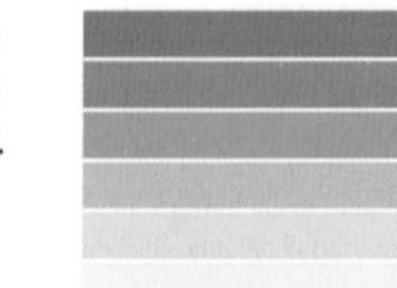
*Un **dégradé** de bleus*

① **dégrader** verbe ▸ conjug. 3
❶ Abîmer ou endommager une chose. *L'humidité **a dégradé** les murs de cette maison.* SYN détériorer. ❷ Faire perdre sa dignité à quelqu'un. *Le chômage et l'alcoolisme l'**ont dégradé**.* ❸ Enlever à quelqu'un son grade. ***Dégrader** un militaire.*
■ *se* **dégrader** : se détériorer peu à peu. *Depuis qu'il n'est plus habité, cet immeuble **se dégrade**.*

② **dégrader** verbe ▸ conjug. 3
Diminuer peu à peu les couleurs. *Pour peindre la mer, cette artiste **a** bien **dégradé** les bleus.*

dégrafer verbe ▸ conjug. 3
Détacher ce qui est agrafé. *Elle **a dégrafé** sa jupe.*

dégraisser verbe ▸ conjug. 3
Retirer la graisse. *Mon père **a dégraissé** le bouillon avant d'y faire cuire les légumes.*

degré nom masculin
❶ Unité qui sert à mesurer la température. *J'aime me baigner quand l'eau est à vingt-six **degrés** Celsius (26 °C).* * Chercher aussi *thermomètre*. ❷ Unité qui sert à mesurer les angles. *Un angle inférieur à quatre-vingt-dix **degrés** (90°) est un angle aigu.* * Chercher aussi *rapporteur*.

dégressif, dégressive adjectif
Qui va en diminuant par degrés. *Plus vous achetez en grandes quantités, plus vous profitez du tarif **dégressif**.* CONTR progressif.

dégringolade nom féminin
Dans la langue familière, chute.

dégringoler verbe ▸ conjug. 3
❶ Dans la langue familière, tomber. *En cueillant des pommes, Christos **a dégringolé** de l'échelle.* ❷ Dans la langue familière, dévaler. *Yasmina **a dégringolé** l'escalier pour accueillir son amie.*

dégrossir verbe ▶ conjug. 11
Tailler une matière grossièrement pour commencer à lui donner une forme. *Le sculpteur **a dégrossi** ce bloc de marbre.*

déguerpir verbe ▶ conjug. 11
Dans la langue familière, s'enfuir. *L'arrivée du gardien les a fait **déguerpir**.* **SYN** décamper, détaler, filer, prendre la poudre d'escampette*.

Un **déguisement**

déguisement nom masculin
Costume servant à se déguiser. *Olivier a choisi un **déguisement** de clown.*

déguiser verbe ▶ conjug. 3
Transformer pour tromper. *Pour ne pas être reconnue, Sabine **a déguisé** sa voix.* ■ *se* **déguiser** : porter un costume qui modifie son aspect. *Pour l'Halloween, mon petit frère **s'est déguisé** en astronaute.*

dégustation nom féminin
Action de déguster. *Une **dégustation** de produits du terroir.*

déguster verbe ▶ conjug. 3
Manger ou boire lentement ou avec plaisir. *On **a dégusté** des mets typiques de la région.* **SYN** savourer.

dehors adverbe
À l'extérieur. *Elles jouent **dehors** avec le ballon.* **CONTR** dedans. • **Mettre quelqu'un dehors** : le chasser. **SYN** renvoyer. ■ **dehors** nom masculin ❶ L'extérieur. *Les bruits qui viennent du **dehors** sont insupportables.* ❷ Première impression donnée par une personne, son apparence. *Julien a des **dehors** peu aimables.*

déjà adverbe
❶ Dès maintenant, dès à présent. *J'ai **déjà** fini de dîner.* ❷ Auparavant, avant le moment présent. *Fabrice a **déjà** suivi des cours de musique.*

déjeuner verbe ▶ conjug. 3
Prendre le repas du matin. *Raphaël **déjeune** toujours rapidement. Ce matin, Camilla est partie à l'école sans **déjeuner**, car elle s'est levée trop tard.* ■ **déjeuner** nom masculin
Repas du matin. *On a pris le **déjeuner** dans la véranda.*

déjouer verbe ▶ conjug. 3
Faire échouer un projet. *Ils voulaient lui tendre un piège, mais elle **a déjoué** leurs plans.*

delà →Voir **au-delà**

délabré, délabrée adjectif
Qui est en mauvais état. *La grange était tellement **délabrée** qu'elle s'est effondrée.*

délabrement nom masculin
État de ce qui est délabré. *La maison sera difficile à rénover à cause de son **délabrement**.*

délacer verbe ▶ conjug. 4
Défaire ce qui est lacé. *Cet enfant est trop petit pour **délacer** ses chaussures tout seul.* **SYN** dénouer. **CONTR** lacer. * Ne pas confondre *délacer* et *délasser*.

délai nom masculin
Durée prévue pour faire quelque chose. *À la bibliothèque, le **délai** pour rapporter les livres empruntés est de trois semaines.*

délaisser verbe ▶ conjug. 3
Ne plus s'intéresser à quelque chose ou à quelqu'un. *Ma grand-mère a le sentiment d'**être délaissée** par ses enfants.* **SYN** négliger.

délassement nom masculin
Action ou façon de se délasser. *La lecture est un bon **délassement**.* **SYN** détente, distraction.

délasser verbe ▶ conjug. 3
Faire disparaître la lassitude. *Ce bain tiède va te **délasser**.* **SYN** détendre. ■ *se* **délasser** : se détendre. *Après son travail, Karen **se délasse** en écoutant de la musique.* * Ne pas confondre *délasser* et *délacer*.

délateur, délatrice nom
Personne qui fait de la délation. * Chercher aussi *informateur*.

délation nom féminin
Fait de dénoncer quelqu'un pour des raisons méprisables.

délavé, délavée adjectif
Qui est décoloré par les lavages, éclairci à l'eau de Javel. *Elle n'achète que des jeans **délavés**.*

délayer verbe ▶ conjug. 7
Mélanger à un liquide. *Gregory a préparé la pâte à crêpes en **délayant** la farine et les œufs avec du lait.*

délectable adjectif
Délicieux. *Un repas **délectable**.*

a b c d e f g h i j k l m n o p q r s t u v w x y z

délectation nom féminin
Fait de se délecter. *Déguster du sucre à la crème avec* ***délectation****.*

se **délecter** verbe ▸ conjug. 3
Prendre un très grand plaisir à faire quelque chose. *Je* ***me suis délectée*** *à la lecture de ce livre.* SYN se régaler. ♦ Famille du mot : délectable, délectation.

délégation nom féminin
❶ Groupe de délégués. *Le ministre a reçu une* ***délégation*** *d'agriculteurs.* ❷ Action de déléguer. *La* ***délégation*** *d'une tâche.*

délégué, déléguée nom
Personne déléguée. *Mon grand frère est le* ***délégué*** *de sa classe.*

déléguer verbe ▸ conjug. 8
❶ Envoyer quelqu'un pour représenter un groupe. *Les grévistes* ***ont délégué*** *deux représentants auprès de la directrice de l'usine.* SYN mandater. ❷ Confier une partie de ses fonctions. *Le chef du personnel* ***a délégué*** *certaines tâches à son assistante.* ✎ On peut écrire aussi, au futur, *tu* ***délègueras*** ; au conditionnel, *elle* ***délèguerait****.* ♦ Famille du mot : délégation, délégué.

Un ***délice***

délester verbe ▸ conjug. 3
Enlever du lest pour alléger. ***Délester*** *une montgolfière.* CONTR lester.

délibération nom féminin
Action de délibérer. *Le jury est en pleine* ***délibération****.* SYN débat, discussion.

délibéré, délibérée adjectif
Qui est fait volontairement, en connaissance de cause. *Un geste* ***délibéré****.* SYN intentionnel. CONTR involontaire.

délibérément adverbe
De façon délibérée. *David a* ***délibérément*** *bousculé sa sœur.* SYN intentionnellement. CONTR involontairement.

délibérer verbe ▸ conjug. 8
Réfléchir et discuter ensemble avant de prendre une décision. *Avant de désigner le lauréat, les membres du jury* ***délibèrent****.* ♦ Famille du mot : délibération, délibéré, délibérément.

délicat, délicate adjectif
❶ Qui est agréable et fin. *J'aime beaucoup l'odeur* ***délicate*** *des roses.* SYN raffiné, subtil. CONTR violent. ❷ Qui est sensible, fragile. *Elle a une santé très* ***délicate****.* CONTR résistant, robuste. ❸ Qui est compliqué, embarrassant. *Le racisme est un sujet* ***délicat*** *à aborder.* CONTR facile, simple. ❹ Qui est discret, bien élevé, attentionné. *Étienne s'est montré* ***délicat****, il a offert des fleurs à sa mère.* CONTR grossier. ♦ Famille du mot : délicatement, délicatesse.

délicatement adverbe
Doucement, avec précaution. *Ces verres sont très fragiles, il faut les essuyer* ***délicatement****.*

délicatesse nom féminin
Caractère délicat d'une chose ou d'une personne. *Quelle* ***délicatesse*** *d'avoir fait mon dessert préféré !*

délice nom masculin
Chose délicieuse. *Cette crème glacée au chocolat est un vrai* ***délice****.* SYN régal.

délicieux, délicieuse adjectif
❶ Qui est très bon. *Le gâteau au chocolat était* ***délicieux****.* SYN délectable, exquis. CONTR infect. ❷ Qui est très agréable. *Béatrice est une jeune fille* ***délicieuse****.* SYN charmant.

délier verbe ▸ conjug. 10
Dénouer un lien. *Anne-Marie* ***délie*** *précipitamment la gerbe de fleurs qu'on vient de lui offrir.* CONTR lier.

délimiter verbe ▸ conjug. 3
Fixer les limites de quelque chose. *Cette ligne blanche* ***délimite*** *le terrain de football.*

délinquance nom féminin
Ensemble des actes commis par les délinquants. *Il y a beaucoup de* ***délinquance*** *dans les grandes villes.*

délinquant, délinquante nom
Personne qui a commis plusieurs délits. *Ces deux* ***délinquants*** *ont volé une voiture.*

délirant, délirante adjectif
❶ Qui délire. *Un malade* ***délirant****.* ❷ Qui est très vif, excessif. *Le chanteur a reçu un accueil* ***délirant****.*

délire nom masculin
❶ Sorte de confusion, d'égarement causés parfois par la fièvre. *Le malade a eu une crise de* ***délire****.* ❷ Très grand enthousiasme. *Pendant tout le concert de rock, la foule était en* ***délire****.* ♦ Famille du mot : délirant, délirer.

délirer verbe ▸ conjug. 3
Avoir une crise de délire. *Elle a tellement de fièvre qu'elle **délire**.* **SYN** divaguer.

délit nom masculin
Faute punie par la loi. *Cet individu a déjà commis plusieurs **délits**.* • **En flagrant délit:** juste au moment où la faute est en train de se commettre. *Elle a été prise **en flagrant délit**.* **SYN** la main dans le sac*, sur le fait*.

délivrance nom féminin
Soulagement ou apaisement. *Mes maux de dents ont cessé: c'est une vraie **délivrance**.*

délivrer verbe ▸ conjug. 3
❶ Rendre la liberté à une personne ou à un animal. *Les otages **ont** enfin **été délivrés**.* **SYN** libérer. ❷ Remettre, donner un document à quelqu'un. *Au Québec, c'est la Société d'assurance automobile qui **délivre** les permis de conduire.* ■ se **délivrer**: se débarrasser de quelque chose. *Il a réussi à **se délivrer** de sa timidité.* **SYN** se libérer.

déloger verbe ▸ conjug. 5
Faire partir une personne ou un animal de l'endroit qu'il occupait. *Le chien **a délogé** le chat de son fauteuil préféré.*

déloyal, déloyale, déloyaux adjectif
Qui est malhonnête et de mauvaise foi. *C'est un adversaire **déloyal**.* **CONTR** droit, honnête, loyal.

delta nom masculin
❶ Lettre de l'alphabet grec qui a la forme d'un triangle. ❷ Embouchure d'un fleuve à plusieurs bras. *Le **delta** du Mississippi couvre une superficie de 75 000 km².* * Chercher aussi estuaire.

deltaplane nom masculin
Planeur très léger dont la voilure est en forme de delta.

Un **deltaplane**

déluge nom masculin
❶ Selon la Bible, inondation qui a recouvert toute la Terre. ❷ Très forte pluie. *Il pleut à torrents, c'est un vrai **déluge**!* ❸ Au sens figuré, grande quantité. *Alex a reçu un **déluge** de félicitations.*

déluré, délurée adjectif
Qui est dégourdi, vif, malin. *Laura est très **délurée**, elle se débrouille bien toute seule.*

démagogue adjectif et nom
Qui flatte les idées populaires et les préjugés. *Une politicienne **démagogue**. – Un habile **démagogue**.*

demain adverbe
Le jour qui suit aujourd'hui. *Aujourd'hui, c'est lundi, **demain** ce sera mardi.*

démancher verbe ▸ conjug. 3
❶ Enlever le manche. *Cette pelle ne vaut plus rien, elle **est démanchée**.* ❷ Dans la langue familière, démonter. *Il **a démanché** son jouet pour pouvoir en observer le mécanisme.*

demande nom féminin
Action de demander. *Fais ta **demande** par écrit.*

demander verbe ▸ conjug. 3
❶ Dire qu'on souhaite obtenir quelque chose. *Megan **a demandé** des CD pour son anniversaire.* ❷ Poser une question pour savoir quelque chose. ***Demander** à un passant où se trouve l'arrêt d'autobus.* ❸ Nécessiter. *Ce travail **demande** beaucoup d'attention et de patience.* ■ se **demander**: se poser une question. *Je **me demande** ce que je vais pouvoir lui offrir.*

démangeaison nom féminin
Picotement de la peau, qui démange. *Les piqûres de maringouins donnent des **démangeaisons**.*

démanger verbe ▸ conjug. 5
Donner envie de se gratter. *Sigrid a la varicelle, ses boutons la **démangent**.*

démanteler verbe ▸ conjug. 8
Détruire, mettre en pièces. *La police **a démantelé** un réseau de trafiquants de drogue.*

démantibuler verbe ▸ conjug. 3
Dans la langue familière, démolir. *Noémie pleure, car son petit frère **a démantibulé** sa poupée préférée.*

a b c d e f g h i j k l m n o p q r s t u v w x y z

démaquillant nom masculin
Produit qui sert à enlever le maquillage. *Un **démaquillant** pour les yeux.*

se **démaquiller** verbe ▸ conjug. 3
Enlever son maquillage. *Après le spectacle, les comédiens **se démaquillent** dans leur loge.* **CONTR** se maquiller.

démarcation nom féminin
Séparation entre deux choses. *Dans l'arc-en-ciel, on passe d'une couleur à l'autre sans **démarcation**.* • **Ligne de démarcation :** frontière entre deux territoires.

démarche nom féminin
❶ Façon de marcher. *Sa **démarche** est très gracieuse.* ❷ Demande faite pour obtenir quelque chose. *Ils font des **démarches** à l'hôtel de ville pour obtenir un permis de construction.*

se **démarquer** verbe ▸ conjug. 3
Se distinguer en agissant différemment des autres. *Elle **se démarque** des autres joueuses de soccer.*

démarrage nom masculin
Action de démarrer. *Cette voiture a des problèmes de **démarrage** en hiver.*

démarrer verbe ▸ conjug. 3
❶ Se mettre en marche. *Ce moteur **démarre** au quart de tour.* ❷ En être à ses débuts. *Les travaux devraient **démarrer** demain.*
♦ Famille du mot : démarrage, démarreur.

démarreur nom masculin
Mécanisme qui met un moteur en marche.

démasquer verbe ▸ conjug. 3
Identifier quelqu'un. *Le graffiteur a fini par **être démasqué**.*

démêler verbe ▸ conjug. 3
❶ Défaire ce qui est emmêlé. *Léa cherche un peigne pour **démêler** ses cheveux.* **CONTR** emmêler. ❷ Rendre plus clair, plus compréhensible. ***Démêler** une affaire, une situation.* **SYN** débrouiller.

démêlés nom masculin pluriel
Ennuis résultant d'un conflit. *Cet homme a déjà eu des **démêlés** avec ses voisins.*

démembrement nom masculin
Fait de démembrer.

démembrer verbe ▸ conjug. 3
Diviser en plusieurs parties. ***Démembrer** un grand terrain en plusieurs lots.* **SYN** morceler.

déménagement nom masculin
Action de déménager. *Ce camion de **déménagement** va transporter nos meubles jusqu'à Trois-Rivières.*

déménager verbe ▸ conjug. 5
❶ Changer d'habitation. *Mes parents aimeraient bien **déménager** au début de l'été.* **CONTR** emménager. ❷ Transporter un objet ailleurs. *J'ai aidé Pierre à **déménager** la bibliothèque dans la salle de séjour.* ♦ Famille du mot : déménagement, déménageur.

déménageur, déménageuse nom
Personne qui fait des déménagements. *Les **déménageurs** ont chargé les meubles dans le camion.*

démence nom féminin
❶ Perte de la raison. *Dans une crise de **démence**, il s'est barricadé chez lui.* **SYN** folie.
❷ Action extravagante. *Tu ne peux pas jouer dehors sous la pluie, c'est de la **démence** !*
♦ Famille du mot : dément, démentiel.

se **démener** verbe ▸ conjug. 8
❶ Se débattre. *Le chat **se démène** quand on veut l'attraper.* ❷ Au sens figuré, se donner beaucoup de mal. *Elle **se démène** pour trouver un emploi.*

dément, démente nom
Personne atteinte de démence. *Les **déments** ont besoin de soins psychiatriques.* **SYN** aliéné.
■ **dément, démente** adjectif Déraisonnable. *Ses actions **démentes** inquiètent sa famille.*

démenti nom masculin
Déclaration destinée à démentir une nouvelle. *Si cette information est fausse, le journal doit publier un **démenti**.*

démentiel, démentielle adjectif
Déraisonnable, extravagant. *Ce projet **démentiel** ne se réalisera jamais.* **SYN** insensé.

démentir verbe ▸ conjug. 15
Déclarer qu'une information est fausse. *Le journal **a démenti** la nouvelle.* **CONTR** confirmer.

démesuré, démesurée adjectif
Qui dépasse la mesure normale. *Il a une ambition **démesurée**.* **SYN** exagéré, excessif.

démettre verbe ▸ conjug. 33
Renvoyer quelqu'un de son emploi. *Il **a été démis** de ses fonctions pour faute grave.*
■ *se* **démettre** : se déplacer l'articulation d'un os. *Allan **s'est démis** l'épaule en tombant dans l'escalier.* **SYN** se déboîter.

au **demeurant** adverbe
Du reste, en fin de compte. *Ce sac à dos est cher, mais très solide* ***au demeurant.***

demeure nom féminin
❶ Lieu où l'on habite. *Le complexe Habitat-67 regroupe plusieurs* ***demeures.*** ❷ Grande maison. *Elle rêve de vivre dans une belle* ***demeure.*** • **Mettre quelqu'un en demeure :** lui donner l'ordre de faire quelque chose immédiatement.

Des **demeures** du complexe Habitat-67 à Montréal

demeurer verbe ▸ conjug. 3
❶ Habiter. *Elle* ***demeure*** *dans ce complexe d'habitations.* ❷ Rester à la même place ou dans le même état. *Sarah* ***est demeurée*** *silencieuse toute la soirée.* * Attention ! Au sens 1, *demeurer* se conjugue avec l'auxiliaire *avoir* ; au sens 2, ce verbe se conjugue avec l'auxiliaire *être*.

demi, demie adjectif
Qui représente la moitié de quelque chose. *Un* ***demi****-kilo de pommes. Un mètre et* ***demi.*** *Il est huit heures et* ***demie.*** * Attention ! Quand l'adjectif *demi* est placé devant le nom, il s'y rattache par un trait d'union et il est invariable. Quand il suit le nom, *demi* s'accorde en genre seulement avec le nom auquel il se rapporte. ■ *à* **demi** adverbe À moitié. *Ce verre est* ***à demi*** *plein.* ■ **demi, demie** nom Moitié d'une unité. *Veux-tu une orange ? – Non, seulement une* ***demie.*** ■ **demie** nom féminin Moitié d'une heure. *L'horloge vient de sonner la* ***demie.***

demi-cercle nom masculin
Moitié d'un cercle. ✎ Pluriel : *des* ***demi-cercles.***

demi-douzaine nom féminin
Moitié d'une douzaine. *Il a acheté une* ***demi-douzaine*** *d'épis de blé d'Inde, c'est-à-dire six.* ✎ Pluriel : *des* ***demi-douzaines.***

demi-finale nom féminin
Avant-dernière épreuve d'une compétition. *Notre équipe pourra disputer la finale de la coupe si elle gagne la* ***demi-finale.*** ✎ Pluriel : *des* ***demi-finales.***

demi-frère nom masculin
Frère par le père ou par la mère seulement. ✎ Pluriel : *des* ***demi-frères.***

demi-heure nom féminin
Moitié d'une heure. *Une* ***demi-heure*** *représente trente minutes.* ✎ Pluriel : *des* ***demi-heures.***

demi-mesure nom féminin
Mesure insuffisante et peu efficace. *Pour régler ces problèmes de fond, les* ***demi-mesures*** *ne suffiront pas.* ✎ Pluriel : *des* ***demi-mesures.***

à **demi-mot** adverbe
Sans qu'il soit nécessaire de tout dire. *Je lui ai fait comprendre* ***à demi-mot*** *que Véronique avait des problèmes.*

demi-sœur nom féminin
Sœur par le père ou par la mère seulement. ✎ Pluriel : *des* ***demi-sœurs.***

démission nom féminin
Action de quitter volontairement et définitivement son travail ou sa fonction. *Mon oncle va donner sa* ***démission****, car on lui propose un poste à l'étranger.*

démissionner verbe ▸ conjug. 3
Donner sa démission. *Elle* ***a démissionné*** *de ses fonctions de trésorière.*

demi-tour nom masculin
Moitié d'un tour, volte-face. *Faites* ***demi-tour*** *et revenez sur vos pas : la rue que vous cherchez est à cent mètres.* ✎ Pluriel : *des* ***demi-tours.***

démobiliser verbe ▸ conjug. 3
Renvoyer un soldat chez lui. *À la fin de la guerre, les soldats* ***sont démobilisés.***

démocrate nom
Partisan de la démocratie. *Les* ***démocrates*** *veulent que toutes les tendances politiques puissent s'exprimer.* ♦ Famille du mot : démocratie, démocratique, démocratiser.

a b c d e f g h i j k l m n o p q r s t u v w x y z

démocratie nom féminin
❶ Régime politique dans lequel le pouvoir est exercé par les représentants élus du peuple. ❷ État ainsi gouverné. *Le Canada est une* ***démocratie****.* * Chercher aussi *dictature, monarchie.*

démocratique adjectif
Qui applique les règles de la démocratie. *Dans un régime* ***démocratique****, les citoyens élisent leurs représentants.*

démocratiser verbe ▸ conjug. 3
Rendre accessible à tous. *On* ***a démocratisé*** *l'enseignement.* ■ *se* **démocratiser** : devenir démocratique. *Ce pays a fini par* ***se démocratiser****.*

se **démoder** verbe ▸ conjug. 3
Ne plus être à la mode, passer de mode. *Cette robe est originale, mais elle risque de* ***se démoder*** *très vite.*

démographie nom féminin
Science qui étudie les populations. *La* ***démographie*** *s'intéresse aux migrations, au nombre de naissances et de décès.* * Chercher aussi *mortalité, natalité.*

demoiselle nom féminin
Jeune fille non mariée. • **Demoiselle d'honneur** : petite fille ou jeune fille qui accompagne la mariée pendant la cérémonie.

démolir verbe ▸ conjug. 11
Détruire complètement. *Les bulldozers vont* ***démolir*** *cet immeuble délabré.* **SYN** abattre, raser. **CONTR** bâtir, construire. ♦ Famille du mot : démolisseur, démolition.

démolisseur, démolisseuse nom
Personne chargée de démolir une construction.

démolition nom féminin
Destruction d'une construction. *Une entreprise de* ***démolition****.* **CONTR** construction.

démon nom masculin
Diable. ■ **démon, démone** nom Enfant malicieux et turbulent. *Ma jeune sœur est une véritable petite* ***démone****.*

démoniaque adjectif
Digne du démon. *Omar avait imaginé une ruse* ***démoniaque****.* **SYN** diabolique.

démonstratif, démonstrative adjectif
Qui extériorise beaucoup ses sentiments, ses émotions. *Lucas est un garçon renfermé ; sa sœur est beaucoup plus* ***démonstrative****.* **SYN** expansif, exubérant, ouvert. • **Déterminant, pronom démonstratifs** : mots servant à désigner ce dont on parle. *Ce, cet, cette, ces sont des* ***déterminants démonstratifs*** *; celle, cela, celui-ci sont des* ***pronoms démonstratifs****.*

démonstration nom féminin
❶ Raisonnement qui montre comment on arrive au résultat. *Une* ***démonstration*** *mathématique.* ❷ Explication pratique de la manière dont quelque chose doit se faire ou doit être utilisé. *Le vendeur fait la* ***démonstration*** *d'un aspirateur.* ❸ Témoignage de ses sentiments. *Le chien aboie, saute, lèche son maître et lui fait toutes sortes de* ***démonstrations****.* ♦ Famille du mot : démonstratif, démontrer.

démontable adjectif
Que l'on peut démonter facilement. *Ma bibliothèque est entièrement* ***démontable****.*

démontage nom masculin
Action de démonter. *Le* ***démontage*** *du chapiteau a pris une journée entière aux organisateurs du cirque.*

démonté, démontée adjectif
❶ Déconcerté. *Après la défaite, il était tout* ***démonté****.* ❷ Très agité. *La mer est* ***démontée****, vous ne pouvez pas sortir du port.* **CONTR** calme. ❸ Dont on a défait les éléments. *Un mécanisme* ***démonté****.*

démonter verbe ▸ conjug. 3
Séparer les différentes parties d'un objet. *Jonathan* ***a*** *entièrement* ***démonté*** *et remonté sa planche à roulettes.* ■ *se* **démonter** : être troublé par une situation. *En voyant la porte fermée, Jade ne* ***s'est*** *pas* ***démontée****, elle est allée chez la voisine.*

démontrer verbe ▸ conjug. 3
Donner la preuve d'une vérité. *Samuel m'****a démontré*** *qu'il pouvait partir à moins dix et être à l'heure à l'école.* **SYN** prouver.

démoralisant, démoralisante adjectif
Déprimant. *Cette pluie qui n'en finit plus de tomber, c'est* ***démoralisant*** *!*

démoraliser verbe ▸ conjug. 3
Décourager, rendre triste. *Quand je vois tout ce qui me reste à faire, ça me* ***démoralise****.* **SYN** déprimer.

démordre verbe ▸ conjug. 31
• **Ne pas en démordre :** s'entêter, ne pas vouloir renoncer à son opinion. *Il est sûr de la justesse de ses prédictions et il **n'en démord pas**.*

démoulage nom masculin
Action de démouler. *Le **démoulage** d'un buste en plâtre.*

démouler verbe ▸ conjug. 3
Retirer du moule. *Mon père **a démoulé** le gâteau et l'a mis sur un plat.*

Un **démoulage**

démuni, démunie nom
Vulnérable, privé de forces, de ressources financières. *Cet organisme vient en aide aux plus **démunis**.*

démunir verbe ▸ conjug. 11
Priver de ce qui est nécessaire. *Ces familles **sont démunies** de tout.*

dénaturer verbe ▸ conjug. 3
Changer complètement la nature de quelque chose. *Les journaux **ont dénaturé** les faits.* **SYN** déformer.

déneigement nom masculin
Action de déneiger. *La Ville a procédé au **déneigement** des rues aussitôt la tempête terminée.*

déneiger verbe ▸ conjug. 5
Enlever la neige. ♦ Famille du mot : déneigement, déneigeur, déneigeuse.

déneigeur, déneigeuse nom
Personne chargée du déneigement.

déneigeuse nom féminin
Engin motorisé utilisé pour déblayer la neige.

Une **déneigeuse**

dénicher verbe ▸ conjug. 3
❶ Enlever du nid. *Quand on récolte le duvet d'eider, on prend bien soin de ne pas **dénicher** les œufs.* ❷ Trouver à force de chercher. *Elle **a déniché** une nappe en dentelle dans le grenier de sa grand-mère.*

denier nom masculin
Dans la langue littéraire, argent. *On l'a accusé d'avoir puisé dans les **deniers** de l'État.*

dénigrer verbe ▸ conjug. 3
Parler avec malveillance d'une personne ou d'une chose. *Il **dénigre** souvent ce que font les autres.* **SYN** déprécier.

denim nom masculin
Tissu épais dans lequel on fabrique les jeans.

dénivellation nom féminin
Différence d'altitude entre deux points. *La **dénivellation** de cette piste de ski est de 800 mètres.*

dénombrement nom masculin
Action de compter. *Le **dénombrement** des votes permettra de savoir qui a été élu.*

dénombrer verbe ▸ conjug. 3
Évaluer le nombre. *Le recensement permet de **dénombrer** avec précision la population d'un pays.* **SYN** compter.

dénominateur nom masculin
Terme d'une fraction placé au-dessous de la barre et qui indique en combien de parties égales l'unité a été divisée. *Dans ¼, 4 est le **dénominateur**.* * Chercher aussi *diviseur*.
• **Dénominateur commun :** ce que des personnes ou des choses ont en commun. *La passion pour les oiseaux est leur **dénominateur commun**.*

dénommé, dénommée nom
Qui a pour nom. *Un **dénommé** André Leblanc vous attend à la réception.*

dénommer verbe ▸ conjug. 3
Donner un nom. *Ils **ont dénommé** leur chien « Brutus ».* **SYN** appeler, nommer.

dénoncer verbe ▸ conjug. 4
❶ Donner le nom de quelqu'un comme coupable. *Cédric a fini par **dénoncer** l'élève qui le harcèle.* ❷ Faire connaître au public. *C'est une journaliste qui **a dénoncé** ce scandale.*

dénonciation nom féminin
Action de dénoncer. *Le voleur a été arrêté après une **dénonciation**.*

dénoter verbe ▶ conjug. 3
Être le signe de quelque chose. *Ce dessin d'Anna **dénote** un talent artistique certain.* **SYN** indiquer, témoigner.

dénouement nom masculin
Manière dont une histoire ou un évènement se termine. *Le **dénouement** de cette histoire est heureux : tout s'est bien terminé.*

dénouer verbe ▶ conjug. 3
Défaire un nœud. *Jamal **dénoue** les lacets de ses chaussures.* ■ se **dénouer** : trouver une solution, se résoudre. *La crise entre les deux pays **s'est dénouée** grâce aux efforts des diplomates.*

dénoyauter verbe ▶ conjug. 3
Enlever le noyau d'un fruit. ***Dénoyauter** des olives.*

denrée nom féminin
Produit alimentaire. *Le yogourt et le fromage sont des **denrées** périssables.* • **Denrée rare** : chose difficile à trouver. *Le génie est une **denrée rare**.*

Des *denrées*

dense adjectif
Dont la densité est élevée. *La circulation est **dense** sur l'autoroute. Le plomb est plus **dense** que la craie.*

densité nom féminin
Caractère épais et compact de quelque chose. *La **densité** de la foule nous empêchait d'avancer.* • **Densité de population** : nombre moyen d'habitants au kilomètre carré. *La **densité de la population** canadienne est de 3,7 habitants au kilomètre carré.*

dent nom féminin
❶ Organe dur et blanc, implanté dans la bouche, qui sert à broyer les aliments. *Les adultes ont trente-deux **dents**.* • **Dents de lait** : les premières dents, qui tombent en général vers l'âge de six ans. * Chercher aussi *canine, incisive, molaire, prémolaire.*
❷ Chacune des pointes de certains instruments. *Les **dents** d'un râteau, d'un peigne.* • **Avoir une dent contre quelqu'un** : lui en vouloir, avoir de la rancune contre lui. • **Être sur les dents** : être très nerveux ou débordé de travail.
♦ Famille du mot : dentaire, denté, dentelé, dentier, dentifrice, dentiste, dentition, édenté.

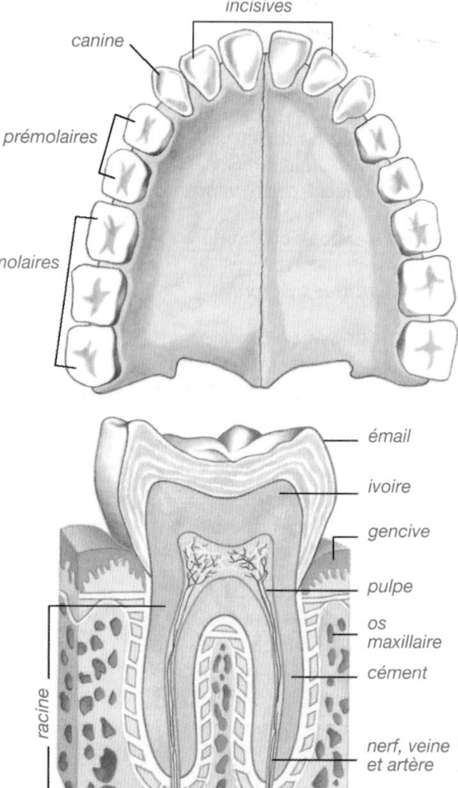

Les *dents*

dentaire adjectif
Qui concerne les dents. *Un appareil **dentaire**.*

denté, dentée adjectif
• **Roue dentée** : dont le bord est garni de dents qui peuvent s'emboîter dans celles d'une autre roue dentée.

dentelé, dentelée adjectif
Découpé en forme de dents. *Les timbres ont des bords **dentelés**.*

dentelle nom féminin
Tissu ajouré en fils tissés très lâches et formant des dessins. *Une nappe bordée de **dentelle**.*

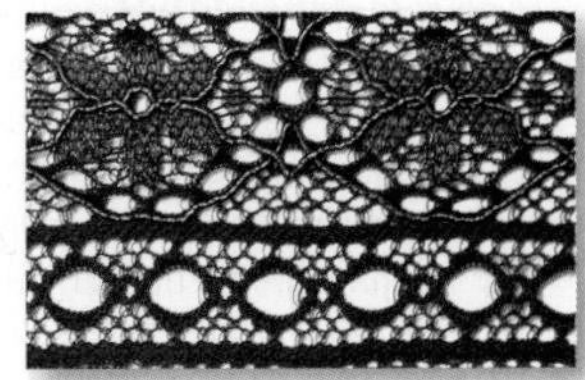
De la **dentelle**

dentier nom masculin
Appareil dentaire garni de fausses dents.

dentifrice nom masculin
Pâte utilisée pour nettoyer les dents.

dentiste nom
Personne qui soigne les dents. *Je vais chez le **dentiste** deux fois par an.*

dentition nom féminin
Ensemble des dents. *La dentiste a dit à Élodie qu'elle avait une **dentition** parfaite.*

dénuder verbe ▸ conjug. 3
Mettre à nu. *L'électricien **a dénudé** les fils en enlevant la gaine de plastique avec sa pince.*
■ se **dénuder** : devenir nu ou se mettre nu. *Les arbres **se dénudent** en automne.*

dénué, dénuée adjectif
Qui manque de quelque chose. *Cette émission est **dénuée** d'intérêt.* SYN dépourvu.

dénuement nom masculin
Manque de ce qui est nécessaire pour vivre. *La population de ce bidonville vit dans le plus grand **dénuement**.* SYN misère.

déodorant nom masculin
Produit qui supprime les odeurs corporelles.
* Ne pas confondre *déodorant* et *désodorisant*.

dépannage nom masculin
❶ Action de dépanner. *La mécanicienne arrive pour le **dépannage** de notre voiture.* ❷ Dans la langue familière, aide momentanée procurée à quelqu'un. *Ce prêt d'argent a été pour eux un **dépannage** inespéré.*

dépanner verbe ▸ conjug. 3
❶ Remettre en marche une machine qui était en panne. *La réparatrice est venue **dépanner** la machine à laver.* SYN réparer. ❷ Dans la langue familière, tirer quelqu'un d'embarras. *Peux-tu me prêter ton dictionnaire pour me **dépanner** ?*

dépanneur nom masculin
Petite épicerie dont les heures d'ouverture sont plus longues que celles des autres établissements commerciaux. *Tu as besoin de pain ? Je vais aller en chercher au **dépanneur**.*

dépanneuse nom féminin
Véhicule qui remorque les voitures en panne.
SYN remorqueuse.

Une **dépanneuse**

dépaqueter verbe ▸ conjug. 9
Défaire un paquet. *Marion est impatiente de **dépaqueter** son cadeau.* CONTR empaqueter.
✎ On peut écrire aussi, au présent, *je **dépaquète*** ; au futur, *elle **dépaquètera*** ; au conditionnel, *il **dépaquèterait***.

dépareillé, dépareillée adjectif
Qui n'appartient pas au même ensemble. *Ces deux chaussettes sont **dépareillées**, elles n'appartiennent pas à la même paire.*

déparer verbe ▸ conjug. 3
Rendre moins beau. *Ces poteaux électriques **déparent** le paysage.* SYN enlaidir.

départ nom masculin
❶ Action de partir. *Gabriel s'est levé au signal du **départ**.* CONTR arrivée. ❷ Commencement de quelque chose. *Au **départ**, j'étais un peu intimidée. Dès le **départ**, je l'ai trouvé sympathique.* SYN début.

départager verbe ▸ conjug. 5
Trouver un moyen pour faire cesser une égalité ou pour trancher un différend. *Pour **départager** les concurrents, on leur a posé une question difficile.*

département nom masculin
❶ En France et dans quelques autres pays, division administrative du territoire. ❷ Division des services de certaines administrations.

se **départir** verbe ▸ conjug. 15
Abandonner une attitude ou un comportement. *Malgré le stress, on ne l'a jamais vu **se départir** de sa bonne humeur.*

a b c d e f g h i j k l m n o p q r s t u v w x y z

dépassé, dépassée adjectif
❶ Qui date d'un autre temps. *La machine à écrire est aujourd'hui **dépassée**.* SYN périmé. ❷ Dérouté, déconcerté. *Elle est **dépassée** par les évènements.*

dépassement nom masculin
Action de dépasser. *Dans les virages, le **dépassement** est interdit.*

dépasser verbe ▸ conjug. 3
❶ Passer devant un autre véhicule. *Il est interdit de **dépasser** dans un virage.* SYN doubler. ❷ Aller au-delà d'une limite. *J'**ai dépassé** mon budget.* ❸ Dans la langue familière, déconcerter. *Ces problèmes me **dépassent**.* ❹ Être trop long. *Il faudra faire un ourlet à ta robe, elle **dépasse** de ton manteau.* ■ *se* **dépasser** : réussir mieux que d'habitude. *Cette championne **s'est dépassée** : elle a battu son propre record.* SYN se surpasser.
♦ Famille du mot : dépassé, dépassement.

dépaysement nom masculin
Fait d'être dépaysé. *Bien des gens ne voyagent que pour le plaisir du **dépaysement**.*

dépayser verbe ▸ conjug. 3
Désorienter une personne par un changement de pays, de milieu, d'habitudes. *La chaleur et la végétation de ce pays nous **ont** complètement **dépaysés**.*

dépecer verbe ▸ conjug. 4 et 8
Couper en morceaux. ***Dépecer** un poulet.*

dépêche nom féminin
Message transmis rapidement. *Nous recevons à l'instant une **dépêche** de notre envoyée spéciale à Kandahar.*

se **dépêcher** verbe ▸ conjug. 3
Agir avec rapidité. ***Dépêchons-nous**, sinon nous allons rater l'autobus !* SYN se hâter, se presser.

dépeigner verbe ▸ conjug. 3
Mettre les cheveux en désordre. *Le vent **a dépeigné** Julia.* SYN décoiffer.

dépeindre verbe ▸ conjug. 35
Décrire. *L'écrivain **a dépeint** son héros avec précision.*

*Être **dépeignée***

dépendance nom féminin
❶ État d'une personne qui est sous l'autorité de quelqu'un. *Ces femmes qui viennent d'arriver sont encore sous la **dépendance** de leur père ou de leur mari.* ❷ État d'une personne qui est sous l'emprise ou l'influence de quelque chose. *Il s'est guéri de sa **dépendance** au jeu.* SYN accoutumance. ■ **dépendances** nom féminin pluriel Bâtiments qui dépendent d'un bâtiment principal. *Ces deux garages et cette écurie sont les **dépendances** de la propriété.*

dépendant, dépendante adjectif
Qui est sous la dépendance de quelqu'un ou de quelque chose. *Les jeunes oursons sont **dépendants** de leur mère.*

① **dépendre** verbe ▸ conjug. 31
Décrocher ce qui est suspendu. *Avant de laver les murs du salon, mon père **a dépendu** les rideaux.* CONTR ① suspendre.

② **dépendre** verbe ▸ conjug. 31
❶ Être dépendant. *Elle gagne sa vie, elle ne **dépend** de personne.* ❷ Faire partie d'un ensemble. *Notre école **dépend** d'une commission scolaire.* ❸ Ne pouvoir se faire sans l'action de quelqu'un ou de quelque chose. *Le succès de la fête **dépend** du temps.* • **Cela (ou Ça) dépend** : peut-être. *Tu viendras demain ? – **Ça dépend**.* ♦ Famille du mot : dépendance, dépendant, indépendamment, indépendance, indépendant.

dépens nom masculin pluriel
• **Aux dépens de quelqu'un** : à ses frais. *Depuis qu'il a trouvé du travail, il ne vit plus **aux dépens de** sa famille.* • **Rire aux dépens de quelqu'un** : rire de lui. *Odile a fait **rire** toute la classe **aux dépens d'**Alex.*

dépense nom féminin
Ce que l'on dépense. *Ils ont fait une grosse **dépense** en achetant une voiture neuve.* CONTR économie.

dépenser verbe ▸ conjug. 3
❶ Employer de l'argent. *J'**ai dépensé** tout mon argent de poche.* ❷ Consommer de l'énergie. *Nous **avons dépensé** trop d'électricité ce mois-ci.* ■ *se* **dépenser** : utiliser ses forces, se remuer. *Ces jeunes **se dépensent** en faisant beaucoup de sport.* ♦ Famille du mot : dépense, dépensier.

dépensier, dépensière adjectif
Qui aime dépenser son argent sans compter. *Il est trop **dépensier** pour faire des économies.* CONTR économe.

déperir verbe ▸ conjug. 11
Perdre ses forces progressivement, se détériorer. *Le malade **dépérit** de jour en jour.* **SYN** s'affaiblir.

se **dépêtrer** verbe ▸ conjug. 3
Se dégager de quelque chose qui gêne. *L'abeille avait du mal à **se dépêtrer** de la toile d'araignée.* **SYN** se libérer, se sortir.

*Insecte tentant de se **dépêtrer***

dépeuplement nom masculin
Fait de se dépeupler. *On observe partout un **dépeuplement** des zones rurales.*

dépeupler verbe ▸ conjug. 3
Vider de ses habitants ou les faire partir. *La fermeture de la scierie **a dépeuplé** ce village.* **CONTR** repeupler.

dépistage nom masculin
Examen fait pour dépister une maladie.

dépister verbe ▸ conjug. 3
❶ Découvrir en suivant la trace. *Les chasseurs **ont dépisté** un chevreuil dans la forêt.*
❷ Reconnaître quelque chose d'après certains signes. *Le médecin **a dépisté** la surdité chez ce bébé.* **SYN** déceler.

dépit nom masculin
Sentiment où il y a du chagrin, de la colère et de la déception. *Yaël a éprouvé du **dépit** quand ses parents lui ont interdit de sortir.*
• **En dépit de** : malgré. ***En dépit de** ce petit incident, la fête a été un succès.*

dépité, dépitée adjectif
Qui éprouve du dépit. *Javier faisait peine à voir, avec sa mine **dépitée**.* **SYN** déçu.

déplacé, déplacée adjectif
Qui ne devrait pas être fait ou dit. *J'aime son humour, il ne fait jamais de plaisanteries **déplacées**.* **SYN** choquant, inconvenant.

déplacement nom masculin
Fait de se déplacer. *L'électricien a facturé cinquante dollars pour son **déplacement**.*

déplacer verbe ▸ conjug. 4
Changer de place. *Le piano est trop près du radiateur, il faudrait le **déplacer**.*
■ *se* **déplacer** : voyager. *Ma mère **se déplace** souvent pour ses affaires.*

déplaire verbe ▸ conjug. 41
Ne pas plaire à quelqu'un. *Hélène me **déplaît**, je la trouve désagréable.* ■ *se* **déplaire** : ne pas se trouver bien. *Il **se déplaît** à Sept-Îles, il s'y ennuie.* **CONTR** se plaire. ✎ On peut écrire aussi *il, elle **(se) déplait**.*

déplaisant, déplaisante adjectif
Qui déplaît. *Olivier nous a parlé sur un ton très **déplaisant**.* **SYN** désagréable. **CONTR** agréable.

dépliant nom masculin
Document imprimé et replié. *Au musée, on nous a donné des **dépliants** sur les expositions à venir.* **SYN** prospectus.

*Un **dépliant***

déplier verbe ▸ conjug. 10
Étendre ou ouvrir ce qui était plié. *Chang **a déplié** la carte pour trouver la bonne route.* **CONTR** plier, replier.

déploiement nom masculin
❶ Action de déployer. *Le **déploiement** des policiers était nécessaire pour contrôler la foule.* ❷ Mise en scène avec de larges moyens. *Un spectacle à grand **déploiement**.*

déplorable adjectif
❶ Très mauvais. *Sa tenue et son attitude sont **déplorables**.* ❷ Que l'on déplore. *Un incident **déplorable**.* **SYN** désolant.

déplorer verbe ▸ conjug. 3
Avoir la tristesse de constater un fait. *On **déplore** de nombreuses victimes dans cet accident.*

a b c d e f g h i j k l m n o p q r s t u v w x y z

déployer verbe ▶ conjug. 6
❶ Étendre complètement. *L'aigle **a déployé** ses ailes.* **SYN** déplier. ❷ Disposer pour le combat. *Le général **a déployé** ses troupes le long de la rivière.* ❸ Montrer, manifester. *Les ouvriers **ont déployé** une énergie considérable pour finir le chantier à temps.* ■ se **déployer**: se disposer sur une grande étendue de terrain. *Les forces de police **se sont déployées** autour du pâté de maisons.*

dépoli, dépolie adjectif
• **Verre dépoli**: verre qui laisse passer la lumière, mais qui n'est pas transparent.

déportation nom féminin
❶ Exil. *Les Acadiens se souviennent encore de la **déportation** de leurs ancêtres en Louisiane, au 18e siècle.* ❷ Internement dans un camp de concentration éloigné. *Les nazis ont fait périr des millions de Juifs en **déportation**.*
* Chercher aussi *Shoah*.

déporté, déportée nom
Personne qui a été envoyée en déportation.

déporter verbe ▶ conjug. 3
❶ Envoyer une personne en déportation. *Pendant la Deuxième Guerre mondiale, des millions de personnes **ont été déportées**.* ❷ Faire dévier de sa route. *Une rafale de vent **a déporté** notre voiture vers la gauche.*
♦ Famille du mot: déportation, déporté.

déposer verbe ▶ conjug. 3
❶ Poser une chose quelque part. *Quelqu'un **a déposé** un paquet pour toi chez la voisine.* ❷ Conduire quelqu'un en voiture à un endroit. *Tous les matins, mon père **dépose** Marco à l'école.* ❸ Mettre de l'argent en dépôt. *La commerçante **dépose** des chèques à la banque.* ❹ Faire une déposition. *Un témoin **a déposé** en faveur de l'inculpé.* **SYN** témoigner. • **Déposer les armes**: cesser le combat. ■ se **déposer**: tomber petit à petit en formant une couche. *La poussière **s'est déposée** sur l'étagère.*
♦ Famille du mot: dépositaire, déposition, dépôt.

dépositaire nom
❶ Personne, établissement à qui l'on a confié une chose très importante. *Cette banque est **dépositaire** de mon argent.* ❷ Concessionnaire. *Ce commerçant est le seul **dépositaire** de cette marque.*

déposition nom féminin
Déclaration à la police ou au tribunal. *Le juge a demandé au témoin de faire sa **déposition**.*

déposséder verbe ▶ conjug. 8
Priver quelqu'un de ce qu'il possédait. *Pour construire l'aéroport, on **a dépossédé** plusieurs agriculteurs de leurs terres.* **SYN** dépouiller.

Du verre **dépoli**

dépôt nom masculin
❶ Action de déposer quelque chose dans un lieu. *Le **dépôt** d'une demande.* ❷ Endroit où l'on entrepose du matériel et où on le met à l'abri. *Un **dépôt** de marchandises.*
* Chercher aussi *entrepôt*. *Le chauffeur a conduit l'autobus au **dépôt**.* ❸ Action de déposer de l'argent à la banque. *Ariel a fait un **dépôt** de cent dollars dans son compte d'épargne.* ❹ Matière qui se dépose. *Il y a un **dépôt** au fond de la bouteille de vin.*

dépotoir nom masculin
Endroit où l'on dépose des ordures.
SYN décharge.

dépouille nom féminin
Dans la langue littéraire, cadavre. *Ils ont suivi la **dépouille** jusqu'au cimetière.*

dépouillement nom masculin
Action de compter et de classer les bulletins de vote après un scrutin. *Après le vote, les candidats ont assisté au **dépouillement**.*

dépouiller verbe ▶ conjug. 3
❶ Enlever la peau d'un animal. *La fermière **dépouille** un lapin.* ❷ Prendre de force à quelqu'un ce qu'il a. *Le voleur **l'a dépouillé** de son portefeuille.* **SYN** déposséder. ❸ Examiner attentivement. *Mon père **dépouille** le courrier.*
♦ Famille du mot: dépouille, dépouillement.

dépourvu, dépourvue adjectif
Dénué. *Ce roman est totalement **dépourvu** d'intérêt.* ■ **dépourvu** nom masculin • **Prendre quelqu'un au dépourvu**: alors qu'il n'est pas préparé. *Je ne peux pas vous répondre, vous me **prenez au dépourvu**.*

dépoussiérer verbe ▶ conjug. 8
Enlever la poussière. *Guillaume **dépoussière** les meubles du salon.* ✎ On peut écrire aussi, au futur, *tu **dépoussièreras***; au conditionnel, *vous **dépoussièrereriez***.

déprécier verbe ▸ conjug. 10
Rabaisser la valeur de quelqu'un ou de quelque chose. *Il **a déprécié** ce livre qu'il n'aimait pas.* **SYN** dénigrer, dévaloriser. ■ *se* **déprécier** : perdre de sa valeur. *Sa voiture a maintenant cinq ans et elle **s'est** beaucoup **dépréciée**.*

dépressif, dépressive adjectif
Qui a tendance à être déprimé. *Ma tante est **dépressive**, elle n'a le goût de rien.*

dépression nom féminin
❶ État de découragement, de profonde tristesse et d'angoisse. *À la mort de sa femme, il a fait une **dépression**.* ❷ Endroit où le terrain forme une cuvette. *Ce petit lac s'est formé dans une **dépression** de terrain.*

déprimant, déprimante adjectif
Qui déprime, qui démoralise. *Ce mauvais temps est vraiment **déprimant** !* **SYN** triste.

déprimer verbe ▸ conjug. 3
Démoraliser, attrister quelqu'un. *Fanny **est déprimée** à l'idée que sa meilleure amie quitte l'école.*

depuis adverbe
À partir de ce moment-là. *Mercredi, nous sommes allés au cinéma ; je ne l'ai pas vu **depuis**.* ■ **depuis** préposition ❶ Indique le point de départ. *Le film est commencé **depuis** cinq minutes.* ❷ D'un endroit jusqu'à un autre. *Son terrain s'étend **depuis** le ruisseau jusqu'à la clairière.* ■ **depuis que** conjonction Depuis le temps que. *Amélie nage mieux **depuis qu'**elle va à la piscine tous les lundis.*

député, députée nom
Personne élue pour représenter les électeurs de sa circonscription à l'Assemblée nationale et à la Chambre des communes. *Les **députés** débattent un projet de loi.*

déraciner verbe ▸ conjug. 3
Arracher avec les racines. *La tempête **a déraciné** plusieurs arbres.*

déraillement nom masculin
Fait de dérailler. *Le **déraillement** du train a fait plusieurs blessés.*

dérailler verbe ▸ conjug. 3
❶ Sortir de ses rails. *Le train **a déraillé** à l'entrée du tunnel.* ❷ Dans la langue familière et au sens figuré, ne pas faire preuve de bon sens.

dérailleur nom masculin
Mécanisme qui fait passer une chaîne de bicyclette d'un pignon sur un autre. 👁p. 117.

*Un **dérailleur***

déraisonnable adjectif
Qui n'est pas raisonnable. *Sortir sans tuque par ce froid, c'est **déraisonnable** !* **SYN** insensé. **CONTR** raisonnable.

déraisonner verbe ▸ conjug. 3
Perdre la raison, dire et faire des choses qui n'ont aucun sens. *Les histoires qu'il raconte sont invraisemblables, il **déraisonne**.* **SYN** dérailler, divaguer.

dérangé, dérangée adjectif
❶ Qui a un peu mal au ventre. *Cet enfant est **dérangé**, il a mangé trop de chocolats.* ❷ Dans la langue familière, aliéné, fou.

dérangement nom masculin
Action de déranger. *Excusez-moi de vous causer tout ce **dérangement** !* **SYN** gêne.
• **En dérangement** : en panne. *Le téléphone est **en dérangement**.*

déranger verbe ▸ conjug. 5
❶ Mettre en désordre ce qui était rangé. *Quelqu'un **a dérangé** mes affaires, je ne retrouve plus rien.* ❷ Gêner quelqu'un dans ce qu'il est en train de faire. *Bonjour ! Est-ce que je vous **dérange** ?* **SYN** importuner. ■ *se* **déranger** : quitter l'endroit où l'on se trouve. *Katia **s'est dérangée** pour venir me voir à l'hôpital.*

dérapage nom masculin
Action de déraper. *Kevin a fait un **dérapage** en vélo.*

déraper verbe ▸ conjug. 3
Glisser sur le sol. *L'auto **a dérapé** sur le verglas.*

a b c d e f g h i j k l m n o p q r s t u v w x y z

dérégler verbe ▸ conjug. 8
Perturber la marche normale d'un appareil. *Le radioréveil **est déréglé**.* ✎ On peut écrire aussi, au futur, *il **déréglera***; au conditionnel, *elle **dérèglerait***.

dérider verbe ▸ conjug. 3
Rendre moins sérieux, faire sourire. *Nos histoires drôles ont réussi à la **dérider**.* SYN égayer.

dérision nom féminin
Moquerie méprisante. *Il parle souvent de moi avec **dérision**.* • **Tourner en dérision:** tourner en ridicule, se moquer.

dérisoire adjectif
❶ Insignifiant au point d'en paraître ridicule. *Nous avons payé cet article un prix **dérisoire**.* ❷ Très insuffisant, médiocre. *Pour ce travail exigeant, il touche un salaire **dérisoire**.*

dérivation nom féminin
Action de dériver un cours d'eau. *Pour que les bateaux puissent naviguer sur ce fleuve, on a creusé un canal de **dérivation**.*

dérive nom féminin
Sorte de quille amovible qui aide à gouverner le bateau sans dériver. • **À la dérive** ❶ Au gré des flots, du courant et du vent, sans être guidé. *Ce bateau va **à la dérive**.* ❷ Au sens figuré, à l'abandon, en se désorganisant. *Ses affaires vont **à la dérive**.*

dérivé nom masculin
❶ Mot qui dérive d'un autre. *« Bonté » est un **dérivé** de « bon ».* ❷ Produit obtenu à partir d'un autre. *L'essence est un **dérivé** du pétrole.*

dériver verbe ▸ conjug. 3
❶ Être emporté et s'écarter de la route. *Le chalutier en panne de moteur **a dérivé** toute la nuit.* ❷ Détourner un cours d'eau. *On a pu construire cette centrale hydroélectrique en **dérivant** la rivière.* SYN dévier. ❸ Venir d'un autre mot. *Le nom « richesse » **dérive** de l'adjectif « riche ».* ♦ Famille du mot: dérivation, dérive, dérivé, dériveur.

dériveur nom masculin
Voilier léger muni d'une dérive.

dermatologue nom
Médecin spécialiste des maladies de la peau. *La **dermatologue** lui a prescrit un traitement pour son acné.*

derme nom masculin
Partie de la peau qui se trouve sous l'épiderme.

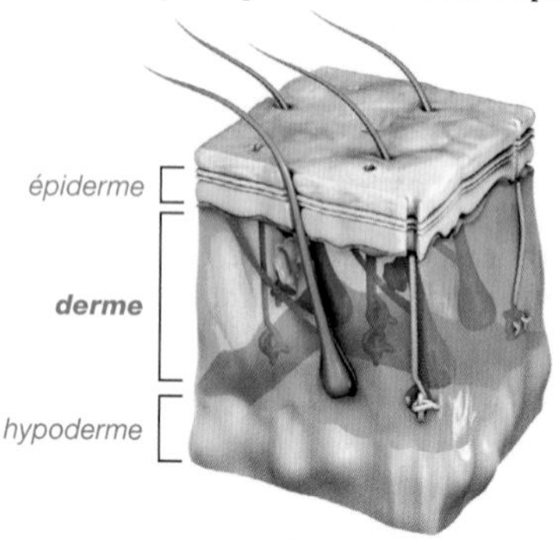

Les parties de la peau

dernier, dernière adjectif
❶ Qui vient après tous les autres. *En avril, le 30 est le **dernier** jour du mois.* CONTR premier. ❷ Qui est le plus récent. *C'est la **dernière** série de science-fiction.* ❸ Très grand, extrême. *Il s'est défendu avec la **dernière** énergie.* • **Avoir le dernier mot:** l'emporter dans une discussion, avoir raison. • **Mettre la dernière main à quelque chose:** achever de le préparer. ■ **dernier, dernière** nom Personne ou chose qui vient après toutes les autres. *C'est la petite **dernière** de la famille.* ♦ Famille du mot: avant-dernier, dernièrement.

dernièrement adverbe
Il y a peu de temps. *Elle est arrivée dans la classe tout **dernièrement**.* SYN récemment.

à la **dérobée** adverbe
Discrètement, sans en avoir l'air. *Emmanuelle observe le chat **à la dérobée**.*

dérober verbe ▸ conjug. 3
Dans la langue littéraire, voler. *On lui **a dérobé** son portefeuille.* ■ se **dérober**: échapper. *Le criminel cherche à **se dérober** à la justice.* SYN se défiler, se soustraire.

déroger verbe ▸ conjug. 5
Ne pas respecter une loi, s'écarter d'un usage. *Il **a dérogé** à l'habitude qu'il avait prise de nous visiter le dimanche.*

déroulement nom masculin
Manière dont quelque chose se déroule. *Voici quel sera le **déroulement** de la journée.*

dérouler verbe ▸ conjug. 3
Étendre quelque chose qui était enroulé. *Je **déroule** le papier d'emballage.* ■ se **dérouler**: se passer. *Son enfance **s'est déroulée** dans un petit village de Gaspésie.*

éroutant, déroutante adjectif
Qui déroute. *Ce tableau abstrait me paraît bien **déroutant**.* **SYN** déconcertant, surprenant.

éroute nom féminin
Fuite en désordre d'une troupe vaincue. *Les ennemis ont été mis en **déroute**.*

érouter verbe ▸conjug. 3
❶ Faire changer de destination. *L'avion **a été dérouté** vers Québec à cause du mauvais temps.* **SYN** détourner. ❷ Au sens figuré, déconcerter. *Ma question l'**a dérouté**, il ne savait pas quoi répondre!*

errière adverbe
À l'arrière ou en arrière. *Elle est restée **derrière**, à bavarder avec ses nombreux amis.* **CONTR** devant. ■ **derrière** préposition ❶ De l'autre côté. *Le jardin est **derrière** la maison.* ❷ À la suite de. *Dans ce sentier, il faut marcher l'un **derrière** l'autre.* ■ **derrière** nom masculin ❶ Partie située à l'arrière. *Le chien a mal à sa patte de **derrière**.* ❷ Les fesses. *Tomber sur le **derrière**.*

es ➝Voir **de** et **un**

ès préposition
Sert à indiquer le temps ou le lieu. *Vous pouvez venir **dès** aujourd'hui. J'ai senti l'odeur du gâteau **dès** la porte d'entrée.* ■ **dès que** conjonction Aussitôt que. *Je suis venue **dès que** j'ai appris la nouvelle.*

ésabusé, désabusée adjectif
Désenchanté. *Il parlait de ses vacances ratées d'un ton **désabusé**.*

ésaccord nom masculin
Fait de ne pas être d'accord. *Il y a un **désaccord** entre eux au sujet de la date des vacances.*

ésaccordé, désaccordée adjectif
Qui n'est plus accordé. *Il faudra faire venir l'accordeur, ce piano est **désaccordé**.*

désaffecté, désaffectée adjectif
Qui n'est plus utilisé pour ce qui était prévu. *L'exposition a eu lieu dans un hangar **désaffecté**.*

désagréable adjectif
❶ Qui est gênant ou mauvais. *Le soufre a une odeur **désagréable**.* ❷ Qui est déplaisant et antipathique. *En ce moment, Dylan est **désagréable** avec tout le monde.* **CONTR** agréable.

désagréablement adverbe
De façon désagréable. *Cette information nous a **désagréablement** surpris.* **CONTR** agréablement.

se **désagréger** verbe ▸conjug. 5
Se décomposer en perdant l'unité de ses éléments. *Avec l'humidité, le plâtre **se désagrège**.* **SYN** s'effriter. ✎ On peut écrire aussi, au futur, *il **se désagrègera***; au conditionnel, *elle **se désagrègerait***.

désagrément nom masculin
Chose désagréable, qui contrarie. *Ce déménagement ne lui a apporté que du **désagrément**.* **SYN** ennui.

désaltérant, désaltérante adjectif
Qui désaltère. *Quand il fait chaud, le thé glacé est très **désaltérant**.*

désaltérer verbe ▸conjug. 8
Calmer la soif. *Le thé glacé est une boisson qui **désaltère**.* ■ *se* **désaltérer**: calmer sa soif en buvant. *Les randonneurs ont trouvé une source où ils ont pu **se désaltérer**.* ✎ On peut écrire aussi, au futur, *il **(se) désaltèrera***; au conditionnel, *elle **(se) désaltèrerait***.

*Une boisson **désaltérante***

désamorcer verbe ▸conjug. 4
Retirer l'amorce destinée à provoquer l'explosion. *Des spécialistes ont réussi à **désamorcer** la bombe.*

désappointé, désappointée adjectif
Qui éprouve du désappointement. *Bianca est très **désappointée** de ne pas pouvoir venir.* **SYN** déçu.

désappointement nom masculin
Sentiment de déception. *À l'annonce des résultats, Luc n'a pas pu cacher son **désappointement**.* **SYN** déconvenue, désillusion.

désapprobateur, désapprobatrice adjectif
Qui montre sa désapprobation. *Mon père nous a regardés d'un air **désapprobateur** quand nous avons fait trop de bruit.* **CONTR** approbateur.

désapprobation nom féminin
Action de désapprouver. *Le public manifeste sa **désapprobation** en huant.* **CONTR** approbation.

a b c d

désapprouver verbe ▸ conjug. 3
Ne pas approuver quelqu'un ou quelque chose. *Quand il a été impoli avec l'enseignante, nous l'**avons** tous **désapprouvé**.* SYN blâmer, critiquer.

désarçonner verbe ▸ conjug. 3
❶ Faire tomber de la selle. *Ce cheval fougueux **a désarçonné** sa cavalière.* ❷ Au sens figuré, déconcerter. *Le candidat s'est laissé **désarçonner** par la première question.*

*Se faire **désarçonner***

m n o p q r s t u v w x y z

désarmant, désarmante adjectif
Qui désarme. *Sa naïveté est **désarmante**.* SYN touchant.

désarmement nom masculin
Action de diminuer ou de supprimer la fabrication de certaines armes. *Il y a eu un débat sur le **désarmement** nucléaire.*

désarmer verbe ▸ conjug. 3
❶ Enlever ses armes à quelqu'un. *Un passant est parvenu à **désarmer** le malfaiteur.* ❷ Au sens figuré, enlever toute envie de se fâcher. *Je n'arrive pas à lui en vouloir, son sourire me **désarme**.*

désarroi nom masculin
État de grand trouble qui provoque l'angoisse. *La mort subite du père a plongé la famille dans le **désarroi**.*

désarticulé, désarticulée adjectif
Qui est disloqué ou déboîté. *Le pauvre homme marchait comme un pantin **désarticulé**.*

désastre nom masculin
Grand malheur. *Ce tremblement de terre a été un véritable **désastre**.* SYN calamité, catastrophe, ② fléau.

désastreux, désastreuse adjectif
Qui a le caractère d'un désastre. *Cette sécheresse est **désastreuse** pour les récoltes.* SYN catastrophique.

désavantage nom masculin
Ce qui met en position d'infériorité. *Être petit est un **désavantage** pour jouer au basket-ball.* SYN handicap. CONTR avantage.

désavantager verbe ▸ conjug. 5
Être un désavantage pour quelqu'un. *Sa méconnaissance de l'anglais la **désavantage**.* SYN défavoriser, léser. CONTR avantager.

désavantageux, désavantageuse adjectif
Qui désavantage, défavorise. *Ce partage est **désavantageux** pour Thomas, qui proteste.* SYN défavorable. CONTR avantageux.

désavouer verbe ▸ conjug. 3
Dire que l'on n'approuve pas quelqu'un. *Le premier ministre **a désavoué** l'ambassadeur.* CONTR approuver.

descendance nom féminin
L'ensemble des descendants : les enfants, les petits-enfants, les arrière-petits-enfants. *Mes grands-parents ont une nombreuse **descendance**.* * Chercher aussi *ascendance*.

① **descendant, descendante** adjectif
Qui descend. *La marée **descendante** découvre les rochers.* CONTR ③ ascendant, ① montant.

② **descendant, descendante** nom
Personne qui fait partie de la descendance de quelqu'un. *Tous leurs **descendants** vivent en Ontario.* CONTR ① ascendant.

descendre verbe ▸ conjug. 31
❶ Aller du haut vers le bas. *L'avion **descend** vers la piste.* CONTR monter. ❷ Mettre ou porter plus bas. *Boris **a descendu** un vieux meuble au sous-sol.* ❸ Dans la langue familière, abattre. *Le pilote **a descendu** un avion ennemi.* ❹ Baisser de niveau. *La mer **descend** depuis une heure.* SYN se retirer. CONTR monter. *Les prix **ont descendu**.* ❺ Mettre pied à terre. *Tous les voyageurs **descendent** du train.* ❻ S'arrêter pour coucher quelque part. *Ils **descendent** toujours dans cet hôtel.* ❼ Avoir pour ancêtre. *Cette famille **descend** d'un ancêtre inuit.* ♦ Famille du mot : descendance, descendant, descente, redescendre.

descente nom féminin
❶ Action de descendre. *Les alpinistes quittent le sommet et commencent la* ***descente****.* ❷ Pente d'un chemin, d'une route. *Cette* ***descente*** *est très raide.* CONTR côte, montée. ❸ Arrestation massive faite à l'improviste par la police. *La police a fait une* ***descente*** *dans plusieurs bars du centre-ville.*

Une ***descente*** *en skis*

descriptif, descriptive adjectif
Qui décrit, qui fait référence à des objets réels. *Un texte* ***descriptif****.*

description nom féminin
Action de décrire. *Je n'ai jamais vu l'Oratoire Saint-Joseph, peux-tu m'en faire une* ***description*** *?*

désemparé, désemparée adjectif
Qui est perdu, un peu affolé et ne sait pas quoi faire. *Ce chien* ***désemparé*** *ne trouve plus ses maîtres.*

désenchanté, désenchantée adjectif
Qui est déçu et a perdu son enthousiasme, ses illusions. *Elle est revenue* ***désenchantée*** *de son voyage.* SYN désabusé.

désennuyer verbe ▸ conjug. 6
Distraire. *Claudio* ***a désennuyé*** *les enfants avec ses tours de magie.*

déséquilibre nom masculin
Absence d'équilibre causant une position instable. *La pile d'assiettes est en* ***déséquilibre****, elle va tomber !*

déséquilibré, déséquilibrée nom et adjectif
Qui présente des problèmes de santé mentale. *Ce criminel est un* ***déséquilibré****. – C'est une personne* ***déséquilibrée****.*

déséquilibrer verbe ▸ conjug. 3
❶ Faire perdre l'équilibre. *C'est un véliplanchiste débutant, un coup de vent l'****a déséquilibré****.* ❷ Provoquer un déséquilibre mental. *Tous ses malheurs l'****ont déséquilibré****.*

① **désert, déserte** adjectif
❶ Sans aucun habitant. *Le radeau a échoué sur une île* ***déserte****.* SYN inhabité. ❷ Où il n'y a personne pour le moment. *Il est tard, les rues sont* ***désertes****.* SYN dépeuplé.

② **désert** nom masculin
Région très sèche, sans végétation et avec peu d'habitants. *Le Sahara est le plus grand* ***désert*** *du monde.*

Un ***désert***

déserter verbe ▸ conjug. 3
❶ Ne plus fréquenter un endroit. *Les vacanciers* ***ont déserté*** *la plage pendant l'averse.* SYN abandonner. ❷ Quitter l'armée sans y être autorisé. *Les soldats ne voulaient pas se battre, ils* ***ont déserté****.* ♦ Famille du mot : déserteur, désertion.

déserteur nom masculin
Soldat qui déserte.

désertification nom féminin
Transformation d'une région en désert. *Le déboisement est une des causes de la* ***désertification****.*

désertion nom féminin
Action de déserter. *Ce militaire risque la prison pour* ***désertion****.*

désertique adjectif
Du désert. *Les régions polaires sont* ***désertiques****.*

désespérant, désespérante adjectif
Qui désespère. *Il pleut tout le temps, c'est* ***désespérant***. **SYN** décourageant.

désespéré, désespérée adjectif
❶ Qui ne laisse pas d'espoir. *Son cas est* ***désespéré***. ❷ Très grand, extrême. *Le naufragé faisait des efforts* ***désespérés*** *pour se maintenir à la surface de l'eau.*

désespérément adverbe
De façon désespérée. *Ils se sont battus* ***désespérément****, jusqu'au bout.*

désespérer verbe ▸ conjug. 8
❶ Perdre tout espoir. *Mélanie* ***désespère*** *de retrouver son chat.* **CONTR** espérer. ❷ Conduire au désespoir. *Sa paresse me* ***désespère*** *!* **SYN** décourager, désoler. ✎ On peut écrire aussi, au futur, *il* ***désespèrera*** ; au conditionnel, *elle* ***désespèrerait***.

désespoir nom masculin
Très grande tristesse. *À la mort de sa femme, il a sombré dans le* ***désespoir***. • **En désespoir de cause** : parce qu'il n'y a pas de meilleure solution.

déshabiller verbe ▸ conjug. 3
Enlever ses vêtements à quelqu'un. *Enzo* ***déshabille*** *son petit frère.* **CONTR** habiller. ■ *se* **déshabiller** : enlever ses vêtements. *Elle* ***s'est déshabillée*** *à l'abri des regards.*

se **déshabituer** verbe ▸ conjug. 3
Perdre l'habitude. *Je voudrais bien que mon chat* ***se déshabitue*** *de dormir sur mon lit.* **CONTR** s'habituer.

désherber verbe ▸ conjug. 3
Détruire les mauvaises herbes. *Il faudrait* ***désherber*** *les plates-bandes.*

Désherber

déshérité, déshéritée adjectif et nom
Qui est pauvre et sans ressources. *C'est une région* ***déshéritée***. *– Porter secours aux* ***déshérités***.

déshériter verbe ▸ conjug. 3
Priver une personne de son héritage. *M. Beaudoin* ***a déshérité*** *sa nièce.*

déshonneur nom masculin
Perte de l'honneur. *Il n'y a aucun* ***déshonneur*** *à avouer que l'on s'est trompé.*

déshonorant, déshonorante adjectif
Qui déshonore. *Sa conduite est* ***déshonorante***. **SYN** infamant.

déshonorer verbe ▸ conjug. 3
Faire perdre son honneur, sa bonne réputation. *Son comportement* ***a déshonoré*** *sa famille.* **SYN** discréditer, salir. ■ *se* **déshonorer** : perdre son honneur. *En commettant cette faute, elle* ***s'est déshonorée***.

déshydrater verbe ▸ conjug. 3
Enlever l'eau de quelque chose. *On* ***déshydrate*** *les fruits pour obtenir des fruits séchés.* **CONTR** hydrater. ■ *se* **déshydrater** : perdre son eau, en parlant du corps humain. *Ce bébé malade* ***s'est déshydraté*** *très rapidement.*

désignation nom féminin
Action de désigner une personne. *La* ***désignation*** *d'un nouvel entraîneur est urgente.* **SYN** nomination.

designer nom
Spécialiste qui crée des formes nouvelles pour les objets du quotidien. *Ce meuble a été conçu par un célèbre* ***designer***. * Chercher aussi *styliste*.

désigner verbe ▸ conjug. 3
❶ Montrer parmi d'autres. *D'un geste, elle* ***a désigné*** *un siège à son visiteur.* ❷ Nommer ou représenter quelque chose. *Le mot « chalet »* ***désigne*** *une sorte de maison.* ❸ Nommer quelqu'un pour faire quelque chose. *On* ***a désigné*** *deux personnes pour surveiller les petits.* **SYN** choisir.

désillusion nom féminin
Grande déception. *Quand il a appris que sa candidature n'était pas retenue, il a éprouvé une immense* ***désillusion***. **SYN** désappointement.

désinfectant adjectif et nom masculin
Produit qui désinfecte. *L'eau de Javel est un produit* ***désinfectant***. *– Une odeur de* ***désinfectant***.

désinfecter verbe ▸ conjug. 3
Nettoyer pour détruire les germes. *L'infirmière **a désinfecté** la plaie.* **SYN** aseptiser.

désinfection nom féminin
Action de désinfecter. *En cas de maladie contagieuse, la **désinfection** du local et des vêtements est obligatoire.*

désintégration nom féminin
Fait de se désintégrer. *Ces querelles ont entraîné la **désintégration** du groupe.* **SYN** dissolution.

se **désintégrer** verbe ▸ conjug. 3
Éclater en petits fragments. *Le satellite **s'est désintégré** dans l'espace.* ✎ On peut écrire aussi, au futur, *il **se désintègrera***; au conditionnel, *elle **se désintègrerait***.

désintéressé, désintéressée adjectif
Qui n'agit pas par intérêt, qui agit par générosité. *Elle lui enseigne gratuitement la musique, c'est une personne **désintéressée**.* **CONTR** intéressé à.

désintéressement nom masculin
Comportement d'une personne désintéressée. *Il prête sa maison à des amis en difficulté, c'est un homme d'un parfait **désintéressement**.*

se **désintéresser de** verbe ▸ conjug. 3
Cesser de s'intéresser. *Julia **se désintéresse de** ses poupées depuis qu'elle a un ordinateur.* **SYN** négliger. **CONTR** s'intéresser à.

désintérêt nom masculin
Fait de se désintéresser. *Anna commence à montrer du **désintérêt** pour ses cours de ballet.*

désintoxication nom féminin
Traitement destiné à guérir les personnes qui se droguent ou boivent trop d'alcool. *Une cure de **désintoxication**.*

désintoxiquer verbe ▸ conjug. 3
Soumettre une personne à un traitement qui a pour but de la guérir d'une intoxication ou de ses effets.

désinvolte adjectif
Qui fait preuve de trop d'insouciance. *Il a répondu d'un ton **désinvolte** qu'il finirait son travail quand il aurait le temps.*

désinvolture nom féminin
Comportement désinvolte. *Elle a agi avec la plus grande **désinvolture**.*

désir nom masculin
Envie très forte de quelque chose. *Le plus grand **désir** de Mickaël serait d'avoir des patins à roues alignées.* **SYN** souhait.

désirable adjectif
Que l'on désire. *Cette maison a tout le confort **désirable**.* **SYN** souhaitable.

désirer verbe ▸ conjug. 3
Avoir le désir de quelque chose. *Je **désirerais** recevoir ce cadeau. Il **désire** que tu viennes le voir.* **SYN** souhaiter, vouloir. • **Laisser à désirer**: ne pas être satisfaisant. *Ce travail **laisse à désirer**.* ♦ Famille du mot: désir, désirable, désireux, indésirable.

désireux, désireuse adjectif
Qui désire quelque chose. *Elle est **désireuse** de vous rencontrer.*

se **désister** verbe ▸ conjug. 3
Retirer sa candidature à une élection.

désobéir verbe ▸ conjug. 11
Ne pas obéir. *Nos parents nous avaient défendu de sortir, mais nous **avons désobéi**.* **CONTR** obéir.

désobéissance nom féminin
Fait de désobéir. *Elle a été punie pour sa **désobéissance**.* **SYN** indiscipline. **CONTR** obéissance.

désobéissant, désobéissante adjectif
Qui désobéit. *Ce chien **désobéissant** devrait suivre un cours de dressage.* **CONTR** obéissant.

désobligeant, désobligeante adjectif
Peu aimable et vexant. *François m'a fait des remarques **désobligeantes**.* **SYN** blessant.

désodorisant nom masculin
Produit servant à combattre les mauvaises odeurs dans un local. * Ne pas confondre *désodorisant* et *déodorant*.

désœuvré, désœuvrée adjectif
Qui se trouve sans occupation. *Les premiers jours de vacances, Tara se sent **désœuvrée**.* **SYN** inactif, oisif. **CONTR** occupé.

désœuvrement nom masculin
État d'une personne désœuvrée. *Son **désœuvrement** l'a poussé à faire des bêtises.* **SYN** inactivité, oisiveté.

désolant, désolante adjectif
Qui désole. *Ces deux enfants se chicanent souvent, c'est **désolant**!* **SYN** affligeant, consternant.

a b c d e f g h i j k l m n o p q r s t u v w x y z

désolation nom féminin
Grande tristesse. *La nouvelle de cette catastrophe a plongé le pays dans la **désolation**.* SYN consternation.

désoler verbe ▶ conjug. 3
Faire beaucoup de peine. *Je ne sais pas pourquoi ils sont fâchés, mais ça me **désole**.* SYN attrister, consterner. ♦ Famille du mot : désolant, désolation.

désopilant, désopilante adjectif
Très drôle. *Quand il raconte sa mésaventure, il est **désopilant**.* SYN hilarant.

désordonné, désordonnée adjectif
❶ Qui manque d'ordre. *Elle perd tout, elle est vraiment **désordonnée**.* SYN brouillon. CONTR ordonné. ❷ Qui se fait sans ordre. *Une fuite **désordonnée**.*

désordre nom masculin
❶ Absence d'ordre. *On ne peut rien retrouver dans un tel **désordre**.* SYN pagaille. CONTR ordre. ❷ Agitation qui trouble l'ordre. *Cet élève est responsable du **désordre** dans la classe.*

désorganisation nom féminin
Action de désorganiser. *Certaines personnes ont critiqué la **désorganisation** de l'évènement.*

désorganiser verbe ▶ conjug. 3
Bouleverser l'organisation. *L'orage **a désorganisé** nos projets.* CONTR organiser.

désorienter verbe ▶ conjug. 3
❶ Faire perdre son orientation à quelqu'un. *Ce chemin sinueux **a désorienté** Jason.* ❷ Au sens figuré, déconcerter. *Cette question **a désorienté** Djamila.*

désormais adverbe
À partir de maintenant, à l'avenir. ***Désormais**, Antoine et Julie prendront l'autobus tout seuls.* SYN dorénavant.

désosser verbe ▶ conjug. 3
Enlever les os. *Le boucher **désosse** un poulet.*

despote nom masculin
Souverain tyrannique. *Un **despote** cruel régnait sur le pays.*

despotique adjectif
Qui est propre au despote. *Un caractère **despotique**.*

desquels, desquelles ➔Voir **lequel**

dessaler verbe ▶ conjug. 3
Éliminer ou réduire le sel. *Pour **dessaler** de la morue, il faut la faire tremper dans l'eau froide.* CONTR saler.

dessèchement nom masculin
État de ce qui est desséché.

dessécher verbe ▶ conjug. 8
❶ Rendre sec. *La soif me **dessèche** la bouche.* SYN déshydrater. ❷ Au sens figuré, rendre dur, insensible. *Toutes ces épreuves **ont desséché** son cœur.*

dessein nom masculin
Dans la langue littéraire, projet. *Notre **dessein** doit rester secret.* • **À dessein** : exprès, dans un but précis. *C'est **à dessein** que je suis venu très tôt.* * Ne pas confondre *dessein* et *dessin*.

desseller verbe ▶ conjug. 3
Ôter la selle. *Au retour de sa promenade, Béatrice **a dessellé** son cheval.* CONTR seller.

desserrer verbe ▶ conjug. 3
Relâcher ce qui est serré. *Si tu as mal aux pieds, **desserre** les lacets de tes chaussures.* • **Ne pas desserrer les dents** : ne rien dire. ■ *se* **desserrer** : devenir moins bien serré. *Attention ! les écrous de ta bicyclette sont en train de **se desserrer**.*

dessert nom masculin
Plat, souvent sucré, servi à la fin du repas. *On nous a servi une tarte aux bleuets pour **dessert**.*

① **desservir** verbe ▶ conjug. 15
Débarrasser la table. *Les jeunes se sont empressés de **desservir** et d'emporter la vaisselle à la cuisine.*

② **desservir** verbe ▶ conjug. 15
Assurer régulièrement la communication entre des lieux. *Ce train **dessert** plusieurs grandes villes.*

③ **desservir** verbe ▶ conjug. 15
Rendre un mauvais service à quelqu'un. *Sa timidité la **dessert**.* SYN nuire. CONTR servir.

dessin nom masculin
❶ Représentation d'une chose par un ensemble de traits au crayon. *Le **dessin** de Maïa représente des bateaux sur la mer.* ❷ Art de dessiner. *Mon grand frère suit des cours de **dessin**.* 👁p. 74. • **Dessin animé** : film fait d'une suite de dessins dont chacun représente une partie du mouvement. * Ne pas confondre *dessin* et *dessein*.

dessinateur, dessinatrice nom
Personne qui dessine. *Ma tante est* ***dessinatrice*** *de mode: elle dessine des vêtements. Ce* ***dessinateur*** *a été engagé par une maison d'édition.* SYN illustrateur. * Chercher aussi *designer, styliste.*

Une ***dessinatrice***

dessiner verbe ▸conjug. 3
Représenter par un dessin. *Julien* ***dessine*** *tout ce qu'il voit.* ■ *se* **dessiner**: apparaître. *La tour du CN* ***se dessine*** *sur le ciel.* ♦ Famille du mot: dessin, dessinateur.

dessous adverbe
Sous quelque chose. *Si tu retournes ce coffret, tu verras le prix* ***dessous.*** CONTR dessus.
• **Au-dessous:** plus bas. CONTR au-dessus.
• **Ci-dessous:** un peu plus bas, plus loin dans le texte. *Vous trouverez* ***ci-dessous*** *la liste des participants.* CONTR ci-dessus. • **En dessous, là-dessous, par-dessous:** sous autre chose. *La bille a roulé* ***là-dessous.*** ■ **dessous** préposition • **Au-dessous de, par-dessous:** sous. *Il fait cinq degrés* ***au-dessous de*** *zéro. Le chien est passé* ***par-dessous*** *la clôture.* CONTR par-dessus. ■ **dessous** nom masculin
La partie inférieure. *Le* ***dessous*** *de la boîte est mouillé.* ■ **dessous** nom masculin pluriel
Sous-vêtements féminins.

dessous-de-plat nom masculin invariable
Objet sur lequel on pose les plats chauds sur la table.

dessus adverbe
Sur quelque chose. *Le ballon a roulé dans la rue, un camion est passé* ***dessus.*** CONTR dessous. • **Au-dessus:** plus haut. *Ils habitent* ***au-dessus.*** CONTR au-dessous, en dessous. • **Ci-dessus:** plus haut dans le texte. *Le tableau* ***ci-dessus*** *indique les dates.* CONTR ci-dessous. • **Là-dessus** ❶ Sur. *Je l'ai posé* ***là-dessus.*** ❷ Juste après cela. ***Là-dessus,*** *elle est partie.* • **Par-dessus:** sur, au-delà. *Il a sauté* ***par-dessus.*** CONTR par-dessous. • **Par-dessus tout:** principalement, surtout. ■ **dessus** préposition • **Au-dessus de:** dans le haut de. ***Au-dessus de*** *la porte, il y a une horloge.* CONTR au-dessous de. • **Par-dessus:** sur la partie supérieure de. *Elle est passée* ***par-dessus*** *la clôture.* CONTR par-dessous. ■ **dessus** nom masculin
La partie supérieure. *Le* ***dessus*** *de cette table est en marbre.* CONTR dessous. • **Avoir le dessus:** gagner.

dessus-de-lit nom masculin invariable
Couvre-lit.

déstabiliser verbe ▸conjug. 3
Rendre moins stable. *Des grèves* ***ont déstabilisé*** *ce secteur d'activités.* SYN ébranler.

destin nom masculin
❶ Ce qui constitue l'existence d'un individu et que certains pensent fixé d'avance. *Ce personnage a eu un* ***destin*** *exceptionnel.* SYN destinée, sort. ❷ Puissance qui semble régler la vie de chacun. *Elle ne croit pas au* ***destin.***

destinataire nom
Personne à qui est destiné un envoi, un message. *Je suis la* ***destinataire*** *de cette lettre.* CONTR envoyeur, expéditeur.

destination nom féminin
Endroit où l'on va. *Les passagers à* ***destination*** *de Paris sont en train d'embarquer.*

destinée nom féminin
Dans la langue littéraire, destin.

destiner verbe ▸conjug. 3
❶ Adresser quelque chose à quelqu'un. *C'est à vous que cette remarque* ***est destinée.*** ❷ Réserver d'avance pour un usage. *L'argent collecté* ***est destiné*** *aux sinistrés.* ■ *se* **destiner**: choisir de faire tel métier. *Elle* ***se destine*** *à l'archéologie.* ♦ Famille du mot: destin, destinataire, destination, destinée.

destituer verbe ▸conjug. 3
Priver quelqu'un de ses fonctions. *Coupable de trahison, ce général* ***a été destitué.*** SYN révoquer.

destructeur, destructrice nom et adjectif
Qui détruit. *Un impitoyable* ***destructeur*** *– Les sauterelles sont des insectes* ***destructeurs.***

destruction nom féminin
❶ Action de détruire. *Un feu de camp est à l'origine de la* ***destruction*** *de la forêt.* ❷ Ce qui a été détruit. *L'explosion a causé des* ***destructions*** *importantes.* SYN dégât, dommage.

a b c d e f g h i j k l m n o p q r s t u v w x y z

❸ Action de faire disparaître. *Cette usine s'occupe de la **destruction** des déchets industriels.* **SYN** élimination. ❹ Action d'enlever la vie à des êtres vivants. *Les insecticides servent à la **destruction** des insectes.* **SYN** extermination.

désuet, désuète adjectif
Qui n'est plus adapté. *Une technologie **désuète**.*

désuétude nom féminin
État de ce qui est désuet. *La **désuétude** de cette machine rend les ouvriers inefficaces.*

désunion nom féminin
Fait d'être désuni. *Il dit qu'il y a de la **désunion** dans sa famille.* **SYN** discorde, mésentente. **CONTR** union.

désunir verbe ▸ conjug. 11
Séparer des personnes qui jusque-là s'entendaient bien. *Des problèmes d'héritage **ont désuni** la famille.* **SYN** diviser. **CONTR** unir.

détachant, détachante adjectif
Qui enlève les taches. *Un liquide **détachant**.* ■ **détachant** nom masculin Produit qui enlève les taches. *C'est un **détachant** efficace pour les graisses.*

détaché, détachée adjectif
Qui semble indifférent. *Bruno a répondu sur un ton **détaché**.* • **Pièce détachée :** pièce de rechange pour une machine ou un appareil.

détachement nom masculin
❶ Comportement d'une personne détachée. *Il parlait de l'évènement avec **détachement**.* **SYN** indifférence. ❷ Groupe de soldats envoyés en mission. *On a envoyé un **détachement** en renfort.*

① **détacher** verbe ▸ conjug. 3
❶ Défaire ce qui est attaché. *Les passagers peuvent **détacher** leurs ceintures.* **CONTR** attacher. ❷ Envoyer quelqu'un en mission temporaire. *Le commandant **a détaché** quelques soldats pour explorer les environs.* ■ *se* **détacher** ❶ Défaire ses liens. *Le chien **s'est détaché**.* ❷ Cesser d'être attaché à quelqu'un. *Annick **s'est détachée** de sa cousine.* ❸ Apparaître nettement. *La montagne **se détache** sur le bleu du ciel.* ♦ Famille du mot : détaché, détachement.

② **détacher** verbe ▸ conjug. 3
Faire disparaître les taches. *Tu as mis du jus de fraise sur ton tee-shirt, ce ne sera pas facile à **détacher**.* **CONTR** tacher.

détail nom masculin
Chaque petite chose d'un ensemble. *Li Mei a raconté son voyage sans oublier le moindre **détail**.* • **Au détail :** par petites quantités. *Cette commerçante fait de la vente **au détail**.* **CONTR** en gros. • **En détail :** en examinant tout. *Nicolas peut expliquer **en détail** le fonctionnement de sa voiture téléguidée.* **CONTR** en gros. ♦ Famille du mot : détaillant, détaillé, détailler.

détaillant, détaillante nom
Personne qui fait du commerce de détail. *Un **détaillant** en fruits et légumes.* **CONTR** grossiste.

détaillé, détaillée adjectif
Qui comporte tous les détails. *Un mode d'emploi **détaillé**.*

détailler verbe ▸ conjug. 3
❶ Décrire avec tous les détails. *Elle a fait un récit qui **détaillait** sa mésaventure.* ❷ Examiner très attentivement. *Il nous **a détaillés** de la tête aux pieds.*

détaler verbe ▸ conjug. 3
Dans la langue familière, s'enfuir. *Les antilopes **ont détalé** quand elles ont vu le lion s'approcher.* **SYN** déguerpir, filer.

détartrer verbe ▸ conjug. 3
Enlever le tartre. *L'hygiéniste dentaire m'**a détartré** les dents.*

détecter verbe ▸ conjug. 3
Déceler. *Le plombier **a détecté** une fuite d'eau.*

détecteur nom masculin
• **Détecteur de fumée :** appareil servant à repérer et à signaler la présence de fumée, qui déclenche un avertissement sonore quand un dégagement de fumée se produit. *Il est important de vérifier régulièrement le bon état de la pile du **détecteur de fumée**.*

*Un **détecteur** de fumée*

étection nom féminin
Action de détecter. *La radiographie permet la **détection** de certaines maladies.*

étective nom
Personne qui fait des enquêtes policières. *La **détective** a résolu l'enquête : elle a retrouvé les bijoux volés.*

éteindre verbe ▸ conjug. 35
Perdre sa couleur au lavage, en tachant parfois ce qui est autour. *Il faut laver ce chandail à part, il **déteint**.*

ételer verbe ▸ conjug. 9
Détacher un animal de la voiture à laquelle il est attelé. *Le fermier **dételle** le cheval.* **CONTR** atteler.

étendre verbe ▸ conjug. 31
❶ Diminuer la fatigue ou l'inquiétude de quelqu'un. *Ses vacances l'**ont** bien **détendue**.* **SYN** délasser. ❷ Relâcher ce qui est tendu. *Pour réparer la corde à linge, mon père l'**a détendue**.* ■ *se* **détendre** ❶ Devenir moins tendu. *Le ressort **s'est détendu** d'un coup.* **CONTR** se tendre. ❷ Se délasser. *Jacinthe **se détend** en feuilletant des magazines.*

étendu, détendue adjectif
Moins tendu, calme. *Une atmosphère **détendue**.* **SYN** décontracté. **CONTR** tendu.

étenir verbe ▸ conjug. 19
❶ Avoir quelque chose en sa possession. *Raphaëlle **détient** une collection de timbres.* ❷ Retenir prisonnier. *Les terroristes **détiennent** plusieurs otages.* ♦ Famille du mot : détenteur, détention, détenu.

étente nom féminin
❶ Repos qui détend. *La lecture est sa source de **détente**.* ❷ Relâchement de la tension. *Il y a une nette **détente** dans les relations entre ces deux pays.* **CONTR** tension. ❸ Pièce qui fait partir le coup d'une arme à feu. *Le chasseur a pressé sur la **détente** de sa carabine.* * Chercher aussi *gachette*.

étenteur, détentrice nom
Personne qui détient quelque chose. *Elle est la **détentrice** du record mondial du 100 mètres.*

étention nom féminin
Emprisonnement, captivité. *Les otages ont été libérés après six mois de **détention**.*

détenu, détenue nom
Personne qui est en détention. *Les **détenus** regagnent leurs cellules.* **SYN** prisonnier.

détergent, détergente adjectif
Qui nettoie. *Une poudre **détergente**.* ■ **détergent** nom masculin Produit qui nettoie. *Le savon, la lessive sont des **détergents**.*

détérioration nom féminin
Fait de se détériorer. *Le gel a provoqué la **détérioration** des canalisations.*

détériorer verbe ▸ conjug. 3
Mettre en mauvais état. *Des jeunes **ont détérioré** les abribus du quartier.* ■ *se* **détériorer** : devenir moins bon. *Leurs relations **se détériorent**.* **SYN** se dégrader.

déterminant, déterminante adjectif
Qui est essentiel, fondamental. *L'influence de son enseignante a été **déterminante** dans le choix de sa profession.* **SYN** décisif. ■ **déterminant** nom masculin Formé d'un mot ou de plusieurs mots, le déterminant précède un nom, s'accorde avec lui et le détermine. *Il y a des **déterminants** possessifs, des **déterminants** démonstratifs et des **déterminants** numéraux.*

détermination nom féminin
Comportement d'une personne déterminée. *Il a agi avec **détermination** et courage.* **CONTR** indécision.

déterminé, déterminée adjectif
❶ Qui montre un esprit de décision. *Yann nous a dit d'un ton **déterminé** qu'il ne participerait pas à notre projet.* **SYN** résolu. **CONTR** indécis. ❷ Qui est clairement défini. *Un prix **déterminé**.*

déterminer verbe ▸ conjug. 3
❶ Connaître quelque chose avec précision. *L'anthropologue essaie de **déterminer** l'âge de ce squelette.* **SYN** définir, établir. ❷ Amener quelqu'un à faire quelque chose. *Cet évènement l'**a déterminé** à partir.* **SYN** décider. ❸ Préciser le sens et la valeur d'un mot. *Dans le groupe « sa clé », le déterminant possessif « sa » **détermine** le nom « clé ».* ♦ Famille du mot : déterminant, détermination, déterminé, indéterminé.

a b c d e f g h i j k l m n o p q r s t u v w x y z

a b c d e f g h i j k l m n o p q r s t u v w x y z

déterrer verbe ▸ conjug. 3
Sortir de terre quelque chose qui y était enfoui. *Le chien **déterre** un os.* **SYN** exhumer. **CONTR** enterrer.

Le chien **déterre** un os

détersif, détersive adjectif
Qui nettoie. *Une poudre **détersive**.* ■ **détersif** nom masculin Produit qui nettoie. *Un **détersif** efficace.*

détestable adjectif
Que l'on déteste. *Une personne **détestable**.* **SYN** exécrable, haïssable.

détester verbe ▸ conjug. 3
Ne pas aimer du tout quelque chose ou quelqu'un. *Wang **déteste** les araignées.* **SYN** haïr. **CONTR** adorer, aimer.

détonateur nom masculin
Ce qui sert à déclencher une explosion.

détonation nom féminin
Bruit d'une explosion, d'un coup de feu. *Les chasseurs ne sont pas loin, j'entends des **détonations**.*

détour nom masculin
Trajet plus long que le chemin normal. *Ricardo a fait un **détour** pour aller à l'épicerie.* • **Sans détour :** directement, franchement. *Je lui ai demandé de me dire la vérité **sans détour**.* **SYN** en face*.

détournement nom masculin
Action de détourner par la force ou par la ruse. *Un **détournement** d'avion.*

détourner verbe ▸ conjug. 3
❶ Faire changer de direction. *On **a détourné** la circulation pour laisser passer le défilé de la Saint-Jean.* **SYN** dérouter, dévier. ❷ Voler. *Le caissier du casino est accusé d'**avoir détourné** un million de dollars.* ■ se **détourner** : se tourner d'un autre côté. *Pour m'éviter, Éric **s'est détourné**.* ♦ Famille du mot : détour, détournement.

détracteur, détractrice nom
Personne qui dénigre, qui critique. *Cet homme politique a de nombreux **détracteurs**.*

détraquer verbe ▸ conjug. 3
Abîmer le mécanisme d'une machine. *J'**ai détraqué** mon appareil photo en le faisant tomber.* ■ se **détraquer** : cesser de fonctionner. *Cette machine **se détraque** sans arrêt.*

détremper verbe ▸ conjug. 3
Mouiller quelque chose abondamment. *Le match n'aura pas lieu car la pluie **a détrempé** le terrain.*

détresse nom féminin
Sentiment de grande angoisse face à une situation tragique. *La **détresse** se lisait dans le regard des sinistrés.* • **En détresse :** en perdition. *On a entendu les appels radio d'un avion **en détresse**.*

détriment nom masculin
• **Au détriment de :** aux dépens ou au désavantage de. *Samuel fait du sport, mais c'est **au détriment de** ses études.*

détritus nom masculin pluriel
Débris de toutes sortes. *Des bénévoles ramassent les **détritus** après le spectacle dans le parc.* **SYN** déchets, ordures.

détroit nom masculin
Passage qui fait communiquer deux mers entre elles. *Le **détroit** de Béring relie l'océan Arctique à l'océan Pacifique.*

Le **détroit** de Béring

détromper verbe ▸ conjug. 3
Dire ou montrer à quelqu'un qu'il se trompe. *Je croyais avoir gagné, mais il m'**a détrompé**.* ■ *se* **détromper** : cesser de se tromper. ***Détrompe-toi**, il n'est pas encore sept heures.*

détrôner verbe ▸ conjug. 3
❶ Déposséder un roi de son trône. *Une révolution **a détrôné** le roi de ce pays.* ❷ Remplacer une chose en usage, à la mode par une autre. *L'avion **a détrôné** le ballon dirigeable.*

détrousser verbe ▸ conjug. 3
Dans la langue littéraire, dévaliser. *Des bandits ont attaqué les voyageurs pour les **détrousser**.*

détruire verbe ▸ conjug. 43
❶ Mettre en ruines. *La cathédrale **a été détruite** par un tremblement de terre.* **SYN** démolir. ❷ Tuer en grand nombre. *Les hélicoptères ont déversé des insecticides pour **détruire** les moustiques.* ❸ Faire cesser d'exister. *Cette jalousie **a détruit** leur amitié.* **SYN** anéantir.

dette nom féminin
Somme d'argent que l'on doit. *Laure m'avait prêté de l'argent, mais j'ai remboursé ma **dette**.* ♦ Famille du mot : endettement, s'endetter.

deuil nom masculin
❶ Mort d'une personne. *Elle a eu un **deuil** dans sa famille.* **SYN** décès. ❷ Grand chagrin éprouvé à la mort d'une personne. *La famille est en **deuil**, le grand-père est mort.* • **Faire son deuil de quelque chose** : renoncer à l'espérer. *Il ne te rendra jamais ton bâton de hockey, tu peux **en faire ton deuil**.*

deux déterminant invariable
❶ Un plus un (2). *J'ai **deux** yeux et **deux** oreilles.* ❷ Petit nombre indéterminé. *L'école est à **deux** pas de chez moi.* ■ **deux** nom masculin invariable Chiffre ou nombre deux. *Le **deux**, c'est mon anniversaire.* ■ **deux** pronom invariable *J'ai trois chiens. **Deux** sont tout blancs.* ■ **deux** adjectif invariable Deuxième. *Prenez la page **deux** de votre manuel.* • **En moins de deux** : très vite. *Ils ont déguerpi **en moins de deux**.*

deuxième adjectif et nom
Qui occupe le rang numéro deux. *C'est la **deuxième** élève de la liste. – Elle est la **deuxième** de la liste.* **SYN** second.

deuxièmement adverbe
En deuxième lieu. *Premièrement, il faut penser aux préparatifs, **deuxièmement**, aux invitations.*

deux-points nom masculin
Signe de ponctuation (:) qui introduit les paroles de quelqu'un, une explication, une énumération, une conséquence, etc.

dévaler verbe ▸ conjug. 3
Descendre très rapidement. *Anaïs est en retard, elle **dévale** l'escalier quatre à quatre.* **SYN** dégringoler.

dévaliser verbe ▸ conjug. 3
Dépouiller quelqu'un de ce qu'il possède. *Des cambrioleurs **ont dévalisé** sa maison.*

dévaloriser verbe ▸ conjug. 3
Diminuer la valeur d'une personne ou d'une chose. *Il lui arrive de **dévaloriser** l'un ou l'autre de ses amis.* **CONTR** valoriser. ■ *se* **dévaloriser** : perdre de sa valeur. *Cette monnaie **s'est** beaucoup **dévalorisée**.*

dévaluation nom féminin
Diminution de la valeur d'une monnaie par rapport aux autres. *Le journal annonce une **dévaluation** de l'euro.*

dévaluer verbe ▸ conjug. 3
Faire une dévaluation. ■ *se* **dévaluer** : pour une monnaie, perdre de sa valeur par rapport aux autres. *Cette monnaie **se dévalue** sans cesse.*

devancer verbe ▸ conjug. 4
❶ Arriver avant les autres. *Dans l'épreuve de natation, Farah **a devancé** toutes les concurrentes.* ❷ Faire quelque chose avant quelqu'un. *Je voulais l'appeler au téléphone, mais il m'**a devancé**.* **SYN** précéder, prendre les devants*.

devant adverbe
À l'avant, en avant. *Au cinéma, je m'assois toujours **devant**.* ■ **devant** préposition ❶ En avant de. *Les plus petits se mettent **devant** les plus grands.* ❷ En face de. *La voiture est stationnée **devant** la maison.* ❸ En présence de. *Cela s'est passé **devant** moi.* • **Au-devant de** : à la rencontre de. ■ **devant** nom masculin Partie qui se situe à l'avant. *Le **devant** de la voiture est complètement bosselé.* **CONTR** arrière, derrière. • **Prendre les devants** : agir le premier. **SYN** devancer.

a b c d

devanture nom féminin
Vitrine. *Claudia admire la **devanture** de cette boutique.*

dévaster verbe ▶ conjug. 3
Détruire tout sur son passage. *La tornade **a dévasté** la moitié de l'île.* SYN ravager, saccager.

*Une maison **dévastée***

m n o p q r s t u v w x y z

développement nom masculin
❶ Fait de se développer, de changer, d'évoluer. *Le **développement** technologique a rendu les ordinateurs plus performants.* ❷ Partie d'un texte qui développe une idée. *J'ai fait l'introduction et la conclusion de mon exposé, mais pas le **développement**.* ❸ Action de développer une pellicule photographique.

développer verbe ▶ conjug. 3
❶ Faire croître. *Faire de la musique **a développé** ses capacités de concentration.* ❷ Expliquer en donnant des détails. *L'auteur **a développé** cette théorie dans son dernier livre.* ❸ Faire apparaître l'image d'un cliché par un traitement spécial. *J'ai donné mes photos à **développer**.* ❹ Ôter de son enveloppe ou de son emballage. ***Développer** un cadeau.* ■ *se* **développer** ❶ Prendre de l'importance. *L'industrie touristique **se développe** dans cette région.* ❷ Devenir plus grand, plus fort. *Cet enfant **s'est** beaucoup **développé** depuis l'été dernier.* ♦ Famille du mot : développement, sous-développé, sous-développement.

devenir verbe ▶ conjug. 19
❶ Commencer à être. *Il **est devenu** très célèbre grâce à cette invention.* ❷ Passer d'un état à un autre, d'une situation à une autre. *Je me demande bien ce qu'elle **est devenue**.*

déverser verbe ▶ conjug. 3
Répandre quelque chose en grande quantité. *On **a déversé** vingt sacs d'engrais sur ce champ.* ■ *se* **déverser** : s'écouler. *La rivière Richelieu **se déverse** dans le fleuve Saint-Laurent.*

dévêtir verbe ▶ conjug. 15
Dans la langue littéraire, déshabiller. ***Dévêtir** une poupée.* CONTR vêtir. ■ *se* **dévêtir** : se déshabiller. *Le médecin a demandé au patient de **se dévêtir**.* CONTR se vêtir.

déviation nom féminin
❶ Route vers laquelle la circulation est déviée. *La route est barrée, il faut prendre la **déviation**.* ❷ Déformation. *Micha a une **déviation** de la colonne vertébrale.*

dévier verbe ▶ conjug. 10
❶ Détourner de sa direction normale. *La circulation **a été déviée** à cause de la manifestation.* SYN dériver. ❷ Changer de direction. *Mary a fait **dévier** la conversation.* SYN détourner.

devin, devineresse nom
Personne qui prétend pouvoir prédire l'avenir. *Il joue au **devin** en prédisant cette catastrophe.*

deviner verbe ▶ conjug. 3
Découvrir par intuition ou par déduction. ***Devine** quelle surprise j'ai pour toi !* ♦ Famille du mot : devin, devinette.

devinette nom féminin
Question amusante dont il faut deviner la réponse. SYN énigme. * Chercher aussi *charade*.

devis nom masculin
Document indiquant le prix prévu pour des travaux. *Ma mère a demandé un **devis** au plombier pour remplacer toute la tuyauterie.*

dévisager verbe ▶ conjug. 5
Regarder quelqu'un avec une insistance indiscrète. *Mon petit frère **dévisage** les gens dans le métro.*

devise nom féminin
❶ Phrase choisie pour exprimer une pensée. *« Je me souviens » est la **devise** du Québec.* ❷ Monnaie étrangère. *Le yen, la lire, l'euro sont des **devises**.*

dévisser verbe ▶ conjug. 3
Desserrer ce qui est vissé. *Je n'arrive pas à **dévisser** ce bouchon.* CONTR visser.

dévoiler verbe ▶ conjug. 3
❶ Enlever le voile qui recouvre une personne ou une chose. *Le maire **a dévoilé** la plaque.*

❷ Révéler ce qui était tenu secret. *Il est encore trop tôt pour **dévoiler** nos plans.* **SYN** divulguer. **CONTR** cacher. ■ *se* **dévoiler**: enlever son voile, se montrer le visage.

① **devoir** verbe ▸ conjug. 21
❶ Être obligé de faire quelque chose. *Je **dois** partir maintenant.* ❷ Avoir le projet de faire quelque chose. *Nous **devions** faire des beignes, mais nous n'avions plus de farine.* ❸ Être très probable. *Elle **doit** avoir dans les cinquante ans.* ❹ Avoir à payer ou à rembourser une somme. *Vous me direz combien je vous **dois**.* ❺ Être redevable de quelque chose à quelqu'un. *Il **doit** la vie à la femme qui l'a sauvé.* • **Comme il se doit:** comme il le faut ou comme prévu.

② **devoir** nom masculin
❶ Ce que l'on doit faire pour suivre la morale. *L'enseignant nous apprend quels sont les droits et les **devoirs** des citoyens.* ❷ Exercice scolaire. *J'ai trop de **devoirs** aujourd'hui, je ne peux pas aller jouer dehors.*

dévorer verbe ▸ conjug. 3
❶ Manger beaucoup ou avec gloutonnerie. *Ces enfants ne mangent pas, ils **dévorent**!* ❷ Faire disparaître très vite. *Les flammes **dévorent** l'immeuble.* ❸ Tourmenter. *Dans ce bois, nous **avons été dévorés** par les moustiques.* • **Dévorer des yeux:** regarder avidement. • **Dévorer un livre:** le lire d'une traite.

dévoué, dévouée adjectif
Qui est toujours prêt à rendre service. *Cet homme **dévoué** fait la lecture à des non-voyants.* **SYN** serviable.

dévouement nom masculin
Qualité d'une personne qui se dévoue. *Le **dévouement** du personnel de cet hôpital est extraordinaire.*

se **dévouer** verbe ▸ conjug. 3
S'oublier soi-même et dépenser toute son énergie pour être utile aux autres. *Cette bénévole **s'est dévouée** toute sa vie pour les sans-abri.*

dextérité nom féminin
Adresse dans la façon de faire. *Il a réalisé ce château de cartes avec une grande **dextérité**.* **SYN** habileté. **CONTR** gaucherie.

diabète nom masculin
Maladie caractérisée par la présence de sucre dans le sang et dans les urines.

diabétique adjectif et nom
Qui a du diabète. *Mon oncle est **diabétique**. – Les **diabétiques** doivent surveiller leur alimentation.*

① **diable** nom masculin
Esprit qui représente le mal. **SYN** démon. • **Habiter au diable:** habiter très loin. • **Tirer le diable par la queue:** avoir du mal à vivre parce qu'on n'a pas assez d'argent. • **Être en diable:** être en colère, furieux. ■ **diable!** interjection Exprime la surprise. ***Diable**! C'est compliqué.*

② **diable, diablesse** nom
Personne turbulente, insupportable. *Sa cousine est une vraie petite **diablesse**.*

③ **diable** nom masculin
Petit chariot à deux roues qui sert à transporter des sacs, des caisses, etc.

diablotin nom masculin
❶ Petit diable d'aspect sympathique. ❷ Enfant espiègle.

diabolique adjectif
Digne du diable par son caractère méchant, pervers. *Ses adversaires lui ont tendu un piège **diabolique**.* **SYN** démoniaque, infernal.

diachylon nom masculin
Pansement adhésif qui sert à couvrir une plaie.

diadème nom masculin
Bijou féminin en forme de couronne, que l'on porte sur la tête.

*Un **diadème***

a b c d e f g h i j k l m n o p q r s t

diagnostic nom masculin
Fait d'identifier une maladie d'après certains signes. *Ce médecin a fait un **diagnostic** exact.*

diagnostiquer verbe ▸ conjug. 3
Faire un diagnostic. *La pédiatre **a diagnostiqué** une fracture du poignet.*

diagonale nom féminin
Ligne droite qui joint les sommets opposés d'un quadrilatère. *Les **diagonales** d'un carré sont égales.* • **En diagonale :** en biais, obliquement. • **Lire en diagonale :** parcourir très rapidement un livre, un journal.

diagramme nom masculin
Représentation graphique des variations d'une grandeur. *Une courbe de températures est un **diagramme**.* * Chercher aussi *graphique*.

dialecte nom masculin
Forme particulière que prend une langue selon la région où elle est parlée. *Le wallon est un **dialecte** français de Belgique.*

dialogue nom masculin
Conversation entre deux ou plusieurs personnes. *Les **dialogues** de ce film sont amusants.*

dialoguer verbe ▸ conjug. 3
Avoir un dialogue avec quelqu'un. *Les deux chefs d'État **ont dialogué** pendant une heure.* * Chercher aussi *monologuer*.

diamant nom masculin
❶ Pierre précieuse très brillante et très dure. *La bague de ma grand-mère est ornée d'un **diamant**.* ❷ Instrument muni d'un éclat de diamant qui sert à découper le verre.

Un **diamant**

diamètre nom masculin
Ligne qui partage un cercle en deux parties égales et qui passe par son centre. 👁p. 484.

diapason nom masculin
❶ Étendue des sons, du plus aigu au plus grave, que peut produire une voix ou un instrument de musique. ❷ Petit instrument qui donne la note de référence. *Les musiciens font vibrer un **diapason** pour accorder leurs instruments.*

Un **diapason**

diaphragme nom masculin
Muscle large et mince qui sépare la poitrine de l'abdomen. 👁p. 988.

diaporama nom masculin
Projection de diapositives en général sur fond sonore.

diapositive nom féminin
Photographie transparente que l'on projette sur un écran. * Abréviation familière : ***diapo***.

diarrhée nom féminin
Dérangement intestinal qui rend les excréments liquides. **CONTR** constipation.

diaspora nom féminin
Dispersion d'une ethnie, ensemble des membres dispersés d'un groupe social ou ethnique. *La **diaspora** arabe, chinoise, haïtienne.*

dictateur nom masculin
Personne qui, après s'être emparée du pouvoir, l'exerce en dehors de toute préoccupation démocratique. *Un **dictateur** sans pitié.*

dictature nom féminin
Régime politique dans lequel une seule personne ou un seul groupe a tous les pouvoirs. *Dans une **dictature**, le dictateur exerce un pouvoir absolu.* * Chercher aussi *démocratie*.

dictée nom féminin
Exercice d'orthographe qui consiste pour les élèves à écrire un texte lu à voix haute.

dicter verbe ▸ conjug. 3
❶ Dire un texte à voix haute et lentement pour que quelqu'un puisse l'écrire. *Isabelle m'**a dicté** cette lettre.* ❷ Dire à quelqu'un ce qu'il doit faire. *Mon grand frère ne veut plus que mes parents lui **dictent** sa conduite.* **SYN** imposer.

diction nom féminin
Façon de prononcer. *La plupart des comédiens suivent des cours de **diction**.*

dictionnaire nom masculin
Ouvrage qui présente les mots d'une langue selon un ordre et qui donne des renseignements sur leur orthographe, leur sens, etc. * Chercher aussi *encyclopédie*.

dicton nom masculin
Petite phrase connue de tous et qui exprime la sagesse populaire. *« La douceur vaut mieux que la rigueur » est un **dicton**.* * Chercher aussi *maxime*, *proverbe*.

dièse nom masculin
En musique, signe qui hausse d'un demi-ton la note devant laquelle il est placé.

diesel ou **diésel** nom masculin
Moteur qui fonctionne au carburant diesel. *Les **diesels** sont des moteurs polluants.*

diète nom féminin
Régime alimentaire prescrit par un médecin pour des raisons de santé. *La médecin l'a mis à la **diète** pour soigner ses intolérances alimentaires.*

diététiste nom
Personne spécialisée dans le domaine de la nutrition, de l'alimentation. *La mère d'Ulrike va voir un **diététiste** pour l'aider à changer ses habitudes alimentaires.* * Chercher aussi *nutritionniste.*

Dieu nom masculin
Être tout-puissant et éternel qui, pour les chrétiens, les juifs et les musulmans, est le créateur du monde. ***Dieu** s'appelle Yahvé chez les juifs et Allah chez les musulmans.* 👁p. 270. ■ **dieu, dieux** nom masculin Dans les autres croyances religieuses, chacun des êtres supérieurs aux humains qui règlent leur destin. *Neptune était le **dieu** romain de la mer.*

*Le **dieu** Neptune*

diffamation nom féminin
Action de diffamer. *Le ministre a dit que cet article de journal était de la **diffamation**.*

diffamer verbe ▸ conjug. 3
Salir la réputation de quelqu'un avec des paroles ou des écrits non fondés. ***Diffamer** une personne peut être puni par la loi.* **SYN** calomnier.

différé nom masculin
• **En différé :** qui est diffusé après avoir été enregistré. *Le concert sera retransmis à la radio **en différé**.* **CONTR** en direct.

différemment adverbe
D'une façon différente, autrement. *Le moteur à essence et le moteur électrique fonctionnent **différemment**.*

différence nom féminin
❶ Ce qui distingue une personne ou une chose d'une autre. *Quelle est la **différence** entre un chameau et un dromadaire ?* **CONTR** ressemblance.
❷ Résultat d'une soustraction ou écart entre deux nombres. *Stefano a dix ans et Ornella huit ans : ils ont deux ans de **différence**.*
• **Faire des différences (entre des personnes) :** ne pas les traiter de la même manière.

différencier verbe ▸ conjug. 10
Savoir reconnaître grâce aux différences. *Le nombre de bosses permet de **différencier** le chameau du dromadaire.*

différend nom masculin
Désaccord dû à des opinions différentes. *Le propriétaire et ses locataires ont eu un **différend** à propos de l'augmentation du loyer.*
* Ne pas confondre *différend* et *différent*.

différent, différente adjectif
Qui présente certaines différences. *Ce sont des frères, mais ils sont très **différents**.* **CONTR** identique, semblable. ■ **différents, différentes** déterminant pluriel Plusieurs. *Le mot « diable » a **différents** sens.* **SYN** divers.
* Ne pas confondre *différent* et *différend*.

① **différer** verbe ▸ conjug. 8
Être différent. *J'aime le ski alpin, tu préfères la planche à neige ; sur ce point nos goûts **diffèrent**.* **SYN** diverger, s'opposer. ✎ On peut écrire aussi, au futur, *il **diffèrera*** ; au conditionnel, *elle **diffèrerait***. ♦ Famille du mot : différemment, différence, différencier, différend, différent, indifféremment, indifférence, indifférent.

a b c d e f g h i j k l m n o p q r s t u v w x y z

② **différer** verbe ▶ conjug. 8
Remettre à plus tard. *La compagnie aérienne* ***a différé*** *notre vol à cause du brouillard.* SYN reculer, retarder. ✎ On peut écrire aussi, au futur, *tu* ***diffèreras*** ; au conditionnel, *nous* ***diffèrerions***.

difficile adjectif
❶ Qui demande des efforts, de la peine. *Cet exercice de mathématique était* ***difficile***. SYN compliqué, dur. CONTR facile. ❷ Qui n'est pas facile à satisfaire. *Tu n'as goûté à aucun plat, tu es vraiment* ***difficile*** *!* ♦ Famille du mot : difficilement, difficulté.

difficilement adverbe
Avec difficulté. *Il écrit* ***difficilement*** *à cause de sa blessure au poignet.* CONTR facilement.

difficulté nom féminin
❶ Caractère de ce qui est difficile. *L'entraîneur nous a prévenus de la* ***difficulté*** *des épreuves.* ❷ Chose difficile. *Elle m'a parlé de ses* ***difficultés***. SYN ennui, problème, tracas.

difforme adjectif
Qui n'a pas une forme normale. *Son bras est très enflé, il est* ***difforme***.

diffuser verbe ▶ conjug. 3
❶ Répandre dans toutes les directions. *Cet appareil* ***diffuse*** *de la chaleur dans tout l'appartement.* ❷ Faire connaître au public par l'intermédiaire de la télévision, de la radio, de la presse ou de l'Internet. *Tous les médias* ***ont diffusé*** *le résultat des élections.*

diffusion nom féminin
Action de diffuser. *Une panne d'électricité a interrompu la* ***diffusion*** *de mon émission préférée.*

digérer verbe ▶ conjug. 8
❶ Transformer les aliments que l'on mange pour que le corps les assimile. *Quand je mange trop tard, je* ***digère*** *plus difficilement.* ❷ Dans la langue familière, supporter. *Elle n'****a*** *pas* ***digéré*** *les réflexions désagréables de sa collègue.* ✎ On peut écrire aussi, au futur, *tu* ***digèreras*** ; au conditionnel, *elle* ***digèrerait***. ♦ Famille du mot : digeste, digestif, digestion, indigeste, indigestion.

digeste adjectif
Facile à digérer. *Cette sauce peu grasse est très* ***digeste***. CONTR indigeste.

digestif, digestive adjectif
Qui sert à la digestion. *Les sucs* ***digestifs***.
• **L'appareil digestif :** les organes qui assurent la digestion. *L'estomac fait partie de* ***l'appareil digestif***. ■ **digestif** nom masculin Boisson alcoolisée que l'on sert en fin de repas. *Après le café, ils ont pris un* ***digestif***.

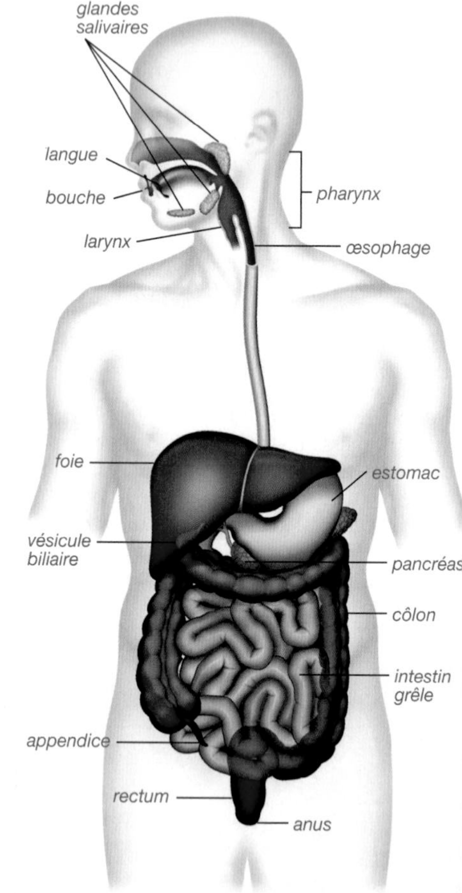

L'appareil ***digestif***

digestion nom féminin
Transformation des aliments dans l'appareil digestif. *La* ***digestion*** *permet d'assimiler les aliments.*

digital, digitale, digitaux adjectif
• **Empreintes digitales :** empreintes des doigts. *Les* ***empreintes digitales*** *sont différentes pour chaque personne.*

Des empreintes ***digitales***

digne adjectif
Qui inspire le respect par son sérieux, sa gravité. *Il est resté **digne** malgré les insultes de ses adversaires.* • **Être digne de quelqu'un :** avoir les mêmes qualités, être de même niveau que lui. *C'est un excellent joueur, **digne de** ses équipiers.* • **Être digne de quelque chose :** le mériter. *Tu peux tout lui raconter, il **est digne de** confiance.* CONTR indigne de. ♦ Famille du mot : dignement, dignitaire, dignité, indigne.

dignement adverbe
De façon digne. *Après sa défaite, il est parti **dignement**.*

dignitaire nom
Personne qui a une haute fonction dans une organisation. *Le premier ministre était entouré des plus hauts **dignitaires** du pays.*

dignité nom féminin
Attitude d'une personne digne. *Elle vit pauvrement, mais elle a gardé toute sa **dignité**.*

digue nom féminin
Construction destinée à empêcher le passage ou le débordement de l'eau. *Pour éviter l'inondation, on a construit une **digue**.*

*Une **digue***

dilapider verbe ▸ conjug. 3
Gaspiller de l'argent. *Il **a dilapidé** son héritage en quelques mois.*

dilatation nom féminin
Fait de se dilater. *Une **dilatation** du métal s'est produite sous l'effet de la chaleur.*
CONTR compression.

dilater verbe ▸ conjug. 3
Faire augmenter de volume. *Je **dilate** mes poumons en prenant une grande respiration.* CONTR comprimer. ■ *se* **dilater** : augmenter de volume. *Les pupilles des chats **se dilatent** dans le noir.*

dilemme nom masculin
Choix difficile entre deux solutions, deux options. *Je ne sais pas quoi choisir : aller faire du ski ou aller patiner ; c'est un vrai **dilemme**.*

diligence nom féminin
Voiture à chevaux qui servait autrefois au transport des voyageurs. *Les **diligences** ont été remplacées par les trains.*

*Une **diligence***

diluer verbe ▸ conjug. 3
Mélanger à un liquide. *Il faut **diluer** ce médicament dans un peu d'eau avant de le prendre.* SYN délayer.

diluvien, diluvienne adjectif
• **Pluie diluvienne :** pluie très abondante.

dimanche nom masculin
Jour de la semaine entre le samedi et le lundi. *Le **dimanche** matin, je me lève plus tard.*

dîme nom féminin
Somme que les catholiques versent à leur paroisse.

dimension nom féminin
Taille d'un objet ou d'un espace. *Il faut prendre les **dimensions** de ce réfrigérateur avant de l'acheter : sa hauteur, sa largeur et sa profondeur.* • **3D :** représentation visuelle qui intègre la hauteur, la largeur et la profondeur pour créer une impression de relief. *Un film en **3D**, un **3D**.* * ***3D*** est l'abréviation de *tridimensionnel*. • **La quatrième dimension :** le temps, en particulier dans la science-fiction.

a b c d e f g h i j k l m n o p q r s t u v w x y z

diminuer verbe ▶ conjug. 3
❶ Devenir moins grand, moins long ou moins intense. *En automne, la durée des jours **diminue**.* CONTR augmenter, grandir. ❷ Rendre moins important. *Irène **a diminué** sa consommation de pain.* SYN réduire. CONTR augmenter. ♦ Famille du mot : diminutif, diminution.

diminutif nom masculin
❶ Mot formé sur un autre mot pour désigner une chose plus petite. *Fillette est le **diminutif** de fille.* ❷ Transformation familière d'un prénom. *Pierrot est le **diminutif** de Pierre.*

diminution nom féminin
Fait de diminuer. *Les syndicats demandent une **diminution** des heures de travail.* SYN baisse, réduction. CONTR augmentation.

dinde nom féminin
Femelle du dindon. *Pour le réveillon de Noël, on prépare traditionnellement une **dinde** aux canneberges.* ♦ Famille du mot : dindon, dindonneau.

dindon nom masculin
Grosse volaille dont la tête et le cou sont rouge violet. 👁p. 720.
• **Être le dindon de la farce :** être la victime d'une farce, d'une plaisanterie.

Un **dindon**

dindonneau, dindonneaux nom masculin
Petit de la dinde.

① **dîner** verbe ▶ conjug. 3
Prendre le repas du midi. *La plupart des élèves **dînent** au service de garde.* ✎ On peut écrire aussi ***diner***.

② **dîner** nom masculin
Repas du midi. *Les fins de semaine, nous prenons notre **dîner** à la cuisine.* ✎ On peut écrire aussi ***diner***.

dînette nom féminin
❶ Petit repas que les enfants font semblant de prendre pour s'amuser. *Ariane et Gregory jouent à la **dînette**.* ❷ Service de table miniature pour jouer. *La petite sœur de Cheng a eu une **dînette** comme cadeau d'anniversaire.* ✎ On peut écrire aussi ***dinette***.

dingue adjectif et nom
Dans la langue familière, fou. *Il est complètement **dingue** de rouler aussi vite. – C'est une **dingue**.*

dinosaure nom masculin
Reptile préhistorique de très grande taille, d'aspect très varié. *Les **dinosaures** ont disparu de la surface de la Terre il y a plus de soixante millions d'années.* 👁p. 323.

diocèse nom masculin
Territoire sous le contrôle religieux d'un évêque. *Tous les prêtres d'un **diocèse** dépendent d'un même évêque.*

diphtérie nom féminin
Grave maladie contagieuse qui peut causer la mort par étouffement.

diplomate nom
Personne chargée de représenter son pays à l'étranger. *Le gouvernement a nommé ce **diplomate** ambassadeur du Canada en France.*
■ **diplomate** adjectif
Qui agit avec tact et habileté. *Elle obtient ce qu'elle veut car elle est très **diplomate**.*
♦ Famille du mot : diplomatie, diplomatique. * Chercher aussi *ambassadeur, consul.*

diplomatie nom féminin
❶ Représentation d'un État à l'étranger. *Le ministère des Affaires étrangères est chargé de la **diplomatie** du Canada.* ❷ Habileté et tact. *Abdel exprime son opinion avec beaucoup de **diplomatie**.*

diplomatique adjectif
Qui concerne la diplomatie. *Le Canada entretient des relations **diplomatiques** avec de nombreux pays.*

diplôme nom masculin
Document officiel qui atteste qu'un élève a terminé avec succès un programme d'études. *Elle a obtenu son **diplôme** d'études secondaires.*

Dinosaures et animaux disparus

a b c d e f g h i j k l m n o p q r s t u v w x y z

dire verbe ▶ conjug. 46
❶ Prononcer des paroles. *Il **a dit** une phrase que je n'ai pas comprise.* ❷ Faire connaître quelque chose à quelqu'un par la parole. *Sarah **a dit** qu'elle allait bientôt partir.* **SYN** annoncer. ***Dites**-moi votre nom.* ❸ Demander ou ordonner. *Je lui **ai dit** d'arrêter de crier.* • **Dire que** : mots qui servent à exprimer la déception ou l'étonnement. ***Dire que** les vacances sont déjà finies !* • **On dirait** : il semble, on croirait. ***On dirait** qu'il va neiger.* • **À vrai dire** : pour dire la vérité. ***À vrai dire**, je ne sais rien de cette histoire.* • **Avoir son mot à dire** : avoir le droit de donner son avis, d'intervenir. • **Vouloir dire** : signifier. *Cette phrase ne **veut** rien **dire**.* ■ *se* **dire** ❶ Penser en soi-même. *Je **me suis dit** que tu aimerais venir avec nous.* ❷ S'exprimer par tel mot. *En anglais, « école » **se dit** « school ».* ❸ Prétendre. *Elle **se dit** mon amie, mais elle n'agit pas comme telle.*

direct, directe adjectif
❶ Qui ne fait pas de détours. *Prenez cette route, elle est **directe**.* ❷ Qui se fait sans intermédiaire. *Les astronautes sont en contact **direct** avec la Terre.* ❸ Qui est franc et sans détours. *Elle a dit ce qu'elle pensait, elle a été très **directe**.* • **Complément direct** : complément lié directement au verbe, sans préposition. * Chercher aussi *complément indirect*. ■ **direct** nom masculin Coup de poing qui part tout droit. *Il a reçu un **direct** au menton.* • **En direct** : qui est diffusé au moment même de l'enregistrement. *C'est un reportage **en direct**.* **CONTR** en différé. ♦ Famille du mot : directement, indirect, indirectement.

directement adverbe
❶ Tout droit, sans faire de détours. *Vanessa va **directement** chez elle après l'école.* ❷ Sans passer par une autre personne. *Elle est allée voir **directement** le président.*

directeur, directrice nom
Personne qui dirige. *Un **directeur** d'école. Une **directrice** d'usine.* **SYN** patron.

direction nom féminin
❶ Action de diriger. *Elle assure la **direction** d'un grand hôtel.* ❷ Ensemble de ceux qui dirigent. *Les bureaux de la **direction** sont au premier étage.* ❸ Sens dans lequel on se dirige. *Nous sommes partis en **direction** de l'aréna.* ❹ Ensemble des mécanismes qui permettent de diriger un véhicule. *L'accident a faussé la **direction** de la voiture.*

directive nom féminin
Indication donnée par quelqu'un qui dirige. *Suivez bien les **directives** de votre entraîneur !*

dirigeable nom masculin
Ballon muni d'un système de direction et d'orientation. *Les **dirigeables** transportent des passagers dans leur nacelle.*

*Un **dirigeable***

dirigeant, dirigeante nom
Personne qui dirige. *Les **dirigeants** du club ont félicité les joueurs.*

diriger verbe ▶ conjug. 5
❶ Conduire, commander. Être responsable d'une organisation. *Elle **dirige** le club de natation depuis plusieurs années.* ❷ Faire aller dans une certaine direction. *Le capitaine **dirige** son navire vers le large.* **SYN** orienter. ❸ Donner une certaine orientation. *Il **a dirigé** son regard vers la scène.* ■ *se* **diriger** : aller dans une direction donnée. *Les spectateurs **se dirigent** vers la sortie.* ♦ Famille du mot : dirigeable, dirigeant.

dis- préfixe
Placé au début d'un mot pour former un autre mot, *dis-* signifie « au travers de » et marque la séparation (***dis**joindre*), le défaut, la négation (***dis**corde*).

discernement nom masculin
Capacité de juger les personnes ou les choses avec bon sens. *Elle choisit ses amis avec **discernement**.*

discerner verbe ▶ conjug. 3
❶ Distinguer plus ou moins bien par la vue. *On **discernait** vaguement une lueur au bout du chemin.* **SYN** apercevoir. ❷ Saisir précisément la valeur ou la nature de quelque chose, faire la distinction entre deux choses difficiles à démêler. *Je n'arrive pas à **discerner** s'il est sincère ou pas.*

disciple nom
Personne qui reçoit l'enseignement d'un maître. *Ce savant a de nombreux **disciples**.*

discipline nom féminin
❶ Ensemble des règles à respecter pour permettre la vie en groupe. *Les élèves doivent respecter la* ***discipline*** *de l'école.* **CONTR** indiscipline. ❷ Matière enseignée à l'école. *La technologie est une* ***discipline*** *scientifique.* ❸ Volonté, détermination pour atteindre un but. *Kim s'entraîne avec* ***discipline*** *en vue de la compétition.* ♦ Famille du mot : discipliné, indiscipline, indiscipliné.

discipliné, disciplinée adjectif
Qui respecte la discipline. *Olivier est* ***discipliné****.* **CONTR** indiscipliné.

discontinu, discontinue adjectif
Qui comprend des interruptions. *On peut franchir une ligne blanche* ***discontinue*** *pour doubler.* **CONTR** continu.

discordant, discordante adjectif
Qui ne s'accorde pas avec les autres. *Des sons* ***discordants****, des opinions* ***discordantes****.*

discorde nom féminin
Désaccord grave. *La politique est un sujet de* ***discorde*** *entre elles.*

discothèque nom féminin
❶ Collection de disques. *Il possède des disques de jazz très rares dans sa* ***discothèque****.* ❷ Endroit où l'on va danser.

discourir verbe ▸conjug. 16
Parler longuement sur un sujet. *Antonio n'a pas cessé de* ***discourir*** *sur les changements climatiques.*

discours nom masculin
Paroles que l'on adresse à un public. *Le ministre a fait un* ***discours*** *pour expliquer sa politique.* **SYN** allocution.

discréditer verbe ▸conjug. 3
Porter atteinte à la réputation de quelqu'un. *Cette grave erreur l'****a discrédité****.*

discret, discrète adjectif
❶ Qui sait garder un secret. *Je peux tout lui raconter, c'est une amie* ***discrète****.* ❷ Qui ne se mêle pas des affaires des autres. *François est* ***discret****, il ne te posera pas de questions.* **CONTR** indiscret, sans-gêne. ❸ Qui n'attire pas l'attention. *Armelle aime les vêtements* ***discrets****.* **CONTR** voyant. ♦ Famille du mot : discrètement, discrétion, indiscret, indiscrètement, indiscrétion.

discrètement adverbe
De manière discrète. *Ils sont sortis* ***discrètement****, avant la fin du concert.*

discrétion nom féminin
Qualité d'une personne discrète. *Tu peux te fier à sa* ***discrétion****, elle ne dira rien.* • **À discrétion :** autant que l'on veut, à volonté.

discrimination nom féminin
Fait de traiter différemment des autres un groupe social, une communauté, des citoyens. *Tous les enfants, quelle que soit leur origine, sont traités de la même façon à l'école, sans aucune* ***discrimination****.* **SYN** ségrégation.

discriminatoire adjectif
Qui tend à faire une discrimination. *Il a toujours lutté contre les politiques* ***discriminatoires****.*

disculper verbe ▸conjug. 3
Prouver l'innocence de quelqu'un. *Le témoignage des passants* ***a disculpé*** *l'automobiliste accusé d'avoir provoqué l'accident.*

discussion nom féminin
❶ Conversation au cours de laquelle on discute. *Nous avons eu une* ***discussion*** *avec nos parents.* ❷ Fait de discuter un ordre. *Ils ont obéi sans* ***discussion****.*

Une ***discussion***

discutable adjectif
Que l'on peut discuter, douteux. *Ce que tu affirmes est très* ***discutable****.* **SYN** contestable. **CONTR** indiscutable.

discuter verbe ▸conjug. 3
❶ Parler et échanger des idées. *Ils* ***ont discuté*** *de leurs vacances.* ❷ Opposer des objections. *Il* ***discute*** *chaque fois que je lui demande de faire sa chambre.* **SYN** contester.

a b c d e f g h i j k l m n o p q r s t u v w x y z

a b c d e f g h i j k l m n o p q r s t u v w x y z

disette nom féminin
Manque de produits alimentaires. *L'Europe a connu de nombreuses* ***disettes*** *jusqu'au 18ᵉ siècle.* SYN famine, pénurie. CONTR abondance.

disgrâce nom féminin
Perte de la faveur, des bonnes grâces d'une personne dont on dépend. *Il est tombé en* ***disgrâce****, il n'a plus les mêmes privilèges qu'avant.*

disgracieux, disgracieuse adjectif
Qui n'a pas de grâce, pas d'élégance. *Ses lourdes bottes lui donnaient une démarche* ***disgracieuse****.* CONTR gracieux.

disjoindre verbe ▸conjug. 35
Séparer ou écarter ce qui était joint. *L'humidité* ***a disjoint*** *les lattes du plancher.* CONTR joindre.

disjoint, disjointe adjectif
Qui n'est plus joint. *Les pierres de ce mur sont* ***disjointes****.*

disjoncteur nom masculin
Interrupteur qui coupe automatiquement le courant en cas de danger. * Chercher aussi *fusible*.

se **disloquer** verbe ▸conjug. 3
Disjoindre complètement les parties d'un tout. *Pendant le transport, la caisse* ***s'est disloquée****.*

disparaître verbe ▸conjug. 37
❶ Cesser d'être visible. *Le bateau* ***a disparu*** *à l'horizon.* CONTR apparaître. ❷ Être introuvable. *Mon stylo* ***a encore disparu****!* ❸ Cesser d'exister. *Les dinosaures* ***ont disparu*** *depuis longtemps.*

Les dinosaures ont ***disparu***

disparate adjectif
Qui manque d'harmonie. *Dans cette pièce, les meubles sont* ***disparates****.* SYN hétéroclite.

disparité nom féminin
Grande différence entre deux choses que l'on compare. *Cet organisme lutte contre la* ***disparité*** *entre les riches et les pauvres.*

disparition nom féminin
❶ Fait de disparaître. *J'ai avisé les voisins de la* ***disparition*** *de mon chat.* ❷ Fait de mourir. *On ne s'attendait pas à la* ***disparition*** *de cette jeune écrivaine.* SYN mort.

disparu, disparue nom et adjectif
Personne qui a cessé d'exister ou dont on n'a plus aucune nouvelle. *On déplore de nombreux* ***disparus*** *dans ce glissement de terrain. – On a diffusé la photo de l'enfant* ***disparu****.*

① **dispenser** verbe ▸conjug. 3
Accorder l'autorisation de ne pas faire quelque chose d'obligatoire. *David* ***est dispensé*** *d'éducation physique à cause d'une blessure au genou.* SYN exempter.

② **dispenser** verbe ▸conjug. 3
Accorder ou donner. *L'infirmière* ***dispense*** *des soins aux blessés.*

disperser verbe ▸conjug. 3
Répandre, éparpiller. *Les vagues* ***ont dispersé*** *les débris du bateau.* ■ *se* **disperser** ❶ Aller dans plusieurs directions. *Les spectateurs* ***se sont dispersés*** *en sortant du concert.* SYN se disséminer. ❷ Manquer de concentration. *À force de* ***se disperser****, il n'arrive jamais à finir ce qu'il a commencé.* CONTR se concentrer.

dispersion nom féminin
Fait de se disperser. *La* ***dispersion*** *de la foule s'est effectuée dans le calme.* CONTR rassemblement.

disponible adjectif
❶ Que l'on peut utiliser, qui est libre. *Il reste des places* ***disponibles*** *au fond de la salle.* SYN inoccupé. CONTR occupé. ❷ Prêt, libre. *Béatrice est* ***disponible*** *pour garder sa petite voisine.*

dispos, dispose adjectif
• **Être frais et dispos:** être tout à fait en forme. *Après une bonne nuit de repos, elle* ***est fraîche et dispose****.*

disposer verbe ▸conjug. 3
❶ Placer d'une certaine manière. *Linh* ***a disposé*** *les couverts sur la table.* SYN arranger. ❷ Se servir de quelque chose. *Pendant mon absence, tu peux* ***disposer*** *de ma chambre.* • **Être disposé à:** être prêt. *Je pourrais t'aider à ranger si tu* ***es disposé à*** *commencer.* • **Être bien** ou **mal disposé:** être de bonne ou de mauvaise humeur. ■ *se* **disposer à**: être sur le point de. *Il* ***se disposait à*** *partir quand le téléphone a sonné.* SYN s'apprêter. ♦ Famille du mot: disposition, indisposer, indisposition, prédisposer.

dispositif nom masculin
Mécanisme prévu pour un usage précis. *Le **dispositif** de sécurité empêche d'ouvrir la porte du coffre-fort.*

disposition nom féminin
Manière dont les choses sont disposées. *Nous allons changer la **disposition** des meubles.* • **À la disposition de quelqu'un :** à son service. *Il a laissé sa voiture **à notre disposition**.* ■ **dispositions** nom féminin pluriel ❶ Préparatifs ou précautions. *Nous avons pris les **dispositions** nécessaires pour notre déménagement.* ❷ Dons ou aptitudes. *Il a des **dispositions** pour le dessin.* ❸ Manière d'être. *Attendons qu'elle soit dans de meilleures **dispositions** pour lui demander son aide.*

disproportion nom féminin
Différence trop importante entre deux choses. *Il y a une **disproportion** entre la faute qu'elle a commise et la punition qu'elle a reçue.*

Une tête **disproportionnée**

disproportionné, disproportionnée adjectif
Qui présente une disproportion. *Le bonhomme que tu as dessiné a une tête **disproportionnée** par rapport à son corps.*

dispute nom féminin
Discussion violente. *Leur conversation s'est terminée par une **dispute**.* **SYN** querelle.

disputer verbe ▸ conjug. 3
❶ Participer à une compétition en vue de gagner. *Notre équipe de hockey va **disputer** un match ce soir.* ❷ Dans la langue familière, gronder, réprimander. *Mon père m'**a disputé** car je suis rentré tard.* ■ *se* **disputer** : se dire des choses désagréables. *Lorenzo et sa sœur n'arrêtent pas de **se disputer**.* **SYN** se chamailler, se quereller.

disquaire nom
Personne qui vend des disques.

disqualification nom féminin
Exclusion d'un concurrent qui commet une infraction au règlement. *Le joueur qui a injurié l'arbitre mérite une **disqualification**.*

disqualifier verbe ▸ conjug. 10
Prononcer une disqualification. *Cette athlète **a été disqualifiée** pour dopage.*

disque nom masculin
❶ Plaque ronde qui sert à l'enregistrement des sons. *Écouter un **disque**. Enregistrer un **disque**.* ❷ Palet rond que lancent les athlètes. *Le lancer du **disque** est une discipline olympique.* • **Disque compact :** disque où sont enregistrés des sons lus par un laser.
* Abréviation : ***CD***.
• **Disque dur :** partie d'un ordinateur qui contient les logiciels et les fichiers.

Le lancer du **disque**

disquette nom féminin
Petit disque souple sur lequel on enregistrait de l'information.

dissection nom féminin
Action de disséquer. *La **dissection** d'une grenouille.*

dissémination nom féminin
Fait d'être disséminé. *La **dissémination** des graines par le vent permet la reproduction des plantes.* **SYN** dispersion.

disséminer verbe ▸ conjug. 3
Disperser, éparpiller. *Un coup de vent **a disséminé** mes papiers dans la pièce.* **CONTR** rassembler.

dissension nom féminin
Désaccord grave, conflit. *Il existe des **dissensions** entre les membres de cette équipe.*

disséquer verbe ▸ conjug. 8
Découper un corps pour en étudier les différents organes. ***Disséquer** une grenouille.* ✎ On peut écrire aussi, au futur, *tu **dissèqueras*** ; au conditionnel, *il **dissèquerait***.

dissidence nom féminin
État d'une personne qui refuse d'obéir à une autorité. *Dans ce pays, quelques officiers sont entrés en **dissidence** contre le gouvernement.*

a b c d e f g h i j k l m n o p q r s t u v w x y z

dissident, dissidente nom
Personne qui est en dissidence. *Des **dissidents** politiques ont été arrêtés.*

dissimulation nom féminin
Action de dissimuler. *La **dissimulation** d'objets volés.*

dissimuler verbe ▸ conjug. 3
❶ Cacher. *Un masque **dissimulait** son visage.* ❷ Ne pas montrer ce que l'on éprouve, ce que l'on pense. *David **dissimule** sa tristesse en faisant semblant d'être joyeux.* **SYN** masquer.
■ se **dissimuler** : se cacher. *Le chat **s'était dissimulé** sous les couvertures.*

dissipé, dissipée adjectif
Distrait et indiscipliné. *Cette élève est très **dissipée**.* **CONTR** appliqué, discipliné, studieux.

① **dissiper** verbe ▸ conjug. 3
❶ Faire disparaître quelque chose en le dispersant. *Le vent **dissipe** les nuages.* ❷ Faire cesser. *Nous allons **dissiper** ce malentendu.*
■ se **dissiper** : disparaître peu à peu. *La brume **se dissipe**.*

② **dissiper** verbe ▸ conjug. 3
Distraire quelqu'un, l'entraîner à s'amuser. *L'enseignante l'a réprimandé parce qu'il **dissipe** ses camarades.*

dissocier verbe ▸ conjug. 10
Examiner séparément. *Pour mieux comprendre ce problème, il faut **dissocier** ses différentes parties.* **CONTR** associer.

dissolution nom féminin
❶ Fait de se dissoudre, de fondre. *Prenez votre médicament après sa **dissolution** complète dans l'eau.* ❷ Action de dissoudre, de faire cesser quelque chose. *La **dissolution** d'une association.*

dissolvant nom masculin
Produit utilisé pour dissoudre certaines substances. *Un **dissolvant** pour vernis à ongles.* **SYN** solvant.

dissoudre verbe ▸ conjug. 52
❶ Faire fondre un produit dans un liquide. *L'eau chaude **dissout** le sel.* ❷ Mettre fin à quelque chose. ***Dissoudre** une association.*
■ se **dissoudre** : fondre. *Le savon **se dissout** dans l'eau.* ♦ Famille du mot : dissolution, dissolvant.

dissuader verbe ▸ conjug. 3
Convaincre une personne de ne pas faire quelque chose. *Il voulait se promener sous l'orage, mais ses amis l'en **ont dissuadé**.* **CONTR** persuader.

dissuasion nom féminin
Action de dissuader. *Devant un adversaire, la **dissuasion** est souvent plus efficace que l'attaque.*

distance nom féminin
Espace qui sépare deux endroits, deux objets ou deux moments. *La **distance** entre les deux villages est d'environ vingt kilomètres.*

distancer verbe ▸ conjug. 4
Mettre une certaine distance entre soi et ses adversaires. *Malika **a** nettement **distancé** les autres nageuses.* **SYN** devancer.

distant, distante adjectif
❶ Qui se trouve séparé par une certaine distance. *Ces deux villes sont **distantes** d'à peu près cent kilomètres.* ❷ Qui a une attitude froide, réservée. *Elle est très **distante** avec les gens qu'elle ne connaît pas bien.* ♦ Famille du mot : distance, distancer.

distillation nom féminin
Action de distiller. *La **distillation** du pétrole permet d'obtenir de l'essence.*

distiller verbe ▸ conjug. 3
Chauffer un liquide pour séparer les divers éléments qui le constituent. *On **distille** du vin pour obtenir de l'alcool.* ♦ Famille du mot : distillation, distillerie.

distillerie nom féminin
Usine où l'on fabrique certains produits par distillation. *Dans cette **distillerie**, on distille l'essence des fleurs pour fabriquer des parfums.*

distinct, distincte adjectif
❶ Qui ne peut être confondu avec autre chose. *Ce sont deux questions **distinctes**.* ❷ Qui se perçoit nettement. *Les skieurs ont laissé des traces **distinctes** sur la neige.* ♦ Famille du mot : distinctement, distinctif, distinction, distingué, distinguer, indistinct.

distinctement adverbe
De manière distincte, nette. *Nous avons entendu l'explosion **distinctement**.*

distinctif, distinctive adjectif
Qui permet de distinguer quelqu'un ou quelque chose. *Le pantalon noir et le chandail rayé noir et blanc composent la tenue **distinctive** des arbitres de hockey.*

distinction nom féminin
❶ Action de distinguer. *Geneviève ne fait aucune **distinction** entre ses affaires et les miennes.* **SYN** différence. ❷ Élégance et finesse dans les gestes et les paroles. *Ma tante a beaucoup de **distinction**.* **CONTR** vulgarité. ❸ Marque d'estime, décoration. *Cette auteure a obtenu une **distinction**.*

distingué, distinguée adjectif
Élégant et raffiné. *C'est un homme **distingué**.* **CONTR** vulgaire.

distinguer verbe ▸ conjug. 3
❶ Faire la différence entre des personnes ou des choses. *Seule leur coupe de cheveux permet de **distinguer** ces jumeaux.* **SYN** différencier. **CONTR** confondre. ❷ Percevoir ou reconnaître. *À travers le brouillard, on **distingue** à peine la lueur des phares.* **SYN** discerner. ■ *se* **distinguer** : se faire remarquer. *Elle cherche à **se distinguer** en portant des tenues extravagantes.*

distraction nom féminin
❶ Fait d'être distrait. *Elle a mis ses clés dans le réfrigérateur par **distraction**.* **SYN** étourderie, inattention. ❷ Ce que l'on fait pour se distraire. *Il aime écouter du jazz, c'est sa **distraction** préférée.* **SYN** passe-temps.

distraire verbe ▸ conjug. 40
❶ Détourner l'attention de quelqu'un. *Le bruit le **distrait** de son travail.* ❷ Faire passer agréablement le temps. *Cette promenade va **distraire** les enfants.* ■ *se* **distraire** : s'occuper agréablement. *Bianca aime lire des BD pour **se distraire**.* **SYN** s'amuser, se divertir. ♦ Famille du mot : distraction, distrait.

distrait, distraite adjectif
Qui manque d'attention. *Je n'ai pas entendu ta question, j'étais **distraite**.* **SYN** inattentif. **CONTR** attentif.

distribuer verbe ▸ conjug. 3
Répartir entre plusieurs personnes. *C'est à Maxime de **distribuer** les cartes.* ♦ Famille du mot : distributeur, distribution.

distributeur nom masculin
Appareil qui distribue quelque chose. *Un **distributeur** de boissons gazeuses. Un **distributeur** d'essence.*

Un **distributeur** de savon

distribution nom féminin
❶ Action de distribuer. *Les enfants sont réunis autour du sapin pour la **distribution** des cadeaux.* **SYN** répartition. ❷ Ensemble des acteurs d'une pièce de théâtre ou d'un film. *Il y a une excellente **distribution** dans ce film.*

diurne adjectif
Qui a lieu ou est actif le jour. *Le faucon et l'épervier sont des rapaces **diurnes**.* **CONTR** nocturne.

divaguer verbe ▸ conjug. 3
Dire n'importe quoi. *Il a commencé à **divaguer** sous l'effet de la fièvre.* **SYN** délirer, déraisonner.

divan nom masculin
Long siège muni d'un dossier et d'accoudoirs où plusieurs personnes peuvent s'asseoir. *Nos amis européens appellent « canapé » ce que nous appelons ici « **divan** ».* • **Divan-lit** : divan ou sofa conçu de manière à servir de lit. *Ce **divan-lit** est très confortable.*

Un **divan**

divergence nom féminin
Fait de diverger. *Ils s'entendent bien malgré leur **divergence** d'opinions.* **CONTR** convergence.

divergent, divergente adjectif
❶ Qui diverge. *À partir d'ici, nos routes sont **divergentes**.* **CONTR** convergent. ❷ Au sens figuré, qui diffère. *Ces deux partis politiques ont des positions **divergentes** en ce qui concerne la crise économique.*

diverger verbe ▸ conjug. 5
❶ Aller en s'écartant l'un de l'autre. *Les fils électriques **divergent** à la sortie du compteur.* **CONTR** converger. ❷ Au sens figuré, être en désaccord. *Sur certains sujets, leurs opinions **divergent**.* ♦ Famille du mot : divergence, divergent.

divers, diverse adjectif
❶ Qui présente des différences. *Le dictionnaire permet de connaître les **divers** sens d'un mot.* ❷ Plusieurs. *Vous avez le choix entre **divers** restaurants.* ♦ Famille du mot : diversifier, diversité.

a b c d e f g h i j k l m n o p q r s t u v w x y z

diversifier verbe ▸ conjug. 10
Rendre divers. *Pour **diversifier** ses menus, ce restaurateur propose des plats exotiques.* **SYN** varier.

diversion nom féminin
• **Faire diversion** : détourner l'attention. *Ils étaient sur le point de se disputer, mais notre arrivée **a fait diversion**.*

diversité nom féminin
Caractère de ce qui présente des aspects divers. *Cette fleuriste vend une grande **diversité** de fleurs.* **SYN** variété.

divertir verbe ▸ conjug. 11
Faire passer agréablement le temps. *Les histoires qu'elle raconte **divertissent** ses amis.* **SYN** amuser, distraire. ■ *se* **divertir** : passer agréablement le temps. *Tu travailles trop, tu devrais **te divertir** un peu.* **SYN** s'amuser, se distraire.

divertissement nom masculin
Ce qui divertit. *Le patinage est le **divertissement** préféré de Karen.* **SYN** distraction.

dividende nom masculin
Nombre que l'on divise par un autre quand on fait une division. *Si on divise 138 par 2, 138 est le **dividende** et 2 le diviseur.* * Chercher aussi *numérateur*.

divin, divine adjectif
❶ Qui concerne Dieu ou les dieux. *Il fait confiance à la bonté **divine**.* ❷ Qui est parfait, merveilleux. *Le parfum de cette rose est **divin**.* **SYN** exquis.

divinité nom féminin
Dieu ou déesse. *Les **divinités** de l'hindouisme.*

diviser verbe ▸ conjug. 3
❶ Partager en plusieurs parties. *Rania **divise** le gâteau en huit parts égales.* ❷ Faire une division. *Si on **divise** 45 par 5, on obtient 9.* ❸ Créer un désaccord entre les gens. *La politique du gouvernement **divise** la population.* **SYN** désunir. ■ *se* **diviser** : se séparer. *À son sommet, le tronc de l'arbre **se divise** en plusieurs branches.* ♦ Famille du mot : diviseur, divisible, division, subdiviser, subdivision.

diviseur nom masculin
Nombre qui divise un autre nombre. *Si on divise 400 par 4, 4 est le **diviseur** et 400 le dividende.* * Chercher aussi *dénominateur*.

divisible adjectif
Qui peut être divisé exactement. *24 est un nombre **divisible** par 6.*

division nom féminin
❶ Opération arithmétique qui consiste à calculer combien de fois un nombre est contenu dans un autre. *Charlotte ne sait pas encore faire de **divisions** à trois chiffres.* * Chercher aussi *multiplication*. ❷ Partie d'un ensemble limitée par un trait ou une marque. *Les **divisions** d'un thermomètre indiquent les degrés de température.* ❸ Désaccord entre des personnes. *Des racontars ont provoqué une **division** dans ce groupe d'amis.* **SYN** désunion, discorde. ❹ Ensemble de régiments. *Une armée comprend plusieurs **divisions**.*

divorce nom masculin
Rupture légale d'un mariage. *Elle vit seule avec ses enfants depuis son **divorce**.*

divorcer verbe ▸ conjug. 4
Se séparer par un divorce. *Les parents de mon cousin ont décidé de **divorcer**.*

divulguer verbe ▸ conjug. 3
Révéler au public une chose secrète. *Des journalistes **ont divulgué** les escroqueries de certains hommes politiques.* **SYN** dévoiler, ébruiter.

dix déterminant invariable
Neuf plus un (10). *Thomas vient d'avoir **dix** ans.* ■ **dix** nom masculin invariable Nombre dix. *Nous partons en vacances le **dix** de ce mois.* ■ **dix** pronom invariable *Parmi tous mes amis, **dix** sont venus à mon anniversaire.* ■ **dix** adjectif invariable Dixième. *Prenez la page **dix** de votre manuel.* ♦ Famille du mot : dixième, dizaine.

dixième adjectif et nom
Qui occupe le rang numéro dix. *Liang habite au **dixième** étage. – Elle est arrivée la **dixième**.* ■ **dixième** nom masculin Ce qui est contenu dix fois dans un tout. *Il a déjà remboursé le **dixième** de sa dette.*

dizaine nom féminin
❶ Ensemble de dix unités. *Dans 526 et 28, le chiffre des **dizaines** est 2.* ❷ Quantité d'environ dix. *Nous serons de retour dans une **dizaine** de jours.*

djellaba nom féminin
Robe longue à manches et à capuchon que les gens portent en Afrique du Nord.

*Une **djella***

djiboutien, djiboutienne
➔Voir tableau, p. 1319.

do nom masculin invariable
Note de musique qui commence la gamme de do. * Ne pas confondre *do* et *dos*.

doberman nom masculin
Chien très musclé, au poil ras. 👁p. 194.

docile adjectif
Qui obéit facilement. *Un chien **docile**.*

docilité nom féminin
Caractère docile. *Ce cheval est d'une grande **docilité**.*

dock nom masculin
❶ Bassin entouré de quais dans un port. ❷ Grand hangar dans un port. *Les marchandises sont stockées dans des **docks**.*

Un **dock**

docteur, docteure nom
❶ Médecin. *Si tu es malade, je vais prendre un rendez-vous chez le **docteur**.* ❷ Titre universitaire. *Elle est **docteure** en géologie.*

doctorat nom masculin
Diplôme universitaire qui donne droit au titre de docteur. *Sa sœur prépare un **doctorat** en droit.*

doctrine nom féminin
Ensemble des idées ou des opinions que l'on défend. *La **doctrine** d'un parti politique.*

document nom masculin
Écrit ou illustration qui sert à renseigner. *Ces articles sur la vie des insectes sont des **documents** passionnants.* ♦ Famille du mot : documentaire, documentaliste, documentation, se documenter.

documentaire adjectif
Qui a le caractère d'un document. *Raphaël préfère les émissions **documentaires** aux films de fiction.* ■ **documentaire** nom masculin Film qui montre des faits réels. *Un **documentaire** sur les dauphins.*

documentaliste nom
Personne qui rassemble et classe des documents pour une entreprise ou une administration. *Pour trouver de la documentation sur ce sujet, adresse-toi à la **documentaliste**.*

documentation nom féminin
Ensemble de documents. *Dylan et Noémie ont rassemblé de la **documentation** sur le phénomène de la désertification.*

se **documenter** verbe ▸conjug. 3
Chercher ou consulter des documents. *Les élèves doivent **se documenter** sur les Incas.*

dodeliner verbe ▸conjug. 3
• **Dodeliner de la tête :** la balancer doucement.

dodu, dodue adjectif
Gras, potelé. *Un poulet bien **dodu**.*

dogme nom masculin
Idée ou opinion considérée comme une vérité indiscutable.

doigt nom masculin
❶ Chaque partie articulée et mobile qui termine la main. *Les cinq **doigts** de la main sont le pouce, l'index, le majeur, l'annulaire et l'auriculaire.* ❷ Très petite quantité. *Je boirais bien un **doigt** de vin.* • **Être à deux doigts :** être tout près. *Elle **était à deux doigts** de gagner.* • **Doigt de pied :** orteil. • **Sur le bout des doigts :** parfaitement. *Xavier connaît cette fable **sur le bout des doigts**.*

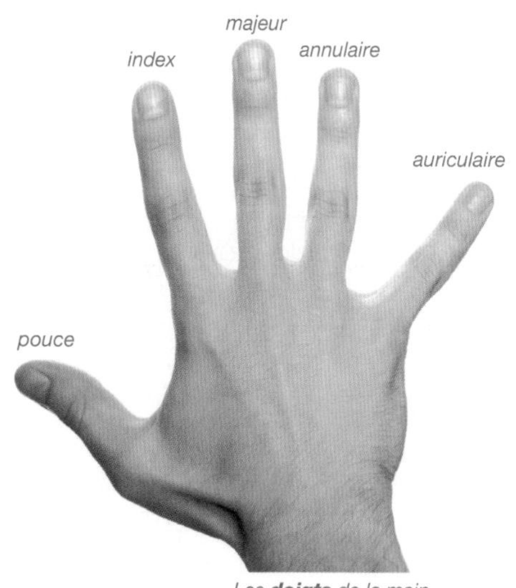

Les **doigts** de la main

a b c d e f g h i j k l m n o p q r s t u v w x y z

doigté nom masculin
Tact et finesse. *Simon a imposé ses idées avec beaucoup de **doigté**.* SYN diplomatie.

dollar nom masculin
Monnaie du Canada et de certains autres pays (États-Unis, Australie, etc.).

dolmen nom masculin
Monument préhistorique composé d'une dalle de pierre posée sur deux pierres verticales.
* Chercher aussi *menhir*.

Des **dolmens**

domaine nom masculin
❶ Grande propriété à la campagne. *Sa famille possède un **domaine** de plusieurs hectares.* ❷ Ensemble de connaissances. *À notre époque, les progrès dans le **domaine** scientifique sont immenses.* ❸ Champ de compétence. *L'ornithologie, c'est son **domaine**.*

dôme nom masculin
Toit de forme arrondie. *D'ici, tu peux apercevoir le **dôme** de l'oratoire Saint-Joseph.*

domestique adjectif
❶ Qui concerne l'entretien d'une maison. *Yann aide sa mère aux travaux **domestiques**.* SYN ménager. ❷ Qui vit auprès de l'être humain. *Le chien et le chat sont des animaux **domestiques**.* CONTR sauvage. ■ **domestique** nom Personne employée dans une maison pour servir une famille. *Autrefois, les **domestiques** vivaient dans la maison de leur maître.*
* Aujourd'hui, on dit plutôt *employé de maison*.

domestiquer verbe ▸ conjug. 3
Rendre domestique un animal sauvage. *L'éléphant est un animal sauvage, mais on peut le **domestiquer**.* SYN apprivoiser.

domicile nom masculin
Lieu où l'on habite. *Je vais vous donner le numéro de téléphone de mon **domicile**.*

domicilié, domiciliée adjectif
Avoir son domicile à un endroit. *Mes grands-parents sont **domiciliés** à Rimouski.*

dominant, dominante adjectif
Qui domine, qui est le plus important. *La franchise est l'un des traits **dominants** de son caractère.* SYN principal.

dominateur, dominatrice adjectif
Qui aime dominer. *Un caractère **dominateur**.*

domination nom féminin
Fait de dominer. *Après la défaite de Montcalm, le Canada est passé sous la **domination** des Anglais.*

dominer verbe ▸ conjug. 3
❶ Tenir en son pouvoir ou sous son autorité. *Ce peuple de guerriers voulait **dominer** les peuples voisins.* ❷ Contrôler ses sentiments. *Elle n'arrivait pas à **dominer** sa peur.* SYN maîtriser. ❸ Être situé au-dessus. *Le château Frontenac **domine** le port de Québec.* SYN surplomber. ❹ Être supérieur en quantité ou en intensité. *Dans ce plat, c'est le goût du cari qui **domine**.* SYN prédominer. ■ se **dominer** : se contrôler. *Il a réussi à **se dominer** malgré sa colère.*
♦ Famille du mot : dominant, dominateur, domination, prédominer.

dominicain, dominicaine adjectif et nom
De la République dominicaine. *Les plages **dominicaines**. – Les **Dominicains**, les **Dominicaines**.* ✎ Attention ! Le nom, qui désigne les habitants, s'écrit avec une majuscule.

dominical, dominicale, dominicaux adjectif
Du dimanche. *Chez ma grand-mère, le jambon à l'érable est le plat **dominical**.*

dominiquais, dominiquaise
➔Voir tableau, p. 1319.

domino nom masculin
Petite plaque rectangulaire divisée en deux parties marquées chacune de points qui vont de zéro à six.

Des **dominos**

dommage nom masculin
Dégât matériel. *Le tremblement de terre a causé des **dommages** considérables.* • **C'est dommage, quel dommage !** : c'est regrettable. ***Quel dommage** que nous n'ayons pas pu nous voir !*

dompter verbe ▸ conjug. 3
Forcer un animal sauvage à obéir. ***Dompter*** *un fauve.* **SYN** ② dresser.

dompteur, dompteuse nom
Personne qui dompte un animal sauvage. *La* ***dompteuse*** *fait sauter les tigres à travers un cercle de feu.*

① **don** nom masculin
Action de donner ou chose donnée. *Rémi recueille des* ***dons*** *d'argent pour le téléthon.* **SYN** cadeau.

② **don** nom masculin
Talent naturel. *Cheng a un* ***don*** *pour la musique.* **SYN** aptitude.

donc conjonction
❶ Sert à indiquer une conséquence. *Tu n'as pas son adresse électronique, tu ne peux* ***donc*** *pas lui envoyer un courriel.* **SYN** par conséquent. ❷ Sert à renforcer une affirmation, un ordre, une question. *Réponds* ***donc*** *!*

donjon nom masculin
Tour la plus haute d'un château fort. *Avez-vous visité le* ***donjon*** *de ce château ?* 👁p. 185.

donné, donnée adjectif
Fixé ou limité à l'avance. *Vous devez faire ce projet dans un temps* ***donné****.* • **Étant donné que :** puisque.

donnée nom féminin
Élément d'information de base. *Le détective a étudié toutes les* ***données*** *de l'affaire.*

donner verbe ▸ conjug. 3
❶ Remettre en cadeau. *Je te* ***donne*** *mon livre.* **SYN** offrir. **CONTR** recevoir. ❷ Confier quelque chose à quelqu'un. *Il* ***a donné*** *sa montre à réparer.* ❸ Produire. *Cette année, les pommiers* ***ont donné*** *beaucoup de pommes.* ❹ Causer. *Ces travaux m'****ont donné*** *beaucoup de difficultés. La chaleur nous* ***a donné*** *soif.* ❺ Indiquer. ***Donner*** *une adresse, des nouvelles.* ***Donner*** *l'heure.* ❻ Être situé de tel côté. *Cette fenêtre* ***donne*** *sur le parc.*
• **Donner sa parole :** jurer, promettre.
• **S'en donner à cœur joie :** faire une chose avec beaucoup de plaisir. • **Ne pas savoir où donner de la tête :** avoir trop de choses à faire en même temps. • **Donnant donnant :** à condition d'avoir quelque chose en échange de ce que l'on donne. ♦ Famille du mot : don, donné, donneur.

donneur, donneuse nom
• **Donneur de sang :** personne qui donne son sang pour qu'il serve à faire des transfusions aux malades et aux blessés.

dont pronom
Pronom relatif employé dans une phrase subordonnée. *J'ai lu le livre* ***dont*** *tu parles.*
* Dans la phrase subordonnée *dont tu parles,* ***dont*** remplace *de ce livre* (*tu parles* de ce livre). *C'est une toile* ***dont*** *il est très fier.* *(Il est très fier* de cette toile.*)*

dopage nom masculin
Fait de se doper. *Le* ***dopage*** *est dangereux pour la santé.*

doper verbe ▸ conjug. 3
Donner à une personne ou à un animal une drogue qui augmente ses capacités physiques.
■ *se* **doper** : se droguer. *Ce joueur a été exclu du championnat parce qu'il* ***s'était dopé****.*

dorade ➜Voir **daurade**

doré nom masculin
Poisson d'eau douce à chair estimée. *Mélanie a pêché un* ***doré*** *d'un kilo.*

dorénavant adverbe
Désormais. ***Dorénavant****, ma mère ira au travail en autobus plutôt qu'en voiture.*

dorer verbe ▸ conjug. 3
❶ Recouvrir d'une mince couche d'or. ***Dorer*** *un cadre.* ❷ Prendre une couleur jaune comme l'or. *J'ai fait* ***dorer*** *des pommes de terre.*
• **Se dorer au soleil :** se faire bronzer.

dorloter verbe ▸ conjug. 3
Donner à quelqu'un beaucoup de soins et de tendresse. *Elle aime bien se faire* ***dorloter*** *par sa grand-mère.* **SYN** chouchouter, choyer.

dormant, dormante adjectif
• **Eau dormante :** qui ne s'écoule pas. *Les* ***eaux dormantes*** *d'un étang.* **SYN** stagnant.

dormeur, dormeuse nom
Personne qui dort. *La sonnerie a réveillé les* ***dormeurs****.*

dormir verbe ▸ conjug. 15
❶ Être plongé dans le sommeil. *Ne fais pas de bruit, ton petit frère* ***dort****.* ❷ Traîner. *Il faut se dépêcher, ce n'est pas le moment de* ***dormir****.*
• **Une histoire à dormir debout :** une histoire incroyable. ♦ Famille du mot : dormant, dormeur, endormir.

a b c d e f g h i j k l m n o p q r s t u v w x y z

dorsal, dorsale, dorsaux adjectif
Du dos. *Des douleurs **dorsales**.* • **L'épine dorsale** : la colonne vertébrale.

dortoir nom masculin
Grande salle dans laquelle dorment plusieurs personnes. *Les **dortoirs** d'un camp de vacances.*

dorure nom féminin
Couche d'or. *La **dorure** d'un miroir.*

*La **dorure** d'un miroir*

dos nom masculin
❶ Partie arrière du corps de l'être humain et des animaux entre les épaules et les fesses. *Elle nage sur le **dos**.* • **De dos** : vu du côté du dos. ***De dos**, elle ressemble à Annick.* CONTR de face. ❷ Côté bombé d'une chose. *Le **dos** de la main.* ❸ Envers d'un objet. *Écrivez votre nom au **dos** de l'enveloppe.* SYN verso. • **Se mettre quelqu'un à dos** : s'en faire un ennemi. • **Mettre quelque chose sur le dos de quelqu'un** : l'en rendre responsable. ♦ Famille du mot : s'adosser, dos-d'âne, dossard, dossier, endosser. * Ne pas confondre *dos* et *do*.

dosage nom masculin
Action de doser. *Pour réussir ce plat, il faut faire attention au **dosage** des épices.*

dos d'âne nom masculin invariable
Bosse sur la chaussée. * Chercher aussi *ralentisseur*.

dose nom féminin
❶ Quantité à prendre en une fois. *Il est important, pour ce médicament, de prendre la **dose** prescrite.* ❷ Quantité déterminée d'un produit. *Dans cette recette, il ne faut pas dépasser la **dose** de sucre.* ♦ Famille du mot : dosage, doser.

doser verbe ▸ conjug. 3
Déterminer la bonne dose pour un mélange. *Le pâtissier **dose** soigneusement la farine et le lait pour réussir sa pâte.*

dossard nom masculin
Carré de tissu fixé sur le chandail d'un sportif. *Le gagnant du marathon porte le **dossard** numéro 3.*

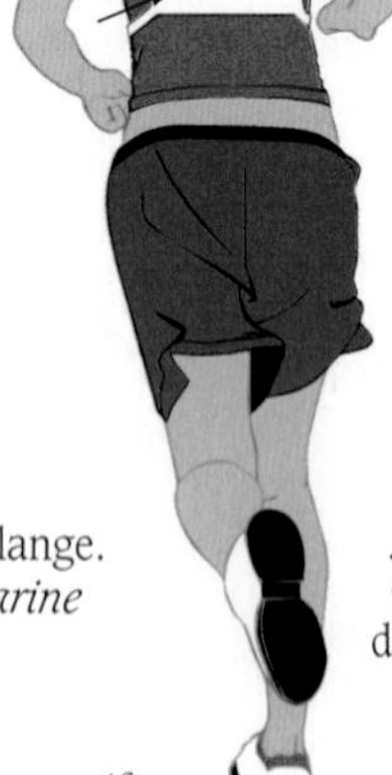

*Un **dossard***

① **dossier** nom masculin
Partie d'un siège sur laquelle on appuie son dos. *Cette voiture a des **dossiers** confortables.*

② **dossier** nom masculin
Ensemble de documents sur un sujet. *Nous avons préparé un **dossier** sur les effets du réchauffement climatique.*

dot nom féminin
Dans certaines cultures, ensemble des biens et de l'argent qu'une jeune fille apporte au moment de son mariage. * Attention ! Le *t* du mot *dot* se prononce.

doter verbe ▸ conjug. 3
❶ Fournir une dot. *Autrefois, les parents devaient **doter** leur fille.* ❷ Équiper de certains éléments. *Notre école **est dotée** d'un laboratoire de science.* SYN équiper.

douane nom féminin
Administration chargée de contrôler le passage d'un pays à un autre. *Quand on passe la **douane** d'un pays, il faut montrer son passeport.* * Chercher aussi *contrebande*.

douanier, douanière adjectif
De la douane. *Des contrebandiers ont été arrêtés au cours d'un contrôle **douanier**.* ■ **douanier, douanière** nom Employé de la douane. *La voiture a été fouillée par les **douaniers**.*

doublage nom masculin
Action de doubler. *C'est un film italien avec un **doublage** en français.*

double adjectif
❶ Qui est égal à deux fois la même chose. *Une **double** dose de médicament.* ❷ Qui est fait deux fois. *Un **double** nœud.* • **En double** : en deux exemplaires. *J'ai ce livre **en double**.* ■ **double** nom masculin ❶ Quantité multipliée par deux. *Vingt est le **double** de dix.* ❷ Copie exacte. *Donnez-moi cette facture et gardez le **double**.* ❸ Partie de tennis opposant deux équipes de deux joueurs chacune.

doublement adverbe
De deux façons, pour deux raisons. *Ce plat est **doublement** raté : il est trop salé et il est brûlé.*

doubler verbe ▸ conjug. 3
❶ Multiplier par deux. *Le prix de l'essence **a doublé** en quelques années.* ❷ Dépasser un véhicule. *À la fin de la ligne continue, tu pourras **doubler**.* ❸ Garnir l'intérieur d'un vêtement avec une doublure. *Elle porte un manteau de velours **doublé** de soie.* ❹ Remplacer un acteur par un autre. *Un cascadeur **double** la vedette du film pendant la poursuite en voiture.* ❺ Remplacer les dialogues d'un film par leur traduction dans une autre langue. *C'est un film américain **doublé** en français.* * Chercher aussi *sous-titrer*.

doublure nom féminin
❶ Tissu qui garnit l'intérieur d'un vêtement. *Elle a déchiré la **doublure** de son manteau.* ❷ Acteur qui double un autre acteur. *Dans cette scène, la vedette du film est remplacée par sa **doublure**.*

en **douce** adverbe
Dans la langue familière, sans se faire remarquer. *Le chat s'est faufilé **en douce** dans la cuisine.*

douceâtre adjectif
Qui est d'une douceur fade. *Je n'aime pas le goût **douceâtre** de ce fruit.* ✎ On peut écrire aussi ***douçâtre***.

doucement adverbe
❶ Avec douceur, sans faire de bruit. *Elle a refermé la porte tout **doucement**.* **CONTR** brusquement, bruyamment, violemment. ❷ Lentement. *Cette série de virages nous oblige à rouler **doucement**.*

doucereux, doucereuse adjectif
Qui est d'une douceur hypocrite. *Sa voix **doucereuse** ne m'inspire pas confiance.* **SYN** mielleux.

douceur nom féminin
❶ Qualité de ce qui est doux. *Ses joues ont la **douceur** du velours. La **douceur** du climat méditerranéen.* ❷ Qualité d'une personne douce. *C'est un enfant timide, parlez-lui avec **douceur**.* **CONTR** brutalité, violence. • **En douceur**: doucement, sans brutalité. *L'autobus a freiné **en douceur**.* ■ **douceurs** nom féminin pluriel Sucreries. *Je t'ai apporté quelques **douceurs**.*

douche nom féminin
Jet d'eau que l'on projette sur le corps pour se laver. *En rentrant du match, Brian a pris une **douche**.*

se **doucher** verbe ▸ conjug. 3
Prendre une douche.

doudou nom masculin ou féminin
Dans la langue familière, objet qu'adopte un jeune enfant pour se réconforter.

doué, douée adjectif
Qui a des dons naturels dans un certain domaine. *Odile est **douée** pour le chant, elle a une jolie voix.*

douille nom féminin
❶ Pièce de métal creuse d'une lampe, dans laquelle on fixe l'ampoule. ❷ Cylindre creux contenant la poudre d'une cartouche.

douillet, douillette adjectif
❶ Qui ne supporte pas la moindre douleur. *C'est une enfant **douillette**, qui pleure à la moindre écorchure.* ❷ Doux et confortable. *Dormir dans un lit **douillet**.*

douillette nom féminin
Édredon, couverture rembourrée. *L'hiver, Kim met une **douillette** sur son lit pour avoir bien chaud.* **SYN** couette.

Une **douillette**

douleur nom féminin
❶ Sensation physique pénible causée par ce qui fait mal. *Ma grand-mère souffre de **douleurs** dans le dos.* ❷ Grand chagrin. *Il a éprouvé une immense **douleur** en apprenant la mort de son ami.* **SYN** peine, souffrance.

douloureux, douloureuse adjectif
❶ Qui cause une douleur. *Elle souffre d'une blessure très **douloureuse** au genou.* ❷ Qui cause du chagrin. *Cette défaite nous a laissé un souvenir **douloureux**.*

doute nom masculin
Manque de certitude sur la vérité ou la réalité de quelque chose. *Nous avons un **doute** sur son innocence.* • **Cela ne fait aucun doute**: c'est certain. • **Sans doute**: probablement. *Il viendra **sans doute** demain.* ♦ Famille du mot: douter, douteux.

a b c d e f g h i j k l m n o p q r s t u v w x y z

douter verbe ▸ conjug. 3
❶ Avoir des doutes, ne pas être sûr. *Malika a dit qu'elle viendrait me voir, mais j'en* ***doute****.* ❷ Ne pas avoir confiance, se méfier. *Je* ***doute*** *de lui.* • **Ne douter de rien :** être très audacieux, être sûr de réussir. ■ *se* **douter de quelque chose :** le deviner, s'attendre à ce que cette chose se produise. *Sacha* ***se doutait*** *bien que sa cousine lui ferait cette surprise.*

douteux, douteuse adjectif
❶ Qui est peu probable. *La victoire de notre équipe me paraît* ***douteuse****.* CONTR certain, évident, sûr. ❷ Dont la qualité n'est pas certaine. *Ne mange pas ces champignons, ils sont* ***douteux****.* ❸ Qui n'est pas vraiment propre. *Il porte une chemise d'un blanc* ***douteux****.*

doux, douce adjectif
❶ Agréable à toucher. *Mon chat a le poil* ***doux****.* CONTR rêche, rugueux. ❷ Qui n'est ni trop chaud ni trop froid. *Un temps* ***doux****. Faire cuire un plat à feu* ***doux****.* SYN modéré. ❸ Qui fait preuve de gentillesse, de patience. *Cette infirmière est très* ***douce*** *avec ses malades.* CONTR brutal, dur, sévère. ❹ Qui a un goût sucré agréable. *Ces oranges sont* ***douces****.* CONTR acide, amer. • **Eau douce :** eau qui n'est pas salée, contrairement à l'eau de mer. *La truite est un poisson d'****eau douce****.* ■ **doux** adverbe • **Filer doux :** dans la langue familière, obéir sans discuter. *Devant sa mère, il* ***file doux****.* ♦ Famille du mot : adoucir, adoucissant, adoucissement, douceâtre, doucement, doucereux, douceur, se radoucir, radoucissement.

douzaine nom féminin
❶ Ensemble de douze unités. *Une* ***douzaine*** *d'œufs.* ❷ Quantité d'environ douze. *Le lac est à une* ***douzaine*** *de kilomètres du chalet.*

douze déterminant invariable
Dix plus deux (12). *De minuit à midi, il y a* ***douze*** *heures.* ■ **douze** nom masculin Nombre douze. *Le* ***douze*** *est mon chiffre chanceux.*
♦ Famille du mot : douzaine, douzième.

douzième adjectif et nom
Qui occupe le rang numéro douze. *L'horloge sonnait le* ***douzième*** *coup de minuit. – Viera est la* ***douzième*** *sur la liste.* ■ **douzième** nom masculin Ce qui est contenu douze fois dans un tout. *Cela représente le* ***douzième*** *de son salaire.*

doyen, doyenne nom
Personne la plus âgée d'un groupe. *La* ***doyenne*** *de cette résidence pour aînés va fêter ses 102 ans.*

draconien, draconienne adjectif
Très sévère. *La directrice du pensionnat a pris des décisions* ***draconiennes*** *en ce qui concerne la discipline.*

dragée nom féminin
Bonbon fait d'une amande recouverte de sucre. *Les mariés ont offert des* ***dragées*** *à chaque invité.*

dragon nom masculin
Animal imaginaire que l'on représente avec des ailes, des griffes et une queue de serpent.

Un **dragon**

dragonne nom féminin
Courroie que l'on passe autour du poignet. *La* ***dragonne*** *d'un parapluie, d'un bâton de ski.*

draguer verbe ▸ conjug. 3
Racler le fond de l'eau pour enlever la boue ou le sable. ***Draguer*** *un canal, un étang.*

drain nom masculin
Canalisation servant à évacuer un liquide. *Il a fallu installer un* ***drain*** *pour assainir ce terrain humide.*

drainage nom masculin
Action de drainer. *Ces anciens marais ont été asséchés grâce aux travaux de* ***drainage****.*

drainer verbe ▸ conjug. 3
Évacuer l'eau d'un terrain trop humide. *Si on* ***draine*** *ces terres marécageuses, on pourra y faire des cultures.*

drakkar nom masculin
Bateau à voile carrée et à rames, qui portait un dragon sculpté à l'avant. *Les Vikings ont navigué jusqu'à Terre-Neuve sur leurs* ***drakkars****.*

Un **drakkar**

dramatique adjectif
❶ Très grave. *Ces sinistrés sont dans une situation **dramatique**.* SYN tragique. ❷ Qui concerne les pièces de théâtre, les émissions théâtrales. *Une auteure **dramatique**.*
■ **dramatique** nom féminin Émission théâtrale. *Une **dramatique**.*

dramatiser verbe ▶ conjug. 3
Exagérer la gravité d'un fait ou d'un évènement. *Sa blessure est superficielle, il est inutile de **dramatiser**.* CONTR dédramatiser.

drame nom masculin
❶ Évènement très grave. *S'il perd son emploi, ce sera un **drame** pour sa famille.* SYN catastrophe, tragédie. ❷ Pièce de théâtre qui met en scène une histoire tragique. ♦ Famille du mot : dédramatiser, dramatique, dramatiser.

drap nom masculin
Chacune des deux grandes pièces de toile que l'on place sur un lit et entre lesquelles on dort. *Samantha a pris des **draps** propres pour faire son lit.* • **Être dans de beaux draps :** être dans une situation très embarrassante.
♦ Famille du mot : drapeau, se draper, draperie.

drapeau, drapeaux nom masculin
Pièce de tissu qui sert d'emblème à un pays. *Le **drapeau** canadien est rouge et blanc.*

Le **drapeau** canadien

se **draper** verbe ▶ conjug. 3
S'enrouler dans un vêtement ou dans un tissu. *Audrey **s'est drapée** dans un châle de soie.*

draperie nom féminin
Grande pièce d'étoffe accrochée au mur et formant de larges plis. *Le fond de la scène est orné de **draperies**.*

drave nom féminin
Transport du bois par flottage sur les cours d'eau. *Mon grand-père a déjà fait de la **drave** sur la rivière Jacques-Cartier.*

draver verbe ▶ conjug. 3
Transporter du bois par flottage.

draveur nom masculin
Autrefois, personne qui disposait et conduisait le bois par flottage. *Les **draveurs** couraient habilement sur les billes.*

Des **draveurs**

dressage nom masculin
Action de dresser un animal. *Le **dressage** des chevaux de cirque est long.*

① **dresser** verbe ▶ conjug. 3
❶ Lever ou tenir droit. ***Dresser** la tête.* CONTR baisser. • **Dresser l'oreille :** se mettre à écouter attentivement. ❷ Faire tenir droit. *Des ouvriers **dressent** un échafaudage.* SYN installer. ❸ Établir avec soin. *L'entraîneur **a dressé** la liste des joueurs.* ■ *se* **dresser** : s'élever tout droit. *Une montagne **se dresse** à l'horizon.*

② **dresser** verbe ▶ conjug. 3
Apprendre l'obéissance à un animal. ***Dresser** un chien.* SYN dompter. * Chercher aussi *apprivoiser*.

dribble nom masculin
Action de dribbler. ✎ On peut écrire aussi ***drible***.

dribbler verbe ▶ conjug. 3
Faire avancer le ballon devant soi en le contrôlant. *Il a traversé tout le terrain de basket en **dribblant**.* ✎ On peut écrire aussi ***dribler***.

drogue nom féminin
Produit toxique qui agit sur le cerveau et peut provoquer des troubles graves. *La loi prévoit des peines très sévères pour les trafiquants de **drogue**.* SYN stupéfiant. ♦ Famille du mot : drogué, droguer.

drogué, droguée nom
Personne qui consomme régulièrement de la drogue et ne peut plus s'en passer. *Cet hôpital accueille et soigne les **drogués**.* SYN toxicomane.

a b c d e f g h i j k l m n o p q r s t u v w x y z

droguer verbe ▸ conjug. 3
Faire prendre des drogues. *La vétérinaire a dû* ***droguer*** *l'animal pour le calmer.* **SYN** doper. ■ *se* **droguer** : prendre de la drogue. *Il n'est plus capable de travailler ni de faire du sport depuis qu'il* ***se drogue.*** **SYN** se doper.

① **droit, droite** adjectif
❶ Qui ne tourne pas. *Une ligne* ***droite.*** *Une route* ***droite.*** **SYN** rectiligne. **CONTR** courbe. ❷ Qui est vertical. *Tiens-toi* ***droit.*** *Redresse ce tableau, il n'est pas* ***droit.*** • **Angle droit** : angle de 90°. * Chercher aussi *aigu, obtus*. ❸ Qui agit avec droiture, honnêteté. *Faites-lui confiance, c'est une femme* ***droite.*** **CONTR** déloyal, faux. ■ **droit** adverbe En ligne droite. *Aller* ***droit*** *devant soi.* • **Passer tout droit** ❶ Dépasser par erreur l'endroit où l'on voulait se rendre. ❷ Se réveiller plus tard que l'heure habituelle. ■ **droite** nom féminin Ligne droite. *Prenez vos règles et tracez une* ***droite*** *passant par les points A et B.* ♦ Famille du mot : droitier, droiture.

② **droit, droite** adjectif
Qui est situé du côté opposé à celui du cœur. *David écrit de la main* ***droite.*** **CONTR** gauche. ■ **droite** nom féminin Côté droit. *Notre maison est la première de la rue sur la* ***droite.*** • **À droite** : du côté droit. *Au Canada, les voitures roulent* ***à droite.*** **CONTR** à gauche.

③ **droit** nom masculin
❶ Ce qui est autorisé par la loi. *À partir de 18 ans, un citoyen canadien a le* ***droit*** *de vote.* • **Être dans son droit** : avoir raison, pouvoir exiger quelque chose. ❷ Ce qui est permis. *Tu as parfaitement le* ***droit*** *de dire ce que tu penses.* ❸ Ensemble des lois. *Si tu veux devenir avocat, il faudra que tu étudies le* ***droit*** *à l'université.* ❹ Somme d'argent que l'on doit payer. *Payer des* ***droits*** *de douane.*

droitier, droitière adjectif et nom
Qui se sert habituellement de la main droite. **CONTR** gaucher.

droiture nom féminin
Comportement d'une personne droite, loyale. *Il est incapable de tricher, tu connais sa* ***droiture.*** **SYN** honnêteté, loyauté.

drôle adjectif
❶ Qui amuse, fait rire. *Une histoire* ***drôle.*** **SYN** comique. ❷ Qui semble étrange ou anormal. *Il y a une* ***drôle*** *d'odeur dans la cuisine.* **SYN** bizarre, curieux. ♦ Famille du mot : drôlement, drôlerie.

drôlement adverbe
❶ D'une manière drôle. *Il est* ***drôlement*** *coiffé ce matin !* ❷ Dans la langue familière, très. *Je suis* ***drôlement*** *ennuyé d'avoir perdu mes clés.*

drôlerie nom féminin
Caractère de ce qui est drôle. *Ce film est d'une* ***drôlerie*** *incroyable.*

dromadaire nom masculin
Mammifère ruminant qui ressemble au chameau, mais qui n'a qu'une seule bosse. *Une longue file de* ***dromadaires*** *traverse le désert.*

Un ***dromadaire***

dru, drue adjectif
Épais et serré. *Il a beaucoup plu, l'herbe est* ***drue.*** *Une barbe* ***drue.*** **SYN** touffu. **CONTR** clairsemé.

druide, druidesse nom
Nom donné aux prêtres gaulois ou celtes.

du ➔Voir **de**

dû, due, dus, dues adjectif
❶ Que l'on doit. *Il faut payer la somme* ***due*** *avant la fin du mois.* ❷ Qui est causé par quelqu'un ou quelque chose. *Son retard est* ***dû*** *aux embouteillages.* ■ **dû** nom masculin Ce qui est dû à quelqu'un. *Il veut qu'on lui rende son* ***dû.*** * Attention ! l'accent circonflexe sur le mot *dû* disparaît au féminin (*due*) et au pluriel (*dus, dues*).

duc, duchesse nom
Titre de noblesse le plus élevé après celui de prince, de princesse.

duchesse ➔Voir **duc**

duel nom masculin
Combat entre deux personnes à la suite d'une offense. ***Duel*** *à l'épée,* ***duel*** *au pistolet.*

dune nom féminin
Colline de sable formée par le vent.

duo nom masculin
Air de musique pour deux instruments ou deux voix. *Chanter en* ***duo.***

dupe adjectif
• **Être dupe** : se laisser facilement tromper. *Elle nous raconte des mensonges, nous ne* ***sommes pas dupes.***

duper verbe ▸ conjug. 3
Tromper quelqu'un en se servant de sa naïveté. SYN berner.

duplex nom masculin
Maison à deux appartements superposés. *Ses parents habitent un **duplex**.*

duplicata nom masculin invariable
Copie exacte d'un document officiel. SYN double. CONTR original. ✎ On peut écrire aussi, au pluriel, *des **duplicatas***.

duquel ↠Voir **lequel**

dur, dure adjectif
❶ Qui résiste et que l'on ne peut pas entamer facilement. *Le diamant est une pierre très **dure**.* SYN résistant. CONTR mou, tendre. ❷ Difficile. *Ce problème est **dur**.* SYN ardu. ❸ Qui est pénible à supporter. *Dans les régions arctiques, l'hiver est **dur**.* ❹ Qui ne montre aucune indulgence, aucune sensibilité. *Ce chef d'entreprise est **dur** avec ses employés.* CONTR indulgent. • **Être dur d'oreille :** être un peu sourd. • **Œuf dur :** œuf dont le blanc et le jaune se sont solidifiés à la cuisson.
■ **dur** adverbe Beaucoup. *Travailler **dur**.*
■ **dur, dure** nom Personne qui n'a peur de rien. *Elle a l'air timide, mais en réalité, c'est une **dure**.* ♦ Famille du mot : durcir, durcissement, durement, dureté, endurcir.

durable adjectif
Qui va durer longtemps. *Loïc et Myriam espèrent que leur amitié sera **durable**.* CONTR éphémère.

durant préposition
Pendant. *Ils ont fait connaissance **durant** un voyage en train.*

durcir verbe ▸ conjug. 11
❶ Devenir dur. *La pâte à tarte a commencé à **durcir**.* CONTR ramollir. ❷ Faire paraître plus dur. *La fatigue **durcit** son visage.* CONTR adoucir.

durcissement nom masculin
Fait de durcir. *Le **durcissement** du ciment.*

durée nom féminin
Temps compris entre le début et la fin de quelque chose. *Il a fermé son magasin pendant la **durée** des travaux.*

durement adverbe
D'une manière dure, sévère. *Il lui a parlé **durement**.*

durer verbe ▸ conjug. 3
❶ Se dérouler pendant un certain temps. *La séance **a duré** deux heures.* ❷ Rester en bon état. *C'est un meuble de bonne qualité, qui **durera** des années.* ♦ Famille du mot : durable, durée.

dureté nom féminin
❶ Caractère de ce qui est dur. *Cette pierre n'a pas la **dureté** du diamant.* ❷ Manque de bonté, de douceur. *Les vainqueurs ont traité leurs prisonniers avec une grande **dureté**.* CONTR indulgence.

duvet nom masculin
❶ Petites plumes douces et légères. *Le corps des oisillons est couvert de **duvet**.* ❷ Grand sac garni de duvet ou d'une matière synthétique. *Un édredon de **duvet**.* ❸ Poils très fins. *La peau des pêches est recouverte de **duvet**.*

DVD nom masculin
Disque optique numérique à usages divers. *Ce film est disponible en **DVD**.*

dynamique adjectif
Qui fait preuve de dynamisme. *C'est un homme **dynamique**, qui réussit très bien tout ce qu'il entreprend.* SYN actif, énergique, entreprenant. CONTR indolent, mou.

dynamisme nom masculin
Énergie avec laquelle une personne accomplit une action. *Nous avons gagné plusieurs matchs grâce au **dynamisme** de notre entraîneuse.*

dynamite nom féminin
Explosif très puissant. *Les ouvriers ont fait sauter le rocher à la **dynamite**.*

dynamiter verbe ▸ conjug. 3
Faire sauter à la dynamite. ***Dynamiter** un pont.*

dynamo nom féminin
Appareil qui produit du courant électrique.

dynastie nom féminin
Famille de rois qui règnent les uns à la suite des autres. *La reine Élisabeth II appartient à la **dynastie** des Windsor.*

dyslexie nom féminin
Ensemble de difficultés rencontrées dans l'apprentissage de la lecture.

dyslexique adjectif et nom
Qui souffre de dyslexie. *Un enfant **dyslexique**. – Cette orthophoniste donne des cours aux **dyslexiques**.*

e nom masculin invariable
Cinquième lettre de l'alphabet. *Le **e** est une voyelle.*

eau, eaux nom féminin
❶ Liquide incolore, inodore et sans saveur quand il est pur. *L'**eau** du lac est douce, l'**eau** de mer est salée.* 👁p. 341. ❷ Étendue plus ou moins importante de ce liquide. *Ben et Nadja se promènent au bord de l'**eau**.* ❸ Se dit de certains produits liquides. *Nettoyer les sols avec de l'**eau** de Javel.* • **Eau oxygénée :** produit d'usage courant qui sert de désinfectant. **SYN** peroxyde. • **Eau d'érable :** sève de l'érable recueillie au printemps. 👁p. 12. • **Eau de Cologne :** liquide parfumé à base d'alcool. *Élodie se parfume avec une **eau de Cologne** légère.* • **Mettre de l'eau dans son vin :** devenir moins intransigeant. • **Tomber à l'eau :** ne pas avoir lieu. *On devait faire une fête, mais c'**est tombé à l'eau**.* • **Se noyer dans un verre d'eau :** être arrêté par la moindre difficulté. • **Un coup d'épée dans l'eau :** une action inutile et sans effet.

eau-de-vie nom féminin
Boisson très alcoolisée que l'on obtient par distillation de fruits ou de grains. *Le rhum est une **eau-de-vie** de canne à sucre.* ✎ Pluriel : *des **eaux-de-vie**.*

ébahir verbe ▸ conjug. 11
Étonner fortement. *Guillaume **ébahit** sa classe avec ses tours de magie.* **SYN** sidérer, stupéfier.

ébats nom masculin pluriel
Mouvements de quelqu'un qui s'ébat. *Autour de la piscine, les parents surveillent les **ébats** des petits.*

s'**ébattre** verbe ▸ conjug. 31
Courir, sauter, remuer pour s'amuser. *Trois jeunes chiots **s'ébattent** sur la pelouse.*

ébauche nom féminin
❶ Première forme donnée à une œuvre, un projet. *Voici une première **ébauche** du tableau.* **SYN** esquisse. ❷ Début de quelque chose. *L'**ébauche** d'un sourire.* **SYN** amorce.

ébaucher verbe ▸ conjug. 3
Faire l'ébauche de quelque chose. *Le conférencier **a ébauché** les grandes lignes de son discours.* **SYN** esquisser. **CONTR** achever.

ébène nom féminin
Bois précieux, noir et très dur. *Les touches noires du piano sont en **ébène**.*
♦ Famille du mot : ébéniste, ébénisterie.

De l'**ébène**

ébéniste nom
Personne qui fabrique ou répare des meubles de bois de bonne qualité.

ébénisterie nom féminin
Travail de l'ébéniste. *Le ciseau à bois est un outil d'**ébénisterie**.*

éberlué, éberluée adjectif
Très étonné. *« Tous ces cadeaux sont pour moi ! » s'est exclamée Leila **éberluée**.* **SYN** sidéré, stupéfait.

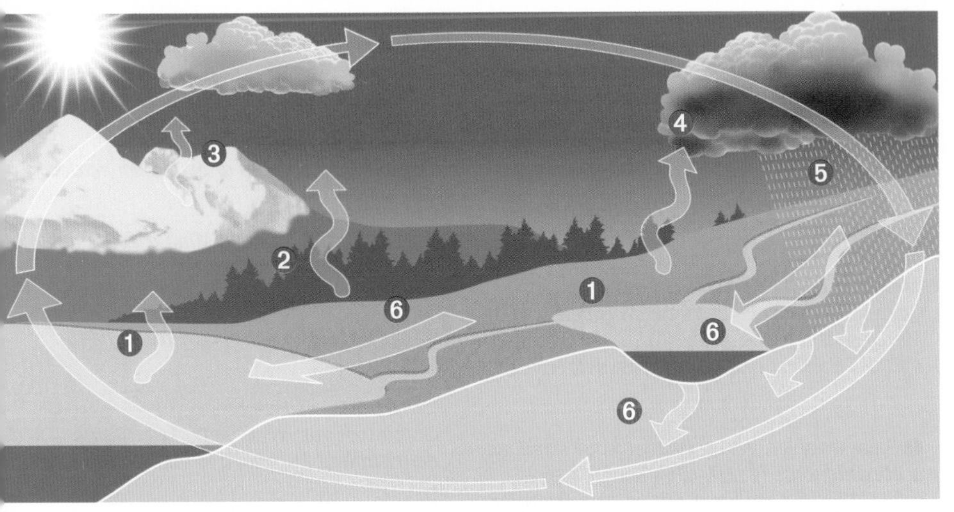

❶	*Évaporation* de l'eau des plans d'eau	Passage de liquide à gaz
❷	*Transpiration* des plantes	Passage de liquide à gaz
❸	*Sublimation*	Passage de solide à gaz
❹	*Condensation*	Passage de gaz à liquide ou de gaz à solide
❺	*Précipitations*	Chute de l'eau sous forme liquide ou solide
❻	*Ruissellement*	Écoulement de l'eau dû à la gravité

*Le cycle de l'**eau***

éblouir verbe ▸ conjug. 11
❶ Troubler la vue par un éclat trop vif. *Les skieurs mettent des lunettes parce que la neige les **éblouit**.* SYN aveugler.
❷ Au sens figuré, causer de l'admiration. *Agnès **a ébloui** ses amis par ses talents de comédienne.* ♦ Famille du mot : éblouissant, éblouissement.

éblouissant, éblouissante adjectif
❶ Qui éblouit. *Par temps froid, le soleil est souvent **éblouissant**.* SYN aveuglant. ❷ Au sens figuré, qui émerveille. *La danseuse étoile a été **éblouissante** dans ce ballet.*

éblouissement nom masculin
❶ Trouble de la vue causé par une lumière aveuglante. *L'**éblouissement** de la neige peut provoquer une cécité temporaire.*
❷ Émerveillement. *Cette compétition de patinage artistique a été un **éblouissement**.*

éboueur, éboueuse nom
Personne chargée de ramasser les ordures ménagères.

ébouillanter verbe ▸ conjug. 3
Passer à l'eau bouillante. *Ma mère stérilise les bocaux destinés aux conserves en les **ébouillantant**.* ■ s'**ébouillanter** : se brûler avec un liquide bouillant. *Elle **s'est ébouillanté** la main avec une casserole d'eau bouillante.*

éboulement nom masculin
Chute de pierres. *Il y a eu un **éboulement**, la route est bloquée par des pierres.*

*Un **éboulement***

a b c d e f g h i j k l m n o p q r s t u v w x y z

s'ébouler verbe ▸ conjug. 3
Tomber par morceaux et s'écrouler. *L'ouragan a fait **s'ébouler** un pan de montagne.* **SYN** s'effondrer. ♦ Famille du mot : éboulement, éboulis.

éboulis nom masculin
Amas de pierres et de terre provenant d'un éboulement. *Un **éboulis** barre la route.*

ébouriffé, ébouriffée adjectif
Qui a les cheveux en désordre. *Noémie et Marco sont revenus de leur balade en bateau avec les cheveux tout **ébouriffés**.* **SYN** échevelé.

ébranler verbe ▸ conjug. 3
❶ Faire trembler, vibrer. *Une secousse sismique **a ébranlé** toute la région.* ❷ Rendre moins solide. *Tous ces malheurs ont fini par **ébranler** la raison du pauvre homme.* ■ **s'ébranler** : se mettre en mouvement. *Aussitôt la cérémonie terminée, le cortège **s'est ébranlé**.* **SYN** se mettre en branle*.

ébrécher verbe ▸ conjug. 8
Abîmer un objet en cassant le bord. *Toutes ces assiettes **sont ébréchées**.* ✎ On peut écrire aussi, au futur, *j'**ébrècherai*** ; au conditionnel, *tu **ébrècherais***.

ébriété nom féminin
État d'une personne qui a bu trop d'alcool. *On lui a retiré son permis pour conduite en état d'**ébriété**.* **SYN** ivresse.

s'ébrouer verbe ▸ conjug. 3
Se secouer pour se nettoyer ou se sécher. *Après s'être roulée dans la neige, notre chienne **s'est ébrouée**.*

ébruiter verbe ▸ conjug. 3
Rendre une nouvelle publique. *Il ne faut surtout pas **ébruiter** cette histoire.* **SYN** divulguer, répandre.

ébullition nom féminin
État d'un liquide qui bout. *Le point d'**ébullition** de l'eau est de 100 °C.* • **En ébullition :** en grande agitation. *L'évasion du tigre a mis toute la région **en ébullition**.* **SYN** effervescence.

écaille nom féminin
❶ Chacune des petites plaques dures qui recouvrent le corps des poissons et des reptiles. ❷ Matière provenant de la carapace des tortues. *Un peigne en **écaille**.*

écailler verbe ▸ conjug. 3
Enlever les écailles. *Le poissonnier **a écaillé** le doré.* ■ **s'écailler** : se détacher par petites plaques. *Le vernis **s'écaille** par endroits.*

écale nom féminin
Coquille des noix. *Des arachides en **écale**.*

écaler verbe ▸ conjug. 3
Enlever l'écale des noix. *Minh **a écalé** des amandes.* **SYN** décortiquer.

écarlate adjectif
Rouge vif. *Stefen était **écarlate** de fureur.* **SYN** cramoisi.

écarquiller verbe ▸ conjug. 3
Ouvrir tout grands les yeux. *Les enfants **écarquillent** les yeux à la vue du père Noël.*

écart nom masculin
❶ Action de s'écarter de sa direction. *Le chauffeur s'est assoupi : son camion a fait un **écart**.* ❷ Différence sensible entre deux grandeurs. *Il y avait un **écart** d'une seconde entre les deux coureurs.* • **À l'écart :** en dehors ou à une certaine distance. *Il ne joue pas avec les autres, il reste toujours **à l'écart**.* • **Faire le grand écart :** écarter les deux jambes tendues jusqu'à ce qu'elles touchent le sol sur toute leur longueur. ♦ Famille du mot : écarté, écartement, écarter.

écarté, écartée adjectif
À distance des lieux de passage. *Elle habite dans un endroit **écarté**.* **SYN** isolé.

écartement nom masculin
Espace qui sépare des choses. *L'**écartement** des yeux varie d'une personne à l'autre.*

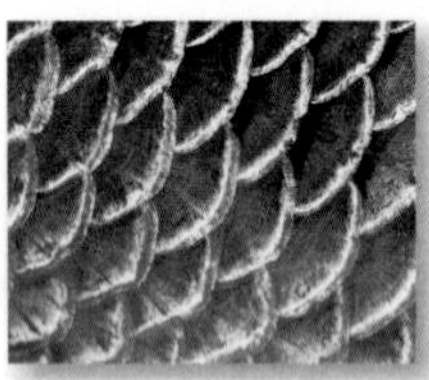
Des **écailles** de poisson

Des **écailles** de serpent

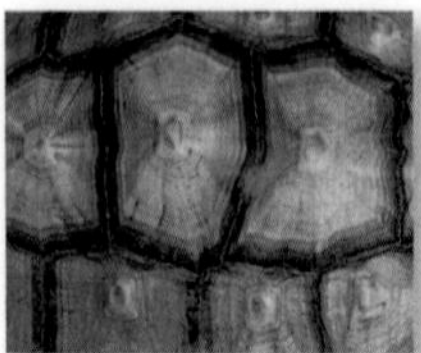
Des **écailles** de tortue

Des **écailles** de fourmilier à écailles

écarter verbe ▶ conjug. 3
❶ Éloigner des choses habituellement rapprochées. *Nicole* ***écarte*** *les bras pour m'empêcher de passer.* **CONTR** rapprocher. ❷ Repousser quelque chose ou quelqu'un qui barre la route. *Pietro se faufile à travers la haie en* ***écartant*** *les branches.* ❸ Mettre à l'écart. *Elle voulait obtenir ce poste, mais sa candidature* ***a été écartée****.* **SYN** éliminer.

ecchymose nom féminin
Bleu. *La voiture est très abîmée, mais le conducteur n'a que des* ***ecchymoses****.*
* Chercher aussi *contusion, hématome.*

ecclésiastique nom masculin
Membre du clergé. *Les prêtres, les évêques sont des* ***ecclésiastiques****.*

écervelé, écervelée adjectif et nom
Personne très étourdie, qui agit sans réfléchir. *Une enfant* ***écervelée****. – Quel* ***écervelé*** *! Il a encore oublié sa boîte à lunch.* **SYN** étourdi.

échafaud nom masculin
Estrade sur laquelle on exécutait les condamnés à mort autrefois. *Le roi Louis XVI est mort sur l'****échafaud****.* * Chercher aussi *guillotine.*

échafaudage nom masculin
Construction provisoire en bois ou en métal sur laquelle on peut monter pour effectuer des travaux. *Les maçons ont dressé un* ***échafaudage*** *pour réparer la façade.*

Un **échafaudage**

échafauder verbe ▶ conjug. 3
Combiner quelque chose dans son imagination. ***Échafauder*** *des plans.*

échalote nom féminin
Plante à bulbe, proche de l'oignon.

Des **échalotes**

échancré, échancrée adjectif
Largement ouvert. *Un col* ***échancré****.*

échancrure nom féminin
Partie échancrée d'un vêtement. *L'****échancrure*** *d'un chemisier.*

échange nom masculin
❶ Action d'échanger des choses. *Sergueï et Lara ont fait un* ***échange*** *de BD.* ❷ Relations entre des personnes, des groupes. *Des* ***échanges*** *culturels.*

échanger verbe ▶ conjug. 5
❶ Donner une chose contre une autre. *J'****ai échangé*** *ma pomme contre une orange.*
❷ Se donner mutuellement quelque chose. *Ils* ***ont échangé*** *leurs adresses électroniques.*

échangeur nom masculin
Ouvrage servant à raccorder des routes ou des autoroutes sans que celles-ci se croisent au même niveau. *Il y a toujours un embouteillage à cet* ***échangeur****.*

Des **échangeurs**

échantillon nom masculin
Petite quantité d'un produit destinée à le faire apprécier. *La vendeuse a donné à Joëlle des* ***échantillons*** *de parfum.*

échappatoire nom féminin
Moyen habile de se tirer d'embarras. *Minh a trouvé une* ***échappatoire*** *pour ne pas faire la vaisselle.* **SYN** subterfuge.

échappée nom féminin
Action de distancer ses concurrents. *L'un des coureurs du peloton a réussi une* ***échappée****.*

échappement nom masculin
• **Tuyau d'échappement :** tuyau par lequel sortent les gaz de combustion d'un moteur.

a b c d e f g h i j k l m n o p q r s t u v w x y z

échapper verbe ▸ conjug. 3
❶ Ne pas se laisser prendre. *Il* ***a échappé*** *de justesse à ses poursuivants.* ❷ Éviter de justesse une situation désagréable. *J'****ai échappé*** *à la grippe.* • **L'échapper belle :** éviter de justesse un danger. *La voiture t'a frôlé, tu* ***l'as échappé belle*** *!* ❸ Glisser des mains. *Le vase de cristal lui* ***a échappé****.* ❹ Sortir de l'esprit. *Son nom m'****échappe****.* ■ **s'échapper** : se sauver de l'endroit où l'on était. *Un singe* ***s'est échappé*** *du zoo.* SYN s'enfuir. ♦ Famille du mot : échappatoire, échappée, échappement, réchapper.

écharde nom féminin
Petit éclat pointu qui a pénétré sous la peau. *Ma mère m'a enlevé l'****écharde*** *que j'avais sous l'ongle.*

écharpe nom féminin
Long morceau de tissu ou de laine que l'on porte autour du cou. *Une* ***écharpe*** *de laine.* SYN foulard. • **Avoir le bras en écharpe :** après un accident ou une intervention chirurgicale, avoir le bras retenu par une bande de tissu qui passe autour du cou.

échasse nom féminin
Chacun des deux longs bâtons munis d'un support pour le pied, permettant de marcher à une certaine hauteur du sol. *Pour amuser les enfants, les clowns marchaient sur des* ***échasses****.*

Des ***échasses***

échassier nom masculin
Oiseau à longues pattes. *La cigogne, le héron et la grue sont des* ***échassiers****.*

échauder verbe ▸ conjug. 3
❶ Laver ou tremper dans de l'eau bouillante. *Il faut* ***échauder*** *la théière avant de faire le thé.* ❷ Subir une mésaventure qui sert de leçon. *Sa visite chez ce charlatan l'****a échaudé****, il n'y retournera plus.*

échauffement nom masculin
Action de s'échauffer. *Avant la compétition, les athlètes font des exercices d'****échauffement***

s'échauffer verbe ▸ conjug. 3
❶ Faire des mouvements pour assouplir ses muscles. *Les coureurs* ***s'échauffent*** *avant de prendre place devant leur couloir.* ❷ S'animer, se passionner. *Aussitôt qu'ils ont abordé le sujet de la politique, la conversation* ***s'est échauffée****.*

échauffourée nom féminin
Échange de coups. *Il y a eu quelques* ***échauffourées*** *entre les manifestants et les policiers.* SYN bagarre.

échéance nom féminin
Date à laquelle un délai se termine ou une dette doit être acquittée. *L'****échéance*** *pour remettre ce travail est fixée au 5 mars.* • **À brève échéance :** d'ici peu. • **À longue échéance :** dans un avenir éloigné. *Il fait des projets* ***à longue échéance****.*

échéant, échéante adjectif
• **Le cas échéant :** si le cas se présente. *Je viendrai peut-être ; je te préviendrai* ***le cas échéant****.* SYN éventuellement.

échec nom masculin
Fait d'échouer. *L'****échec*** *à cet examen l'a beaucoup déçu.* CONTR succès.

échecs nom masculin pluriel
Jeu qui se joue à deux avec des pièces que l'on déplace sur un échiquier.

*Un jeu d'****échecs***

échelle nom féminin
❶ Appareil constitué de deux montants réunis par des barreaux, et qui permet de monter ou de descendre. *L'**échelle** n'est pas assez haute pour que l'on puisse monter sur le toit.* ❷ Série de niveaux, de degrés. *Sa réussite professionnelle l'a conduite en haut de l'**échelle** sociale.* **SYN** hiérarchie. ❸ Rapport entre une dimension et sa représentation sur un plan. *Si 1 centimètre sur une carte routière représente 100 mètres, la longueur réelle sur le terrain est 10 000 fois plus grande, et l'**échelle** de la carte est 1/10 000.* • **Faire la courte échelle à quelqu'un**: l'aider à grimper en lui présentant les mains comme point d'appui.
♦ Famille du mot: échelon, échelonner.

échelon nom masculin
❶ Barreau d'une échelle. ❷ Chacun des niveaux de quelque chose. *C'est une décision qui doit se prendre à l'**échelon** de la municipalité.*

échelonner verbe ▸ conjug. 3
Répartir régulièrement dans l'espace ou dans le temps. *On va **échelonner** ces travaux sur six mois.*

échevelé, échevelée adjectif
Ébouriffé. *Tu ne peux pas sortir comme ça, tu es tout **échevelée**!*

échine nom féminin
Colonne vertébrale. • **Courber l'échine**: se soumettre peureusement, sans rien dire.

échiquier nom masculin
Plateau carré divisé en soixante-quatre cases noires et blanches, sur lequel on joue aux échecs. 👁p. 344.

écho nom masculin
Répétition du son renvoyé par une paroi. *En montagne, il y a souvent de l'**écho**.* • **Avoir des échos**: être mis plus ou moins au courant. *J'**ai eu des échos** de vos mésaventures en Mauricie.*

échographie nom féminin
Examen médical qui utilise l'écho des ultrasons pour voir l'intérieur du corps sur un écran.

échoppe nom féminin
Petite boutique. *L'**échoppe** du cordonnier.*

① **échouer** verbe ▸ conjug. 3
Ne pas réussir. *Il **a échoué** dans sa tentative de battre le record du monde.*

② **échouer** ou **s'échouer** verbe ▸ conjug. 3
Toucher le fond et ne plus pouvoir se dégager. *Un bateau **a échoué** (ou **s'est échoué**) sur les rochers.*

échu, échue adjectif
Arrivé à échéance. *Le délai pour soumettre votre candidature est **échu**.*

éclabousser verbe ▸ conjug. 3
Faire rejaillir un liquide sur quelqu'un. *Le camion **a éclaboussé** les passants en roulant dans la flaque.*

éclaboussure nom féminin
Tache laissée par ce qui éclabousse. *Le bas de ton pantalon est couvert d'**éclaboussures**.*

① **éclair** nom masculin
❶ Lumière brève et intense provoquée par une décharge électrique. *Le ciel était zébré par les **éclairs**.* • **À la vitesse de l'éclair, en un éclair**: très rapidement. ❷ Expression vive dans le regard de quelqu'un. *Un **éclair** de joie a passé dans ses yeux.*

② **éclair** nom masculin
Gâteau allongé, fourré de crème pâtissière.

Des **éclairs**

éclairage nom masculin
Action d'éclairer, ce qui sert à éclairer. *L'**éclairage** de cette rue est insuffisant.*

éclairagiste nom
Personne spécialisée dans les techniques d'éclairage. *Une **éclairagiste** de théâtre.*

éclaircie nom féminin
Court moment où le ciel s'éclaircit entre deux averses. *La météorologue a annoncé de belles **éclaircies** pour l'après-midi.*

éclaircir verbe ▸ conjug. 11
❶ Rendre plus clair. *Des murs peints en blanc **éclairciront** la pièce.* **CONTR** assombrir. ❷ Dans un sens figuré, rendre plus compréhensible. *Il faudrait **éclaircir** ce mystère.* **SYN** clarifier. **CONTR** embrouiller. ■ **s'éclaircir**: devenir plus clair, se dégager. *Le ciel **s'éclaircit**, il va faire beau.* **CONTR** s'assombrir.

éclaircissement nom masculin
Ce qui éclaircit une chose difficile à comprendre. *Votre lettre ne dit pas tout, j'aurais besoin de quelques **éclaircissements**.* **SYN** explication.

éclairer verbe ▸ conjug. 3
❶ Donner de la lumière. *Cette ampoule n'est pas assez forte, elle **éclaire** à peine la pièce.* **SYN** illuminer. ❷ Rendre clair et compréhensible. *Les explications de l'enseignant nous **ont éclairés** sur la marche à suivre.*

a b c d e f g h i j k l m n o p q r s t u v w x y z

CONTR embrouiller. ■ **s'éclairer** ❶ Se procurer de la lumière. *Autrefois, on **s'éclairait** à la chandelle.* ❷ Devenir plus clair. *Avec ces explications, tout **s'éclaire**.* ❸ Devenir joyeux. *À cette nouvelle, son visage **s'est éclairé**.* **SYN** s'épanouir. **CONTR** s'assombrir.

éclaireur, éclaireuse nom
❶ Soldat envoyé en avant pour reconnaître le terrain. ❷ Membre d'une organisation de scoutisme.

éclat nom masculin
❶ Petit morceau de ce qui éclate. *Le pare-brise a volé en **éclats**, il y a du verre partout sur la chaussée.* ❷ Bruit fait par une personne qui se met à parler plus fort ou à rire. *Des **éclats** de voix nous parvenaient de la chambre voisine.* ❸ Lumière vive et brillante. *L'**éclat** de la neige au soleil fait mal aux yeux.* ❹ Splendeur d'une personne ou d'une chose. *Elle était alors dans tout l'**éclat** de sa jeunesse.*

éclatant, éclatante adjectif
❶ Qui a beaucoup d'éclat, qui est très vif. *Des nappes d'une blancheur **éclatante**.* **CONTR** terne. ❷ Dans un sens figuré, remarquable ou incontestable. *L'équipe de football a remporté une **éclatante** victoire.*

éclatement nom masculin
Action d'éclater. *L'**éclatement** d'un pneu est à l'origine de l'accident.*

éclater verbe ▸ conjug. 3
❶ Se briser avec violence en projetant des fragments. *Idriss a soufflé trop fort et le ballon **a éclaté**.* **SYN** exploser. ❷ Faire entendre un bruit soudain et violent. *Un coup de tonnerre **a éclaté**.* ❸ Commencer brusquement. *Un incendie **a éclaté** en pleine nuit.* ❹ Apparaître soudain clairement. *Grâce à son témoignage, la vérité **a éclaté** aux yeux de tous.* • **Éclater de rire, éclater en sanglots**: se mettre soudain à rire, à pleurer. ♦ Famille du mot: éclat, éclatant, éclatement.

éclectique adjectif
Qui a des goûts très variés. *Boris aime le rock et Mozart, l'ornithologie et l'informatique; il a des goûts très **éclectiques**.*

éclipse nom féminin
Disparition momentanée d'un astre. *Il y a **éclipse** de Soleil quand la Lune passe entre le Soleil et la Terre.* 👁p. 347.

éclipser verbe ▸ conjug. 3
Faire oublier tous les autres. *Ce nouveau génie des échecs **a éclipsé** tous les autres joueurs.* ■ **s'éclipser**: partir discrètement sans se faire remarquer. *Elle **s'est éclipsée** à l'entracte.* **SYN** s'esquiver.

éclopé, éclopée adjectif et nom
Légèrement blessé. *La randonnée a été longue, il y a quelques marcheurs **éclopés** parmi nous.*

éclore verbe ▸ conjug. 55
❶ Sortir de l'œuf. *Les oisillons viennent tout juste d'**éclore**.* ❷ S'ouvrir, sortir du bouton. *Les bourgeons du lilas vont bientôt **éclore**.* **SYN** s'épanouir, fleurir.

éclosion nom féminin
Fait d'éclore. *Les oiseaux couvent leurs œufs jusqu'à l'**éclosion**. L'**éclosion** des bourgeons.*

écluse nom féminin
Bassin muni de portes où l'on peut faire monter ou descendre le niveau de l'eau. *Les **écluses** de Sainte-Anne-de-Bellevue permettent aux bateaux de franchir la dénivellation entre le lac Saint-Louis et le lac des Deux-Montagnes.*

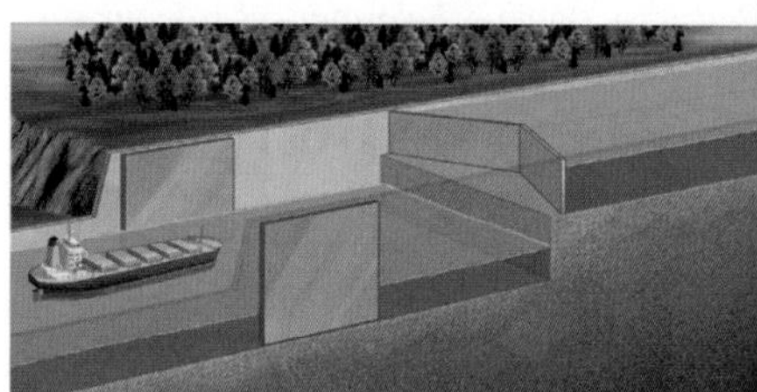

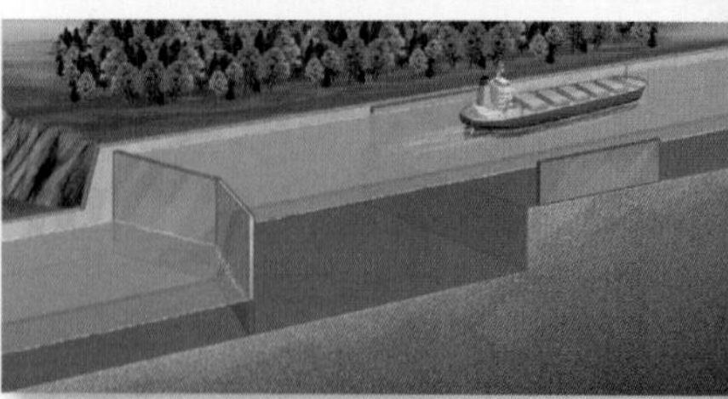

*Une **écluse***

écœurant, écœurante adjectif
Qui dégoûte, qui révolte. *Un goût **écœurant**. Il faut toujours qu'il méprise les autres, sa conduite est **écœurante**.*

La formation des éclipses

Une éclipse se forme lorsqu'un objet dans le ciel fait de l'ombre à un autre objet. Il existe deux types d'éclipses : l'éclipse solaire et l'éclipse lunaire.

L' éclipse solaire

L'éclipse solaire se produit lorsque la Lune se trouve entre le Soleil et la Terre. Quand il y a une éclipse solaire, le Soleil disparaît de notre vue mais demeure encore puissant. Comme les rayons ultraviolets traversent quand même l'atmosphère, il faut protéger ses yeux lorsqu'on observe une éclipse solaire.

éclipse solaire totale

L' éclipse lunaire

L'éclipse lunaire se produit au moment de la pleine lune lorsque la Terre se trouve entre la Lune et le Soleil. En s'interposant entre le Soleil et la Lune, la Terre empêche les rayons solaires d'arriver sur la surface lunaire. En effet, ce que nous voyons habituellement de la Lune est en fait le reflet des rayons du Soleil sur elle. C'est pour cela qu'elle est blanche et brillante. Si les rayons du Soleil n'atteignent plus la surface de la Lune, celle-ci change de couleur et prend une teinte cuivrée plus ou moins foncée selon sa position par rapport à la Terre et au Soleil.

éclipse lunaire totale

éclipse lunaire
cône de pénombre
cône d'ombre
Terre
Lune
Soleil

L'éclipse est totale lorsque le disque est complètement dans l'ombre. L'éclipse est partielle lorsque le disque éclipsé n'est pas complètement caché ou qu'il est dans la pénombre (ombre moins foncée).

a b c d e f g h i j k l m n o p q r s t u v w x y z

écœurer verbe ▸ conjug. 3
❶ Donner envie de vomir. *Manger tant de gâteau l'**a écœuré** pour un bon moment.* ❷ Dans la langue familière, révolter ou démoraliser quelqu'un. *C'est toujours elle qui gagne, ça m'**écœure**!* ❸ Au sens figuré, inspirer du dégoût. *Cette hypocrisie m'**écœure**.* SYN répugner. ❹ Dans la langue familière, taquiner, importuner. *Charlotte **a écœuré** son petit frère pendant tout le trajet du retour.*

école nom féminin
❶ Établissement d'enseignement. *À partir de six ans, les enfants doivent fréquenter l'**école**.* ❷ Établissement où l'on apprend une technique. *Une **école** de coiffure.*

écolier, écolière nom
Enfant qui va à l'école primaire. *Elle a gardé ses cahiers d'**écolière**.* • **Le chemin des écoliers**: celui qui est le plus long, mais le plus agréable.

écologie nom féminin
❶ Science qui étudie les rapports des êtres vivants avec leur milieu naturel. ❷ Mouvement qui favorise la préservation de l'environnement. ♦ Famille du mot: écologique, écologiste.

écologique adjectif
❶ De l'écologie. *La pollution atmosphérique est un grave problème **écologique**.* ❷ Qui préserve l'environnement. *Les jeunes sont de plus en plus sensibilisés aux pratiques **écologiques**.*

écologiste nom
Partisan de la protection de la nature.

économe adjectif
Qui ne gaspille pas son argent. *Il est **économe** sans être avare.* CONTR dépensier.

économie nom féminin
❶ Ce que l'on a économisé. *Sarah fait des **économies** sur son argent de poche pour acheter un cadeau à son petit frère. En isolant mieux la maison, on a fait des **économies** de chauffage.* ❷ Organisation de la production et de la consommation des produits d'un pays. *L'**économie** de ce pays est en crise.* ♦ Famille du mot: économe, économique, économiser, économiste.

économique adjectif
❶ Qui fait faire des économies. *Le vélo est un moyen de transport **économique**.* SYN avantageux. CONTR coûteux. ❷ Qui concerne l'économie. *Ce pays a des difficultés **économiques**.*

économiser verbe ▸ conjug. 3
❶ Ne pas dépenser de l'argent et le mettre de côté. *Shan **économise** un dollar par jour pour s'acheter un baladeur.* SYN épargner. ❷ Éviter de gaspiller. *La Ville a imposé des restrictions d'arrosage pour **économiser** l'eau.*

économiste nom
Spécialiste de l'économie.

écoper verbe ▸ conjug. 3
❶ Vider l'eau d'un bateau avec une pelle spéciale. *Quand de l'eau s'infiltre dans la chaloupe, il faut **écoper**.* ❷ Dans la langue familière, recevoir. *Il **a écopé** d'une contravention parce qu'il était en stationnement interdit.*

écorce nom féminin
❶ Enveloppe épaisse qui recouvre le tronc et les branches des arbres. 👁p. 66. ❷ Peau épaisse de certains fruits. *Une **écorce** d'orange.* 👁p. 28. • **Écorce terrestre**: couche externe solide de la Terre. *L'épaisseur de l'**écorce terrestre** sous les continents est de 25 km à 35 km.* SYN croûte terrestre.

*L'**écorce terrestre***

écorcher verbe ▸ conjug. 3
❶ Déchirer superficiellement la peau. *Cette branche m'**a écorché** la joue.* ❷ Au sens figuré, déformer, mal prononcer un mot. ***Écorcher** un nom.* ■ **s'écorcher**: se déchirer superficiellement la peau. *Éric **s'est écorché** le coude en tombant.*

écorchure nom féminin
Blessure superficielle. *Pedro s'est fait une **écorchure** en tombant.* SYN égratignure, éraflure.

écorner verbe ▸ conjug. 3
Abîmer les angles d'un objet. *Alicia **a écorné** plusieurs de ses livres.*

écornifler verbe ▸ conjug. 3
Essayer de surprendre des secrets, chercher à savoir ce qui se passe. *Il passe son temps à **écornifler**.*

① **écossais, écossaise** adjectif et nom
De l'Écosse. *La politique **écossaise**. – Les **Écossais**, les **Écossaises**.* ✎ Attention ! Le nom, qui désigne les habitants, s'écrit avec une majuscule. ■ **écossais** nom masculin
Une des langues parlées par les Écossais.

② **écossais, écossaise** adjectif
Dont les bandes de couleurs se croisent en formant des carreaux. *Un tissu **écossais**.*

écosser verbe ▸ conjug. 3
Enlever la cosse des graines. ***Écosser** des petits pois frais.*

écosystème nom masculin
Ensemble constitué par un milieu naturel et les êtres vivants qui s'y trouvent. 👁p. 454.

écoulement nom masculin
Fait de s'écouler. *Les feuilles accumulées dans la gouttière empêchent l'**écoulement** des eaux.* **SYN** évacuation.

écouler verbe ▸ conjug. 3
Vendre toute sa marchandise. *Grâce à la canicule, le magasin **a écoulé** tout son stock de ventilateurs.* ■ s'**écouler** ❶ S'évacuer en coulant. *L'eau de pluie **s'écoule** dans la gouttière.* ❷ Se passer. *Plusieurs années **se sont écoulées**.*

écourter verbe ▸ conjug. 3
Rendre plus court. *L'averse nous a obligés à **écourter** notre promenade.* **SYN** abréger, raccourcir. **CONTR** prolonger.

écoute nom féminin
Action d'écouter. *Cette émission de télé passe à une heure de grande **écoute**.* • **Casque d'écoute** : dispositif formé de deux écouteurs montés sur un serre-tête.

écouter verbe ▸ conjug. 3
❶ Prêter attention pour entendre. *Il **écoutait** attentivement ce que nous lui disions.* ❷ Faire attention aux conseils donnés. *S'il m'**avait écouté**, il n'aurait pas tous ces problèmes.*
♦ Famille du mot : écoute, écouteur.

écouteur nom masculin
Appareil qui sert à écouter la radio, le téléphone, etc. *La pilote vient de mettre ses **écouteurs**.*

écoutille nom féminin
Ouverture qui fait communiquer le pont d'un bateau avec l'intérieur.

écran nom masculin
❶ Surface sur laquelle apparaissent des images ou un texte. *L'**écran** de ton ordinateur est trop petit.* ❷ Ce qui empêche de voir ou qui protège. *Elle faisait un **écran** avec sa main pour protéger ses yeux du soleil.* • **Le grand écran** : le cinéma. • **Le petit écran** : la télévision. • **Écran solaire** : crème qui protège la peau du soleil.

écrasant, écrasante adjectif
Qui écrase, accable. *Il fait une chaleur **écrasante**.* **SYN** accablant.

écrasement nom masculin
Action d'écraser, de s'écraser. *L'**écrasement** d'un hélicoptère.*

écraser verbe ▸ conjug. 3
❶ Aplatir ou mettre en miettes. *On **a écrasé** mes lunettes en marchant dessus.* ❷ Tuer en passant sur le corps. *Il **a écrasé** un écureuil avec sa voiture.* ❸ Faire supporter une trop grande charge à quelqu'un. *Elle **est écrasée** de travail.* **SYN** accabler, surcharger. ❹ Faire subir une défaite totale. *Cette championne **a écrasé** ses adversaires.* **SYN** triompher, vaincre.

écrémé, écrémée adjectif
Dont on a enlevé la crème. *Du lait **écrémé**.*

écrémer verbe ▸ conjug. 8
Enlever la crème. ✎ On peut écrire aussi, au futur, *il **écrèmera*** ; au conditionnel, *elle **écrèmerait***.

écrevisse nom féminin
Petit crustacé d'eau douce. *Les pinces de l'**écrevisse** sont plus petites que celles du homard.* • **Rouge comme une écrevisse** : très rouge, comme une écrevisse cuite.

Une **écrevisse**

s'**écrier** verbe ▸ conjug. 10
Dire très fort, en criant. *« Te voilà enfin ! » **s'écria**-t-elle.* **SYN** s'exclamer.

écrin nom masculin
Boîte dans laquelle on range des bijoux, des objets précieux.

a b c d e f g h i j k l m n o p q r s t u v w x y z

écrire verbe ▸ conjug. 47
❶ Tracer les lettres. *À l'école, on apprend à **écrire**.* ❷ Orthographier. *Elle **écrit** son nom avec un seul « n » : Ariane.* ❸ Envoyer une lettre. *Étienne **a écrit** à sa cousine.* ❹ Être l'auteur d'un livre ou d'une œuvre musicale. *Tanya **écrit** des poèmes.* ♦ Famille du mot : écrit, écriteau, écriture, écrivain, récrire, réécrire.

écrit nom masculin
❶ Document écrit. *L'**écrit** et l'oral n'obéissent pas toujours aux mêmes règles.* ❷ Texte écrit. *Les **écrits** de cette écrivaine sont appréciés des jeunes.* • **Par écrit** : en écrivant. *Notez vos observations **par écrit**.* **CONTR** oralement.

écriteau, écriteaux nom masculin
Panneau portant une inscription destinée au public. *Un **écriteau** indiquait « Propriété privée ».*

écriture nom féminin
Ensemble de signes que l'on utilise pour noter le langage parlé. *Les traces d'**écriture** les plus anciennes datent d'environ 3300 ans avant notre ère.*

écrivain, écrivaine nom
Personne qui compose des œuvres littéraires. *Ces **écrivains** célèbres nous ont laissé des œuvres remarquables.* **SYN** auteur.

écrou nom masculin
Pièce percée d'un trou, qui se visse sur un boulon.

*Un **écrou***

écrouer verbe ▸ conjug. 3
Mettre en prison. *Le policier **a** arrêté et **écroué** le cambrioleur.* **SYN** emprisonner, incarcérer.

écroulement nom masculin
Fait de s'écrouler. *L'**écroulement** du pont a fait de nombreuses victimes.* **SYN** effondrement.

s'**écrouler** verbe ▸ conjug. 3
❶ Tomber par terre en se disloquant. *Plusieurs maisons **se sont écroulées** sous l'effet du séisme.* **SYN** s'effondrer. ❷ Avoir une défaillance brutale. *Le coureur **s'est écroulé** à quelques mètres de la ligne d'arrivée.* **SYN** s'affaisser.

écru, écrue adjectif
Beige très clair. *La laine naturelle est **écrue**.*

écu nom masculin
❶ Ancienne monnaie d'or ou d'argent.
❷ Bouclier des chevaliers du Moyen Âge.

écueil nom masculin
❶ Rocher ou banc de sable à fleur d'eau. *Des bouées signalent les **écueils** à proximité de la côte.* * Chercher aussi *haut-fond*. ❷ Au sens figuré, difficulté qui peut conduire à un échec. *Elle a évité tous les **écueils** et mené à bien son projet.* **SYN** obstacle, piège.

écuelle nom féminin
Assiette très creuse et ronde. *L'**écuelle** du chien.*

éculé, éculée adjectif
❶ Très usé. *Des souliers **éculés**.* ❷ Qui cesse de faire effet à force d'avoir été répété. *Ses plaisanteries **éculées** ne font rire personne.*

écume nom féminin
Mousse blanchâtre. *La mer était blanche d'**écume**.*

écumer verbe ▸ conjug. 3
Enlever l'écume d'un liquide lors de la cuisson. *Ma grand-mère **écume** la confiture de groseilles.*
• **Écumer de rage** : être très en colère.

écumoire nom féminin
Grande cuillère percée de trous, qui sert à écumer.

écureuil nom masculin
Petit rongeur à la queue touffue. *L'**écureuil** gris est l'espèce la plus commune au Canada.* 👁p. 454. * Chercher aussi *polatouche*.

*Un **écureuil** gris*

écurie nom féminin
Bâtiment pour loger les chevaux. * Chercher aussi *bergerie, étable, porcherie*. • **Écurie de courses** : ensemble des chevaux de course appartenant à une même personne. Se dit aussi pour les voitures de course ou les cyclistes d'une même équipe.

écusson nom masculin
Insigne indiquant l'appartenance à un groupe. *Raphaël a cousu sur son sac à dos les **écussons** des villes où il est passé.*

écuyer nom masculin
Au Moyen Âge, jeune noble qui était au service d'un chevalier. ■ **écuyer, écuyère** nom
Artiste de cirque qui fait des acrobaties sur un cheval.
* Chercher aussi *cavalier*.

Un **écuyer**

eczéma nom masculin
Maladie de la peau caractérisée par des plaques rouges qui démangent. ✎ On peut écrire aussi ***exéma***.

edelweiss nom masculin invariable
Fleur blanche qui pousse en montagne. ✎ On peut écrire aussi ***édelweiss***. * Attention ! Le mot *edelweiss* se prononce *édelvaisse*.

Des **edelweiss**

éden nom masculin
❶ Paradis terrestre décrit dans l'Ancien Testament. *Adam et Ève vivaient dans l'**Éden**.* ❷ Endroit très agréable, qui fait penser au paradis. *Ce camp de vacances est un véritable **éden**.* ✎ Attention ! Au sens 1, *Éden* s'écrit avec une majuscule.

édenté, édentée adjectif
Qui n'a plus de dents. *Une bouche **édentée**.*

édifiant, édifiante adjectif
Qui montre le bon exemple. *Ce comportement **édifiant** montre que les efforts sont souvent récompensés.* **SYN** exemplaire. **CONTR** scandaleux.

édifice nom masculin
Bâtiment d'une certaine importance. *L'hôtel de ville est un **édifice** public.*

édifier verbe ▸ conjug. 10
Construire un bâtiment. *On **a édifié** le musée au centre-ville.* **SYN** bâtir. ♦ Famille du mot : édifiant, édifice.

édit nom masculin
Loi qui était proclamée par un roi.

éditer verbe ▸ conjug. 3
Fabriquer un livre, le faire imprimer et le mettre en vente. *La classe a décidé d'**éditer** un recueil de poèmes.* **SYN** faire paraître, publier. ♦ Famille du mot : éditeur, édition, inédit, rééditer.

éditeur, éditrice nom
Personne ou société qui édite des livres. *Les **éditeurs** reçoivent des manuscrits d'auteurs qui souhaitent être publiés.* * Chercher aussi *maison d'édition**.

édition nom féminin
❶ Action de publier et de mettre en vente un texte ou une œuvre. ❷ Série d'exemplaires de livres ou de journaux publiée en une même fois. *C'est la deuxième **édition** de ce livre de contes.*
• **Maison d'édition :** entreprise qui édite des livres. **SYN** éditeur.

éditorial, éditoriaux nom masculin
Article d'un journal qui exprime l'opinion de la direction. *L'**éditorial** donne la position du journal sur le problème du réchauffement climatique.*

édredon nom masculin
Couette remplie de duvet. *Les **édredons** sont chauds et légers.* **SYN** douillette.

éducateur, éducatrice nom
Personne chargée de l'éducation des jeunes ou des adultes. *Les enseignants, les professeurs de cégep et d'université sont des **éducateurs**.* **SYN** pédagogue.

éducatif, éducative adjectif
Qui est destiné à éduquer. *Un jeu **éducatif** sur l'astronomie.* **SYN** pédagogique.

a b c d e f g h i j k l m n o p q r s t u v w x y z

éducation nom féminin
❶ Formation et développement du corps et de l'esprit des enfants. *Il veille sur l'**éducation** de ses enfants.* ❷ Apprentissage des bonnes manières. *Ces gens sont impolis, ils n'ont aucune **éducation**.* **SYN** politesse, savoir-vivre.

éduquer verbe ▶ conjug. 3
Faire l'éducation de quelqu'un. *Ces enfants **sont** bien **éduqués**.* ♦ Famille du mot : éducateur, éducatif, éducation, rééducation, rééduquer.

effacé, effacée adjectif
Qui reste à l'écart sans se faire remarquer. *Une fillette timide et **effacée**.*

effacer verbe ▶ conjug. 4
❶ Faire disparaître ce qui était écrit ou dessiné. *John **a effacé** la bonne réponse.* ❷ Faire oublier quelque chose. *Le temps **a effacé** les mauvais souvenirs.* **SYN** estomper. ■ **s'effacer** : se mettre sur le côté pour laisser passer quelqu'un. *Il **s'est effacé** pour laisser entrer la jeune femme.*

effarant, effarante adjectif
Inquiétant, stupéfiant. *Cette affaire a pris des proportions **effarantes**.* **SYN** affolant, effrayant.

effarer verbe ▶ conjug. 3
Provoquer une surprise mêlée d'inquiétude. *Mon cousin plonge de la tour de dix mètres ; son audace m'**effare**.* **SYN** affoler.

effaroucher verbe ▶ conjug. 3
Faire fuir en effrayant. *C'est un geai bleu, essayons de ne pas l'**effaroucher**.*

① **effectif, effective** adjectif
Qui existe réellement. *L'application **effective** des nouvelles règles devrait améliorer la situation.*

② **effectif** nom masculin
Nombre de personnes d'un groupe. *L'**effectif** de cette classe est de vingt-cinq élèves.*

effectivement adverbe
En effet. ***Effectivement**, c'est bien un trèfle à quatre feuilles.*

effectuer verbe ▶ conjug. 3
Réaliser un travail. *La mécanicienne **a effectué** la réparation rapidement.* **SYN** accomplir, exécuter.

efféminé, efféminée adjectif
Qui a quelque chose de féminin dans sa manière d'être. *Ces vêtements lui donnent une allure **efféminée**.* **CONTR** viril.

effervescence nom féminin
❶ Bouillonnement d'un liquide. ❷ Au sens figuré, grande agitation. *Toute l'école est en **effervescence**, car c'est bientôt la fête de fin d'année.*

effervescent, effervescente adjectif
❶ Qui fond dans l'eau en bouillonnant. *Un comprimé **effervescent**.* ❷ Au sens figuré, agité, en ébullition. *Une foule **effervescente**.*

*Un comprimé **effervescent***

effet nom masculin
❶ Conséquence, résultat de quelque chose. *L'**effet** produit n'est pas tout à fait celui que l'on souhaitait.* ❷ Impression que l'on ressent. *Quel **effet** ça t'a fait de prendre l'avion pour la première fois ?* ■ **en effet** adverbe Sert à expliquer. *Frédéric sera absent aujourd'hui ; **en effet**, il est malade.* **SYN** car, effectivement. ■ **effets** nom masculin pluriel Vêtements et affaires d'une personne. *Il a rangé ses **effets** personnels dans la commode.*

effeuiller verbe ▶ conjug. 3
Arracher les feuilles ou les pétales. *Pour construire une cabane, tu n'as pas besoin d'**effeuiller** les branchages.*

efficace adjectif
Qui donne de bons résultats. *Ce médicament est très **efficace** contre le mal de tête.* **SYN** actif. **CONTR** inefficace. ♦ Famille du mot : efficacement, efficacité, inefficace, inefficacité.

efficacement adverbe
D'une manière efficace. *Les secouristes sont intervenus rapidement et **efficacement** auprès des blessés.*

efficacité nom féminin
Qualité de ce qui est efficace. *L'**efficacité** du traitement a été immédiate.* **CONTR** inefficacité.

effigie nom féminin
Portrait gravé. *Sur cette pièce de monnaie, on peut voir l'**effigie** de la reine Élisabeth II.*

effilé, effilée adjectif
Mince et allongé. *Ce couteau a une lame **effilée**.*

s'**effilocher** verbe ▸ conjug. 3
Se défaire fil à fil. *Ce tissu **s'effiloche**.*

efflanqué, efflanquée adjectif
Très maigre. *C'est sûrement un chien perdu, il est tout **efflanqué**.*

effleurer verbe ▸ conjug. 3
❶ Toucher très légèrement. *Le chat **effleure** ma jambe avec ses moustaches.* **SYN** frôler. ❷ Traverser l'esprit. *L'idée qu'il pouvait être en danger ne l'**a** même pas **effleuré**.*

effluve nom masculin
Dans la langue littéraire, odeur, parfum. *Les **effluves** du lilas embaument le jardin.* * Attention ! On dit ***un** effluve*. * Chercher aussi *arôme*, *bouquet*, *fumet*.

effondrement nom masculin
Fait de s'effondrer. *Le poids de la neige a provoqué l'**effondrement** du toit.* **SYN** écroulement.

s'**effondrer** verbe ▸ conjug. 3
❶ S'écrouler. *Le toit **s'est effondré**.* **SYN** s'affaisser. ❷ Être anéanti. *En apprenant la mort de son chien, il **s'est effondré**.*

s'**efforcer** verbe ▸ conjug. 4
Faire tous les efforts possibles pour atteindre un résultat. *Xavier **s'est efforcé** d'être patient.* **SYN** s'évertuer, tâcher.

effort nom masculin
Ce que l'on fait pour réussir quelque chose. *Encore un **effort**, et nous arriverons au sommet.*

effraction nom féminin
Action de casser une serrure, une porte ou une fenêtre. *Le cambrioleur est entré par **effraction** dans l'appartement.* * Ne pas confondre *effraction* et *infraction*.

effraie nom féminin
Sorte de chouette aux yeux entourés de plumes blanches.

Des **effraies**

effrayant, effrayante adjectif
Qui effraie. *La nuit, on entendait des bruits **effrayants** dans la maison abandonnée.* **SYN** terrifiant.

effrayer verbe ▸ conjug. 7
Causer de la frayeur, faire peur. *L'orage **effraie** le chien.* **SYN** épouvanter, terrifier.

effréné, effrénée adjectif
Impossible à freiner. *Les deux garçons se sont lancés dans une poursuite **effrénée**.*

s'**effriter** verbe ▸ conjug. 3
Tomber en petits morceaux. *Ces vieilles pierres sont en train de **s'effriter**.*

effroi nom masculin
Grande peur. *Malika a fait un rêve qui l'a remplie d'**effroi**.* **SYN** épouvante, terreur.

effronté, effrontée adjectif et nom
Qui est insolent et irrespectueux. *Un air **effronté**.* **CONTR** effacé, timide. – *Une **effrontée**.*

effrontément adverbe
De manière effrontée. *Cet individu ment **effrontément**.*

a b c d e f g h i j k l m n o p q r s t u v w x y z

effroyable adjectif
Très effrayant. *Une scène **effroyable**.*
SYN épouvantable, terrible.

effroyablement adverbe
Excessivement. *Ce texte est **effroyablement** compliqué.* SYN terriblement.

effusion nom féminin
Manifestation débordante d'un sentiment. *Il a remercié ses grands-parents avec **effusion**.*
SYN débordement, épanchement. • **Effusion de sang**: sang versé dans un conflit. *Ce genre de films ne peut se réaliser sans **effusion de sang**.*

égal, égale, égaux adjectif
❶ Qui est semblable en quantité, en qualité, en nature. *Ton partage de la tarte n'est pas très **égal**!* CONTR inégal. ❷ Qui a les mêmes droits. *Dans une démocratie, tous les citoyens sont **égaux** devant la loi.* ❸ Qui est régulier et ne change pas. *Quoi qu'il se passe, elle garde une humeur **égale**.* • **Cela m'est égal**: cela m'est indifférent. ■ **égal, égale, égaux** nom
Personne qui est de même rang ou de même valeur qu'une autre. *Cette peintre est l'**égale** des plus grands artistes.* ♦ Famille du mot: également, égaler, égalisation, égaliser, égalitaire, égalité, inégal, inégalable, inégalité.

également adverbe
❶ De façon égale. *J'ai essayé de répartir le poids dans les sacs aussi **également** que possible.* ❷ Aussi, de même. *Tu as ce livre? Je l'ai **également**.*

égaler verbe ▸ conjug. 3
❶ Être égal en quantité ou en valeur. *Dix divisé par cinq **égale** deux ($10 \div 5 = 2$).* ❷ Avoir le même niveau. *Karine **égale** Denis à la course.*
* Ne pas confondre *égaler* et *égaliser*.

égalisation nom féminin
Action d'égaliser. *À la fin de la partie, il y avait **égalisation**.*

égaliser verbe ▸ conjug. 3
❶ Rendre égal, régulier. *Le jardinier **a égalisé** la plate-bande avec son râteau.* ❷ Totaliser le même nombre de points. *Avec ce but, notre équipe de hockey vient d'**égaliser**.* * Ne pas confondre *égaliser* et *égaler*.

égalitaire adjectif
Qui a pour but l'égalité. *Une société **égalitaire** donne les mêmes droits à tous les citoyens.*

égalité nom féminin
❶ Qualité de ce qui est égal. *L'**égalité** entre deux grandeurs est marquée par le signe =.* ❷ Fait d'avoir le même nombre de points. *Les deux joueurs de tennis sont à **égalité**.*
• **Égalité des chances**: ensemble de mesures gouvernementales visant à procurer à chaque personne l'instruction, la formation, l'accès aux soins de santé, etc., propres à lui permettre de se réaliser, de s'épanouir.

égard nom masculin
• **À l'égard de quelqu'un**: envers lui. *Elle a beaucoup de patience **à l'égard des** enfants.*
■ **égards** nom masculin pluriel Marques de respect, d'estime. *Le couple royal a été reçu avec tous les **égards** dus à son rang.*

égarement nom masculin
Dans la langue littéraire, folie. *Dans un moment d'**égarement**, elle lui a ordonné de plier bagage.*

égarer verbe ▸ conjug. 3
Perdre momentanément. *J'**ai égaré** mes lunettes.* ■ **s'égarer**: perdre son chemin.
*Ils devraient être arrivés, ils ont dû **s'égarer**.*

égayer verbe ▸ conjug. 7
Rendre gai. *David a réussi à **égayer** Justine avec ses grimaces.*

églantier nom masculin
Rosier sauvage. *Avec le fruit de l'**églantier**, on peut faire de la confiture.*

Un **églantier**

églefin →Voir **aiglefin**

église nom féminin
❶ Bâtiment dans lequel les catholiques se réunissent pour prier. *Dans notre ville, il y a plusieurs **églises**.* * Chercher aussi *mosquée*, *pagode*, *synagogue*, *temple*. ❷ Ensemble des chrétiens. *L'**Église** catholique, l'**Église** réformée, l'**Église** orthodoxe.* ✎ Attention! Au sens 2, *Église* s'écrit avec une majuscule.

égoïne nom féminin
Scie à main munie d'une poignée.

Une **égoïne**

égoïsme nom masculin
Tendance d'une personne à ne penser qu'à elle-même. *Son **égoïsme** l'amène à parler constamment de lui.* **CONTR** générosité.

égoïste adjectif
Qui fait preuve d'égoïsme. *Alex est un garçon **égoïste**, il ne veut rien prêter.* **CONTR** généreux.

égorger verbe ▸ conjug. 5
Tuer en coupant la gorge. ***Égorger** un poulet.*

s'**égosiller** verbe ▸ conjug. 3
Crier très fort et longtemps. *Cela fait une heure que je **m'égosille** à vous appeler!*

égout nom masculin
Canalisation souterraine qui évacue les eaux sales d'une ville.

égoutter verbe ▸ conjug. 3
Laisser l'eau s'écouler goutte à goutte. *J'**égoutte** la salade avant de l'assaisonner.*

égouttoir nom masculin
Ustensile servant à égoutter la vaisselle.

s'**égratigner** verbe ▸ conjug. 3
S'écorcher. *Ma mère **s'est égratigné** les jambes en se promenant dans les bois.*

égratignure nom féminin
Écorchure. *Il est sorti de l'accident sans une **égratignure**.* **SYN** éraflure.

égrener verbe ▸ conjug. 8
Détacher les grains un par un. *La cultivatrice **égrène** un épi de blé pour voir s'il est mûr.* • **Égrener un chapelet:** réciter des prières en retenant pour chacune un grain du chapelet entre ses doigts.

égyptien, égyptienne adjectif et nom
De l'Égypte. *L'archéologie **égyptienne**. – Les **Égyptiens**, les **Égyptiennes**.* ✎ Attention! Le nom, qui désigne les habitants, s'écrit avec une majuscule.

eh! interjection
Sert à appeler, à attirer l'attention. ***Eh!** arrête, tu vas me faire tomber!* * Ne pas confondre *eh!* et *hé!*

éhonté, éhontée adjectif
Qui devrait faire honte. *C'est un mensonge **éhonté**.* **SYN** honteux.

eider nom masculin
Oiseau voisin du canard sauvage, dont le duvet sert à confectionner les édredons. * Attention! Le mot *eider* se prononce «édère».

Des **eiders**

éjectable adjectif
• **Siège éjectable:** siège muni d'un parachute, qui peut être éjecté de l'avion pour sauver le pilote en cas d'accident.

éjecter verbe ▸ conjug. 3
Projeter au dehors. *Un passager de la voiture, qui n'avait pas bouclé sa ceinture de sécurité, **a été éjecté**.*

élaboration nom féminin
Action d'élaborer. *L'**élaboration** de son roman lui a pris plusieurs années.*

élaborer verbe ▸ conjug. 3
Préparer et mettre au point soigneusement. *Nous venons d'**élaborer** notre plan de travail.*

élaguer verbe ▸ conjug. 3
❶ Couper les branches inutiles d'un arbre. *On **a élagué** les pommiers.* **SYN** émonder. ❷ Au sens figuré, enlever les parties inutiles. *Cet exposé est trop long, il faut l'**élaguer**.*

① **élan** nom masculin
❶ Mouvement rapide d'un être qui s'élance. *Bruno a pris son **élan** et, d'un bond, il a franchi la barrière.* ❷ Mouvement intérieur impulsif. *Dans un **élan** de générosité, elle a donné tout son argent au sans-abri.*

a b c d e f g h i j k l m n o p q r s t u v w x y z

② **élan** nom masculin
Grand animal voisin du cerf, qui vit dans les pays froids. *L'**élan** du Canada est appelé « orignal ».*

Un **élan**

élancé, élancée adjectif
Grand et mince. *Julien est devenu un bel adolescent **élancé**.* **SYN** svelte.

s'**élancer** verbe ▸ conjug. 4
Se jeter en avant de toutes ses forces. *Nicolas **s'est élancé** à la rencontre de son amie.* **SYN** se précipiter.

élargir verbe ▸ conjug. 11
Rendre plus large. *On **a élargi** la chaussée pour faire une route à quatre voies.* **CONTR** rétrécir.

élargissement nom masculin
Fait d'élargir. *Les résidents du quartier réclament l'**élargissement** des trottoirs.* **CONTR** rétrécissement.

élasticité nom féminin
Qualité de ce qui est élastique. *L'**élasticité** d'un ressort.*

élastique adjectif
Qui peut s'étirer puis reprendre sa forme. *Elle porte une jupe à taille **élastique**.* **SYN** extensible. ■ **élastique** nom masculin Bande de caoutchouc circulaire. *La boîte de craies est fermée par un **élastique**.*

électeur, électrice nom
Personne ayant le droit de voter. *Les **électeurs** déposent leur bulletin de vote dans l'urne.* * Chercher aussi *votant*.

élection nom féminin
Action d'élire quelqu'un. *Au Québec, les **élections** municipales ont lieu tous les quatre ans.* ♦ Famille du mot : électeur, électoral, électorat, éligible, élu, réélire.

électoral, électorale, électoraux adjectif
Qui concerne les élections. *Pendant la campagne **électorale**, les candidats exposent leur programme aux électeurs.*

électorat nom masculin
Ensemble des électeurs. *Une partie de l'**électorat** s'est abstenue de voter.*

électricien, électricienne nom
Personne qui s'occupe des installations et des réparations électriques.

électricité nom féminin
Forme d'énergie qui permet de s'éclairer, de se chauffer, de faire marcher des appareils et des moteurs. *Le Québec produit de l'**électricité** grâce à d'énormes barrages.* 👁p. 372. ♦ Famille du mot : électricien, électrifier, électrique, électriser, s'électrocuter, électrocution, électroménager.

électrifier verbe ▸ conjug. 10
Faire fonctionner à l'électricité. *Dans certains pays, le réseau ferroviaire **est électrifié**.* * Ne pas confondre *électrifier* et *électriser*.

électrique adjectif
❶ Qui produit ou conduit l'électricité. *Une centrale **électrique**. Une prise **électrique**.* ❷ Qui fonctionne à l'électricité. *Un chauffage **électrique**.*

électriser verbe ▸ conjug. 3
Communiquer un vif enthousiasme. *La conférencière a réussi à **électriser** son auditoire.* * Ne pas confondre *électriser* et *électrifier*.

s'**électrocuter** verbe ▸ conjug. 3
Être blessé ou tué par électrocution. *Il **s'est électrocuté** en réparant le téléviseur.*

électrocution nom féminin
Mort accidentelle causée par le courant électrique.

électroménager adjectif masculin
Se dit d'un appareil ménager qui fonctionne à l'électricité. *Le lave-vaisselle, le grille-pain, le réfrigérateur sont des appareils **électroménagers**.* ■ **électroménager** nom masculin Commerce des appareils électroménagers. *Elle est représentante dans l'**électroménager**.*

électron nom masculin
Toute petite partie de l'atome, qui contient de l'électricité.

électronicien, électronicienne nom
Spécialiste de l'électronique.

électronique adjectif
Qui fonctionne en utilisant les propriétés des électrons. *Miguel a inscrit notre rendez-vous*

sur son agenda ***électronique****.* ■ **électronique** nom féminin Science qui étudie les électrons et leurs applications.

élégamment adverbe
D'une manière élégante. *Sébastien est toujours* ***élégamment*** *vêtu.*

élégance nom féminin
❶ Qualité de ce qui est élégant. *La tante de Mamadou est toujours d'une grande* ***élégance****.* ❷ Distinction morale. *Il a eu l'****élégance*** *de ne pas me faire remarquer mon retard.* **SYN** délicatesse. **CONTR** grossièreté.

élégant, élégante adjectif
❶ Qui fait preuve de goût. *C'est un homme* ***élégant****, qui achète des costumes de grands couturiers.* **SYN** chic, distingué. ❷ Qui fait preuve de délicatesse. *Elle a trouvé un moyen* ***élégant*** *de s'en aller.* **SYN** ① poli. **CONTR** grossier.

élément nom masculin
❶ Chacune des différentes parties qui constituent un tout. *J'ai acheté un meuble en prêt-à-monter, mais il me manque un* ***élément****.* **SYN** pièce. ❷ Milieu dans lequel on est à l'aise pour vivre. *Dans cette école, il ne se sent pas dans son* ***élément****.* ■ **éléments** nom masculin pluriel Notions les plus simples d'une discipline. *Gabriel a appris quelques* ***éléments*** *de physique.*

élémentaire adjectif
Très simple, de base. *Il ignore les notions les plus* ***élémentaires*** *de la politesse.* **SYN** rudimentaire.

éléphant nom masculin
Gros mammifère herbivore d'Afrique et d'Asie, muni d'une trompe et de deux défenses en ivoire. *Seul l'****éléphant*** *d'Asie est domestiqué. L'****éléphant*** *barrit.* 👁p. 638. • **Éléphant blanc :** réalisation coûteuse qui s'avère peu utile.

élevage nom masculin
Action d'élever des animaux. *Quelques fermes du Québec font l'****élevage*** *du bison.*

élévateur, élévatrice adjectif
Qui sert à soulever de lourdes charges. *Une machine* ***élévatrice****.* ■ **élévateur** nom masculin Appareil qui déplace une charge à un niveau supérieur, verticalement ou sur une forte pente. *Les grues sont des* ***élévateurs****.*

Un **élévateur**

élévation nom féminin
Fait de s'élever. *La météorologue annonce une* ***élévation*** *des températures.* **SYN** augmentation, hausse. **CONTR** baisse.

élève nom
Celui ou celle qui suit des cours dans un établissement scolaire. *Les écoliers, les cégépiens, les étudiants sont des* ***élèves****.*

élevé, élevée adjectif
Haut. *Le mont Everest est le sommet le plus* ***élevé*** *du globe. Le montant du devis est trop* ***élevé****.* **CONTR** bas. • **Bien** ou **mal élevé :** qui a reçu une bonne ou une mauvaise éducation.

élever verbe ▸ conjug. 8
❶ Construire en hauteur. *On* ***a élevé*** *un monument à la mémoire des combattants.* **SYN** dresser. ❷ Faire monter à un niveau supérieur. *Les crues* ***ont élevé*** *le niveau du fleuve.* • **Élever la voix, le ton :** commencer à se mettre en colère. ❸ S'occuper d'un enfant, le nourrir et l'éduquer. *C'est sa tante qui l'****a élevé****.*

Un **éléphant** d'Afrique

Un **éléphant** d'Asie

a b c d e f g h i j k l m n o p q r s t u v w x y z

❹ Nourrir et soigner des animaux. *Ses grands-parents **élèvent** des poules et des cochons.* ■ **s'élever** ❶ Aller vers le haut. *Le parapente **s'élève** lentement.* **SYN** monter. ❷ Atteindre une certaine hauteur. *Une tour **s'élève** au centre de la ville.* **SYN** se dresser. ❸ Atteindre une certaine somme. *Les frais **s'élèvent** à mille dollars.* **SYN** se monter. ♦ Famille du mot: élevage, élévateur, élévation, élevé, éleveur, surélever.

éleveur, éleveuse nom
Personne qui fait de l'élevage. *Un **éleveur** de moutons.*

elfe nom masculin
Petit génie de l'air des contes scandinaves.

éligible adjectif
Qui peut être élu. *Il faut être majeur pour être **éligible**.*

élimé, élimée adjectif
Usé par le frottement. *Il portait une chemise **élimée** aux poignets.* **SYN** râpé, usé.

élimination nom féminin
Action d'éliminer. *Cette défaite des joueurs entraîne leur **élimination**.*

éliminatoire adjectif
Qui sert à éliminer, à exclure. *Une épreuve **éliminatoire**.* ■ **éliminatoire** nom féminin
Épreuve sportive qui sert à éliminer les participants les moins qualifiés.

éliminer verbe ▸ conjug. 3
❶ Écarter en faisant un choix. *Dans ce jeu, la personne qui n'a pas réussi à s'asseoir **est éliminée**.* **SYN** exclure. ❷ Rejeter hors de l'organisme. *Boire beaucoup d'eau permet d'**éliminer**.* ♦ Famille du mot: élimination, éliminatoire.

élire verbe ▸ conjug. 45
Choisir par un vote. *Les électeurs sont appelés aux urnes pour **élire** un nouveau premier ministre.*

élision nom féminin
Suppression d'une voyelle que l'on remplace par une apostrophe. *Dans « il n'a que cinq ans », il y a **élision** du* e *de « ne » devant* a.

élite nom féminin
Ensemble des personnes les plus remarquables d'un groupe. *Il fait partie de l'**élite** du football.* • **D'élite:** excellent, supérieur. *Des troupes **d'élite**.*

élixir nom masculin
Potion magique. *La sorcière a fait boire un **élixir** à la princesse.*

elle, elles ➔Voir ② **lui**

① **ellipse** nom féminin
Omission d'un ou de plusieurs mots d'une phrase. *Quand on dit « j'ai dix ans et lui sept », on fait l'**ellipse** de « il a » et de « ans ».*

② **ellipse** nom féminin
Figure géométrique dont la forme s'apparente à l'ovale. *Le mouvement que la Terre fait autour du Soleil est une **ellipse**.* 👁p. 484.

*Les **ellipses** planétaires*

① **elliptique** adjectif
Qui comporte une ellipse. *« J'habite au 4e » est une phrase **elliptique** puisque l'on omet le mot « étage ».*

② **elliptique** adjectif
Qui a la forme d'une ellipse. *La Terre décrit une courbe **elliptique** autour du Soleil.*

élocution nom féminin
Manière d'articuler les mots. *Les comédiens doivent avoir une bonne **élocution**.*
SYN articulation.

éloge nom masculin
Paroles de louange. *Son succès lui a valu beaucoup d'**éloges**.* • **Faire l'éloge de quelqu'un:** en dire du bien. *Le prêtre **a fait l'éloge du** défunt.*

élogieux, élogieuse adjectif
Plein d'éloges. *Un discours **élogieux**.*

éloigné, éloignée adjectif
Loin dans l'espace ou dans le temps. *Leur maison est **éloignée** du village.* **CONTR** proche.

éloignement nom masculin
Fait d'être éloigné. *Il souffre de l'**éloignement** de ses amis.*

éloigner verbe ▸ conjug. 3
Mettre plus loin. *Le feu crépitait dans la cheminée, elle a dû **éloigner** sa chaise.* SYN écarter. CONTR rapprocher. ■ **s'éloigner** : aller plus loin. *Le bateau **s'éloigne** du port.* CONTR s'approcher.

élongation nom féminin
Lésion produite par l'étirement d'un muscle ou d'un tendon.

éloquence nom féminin
Qualité de quelqu'un qui s'exprime avec aisance, qui peut convaincre. *L'avocat a parlé avec une telle **éloquence** que son client a été acquitté.*

éloquent, éloquente adjectif
❶ Qui manifeste de l'éloquence. *Elle a décrit leur situation en termes **éloquents**.* ❷ Qui exprime aisément ce qu'il veut dire. *Il garda un silence **éloquent**.* SYN expressif.

élu, élue nom
Personne désignée par un vote. *La nouvelle **élue** sera présidente du conseil étudiant.*

élucider verbe ▸ conjug. 3
Tirer au clair. *Nous allons tâcher d'**élucider** ce mystère.* SYN éclaircir.

élucubration nom féminin
Idée compliquée, théorie bizarre. *Ces personnes vulnérables ont fondé leurs espoirs sur les **élucubrations** d'un charlatan sans scrupule.*

éluder verbe ▸ conjug. 3
Éviter adroitement de répondre. *Le conférencier **a éludé** une question qui l'embarrassait.* SYN esquiver.

élytre nom masculin
Aile supérieure très dure de certains insectes. *Les scarabées, les coccinelles et les hannetons ont des **élytres**.* * Chercher aussi *coléoptère*.

Des **élytres**

émacié, émaciée adjectif
Qui est très amaigri. *Le visage **émacié** d'un malade.*

émail, émaux nom masculin
❶ Vernis brillant qui sert à protéger des objets de céramique ou de métal. *Le lavabo et la baignoire sont recouverts d'**émail**.* ❷ Substance dure qui protège l'ivoire des dents. 👁p. 298. ■ **émaux** nom masculin pluriel Bijoux émaillés. *Au centre d'artisanat, Sandra a appris à faire des **émaux** sur cuivre.*

émailler verbe ▸ conjug. 3
Recouvrir d'une couche d'émail. *L'artisane **a émaillé** des bracelets.*

émanation nom féminin
Odeur qui se dégage. *Des **émanations** de gaz ont provoqué l'évacuation de l'immeuble.*

émancipation nom féminin
Action d'émanciper, d'affranchir. *Ce peuple lutte pour son **émancipation**.* SYN libération.

émanciper verbe ▸ conjug. 3
Rendre indépendant, libre. *Tous les pays africains **ont été émancipés** au cours du 20ᵉ siècle.* SYN libérer. CONTR asservir.

émaner verbe ▸ conjug. 3
Provenir de tel endroit. *C'est une décision qui **émane** de la commission scolaire.*

embâcle nom masculin
Amoncellement de glace qui obstrue un cours d'eau. * Chercher aussi *débâcle*.

emballage nom masculin
❶ Action d'emballer des objets. *L'**emballage** des cadeaux.* CONTR déballage. ❷ Matériel servant à emballer. *Du papier d'**emballage**.*

emballement nom masculin
Enthousiasme soudain. *Son **emballement** pour le parachutisme ne durera pas.* SYN engouement.

① **emballer** verbe ▸ conjug. 3
Envelopper des objets dans du papier, du carton, etc. *J'**ai emballé** la vaisselle dans du papier journal.* SYN empaqueter. CONTR déballer.
♦ Famille du mot : emballage, remballer.

② **emballer** verbe ▸ conjug. 3
Remplir d'enthousiasme. *Ce projet de voyage en Europe les **a emballés**.* SYN enthousiasmer.

a b c d e f g h i j k l m n o p q r s t u v w x y z

■ *s'***emballer** ❶ Partir à toute allure. *Le cheval a eu peur de l'orage, il **s'est emballé**.* ❷ Tourner trop vite. *Le moteur **s'emballe**, il faut ajuster le régime.*

embarcadère nom masculin
Lieu d'embarquement et de débarquement. *Lors de la régate, l'**embarcadère** était noir de monde.* * Chercher aussi *débarcadère*.

embarcation nom féminin
Petit bateau. *Les chaloupes, les canots et les kayaks sont des **embarcations**.*

Des ***embarcations***

embardée nom féminin
Écart brusque et dangereux d'un véhicule. *La voiture a fait une **embardée** pour éviter l'animal.*

embargo nom masculin
Interdiction officielle de faire le commerce d'un produit. *Mettre l'**embargo** sur les armes.*

embarquement nom masculin
Action d'embarquer. *L'avion peut partir, l'**embarquement** des passagers est terminé.*

embarquer verbe ▸ conjug. 3
❶ Monter à bord d'un bateau, d'un train ou d'un avion. *Les matelots **ont embarqué** à bord du navire.* CONTR débarquer. ❷ Prendre à bord d'un bateau. *On **a embarqué** cent litres d'eau douce sur le voilier.* SYN charger. ■ *s'***embarquer**: au sens figuré, se mettre dans une situation fâcheuse, délicate. *Carlo **s'est embarqué** dans une drôle d'histoire.* SYN s'engager. ♦ Famille du mot: embarquement, rembarquer.

embarras nom masculin
Malaise de quelqu'un qui ne sait pas quoi faire. *Édith essayait de cacher son **embarras**.* SYN gêne, trouble. • **Être dans l'embarras:** avoir des ennuis, des difficultés. • **Avoir l'embarras du choix:** se trouver dans une situation où l'on a le choix entre plusieurs choses.

embarrassant, embarrassante adjectif
❶ Encombrant. *Ses nombreux bagages sont **embarrassants**.* SYN gênant. ❷ Qui embarrasse. *Des propos **embarrassants**.*

embarrasser verbe ▸ conjug. 3
❶ Empêcher de passer ou de bouger. *À qui sont ces valises qui **embarrassent** le couloir?* SYN encombrer. ❷ Causer de l'embarras. *Tu m'**embarrasses**, je ne sais pas quoi te dire.* SYN déconcerter, gêner, troubler. ♦ Famille du mot: embarras, embarrassant.

embauche nom féminin
Action d'embaucher. *L'**embauche** d'une infirmière est devenue nécessaire.*

embaucher verbe ▸ conjug. 3
Engager comme salarié. *Il s'est fait **embaucher** comme plongeur dans un restaurant.* CONTR débaucher, licencier.

embaumer verbe ▸ conjug. 3
❶ Remplir d'une odeur agréable. *Le lilas **embaumait** tout le jardin.* CONTR empester. ❷ Remplir un cadavre de certaines substances pour le conserver. *Les Égyptiens **embaumaient** les cadavres des pharaons.* * Chercher aussi *momie*. ❸ Préparer les morts avant de les exposer dans un salon funéraire.

embellir verbe ▸ conjug. 11
❶ Rendre plus beau. *Jessica ne peut s'empêcher d'**embellir** son histoire en la racontant.* SYN enjoliver. ❷ Devenir plus beau. *Les enfants sont revenus fortifiés du camp de vacances, ils **ont embelli**.* CONTR enlaidir.

embêtant, embêtante adjectif
Qui embête. *Je ne retrouve plus mon livre, c'est **embêtant**!* SYN contrariant, ennuyeux.

embêtement nom masculin
Ce qui embête. *Je n'ai eu que des **embêtements** durant tout le voyage.* SYN contrariété, ennui, problème.

embêter verbe ▸ conjug. 3
❶ Dans la langue familière, ennuyer. *Ce jeu m'**embête**.* ❷ Contrarier. *Je **suis** bien **embêtée**, j'ai perdu mes clés.* ■ *s'***embêter**: éprouver de l'ennui, trouver le temps long. *Anh ne sait pas quoi faire, elle **s'embête**.* ♦ Famille du mot: embêtant, embêtement.

*d'***emblée** adverbe
Du premier coup, tout de suite. ***D'emblée**, Joanie lui a été sympathique.*

emblème nom masculin
Objet qui représente une idée, une réalité. *La fleur de lys est l'**emblème** du Québec.* **SYN** symbole.

Un **emblème**

emboîter verbe ▶ conjug. 3
Faire entrer une chose dans une autre. *Mon petit frère essaie d'**emboîter** ces deux cubes.* • **Emboîter le pas à quelqu'un :** le suivre. ■ s'**emboîter** : rentrer l'un dans l'autre. *Les morceaux de mon casse-tête **s'emboîtent** exactement.* **SYN** s'ajuster. ✎ On peut écrire aussi ***(s')emboiter***.

embonpoint nom masculin
État d'une personne un peu grasse. *Il a pris un léger **embonpoint** en vieillissant.* * Attention au *n* devant le *p*.

embouchure nom féminin
❶ Endroit où un fleuve se jette dans la mer. *New York est situé à l'**embouchure** de l'Hudson.* * Chercher aussi *delta, estuaire*. ❷ Partie d'un instrument que l'on porte à la bouche. *L'**embouchure** d'une flûte à bec.*

s'**embourber** verbe ▶ conjug. 3
S'enfoncer dans la boue. *La jeep **s'est embourbée** dans le marécage.* **SYN** s'enliser. * Chercher aussi *s'ensabler, s'envaser*.

embout nom masculin
Accessoire placé au bout d'un objet. *Les pieds de la chaise ont des **embouts** en caoutchouc.*

embouteillage nom masculin
❶ Mise en bouteilles. *L'**embouteillage** de l'eau de source.* ❷ Encombrement qui bloque la circulation. *La neige a provoqué des **embouteillages** sur l'autoroute.* **SYN** bouchon.

Un **embouteillage**

embouteiller verbe ▶ conjug. 3
❶ Mettre en bouteilles. ❷ Provoquer un embouteillage. *L'incendie **a embouteillé** tout le secteur.*

emboutir verbe ▶ conjug. 11
Heurter violemment un véhicule. *Au feu rouge, un autobus **a embouti** l'arrière de notre voiture.* **SYN** défoncer.

embranchement nom masculin
Endroit où une route se divise en deux ou plusieurs voies. *Vous trouverez l'autoroute au prochain **embranchement**.* **SYN** bifurcation, croisement.

s'**embraser** verbe ▶ conjug. 3
Prendre feu. *Le chalet **s'est embrasé** d'un coup, comme une torche.* **SYN** s'enflammer.

embrassade nom féminin
Action de s'embrasser. *Leurs retrouvailles furent l'occasion d'**embrassades** à n'en plus finir.*

embrasser verbe ▶ conjug. 3
❶ Donner un baiser. *Elle **embrasse** tendrement ses enfants.* ❷ Voir dans toute son étendue. *Du haut de cet édifice, on **embrasse** la ville d'un seul coup d'œil.* ❸ Dans la langue littéraire, choisir. *Il **a embrassé** la carrière de chercheur.* ■ s'**embrasser** : se donner un baiser. *Ils **se sont embrassés** tendrement.*

embrasure nom féminin
Ouverture dans un mur correspondant à une porte ou à une fenêtre. *Ils discutaient dans l'**embrasure** de la fenêtre.*

embrayage nom masculin
Mécanisme qui permet au moteur d'une voiture ou d'une moto d'entraîner les roues. *Pour changer de vitesse dans certains véhicules, il faut appuyer sur la pédale d'**embrayage**. Une voiture à **embrayage** manuel.* **CONTR** débrayage.

embrayer verbe ▶ conjug. 7
Actionner l'embrayage. ***Embraie** doucement, sinon le moteur va caler.* **CONTR** débrayer.

embrocher verbe ▶ conjug. 3
Enfiler quelque chose sur une broche. ***Embrocher** un poulet à faire rôtir.*

a b c d e f g h i j k l m n o p q r s t u v w x y z

embrouiller verbe ▸ conjug. 3
Rendre difficile à comprendre. *Ses explications ne faisaient qu'**embrouiller** un peu plus son histoire.* CONTR débrouiller, démêler, éclaircir.
■ **s'embrouiller** : perdre le fil de ce que l'on dit. *Il **s'est embrouillé** dans ses mensonges.*

embruns nom masculin pluriel
Gouttelettes d'eau de mer transportées par le vent. *Les passagers du bateau ont mis leur imperméable pour se protéger des **embruns**.*

embryon nom masculin
Être vivant au tout début de son développement. *Les **embryons** grandissent dans un œuf ou dans le ventre de la mère.* * Chercher aussi *fœtus*.

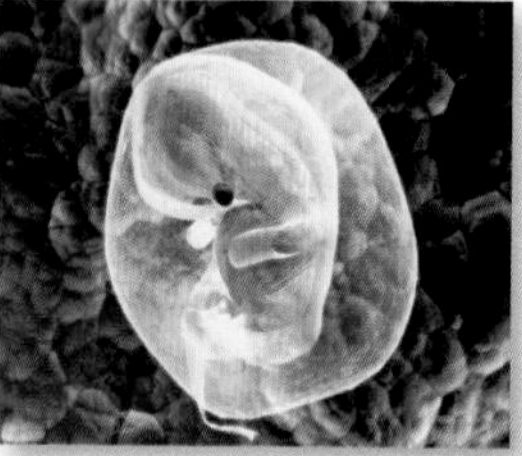
*Un **embryon***

embûche nom féminin
Difficulté, piège. *Le parcours était semé d'**embûches**.* SYN obstacle. ✎ On peut écrire aussi ***embuche***.

embuscade nom féminin
Tactique par laquelle on se cache pour attaquer par surprise. *La patrouille est tombée dans une **embuscade**.* SYN guet-apens.

s'embusquer verbe ▸ conjug. 3
Se mettre en embuscade. *Le chasseur **s'est embusqué** dans un fourré.*

éméché, éméchée adjectif
Un peu ivre. *Des consommateurs **éméchés** se sont mis à chanter dans le bar.*

émeraude nom féminin
Pierre précieuse translucide de couleur verte. *Sa bague est ornée d'une **émeraude**.*
■ **émeraude** adjectif invariable D'une couleur qui rappelle celle de l'émeraude. *Un vert **émeraude**.*

émerger verbe ▸ conjug. 5
Apparaître au-dessus du niveau de l'eau. *Cette partie de l'île n'**émerge** qu'à marée basse.*

émeri nom masculin
• **Papier (d')émeri** : papier enduit d'une couche de poudre, que l'on utilise comme abrasif. SYN papier* de verre.

émerveillement nom masculin
État d'une personne qui s'émerveille. *Ils regardaient le ciel étoilé avec **émerveillement**.* SYN admiration.

émerveiller verbe ▸ conjug. 3
Remplir d'admiration et d'étonnement. *Son voyage en Chine l'**a émerveillé**.* SYN fasciner.
■ **s'émerveiller** : éprouver de l'admiration et de la surprise. *Ta grand-mère **s'émerveille** de tes progrès.*

émetteur, émettrice adjectif
Qui émet des ondes radio ou des images. *Une station **émettrice**.* ■ **émetteur** nom masculin Appareil émetteur. *Un **émetteur** de télévision.* CONTR récepteur.

émettre verbe ▸ conjug. 33
❶ Envoyer des images, des sons par les ondes. *La radio de ce navigateur n'**émet** plus.*
❷ Produire, répandre. ***Émettre** une lumière, une fumée.* ❸ Mettre une monnaie en circulation *C'est la Banque du Canada qui **émet** les pièces et les billets qui sont en usage.* ❹ Exprimer une opinion. *Les savants **ont émis** une nouvelle hypothèse sur la disparition des dinosaures.* ♦ Famille du mot : émetteur, émission.

émeu nom masculin
Très grand oiseau d'Australie qui ressemble à l'autruche. *L'**émeu** est incapable de voler.*
👁p. 720.

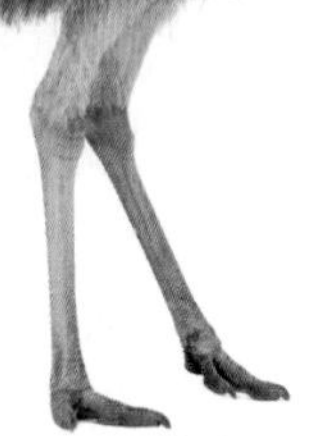
*Un **émeu***

émeute nom féminin
Soulèvement populaire. *Cette manifestation a tourné à l'**émeute**.* * Chercher aussi *agitation*, *mutinerie*, *trouble*.

émeutier, émeutière nom
Personne qui participe à une émeute. *Les **émeutiers** ont pillé de nombreux commerces.*

émietter verbe ▸ conjug. 3
Réduire en miettes. *Ma mère **émiette** du pain sec pour faire de la chapelure.*

émigrant, émigrante nom
Personne qui émigre. *Des **émigrants** pleins d'espoir embarquent pour le Canada.* * Chercher aussi *immigrant*.

émigration nom féminin
Action d'émigrer. *L'**émigration** a dépeuplé cette région.* * Chercher aussi *exode*, *immigration*.

émigré, émigrée nom
Personne qui a émigré. *Cette famille d'**émigrés** marocains s'est établie à Montréal.* * Chercher aussi *immigré*.

émigrer verbe ▸ conjug. 3
Quitter son pays pour aller s'installer dans un autre pays. *Au 19e siècle, beaucoup d'Européens **ont émigré** aux États-Unis.* **SYN** s'expatrier. * Chercher aussi *immigrer*.

émincer verbe ▸ conjug. 4
Couper en tranches très minces. ***Émincer** des oignons et des carottes.*

éminence nom féminin
❶ Élévation de terrain. *De cette **éminence**, vous découvrirez l'ensemble de la forêt.* **SYN** butte, colline, hauteur. ❷ Titre donné aux cardinaux. ✎ Attention ! Au sens 2, *Éminence* s'écrit avec une majuscule.

éminent, éminente adjectif
Très important. *Camille a joué un rôle **éminent** dans l'organisation de la fête.* **SYN** remarquable.

émir nom masculin
Titre donné à certains princes ou chefs d'État musulmans. *L'**émir** du Koweït.* * Chercher aussi *sultan*.

émirat nom masculin
Pays gouverné par un émir. *L'**émirat** du Qatar.*

émirien, émirienne
➔Voir tableau, p. 1319.

émissaire nom
Envoyé officiel chargé d'une mission. *Les États-Unis ont envoyé un **émissaire** pour amorcer des négociations.*

émission nom féminin
❶ Programme diffusé par l'entremise de la télévision, de la radio ou d'Internet. *Kevin ne manque jamais une **émission** sur la mer et les bateaux.* ❷ Projection de substances solides, liquides ou gazeuses. *Les **émissions** de gaz toxiques.*

emmagasiner verbe ▸ conjug. 3
❶ Mettre en réserve. *Cette commerçante **a emmagasiné** beaucoup de marchandises.* **SYN** entreposer, stocker. ❷ Au sens figuré, garder en mémoire. *Elena **a emmagasiné** beaucoup de connaissances nouvelles cette année.* **SYN** accumuler.

emmailloter verbe ▸ conjug. 3
Envelopper complètement. ***Emmailloter** un bébé dans une couverture.*

emmancher verbe ▸ conjug. 3
Fixer à un manche. ***Emmancher** un outil.*

emmanchure nom féminin
Endroit où la manche est cousue au vêtement. *Une veste aux larges **emmanchures**.*

emmêler verbe ▸ conjug. 3
Mêler des choses les unes aux autres. *Mes cheveux **sont** tout **emmêlés** à cause du vent.* **CONTR** démêler.

emménagement nom masculin
Action d'emménager. *Nos nouveaux voisins ont tout juste fini leur **emménagement**.* **CONTR** déménagement.

emménager verbe ▸ conjug. 5
S'installer dans un nouveau logement. *Nous **avons emménagé** dans une maison au bord du fleuve.* **CONTR** déménager.

emmener verbe ▸ conjug. 8
Amener quelqu'un avec soi. *Mon père nous **emmène** à l'école ; il s'assure que nous emportons notre boîte à lunch.* * Attention ! On *emmène* une personne, mais on *emporte* un objet.

emmenthal nom masculin
Variété de gruyère à gros trous.

s'**emmitoufler** verbe ▸ conjug. 3
S'envelopper chaudement. *Corinne **s'est emmitouflée** pour sortir.*

emmurer verbe ▸ conjug. 3
Enfermer derrière un mur ou des rochers. *Un éboulement **a emmuré** les spéléologues dans la grotte.*

émoi nom masculin
Émotion due à l'inquiétude. *Ces vols de voitures ont mis tout le quartier en **émoi**.* **SYN** agitation, effervescence.

émonder verbe ▸ conjug. 3
Élaguer. *Le cultivateur **a émondé** ses arbres fruitiers.*

***Émonder** un arbre*

émotif, émotive adjectif
Qui est sensible et se trouble facilement. *Ne le brusquons pas, c'est un garçon très **émotif**.* **SYN** impressionnable.

émotion nom féminin
Trouble très fort, agréable ou désagréable. *La joie, la colère, le chagrin, la peur et la surprise sont des **émotions**.* **SYN** émoi.

émousser verbe ▸ conjug. 3
Rendre moins coupant ou moins pointu. *La lame de ce couteau **est émoussée**: il ne coupe plus.* ■ **s'émousser**: au sens figuré, devenir moins vif, moins fort. *Leur amitié **s'est émoussée** avec les années.* **SYN** s'affaiblir, s'atténuer.

émoustiller verbe ▸ conjug. 3
Procurer une excitation légère qui met de bonne humeur. *Le vin **a émoustillé** les convives, qui se sont mis à chanter.*

émouvant, émouvante adjectif
Qui fait éprouver des émotions. *La cérémonie d'adieux a été très **émouvante**.*

émouvoir verbe ▸ conjug. 24
Causer une émotion. *Il **était** si **ému** qu'il ne pouvait articuler un mot.* **SYN** bouleverser, impressionner. ■ **s'émouvoir**: se troubler. *Samuel a répondu sans **s'émouvoir** aux accusations de ses camarades.*

empailler verbe ▸ conjug. 3
Remplir de paille la peau d'un animal mort pour conserver ses formes. *Le chalet était plein d'animaux **empaillés**.* **SYN** naturaliser. * Chercher aussi *taxidermiste*.

*Une lionne **empaillée***

empaqueter verbe ▸ conjug. 9
Emballer. *La vendeuse **empaquette** soigneusement les verres.* **SYN** ① emballer. **CONTR** dépaqueter. ✎ On peut écrire aussi, au présent, ***j'empaquète***; au futur, ***tu empaquèteras***; au conditionnel, ***nous empaquèterions***.

s'emparer verbe ▸ conjug. 3
❶ Prendre de force ou rapidement. *Boris **s'est emparé** de la BD de Nadine et refuse de la lui rendre.* **SYN** se saisir. ❷ Envahir l'esprit de quelqu'un. *La peur **s'est emparée** de lui.*

empathie nom féminin
Capacité de se mettre à la place d'autrui, de percevoir ce qu'il peut ressentir. *Elle éprouve de l'**empathie** pour cette femme qui vient de perdre son emploi.*

empêchement nom masculin
Circonstance qui empêche de faire ce qui était prévu. *Je n'ai pas pu vous rendre visite, j'ai eu un **empêchement**.*

empêcher verbe ▸ conjug. 3
Rendre quelque chose impossible. *Le mauvais temps nous **a empêchés** de sortir.* **CONTR** permettre. • **N'empêche que**: malgré cela. *C'était dangereux, **n'empêche qu'**elle a voulu essayer.* ■ **s'empêcher**: se retenir de faire quelque chose. *Je n'ai pu **m'empêcher** de rire en le voyant tomber.*

empereur nom masculin
Titre donné à certains souverains. *L'**empereur** et l'impératrice.*

empester verbe ▸ conjug. 3
Sentir très mauvais. *Il faut changer la litière du chat: elle **empeste**!* **SYN** puer. **CONTR** embaumer.

s'empêtrer verbe ▸ conjug. 3
❶ Se prendre dans quelque chose. *Le marin **s'est empêtré** les pieds dans les cordages.* ❷ S'embrouiller dans ce que l'on dit. *Josée **s'empêtrait** de plus en plus dans ses explications.* CONTR se dépêtrer.

emphase nom féminin
Façon pompeuse et prétentieuse de s'exprimer. *Le maire parle avec **emphase**.* CONTR naturel, simplicité.

emphatique adjectif
Qui est plein d'emphase, pompeux. *Un discours **emphatique**.* SYN solennel. CONTR simple.

empiéter verbe ▸ conjug. 8
Aller au-delà d'une limite. *Votre clôture **empiète** sur mon jardin.* SYN déborder. ✎ On peut écrire aussi, au futur, *j'**empièterai***; au conditionnel, *vous **empièteriez***.

s'empiffrer verbe ▸ conjug. 3
Manger énormément. *Ils **se sont empiffrés** de chocolat.* SYN se bourrer, se gaver.

empiler verbe ▸ conjug. 3
Mettre en pile. ***Empiler** du bois.* ■ **s'empiler**: s'accumuler. *Les vieilles revues **s'empilent** dans la salle d'attente du dentiste.* SYN s'amonceler, s'entasser.

empire nom masculin
État gouverné par un empereur. *Napoléon a conquis beaucoup de pays pour agrandir son **empire**.* • **Sous l'empire de**: sous l'influence de. *Il a dit n'importe quoi **sous l'empire de** la colère.*

empirer verbe ▸ conjug. 3
Devenir pire. *L'état du malade **a empiré**.* SYN s'aggraver. CONTR s'améliorer.

empirique adjectif
Qui s'appuie essentiellement sur l'expérience pratique et sur l'observation. *Céline ne connaît pas la mécanique; elle a réparé ce moteur par des moyens **empiriques**.* CONTR scientifique, théorique.

emplacement nom masculin
Endroit occupé par quelque chose. *L'**emplacement** pour la construction du nouveau centre de recherche a été longuement discuté.* SYN place.

emplâtre nom masculin
Produit médicamenteux à effet calmant, que l'on applique sur la peau et qui agit pendant un temps assez long.

emplette nom féminin
Achat, course. *Peter a encore quelques **emplettes** à faire pour sa rentrée scolaire.*

emplir verbe ▸ conjug. 11
Dans la langue littéraire, remplir. ***Emplir** un verre.* ■ **s'emplir**: se remplir. *Ses yeux **se sont emplis** de larmes.*

emploi nom masculin
❶ Façon dont on emploie quelque chose ou usage que l'on en fait. *L'**emploi** d'une peau de chamois facilite beaucoup le nettoyage d'une voiture.* • **Mode d'emploi**: explications quant à la manière de se servir de quelque chose. *Elle a lu le **mode d'emploi** avant de mettre la machine en marche.* ❷ Travail avec lequel on gagne sa vie. *Elle a trouvé un **emploi** dans une bijouterie.* SYN situation. • **Emploi du temps**: ce que l'on a à faire selon les heures et les jours. ♦ Famille du mot: employé, employer, employeur.

employé, employée nom
Personne qui a un emploi dans un magasin, un bureau, etc. *Il est **employé** de banque.* * Chercher aussi *cadre*, *ouvrier*, *salarié*.

employer verbe ▸ conjug. 6
❶ Faire usage de quelque chose. *Mon père **a employé** un sécateur pour tailler les rosiers.* SYN se servir, utiliser. ❷ Faire travailler en échange d'un salaire. *Ce salon de coiffure **emploie** sept personnes.* ■ **s'employer à**: s'efforcer. *Laura **s'emploie à** résoudre ce problème.* SYN se consacrer à.

employeur, employeuse nom
Personne ou entreprise qui emploie quelqu'un à son service. *Mon **employeur** me verse un salaire bimensuel.* SYN patron.

empocher verbe ▸ conjug. 3
Toucher de l'argent. *Elle **a empoché** une jolie somme pour faire ce travail.*

empoignade nom féminin
❶ Altercation, bataille. *Dans la cour d'école, il y a eu une **empoignade**.* ❷ Discussion violente. *Cette réunion s'est déroulée sur le mode de l'**empoignade**.*

empoigner verbe ▸ conjug. 3
Saisir en serrant dans sa main. *Elle **empoigne** un bâton pour effrayer les chats du voisinage.* ■ **s'empoigner**: se battre ou se disputer violemment. *La discussion a mal tourné, les deux hommes sont prêts à **s'empoigner**.*

a b c d e f g h i j k l m n o p q r s t u v w x y z

empoisonnement nom masculin
❶ Fait d'empoisonner quelqu'un. *Autrefois, l'**empoisonnement** était passible de la peine de mort.* ❷ Intoxication. *Ils ont été victimes d'un **empoisonnement** alimentaire.*

empoisonner verbe ▸ conjug. 3
❶ Tuer avec du poison. *Des garnements ont tenté d'**empoisonner** notre chien.* ❷ Rendre désagréable. *Cette dette lui **empoisonne** l'existence.*

emportement nom masculin
Action de s'emporter, de se mettre en colère. *Mick est sujet aux **emportements**.* SYN colère.

emporter verbe ▸ conjug. 3
❶ Prendre avec soi. *N'oublie pas d'**emporter** ta boîte à lunch.* * Attention ! On *emporte* un objet, mais on *emmène* une personne. ❷ Entraîner, balayer. *Le vent **emporte** les feuilles mortes.* ❸ Faire mourir. *Le cancer l'**a emporté** en quelques mois.* • **L'emporter sur quelqu'un :** être victorieux, gagner. ■ **s'emporter** : se mettre en colère. *Elle **s'est emportée** sans raison.* ♦ Famille du mot : emportement, remporter.

empoté, empotée adjectif et nom
Dans la langue familière, se dit d'une personne lente et maladroite. *Elle est **empotée**. – Quel **empoté** !*

empreint, empreinte adjectif
Qui exprime tel ou tel sentiment. *Son visage était **empreint** d'une grande bonté.*

empreinte nom féminin
Trace laissée sur une surface par un animal ou une personne. *Chang essaie de deviner quel animal a laissé ses **empreintes** sur la neige.* • **Empreintes digitales :** traces laissées par les doigts. *Les voleurs portaient des gants pour ne pas laisser leurs **empreintes digitales**.*

Des **empreintes**

empressé, empressée adjectif
Prévenant, attentionné. *Elle est très **empressée** auprès de ses grands-parents.*

empressement nom masculin
Fait de s'empresser. *Xavier répond toujours avec **empressement** à ses textos.* SYN ardeur, zèle. CONTR indifférence.

s'empresser verbe ▸ conjug. 3
Faire quelque chose en se dépêchant ou en montrant beaucoup de zèle. *Veronika **s'est empressée** d'aller ouvrir la porte.* SYN se hâter.

emprise nom féminin
Influence exercée sur quelqu'un. *Les jeux vidéo peuvent avoir une grande **emprise** sur les jeunes.*

emprisonnement nom masculin
Fait d'être emprisonné. *Être condamné à un an d'**emprisonnement**.* SYN détention, réclusion. CONTR libération.

emprisonner verbe ▸ conjug. 3
Mettre en prison. *Le criminel **a été emprisonné**.* SYN écrouer. CONTR libérer.

emprunt nom masculin
Somme d'argent ou chose empruntée. *Pour acheter une nouvelle voiture, elle a fait un **emprunt** à la banque.* * Chercher aussi *prêt*. • **Nom d'emprunt :** nom qui n'est pas le vrai nom. *Elle a signé son roman d'un **nom d'emprunt**.* SYN pseudonyme.

emprunté, empruntée adjectif
Qui manque de naturel ou qui est mal à l'aise. *Mon oncle avait l'air **emprunté** dans son costume de marié.* SYN gauche. CONTR naturel.

emprunter verbe ▸ conjug. 3
❶ Recevoir une chose en prêt. *Cindy **a emprunté** cinq dollars à son frère pour acheter une revue.* ❷ Utiliser une voie pour circuler. *Pour arriver sur l'autre rive, il faut **emprunter** le pont.* ♦ Famille du mot : emprunt, emprunté.

ému, émue adjectif
Plein d'émotion. *Il a parlé de ses grands-parents d'une voix **émue**.*

émulation nom féminin
Sentiment qui pousse à faire mieux que les autres. *Il y a une grande **émulation** entre les élèves de cette classe.*

émule nom
Personne qui cherche à en égaler une autre en mérite ou en savoir. *Ce vieux savant a beaucoup d'**émules**.*

émulsion nom féminin
Mélange de deux liquides de nature différente, dont l'un forme de fines gouttelettes dispersées dans l'autre. *Quand on agite un flacon d'huile et d'eau, on obtient une **émulsion**.*

① **en** préposition
Sert à indiquer de nombreux types de rapports. *Aller **en** Nouvelle-Écosse* (lieu). *Un vase **en** cristal* (matière). ***En** hiver, il fait froid* (temps). *Être **en** colère* (état). *Ursula va à l'école **en** autobus* (moyen). ***En** marchant, il faut une heure* (manière).

② **en** pronom
❶ Pronom qui sert à indiquer le lieu d'où l'on vient. *Tu vas au marché? – Non, j'**en** arrive.* ❷ Pronom qui remplace un complément introduit par «de». *Depuis qu'elle a goûté à ce sorbet, elle **en** veut tout le temps* (elle veut tout le temps *de ce sorbet*).

encadrement nom masculin
❶ Ce qui encadre quelque chose. *Pour cette photo, on a choisi un **encadrement** en bois.* ❷ Personnes qui encadrent un groupe. *Le personnel d'**encadrement** d'un centre de loisirs.*

Un ***encadrement***

encadrer verbe ▸ conjug. 3
❶ Mettre dans un cadre. *Ma mère a fait **encadrer** un tableau.* ❷ Avoir la charge et la responsabilité de personnes. *Dans ce camp de vacances, les enfants **sont** très bien **encadrés**.*

encaissé, encaissée adjectif
Qui est resserré entre des parois escarpées. *Cette route **encaissée** est très étroite.*

encaisser verbe ▸ conjug. 3
❶ Recevoir de l'argent en paiement. *Le plombier n'**a** pas encore **encaissé** le chèque des travaux.* ❷ Dans la langue familière, supporter, recevoir. *Le boxeur **encaisse** les coups.*

encan nom masculin
Vente aux enchères. *Dimanche prochain, il y aura un **encan** de bicyclettes.* ♦ Famille du mot: encanter, encanteur.

encanter verbe ▸ conjug. 3
Vendre aux enchères.

encanteur, encanteuse nom
Personne qui organise et dirige des encans. *Mon oncle Arthur est un **encanteur** célèbre dans sa région.*

encart nom masculin
Feuille volante que l'on intercale dans un livre, une revue. *Un **encart** publicitaire.*

encastrable adjectif
Qui peut être encastré. *Ce four à micro-ondes est **encastrable**.*

encastrer verbe ▸ conjug. 3
Insérer quelque chose dans un espace creux. *Un coffre-fort **est encastré** dans le mur.*

encaustique nom féminin
Produit qui sert à cirer le bois. *Passer des meubles à l'**encaustique**.*

① **enceinte** adjectif féminin
Se dit d'une femme qui attend un bébé. *Notre voisine est **enceinte** de huit mois.*

② **enceinte** nom féminin
Muraille fortifiée qui entoure une ville et la protège. *Les **enceintes** de la vieille ville.*
• **Enceinte acoustique:** coffret qui renferme les haut-parleurs d'une chaîne haute-fidélité.

encens nom masculin
Substance résineuse qui brûle en dégageant un parfum agréable. *Maria fait brûler un bâtonnet d'**encens**.*

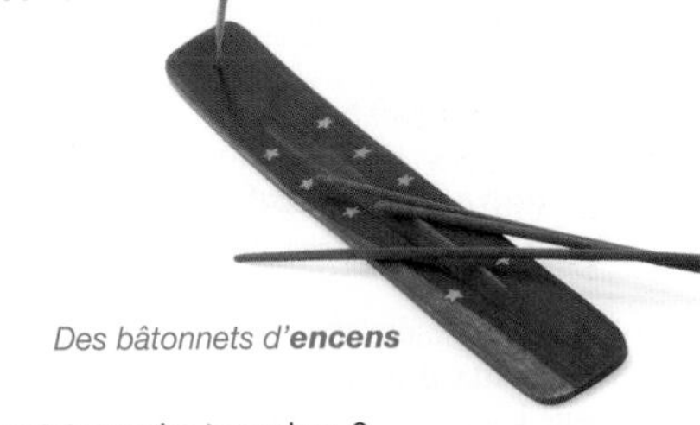

Des bâtonnets d'***encens***

encenser verbe ▸ conjug. 3
Couvrir d'éloges. *Ce cuisinier **a été encensé** par tous les critiques gastronomiques.*

encerclement nom masculin
Action d'encercler. *L'**encerclement** de la ville par l'ennemi.*

a b c d e f g h i j k l m n o p q r s t u v w x y z

encercler verbe ▸ conjug. 3
❶ Entourer de toutes parts. *Le quartier **est encerclé** par la police.* SYN cerner. ❷ Entourer d'un cercle. ***Encercler** la bonne réponse.*

enchaînement nom masculin
Succession. *Un **enchaînement** de circonstances nous a empêchés de partir comme prévu.* SYN suite. ✎ On peut écrire aussi ***enchainement***.

enchaîner verbe ▸ conjug. 3
Attacher avec une chaîne. *Autrefois, on **enchaînait** les prisonniers.* ■ s'**enchaîner** : se suivre, se succéder logiquement. *Les évènements **se sont enchaînés** rapidement.* ✎ On peut écrire aussi ***(s')enchainer***.

enchanté, enchantée adjectif
❶ Qui est très content. *Nous sommes **enchantés** de nos vacances.* ❷ Qui produit un effet magique. *Dans ce conte, il est question d'une forêt **enchantée**.*

enchantement nom masculin
Ce qui enchante. *Cette promenade en bateau a été un **enchantement**.* • **Comme par enchantement** : comme par magie. *La tempête s'est arrêtée brusquement, **comme par enchantement**.*

enchanter verbe ▸ conjug. 3
Plaire énormément. *Leur voyage en Italie les **a enchantés**.* SYN charmer, ravir. ♦ Famille du mot : enchanté, enchantement, enchanteur, désenchanté.

enchanteur, enchanteresse adjectif
Qui enchante. *Un paysage **enchanteur**.*
■ **enchanteur, enchanteresse** nom
Magicien. *Merlin, l'**enchanteur**. Circé, l'**enchanteresse**.* * Chercher aussi *ensorceler, sorcier, sortilège*.

enchâsser verbe ▸ conjug. 3
Fixer une pierre précieuse sur une monture. *La bijoutière **a enchâssé** un diamant dans la bague.* SYN sertir.

enchère nom féminin
• **Vente aux enchères** : vente publique dans laquelle les objets sont vendus au plus offrant. * Chercher aussi *encan*.

enchevêtrement nom masculin
Amas de choses entremêlées. *Un **enchevêtrement** de vieilles ferrailles.*

s'**enchevêtrer** verbe ▸ conjug. 3
S'emmêler de façon inextricable. *Des algues **se sont enchevêtrées** autour de l'hélice du bateau.*

enclave nom féminin
Territoire ou terrain enfermé dans un autre. *Le Vatican forme une **enclave** dans la ville de Rome, en Italie.*

enclencher verbe ▸ conjug. 3
Mettre un mécanisme en état de fonctionner. *Pour reculer, il faut **enclencher** la marche arrière.*

enclin, encline adjectif
Qui a une tendance naturelle à quelque chose. *Vincent est parfois **enclin** à la mélancolie.*

enclos nom masculin
Terrain entouré d'une clôture. *Dans la ferme, il y a un **enclos** pour les moutons.*

enclume nom féminin
Bloc métallique sur lequel on forge les métaux rougis au feu. *Le forgeron tape sur son **enclume** avec un marteau.*

*Une **enclume***

encoche nom féminin
Petite entaille. *Il faut couper la planche à l'endroit marqué par une **encoche**.*

encodage nom masculin
Écriture d'un texte en code.

encoignure nom féminin
Angle intérieur formé par deux murs. *Élise s'est cachée dans une **encoignure** de sa chambre.* SYN coin. * Attention ! La deuxième syllabe du mot *encoignure* se prononce *ko* ou *koi*.

encolure nom féminin
❶ Partie d'un vêtement qui entoure le cou. *L'**encolure** de cette chemise est beaucoup trop serrée.* ❷ Partie du corps d'un cheval qui va de la tête au poitrail.

encombrant, encombrante adjectif
Qui encombre. *Ce meuble est trop* ***encombrant*** *dans cette petite chambre.*

sans **encombre** adverbe
Sans ennui. *Nous sommes arrivés* ***sans encombre*** *à l'aéroport.*

encombrement nom masculin
Embouteillage. *On signale des* ***encombrements*** *aux abords de la ville.*

encombrer verbe ▸ conjug. 3
Gêner en prenant trop de place. *Vos vélos* ***encombrent*** *la galerie. Au moment des vacances, les routes* ***sont encombrées****.*
♦ Famille du mot : encombrant, sans encombre, encombrement.

*à l'***encontre de** préposition
À l'opposé de quelque chose. *Ton exemple va* ***à l'encontre de*** *ce que tu veux démontrer.*

*s'***encorder** verbe ▸ conjug. 3
S'attacher avec une corde pour former une cordée. *Avant de commencer leur ascension, les alpinistes* ***se sont encordés****.*

Cet alpiniste ***s'est encordé****.*

encore adverbe
❶ Indique que quelque chose continue. *Chut ! Les enfants dorment* ***encore*** *!* **SYN** toujours. ❷ Marque la répétition. *Benoît a* ***encore*** *oublié sa tuque à l'école.* **SYN** de nouveau. ❸ Indique une plus grande quantité. *Amina veut* ***encore*** *du jus d'orange.* **SYN** davantage. ❹ Sert à renforcer un adjectif au comparatif. *Il est* ***encore*** *plus jeune que je croyais.*

encourageant, encourageante adjectif
Qui encourage. *Ses bons résultats sont très* ***encourageants****.*

encouragement nom masculin
Parole qui encourage. *Le coureur saute la première haie sous les* ***encouragements*** *de la foule.*

encourager verbe ▸ conjug. 5
❶ Donner du courage à quelqu'un pour qu'il fasse quelque chose. *Ce premier succès l'****a encouragé*** *à poursuivre ses efforts.* **SYN** inciter. **CONTR** décourager. ❷ Favoriser le développement de quelque chose. *Cette région* ***encourage*** *l'agriculture et l'élevage.*

encrasser verbe ▸ conjug. 3
Recouvrir d'un dépôt de saletés qui empêche le bon fonctionnement. *Cette essence de mauvaise qualité* ***a encrassé*** *le carburateur.*
CONTR décrasser.

encre nom féminin
Liquide coloré qui sert à écrire, à imprimer ou à photocopier. *Hélène écrit à l'****encre*** *verte.*
• **Faire couler beaucoup d'encre :** se dit d'une affaire sur laquelle on a beaucoup écrit.

encrier nom masculin
Petit récipient qui contient de l'encre.

encyclopédie nom féminin
Ouvrage qui traite de l'ensemble des connaissances d'un ou de plusieurs domaines. *Bruce a emprunté à la bibliothèque une* ***encyclopédie*** *sur les animaux.* * Chercher aussi *dictionnaire*.

encyclopédique adjectif
❶ Qui a le caractère d'une encyclopédie. *Un dictionnaire* ***encyclopédique****.* ❷ Qui a des connaissances étendues sur des sujets très variés. *Ce professeur possède un savoir* ***encyclopédique****.*

endettement nom masculin
Fait de s'endetter.

s'endetter verbe ▸ conjug. 3
Faire des dettes. *Pour acheter sa maison, elle **s'est endettée**.* SYN emprunter.

endiablé, endiablée adjectif
Qui est très rapide. *Ils ont dansé toute la nuit sur des rythmes **endiablés**.*

endiguer verbe ▸ conjug. 3
❶ Retenir par une digue. *Ce fleuve **a été endigué** à certains endroits.* ❷ Au sens figuré, contenir ou canaliser quelque chose. *Les gardiens essaient d'**endiguer** le flot des visiteurs.*

endimanché, endimanchée adjectif
Qui a mis ses beaux vêtements. *Pour la cérémonie, les enfants étaient **endimanchés**.*

endive nom féminin
Plante potagère à feuilles blanches, que l'on mange crue ou cuite. *Une salade d'**endives**. Des **endives** braisées.*

*Des **endives***

endolori, endolorie adjectif
Qui fait mal. *David s'est cogné, il a le bras **endolori**.* SYN douloureux.

endommager verbe ▸ conjug. 5
Causer des dommages, des dégâts. *La grêle **a endommagé** la toiture.* SYN abîmer, détériorer.

endormir verbe ▸ conjug. 15
❶ Faire dormir quelqu'un. *Marek **endort** le bébé en le berçant.* ❷ Anesthésier. *Laurence **a été endormie** avant son opération.*
■ **s'endormir** : commencer à dormir. *Après sa journée de marche, il n'a pas eu de mal à **s'endormir**.*

endosser verbe ▸ conjug. 3
❶ Mettre un vêtement sur son dos. *Jamal **a endossé** son manteau avant de sortir.*
❷ Au sens figuré, accepter les conséquences de quelque chose. *Elle **a endossé** toute la responsabilité de cette affaire.*

endroit nom masculin
❶ Lieu où se trouve une personne ou une chose. *Charlotte ne sait plus à quel **endroit** elle a posé ses lunettes.* ❷ Côté sous lequel se présente habituellement quelque chose. *Mets ton gilet à l'**endroit** et tu pourras le boutonner.* CONTR envers. *L'**endroit** et l'envers d'une feuille de papier.* * Chercher aussi *recto*, *verso*.

enduire verbe ▸ conjug. 43
Couvrir une surface d'un enduit ou d'un produit. ***Enduire** un mur de plâtre.*

enduit nom masculin
Produit que l'on applique sur une surface. *Un **enduit** protecteur.*

endurance nom féminin
Aptitude à résister à la fatigue ou à la douleur. *Il faut beaucoup d'**endurance** pour courir le marathon.*

endurant, endurante adjectif
Qui montre de l'endurance. *Une athlète **endurante**.*

endurcir verbe ▸ conjug. 11
Rendre quelqu'un plus fort, plus résistant. *Les épreuves qu'il a dû affronter **l'ont endurci**.* SYN aguerrir. CONTR ramollir.

endurer verbe ▸ conjug. 3
Supporter une chose pénible. *Ce malade **a enduré** de grandes souffrances.* SYN subir.
♦ Famille du mot : endurance, endurant.

énergétique adjectif
❶ Qui apporte de l'énergie. *Des aliments **énergétiques**.* ❷ Qui concerne l'énergie. *Les ressources **énergétiques** du Canada.*
* Ne pas confondre *énergétique* et *énergique*.

énergie nom féminin
❶ Force qui pousse à agir. *Cet enfant déborde d'**énergie**.* SYN dynamisme, vigueur, vitalité.
❷ Force capable de faire fonctionner des machines ou de produire de la chaleur. *Le pétrole et le charbon sont des sources d'**énergie**.* • **Énergie renouvelable** : énergie produite par une source qui se reconstitue ou ne s'épuise pas. *Le soleil, le vent et l'eau sont des **énergies renouvelables**.* 👁p. 372. ♦ Famille du mot : énergétique, énergique, énergiquement.

énergique adjectif
Qui a beaucoup d'énergie. *C'est une femme **énergique**.* SYN actif, dynamique, résolu. CONTR mou. * Ne pas confondre *énergique* et *énergétique*.

énergiquement adverbe
De façon énergique. *Les habitants de la municipalité protestent **énergiquement** contre la hausse des taxes.* SYN vigoureusement.

énergivore adjectif
Qui consomme beaucoup d'énergie. *Un vieux réfrigérateur **énergivore**.*

énergumène nom
Personne bizarre et agitée. *Qui est cet **énergumène** qui interpelle les passants ?*

énervant, énervante adjectif
Qui énerve. *Le bruit du robinet qui coule goutte à goutte est **énervant**.* SYN agaçant, irritant.

énervé, énervée adjectif
Nerveux, excité, impatient. *Cet enfant **énervé** ne tient pas en place.*

énervement nom masculin
État d'une personne énervée. *Ses incessants va-et-vient trahissent son **énervement**.* SYN exaspération, irritation, nervosité.

énerver verbe ▸ conjug. 3
❶ Rendre nerveux. *L'orage **énerve** les animaux.* CONTR calmer. ❷ Agacer ou irriter quelqu'un. *Tu m'**énerves** avec cette musique !* SYN excéder.

enfance nom féminin
Période de la vie pendant laquelle on est un enfant. *Ma grand-mère aime bien nous parler de son **enfance**.*

enfant nom
❶ Petit garçon ou petite fille avant l'âge de l'adolescence. *Les **enfants** de ma rue prennent l'autobus scolaire pour aller à l'école.* * Chercher aussi *adolescent*, *adulte*. ❷ Fils ou fille. *Juan vient d'une famille nombreuse : sa mère a eu six **enfants**.* ♦ Famille du mot : enfance, enfanter, enfantillage, enfantin.

enfanter verbe ▸ conjug. 3
Dans la langue littéraire, mettre au monde un enfant.

enfantillage nom masculin
Action ou parole peu sérieuse, puérile. *Tu as dépassé l'âge de ces **enfantillages**.*

enfantin, enfantine adjectif
❶ Qui concerne les enfants, qui leur est propre. *Une voix **enfantine**.* ❷ Qui est très facile, à la portée d'un enfant. *Ce calcul est d'une simplicité **enfantine**.* SYN élémentaire.

enfarger verbe ▸ conjug. 5
Donner une jambette à quelqu'un. *Lucas a voulu **enfarger** sa sœur, mais c'est lui qui est tombé.* ■ **s'enfarger** ❶ S'accrocher les pieds. *Elle **s'est enfargée** dans le fil du téléphone.* ❷ Au sens figuré, s'embrouiller. ***S'enfarger** dans ses explications.*

enfer nom masculin
❶ Dans la religion chrétienne, lieu de souffrance éternelle pour l'âme de ceux qui ont eu une conduite répréhensible pendant leur vie. CONTR paradis. ❷ Au sens figuré, chose très pénible. *C'est un **enfer** d'habiter si près de l'aéroport !*

enfermer verbe ▸ conjug. 3
Mettre dans un endroit fermé. *Le lion **est enfermé** dans sa cage.* ■ **s'enfermer** : s'isoler dans un endroit fermé. *Rosalie **s'est enfermée** dans sa chambre pour faire ses devoirs.*

enfilade nom féminin
Suite de choses disposées en file. *Les pièces de cette maison sont en **enfilade**.*

enfiler verbe ▸ conjug. 3
❶ Passer un fil dans le chas d'une aiguille, dans un trou. ***Enfiler** des perles.* ❷ Mettre un vêtement. ***Enfiler** un manteau.*

enfin adverbe
❶ Indique qu'une chose a fini par arriver. *Après avoir longtemps pleuré, le bébé s'est **enfin** endormi.* SYN finalement. ❷ Indique une conclusion. *Pour faire cette confiture, il faut laver les fruits, les éplucher, les couper et **enfin** les faire cuire avec le sucre.* ❸ Marque l'impatience ou la résignation. *Mais **enfin**, arrêtez de vous chicaner !*

enflammer verbe ▸ conjug. 3
❶ Allumer. ***Enflammer** une allumette.* ❷ Remplir d'enthousiasme. *Cet homme politique sait comment **enflammer** ses partisans.* ■ **s'enflammer** Prendre feu. *Quand le bois est bien sec, il **s'enflamme** très vite.* SYN s'embraser.

*Des branchages **enflammés***

a b c d e f g h i j k l m n o p q r s t u v w x y z

Les sources d'énergie renouvelables

Certaines ressources naturelles permettent de produire de l'énergie. On classe les sources d'énergie en deux catégories : les ressources non renouvelables et les ressources renouvelables.

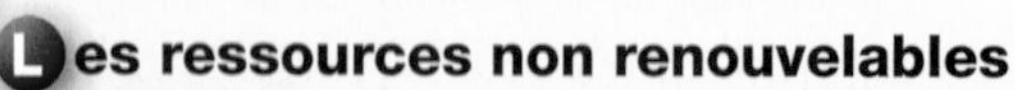

Les ressources non renouvelables

Les combustibles fossiles comme le gaz, le pétrole et le charbon se trouvent en quantités limitées sur la Terre. Ces ressources finiront par s'épuiser ; aussi, on dit qu'elles sont non renouvelables. Par ailleurs, leur exploitation génère beaucoup de pollution.

Les ressources renouvelables

Les ressources renouvelables sont inépuisables par le fait même qu'elles se renouvellent. Leur exploitation présente aussi l'avantage d'être propre, car elle génère peu ou pas de pollution. Le soleil, le vent et l'eau sont des sources d'énergie renouvelables, utilisées pour produire de l'électricité.

Le soleil

Le rayonnement du soleil permet de produire de l'électricité. Des panneaux solaires, placés par exemple sur le toit d'une maison, emmagasinent l'énergie solaire et la transforment ensuite en électricité. Emmagasinée dans une pile, cette électricité permettra de chauffer, d'éclairer et de faire fonctionner les appareils électriques de cette maison.

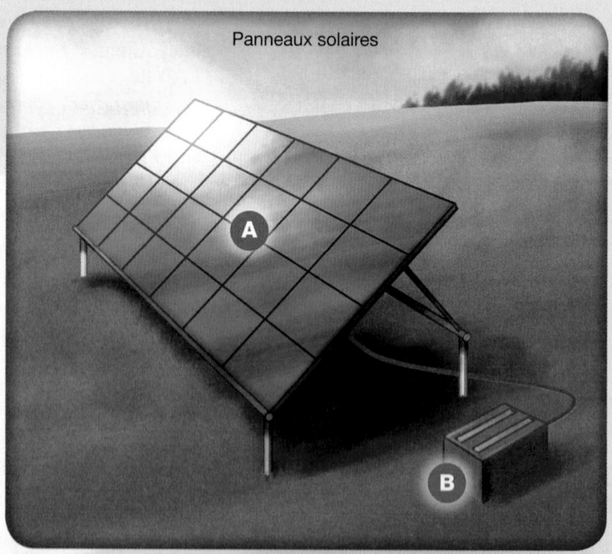

A Les panneaux solaires absorbent la lumière et l'énergie absorbée produit un courant électrique.

B Une batterie emmagasine l'énergie électrique.

Le vent

La force du vent permet de produire de l'électricité grâce aux éoliennes, qui captent cette énergie. Le vent fait tourner les pales des éoliennes à la manière d'un moulin à vent. Les pales en mouvement font tourner à leur tour une génératrice qui produira de l'électricité.

Parc d'éoliennes

A Les pales de la turbine tournent sous l'action mécanique du vent.

B Un mécanisme transmet le mouvement de la turbine à une génératrice qui transforme cette énergie mécanique en électricité.

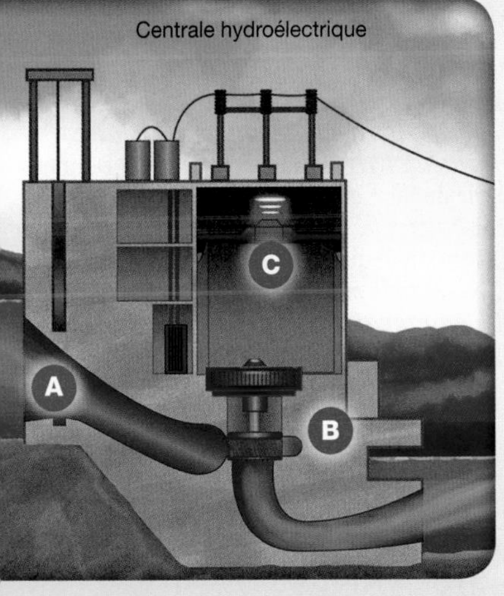

Centrale hydroélectrique

L'eau

Le mouvement de l'eau permet également de produire de l'électricité. Les moulins à eau d'autrefois utilisaient l'énergie hydraulique pour faire fonctionner diverses machines. Aujourd'hui, on emploie plutôt des barrages hydroélectriques. On commence aussi à voir apparaître des hydroliennes, ou éoliennes sous-marines. Installées sous l'eau, ces hydroliennes emmagasinent l'énergie produite par les courants marins pour la transformer en électricité.

A Un réseau de canalisations envoie l'eau accumulée par le barrage vers une turbine.

B La turbine tourne sous l'action de l'énergie mécanique de l'eau.

C Une génératrice transforme cette énergie mécanique en électricité.

Des hydroliennes

enfler verbe ▸ conjug. 3
Augmenter de volume. *Léa a été piquée par une guêpe, sa main **a** tout de suite **enflé**.* **SYN** gonfler, grossir.

enflure nom féminin
État d'une partie du corps qui a enflé. *Une compresse très froide devrait faire disparaître l'**enflure**.* **SYN** gonflement.

enfoncer verbe ▸ conjug. 4
❶ Faire pénétrer profondément quelque chose. *Il faut prendre un marteau pour **enfoncer** ces clous.* ❷ Faire céder en poussant. *En reculant, un camion **a enfoncé** le capot de notre voiture.* **SYN** défoncer, emboutir. • **Enfoncer une porte ouverte :** découvrir une chose évidente, que tout le monde connaît. ■ s'**enfoncer** : aller vers le fond. *On **s'enfonce** si on marche dans cette vase.*

enfouir verbe ▸ conjug. 11
Mettre quelque chose sous la terre. *Le chien **a enfoui** son os dans le jardin.* **SYN** ensevelir, enterrer. **CONTR** déterrer.

enfourcher verbe ▸ conjug. 3
Monter à califourchon sur quelque chose. *Sarah **enfourche** sa bicyclette.*

enfourner verbe ▸ conjug. 3
Mettre dans un four. ***Enfourner** un rôti.*

enfreindre verbe ▸ conjug. 35
Ne pas respecter une loi ou un règlement. *Guillaume **a enfreint** le code de vie de son école en ne portant pas son uniforme.* **SYN** violer. **CONTR** observer, respecter.

*Elle a **enfourché** sa bicyclette.*

s'**enfuir** verbe ▸ conjug. 20
Se sauver en vitesse. *Les chevreuils **se sont enfuis** quand ils ont entendu le craquement d'une branche.* **SYN** décamper, déguerpir, détaler, filer.

enfumer verbe ▸ conjug. 3
Remplir de fumée. *Mon père **a enfumé** ce nid de guêpes pour le détruire.*

engagé nom masculin
Au 17e siècle, nom que l'on donnait à un Français qui signait un engagement de s'installer et de travailler en Nouvelle-France pour le compte d'un cultivateur, pendant un certain temps.

engageant, engageante adjectif
Qui inspire la confiance ou la sympathie. *Cette ruelle sombre n'est pas très **engageante**.* **SYN** attirant.

engagement nom masculin
Ce que l'on s'est engagé à faire. *Il n'a pas respecté ses **engagements**.* **SYN** promesse.

engager verbe ▸ conjug. 5
❶ Prendre une personne à son service. *La municipalité vient d'**engager** un nouvel arpenteur.* **SYN** embaucher, recruter. ❷ Donner envie de faire quelque chose. *Ce soleil **engage** à la baignade.* **SYN** encourager, inciter, inviter. ❸ Introduire quelque chose dans un endroit étroit. *Maude m'a ouvert la porte au moment où j'**engageais** la clé dans la serrure.* ❹ Commencer une action. *Le syndicat **a engagé** un dialogue avec la direction.* ■ s'**engager** ❶ Promettre. *Ce magasin **s'engage** à remplacer toute marchandise défectueuse.* ❷ Pénétrer dans une voie. *Le camion a allumé ses phares avant de **s'engager** dans le tunnel.* ❸ Se faire recruter. *Son oncle **s'est engagé** dans l'Artillerie royale canadienne.* **SYN** s'enrôler. ♦ Famille du mot : engagé, engageant, engagement.

engelure nom féminin
Boursouflure douloureuse de la peau, due au froid. *Philippe n'avait pas mis ses gants, il a des **engelures** aux mains.*

engendrer verbe ▸ conjug. 3
❶ Reproduire un autre être humain. ❷ Faire naître. *Ce mauvais temps **engendre** la mélancolie.* **SYN** causer, produire, provoquer.

engin nom masculin
Appareil, instrument ou machine. *Les bouteurs, les grues, les pelles mécaniques sont des **engins** de chantier. Une fusée est un **engin** spatial.*

englober verbe ▸ conjug. 3
Réunir en un tout différents éléments. *Le Canada **englobe** dix provinces et trois territoires.* **SYN** comprendre, réunir.

engloutir verbe ▸ conjug. 11
❶ Avaler très vite. *Liang **a englouti** son repas en cinq minutes.* **SYN** engouffrer. ❷ Faire disparaître. *Anna **a englouti** ses économies dans l'achat d'un jeu vidéo. La mer **a englouti** cette cité disparue.*

engorgement nom masculin
Fait d'être engorgé. *L'**engorgement** du centre-ville aux heures de pointe.*

engorger verbe ▸ conjug. 5
Boucher un passage, un conduit. *Le lierre a envahi le toit et **engorge** les gouttières.* **SYN** obstruer.

engouement nom masculin
Enthousiasme soudain et exagéré. *Je partage ton **engouement** pour ce chanteur.* **SYN** emballement.

engouffrer verbe ▸ conjug. 3
Avaler de façon gloutonne. *Joël **a engouffré** toute la pizza.* **SYN** engloutir. ■ **s'engouffrer** : pénétrer avec précipitation dans un endroit. *Les gens **s'engouffrent** dans le métro.*

engoulevent nom masculin
Oiseau passereau qui avale des insectes en volant.

engourdir verbe ▸ conjug. 11
Rendre raide et insensible une partie du corps. *Le froid **engourdit** les doigts.*

engourdissement nom masculin
Fait d'être engourdi. *Les alpinistes font un feu pour lutter contre l'**engourdissement**.*

engrais nom masculin
Produit qui fertilise la terre. *Cet agriculteur utilise uniquement des **engrais** biologiques.*

engraisser verbe ▸ conjug. 3
❶ Rendre gras. *Dans cette ferme, on **engraisse** les canards pour produire du foie gras.* ❷ Devenir plus gras. *Il **a engraissé** depuis qu'il ne fait plus de sport.* **SYN** grossir.

engrenage nom masculin
Dispositif formé de deux roues dentées qui s'emboîtent pour se transmettre un mouvement de rotation. 👁p. 630.

engueulade nom féminin
Dans la langue familière, réprimande, reproche.

engueuler verbe ▸ conjug. 3
Dans la langue familière, réprimander fortement. **SYN** enguirlander, gronder.

enguirlander verbe ▸ conjug. 3
Dans la langue familière, faire des reproches, réprimander. *Le cultivateur **a enguirlandé** une voisine qui passait sur sa terre.* **SYN** engueuler.

enhardir verbe ▸ conjug. 11
Encourager, donner de l'assurance. *Julien était timide, mais ses succès l'**ont enhardi**.*

énième adjectif
Qui désigne un nombre indéterminé et élevé. *Je lui ai demandé pour la **énième** fois de ranger sa chambre.*

énigmatique adjectif
Qui a le caractère d'une énigme. *Une réponse **énigmatique**.* **SYN** mystérieux, obscur. **CONTR** clair.

énigme nom féminin
Chose difficile à comprendre. *Cette disparition est une **énigme** pour les enquêteurs.* **SYN** mystère.

enivrant, enivrante adjectif
Qui enivre. *Un parfum **enivrant**.* **SYN** grisant.

enivrer verbe ▸ conjug. 3
❶ Rendre ivre. *Deux verres de vin ont suffi pour l'**enivrer**.* **SYN** soûler. ❷ Au sens figuré, remplir d'excitation, griser. *Elle s'est laissée **enivrer** par le succès.* ■ **s'enivrer** : se soûler. *Il **s'est enivré** à la bière.*

enjambée nom féminin
Grand pas. *Marcher à grandes **enjambées**.*

enjamber verbe ▸ conjug. 3
Passer par-dessus un obstacle en faisant une enjambée. *Il faut prendre son élan pour **enjamber** cette flaque d'eau.*

enjeu, enjeux nom masculin
❶ Argent que l'on mise dans un jeu. *C'est au gagnant que reviennent les **enjeux**.* ❷ Ce pourquoi on se bat, ce que l'on peut gagner ou perdre. *C'est un match dont l'**enjeu** est le titre de champion du monde.*

enjôler verbe ▸ conjug. 3
Séduire par des manières ou des paroles flatteuses. *Il essaie de nous **enjôler** avec ses sourires.*

enjoliver verbe ▸ conjug. 3
Rendre plus joli, plus beau. *Des draperies **enjoliveront** cette fenêtre.* **SYN** embellir.

a b c d e f g h i j k l m n o p q r s t u v w x y z

a b c d e f g h i j k l m n o p q r s t u v w x y z

enjoliveur nom masculin
Disque de métal qui recouvre le moyeu d'une roue de voiture.

enjoué, enjouée adjectif
Qui est gai et aimable. *Il m'a répondu d'un ton* ***enjoué****.* CONTR maussade, renfrogné, triste.

enlacer verbe ▸ conjug. 4
Serrer dans ses bras. *Le danseur* ***enlaçait*** *sa cavalière.*

enlaidir verbe ▸ conjug. 11
Rendre laid. *Ces pylônes* ***enlaidissent*** *le paysage.* CONTR embellir.

enlèvement nom masculin
❶ Action d'enlever. *Les services municipaux se chargent de l'****enlèvement*** *des ordures ménagères.* ❷ Rapt. *Les auteurs d'****enlèvements*** *sont sévèrement punis par la loi.*

enlever verbe ▸ conjug. 8
❶ Retirer ou changer de place. ***Enlève*** *tes bottes avant d'entrer.* SYN ôter. ❷ Faire disparaître. *Impossible d'****enlever*** *cette tache de graisse.* ❸ Emmener quelqu'un de force. *Des malfaiteurs* ***ont enlevé*** *un riche industriel.* SYN kidnapper, ravir.

s'**enliser** verbe ▸ conjug. 3
S'enfoncer peu à peu. *La voiture* ***s'est enlisée*** *dans la neige.* SYN s'embourber. * Chercher aussi *s'ensabler, s'envaser.*

enluminure nom féminin
Lettre ou dessin finement ornés dans les anciens manuscrits.

Des **enluminures**

enneigé, enneigée adjectif
Qui est couvert de neige. *Des routes* ***enneigées****.*

enneigement nom masculin
État de ce qui est enneigé. *L'****enneigement*** *est suffisant pour skier.*

ennemi, ennemie nom
❶ Pays ou personne contre lesquels on est en guerre. *Montcalm et Wolfe étaient des* ***ennemis****.* SYN adversaire. ❷ Personne qui veut du mal à une autre. *Je ne lui connais aucun* ***ennemi****.* CONTR ami. ❸ Personne ou chose opposée à quelque chose. *Les* ***ennemis*** *de la liberté.* CONTR partisan. ■ **ennemi, ennemie** adjectif De l'ennemi. *Les chars* ***ennemis*** *sont entrés dans la ville.* CONTR allié, ami.

s'**ennuager** verbe ▸ conjug. 5
Se couvrir de nuages. *Le ciel* ***s'ennuage****.*

ennui nom masculin
❶ Fait de s'ennuyer. *Pour échapper à l'****ennui****, il est allé au cinéma.* ❷ Évènement fâcheux qui cause du souci, du tracas. *Marina a des* ***ennuis*** *de santé.* SYN problème. ❸ Ce qui est désagréable. *L'****ennui*** *avec toi, c'est que tu n'es jamais d'accord.*

ennuyant, ennuyante adjectif
Qui cause de l'ennui, monotone. *Une conférence* ***ennuyante****.* SYN ennuyeux.

ennuyer verbe ▸ conjug. 6
❶ Ne pas intéresser ni amuser quelqu'un. *Ce film nous* ***a*** *profondément* ***ennuyés****.* ❷ Causer du souci à quelqu'un. *Cela m'****ennuie*** *de te savoir seule.* SYN contrarier. ■ s'**ennuyer** ❶ Éprouver de l'ennui. *Mon petit frère* ***s'ennuie*** *quand il est tout seul.* SYN s'embêter. CONTR s'amuser, se distraire. ❷ Regretter l'absence de quelqu'un. *Nhung* ***s'ennuie*** *de son frère qui est parti en voyage.* ♦ Famille du mot : ennui, ennuyant, ennuyeux.

ennuyeux, ennuyeuse adjectif
❶ Peu intéressant. *Roxane a trouvé le film tellement* ***ennuyeux*** *qu'elle a zappé avant la fin.* SYN ennuyant. ❷ Qui cause du souci. *Javier a perdu ses clés ; c'est très* ***ennuyeux****.* SYN embêtant, fâcheux.

énoncé nom masculin
Texte qui présente un problème à résoudre. *Avant de commencer tes calculs, lis bien l'****énoncé****.*

énoncer verbe ▸ conjug. 4
Dire quelque chose de façon claire. *Il **a énoncé** sa proposition.* SYN exprimer.

s'**enorgueillir** verbe ▸ conjug. 11
Être très fier de quelque chose. *Élise **s'enorgueillit** de faire partie de la troupe de théâtre.* * Attention ! La première syllabe du verbe *s'enorgueillir* se prononce *san*.

énorme adjectif
Qui est très grand et très gros. *La baleine est un animal **énorme**.* SYN gigantesque. CONTR minuscule. ♦ Famille du mot : énormément, énormité.

Une **énorme** baleine

énormément adverbe
Vraiment beaucoup. *En ce moment, Yann a **énormément** de travail.*

énormité nom féminin
❶ Caractère énorme de quelque chose. *L'**énormité** des travaux à entreprendre les a découragés.* SYN importance. ❷ Parole ou action stupide. *Dire des **énormités**.*

s'**enquérir** verbe ▸ conjug. 18
Chercher à savoir quelque chose. *Benjamin a téléphoné pour **s'enquérir** de votre santé.* SYN s'informer, se renseigner.

enquête nom féminin
❶ Recherche pour découvrir la vérité sur une affaire. *Cette coroner est chargée de l'**enquête**.* ❷ Étude qui s'appuie sur des témoignages ou sur l'avis des gens. *Les élèves font une **enquête** sur la popularité des jeux vidéo chez les jeunes adultes.* ♦ Famille du mot : enquêter, enquêteur.

enquêter verbe ▸ conjug. 3
Faire une enquête. *La police **enquête** sur la disparition des conteneurs de marchandises.*

enquêteur, enquêteuse nom
Personne qui fait une enquête. * On dit aussi ***enquêtrice***.

s'**enraciner** verbe ▸ conjug. 3
❶ Développer ses racines dans le sol. *Il faut bien arroser les rosiers pour qu'ils **s'enracinent**.* SYN prendre racine*. ❷ Au sens figuré, se fixer profondément dans l'esprit. *Cette idée **s'est enracinée** dans son esprit.*

enragé, enragée adjectif
Qui est malade de la rage. *Un chien **enragé**.* ■ **enragé, enragée** adjectif et nom Qui est passionné par quelque chose. *Pierre est un partisan **enragé** de l'équipe de soccer. – Noémie est une **enragée** de planche à voile.*

enrager verbe ▸ conjug. 5
Être en rage, en colère. *Enzo **enrage** d'avoir perdu le match.* SYN rager.

enrayer verbe ▸ conjug. 7
Arrêter ou freiner la progression de quelque chose. *Les médecins essaient d'**enrayer** l'épidémie en distribuant des médicaments.* ■ s'**enrayer** : se bloquer. *Au moment de tirer, le pistolet **s'est enrayé**.*

enregistrement nom masculin
Action d'enregistrer. *L'**enregistrement** d'une émission de télévision. L'**enregistrement** des bagages.*

enregistrer verbe ▸ conjug. 3
❶ Inscrire dans un registre. *Les naissances doivent **être enregistrées** dans les registres de l'état civil.* ❷ Confier ses bagages à une compagnie de transport. *Il a fait **enregistrer** sa valise dès son arrivée à l'aéroport.* ❸ Fixer des sons ou des images sur une bande magnétique ou un disque pour pouvoir les conserver ou les reproduire. *Ce chanteur vient d'**enregistrer** un nouveau CD.* ❹ Fixer dans sa mémoire. *Tu **as** bien **enregistré** l'horaire du train ?*

enregistreur numérique nom masculin
Appareil doté d'un disque dur de grande capacité qui permet d'enregistrer sur un support numérique des émissions programmées, pour les lire ensuite au moment voulu.

s'enrhumer verbe ▸ conjug. 3
Attraper un rhume. *Tous les enfants qui fréquentent la garderie* ***se sont enrhumés****.*

enrichir verbe ▸ conjug. 11
❶ Rendre riche. *La découverte de gisements d'uranium* ***a*** *beaucoup* ***enrichi*** *cette région.* CONTR appauvrir. ❷ Ajouter de nouveaux éléments. ***Enrichir*** *ses connaissances.* ■ **s'enrichir** : devenir riche. *C'est en investissant dans l'immobilier que son oncle* ***s'est enrichi****.*

enrichissement nom masculin
Action d'enrichir ou de s'enrichir. *On lui reproche un* ***enrichissement*** *frauduleux.*

enrober verbe ▸ conjug. 3
Recouvrir de quelque chose qui protège ou relève le goût. *Le pâtissier* ***enrobe*** *les fraises de chocolat.*

enrôler verbe ▸ conjug. 3
Recruter quelqu'un dans un groupe. *Bianca souhaite* ***enrôler*** *Jérôme dans son équipe.*

enroué, enrouée adjectif
Qui a une voix rauque. *À force d'avoir crié, Ingrid a la voix* ***enrouée****.* SYN éraillé.

Une fraise ***enrobée*** *de chocolat*

enrouler verbe ▸ conjug. 3
Rouler une chose sur elle-même ou autour d'une autre chose. *Il vaut mieux* ***enrouler*** *l'affiche pour la transporter.* CONTR dérouler. ■ **s'enrouler dans** : mettre une chose autour de soi pour s'envelopper. *Florence* ***s'est enroulée dans*** *une couverture pour se réchauffer.* SYN s'envelopper dans.

enrubanné, enrubannée adjectif
Orné de rubans. *Un cadeau* ***enrubanné****.*

s'ensabler verbe ▸ conjug. 3
❶ Se remplir de sable. *Ces canaux ne sont plus navigables depuis qu'ils* ***se sont ensablés****.* ❷ S'enfoncer dans le sable. *La jeep* ***s'est ensablée*** *dans les dunes.* ✱ Chercher aussi *s'embourber, s'enliser, s'envaser.*

ensanglanté, ensanglantée adjectif
Couvert de sang. *Il est tombé, son genou est* ***ensanglanté****.*

enseignant, enseignante nom
Personne désignée pour enseigner dans un établissement de formation. *Les professeurs de cégep sont des* ***enseignants****.*

enseigne nom féminin
Panneau qui signale un magasin. *L'****enseigne*** *du serrurier représente une clé.* • **Être logé à la même enseigne que quelqu'un :** partager les mêmes soucis, éprouver les mêmes difficultés que lui.

Une ***enseigne***

enseignement nom masculin
❶ Action ou façon d'enseigner. *Dans cette province, l'****enseignement*** *de la langue seconde commence dès le primaire.* ❷ Métier d'enseignant. *Plusieurs personnes de sa famille sont dans l'****enseignement****.* ❸ Leçon donnée par l'expérience ou l'exemple. *Hassan devrait tirer les* ***enseignements*** *de sa mésaventure.*

enseigner verbe ▸ conjug. 3
❶ Transmettre un savoir à des élèves. *La mère de Jennifer* ***enseigne*** *le français au cégep.* ❷ Apprendre par expérience. *Son accident lui* ***a enseigné*** *la prudence.* ♦ Famille du mot : enseignant, enseignement.

① **ensemble** adverbe
❶ Les uns avec les autres. *Les enfants de l'immeuble jouent* ***ensemble*** *dans la ruelle.* CONTR séparément. ❷ En même temps. *Ces deux coureurs sont arrivés* ***ensemble*** *sur la ligne d'arrivée.* • **Aller ensemble :** être bien assortis. *Ce pantalon et cette veste* ***vont*** *bien* ***ensemble****.*

② **ensemble** nom masculin
❶ Groupe d'éléments qui forment un tout. *L'****ensemble*** *des élèves prépare un spectacle de fin d'année.* ❷ Réunion d'éléments assortis. *Pour le mariage de sa sœur, Arielle portait un* ***ensemble*** *en lin blanc.* • **Dans l'ensemble :** en général, la plupart du temps. *Ce quartier est paisible* ***dans l'ensemble****.*

ensemencer verbe ▸ conjug. 4
Semer des graines dans la terre. *Après avoir labouré, les agriculteurs **ensemencent** leurs champs.* • **Ensemencer un lac:** y mettre de jeunes poissons afin de le repeupler. *Le propriétaire de la pourvoirie **a ensemencé** le lac de truites.*

Ensemencer

ensevelir verbe ▸ conjug. 11
❶ Dans la langue littéraire, inhumer, enterrer. ❷ Recouvrir entièrement. *La ville **a été ensevelie** sous la neige.* **SYN** enfouir.

ensoleillé, ensoleillée adjectif
Où il y a beaucoup de soleil. *Il faut planter ces fleurs dans un endroit **ensoleillé**.*

ensoleillement nom masculin
Fait d'être ensoleillé. *Cette maison jouit d'un bon **ensoleillement**, car sa façade est au sud.*

ensommeillé, ensommeillée adjectif
Qui est mal réveillé. *Justin était encore **ensommeillé** après son déjeuner.*

ensorceler verbe ▸ conjug. 9
❶ Jeter un sort en exerçant une influence magique. *Julia lit un conte dans lequel une sorcière **ensorcelle** les gens.* **SYN** envoûter.
* Chercher aussi *enchanteur, sorcier, sortilège.*
❷ Au sens figuré, charmer de façon irrésistible. *Cette merveilleuse histoire nous **a ensorcelés**.*
✎ On peut écrire aussi, au présent, *j'**ensorcèle***; au futur, *tu **ensorcèleras***; au conditionnel, *nous **ensorcèlerions***.

ensuite adverbe
❶ Après, dans le temps. *Va te laver les mains et **ensuite** viens à table.* **SYN** puis. **CONTR** d'abord. ❷ Après, dans l'espace. *Les mariés entrent les premiers à l'hôtel de ville, la famille et les invités **ensuite**.* **SYN** derrière.

*s'***ensuivre** verbe ▸ conjug. 49
Venir en conséquence normale, logique. *Tu t'es trompé dès le départ, il **s'ensuit** que tout ton problème est faux.* **SYN** découler, résulter.
* Attention ! *S'ensuivre* ne s'emploie qu'aux troisièmes personnes du singulier et du pluriel.

entaille nom féminin
Coupure profonde. *En marchant sur un morceau de verre, Éliane s'est fait une **entaille** au pied.*

entailler verbe ▸ conjug. 3
❶ Faire une entaille. *Avec sa hache, le bûcheron **entaille** le tronc du chêne.* ❷ Percer un trou dans le tronc de l'érable à sucre afin de recueillir la sève. *C'est bientôt le temps d'**entailler** les érables.* 👁p. 12.

*Un érable **entaillé***

entamer verbe ▸ conjug. 3
❶ Couper ou manger le premier morceau d'un aliment. *Qui **a entamé** la tarte ?* ❷ Commencer à faire quelque chose. ***Entamer** des négociations.*

entartrer verbe ▸ conjug. 3
Couvrir d'une couche de tartre. *Les canalisations **sont entartrées** par le calcaire présent dans l'eau.* **CONTR** détartrer.

entassement nom masculin
Amas de choses entassées. *Un **entassement** de rochers signale le lieu de l'éboulement.* **SYN** amoncellement, tas.

entasser verbe ▸ conjug. 3
Mettre des choses en tas. *Les maçons **ont entassé** les sacs de ciment sur le chantier.* **SYN** amonceler, empiler. ■ *s'***entasser** ❶ Se serrer les uns contre les autres dans un espace trop étroit. *Aux heures de pointe, les gens **s'entassent** dans l'autobus.* ❷ S'accumuler. *Les cahiers publicitaires **s'entassent** dans ma boîte aux lettres.*

a b c d e f g h i j k l m n o p q r s t u v w x y z

entendre verbe ▸ conjug. 31
❶ Percevoir les sons grâce aux oreilles. ***Entends**-tu les oiseaux chanter ?* ❷ Écouter avec attention. *Ils sont allés **entendre** un pianiste célèbre.* ❸ Vouloir absolument. *J'**entends** bien partir au lever du jour.* ❹ Comprendre. *Ma grand-mère n'**entend** rien à l'informatique.* • **Faire entendre raison :** faire comprendre ce qui est raisonnable.
■ s'**entendre** : être amis ou être d'accord. *Ces frères et sœurs **s'entendent** bien. Il faut qu'on **s'entende** sur la date de départ.* **SYN** s'accorder. • **S'y entendre :** être compétent, s'y connaître. *David **s'y entend** en mécanique.* ♦ Famille du mot : entendu, entente, malentendant, malentendu, mésentente, sous-entendre, sous-entendu.

entendu, entendue adjectif
❶ Qui est réglé, décidé. *Une affaire **entendue**.* ❷ Qui est complice. *Il nous a regardés d'un air **entendu**.* • **(C'est) entendu :** d'accord. • **Bien entendu :** bien sûr, évidemment.

entente nom féminin
❶ Union, relations amicales. *Il y a une très bonne **entente** dans cette classe.* **CONTR** mésentente. ❷ Accord. *Ces deux pays en guerre sont parvenus à une **entente**.*

enterrement nom masculin
Cérémonie pendant laquelle on enterre quelqu'un. **SYN** inhumation, obsèques.

enterrer verbe ▸ conjug. 3
❶ Mettre le corps d'un mort dans la terre. *Il **a été enterré** dans son village natal.* **SYN** ensevelir, inhumer. **CONTR** exhumer. ❷ Cacher quelque chose dans la terre. *La tortue géante **a enterré** ses œufs sur la plage.* **SYN** enfouir. **CONTR** déterrer.

en-tête nom masculin
Inscription, gravure ou impression en haut d'une feuille de papier. *Écrire sur du papier à **en-tête**.*
✎ Pluriel : *des **en-têtes**.*
✎ On peut écrire aussi ***entête***.

Un papier à **en-tête**

entêté, entêtée
adjectif et nom
Têtu. *Une enfant **entêtée**.* **SYN** buté. – *Quel **entêté** !*

entêtement nom masculin
Obstination à faire quelque chose. *Pourquoi refuses-tu avec un tel **entêtement** ?*

s'**entêter** verbe ▸ conjug. 3
Ne pas vouloir céder ou renoncer. *Thomas **s'entête** à vouloir faire du ski alors qu'il est grippé.* **SYN** s'obstiner.

enthousiasmant, enthousiasmante
adjectif
Qui enthousiasme. *Voilà une nouvelle **enthousiasmante**.*

enthousiasme nom masculin
Grande joie qui soulève l'excitation, l'admiration. *Cette chanteuse déchaîne l'**enthousiasme** de la foule.* **SYN** exaltation. ♦ Famille du mot : enthousiasmant, enthousiasmer, enthousiaste.

enthousiasmer verbe ▸ conjug. 3
Remplir d'enthousiasme. *Ce projet de vacances nous **enthousiasme**.* **SYN** ② emballer, passionner.

enthousiaste adjectif
Qui est plein d'enthousiasme. *Le public **enthousiaste** a applaudi les comédiens.*

s'**enticher** verbe ▸ conjug. 3
S'amouracher, éprouver une forte attirance pour quelqu'un ou quelque chose. *Elle **s'est entichée** de son nouveau voisin.*

entier, entière adjectif
❶ Qui n'a pas été entamé ou cassé. *La boîte de chocolats est encore **entière**, vous n'êtes pas gourmands !* **SYN** complet, intact. ❷ Qui est considéré dans son ensemble. *Enrico part un mois **entier** en vacances.* **SYN** complet. ❸ Qui est obstiné et sans souplesse. *Vanessa a un caractère **entier**.* ❹ Qui ne contient aucune décimale. *Le nombre 58 est un nombre **entier**.* * Chercher aussi *décimal*. • **En entier :** complètement, dans sa totalité.

entièrement adverbe
Complètement, totalement. *Je suis **entièrement** d'accord avec vous.*

entomologie nom féminin
Science qui étudie les insectes. * Chercher aussi *zoologie*.

entomologiste nom
Spécialiste de l'entomologie.

entonner verbe ▸ conjug. 3
Commencer à chanter. *La cantatrice **entonne** un air d'opéra.*

Un **entomologiste**

entonnoir nom masculin
Petit ustensile conique terminé par un tube. *Pour verser de l'huile dans le moteur, le mécanicien se sert d'un **entonnoir**.*

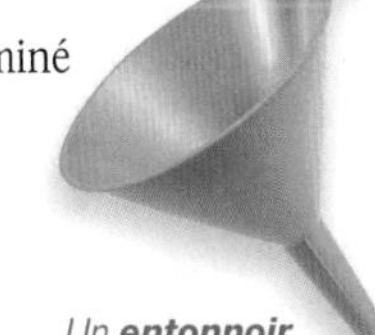
Un **entonnoir**

entorse nom féminin
Déchirure des ligaments d'une articulation. *Karen s'est fait une **entorse** au genou.* * Chercher aussi *foulure*, *luxation*.

entortiller verbe ▸ conjug. 3
❶ Envelopper dans quelque chose que l'on tortille. ***Entortiller** des bonbons dans du papier.* ❷ Au sens figuré, duper. *Elle s'est laissée **entortiller** par ses mensonges.*

entourage nom masculin
Personnes qui côtoient régulièrement quelqu'un. *Son **entourage** le dit très malade.*

entourer verbe ▸ conjug. 3
❶ Être placé tout autour. *Un grillage **entoure** le terrain de sport.* ❷ Mettre autour. *Le boucher **entoure** le rôti avec du lard.* ❸ Former l'entourage de quelqu'un. *Elle **a** toujours **été entourée** de bons camarades.* ❹ S'occuper de quelqu'un avec soin et gentillesse. *Mon grand-père **a été** très **entouré** après son opération.* **CONTR** abandonner.

entracte nom masculin
Intervalle qui sépare les parties d'un spectacle. *Maya s'est acheté un jus de fruits à l'**entracte**.*

entraide nom féminin
Action de s'entraider. *Pour aider les plus démunis, les gens du quartier ont formé un groupe d'**entraide**.* **SYN** assistance, solidarité.

s'**entraider** verbe ▸ conjug. 3
S'aider les uns les autres. *Xavier pense qu'il est naturel de **s'entraider** entre amis.*

entrailles nom féminin pluriel
Ensemble des viscères qui se trouvent dans le ventre. *Le poissonnier a enlevé les **entrailles** du saumon.* * Chercher aussi *tripes*.

entrain nom masculin
Attitude pleine de gaieté et d'ardeur. *Rebecca est pleine d'**entrain**.*

entraînant, entraînante adjectif
Qui entraîne, incite à bouger. *Une musique **entraînante**.* ✎ On peut écrire aussi ***entrainant***, ***entrainante***.

entraînement nom masculin
Fait de s'entraîner en vue d'une compétition. *Judith fait tous les jours deux heures d'**entraînement** à la piscine.* ✎ On peut écrire aussi ***entrainement***.

Un **entraînement**

entraîner verbe ▸ conjug. 3
❶ Pousser et emmener au loin. *Le courant **entraîne** l'embarcation vers le large.* ❷ Décider quelqu'un à faire quelque chose. *Halinka m'**a entraînée** au cinéma.* ❸ Faire tourner un mécanisme. *C'est un petit moteur qui **entraîne** cette machine.* ❹ Provoquer quelque chose. *La grêle **a entraîné** de gros dégâts.* **SYN** causer. ❺ Préparer un sportif à une compétition en lui faisant faire de nombreux exercices. ***Entraîner** une équipe de soccer.* ■ s'**entraîner** : se préparer par des exercices. *Cet athlète **s'entraîne** pour les Jeux olympiques.* ✎ On peut écrire aussi ***(s')entrainer***. ♦ Famille du mot : entrain, entraînant, entraînement, entraîneur.

entraîneur, entraîneuse nom
Personne qui entraîne des sportifs. *L'**entraîneur** est fier de la victoire de son équipe.* ✎ On peut écrire aussi ***entraineur***, ***entraineuse***.

entrave nom féminin
Ce qui gêne ou embarrasse. *Il n'y a plus aucune **entrave** à notre projet.* **SYN** obstacle.

entraver verbe ▸ conjug. 3
Empêcher quelque chose de se réaliser. *Beaucoup de problèmes **entravent** l'achèvement des travaux.*

entre préposition
Sert à introduire divers rapports de sens. *Il y a environ 200 kilomètres* ***entre*** *Montréal et Ottawa* (lieu). *Je t'attendrai* ***entre*** *onze heures et midi* (temps). *Raphaëlle hésite* ***entre*** *une jupe et un pantalon* (choix). *Il y a une grande différence de taille* ***entre*** *les deux sœurs* (comparaison). * Ne pas confondre *entre* et *antre*.

entrebâillement nom masculin
Ouverture entrebâillée. *Glisser sa tête dans l'****entrebâillement*** *d'une fenêtre.*

entrebâiller verbe ▸ conjug. 3
Ouvrir un peu. *On* ***a entrebâillé*** *le toit ouvrant pour avoir un peu d'air.* **SYN** entrouvrir.

s'entrechoquer verbe ▸ conjug. 3
Se cogner l'un contre l'autre. *Sophie a froid, ses dents* ***s'entrechoquent****.*

entrecôte nom féminin
Morceau de viande de bœuf qui se trouve le long des côtes. *Sabrina a commandé une* ***entrecôte*** *grillée.*

entrecouper verbe ▸ conjug. 3
Interrompre par moments. *Son discours* ***a été entrecoupé*** *d'applaudissements.*

entrecroiser verbe ▸ conjug. 3
Croiser ensemble plusieurs fois. *Philippe* ***entrecroise*** *les guirlandes sur le sapin de Noël.* * Chercher aussi *entrelacer, entremêler*.

Des lanières ***entrecroisées***

entrée nom féminin
❶ Moment où l'on entre dans un lieu. *La vedette a fait une* ***entrée*** *très remarquée.* **SYN** arrivée. **CONTR** sortie. ❷ Endroit par où l'on entre. *Je t'attendrai à l'****entrée*** *du cinéma.* **SYN** hall, vestibule. ❸ Droit d'entrer quelque part. *L'****entrée*** *de cette discothèque est payante.* **SYN** accès. ❹ Plat servi au début du repas. *En* ***entrée****, Sofia a pris une salade.* * Chercher aussi *hors-d'œuvre*.

entrefaites nom féminin pluriel
• **Sur ces entrefaites :** à ce moment-là. *Et* ***sur ces entrefaites****, il est arrivé.*

entrefilet nom masculin
Article très court dans un journal. *Un* ***entrefilet*** *a annoncé cette exposition.*

entrelacer verbe ▸ conjug. 4
Entrecroiser. *Les enfants* ***ont entrelacé*** *des fleurs pour faire une couronne.* * Chercher aussi *entremêler, tresser*.

entremêler verbe ▸ conjug. 3
Mélanger des choses. *Pour faire un bouquet, Christophe* ***entremêle*** *des roses et des tulipes.* ■ **s'entremêler** : se mélanger. *Ma grand-mère ne se souvient plus très bien de cette époque, car tous ses souvenirs* ***s'entremêlent****.* **SYN** s'embrouiller.

entremets nom masculin
Plat sucré que l'on mange au dessert. *La mousse au chocolat, la crème glacée et les sorbets sont des* ***entremets****.*

entremise nom féminin
• **Par l'entremise de quelqu'un :** par son intermédiaire, grâce à lui. *Mes parents ont acheté une maison* ***par l'entremise d'****une agente d'immeubles.*

entreposer verbe ▸ conjug. 3
Mettre momentanément des choses dans un endroit. *Pour l'hiver, cette agricultrice* ***a entreposé*** *sa récolte de foin dans la grange.*

entrepôt nom masculin
Dépôt de marchandises. *Ce hangar sert d'****entrepôt*** *pour le matériel agricole.* * Chercher aussi *dépôt, dock, magasin*.

Un ***entrepôt***

entreprenant, entreprenante adjectif
Qui aime entreprendre. *Il faut quelqu'un d'****entreprenant*** *pour diriger cette usine.* **SYN** actif, dynamique.

entreprendre verbe ▸ conjug. 32
Commencer à faire quelque chose. *Il vaut mieux attendre la fin de l'hiver pour **entreprendre** les travaux de la toiture.* ♦ Famille du mot: entreprenant, entrepreneur, entrepreneuriat, entreprise.

entrepreneur, entrepreneure nom
❶ Personne qui exécute des travaux qu'on lui a commandés. *On a demandé des devis à plusieurs **entrepreneurs** de plomberie.* ❷ Personne qui crée et développe une entreprise. *Ma tante est une **entrepreneure** très dynamique.*

entrepreneuriat nom masculin
Fait de réunir et de gérer des ressources humaines et matérielles pour la création, l'implantation et l'évolution d'entreprises. *L'**entrepreneuriat** est précieux pour la prospérité économique d'une région.*

entreprise nom féminin
❶ Ce que l'on entreprend. *Florence réussit dans toutes ses **entreprises**.* ❷ Société commerciale ou industrielle. *L'oncle de Samuel dirige une **entreprise** financière.* SYN firme. • **Chef d'entreprise:** patron, patronne. SYN dirigeant.

entrer verbe ▸ conjug. 3
❶ Passer du dehors au dedans d'un lieu. *Kevin a oublié sa clé, il a dû **entrer** par la fenêtre.* SYN pénétrer. CONTR sortir. ❷ Franchir une nouvelle étape. *L'année prochaine, Marie **entrera** en première année du secondaire.* ❸ Faire partie de quelque chose. *La semoule **entre** dans la composition du couscous.* ❹ Enregistrer des données dans un ordinateur. *Pour accéder à ce site, vous devez **entrer** votre mot de passe.* ✎ Attention! Aux sens 1, 2 et 3, *entrer* se conjugue avec l'auxiliaire *être*.

entre-temps adverbe
Pendant ce temps-là. *Je vais à l'épicerie; **entre-temps**, peux-tu mettre la table?* ✎ On peut écrire aussi ***entretemps***.

① **entretenir** verbe ▸ conjug. 19
❶ Prendre soin de quelque chose pour le garder en bon état. *Agnès **entretient** soigneusement son vélo.* ❷ Faire vivre quelqu'un. *Depuis qu'il est au chômage, il a du mal à **entretenir** sa famille.*

② **entretenir** verbe ▸ conjug. 19
• **Entretenir quelqu'un de quelque chose:** lui en parler. *Il m'**a entretenu** de ses problèmes.* ■ **s'entretenir**: parler à quelqu'un de choses importantes. *Il **s'est entretenu** avec sa patronne au sujet de ses horaires.* SYN discuter.

① **entretien** nom masculin
Action d'entretenir quelque chose. *L'**entretien** de cette voiture coûte cher.* • **Produit d'entretien:** qui sert à faire le ménage, la lessive, etc.

② **entretien** nom masculin
Fait de s'entretenir avec quelqu'un. *Son père souhaite avoir un **entretien** avec la directrice.* SYN discussion.

s'entretuer verbe ▸ conjug. 3
Se tuer les uns les autres. *Il faut les séparer, sinon ils vont **s'entretuer**!*

entrevoir verbe ▸ conjug. 22
❶ Voir très rapidement. *J'**ai entrevu** Mélissa à la patinoire, mais elle ne m'a pas vu.* SYN apercevoir. ❷ Commencer à voir, deviner. *Certains signes laissent **entrevoir** qu'il se tirera d'affaire.* SYN prévoir.

entrevue nom féminin
Rencontre préparée d'avance entre des personnes. *Une **entrevue** entre la journaliste et le chef d'État est prévue prochainement.* SYN entretien.

entrouvrir verbe ▸ conjug. 12
Ouvrir un peu. *Il **a entrouvert** la porte pour avoir un peu d'air.* SYN entrebâiller.

énumération nom féminin
Fait d'énumérer.

énumérer verbe ▸ conjug. 8
Dire les uns après les autres les éléments d'un ensemble. *Jonathan nous **a énuméré** tous les cadeaux qu'il a reçus pour sa fête.* ✎ On peut écrire aussi, au futur, *il **énumèrera***; au conditionnel, *elle **énumèrerait***.

envahir verbe ▸ conjug. 11
❶ Entrer par la force dans un pays. *Des rebelles **ont envahi** la capitale de ce pays.* SYN occuper. ❷ Remplir entièrement un lieu. *Chaque été, cette place **est envahie** par les touristes.* ❸ S'emparer de l'esprit de quelqu'un. *La peur **a** soudain **envahi** la foule quand l'incendie s'est déclaré.* ♦ Famille du mot: envahissant, envahissement, envahisseur.

Une rue **envahie**

a b c d e f g h i j k l m n o p q r s u v w x y z

envahissant, envahissante adjectif
❶ Qui se répand partout. *Ce lierre est trop **envahissant**, il faut le tailler.* ❷ Qui manque de discrétion. *Raphaël vient tous les jours chez nous, il est vraiment **envahissant**.*

envahissement nom masculin
Action d'envahir. **SYN** invasion.

envahisseur nom masculin
Ennemi qui envahit un territoire. *Ce pays n'a pas pu repousser les **envahisseurs**.*
* Chercher aussi *invasion*.

s'**envaser** verbe ▸ conjug. 3
❶ Se remplir de vase. *Cet étang **s'envase** de plus en plus.* ❷ S'enfoncer dans la vase.
* Chercher aussi *s'embourber*, *s'enliser*, *s'ensabler*.

enveloppe nom féminin
❶ Pochette en papier dans laquelle on met une lettre ou un document. *Sur l'**enveloppe**, on écrit l'adresse du destinataire.* ❷ Ce qui entoure et protège quelque chose. *La coquille sert d'**enveloppe** à l'œuf.*

envelopper verbe ▸ conjug. 3
Entourer complètement quelque chose ou quelqu'un. *Maxime **a enveloppé** son sandwich dans du papier d'aluminium.* **SYN** emballer.
■ **s'envelopper dans**: s'enrouler dans. *Valérie **s'est enveloppée dans** une couverture.*

s'**envenimer** verbe ▸ conjug. 3
❶ S'infecter. *Il faut désinfecter cette plaie avant qu'elle **s'envenime**.* ❷ Au sens figuré, devenir plus violent. *La discussion **s'est** vite **envenimée**.* **SYN** s'aggraver. **CONTR** s'apaiser.

envergure nom féminin
❶ Distance entre les extrémités des ailes déployées d'un oiseau ou de celles d'un avion. ❷ Au sens figuré, capacité ou valeur de quelqu'un. *Ce député a l'**envergure** d'un ministre.* ❸ Ampleur, importance d'une chose. *Il s'agit d'un projet de grande **envergure**.*

*L'**envergure** d'un rapace*

① **envers** préposition
À l'égard de. *Il a toujours été très aimable **envers** nous.* • **Envers et contre tous:** malgré l'opposition des gens.

② **envers** nom masculin
Côté d'une chose que l'on ne voit pas d'habitude. *On voit les coutures, la nappe est à l'**envers**.* **CONTR** endroit.

enviable adjectif
Qui fait envie. *Le Québec s'est taillé une place **enviable** dans le monde du cirque.*

envie nom féminin
Jalousie. *Andrew regarde les cadeaux de sa sœur avec **envie**.* **SYN** convoitise. • **Avoir envie de:** avoir le désir ou le besoin de faire ou d'avoir quelque chose. ***J'ai envie de** goûter à ces framboises.* • **Faire envie:** tenter quelqu'un. *Ces pâtisseries me **font envie**.*
♦ Famille du mot: enviable, envier, envieux.

envier verbe ▸ conjug. 10
Souhaiter être à la place de quelqu'un ou avoir ce qu'il a. *Jérémie **envie** ses copains qui ont une chambre à eux.* • **N'avoir rien à envier à quelqu'un** ou **à quelque chose:** ne lui être en rien inférieur. *Marie **n'a rien à envier à** Claude pour l'intelligence. Une voiture qui **n'a rien à envier à** une autre en ce qui a trait à la performance.*

envieux, envieuse adjectif et nom
Qui est jaloux des autres. • **Faire des envieux:** rendre les autres jaloux. *Sa fortune **a fait** bien **des envieux**.*

environ adverbe
À peu près. *Il y a **environ** dix minutes de marche jusqu'au métro.* **SYN** approximativement. **CONTR** exactement. ♦ Famille du mot: environnant, environnement, environnemental, environner, environs.

environnant, environnante adjectif
Qui est tout autour. *Il y a des orignaux dans les forêts **environnantes**.*

environnement nom masculin
Milieu dans lequel nous vivons. *Nous devons lutter pour la protection de l'**environnement**.*
👁p. 386.

environnemental, environnementale, environnementaux adjectif
Qui concerne l'environnement. *Ce déversement de pétrole dans l'océan est un désastre **environnemental**.* * Chercher aussi *écologique*.

environner verbe ▸ conjug. 3
Être dans le voisinage d'un lieu. *Des champs de maïs **environnent** la ferme.* **SYN** entourer.

environs nom masculin pluriel
Lieux qui se trouvent dans le voisinage. *Ils sont allés se promener dans les **environs**.* **SYN** alentours, parages.

envisageable adjectif
Qui peut être envisagé. *Une solution **envisageable**.*

envisager verbe ▸ conjug. 5
❶ Avoir le projet de faire quelque chose. *Nous **envisageons** d'aller en vacances au bord de la mer.* **SYN** penser. ❷ Prendre en considération. *Avant de prendre une décision, il faut **envisager** les avantages et les inconvénients.* **SYN** considérer.

envoi nom masculin
Chose envoyée. *Il vaudrait mieux faire cet **envoi** par messageries.* **SYN** expédition. • **Coup d'envoi :** au football, premier coup de pied dans le ballon, qui marque le début d'une partie.

envol nom masculin
Action de s'envoler. *Nous avons admiré l'**envol** des bernaches du Canada.*

*Un **envol** de bernaches*

s'**envoler** verbe ▸ conjug. 3
❶ Partir en volant. *Les moineaux **s'envolent** au moindre bruit.* ❷ Partir en avion. *On doit **s'envoler** pour Miami à dix heures.* **SYN** décoller. ❸ Être emporté par le vent. *Il y a eu un courant d'air et tous les papiers **se sont envolés**.*

envoûtant, envoûtante adjectif
Qui envoûte. *Un prestidigitateur **envoûtant**.* ✎ On peut écrire aussi ***envoutant***, ***envoutante***.

envoûtement nom masculin
Action d'envoûter, état d'une personne envoûtée. *Le malade se croyait victime d'un **envoûtement**.* ✎ On peut écrire aussi ***envoutement***.

envoûter verbe ▸ conjug. 3
❶ Influencer quelqu'un ou lui faire du mal en pratiquant sur lui la magie. *Cette femme prétend **avoir été envoûtée**.* **SYN** ensorceler. ❷ Au sens figuré, fasciner et charmer quelqu'un. *Cet orateur **a envoûté** son public.* **SYN** subjuguer. ✎ On peut écrire aussi ***envouter***. ♦ Famille du mot : envoûtant, envoûtement.

envoyé, envoyée nom
Personne envoyée pour remplir une mission. *L'**envoyé** de l'ONU mènera son enquête.* • **Envoyé spécial :** journaliste envoyé en mission spéciale.

envoyer verbe ▸ conjug. 6
❶ Faire aller quelqu'un quelque part. *Elle **a envoyé** son fils acheter du lait.* ❷ Expédier quelque chose. *Salma **a envoyé** une lettre et des fleurs à sa grand-mère pour son anniversaire.* **SYN** adresser. **CONTR** recevoir. ❸ Lancer quelque chose. *Martin **a envoyé** le ballon dans le but.* ♦ Famille du mot : envoi, envoyé, envoyeur.

envoyeur, envoyeuse nom
Personne qui expédie quelque chose. *L'adresse n'était pas bonne, la lettre a été retournée à l'**envoyeur**.* **SYN** expéditeur. **CONTR** destinataire.

a b c d e f g h i j k l m n o p q r s t u v w x y z

L'environnement

L'impact des activités humaines sur l'environnement

Tous les êtres vivants comblent leurs besoins en agissant sur leur environnement. Pour satisfaire ses besoins, c'est-à-dire se nourrir, se loger, se déplacer, travailler, l'être humain utilise les ressources qu'il trouve autour de lui, qu'il transforme. Malheureusement, certaines de ses actions et de ses comportements ont des conséquences néfastes sur l'environnement. En effet, les ressources naturelles sont épuisables, et la diversité des espèces vivantes est menacée, principalement à cause de nos agissements.

Les conséquences sur le vivant

C'est essentiellement par l'agriculture, l'élevage et la pêche que nous répondons à nos besoins. Plus la population mondiale croît, plus les besoins d'espace, de nourriture et de vêtements augmentent. Pour répondre à cette croissance, les villes s'étendent, les fermes et les pâturages occupent de plus en plus de place, et la pêche est de plus en plus intensive. Il en résulte la destruction des forêts, des océans et des milieux naturels, ce qui entraîne par conséquent la disparition d'espèces animales et végétales.

Les conséquences sur le non-vivant

Nos besoins ne s'arrêtent pas à la nourriture et aux vêtements. En effet, que ce soit pour chauffer nos maisons, faire fonctionner nos usines ou pour fabriquer tous les objets que nous utilisons, nous exploitons les ressources naturelles de la Terre (bois, minerais, pierres, pétrole, etc.) et nous consommons beaucoup d'énergie. Les deux plus importantes conséquences de toutes ces actions sont la pollution, qui affecte l'air, l'eau et le sol, et le réchauffement climatique.

Quelques solutions possibles

Pour assurer l'avenir de la planète et de tous les êtres vivants, il importe de modifier nos habitudes. Chaque jour, nous pouvons contribuer à la sauvegarde de l'environnement, par exemple en recyclant et en compostant nos déchets, en choisissant des produits respectueux de l'environnement, en favorisant le transport en commun. Individuellement et collectivement, nous pouvons également consommer moins de biens et réduire notre utilisation d'eau et d'énergie. De leur côté, les usines et les industries peuvent mettre au point des technologies moins polluantes. L'ensemble de ces efforts aura nécessairement des effets bénéfiques sur l'environnement.

a b c d e f g h i j k l m n o p q r s t u v w x y z

éolienne nom féminin
Machine qui utilise la force du vent pour pomper l'eau ou produire de l'électricité. *Une **éolienne**.* 👁p. 372. ■ **éolien, éolienne** adjectif Qui est produit par l'action du vent. *L'énergie **éolienne**.*

Des **éoliennes**

épais, épaisse adjectif
❶ Qui a une certaine épaisseur. *Cette planche est **épaisse** de cinq centimètres.* CONTR fin, mince. ❷ Qui a une grande épaisseur. *Une **épaisse** couche de neige a recouvert la région.* SYN gros. CONTR fin, mince. ❸ Qui est très consistant. *Cette pâte à crêpes est trop **épaisse**, il faut y ajouter du lait.* CONTR fluide, liquide. ❹ Qui est dense ou abondant. *Le brouillard était si **épais** qu'on ne voyait pas à deux mètres.* ❺ Qui est lourd de corps ou d'esprit. *Il fait souvent des commentaires **épais**.* SYN lourdaud. ♦ Famille du mot : épaisseur, épaissir.

épaisseur nom féminin
❶ Dimension d'un corps qui n'est ni la longueur ni la largeur. *Il faut des planches d'une grande **épaisseur** pour supporter tous ces livres.* CONTR finesse, minceur. ❷ Qualité de ce qui est épais. *L'**épaisseur** des nuages cache le soleil.*

épaissir verbe ▸ conjug. 11
❶ Rendre plus épais. *Il faut **épaissir** cette sauce en ajoutant de la farine.* ❷ Devenir plus dense. *Si la brume **épaissit**, nous resterons au port.* ❸ Devenir plus gros. *Il **a épaissi** depuis qu'il ne fait plus de sport.* SYN grossir. CONTR maigrir.

épanchement nom masculin
Fait de s'épancher. *Yohan est très secret ; il n'a pas l'habitude des **épanchements**.* SYN confidence, effusion.

*s'***épancher** verbe ▸ conjug. 3
Parler à quelqu'un en lui confiant ses sentiments et ses pensées intimes. *Estelle **s'est épanchée** auprès de sa mère.* SYN se confier.

*s'***épanouir** verbe ▸ conjug. 11
❶ S'ouvrir en déployant ses pétales. *Dès qu'elles ont été dans l'eau, les fleurs **se sont épanouies**.* ❷ Devenir joyeux, souriant. *En entendant la bonne nouvelle, son visage **s'est épanoui**.* SYN s'éclairer. ❸ Se développer complètement. *Cet enfant **s'est épanoui** depuis qu'il a été confié à ses grands-parents.*

épanouissement nom masculin
Fait de s'épanouir. *L'**épanouissement** d'une fleur.* SYN éclosion.

épargnant, épargnante nom
Personne qui épargne de l'argent.

épargne nom féminin
Argent économisé. *Sébastien veut utiliser son **épargne** pour s'acheter un ordinateur.*
• **Compte d'épargne :** compte en banque dans lequel les gens peuvent déposer leurs économies pour qu'elles rapportent un intérêt.

épargner verbe ▸ conjug. 3
❶ Économiser. *Charlotte **épargne** un peu d'argent de poche en le mettant dans une tirelire.* CONTR dépenser, gaspiller. ❷ Permettre à quelqu'un d'éviter une chose désagréable. *Pour vous **épargner** le déplacement, on peut vous livrer cette marchandise à domicile.* ❸ Ne pas abîmer quelque chose. *Heureusement, le gel **a épargné** les pommiers.* ❹ Laisser quelqu'un en vie. *Les passagers **ont été épargnés** dans l'accident.* ♦ Famille du mot : épargnant, épargne.

éparpillement nom masculin
Action d'éparpiller. *C'est un **éparpillement** de petites observations plutôt qu'un récit suivi.*

éparpiller verbe ▸ conjug. 3
Disperser çà et là. *Les enfants **ont éparpillé** leurs jouets partout dans la maison.*
■ *s'***éparpiller** ❶ Se disperser. *Restez groupés, ne **vous éparpillez** pas dans la foule.* SYN se disséminer. CONTR se rassembler, se réunir. ❷ Se laisser distraire par trop de choses différentes. *Il ne retient pas ce qu'on lui enseigne, il **s'éparpille** facilement.* CONTR se concentrer.

épars, éparse adjectif
Qui est dispersé, en désordre. *Des papiers **épars** jonchaient le sol.*

épatant, épatante adjectif
Qui est très agréable. *On a passé une soirée **épatante** chez nos amis.* **SYN** ① extra.

épaté, épatée adjectif
• **Nez épaté:** nez aplati, large et court.

épater verbe ▸ conjug. 3
Dans la langue familière, chercher à étonner. *Il nous **a épatés** quand il s'est mis à parler chinois!*

épaulard nom masculin
Mammifère marin très vorace. **SYN** orque.

Un **épaulard**

épaule nom féminin
❶ Articulation du haut du bras. *Porter un enfant sur ses **épaules**.* 👁p. 246. • **Avoir la tête sur les épaules:** avoir du bon sens.
❷ Haut de la patte avant des animaux.
♦ Famille du mot: épauler, épaulette.

épauler verbe ▸ conjug. 3
❶ Appuyer la crosse d'une arme contre son épaule. *Le chasseur **épaule** son fusil.* ❷ Aider quelqu'un. *Le voisin est venu nous **épauler** pour déplacer le bahut.*

épaulette nom féminin
❶ Bande de tissu boutonnée sur l'épaule. *Certains uniformes militaires ont des **épaulettes**.* ❷ Rembourrage d'un vêtement aux épaules. *Ma mère a décousu les **épaulettes** qui élargissaient sa veste.*

Une **épave**

épave nom féminin
❶ Restes d'un bateau naufragé ou abandonné. *Des plongeurs ont repéré une **épave** au fond de l'eau.* ❷ Au sens figuré, personne misérable. *Cet homme est devenu une **épave** depuis qu'il se drogue.*

épée nom féminin
Arme constituée d'une longue lame et d'une poignée. *L'**épée** est souvent protégée par un fourreau.* 👁p. 190. • **C'est un coup d'épée dans l'eau:** c'est un effort qui n'a pas donné les résultats espérés.

épeler verbe ▸ conjug. 9
Dire chaque lettre d'un mot l'une après l'autre. *Julie **épelle** son prénom: J.U.L.I.E.* ✎ On peut écrire aussi, au présent, *j'**épèle***; au futur, *tu **épèleras***; au conditionnel, *elle **épèlerait**.*

épellation nom féminin
Action d'épeler.

éperdu, éperdue adjectif
Qui éprouve un sentiment très vif. *Les enfants étaient **éperdus** de joie.*

éperdument adverbe
Follement. *Alicia est **éperdument** amoureuse de Samuel.*

éperlan nom masculin
Petit poisson marin aux reflets argentés. *Comme le saumon, l'**éperlan** fraye en eau douce.*

éperon nom masculin
Pièce de métal fixée au talon des bottes des cavaliers. *Les **éperons** servent à exciter le cheval.*

éperonner verbe ▸ conjug. 3
❶ Piquer un cheval avec ses éperons pour le faire avancer plus vite. ❷ Heurter un bateau avec la proue. *Ce pétrolier **a éperonné** un cargo.*

épervier nom masculin
Oiseau de proie voisin du faucon, mais plus petit. *L'**épervier** se nourrit de petits oiseaux.*
* Chercher aussi *rapace*.

Un **épervier**

a b c d e f g h i j k l m n o p q r s t u v w x y z

épeurant, épeurante adjectif
Dans la langue familière, qui fait peur. *Un film **épeurant**.* **SYN** effrayant, terrifiant.

① **éphémère** adjectif
Qui dure très peu de temps. *Leur joie a été très **éphémère**.* **SYN** ① passager. **CONTR** durable.

② **éphémère** nom masculin
Insecte qui s'apparente à la libellule et qui ne vit qu'un jour. **SYN** manne.

éphéméride nom féminin
Calendrier dont on enlève une feuille chaque jour.

épi nom masculin
Ensemble de grains serrés qui se trouve au bout de la tige des céréales. *Des **épis** de blé, d'avoine, d'orge, de maïs.*

épice nom féminin
Produit végétal servant à relever le goût des aliments. *Le poivre, le piment, le safran sont des **épices**.* ✱ Chercher aussi *aromate*, *assaisonnement*, *condiment*. ◆ Famille du mot : épicé, épicerie, épicier.

épicé, épicée adjectif
Qui est relevé par des épices. *Ce plat très **épicé** m'a donné soif.* **CONTR** fade.

épicène adjectif
Se dit d'un adjectif, d'un nom ou d'un pronom qui ne varie pas selon le genre. *« Admirable », « élève » et « je » sont des mots **épicènes**.*

épicentre nom masculin
Point de la surface terrestre où un séisme est le plus fort.

épicerie nom féminin
❶ Magasin d'alimentation. *Aurélie est partie à l'**épicerie** acheter de la farine et de l'huile.* ❷ Produits alimentaires. *Mon père a rangé l'**épicerie**.*

épicier, épicière nom
Personne qui tient une épicerie.

épidémie nom féminin
Développement rapide d'une maladie contagieuse dans une population. *Une **épidémie** de choléra a fait de nombreuses victimes après le séisme.*

épidémique adjectif
Qui a le caractère d'une épidémie. *La grippe est une maladie **épidémique**.* **SYN** contagieux.

épiderme nom masculin
Couche superficielle de la peau, en contact avec l'extérieur. 👁p. 304. ✱ Chercher aussi *derme*.

épier verbe ▸ conjug. 10
Surveiller attentivement et en se cachant. *Caché sous le buisson, le chat **épie** les oiseaux.* **SYN** guetter.

épilation nom féminin
Action d'épiler ou de s'épiler. *Elle s'est fait faire une **épilation** des jambes.*

épilepsie nom féminin
Maladie qui provoque de fortes convulsions.

épileptique adjectif et nom
Qui est atteint d'épilepsie. *Un homme **épileptique**. – Une **épileptique**.*

épiler verbe ▸ conjug. 3
Arracher les poils d'une partie du corps. *Elle **a épilé** ses sourcils.*

épilogue nom masculin
Conclusion d'un récit ou d'un évènement. *Cette histoire a connu un triste **épilogue**.* **SYN** dénouement, fin. **CONTR** prologue.

épinard nom masculin
Plante potagère verte dont on mange les feuilles. *Noémie a mangé des **épinards**.*

Des **épinards**

épine nom féminin
Piquant que porte la tige de certaines plantes. *Les rosiers, les cactus ont des **épines**.*
• **Enlever à quelqu'un une épine du pied :** le tirer d'une difficulté. • **Épine dorsale :** colonne vertébrale.

épinette nom féminin
Variété de conifère. *Les aiguilles de l'**épinette** sont rondes et piquantes.* 👁p. 126.

épineux, épineuse adjectif
❶ Qui est garni d'épines. *La ronce est une plante **épineuse**.* ❷ Au sens figuré, qui présente des difficultés. *C'est un problème **épineux**.* **SYN** délicat, embarrassant.

épingle nom féminin
Petite tige métallique pointue à une extrémité. *Avant de coudre l'ourlet, la couturière met des* ***épingles****.* • **Être tiré à quatre épingles :** être habillé de façon impeccable. • **Épingle à cheveux :** tige de fer recourbée qui sert à tenir les cheveux. • **Épingle de nourrice** ou **épingle de sûreté :** épingle recourbée et à fermoir. • **Épingle à linge :** épingle qui sert à fixer le linge sur une corde ou un séchoir. SYN pince* à linge. • **Monter quelque chose en épingle :** lui donner trop d'importance. • **Tirer son épingle du jeu :** se sortir habilement d'une situation embarrassante.

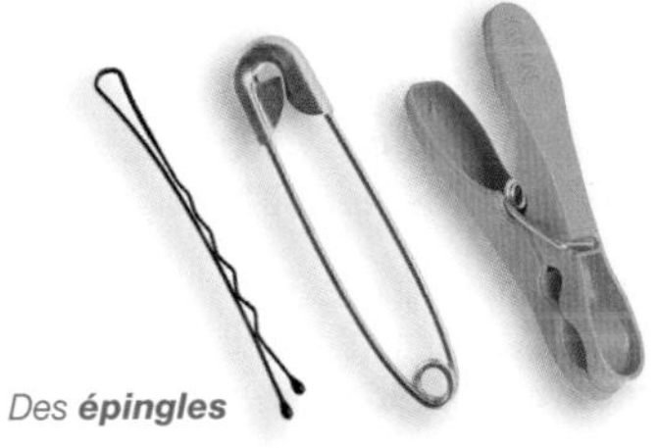
Des **épingles**

épingler verbe ▸ conjug. 3
Attacher avec une épingle.

épinglette nom féminin
Broche, petit insigne que l'on accroche à un vêtement.

épinière ➛Voir **moelle**

épique adjectif
Qui rappelle une épopée. *Ingrid a toujours des aventures* ***épiques*** *à nous raconter quand elle rentre de voyage.*

épisode nom masculin
❶ Partie d'une histoire. *Cette téléSérie comporte dix* ***épisodes****.* ❷ Moment particulier d'une longue histoire. *John nous a raconté quelques* ***épisodes*** *de son voyage en bateau.*

épisodique adjectif
Qui a lieu de temps en temps. *Nous nous voyons de manière* ***épisodique****.*

épitaphe nom féminin
Inscription sur une tombe.

éploré, éplorée adjectif
Qui est en pleurs. *La fillette* ***éplorée*** *cherchait ses parents dans le centre commercial.*

épluchage nom masculin
Action d'éplucher. *Les enfants veulent participer à l'****épluchage*** *des pommes.*

éplucher verbe ▸ conjug. 3
Enlever la peau et les parties qui ne se mangent pas d'un fruit ou d'un légume. ***Éplucher*** *une orange.* * Chercher aussi *décortiquer, écosser.*
♦ Famille du mot : épluchage, épluchette, épluchure.

épluchette nom féminin
Fête au cours de laquelle on épluche des épis de maïs pour les faire bouillir et les déguster en groupe. *Tous les ans, nous organisons une* ***épluchette*** *de blé d'Inde.*

Jeune fille participant à une **épluchette**

épluchure nom féminin
Partie que l'on enlève en épluchant. *Nous gardons toujours les* ***épluchures*** *pour faire du compost.*

éponge nom féminin
❶ Animal marin qui vit fixé au fond de l'eau. ❷ Objet fait d'une matière souple qui retient l'eau. *Lina prend une* ***éponge*** *pour essuyer la table.* • **Passer l'éponge :** pardonner.

éponger verbe ▸ conjug. 5
Essuyer avec une éponge ou un chiffon. *Luc* ***éponge*** *l'eau qu'il a renversée par mégarde.*
■ s'**éponger** : s'essuyer une partie du corps. *La coureuse* ***s'éponge*** *le visage.*

épopée nom féminin
Long poème qui raconte des aventures héroïques.

époque nom féminin
Période particulière de l'histoire. *À l'****époque*** *de nos arrière-grands-parents, les maisons n'avaient ni l'eau ni l'électricité.*

s'**époumoner** verbe ▸ conjug. 3
Crier de toutes ses forces jusqu'à s'essouffler. *Avec ce bruit, il a beau* ***s'époumoner****, personne ne l'entend.*

épouse ➛Voir **époux**

épouser verbe ▸ conjug. 3
❶ Se marier avec quelqu'un. *En quelle année ton père* ***a****-t-il* ***épousé*** *ta mère ?* ❷ Adopter. *Il* ***a épousé*** *mes idées.* ❸ Suivre exactement une forme. *Un vêtement collant* ***épouse*** *la forme du corps.*

a b c d e f g h i j k l m n o p q r s t u v w x y z

épousseter verbe ▶ conjug. 9
Enlever la poussière. *On **époussette** les meubles avec un plumeau, un chiffon.* ✎ On peut écrire aussi, au présent, *j'**époussète***; au futur, *il **époussètera***; au conditionnel, *elle **époussèterait**.*

époustouflant, époustouflante adjectif
Qui époustoufle. *Ce nouveau record de vitesse est **époustouflant**.* **SYN** extraordinaire, prodigieux, stupéfiant.

époustoufler verbe ▶ conjug. 3
Causer une très grande surprise. *Ce numéro de trapèze nous **a époustouflés**.*

épouvantable adjectif
❶ Qui fait très peur. *Certaines scènes de ce film d'horreur sont **épouvantables**.* **SYN** effrayant, horrible, terrifiant. ❷ Qui est très pénible, très désagréable. *Il a fait un temps **épouvantable** toute la semaine.* **SYN** abominable, exécrable.

épouvantail nom masculin
Mannequin que l'on place dans les champs ou les jardins pour épouvanter les oiseaux.

*Un **épouvantail***

épouvante nom féminin
Peur très grande. *Une tempête terrible s'était levée et les passagers du bateau étaient frappés d'**épouvante**.* **SYN** effroi, terreur.

épouvanter verbe ▶ conjug. 3
Remplir d'épouvante. *Ce reportage sur les massacres nous **a épouvantés**.* **SYN** effrayer, terrifier, terroriser. ♦ Famille du mot : épouvantable, épouvantail, épouvante.

époux, épouse nom
Personne mariée. *Emilio est l'**époux** de Fabienne.* **SYN** mari. *Fabienne est l'**épouse** d'Emilio.* **SYN** femme. * Chercher aussi *conjoint*.

s'**éprendre** verbe ▶ conjug. 32
Tomber amoureux de quelqu'un. *Hugo **s'est épris** de sa voisine.*

épreuve nom féminin
❶ Partie d'un examen ou d'une compétition. *Une **épreuve** sportive.* ❷ Souffrance ou grave difficulté subie par quelqu'un. *Sa longue maladie a été une **épreuve** pour toute sa famille.* • **À l'épreuve de quelque chose :** capable de résister à cette chose. *Un tissu **à l'épreuve du** feu.* • **À toute épreuve :** très solide. • **Mettre à l'épreuve :** essayer de mesurer la valeur d'une personne ou d'une chose.

éprouvant, éprouvante adjectif
Qui est difficile à supporter. *Cette chaleur est **éprouvante** pour les coureurs.* **SYN** pénible.

éprouver verbe ▶ conjug. 3
❶ Ressentir un sentiment ou une sensation. ***Éprouver** de la peine, de la joie. Anaïs **éprouve** une vive douleur dans le cou, elle a un torticolis.* ❷ Faire de la peine ou faire souffrir. *Cédric **est** très **éprouvé** par la mort de son chien.* ♦ Famille du mot : épreuve, éprouvant, éprouvette.

éprouvette nom féminin
Tube de verre qui sert à faire des expériences de laboratoire.

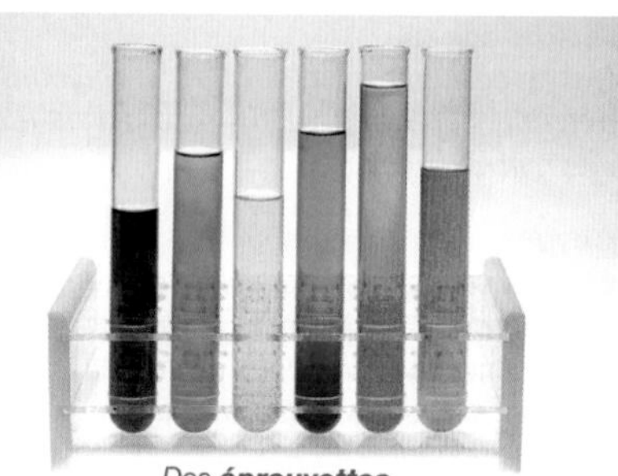

*Des **éprouvettes***

épuisant, épuisante adjectif
Qui fatigue beaucoup. *Une marche **épuisante**.* **SYN** exténuant.

épuisé, épuisée adjectif
❶ Très fatigué. *Une coureuse **épuisée**.* **SYN** fourbu. ❷ Dont tous les exemplaires ont été vendus. *Un livre **épuisé**.*

épuisement nom masculin
❶ Fait de se sentir épuisé. *Quel **épuisement** après cette course effrénée !* ❷ Fait d'utiliser jusqu'au bout. *Les soldes dureront jusqu'à **épuisement** du stock.*

épuiser verbe ▸ conjug. 3
❶ Fatiguer énormément. *À l'arrivée du marathon, certains coureurs **étaient épuisés**.* SYN briser, éreinter. ❷ Utiliser quelque chose jusqu'à ce qu'il n'en reste plus. *Nos provisions **sont épuisées**, il va falloir aller faire l'épicerie.* ■ s'**épuiser** ❶ Se réduire jusqu'à disparaître. *Ses économies **s'épuisent**.* ❷ Se fatiguer énormément. *Elle **s'épuise** à porter une charge trop lourde pour elle.* SYN s'éreinter.
♦ Famille du mot : épuisant, épuisé, épuisement, épuisette, inépuisable.

épuisette nom féminin
Petit filet de pêche fixé à un manche.

La pêche à l'**épuisette**

Une **épuisette**

épuration nom féminin
Action d'épurer. *Une usine d'**épuration** des eaux.*

épurer verbe ▸ conjug. 3
Rendre pur. *Ces filtres servent à **épurer** l'eau.* SYN purifier.

équateur nom masculin
Cercle imaginaire qui fait le tour de la Terre, à égale distance des deux pôles. * Chercher aussi *tropique*.

équation nom féminin
Énoncé mathématique comportant une ou des variables et une relation d'égalité. $4x - 8 = 4$ *est un exemple d'**équation**.*

équatoguinéen, équatoguinéenne
➻Voir tableau, p. 1319.

équatorial, équatoriale, équatoriaux adjectif
Qui concerne les régions proches de l'équateur. *Le climat **équatorial** se caractérise par la chaleur et l'humidité.*

équatorien, équatorienne
➻Voir tableau, p. 1319.

équerre nom féminin
Instrument qui sert à tracer des angles droits, des perpendiculaires.

équestre adjectif
Qui concerne l'équitation. *Un centre **équestre**.*
* Chercher aussi *hippique*, *hippodrome*.
• **Statue équestre** : statue qui représente une personne à cheval.

Le sport **équestre**

équeuter verbe ▸ conjug. 3
Enlever la queue d'un fruit. ***Équeuter** des fraises, des cerises.*

équidistant, équidistante adjectif
Qui est situé à la même distance. *Tous les points d'un cercle sont **équidistants** du centre.* * Attention ! Dans *équidistant*, le *u* qui suit la lettre *q* se prononce.

équilatéral, équilatérale, équilatéraux adjectif
Dont tous les côtés sont égaux. *Un triangle **équilatéral**.* 👁p. 484. * Attention ! Dans *équilatéral*, le *u* qui suit la lettre *q* se prononce.
* Chercher aussi *isocèle*.

équilibre nom masculin
❶ Position stable, qui permet de ne pas tomber. *Sumine monte à cheval pour la première fois et elle a du mal à garder son **équilibre**.*
❷ Position d'une balance quand les deux plateaux sont à la même hauteur. ❸ Qualité d'une personne équilibrée. *Il faut avoir un bon **équilibre** mental pour supporter cette situation.* ♦ Famille du mot : équilibré, équilibrer, équilibriste, déséquilibre, déséquilibré, déséquilibrer.

a b c d e f g h i j k l m n o p q r s t u v w x y z

équilibré, équilibrée adjectif
Qui a une bonne santé de l'esprit. *Un enfant **équilibré**.* SYN sage, sensé. CONTR déséquilibré, instable.

équilibrer verbe ▸ conjug. 3
Mettre en équilibre. ***Équilibrer** les deux plateaux d'une balance.* ■ **s'équilibrer** : être équivalent. *Mes gains et mes dépenses **s'équilibrent**.*

équilibriste nom
Artiste de cirque qui fait des exercices d'équilibre. * Chercher aussi *funambule*.

équinoxe nom masculin
Chacun des deux moments de l'année où la durée du jour et celle de la nuit sont égales. *Les **équinoxes** ont lieu le premier jour du printemps (le 21 mars) et le premier jour de l'automne (le 23 septembre).* * Chercher aussi *solstice*.

équipage nom masculin
Ensemble du personnel d'un bateau, d'un avion, etc. *Le commandant et l'**équipage** vous souhaitent la bienvenue à bord.*

équipe nom féminin
❶ Groupe de personnes qui travaillent ensemble, qui ont des activités communes. *À l'hôpital, l'**équipe** de jour arrive à huit heures du matin.* ❷ Groupe de sportifs qui jouent contre d'autres sportifs. *Alexia fait partie d'une **équipe** de soccer.* ♦ Famille du mot : coéquipier, équipage, équipée, équipement, équiper, équipier.

équipée nom féminin
Entreprise aventureuse. *Leur **équipée** dans les Rocheuses s'est heureusement bien terminée.*

équipement nom masculin
Ensemble du matériel nécessaire à une activité. *Ma mère a remplacé son **équipement** de ski.*

équiper verbe ▸ conjug. 3
Munir de ce qui est nécessaire. *Cette cuisine **est** très bien **équipée**.* ■ **s'équiper** : se munir de ce qui est nécessaire à une activité. *Mon frère **s'est équipé** pour faire du camping.*

Des **équilibristes**

équipier, équipière nom
Membre d'une équipe sportive. * Chercher aussi *coéquipier*.

équitable adjectif
❶ Qui est conforme à la justice et à l'équité. *Ce partage est **équitable** puisque tout le monde a eu la même chose.* SYN juste. ❷ Se dit du commerce de produits achetés directement de petites coopératives qui utilisent des méthodes respectueuses de l'environnement.

équitablement adverbe
De façon équitable. *Ma mère a partagé **équitablement** les chocolats : chacun en a eu deux.*

équitation nom féminin
Sport qui consiste à monter à cheval. *Véronique fait de l'**équitation** dans un centre équestre.* * Chercher aussi *hippique*, *hippodrome*.

équité nom féminin
Vertu qui consiste à être juste envers chacun. *Il a jugé l'affaire avec **équité**.* SYN impartialité, justice. ♦ Famille du mot : équitable, équitablement.

équivalence nom féminin
Qualité de ce qui est de valeur comparable. *Il y a une **équivalence** de prix entre ces deux voitures.*

équivalent, équivalente adjectif
Qui est de même valeur ou de même importance. *Leurs salaires sont à peu près **équivalents**.* ■ **équivalent** nom masculin Chose équivalente. *Les baguettes avec lesquelles mangent les Chinois sont l'**équivalent** de nos fourchettes.*

équivaloir verbe ▸ conjug. 25
Avoir la même valeur ou le même effet. *Un demi-kilo **équivaut** à 500 grammes.* ♦ Famille du mot : équivalence, équivalent.

équivoque adjectif
Qui peut être compris de diverses façons. *Son attitude est **équivoque**.* SYN ambigu. CONTR clair, net. ■ **équivoque** nom féminin Chose équivoque. *Elle nous a donné une réponse sans **équivoque**.* SYN ambiguïté.

érable nom masculin
Grand arbre de la forêt dont les feuilles dentées deviennent multicolores à l'automne. 👁p. 126.
• **Érable à sucre :** érable dont la sève fournit des produits comestibles, comme le sirop, la tire, le sucre. 👁p. 12.

*Un **érable***

érablière nom féminin
Bois planté d'érables à sucre dont on tire des produits comestibles, commercialisés ou non. 👁p. 12. * Chercher aussi *cabane* à sucre*.

érafler verbe ▸ conjug. 3
❶ Écorcher légèrement. *Il a les bras tout **éraflés** par les ronces.* SYN égratigner. ❷ Rayer une surface. *Une bicyclette **a éraflé** la portière de sa voiture.*

éraflure nom féminin
Légère écorchure ou légère rayure. *Il sort de cet accident avec seulement quelques **éraflures**.* SYN égratignure.

éraillé, éraillée adjectif
Qui est enroué, rauque. *Il a tellement hurlé qu'il a la voix **éraillée**.*

ère nom féminin
Longue période qui commence par un évènement à partir duquel on compte les années. *Nous sommes au 21e siècle de l'**ère** chrétienne et au 15e siècle de l'**ère** musulmane.*

éreinter verbe ▸ conjug. 3
Fatiguer beaucoup. *Tout ce magasinage m'**a éreintée**.* SYN épuiser, exténuer. ■ **s'éreinter** : se fatiguer beaucoup. *Il **s'est éreinté** à déménager les meubles.*

ergot nom masculin
Sorte de griffe qui se trouve derrière la patte du coq et de certains autres animaux.

*Des **ergots***

ériger verbe ▸ conjug. 5
Élever un monument. *À Saint-Denis-sur-Richelieu, on **a érigé** un monument à la mémoire des Patriotes.*

ermite nom masculin
Personne qui vit retirée dans un lieu désert.

érosion nom féminin
Usure du relief due au vent, à l'eau, au gel, etc. *Le sommet de cette montagne a été arrondi par l'**érosion**.*

érotique adjectif
Qui évoque l'amour et le plaisir sexuel. *Un film **érotique**.*

errant, errante adjectif
Qui erre. *Il y a beaucoup de chats **errants** dans ce terrain vague.*

errata nom masculin
Liste des erreurs qui se sont glissées dans un ouvrage et des corrections apportées. ✎ Pluriel : *des **erratas***.

erre nom féminin
• **Erre d'aller :** lancée. *Il avait l'intention de faire une pause, mais il a continué à travailler sur son **erre d'aller**.*

errer verbe ▸ conjug. 3
Marcher longuement et au hasard. *Nous **avons** longtemps **erré** dans les rues de Rome.* SYN flâner, vagabonder.

erreur nom féminin
❶ Fait de se tromper. *Il y a une **erreur** dans tes calculs.* SYN faute, inexactitude. ❷ Action maladroite et regrettable. *Tu as fait une **erreur** en agissant ainsi.* • **Par erreur :** par distraction. *Au lieu de prendre son manteau, il a pris celui de son frère **par erreur**.*

erroné, erronée adjectif
Qui contient des erreurs. *On m'a donné des renseignements **erronés**.* SYN faux, inexact. CONTR exact, juste.

érudit, érudite adjectif et nom
Personne qui connaît à fond un domaine. *Ce professeur d'histoire est très **érudit**. – Cette ethnologue est une **érudite**.* SYN savant.

a d e f g h i j k l m n o p q r s t u v w x y z

a b c d e f g h i j k l m n o p q r s t u v w x y z

éruption nom féminin
❶ Jaillissement de lave, de gaz et de cendres hors du cratère d'un volcan. *Ce volcan qui semblait éteint vient d'entrer en **éruption**.* 👁p. 1076. ❷ Apparition de boutons sur la peau. *Cette **éruption** de boutons peut être le signe d'une varicelle.* * Ne pas confondre *éruption* et *irruption*.

*Un volcan en **éruption***

érythréen, érythréenne
➛Voir tableau, p. 1319.

escabeau, escabeaux nom masculin
Petite échelle pliante. *J'ai dû monter sur un **escabeau** pour ranger la valise en haut du placard.*

escadre nom féminin
Groupe de navires ou d'avions de guerre.
♦ Famille du mot : escadrille, escadron.

escadrille nom féminin
Groupe d'avions de combat, moins important qu'une escadre.

escadron nom masculin
Partie d'un régiment.

escalade nom féminin
❶ Action d'escalader. *Les alpinistes ont entrepris l'**escalade** de la paroi.* **SYN** ascension, montée. ❷ Au sens figuré, augmentation de plus en plus rapide de quelque chose. *L'**escalade** des prix.* **SYN** flambée. *L'**escalade** de la violence.* **SYN** montée.

escalader verbe ▸ conjug. 3
Franchir un obstacle en passant par-dessus, en grimpant. ***Escalader** une montagne, une clôture, un mur.* **SYN** gravir, grimper.

escale nom féminin
Arrêt au cours d'un voyage pour se ravitailler, embarquer ou débarquer des passagers. *Nous avons fait le vol de Montréal à Vancouver sans **escale**.* * Chercher aussi *étape*.

escalier nom masculin
Suite de marches pour monter ou descendre.
• **Escalier mécanique** ou **roulant** : escalier dont les marches sont entraînées par un mécanisme.

escalope nom féminin
Mince tranche de viande blanche ou de poisson. *Une **escalope** de veau.*

escamotable adjectif
Qui se replie de manière à ne plus être visible. *Les rallonges de cette table sont **escamotables**.*

escamoter verbe ▸ conjug. 3
❶ Faire disparaître quelque chose habilement. *Le magicien **a escamoté** le lapin dans un chapeau.* ❷ Faire comme si une chose ennuyeuse ou gênante n'existait pas. ***Escamoter** une difficulté, un problème.* **SYN** esquiver.

escampette nom féminin
• **Prendre la poudre d'escampette** : dans la langue familière, s'enfuir. **SYN** déguerpir.

escapade nom féminin
Sortie inhabituelle que l'on fait pour se distraire. *Notre petite **escapade** dans les Cantons-de-l'Est nous a fait du bien.*

*Un **escargot***

escargot nom masculin
Petit mollusque muni d'une coquille en spirale. * Chercher aussi *gastéropode*.

escarmouche nom féminin
Combat bref entre des petits groupes de soldats. *Le conflit entre ces deux pays a commencé par quelques **escarmouches** à la frontière.*

escarpé, escarpée adjectif
Qui est en pente raide. *Un sentier **escarpé** mène au sommet de la colline.* **SYN** abrupt.

escarpement nom masculin
Pente raide. *Un **escarpement** rocheux.*

escarpin nom masculin
Chaussure découverte, avec ou sans talon. *Des **escarpins** vernis.*

escient nom masculin
• **À bon escient :** avec raison. *Dans cette discussion, il est intervenu **à bon escient**.*
• **À mauvais escient :** à tort.

s'esclaffer verbe ▸ conjug. 3
Éclater de rire bruyamment. *À la moindre grimace du comédien, le public **s'esclaffait**.* **SYN** pouffer.

esclavage nom masculin
❶ État d'une personne esclave. *Aux États-Unis, l'**esclavage** des Noirs a duré jusqu'en 1865.* ❷ Activité qui ne laisse aucune liberté. *Son bénévolat est vite devenu un **esclavage**.*

esclave nom
❶ Personne privée de liberté et qui appartient à un maître ou une maîtresse. *Il existait des marchés où l'on pouvait vendre ou acheter des **esclaves**.* ❷ Personne qui est sous la domination de quelqu'un ou de quelque chose. *Elle est l'**esclave** de son travail.*

escompte nom masculin
Réduction de prix accordée à certaines conditions. *Ce magasin accorde un **escompte** à tout client qui paie comptant.*

escompter verbe ▸ conjug. 3
Compter à l'avance sur un évènement favorable. *Ces commerçants **escomptent** de bonnes ventes pour la période de Noël.*

escorte nom féminin
Groupe de personnes qui entourent et accompagnent quelqu'un. *L'**escorte** d'un chef d'État.*

escorter verbe ▸ conjug. 3
Accompagner en escorte. *Des gardes du corps **escortaient** la vedette du film.*

escouade nom féminin
Groupe de quelques personnes. *Une **escouade** de policiers.* **SYN** équipe.

escrime nom féminin
Sport qui se pratique avec l'épée, le fleuret ou le sabre.

s'escrimer verbe ▸ conjug. 3
Faire beaucoup d'efforts. *Je **m'escrime** à t'expliquer le fonctionnement de cet appareil, mais tu ne m'écoutes pas.* **SYN** s'évertuer.

escroc nom masculin
Personne coupable d'escroquerie. ♦ Famille du mot : escroquer, escroquerie.

escroquer verbe ▸ conjug. 3
Obtenir de quelqu'un, par ruse, de l'argent ou une faveur. *Ce bijoutier **a escroqué** ses clients en leur vendant de faux diamants.*

escroquerie nom féminin
Délit qui consiste à escroquer quelqu'un. *Elle a été condamnée pour **escroquerie**.* **SYN** fraude, vol.

espace nom masculin
❶ Étendue infinie, hors de l'atmosphère, qui constitue l'Univers. *Une sonde spatiale a été envoyée dans l'**espace**.* * Chercher aussi cosmos. ❷ Surface ou volume occupé par quelque chose. *Il n'y a pas assez d'**espace** dans cette pièce pour mettre un bureau.* **SYN** place. ❸ Intervalle entre deux choses. *Il y a le même **espace** entre chaque arbre de l'allée.* **SYN** distance, espacement. ❹ Intervalle de temps. *Mathieu s'est habillé en l'**espace** de cinq minutes.* • **Espace vert :** surface occupée par des parcs, des lieux de verdure. ♦ Famille du mot : espacement, espacer.

L'espace

a b c d e f g h i j k l m n o p q r s t u v w x y z

espacement nom masculin
Espace entre deux choses. *Par temps de brouillard, il faut augmenter l'**espacement** entre les véhicules.*

espacer verbe ▸ conjug. 4
❶ Séparer deux choses par un espace. *Nous sommes trop serrés, il faudrait **espacer** nos sièges.* ❷ Séparer par un intervalle de temps. *Andréanne se porte mieux, elle va pouvoir **espacer** ses rendez-vous chez le médecin.*
■ **s'espacer** : devenir plus rare. *Depuis quelque temps, ses visites **se sont espacées**.*

espadon nom masculin
Grand poisson de mer dont la mâchoire supérieure est allongée en forme d'épée.

espadrille nom féminin
Chaussure en toile à semelle souple.

espagnol, espagnole adjectif et nom
De l'Espagne. *Un vin **espagnol**. – Les **Espagnols**, les **Espagnoles**.* ✎ Attention! Le nom, qui désigne les habitants, s'écrit avec une majuscule. ■ **espagnol** nom masculin Langue parlée en Espagne et dans plusieurs pays d'Amérique latine.

espalier nom masculin
Petite échelle fixée à un mur, dont on se sert en gymnastique pour divers exercices.
• **En espalier** : en rangées et de manière à s'appuyer contre un mur ou un treillage. *Des pêchers plantés **en espalier**.*

① **espèce** nom féminin
❶ Ensemble d'êtres vivants qui se ressemblent et peuvent se reproduire entre eux. *Le chien et le chat appartiennent à deux **espèces** animales différentes.* ❷ Personne ou chose que l'on ne peut définir avec précision et que l'on associe à une autre par ressemblance. *Elle portait une **espèce** de tunique.* **SYN** genre, sorte.

② **espèces** nom féminin pluriel
Billets ou pièces de monnaie. *J'ai oublié ma carte de crédit, je vais vous payer en **espèces**.*

espérance nom féminin
Attente confiante de quelqu'un qui espère. *Il a toujours gardé l'**espérance** de revoir son pays natal.* **SYN** espoir.

espérer verbe ▸ conjug. 8
Souhaiter la réalisation d'un désir. *Béatrice **espère** qu'il fera beau demain.* ✎ On peut écrire aussi, au futur, *il **espèrera***; au conditionnel, *elle **espèrerait***. ♦ Famille du mot : désespérant, désespéré, désespérément, désespérer, désespoir, espérance, espoir, inespéré.

espiègle adjectif
Malicieux, mais sans méchanceté. *Mathilda est une enfant **espiègle**, qui fait souvent sourire ses parents.*

espièglerie nom féminin
Action d'une personne espiègle. *On ne peut pas s'empêcher de rire de ses **espiègleries**.* **SYN** farce.

espion, espionne nom
Personne chargée d'espionner. *Un **espion** a été pris en train de photographier des documents secrets.* **SYN** agent* secret. ♦ Famille du mot : espionnage, espionner.

espionnage nom masculin
Action d'espionner. *Cette ingénieure se livrait à de l'**espionnage** industriel.*

espionner verbe ▸ conjug. 3
Surveiller secrètement. *J'ai l'impression que cette femme passe son temps à **espionner** ses voisins.* **SYN** épier.

esplanade nom féminin
Grand espace plat situé devant un édifice. *Pour arriver au château, les visiteurs traversent une **esplanade**.* * Chercher aussi *parvis*.

*Une **esplanade***

espoir nom masculin
❶ Sentiment d'une personne qui espère. *Notre équipe a le ferme **espoir** de remporter la victoire.* ❷ Personne ou chose qui permet d'espérer. *Ce traitement est un nouvel **espoir** pour les personnes atteintes de cette maladie.* ❸ Personne capable d'atteindre un haut niveau dans son domaine. *Un **espoir** du hockey, un **espoir** de la chanson.*

esprit nom masculin
❶ Partie immatérielle de l'être humain. *Notre corps est visible, mais notre **esprit** est invisible.* ❷ Être sans corps qui, d'après certaines croyances, existe parmi les vivants. *On raconte que cette vieille maison est hantée par des **esprits**.* SYN fantôme, revenant. ❸ La pensée, la mémoire, l'imagination, l'intelligence humaines. *Quand tu réfléchis, tu fais travailler ton **esprit**.* ❹ Finesse et sens de l'humour. *Il raconte ses mésaventures avec beaucoup d'**esprit**.* • **Esprit d'équipe :** fait d'être solidaire des autres. • **Présence d'esprit :** rapidité et efficacité dans l'action. • **Reprendre ses esprits :** reprendre conscience après s'être évanoui.

esquimau, esquimaude, esquimaux nom
Nom que l'on donnait autrefois aux Inuits, encore utilisé dans le domaine de l'archéologie. *Les Inuits n'acceptaient pas de se faire appeler « **Esquimaux** », terme qui voulait dire « mangeurs de viande crue ».* ■ **esquimau, esquimaude, esquimaux** adjectif Relatif aux Inuits. *Autrefois, les petites statuettes **esquimaudes** étaient destinées aux enfants.*

esquisse nom féminin
Dessin rapide. *Ce portrait est très ressemblant et pourtant ce n'est qu'une **esquisse**.* SYN ébauche.

esquisser verbe ▸ conjug. 3
❶ Tracer une esquisse. *En quelques coups de crayon, il **a esquissé** tous les personnages de l'histoire.* SYN ébaucher. ❷ Commencer à faire quelque chose sans l'achever. *Elle **a esquissé** un sourire de remerciement.*

esquiver verbe ▸ conjug. 3
Éviter avec habileté. *Il **a esquivé** le poing de son adversaire en baissant la tête. Elle a changé de sujet pour **esquiver** ma question.* SYN éluder. ■ **s'esquiver :** s'en aller discrètement. *Il **s'est esquivé** quand il a vu arriver son ancienne blonde.* SYN s'éclipser.

essai nom masculin
❶ Fait d'essayer quelque chose pour en connaître les défauts et les qualités. *Je vous conseille de faire un **essai** avant d'acheter cette voiture.* ❷ Fait d'essayer de réaliser quelque chose. *Il a battu le record du monde de javelot à son troisième **essai**.* SYN tentative. ❸ Livre qui traite d'un sujet sans entrer dans tous les détails. *Cette paléontologue a écrit un **essai** sur la disparition des dinosaures.* SYN étude. ❹ Au football, tentative pour franchir une certaine distance avec le ballon.

essaim nom masculin
❶ Groupe d'insectes qui se déplacent en grand nombre. *Un **essaim** d'abeilles, de mouches.* ❷ Groupe nombreux. *Un **essaim** d'enfants.* SYN multitude, nuée.

*Un **essaim** d'abeilles*

essaimer verbe ▸ conjug. 3
Former un essaim. *Au printemps, des abeilles **essaiment** pour former une nouvelle ruche.*

essayage nom masculin
Action d'essayer un vêtement. *Les cabines d'**essayage** sont à l'arrière du magasin.*

essayer verbe ▸ conjug. 7
❶ Faire l'essai d'une chose pour voir si elle convient. ***Essayer** un vêtement, une voiture, une recette de cuisine.* SYN expérimenter, tester. ❷ Faire des efforts pour parvenir à un résultat. *Laura **essaie** d'apprendre à jouer de la guitare. Pierre **essaie** de comprendre le mode d'emploi.* SYN s'efforcer, tenter. ♦ Famille du mot : essai, essayage.

essence nom féminin
❶ Carburant tiré du pétrole. *Arrêtons-nous à la pompe à **essence** pour faire le plein.* ❷ Liquide concentré extrait d'une plante. *Ce parfum est fabriqué à partir d'**essence** de rose.* SYN extrait. ❸ Espèce d'arbre. *Cette forêt est composée de diverses **essences** : chênes, hêtres, épinettes.*

essentiel, essentielle adjectif
Dont on ne peut pas se passer. *L'eau est **essentielle** à la vie.* SYN indispensable, nécessaire. CONTR inutile. ■ **essentiel** nom masculin Ce qui est essentiel. *Quand il part pour deux jours, il n'emporte que l'**essentiel**.* SYN principal. * Attention ! Le *t* dans le mot *essentiel* se prononce comme un *s*.

essentiellement adverbe
Principalement, surtout. *Cette région produit **essentiellement** du blé.* * Attention ! Le premier *t* dans le mot *essentiellement* se prononce comme un *s*.

a b e h i j k l m n o p q r s t u v w x y z

essieu, essieux nom masculin
Longue barre de métal qui relie deux à deux les roues d'un véhicule.

essor nom masculin
❶ Action de s'envoler. *L'aigle a pris son **essor**.* ❷ Au sens figuré, développement ou progrès rapide. *Son entreprise est en plein **essor**.* SYN extension.

essorage nom masculin
Action d'essorer. *Cette laveuse est programmée pour le lavage, le rinçage et l'**essorage** du linge.*

essorer verbe ▸ conjug. 3
Débarrasser quelque chose de son eau. *La machine à laver tourne très vite de façon à **essorer** le linge.*

essoufflement nom masculin
Fait d'être essoufflé. *Le coureur montre un certain **essoufflement**.*

essouffler verbe ▸ conjug. 3
Faire perdre le souffle. *Cette longue course nous **a essoufflés**.* ■ **s'essouffler** : être à bout de souffle. *Ma grand-mère **s'essouffle** vite quand elle monte l'escalier.*

essuie-glace nom masculin
Appareil muni de balais de caoutchouc servant à essuyer le pare-brise. *Il est impossible de rouler sous la pluie avec un **essuie-glace** en panne.* ✎ Pluriel : *des **essuie-glaces**.*

essuie-main nom masculin
Linge qui sert à s'essuyer les mains. ✎ Pluriel : *des **essuie-mains**.*

essuie-tout nom masculin invariable
Papier absorbant destiné à être jeté après usage. *Un rouleau d'**essuie-tout**.* ✎ On peut écrire aussi *un **essuietout**, des **essuietouts**.*

① **essuyer** verbe ▸ conjug. 6
Sécher ou nettoyer en frottant. *Nous **essuyons** nos souliers sur le paillasson.* ♦ Famille du mot : essuie-glace, essuie-mains, essuie-tout.

② **essuyer** verbe ▸ conjug. 6
Subir une chose désagréable. *Le bateau de pêche **a essuyé** une terrible tempête.*

est nom masculin invariable
❶ Un des quatre points cardinaux qui désigne la direction où le soleil se lève. ❷ Partie qui se situe à l'est d'un pays, d'une région. *Boston est, après New York, la principale ville de l'**est** des États-Unis. Les pays de l'**Est**.* ■ **est** adjectif invariable Qui est situé à l'est. *Hugo habite du côté **est** de la rue.* ✎ Attention ! Le point cardinal s'écrit avec une minuscule quand il désigne une orientation. Il s'écrit avec une majuscule quand il désigne un pays, une région

estampe nom féminin
Image imprimée au moyen d'une plaque gravée. *Des **estampes** ornent ce manuscrit ancien.*

est-ce que... ? adverbe
Sert à poser une question. ***Est-ce que** tu as dîné ? Quand **est-ce que** tu pars ?*

esthéticien, esthéticienne nom
Spécialiste des soins de beauté. *L'**esthéticienne** lui a donné des conseils pour hydrater sa peau.*

esthétique adjectif
Qui est beau et décoratif. *Ce meuble est très **esthétique**.* ■ **esthétique** nom féminin Caractère esthétique. *On a soigné l'**esthétique** de cette voiture.*

estimable adjectif
Qui est digne d'estime. *C'est un homme très **estimable** : il a rendu de nombreux services à sa communauté.* SYN respectable.

estimation nom féminin
Évaluation. *Après l'incendie, l'évaluateur a effectué une **estimation** des dégâts.*

estime nom féminin
Bonne opinion que l'on a d'une personne. *Il a de l'**estime** pour cette femme courageuse.* SYN considération. CONTR mépris.

estimer verbe ▸ conjug. 3
❶ Avoir de l'estime pour quelqu'un. *Mei est une amie sincère et fidèle que j'**estime** beaucoup.* SYN apprécier, respecter. ❷ Évaluer. *Le garagiste **a estimé** le prix de cette voiture à dix mille dollars.* ❸ Avoir un jugement ou une idée sur quelque chose. *J'**estime** que tu es trop jeune pour sortir seule le soir.* SYN penser. ■ **s'estimer** : se considérer. *Il peut **s'estimer** heureux de s'en être sorti seulement avec quelques écorchures.* ♦ Famille du mot : estimable, estimation, estime, inestimable, mésestimer, sous-estimer, surestimer.

estival, estivale, estivaux adjectif
D'été. *C'est le début de l'automne, mais nous avons encore un temps **estival**.* * Chercher aussi *hivernal*.

estivant, estivante nom
Personne qui passe ses vacances d'été dans un lieu. *Les **estivants** sont nombreux à Percé.* * Chercher aussi *vacancier, hivernant*.

estomac nom masculin
Partie du tube digestif en forme de poche, située entre l'œsophage et l'intestin. *Il digère difficilement, il a mal à l'**estomac**.* 👁p. 320.
• **Avoir l'estomac dans les talons :** dans la langue familière, avoir très faim.

s'**estomper** verbe ▸ conjug. 3
Devenir de plus en plus flou. *Les contours de la montagne **s'estompent** dans le brouillard.* **CONTR** se détacher.

estonien, estonienne
➔Voir tableau, p. 1319.

estrade nom féminin
Plancher surélevé par rapport au niveau du sol. *On a installé une **estrade** sur la place pour le concert de ce soir.*

estragon nom masculin
Plante aromatique. *Ma mère met une branche d'**estragon** dans la bouteille de vinaigre.* * Chercher aussi *assaisonnement, condiment, épice*.

De l'**estragon**

estrien, estrienne adjectif et nom
De la région de l'Estrie. *Une auberge **estrienne**. – Les **Estriens**, les **Estriennes**.* ✎ Attention ! Le nom, qui désigne les habitants, s'écrit avec une majuscule.

s'**estropier** verbe ▸ conjug. 10
Se blesser très gravement. *Odile a failli **s'estropier** en tombant d'un rocher.*

estuaire nom masculin
Embouchure large et profonde d'un fleuve. *Le bateau remonte l'**estuaire** de l'Amazone.* * Chercher aussi *delta*.

esturgeon nom masculin
Gros poisson de mer qui remonte les fleuves pour y pondre ses œufs. *Avec les œufs d'**esturgeon**, on prépare le caviar.*

Un **esturgeon**

et conjonction
Sert à relier des mots, des groupes de mots ou des phrases. *Je voudrais du pain **et** de la confiture. Il a joué **et** il a perdu.*

étable nom féminin
Bâtiment où l'on abrite le bétail. * Chercher aussi *bergerie, écurie, porcherie*.

établi nom masculin
Table de travail de certains artisans. *L'**établi** d'un menuisier, d'un serrurier.*

établir verbe ▸ conjug. 11
❶ Installer quelque chose, le mettre en place. *Les randonneurs **ont établi** leur bivouac près de la rivière.* ❷ Mettre au point l'organisation de quelque chose. ***Établir** une liste, un programme.* ❸ Faire la preuve de quelque chose. *Cette vérité **a été** clairement **établie**.* **SYN** démontrer, prouver. ■ s'**établir** : s'installer dans un endroit pour y vivre. *Nos cousins sont partis **s'établir** à Sherbrooke.*

établissement nom masculin
❶ Action d'établir ou de s'établir. *Le quartier est bruyant depuis l'**établissement** de cette usine.* **SYN** installation. ❷ Bâtiment destiné à certaines activités. *Un cégep est un **établissement** d'enseignement. On l'a opéré dans un **établissement** hospitalier.*

étage nom masculin
❶ Chaque niveau d'un bâtiment au-dessus du sous-sol ou du rez-de-chaussée. *Anthony habite au cinquième **étage** de l'immeuble.* ❷ Chaque élément superposé d'un ensemble. *Un gâteau à trois **étages**.*

s'**étager** verbe ▸ conjug. 5
Être disposé en étages, les uns au-dessus des autres. *Les chalets **s'étagent** sur le flanc de la montagne.*

étagère nom féminin
❶ Planche horizontale fixée au mur. *Elle a verni les **étagères** de la bibliothèque.* **SYN** rayonnage. ❷ Meuble sans porte constitué de tablettes superposées.

étain nom masculin
Métal grisâtre et malléable. *Autrefois, on se servait de vaisselle en **étain**.*

a b c d e f g h i j k l m n o p q r s t u v w x y z

a b c d e f g h i j k l m n o p q r s t u v w x y z

étalage nom masculin
Ensemble de marchandises exposées pour être vendues. *À Noël, je vais admirer les **étalages** des grands magasins.*

étalagiste nom
Personne qui installe et décore les vitrines des magasins.

étalement nom masculin
Fait d'étaler dans le temps. *L'**étalement** des travaux se fera sur deux ans.*

étaler verbe ▸ conjug. 3
❶ Disposer des choses à plat sur une surface. *Xavier **a étalé** ses photos sur la table pour les montrer à Juliette.* ❷ Étendre en couche fine. *Léa **étale** du beurre sur ses rôties.* ❸ Répartir sur une certaine période. *Vous pouvez **étaler** le paiement de ce cinéma maison sur six mois.* SYN échelonner. ❹ Montrer avec insistance pour se faire remarquer. *Elle **étale** ses connaissances.* SYN exhiber. ■ **s'étaler**: dans la langue familière, tomber de tout son long. *David **s'est étalé** dans la boue.* ♦ Famille du mot: étalage, étalagiste, étalement.

① **étalon** nom masculin
Cheval mâle que l'on élève pour la reproduction. * Chercher aussi *hennir, jument, poulain.*

② **étalon** nom masculin
Modèle qui sert d'unité de mesure. *Ce manche à balai nous servira d'**étalon** pour mesurer la galerie.*

étamine nom féminin
Organe mâle d'une fleur où se forme le pollen. *L'abeille se pose au cœur d'une fleur et se couvre du pollen des **étamines**.* 👁p. 446, 792. * Chercher aussi *pistil.*

étanche adjectif
Qui ne laisse passer ni l'eau ni l'air. *Santiago a une montre de plongée totalement **étanche**.*

étanchéité nom féminin
Caractère de ce qui est étanche. *Il faudrait vérifier l'**étanchéité** de la chaloupe avant de la mettre à l'eau.*

étancher verbe ▸ conjug. 3
• **Étancher sa soif**: boire jusqu'à être complètement désaltéré. ♦ Famille du mot: étanche, étanchéité.

étang nom masculin
Petite étendue d'eau peu profonde. *Des grenouilles se cachent dans les roseaux au bord de l'**étang**.* * Chercher aussi *lac, mare.*

*Un **étang***

étant donné préposition
Compte tenu de. ***Étant donné** le succès du spectacle, il y aura des représentations supplémentaires.*

étape nom féminin
❶ Lieu où l'on s'arrête au cours d'un voyage. *Durant le voyage, nous ferons une **étape** à Matane.* SYN halte. * Chercher aussi *escale.* ❷ Distance entre deux arrêts. *Aujourd'hui, les coureurs cyclistes ont parcouru une **étape** de 150 km.* ❸ Période de temps. *Nous réaliserons ces travaux en plusieurs **étapes**.* • **Brûler les étapes**: progresser très vite ou trop vite.

① **état** nom masculin
❶ Situation dans laquelle se trouve une personne. *L'**état** de ce malade s'améliore.* ❷ Situation ou aspect d'une chose. *Ce jouet est en mauvais **état**. Quand la température dépasse 0 °C, la glace passe de l'**état** solide à l'**état** liquide.* • **État civil**: ensemble de renseignements propres à une personne: nom, prénom, date et lieu de naissance, etc.

② **État** nom masculin
Territoire qui rassemble toute une population sous un même gouvernement. *Le Canada est un **État** de l'Amérique du Nord.* SYN nation, pays. • **Chef d'État**: personne qui dirige un État. • **Coup d'État**: action violente pour s'emparer du pouvoir. ✎ Attention ! Dans tous ces sens, *État* s'écrit avec une majuscule.

état-major nom masculin
Groupe d'officiers qui conseillent un chef militaire. *Le général a convoqué son **état-major**.* ✎ Pluriel: *des **états-majors**.*

étau, étaux nom masculin
Instrument composé de deux mâchoires qui se resserrent sur un objet. *Pour limer la clé, le serrurier la bloque dans un **étau**.*

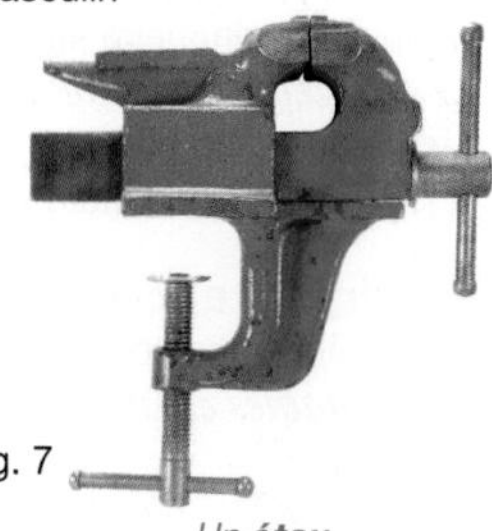
Un étau

étayer verbe ▸ conjug. 7
Soutenir à l'aide de poutres de bois ou de fer. ***Étayer** un plafond qui s'effondre.*

etc. adverbe
Et tout le reste. *Il y avait des singes, des éléphants, des tigres, des lions, **etc.*** * ***Etc.*** est l'abréviation de l'expression latine *et cetera*. * Attention ! *Et cetera* se prononce *etsétéra*.

été nom masculin
Saison la plus chaude de l'année, entre le printemps et l'automne. • **Été des Indiens :** période de temps beau et chaud qui se produit généralement en octobre.

éteindre verbe ▸ conjug. 35
➊ Faire cesser de brûler. ***Éteindre** un incendie, un feu.* ➋ Arrêter ce qui fonctionne à l'électricité. ***Éteindre** la lumière. **Éteindre** une lampe.* CONTR allumer. ■ **s'éteindre** ➊ Cesser de brûler. *Le feu commence à **s'éteindre**.* ➋ Au sens figuré, mourir. *Le blessé **s'est éteint** pendant son transport à l'hôpital.* SYN expirer.

éteint, éteinte adjectif
Qui a perdu sa force ou son éclat. *Parler d'une voix **éteinte**. Un regard **éteint**.*

étendard nom masculin
Drapeau.

étendre verbe ▸ conjug. 31
➊ Déplier sur toute sa surface. *J'**étends** les serviettes pour les faire sécher.* ➋ Allonger une personne. *Les sauveteurs **ont étendu** les blessés sur des brancards.* ➌ Agrandir ou augmenter quelque chose. *Il **a étendu** son domaine en achetant le champ de son voisin.* ■ **s'étendre** ➊ Occuper un espace. *Un village **s'étend** au pied de la colline.* ➋ Se développer ou devenir plus important. *L'épidémie de grippe **s'est étendue** dans tout le pays.* SYN se propager, se répandre. ♦ Famille du mot : étendu, étendue.

étendu, étendue adjectif
➊ Qui couvre une grande surface. *Une forêt **étendue**.* SYN vaste. ➋ Couché, allongé. *Magda est **étendue** sur le divan.* ➌ Vaste, riche. *Il a des connaissances très **étendues** dans ce domaine.*

étendue nom féminin
➊ Surface occupée par quelque chose. *Toute l'**étendue** de ce territoire est couverte par la forêt.* ➋ Importance de quelque chose. *On n'a pas encore mesuré l'**étendue** des dégâts.* SYN ampleur.

éternel, éternelle adjectif
➊ Qui n'a ni commencement ni fin. *Dans la religion chrétienne, Dieu est **éternel**.* ➋ Qui se répète sans cesse. *Elle m'énerve avec ses **éternels** reproches.* SYN continuel, perpétuel. • **Neiges éternelles :** neiges des hauts sommets, qui ne fondent jamais. ■ **L'Éternel** nom masculin Dieu. *L'**Éternel**.* ✎ Attention ! Dans ce sens, *Éternel* s'écrit avec une majuscule. ♦ Famille du mot : éternellement, s'éterniser, éternité.

éternellement adverbe
De façon éternelle. *Il raconte **éternellement** les mêmes histoires.* SYN continuellement, perpétuellement.

s'éterniser verbe ▸ conjug. 3
Durer trop longtemps. *Cette réunion **s'éternise**.*

éternité nom féminin
➊ Ce qui est éternel. *L'**éternité** de Dieu.* ➋ Durée qui semble très longue. *Il ne m'a pas téléphoné depuis une **éternité**.*

éternuement nom masculin
Fait d'éternuer. *Benjamin a une allergie au pollen qui provoque des crises d'**éternuement**.*

éternuer verbe ▸ conjug. 3
Expulser brusquement et bruyamment de l'air par le nez et la bouche. *Kim a un rhume, elle n'arrête pas d'**éternuer**.*

éther nom masculin
Liquide désinfectant à l'odeur très forte. *Autrefois, on utilisait l'**éther** pour anesthésier.*

éthiopien, éthiopienne
➜Voir tableau, p. 1319.

éthique nom féminin
Ensemble des règles de conduite d'un groupe ou d'une société. *L'**éthique** professionnelle.*

a b c d e f g h i j k l m n o p q r s t u v w x y z

ethnie nom féminin
Groupe d'êtres humains qui parlent la même langue et qui ont la même culture. ♦ Famille du mot : ethnique, ethnologie, ethnologue, multiethnique.

ethnique adjectif
Qui concerne une ethnie. *Mon ami Tuan fait partie de la communauté* ***ethnique*** *vietnamienne.*

ethnologie nom féminin
Science qui étudie les peuples, leur mode de vie, leur culture.

ethnologue nom
Spécialiste de l'ethnologie.

étincelant, étincelante adjectif
Qui étincelle. *La neige* ***étincelante*** *de blancheur nous fait mal aux yeux.* **SYN** scintillant.

étinceler verbe ▸ conjug. 9
Briller d'un éclat très vif. *Les lames des épées* ***étincelaient*** *au soleil.* **SYN** chatoyer, scintiller. ✎ On peut écrire aussi, au présent, *j'****étincèle***; au futur, *elle* ***étincèlera***; au conditionnel, *vous* ***étincèleriez***.

étincelle nom féminin
❶ Petite parcelle incandescente. *Le soudeur porte des lunettes spéciales pour protéger ses yeux des* ***étincelles***. ❷ Petit éclair. *Quand les deux fils électriques se sont touchés, j'ai vu une* ***étincelle***. • **Faire des étincelles :** se montrer brillant dans son action. ♦ Famille du mot : étincelant, étinceler.

Des **étincelles**

s'étioler verbe ▸ conjug. 3
S'affaiblir et se rabougrir. *Privées d'eau, les plantes commencent à* ***s'étioler***. **SYN** dépérir.

étiqueter verbe ▸ conjug. 9
Mettre une étiquette sur un objet. *Le cuisinier* ***a étiqueté*** *les bocaux de ketchup.* ✎ On peut écrire aussi, au présent, *j'****étiquète***; au futur, *il* ***étiquètera***; au conditionnel, *tu* ***étiquèterais***.

① **étiquette** nom féminin
Petite fiche que l'on fixe sur un objet. *Le prix des mitaines est indiqué sur l'****étiquette***.

② **étiquette** nom féminin
Ensemble de règles à respecter pendant une cérémonie officielle. *L'****étiquette*** *exige que cette personne soit placée à la droite du premier ministre.* **SYN** protocole.

étirer verbe ▸ conjug. 3
Allonger en tirant. *La cuisinière pétrit la pâte et l'****étire*** *pour garnir le moule.* ■ **s'étirer** : se détendre en allongeant les bras et les jambes, les membres. *La chatte* ***s'étire*** *en bâillant.*

étoffe nom féminin
Tissu. *Tamar a acheté une* ***étoffe*** *à petites fleurs pour faire des rideaux.* • **Avoir l'étoffe de :** avoir les capacités de. *Cette jeune plongeuse* ***a l'étoffe d'****une championne.*

étoffer verbe ▸ conjug. 3
Développer pour améliorer. *Tu devrais* ***étoffer*** *ton histoire en donnant plus de détails.* **SYN** enrichir.

étoile nom féminin
❶ Astre qui brille la nuit dans le ciel. *À la tombée de la nuit, on voyait scintiller les premières* ***étoiles***. 👁p. 406. ❷ Dessin géométrique à plusieurs pointes. *Les enfants ont décoré la classe avec des* ***étoiles*** *découpées dans du papier doré.* ❸ Artiste célèbre. *Samantha rêve de devenir une* ***étoile*** *du cinéma.* **SYN** star, vedette. • **Dormir à la belle étoile :** en plein air. • **Étoile filante :** météore. • **Étoile de mer :** animal marin qui a la forme d'une étoile.

Une ***étoile*** *de mer*

étoilé, étoilée adjectif
Parsemé d'étoiles. *Un ciel* ***étoilé***.

étonnamment adverbe
De façon étonnante. *Shira paraît* ***étonnamment*** *jeune pour son âge.*

étonnant, étonnante adjectif
Qui étonne. *Cette scientifique a fait des découvertes* ***étonnantes***. SYN inattendu, surprenant.

étonnement nom masculin
Fait d'être étonné. *À mon grand* ***étonnement****, j'ai appris qu'elle avait déménagé.* SYN stupéfaction, surprise.

étonner verbe ▸ conjug. 3
Causer de la surprise. *Son brusque départ nous* ***a étonnés***. SYN surprendre. ■ *s'***étonner** : trouver bizarre ou surprenant. *Je* ***m'étonne*** *de le voir si calme.* ♦ Famille du mot : étonnamment, étonnant, étonnement.

étouffant, étouffante adjectif
Qui empêche de bien respirer. *Il fait une chaleur* ***étouffante***. SYN suffocant.

étouffement nom masculin
Difficulté à respirer. *Cet* ***étouffement*** *est dû à une crise d'asthme.* SYN suffocation.
* Chercher aussi *asphyxie*.

étouffer verbe ▸ conjug. 3
❶ Avoir du mal à respirer. *On* ***étouffe*** *dans cette pièce surchauffée.* SYN suffoquer. ❷ Faire mourir en privant d'air. *Le python* ***étouffe*** *ses proies avant de les avaler.* SYN asphyxier. ❸ Rendre moins fort, moins sonore. *Un tapis épais* ***étouffait*** *le bruit de nos pas.* SYN atténuer. ❹ Empêcher le développement de quelque chose. ***Étouffer*** *une révolte.* ■ *s'***étouffer** : perdre la respiration, s'asphyxier. ♦ Famille du mot : étouffant, étouffement.

étourderie nom féminin
Inattention ou manque de réflexion. *Yannick est d'une grande* ***étourderie***. SYN distraction.

étourdi, étourdie adjectif et nom
Qui agit avec étourderie. *Élodie est* ***étourdie*** *au point d'oublier tous ses rendez-vous.* SYN distrait, écervelé. CONTR attentif, réfléchi. – *Cet* ***étourdi*** *a oublié de poster ma lettre.*

étourdir verbe ▸ conjug. 11
❶ Faire presque perdre connaissance à quelqu'un. *Il* ***a étourdi*** *sa victime d'un coup sur la tête.* SYN assommer. ❷ Donner une sensation d'étourdissement, de vertige. *Son bavardage incessant nous* ***étourdit***. SYN abrutir. ♦ Famille du mot : étourdi, étourdissant, étourdissement.

étourdissant, étourdissante adjectif
Qui étourdit. *Les motocyclettes font un vacarme* ***étourdissant***. SYN assourdissant.

étourdissement nom masculin
Malaise passager qui donne l'impression de s'évanouir. *Il a eu un* ***étourdissement*** *dû à la fatigue.* SYN vertige.

étourneau, étourneaux nom masculin
Oiseau au plumage foncé tacheté de blanc.

Un ***étourneau***

étrange adjectif
Qui intrigue par son caractère mystérieux ou inhabituel. *Il lui est arrivé une* ***étrange*** *aventure.* SYN bizarre, curieux. CONTR banal, ordinaire.

étrangement adverbe
De manière étrange. *Au milieu de l'agitation générale, Boris est resté* ***étrangement*** *calme.* SYN bizarrement.

étranger, étrangère adjectif
❶ Qui est d'un autre pays. *Des touristes* ***étrangers***. *Parler une langue* ***étrangère***. ❷ Qui n'est pas concerné par quelque chose. *Il affirme être* ***étranger*** *à ce complot.* ❸ Que l'on ne connaît pas. *Un visage* ***étranger***. CONTR familier. ■ **étranger, étrangère** nom
Personne d'un autre pays, d'une autre nationalité. *Beaucoup d'****étrangers*** *viennent visiter le Québec.* ■ **étranger** nom masculin
Pays étranger. *Ils voyagent souvent à l'****étranger***.

étranglement nom masculin
❶ Action d'étrangler. *La victime est morte par* ***étranglement***. ❷ Endroit resserré. *La circulation est ralentie à cause d'un* ***étranglement*** *de la route.*

étrangler verbe ▸ conjug. 3
Tuer quelqu'un en lui serrant le cou. *Ôte cette ficelle de ton cou, elle pourrait t'****étrangler*** *!* ■ *s'***étrangler** : perdre momentanément la respiration. *Il* ***s'est étranglé*** *avec une arête.* SYN s'étouffer.

Les étoiles, les constellations et les galaxies

Les étoiles

Les étoiles sont des boules de gaz lumineuses et très chaudes. Leur durée de vie est de plusieurs millions à plusieurs milliards d'années. La nuit, lorsqu'on observe le ciel, on peut y apercevoir des milliers de petits points lumineux. Ces étoiles sont très éloignées de la Terre et sont souvent plus grandes que le Soleil, la seule étoile de notre système planétaire. L'étoile la plus brillante dans le ciel est l'étoile Sirius.

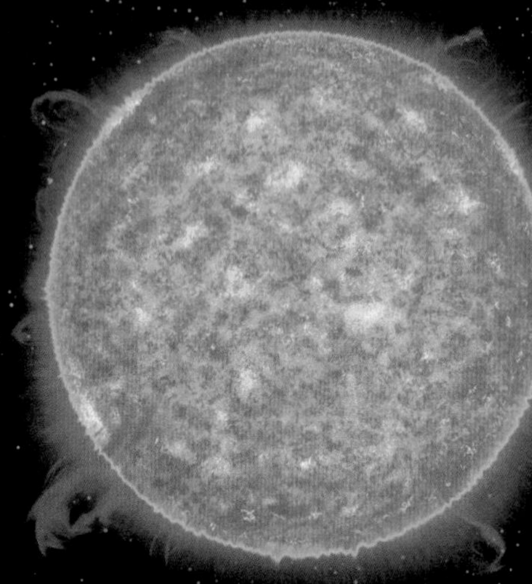

Les constellations

Une constellation est un ensemble d'étoiles formant généralement un dessin quand on les relie entre elles par des lignes imaginaires. Il y a en tout 88 constellations. Les plus faciles à reconnaître dans le ciel de l'hémisphère Nord sont Orion, Cassiopée, la Petite Ourse et la Grande Ourse.

La constellation d'Orion porte le nom d'un grand chasseur de la mythologie grecque. On la reconnaît grâce à la ceinture du chasseur, formée de trois étoiles parfaitement alignées.

La constellation d'Orion

Cassiopée, du nom d'une déesse de la mythologie grecque, reine d'Éthiopie et mère d'Andromède, est reconnaissable à sa forme en « W ».

La constellation de Cassiopée

La Petite Ourse est une petite constellation bien connue parce qu'on y trouve l'étoile Polaire, qui pointe vers le pôle Nord céleste.

La Grande Ourse, quant à elle, est la troisième plus grande constellation. Aisément repérable par sa forme de casserole, on peut l'observer dans le ciel de l'hémisphère Nord. Les étoiles qui forment la casserole sont en fait les étoiles les plus brillantes de la Grande Ourse

Les galaxies

Une galaxie est un amoncellement d'étoiles, de gaz, de poussières et de matière interstellaire. Elle est constituée d'un centre autour duquel gravite toute cette matière. C'est la force d'attraction du centre des galaxies qui détermine le début et la fin de leur formation. La galaxie dans laquelle se trouve notre système solaire s'appelle la Voie lactée.

a b c d e f g h i j k l m n o p q r s t u v w x y z

Une **étrave**

étrave nom féminin
Partie avant de la coque d'un bateau. *L'**étrave** du navire fendait les flots.*

① **être** verbe ▸ conjug. 2
❶ Se trouver dans un certain endroit. *Ibrahim **est** dans le salon. Mon stylo **est** dans ma veste.* ❷ Se trouver dans un certain état ou avoir telle qualité. *Mon petit frère **est** espiègle. Cette robe **est** rouge.* ❸ Appartenir à quelqu'un. *Cette maison **est** à ma grand-mère.* * Attention ! *Être* est également employé comme auxiliaire pour conjuguer les verbes aux temps composés (*il **est** venu*) et à la forme passive (*elle **a été** récompensée*).

② **être** nom masculin
Tout ce qui est vivant. *Les hommes et les femmes sont des **êtres** humains. Les animaux sont des **êtres** vivants.* * Chercher aussi *créature*.

étreindre verbe ▸ conjug. 35
Serrer dans ses bras. *Elle **a étreint** son enfant avant de partir.*

étreinte nom féminin
Action d'étreindre. *Son grand-père lui a fait une **étreinte** chaleureuse.*

étrenner verbe ▸ conjug. 3
Se servir d'une chose pour la première fois. ***Étrenner** un vêtement.*

étrennes nom féminin pluriel
Cadeau offert à l'occasion des fêtes de Noël et du jour de l'An.

étrier nom masculin
Anneau qui pend de chaque côté de la selle et dans lequel le cavalier cale son pied.

Un **étrier**

étriqué, étriquée adjectif
Qui est trop étroit ou trop serré. *Ton costume de l'an dernier est maintenant **étriqué**.* **CONTR** ample.

étroit, étroite adjectif
❶ Qui est de faible largeur. *Cette rue est si **étroite** que les voitures ne peuvent s'y croiser.* **CONTR** large. ❷ Qui manque de tolérance. *Il a l'esprit trop **étroit** pour accepter ces idées nouvelles.* **SYN** borné, sectaire. **CONTR** large. ❸ Qui unit fortement des personnes. *Elle a gardé des relations **étroites** avec ses cousins.* • **À l'étroit :** dans un espace trop petit. *Leur famille nombreuse est **à l'étroit** dans ce logement.* ♦ Famille du mot : étroitement, étroitesse.

étroitement adverbe
De très près. *L'aérogare est **étroitement** surveillée par de nombreuses caméras.* **SYN** strictement.

étroitesse nom féminin
Caractère de ce qui est étroit. *Il est impossible de doubler à cause de l'**étroitesse** de la route.* **CONTR** largeur. • **Étroitesse d'esprit :** caractère borné, mesquin. **CONTR** largeur* d'esprit, ouverture* d'esprit.

étude nom féminin
❶ Activité visant à apprendre, à connaître. *L'**étude** du solfège lui prend beaucoup de temps.* ❷ Ouvrage sur un sujet. *Ce scientifique prépare une **étude** sur les allergies alimentaires.* **SYN** essai. ❸ Temps passé à l'école en dehors des heures de classe, pour faire son travail. *Salle d'**étude**.* ❹ Lieu de travail d'un notaire. *La notaire s'est absentée de l'**étude**.* ■ **études** nom féminin pluriel Enseignement que l'on suit pour obtenir un diplôme. *Son frère fait des **études** en histoire à l'université.*

étudiant, étudiante nom
Personne qui fait des études à l'université. *Malika est **étudiante** en droit.*

étudier verbe ▸ conjug. 10
❶ Chercher à acquérir certaines connaissances. ***Étudier** l'histoire, le piano.* **SYN** apprendre. ❷ Réfléchir ou observer pour comprendre. *Des médecins **étudient** cette maladie pour tenter de la guérir.* ♦ Famille du mot : étude, étudiant.

étui nom masculin
Contenant d'une forme adaptée à l'objet qu'il protège. *Un **étui** à lunettes.*

étuve nom féminin
Pièce où il fait très chaud. *En hiver, on gèle dans cette pièce, mais en été, c'est une **étuve**.*

à l'**étuvée** adverbe
Cuit à la vapeur. *Des légumes cuits **à l'étuvée**.*

étymologie nom féminin
Origine d'un mot. *C'est l'**étymologie** qui nous apprend l'origine des mots et leur évolution.* * Chercher aussi *racine*.

eucalyptus nom masculin
Grand arbre originaire d'Australie, aux feuilles odorantes. *Le koala se nourrit de feuilles d'**eucalyptus**.*

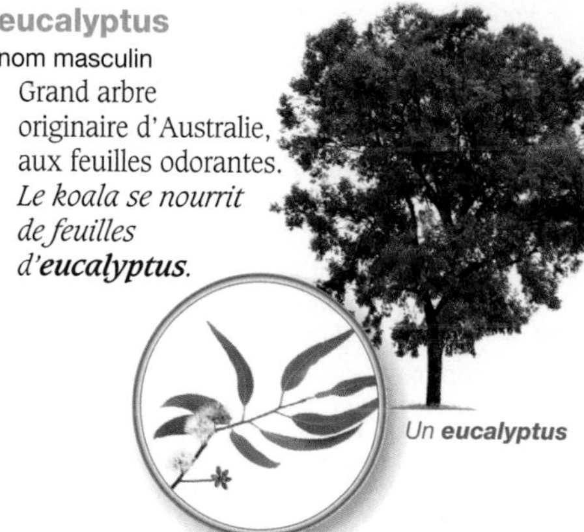
Un **eucalyptus**

eucharistie nom féminin
Sacrement catholique qui rappelle le sacrifice de Jésus-Christ. * Chercher aussi *communion*.

euh! interjection
Sert à marquer l'hésitation, l'embarras. *Tu n'as rien oublié? – **Euh!** Je ne pense pas.*

euphémisme nom masculin
Façon de parler qui adoucit ce que l'on veut dire. *Dire « il nous a quittés » au lieu de « il est mort » est un **euphémisme**.*

euphorie nom féminin
Sentiment de profond bien-être, de bonheur. *Dans l'**euphorie** de la victoire, il pleurait et riait en même temps.* CONTR angoisse.

euphorique adjectif
Qui est dans un état d'euphorie. *Elle est **euphorique** à l'idée de partir en voyage sur un voilier.*

euro nom masculin
Monnaie de l'Union européenne.

européen, européenne adjectif et nom
De l'Europe. *Le continent **européen**. – Les **Européens**, les **Européennes**.* ✎ Attention! Le nom, qui désigne les habitants, s'écrit avec une majuscule.

euthanasie nom féminin
Mort provoquée pour abréger les souffrances d'un malade incurable. *La pratique de l'**euthanasie** est illégale dans de nombreux pays.*

eux →Voir ② **lui**

évacuation nom féminin
❶ Action d'évacuer. *L'**évacuation** des blessés s'est faite par hélicoptère.* ❷ Écoulement. *L'**évacuation** des eaux pluviales.*

évacuer verbe ▸ conjug. 3
❶ Quitter un endroit. *Les clients **ont évacué** le magasin à cause d'une alerte d'incendie.* ❷ Faire sortir ou faire partir. *En raison des inondations, il a fallu **évacuer** les habitants du village.*

s'**évader** verbe ▸ conjug. 3
S'enfuir d'un endroit où l'on est retenu prisonnier. *Plusieurs otages ont réussi à **s'évader**.* SYN s'échapper, se sauver. ♦ Famille du mot: évasif, évasion.

évaluateur, évaluatrice nom
Personne qui détermine la valeur d'une propriété, d'un bâtiment, d'un terrain.

évaluation nom féminin
Action d'évaluer. *Le garagiste a donné une **évaluation** du prix des réparations.* SYN estimation.

évaluer verbe ▸ conjug. 3
Déterminer la valeur de quelque chose. *On **évalue** les dégâts causés par les inondations à plusieurs millions de dollars.* SYN estimer.

évangéliser verbe ▸ conjug. 3
Enseigner l'Évangile. *Beaucoup de missionnaires ont cherché à **évangéliser** les Amérindiens au début de la colonisation.*

évangéliste nom masculin
Chacun des quatre auteurs des Évangiles (saint Matthieu, saint Marc, saint Luc et saint Jean).

Évangile nom masculin
Doctrine de Jésus-Christ. *Au catéchisme, le prêtre enseigne l'**Évangile** aux enfants.* • **Les quatre Évangiles:** les quatre livres qui contiennent la vie et l'enseignement de Jésus-Christ, et qui font partie du Nouveau Testament. ✎ Attention! *Évangile* s'écrit avec une majuscule.

a b c d e f g h i j k l m n o p q r s t u v w x y z

s'évanouir verbe ▸ conjug. 11
❶ Perdre connaissance. *Épuisé et affamé, il **s'est évanoui**.* ❷ Se dissiper et disparaître. *À la vue des sauveteurs, leur désespoir **s'est évanoui**.*

évanouissement nom masculin
Fait de s'évanouir. *Son **évanouissement** a été bref.* * Chercher aussi *syncope*.

évaporateur nom masculin
Appareil dans lequel on fait bouillir l'eau d'érable pour obtenir le sirop, la tire ou le sucre d'érable. 👁p. 12.

évaporation nom féminin
Fait de s'évaporer. *La formation des nuages se fait par **évaporation** de l'eau.*

s'évaporer verbe ▸ conjug. 3
Se transformer en vapeur. *L'essence **s'évapore** facilement.* **SYN** se volatiliser.
♦ Famille du mot : évaporateur, évaporation.
* Chercher aussi *se vaporiser*.

évasé, évasée adjectif
Qui va en s'élargissant. *Les manches de cette veste sont **évasées**.*

évasif, évasive adjectif
Qui reste dans le vague. *Je lui avais demandé une réponse précise, mais il est resté très **évasif**.* **CONTR** catégorique, net, précis.

évasion nom féminin
Action de s'évader. *Les malfaiteurs ont organisé l'**évasion** de leur complice.*

évêché nom masculin
Résidence d'un évêque.

éveil nom masculin
• **Donner l'éveil** : mettre en garde, alerter. *Des bruits suspects nous **ont donné l'éveil**.*
• **En éveil** : attentif, sur ses gardes.

éveillé, éveillée adjectif
❶ Qui a l'esprit vif. *C'est un bébé très **éveillé** pour son âge.* ❷ Qui ne dort pas. *Le patient est **éveillé**.*

éveiller verbe ▸ conjug. 3
❶ Faire cesser de dormir. *Le moindre bruit l'**éveille**.* **SYN** réveiller. ❷ Provoquer un sentiment, une attitude. *Tout ce remue-ménage **a éveillé** notre curiosité.* **SYN** exciter, stimuler, susciter. ■ **s'éveiller** : cesser de dormir. *Ma grand-mère **s'éveille** toujours tôt.* **SYN** se réveiller. ♦ Famille du mot : éveil, éveillé.

évènement ou **événement** nom masculin
Ce qui se produit et qui a une certaine importance. *Des **évènements** inattendus ont perturbé nos vacances.* * Ne pas confondre *évènement* et *avènement*.

Un **éventail**

éventail nom masculin
Objet pliant que l'on agite près du visage pour s'éventer.
• **En éventail** : en forme d'éventail ouvert. *Les joueurs observaient leurs cartes, qu'ils tenaient **en éventail**.*

éventaire nom masculin
Étalage de marchandises en plein air. *Pour vendre davantage, la maraîchère soigne son **éventaire**.* * Ne pas confondre *éventaire* et *inventaire*.

s'éventer verbe ▸ conjug. 3
❶ Agiter l'air pour se rafraîchir. *Dans l'autobus, les voyageurs **s'éventaient** avec leur journal.* ❷ Perdre son goût, son parfum au contact de l'air. *Si le flacon n'est pas bouché, cette eau de Cologne va **s'éventer**.*

éventrer verbe ▸ conjug. 3
Ouvrir en déchirant. *En **éventrant** un matelas, les policiers ont découvert les bijoux volés.*

éventualité nom féminin
Ce qui peut arriver. *Il parle de partir vivre à l'étranger, mais ce n'est encore qu'une **éventualité**.* **SYN** hypothèse, possibilité.

éventuel, éventuelle adjectif
Qui est possible mais non certain. *On a fait analyser cette eau pour détecter la présence **éventuelle** de bactéries.* **SYN** hypothétique.
♦ Famille du mot : éventualité, éventuellement.

éventuellement adverbe
De façon éventuelle. *Je vais peut-être partir quelques jours. Pourrais-tu **éventuellement** garder mon cochon d'Inde ?* **SYN** peut-être.

évêque nom masculin
Prêtre qui dirige un diocèse.

s'évertuer verbe ▸ conjug. 3
S'efforcer, tenter, souvent en vain. *Elle **s'évertue** à lui apprendre les bonnes manières.*

évidemment adverbe
De façon évidente. *Viendras-tu à mon anniversaire ? – **Évidemment**!* **SYN** bien sûr, certainement. * Attention ! La terminaison *emment* se prononce *amant*.

évidence nom féminin
Chose évidente. *Cet arbre est mort, c'est une **évidence**.* • **En évidence :** dans un endroit très visible. *Je laisse les clés **en évidence** sur ton bureau.* • **Se rendre à l'évidence :** admettre ce qui est évident.

évident, évidente adjectif
Qui ne fait aucun doute. *La supériorité de cette équipe est **évidente**.* **SYN** certain, flagrant, incontestable, indiscutable, sûr. ♦ Famille du mot : évidemment, évidence.

évider verbe ▸ conjug. 3
Creuser l'intérieur d'une chose. *Les Africains fabriquent des barques dans des troncs qu'ils **évident**.*

évier nom masculin
Dans une cuisine, bassin alimenté en eau et pourvu d'un trou pour l'évacuation.

évincer verbe ▸ conjug. 4
Écarter quelqu'un d'un poste pour prendre sa place. *Il a réussi à **évincer** sa principale concurrente.* **SYN** éliminer, supplanter.

éviter verbe ▸ conjug. 3
❶ Ne pas heurter quelqu'un ou quelque chose. *Le chien a traversé devant ma voiture, mais j'ai réussi à l'**éviter**.* ❷ Faire en sorte de ne pas rencontrer quelqu'un. *Il est tellement ennuyant que j'essaie de l'**éviter**.* ❸ S'empêcher de faire quelque chose. ***Évitons** de parler pendant le spectacle.* **SYN** s'abstenir. **CONTR** s'efforcer. ❹ Épargner à quelqu'un une corvée, un ennui. *Je peux descendre votre poubelle, cela vous **évitera** un dérangement.*

évocateur, évocatrice adjectif
Qui évoque une image, une idée. *L'odeur **évocatrice** des beignes chauds me rappelle mon enfance.*

évocation nom féminin
Fait d'évoquer un évènement. *Ces vieux amis ont beaucoup ri à l'**évocation** de leurs souvenirs.* **SYN** rappel.

évolué, évoluée adjectif
Qui a atteint un certain niveau. *Les Incas ont bâti une civilisation très **évoluée**.*

évoluer verbe ▸ conjug. 3
❶ Se transformer peu à peu. *La médecine **a** beaucoup **évolué** depuis un siècle.* **SYN** se modifier, progresser. ❷ Se déplacer en formant diverses figures. *Les patineurs **évoluent** sur la glace.*

évolution nom féminin
Fait d'évoluer. *L'**évolution** des moyens de transport a facilité les déplacements.* **SYN** développement, progrès. ♦ Famille du mot : évolué, évoluer.

évoquer verbe ▸ conjug. 3
Rendre présent à l'esprit. *L'odeur des huîtres **évoque** pour moi la mer.* ♦ Famille du mot : évocateur, évocation.

① **ex-** préfixe
Placé au début d'un nom ou d'un verbe pour former un autre mot, *ex-* signifie « qui a cessé d'être » (***ex**-députée*, ***ex**-mari*).

② **ex-** préfixe
Placé au début d'un nom ou d'un verbe pour former un autre mot, *ex-* signifie « à l'extérieur de » (***ex**porter*).

exact, exacte adjectif
❶ Qui est conforme à la réalité ou à la vérité. *Le récit de ce témoin est **exact**.* **CONTR** approximatif. ❷ Qui ne comporte pas d'erreur. *Ton addition est **exacte**.* **SYN** correct, juste. **CONTR** faux, inexact. ❸ Qui arrive à l'heure fixée. *Elle est **exacte** au rendez-vous.* **SYN** ponctuel. ♦ Famille du mot : exactement, exactitude, inexact, inexactitude.

exactement adverbe
De façon exacte. *L'avion a **exactement** dix minutes de retard.* **SYN** précisément. **CONTR** approximativement.

exactitude nom féminin
❶ Qualité d'une chose exacte. *Les prévisions de la météo étaient d'une parfaite **exactitude**.* **SYN** justesse. **CONTR** inexactitude. ❷ Qualité d'une personne ponctuelle. *Ludovic arrivera à l'heure, je connais son **exactitude**.* **SYN** ponctualité.

ex æquo adverbe
À égalité, pour des concurrents. *Linda et Elssy sont arrivées premières **ex æquo**.*

exagération nom féminin
Fait d'exagérer. *Quand il raconte ses exploits, il y a toujours une part d'**exagération**.*

a b c d e f g h i j k l m n o p q r s t u v w x y z

exagérément adverbe
De façon exagérée. *Catherine a dépensé **exagérément**.* SYN excessivement, trop.

exagérer verbe ▸ conjug. 8
❶ Présenter les choses comme plus importantes qu'elles le sont. *Il me semble que tu **exagères** la difficulté de ce problème.* SYN grossir.
❷ Dépasser les limites de ce qui est convenable. *Il a encore oublié notre rendez-vous, je trouve qu'il **exagère**!* SYN abuser. ✎ On peut écrire aussi, au futur, *il **exagèrera***; au conditionnel, *elle **exagèrerait***. ♦ Famille du mot: exagération, exagérément.

exaltant, exaltante adjectif
Qui exalte. *Les astronautes vivent des moments **exaltants**.* SYN enthousiasmant.

exaltation nom féminin
État d'une personne exaltée. *La foule a accueilli le chanteur avec **exaltation**.* SYN enthousiasme.

exalter verbe ▸ conjug. 3
Exciter l'enthousiasme de quelqu'un. *Les paroles de la première ministre **ont exalté** ses partisans.* SYN électriser, exciter, galvaniser.
* Ne pas confondre *exalter* et *exulter*.
■ **s'exalter**: s'exciter. *Son imagination **s'exaltait** à ce récit.* SYN s'animer. ♦ Famille du mot: exaltant, exaltation.

examen nom masculin
❶ Épreuve destinée à contrôler les connaissances de quelqu'un. *Préparer un **examen**. Passer un **examen**.* ❷ Action d'examiner. *Le médecin procède à l'**examen** du patient.* SYN auscultation.

examiner verbe ▸ conjug. 3
Observer ou étudier soigneusement. *Un expert doit **examiner** ce tableau pour vérifier s'il est authentique.* SYN analyser. *La pédiatre **examine** le bébé.* SYN ausculter.

exaspération nom féminin
État de grande irritation. *Après une heure d'attente, il était au comble de l'**exaspération**.* SYN colère, énervement.

exaspérer verbe ▸ conjug. 8
Provoquer l'exaspération de quelqu'un. *Le bruit des travaux m'**exaspère**.* SYN excéder, horripiler, irriter. ✎ On peut écrire aussi, au futur, *tu **exaspèreras***; au conditionnel, *vous **exaspèreriez***.

exaucer verbe ▸ conjug. 4
Satisfaire une prière ou une demande. *Je suis prêt à **exaucer** tous vos désirs.* SYN combler.

excavation nom féminin
Trou dans le sol. *L'explosion a creusé une profonde **excavation**.*

excavatrice nom féminin
Machine qui sert à creuser le sol.
* Chercher aussi *bouteur*, *pelle* mécanique*.

Une **excavatrice**

excaver verbe ▸ conjug. 3
Creuser. *Les ouvriers devront **excaver** le sol pour enfouir des câbles électriques.* ♦ Famille du mot: excavation, excavatrice.

excédent nom masculin
Quantité qui dépasse ce qui est prévu ou normal. *Vous avez un **excédent** de bagages, il vous faut payer un supplément.* SYN surplus.

excédentaire adjectif
Qui est en excédent. *La production de céréales est **excédentaire** cette année.* CONTR déficitaire.

excéder verbe ▸ conjug. 8
❶ Dépasser en quantité, en nombre ou en durée. *La durée du retour **a excédé** de deux heures celle de l'aller.* ❷ Énerver quelqu'un au plus haut point. *Tu finis par m'**excéder** avec tes reproches continuels.* SYN énerver, exaspérer. ✎ On peut écrire aussi, au futur, *j'**excèderai***; au conditionnel, *tu **excèderais***. ♦ Famille du mot: excédent, excédentaire.

excellence nom féminin
❶ Haut niveau de perfection. *Nous avons félicité le cuisinier pour l'**excellence** de son repas.* ❷ Titre honorifique. *Son **Excellence**, l'ambassadeur du Canada.* ✎ Attention! Au sens 2, *Excellence* s'écrit avec une majuscule.

excellent, excellente adjectif
Qui est très bon. *Kathy est **excellente** en maths.* SYN remarquable. CONTR exécrable, nul.

exceller verbe ▸ conjug. 3
Montrer des qualités supérieures dans un domaine. *Ce peintre **excelle** dans l'art du portrait.* ♦ Famille du mot: excellence, excellent.

excentricité nom féminin
Attitude excentrique. *Il se fait toujours remarquer par l'**excentricité** de ses tenues.* SYN extravagance.

excentrique adjectif
❶ Qui sort de l'ordinaire. *La tante de Myriam est une dame un peu **excentrique** qui s'entoure d'animaux exotiques.* ❷ Qui est éloigné du centre. *Emmanuel habite un quartier **excentrique**.*

Une allure **excentrique**

excepté préposition
À l'exception de. *Véronique aime tous les légumes, **excepté** les haricots verts.* SYN à part, hormis, sauf. ♦ Famille du mot: exception, exceptionnel, exceptionnellement.

exception nom féminin
Cas rare ou cas particulier. *Dans cette famille, tout le monde porte des lunettes, sauf Anton, qui est l'**exception**.* • **Sans exception**: sans restriction. *Cette règle s'applique dans tous les cas, **sans exception**.*

exceptionnel, exceptionnelle adjectif
Qui est très rare. *Il fait un froid **exceptionnel** en ce début d'automne.* SYN inhabituel. CONTR habituel.

exceptionnellement adverbe
De façon exceptionnelle. ***Exceptionnellement**, le cours de musique n'aura pas lieu la semaine prochaine.*

excès nom masculin
Ce qui est excessif. *Un **excès** de vitesse.* ■ **excès** nom masculin pluriel Action de trop manger ou de trop boire. *La docteure lui a recommandé de ne pas faire d'**excès**.* ♦ Famille du mot: excessif, excessivement.

excessif, excessive adjectif
Qui dépasse la mesure ou les limites autorisées. *Il a payé un prix **excessif** pour cette vieille voiture.* SYN abusif, exorbitant. CONTR modéré, normal.

excessivement adverbe
Très ou trop. *Ce restaurant est **excessivement** cher.* SYN exagérément, extrêmement.

excitant, excitante adjectif
Qui excite, passionne. *Il a vécu mille aventures **excitantes**.* SYN grisant. ■ **excitant** nom masculin Produit qui excite, qui rend nerveux. *Le café et le thé sont des **excitants**.* SYN stimulant. CONTR calmant.

excitation nom féminin
État de grande agitation. *L'**excitation** des enfants grandit à l'approche du départ.*

exciter verbe ▸ conjug. 3
❶ Faire naître ou stimuler un sentiment. *Cet exploit **a excité** l'enthousiasme de la foule.* SYN éveiller, provoquer, susciter. ❷ Rendre nerveux ou agité. *Cesse d'**exciter** le chat, il va te griffer!* ■ s'**exciter**: s'énerver, s'agiter. *Lucas et Aurélie **s'excitent** dès qu'ils jouent ensemble.* SYN stimulant. CONTR se calmer. ♦ Famille du mot: excitant, excitation, surexcité.

exclamatif, exclamative adjectif
Qui marque l'exclamation. *« Quelle chance il a eue! » est une phrase **exclamative**.*

exclamation nom féminin
Paroles ou cris exprimant un sentiment très fort. *Une **exclamation** de joie, de surprise, de colère.* • **Point d'exclamation**: signe de ponctuation (!) qui se met à la fin d'une phrase exclamative ou après une interjection.

s'**exclamer** verbe ▸ conjug. 3
Pousser une exclamation. *« Bravo, tu as gagné! » **s'est**-elle **exclamée**.* SYN s'écrier.

exclu, exclue adjectif
Qui ne fait pas partie de la totalité, de l'ensemble. *Voici le prix de cet article, taxes **exclues**.* CONTR inclus.

exclure verbe ▸ conjug. 51
❶ Renvoyer quelqu'un d'un groupe. *L'arbitre **a exclu** un joueur pour rudesse.* SYN chasser, expulser. ❷ Rejeter, repousser quelque chose. *Nous **avons exclu** la possibilité d'un voyage en été.* SYN éliminer. ♦ Famille du mot: exclu, exclusif, exclusion, exclusivement, exclusivité.

exclusif, exclusive adjectif
Qui appartient à quelqu'un et à lui seul. *Ce journal publie le récit **exclusif** de sa traversée de l'Atlantique à la nage.*

exclusion nom féminin
Fait d'exclure quelqu'un. *À cause d'une bagarre, cet élève risque l'**exclusion** de l'école.* SYN renvoi. • **À l'exclusion de**: excepté, sauf. *Ils sont tous venus, **à l'exclusion de** Boris, qui était malade.*

exclusivement adverbe
De manière exclusive. *Elle a arrêté ses études pour se consacrer **exclusivement** à la musique.* SYN uniquement.

a b c d e f g h i j k l m n o p q r s t u v w x y z

exclusivité nom féminin
Droit exclusif de vendre un produit, de passer un film ou de publier un texte. *Cette commerçante a l'**exclusivité** de cette marque.*

excréments nom masculin pluriel
Matières que les animaux ou les êtres humains rejettent par l'anus après avoir digéré leur nourriture. *Le crottin de cheval, la bouse de vache, les selles des êtres humains sont des **excréments**.*

excroissance nom féminin
Petite protubérance sur la peau. *Cette petite **excroissance** sur ta main est sans doute une verrue.*

excursion nom féminin
Longue promenade. *Pour faire découvrir notre région, nous organisons des **excursions**.*

*Une **excursion***

excuse nom féminin
❶ Raison qui explique et justifie la conduite de quelqu'un. *Pour son absence, Abdou a fourni une **excuse** valable.* ❷ Regret exprimé envers quelqu'un pour une faute. *Je vous prie d'accepter mes **excuses** pour cet oubli.*

excuser verbe ▸ conjug. 3
❶ Pardonner. *Elle est toujours prête à **excuser** ses enfants.* ❷ Servir d'excuse. *Son manque d'expérience **excuse** ses erreurs.* ■ **s'excuser** : présenter des excuses. *Quand on bouscule quelqu'un, il est normal de **s'excuser**.* * Il est préférable de dire *excusez-moi* plutôt que *je m'excuse*. ♦ Famille du mot : excuse, inexcusable.

exécrable adjectif
Très mauvais. *Nous avons passé des vacances **exécrables** à cause du mauvais temps.* SYN abominable, détestable. CONTR excellent.

exécutant, exécutante nom
Personne qui exécute une tâche sous les ordres de quelqu'un. *Il n'est pas responsable de ce projet, ce n'est qu'un **exécutant**.*

① **exécuter** verbe ▸ conjug. 3
❶ Réaliser quelque chose suivant un plan. *L'équipage du bateau **a exécuté** des manœuvres difficiles pour entrer dans le port.* SYN effectuer. ❷ Jouer une œuvre musicale. ***Exécuter** un concerto, une sonate.* SYN interpréter. ■ **s'exécuter** : faire ce qui est commandé. *Ornella n'avait pas envie de se coucher, mais elle a fini par **s'exécuter**.* ♦ Famille du mot : exécutant, exécutif, exécution

② **exécuter** verbe ▸ conjug. 3
Mettre à mort. *Dans certains pays, on **exécute** encore des condamnés.*

exécutif, exécutive adjectif
• **Pouvoir exécutif :** pouvoir chargé de faire appliquer les lois, qui appartient au premier ministre et au gouvernement. ■ **l'exécutif** nom masculin Le pouvoir exécutif, le gouvernement, l'Administration.

① **exécution** nom féminin
❶ Action d'exécuter quelque chose. *L'**exécution** d'un projet, d'une tâche.* SYN réalisation. ❷ Action de jouer une œuvre musicale. *Le musicien a offert une magnifique **exécution** de cette sonate.* SYN interprétation.

② **exécution** nom féminin
Mise à mort d'un condamné.

① **exemplaire** adjectif
Qui peut servir d'exemple. *Pendant l'incendie, il a montré un courage **exemplaire**.* SYN édifiant, remarquable.

② **exemplaire** nom masculin
Chaque objet d'une série reproduisant le même modèle. *On a imprimé ce livre à vingt mille **exemplaires**.*

exemple nom masculin
❶ Personne ou action digne d'être imitée. *Sébastien a donné un bel **exemple** de générosité.* ❷ Cas particulier qui sert à prouver ou à illustrer ce que l'on dit. *Pour que tu comprennes cette règle, je vais te donner un **exemple**.* • **Par exemple :** sert à illustrer ce que l'on vient de dire. *Certains mammifères vivent dans l'eau, **par exemple** les baleines.* SYN notamment.

exempt, exempte adjectif
Dispensé d'une chose réglementaire. *Les très bas salaires sont **exempts** d'impôt.* * Attention ! Les lettres *pt* dans *exempt* ne se prononcent pas ; dans *exempte*, seule la lettre *p* ne se prononce pas.

exempter verbe ▸ conjug. 3
Dispenser quelqu'un d'une obligation. *Tu n'**es** pas **exempté** de faire le ménage dans ta chambre.* * Attention ! Dans *exempter*, la lettre *p* ne se prononce pas.

S'excercer

exercer verbe ▸ conjug. 4
❶ Faire travailler certaines aptitudes pour les développer. *Yann **exerce** sa mémoire en faisant du calcul mental.* ❷ Pratiquer un métier. *Ce médecin **exerce** à Laval.* ❸ Produire un effet. *Le vent **exerce** une poussée sur les voiles.* ■ **s'exercer** : s'entraîner. *Noémie **s'exerce** à sauter à la corde.*

exercice nom masculin
❶ Travail donné à un élève. *Des **exercices** de grammaire, de géométrie.* ❷ Mouvement destiné à développer ses muscles. *Allons courir, j'ai besoin de faire un peu d'**exercice**.* ❸ Pratique d'un métier. *Mme Roy voyage beaucoup dans l'**exercice** de sa profession.*

exhaler verbe ▸ conjug. 3
Répandre une odeur. *Le lilas **exhale** un parfum délicieux.*

exhaustif, exhaustive adjectif
Complet, qui ne laisse rien de côté. *Bruno a fait une liste **exhaustive** des élèves de la classe.*

exhiber verbe ▸ conjug. 3
Montrer à tout le monde. *Il est fier d'**exhiber** le dernier gadget électronique qu'il s'est acheté.*

exhorter verbe ▸ conjug. 3
Conseiller ou encourager vivement une personne. *Elle m'**a exhorté** à réfléchir.* SYN inciter.

exhumer verbe ▸ conjug. 3
Déterrer. *Une équipe de chercheurs **a exhumé** les restes d'une cité disparue.* SYN déterrer. CONTR enterrer, inhumer.

exigeant, exigeante adjectif
Qui exige beaucoup d'efforts. *Laure a un professeur de piano très **exigeant**.*

exigence nom féminin
❶ Caractère d'une personne exigeante. *Elle est d'une telle **exigence** que rien ne peut la satisfaire.* ❷ Ce qui est exigé, réclamé par quelqu'un. *Ce commerçant essaie de satisfaire les **exigences** de ses clients.*

exiger verbe ▸ conjug. 5
❶ Réclamer de manière impérative. *Mon père **exige** que nous fassions nos lits le matin.* SYN ordonner. ❷ Avoir besoin de quelque chose de manière indispensable. *C'est une plante délicate qui **exige** beaucoup de soins.* SYN nécessiter. ♦ Famille du mot : exigeant, exigence, exigible.

exigible adjectif
Que l'on peut exiger. *Ce paiement est **exigible** le premier du mois.*

Un passage **exigu**

exigu, exiguë adjectif
Très ou trop petit. *Le couloir est trop **exigu** pour y faire passer le piano.* SYN minuscule. CONTR immense. ✎ On peut écrire aussi, au féminin, ***exigüe***.

exil nom masculin
État d'une personne obligée de s'exiler. *Ce réfugié politique a passé plusieurs années en **exil** au Canada.* ♦ Famille du mot : exilé, exiler.

exilé, exilée nom
Personne qui vit en exil. *Les **exilés** ont souvent la nostalgie de leur pays.*

exiler verbe ▸ conjug. 3
Chasser quelqu'un hors de son pays. *Ce dictateur **a exilé** tous ses opposants.* ■ **s'exiler** : quitter volontairement son pays pour aller vivre ailleurs. *Il a dû **s'exiler** pour trouver du travail.* SYN émigrer, s'expatrier.

existant, existante adjectif
Qui est réel, effectif. *Les ressources **existantes** sont insuffisantes.*

existence nom féminin
❶ Fait d'exister. *Des recherches ont confirmé l'**existence** d'une source dans le sous-sol.* ❷ Vie ou manière de vivre. *Il a mené une **existence** heureuse.*

a b c d e f g p q r s t u v w x y z

exister verbe ▸ conjug. 3
❶ Être, avoir une réalité. *Le héros de ce roman **a** vraiment **existé**.* ❷ Avoir de l'importance. *Pour elle, rien n'**existe** en dehors de son travail.* ♦ Famille du mot : existant, existence, inexistant.

exode nom masculin
Fuite ou départ d'une population. *L'**exode** rural a vidé certaines régions de leur population.*

exonérer verbe ▸ conjug. 8
Dispenser une personne de l'obligation de payer. *Cette personne gagne peu d'argent, elle **est exonérée** d'impôts.* ✱ On peut écrire aussi, au futur, *tu **exonèreras***; au conditionnel, *elle **exonèrerait***.

exorbitant, exorbitante adjectif
Qui coûte beaucoup trop cher. *Il paye un loyer **exorbitant**.* SYN excessif.

exorciser verbe ▸ conjug. 3
Chasser des démons à l'aide d'un rituel.

exotique adjectif
Qui provient de pays lointains. *L'ananas, la mangue, la banane sont des fruits **exotiques**.*

*Des fruits **exotiques***

exotisme nom masculin
Caractère de ce qui est exotique. *Il apprécie l'**exotisme** de la cuisine thaïlandaise.*

expansif, expansive adjectif
Qui aime exprimer ses sentiments. *Je sais tout d'elle, car elle est très **expansive**.* SYN communicatif, démonstratif. CONTR renfermé, réservé, timide.

expansion nom féminin
Fait de se développer ou d'augmenter. *Dans cette région, le tourisme est en pleine **expansion**.* SYN croissance, développement, essor. CONTR recul, régression.

expatrié, expatriée nom
Personne qui vit hors de son pays. *Ces travailleurs immigrés sont des **expatriés**.*

s'**expatrier** verbe ▸ conjug. 10
S'exiler. *Il **s'est expatrié** pour travailler, mais il regrette son pays.* SYN émigrer.

expédient nom masculin
Moyen qui permet de se tirer d'embarras provisoirement. *En attendant de trouver du travail, il vit d'**expédients**.*

expédier verbe ▸ conjug. 10
❶ Envoyer vers une destination. ***Expédier** du courrier, un colis.* ❷ Faire quelque chose rapidement pour s'en débarrasser. *Enzo **a expédié** ses tâches pour aller au cinéma.* SYN bâcler. ♦ Famille du mot : expéditeur, expéditif, expédition, réexpédier.

expéditeur, expéditrice nom
Personne qui expédie quelque chose. *Si le destinataire a déménagé, le colis sera retourné à l'**expéditeur**.* SYN envoyeur. CONTR destinataire.

expéditif, expéditive adjectif
Qui est rapide et efficace. *M. Charbonneau est très **expéditif** en affaires.*

expédition nom féminin
❶ Action d'expédier quelque chose. *L'**expédition** de votre commande se fera la semaine prochaine.* SYN envoi. ❷ Voyage d'exploration. *Des scientifiques ont organisé une **expédition** en Antarctique.*

expérience nom féminin
❶ Essai réalisé pour étudier quelque chose. *Des **expériences** ont permis à ces chercheurs de découvrir un nouveau vaccin.* ❷ Connaissance qui vient d'une longue pratique ou d'une grande habitude. *Ce vieux médecin a beaucoup d'**expérience**.*

*Une **expérience***

expérimenté, expérimentée adjectif
Qui a de l'expérience dans un domaine. *C'est un navigateur **expérimenté**.* SYN chevronné, expert. CONTR débutant, inexpérimenté.

expérimenter verbe ▸ conjug. 3
Soumettre quelque chose à des expériences. *Le laboratoire **a expérimenté** un nouveau médicament sur des souris.* SYN essayer, tester. ♦ Famille du mot : expérimenté, inexpérimenté.

expert, experte adjectif
Qui est très compétent grâce à une grande expérience. *Un ouvrier **expert** en mécanique.*

SYN expérimenté. ■ **expert, experte** nom
Spécialiste chargé de vérifications. *Plusieurs **experts** ont examiné ce tableau pour vérifier son authenticité.* ♦ Famille du mot : expertise, expertiser.

expertise nom féminin
Examen effectué par un expert. *Une **expertise** a révélé que les bijoux étaient faux.*

expertiser verbe ▸ conjug. 3
Faire une expertise. *Le père de Ludmila a fait **expertiser** sa voiture avant de la vendre.*

expier verbe ▸ conjug. 10
Réparer une faute en subissant un châtiment. *Il est allé en prison pour **expier** son crime.*

expiration nom féminin
❶ Fait d'expirer de l'air. **CONTR** inspiration. * Chercher aussi *respiration*. ❷ Fin d'un délai fixé à l'avance. *Votre abonnement est arrivé à **expiration** ; voulez-vous le renouveler ?* **SYN** échéance, terme.

expirer verbe ▸ conjug. 3
❶ Rejeter à l'extérieur l'air inspiré. *Il faut inspirer profondément, puis **expirer** lentement.* ❷ Dans la langue littéraire, mourir. *Le blessé **a expiré** sur les lieux de l'accident.* **SYN** s'éteindre. ❸ Arriver à la fin d'un délai. *Son contrat **expire** à la fin du mois.* **SYN** se terminer.

explicatif, explicative adjectif
Qui sert à expliquer comment fonctionne quelque chose. *La notice **explicative** d'un ordinateur.*

explication nom féminin
❶ Ce qui sert à expliquer. *Les touristes sont attentifs aux **explications** du guide.* **SYN** éclaircissement. ❷ Raison ou motif d'un fait. *J'aimerais avoir l'**explication** de ce retard.* ❸ Discussion destinée à s'expliquer. *Ils se sont réconciliés après une franche **explication**.*

explicite adjectif
Qui est très clair, sans équivoque. *J'ai lu un article de journal très **explicite** sur cette question.* **CONTR** implicite.

expliciter verbe ▸ conjug. 3
Rendre explicite, plus compréhensible. *Elle a dû **expliciter** sa demande.*

expliquer verbe ▸ conjug. 3
❶ Faire comprendre quelque chose à quelqu'un. *Je vais t'**expliquer** le fonctionnement de cet appareil photo.* **SYN** exposer. ❷ Être la raison, l'explication d'un fait. *Le brouillard **explique** le retard de l'avion.* ■ s'**expliquer** : se justifier ou faire comprendre son comportement. *Puisqu'on lui fait des reproches, Karim voudrait **s'expliquer**.* ♦ Famille du mot : explicatif, explication, inexplicable.

exploit nom masculin
Action remarquable. *Ce livre raconte les **exploits** des pionniers de l'aviation.* **SYN** prouesse.

exploitant, exploitante nom
Personne qui dirige une exploitation. *Un **exploitant** agricole.*

exploitation nom féminin
❶ Action d'exploiter quelque chose afin d'en tirer une production. *L'**exploitation** d'une mine de cuivre.* ❷ Terrain que l'on exploite. *Une **exploitation** minière.* • **Exploitation agricole** : ferme. ❸ Fait d'exploiter quelqu'un. *Tant de travail pour si peu d'argent, c'est de l'**exploitation**.*

exploiter verbe ▸ conjug. 3
❶ Mettre quelque chose en valeur pour en tirer profit. *Il **exploite** une terre à bois.* ❷ Profiter d'un avantage. *Il a su **exploiter** ses qualités pour réussir dans son métier.* ❸ Profiter du travail des autres pour s'enrichir. ***Exploiter** ses employés.* ♦ Famille du mot : exploitant, exploitation, exploiteur.

exploiteur, exploiteuse nom
Personne qui exploite les autres. *Les grévistes accusent cette entreprise d'être une **exploiteuse**.*

explorateur, exploratrice nom
Personne qui explore des contrées inconnues. *Christophe Colomb a été un grand **explorateur**.*

exploration nom féminin
Action d'explorer un lieu. *L'**exploration** de l'espace a fait d'immenses progrès.*

explorer verbe ▸ conjug. 3
Parcourir des lieux inconnus pour les étudier. *Cette équipe de plongeurs **explorent** le fond des océans.* ♦ Famille du mot : explorateur, exploration.

exploser verbe ▸ conjug. 3
❶ Éclater avec violence. *C'est un vieil obus, mais il peut encore **exploser**.* ❷ Au sens figuré, manifester ses sentiments avec violence. *Brusquement, sa colère **a explosé**.* ♦ Famille du mot : explosif, explosion.

a b c d e f g h i j k l m n o p q r s t u v w x y z

explosif, explosive adjectif
❶ Qui peut exploser. *Ces cartouches sont remplies de poudre **explosive**.* ❷ Au sens figuré, qui peut provoquer un conflit. *La situation est **explosive** entre ces deux pays.* ■ **explosif** nom masculin Produit explosif. *La dynamite est un **explosif**.*

explosion nom féminin
❶ Fait d'exploser. *L'**explosion** n'a causé que des dégâts matériels.* SYN déflagration. ❷ Au sens figuré, manifestation soudaine et brutale. *Une **explosion** de violence, de colère, de joie.*

exportateur, exportatrice adjectif et nom
Qui exporte des marchandises. *Le Canada est un pays **exportateur** de blé. – L'Arabie saoudite est une grande **exportatrice** de pétrole.* CONTR importateur.

exportation nom féminin
Action d'exporter des marchandises. *Ce pays tente d'augmenter ses **exportations**.* CONTR importation.

exporter verbe ▸ conjug. 3
Vendre des produits à des pays étrangers. ***Exporter** des voitures, du pétrole, des matières premières.* CONTR ② importer. ♦ Famille du mot : exportateur, exportation.

exposant, exposante nom
Personne qui expose des produits pour les vendre. *Le Salon du livre de Montréal reçoit de nombreux **exposants**.*

exposé nom masculin
Communication, discours. *Issam a préparé un **exposé** sur les animaux en voie de disparition.*

exposer verbe ▸ conjug. 3
❶ Présenter au public. *Ce musée **expose** des tableaux célèbres.* ❷ Faire connaître quelque chose à quelqu'un. *Avant d'agir, je vais vous **exposer** mon plan.* SYN expliquer, présenter. ❸ Orienter dans un certain sens. *Cette chambre **est exposée** à l'ouest.* SYN orienter. ■ **s'exposer** ❶ Se soumettre à l'action de quelque chose. *Attention de ne pas **t'exposer** trop longtemps au soleil.* ❷ Courir un risque. *En partant seuls, ils **s'exposent** à de réels dangers.* ♦ Famille du mot : exposant, exposé, exposition.

exposition nom féminin
❶ Présentation au public. *Une **exposition** de tableaux.* ❷ Orientation d'un lieu, d'un bâtiment. *Cette chambre est ensoleillée grâce à son **exposition** au sud.* ❸ Fait d'exposer quelque chose à une action. *Si ta peau est fragile, il faut éviter l'**exposition** au soleil.*

① **exprès** adverbe
Avec une intention précise. *J'ai acheté ce livre **exprès** pour toi. Elle m'a bousculé sans faire **exprès**.* SYN volontairement. CONTR involontairement, par mégarde. • **Par exprès** : délibérément, intentionnellement. * Attention ! Le *s* final ne se prononce pas ici.

② **exprès** adjectif invariable
• **Lettre exprès, colis exprès** : qui est acheminé très vite à son destinataire. * Attention ! Le *s* final se prononce ici.

③ **exprès, expresse** adjectif
Qui est exprimé de manière catégorique. *Interdiction **expresse** d'allumer un feu dans cette forêt.* SYN absolu, impératif. * Attention ! Le *s* final de la forme masculine se prononce.

express adjectif invariable
• **Train express** : qui s'arrête seulement dans les gares principales. • **Voie express** : voie routière à circulation rapide. ■ **express** nom masculin Train express. *L'**express** pour Toronto part à 8 heures 25.* * Chercher aussi *rapide*.

expressément adverbe
De façon expresse. *Il est **expressément** interdit de toucher aux objets exposés.*

expressif, expressive adjectif
Qui exprime bien ses sentiments. *Le visage **expressif** du clown.* CONTR inexpressif.

expression nom féminin
❶ Aspect du visage ou du regard qui manifeste certains sentiments. *En me voyant, Marek a eu une **expression** de surprise.* SYN air. ❷ Groupe de mots ayant un sens particulier. *« Rapide comme l'éclair » est une **expression**.* SYN locution. ❸ Fait de s'exprimer. *Le chant, le dessin, la danse sont des moyens d'**expression**.*

exprimer verbe ▸ conjug. 3
Faire connaître ce que l'on ressent ou ce que l'on pense. *Son sourire **exprimait** sa satisfaction.* SYN manifester, montrer. CONTR cacher. ■ **s'exprimer** : faire connaître sa pensée par la parole ou par des gestes. *Nabil ne **s'exprime** pas très bien en français.* ♦ Famille du mot : expressif, expression, inexpressif, inexprimable.

exproprier verbe ▸ conjug. 10
Prendre un terrain ou une maison à son propriétaire en échange d'une indemnité. *On **a exproprié** les habitants de ce secteur pour construire un centre commercial.*

expulser verbe ▸ conjug. 3
Chasser d'un lieu. *Il était si bruyant qu'on l'**a expulsé** de la bibliothèque.* **SYN** chasser, exclure, renvoyer.

expulsion nom féminin
Action d'expulser quelqu'un. *Cette locataire est menacée d'**expulsion**.*

exquis, exquise adjectif
Qui est délicieux. *Ces fraises sont **exquises**.*

extase nom féminin
• **En extase** : qui s'extasie. *Alicia est tombée **en extase** devant ce chanteur populaire.*

*s'***extasier** verbe ▸ conjug. 10
Ressentir et montrer de l'émerveillement, de l'admiration. *Toute la famille **s'extasie** devant le nouveau-né.*

extensible adjectif
Qui peut s'étirer. *Le bracelet de ma montre est **extensible**.* **SYN** élastique.

extensif, extensive adjectif
• **Culture extensive** : culture sur de grandes surfaces, mais à faibles rendements. * Chercher aussi *culture intensive**.

extension nom féminin
❶ Action d'étendre un membre. *Kevin fait des mouvements d'**extension** pour rééduquer son genou blessé.* **CONTR** flexion. ❷ Augmentation ou développement de quelque chose. *Les autorités s'inquiètent devant l'**extension** de l'incendie.* **SYN** propagation.

exténuant, exténuante adjectif
Qui exténue. *Ce long voyage était **exténuant**.* **SYN** épuisant, harassant.

exténuer verbe ▸ conjug. 3
Causer une très grande fatigue. *Ce travail nous **a exténués**.* **SYN** épuiser.

extérieur, extérieure adjectif
❶ Qui est au-dehors. *On a repeint la porte **extérieure** de la maison.* **CONTR** intérieur.
❷ Qui concerne les pays étrangers. *C'est un spécialiste du commerce **extérieur** du Canada. La politique **extérieure**.* **CONTR** intérieur.
■ **extérieur** nom masculin Ce qui est extérieur. *L'**extérieur** de la maison révélait le luxe de la propriété.* ♦ Famille du mot : extérieurement, extérioriser.

extérieurement adverbe
❶ À l'extérieur. ***Extérieurement**, cette voiture paraît en bon état.* ❷ En apparence. *Elle semblait calme **extérieurement**.* **SYN** apparemment. **CONTR** intérieurement.

extérioriser verbe ▸ conjug. 3
Manifester un sentiment de façon visible. *Il **extériorise** sa colère en criant.*

extermination nom féminin
Action d'exterminer des êtres vivants. *Cette association défend les espèces animales menacées d'**extermination**.* **SYN** destruction.

exterminer verbe ▸ conjug. 3
Tuer jusqu'au dernier. *Les loups **ont été exterminés** en divers endroits, en Europe.* **SYN** anéantir.

externat nom masculin
École qui n'admet que des élèves externes.

① **externe** adjectif
Situé vers l'extérieur. *La pluie frappe la paroi **externe** des vitres.* **CONTR** interne.

② **externe** nom
Élève qui ne va à l'école que pour les cours, qui n'en est pas pensionnaire. *Dimitri est **externe**, mais Sarah est pensionnaire.* **CONTR** interne.

extincteur nom masculin
Appareil qui sert à éteindre un feu.

extinction nom féminin
❶ Action d'éteindre un feu ou une lumière. **CONTR** allumage.
❷ Disparition totale. *Certaines espèces animales sont en voie d'**extinction**.* • **Extinction de voix** : impossibilité momentanée de parler.

Un **extincteur**

extirper verbe ▸ conjug. 3
❶ Arracher complètement. *Le jardinier **extirpe** les mauvaises herbes.* ❷ Faire sortir d'un endroit. *On a réussi à **extirper** le chat de sa cachette.*

extorquer verbe ▸ conjug. 3
Obtenir quelque chose par la violence ou par la ruse. *Cet escroc **a extorqué** plusieurs millions à ses victimes.* **SYN** soutirer.

① **extra** adjectif invariable
Excellent, fantastique. *Cette sauce aux champignons est vraiment **extra**.*

② **extra** nom masculin invariable
Ce que l'on fait ou que l'on achète en plus de l'ordinaire. *Hier on a fait un **extra**, on a soupé dans un grand restaurant.* ✎ On peut écrire aussi, au pluriel, *des **extras***.

a b c d **e** f g h i j k l m n o p q r s t u v w x y z

extraction nom féminin
Action d'extraire quelque chose. *L'**extraction** d'un minerai, d'une dent.*

extraire verbe ▸ conjug. 40
❶ Tirer du sol. *Les mineurs **extraient** du minerai de fer de la mine.* ❷ Retirer hors de quelque chose. *Il a fallu **extraire** la dent cassée.* ❸ Séparer une substance d'une autre. *On **extrait** de l'huile des arachides.* ❹ Tirer un passage d'un livre. *Les élèves **ont extrait** ces passages d'un roman de Michel Tremblay.* ■ **s'extraire** : s'extirper. *Le pilote a réussi à **s'extraire** de sa voiture en flammes.* ♦ Famille du mot : extraction, extrait.

extrait nom masculin
❶ Produit tiré d'une substance. *De l'**extrait** de lavande, de vanille.* SYN essence. ❷ Passage choisi dans un livre. *L'auteure nous a lu des **extraits** de son dernier roman.* ❸ Copie d'une partie d'un document officiel. *Un **extrait** d'acte de naissance.*

extralucide adjectif
Qui se dit capable de prédire l'avenir. *Une voyante **extralucide**.*

extranet nom masculin
Réseau informatique à caractère commercial qui relie des entreprises entre elles.

extraordinaire adjectif
❶ Qui sort de l'ordinaire. *Cet enfant est d'une intelligence **extraordinaire**.* SYN exceptionnel. ❷ Qui étonne par sa bizarrerie. *Il vient de m'arriver une aventure **extraordinaire**.* CONTR banal, ordinaire.

extraordinairement adverbe
De façon extraordinaire. *Cet ordinateur est **extraordinairement** rapide.* SYN extrêmement.

extraterrestre adjectif et nom
Qui vient d'une autre planète. *Une créature **extraterrestre**. – Ce roman de science-fiction raconte l'arrivée d'**extraterrestres** sur la Terre.*

extravagance nom féminin
Chose extravagante. *Ses **extravagances** amusent tout le monde.* SYN excentricité.

extravagant, extravagante adjectif
Qui surprend par son côté bizarre ou excentrique. *Julien a des inventions **extravagantes**.* CONTR raisonnable, sensé.

extrême adjectif
❶ Qui est le plus loin. *Sandrine est à l'**extrême** limite de la patience.* ❷ Qui atteint le degré le plus haut. *Une joie **extrême**, une fatigue **extrême**.* SYN immense, intense. ❸ Qui dépasse la mesure. *Ce parti politique défend des idées **extrêmes**.* CONTR modéré. • **Sport extrême :** activité sportive de plein air très exigeante et pratiquée dans des conditions dangereuses. ■ **extrême** nom masculin Point de vue extrême. *Nicolas passe toujours d'un **extrême** à l'autre.* • **À l'extrême :** au plus haut point. *Il est patient **à l'extrême**.* ♦ Famille du mot : extrêmement, extrême-onction, extrémiste, extrémité.

*Un sport **extrême***

extrêmement adverbe
De manière extrême. *C'est une enfant **extrêmement** sensible.* SYN très.

extrême-onction nom féminin
Sacrement que l'Église catholique donne aux mourants. ✎ Pluriel : *des **extrêmes-onctions**.*

extrémiste adjectif et nom
Qui a des opinions politiques extrêmes. *Ce parti **extrémiste** incite les gens à la violence. – Une **extrémiste**.* CONTR modéré.

extrémité nom féminin
Partie extrême d'une chose. *Ce bâton est pointu à son **extrémité**.* SYN bout.

exubérance nom féminin
Attitude exubérante. *Il fait de grands gestes et parle avec **exubérance**.*

exubérant, exubérante adjectif
❶ Qui exprime ses sentiments avec agitation. *C'est une femme **exubérante**.* SYN démonstratif, expansif. CONTR renfermé, réservé. ❷ Qui est très abondant. *Sous les tropiques, la végétation est **exubérante**.* SYN luxuriant.

exulter verbe ▸ conjug. 3
Exprimer une grande joie. *Le champion **a exulté** à l'annonce de sa victoire.* SYN jubiler. * Ne pas confondre *exulter* et *exalter*.

f nom masculin invariable
Sixième lettre de l'alphabet. *Le **f** est une consonne.*

fa nom masculin
Quatrième note de musique de la gamme de do.

fable nom féminin
Court récit qui se termine par une morale. *Dans les **fables** de La Fontaine, les animaux parlent souvent comme les humains.*

*Une **fable** de La Fontaine*

fabricant, fabricante nom
Personne qui dirige une fabrique. *Mme Lambert est **fabricante** de meubles.* * Ne pas confondre *fabricant*, nom, avec *fabriquant*, participe présent invariable.

fabrication nom féminin
Action de fabriquer. *Tous ces produits sont de **fabrication** artisanale.*

fabrique nom féminin
Établissement où l'on transforme des matières premières en produits de consommation. *Il travaille dans une **fabrique** de verre.* **SYN** manufacture.

fabriquer verbe ▸ conjug. 3
❶ Faire un objet en transformant une matière. *Cet artisan **fabrique** des poteries.* ❷ Dans la langue familière, faire. *Mais qu'est-ce qu'il **fabrique** donc ?* ♦ Famille du mot : fabricant, fabrication, fabrique, préfabriqué.

fabuler verbe ▸ conjug. 3
Raconter des histoires inventées, comme si elles étaient vraies.

fabuleusement adverbe
De manière fabuleuse. *Ces décors ont été **fabuleusement** réalisés.* **SYN** prodigieusement.

fabuleux, fabuleuse adjectif
❶ Qui n'existe que dans les fables, qui appartient à l'imaginaire. *Les lutins, les fées et les sirènes sont des êtres **fabuleux**.* **SYN** imaginaire. ❷ Que l'on a du mal à croire tellement c'est extraordinaire. *Elle a une chance **fabuleuse**.* **SYN** prodigieux.

façade nom féminin
❶ Côté d'un bâtiment où se trouve l'entrée. *La **façade** de cette maison est couverte de lierre.* ❷ Apparence extérieure, souvent trompeuse. *Il a l'air aimable, mais ce n'est qu'une **façade**.* • **De façade** : qui est feint, simulé. *Elle nous a trompés avec sa gentillesse **de façade**.*

a b c d e **f** g h i j k l m n o p q r s t u v w x y z

face nom féminin
❶ Devant de la tête de l'être humain. *À cause de la varicelle, il a la **face** couverte de boutons.* ❷ Côté d'une pièce ou d'une médaille qui porte une figure. ***Face**, c'est toi qui dois y aller, pile, c'est moi.* ❸ Chacune des surfaces d'un objet. *Un dé a six **faces**. On connaît depuis peu la **face** cachée de la Lune.* • **En face:** franchement et avec courage. *Regarder le danger **en face**.* • **En face de quelque chose:** devant ou vis-à-vis. • **Face à face:** l'un en face de l'autre. • **Faire face:** affronter une situation. • **Faire face à quelque chose:** être tourné dans cette direction. *L'hôtel **fait face à** la mer.* • **Sauver la face:** garder son honneur, sa dignité. *Quand on l'a surprise en train de voler, pour **sauver la face**, elle a prétendu qu'elle ne faisait qu'emprunter l'objet.* • **Perdre la face:** être déshonoré. *Quand ses mensonges ont été découverts, il **a perdu la face**.* ♦ Famille du mot: face-à-face, facette, facial.

face-à-face nom masculin invariable
Discussion publique entre deux personnes. *Cette émission est un **face-à-face** entre deux hommes politiques.*

facétie nom féminin
Plaisanterie ou farce. *Hakim fait rire ses camarades avec ses **facéties**.* * Attention! Le *t* du mot *facétie* se prononce comme un *s*.

facette nom féminin
❶ Petite face d'un objet. *Le bouchon en cristal de la carafe a des **facettes**.* ❷ Aspect. *Elle apprécie les multiples **facettes** de son travail.*

*Les **facettes** d'un diamant*

fâché, fâchée adjectif
Contrarié, mécontent. *Il a l'air **fâché**.*

fâcher verbe ▸ conjug. 3
Mettre en colère. *Christophe a fait **fâcher** sa mère.* SYN irriter. ■ **se fâcher** ❶ Se mettre en colère. *Daniel **s'est fâché** contre sa sœur.* SYN se choquer, s'emporter. ❷ Se brouiller avec quelqu'un. *Ils **se sont fâchés** pour une bêtise.* CONTR se réconcilier.

fâcheux, fâcheuse adjectif
Qui est regrettable. *Je n'ai pas pu le prévenir, c'est bien **fâcheux**.* SYN ennuyeux.

facial, faciale, faciaux adjectif
Qui a rapport à la face, au visage. *Une paralysie **faciale**.*

facile adjectif
❶ Aisé, simple. *La tâche était très **facile**.* CONTR ardu, compliqué, difficile. ❷ Qui est agréable et conciliant. *David est très **facile** à vivre.* CONTR difficile. ♦ Famille du mot: facilement, facilité, faciliter.

facilement adverbe
Sans difficulté. *Le boxeur a **facilement** triomphé de son adversaire.* SYN aisément. CONTR difficilement.

facilité nom féminin
❶ Qualité de ce qui est facile. *Cet examen est d'une grande **facilité**.* ❷ Aptitude d'une personne à faire quelque chose sans difficulté. *Charlotte a beaucoup de **facilité** à apprendre les langues étrangères.* CONTR difficulté. • **Facilités de paiement:** conditions ou délais de paiement.

faciliter verbe ▸ conjug. 3
Rendre facile. *Le lave-vaisselle **facilite** la vie.* CONTR compliquer.

façon nom féminin
Manière particulière d'agir ou d'être. *C'est la **façon** la plus simple de résoudre le problème.* • **De façon à, de façon que:** exprime le but. *Je suis venu en avance **de façon à** te voir. Je te donne ces explications **de façon que** tu comprennes.* • **De toute façon:** quoi qu'il arrive. • **Sans façon:** simplement. • **Avoir de la façon:** être affable, gai. *Il **a de la façon**, c'est ce qui explique sans doute sa popularité.* SYN être avenant. ■ **façons** nom féminin pluriel Manière de se comporter. *Je n'aime pas beaucoup ses **façons**.* • **Faire des façons:** faire des cérémonies, des complications. *Ma marraine **fait** toujours **des façons** avant d'accepter une invitation.*

façonner verbe ▸ conjug. 3
Faire un objet en travaillant la matière. *La potière **façonne** l'argile pour en faire un vase.*

fac-similé nom masculin
Reproduction exacte d'un document écrit ou d'un dessin. *Il possède le **fac-similé** du journal du jour de sa naissance.* ✎ Pluriel: *des **fac-similés**.* ✎ On peut écrire aussi ***facsimilé***.

① **facteur, factrice** nom
Personne qui distribue le courrier. *La **factrice** nous a remis une lettre recommandée.*

② **facteur** nom masculin
❶ Élément qui contribue à un résultat. *L'intelligence et l'imagination sont des **facteurs** de succès.* ❷ Chacun des termes d'une multiplication. *Dans 2 × 3 = 6, 2 et 3 sont des **facteurs**.*

factice adjectif
❶ Qui est faux, imité. *Des bijoux **factices**.* ❷ Qui est forcé. *Un sourire **factice**.* CONTR naturel, vrai.

faction nom féminin
Groupe contestataire. *Les deux **factions** ont signé un cessez-le-feu.* • **Être en faction :** monter la garde. *Deux gardes **sont en faction** devant la porte de l'ambassade.*

facture nom féminin
Document indiquant la somme à payer. *Nous avons reçu la **facture** par la poste.*

facturer verbe ▸ conjug. 3
Faire payer. *Pour cette commande, je ne vous **facturerai** pas la livraison.*

facultatif, facultative adjectif
Que l'on peut faire ou non, à son gré. *Un cours **facultatif**.* CONTR obligatoire.

① **faculté** nom féminin
Aptitude à faire quelque chose. *Cet athlète a une étonnante **faculté** de récupération.*

② **faculté** nom féminin
Partie d'une université. *Cette université comporte une **faculté** de lettres et une **faculté** de droit.*

fade adjectif
❶ Qui manque de goût, de saveur. *C'est bon, mais l'assaisonnement est un peu **fade**.* SYN insipide. CONTR savoureux. ❷ Qui est terne, sans éclat. *Il n'aime pas les couleurs **fades**.* CONTR vif.

fadeur nom féminin
Caractère de ce qui est fade. *La **fadeur** du pain sans sel.* CONTR saveur.

fagot nom masculin
Paquet de petites branches attachées ensemble.

Un **fagot**

faible adjectif
❶ Qui manque de forces. *Camille se sent **faible** depuis son opération.* CONTR fort, robuste, vigoureux. ❷ Qui a des connaissances et un niveau insuffisants. *Il est plutôt **faible** en mathématique.* CONTR bon, doué, fort. ❸ Qui manque de fermeté. *Elle est trop **faible** avec ses enfants, elle laisse tout passer.* CONTR énergique, ferme, sévère. ❹ Qui a peu d'intensité. *Cette ampoule donne un éclairage **faible**.* CONTR fort, violent. ■ **faible** nom masculin Goût particulier pour une chose ou une personne. *J'ai un **faible** pour le sucre d'érable.* ♦ Famille du mot : affaiblir, affaiblissement, faiblement, faiblesse, faiblir.

faiblement adverbe
De manière faible. *La pièce est **faiblement** éclairée par une petite lampe.*

faiblesse nom féminin
❶ État d'une personne faible. *La malade est d'une extrême **faiblesse**.* CONTR force, vigueur. ❷ Caractère d'une personne faible. *Il accepte tout par **faiblesse**.* SYN mollesse.

faiblir verbe ▸ conjug. 11
❶ Devenir faible. *À mesure que l'heure approche, son courage **faiblit**.* SYN s'affaiblir. ❷ Devenir moins intense. *En s'éloignant, le bruit **faiblit**.* SYN diminuer.

faïence nom féminin
Terre cuite recouverte d'émail ou de vernis. *Ce magasin vend des assiettes en **faïence**.* * Chercher aussi *céramique, grès, porcelaine.*

Une **faïence**

faille nom féminin
❶ Cassure de l'écorce terrestre. ❷ Point faible, défaut. *Il y a une **faille** dans ton raisonnement.*

faillir verbe ▸ conjug. 14
❶ Être sur le point de faire quelque chose. *J'ai bien **failli** tomber !* SYN manquer. ❷ Ne pas faire ce que l'on doit faire. *Samuel s'en veut d'**avoir failli** à sa promesse.* * Attention ! *Faillir* ne s'emploie qu'aux temps composés.

faillite nom féminin
Situation d'une personne ou d'une entreprise qui ne peut plus payer ses dettes. *Le magasin a fait **faillite** faute de clients.*

faim nom féminin
Sensation provoquée par le besoin de manger. *Laurence a très **faim**.* * Chercher aussi *appétit, fringale.* * Ne pas confondre *faim* et *fin*.

fainéant, fainéante nom et adjectif
Qui ne veut rien faire. *Cette **fainéante** n'est pas encore levée. – Un ouvrier **fainéant**.* SYN flanc-mou, paresseux. CONTR travailleur.

faire verbe ▶ conjug. 42
❶ Fabriquer quelque chose. *Maxime **a fait** un gâteau.* ❷ Effectuer quelque chose. *Vera **fait** ses devoirs.* ❸ Pratiquer une activité. *Guillaume **fait** de l'escalade. Justine **fait** du bricolage.* ❹ Produire tel résultat. *Je l'**ai fait** tomber. Elle me **fait** rire.* ❺ Agir de telle manière. *Dis-moi comment tu **as fait**.* ❻ Produire tel total, égaler. *Cela **fait** vingt dollars.* ❼ Charger quelqu'un de faire quelque chose pour soi. *Il **a fait** réparer sa voiture.* ❽ Chercher à paraître de telle façon. *Elle **fait** la difficile.* ❾ Avoir l'air. *La mère de Kong ne **fait** pas son âge.* • **Il fait**: indique un état. ***Il fait** beau, mais **il fait** froid.* ■ *se* **faire** ❶ Commencer à être. *Il **se fait** vieux.* ❷ S'arranger pour paraître tel. *Il **s'est fait** beau.* • **Se faire à quelque chose**: s'habituer à cette chose. *Tu **te feras** vite **à** ta nouvelle école.* • **Cela ne fait rien**: cela n'a pas d'importance. • **Cela ne se fait pas**: ce n'est pas convenable. • **S'en faire**: se faire du souci. *Ne **t'en fais** pas, ça ira!* ♦ Famille du mot: défaire, faire-part, faisable, fait, infaisable, refaire.

faire-part nom masculin invariable
Lettre ou carte envoyée pour annoncer une naissance, un mariage ou un décès. ✎ On peut écrire aussi *un **fairepart**, des **faireparts**.*

faisable adjectif
Qu'il est possible de réaliser. *L'exercice est **faisable**, même pour les débutants.* CONTR impossible, infaisable. * Attention! La première syllabe de *faisable* se prononce *fe*.

faisan nom masculin
Oiseau dont le mâle a un plumage très coloré et une longue queue. * Attention! La première syllabe de *faisan* se prononce *fe*.

Un **faisan**

faisandé, faisandée adjectif
Se dit d'une viande qui commence à pourrir. * Attention! La première syllabe de *faisandé* se prononce *fe*.

faisceau, faisceaux nom masculin
❶ Assemblage d'objets longs et fins liés ensemble. *Ce balai est fait d'un **faisceau** de brindilles.* ❷ Ensemble de rayons lumineux émis par une même source. *Les **faisceaux** des projecteurs éclairent la scène.*

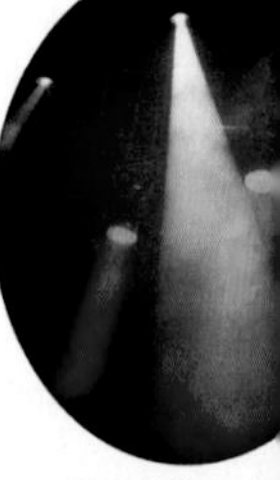
Des **faisceaux** lumineux

① **fait, faite** adjectif
❶ Exécuté, réalisé. *Il aime le travail bien **fait**.* ❷ Qui a tel aspect. *Cet homme est **fait** fort.* ❸ Qui est à maturité. *Ce fromage n'est pas assez **fait**.* • **C'est bien fait**: c'est bien mérité. • **Être fait**: ne plus pouvoir s'échapper, être pris au piège.

② **fait** nom masculin
❶ Ce qui existe ou ce qui s'est réellement passé. *Voici les **faits**.* ❷ Ce que l'on a fait. *Un mensonge, c'est le **fait** de mentir.* • **Au fait**: à propos. ***Au fait**, quand viendras-tu me voir?* • **De fait, en fait**: en réalité. • **Du fait de quelque chose**: à cause de cela. ***Du fait de** l'accident, la circulation est détournée.* • **Prendre quelqu'un sur le fait**: le surprendre en train de commettre une faute, en flagrant* délit. • **Mettre quelqu'un devant le fait accompli**: l'obliger à accepter une chose déjà faite.

fait divers nom masculin
Nouvelle de seconde importance rapportée dans un journal.

faîte nom masculin
❶ Endroit le plus élevé. *On a installé un émetteur de télévision au **faîte** de la tour du CN à Toronto.* SYN sommet. ❷ Le plus haut point. *Cette actrice est au **faîte** de sa gloire.* SYN apogée, zénith. ✎ On peut écrire aussi ***faite**.*

fait-tout nom masculin invariable
Récipient à deux anses avec un couvercle, dans lequel on fait cuire les aliments. ✎ On peut écrire aussi *un **faitout**, des **faitouts**.*

fakir nom masculin
Personne qui fait des tours extraordinaires en public et qui ne semble pas sentir la douleur. *Le **fakir** que j'ai vu était assis sur des clous.*

Un **fakir**

alaise nom féminin
Rivage abrupt et très élevé. *À marée haute, les vagues frappent la* ***falaise***.

Une **falaise**

allacieux, fallacieuse adjectif
Qui est fait pour tromper. *Cet homme politique tient des propos* ***fallacieux***.

alloir verbe ▶ conjug. 25
Être nécessaire. *Il* ***faut*** *que je termine ce travail. Il me* ***faudrait*** *un nouvel ordinateur.* • **Comme il faut :** convenablement. ■ *s'en* **falloir de** • **Il s'en faut de quelque chose :** manquer. ***Il s'en est fallu de*** *peu que tu tombes.* * Attention ! *Falloir* ne s'emploie qu'à la troisième personne du singulier.

falsification nom féminin
Action de falsifier. *La* ***falsification*** *d'une signature.*

falsifier verbe ▶ conjug. 10
Modifier dans l'intention de tromper. *Ces documents* ***ont été falsifiés***.

famélique adjectif
Qui est amaigri parce qu'il ne mange pas assez. *Un chien* ***famélique***.

fameux, fameuse adjectif
❶ Qui a une grande réputation. *Ce* ***fameux*** *musée renferme des œuvres d'art admirables.* ❷ Très bon. *Ce dessert est* ***fameux*** *!* **SYN** délicieux, excellent.

familial, familiale, familiaux adjectif
De la famille. *La maison* ***familiale***.

familiale nom féminin
Automobile conçue pour accueillir un grand nombre de passagers et de bagages. * Chercher aussi *berline, cabriolet, coupé, limousine*.

se **familiariser** verbe ▶ conjug. 3
S'habituer petit à petit à quelque chose ou à quelqu'un. *Greg commence à* ***se familiariser*** *avec le français.*

familiarités nom féminin pluriel
Manières trop familières. *Il ne peut pas supporter les* ***familiarités***.

familier, familière adjectif
❶ Que l'on connaît bien. *Ce nom m'est* ***familier***. **CONTR** étranger, inconnu. ❷ Qui vit avec les êtres humains. *Le chat est un animal* ***familier***. **SYN** domestique. **CONTR** sauvage. ❸ Qui se montre trop libre avec les gens. *Elle n'aime pas ces manières trop* ***familières***. **CONTR** respectueux. ❹ Qui se dit couramment à l'oral. *« Bouquin » est un synonyme* ***familier*** *de « livre ».* ■ **familier, familière** nom ❶ Personne considérée comme un membre de la famille. *Mickaël est un* ***familier*** *de la maison.* ❷ Personne qui fréquente habituellement un endroit. *Les* ***familiers*** *d'un restaurant.*

familièrement adverbe
D'une manière familière. *Audrey m'a tapé* ***familièrement*** *sur l'épaule.*

famille nom féminin
❶ Adultes et enfants vivant ensemble. *La* ***famille*** *Tremblay habite ce rang.* • **Famille recomposée :** famille où au moins l'un des enfants est issu d'une union antérieure de l'un de ses parents. • **Famille monoparentale :** famille où la responsabilité et le bien-être des enfants reposent sur un seul parent. ❷ Ensemble de personnes qui ont un lien de parenté. *Pour mon anniversaire, toute la* ***famille*** *était invitée.* ❸ Groupe d'animaux ou de plantes qui ont des caractères communs. *Le chat, le tigre et le lynx sont de la même* ***famille***. • **Famille de mots :** ensemble de mots formés à partir d'un même mot de base. *« Lait », « laitage », « laiterie » sont de la même* ***famille de mots***.

famine nom féminin
Manque de nourriture dans une région, qui cause la mort de beaucoup de gens. *Un pays ravagé par la* ***famine***. **SYN** disette.

fanal, fanaux nom masculin
Lanterne. *Deux* ***fanaux*** *éclairaient l'auberge.* • **Attendre quelqu'un avec une brique et un fanal :** l'attendre de pied ferme dans l'intention de lui demander des explications sur quelque chose qu'il a fait.

a b c d e f g h i j k l m n o p q r s t u v w x y z

a b c d e f g h i j k l m n o p q r s t u v w x y z

fanatique adjectif et nom
❶ Qui fait preuve de zèle envers quelque chose ou quelqu'un. *Il y a eu des bagarres entre des partisans **fanatiques**.* ❷ Qui est passionné par quelque chose. *C'est une **fanatique** de BD.*

fanatisme nom masculin
Comportement des fanatiques, extrémisme, intolérance. *Le **fanatisme** est dangereux pour la liberté.* **CONTR** tolérance.

se **faner** verbe ▶ conjug. 3
Perdre sa fraîcheur et se dessécher. *Le lilas **s'est fané** dans le vase.* **SYN** se flétrir.

fanfare nom féminin
Orchestre composé d'instruments en cuivre et à percussion. *La **fanfare** défile dans les rues en jouant des airs entraînants.*

fanfaron, fanfaronne nom
Personne qui se vante d'un courage qu'elle n'a pas. *Thomas fait le **fanfaron**, mais en réalité il a eu très peur.* **SYN** fendant, vantard.

fanfreluche nom féminin
Petit ornement de peu de valeur. *Les pompons, les dentelles et les rubans sont des **fanfreluches**.*

fanion nom masculin
Petit drapeau. *Les spectateurs agitent des **fanions** au passage du cortège.*

fanon nom masculin
Chacune des lames de corne qui garnissent la bouche de la baleine. *Avec ses **fanons**, la baleine retient le plancton pour le manger.*

*Les **fanons** d'une baleine*

fantaisie nom féminin
❶ Originalité plaisante. *Inès est toujours drôle et pleine de **fantaisie**.* ❷ Envie subite et passagère. *Il lui a pris la **fantaisie** de passer nous voir.* • **Bijou** (de) **fantaisie** : bijou original, mais sans grande valeur.

fantaisiste adjectif
Qui est plein de fantaisie. *On ne sait jamais ce que Chloé va inventer, elle est très **fantaisiste**.*

fantasmagorique adjectif
Qui semble irréel, fantastique. *Le lac dans le brouillard a quelque chose de **fantasmagorique**.*

fantasme nom masculin
Produit de l'imaginaire. *Le prisonnier avait des **fantasmes** de festins.*

fantasque adjectif
Qui est capricieux et imprévisible. *Il change souvent d'avis, il a un caractère **fantasque**.*

fantassin nom masculin
Soldat de l'infanterie. *Les **fantassins** vont à pied avec leur sac sur le dos.*

fantastique adjectif
❶ Qui est né de l'imagination. *Les sirènes sont des créatures **fantastiques**.* **SYN** imaginaire.
❷ Extraordinaire. *C'est une occasion **fantastique** !* **SYN** formidable.

fantomatique adjectif
Qui a un air irréel et un peu inquiétant. *La lune donne un aspect **fantomatique** au paysage nocturne.*

fantôme nom masculin
Apparition surnaturelle d'un mort. *Étienne fait croire à Zora qu'il y a un **fantôme** dans le grenier.* **SYN** revenant, spectre.

faon nom masculin
Petit de la biche et du cerf, ou des autres cervidés (chevreuil, daim, etc.). * Attention ! Le *o* du mot *faon* ne se prononce pas.
* Chercher aussi *bramer*.

*Un **faon***

faramineux, faramineuse adjectif
Exorbitant. *Ce magasin de luxe affiche des prix **faramineux**.*

① **farce** nom féminin
Tour que l'on joue à quelqu'un. *Pour lui faire une **farce**, les enfants ont mis une araignée en plastique dans son sac.* **SYN** blague, plaisanterie.

② **farce** nom féminin
Mélange d'épices et d'aliments hachés servant à garnir l'intérieur d'une viande, d'un poisson ou d'un légume. *La **farce** de ces poivrons est délicieuse.* • **Être le dindon de la farce :** être la personne dont on se moque.

farceur, farceuse nom et adjectif
Personne qui aime faire des farces. *C'est un drôle de petit **farceur**.* SYN plaisantin. – *Une gamine **farceuse**.* SYN blagueur, espiègle, taquin.

farcir verbe ▸ conjug. 11
Remplir de farce. *À l'occasion de l'Action de grâce, ma mère a préparé une dinde **farcie**.*

fard nom masculin
Produit de maquillage. *Elle a mis du **fard** sur ses joues.* * Ne pas confondre *fard*, *fart* et *phare*.

fardeau, fardeaux nom masculin
❶ Lourde charge. *La pauvre bête plie sous son **fardeau**.* ❷ Chose difficile à supporter. *Le **fardeau** des tâches ménagères.*

se **farder** verbe ▸ conjug. 3
Mettre du fard. *Le mime **se farde** dans sa loge.* SYN se maquiller.

fardoches nom féminin pluriel
Broussailles dans un terrain défriché. *Hier, je me suis aventurée dans les **fardoches**, derrière le chalet.*

Un **farfadet**

farfadet nom masculin
Petit lutin. *Les fées, les elfes et les **farfadets** sont des êtres fantastiques.*

farfelu, farfelue adjectif
Qui est bizarre, extravagant. *Il a souvent des idées **farfelues**.*

farine nom féminin
Poudre obtenue en écrasant des grains de céréales (blé, seigle, sarrasin, etc.). *On fait le pain avec de la **farine**, du sel et de l'eau.*

farineux nom masculin
Aliment qui contient de l'amidon. * Chercher aussi *féculent*. ■ **farineux, farineuse** adjectif
Dont la consistance rappelle la farine. *Une poire **farineuse**.*

Des **farineux**

farlouche ➔Voir **ferlouche**

farouche adjectif
❶ Qui se sauve quand on l'approche. *La chatte est un peu **farouche**.* SYN craintif, sauvage. CONTR apprivoisé, familier. ❷ Qui est violent et acharné. *Une résistance **farouche**.*

farouchement adverbe
De façon farouche. *Arielle est **farouchement** opposée à ce projet.*

fart nom masculin
Sorte de cire que l'on met sous les skis pour les faire mieux glisser. * Ne pas confondre *fart*, *fard* et *phare*.

fascicule nom masculin
Petit livre broché qui fait partie d'une collection. *Enfant, ma mère recevait tous les mois un **fascicule** de son encyclopédie.*

fascinant, fascinante adjectif
Qui fascine. *Guido trouve ce spectacle **fascinant**.* SYN captivant, envoûtant.

fascination nom féminin
Action de fasciner. *Ce chanteur exerce une véritable **fascination** sur le public.* SYN envoûtement.

fasciner verbe ▸ conjug. 3
Exercer une attirance irrésistible sur quelqu'un. *Certaines personnes **sont fascinées** par les familles royales.* ♦ Famille du mot : fascinant, fascination.

a b c d e f g h i j k l m n o p q r s t u v w x y z

fascisme nom masculin
Régime dictatorial et nationaliste. *Le **fascisme** s'appuie sur un parti et un chef uniques.* * Attention ! Les lettres *sc* du mot *fascisme* se prononcent *ch*. * Chercher aussi *démocratie*, *dictature*.

fasciste nom et adjectif
Qui appartient au fascisme. *Les **fascistes** veulent prendre le pouvoir dans ce pays. – Des idées **fascistes**.* * Attention ! Les lettres *sc* du mot *fasciste* se prononcent *ch*.

① **faste** adjectif
Qui est favorable, heureux, qui porte chance. *Il croit que les vendredis 13 sont des jours **fastes**.* **CONTR** néfaste.

② **faste** nom masculin
Étalage de luxe, de richesse. *Les souverains étrangers ont été reçus avec **faste**.* **CONTR** simplicité.

fastidieux, fastidieuse adjectif
Qui est répétitif et monotone. *Pour Naomie, éplucher des pommes de terre est un travail **fastidieux**.* **SYN** lassant.

fastueux, fastueuse adjectif
Plein de faste. *Ce milliardaire mène une vie **fastueuse**.*

fatal, fatale, fatals adjectif
❶ Qui doit forcément arriver. *Les freins ont lâché, l'accident était **fatal**.* **SYN** inévitable. ❷ Qui conduit à des résultats désastreux ou à la mort. *Il roulait trop vite, cela explique cette imprudence **fatale**.* **SYN** funeste. ♦ Famille du mot : fatalement, fataliste, fatalité.

fatalement adverbe
De façon fatale. *Cela arrivera **fatalement** un jour ou l'autre.* **SYN** forcément, inévitablement.

fataliste nom
Personne résignée qui pense que ce qui se passe est inévitable et fixé par la fatalité. *Il ne réagit pas, il se montre très **fataliste**.*

fatalité nom féminin
Destin ou hasard malheureux. *La **fatalité** a voulu que deux de ses chiens meurent accidentellement.*

fatidique adjectif
Qui doit fatalement arriver. *La date **fatidique** du départ approche.*

fatigant, fatigante adjectif
❶ Qui fatigue. *Une longue marche **fatigante**.* **CONTR** reposant. ❷ Qui est difficile à supporter. *Que tu es **fatigant** à toujours te plaindre !* **SYN** embêtant, lassant. * Ne pas confondre *fatigant*, adjectif, avec *fatiguant*, participe présent invariable du verbe *fatiguer*.

fatigue nom féminin
Impression de lassitude causée par un effort ou un travail. *Je suis mort de **fatigue** après cette dure journée.* **SYN** épuisement.

fatigué, fatiguée adjectif
Qui ressent de la fatigue. **SYN** épuisé.

fatiguer verbe ▸ conjug. 3
❶ Causer de la fatigue. *Le match **a fatigué** les joueurs.* **CONTR** délasser, reposer. ❷ Être difficile à supporter. *Cessez de vous chamailler, ça me **fatigue** !* ■ se **fatiguer** : se causer de la fatigue. *Il **se fatigue** à travailler sans relâche.*
• **Se fatiguer de quelque chose** : en avoir assez. *Yann **s'est** vite **fatigué du** piano.* **SYN** se lasser. ♦ Famille du mot : fatigant, fatigue, fatigué, infatigable.

faubourg nom masculin
Quartier d'une ville qui est loin du centre. *Les **faubourgs** de cette ville sont surtout industriels.*

fauché, fauchée adjectif
Dans la langue familière, qui n'a plus d'argent. *Elle est complètement **fauchée**.*

① **faucher** verbe ▸ conjug. 3
❶ Couper avec une faux. ***Faucher** du foin.* ❷ Faire tomber brutalement comme avec une faux. *Une balle **a fauché** l'oie sauvage en plein vol.* ♦ Famille du mot : fauché, faucheuse, ② faux.

② **faucher** verbe ▸ conjug. 3
Dans la langue familière, voler. *On lui **a fauché** son blouson.* **SYN** piquer.

faucheuse nom féminin
Machine agricole qui sert à faucher. *Pour couper la luzerne, la cultivatrice ira plus vite avec une **faucheuse**.*

faucille nom féminin
Outil dont la lame forme un demi-cercle et qui sert à couper l'herbe. *Autrefois, on moissonnait à la **faucille**.* * Attention ! Les deux *l* du mot *faucille* se prononcent comme dans *fille*.

Une **faucille**

faucon nom masculin
Oiseau de proie diurne, au vol rapide. *Le **faucon** fond sur sa proie.* 👁p. 720. * Chercher aussi *rapace*.

Un **faucon**

faufiler verbe ▸ conjug. 3
Coudre provisoirement à grands points. *Karina **faufile** l'ourlet avant de le coudre.*

se **faufiler** verbe ▸ conjug. 3
S'introduire sans se faire remarquer. *Le chat **s'est faufilé** sous le lit.*

faune nom féminin
Ensemble des animaux d'une région. *Le python appartient à la **faune** équatoriale.* * Chercher aussi *flore*.

faussaire nom
Personne qui fabrique des faux, des imitations. *Les faux-monnayeurs sont des **faussaires**.*

fausse ➔Voir **faux**

fausse couche nom féminin
Avortement naturel et involontaire. *Ma tante a fait une **fausse couche**.* ✎ Pluriel : *des **fausses couches***.

faussement adverbe
De façon fausse. *Il nous a accueillis avec un air **faussement** joyeux.* **CONTR** réellement.

fausser verbe ▸ conjug. 3
❶ Rendre faux. *Ce scientifique prétend qu'on **a faussé** les résultats de sa recherche.* ❷ Déformer en tordant ou en forçant. *En tombant avec mon vélo, j'**ai faussé** le guidon.* ❸ Chanter faux. *Antonin **fausse**, tandis que Jean-Marc chante juste.* • **Fausser compagnie à quelqu'un** : le quitter brusquement, sans prévenir.

fausset nom masculin
• **Voix de fausset** : voix très aiguë.

fausseté nom féminin
Caractère de ce qui est faux. *La **fausseté** de cette déclaration a été prouvée.* **SYN** inexactitude.

faute nom féminin
❶ Fait de manquer à une règle. *Tu as fait des **fautes** d'orthographe dans ton texte.* **SYN** erreur. ❷ Ce qui est mal ou ce qui est défendu. *Il a commis une **faute** en ne disant pas toute la vérité.* ❸ Ce dont on est responsable. *À qui la **faute** ?* ❹ Au sport, erreur technique, manquement aux règles qui peut entraîner une sanction. • **Faute de quelque chose** : par manque de cela. *Je n'ai pas fini, **faute de** temps.* • **Sans faute** : à coup sûr. *Vous pouvez compter sur moi, je serai là **sans faute**.*

fauteuil nom masculin
Siège à dossier et à accoudoirs, pour une seule personne. • **Fauteuil roulant** : fauteuil sur roues spécialement conçu pour permettre à une personne handicapée de se déplacer.

fautif, fautive adjectif
❶ Coupable, en faute. *Il a perdu ta BD, il se sent **fautif**.* ❷ Qui contient des fautes. *Une orthographe **fautive**.* **SYN** erroné. **CONTR** correct, juste. ■ **fautif, fautive** nom Personne qui est responsable d'une faute. *C'est elle, la **fautive** dans cette histoire.* **SYN** coupable.

fauve adjectif
D'une couleur jaune-roux. *Les couleurs **fauves** de l'automne.* ■ **fauve** nom masculin Grand félin sauvage. *Le dompteur est entré dans la cage des **fauves**.*

fauvette nom féminin
Petit oiseau chanteur au plumage fauve.

① **faux, fausse** adjectif
❶ Qui contient une erreur. *Refais ton addition, elle est **fausse** !* **SYN** inexact. **CONTR** exact, juste. ❷ Qui constitue un mensonge. *Elle a dit qu'elle t'avait vu, mais c'est **faux**.* **CONTR** vrai. ❸ Qui a l'air vrai, mais qui est imité. *Cette pièce de monnaie est **fausse**.* **CONTR** authentique, vrai. ❹ Qui n'est pas ce qu'il cherche à paraître. *C'est une personne **fausse**, ne te fie pas à elle.* **SYN** fourbe, hypocrite. **CONTR** droit, franc. ❺ Qui n'a pas le ton juste. *Carlos fait des **fausses** notes à la clarinette.* ❻ Qui n'est pas comme il

doit être. *Faire un **faux** mouvement, un **faux** pas.* ■ **faux** adverbe De façon fausse. *Chanter **faux**.* CONTR juste. ■ **faux** nom masculin ❶ Ce qui est contraire à la vérité. *J'essaie de démêler le vrai du **faux**.* ❷ Copie d'un objet faite pour tromper. *Ce tableau de Riopelle est un **faux**.* ♦ Famille du mot: faussaire, faussement, fausser, fausset, fausseté.

② **faux** nom féminin
Outil fait d'une lame courbe fixée à un long manche, qui sert à couper l'herbe.

Une *faux*

faux-fuyant nom masculin
Moyen que l'on trouve pour éviter de répondre. *Elle trouve toujours un **faux-fuyant** pour ne pas prendre parti.* SYN échappatoire. ✎ Pluriel: *des **faux-fuyants**.*

faux-monnayeur, fausse-monnayeuse nom
Personne qui fabrique de la fausse monnaie. ✎ Pluriel: *des **faux-monnayeurs**, des **fausses-monnayeuses**.*

faveur nom féminin
❶ Avantage particulier que l'on accorde à quelqu'un. *Le vendeur a fait une **faveur** à l'enfant: il lui a donné un ballon.* ❷ Considération que l'on a acquise auprès de quelqu'un. *Ce député a la **faveur** des électeurs.* • **En faveur de quelqu'un**: à son profit. *Joël est intervenu dans la discussion **en faveur de** Marilou.* • **À la faveur de quelque chose**: en profitant de cette chose. *L'ennemi a attaqué **à la faveur de** la nuit.* ♦ Famille du mot: défavorable, défavoriser, favorable, favorablement, favori, favoriser, favoritisme.

favorable adjectif
❶ Qui favorise la réalisation de quelque chose. *Profitons de ce temps **favorable** pour sortir.* SYN propice. CONTR défavorable. ❷ Qui est en faveur de quelqu'un ou de quelque chose. *Je suis **favorable** à ce projet.* CONTR hostile, opposé.

favorablement adverbe
De manière favorable. *La proposition a été accueillie **favorablement**.*

favori, favorite adjectif
Que l'on préfère aux autres. *Le bleu est ma couleur **favorite**. Félix est mon compagnon de jeu **favori**.* ■ **favori, favorite** nom ❶ Personne ou chose que l'on préfère. *Cette petite chatte noire est ma **favorite**.* SYN préféré. ❷ Personne ou animal qui a les meilleures chances de gagner. *Dans cette course, Rosalie est la **favorite**.*

favoriser verbe ▸ conjug. 3
❶ Donner un avantage à quelqu'un. *Un arbitre ne doit **favoriser** personne.* SYN avantager. CONTR défavoriser. ❷ Être favorable à quelque chose, en permettre le développement. *La pluie **favorise** les bonnes récoltes.*

favoritisme nom masculin
Tendance à favoriser quelqu'un aux dépens des autres. *C'est toujours elle qui est choisie, c'est du **favoritisme**!*

fébrile adjectif
❶ Qui a de la fièvre. *Juan se sent **fébrile**.* SYN fiévreux. ❷ Qui montre de l'agitation ou de l'excitation. *À midi, une agitation **fébrile** règne dans les cuisines de ce restaurant.*

fébrilement adverbe
De manière fébrile, agitée. *Roxane cherche **fébrilement** son porte-monnaie.*

fébrilité nom féminin
État d'extrême agitation. *Dans la **fébrilité** du départ, on a oublié une valise.*

fécond, féconde adjectif
❶ Capable d'avoir des petits. *Les lapines sont très **fécondes**.* SYN prolifique. CONTR stérile. ❷ Au sens figuré, qui est très productif. *La traversée a été **féconde** en évènements.* SYN fertile, riche. ♦ Famille du mot: fécondation, féconder, fécondité.

fécondation nom féminin
Action de féconder.

féconder verbe ▸ conjug. 3
Rendre une femme enceinte, une femelle en état de gestation. *Le chien **féconde** la chienne.*

fécondité nom féminin
❶ Capacité d'avoir des petits. *Cette chienne a eu six chiots. Quelle **fécondité**!* CONTR stérilité. ❷ Au sens figuré, fait d'être riche, abondant. *Cette écrivaine a une imagination d'une extraordinaire **fécondité**.*

fécule nom féminin
Substance blanche et farineuse extraite des végétaux. *Les pommes de terre, les lentilles, les pois chiches contiennent de la* ***fécule***.

féculent nom masculin
Aliment qui contient de la fécule. *Le riz, les pâtes, les lentilles sont des* ***féculents***. 👁p. 36. * Chercher aussi *farineux*.

Des **féculents**

fédéral, fédérale, fédéraux adjectif
Qui concerne la confédération canadienne. *Au Canada, le gouvernement* ***fédéral*** *exerce son autorité sur les dix provinces et les trois territoires qui forment le pays.* ■ **fédéral** nom masculin Le gouvernement fédéral. *Le* ***fédéral*** *est responsable de l'administration des douanes.* ♦ Famille du mot : confédération, fédéralisme, fédéraliste, fédération. * Chercher aussi *provincial*.

fédéralisme nom masculin
Système politique dans lequel un gouvernement central partage des pouvoirs avec des provinces, des États, etc. *Le* ***fédéralisme*** *canadien, le* ***fédéralisme*** *suisse.*

fédéraliste adjectif
Relatif au fédéralisme. *Le professeur de guitare de Marie défend des idées* ***fédéralistes***.
■ **fédéraliste** nom Partisan du fédéralisme.
* Chercher aussi *souverainiste*.

fédération nom féminin
❶ Association de plusieurs États en un seul. *Les États-Unis et l'Allemagne sont des* ***fédérations***. ❷ Regroupement de clubs ou de syndicats. *La* ***Fédération*** *québécoise de hockey sur glace.* * Chercher aussi *confédération*.

fée nom féminin
Créature imaginaire dotée de pouvoirs magiques. *Que ferais-tu avec ta baguette magique si tu étais une* ***fée*** *?* ♦ Famille du mot : féerie, féerique.

féerie ou **féérie** nom féminin
Spectacle merveilleusement beau. *Le feu d'artifice sur l'eau est une véritable* ***féerie***.
SYN enchantement. * Attention ! *Féerie* se prononce *férie* ou *féérie*.

féerique ou **féérique** adjectif
D'une beauté merveilleuse, digne d'un conte de fées. *Le spectacle du soleil couchant sur la mer est* ***féerique***. * Attention ! *Féerique* se prononce *férique* ou *féérique*.

feindre verbe ▸ conjug. 35
Faire semblant. *Ahmed* ***feignait*** *la surprise, mais il était déjà au courant.* **SYN** affecter, simuler.

feinte nom féminin
❶ Mouvement destiné à tromper. *J'ai cru que Benoît allait tirer au but, mais c'était une* ***feinte***. **SYN** ruse. ❷ Coup simulé ou mouvement par lequel on trompe l'adversaire en faisant semblant d'attaquer d'un côté alors qu'on va frapper de l'autre.

fêler verbe ▸ conjug. 3
Fendre quelque chose sans le casser. *Des verres* ***ont été fêlés*** *durant le transport.* ■ *se* **fêler** : se fendre sans se casser. *J'ai cogné ce verre et il* ***s'est fêlé***.

félicitations nom féminin pluriel
Paroles dites pour féliciter. *Toutes nos* ***félicitations*** *aux jeunes mariés !*
SYN compliment.

féliciter verbe ▸ conjug. 3
Dire à quelqu'un sa joie ou son admiration. *On* ***félicite*** *le vainqueur.* **SYN** complimenter. **CONTR** blâmer, critiquer. ■ *se* **féliciter**
❶ S'approuver d'avoir agi comme on l'a fait. *Je* ***me félicite*** *de t'avoir écouté.* ❷ Se réjouir. *Elle* ***se félicite*** *de cette bonne affaire.*

De grands **félins**

a b c d e f g h i j k l m n o p q r s t u v w x y z

félin nom masculin
Mammifère carnivore de la même famille que le chat. *Les lions, les pumas, les léopards, les tigres sont des **félins**.*

fêlure nom féminin
Fente d'une chose fêlée. *Il y a une **fêlure** dans le pare-brise.*

femelle nom féminin
Animal de sexe féminin. *La chatte, la chienne, la truie, la jument, la brebis sont des **femelles**.*
■ **femelle** adjectif Qui est du sexe féminin. *Un cygne **femelle**.*

féminin, féminine adjectif
❶ De la femme. *J'entends une voix **féminine**.* CONTR masculin. ❷ Se dit d'un nom pouvant être précédé des déterminants « la » ou « une ». *« Chatte », « clé » sont des noms **féminins**.*
■ **féminin** nom masculin Du genre féminin. *Le **féminin** de l'adjectif « beau » est « belle ».* CONTR masculin.

féministe nom et adjectif
En faveur de l'égalité des droits entre les femmes et les hommes. *Ma grand-mère a été une ardente **féministe**. – Des revendications **féministes**.*

féminité nom féminin
Ensemble des qualités attribuées aux femmes.

femme nom féminin
❶ Personne adulte de sexe féminin. *Cette **femme** est agente de bord.* CONTR homme. ❷ Personne de sexe féminin avec laquelle un homme est marié. *Ils sont mari et **femme** depuis dix ans.* SYN épouse. • **Femme de chambre :** femme employée pour entretenir les chambres d'un hôtel. • **Femme de ménage :** employée de maison. • **Femme d'affaires :** femme qui fait régulièrement des affaires dans l'industrie, le commerce.

femme-grenouille
➔Voir **homme-grenouille**

fémur nom masculin
Os de la cuisse.

fenaison nom féminin
Récolte du foin.

endant, fendante adjectif et nom
Qui est arrogant et prétentieux. *Un air **fendant**. – Faire le **fendant**.* SYN fanfaron.

e fendiller verbe ▸ conjug. 3
Se craqueler en formant de petites fentes. *Sur la flaque gelée, la glace **se fendille**.*

endre verbe ▸ conjug. 31
Couper dans le sens de la longueur. ***Fendre** du bois à la hache.* • **Fendre le cœur :** faire beaucoup de peine. ■ **se fendre** : se couper, s'ouvrir. *Jade **s'est fendu** la lèvre en tombant.*

enêtre nom féminin
Ouverture dans un mur destinée à donner de la lumière et de l'air. • **Jeter l'argent par les fenêtres :** le gaspiller.

enouil nom masculin
Plante aromatique au goût d'anis.

Du **fenouil**

ente nom féminin
Ouverture étroite et allongée. *Kevin glisse sa carte postale dans la **fente** de la boîte aux lettres. La **fente** d'un mur.* SYN fissure.

éodal, féodale, féodaux adjectif
Qui concerne la féodalité. *Le système **féodal**.*

éodalité nom féminin
Organisation politique du Moyen Âge dans laquelle il y avait des seigneurs protégeant des vassaux qui leur obéissaient.

er nom masculin
Métal gris, lourd et résistant. *Le **fer** conduit bien la chaleur.* • **De fer :** dur ou résistant comme le fer. *Elle a une santé **de fer**.* • **Fer à cheval :** objet de fer en forme de U que l'on cloue sous les sabots du cheval pour les protéger. 👁p. 434. * Chercher aussi *ferrer*. • **Fer à repasser :** appareil électrique qui sert à repasser le linge. • **Fer à souder :** appareil électrique avec lequel on soude le métal. • **D'une main de fer :** avec beaucoup d'autorité. *Elle dirige son personnel **d'une main de fer**.* • **Croire dur comme fer :** être totalement convaincu. ♦ Famille du mot : ferraille, ferrailleur, ferré, ferrer, ferroviaire, ferrure.

Du **fer**

férié, fériée adjectif
• **Jour férié :** jour où l'on ne travaille pas. *Le 24 juin et le 1er juillet sont des **jours fériés**.* CONTR ouvrable.

ferlouche nom féminin
Mélange de raisins secs et de mélasse dont on garnit une tarte. *La tarte à la **ferlouche** est mon dessert préféré.* * On dit aussi ***farlouche***.

① **ferme** adjectif
❶ Qui est assez consistant. *Une mousse au chocolat réussie est bien **ferme**.* CONTR mou. ❷ Qui est solide et ne tremble pas. *Ce vieillard marche encore d'un pas **ferme**.* SYN assuré. CONTR hésitant. ❸ Qui agit énergiquement, sans hésiter ni céder. *Il s'est montré très **ferme** dans la discussion.* SYN déterminé. CONTR faible. • **De pied ferme :** sans bouger et résolument. *Je l'attends **de pied ferme**.* ■ **ferme** adverbe ❶ Avec ardeur. *Ils discutent **ferme**.* ❷ Beaucoup. *S'amuser **ferme**.* ♦ Famille du mot : fermement, fermeté.

② **ferme** nom féminin
Maison, bâtiments et terre d'un cultivateur. *Marek et Gabrielle vont chercher des œufs à la **ferme**.* SYN exploitation* agricole.

Une **ferme**

fermé, fermée adjectif
❶ Dont l'accès est restreint. *Ce porte-document est **fermé** à clé.* ❷ Inaccessible. *Cet établissement est **fermé** au public en dehors des heures ouvrables.*

fermement adverbe
De façon ferme. *Ève est **fermement** décidée à partir.* SYN résolument.

a b c d e f g h i j k l m n o p q r s t u v w x y z

fermentation nom féminin
Transformation chimique d'une substance. *Le vin provient de la **fermentation** du jus de raisin.*

fermenter verbe ▸ conjug. 3
Être en fermentation. *On fait **fermenter** le jus de raisin pour obtenir du vin.*

fermer verbe ▸ conjug. 3
❶ Boucher une ouverture. *Maxime est entré et il **a fermé** la porte.* CONTR ouvrir. ❷ Rapprocher les parties d'une ouverture. *Émilie **ferme** son sac. Simon **ferme** les yeux.* ❸ Isoler de l'extérieur. *Les frontières **sont fermées**, on ne peut plus entrer dans ce pays.* ❹ Ne plus recevoir le public. *Le magasin **ferme** à 18 heures.* ❺ Arrêter le fonctionnement de quelque chose. *Veux-tu **fermer** la radio ?* SYN éteindre. • **Fermer la marche** : marcher le dernier dans un groupe. CONTR ouvrir. ♦ Famille du mot : enfermer, fermeture, fermoir, refermer.

fermeté nom féminin
Qualité de ce qui est ferme. *J'aime la **fermeté** de sa poignée de main.* CONTR mollesse.

fermette nom féminin
Petite ferme. *Elle rêve d'acheter une jolie **fermette**.*

fermeture nom féminin
❶ Système qui sert à fermer. *La **fermeture** du garage est électrique.* ❷ Moment où un établissement ferme. *Je suis arrivée juste avant la **fermeture** de la banque.* CONTR ouverture.

fermier, fermière nom
Personne qui exploite une ferme. *Le **fermier** et la **fermière** traient leurs vaches.* SYN agriculteur, cultivateur.

fermoir nom masculin
Attache qui sert à fermer. *Ce coffret à bijoux a un joli **fermoir**.*

féroce adjectif
Sauvage et cruel. *L'orque est un animal **féroce**.* ♦ Famille du mot : férocement, férocité.

Des **ferrures**

férocement adverbe
De manière féroce. *Le lion a rugi **férocement**.*

férocité nom féminin
Caractère, comportement féroces. *Les panthères sont des prédateurs d'une extrême **férocité**.* SYN cruauté.

ferraille nom féminin
Objets en fer hors d'usage. *Ce vieux vélo est bon à mettre à la **ferraille**.*

ferrailleur, ferrailleuse nom
Personne qui récupère et vend de la ferraille.

ferré, ferrée adjectif
❶ Qui est garni de fer. *Élise fait de la danse à claquettes avec des souliers **ferrés**.* • **Voie ferrée** : voie garnie de rails sur laquelle circulent les trains. ❷ Qui est expert dans son domaine. *Elle est **ferrée** en chimie.*

ferrer verbe ▸ conjug. 3
Mettre des fers à un cheval. *C'est le maréchal-ferrant qui **ferre** les chevaux.*

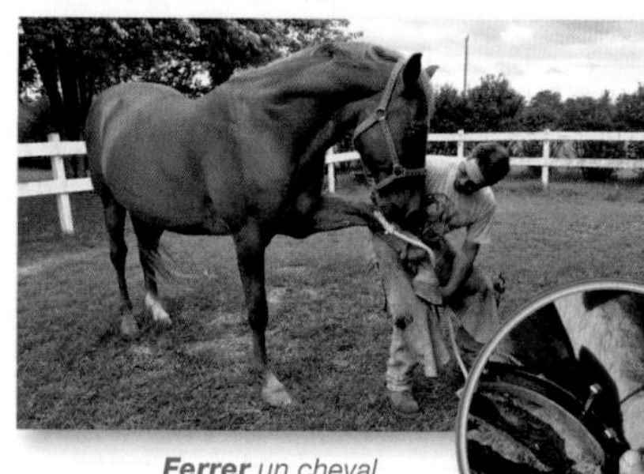

***Ferrer** un cheval*

ferroviaire adjectif
Qui concerne les chemins de fer. *Avec 48 000 km de voies ferrées, le Canada a l'un des plus grands réseaux **ferroviaires** du monde.* * Chercher aussi *aérien, fluvial, routier*.

ferrure nom féminin
Garniture en fer. *Les portes de ce meuble sont ornées de **ferrures** anciennes.*

fertile adjectif
❶ Qui fournit des récoltes abondantes. *Une terre **fertile**.* CONTR aride, stérile. ❷ Au sens figuré, fécond. *La journée a été **fertile** en évènements.* SYN riche. ♦ Famille du mot : fertiliser, fertilité.

fertiliser verbe ▸ conjug. 3
Rendre fertile. *On a répandu du fumier sur ce champ pour le **fertiliser**.*

fertilité nom féminin
Qualité de ce qui est fertile. *On améliore la **fertilité** d'un sol avec des engrais.* CONTR aridité, stérilité.

ervent, fervente adjectif et nom
Passionné. *Une prière **fervente**. – Nadia est une **fervente** de cinéma.*

erveur nom féminin
Enthousiasme, passion pour quelqu'un ou quelque chose. *Le match de hockey a suscité la **ferveur** des spectateurs.* **SYN** ardeur.

esse nom féminin
Chacune des deux parties charnues du derrière.

essée nom féminin
Coups sur les fesses.

estin nom masculin
Repas de fête très copieux. * Chercher aussi *banquet*.

estival nom masculin
Manifestation artistique organisée à époque fixe. *En été, il y a beaucoup de **festivals** à Montréal.*

estivités nom féminin pluriel
Réjouissances publiques. *Quel est le programme des **festivités** ?*

estoyer verbe ▸ conjug. 6
Participer à un festin. *Les convives **ont festoyé** jusqu'à l'aube.*

feta nom féminin
Fromage d'origine grecque fait avec du lait de brebis ou de chèvre. ✎ Pluriel : *des **fetas***. * Attention ! Le *e* du mot *feta* se prononce comme un *é*. ✎ On peut écrire aussi ***féta***.

fête nom féminin
❶ Jour où l'on se réjouit en souvenir d'un fait religieux ou historique. *Le 24 juin, c'est la Saint-Jean-Baptiste, la **fête** nationale du Québec.* ❷ Réunion organisée pour se voir et s'amuser. • **Faire la fête :** s'amuser en groupe. *Samedi, nos voisins **ont fait la fête** jusqu'au petit matin.* • **Se faire une fête de quelque chose :** se réjouir beaucoup à cette idée.

fêter verbe ▸ conjug. 3
Organiser une fête en l'honneur d'un évènement. *Delia **a fêté** son anniversaire.* • **Fêter quelqu'un :** l'accueillir avec joie, avec enthousiasme.

fétiche nom masculin
Objet considéré comme portant chance. *Laurence est très attachée à son ours en peluche ; c'est son **fétiche**.* **SYN** amulette, grigri, porte-bonheur, talisman.

fétu nom masculin
Brin de paille.

feu, feux nom masculin
❶ Flamme et chaleur dégagée par ce qui brûle. *Le **feu** de cheminée donne une ambiance agréable.* ❷ Ce qui sert à allumer, allumettes ou briquet. *Il n'a pas de **feu** sur lui.* ❸ Incendie. *Les pompiers luttent contre les **feux** de forêt.* • **Prendre feu :** commencer à brûler, s'enflammer. • **Passer au feu :** dans la langue familière, être détruit par un incendie. *Quand Hong était petite, sa maison **a passé au feu**.* • **Arme à feu :** arme qui utilise l'explosion de la poudre pour projeter des balles. • **Coup de feu :** coup tiré par une arme à feu. • **Faire feu :** tirer avec une arme à feu. • **Feu ! :** ordre de tirer. • **Feu d'artifice :** spectacle nocturne constitué de tirs de fusées lumineuses et colorées. • **Feu sauvage :** dans la langue familière, bouton contagieux qui apparaît soudainement sur la lèvre. *Félix est sujet aux **feux sauvages**.* • **Feu de circulation :** signal lumineux. *Les voitures attendent le **feu** vert pour passer.*

feuillage nom masculin
Ensemble des feuilles d'un arbre. *Vincent s'abrite du soleil sous le **feuillage** d'un chêne.* 👁p. 66.

feuille nom féminin
❶ Partie verte et mince d'une plante, qui pousse sur une branche. *Les **feuilles** naissent des bourgeons.* 👁p. 66. * Chercher aussi *caduc*, *persistant*, *chlorophylle*, *nervure*. ❷ Rectangle de papier. *Juliane veut une **feuille** pour dessiner.* ❸ Plaque très mince. *Une **feuille** d'aluminium.* ♦ Famille du mot : effeuiller, feuillage, feuillet, feuilleté, feuilleter, feuilleton, feuillu.

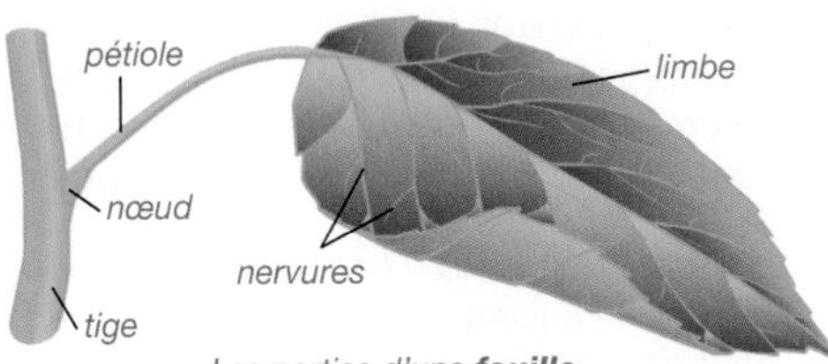

Les parties d'une **feuille**

a b c d e **f** g h i j k l m n o p q r s t u v w x y z

a b c d e **f** g h i j k l m n o p q r s t u v w x y z

feuillet nom masculin
Feuille d'un livre ou d'un cahier.

feuilleté, feuilletée adjectif
Qui est formé de minces feuilles superposées. *Une tarte à pâte **feuilletée**.* ■ **feuilleté** nom masculin Pâte feuilletée garnie. *Ce **feuilleté** aux épinards est délicieux.*

feuilleter verbe ▸ conjug. 9
Tourner les pages d'un livre en les regardant rapidement. *Nicolas **feuillette** une revue.*
✎ On peut écrire aussi, au présent, *je **feuillète***; au futur, *tu **feuillèteras***; au conditionnel, *elle **feuillèterait***.

feuilleton nom masculin
Histoire racontée en plusieurs épisodes dans un journal, à la radio, à la télévision. *On a regardé tous les épisodes du **feuilleton**.* * Chercher aussi *téléroman*, *télésérie*.

feuillu, feuillue adjectif
Qui porte des feuilles. *Le peuplier et le bouleau sont des arbres **feuillus**, mais non le cèdre ni le pin, qui portent des aiguilles.* ■ **feuillu** nom masculin Arbre qui porte des feuilles. *Une forêt de **feuillus**.* 👁p. 126. * Chercher aussi *conifère*, *résineux*.

feulement nom masculin
Cri du tigre, grondement du chat.

feuler verbe ▸ conjug. 3
Produire un feulement. *Le tigre, le chat **feulent**.*

feutre nom masculin
❶ Étoffe non tissée, faite de laine ou de poils agglutinés. *Des pantoufles à semelles de **feutre**.* ❷ Stylo à pointe de feutre ou de nylon. *L'enseignante corrige les travaux au **feutre** rouge.* • **Crayon-feutre**: crayon à pointe de feutre. *Des **crayons-feutres** de diverses couleurs.* 👁p. 74. ♦ Famille du mot: feutré, feutrine.

feutré, feutrée adjectif
❶ Qui a pris l'aspect du feutre. *Le chandail de Coralie est **feutré**.* ❷ Peu sonore, presque silencieux. *Les chats marchent à pas **feutrés**.*

feutrine nom féminin
Tissu léger en feutre. *Xavier et Noémie jouent aux cartes sur un tapis de **feutrine**.*

fève nom féminin
Légumineuse dont on consomme les graines. • **Fèves au lard**: plat de haricots secs cuits à feu doux avec des lardons et de la mélasse. • **Fèves germées**: pousses de soja ou d'une variété de haricots.

Des **fèves**

février nom masculin
Deuxième mois de l'année, qui compte vingt-huit jours, et vingt-neuf les années bissextiles. ✎ Attention! Le nom des mois s'écrit avec une minuscule.

fiabilité nom féminin
Caractère de ce qui est fiable. *Ils ont choisi cette voiture pour sa **fiabilité**.*

fiable adjectif
Digne de confiance, auquel on peut se fier. *C'est un ami sûr et très **fiable**.* **SYN** fidèle.

fiacre nom masculin
Voiture à cheval qu'on louait autrefois pour se déplacer en ville. *Le **fiacre** est l'ancêtre du taxi.*

fiançailles nom féminin pluriel
Promesse solennelle de mariage. *Selon la coutume, le fiancé offre une bague de **fiançailles** à la fiancée.*

fiancé, fiancée nom
Personne qui est fiancée. *Il nous a présenté sa **fiancée**.*

se **fiancer** verbe ▸ conjug. 4
Faire la cérémonie des fiançailles. *Ils **se sont fiancés** au printemps.* ♦ Famille du mot: fiançailles, fiancé.

fiasco nom masculin
Échec complet. *Cette fête en plein air a été un **fiasco** à cause de la pluie.* **CONTR** réussite.
✎ Pluriel: *des **fiascos***.

fibre nom féminin
Filament de matière organique ou artificielle. *Les **fibres** musculaires. Les **fibres** synthétiques.* • **Fibre alimentaire :** partie d'un aliment qui ne peut être assimilée par l'organisme.

fibreux, fibreuse adjectif
Qui est formé de fibres. *La tige du céleri est très **fibreuse**.*

ficeler verbe ▸ conjug. 9
Attacher avec une ficelle. *La bouchère **ficelle** un rôti.* ✎ On peut écrire aussi, au présent, *je **ficèle***; au futur, *je **ficèlerai***; au conditionnel, *je **ficèlerais***.

ficelle nom féminin
Corde très mince. *Ne lâche pas la **ficelle** qui retient le cerf-volant !*

① **fiche** nom féminin
Pièce fixée au bout d'un fil électrique et que l'on insère dans une prise de courant.

② **fiche** nom féminin
Morceau de carton mince servant à noter des renseignements. *Ma grand-mère a écrit ses recettes sur des **fiches**.*

ficher verbe ▸ conjug. 3
❶ Dans la langue familière, mettre. *Il **a été fichu** à la porte du centre récréatif.* ❷ Dans la langue familière, faire. *Elle ne **fiche** rien.* • **Ficher la paix :** laisser tranquille. • **Ficher le camp :** s'en aller. ■ *se* **ficher** : dans la langue familière, se moquer. *J'ai perdu la partie, mais je **m'en fiche** !* * Attention ! *(Se) ficher* se conjugue comme *aimer*, sauf au participe passé : ***fichu***.

fichier nom masculin
❶ Boîte servant à ranger des fiches. ❷ Ensemble de données enregistrées par un ordinateur.

① **fichu, fichue** adjectif
❶ Dans la langue familière, qui est cassé et inutilisable. *Ma montre est tombée dans l'eau, elle est **fichue**.* ❷ Dans la langue familière, détestable. *Christophe a un **fichu** caractère.* • **Mal fichu :** malade, fatigué. *Léa est **mal fichue** depuis hier.*

② **fichu** nom masculin
Morceau de tissu triangulaire que les femmes mettent sur leur tête ou sur leurs épaules. * Chercher aussi *châle*.

fictif, fictive adjectif
Qui est inventé, créé par l'imagination. *Tous les personnages de cette histoire sont **fictifs**.* **SYN** imaginaire. **CONTR** réel.

fiction nom féminin
Histoire qui raconte des choses fictives. *Les contes, les romans, les nouvelles sont des livres de **fiction**.*

fidèle adjectif
❶ Qui est attaché à quelqu'un de façon loyale et constante. *C'est bon d'avoir des amis **fidèles**.* **SYN** fiable. **CONTR** inconstant, infidèle. ❷ Qui est exact, conforme à la vérité. *Un compte rendu **fidèle** des évènements.* ■ **fidèle** nom Personne qui pratique une religion. *Les **fidèles** se rendent à l'office religieux.* ♦ Famille du mot : fidèlement, fidélité, infidèle, infidélité.

fidèlement adverbe
De façon fidèle. *Je vous ai **fidèlement** rapporté ce qu'elle m'a dit.* **SYN** exactement.

fidélité nom féminin
❶ Caractère fidèle de quelqu'un ou de quelque chose. *La **fidélité** des chiens est bien connue. Une chaîne haute **fidélité** reproduit très exactement le son.* ❷ Exactitude. *Je doute de la **fidélité** de cette traduction.*

fidjien, fidjienne
➻Voir tableau, p. 1319.

fiel nom masculin
❶ Bile des animaux. *Le boucher vide le poulet et retire le **fiel**, qui est très amer.* ❷ Au sens figuré, méchanceté. *Des remarques pleines de **fiel**.*

fiente nom féminin
Excrément des oiseaux. *La terrasse est couverte de **fientes** de pigeons.*

se **fier** verbe ▸ conjug. 10
Avoir confiance en quelqu'un. *Katia est une amie sûre, on peut **se fier** à elle.* **CONTR** se défier, se méfier. ♦ Famille du mot : défi, défier, se défier de, fiabilité, fiable, méfiance, méfiant, se méfier.

fier, fière adjectif
❶ Qui se croit supérieur aux autres. *Cet homme est trop **fier** pour nous saluer.* **SYN** hautain, orgueilleux. ❷ Qui est très satisfait. *Alberto est très **fier** de sa maquette de maison longue.* **CONTR** honteux. ♦ Famille du mot : fier-à-bras, fièrement, fierté.

a b c d e f g h i j k l m n o p q r s t u v w x y z

fier-à-bras nom masculin
Homme fort qui cherche à intimider, à se faire craindre. ✎ Pluriel : *des **fiers-à-bras**.*

fièrement adverbe
De façon fière. *David nous a annoncé **fièrement** sa victoire.*

fierté nom féminin
❶ Amour-propre. *Par **fierté**, Laïla refuse qu'on l'aide.* **SYN** orgueil. ❷ Grande satisfaction. *Il tire une grande **fierté** de sa nouvelle guitare.*

fièvre nom féminin
❶ Élévation anormale de la température du corps. *Léa a une forte **fièvre**, elle doit garder le lit.* * Chercher aussi *thermomètre*. ❷ Au sens figuré, grande agitation. *Dans la **fièvre** du départ, mon père a oublié son portefeuille.* **SYN** excitation, fébrilité. ♦ Famille du mot : fiévreusement, fiévreux.

fiévreusement adverbe
De façon fiévreuse, agitée. *Liang se prépare **fiévreusement** à son examen.*

fiévreux, fiévreuse adjectif
❶ Qui a de la fièvre. *Prends ta température, tu as l'air **fiévreux**.* ❷ Qui montre de l'excitation, de la nervosité. *Des préparatifs **fiévreux**.* **SYN** fébrile.

fifre nom masculin
Petite flûte traversière en bois, au son aigu. * Chercher aussi *pipeau*.

figer verbe ▸ conjug. 5
❶ Devenir épais, presque solide. *En refroidissant, la graisse de rôti **a figé**.* ❷ Au sens figuré, ne plus bouger sous l'effet d'une émotion. *La peur les **a figés** sur place.* **SYN** immobiliser, paralyser.

fignoler verbe ▸ conjug. 3
Faire quelque chose avec beaucoup de soin. *Élodie veut **fignoler** son dessin avant de l'offrir à son parrain.* **SYN** peaufiner. **CONTR** bâcler.

figue nom féminin
Fruit dont la chair rouge est pleine de petits pépins. *Jasmine préfère les **figues** fraîches aux **figues** séchées.* • **Figue de Barbarie** : fruit recouvert d'épines que donne une espèce de cactus. • **Mi-figue, mi-raisin** : avec une expression à la fois de satisfaction et de mécontentement, avec ambiguïté. *Il m'a parlé d'un ton **mi-figue, mi-raisin**.*

figuier nom masculin
Arbre des régions chaudes qui donne les figues.

Un **figuier**

figurant, figurante nom
Au cinéma ou au théâtre, personne qui joue un rôle très peu important et généralement muet. *Ce cinéaste recherche des **figurants** pour son prochain film.*

figure nom féminin
❶ Visage. *Mon petit frère s'est barbouillé la **figure** en mangeant.* ❷ En danse ou en patinage, ensemble des mouvements ou des pas. *Dans cette compétition de patinage artistique, certaines **figures** sont imposées.* • **Figure géométrique** : dessin qui représente une forme géométrique. *Vanessa a tracé trois **figures géométriques** au tableau : un cercle, un rectangle et un triangle.* 👁p. 484. • **Faire bonne figure** : faire bonne impression. *À son premier concert, cette musicienne **a fait bonne figure**.* ♦ Famille du mot : défigurer, figurant, figuré, figurer, figurine.

figuré, figurée adjectif
• **Sens figuré** : sens d'un mot détourné de son sens premier pour exprimer une image. *Dans l'expression « brûler d'impatience », « brûler » est au **sens figuré**.* **CONTR** sens propre.

figurer verbe ▸ conjug. 3
❶ Représenter quelque chose ou quelqu'un. *Une carotte **figurait** le nez du bonhomme de neige.* ❷ Apparaître quelque part. *Son nom ne **figure** pas sur la liste des passagers.*
■ *se* **figurer** : s'imaginer. *Si tu **te figures** que je vais faire ça à ta place, tu te trompes.* **SYN** croire.

figurine nom féminin
Statuette, petite sculpture d'un personnage ou d'un animal. *Mon frère joue avec les **figurines** qui représentent les personnages de ce film de science-fiction.*

il nom masculin
❶ Brin mince et long, fait d'une matière textile, qui sert à coudre. *Ma grand-mère n'arrive pas à enfiler le* ***fil*** *dans le chas de l'aiguille.* ❷ Long brin de métal qui sert à différents usages. *Acheter du* ***fil*** *électrique. Une clôture en* ***fil*** *de fer.* ❸ Enchaînement de choses. *Je ne sais plus ce que je voulais dire, j'ai perdu le* ***fil*** *de mes idées.* ❹ Partie tranchante d'une lame. *Le* ***fil*** *d'une épée, le* ***fil*** *d'un rasoir.* ❺ Sens du courant. *La nageuse se laisse aller au* ***fil*** *de l'eau.* • **Être cousu de fil blanc :** être évident. • **Coup de fil :** coup de téléphone. • **Ne tenir qu'à un fil :** dépendre de très peu de chose. • **Donner du fil à retordre à quelqu'un :** lui causer beaucoup de soucis, beaucoup de difficultés. *Ce travail m'****a donné du fil à retordre****.* ♦ Famille du mot : affiler, effilé, s'effilocher, enfilade, enfiler, faufiler, filament, filature, filer, filet, filière, filiforme.

ilament nom masculin
Fil très mince. *À l'intérieur des ampoules électriques, il y a un* ***filament*** *qui produit la lumière.*

ilandreux, filandreuse adjectif
Qui est rempli de fibres. *Loïc n'aime pas la viande* ***filandreuse****.*

① **filature** nom féminin
Usine où l'on fabrique du fil. *Plusieurs* ***filatures*** *ont fermé dans cette région.*

② **filature** nom féminin
Action de filer quelqu'un pour le surveiller. *Le suspect a été pris en* ***filature*** *par la détective.*

ile nom féminin
Personnes ou choses qui se suivent. *Une* ***file*** *de voitures attend de passer le contrôle douanier.* • **Faire la file :** attendre son tour.

iler verbe ▸ conjug. 3
❶ Transformer une matière textile en fil. ***Filer*** *la laine.* ❷ Suivre quelqu'un sans qu'il s'en aperçoive, pour le surveiller. *La détective* ***a filé*** *le suspect jusqu'à sa cachette.* ❸ Aller vite. *Les voitures* ***filent*** *sur l'autoroute.* ❹ Dans la langue familière, s'enfuir. *Les gamins* ***ont filé*** *dès qu'ils ont vu le gardien.* **SYN** détaler.

① **filet** nom masculin
Objet fait de fils entrelacés qui forment des mailles. *Un* ***filet*** *à papillons. Au tennis, la balle doit passer au-dessus du* ***filet****.*

② **filet** nom masculin
❶ Morceau de viande pris sur le dos de certains animaux. *Un rôti de bœuf dans le* ***filet****.* ❷ Morceau de chair situé de chaque côté de l'arête d'un poisson. *Éléonore adore les* ***filets*** *de truite.*

③ **filet** nom masculin
Écoulement faible et continu d'un liquide. *C'est la sécheresse, il n'y a plus qu'un* ***filet*** *d'eau dans le ruisseau.*

filial, filiale, filiaux adjectif
Qui concerne l'attitude d'un enfant envers ses parents. *L'amour* ***filial****.*

filiale nom féminin
Société commerciale qui dépend d'une autre plus importante. *Cette entreprise québécoise a plusieurs* ***filiales*** *en Europe.*

filière nom féminin
Série d'étapes par lesquelles il faut passer. *Brian se renseigne sur la* ***filière*** *à suivre pour devenir pilote d'avion.*

filiforme adjectif
Qui est mince comme un fil. *Elle est toute menue, et ses jambes sont* ***filiformes****.*

filigrane nom masculin
Dessin imprimé dans l'épaisseur du papier qui se voit par transparence. *Quel personnage voit-on en* ***filigrane*** *sur ce billet de banque ?*

fille nom féminin
❶ Personne de sexe féminin considérée par rapport à ses parents. *Nos voisins ont trois enfants, deux fils et une* ***fille****.* ❷ Jeune personne de sexe féminin. *Dans la classe, il y a plus de* ***filles*** *que de garçons.*

fillette nom féminin
Petite fille. *Tanya a sept ans, c'est encore une* ***fillette****.*

filleul, filleule nom
Celui, celle dont on est le parrain ou la marraine. *Ma sœur est la marraine de Manuela ; Manuela est donc sa* ***filleule****.*

Des ***filets*** *de pêche*

a b c d e f g h i j k l m

film nom masculin
❶ Pellicule photographique. *Il faut mettre un **film** dans ce type d'appareil photo.* ❷ Œuvre cinématographique. *Noémie est allée voir un **film** sur les animaux.*

filmer verbe ▶ conjug. 3
Enregistrer des images avec une caméra, un caméscope, etc. *Ma sœur s'est amusée à nous **filmer** à la piscine.*

filon nom masculin
❶ Couche de minerai située dans le sol. *On a découvert des **filons** de cuivre dans cette région.* * Chercher aussi *gisement*. ❷ Idée originale qui peut entraîner la réussite. *Cette artiste semble avoir découvert un **filon** prometteur.*

fils nom masculin
Personne de sexe masculin considérée par rapport à ses parents. *Leur **fils** s'appelle Mathieu, et leur fille, Catherine.* * Chercher aussi *garçon*.

filtre nom masculin
❶ Appareil, dispositif qui laisse passer un liquide et retient les particules solides. *Des **filtres** à café.* ❷ Bout d'une cigarette qui retient la nicotine et le goudron du tabac.

Un **filtre**

filtrer verbe ▶ conjug. 3
Faire passer à travers un filtre. *Laure **filtre** la sauce du rôti.*

① **fin, fine** adjectif
❶ Qui est formé d'éléments très petits. *Une plage de sable **fin**.* ❷ Qui a peu d'épaisseur. *Alice a la taille **fine**.* SYN mince. CONTR épais. ❸ Qui est délicat, élégant. *Les traits de son visage sont très **fins**.* CONTR grossier. ❹ Qui est d'une qualité supérieure. *Des chocolats **fins**.* ❺ Qui est très sensible. *Charles a l'ouïe **fine**.* ❻ Qui est gentil, aimable. *L'entraîneur de hockey est **fin** avec les jeunes.* ❼ Qui est subtil, intelligent. *On ne peut pas dire que ses plaisanteries soient **fines**.* CONTR lourd. ♦ Famille du mot: finaud, finement, finesse.

x y z

② **fin** nom féminin
Moment où une chose se termine. *On est le 31 décembre, c'est la **fin** de l'année.* CONTR commencement, début. • **Arriver à ses fins**: atteindre le but que l'on s'était fixé. • **Mettre fin à quelque chose**: le faire cesser. • **Prendre fin**: se terminer. • **Fin de semaine**: période de congé hebdomadaire comprenant le samedi et le dimanche. SYN week-end. ♦ Famille du mot: final, finalement, finaliste, fini, finir, finissant, finition. * Ne pas confondre *fin* et *faim*.

final, finale adjectif
Qui se trouve à la fin. *Jérémie met un point **final** à sa recherche. Le chapitre **final** d'un livre.* SYN dernier. ✎ Pluriel: *(des points) **finals*** ou ***finaux***. ■ **finale** nom féminin Dernière épreuve d'une compétition. *Le vainqueur de la **finale** du tournoi a gagné une coupe.* * Chercher aussi *demi-finale*.

finalement adverbe
À la fin, en fin de compte. ***Finalement**, c'est toi qui avais raison.*

finaliste nom
Sportif ou équipe qui arrive en finale.

finance nom féminin
Activité bancaire ou boursière, ensemble des professions qui s'occupent des affaires d'argent. *Elle travaille dans la **finance**.* ■ **finances** nom féminin pluriel Argent dont une personne, une entreprise dispose et qu'il lui faut gérer. *Les **finances** d'une entreprise, de l'État.* ♦ Famille du mot: financement, financer, financier.

financement nom masculin
Action de financer. *La municipalité a assuré le **financement** du nouvel aréna.*

financer verbe ▶ conjug. 4
Procurer l'argent nécessaire à quelque chose. *Le gouvernement fédéral **a financé** en partie le Festival international de jazz de Montréal.*

financier, financière adjectif
Qui concerne les finances. *Elle a de graves problèmes **financiers**.* SYN pécuniaire. ■ **financier, financière** nom Personne qui travaille dans la finance.

finaud, finaude adjectif et nom
Qui est malin, rusé. *Une commerçante **finaude**. – Ce petit **finaud** s'en est bien sorti.* SYN futé.

finement adverbe
D'une façon fine, délicate. *Cette nappe est **finement** brodée.*

finesse nom féminin
Caractère de ce qui est fin. *La **finesse** d'un tissu.* CONTR épaisseur. *La **finesse** de l'odorat.* SYN sensibilité. *Un esprit d'une grande **finesse**.* CONTR lourdeur.

fini, finie adjectif
Dont les finitions ont été soignées. *Ce vêtement est très bien **fini**.* • **Produit fini**: produit qui est le résultat de plusieurs transformations et qui est prêt à être mis en vente. ■ **fini** nom masculin Aspect, apparence de quelque chose. *Le **fini** de cette table est lustré.*

finir verbe ▸ conjug. 11
❶ Faire quelque chose jusqu'à la fin. *J'**ai fini** mon dessin.* SYN achever, terminer. ❷ Ne rien laisser comme nourriture ou comme boisson. *Le bébé **a fini** son biberon.* ❸ En être à la fin. *L'émission **finit** à 22 heures.* SYN se terminer. CONTR commencer, débuter. ❹ Arriver à un résultat. *Ils **ont fini** par se mettre d'accord.* • **En finir avec quelque chose**: le faire cesser. *Il est tard, **finissons-en avec** ces discussions.*

finissant, finissante nom
Élève ou étudiant qui a terminé un programme d'études. *Le bal des **finissants** et **finissantes**.*

finition nom féminin
Dernière opération dans la fabrication d'un objet. *L'immeuble est presque terminé, les ouvriers font les travaux de **finition**.*

finlandais, finlandaise
➔Voir tableau, p. 1319.

fiole nom féminin
Petit flacon contenant des gouttes, des sirops, etc. *Sur la table de chevet du malade se trouvent plusieurs **fioles** de médicaments.*

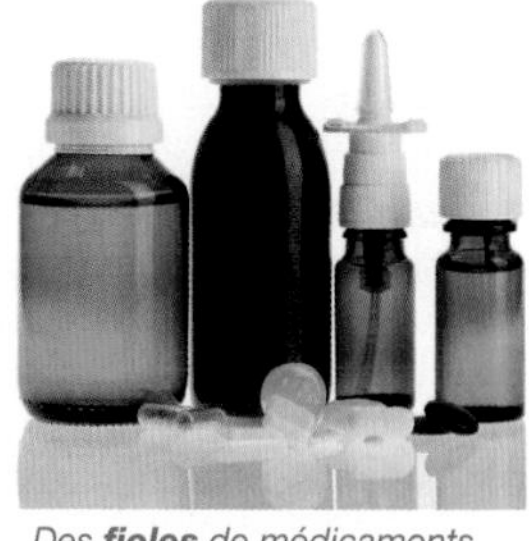
Des **fioles** de médicaments

fioritures nom féminin pluriel
Ornements compliqués que l'on ajoute. *Ce dessin avec toutes ces **fioritures** est surchargé.*

firmament nom masculin
Dans la langue littéraire, ciel.

firme nom féminin
Entreprise industrielle ou commerciale. *Une **firme** automobile.* SYN société.

fisc nom masculin
Administration qui s'occupe des impôts.

fiscal, fiscale, fiscaux adjectif
Qui concerne les impôts. *La fraude **fiscale** est sévèrement punie.*

fissure nom féminin
Petite fente. *Il y a une **fissure** dans le plafond.* SYN crevasse, lézarde.

fissurer verbe ▸ conjug. 3
Provoquer des fissures. *Le séisme **a fissuré** la plupart des maisons.* ■ *se* **fissurer**: se fendre. *Ce mur est en train de **se fissurer**.* SYN se lézarder.

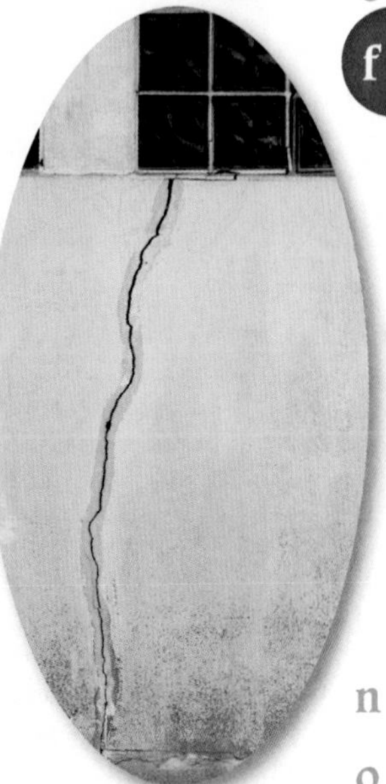
Une **fissure**

fixation nom féminin
Système qui sert à fixer. *Alex vérifie la **fixation** des vélos sur le toit de la voiture.*

fixe adjectif
❶ Que l'on ne peut pas déplacer. *Dans la salle de sciences, les tables sont **fixes**.* CONTR mobile. ❷ Qui est immobile. *Le regard **fixe** des serpents.* ❸ Qui ne change pas. *Ils déjeunent toujours à heure **fixe**.* SYN régulier. CONTR variable. • **Beau fixe**: beau temps durable. *Le temps est au **beau fixe**.* • **Idée fixe**: obsession. *Il ne pense qu'à une seule chose: partir en Alberta. C'est une **idée fixe** chez lui.*

fixement adverbe
D'une manière fixe. *Elle regarde **fixement** son adversaire.*

fixer verbe ▸ conjug. 3
❶ Faire tenir quelque chose solidement. *Il va falloir un gros crochet pour **fixer** ce miroir au mur.* ❷ Regarder fixement, avec insistance. ***Fixer** quelqu'un du regard.* ❸ Décider de quelque chose de façon précise. ***Fixer** un prix. **Fixer** une date.* ♦ Famille du mot: fixation, fixe, fixement.

a b c d e f n o p q r s t u v w x y z

a b c d e f g h i j k l m n o p q r s t u v w x y z

fjord nom masculin
Golfe profond et étroit (notamment sur les côtes des pays nordiques). *Cet été, nous visiterons le **fjord** du Saguenay.* * Attention ! Dans ce mot, le *j* se prononce comme un *i* et le *d* peut se prononcer. ✎ On peut écrire aussi ***fiord***.

Le **fjord** du Saguenay

flacon nom masculin
Petite bouteille. *Un **flacon** de parfum.* * Chercher aussi *fiole*.

flageoler verbe ▸ conjug. 3
Trembler de faiblesse ou d'émotion. *À la fin du marathon, plusieurs coureurs avaient les jambes qui **flageolaient**.*

flagrant, flagrante adjectif
Qui est évident, que personne ne peut nier. *La ressemblance entre ces deux jumeaux est **flagrante**.* • **Flagrant délit :** délit commis sous les yeux de la personne qui le constate. *Les voleurs ont été pris en **flagrant délit**.* **SYN** sur le fait*.

flair nom masculin
❶ Odorat très fin de certains animaux, particulièrement du chien. ❷ Au sens figuré, capacité instinctive à deviner quelque chose. *Elle a manqué de **flair** dans cette affaire.* **SYN** intuition.

flairer verbe ▸ conjug. 3
❶ Sentir pour reconnaître une odeur. *Un bon chien de chasse sait **flairer** de loin le gibier.* ❷ Au sens figuré, pressentir quelque chose. *Il **avait flairé** le danger.* **SYN** deviner, soupçonner.

flamant nom masculin
Grand échassier blanc ou rose à long cou.

Un **flamant** rose

flambeau, flambeaux nom masculin
Torche enduite de cire ou de résine. *Ils exploraient la grotte à la lueur des **flambeaux**. Descente de ski aux **flambeaux**.* • **Passer le flambeau à quelqu'un :** lui confier la tâche de continuer une œuvre, une tradition.

flambée nom féminin
❶ Feu vif et de courte durée. *On a fait une **flambée** dans la cheminée.* ❷ Au sens figuré, augmentation brusque et importante. *Le gouvernement essaie d'arrêter la **flambée** des prix.*

flamber verbe ▸ conjug. 3
❶ Brûler avec de grandes flammes. *Ce bois sec va **flamber** facilement.* ❷ Arroser un plat d'un alcool que l'on fait brûler, pour lui donner du goût. *Mon père a fait **flamber** des crêpes.* ♦ Famille du mot : flambeau, flambée, flamboyant, flamboyer.

flamboyant, flamboyante adjectif
Qui flamboie. *Un soleil **flamboyant**.*

flamboyer verbe ▸ conjug. 6
Briller vivement, comme le feu. *Les nuages **flamboient** dans le soleil couchant.*

flamme nom féminin
❶ Forme lumineuse produite par le feu. *Le vent a éteint les **flammes** des bougies.* ❷ Au sens figuré, enthousiasme et passion. *Elle a fait un discours plein de **flamme**.* **SYN** exaltation, fougue. • **Être tout feu tout flamme :** être plein d'ardeur, d'enthousiasme. ♦ Famille du mot : s'enflammer, flammèche, inflammable.

flammèche nom féminin
Parcelle de matière enflammée qui s'envole. *Le feu lançait des **flammèches** dans tous les sens.*

flan nom masculin
Entremets cuit au four. *Il y a un **flan** aux raisins pour le dessert.* * Ne pas confondre *flan* et *flanc*.

flanc nom masculin
❶ Chaque côté du corps. *Le cheval blessé s'est couché sur le **flanc**.* ❷ Côté de certaines choses. *On aperçoit un village sur le **flanc** de la montagne.* * Ne pas confondre *flanc* et *flan*.

flancher verbe ▸ conjug. 3
Dans la langue familière, faiblir. *Le coureur **a flanché** dans la dernière ligne droite.* SYN céder. CONTR tenir.

flanc-mou nom
Dans la langue familière, paresseux. *Ce **flanc-mou** traîne au fond de la classe.* SYN fainéant. ✎ Pluriel : *des **flancs-mous***.

flanelle nom féminin
Tissu de laine souple et doux. *Ce pantalon de **flanelle** est confortable en hiver.*

flâner verbe ▸ conjug. 3
❶ Se promener sans se presser, pour le plaisir. *Le soir, en été, il est agréable de **flâner** dans les rues.* SYN se balader. ❷ Se reposer, ne rien faire. *J'aime **flâner** le dimanche matin.*
♦ Famille du mot : flânerie, flâneur.

flânerie nom féminin
Action de flâner.

flâneur, flâneuse nom
Personne qui flâne. *De nombreux **flâneurs** s'attardent devant les vitrines.* SYN promeneur.

① **flanquer** verbe ▸ conjug. 3
❶ Être disposé de part et d'autre. *Une grange et une étable **flanquent** la maison de ferme.* ❷ Accompagner. *Au palais de justice, l'accusé **est flanqué** de deux policiers.*

② **flanquer** verbe ▸ conjug. 3
Dans la langue familière, lancer brutalement, jeter avec force. ***Flanquer** un coup de poing.* • **Flanquer quelqu'un dehors** : le mettre, le ficher à la porte.

flaque nom féminin
Petite mare qui se forme sur le sol après la pluie. *Les enfants pataugent dans les **flaques** d'eau avec leurs bottes.*

flash nom masculin
❶ Appareil qui produit un éclair de lumière très vive pour faire des photos dans les endroits sombres. *La photo est trop sombre, le **flash** n'a pas marché.* ❷ Court bulletin d'information à la radio ou à la télévision. ✎ Pluriel : *des **flashes***. ✎ On peut écrire aussi *des **flashs***.

flasque adjectif
Qui manque de fermeté ou d'élasticité. *Avoir la peau **flasque**.* SYN mou. CONTR ① ferme.

flatter verbe ▸ conjug. 3
❶ Caresser un animal. *La chatte s'est couchée sur les genoux d'Anh pour se laisser **flatter**.* ❷ Faire des compliments exagérés. *Il **flatte** son patron en espérant une augmentation.* ❸ Faire paraître quelqu'un plus beau qu'en réalité. *Ce peintre a fait de lui un portrait qui le **flatte** beaucoup.* SYN avantager. ❹ Causer de la fierté à quelqu'un. *Nous **avons été flattés** de sa visite.* SYN honorer. ■ *se* **flatter de quelque chose** : s'en vanter. *Il **se flatte de** courir le 100 mètres en 15 secondes.* ♦ Famille du mot : flatterie, flatteur.

flatterie nom féminin
Compliment destiné à flatter quelqu'un. *Ariane reste indifférente aux **flatteries**.*

flatteur, flatteuse nom
Personne qui dit des flatteries. *Il faut se méfier des **flatteurs**.* ■ **flatteur, flatteuse** adjectif
Qui flatte. *L'enseignante a eu des mots **flatteurs** à l'égard de Rachid.*

*Une **flaque** d'eau*

a b c d e f g h i j k l m n o p q r s t u v w x y z

① fléau, fléaux nom masculin
❶ Instrument agricole qui servait autrefois à battre les céréales. ❷ Barre horizontale qui supporte les plateaux d'une balance.

② fléau nom masculin
Catastrophe qui s'abat sur une population. *Pour beaucoup de pays, les cyclones sont un **fléau**.* **SYN** calamité, désastre.

flèche nom féminin
❶ Tige fine et pointue que l'on tire à l'aide d'un arc. *Les Amérindiens chassaient autrefois avec des **flèches**.* ❷ Dessin en forme de flèche pour indiquer une direction. *Des **flèches** signalent la direction du centre-ville.* ❸ Sommet pointu d'un clocher. *La basilique de Sainte-Anne-de-Beaupré comporte deux **flèches**.* 👁p. 170. • **Monter en flèche :** augmenter très rapidement. *Le prix de l'essence **est monté en flèche**.* ♦ Famille du mot : flécher, fléchette.

flécher verbe ▸ conjug. 8
Marquer par des flèches. *On **a fléché** le parcours de la course.* ✎ On peut écrire aussi, au futur, *il **flèchera***; au conditionnel, *elle **flècherait***.

fléchette nom féminin
Petite flèche qu'on lance à la main sur une cible. *Jouer aux **fléchettes**.*

Une **fléchette**

fléchir verbe ▸ conjug. 11
❶ Plier une partie du corps. *Magda s'est cassé le coude et ne peut plus **fléchir** l'avant-bras.* **SYN** courber, ployer. ❷ Se courber sous une charge. *Les rayons de la bibliothèque **fléchissent** sous le poids des livres.* ❸ Faire céder quelqu'un, le convaincre. *Quand mes parents disent non, c'est difficile de les faire **fléchir**.* ❹ Baisser, diminuer. *En été, lorsqu'il y a beaucoup de fruits, leur prix **fléchit**.*

fléchissement nom masculin
Fait de fléchir. *Le **fléchissement** d'une branche sous le poids de la neige. Le **fléchissement** des tarifs.* **SYN** baisse. **CONTR** hausse.

flegmatique adjectif
Qui a du flegme. *Zacharie est un garçon **flegmatique** et maître de lui.* **SYN** calme, impassible.

flegme nom masculin
Caractère de quelqu'un qui reste toujours calme. *Dans la panique générale, Shui a su garder son **flegme**.* **SYN** calme, sang-froid.

flemme nom féminin
Dans la langue familière, paresse. *Mon frère a la **flemme** de travailler aujourd'hui.*

flétan nom masculin
Grand poisson plat des mers froides. *Du **flétan** grillé.*

Un **flétan**

flétrir verbe ▸ conjug. 11
❶ Faire perdre sa fraîcheur et ses couleurs à une plante. *La chaleur **a flétri** ces fleurs.* ❷ Faire perdre sa beauté à quelqu'un. *L'âge et les épreuves **ont flétri** son visage.* ■ **se flétrir :** se faner. *Une fois coupées, les fleurs **se flétrissent** rapidement.*

fleur nom féminin
Partie souvent colorée et parfumée d'une plante, qui porte les organes de reproduction. *Un bouquet de **fleurs**.* 👁p. 446. * Chercher aussi *horticulture*. • **En fleur(s) :** fleuri. *Les arbres sont **en fleur** au printemps.* • **À fleur de quelque chose :** qui est presque au même niveau. *Les bateaux évitent les rochers **à fleur d'eau**.* • **Faire une fleur à quelqu'un :** dans la langue familière, lui faire une faveur. • **La fine fleur de quelque chose :** la meilleure partie, l'élite. • **Avoir les nerfs à fleur de peau :** avoir les nerfs à vif. ♦ Famille du mot : effleurer, fleurdelisé, fleuret, fleurir, fleuriste, fleuron, floraison, floral, flore, florissant.

fleurdelisé, fleurdelisée adjectif
Orné de fleurs de lys. *Un t-shirt **fleurdelisé**.* ■ **fleurdelisé** nom masculin Drapeau du Québec orné de fleurs de lys. *Le **fleurdelisé** flotte sur les édifices publics du Québec.*

fleuret nom maculin
Sorte d'épée très fine, à lame sans tranchant, avec laquelle on fait de l'escrime. *La pointe du **fleuret** est protégée par un bouton.*

fleurir verbe ▶ conjug. 11
❶ Produire des fleurs. *En mai, les lilas **fleurissent**.* ❷ Décorer un endroit avec des fleurs. *Chaque printemps, nous **fleurissons** les allées du jardin.*

fleuriste nom
Personne qui fait le commerce des fleurs et des plantes.

fleuron nom masculin
Ce qu'il y a de meilleur, de plus remarquable. *Ce timbre est le **fleuron** de sa collection.*

fleuve nom masculin
Cours d'eau qui se jette dans la mer. *Le **fleuve** Saint-Laurent est la principale voie navigable du Canada.*

flexible adjectif
Qui se plie facilement sans casser. *Les tiges de l'osier sont **flexibles**, il est facile de les tresser.* **SYN** souple.

flexion nom féminin
Action de fléchir un membre. *En gymnastique, nous faisons toujours des **flexions**.* **SYN** fléchissement. **CONTR** extension.

flibustier nom masculin
Pirate de la mer des Antilles, aux 16e et 17e siècles. 👁p. 784.

flirt nom masculin
Relation sentimentale passagère. *Ce n'était qu'un **flirt** de vacances.* * Attention ! Le *t* du mot *flirt* se prononce.

flirter verbe ▶ conjug. 3
Avoir un flirt avec quelqu'un.

flocon nom masculin
❶ Petite masse de neige. *Il neige à gros **flocons**.* ❷ Lamelle de graine de céréale. *Au déjeuner, John mange des **flocons** d'avoine avec du lait.*

floraison nom féminin
Époque où les fleurs s'épanouissent. *Les pommiers sont en pleine **floraison**.*

floral, florale, floraux adjectif
Qui concerne les fleurs. *Nous avons visité une exposition **florale**.*

flore nom féminin
Ensemble des plantes d'une région précise. *Le frère Marie-Victorin a dressé un inventaire complet de la **flore** québécoise.* * Chercher aussi *faune*.

florissant, florissante adjectif
Qui est prospère. *Dans le Vieux-Québec, le commerce des souvenirs est **florissant**.*

flot nom masculin
Grand nombre ou grande quantité. *Un **flot** de touristes.* **SYN** foule. • **À flot :** qui flotte, en parlant d'un bateau. *Remettre un bateau **à flot**.* ■ **flots** nom masculin pluriel Dans la langue littéraire, la mer. *Le navire vogue sur les **flots**.*

flottabilité nom féminin
Aptitude à flotter. *Le degré de **flottabilité** d'un corps.* 👁p. 108.

flottage nom masculin
Transport du bois sur les cours d'eau. * Chercher aussi *drave*.

flotte nom féminin
❶ Ensemble des bateaux d'un pays. ❷ Ensemble des avions d'un pays. *La **flotte** aérienne américaine.*

flottement nom masculin
Moment d'hésitation, d'incertitude. *Après un temps de **flottement**, il a fini par répondre.*

flotter verbe ▶ conjug. 3
❶ Rester à la surface d'un liquide. *Yuri ne sait pas encore nager, il porte une bouée pour **flotter**.* **SYN** surnager. **CONTR** couler. ❷ Bouger dans l'air. *Le drapeau **flotte** au-dessus du mât.* ❸ Porter un vêtement trop grand. *Depuis qu'elle a maigri, Marianne **flotte** dans ses vêtements.* **SYN** nager. ♦ Famille du mot : flot, flottabilité, flottage, flotte, flottement, flotteur, flottille.

flotteur nom masculin
Accessoire qui flotte et empêche un objet de couler. *Autour du bateau de pêche, on voyait les **flotteurs** des filets.* * Chercher aussi *bouée*.

Les fleurs

Les fleurs font partie de la flore et sont au centre du cycle de vie des végétaux. Elles contiennent les organes reproducteurs des plantes. Une fois fécondée, la fleur se transforme en fruit. Le fruit ainsi formé contient des graines qui serviront ensuite à produire de nouvelles plantes.

La structure d'une fleur

Les fleurs sont formées de différentes parties : le pistil, les étamines, le stigmate, les sépales et les pétales.

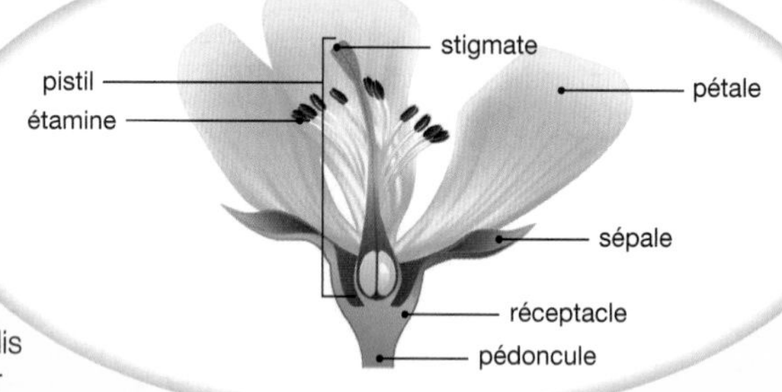

Le calice est formé par l'ensemble des sépales tandis que la corolle est formée par l'ensemble des pétales. Les étamines (partie mâle) produisent le pollen. Le pistil est la partie femelle.

Les fleurs sauvages et les fleurs cultivées

On trouve des fleurs sauvages presque partout sur la planète. Il en existe deux types : les fleurs indigènes et les fleurs importées. Les fleurs indigènes sont celles qui poussent spontanément dans un endroit donné et les fleurs importées sont celles qui ont été introduites, puis ont pris racine et se sont adaptées à leur nouveau milieu.

L'échinacée

On trouve également des fleurs cultivées. Ce sont, à l'origine, des fleurs sauvages qui ont été choisies pour leur beauté (comme la rose), leur goût, leurs propriétés biologiques ou médicinales (comme la camomille, le millepertuis et l'échinacée).

Le millepertuis

La rose

La camomille

Quelques fleurs indigènes du Canada

Au Canada, on trouve de nombreuses espèces indigènes réparties dans les différentes zones climatiques du pays. En voici quelques-unes.

L'érythrone d'Amérique

Le trille grandiflore

L'anémone du Canada

Le calypso bulbeux

La ronce du mont Ida (framboisier)

La smilacine à grappes

La verge d'or

L'aster

La gaulthérie couchée (thé des bois)

La marguerite

a b c d e f g h i j k l m n o p q r s t u v w x y z

flottille nom féminin
Ensemble de petits bateaux. *Une **flottille** de pêche.*

flou, floue adjectif
❶ Qui n'a pas de formes nettes. *Ces photos sont ratées, elles sont toutes **floues**.* ❷ Qui manque de précision. *Des idées **floues**.*
SYN vague. CONTR clair, précis.

fluctuant, fluctuante adjectif
Qui est variable, changeant. *Selon la saison, le prix des fruits est très **fluctuant**.*

fluctuation nom féminin
Changement continuel. *Les **fluctuations** du dollar.*

fluet, fluette adjectif
❶ Qui est mince et d'apparence délicate. *Cette jeune gymnaste toute **fluette** est championne du monde.* ❷ Qui manque de force. *Une voix **fluette**.*

fluide adjectif
❶ Qui coule facilement. *Cette sauce est trop **fluide**.* ❷ Qui se fait sans que se produisent de ralentissements, en parlant de la circulation. *La circulation est **fluide** sur l'autoroute.*
■ **fluide** nom masculin Matière qui peut couler ou se répandre. *Les liquides et les gaz sont des **fluides**.* CONTR solide.

fluidité nom féminin
Caractère de ce qui est fluide. *La **fluidité** de la circulation est bonne ce soir.*

fluor nom masculin
Substance chimique. *Ajouté dans la pâte dentifrice, parfois dans l'eau potable, le **fluor** protège les dents contre la carie.*

fluorescent, fluorescente adjectif
Qui émet de la lumière dans l'obscurité. *Quand ils travaillent de nuit sur les routes, les ouvriers portent des vêtements **fluorescents**.*

flûte nom féminin
❶ Instrument à vent constitué d'un tuyau percé de trous. *Une **flûte** à bec.* 👁p. 692. * Chercher aussi *fifre*, *pipeau*. ❷ Verre haut et étroit muni d'un pied. *Une **flûte** à champagne.*
✎ On peut écrire aussi ***flute***.

Une **flûte** à bec

flûtiste nom
Musicien, musicienne qui joue de la flûte.
✎ On peut écrire aussi ***flutiste***.

fluvial, fluviale, fluviaux adjecif
Qui a rapport aux fleuves, aux cours d'eau. *La circulation **fluviale** est importante au Canada.* * Chercher aussi *aérien*, *ferroviaire*, *maritime*, *routier*.

flux nom masculin
❶ Marée montante. CONTR reflux. ❷ Au sens figuré, grande abondance de choses ou de personnes. *Matin et soir, un **flux** de passagers s'engouffre dans le métro.* * Attention ! Le *x* du mot *flux* ne se prononce pas.

foc nom masculin
Voile triangulaire à l'avant des voiliers.

fœtus nom masculin
Enfant qui se forme peu à peu dans le ventre de sa mère. * Attention ! Dans ce mot, *œ* se prononce comme un *é* et le *s* se prononce.
* Chercher aussi *embryon*.

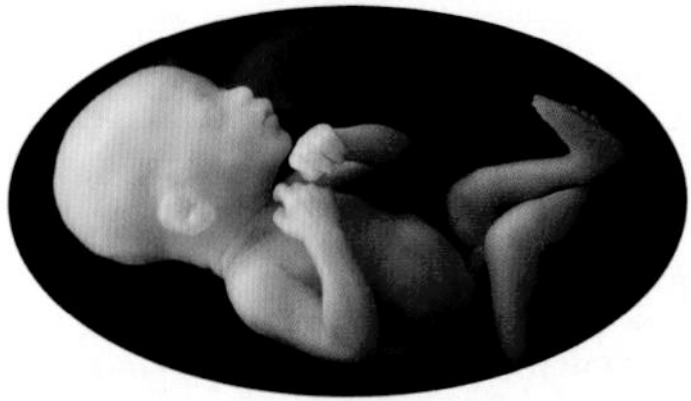

Un **fœtus**

foi nom féminin
❶ Fait de croire en l'existence de Dieu. *Ma grand-mère a la **foi**, elle va à la messe tous les dimanches.* • **Digne de foi :** que l'on peut croire sur parole. • **Être de bonne foi :** être sincère, honnête. • **Faire foi :** être une preuve. *Le cachet de la poste **fait foi** de la date d'expédition d'une lettre.* ❷ Confiance que l'on accorde à quelqu'un ou à quelque chose. *Elle a **foi** en ses amis. J'ai **foi** en l'avenir.*
* Ne pas confondre *foi*, *foie* et *fois*.

foie nom masculin
❶ Organe de la partie droite de l'abdomen, qui joue un rôle important dans la digestion. 👁p. 320. • **Crise de foie :** indigestion.
❷ Chez les animaux, ce même organe, que l'on consomme. *Une tranche de **foie** de veau.*
* Ne pas confondre *foie*, *foi* et *fois*.

foin nom masculin
Herbe fauchée et séchée, destinée à nourrir le bétail. * Chercher aussi *fourrage*. • **Rhume des foins :** allergie qui affecte certaines personnes au moment de la floraison des graminées.

foire nom féminin
❶ Grand marché agricole. *Nous sommes allés à la **foire** agricole.* ❷ Exposition commerciale. *La **foire** du livre de Québec.*

fois nom féminin
❶ Moment où un évènement se produit. *Tu te souviens de la **fois** où Cindy s'est cassé la jambe en tombant ?* ❷ Indique la multiplication. *Cinq **fois** dix égalent cinquante.* • **Il était une fois :** un jour, il y a longtemps. * Ne pas confondre *fois*, *foi* et *foie*.

à **foison** adverbe
En abondance. *On a trouvé des crosses de fougère **à foison** dans le bois.* ♦ Famille du mot : foisonnement, foisonner.

foisonnement nom masculin
Fait de foisonner. *Un **foisonnement** de plantes.*

foisonner verbe ▸ conjug. 3
Exister à foison. *Le poisson **foisonne** dans cette rivière.* SYN abonder. * Chercher aussi *regorger*.

fol ➛Voir **fou**

folâtrer verbe ▸ conjug. 3
S'ébattre gaiement. *Les chiens **folâtrent** sur la pelouse.*

folie nom féminin
❶ Trouble mental, maladie de l'esprit. *Sa **folie** ne fait qu'empirer de jour en jour.* SYN démence. * Chercher aussi *psychiatrie*. ❷ Conduite déraisonnable, imprudente. *C'est de la **folie** de sortir dans ce blizzard !* SYN inconscience. ❸ Dépense trop importante. *Liam a fait une **folie** en offrant un tel cadeau à sa blonde.*

folklore nom masculin
Ensemble des légendes, des chants, des danses populaires d'une région.

folklorique adjectif
Qui vient du folklore. *Des costumes **folkloriques**.*

Des costumes **folkloriques**

folle ➛Voir **fou**

follement adverbe
D'une manière passionnée, excessive. *Aimer **follement** quelqu'un.*

foncé, foncée adjectif
De couleur sombre. *Ce gris **foncé** est presque noir.* CONTR clair, pâle.

① **foncer** verbe ▸ conjug. 4
Devenir plus sombre. *En séchant, cette peinture va **foncer** un peu.* CONTR éclaircir.

② **foncer** verbe ▸ conjug. 4
❶ Se précipiter sur quelqu'un ou quelque chose. *Brusquement, le chien **a foncé** sur nous.* ❷ Dans la langue familière, aller très vite. *Il va falloir **foncer** pour arriver à l'heure.*

foncier, foncière adjectif
❶ Qui est profondément dans la nature, dans le caractère de quelqu'un. *Juan est d'une bonté **foncière**.* ❷ Qui concerne la propriété de terres ou de maisons. *L'oncle de Valérie est un propriétaire **foncier**.*

foncièrement adverbe
Par nature. *Myriam est **foncièrement** honnête.* SYN profondément.

fonction nom féminin
❶ Travail dont quelqu'un est chargé. *C'est à Noémie que l'enseignant a confié la **fonction** de chef d'équipe.* SYN tâche. ❷ Travail, charge ou métier. *La mère de Pierre exerce la **fonction** de mairesse.* ❸ Rôle joué par quelque chose. *L'estomac a une **fonction** importante dans la digestion.* ❹ Relation grammaticale d'un mot ou d'un groupe de mots avec les autres. *La **fonction** sujet, la **fonction** prédicat, la **fonction** complément.* • **En fonction de quelque chose :** par rapport à cette chose. *La lumière du jour change **en fonction de** l'heure.* SYN selon, suivant. ♦ Famille du mot : fonctionnaire, fonctionnel, fonctionnement, fonctionner.

fonctionnaire nom
Personne employée par l'État, par une administration publique. *Le père de Farida est professeur dans un cégep, c'est un **fonctionnaire**.*

fonctionnel, fonctionnelle adjectif
Qui est bien adapté à sa fonction. *Cette cuisine est très **fonctionnelle**.*

a b c d e f g h i j k l m n o p q r s t u v w x y z

a b c d e f g h i j k l m n o p q r s t u v w x y z

fonctionnement nom masculin
Manière de fonctionner. *Le **fonctionnement** de ce caméscope est très simple.*

fonctionner verbe ▶ conjug. 3
Être en état de marche. *Le lave-vaisselle **fonctionne** bien.* SYN marcher. *Notre cuisinière **fonctionne** au gaz.*

fond nom masculin
❶ Partie la plus basse ou la plus profonde de quelque chose. *Une mouche est tombée au **fond** de la bouteille.* ❷ Endroit le plus éloigné de l'entrée. *La voiture est garée au **fond** du stationnement.* ❸ Ce qui se trouve à l'arrière d'un dessin, d'une image. *Cédric a fait un gros plan d'Odile sur **fond** de verdure.* SYN arrière-plan. ❹ Ce qui est essentiel, fondamental. *Le **fond** du problème.* • **À fond** : complètement, le plus possible. *Il connaît la question **à fond**.* • **Au fond** : en réfléchissant bien. ***Au fond**, je crois que tu as raison.* • **Course de fond** : course qui se dispute sur une longue distance. ♦ Famille du mot : défoncer, enfoncer, foncier, foncièrement, fonds. * Ne pas confondre *fond* et *fonds*.

De la course de ***fond***

fondamental, fondamentale, fondamentaux adjectif
Extrêmement important. *Pour conduire, il faut avoir une bonne vue, c'est **fondamental**.* SYN essentiel. CONTR secondaire.

fondant, fondante adjectif
❶ Qui est en train de fondre. *La glace est **fondante**, pas question d'aller patiner sur le lac.* ❷ Qui fond dans la bouche. *Yaël adore les chocolats **fondants**.*

fondateur, fondatrice nom
Personne qui a fondé quelque chose. *La **fondatrice** de cette entreprise est la tante de Diego.*

fondation nom féminin
Action de fonder quelque chose. *La **fondation** de ce musée date du 19e siècle.* SYN création. ■ **fondations** nom féminin pluriel Parties d'un bâtiment qui soutiennent les murs. *Les ouvriers creusent pour commencer les **fondations** de l'immeuble.* SYN solage.

fondé, fondée adjectif
Qui a un fondement, une justification. *Le reproche que l'on t'a fait était **fondé**.* SYN justifié. CONTR gratuit, injustifié.

fondement nom masculin
Principe sur lequel quelque chose est fondé. *La tolérance est un **fondement** de la vie en société.* SYN base.

fonder verbe ▶ conjug. 3
❶ Créer. *Les parents d'élèves **ont fondé** une association.* ❷ S'appuyer sur des arguments. *Lola **a fondé** sa décision sur des raisons sérieuses.* ■ **se fonder** : se baser. *Sur quoi **vous fondez**-vous pour l'accuser ?* ♦ Famille du mot : fondateur, fondation, fondé.

fonderie nom féminin
Usine dans laquelle on fond des métaux.

fondre verbe ▶ conjug. 31
❶ Devenir liquide sous l'effet de la chaleur. *Le beurre commence à **fondre** dans la poêle.* ❷ Se dissoudre dans un liquide. *Le sel **fond** dans l'eau bouillante.* ❸ Chauffer un métal pour le rendre liquide avant de le verser dans des moules. ***Fondre** du bronze pour faire une statue.* ❹ Se jeter brusquement sur quelqu'un ou quelque chose. *L'aigle **a fondu** sur sa proie.* • **Fondre en larmes** : se mettre à pleurer très fort. ♦ Famille du mot : fondant, fonderie, fondue, fonte.

fonds nom masculin
Valeur d'une terre ou d'un magasin. *Ce **fonds** de commerce est à vendre.* ■ **fonds** nom masculin pluriel Somme d'argent. *Ils n'ont pas les **fonds** nécessaires pour acheter cette voiture.* SYN capital. * Ne pas confondre *fonds* et *fond*.

fondue nom féminin
Plat que l'on cuit directement sur la table. *La **fondue** savoyarde est à base de fromage, la **fondue** bourguignonne, à base de viande de bœuf, la **fondue** chinoise, à base de viande, de poisson ou de crustacés et de légumes.*

Des **fondues**

fontaine nom féminin
❶ Petite construction où coule de l'eau potable. *Au parc, les enfants se désaltèrent à la **fontaine**.* ❷ Construction décorative comportant un ou des bassins et des jets d'eau.

fonte nom féminin
❶ Action de fondre. *La **fonte** des neiges, la **fonte** des glaces.* ❷ Alliage de fer et de carbone. *Un radiateur en **fonte**.*

football nom masculin
Jeu opposant deux équipes (de douze joueurs au Canada, de onze aux États-Unis) qui essaient de passer, porter, botter un ballon ovale vers le but adverse pour marquer le plus de points possible. *Le **football** canadien se pratique sur un terrain plus grand que le **football** américain.*

Du **football**

footballeur, footballeuse nom
Personne qui joue au football.

forage nom masculin
Action de forer. *Le **forage** des puits de pétrole peut se faire sur terre ou sur mer.*

forçat nom masculin
Condamné aux travaux forcés. **SYN** bagnard.

force nom féminin
❶ Puissance physique de quelqu'un. *Il faut beaucoup de **force** pour déplacer le piano.* **SYN** vigueur. **CONTR** faiblesse. ❷ Niveau de compétences. *Ces deux sœurs sont à peu près de la même **force** aux échecs.* ❸ Puissance d'un phénomène physique. *Le bateau a été pris dans la tempête avec un vent de **force** dix.* ❹ Usage de la violence. *Pour maîtriser le malfaiteur, la police a dû employer la **force**.* **CONTR** douceur. • **Force de caractère:** détermination, courage. *Estelle a une grande **force de caractère**.* • **À force de:** grâce à beaucoup de. • **Par la force des choses:** sans pouvoir faire autrement. *Il est épuisé, il va devoir s'arrêter de travailler **par la force des choses**.* • **Tour de force:** réussite éclatante, exploit. ■ **forces** nom féminin pluriel ❶ Énergie physique. *Peu à peu, le malade reprend des **forces**.* ❷ Capacités intellectuelles. *Ce casse-tête est au-dessus de mes **forces**.* • **Les forces de l'ordre:** la police. • **Les forces militaires:** l'armée.

forcé, forcée adjectif
❶ Que l'on ne peut pas éviter. *Cette panne de voiture a entraîné un arrêt **forcé**.* **SYN** inévitable. ❷ Qui n'est pas naturel. *Un rire **forcé**.* • **Travaux forcés:** autrefois, peine de prison dans un bagne où le détenu était obligé de s'astreindre à des tâches très lourdes. *De nos jours, il n'existe plus de **travaux forcés**.*

forcément adverbe
De façon forcée, inévitable. *Si tu pars dès maintenant, tu vas **forcément** arriver en avance.* **SYN** fatalement, nécessairement.

forcené, forcenée nom
Qui n'a plus le contrôle de soi, fou furieux. *Le **forcené** s'est barricadé dans sa maison.*

forcer verbe ▸ conjug. 4
❶ Obliger quelqu'un à faire quelque chose. *La pluie nous **a forcés** à faire demi-tour.* **SYN** contraindre. ❷ Ouvrir en employant la force. *Les cambrioleurs **ont forcé** la serrure.* ❸ Faire de trop grands efforts. *Il a dû **forcer** pour pédaler jusqu'au sommet de la colline.* ■ *se* **forcer**: s'imposer, s'obliger. *Elle était triste, mais elle **s'est forcée** à sourire.*

a b c d e f g h i j k l m n o p q r s t u v w x y z

a b c d e f g h i j k l m n o p q r s t u v w x y z

forer verbe ▶ conjug. 3
Creuser le sol avec une machine. ***Forer*** *un tunnel, un puits.*

foresterie nom féminin
Ensemble des métiers qui concernent la conservation et l'exploitation de la forêt. **SYN** sylviculture.

forestier, forestière adjectif
❶ Qui est couvert de forêts. *La Mauricie est une région* ***forestière****.* ❷ Qui concerne les forêts. *Un chemin* ***forestier****.*

forêt nom féminin
Grande étendue de terrain couverte d'arbres. *Une* ***forêt*** *d'épinettes.* 👁p. 454. ♦ Famille du mot : déforestation, foresterie, forestier.

① **forfait** nom masculin
Prix fixé à l'avance. *Pour louer une voiture, on paie un* ***forfait*** *à la journée.*

② **forfait** nom masculin
• **Déclarer forfait :** renoncer à participer à une compétition, abandonner.

forfaitaire adjectif
Qui est fixé par un forfait. *Pour ce voyage, il faut payer un prix* ***forfaitaire****.*

forge nom féminin
Atelier où l'on travaille les métaux au marteau sur une enclume. *Dans ce village, on peut encore visiter une* ***forge****.* ♦ Famille du mot : forger, forgeron.

forger verbe ▶ conjug. 5
❶ Chauffer une pièce métallique, puis la façonner à coups de marteau. ❷ Au sens figuré, inventer. *Alex* ***a forgé*** *ce mensonge pour se venger.*

Un **forgeron** au travail

forgeron, forgeronne nom
Personne qui travaille dans une forge. *« C'est en forgeant qu'on devient* ***forgeron*** *», dit un proverbe.*

se **formaliser** verbe ▶ conjug. 3
Être choqué par quelque chose. *J'ai oublié son nom ; j'espère qu'il ne* ***s'en formalisera*** *pas.* **SYN** se vexer.

formalité nom féminin
Démarche administrative obligatoire. *Il y a des* ***formalités*** *à accomplir pour obtenir un passeport.*

format nom masculin
Dimensions d'un objet. *Avant d'acheter le cadre, il faut connaître le* ***format*** *de la photo.*

formation nom féminin
❶ Action de former ou fait de se former. *La* ***formation*** *d'un nouveau gouvernement. La* ***formation*** *de givre sur les vitres montre qu'il fait très froid.* ❷ Fait de former quelqu'un à un métier. *Le grand frère d'Abdel suit une* ***formation*** *en informatique.* ❸ Groupe de personnes qui ont une même activité. *Une* ***formation*** *politique.*

forme nom féminin
❶ Ensemble des contours d'une chose. *Je n'aime pas la* ***forme*** *de cette voiture.* ❷ Aspect qu'une chose peut prendre. *Yann s'intéresse à toutes les* ***formes*** *de musique.* ❸ État de santé. *Bérénice n'est pas très en* ***forme*** *en ce moment.* ❹ Façon dont se présente une phrase ou un groupe de mots. *Construire une phrase à la* ***forme*** *négative, à la* ***forme*** *positive.* • **Dans les formes :** selon les règles. • **Pour la forme :** par respect des usages. • **Prendre forme :** commencer à se préciser. *Le tableau qu'elle peint commence à* ***prendre forme****.* ♦ Famille du mot : déformant, déformation, déformer, formation, formel, formellement, former.

formel, formelle adjectif
❶ Que l'on ne peut pas discuter. *Interdiction* ***formelle*** *d'allumer un feu dans la forêt.* **SYN** catégorique. ❷ Qui est seulement pour la forme, l'apparence. *Sa politesse a été* ***formelle*** *dans la circonstance.*

formellement adverbe
De façon formelle. *L'utilisation du cellulaire au volant est* ***formellement*** *interdite au Québec.* **SYN** absolument, rigoureusement, strictement.

former verbe ▶ conjug. 3
❶ Donner une forme. *Boris* ***forme*** *ses lettres soigneusement.* ❷ Créer un groupe. *Les enfants de la classe* ***ont formé*** *une chorale.* **SYN** constituer. ❸ Apprendre un métier à quelqu'un. *Cet artisan* ***forme*** *des jeunes.*
■ *se* **former** : apparaître sous une certaine forme. *Le brouillard* ***s'est formé*** *très vite et a surpris les automobilistes.*

formidable adjectif
Qui est admirable, extraordinaire. *Ce livre est **formidable**, je te conseille de le lire.*

formulaire nom masculin
Questionnaire administratif. *Pour envoyer un colis recommandé, il faut remplir un **formulaire**.*

formule nom féminin
❶ Expression toute faite que l'on emploie dans certaines circonstances. *À la fin d'une lettre, on met toujours une **formule** de politesse.* ❷ Suite de lettres et de chiffres représentant la composition d'un élément chimique. *H_2O est la **formule** chimique de l'eau.* ❸ Façon de faire. *Pour aller au travail, ma mère trouve que l'autobus est la meilleure **formule**.* **SYN** solution. ♦ Famille du mot : formulaire, formuler.

formuler verbe ▸ conjug. 3
Exprimer avec des mots. *Cheng a beaucoup de mal à **formuler** ses idées.*

① **fort, forte** adjectif
❶ Qui a de la force physique. *Tu n'es pas assez **forte** pour porter cette valise.* **SYN** robuste, vigoureux. **CONTR** faible. ❷ Qui a des capacités dans un domaine. *Alice est **forte** en géographie.* **SYN** doué. **CONTR** faible. ❸ Qui est très intense, violent. *La météo prévoit de **fortes** pluies pour demain.* ❹ Qui a de la puissance. *Baisse le son de la radio, il est trop **fort**.* ❺ Qui est plutôt gros. *C'est une femme grande et **forte**.* **SYN** corpulent. ❻ Qui est concentré, qui a beaucoup de goût. *Cette sauce au piment est très **forte**.* **CONTR** léger. • **C'est plus fort que moi :** je ne peux m'en empêcher. • **C'est un peu fort ! :** c'est exagéré, difficile à accepter. *Tu m'as pris mon lecteur MP3, **c'est un peu fort !*** ■ **fort** adverbe ❶ Avec force, puissance. *Parlez plus **fort**, il est un peu sourd ! Le vent souffle **fort**.* ❷ Très, beaucoup. *C'est une discussion **fort** intéressante.* ■ **fort** nom masculin ❶ Les personnes fortes, riches et puissantes. *Les **forts** devraient protéger les faibles.* ❷ Ce qu'une personne sait très bien faire. *L'informatique, c'est son **fort**.*

② **fort** nom masculin
Bâtiment militaire fortifié. *Le **fort** Carillon a résisté aux attaques de l'ennemi.* 👁p. 936.

fortement adverbe
Avec force. *Il m'a **fortement** encouragé à accepter cet emploi.* **SYN** vivement.

forteresse nom féminin
Lieu fortifié qui protège une ville. *Louisbourg a été, au 18e siècle, la **forteresse** la plus puissante de l'Amérique du Nord.* **SYN** citadelle.

fortifiant nom masculin
Médicament qui donne des forces. *Mange de tout et tu n'auras pas besoin de **fortifiant**.* **SYN** remontant, tonique.

fortification nom féminin
Construction fortifiée qui protège un lieu. *Les assiégeants montaient à l'assaut des **fortifications**.*

*Les **fortifications** de Québec*

fortifier verbe ▸ conjug. 10
❶ Rendre plus fort. *Cet exercice **fortifie** les bras.* ❷ Entourer un endroit de remparts et de fossés pour le protéger. *Les légions romaines **fortifiaient** leur camp.* ♦ Famille du mot : fort, fortement, forteresse, fortifiant, fortification.

fortuit, fortuite adjectif
Qui arrive par hasard. *Nous n'avions pas rendez-vous, c'était une rencontre **fortuite**.* **SYN** imprévu, inattendu.

fortune nom féminin
Immense somme d'argent. *Il a gagné une **fortune** dans cette transaction.* • **Faire fortune :** s'enrichir. *Elle **a fait fortune** grâce au pétrole.* • **Installation de fortune :** installation que l'on a improvisée rapidement, en attendant de faire mieux. *Notre cuisine n'est pas encore aménagée, nous n'avons qu'une **installation de fortune**.*

Les forêts du Québec

Le Québec compte quatre types de climats, donc quatre types de forêts ou formations végétales. Il y a les érablières, la forêt boréale, la taïga et la toundra. Celles-ci comptent plusieurs espèces d'arbres, une multitude d'autres végétaux et des animaux.

L'érablière laurentienne

Parmi les différentes sortes d'érablières, on trouve l'érablière laurentienne. Cet écosystème forestier est une forêt mixte, c'est-à-dire peuplée à la fois de conifères et de feuillus, qui contient plusieurs habitats. Il y a les habitats aquatiques dans lesquels on range les eaux douces – rivières, ruisseaux, lacs, marais et cours d'eau forestiers – les eaux calmes et peu profondes, et les eaux stagnantes. Il y a également les habitats terrestres : les régions boisées et humides, les baies des lacs, les plans d'eau peu profonds et les rives boisées des cours d'eau et des lacs.

Voici quelques-uns des êtres vivants qui ont élu domicile dans l'érablière laurentienne.

Une mésange à tête noire

Une chouette rayée

Une paruline à gorge noire

Une mouche noire

Un geai bleu

Un martin-pêcheur

Une sittelle à poitrine blanche

Un cerf de Virginie

Un ours noir

Un renard

Une fougère de Noël

Une grive solitaire

Un porc-épic

Un ouaouaron

Une grenouille

Un raton laveur

Une tortue ponctuée

Des nénuphars

Un canard branchu

Des lentilles d'eau

Une salamandre maculée

Un achigan à grande bouche

Un grand brochet

a b c d e f g h i j k l m n o p q r s t u v w x y z

fortuné, fortunée adjectif
Qui possède de la fortune. *C'est une famille* ***fortunée*** *qui habite cette maison.*

forum nom masculin
Réunion publique où l'on échange des idées. *À l'école, on a organisé un* ***forum*** *sur les métiers d'aujourd'hui.* • **Forum électronique :** groupe d'internautes qui débattent, par Internet et en différé, sur un sujet précis. * Attention ! Le *u* dans le mot *forum* se prononce comme un *o*.

fosse nom féminin
❶ Trou profond dans la terre. *Le cercueil a été descendu dans la* ***fosse.*** ❷ Cavité très profonde dans les fonds sous-marins. *Une* ***fosse*** *océanique.* • **Fosses nasales :** cavités du nez. 👁p. 988. ♦ Famille du mot : fossé, fossette, fossile, fossoyeur.

fossé nom masculin
❶ Fosse creusée en long dans le sol. *Il est tombé dans le* ***fossé*** *en faisant du vélo.* ❷ Au sens figuré, chose qui sépare profondément. *Il y a un* ***fossé*** *entre ce qu'il promet de faire et ce qu'il fait en réalité.*

fossette nom féminin
Petit creux sur les joues ou le menton. *On voit bien les* ***fossettes*** *du bébé quand il rit.*

fossile nom masculin
Restes ou empreintes d'animaux ou de plantes incrustés dans la pierre. *Des* ***fossiles*** *de fougères, de coquillages.* 👁p. 457.

fossoyeur, fossoyeuse nom
Personne qui creuse les fosses où sont enterrés les morts.

fou, folle adjectif
❶ Qui n'a plus sa raison, souffre de troubles mentaux. *Après ce terrible choc, il a failli devenir* ***fou.*** SYN dément, dingue. ❷ Déraisonnable. *Il ne devrait pas se baigner par ce froid, c'est une idée* ***folle.*** ❸ Qui n'est pas dans son état normal à cause d'une émotion violente. *Être* ***fou*** *de joie, de colère, d'angoisse.* ❹ Qui aime passionnément quelque chose. *Elle est* ***folle*** *des jeux vidéo.* ❺ Énorme, démesuré ou très important. *J'ai un travail* ***fou*** *en ce moment.* SYN démentiel. * Attention ! On emploie *fol* devant un nom masculin commençant par une voyelle ou un « h » muet : *un* ***fol*** *amour, un* ***fol*** *héros.* ■ **fou, folle** nom Personne qui a perdu la raison. *Un* ***fou*** *a pris le personnel de la banque en otage.* * On dit plutôt *déséquilibré* ou *désaxé* en ce sens. ■ **fou** nom masculin Pièce du jeu d'échecs que l'on déplace en diagonale.

fou de Bassan nom masculin
Grand oiseau marin qui plonge de très haut pour capturer des poissons. *On voit des milliers de* ***fous de Bassan*** *à l'île Bonaventure.*

Un **fou de Bassan**

foudre nom féminin
Décharge électrique accompagnée d'un éclair et de tonnerre qui se produit pendant un orage. *La* ***foudre*** *est tombée sur l'érable de nos voisins.* • **Coup de foudre :** amour subit et foudroyant. *Geneviève a eu le* ***coup de foudre*** *pour cette maison.* ♦ Famille du mot : foudroyant, foudroyer.

foudroyant, foudroyante adjectif
Qui frappe de manière rapide et brutale. *Au tennis, il a un revers* ***foudroyant.***

foudroyer verbe ▸ conjug. 6
❶ Frapper par la foudre. *Le hêtre* ***a été foudroyé*** *pendant l'orage.* ❷ Tuer ou frapper brusquement. *Cette terrible nouvelle l'****a foudroyée****, et elle s'est évanouie.* SYN terrasser.

fouet nom masculin
❶ Instrument constitué d'une corde ou de lanières de cuir fixées à un manche. *La dompteuse se sert d'un* ***fouet*** *pour se faire obéir des fauves.* ❷ Ustensile de cuisine qui sert à battre les œufs ou les sauces. *Éric se sert d'un* ***fouet*** *pour battre les blancs d'œufs en neige.* • **De plein fouet :** de face et avec violence. *Les deux footballeurs se sont heurtés* ***de plein fouet.*** • **Donner un coup de fouet :** stimuler, redonner des forces instantanément.

Les fossiles

Quand un animal ou un végétal meurt, il se décompose et, quelques années plus tard, il ne reste habituellement aucune trace de son existence passée. Cependant, l'empreinte d'un animal ou ses ossements peuvent être conservés dans la roche, ce qui, dans le cas des ossements, signifie qu'ils se sont pétrifiés. Ces traces ou ces restes sont ce que l'on appelle des « fossiles ».

Les roches sur lesquelles on peut voir l'empreinte d'animaux ou de plantes sont dites « roches sédimentaires ». Le processus de fossilisation prend beaucoup de temps et ne se produit qu'à certaines conditions. En voici les étapes principales.

L'organisme meurt.

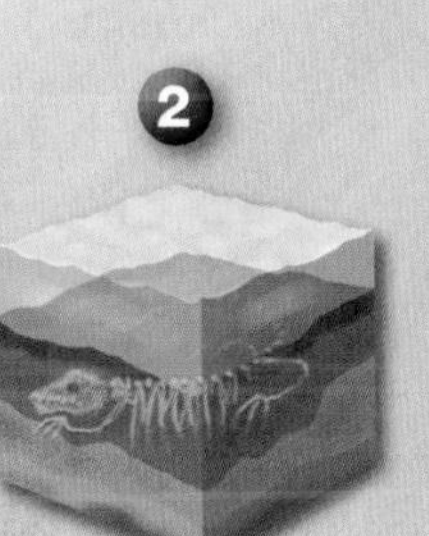

L'organisme se retrouve enfoui dans les sédiments.

Le calcium des os et des tissus se cristallise.

Les sédiments qui se sont déposés sur l'organisme durcissent à leur tour pour former de la roche sédimentaire.

Les scientifiques qui analysent les fossiles sont les paléontologues. Leur travail permet notamment :

- de connaître le nombre d'années écoulées depuis le moment de la mort de l'organisme ;
- d'identifier le stade d'évolution de l'espèce à laquelle appartient le fossile ;
- de constater que certaines espèces, qui ont laissé par leurs fossiles une preuve de leur existence, ont disparu de la surface de la Terre.

Des fossiles d'étoiles de mer

Par ailleurs, la découverte sur deux continents distincts de fossiles appartenant à une même espèce permet d'appuyer la thèse selon laquelle ces continents étaient autrefois soudés.

Un fossile d'insecte

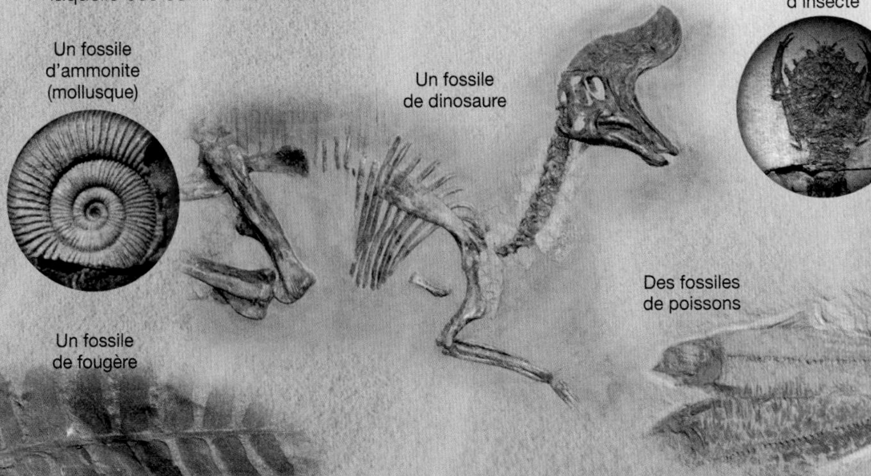
Un fossile d'ammonite (mollusque)

Un fossile de dinosaure

Des fossiles de poissons

Un fossile de fougère

a b c d e **f** g h i j k l m n o p q r s t u v w x y z

fouetter verbe ▸ conjug. 3
❶ Donner des coups de fouet. *Le cocher **fouette** son cheval pour le mettre au trot.* SYN cingler. ❷ Battre vivement avec un fouet de cuisine. *Johanna **fouette** la crème pour la rendre plus légère.*

fougère nom féminin
Plante sans fleurs, à feuilles vertes très découpées. *Les **fougères** poussent dans les sous-bois.*

Des **fougères**

fougue nom féminin
Ardeur et vivacité. *Il défend ses idées avec **fougue**.* SYN flamme, impétuosité.

fougueux, fougueuse adjectif
Qui est plein de fougue. *Le champion s'est fait battre par un adversaire jeune et **fougueux**.* SYN impétueux.

fouille nom féminin
Fait de fouiller un endroit. *Les douaniers ont procédé à la **fouille** de la voiture.* ■ **fouilles** nom féminin pluriel Recherches faites en fouillant le sol. *Des archéologues font des **fouilles** pour trouver des vestiges du passé.*

fouiller verbe ▸ conjug. 3
Rechercher minutieusement quelque chose en regardant partout. *J'**ai fouillé** partout pour trouver mes clés.*

fouillis nom masculin
Grand désordre. *Je ne retrouve plus rien dans ce **fouillis** !*

fouiner verbe ▸ conjug. 3
Dans la langue familière, fureter. *Je n'aime pas beaucoup que tu **fouines** dans mes affaires.*

foulard nom masculin
❶ Morceau de tissu léger que l'on porte autour du cou ou sur la tête. ❷ Longue bande de tricot que l'on porte autour du cou par grand froid. *Elle a mis sa tuque, son **foulard** et ses mitaines.* SYN écharpe. • **Foulard islamique** : morceau de tissu qui recouvre la tête.
* Chercher aussi *bourka*, *hidjab*, *niquab*, *tchador*, *voile*.

foule nom féminin
❶ Grand nombre de gens assemblés. *Laura n'a pas pu retrouver Andrew dans la **foule**, à la sortie du cinéma.* • **En foule** : en grand nombre. *Les gens sont venus **en foule** à ce spectacle en plein air.* SYN en masse. ❷ Grande quantité de choses. *J'ai une **foule** de choses à faire avant de partir.* SYN multitude.

foulée nom féminin
Enjambée que l'on fait en courant. *La coureuse a fait le tour du stade à petites **foulées**.*
• **Dans la foulée** : dans la suite de l'action. *Il a tondu le gazon et il a taillé la haie **dans la foulée**.*

se **fouler** verbe ▸ conjug. 3
Se faire une foulure. *Louis **s'est foulé** la cheville en tombant.*

foulure nom féminin
Petite entorse. *Sa **foulure** le fait boiter.*
* Chercher aussi *luxation*.

four nom masculin
❶ Appareil fermé dans lequel on fait cuire les aliments. *Mon père a mis le poulet au **four**. Un **four** à micro-ondes.* ❷ Appareil qui chauffe certains matériaux à très haute température. *Un **four** de potier.* Famille du mot : fournaise, fourneau, fournée, haut-fourneau.

fourbe adjectif
Qui trompe les gens de manière sournoise. *Ce personnage de roman est un homme cruel et **fourbe**.* SYN faux, hypocrite, perfide. CONTR honnête, loyal.

fourberie nom féminin
Acte commis par une personne fourbe. *Il faut se méfier de ses **fourberies**.* SYN traîtrise.

fourbu, fourbue adjectif
Très fatigué. *Nous sommes rentrés* ***fourbus*** *de cette longue randonnée.* **SYN** épuisé, exténué.

fourche nom féminin
❶ Instrument agricole à long manche terminé par des dents. *La cultivatrice soulève la botte de foin d'un coup de* ***fourche.*** ❷ Endroit d'une chose qui se divise en deux ou plusieurs parties. *À cet endroit du chemin, il y a une* ***fourche.*** **SYN** bifurcation. ❸ Dans une bicyclette, partie formée de deux barres entre lesquelles est fixée une roue. 👁p. 117. ♦ Famille du mot : enfourcher, fourchette, fourchu.

fourchette nom féminin
Ustensile de table terminé par des dents, qui sert à piquer les aliments. *C'est un bébé, il ne sait pas encore manger avec une* ***fourchette.***

fourchu, fourchue adjectif
Qui est divisé en deux parties. *La couleuvre a une langue* ***fourchue.***

fourgon nom masculin
❶ Wagon servant au transport des marchandises. ❷ Longue voiture fermée.
• **Fourgon mortuaire :** corbillard.

fourgonnette nom féminin
Camionnette. *La fleuriste fait la livraison de ses bouquets en* ***fourgonnette.***

fourmi nom féminin
Petit insecte vivant en société organisée dans une fourmilière. 👁p. 570. • **Avoir des fourmis dans les jambes :** éprouver une sensation de picotement. ♦ Famille du mot : fourmilier, fourmilière, fourmillement, fourmiller.

Une **fourmi**

fourmilier nom masculin
Mammifère sans dents qui se nourrit de fourmis. *Le tamanoir est un* ***fourmilier.***

Un **fourmilier**

fourmilière nom féminin
Nid de fourmis. *Les* ***fourmilières*** *sont formées de nombreuses galeries.*

fourmillement nom masculin
❶ Picotement. *J'ai des* ***fourmillements*** *dans les jambes.* ❷ Fait de fourmiller. *Un* ***fourmillement*** *d'insectes.* **SYN** grouillement.
* Attention ! Les deux *l* dans le mot *fourmillement* se prononcent comme dans *fille.*

fourmiller verbe ▸ conjug. 3
❶ S'agiter en grand nombre. *Le soir, les maringouins* ***fourmillent*** *autour des lampes.* **SYN** grouiller, pulluler. ❷ Au sens figuré, contenir en grand nombre. *Ce texte* ***fourmille*** *de fautes d'orthographe.* * Attention ! Les deux *l* dans le mot *fourmiller* se prononcent comme dans *fille.*

fournaise nom féminin
Lieu où il fait très chaud. *Chaque été, l'appartement devient une vraie* ***fournaise.***

fourneau, fourneaux nom masculin
Appareil muni d'un four, qui servait autrefois à la cuisson des aliments. *Le vieux* ***fourneau*** *à charbon a été remplacé par une cuisinière électrique.*

fournée nom féminin
Quantité de pain cuite en une fois dans un four. *Le boulanger prépare une* ***fournée.***

fournir verbe ▸ conjug. 11
❶ Donner ce qu'il faut. *Pour les cours d'escrime, c'est le club qui* ***fournit*** *les fleurets.* **SYN** procurer. ❷ Vendre. *Ce magasin* ***fournit*** *tout le matériel nécessaire pour dessiner.* ❸ Faire, accomplir. *Ils* ***ont fourni*** *un gros effort.* ■ *se* **fournir** : s'approvisionner, faire ses achats. *Ma mère* ***se fournit*** *toujours chez ce boucher.* ♦ Famille du mot : fournisseur, fourniture.

fournisseur, fournisseuse nom
Établissement ou commerçant auprès duquel on se fournit. *Cette commerçante s'approvisionne chez le même* ***fournisseur*** *depuis des années.*

fourniture nom féminin
Action de fournir quelque chose. *Le garagiste s'occupe de la* ***fourniture*** *des pièces détachées.* ■ **fournitures** nom féminin pluriel Objets dont on se sert pour son travail. *Chaque année, la liste des* ***fournitures*** *scolaires est envoyée aux parents.*

fourrage nom masculin
Plantes destinées à nourrir le bétail. * Chercher aussi *foin.*

Le trèfle La luzerne Le foin

Des plantes **fourragères**

fourragère adjectif féminin
• **Plantes fourragères :** plantes qui constituent le fourrage. *Le trèfle, la luzerne, le foin sont des **plantes fourragères**.*

① **fourré, fourrée** adjectif
❶ Doublé de fourrure. *Des gants **fourrés**.* ❷ Dont l'intérieur est garni. *Des pains **fourrés** au chocolat.* • **Coup fourré :** dans la langue familière, acte de traîtrise. SYN piège.

② **fourré** nom masculin
Endroit d'un bois où les arbustes et les broussailles forment une masse touffue. *Se cacher dans les **fourrés**.* SYN buisson.

fourreau, fourreaux nom masculin
Étui allongé. *Il remet l'épée dans son **fourreau**.*

fourrer verbe ▸ conjug. 3
❶ Doubler de fourrure. ❷ Garnir l'intérieur de quelque chose. ***Fourrer** des choux avec de la crème.* ❸ Dans la langue familière, mettre rapidement et sans soin. *Il **a fourré** quelques vêtements dans sa valise.* ■ se **fourrer** : se mettre. *Où le chat est-il allé **se fourrer** ?*
♦ Famille du mot : fourré, fourre-tout, fourreur, fourrure.

fourre-tout nom masculin invariable
Endroit, meuble, sac où l'on entasse sans ordre toutes sortes de choses. *Ce placard est devenu un vrai **fourre-tout**.* ✎ On peut écrire aussi *un **fourretout**, des **fourretouts**.*

fourreur, fourreuse nom
Personne qui fait ou vend des vêtements de fourrure.

fourrière nom féminin
❶ Endroit où sont placés les animaux trouvés dans la rue. *Les chiens perdus ou abandonnés sont emmenés à la **fourrière**.* ❷ Endroit où sont transportés les véhicules mal garés ou abandonnés.

fourrure nom féminin
Peau d'un animal à poil touffu. *Le chien de Tanya a une épaisse **fourrure** frisée. Un manteau en **fourrure**.*

se **fourvoyer** verbe ▸ conjug. 6
❶ Se tromper de chemin. *Nous sommes dans une impasse, nous **nous sommes fourvoyés**.* SYN s'égarer, se perdre. ❷ Faire une grosse erreur. *Je le croyais sincère, mais je **me suis fourvoyé**.*

foyer nom masculin
❶ Partie d'une cheminée ou d'une chaudière dans laquelle brûle le feu. ❷ Endroit à partir duquel le feu se propage. *Le **foyer** d'un incendie.* ❸ Endroit où vit une famille. *Il a quitté le **foyer** familial quand il a trouvé du travail.* • **Fonder un foyer :** se marier.

fracas nom masculin
Bruit violent. *Le **fracas** d'une explosion.*

fracassant, fracassante adjectif
❶ Qui provoque un bruit violent. *Un choc **fracassant**.* ❷ Au sens figuré, qui fait beaucoup d'effet. *La ministre a fait une déclaration **fracassante**.* SYN retentissant.

fracasser verbe ▸ conjug. 3
Briser violemment. *La balle de tennis **a fracassé** une vitre.* ■ se **fracasser** : se briser violemment. *L'assiette **s'est fracassée** en tombant sur le carrelage.*

fraction nom féminin
❶ Expression mathématique qui permet de représenter la division d'un nombre par un autre. *Dans la **fraction** ½, le dénominateur est 2 et le numérateur est 1.* ❷ Partie d'un tout, d'un ensemble. *Une **fraction** de la classe est bilingue.* • **Une fraction de seconde :** un temps extrêmement bref.

fractionner verbe ▸ conjug. 3
Diviser en plusieurs parties. *L'héritage **a été fractionné** en cinq parts.* **SYN** partager.
■ *se* **fractionner** : se diviser. *Le groupe de joueurs **s'est fractionné** en deux.* **SYN** se scinder.

fracture nom féminin
Cassure d'un os. *Chang souffre d'une **fracture** de la cheville.*

fracturer verbe ▸ conjug. 3
❶ Causer une fracture. *La chute lui **a fracturé** la jambe.* ❷ Casser pour ouvrir. *Des voleurs **ont fracturé** le coffre de la voiture.*
■ *se* **fracturer** : se faire une fracture. *Il **s'est fracturé** le bras en tombant dans l'escalier.*

fragile adjectif
❶ Qui se casse facilement. *Cette porcelaine est très **fragile**.* **CONTR** résistant, solide. ❷ Qui tombe souvent malade. *Une enfant **fragile**.* **SYN** délicat. **CONTR** robuste.

fragilité nom féminin
❶ Caractère de ce qui est fragile. *La **fragilité** du cristal.* **CONTR** résistance, solidité. ❷ État d'une personne de faible constitution. *Il doit surveiller sa santé, car il est d'une grande **fragilité**.* **CONTR** robustesse.

fragment nom masculin
❶ Morceau d'un objet brisé. *Stéphanie ramasse les **fragments** de l'assiette cassée.* **SYN** débris. ❷ Passage d'un texte ou d'un discours. *Je me souviens de quelques **fragments** de ce poème.*
♦ Famille du mot : fragmentaire, fragmenter.

fragmentaire adjectif
Incomplet. *Ce journaliste n'a obtenu que des informations **fragmentaires**.*

fragmenter verbe ▸ conjug. 3
Diviser en fragments. *On **a fragmenté** l'histoire en plusieurs épisodes télévisés.* **SYN** morceler.

fraîchement adverbe
❶ Avec froideur, impolitesse. *Il nous a accueillis **fraîchement**.* **SYN** froidement. ❷ Récemment, depuis peu. *Cette clôture a été **fraîchement** repeinte.* ✎ On peut écrire aussi ***fraichement***.

fraîcheur nom féminin
❶ Température fraîche. *Ils attendaient impatiemment la **fraîcheur** de la nuit.* ❷ État d'un produit frais. *Ce commerçant vend des fruits de première **fraîcheur**.* ✎ On peut écrire aussi ***fraicheur***.

fraîchir verbe ▸ conjug. 11
Devenir plus frais. *Depuis quelques jours, la température **a fraîchi**.* ✎ On peut écrire aussi ***fraichir***.

① **frais, fraîche** adjectif
❶ Qui est légèrement froid. *Un verre d'eau **fraîche**.* ❷ Qui vient d'être fait, récolté ou produit. *Du pain **frais**. Du poisson **frais**. Des œufs **frais**.* ❸ Qui n'est pas encore sec. *Ne touche pas les murs, la peinture est encore **fraîche**.* ❹ Qui existe depuis peu. *Nous vous donnerons des nouvelles **fraîches** dès notre retour.* **SYN** récent. ❺ Qui a gardé son éclat. *Un teint **frais**.* ✎ On peut écrire aussi, au féminin, ***fraiche***. ■ **frais** nom masculin Température fraîche. *Mets la crème glacée au **frais**, sinon elle va fondre.* • **Prendre le frais** : aller dehors pour profiter de la fraîcheur de l'air. ■ **frais** adverbe ❶ Légèrement froid. *Il fait **frais** ce soir.* ❷ Récemment. *Le visage **frais** rasé.*
♦ Famille du mot : défraîchi, fraîchement, fraîcheur, fraîchir, rafraîchir, rafraîchissant, rafraîchissement.

② **frais** nom masculin pluriel
Dépenses que l'on doit faire. *Les travaux de la maison ont entraîné de gros **frais**.* • **En être pour ses frais** : avoir dépensé de l'argent ou s'être donné du mal pour rien. • **Faire les frais de quelque chose** : en subir les conséquences. • **À grands frais, à peu de frais** : en dépensant beaucoup d'argent, peu d'argent. • **À frais virés** : se dit d'un appel interurbain pour lequel c'est la personne appelée qui paye le prix de la communication.

① **fraise** nom féminin
Petit fruit rouge du fraisier. *Une tarte aux **fraises**.*

② **fraise** nom féminin
Outil en métal très dur qui tourne sur lui-même. *La dentiste se sert d'une **fraise** pour creuser la dent cariée.*

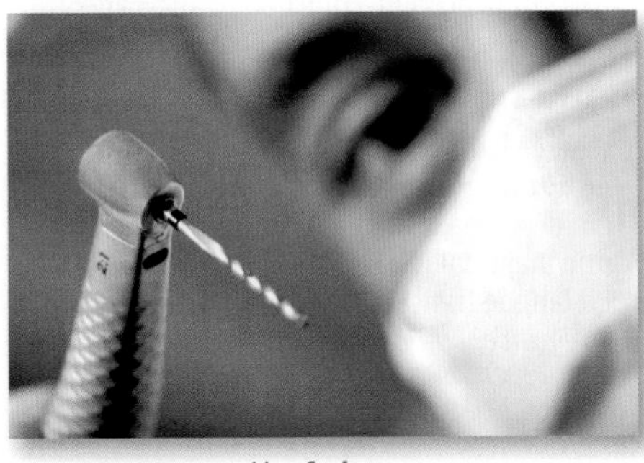

*Une **fraise***

a b c d e **f** g h i j k l m n o p q r s t u v w x y z

fraisier nom masculin
Petite plante qui produit les fraises.

Un ***fraisier***

framboise nom féminin
Petit fruit rouge et velouté du framboisier. *De la confiture de **framboises**.*

framboisier nom masculin
Arbuste qui produit les framboises.

Un ***framboisier***

franc, franche adjectif
Qui ne cache pas la vérité. *Elle est **franche**, je la crois. Un regard **franc**.* SYN loyal, sincère. CONTR déloyal, hypocrite, menteur. ♦ Famille du mot : franchement, franchise, franc-parler.

français, française adjectif et nom
De la France. *La gastronomie **française*** est réputée dans le monde entier. – *Les **Français**, les **Françaises**.* ✎ Attention ! Le nom, qui désigne les habitants, s'écrit avec une majuscule. ■ **français** nom masculin La langue française. *Le **français** est parlé en France, en Belgique, en Suisse, au Canada et dans plusieurs autres pays du monde, notamment en Afrique.* ♦ Famille du mot : franciser, francophone, francophonie.

franchement adverbe
❶ Avec franchise. *Je lui ai demandé de me parler **franchement** de ses problèmes.* SYN sincèrement. ❷ Vraiment, très. *Il a été **franchement** désagréable.*

franchir verbe ▸ conjug. 11
❶ Passer un obstacle. *Le cavalier **a franchi** la haie.* ❷ Passer au-delà ou parcourir d'un bout à l'autre. ***Franchir** un pont, une rivière, une frontière.*

franchise nom féminin
Qualité d'une personne franche. *Il a reconnu sa faute avec beaucoup de **franchise**.* SYN sincérité.

franciser verbe ▸ conjug. 3
Donner une orthographe et une prononciation françaises à un mot étranger. *Le mot anglais « blog » **a été francisé** en « blogue ».*

francophone adjectif et nom
Qui parle le français. *Au Québec, la majorité de la population est **francophone**. – En Suisse, en Belgique, au Canada, en Afrique, il y a des **francophones**.*

francophonie nom féminin
Ensemble des pays francophones. *Le Québec fait partie de la **francophonie**.*

franc-parler nom masculin
Façon de parler très libre et très franche. *Il pourrait modérer un peu son **franc-parler**.*

franc-tireur nom masculin
Combattant qui n'appartient pas à une armée régulière. ✎ Pluriel : *des **francs-tireurs**.*

frange nom féminin
❶ Bordure de fils ou de lanières qui orne un tissu. *Les **franges** d'une écharpe, d'un tapis.* ❷ Cheveux qui retombent sur le front. *La **frange** de cette adolescente lui couvre les yeux.* SYN toupet.

franquette nom féminin
• **À la bonne franquette :** sans façon, très simplement. *Nous souperons dans la cuisine, **à la bonne franquette**.* SYN sans cérémonie*.

frappant, frappante adjectif
Qui produit une forte impression. *Ces frères se ressemblent de façon **frappante**.* SYN étonnant, saisissant.

frappe nom féminin
Action de taper un texte à la machine ou à l'ordinateur. *Des fautes de **frappe**.* * Chercher aussi *saisie*.

frapper verbe ▸ conjug. 3
❶ Donner un ou plusieurs coups. *Je t'interdis de **frapper** ton petit frère.* SYN battre. *Quelqu'un **a frappé** à la porte.* SYN cogner. ❷ Imprimer en relief. ***Frapper** une nouvelle pièce de monnaie.* ❸ Atteindre d'un mal. *La famine **a frappé** tout le pays.* ❹ Impressionner vivement. *Ce film nous **a frappés**.* ♦ Famille du mot : frappant, frappe.

frasil nom masculin
❶ Cristaux de glace qui flottent à la surface d'un cours d'eau et qui sont entraînés par le courant. *Dès le début d'avril, les rivières charrient le **frasil**.* ❷ Fine pellicule formée par la glace en train de fondre. *Il y a un peu de **frasil** sur le lac.* * Attention ! Le *l* dans le mot *frasil* se prononce.

fraternel, fraternelle adjectif
Qui existe entre des frères et des sœurs. *Une affection **fraternelle** les unit.*

fraterniser verbe ▸ conjug. 3
Avoir une attitude fraternelle envers les autres. *Ils **ont** tout de suite **fraternisé**.*

fraternité nom féminin
Entente fraternelle. *Ils vivent dans la **fraternité**.*

fraude nom féminin
Action illégale, punie par la loi. *Les douaniers ont saisi des marchandises passées en **fraude** à la frontière.* ♦ Famille du mot : frauder, fraudeur, frauduleux.

frauder verbe ▸ conjug. 3
Commettre une fraude. *Elle **a fraudé** en faisant une fausse déclaration de revenus.*

fraudeur, fraudeuse nom
Personne qui fraude.

frauduleux, frauduleuse adjectif
Qui constitue une fraude. *Il s'est enrichi par des moyens **frauduleux**.*

frayer verbe ▸ conjug. 7
❶ Passer en écartant ce qui gêne le passage. *Dans la forêt, le premier de la file **frayait** le chemin aux autres.* ❷ En parlant des poissons, déposer ou féconder leurs œufs. *Le saumon remonte les rivières pour **frayer**.* ■ *se* **frayer** : ouvrir. *Le chien **s'est frayé** un passage à travers la haie.*

frayeur nom féminin
Peur très vive. *Les coups de tonnerre remplissaient l'enfant de **frayeur**.* SYN effroi, épouvante, terreur.

fredonner verbe ▸ conjug. 3
Chanter à mi-voix. *Aïcha **fredonne** une chanson.* SYN chantonner.

frégate nom féminin
Bateau de guerre rapide.

frein nom masculin
❶ Mécanisme qui permet de ralentir ou d'arrêter un véhicule ou une machine. *La cycliste a donné un brusque coup de **frein**.* 👁p. 88. ❷ Ce qui retient ou entrave. *Le manque de personnel est un **frein** au développement de cette entreprise.* • **Mettre un frein à quelque chose** : chercher à l'arrêter. *Cette déception **a mis un frein à** son enthousiasme.* • **Sans frein** : sans limite. *Elle est d'une curiosité **sans frein**.* SYN effréné. ♦ Famille du mot : freinage, freiner.

freinage nom masculin
Action de freiner. *La voiture a laissé des traces de **freinage** sur la chaussée.*

freiner verbe ▸ conjug. 3
❶ Ralentir ou arrêter un véhicule en se servant des freins. *Elle **a freiné** au feu rouge.* CONTR accélérer. ❷ Ralentir la progression de quelque chose. *Un bris de machine **a freiné** la production de l'usine.*

frêle adjectif
Qui manque de force. *Enzo est un enfant **frêle**.* SYN délicat, fragile. CONTR robuste.

frelon nom masculin
Sorte de grosse guêpe. *La piqûre du **frelon** est très douloureuse.*

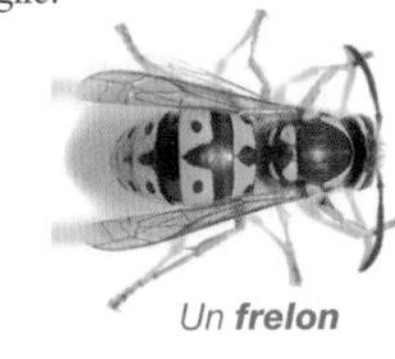
Un **frelon**

a b c d e f g h i j k l m n o p q r s t u v w x y z

a b c d e f g h i j k l m n o p q r s t u v w x y z

frémir verbe ▸ conjug. 11
❶ Remuer légèrement. *La brise faisait **frémir** les champs de blé.* ❷ Trembler d'émotion. *Il nous a raconté une histoire qui nous a fait **frémir**.* SYN frissonner, trembler.

frémissant, frémissante adjectif
Qui frémit. *Une voix **frémissante** d'émotion.*

frémissement nom masculin
Fait de frémir. *Le **frémissement** de l'eau sur le point de bouillir. Un **frémissement** de colère.* SYN tremblement.

frêne nom masculin
Grand arbre à bois clair, très solide, utilisé pour faire des manches d'outils, des meubles. 👁p. 126.

Un **frêne**

frénésie nom féminin
Grande excitation. *Ils dansaient avec **frénésie**.*

frénétique adjectif
Qui exprime de la frénésie. *Des applaudissements **frénétiques**.*

fréquemment adverbe
De manière fréquente. *Il voyage **fréquemment** à l'étranger.* SYN souvent. CONTR rarement. * Attention ! La terminaison *emment* se prononce *amant*.

fréquence nom féminin
Caractère de ce qui est fréquent. *On lui a reproché la **fréquence** de ses absences.*

fréquent, fréquente adjectif
Qui se produit souvent. *Il y a eu de **fréquentes** averses durant le mois de juillet.* CONTR rare.
♦ Famille du mot : fréquemment, fréquence, fréquentation, fréquenté, fréquenter.

fréquentation nom féminin
Fait de fréquenter certaines personnes ou certains endroits. *On encourage la **fréquentation** des théâtres en offrant des abonnements de saison.* ■ **fréquentations** nom féminin pluriel Personnes qu'on a l'habitude de fréquenter. *Avoir de bonnes, de mauvaises **fréquentations**.*

fréquenté, fréquentée adjectif
Où il vient souvent du monde. *Un restaurant très **fréquenté**.* • **Bien fréquenté, mal fréquenté :** où il vient des gens convenables, peu convenables.

fréquenter verbe ▸ conjug. 3
❶ Voir quelqu'un de façon régulière. *C'est un solitaire ; il ne **fréquente** personne.* ❷ Aller souvent dans un endroit. *Les enfants du quartier **fréquentent** l'école.*
■ *se* **fréquenter** : se voir régulièrement. *Karen et Josh **se fréquentent**.*

frère nom masculin
Garçon né du même père et de la même mère qu'un autre enfant. *Felicia a un petit **frère**.*
♦ Famille du mot : beau-frère, confrère, demi-frère, fraternel, fraterniser, fraternité.

fresque nom féminin
Peinture exécutée directement sur un mur. *Quand il visite des églises, il aime observer les **fresques**.*

Une **fresque**

fret nom masculin
❶ Prix du transport de marchandises par mer, par air ou par route. ❷ Cargaison transportée. *Des débardeurs chargent le **fret** dans les cales du bateau.* * Attention ! Le *t* dans le mot *fret* se prononce.

rétiller verbe ▸ conjug. 3
S'agiter avec de petits mouvements vifs. *Quand il est content, mon chien a la queue qui **frétille**.*

riable adjectif
Qui s'effrite facilement, se réduit en poudre si on l'écrase. *Ces biscottes sont trop **friables**.*

riand, friande adjectif
• **Être friand de quelque chose**: l'aimer spécialement. *Mon chat **est friand de** poisson.*

riandise nom féminin
Sucrerie ou pâtisserie. *La tire est la **friandise** préférée de Maya.*

ric nom masculin
Dans la langue familière, argent. *Je n'ai pas assez de **fric** pour acheter ce blouson.*

ricassée nom féminin
Ragoût de morceaux de viande cuits dans une sauce. *Une **fricassée** de dinde.*

riche nom féminin
Terrain qui n'est pas cultivé. *Ces terres sont en **friche** depuis la mort de leur propriétaire.* * Chercher aussi *jachère*.

riction nom féminin
Action de frictionner ou de se frictionner. *Le coiffeur lui a fait une **friction** du cuir chevelu.*

rictionner verbe ▸ conjug. 3
Frotter vigoureusement une partie du corps. *Le masseur **frictionne** les mollets du coureur cycliste.*

rigidaire nom masculin
Réfrigérateur. * Abréviation : *frigo*. * *Frigidaire* est le nom d'une marque.

frigorifié, frigorifiée adjectif
Dans la langue familière, qui a très froid. *Rentrez vite, vous allez être **frigorifiés** !* **SYN** gelé.

frigorifier verbe ▸ conjug. 10
Mettre au froid pour conserver. *Aussitôt rentrée de l'épicerie, ma mère **a frigorifié** les produits périssables.*

frigorifique adjectif
Qui produit du froid. *Un entrepôt **frigorifique**.*

frileux, frileuse adjectif
Qui craint le froid. *Notre chatte se couche toujours près du radiateur, car elle est **frileuse**.*

frimas nom masculin
Brouillard épais qui se transforme en givre. *Les premiers **frimas** de l'hiver.*

frimousse nom féminin
Visage d'enfant. *Chloé a une jolie **frimousse** couverte de taches de rousseur.* **SYN** minois.

Une **frimousse**

fringale nom féminin
Dans la langue familière, faim pressante. *À quatre heures, Marcello a toujours une grosse **fringale**.* * Chercher aussi *appétit*.

fringant, fringante adjectif
❶ Très vif. *Un poulain **fringant**.* ❷ Vif, alerte et élégant. *Un jeune homme **fringant**.*

fringues nom féminin pluriel
Dans la langue familière, vêtements. *Cette boutique vend des **fringues** bon marché.*

se **friper** verbe ▸ conjug. 3
Se chiffonner, se froisser. *Sa jupe **s'est fripée** pendant le voyage.*

fripouille nom féminin
Dans la langue familière, canaille. *Quand il joue aux cartes, James devient une vraie **fripouille**.* **SYN** crapule.

frire verbe ▸ conjug. 44
Cuire dans une matière grasse bouillante. *Faire **frire** du poisson.* ♦ Famille du mot : frit, frite, friteuse, friture.

frise nom féminin
Bordure qui porte des motifs décoratifs. *Une **frise** de papier peint orne les murs de ma chambre.*

Une **frise**

frisé, frisée adjectif
Qui forme des boucles serrées. *Le caniche a des poils **frisés**.* **SYN** bouclé.

friser verbe ▸ conjug. 3
❶ Devenir frisé. *Ses cheveux **frisent** sous la pluie.* **SYN** boucler. ❷ Approcher de très près. *Ses remarques **frisent** l'insolence.* ♦ Famille du mot : frisé, frisette.

a b c d e f g h i j k l m n o p q r s t u v w x y z

frisette nom féminin
Petite boucle de cheveux.

frisquet, frisquette adjectif
Dans la langue familière, qui est un peu froid. *Le noroît est un vent **frisquet**.*

frisson nom masculin
Tremblement qui traverse le corps. *Un **frisson** de fièvre, de froid, de peur.*

frissonner verbe ▸ conjug. 3
Avoir des frissons. *Corinne **frissonne** de froid.* **SYN** grelotter.

frit, frite adjectif
Que l'on a fait frire. *Du poisson **frit**. Des aubergines **frites**.* ■ **frite** nom féminin
Bâtonnet de pomme de terre que l'on a fait frire. *Servir un hamburger avec des **frites**.*

friteuse nom féminin
Ustensile servant à faire frire des aliments.

friture nom féminin
❶ Matière grasse bouillante dans laquelle on fait frire des aliments. *Plonger les beignes dans la **friture**.* ❷ Aliments frits. *Une **friture** d'éperlans.*

frivole adjectif
Qui manque de sérieux. *Des bavardages **frivoles**.* **SYN** futile, léger. **CONTR** grave, sérieux.

frivolité nom féminin
Caractère de ce qui est frivole. *Katia perd son temps en **frivolités**.* **SYN** futilité.

froid, froide adjectif
❶ Qui est à une température basse. *Cet hiver a été très **froid**. Loïc mange ses céréales avec du lait **froid**.* **CONTR** chaud. ❷ Qui manque d'amabilité. *Il nous a dit bonjour d'un ton **froid**.* **CONTR** chaleureux. ❸ Qui reste indifférent, qui n'est pas touché. *Toutes vos critiques me laissent **froid**.* • **Garder la tête froide:** rester calme, ne pas s'énerver. ■ **froid** nom masculin
Température froide. *Cette plante craint le **froid**. Une période de **froid**.* **CONTR** chaleur. • **Jeter un froid:** provoquer un malaise, une gêne. • **Ne pas avoir froid aux yeux:** avoir de l'assurance ou du courage. • **Prendre, attraper froid:** s'enrhumer. ■ **froid** adverbe • **Servir froid:** apporter à quelqu'un une boisson ou un plat rafraîchi ou bien un aliment cuit qui a tiédi. *Ce type de vin blanc doit **être servi** assez **froid**.* • **Être en froid avec quelqu'un:** être brouillé avec lui. ♦ Famille du mot: froidement, froideur, refroidir, refroidissement.

froidement adverbe
❶ De manière froide, peu aimable. *Il a **froidement** refusé mon offre.* **CONTR** chaleureusement, cordialement. ❷ Sans passion, sans pitié. *Le terroriste a **froidement** menacé de tuer ses otages.*

froideur nom féminin
Fait d'être froid, insensible. *La **froideur** de son accueil nous a mis mal à l'aise.* **SYN** réserve. **CONTR** chaleur, cordialité.

froissement nom masculin
Bruit de quelque chose que l'on froisse.

froisser verbe ▸ conjug. 3
❶ Chiffonner. *Alexis **froisse** sa lettre et la recommence.* ❷ Choquer ou vexer quelqu'un. *Vos critiques l'**ont** beaucoup **froissé**.*

frôlement nom masculin
Action de frôler. *Veronica a senti le **frôlement** du chat sur sa jambe.*

frôler verbe ▸ conjug. 3
❶ Toucher légèrement en passant. *La balle **a frôlé** le filet.* **SYN** effleurer. ❷ Éviter un mal de justesse. *Ils **ont frôlé** l'accident.*

fromage nom masculin
Aliment fabriqué à partir de lait caillé. *On peut faire du **fromage** avec du lait de vache, de chèvre ou de brebis.* ♦ Famille du mot: fromager, fromagerie.

*Des **fromages***

fromager, fromagère nom
Personne qui fabrique ou qui vend du fromage.

fromagerie nom féminin
Endroit où l'on fabrique du fromage.

froment nom masculin
Blé de grande qualité. *Ce pain blanc est fait avec de la farine de **froment**.*

*Un pain au **froment***
*Du **froment***

fronce nom féminin
Petit pli d'un tissu. *Les **fronces** des rideaux.*
♦ Famille du mot: froncement, froncer.

froncement nom masculin
Fait de froncer les sourcils. *On devine qu'il est en colère au **froncement** de ses sourcils.*

froncer verbe ▶ conjug. 4
Resserrer un tissu en faisant des fronces. ***Froncer** des rideaux.* • **Froncer les sourcils:** plisser le front en rapprochant les sourcils. *Josh **fronce les sourcils** quand il réfléchit.*

fronde nom féminin
Arme servant à lancer des pierres.
* Chercher aussi *lance-pierres*.

*Une **fronde***

front nom masculin
❶ Partie du visage comprise entre les sourcils et les cheveux. *Une frange de cheveux blonds couvre son **front**.* 👁p. 246. • **Avoir du front tout le tour de la tête:** dans la langue familière, avoir de l'audace, du toupet. ❷ Zone de combat qui se trouve face à l'ennemi. *Les soldats montent au **front**.* • **De front:** côte à côte ou en même temps. *Il est dangereux de rouler à bicyclette à deux **de front**. Il mène **de front** ses études et son travail.* • **Faire front:** faire face aux difficultés ou à un ennemi.

frontalier, frontalière adjectif
Qui est proche d'une frontière. *L'Estrie est une région **frontalière**.* ■ **frontalier, frontalière** nom Personne qui habite une région frontalière. *Ces **frontaliers** vont chaque jour travailler aux États-Unis.*

frontière nom féminin
Limite séparant deux États. *Les Grands Lacs forment une **frontière** entre le Canada et les États-Unis.*

fronton nom masculin
Partie, généralement de forme triangulaire, située au sommet de la façade de certains bâtiments.

*Un **fronton***

frottement nom masculin
Action de frotter deux choses l'une contre l'autre. *Le **frottement** de deux morceaux de silex produit des étincelles.*

frotter verbe ▶ conjug. 3
❶ Appuyer une chose sur une autre en faisant des mouvements de va-et-vient. *Norbert **frotte** le vaisselier avec un chiffon pour l'astiquer.* ❷ Accrocher et racler contre quelque chose. *Ce tiroir **frotte** quand on le ferme.* ■ se **frotter** • **Se frotter à quelqu'un:** dans la langue familière, l'attaquer ou le provoquer. *C'est un homme brutal, il vaut mieux ne pas **se frotter** à lui.* • **Se frotter les mains:** être très satisfait, se réjouir. *Il sait qu'il m'a joué un bon tour et il doit **s'en frotter les mains**.*

froussard, froussarde adjectif et nom
Dans la langue familière, peureux, poltron.

frousse nom féminin
Dans la langue familière, peur.

fructifier verbe ▶ conjug. 10
Produire des bénéfices. *Cet homme d'affaires sait faire **fructifier** son argent.*

fructueux, fructueuse adjectif
Qui donne de bons résultats. *Tes efforts ont été **fructueux** puisque tu as réussi ton examen.*
CONTR infructueux, stérile.

frugal, frugale, frugaux adjectif
Se dit d'un repas simple et léger. *Nous avons avalé un déjeuner **frugal** avant de prendre la route.* **CONTR** abondant, copieux.

a b c d e f g h i j k l m n o p q r s t u v w x y z

frugivore adjectif et nom
Qui se nourrit de fruits. *Le singe est* ***frugivore****. – Les* ***frugivores****.* * Chercher aussi *carnivore, granivore, herbivore, insectivore, omnivore.*

fruit nom masculin
❶ Produit d'une plante qui apparaît après la fleur et contient des graines. *Les pommes, les fraises, les olives sont des* ***fruits****.* 👁p. 36.
❷ Bénéfice ou résultat obtenu. *Cette découverte est le* ***fruit*** *de longues recherches.* • **Fruits secs :** fruits traités pour en retirer l'eau afin de pouvoir les conserver. • **Fruits de mer :** crustacés et coquillages comestibles. • **Porter ses fruits :** être utile, profitable. ♦ Famille du mot : fruité, fruiterie, fruitier.

Une pomme *Une pêche*
Des ***fruits***

fruité, fruitée adjectif
Qui a un goût de fruit. *Une huile d'olive* ***fruitée****.*

fruiterie nom féminin
Magasin ou rayon d'un supermarché où l'on vend des fruits et parfois des légumes.

fruitier, fruitière adjectif
Qui produit des fruits comestibles. *Les cerisiers, les pommiers, les pêchers sont des arbres* ***fruitiers****.*

fruste adjectif
Qui manque de raffinement. *Des manières* ***frustes****.* **SYN** grossier, rude.

frustration nom féminin
Sentiment pénible d'une personne qui est frustrée. *Frédéric a ressenti une* ***frustration*** *quand ses amis sont partis en vacances sans lui.*

frustrer verbe ▸ conjug. 3
Priver quelqu'un d'une chose sur laquelle il comptait. *Anna* ***est frustrée*** *parce qu'elle est la seule à n'avoir rien gagné au bingo.*

fuchsia nom masculin
❶ Arbrisseau à fleurs rouges ou roses en forme de clochettes. ❷ De la couleur rouge violacé des fleurs de cet arbrisseau. *Un foulard* ***fuchsia****.* * Attention ! Le *s* dans le mot *fuchsia* ne se prononce pas.

fudge nom masculin
Friandise fondante au chocolat. *Ma grand-mère a toujours du* ***fudge*** *pour nous.*

Du ***fudge***

fugace adjectif
Qui ne dure pas. *Il ressent parfois une douleur* ***fugace*** *dans le genou.* **SYN** fugitif, passager. **CONTR** constant, tenace.

fugitif, fugitive adjectif
Fugace. *Quelques pensées* ***fugitives*** *lui traversaient l'esprit.* ■ **fugitif, fugitive** nom
Personne qui a pris la fuite. *Les chiens suivent la trace du* ***fugitif****.* **SYN** fuyard.

fugue nom féminin
Fait de s'enfuir de chez soi. *Cette jeune fille a fait une* ***fugue*** *à la suite d'une dispute avec ses parents.*

fuguer verbe ▸ conjug. 3
Faire une fugue. *Le chat* ***a fugué*** *pendant deux jours et il est revenu.* ♦ Famille du mot : fugue, fugueur.

fugueur, fugueuse adjectif et nom
Qui fait des fugues. *Une adolescente* ***fugueuse****. – On a retrouvé le jeune* ***fugueur*** *sain et sauf.*

fuir verbe ▸ conjug. 20
❶ S'éloigner très vite pour échapper à un danger. *La population* ***fuyait*** *l'éruption du volcan.* ❷ Chercher à éviter quelqu'un ou quelque chose. *Élodie cherche encore à* ***fuir*** *ses responsabilités.* ❸ Laisser s'échapper, s'écouler. *Le thermos* ***a fui*** *dans mon sac à dos.* ♦ Famille du mot : s'enfuir, fuite, fuyant, fuyard.

fuite nom féminin
❶ Action de fuir. *Les antilopes ont pris la* ***fuite*** *en voyant le lion.* ❷ Écoulement d'un liquide ou d'un gaz qui fuit. *L'explosion est due à une* ***fuite*** *de gaz.* ❸ Révélation d'un secret. *On a appris les plans de l'ennemi par des* ***fuites****.* **SYN** indiscrétion.

fulgurant, fulgurante adjectif
Bref et intense. *Une douleur* ***fulgurante*** *dans la cuisse a stoppé net sa course.*

fumé, fumée adjectif
❶ Qui est séché à la fumée pour être conservé. *Du saumon* ***fumé****.* ❷ Qui est de couleur foncée pour protéger de la lumière. *Des verres* ***fumés****.*

fumée nom féminin
Nuage de gaz qui se dégage de ce qui brûle. *Une épaisse* ***fumée*** *noire sortait de la cheminée.*

fumer verbe ▸ conjug. 3
❶ Dégager de la fumée. *L'incendie est éteint, mais les restes de la maison* ***fument*** *encore.* ❷ Aspirer par la bouche la fumée du tabac. *Au Québec, il est interdit de* ***fumer*** *dans les lieux publics.* ❸ Sécher un aliment en l'exposant à la fumée pour le conserver. ***Fumer*** *du jambon, des truites.* ♦ Famille du mot : enfumer, fumé, fumée, fumet, fumeur. * Chercher aussi *boucaner*.

fumet nom masculin
Odeur agréable d'une viande en train de cuire. *Le* ***fumet*** *de la dinde rôtie embaumait la cuisine.* * Chercher aussi *arôme*, *bouquet*, *effluve*, *parfum*.

fumeur, fumeuse nom
Personne qui a l'habitude de fumer du tabac.

fumier nom masculin
Mélange de paille et d'excréments de bestiaux, utilisé comme engrais. *La cultivatrice utilise du* ***fumier*** *plutôt que des engrais chimiques.*

funambule nom
Acrobate qui marche sur une corde tendue en l'air. *Le* ***funambule*** *se sert d'un balancier pour assurer son équilibre.* * Chercher aussi *équilibriste*.

Des **funambules**

funèbre adjectif
Qui concerne les enterrements. *Le cortège* ***funèbre*** *se dirige vers le cimetière.* • **Pompes funèbres :** service, administration qui s'occupe des enterrements. * Ne pas confondre *funèbre* et *funeste*.

funérailles nom féminin pluriel
Cérémonie qui accompagne un enterrement. *On a fait à ce cinéaste de talent d'imposantes* ***funérailles****.* **SYN** obsèques.

funéraire adjectif
Qui concerne les funérailles. *Le cercueil était couvert de couronnes* ***funéraires****.* • **Salon funéraire :** lieu où l'on expose une personne décédée et où la famille se réunit avant les funérailles. **SYN** salon mortuaire*.

funeste adjectif
Qui provoque la mort ou le malheur. *Son imprudence aurait pu avoir de* ***funestes*** *conséquences.* **SYN** fatal, tragique. * Ne pas confondre *funeste* et *funèbre*.

a b c d e f g h i j k l m n o p q r s t u v w x y z

funiculaire nom masculin
Véhicule tiré par un câble, qui sert à gravir des pentes très abruptes. *À Québec, le* ***funiculaire*** *fait la liaison entre la basse-ville et la haute-ville.*

Un **funiculaire**

au **fur et à mesure** adverbe
Peu à peu, progressivement. *Ajoute le lait* ***au fur et à mesure****, tout en remuant la sauce.*

furet nom masculin
Petit mammifère carnivore au pelage blanc. *Stéphane a un* ***furet*** *comme animal de compagnie.*

fureter verbe ▸ conjug. 8
❶ Fouiller partout, parfois de manière indiscrète. *J'ai encore surpris cette curieuse à* ***fureter*** *dans mes affaires.* **SYN** fouiner. ❷ Chercher dans Internet afin d'y trouver de l'information. **SYN** naviguer.

① **fureteur, fureteuse** nom et adjectif
Personne qui fouille partout, qui manifeste une curiosité indiscrète. *Ali est un incorrigible* ***fureteur****. – Des yeux* ***fureteurs****.*

② **fureteur** nom masculin
Navigateur qui peut exploiter les ressources d'Internet pour rechercher de l'information et y avoir accès.

fureur nom féminin
Colère très violente. *Il a été pris de* ***fureur*** *quand il a su que j'avais perdu ses clés.*
• **Faire fureur :** avoir un très grand succès. *C'est une mode qui* ***fait fureur****.*

furibond, furibonde adjectif
Furieux. *Elle m'a jeté un regard* ***furibond****.*

furie nom féminin
Colère violente. *Son retard l'a mis en* ***furie****.* **SYN** fureur, rage.

furieux, furieuse adjectif
Qui est très en colère. *Fatima est* ***furieuse*** *parce que j'ai lu quelques pages de son journal intime.* **SYN** furibond.

furoncle nom masculin
Gros bouton qui renferme du pus.

furtif, furtive adjectif
Que l'on fait discrètement. *David lance des regards* ***furtifs*** *sur les cartes de sa voisine.*

fusain nom masculin
❶ Arbuste à feuilles brillantes et à fruits rouges. ❷ Crayon fait avec le charbon de bois de cet arbuste. *Mia fait de très beaux croquis au* ***fusain****.* 👁 p. 74.

fuseau, fuseaux nom masculin
❶ Petit instrument aux extrémités pointues que l'on utilisait autrefois pour filer la laine. * Chercher aussi *quenouille, rouet*. ❷ Pantalon en tissu élastique qui se resserre vers le bas.
• **Fuseau horaire :** chaque zone qui divise la Terre d'un pôle à l'autre et à l'intérieur de laquelle l'heure est la même. *Il y a vingt-quatre* ***fuseaux horaires****.*

Un **furet**

fusée nom féminin
❶ Engin spatial propulsé par des moteurs très puissants. *Après avoir quitté la Terre, la* ***fusée*** *ira mettre un satellite en orbite.* ❷ Tube rempli de poudre qui explose en l'air en produisant des étincelles. *Les spectateurs suivaient du regard les* ***fusées*** *du feu d'artifice.*

fuselage nom masculin
Partie principale d'un avion sur laquelle sont fixées les ailes. *Le* ***fuselage*** *contient le poste de pilotage, la partie réservée aux passagers et la soute à bagages.*

Des **fusées** de feu d'artifice

fuser verbe ▶ conjug. 3
Jaillir avec force. *L'eau **a fusé** du tuyau.*

fusible nom masculin
Dispositif en métal spécial qui sert de sécurité dans un circuit électrique. *Si on branche trop d'appareils sur le même circuit, les **fusibles** sautent.* * Chercher aussi *disjoncteur*.

fusil nom masculin
Arme à feu portative à long canon. • **Changer son fusil d'épaule :** changer sa manière d'agir, changer ses projets. * Attention ! Le *l* dans le mot *fusil* ne se prononce pas. ♦ Famille du mot : fusillade, fusiller.

fusillade nom féminin
Série ou échange de coups de feu. *Une **fusillade** a éclaté entre les bandits.*

fusiller verbe ▶ conjug. 3
Tuer à coups de fusil. *Ce soldat **a été fusillé** par l'ennemi.*

fusion nom féminin
❶ Passage d'une substance de l'état solide à l'état liquide sous l'action de la chaleur. *Du métal en **fusion**.* ❷ Réunion de plusieurs éléments en un tout. *Des négociations ont abouti à la **fusion** de ces deux entreprises.*

*Du métal en **fusion***

fusionner verbe ▶ conjug. 3
Se regrouper par fusion. *Ces deux entreprises **ont fusionné**.*

fût nom masculin
❶ Tronc d'arbre. ❷ Tonneau. *C'est du très bon vin vieilli en **fût**.* ✎ On peut écrire aussi ***fut***. * Chercher aussi *barrique*.

*Un **fût***

futé, futée adjectif et nom
Dans la langue familière, malin. *Elle est drôlement **futée** !* **SYN** débrouillard, finaud, rusé. – *Un petit **futé**.*

futile adjectif
Frivole. *Cette discussion **futile** ne m'intéresse pas.* **SYN** insignifiant. **CONTR** grave, sérieux.

futilité nom féminin
Chose futile. *Ils ne parlent que de **futilités**.* **SYN** frivolité.

futon nom masculin
Matelas de coton d'origine japonaise.

futur, future adjectif
Qui arrivera dans l'avenir. *Les écrivains de science-fiction imaginent la vie dans les temps **futurs**.* * Chercher aussi *passé, présent*.
■ **futur** nom masculin ❶ Avenir. *Il croit que cette voyante va lui dévoiler le **futur**.* ❷ Temps du verbe qui indique un état ou une action à venir. *Dans la phrase « il partira demain », le verbe* partir *est au **futur**.* * Chercher aussi *conditionnel, imparfait, passé, présent*.

futuriste adjectif
Qui évoque les temps futurs. *Ce nouveau modèle de voiture a une allure **futuriste**.*

fuyant, fuyante adjectif
• **Regard fuyant :** qui n'est pas franc, qui évite le regard des autres.

fuyard, fuyarde nom
Fugitif. *La police a rattrapé les **fuyards**.*

g nom masculin invariable
Septième lettre de l'alphabet. *Le **g** est une consonne.*

gabarit nom masculin
Dimensions d'un objet ou d'un véhicule. *Étant donné son **gabarit**, le piano ne passera pas dans ce couloir.* * Attention ! Le *t* du mot *gabarit* ne se prononce pas.

gabonais, gabonaise
➔Voir tableau, p. 1319.

gâcher verbe ▸ conjug. 3
❶ Perdre quelque chose à cause d'un mauvais usage. *Elle **gâche** ses économies avec des achats inutiles.* **SYN** gaspiller. ❷ Enlever le plaisir de quelqu'un. *Cette averse **a gâché** notre pique-nique.* ❸ Rater quelque chose faute d'application, en le bâclant. *Il **a gâché** son tableau en y faisant trop de retouches.* **SYN** gâter.

gâchette nom féminin
Mécanisme d'une arme à feu qui sert à faire partir la balle. *L'armurier a réparé la **gâchette** du fusil.* * Chercher aussi *détente*.

gâchis nom masculin
❶ Choses gâchées. *On ne va pas jeter ce reste de rôti, ce serait du **gâchis** !* **SYN** gaspillage. ❷ Dégât. *En salissant mes dessins, le chat a fait du **gâchis**.*

gadelle nom féminin
Petite baie blanche, rouge ou noire, venant par grappes. *Maxime cueille des **gadelles** dans le jardin.* * Chercher aussi *groseille*.

gadget nom masculin
Objet nouveau et ingénieux, pas toujours très utile. *L'aspirateur robot est un **gadget** électroménager.* * Attention ! Le *t* du mot *gadget* se prononce.

gadoue nom féminin
❶ Boue. *Après l'orage, nous avons pataugé dans la **gadoue**.* ❷ Neige fondante souvent mêlée de sable ou de sel de calcium. *La neige fraîche s'est vite transformée en **gadoue**.*

① **gaffe** nom féminin
Perche munie d'un crochet. *Franco a ramené la barque près de la rive avec une **gaffe**.*

② **gaffe** nom féminin
Dans la langue familière, parole ou acte qui peut embarrasser. *Macha a fait une de ces **gaffes** !* **SYN** bêtise, sottise.

gaffeur, gaffeuse adjectif et nom
Qui fait souvent des gaffes. *Lou dit souvent ce qu'il ne faut pas dire : elle est très **gaffeuse**. – C'est un vrai **gaffeur**.*

gag nom
Péripétie drôle et inattendue. *Cette BD est pleine de **gags** hilarants.* * Attention ! Le *g* final du mot *gag* se prononce.

gage nom masculin
❶ Objet qu'on laisse en garantie jusqu'au moment de payer ce que l'on doit. *Il a laissé sa montre en **gage** parce qu'il avait oublié son portefeuille.* ❷ Témoignage. *Elle m'a donné son plus beau porte-clés en **gage** d'amitié.*

*Des **gadelles***

gager verbe ▸ conjug. 5
Parier. *J'**ai gagé** une tablette de chocolat que je finirais ce casse-tête en une heure.*

gages nom masculin pluriel
• **Tueur, tueuse à gages :** personne payée pour assassiner quelqu'un.

gageure nom féminin
❶ Pari. *Il a gagné sa **gageure**.* ❷ Projet impossible à accomplir. *Ranger le désordre de cette chambre en une après-midi, c'est une **gageure** !* * Attention ! La deuxième syllabe du mot *gageure* se prononce *jure*. ✎ On peut écrire aussi ***gageüre***.

gagnant, gagnante adjectif et nom
Qui gagne. *Elle a un billet **gagnant**.* **CONTR** perdant. – *Le **gagnant** de ce concours recevra un téléviseur.* **SYN** vainqueur.

gagner verbe ▸ conjug. 3
❶ Recevoir de l'argent ou un objet pour son travail ou grâce à la chance. *Elle **gagne** un bon salaire.* ❷ Éviter de gaspiller. *En s'organisant, on **gagne** du temps.* **CONTR** perdre. ❸ Être vainqueur dans une compétition ou un conflit. *Cette skieuse **a gagné** la course.* **SYN** remporter. **CONTR** perdre. ❹ Se diriger vers un lieu. *Les passagers **gagnent** le quai d'embarquement.* ❺ Se propager ou s'étendre peu à peu. *La désertification **gagne** du terrain.* ♦ Famille du mot : gagnant, gain, regagner, regain.

① **gai, gaie** adjectif
❶ Qui est d'humeur joyeuse. *Ma grand-mère est toujours **gaie**.* **SYN** enjoué, joyeux. **CONTR** morne, morose, triste. ❷ Qui rend l'humeur joyeuse. *Ce jaune vif est très **gai**.* **CONTR** sombre, triste. ♦ Famille du mot : égayer, gaiement, gaieté. * Ne pas confondre *gai* et *gué*.

② **gai, gaie** adjectif et nom
Personne qui éprouve une attirance sexuelle pour des personnes de son sexe. **SYN** homosexuel. * Chercher aussi *lesbienne*.

gaiement adverbe
Avec gaieté. *Issam prépare **gaiement** sa valise pour partir en vacances.* **SYN** joyeusement. **CONTR** tristement. ✎ On peut écrire aussi ***gaiment***.

gaieté nom féminin
Bonne humeur. *Il y a beaucoup de **gaieté** dans cette maison pleine d'enfants.* **CONTR** morosité, tristesse. ✎ On peut écrire aussi ***gaité***.

gaillard, gaillarde adjectif
Plein de force et de santé. *Mon grand-père est âgé, mais il est encore **gaillard**.* **SYN** alerte.
■ **gaillard, gaillarde** nom Personne solide et robuste. *Kevin est un **gaillard** de quinze ans.*

gain nom masculin
❶ Ce que l'on gagne. *Les **gains** de cet ouvrier ne sont pas très élevés.* **SYN** salaire. ❷ Économie de place ou de temps. *Prendre la voie réservée fait réaliser un prodigieux **gain** de temps.* **CONTR** perte.

gaine nom féminin
❶ Étui ayant la forme de l'objet qu'il contient. *Elle a remis le parapluie dans sa **gaine**.* **SYN** fourreau. ❷ Sous-vêtement féminin élastique qui enserre la taille et les hanches.

gala nom masculin
Grande fête ou réception officielle. *Un dîner de **gala**, une soirée de **gala**.*

galant, galante adjectif
Prévenant et poli avec les femmes. *Mathias se montre toujours très **galant**.* **SYN** courtois. **CONTR** grossier. ♦ Famille du mot : galamment, galanterie.

galanterie nom féminin
Qualité d'une personne galante. *Il a proposé avec beaucoup de **galanterie** de porter la valise de la dame.* **SYN** courtoisie.

galaxie nom féminin
Immense groupement d'étoiles, de poussières et de gaz interstellaires. *Dans une **galaxie**, il y a des milliards d'étoiles.* 👁p. 406. * Chercher aussi *astronome*, *Voie lactée**.

Une **galaxie**

galbe nom masculin
Contour arrondi et harmonieux d'un objet, d'un corps. *Le **galbe** d'un visage, d'un vase.*

galbé, galbée adjectif
Arrondi, de forme harmonieuse. *Une table aux pieds **galbés**.*

gale nom féminin
❶ Maladie contagieuse de la peau. *La **gale** cause des démangeaisons.* ❷ Plaque de sang séché qui se forme à l'endroit où une blessure se cicatrise. **SYN** croûte.

galère nom féminin
Navire à rames muni de voiles. *Les **galères** étaient des navires de guerre.*

*Une **galère***

galerie nom féminin
❶ Passage souterrain. *Une taupe a creusé une **galerie** sous la pelouse.* ❷ Passage couvert. *Une **galerie** marchande.* ❸ Magasin de tableaux ou d'objets d'art. *Elle expose ses tableaux dans une **galerie** d'art.* ❹ Balcon couvert qui longe le devant ou l'arrière d'une maison. *Quand il pleut, les enfants jouent sur la **galerie**.* * Chercher aussi *véranda*. • **Pour amuser la galerie :** pour faire rire les personnes qui écoutent.

galet nom masculin
Caillou lisse et arrondi. *Une plage de **galets**.*

galette nom féminin
Gâteau rond et plat. *Une **galette** à la mélasse.* • **Galette des Rois :** gâteau contenant une fève et un pois, que l'on mange le jour des Rois, le 6 janvier.

galeux, galeuse adjectif
Qui a la gale. *Un chien **galeux**.*

galion nom masculin
Grand vaisseau espagnol qui rapportait autrefois l'or et l'argent de l'Amérique.

galoche nom féminin
❶ Chaussure de cuir à semelle de bois. ❷ Dans la langue familière, chaussure usée ou de mauvaise qualité. • **Menton en galoche :** menton pointu et relevé vers l'avant.

galon nom masculin
❶ Bande de tissu servant à orner. *Ma mère a décoré le bord du rideau avec du **galon**.* ❷ Petit ruban cousu sur l'épaule ou la manche de l'uniforme d'un militaire, qui indique son grade. *Le capitaine porte trois **galons** sur chaque épaulette.* ❸ Ruban gradué en centimètres qui sert à mesurer. **SYN** ruban* à mesurer.

galop nom masculin
Allure la plus rapide du cheval et de quelques autres animaux. *Les antilopes se sont enfuies au **galop**.* * Attention ! Le *p* du mot *galop* ne se prononce pas. ♦ Famille du mot : galopade, galoper. * Chercher aussi ② *pas*, *trot*.

*Des chevaux au **galop***

*Un **galion***

galopade nom féminin
Course précipitée. *Les **galopades** sont interdites dans les couloirs de l'école.*

galoper
verbe ▸ conjug. 3
Aller au galop ou courir très vite. *Les chevaux **galopent** dans le pré.*

galvaniser verbe ▸ conjug. 3
❶ Recouvrir de zinc. *On **galvanise** le fer pour qu'il ne rouille pas.* ❷ Remplir d'ardeur et d'enthousiasme. *Le discours de l'entraîneur **a galvanisé** l'équipe.* **SYN** électriser, exalter, exciter.

galvauder verbe ▸ conjug. 3
Enlever de la valeur à quelque chose par un mauvais usage. *Le mot « extraordinaire » **est** aujourd'hui très **galvaudé**.*

gambader verbe ▸ conjug. 3
Sautiller, danser de joie. *Marianne et Thomas **gambadent** de joie, car ils partent au camp de vacances.* **SYN** s'ébattre.

gambien, gambienne
➔Voir tableau, p. 1319.

Une **gamelle**

gamelle nom féminin
Récipient à couvercle dans lequel on transporte son repas. *Les soldats et les campeurs utilisent des **gamelles**.*

gamin, gamine nom
Dans la langue familière, enfant. *Des **gamins** jouent dans la cour de l'école.*

gamme nom féminin
❶ Suite des sept notes de musique. *Pour jouer de la musique, on doit s'exercer à faire des **gammes**.* * Chercher aussi *accord*. ❷ Série d'objets, de marchandises. *Le fabricant d'électroménagers a présenté sa nouvelle **gamme** de réfrigérateurs.* • **Haut de gamme :** se dit d'un produit de grande qualité. • **Bas de gamme :** se dit d'un produit de qualité inférieure. *Une montre **bas de gamme**.*

Une **gamme**

gang nom masculin
Groupe de malfaiteurs. *Le **gang** est enfin sous les verrous.* * Attention ! Le *g* final du mot *gang* se prononce.

ganglion nom masculin
Petite boule sous la peau. *Julie a les **ganglions** du cou enflés à cause d'une infection.*

gangrène nom féminin
Maladie très grave qui fait pourrir la chair. *On peut être obligé d'amputer un membre atteint de **gangrène**.*

gangster nom masculin
Bandit membre d'un gang. *Des **gangsters** ont dévalisé la bijouterie.*

gant nom masculin
Objet en cuir, en caoutchouc ou en tissu qui couvre la main et chacun des doigts séparément. *Une paire de **gants**.* * Chercher aussi *mitaine*. *Des **gants** de hockey.* 👁p. 526. *Des **gants** de boxe.* • **Gant de toilette :** poche de tissu éponge dans laquelle on enfile la main. *Éliane se lave avec un **gant de toilette**.* * Chercher aussi *débarbouillette*. • **Boîte à gants :** dans une voiture, petit casier de rangement placé à droite du volant. • **Aller comme un gant :** convenir très bien. *Ce pantalon te **va comme un gant**.* • **Prendre, mettre des gants :** prendre des précautions pour ne pas blesser ou vexer.

garage nom masculin
❶ Local, endroit pour garer les véhicules et les mettre à l'abri. *Il a rentré sa moto au **garage**.* ❷ Atelier d'entretien et de réparation des véhicules. *La voiture est tombée en panne, elle a été remorquée jusqu'au **garage**.* * Chercher aussi *station-service*.

garagiste nom
Personne qui tient un garage. *La **garagiste** a fait la révision de la voiture.*

garant, garante adjectif
• **Se porter garant de quelqu'un :** garantir que l'on peut avoir confiance en lui.

garantie nom féminin
Contrat qui garantit une marchandise. *Ce réfrigérateur est sous **garantie** pendant un an.*

garantir verbe ▸ conjug. 11
❶ Mettre à l'abri. *Ces murs bien isolés **garantissent** la maison du froid.* **SYN** préserver. ❷ Affirmer. *Je te **garantis** que c'est vrai !* **SYN** assurer, certifier. ❸ Promettre de réparer gratuitement un appareil pendant un certain temps après son achat. *Le téléviseur **est garanti** un an.*

garçon nom masculin
❶ Enfant de sexe masculin. *Édouard est un **garçon**, Laure est une fille.* ❷ Jeune homme. *Paolo est un **garçon** sympathique.* ❸ Serveur dans un café ou un restaurant. ***Garçon** ! l'addition, s'il vous plaît.* • **Vieux garçon :** homme qui est resté célibataire.

a b c d e f g h i j k l m n o p q r s t u v w x y z

garçonnet nom masculin
Petit garçon. *Un **garçonnet** de sept ans.*

① **garde** nom féminin
❶ Action de garder quelqu'un ou quelque chose. *Tu as la **garde** de la maison ce soir.* SYN surveillance. • **Service de garde**: service qui consiste à prendre soin des enfants en l'absence de leurs parents en offrant des activités et des soins adaptés à leur âge. ❷ Groupe d'hommes chargés de la sécurité. *La **garde** d'un chef d'État.* ❸ Position d'attente ou de défense dans un sport de combat. *L'escrimeur s'est mis en **garde**.* ❹ Partie située au-dessus d'une lame, qui protège la main. *La **garde** d'une épée se trouve entre la lame et la poignée.* • **Monter la garde**: surveiller. *Ce soldat **monte la garde** devant l'entrée de la caserne.* • **Être** ou **se tenir sur ses gardes**: se méfier. SYN se tenir à carreau*. • **Mettre quelqu'un en garde**: le prévenir des risques qu'il court. • **Prendre garde**: faire attention.

② **garde** nom
Personne qui garde, qui surveille, qui protège. *Le premier ministre est entouré de ses **gardes** du corps.*

garde-à-vous nom masculin invariable
Position immobile, bras le long du corps et talons joints. *Les soldats se mettent au **garde-à-vous** devant un supérieur.*

garde-boue nom masculin invariable
Bande de métal courbe qui se trouve au-dessus d'une roue et qui protège des éclaboussures. ✎ On peut écrire aussi, au pluriel, *des **garde-boues***.

garde-chasse nom
Personne chargée de garder et de surveiller le gibier d'une forêt. SYN garde-forestier. ✎ Pluriel: *des **gardes-chasses***. ✎ On peut écrire aussi, au pluriel, *des **garde-chasses***. * On dit plutôt aujourd'hui *agent de conservation (ou de protection) de la faune*.

garde-côte nom masculin
Navire chargé de surveiller les côtes et la pêche. ✎ Pluriel: *des **garde-côtes***.

garde-forestier, garde-forestière nom
Personne chargée de garder et de surveiller les forêts. SYN garde-chasse. ✎ Pluriel: *des **gardes-forestiers**, des **gardes-forestières***. * On dit plutôt aujourd'hui *agent de conservation (ou de protection) de la faune*.

garde-fou nom masculin
Barrière qui empêche les gens de tomber dans le vide. *Noémie franchit la passerelle en serrant fort le **garde-fou**.* SYN parapet. ✎ Pluriel: *des **garde-fous***. * Chercher aussi *balustrade*, *rambarde*.

Un **garde-fou**

garde-malade nom
Personne qui s'occupe des malades. *La **garde-malade** aide la vieille dame à faire sa toilette et à s'habiller.* SYN préposé aux bénéficiaires, préposé aux patients. ✎ Pluriel: *des **gardes-malades***. ✎ On peut écrire aussi, au pluriel, *des **garde-malades***.

garde-manger nom masculin invariable
Armoire où l'on conserve les aliments. ✎ On peut écrire aussi, au pluriel, *des **garde-mangers***.

garder verbe ▸ conjug. 3
❶ Veiller sur une personne, un animal ou un lieu. *Ce soir, Olivier **garde** les enfants de la voisine. Notre chien **garde** la maison.* ❷ Surveiller pour empêcher de fuir. *Deux policiers **gardent** le prisonnier.* ❸ Ne pas se séparer de quelque chose. *Elle **garde** toujours sa casquette sur la tête.* ❹ Conserver pour soi. *Tu peux **garder** ce livre, je te le donne.* ❺ Conserver. ***Garder** les fruits au réfrigérateur.* ❻ Mettre de côté ou réserver. *Je t'**ai gardé** une place à côté de moi.* ❼ Conserver tel état, telle attitude. ***Garder** son calme.* • **Garder le lit**: rester au lit parce qu'on est malade. • **Garder le silence**: se taire. ■ *se* **garder**: se conserver en bon état. *Les pêches ne **se gardent** pas longtemps.* • **Se garder de**: s'abstenir. ***Elle s'est gardée de** lui raconter sa mésaventure.*
♦ Famille du mot: arrière-garde, avant-garde, garde, garde-à-vous, garde-boue, garde-chasse, garde-côte, garde-forestier, garde-fou, garde-malade, garde-manger, garderie, garde-robe, gardien.

garderie nom féminin
Établissement où l'on garde les jeunes enfants dont les parents travaillent. *Ma mère reconduit mon petit frère à la **garderie** avant d'aller travailler.*

garde-robe nom féminin ou masculin
Armoire ou placard où l'on suspend les vêtements. * Chercher aussi *penderie*.
■ **garde-robe** nom féminin Ensemble des vêtements d'une personne. *Elle profite des soldes pour renouveler sa **garde-robe**.*
✎ Pluriel : *des **garde-robes***.

gardien, gardienne nom
Personne chargée de garder une personne, un bâtiment ou un lieu. SYN garde. *Elle est **gardienne** de musée. Le **gardien** fait sa ronde de nuit.* • **Gardien de but** : joueur chargé d'empêcher les adversaires de marquer des buts.

① **gare !** interjection
Sert à donner un avertissement. ***Gare** à toi si tu t'en prends à ta petite sœur !* • **Sans crier gare** : sans prévenir, à l'improviste.

② **gare** nom féminin
Installations et bâtiments destinés au trafic des trains. *Cheng va chercher ses grands-parents à la **gare**.* * Chercher aussi *ligne*, *quai*, *station*, *voie*. • **Gare routière** : endroit d'où partent et où arrivent les autobus.

Une **gare**

garer verbe ▸ conjug. 3
Ranger un véhicule dans un endroit. *On **a garé** la voiture près de l'école.* SYN stationner.
■ *se* **garer** : stationner son véhicule. *Ne **vous garez** pas en double file.* SYN se stationner.

se **gargariser** verbe ▸ conjug. 3
Se rincer la gorge avec un gargarisme.

gargarisme nom masculin
Médicament liquide pour se gargariser. *Le pharmacien a conseillé à Yann un **gargarisme** pour soigner son mal de gorge.*

gargouille nom féminin
Gouttière en pierre, souvent en forme d'animal fantastique. *Le bord des toits de l'église est orné de **gargouilles**.*

Une **gargouille**

gargouillement nom masculin
Bruit semblable à celui d'un liquide qui s'écoule irrégulièrement. *Des **gargouillements** intestinaux.* * On dit aussi ***gargouillis***.

gargouiller verbe ▸ conjug. 3
Faire entendre un gargouillement. *J'ai faim, mon ventre **gargouille**.*

gargouillis ➔Voir **gargouillement**

garnement nom masculin
Garçon turbulent et insupportable. *Ces trois **garnements** sont encore venus sonner à ma porte !* SYN chenapan, coquin.

garni, garnie adjectif
❶ Composé de divers éléments (légumes, viandes froides, etc.). *Une pizza **garnie**.* ❷ Orné, décoré. *Une robe **garnie** de dentelle.* ❸ Rempli. *Une bibliothèque bien **garnie**.*

garnir verbe ▸ conjug. 11
❶ Munir de ce qu'il faut pour protéger ou renforcer. *Le blouson de Benjamin **est garni** de cuir aux coudes.* ❷ Remplir. *Avec toutes ces provisions, le garde-manger **est** bien **garni**.* CONTR dégarnir, vider. ❸ Ajouter des éléments de décoration. *Sa tuque **est garnie** de pompons.* SYN orner. ♦ Famille du mot : dégarnir, garni, garniture, regarnir.

garnison nom féminin
Régiment installé dans une caserne. *Toute la **garnison** a été mise en alerte.*

garniture nom féminin
❶ Ce qui garnit. *Les **garnitures** des sièges de la voiture sont en tissu.* ❷ Ce qui accompagne ou remplit un plat. *Il y a des frites ou des haricots verts en **garniture** du poulet.*

a b c d e f g h i j k l m n o p q r s t u v w x y z

garrocher verbe ▸ conjug. 3
Dans la langue familière, lancer. *Britta **garroche** des cailloux dans le lac.* ■ se **garrocher** : dans la langue familière, se précipiter. *Dans les jours qui précèdent Noël, les gens **se garrochent** dans les magasins.*

① **garrot** nom masculin
Début de l'encolure d'un cheval ou d'un bœuf, juste au-dessus des épaules.

② **garrot** nom masculin
Bande élastique qui sert à comprimer une artère pour l'empêcher de saigner. *L'infirmière a posé un **garrot** avant de faire une prise de sang.* * Chercher aussi *hémorragie*.

gars nom masculin
Dans la langue familière, garçon, homme.
SYN type.

gaspésien, gaspésienne adjectif et nom
De la région de la Gaspésie. *Un port de pêche **gaspésien**. – Les **Gaspésiens**, les **Gaspésiennes**.* ✎ Attention ! Le nom, qui désigne les habitants, s'écrit avec une majuscule.

gaspillage nom masculin
Action de gaspiller. *Quel **gaspillage** de temps et d'argent !* **SYN** gâchis, perte. **CONTR** économie.

gaspiller verbe ▸ conjug. 3
Dépenser ou consommer inutilement. *L'eau est précieuse, ne la **gaspillons** pas !*
CONTR économiser, épargner.

gastéropode nom masculin
Mollusque qui se déplace en rampant.
*L'escargot et la limace sont des **gastéropodes**.*

gastr(o)- préfixe
Placé au début d'un mot pour former un autre mot, *gastr(o)-* signifie « ventre » (***gastr**ique*, ***gastro**nome*).

gastrique adjectif
De l'estomac. *L'ulcère à l'estomac donne des douleurs **gastriques**.*

gastronome nom
Personne qui sait apprécier le bon vin, la bonne cuisine. *Une fine **gastronome** nous a recommandé ce restaurant.* **SYN** gourmet.

gastronomie nom féminin
Art de bien manger. *La **gastronomie**, c'est savoir apprécier la bonne nourriture.*

gastronomique adjectif
Qui concerne la gastronomie. *Découvrir les spécialités **gastronomiques** d'une région.*

gâteau, gâteaux nom masculin
Pâtisserie sucrée faite entre autres avec de la farine, du beurre et des œufs. *Ce **gâteau** au chocolat est délicieux.* • **C'est du gâteau** : dans la langue familière, c'est un travail facile, agréable. • **Avoir sa part du gâteau** : tirer profit d'une affaire.

① **gâter** verbe ▸ conjug. 3
❶ Traiter quelqu'un avec trop d'indulgence. *Louis **est** très **gâté** par ses grands-parents.* ❷ Combler de cadeaux. *Ingrid **a été** très **gâtée** pour son anniversaire.*

② **gâter** verbe ▸ conjug. 3
Gâcher. *La pluie **a gâté** nos vacances.*
■ se **gâter** ❶ Devenir mauvais. *Le temps **se gâte**.* ❷ S'abîmer. *Il ne faut pas attendre que les dents **se gâtent** pour aller chez le dentiste.*

gâterie nom féminin
Petit cadeau ou friandise. *Ma tante m'offre souvent des **gâteries**.*

gâteux, gâteuse adjectif
Se dit d'une personne qui perd un peu la tête du fait de l'âge.

gauche adjectif
❶ Qui est situé du côté du cœur. *Marion écrit de la main **gauche**.* **CONTR** droit. ❷ Qui manque d'aisance ou d'adresse. *Boris est très **gauche** quand il s'agit de danser.* **SYN** maladroit. **CONTR** adroit, à l'aise. • **Se lever du pied gauche** : se lever de mauvaise humeur.
■ **gauche** nom féminin Côté gauche. *La chambre de Zoé est la dernière du couloir, sur la **gauche**.* **CONTR** ② droite. • **À gauche** : du côté gauche. **CONTR** à droite. ♦ Famille du mot : gaucher, gaucherie.

gaucher, gauchère adjectif et nom
Qui se sert plutôt de sa main gauche pour manger, travailler, écrire. **CONTR** droitier.

gaucherie nom féminin
Maladresse. *Il y a encore beaucoup de **gaucherie** dans les gestes du bébé.*
CONTR dextérité.

gaufre nom féminin
Gâteau de pâte légère cuit dans un moule qui dessine des formes en relief.

Des **gaufres**

gaufrette nom féminin
Petit biscuit sec et léger, quadrillé comme une gaufre.

gaule nom féminin
❶ Bâton long et mince. *Mon père fait tomber le ballon du toit à l'aide d'une **gaule**.* SYN ② perche. ❷ Canne à pêche.

gauler verbe ▸ conjug. 3
Frapper les branches d'un arbre avec une gaule pour faire tomber les fruits. *On **gaule** les noix, les prunes, les olives.*

gaulois, gauloise adjectif et nom
De la Gaule, un ancien empire qui correspond à peu près à la France d'aujourd'hui. *Les prêtres **gaulois**. – Astérix, le **Gaulois**.* ✎ Attention ! Le nom, qui désigne les habitants, s'écrit avec une majuscule. ■ **gaulois** nom masculin Langue parlée par les Gaulois.

gaver verbe ▸ conjug. 3
Faire manger de force des volailles pour les engraisser. *On **gave** les oies et les canards pour faire du foie gras.* ■ *se* **gaver** : manger trop. *Ils **se sont gavés** de gâteaux.* SYN se bourrer, s'empiffrer.

gaz nom masculin
❶ Substance qui n'est ni liquide ni solide. *L'air que nous respirons est un mélange de **gaz**.* * Chercher aussi *fluide*. ❷ Gaz combustible utilisé pour le chauffage et pour la cuisson des aliments. *Une cuisinière au **gaz**.* • **À pleins gaz** : à pleine puissance. • **Gaz à effet de serre** : gaz présents dans l'atmosphère, d'origine naturelle ou produits par l'activité humaine, et dont la concentration contribue à ce que l'on appelle le « réchauffement climatique ». • **Gaz de schiste** : gaz naturel issu de la dégradation de matières organiques enfouies dans le sol depuis très longtemps. *L'extraction des **gaz de schiste** pour produire de l'énergie est très controversée.* ♦ Famille du mot : gazéifier, gazeux, gazoduc. * Ne pas confondre *gaz* et *gaze*.

gaze nom féminin
Tissu très léger. *L'infirmière met une compresse de **gaze** sur la blessure.* * Ne pas confondre *gaze* et *gaz*.

gazéifier verbe ▸ conjug. 10
❶ Transformer en gaz. ❷ Rendre une boisson pétillante en y ajoutant du gaz carbonique. ***Gazéifier** de l'eau.*

gazelle nom féminin
Petite antilope des zones désertiques d'Afrique ou d'Asie.

Une **gazelle**

gazeux, gazeuse adjectif
❶ À l'état de gaz. *Quand elle bout, l'eau passe de l'état liquide à l'état **gazeux**.* ❷ Qui pétille à cause de la présence de gaz carbonique. *De l'eau **gazeuse**.*

gazoduc nom masculin
Canalisation servant au transport du gaz naturel. SYN pipeline. * Attention ! Le *c* du mot *gazoduc* se prononce. * Chercher aussi *aqueduc, oléoduc*.

gazon nom masculin
Herbe courte, fine et serrée qui forme les pelouses. *Tondre le **gazon**.* • **Gazon en plaques** : plaques de terre recouvertes d'herbe dont on se sert pour faire des pelouses.

gazouillement ➔Voir **gazouillis**

gazouiller verbe ▸ conjug. 3
❶ Faire entendre un petit bruit doux et agréable, en parlant des oiseaux, d'un petit ruisseau. *Les oiseaux commencent à **gazouiller** avant le lever du soleil.* ❷ Babiller. *Le bébé **gazouille** dans son berceau.*

gazouillis nom masculin
Bruit léger et doux de ce qui gazouille. *Léa écoute le **gazouillis** du ruisseau.* * On dit aussi ***gazouillement***.

geai nom masculin
Oiseau de taille moyenne, de la famille du corbeau. *Le **geai** bleu, très commun au Québec, se distingue par une huppe et un plumage d'un bleu intense.* * Ne pas confondre *geai, jais* et *jet*. 👁p. 454, 720.

Un **geai** bleu

a b c d e f **g** h i k l m n o p q r s t u v w x y z

géant, géante nom
❶ Être colossal des contes et des légendes. ❷ Être vivant très grand. *Dans l'équipe de basketball, il y a un **géant**.* CONTR nain. ❸ Au sens figuré, personne ou entreprise qui dépasse les autres par son talent ou sa puissance. *Cet auteur est considéré comme un **géant** de la littérature jeunesse.* ■ **géant, géante** adjectif De très grande taille. *Le séquoia est un arbre **géant**.* SYN colossal, gigantesque.

geindre verbe ▸ conjug. 35
Gémir faiblement. *Le chien **geint** derrière la porte.*

① **gel** nom masculin
Froid vif qui transforme l'eau en glace. *Le **gel** rend les routes dangereuses.* CONTR dégel. * Chercher aussi *givre*, *glace*, *verglas*.

② **gel** nom masculin
Produit translucide à base d'eau ou d'huile. *Mon frère fixe sa coiffure avec du **gel**.*

③ **gel** nom masculin
Période au cours de laquelle quelque chose est bloqué, suspendu. *Le **gel** des salaires, le **gel** des prix.*

gélatine nom féminin
Matière molle et translucide obtenue en faisant bouillir des os ou des algues. *La **gélatine** sert à fabriquer de la colle.*

gélatineux, gélatineuse adjectif
Qui a l'aspect ou la consistance de la gélatine. *Une sauce **gélatineuse**.*

gelée nom féminin
❶ Baisse de la température qui fait geler l'eau. *Les **gelées** tardives ont détruit les fleurs que j'avais plantées.* ❷ Sorte de confiture faite avec du jus de fruits. ❸ Sauce de viande devenue gélatineuse en refroidissant.

geler verbe ▸ conjug. 8
❶ Se transformer en glace. *L'eau du bassin **a gelé** cette nuit.* CONTR dégeler, fondre. ❷ Abîmer par le froid. *Les rosiers **ont gelé** cet hiver.* ❸ Avoir très froid. *Le chauffage est en panne : on **gèle** !* • **Il gèle :** il fait assez froid pour que l'eau se transforme en glace. ♦ Famille du mot : antigel, congélateur, congélation, congeler, décongélation, décongeler, dégel, dégeler, engelure, gel, gelée, surgelé, surgeler.

gélinotte nom féminin
Oiseau qui ressemble à la perdrix.

gélule nom féminin
Petite capsule contenant un médicament en poudre.

Une **gélule**

gémir verbe ▸ conjug. 11
Pousser des gémissements. *Le blessé **a gémi** quand on l'a mis sur le brancard.* SYN geindre.

gémissement nom masculin
Cri faible et plaintif. *La malade pousse des **gémissements** de douleur.*

gênant, gênante adjectif
❶ Qui encombre. *Les voitures ne peuvent pas passer, ce camion est **gênant**.* ❷ Désagréable, dérangeant. *Ce bruit **gênant** m'empêche de lire.* ❸ Qui embarrasse. *Un silence **gênant**.*

gencive nom féminin
Chair qui recouvre la base des dents. *Marc a les **gencives** qui saignent facilement.*
👁p. 298.

gendarme nom masculin
En France, militaire chargé de protéger les gens et de faire respecter la loi.

gendarmerie nom féminin
• **Gendarmerie royale du Canada (GRC) :** nom de la police fédérale du Canada.

gendre nom masculin
Beau-fils. * Chercher aussi *belle-fille*, *bru*.

gène nom masculin
Partie du noyau d'une cellule vivante qui transmet les caractères héréditaires. * Ne pas confondre *gène* et *gêne*.

gêne nom féminin
❶ Malaise physique. *Son asthme lui fait éprouver de la **gêne** à respirer.* CONTR bien-être. ❷ Fait de gêner, de déranger. *Vous conduire chez vous ne me cause aucune **gêne**, rassurez-vous.* SYN dérangement, désagrément. • **Être dans la gêne :** manquer d'argent. SYN être dans le besoin*. ■ *se* **gêner** : s'empêcher de faire quelque chose. • **Ne pas se gêner :** ne pas hésiter à faire ce que l'on veut, sans se soucier des autres. ♦ Famille du mot : gênant, gêner, gêneur, sans-gêne. * Ne pas confondre *gêne* et *gène*.

généalogie nom féminin
Succession de génération en génération des membres d'une famille.

généalogique adjectif
Qui concerne la généalogie. • **Arbre généalogique :** représentation graphique en forme d'arbre qui figure les ancêtres d'une famille et tous leurs descendants, avec leurs liens de parenté.

*Un arbre **généalogique***

gêner verbe ▸ conjug. 3
❶ Empêcher le déroulement normal d'une action. *Va jouer plus loin, tu me **gênes** pour travailler!* **SYN** déranger. ❷ Mettre mal à l'aise. *Ça me **gêne** de lui demander ce service.* **SYN** embarrasser. ❸ Intimider. *Rencontrer cette grande vedette la **gêne**.*

① **général, générale, généraux** adjectif
❶ Qui s'applique à un grand nombre de cas. *D'une manière **générale**, je préfère la viande au poisson.* ❷ Qui concerne la totalité d'un ensemble. *C'est une vue **générale** de Québec.* **CONTR** partiel. • **En général :** généralement, habituellement. ♦ Famille du mot : générale, généralement, généraliser, généraliste, généralités.

② **général, générale, généraux** nom
Personne qui a le grade le plus élevé dans l'armée.

générale nom féminin
Dernière répétition d'une pièce de théâtre ou d'un spectacle avant la première représentation.

généralement adverbe
Le plus souvent. ***Généralement**, Fanny mange du gruau au déjeuner.* **SYN** en général, habituellement. **CONTR** exceptionnellement.

généraliser verbe ▸ conjug. 3
❶ Rendre général. *Dans les lieux publics, on **a généralisé** les guichets automatiques.* ❷ Étendre à tous les cas ce qui est vrai pour certains. *En disant « De nos jours, tout le monde a un ordinateur », tu **généralises**.* ■ se **généraliser** : devenir général. *L'usage du cellulaire **s'est généralisé**.* **SYN** se répandre.

généraliste nom
Médecin qui n'est pas spécialiste d'un domaine particulier. *Mon **généraliste** a très bien soigné ma bronchite.*

généralités nom féminin pluriel
Indications trop générales et qui n'apprennent rien. *Le conférencier n'a dit que des **généralités**.*

générateur nom masculin
Machine qui produit du courant électrique. * On dit aussi *une **génératrice***.

génération nom féminin
Groupe de personnes qui ont à peu près le même âge. *Il y a quatre **générations** dans la famille de James : les enfants, les parents, les grands-parents et les arrière-grands-parents.*

génératrice ➔Voir **générateur**

générer verbe ▸ conjug. 8
Produire, causer, engendrer. *Nous avons vendu du chocolat afin de **générer** des profits pour notre sortie de fin d'année.* ✎ On peut écrire aussi, au futur, *je **génèrerai*** ; au conditionnel, *tu **génèrerais***.

généreusement adverbe
D'une manière généreuse. *Sergueï a **généreusement** offert son aide.*

généreux, généreuse adjectif
Qui a du cœur et donne volontiers. *C'est une femme **généreuse**, qui aide souvent les gens en difficulté.* **SYN** bon, désintéressé. **CONTR** avare, égoïste, mesquin. ♦ Famille du mot : généreusement, générosité.

générique nom masculin
Liste des personnes qui ont participé à la réalisation d'un film ou d'une émission.

générosité nom féminin
Qualité d'une personne généreuse. *Il a montré de la **générosité** envers son adversaire.* **SYN** bienveillance, bonté.

genèse nom féminin
Manière dont quelque chose s'est formé. *La **genèse** d'une œuvre.* SYN élaboration, formation. *Dans la Bible, la **Genèse** raconte comment Dieu a créé le monde.* ✎ Attention ! Quand il désigne le livre de la Bible, *Genèse* s'écrit avec une majuscule.

génétique nom féminin
Science qui étudie les gènes et l'hérédité.
■ **génétique** adjectif Qui concerne les gènes. *Une maladie **génétique**.* * Chercher aussi *héréditaire*.

gêneur, gêneuse nom
Personne qui gêne, dérange les autres. *Cette **gêneuse** nous empêche de travailler.*

genévrier nom masculin
Conifère épineux qui donne les baies de genièvre, que l'on utilise comme condiment.

génial, géniale, géniaux adjectif
❶ Qui a du génie, que l'on doit au génie. *Une invention **géniale**.* SYN remarquable. ❷ Dans la langue familière, formidable. *Amanda vient avec nous, c'est **génial** !*

① **génie** nom masculin
❶ Être surnaturel qui a des pouvoirs magiques. *Dans ce conte de fées, un bon **génie** vient au secours du héros.* ❷ Imagination et intelligence exceptionnelles qui permettent de créer et d'inventer. *Le **génie** de Léonard de Vinci lui a fait imaginer l'hélicoptère dès le 15e siècle.* ❸ Personne exceptionnellement douée. *De l'avis de ses confrères, ce savant est un **génie**.* • **De génie** : qui a du génie, que l'on doit au génie. *Une idée **de génie**.*

② **génie** nom masculin
Connaissances et techniques de l'ingénieur. ***Génie** chimique, **génie** civil.*

genièvre nom masculin
Petite baie bleu-noir du genévrier au goût très prononcé. *On met du **genièvre** dans plusieurs recettes de chou.*

Des baies de **genièvre**

génisse nom féminin
Jeune vache qui n'a pas encore eu de veau.

génital, génitale, génitaux adjectif
Qui concerne la reproduction des êtres humains et des animaux. *Les organes **génitaux**.* SYN sexuel.

géniteur nom masculin
Animal mâle reproducteur. *Le taureau Starbuck est un **géniteur** célèbre.*

génocide nom masculin
Extermination systématique de tout un peuple. *Sous le régime nazi, les Juifs ont été victimes d'un **génocide**.* * Chercher aussi *Shoah*.

genou, genoux nom masculin
Articulation unissant la jambe et la cuisse. *La jupe de Yaël lui arrive au-dessus du **genou**.* 👁p. 246. • **À genoux** : les genoux posés à terre. *Le prêtre est **à genoux** devant l'autel.* ♦ Famille du mot : s'agenouiller, genouillère.

genouillère nom féminin
Accessoire servant à protéger le genou. *Laura a mis des **genouillères** pour jouer au volleyball.*

Des **genouillères**

genre nom masculin
❶ Ensemble d'êtres ou de choses ayant des caractères communs. *Le **genre** humain. C'est ce **genre** de choses qu'elle cherche.* SYN sorte, type. ❷ Manière dont quelqu'un se comporte. *Ce garçon a un **genre** qui me plaît.* ❸ Catégorie grammaticale de certains mots. *En français, il y a deux **genres**, le féminin et le masculin.* * Chercher aussi *nombre*.

gens nom masculin pluriel
Ensemble de personnes. *J'ai vu une foule de **gens**.* • **Jeunes gens :** pluriel de *jeune homme*. *Des **jeunes gens** et des jeunes filles sont partis en randonnée.* * Attention ! L'adjectif placé immédiatement devant *gens* se met au féminin : *de bonnes **gens**.*

gentiane nom féminin
Plante de montagne à fleurs bleues, jaunes ou violettes. * Attention ! Le *t* du mot *gentiane* se prononce comme un *s*.

*Une **gentiane***

gentil, gentille adjectif
❶ Qui est aimable et serviable. *Nos voisins sont très **gentils**.* **CONTR** désagréable, méchant. ❷ Qui est doux. *Ce chien est **gentil** avec les enfants.* ❸ Qui est sage et tranquille. *Le bébé n'a pas pleuré ; il a été **gentil**.* ❹ Qui est charmant, joli. *Cette enfant a une **gentille** frimousse.* **SYN** mignon. * Attention ! Le *l* du masculin *gentil* ne se prononce pas. ♦ Famille du mot : gentillesse, gentiment.

gentilé nom masculin
Nom des habitants d'un lieu. *Les gens qui habitent la ville de Trois-Rivières portent le **gentilé** de Trifluviens, Trifluviennes.*

gentilhomme nom masculin
❶ Autrefois, homme noble de naissance. *Ce **gentilhomme** est un comte.* ❷ Homme noble dans sa conduite. *Au cours de la soirée, il a agi en parfait **gentilhomme**.* ✎ Pluriel : *des **gentilshommes***. * Attention ! Au pluriel, le *s* de *gentils* se prononce comme un *z*, car on fait la liaison avec *hommes*.

gentillesse nom féminin
❶ Qualité ou attitude d'une personne gentille. *Auriez-vous la **gentillesse** de m'aider ?* **SYN** amabilité. ❷ Parole gentille. *Elle m'a dit des **gentillesses**.* **CONTR** méchanceté.

gentiment adverbe
De façon gentille. *Il m'a parlé très **gentiment**.* **SYN** aimablement. **CONTR** durement, méchamment.

géo- préfixe
Placé au début d'un mot pour former un autre mot, *géo-* signifie « terre » (***géo**graphie*, ***géo**logie*).

géographe nom
Spécialiste de la géographie.

géographie nom féminin
Science qui étudie et décrit la surface du globe terrestre, son relief, son climat, sa végétation, ses habitants, etc. *Nous étudions en ce moment la **géographie** des Maritimes.* ♦ Famille du mot : géographe, géographique.

géographique adjectif
Qui concerne la géographie. *Une carte **géographique**.*

geôle nom féminin
Dans la langue littéraire, prison. * Attention ! Le mot *geôle* se prononce *jole*.

geôlier, geôlière nom
Dans la langue littéraire, personne qui garde des prisonniers. *Le prisonnier ne voyait que son **geôlier**.* **SYN** gardien. * Attention ! Le mot *geôlier* se prononce *jolier*.

géologie nom féminin
Science qui étudie la Terre et son sous-sol, sa formation, sa transformation au cours des temps. ♦ Famille du mot : géologique, géologue.

géologique adjectif
Qui concerne la géologie. *Avant de construire le barrage, il a fallu faire une étude **géologique** du terrain.*

géologue nom
Spécialiste de la géologie. *Ces **géologues** ont découvert un volcan sous-marin.*

géomètre nom
Personne dont le métier est de mesurer des terrains, de faire des plans. *Une **géomètre** a placé les bornes du terrain à vendre.*

géométrie nom féminin
Branche de la mathématique qui étudie les figures, les surfaces, les volumes. 👁p. 484.
♦ Famille du mot : géomètre, géométrique.

géométrique adjectif
❶ Qui concerne la géométrie. *Le cercle, le trapèze, le cône, le cube sont des figures **géométriques**.* 👁p. 484. ❷ De forme simple et régulière. *Les tissus écossais sont ornés de motifs **géométriques**.*

La géométrie

La géométrie est une branche de la mathématique qui étudie les figures, les surfaces et les volumes. On y apprend qu'il existe des angles droits, des angles obtus et des angles aigus. On découvre aussi que le carré, le rectangle, le parallélogramme et le trapèze sont des figures planes. La géométrie nous enseigne par ailleurs que le prisme, la pyramide et le cube sont des solides parce qu'ils ont un volume. Avec un peu d'observation, on peut se rendre compte que ces différentes figures géométriques correspondent à la forme des objets qui se trouvent autour de nous.

Les lignes

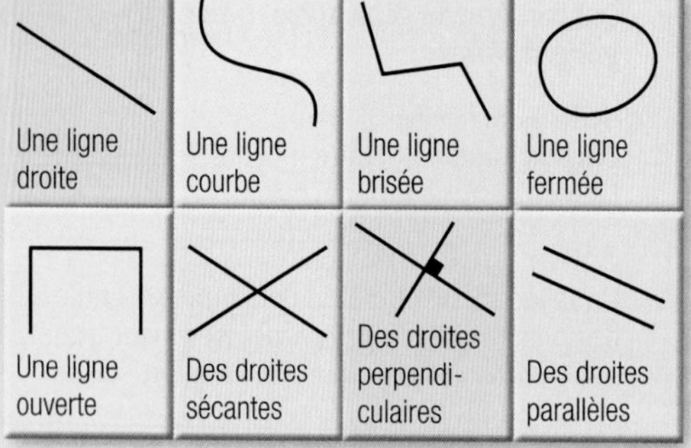

Les figures planes

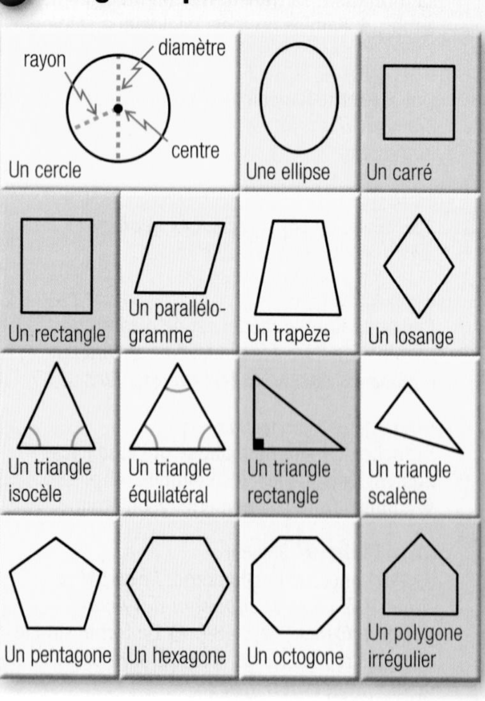

Les angles

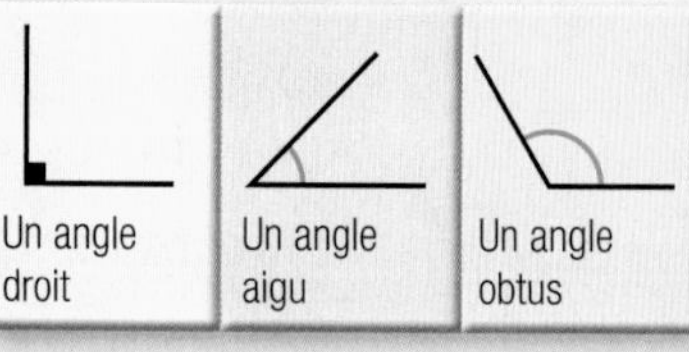

Les solides

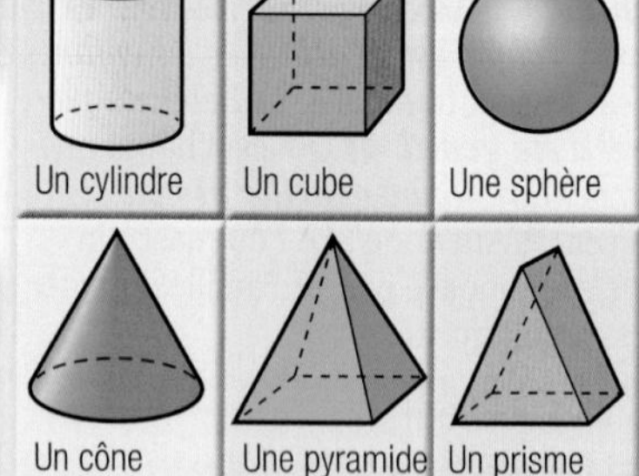

Des formes convexes

Des formes non convexes

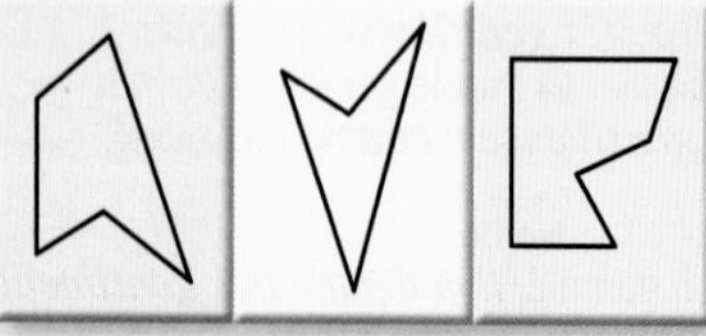

géorgien, géorgienne
➜Voir tableau, p. 1319.

gérance nom féminin
Fonction de gérant. *Ma mère dirige ce magasin, elle en assure la **gérance**.*

géranium nom masculin
Plante à fleurs rouges, roses ou blanches. *Émilie a mis des **géraniums** sur le balcon.* * Attention ! La dernière syllabe du mot *géranium* se prononce *niome*.

*Des **géraniums***

gérant, gérante nom
Personne qui gère un commerce ou un immeuble à la place du propriétaire.

gerbe nom féminin
Tiges de céréales ou de fleurs attachées ensemble. *Une **gerbe** de blé. Une **gerbe** de roses.* **SYN** bouquet.

gerboise nom féminin
Petit rongeur d'Afrique et d'Asie qui se déplace en sautant. *La **gerboise** se dresse sur ses pattes arrière.*

gercer verbe ▸ conjug. 4
Se couvrir de gerçures. *Manuela a les lèvres qui **gercent** en hiver.*

gerçure nom féminin
Petite crevasse sur la peau, due au froid. *Cette crème protégera tes mains des **gerçures**.*

gérer verbe ▸ conjug. 8
Diriger une entreprise pour son compte ou pour celui de quelqu'un d'autre. *Ma marraine **gère** un commerce.* **SYN** administrer. ✎ On peut écrire aussi, au futur, *il **gèrera***; au conditionnel, *elle **gèrerait***. ♦ Famille du mot : gérance, gérant, gestion, gestionnaire.

germain, germaine adjectif
• **Cousins germains :** personnes ayant un même grand-père ou une même grand-mère. *Béatrice et Camille sont **cousines germaines**.*

germe nom masculin
❶ Élément à partir duquel se développent tous les êtres vivants. ❷ Première pousse qui sort d'une graine. *Des **germes** de blé, de soja.* * Chercher aussi *bourgeon*. ❸ Microbe pouvant causer une maladie contagieuse. *Le **germe** de la tuberculose.* * Chercher aussi *bactérie*, *microbe*, *virus*. ♦ Famille du mot : germer, germination.

germer verbe ▸ conjug. 3
❶ Commencer à pousser. *Felipe fait **germer** des haricots sur de la ouate humide.* ❷ Au sens figuré, se former et se développer. *Je ne sais pas comment cette idée **a germé** dans son esprit.*

germination nom féminin
Période pendant laquelle la graine germe. *La chaleur et l'humidité favorisent la **germination**.* 👁p. 792.

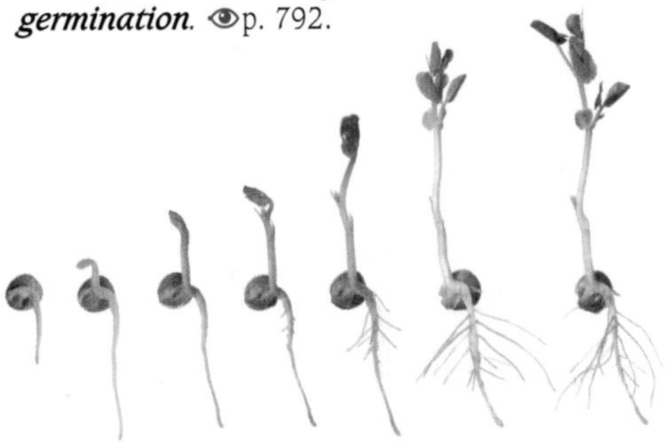

*Les stades d'une **germination***

gésier nom masculin
Partie de l'estomac des oiseaux. *Les grains et les aliments sont broyés dans le **gésier**.*

gestation nom féminin
Période pendant laquelle la femelle vivipare porte son petit. *Chez les éléphants, la **gestation** dure environ vingt-et-un mois.* * Attention ! Pour la femme, on emploie le mot *grossesse*.

geste nom masculin
❶ Mouvement du corps. *Andrea fait de grands **gestes**, mais Olivier ne comprend pas ce qu'elle veut.* ❷ Acte. *Faire un **geste** de solidarité.* • **Joindre le geste à la parole :** agir en conformité avec ce qui a été dit.
♦ Famille du mot : gesticuler, gestuel.

a b c d e f g h i j k l m n o p q r s t u v w x y z

gesticuler verbe ▸ conjug. 3
Faire de grands gestes dans tous les sens. *Quand il raconte une histoire, il ne peut pas s'empêcher de **gesticuler**.*

gestion nom féminin
Action de gérer. *Elle assure la **gestion** de ce commerce.* **SYN** administration, direction.

gestionnaire nom
Personne chargée de la gestion d'une entreprise.

gestuel, gestuelle adjectif
Qui concerne les gestes. *Le langage **gestuel**.*
■ **gestuelle** nom féminin Ensemble de gestes expressifs examinés en tant que signes de l'état d'esprit de la personne qui les fait.

geyser nom masculin
Source d'eau chaude qui jaillit du sol par intermittence. *On trouve généralement des **geysers** dans les régions volcaniques.*
* Attention ! Le mot *geyser* se prononce *jaizaire*.

*Un **geyser***

ghanéen, ghanéenne
➜Voir tableau, p. 1319.

ghetto nom masculin
Lieu où vit une communauté, séparée du reste de la population. *Harlem est le **ghetto** noir de la ville de New York.* ✎ Pluriel : *des **ghettos**.*
* Attention ! La première syllabe du mot *ghetto* se prononce *gué*.

gibecière nom féminin
Sacoche dans laquelle les chasseurs mettent le gibier.

gibelotte nom féminin
Mets de composition variable qui comporte souvent des légumes, du poisson ou de la viande. *Le Festival de la **gibelotte** de Sorel-Tracy.*

gibier nom masculin
Animaux que l'on chasse pour les manger. *L'orignal et le chevreuil sont du gros **gibier**.*
◆ Famille du mot : gibecière, giboyeux.

giboulée nom féminin
Averse soudaine et brève, souvent mêlée de grêle.

giboyeux, giboyeuse adjectif
Où il y a beaucoup de gibier. *Les forêts de l'Abitibi-Témiscamingue sont **giboyeuses**.*

giclée nom féminin
Jet d'un liquide qui gicle. *Laurence a reçu une **giclée** de savon liquide dans l'œil.*

gicler verbe ▸ conjug. 3
Jaillir en éclaboussant. *Justin a épluché une orange et du jus **a giclé** sur sa chemise.*
◆ Famille du mot : giclée, gicleur.

gicleur nom masculin
Système généralement fixé au plafond, qui fait automatiquement gicler de l'eau en cas d'incendie.

gifle nom féminin
Coup sur la joue avec le plat de la main. *Donner, recevoir une **gifle**.* **SYN** claque.

gifler verbe ▸ conjug. 3
Donner une gifle.

gigantesque adjectif
D'une taille qui dépasse de beaucoup la moyenne. *Les pétroliers sont des navires **gigantesques**.* **SYN** énorme, géant.

gigogne adjectif
Se dit d'objets qui s'emboîtent les uns dans les autres. *Les poupées russes en bois sont des poupées **gigognes**.*

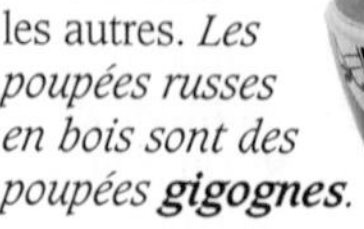

*Des poupées **gigognes***

gigot nom masculin
Cuisse de mouton, d'agneau ou de chevreuil. *Une tranche de **gigot**.*

gigoter verbe ▶ conjug. 3
Dans la langue familière, remuer dans tous les sens. *Le bébé **gigote** dans son berceau.*

gigue nom féminin
Danse traditionnelle au rythme vif, pendant laquelle les jambes, les pieds et les talons bougent très rapidement.

giguer verbe ▶ conjug. 3
Danser la gigue.

gilet nom masculin
❶ Tricot boutonné sur le devant. *Un **gilet** de laine.* ❷ Veste d'homme courte et sans manches, portée parfois sous le veston. • **Gilet de sauvetage :** sorte de veste sans manches qui sert de bouée en cas de naufrage.

gingembre nom masculin
Plante dont la racine est utilisée comme condiment. *La cuisine orientale utilise beaucoup le **gingembre**.*

*Une **girafe***

girafe nom féminin
Mammifère ruminant des savanes d'Afrique, au cou très long et au pelage tacheté. 👁p. 638.

giratoire adjectif
• **Sens giratoire :** sens que les véhicules doivent suivre pour faire le tour d'un rond-point.

girofle nom masculin
• **Clou de girofle :** bouton séché de la fleur d'un arbre tropical, que l'on utilise comme condiment.

giroflée nom féminin
Plante cultivée pour ses fleurs très odorantes jaunes, orangées ou brunes.

*Une **giroflée***

girouette nom féminin
❶ Plaque de métal mobile servant à indiquer la direction du vent. *La **girouette** du clocher indique que le vent vient du nord.* ❷ Au sens figuré, personne qui change souvent d'avis.

*Une **girouette***

gisement nom masculin
Amas de minéraux dans le sous-sol. *En prospectant le désert, on a découvert un nouveau **gisement** de pétrole.* * Chercher aussi *filon*, *minerai*.

gitan, gitane nom
Nomade originaire d'Espagne. * Chercher aussi *bohémien*, *tsigane*.

gîte nom masculin
❶ Endroit où l'on peut dormir. *On leur a offert un **gîte** pour la nuit.* • **Gîte touristique :** petit établissement touristique comptant quelques chambres, où l'on offre le coucher et le déjeuner. *Après la randonnée, les cyclistes ont couché dans un **gîte touristique**.* ❷ Creux du sol où s'abritent certains animaux. *Le **gîte** d'un lièvre.* ✎ On peut écrire aussi ***gite***. * Chercher aussi *tanière*, *terrier*.

a b c d e f g h i j k l m n o p q r s t u v w x y z

a b c d e f **g** h i j k l m n o p q r s t u v w x y z

givre nom masculin
Fine couche de glace. *Le brouillard et la rosée deviennent du **givre** en gelant.* ♦ Famille du mot: dégivrage, dégivrer, dégivreur, givré.

givré, givrée adjectif
Couvert de givre. *Les arbres sont tout **givrés** ce matin.*

*Un arbre **givré***

glaçage nom masculin
Préparation crémeuse et sucrée dont on recouvre ou garnit les gâteaux et les pâtisseries. *J'aime le **glaçage** du gâteau aux carottes.*

glace nom féminin
❶ Eau gelée. *Noah met un cube de **glace** dans son verre.* ❷ Crème aromatisée que l'on sert gelée. *Une **glace** à la pistache.* **SYN** crème glacée. ❸ Miroir. *Charlotte se coiffe devant la **glace**.* • **Briser la glace:** faire cesser la gêne. *Il a suffi d'une blague pour **briser la glace**.* • **Rester de glace:** rester impassible, comme si l'on ne ressentait rien. *On l'a insulté, mais il **est resté de glace**.* ♦ Famille du mot: glaçage, glacé, glacer, glaciaire, glacial, glacier, glacière, glaçon.

glacé, glacée adjectif
❶ Très froid. *Un vent **glacé** soufflait sur le sommet.* **CONTR** brûlant. ❷ Transformé en glace, solidifié. *On peut patiner sur le lac **glacé**.* • **Crème glacée:** glace. • **Papier glacé:** papier lisse et brillant.

glacer verbe ▸ conjug. 4
❶ Donner froid. *Une pluie fine **glaçait** les promeneurs.* **SYN** refroidir. ❷ Transformer un liquide en glace. **SYN** geler. ❸ Au sens figuré, paralyser de peur. *Ses paroles m'**ont glacée**.* **SYN** pétrifier. ❹ Recouvrir d'une couche lisse de sucre fondu. ***Glacer** un gâteau.* * Chercher aussi *napper*.

glaciaire adjectif
Qui concerne les glaciers. *La période **glaciaire** est celle au cours de laquelle se sont formés les glaciers.* * Ne pas confondre *glaciaire* et *glacière*.

glacial, glaciale, glacials ou **glaciaux** adjectif
❶ Très froid. *Il fait un temps **glacial**.* ❷ Au sens figuré, d'une froideur paralysante. *Son accueil a été **glacial**.* **CONTR** chaleureux.

glacier nom masculin
❶ Vaste amas de glace en altitude. *Les **glaciers** se forment par tassement de la neige et se déplacent très lentement vers les vallées. Les **glaciers** des monts Selkirk, en Colombie-Britannique.* ❷ Marchand ou fabricant de crèmes glacées, de sorbets et d'autres desserts glacés.

*Un **glacier***

glacière nom féminin
Boîte isolante qui conserve des aliments au froid. *Toutes les boissons du pique-nique sont dans la **glacière**.* * Ne pas confondre *glacière* et *glaciaire*.

glaçon nom masculin
❶ Petit morceau de glace. *Charles met des **glaçons** dans la carafe d'eau.* ❷ Morceau de glace long et effilé. *Les **glaçons** qui pendent du toit sont dangereux.* ❸ Petit fil brillant qui sert à décorer l'arbre de Noël.

gladiateur nom masculin
Homme qui combattait dans les jeux du cirque, à Rome. *Le **gladiateur** luttait à mort contre un autre homme ou contre une bête féroce.* * Chercher aussi *arène*.

Des **gladiateurs**

glaïeul nom masculin
Plante ornementale aux feuilles longues et pointues dont les fleurs sont toutes d'un seul côté de la tige.

glaise nom féminin
Argile. *La **glaise** permet de fabriquer de la poterie, des briques, des tuiles.*

Des **glaïeuls**

glaive nom masculin
Courte épée à deux tranchants. *La balance et le **glaive** sont le symbole de la justice.*

gland nom masculin
Fruit du chêne. *Les écureuils mangent des **glands**.* 👁p. 66.

glande nom féminin
Organe du corps qui fabrique une substance particulière. *Les **glandes** salivaires produisent la salive.* * Chercher aussi *sécréter*.

glaner verbe ▸ conjug. 3
❶ Ramasser les épis de blé oubliés dans les champs après la moisson. *Autrefois, les pauvres avaient le droit de **glaner** dans les champs.* ❷ Recueillir çà et là. *Voici les renseignements que j'ai réussi à **glaner**.*

glapir verbe ▸ conjug. 11
Pousser de petits cris aigus. *Le renard, le lapin et l'épervier **glapissent**.*

glapissement nom masculin
Cri aigu des animaux qui glapissent.

glas nom masculin
Tintement lent et répété des cloches d'une église pour annoncer un décès ou un enterrement. *Les cloches sonnent le **glas**.*

glauque adjectif
Vert tirant sur le bleu. *L'eau de cet étang est **glauque**.*

glissade nom féminin
❶ Action de glisser. *Le banc de neige est assez haut, on peut faire de la **glissade**.* ❷ Banc de neige ou plan spécialement aménagé sur lequel on glisse. **SYN** glissoire. • **Glissade d'eau :** plan incliné spécialement aménagé pour que la personne qui glisse soit déjà dans un peu d'eau avant d'arriver dans une piscine.

glissant, glissante adjectif
Où l'on glisse facilement. *Le verglas a rendu la chaussée **glissante**.*

glisse nom féminin
• **Sport de glisse :** sport où l'on glisse. *Le ski, la planche à voile, le surf sont des **sports de glisse**.*

glissement nom masculin
Action de glisser. • **Glissement de terrain :** déplacement d'un terrain qui glisse le long d'une pente. *Les pluies ont provoqué des **glissements de terrain**.*

glisser verbe ▸ conjug. 3
❶ Se déplacer d'un mouvement continu sur une surface. *Les skieurs **glissent** sur la neige.* ❷ Être glissant. *Le plancher est mouillé, ça **glisse** !* ❸ Perdre l'équilibre sur quelque chose de glissant. *Il **a glissé** sur le verglas.* ❹ Introduire habilement ou discrètement. *On **a glissé** un mot sous sa porte.* • **Glisser des mains :** échapper. *Le verre m'**a glissé des mains**.* • **Glisser un mot à quelqu'un :** lui parler discrètement. *Je vais lui en **glisser un mot** à notre prochaine rencontre.*
■ *se* **glisser** : se faufiler. *Les serpents **se glissent** entre les herbes.* ♦ Famille du mot : glissade, glissant, glisse, glissement, glissière, glissoire.

glissière nom féminin
Rainure qui guide quelque chose qui glisse. *Cette veste a une fermeture à **glissière**.* **SYN** coulisse. • **Glissière de sécurité :** bandes de métal disposées sur le bord d'une route pour retenir les voitures en cas d'accident.

a b c d e f g h i j k l m n o p q r s t u v w x y z

glissoire nom féminin
Piste en pente le long de laquelle on glisse pour s'amuser. *Les enfants s'amusent sur la **glissoire** du parc.* **SYN** toboggan.

global, globale, globaux adjectif
Pris dans son ensemble et non dans les détails. *Le montant **global** d'une facture.*

globalement adverbe
De façon globale. ***Globalement**, la récolte a été bonne.* **SYN** dans l'ensemble, en gros.

globe nom masculin
❶ Ce qui a la forme d'une sphère. *Le **globe** de l'œil.* ❷ Boule creuse en verre. *Le **globe** de la lampe.* ❸ La Terre. *Le barreur a fait le tour du **globe** à la voile.*

globe-trotteur, globe-trotteuse nom
Personne qui voyage à travers le monde. *Ma sœur a visité sept pays cette année: c'est une véritable **globe-trotteuse**.* ✎ On peut écrire aussi ***globetrotteur***, ***globetrotteuse***.

globule nom masculin
Cellule du sang. *Le sang contient des **globules** blancs et des **globules** rouges.*

globuleux, globuleuse adjectif
• **Yeux globuleux**: yeux ronds qui sortent un peu de leur orbite. *Le caméléon a des **yeux globuleux**.*

Un œil **globuleux**

gloire nom féminin
Grande renommée acquise par ses actions. *Cette découverte a apporté la **gloire** au savant.* **SYN** célébrité. • **À la gloire de quelqu'un**: en son honneur. *On a érigé une statue **à la gloire de** ce personnage illustre.* ♦ Famille du mot: glorieux, se glorifier.

glorieux, glorieuse adjectif
Qui apporte la gloire. *Les premiers hommes qui ont marché sur la Lune ont accompli un exploit **glorieux**.* **SYN** illustre, mémorable.

glorifier verbe ▸ conjug. 10
Louer une personne en vantant ses mérites. **SYN** porter aux nues*. ■ *se* **glorifier**: tirer de la gloire de quelque chose. *Cet exploit était difficile à réaliser: elle peut **se glorifier** de l'avoir accompli.* **SYN** se flatter, se vanter.

gloussement nom masculin
Action de glousser.

glousser verbe ▸ conjug. 3
❶ Pousser de petits cris. *Les poules, les dindes **gloussent**.* ❷ Rire en poussant de petits cris.

① **glouton, gloutonne** adjectif et nom
Qui mange avec avidité. *Ce chien est vraiment **glouton**.* **SYN** goinfre, goulu. – *Qiong est une incorrigible **gloutonne**.*

② **glouton** nom masculin
Mammifère carnivore appelé aussi *carcajou*.

gloutonnerie nom féminin
Avidité d'une personne gloutonne. *Manger avec **gloutonnerie**.* **SYN** goinfrerie, voracité.

glu nom féminin
Matière végétale collante.

gluant, gluante adjectif
Qui est collant et visqueux. *La bave de l'escargot est **gluante**.*

glucide nom masculin
Nom savant donné au sucre. 👁p. 36.

gnome nom masculin
Petit génie laid et difforme des légendes, qui vit sous la terre. **SYN** farfadet, lutin. * Attention! Dans le mot *gnome*, les lettres *g* et *n* se prononcent distinctement.

gnou nom masculin
Antilope qui vit en Afrique du Sud. * Attention! Dans le mot *gnou*, les lettres *g* et *n* se prononcent distinctement.

Des **gnous**

gobelet nom masculin
Récipient en forme de verre, en métal, en carton ou en plastique.

gober verbe ▶ conjug. 3
❶ Avaler d'un coup en aspirant. *Le caméléon **gobe** les insectes.* ❷ Dans la langue familière et au sens figuré, croire. *Il est très naïf, il **gobe** n'importe quoi.*

goberge nom féminin
Poisson des côtes de l'Atlantique.

godasse nom féminin
Dans la langue familière, chaussure. *Une paire de **godasses**.*

godet nom masculin
Petit récipient sans pied ni anse. *La peintre délaye les couleurs dans un **godet**.*

godille nom féminin
❶ Aviron unique placé à l'arrière d'une embarcation. ❷ En ski alpin, technique de descente qui consiste en un enchaînement de petits virages.

godiller verbe ▶ conjug. 3
❶ Manœuvrer une embarcation à la godille. ❷ En skis, faire de nombreux virages très légers et très rapides. *Pour ralentir dans sa descente, la skieuse **godille**.*

goéland nom masculin
Grand oiseau de mer blanc et gris.

Un **goéland**

goélette nom féminin
Voilier à deux mâts.

Une **goélette**

goémon nom masculin
Algue rejetée par la mer. *On se sert du **goémon** comme engrais.* **SYN** varech.

goglu nom masculin
Oiseau chanteur qui vit en Amérique du Nord.

goguenard, goguenarde adjectif
Narquois, railleur. *Elle a fait cette remarque d'un ton **goguenard**.*

goinfre nom et adjectif
Personne qui mange trop et de façon malpropre. *Ces **goinfres** ont tout mangé, sans nous attendre. – Neil est **goinfre** : il a englouti toute la tarte.* **SYN** glouton, goulu.

se **goinfrer** verbe ▶ conjug. 3
Manger comme un goinfre. *Elles **se sont goinfrées** de gâteau au chocolat.* **SYN** s'empiffrer, se gaver.

goinfrerie nom féminin
Comportement du goinfre. **SYN** gloutonnerie, voracité.

golf nom masculin
❶ Sport qui consiste à envoyer, en un minimum de coups et à l'aide d'une sorte de bâton, une balle dans une série de trous répartis sur un parcours aménagé. ❷ Terrain, parcours où l'on pratique le golf. *Ce **golf** est très difficile.*
* Ne pas confondre *golf* et *golfe*.

golfe nom masculin
Endroit de la côte où la mer avance à l'intérieur des terres. *L'île Bonaventure est située sur le **golfe** du Saint-Laurent.* * Chercher aussi *anse*, *crique*. * Ne pas confondre *golfe* et *golf*.

golfeur, golfeuse nom
Personne qui joue au golf.

Un **golfeur**

a b c d e f **g** h i j k l m n o p q r s t u v w x y z

gomme nom féminin
❶ Petit bloc de caoutchouc qui sert à effacer. ❷ Substance visqueuse et translucide qui s'écoule de certains arbres. *De la **gomme** de sapin.* • **Gomme à mâcher:** pâte aromatisée qui se mâche.

gommé, gommée adjectif
• **Papier gommé:** papier collant que l'on doit mouiller pour le faire coller. *Une étiquette en **papier gommé**.*

gond nom masculin
Pièce métallique autour de laquelle tourne une porte ou une fenêtre. • **Sortir de ses gonds:** se mettre en colère.

gondole nom féminin
Longue barque plate, à un seul aviron, relevée aux deux extrémités. *À Venise, on circule en **gondole** sur les canaux.* ♦ Famille du mot: gondoler, gondolier.

Des **gondoles**

gondoler verbe ▸ conjug. 3
Déformer en devenant bombé. *Un dégât d'eau **a gondolé** le mur.* ■ se **gondoler**: se déformer en devenant bombé. *Ce carton **s'est gondolé**.*

gondolier nom masculin
Homme qui conduit une gondole.

gonflable adjectif
Qui se gonfle. *Un matelas **gonflable**, un coussin **gonflable**.*

gonflage nom masculin
Action de gonfler. *Le garagiste contrôle le **gonflage** des pneus.*

gonflement nom masculin
Fait d'être gonflé. *Le **gonflement** de ses paupières montre qu'elle a pleuré.* **SYN** enflure.

gonfler verbe ▸ conjug. 3
❶ Remplir d'air. *Olga **gonfle** le matelas pneumatique.* **CONTR** dégonfler. ❷ Augmenter de volume. *C'est une entorse, la cheville **est** toute **gonflée**.* **SYN** enfler. ♦ Famille du mot: dégonfler, gonflable, gonflage, gonflement, regonfler.

gong nom masculin
Plateau de métal suspendu sur lequel on frappe avec un maillet. *Dans un combat de boxe, un coup de **gong** annonce le début et la fin de chaque reprise.* * Attention! Le *g* final du mot *gong* se prononce.

goret nom masculin
Porcelet. *Les **gorets** se bousculent autour de la truie.*

gorge nom féminin
❶ Fond de la bouche. *Patrick a mal à la **gorge**.* 👁p. 246. **SYN** gosier, pharynx. ❷ Partie avant du cou. *Sa cravate lui serre la **gorge**.* ❸ Vallée étroite et encaissée, souvent créée par le passage d'un cours d'eau. *La rivière Yellowstone passe par des **gorges** très pittoresques.* **SYN** canyon, défilé. • **Avoir la gorge sèche:** avoir soif. • **Mettre à quelqu'un le couteau sur** ou **sous la gorge:** l'obliger par des menaces à agir. • **Prendre quelqu'un à la gorge:** le forcer à faire quelque chose sans délai. • **Rire à gorge déployée:** rire bruyamment. ♦ Famille du mot: égorger, gorgé, gorgée.

gorgé, gorgée adjectif
Complètement imprégné. *Après l'averse, la terre est **gorgée** d'eau.* **SYN** saturé.

gorgée nom féminin
Quantité de liquide avalée en une seule fois. *Ma grand-mère boit son thé à petites **gorgées**.*

gorille nom masculin
Grand singe d'Afrique. *Le* ***gorille****, le plus puissant des singes, peut atteindre deux mètres et peser deux cents kilos.* 👁p. 638.

Un **gorille**

gosier nom masculin
Fond de la gorge. *Une arête s'est coincée dans son* ***gosier****.* • **Chanter à plein gosier :** chanter le plus fort possible.

gothique adjectif
Se dit du style d'architecture qui s'est répandu en Europe du 13e au 16e siècle. *Une cathédrale* ***gothique****.*
■ **gothique** nom masculin
Style gothique. *Le* ***gothique****.*
* Chercher aussi *roman*.

Une cathédrale **gothique**

gouache nom féminin
Peinture à l'eau plus épaisse que l'aquarelle. *Gabriel se sert de* ***gouache*** *pour colorier son dessin.* 👁p. 74.

goudron nom masculin
Substance noire que l'on tire du charbon ou du pétrole et que l'on utilise pour recouvrir les routes ou les toitures. * Chercher aussi *asphalte*, *bitume*, *macadam*.

goudronner verbe ▶ conjug. 3
Recouvrir de goudron. *Ce chemin vient d'****être goudronné****.*

gouffre nom masculin
❶ Grand trou très profond. *Ce* ***gouffre*** *est souvent exploré par des spéléologues.* **SYN** abîme, précipice. ❷ Au sens figuré, ce qui entraîne de grosses dépenses. *Cette maison est un* ***gouffre****, il y a toujours des travaux à y faire.*

goujat nom masculin
Personnage grossier. *Ce* ***goujat*** *ne nous a même pas remerciés.* **SYN** rustre.

goulet nom masculin
Passage étroit. *Le bateau doit franchir un* ***goulet*** *pour parvenir au port.* **SYN** chenal. ♦ Famille du mot : goulot, goulu, goulûment.

goulot nom masculin
Partie la plus étroite d'une bouteille ou d'un vase.

goulu, goulue adjectif
Qui mange avec avidité. *Les poissons rouges sont* ***goulus*** *: ils se précipitent sur la nourriture.* **SYN** glouton, goinfre, vorace.

goulûment adverbe
De façon goulue. *Quand Lorenzo a faim, il mange* ***goulûment****.* ✎ On peut écrire aussi ***goulument***.

goupillon nom masculin
❶ Brosse longue et cylindrique. *Un* ***goupillon*** *sert à nettoyer les bouteilles.* ❷ Instrument qui sert à asperger d'eau bénite. *Le prêtre bénit la foule avec son* ***goupillon****.*

gourd, gourde adjectif
Qui est raidi par le froid. *Marina était maladroite à cause de ses doigts* ***gourds****.* **SYN** engourdi. ♦ Famille du mot : dégourdi, dégourdir, engourdir, engourdissement.

① **gourde** nom féminin
Récipient qui sert à transporter de la boisson. *On a prévu plusieurs **gourdes** d'eau pour la randonnée.*

② **gourde** nom féminin
Dans la langue familière, personne niaise ou maladroite. *Ibrahim s'est encore trompé de chemin, quelle **gourde** !* **SYN** empoté, stupide. **CONTR** dégourdi.

*Une **gourde***

gourdin nom masculin
Gros bâton. *Il nous a menacés de son **gourdin**.*

gourgane nom féminin
Grosse fève appelée aussi « fève des marais ». *La soupe à la **gourgane** est l'une des spécialités de la cuisine québécoise.*

gourmand, gourmande adjectif et nom
Qui aime manger de bonnes choses. *Les enfants ont été si **gourmands** qu'ils ont fini tous les gâteaux. – Stéphanie est une incorrigible **gourmande**.* * Ne pas confondre *gourmand* et *gourmet*.

gourmandise nom féminin
Caractère d'une personne gourmande. *Aïcha n'a plus faim, c'est par **gourmandise** qu'elle mange une crème glacée.*

gourmet nom masculin
Personne qui sait apprécier le bon vin, la bonne cuisine. *Il déguste avec plaisir son repas, c'est un fin **gourmet**.* **SYN** connaisseur, gastronome. * Ne pas confondre *gourmet* et *gourmand*.

gourou nom masculin
Maître spirituel vénéré par les membres d'une secte ou d'une religion.

gousse nom féminin
Enveloppe végétale qui renferme des graines. *Pour écosser les petits pois, il faut ouvrir la **gousse** qui les contient.* • **Gousse d'ail :** chacune des parties d'une tête d'ail.

*Des **gousses***

ail

vanille

pois

goût nom masculin
❶ Celui des cinq sens qui sert à reconnaître ce que l'on mange. *L'organe du **goût** est la langue.* * Chercher aussi *odorat, ouïe, toucher, vue*. ❷ Saveur d'un aliment. *Ces tomates ont bon **goût**.* ❸ Penchant pour quelque chose. *Luis et Myriam n'ont vraiment pas les mêmes **goûts** : il aime le football, elle, la lecture.* • **Avoir le goût de :** avoir envie de. ***As-tu le goût d'**aller jouer dehors ?* • **Avoir du goût, avoir bon goût :** savoir apprécier ce qui est beau. *Noémie **a du goût**, sa chambre est joliment décorée.* ✎ On peut écrire aussi ***gout***. ♦ Famille du mot : arrière-goût, avant-goût, goûter.

① **goûter** verbe ▸ conjug. 3
❶ Manger un peu d'un aliment pour connaître son goût. ***Goûte** à ce gâteau au chocolat, il est délicieux.* ❷ Avoir le goût de quelque chose. *Ce sorbet **goûte** la banane.* ❸ Avoir telle saveur. *Ce sirop contre la toux **goûte** la cerise.* ❹ Prendre un goûter. *Les enfants **goûtent** dans la cuisine, après l'école.*

② **goûter** nom masculin
Repas léger que prennent les enfants dans l'après-midi. *Pour son **goûter**, Anh mange des fruits secs.* ✎ On peut écrire aussi ***gouter***. * Chercher aussi *collation*.

goutte nom féminin
❶ Très petite quantité de liquide, de forme arrondie. *Une **goutte** d'eau est tombée sur son devoir et a laissé une trace.* ❷ Petite quantité de liquide. *Elle prend une **goutte** de lait dans son thé.* • **Goutte à goutte :** une goutte après l'autre. *Ce robinet fuit **goutte à goutte**.* • **Se ressembler comme deux gouttes d'eau :** être exactement pareils. ■ **gouttes** nom féminin pluriel Médicament liquide que l'on prend sous forme de gouttes. *Se mettre des **gouttes** dans le nez.* ♦ Famille du mot : compte-gouttes, égout, égoutter, égouttoir, goutte-à-goutte, gouttelette, goutter, gouttière, tout-à-l'égout.

goutte-à-goutte nom masculin invariable
Appareil médical qui sert à faire une perfusion. *Dès qu'il ira mieux, on lui retirera le* ***goutte-à-goutte****.*

gouttelette nom féminin
Petite goutte. *On n'a pas eu de pluie, juste quelques* ***gouttelettes****.*

goutter verbe ▶ conjug. 3
Couler goutte à goutte. *Le plombier doit réparer le robinet qui* ***goutte*** *sans arrêt.*

gouttière nom féminin
Conduit creux qui borde les toits et qui sert à recueillir les eaux de pluie. *Cette* ***gouttière*** *est obstruée.* • **Chat de gouttière :** chat de l'espèce la plus commune.

gouvernail nom masculin
Dispositif mobile situé à l'arrière d'un bateau et qui sert à le diriger. *La barre permet de manœuvrer le* ***gouvernail****.*

Un **gouvernail**

gouvernant, gouvernante nom
Personne qui gouverne un État.

gouvernante nom féminin
Femme chargée de garder et d'éduquer des enfants. *Autrefois, il y avait des* ***gouvernantes*** *dans les familles riches.*

gouvernement nom masculin
Ensemble des personnes qui gouvernent un État. *Le premier ministre et ses ministres forment le* ***gouvernement****.*

gouvernemental, gouvernementale, gouvernementaux adjectif
Qui concerne le gouvernement. *L'opposition critique la politique* ***gouvernementale****.*

gouverner verbe ▶ conjug. 3
❶ Diriger un État. ❷ Diriger un bateau à l'aide du gouvernail. ♦ Famille du mot : gouvernail, gouvernant, gouvernante, gouvernement, gouvernemental, gouverneur.

gouverneur, gouverneure nom
❶ Personne qui gouverne un territoire. • **Gouverneur général :** personne qui représente le roi ou la reine d'Angleterre au Canada. * Chercher aussi *lieutenant-gouverneur.* ❷ Aux États-Unis, personne qui est à la tête d'un des États.

goyave nom féminin
Fruit tropical parfumé et très sucré.

Des **goyaves**

GPS nom masculin
Sigle de ***g****éopositionnement* ***p****ar* ***s****atellite.* Dispositif informatique qui aide à s'orienter ou à se diriger dans l'espace. *Le* ***GPS*** *peut être portatif ou intégré au tableau de bord de certaines automobiles.*

grabat nom masculin
Lit misérable. *Ce sans-abri dort dans la rue sur un* ***grabat****.*

grabataire adjectif et nom
Se dit d'un malade qui ne peut plus quitter son lit. *Sa santé a empiré, il est maintenant totalement* ***grabataire****. – Une* ***grabataire*** *âgée.*

a b c d e f **g** h i j k l m n o p q r s t u v w x y z

① grâce à préposition
Avec l'aide de quelqu'un ou de quelque chose. ***Grâce à*** *toi, j'ai gagné. Elle a réussi* ***grâce à*** *sa persévérance.*

② grâce nom féminin
❶ Beauté, élégance et charme dans les mouvements d'une personne. *La ballerine danse avec infiniment de* ***grâce****.* ❷ Pardon accordé à un condamné. *Dans certains pays, le chef de l'État peut accorder sa* ***grâce*** *à un condamné à mort.* • **Coup de grâce :** coup qui met fin aux souffrances en donnant la mort. *Ce cheval souffrait trop, on lui a donné le* ***coup de grâce****.* • **De bonne grâce :** volontiers. • **De mauvaise grâce :** à contrecœur. • **Être dans les bonnes grâces de quelqu'un :** être protégé par lui. ♦ Famille du mot : disgrâce, disgracieux, grâce à, gracier, gracieusement, gracieux.

gracier verbe ▸ conjug. 10
Accorder la grâce à un condamné. *Cet homme* ***a été gracié*** *de justesse.*

gracieusement adverbe
❶ Avec grâce. *Véronique danse très* ***gracieusement****.* ❷ Gratuitement. *Cet échantillon vous est offert* ***gracieusement****.*

gracieux, gracieuse adjectif
Qui a beaucoup de grâce. *Cette jeune fille est très* ***gracieuse****.* CONTR disgracieux. • **À titre gracieux :** gratuitement.

gradation nom féminin
Passage par degrés d'un état à un autre. *Un tableau avec des* ***gradations*** *de couleurs du jaune au rouge.* * Ne pas confondre *gradation* et *graduation*.

grade nom masculin
Degré dans une hiérarchie. *Le plus haut* ***grade*** *dans l'armée est celui de général.* • **Monter en grade :** obtenir un grade plus élevé, avoir de l'avancement.

gradin nom masculin
Chacun des bancs disposés en étages autour d'un stade, d'un amphithéâtre. *Les spectateurs regardent le match depuis les* ***gradins*** *du stade.*

graduation nom féminin
Petit trait qui indique une division d'un instrument de mesure. *Les* ***graduations*** *d'un thermomètre.* * Ne pas confondre *graduation* et *gradation*.

graduel, graduelle adjectif
Qui se fait par degrés. *On constate une amélioration* ***graduelle*** *de son état de santé.* SYN progressif.

graduellement adverbe
De façon graduelle. *La température remonte* ***graduellement****.*

graduer verbe ▸ conjug. 3
❶ Diviser un instrument de mesure au moyen de graduations. *Cette règle* ***est graduée*** *en millimètres et en centimètres.* ❷ Augmenter peu à peu la difficulté. *Ces exercices* ***sont gradués*** *en fonction de l'âge des élèves.* ♦ Famille du mot : graduation, graduel, graduellement.

graffiteur, graffiteuse nom
Personne qui fait des graffitis. *Ces* ***graffiteurs*** *ont beaucoup de talent.*

graffiti nom masculin
Inscription ou dessin griffonnés sur un mur, une porte, etc. *Il y a des* ***graffitis*** *sur ce mur.*

Un **graffiti**

grain nom masculin
❶ Graine ou petit fruit de certaines plantes. *Avec les* ***grains*** *de blé, on fait de la farine.* ❷ Particule d'une matière. *Lucas a des* ***grains*** *de sable dans ses chaussures.* ❸ Aspect plus ou moins rugueux d'une surface. *Le* ***grain*** *d'un papier, d'un cuir.* ❹ Bref coup de vent accompagné d'une averse. *Attendons que ce* ***grain*** *soit passé pour sortir.* • **Grain de beauté :** petite tache brune sur la peau. • **Mettre son grain de sel :** se mêler de quelque chose de façon indiscrète. • **Veiller au grain :** se tenir sur ses gardes, être prudent.

graine nom féminin
Partie d'une plante qui germe pour donner une nouvelle plante. *Mon père a semé des **graines** de tournesol.* 👁p. 792. • **C'est de la graine de... :** en parlant d'une personne, exprime ce qu'on croit qu'elle sera dans l'avenir. *Cet enfant nage très bien ; **c'est de la graine de** champion.*

grainetier, grainetière nom
Personne qui fait le commerce de graines et de bulbes.

graissage nom masculin
Action de graisser un moteur ou un mécanisme. *Luigi a fait le **graissage** de sa chaîne de vélo.*

graisse nom féminin
❶ Partie grasse du corps d'une personne ou d'un animal. *La **graisse** de l'ours le protège du froid.* ❷ Matière grasse tirée des animaux ou des végétaux. *Le beurre est une **graisse** animale, la margarine, une **graisse** végétale.* • **Graisse de rôti :** jus de cuisson du rôti de porc qu'on laisse figer et que l'on tartine sur du pain. ❸ Produit gras que l'on utilise en mécanique. *Le mécanicien a les mains pleines de **graisse**.*

graisser verbe ▸ conjug. 3
Enduire de graisse. *L'ouvrier **a graissé** sa machine pour éviter qu'elle rouille.* **SYN** huiler, lubrifier.

graisseux, graisseuse adjectif
❶ De la nature de la graisse. *Les bisons ont une bosse **graisseuse** sur le cou.* ❷ Qui est taché de graisse. *Après avoir mangé ses frites, Vincent avait les doigts **graisseux**.*

graminée nom féminin
Plante à tige creuse dont les fleurs sont groupées en épis. *Les céréales, le bambou, la canne à sucre sont des **graminées**.*

*Des **graminées***

grammaire nom féminin
❶ Ensemble des règles qui permettent de parler et d'écrire correctement une langue. *Enseigner la **grammaire**.* ❷ Livre où sont regroupées les règles d'une langue. *Acheter une **grammaire**.*

grammatical, grammaticale, grammaticaux adjectif
Qui concerne la grammaire. *Le déterminant reçoit le genre et le nombre du nom qu'il accompagne ; c'est une règle **grammaticale**.*

gramme nom masculin
❶ Unité de poids. *Dans un kilo, il y a mille **grammes**.* * Abréviation : ***g***. ❷ Au sens figuré, très petite quantité. *Il n'a pas un **gramme** de bon sens.*

grand, grande adjectif
❶ Qui est de haute taille. *Audrey est plus **grande** que sa sœur aînée.* **CONTR** petit. ❷ Qui est plus âgé. *Le **grand** frère de Julia vient d'obtenir son diplôme.* **CONTR** jeune. ❸ Qui est vaste, étendu. *Cette maison a un **grand** jardin.* **CONTR** petit. ❹ Qui est important. *C'est un **grand** jour.* ❺ Qui est célèbre, éminent. *Charles Daudelin est un **grand** sculpteur québécois.* ❻ Intense, fort. *Un **grand** vacarme.* **CONTR** faible. ■ **grand, grande** nom Enfant plus âgé qu'un autre. *La classe des **grands**.* • **Les grands de ce monde :** les personnages les plus importants. ■ **grand** adverbe • **Grand ouvert :** largement ouvert. *Une fenêtre **grande ouverte**.* ✎ Attention ! Employé comme adverbe, *grand* s'accorde avec l'adjectif qui le suit. • **Voir grand :** avoir des projets grandioses. ♦ Famille du mot : agrandir, agrandissement, agrandisseur, grandement, grandeur, grandiose, grandir, grand-maman, grand-mère, grand-papa, grand-père, grands-parents.

pas **grand-chose** pronom
Presque rien. *Dans le brouhaha, il n'a **pas** entendu **grand-chose** du discours.*

grandement adverbe
❶ Beaucoup, tout à fait. *Nous avons **grandement** aimé ce spectacle.* ❷ Largement, à une échelle qui dépasse l'ordinaire. *Faire les choses **grandement**.*

grandeur nom féminin
❶ Taille ou dimension. *Ces chaussures existent en plusieurs **grandeurs**.* ❷ Ampleur, importance. *La **grandeur** de sa faute lui a valu d'être condamné.* ❸ Gloire, puissance. *Il se donne des airs de **grandeur**.* • **Folie des grandeurs :** ambition excessive. • **Grandeur d'âme :** noblesse des sentiments. CONTR bassesse. • **Grandeur nature :** de même dimension que dans la réalité. *Un portrait **grandeur nature**.*

grandiose adjectif
Qui est imposant, majestueux. *Le spectacle s'est déroulé dans un cadre **grandiose**.*

grandir verbe ▸ conjug. 11
❶ Devenir plus grand. *Mes pieds ont dû **grandir**, car mes chaussures me serrent.* CONTR rapetisser. ❷ Devenir plus fort. *Leur inquiétude **grandit** de jour en jour.* SYN augmenter. CONTR diminuer.

grand-maman nom féminin
Appellation familière de *grand-mère*. ✎ Pluriel : *des **grands-mamans**.*

grand-mère nom féminin
Mère du père ou de la mère de quelqu'un. *La **grand-mère** paternelle de Luc habite au Nouveau-Brunswick.* ✎ Pluriel : *des **grands-mères**.*

grand-papa nom masculin
Appellation familière de *grand-père*. ✎ Pluriel : *des **grands-papas**.*

à **grand-peine** adverbe
Difficilement. *Malik a une ampoule au talon, il marche **à grand-peine**.*

grand-père nom masculin
Père du père ou de la mère de quelqu'un. *Le **grand-père** maternel d'Éloi vient souvent le chercher à l'école.* ✎ Pluriel : *des **grands-pères**.*

Une **grange**

grands-parents nom masculin pluriel
Parents du père ou de la mère de quelqu'un. *Annabelle a fêté les quarante ans de mariage de ses **grands-parents**.*

grange nom féminin
Bâtiment d'une ferme où l'on abrite les récoltes. *La paille et le foin sont entreposés dans la **grange**.*

granit nom masculin
Roche très dure. *Les dalles de cette entrée sont en **granit**.* * Attention ! Le *t* du mot *granit* se prononce. ✎ On peut écrire aussi ***granite***.

Du **granit**

granivore adjectif et nom
Qui se nourrit de grains. *Certains oiseaux sont **granivores**.* * Chercher aussi *carnivore, frugivore, herbivore, insectivore, omnivore*.

granule nom masculin
❶ Petit grain. *Il nourrit son cochon d'Inde avec des **granules**.* ❷ Petite pilule. *Des **granules** homéopathiques.*

granuleux, granuleuse adjectif
Formé de petits grains. *La texture de ce papier peint est **granuleuse**.* CONTR lisse.

graph(o)- préfixe
Placé au début d'un mot pour former un autre mot, *graph(o)-* signifie « écrire » (***graph**isme*, ***grapho**logie*).

graphique adjectif
Qui est représenté par l'écriture. *Les lettres de l'alphabet sont des signes **graphiques**.*
■ **graphique** nom masculin Ligne représentant les variations d'une grandeur. *Le **graphique** de la température des malades est accroché au pied de chaque lit.* * Chercher aussi *courbe, diagramme*.

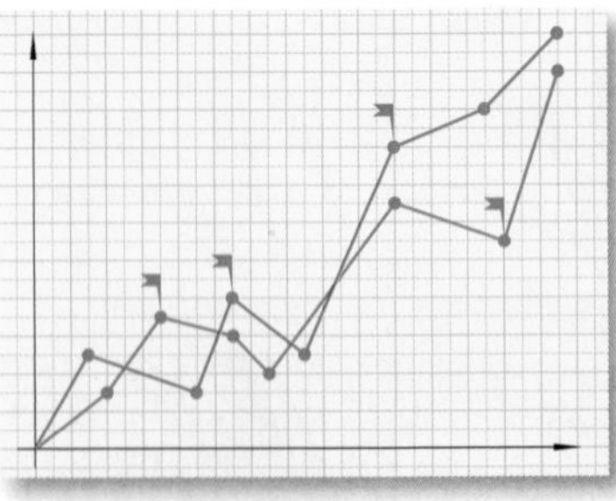
Un **graphique**

graphisme nom masculin
Manière esthétique de tracer des lignes ou de réaliser un dessin. *Le **graphisme** publicitaire.*

graphologie nom féminin
Étude de l'écriture de quelqu'un pour découvrir son caractère.

grappe nom féminin
Ensemble de fleurs ou de fruits portés sur une même tige. *Le raisin et les groseilles se présentent en **grappes**.*

grappiller verbe ▸ conjug. 3
Cueillir çà et là, par petites quantités. *Les enfants **ont grappillé** des framboises.*

grappin nom masculin
Petite ancre à crochets recourbés. • **Mettre le grappin sur quelqu'un** ou **quelque chose**: l'accaparer, s'en emparer.

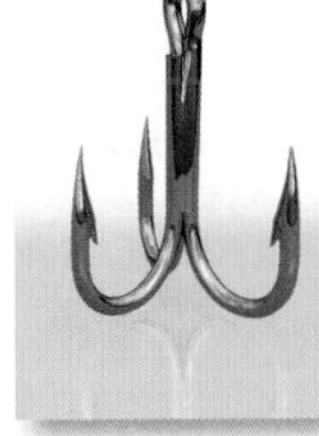
Un **grappin**

gras, grasse adjectif
❶ Qui est composé de graisse. *Le beurre, la margarine, l'huile sont des matières **grasses**.*
❷ Qui a beaucoup de graisse. *Ce chat est **gras**, tu le nourris trop!* **SYN** gros. **CONTR** maigre.
❸ Qui est sali par la graisse. *Après avoir mangé des ailes de poulet, j'avais les doigts **gras**.* **SYN** huileux. • **Caractères gras**: caractères d'imprimerie plus épais que les autres. • **Faire la grasse matinée**: se lever tard. • **Plante grasse**: plante verte aux feuilles charnues et très épaisses. ■ **gras** nom masculin Partie grasse d'un aliment. *Olivier a enlevé le **gras** de sa tranche de jambon.*
♦ Famille du mot: dégraisser, engrais, engraisser, graissage, graisse, graisser, graisseux, grassement, grassouillet.

grassement adverbe
• **Payer grassement**: largement, avec générosité. *Elle est **grassement** payée pour ce qu'elle fait.*

grassouillet, grassouillette adjectif
Qui est un peu gras et potelé. *Un bébé **grassouillet**.* **SYN** dodu. **CONTR** maigrichon.

gratification nom féminin
❶ Somme d'argent accordée à quelqu'un en plus du salaire. *La directrice de l'entreprise a donné une **gratification** aux employés.* **SYN** prime. ❷ Sentiment de satisfaction relié à la valorisation de soi. *Son travail auprès des personnes âgées lui procure beaucoup de **gratification**.*

gratifier verbe ▸ conjug. 10
Accorder un don ou une faveur à quelqu'un. *On **a gratifié** le livreur d'un bon pourboire.* **SYN** récompenser.

gratin nom masculin
Plat saupoudré de fromage râpé et de chapelure, que l'on fait dorer au four. *Un **gratin** d'aubergines.*

gratiner verbe ▸ conjug. 3
Dorer au four pour former un gratin. *Mon père fait **gratiner** des macaronis.*

gratis adjectif
Dans la langue familière, gratuit. *Un spectacle **gratis**.* ■ **gratis** adverbe Gratuitement. *Christos a pu entrer **gratis** au concert.*
* Attention! Le *s* du mot *gratis* se prononce.

gratitude nom féminin
Reconnaissance pour un service rendu. *Je lui ai exprimé toute ma **gratitude** pour son aide.* **CONTR** ingratitude.

gratte-ciel nom masculin invariable
Immeuble très haut. *Ce **gratte-ciel** a plus de cent étages.* **SYN** ② tour. ✎ On peut écrire aussi, au pluriel, *des **gratte-ciels***.

Un **gratte-ciel**

grattement nom masculin
Action de gratter. *On entend le **grattement** du chien derrière la porte.*

a b c d e f **g** h i j k l m n o p q r s t u v w x y z

a b c d e f g h i j k l m n o p q r s t u v w x y z

gratter verbe ▸ conjug. 3
❶ Frotter une surface avec les ongles, les griffes ou avec un grattoir. *Le chien **gratte** à la porte pour sortir.* ❷ Causer des démangeaisons. *Si ce chandail te **gratte**, mets une chemise en dessous.* **SYN** piquer. ❸ Frotter quelque chose sur une surface pour l'enlever. *Le peintre **a** d'abord **gratté** la rouille de la clôture.* **SYN** racler. ■ *se* **gratter** : racler avec ses ongles une partie du corps qui démange. *Hélène a été piquée par des moustiques, elle n'arrête pas de **se gratter**.* ♦ Famille du mot : gratin, gratiner, gratte-ciel, grattement, grattoir.

grattoir nom masculin
Instrument qui sert à gratter. *Pour enlever le givre sur son pare-brise, Sinh a utilisé un **grattoir**.*

gratuit, gratuite adjectif
❶ Que l'on peut obtenir sans payer. *Chloé a eu des échantillons de savon **gratuits**.* ❷ Qui n'a pas de raison ou de preuve. *Sa méchanceté est vraiment **gratuite**.* **CONTR** fondé. ♦ Famille du mot : gratuité, gratuitement.

gratuité nom féminin
Caractère de ce qui est gratuit. *La **gratuité** des soins médicaux.*

gratuitement adverbe
Sans payer. *Les employés de chemin de fer voyagent **gratuitement** dans les trains.* **SYN** gratis.

gravats nom masculin pluriel
Débris de différents matériaux qui proviennent d'une démolition. *Le camion emporte les **gravats** à la décharge.*

grave adjectif
❶ Qui peut être dangereux ou inquiétant. *Le cancer est une maladie **grave**.* **CONTR** bénin. ❷ Qui est sérieux, ne plaisante pas. *Elle nous a annoncé la nouvelle d'un ton **grave**.* ❸ Qui est important. *Ce n'est pas **grave** si tu ne viens pas.* ❹ Se dit d'une voix ou d'un son qui sont très bas. *Ce chanteur a une voix **grave**.* **CONTR** aigu. ♦ Famille du mot : aggravation, aggraver, gravement, gravité.

gravement adverbe
❶ De façon grave. *Il a été **gravement** blessé aux jambes.* **SYN** grièvement, sérieusement. **CONTR** légèrement. ❷ Avec gravité. *L'enseignante a abordé **gravement** le problème de l'exploitation des enfants.* **SYN** sérieusement, solennellement.

graver verbe ▸ conjug. 3
❶ Écrire ou dessiner en creux avec un objet pointu sur une surface dure. *Éloïse a fait **graver** son prénom sur son bracelet.* ❷ Au sens figuré, fixer dans l'esprit. *Son souvenir **est gravé** dans ma mémoire.* ♦ Famille du mot : graveur, gravure.

graveur, graveuse nom
Artiste qui fait de la gravure.

gravier nom masculin
Très petits cailloux. *Mon père a répandu du **gravier** autour de la piscine.*

gravir verbe ▸ conjug. 11
Monter avec effort une pente difficile. *Pour **gravir** cette montagne, il faut un bon équipement.* **SYN** escalader, grimper.

gravitation nom féminin
Attraction universelle qui s'exerce entre les corps. *C'est Newton qui a découvert la loi de la **gravitation**.*

① **gravité** nom féminin
❶ Caractère de ce qui est grave, sérieux. *Heureusement, c'est une blessure sans **gravité**.* ❷ Caractère de ce qui est important. *Parler avec **gravité** d'un sujet d'actualité.*

② **gravité** nom féminin
Force de la pesanteur exercée par la Terre sur les objets. *Les fusées permettent d'échapper à la **gravité** et d'envoyer des objets dans l'espace.*

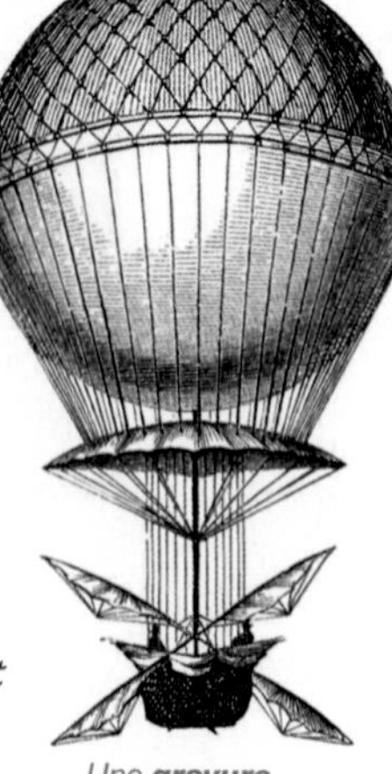
Une **gravure**

graviter verbe ▸ conjug. 3
Tourner autour d'un astre qui exerce une attraction. *Les planètes **gravitent** autour du Soleil.* * Chercher aussi *orbite*, *satellite*.

gravure nom féminin
❶ Art de graver. *Cet artiste fait de la **gravure** sur pierre.* 👁p. 74. ❷ Reproduction d'un dessin à l'aide d'une plaque gravée. *Cette **gravure** mérite d'être encadrée.*

GRC nom féminin
Sigle de *Gendarmerie royale du Canada*.

gré nom masculin
• **Au gré de quelqu'un :** selon son désir, sa préférence, sa volonté. *Nous partirons quand tu le voudras,* ***à ton gré****.* • **Bon gré, mal gré :** avec résignation et à contrecœur. • **Contre le gré de quelqu'un :** contre sa volonté. *Elle a démissionné* ***contre son gré****.* • **De gré ou de force :** volontairement ou sous la contrainte. • **De son plein gré :** volontairement. *On ne l'a pas forcé, il est venu* ***de son plein gré****.*

grec, grecque adjectif et nom
De la Grèce. *La mythologie* ***grecque****. – Les* ***Grecs****, les* ***Grecques****.* ✎ Attention ! Le nom, qui désigne les habitants, s'écrit avec une majuscule. ■ **grec** nom masculin Langue parlée par les Grecs.

gréement nom masculin
Ensemble des voiles, des mâts, des cordages, des poulies d'un bateau. *Avant de quitter le port, on vérifie le* ***gréement****.*

gréer verbe ▸ conjug. 3
Équiper un bateau de son gréement. *Cet été, Rachida a appris à* ***gréer*** *un voilier.*

① **greffe** nom masculin
Bureau d'un tribunal où sont conservées les copies des jugements.

② **greffe** nom féminin
❶ Méthode utilisée pour fixer une partie d'une plante sur une autre plante. *On fait des* ***greffes*** *sur les arbres fruitiers pour obtenir de nouvelles variétés de fruits.* ❷ Opération chirurgicale qui consiste à remplacer un organe malade. *Il a subi une* ***greffe*** *du cœur.*
SYN transplantation.

greffer verbe ▸ conjug. 3
❶ Faire une greffe à une plante. ***Greffer*** *un rosier.* ❷ Faire une greffe d'organe. ***Greffer*** *un rein.* **SYN** transplanter. ■ *se* **greffer** : s'ajouter à quelque chose. *De nouveaux soucis sont venus* ***se greffer*** *à ceux qu'il avait déjà.*

greffier, greffière nom
Personne chargée du greffe d'un tribunal.

grégaire adjectif
Qui pousse certains animaux à vivre en groupe. *L'instinct* ***grégaire*** *des moutons.*

① **grêle** adjectif
❶ Qui est long et menu. *Les flamants roses ont des pattes* ***grêles****.* ❷ Qui est faible et aigu. *Bianca parle d'une voix* ***grêle****.* • **Intestin grêle :** partie longue et mince de l'intestin.
👁p. 320.

② **grêle** nom féminin
Pluie gelée qui tombe sous forme de petits glaçons. *Les arbres fruitiers ont été endommagés par la* ***grêle****.* ♦ Famille du mot : grêler, grêlon. * Chercher aussi *grésil.*

grêler verbe ▸ conjug. 3
Tomber sous forme de grêle. *Il* ***a grêlé*** *ce matin.* * Attention ! *Grêler* ne s'emploie qu'à la troisième personne du singulier.

grêlon nom masculin
Petit morceau de glace qui tombe sous forme de précipitation. *Les* ***grêlons*** *ont endommagé les voitures.*

grelot nom masculin
Clochette en forme de boule. *Mon chat porte un collier orné d'un* ***grelot****.*

grelotter verbe ▸ conjug. 3
Trembler de froid. *Je vois bien que tu as froid, tu* ***grelottes****.* ✎ On peut écrire aussi ***greloter***.

① **grenade** nom féminin
Fruit rond qui contient une multitude de grains rouges avec chacun un pépin à l'intérieur. *Les* ***grenades*** *poussent dans les pays chauds.*
♦ Famille du mot : grenadier, grenadine.

Une ***grenade***

② **grenade** nom féminin
Projectile explosif lancé à la main ou avec un fusil. *La police a lancé des* ***grenades*** *lacrymogènes pour disperser les manifestants.*

grenadien, grenadienne
➔Voir tableau, p. 1319.

a b c d e f **g** h i j k l m n o p q r s t u v w x y z

grenadier nom masculin
Arbre fruitier qui produit des grenades. *Les **grenadiers** sont légèrement épineux.*

grenadine nom féminin
Sirop de couleur rouge à base de jus de grenade. *Arthur adore le jus d'orange à la **grenadine**.*

grenat nom masculin
Pierre précieuse de couleur rouge sombre.
■ **grenat** adjectif invariable Qui est de la couleur rouge sombre du grenat. *Une nappe **grenat**.*

grenier nom masculin
Partie d'une maison située sous le toit. *Mathieu a mis ses vieux livres au **grenier**.* * Chercher aussi *combles*.

grenouille nom féminin
Petit animal amphibie qui se déplace par bonds. *Les **grenouilles** coassent.* 👁p. 46, 454.
* Chercher aussi *batracien*, *ouaouaron*, *têtard*.

Une **grenouille**

grès nom masculin
❶ Roche formée de grains de sable qui se sont agglomérés. ❷ Terre glaise mélangée de sable avec laquelle on fait des poteries. *Un vase en **grès**.* * Chercher aussi *céramique*, *faïence*, *porcelaine*.

grésil nom masculin
Pluie de tout petits grains de glace. * Chercher aussi *grêle*.

grésiller verbe ▸ conjug. 3
Faire de petits bruits secs. *Il faut attendre que l'huile **grésille** pour y mettre les poissons des chenaux à frire.*

① **grève** nom féminin
Arrêt du travail pour protester contre quelque chose ou obtenir des avantages. *Il n'y a pas de courrier, car les facteurs sont en **grève**.*
• **Grève de la faim :** refus de manger. *Pour protester contre son emprisonnement, cet homme fait une **grève de la faim**.*

② **grève** nom féminin
Rivage, plage. *Un bateau s'est échoué sur la **grève**.*

gréviste nom
Personne qui fait la grève. *Les **grévistes** présentent leurs revendications au directeur de l'usine.*

gribouillage nom masculin
Écriture ou dessin gribouillés. *Ces **gribouillages** sont tout à fait illisibles.* * On dit aussi ***gribouillis***.

gribouiller verbe ▸ conjug. 3
Écrire ou dessiner n'importe comment ou de façon informe. *Il **gribouille** dans son cahier.*
* Chercher aussi *griffonner*.

grief nom masculin
Chose que l'on reproche à quelqu'un. *Maryse a un **grief** contre toi.*

grièvement adverbe
Gravement. *Plusieurs personnes ont été **grièvement** brûlées dans l'incendie.*
CONTR légèrement.

griffe nom féminin
❶ Ongle pointu et recourbé de certains animaux. *Les **griffes** du tigre sont redoutables.* ❷ Petit crochet qui maintient une pierre sur un bijou. *Cette opale tient à la bague par des **griffes**.* ❸ Marque commerciale. *Ce manteau porte la **griffe** d'un grand couturier.*

griffer verbe ▸ conjug. 3
Égratigner d'un coup de griffe ou d'ongle. *Fais attention au chat, il **griffe** !* ♦ Famille du mot : griffe, griffonner, griffure.

griffonner verbe ▸ conjug. 3
Écrire vite et mal. *Alan **a griffonné** son adresse électronique sur un petit bout de papier.* * Chercher aussi *gribouiller*.

griffure nom féminin
Marque d'un coup de griffe.

grignoter verbe ▸ conjug. 3
❶ Manger du bout des dents, en rongeant. *Mon hamster **grignote** un biscuit.* ❷ Manger très peu ou par petites quantités. *Aïcha n'a pas d'appétit, elle **grignote**. Félix **grignote** sans arrêt.*

grignotine nom féminin
Amuse-gueule. *Avant de souper, on a mangé des **grignotines**.*

grigri nom masculin
Petit objet porte-bonheur. **SYN** amulette, talisman.

gril nom masculin
Ustensile sur lequel on fait griller des aliments. *David a posé le **gril** sur les braises.*

grillade nom féminin
Viande grillée. *S'il fait beau, on fera des **grillades** sur le barbecue.*

grillage nom masculin
Clôture en fils de métal qui s'entrecroisent. *Les deux cours sont séparées par un **grillage**.*

grillager verbe ▸ conjug. 5
Garnir d'un grillage. *On **a grillagé** le chantier pour éviter les accidents.*

grille nom féminin
❶ Clôture constituée de barreaux métalliques. *Une **grille** en fer forgé sépare la cour de la rue.* ❷ Assemblage de barreaux parallèles en métal. *Claudia a posé le plat sur la **grille** du four.* ❸ Tableau quadrillé. *Vanessa remplit toujours la **grille** des mots croisés du journal.* ♦ Famille du mot: grillage, grillager.

grille-pain nom masculin
Appareil électrique qui sert à griller des tranches de pain. ✎ Pluriel: *des **grille-pains**.*

griller verbe ▸ conjug. 3
❶ Cuire sur un gril. *On a fait **griller** des steaks sur le barbecue.* ❷ Rendre inutilisable. *Le court-circuit **a grillé** cette ampoule.* • **Griller un feu rouge**: dans la langue familière, le dépasser sans s'arrêter. **SYN** brûler. ♦ Famille du mot: gril, grillade, grille-pain.

grillon nom masculin
Insecte noir qui saute et qui fait du bruit en frottant ses élytres l'un contre l'autre. *Le cri des **grillons** s'entend surtout les soirs d'été.* 👁p. 570.

Un **grillon**

grimace nom féminin
Mouvement qui déforme le visage. *Thomas fait des **grimaces** en se tordant la bouche et le nez.* • **Faire la grimace**: manifester son mécontentement ou son dégoût.

grimacer verbe ▸ conjug. 4
Faire des grimaces. *Le blessé **grimaçait** de douleur.*

grimer verbe ▸ conjug. 3
Maquiller. *On **a grimé** cet acteur pour le faire paraître plus vieux.* ■ se **grimer**: se maquiller. *Le clown **se grime** avant de commencer son numéro.*

grimpant, grimpante adjectif
• **Plante grimpante**: se dit d'une plante qui pousse en s'accrochant à un support. *Le lierre et la vigne vierge sont des **plantes grimpantes**.*

grimper verbe ▸ conjug. 3
❶ Monter en s'aidant des pieds et des mains. *Karim **grimpe** dans le pommier pour cueillir des pommes.* **SYN** escalader, gravir. ❷ Suivre une pente raide. *Ce chemin **grimpe** trop pour que Samuel le monte à vélo.* ❸ Dans la langue familière, augmenter. *Le prix de l'essence **a** encore **grimpé**.* • **Grimper dans les rideaux**: dans la langue familière, être pris d'une grande colère soudaine, s'énerver. ♦ Famille du mot: grimpant, grimpeur.

grimpeur, grimpeuse adjectif
Qui a la faculté de grimper. *Les animaux **grimpeurs**.* ■ **grimpeur, grimpeuse** nom
Alpiniste ou cycliste qui grimpe bien les côtes. *Il faut être un bon **grimpeur** pour escalader cette paroi abrupte.*

grinçant, grinçante adjectif
❶ Qui grince. *Une charnière **grinçante**.* ❷ Au sens figuré, qui est aigre et sarcastique. *Il nous a parlé d'un ton **grinçant**.*

grincement nom masculin
Bruit que fait quelque chose qui grince. *Le **grincement** d'une porte.*

grincer verbe ▸ conjug. 4
Faire un bruit aigu et désagréable. *Il faut huiler cette charnière qui **grince**.* • **Grincer des dents**: faire du bruit en frottant ses mâchoires l'une contre l'autre. ♦ Famille du mot: grinçant, grincement.

grincheux, grincheuse adjectif
Grognon. *Le mauvais temps le rend **grincheux**.* **SYN** bougon.

gringalet nom masculin
Homme petit et chétif.

a b c d e f g h i j k l m n o p q r s t u v w x y z

① **gripe** nom féminin
Maladie contagieuse transmise par un virus. *Anaïs a la **grippe**, elle doit rester au lit.*

② **grippe** nom féminin
• **Prendre quelqu'un** ou **quelque chose en grippe :** avoir de l'antipathie pour cette personne ou cette chose, la détester. *Depuis qu'elle s'est cassé la jambe, Vera **a pris** le ski **en grippe**.*

grippé, grippée adjectif
Qui a la grippe.

grippe-sou nom
Dans la langue familière, avare. **SYN** séraphin.
✎ Pluriel : *des **grippe-sous**.*

gris, grise adjectif
❶ Qui est d'une couleur entre le noir et le blanc. *Une souris **grise**.* ❷ Qui est couvert de nuages. *Il va pleuvoir, le ciel est **gris**.* • **Matière grise :** dans la langue familière, intelligence. *Pour trouver la solution de ce rébus, il faut utiliser sa **matière grise**.* ■ **gris** nom masculin Couleur grise. *Elle préfère le **gris** à toute autre couleur.*
♦ Famille du mot : grisaille, grisant, grisâtre, griser, griserie, grisonner.

grisaille nom féminin
Temps gris et brumeux. *Après plusieurs jours de **grisaille**, le beau temps est revenu.*

grisant, grisante adjectif
Qui grise. *Un succès **grisant**.* **SYN** enivrant, excitant.

grisâtre adjectif
Qui est un peu gris. *Cette chemise est d'un blanc **grisâtre**.*

griser verbe ▸ conjug. 3
❶ Enivrer légèrement. *Un verre de bière a suffi à le **griser**.* ❷ Exciter au point de faire perdre la raison. *Il s'est laissé **griser** par le succès.*

griserie nom féminin
Sentiment d'excitation. *Quelle **griserie** de partir à l'aventure !*

grisonner verbe ▸ conjug. 3
Commencer à devenir gris. *Des cheveux qui **grisonnent**.*

grisou nom masculin
Gaz qui se forme dans les mines de charbon et qui peut exploser. • **Coup de grisou :** explosion due au grisou.

grive nom féminin
Oiseau migrateur au plumage brun et gris. *Le chant des **grives** est mélodieux.* 👁p. 454.

*Une **grive***

grivois, grivoise adjectif
Qui est drôle, mais un peu osé. *Une histoire **grivoise**, une chanson **grivoise**.*

grizzli nom masculin
Grand ours brun. *Les **grizzlis** vivent dans les montagnes Rocheuses.*

*Un **grizzli***

grognement nom masculin
Fait de grogner.

grogner verbe ▸ conjug. 3
❶ Pousser son cri, en parlant de l'ours, du cochon ou du sanglier. ❷ Faire un bruit sourd. *Le chien **grogne** chaque fois qu'un étranger s'approche de la maison.* **SYN** gronder.
❸ Montrer que l'on n'est pas content en protestant à voix basse. *Marc range sa chambre en **grognant**.* **SYN** bougonner, grommeler, ronchonner. ♦ Famille du mot : grognement, grognon.

grognon, grognonne adjectif
Qui grogne, est de mauvaise humeur. *Le bébé est **grognon**, car il n'a pas fait sa sieste.* **SYN** bougon, grincheux.

groin nom masculin
Museau du porc ou du sanglier.

grommeler verbe ▸ conjug. 9
Manifester son mécontentement en grognant. *Furieux, il est parti en **grommelant**.* **SYN** bougonner, maugréer, ronchonner.

grondement nom masculin
Bruit sourd et prolongé de quelque chose qui gronde. *On entend le **grondement** du tonnerre.*

gronder verbe ▸ conjug. 3
❶ Faire entendre un bruit sourd. *Le tonnerre **gronde**, il va y avoir de l'orage.* ❷ Faire des reproches à un enfant. *Issam s'est fait **gronder** par ses parents.* **SYN** réprimander.

gros, grosse adjectif
❶ Qui prend beaucoup de place. *Si tu ne pars que deux jours, tu n'as pas besoin de prendre une si **grosse** valise!* **SYN** volumineux. **CONTR** petit. ❷ Qui dépasse le poids normal. *Ce chien est trop **gros**, il doit suivre un régime.* **SYN** gras. **CONTR** maigre. ❸ Qui est très fort, intense. *Une **grosse** grippe. Un **gros** orage.* ❹ Qui est important et peut être grave. *C'est une **grosse** infraction de brûler un feu rouge.* • **Gros mot**: mot grossier. • **Avoir le cœur gros**: avoir du chagrin. ■ **gros, grosse** nom Personne ayant un surplus de poids ou obèse. ■ **gros** adverbe ❶ Beaucoup. *Il a perdu **gros** en jouant au casino.* ❷ En grands caractères. *Écrire **gros**.* • **En avoir gros sur le cœur**: avoir beaucoup de chagrin et de dépit. • **En gros**: grosso modo. *Dis-moi **en gros** de quoi il s'agit.* **CONTR** en détail. • **Acheter, vendre en gros**: par grandes quantités. *Les commerçants **achètent en gros**, chez les grossistes, les marchandises qu'ils revendent au détail à leurs clients.* **CONTR** au détail. ■ **gros** nom masculin ❶ La partie la plus importante de quelque chose. *Le **gros** du projet a été réalisé.* ❷ Vente par grandes quantités. *Il tient un commerce de **gros**.* ♦ Famille du mot: dégrossir, gros-bec, grossesse, grosseur, grossier, grossièrement, grossièreté, grossir, grossissement, grossiste, grosso modo.

gros-bec nom masculin
Oiseau à gros bec conique. *Les **gros-becs** passent l'hiver au Québec.*
👁p. 720.

Un **gros-bec**

groseille nom féminin
Petite baie rouge ou blanche au goût acide, qui pousse en grappes. *Camilla adore la confiture de **groseilles**.* • **Groseille à grappes**: gadelle blanche, noire ou rouge.

Des **groseilles**

groseillier nom masculin
Arbuste qui produit les groseilles.

grossesse nom féminin
État d'une femme enceinte, qui dure environ neuf mois. *Elle ne doit pas faire de sports violents pendant sa **grossesse**.* * Attention! Pour les animaux, on emploie le mot *gestation*.

grosseur nom féminin
Volume de quelque chose. *Cette citrouille est juste de la bonne **grosseur**.* **SYN** taille.

grossier, grossière adjectif
❶ Qui est mal élevé et impoli. *Benjamin a bousculé une passante sans s'excuser, il a été vraiment **grossier**.* **CONTR** courtois, délicat. ❷ Qui est rudimentaire, de mauvaise qualité, sans finesse. *Avec ce tissu **grossier**, ma mère a fait des guenilles.* **CONTR** fin. • **Erreur grossière**: erreur très visible, choquante. ♦ Famille du mot: grossièrement, grossièreté.

grossièrement adverbe
❶ Avec grossièreté. *Il s'est conduit **grossièrement**.* **SYN** impoliment. ❷ De façon sommaire. *Raconte-nous **grossièrement** ce qui s'est passé.* **SYN** en gros, grosso modo.

grossièreté nom féminin
❶ Comportement d'une personne grossière. *Quelle **grossièreté** d'avoir refusé d'aider cette vieille dame!* **SYN** impolitesse, incorrection. ❷ Mot grossier. *Dire des **grossièretés**.* **SYN** gros mot.

grossir verbe ▸ conjug. 11
❶ Devenir plus gros. *Ne mange pas tant de sucreries, ça fait **grossir**.* **SYN** engraisser. **CONTR** maigrir. ❷ Faire paraître plus gros. *Le microscope **grossit** les objets qu'on observe.* ❸ Exagérer. *Cette affaire n'était pas grave, mais les médias l'**ont grossie**.*

a b c d e f g h i j k l m n o p q r s t u v w x y z

grossissement nom masculin
Fait de rendre plus gros. *Le **grossissement** d'une loupe.*

grossiste nom
Personne qui fait du commerce de gros. *Les détaillants achètent leurs marchandises chez les **grossistes**.*

grosso modo adverbe
Rapidement, sans entrer dans les détails. *Dis-moi **grosso modo** ce que tu en penses.* **SYN** en gros, grossièrement.

grotesque adjectif
Qui est bizarre et ridicule. *Une tenue **grotesque**.*

grotte nom féminin
Grand trou naturel dans la roche. *Les enfants ont découvert une **grotte** dans les rochers.* **SYN** caverne. * Chercher aussi *rupestre*.

grouillement nom masculin
Mouvement de ce qui grouille. *Le **grouillement** de la foule.*

grouiller verbe ▸ conjug. 3
❶ S'agiter dans tous les sens et en grand nombre. *Les abeilles **grouillent** dans leur ruche.* ❷ Fourmiller. *Pendant le carnaval d'hiver, les touristes **grouillent** à Québec.* ■ *se* **grouiller** : dans la langue familière, se dépêcher. ***Grouille-toi**, nous avons rendez-vous chez le dentiste.* **SYN** se presser.

groupe nom masculin
❶ Ensemble de personnes ou de choses réunies dans un même endroit. *Mia déteste voyager en **groupe**. Cette banlieue est surtout composée de **groupes** d'immeubles.* • **Groupe alimentaire** : catégorie d'aliments qui présentent les mêmes caractéristiques en termes de valeur nutritive et qu'il est possible de substituer les uns aux autres. *Le guide alimentaire canadien repose sur quatre **groupes alimentaires**.* ❷ Unité syntaxique organisée autour d'un noyau. *Le **groupe** du nom, le **groupe** du verbe.* ♦ Famille du mot : groupement, grouper, regrouper.

groupement nom masculin
Groupe de personnes ayant un intérêt commun. *Son père n'a jamais adhéré à aucun **groupement** politique.* **SYN** association, organisation.

grouper verbe ▸ conjug. 3
Mettre ensemble. *Fanny **a groupé** toutes ses poupées sur l'étagère.* **SYN** rassembler. **CONTR** disperser. ■ *se* **grouper** : se rassembler. *Pour la photo, toute la famille **s'est groupée** autour des mariés.*

gruau nom masculin
Bouillie faite de grains d'avoine décortiqués.

① **grue** nom féminin
Grand oiseau échassier à longues pattes. *Les **grues** sont des oiseaux migrateurs.*

Une **grue**

② **grue** nom féminin
Engin de chantier qui sert à soulever et à déplacer des poids très lourds. *Deux **grues** déchargent le cargo.*

Une **grue**

gruger verbe ▸ conjug. 5
Dans la langue familière, ronger, grignoter. *Jean-François aime **gruger** des carottes.*

grumeau, grumeaux nom masculin
Petite boule d'une matière qui ne s'est pas bien mélangée à un liquide. *Cette pâte à crêpes est pleine de **grumeaux**.*

grutier, grutière nom
Personne qui conduit une grue. *Le **grutier** dirige la grue à partir d'une cabine.*

gruyère nom masculin
Fromage de lait de vache dont la pâte cuite est pleine de trous.

guatémaltèque
➔Voir tableau, p. 1319.

gué nom masculin
Endroit d'une rivière ou d'un torrent où l'on peut traverser à pied. *À cet endroit, l'eau est peu profonde et on peut traverser à **gué**.* * Ne pas confondre *gué* et *gai*.

guédille nom féminin
Pain à hot dog garni de salade aux œufs, au poulet, etc. *Mathieu et Sandra sont allés manger des **guédilles** au casse-croûte.*

guenilles nom féminin pluriel
Vêtements déchirés. *Au bout d'un an, les vêtements des naufragés n'étaient plus que des **guenilles**.* SYN haillons, loques. ■ **guenille** nom féminin Chiffon, souvent un morceau de tissu qui a déjà servi, utilisé pour le nettoyage. *Après avoir fini de peindre, Léa a essuyé son pinceau avec une **guenille**.*

guenon nom féminin
Femelle du singe.

guépard nom masculin
Gros félin au pelage tacheté. *Le **guépard** est l'animal le plus rapide du monde.* 👁p. 432.

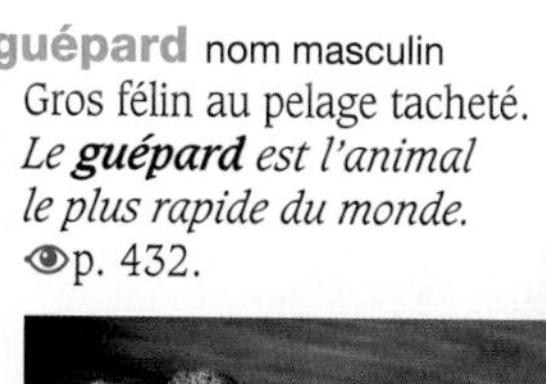

Un **guépard**

guêpe nom féminin
Insecte au corps rayé jaune et noir, dont la femelle a un aiguillon venimeux. *Les piqûres de **guêpe** sont très douloureuses.* 👁p. 570.
• **Taille de guêpe :** taille très fine.

Une **guêpe**

guêpier nom masculin
❶ Nid de guêpes. *Mon père a détruit le **guêpier** qui se trouvait dans l'arbre.* ❷ Au sens figuré, situation dangereuse. *Elle aura du mal à se tirer de ce **guêpier**.* SYN bourbier.

guère adverbe
• **Ne... guère :** pas beaucoup. *Les arbres fruitiers **n'ont guère** donné de fruits cette année.*

guéridon nom masculin
Petite table ronde avec un pied central.

guérilla nom féminin
❶ Guerre faite de petites attaques pour harceler les troupes ennemies. ❷ Troupe de guérilleros.

guérillero nom masculin
Combattant qui mène une guérilla. ✎ On peut écrire aussi ***guérilléro***.

guérir verbe ▸ conjug. 11
❶ Être de nouveau en bonne santé. *Grâce aux antibiotiques, Xavier **a guéri** très vite.* SYN se rétablir. ❷ Débarrasser quelqu'un d'une maladie. *Il existe de nouveaux traitements pour **guérir** le cancer.* ❸ Débarrasser quelqu'un d'une manie, lui faire perdre une habitude. *Mes parents voudraient bien **guérir** ma petite sœur de son habitude de sucer son pouce.*
♦ Famille du mot : guérison, guérisseur.

guérison nom féminin
Fait de guérir. *Heureusement, sa **guérison** a été rapide.* SYN rétablissement.

guérisseur, guérisseuse nom
Personne qui dit pouvoir guérir les gens par d'autres moyens que la médecine habituelle.

guérite nom féminin
Petit abri d'une sentinelle, d'un gardien. *À l'entrée du stationnement, il faut arrêter à la **guérite**.*

guerre nom féminin
Conflit armé entre deux pays ou des groupes de personnes. *Son grand-père a été tué à la **guerre**.* CONTR paix. • **Faire la guerre à quelque chose :** lutter contre cette chose. *Il faut **faire la guerre au** taxage et **à** l'intimidation.* ♦ Famille du mot : aguerrir, guerrier, guerroyer.

a b c d e f g h i j k l m n o p q r s t u v w x y z

guerrier, guerrière adjectif
Qui concerne la guerre. *Un chant **guerrier**.* **SYN** belliqueux. **CONTR** pacifique. ■ **guerrier, guerrière** nom Dans la langue littéraire, soldat.

guerroyer verbe ▸ conjug. 6
Dans la langue littéraire, faire la guerre. **SYN** se battre, combattre.

guet nom masculin
• **Faire le guet :** surveiller avec attention. *Le chasseur **fait le guet**.*

guet-apens nom masculin
Embuscade, piège. *Ils sont tombés dans un **guet-apens**.* ✎ Pluriel : *des **guets-apens**.* * Attention ! Au singulier et au pluriel, on prononce ce mot en faisant la liaison entre le *t* et le *a*.

guetter verbe ▸ conjug. 3
❶ Observer sans se faire voir. *L'aigle **guette** sa proie.* **SYN** épier. ❷ Attendre avec impatience l'arrivée de quelqu'un. *Aurélie **guette** le facteur qui doit lui apporter un colis.*

gueule nom féminin
Bouche de certains animaux. *Le lion tient une proie dans sa **gueule**.*

*Une **gueule** de lion*

gueuler verbe ▸ conjug. 3
Dans la langue familière, crier, parler fort.

gui nom masculin
Plante parasite à fruits blancs et aux feuilles toujours vertes, qui pousse sur certains arbres.

guichet nom masculin
Sorte de comptoir vitré dans une gare, une banque, un cinéma, par où on peut parler à l'employé. • **Guichet automatique :** guichet de banque libre-service où l'on se sert d'une carte pour retirer ou déposer de l'argent, ou faire d'autres transactions bancaires.

① **guide** nom
Personne qui accompagne quelqu'un pour lui montrer le chemin ou lui faire visiter un lieu. *Pour cette excursion, il faut prendre un **guide**.* ■ **guide** nom masculin Livre qui donne des renseignements pratiques sur un pays ou une région, ou sur un sujet particulier. *Avant de partir en Amérique du Sud, on a acheté quelques **guides** de voyage. Un **guide** de jardinage.* ■ **guides** nom féminin pluriel Longues lanières de cuir qui servent à diriger les chevaux. **SYN** rêne.

② **guide** nom féminin
Jeune fille membre d'un mouvement scout. * Chercher aussi *cheftaine*, *jeannette*, *louveteau*, *scout*.

guider verbe ▸ conjug. 3
❶ Accompagner quelqu'un pour lui montrer le chemin. *Hugo connaît bien l'itinéraire, il vous **guidera**.* ❷ Conseiller. *Son entraîneur la **guide** pour l'aider à améliorer ses plongeons.* ■ *se* **guider** : se diriger grâce à un point de repère. *Les explorateurs **se guident** sur l'étoile Polaire.*

guidon nom masculin
Barre qui sert à diriger la roue avant d'une bicyclette ou d'une moto. *Marika a voulu lâcher le **guidon**, et elle est tombée.* 👁p. 117.

guigne nom féminin
Dans la langue familière, malchance. **CONTR** chance, veine.

guignolée nom féminin
Coutume qui consiste à ramasser de l'argent ou des denrées alimentaires pendant la période des Fêtes, afin de les redistribuer aux personnes démunies.

guillemets nom masculin pluriel
Petits signes (« ») qui servent à mettre en valeur un mot, un groupe de mots ou une phrase.

guilleret, guillerette adjectif
Qui est vif et gai. *Ling est toute **guillerette** : elle vient d'apprendre qu'elle a été élue présidente de la classe.* **SYN** joyeux.

guillotine nom féminin
Machine qui servait autrefois à couper la tête des condamnés à mort. * Chercher aussi *échafaud*.

guillotiner verbe ▸ conjug. 3
Décapiter au moyen de la guillotine. *Pendant la Révolution française, beaucoup de nobles **ont été guillotinés**.*

guimauve nom féminin
Confiserie molle et très sucrée. *Julien fait fondre une **guimauve** dans son chocolat chaud.*

Des **guimauves**

guindé, guindée adjectif
Qui manque de naturel. *À cette soirée, tout le monde était si **guindé** qu'on s'est beaucoup ennuyés.*

guinéen, guinéenne
➔Voir tableau, p. 1319.

guirlande nom féminin
Long cordon garni de papier découpé, de fleurs, de petites ampoules, etc., qui sert à décorer. *On a décoré la classe avec des **guirlandes**.*

guise nom féminin
• **À sa guise :** comme il, elle veut. *Chacun se servira **à sa guise**.* • **En guise de :** à la place de. *Jawad a mangé une barre de céréales **en guise de** repas.*

guitare nom féminin
Instrument de musique à cordes. *Laura apprend à jouer de la **guitare**.*
👁p. 692.

Une **guitare**

guitariste nom
Personne qui joue de la guitare.

gustatif, gustative adjectif
Qui concerne le goût. *Les papilles **gustatives**.*

guttural, gutturale, gutturaux adjectif
Qui vient du fond de la gorge. *Une voix **gutturale**.*
SYN rauque.

guyanien, guyanienne
➔Voir tableau, p. 1319.

gymnase nom masculin
Grande salle équipée pour la pratique du sport. *Huang va s'entraîner au **gymnase** deux fois par semaine.* ♦ Famille du mot : gymnaste, gymnastique.

gymnaste nom
Personne qui pratique la gymnastique. *Ces **gymnastes** s'entraînent à la barre fixe.*

Une **gymnaste**

gymnastique nom féminin
Ensemble d'exercices physiques qui rendent le corps plus souple et plus musclé. *Amira fait de la **gymnastique** pour rester en forme.*
👁p. 60. **SYN** éducation physique. ✎ Abréviation familière : ***gym***.

gynécologue nom
Médecin spécialiste de l'organisme de la femme et de ses organes génitaux.

gypse nom masculin
Roche calcaire avec laquelle on fabrique le plâtre.

gyrophare nom masculin
Phare rotatif sur le toit de certains véhicules. *Les policiers et les ambulanciers allument les **gyrophares** de leur véhicule pour qu'on les laisse passer prioritairement.*

a b c d e f g h i j k l m n o p q r s t u v w x y z

En début de mot, **h** en bleu signale un ***h aspiré***: il n'y a donc ni élision du déterminant (*le **hachoir**, le **hall***), ni liaison (*les **hamsters***).
Les autres mots commencent par un ***h muet***: il y a donc élision du déterminant (*l'**histoire***), et on fait la liaison (*les‿**histoires***).

h nom masculin invariable
Huitième lettre de l'alphabet. *Le **h** est une consonne.*

ha! interjection
Exprime la surprise ou le rire. ***Ha! ha!** vous voilà!*

habile adjectif
Qui est adroit, capable ou compétent dans une activité ou un métier. *Sa mère est une bricoleuse très **habile**.* SYN adroit. CONTR maladroit, malhabile. ♦ Famille du mot: habilement, habileté, malhabile.

habilement adverbe
De façon habile. *Il s'est **habilement** tiré d'affaire.* SYN adroitement.

habileté nom féminin
Caractère habile. *J'admire son **habileté** à jongler avec des balles.* SYN adresse, dextérité.

habillé, habillée adjectif
❶ Qui porte des vêtements. *Elle a sauté dans la piscine tout **habillée**.* CONTR nu. ❷ Qui est chic, élégant. *Pour cette cérémonie, il faudra une tenue **habillée**.*

habillement nom masculin
Ensemble de vêtements que l'on porte en même temps. *Pour cette occasion spéciale, je porterai un **habillement** neuf.*

habiller verbe ▸ conjug. 3
❶ Mettre des habits. *Chaque matin, ma mère **habille** ma petite sœur avant de l'emmener à la garderie.* SYN vêtir. CONTR déshabiller. ❷ Déguiser. *Arielle **est habillée** en fée des étoiles.* ■ **s'habiller** ❶ Mettre ses vêtements. *Éric est assez grand pour **s'habiller** tout seul.* CONTR se déshabiller. ❷ Acheter ses vêtements. *Elle **s'habille** dans les grands magasins.* ❸ Porter des vêtements. *Elle **s'habille** avec beaucoup d'élégance.* SYN se vêtir. ♦ Famille du mot: déshabiller, habillé, habillement, habilleur, rhabiller.

habilleur, habilleuse nom
Personne qui aide les acteurs ou les mannequins à s'habiller.

habit nom masculin
Costume noir de cérémonie. *Pour cette soirée, les hommes doivent être en **habit**.* ■ **habits** nom masculin pluriel Ensemble de vêtements. *Dylan a grandi: ses **habits** sont trop petits.*

habitable adjectif
Où l'on peut habiter. *Il faut faire de gros travaux pour que cette maison soit **habitable**.* CONTR inhabitable.

Un **habit**

habitant, habitante nom
❶ Personne qui habite dans un endroit. *Il y a quinze millions d'**habitants** dans cette ville.* ❷ Cultivateur qui vit de l'exploitation de sa terre. *Notre arrière-grand-père était un **habitant**.* * Attention ! Au sens 2, ce mot a la plupart du temps une connotation péjorative. Il vaut mieux dire *cultivateur*, qui est un terme plus neutre.

habitat nom masculin
❶ Manière d'occuper un lieu pour une population humaine. *L'**habitat** urbain se développe au détriment de l'**habitat** rural.* ❷ Milieu dans lequel vit habituellement une espèce animale ou végétale. *L'Arctique est l'**habitat** naturel des ours polaires.*

habitation nom féminin
Logement où l'on habite. *Ces **habitations** sont récentes et très confortables.* 👁p. 512.

habiter verbe ▸ conjug. 3
Vivre habituellement dans un endroit. *Alexia **habite** Montréal, mais avant, elle **habitait** en Mauricie.* **SYN** demeurer, loger, résider. ♦ Famille du mot : cohabiter, habitable, habitant, habitat, habitation, inhabitable, inhabité.

habitude nom féminin
❶ Chose que l'on fait de façon régulière. *Rosalie a pris l'**habitude** de se brosser les dents après chaque repas.* ❷ Coutume ou tradition. *C'est une **habitude** dans cette famille de se réunir à la Saint-Jean.* **SYN** usage. • **D'habitude :** habituellement. ***D'habitude**, le facteur passe vers dix heures.* **SYN** d'ordinaire, généralement, habituellement.

habituel, habituelle adjectif
Qui est régulier, normal. *Mon père s'inquiète, car Mervin n'est pas rentré de l'école à l'heure **habituelle**.* **SYN** courant. **CONTR** exceptionnel, inhabituel.

habituellement adverbe
De façon habituelle. ***Habituellement**, Sabrina va chez sa grand-mère le samedi.* **SYN** d'habitude, d'ordinaire, généralement.

habituer verbe ▸ conjug. 3
Faire prendre une habitude. *Cheng **a habitué** son chien à ne pas aboyer pour un rien.* **SYN** entraîner. ■ ***s'habituer*** : prendre l'habitude de quelque chose. *Elle **s'habitue** à manger des produits bio.* **SYN** s'accoutumer, s'adapter. **CONTR** se déshabituer. ♦ Famille du mot : se déshabituer, habitude, habituel, habituellement, inhabituel.

hache nom féminin
Outil tranchant à lame courte fixée à un long manche. *Il fend le bois à coups de **hache** pour faire des bûches.* ♦ Famille du mot : hacher, hachette, hachis, hachoir, hachure, hachurer. * Chercher aussi *cognée*.

Une **hache**

hacher verbe ▸ conjug. 3
Couper en petits morceaux. *Vincent **hache** des oignons.*

hachette nom féminin
Petite hache.

hachich ➔Voir **haschisch**

hachis nom masculin
Plat à base de viande hachée, préparation d'aliments divers finement hachés. *Éliane prépare un **hachis** d'oignons et de persil pour la farce.*

hachoir nom masculin
Appareil qui sert à hacher les aliments. *La bouchère se sert d'un **hachoir** électrique.*

hachure nom féminin
Chacun des petits traits parallèles qui servent à marquer les ombres sur une illustration.

hachurer verbe ▸ conjug. 3
Tracer des hachures sur une illustration.

hagard, hagarde adjectif
Qui semble hébété, effaré. *Il est sorti de la voiture accidentée avec l'air **hagard**.*

haie nom féminin
❶ Rangée d'arbustes qui forme une clôture. *Les deux terrains sont séparés par une **haie**.* ❷ Rangée de personnes. *Une **haie** de partisans attend à la ligne d'arrivée.* ❸ Obstacle à franchir, disposé pour certaines courses. • **Course de haies :** course à pied où les concurrents doivent sauter par-dessus des barrières.

haillons nom masculin pluriel
Vieux vêtements usés, déchirés. *Une femme en **haillons** mendiait dans la rue.* **SYN** guenilles, loques. * Ne pas confondre *haillons* et *hayon*.

haine nom féminin
Sentiment violent qui pousse à vouloir faire du mal à quelqu'un que l'on déteste ou à éprouver de l'aversion pour quelque chose. *Pourquoi tant de **haine** entre vous ?* **SYN** hostilité, répugnance. **CONTR** affection, amitié, amour.

Des habitations de partout dans le monde

Les nombreux types d'habitations que l'on peut observer dans le monde sont essentiellement déterminés par le climat, les habitudes de vie, l'environnement naturel et les matériaux disponibles. Disposer d'un toit est, en effet, un des besoins primaires de l'être humain.

Une roulotte de gitans

Qu'elle soit faite en paille, en bois ou en pierre, qu'elle soit construite en pleine forêt ou à proximité de tours, chaque demeure permet de s'abriter des intempéries, d'avoir un peu d'intimité et de se sentir en sécurité.

Une petite maison traditionnelle en bambou, au Laos

De plus, la maison étant le lieu où vivent et se côtoient les membres de la cellule familiale, on peut dire que chaque foyer est unique, puisque ce sont les personnes qui y logent qui lui donnent son âme.

Et, comme le dit si bien un proverbe chinois : « Maison de paille où l'on rit vaut mieux que palais où l'on pleure. »

Des cases africaines

Un chalet en bois rond

Des maisons traditionnelles en bois et sur pilotis, au Myanmar

Des maison de plage

Des habitations troglodytiques

Une yourte kirghize

Des igloos

Une maison en bois avec toit en paille, aux Seychelles

Des tours à Shanghai

Une maison canadienne

Une isba russe

De petits bungalows sur la mer

a b c d e f g h i j k l m n o p q r s t u v w x y z

haineux, haineuse adjectif
Qui est plein de haine. *Cet homme tient des propos **haineux**.* SYN hostile. CONTR amical.

haïr verbe ▸ conjug. 11
Éprouver de la haine. *Nathalie **hait** les gens hypocrites.* SYN détester. CONTR aimer.
✎ Attention ! *Haïr* prend un tréma dans toute sa conjugaison, sauf aux trois personnes du singulier du présent de l'indicatif et à la deuxième personne du singulier de l'impératif.

haïssable adjectif
❶ Qui inspire la haine, le dégoût. *L'exploitation des enfants est **haïssable**.* ❷ Insupportable. *Un vieil oncle **haïssable**.* SYN détestable.

haïtien, haïtienne adjectif et nom
D'Haïti. *L'État **haïtien**. – Les **Haïtiens**, les **Haïtiennes**.* * Attention ! Le *t* du mot *haïtien* se prononce comme un *s*. ✎ Attention ! Le nom, qui désigne les habitants, s'écrit avec une majuscule.

hâle nom masculin
Teinte brune de la peau sous l'effet du soleil. *À la fin des vacances, Maxime avait un beau **hâle**.* SYN bronzage.

hâlé, hâlée adjectif
Qui est bruni par le soleil. *Une peau **hâlée**.*

haleine nom féminin
Air que l'on rejette quand on expire. *Ce dentifrice parfume agréablement l'**haleine**.*
• **De longue haleine :** qui demande beaucoup de temps et d'effort. *C'est un travail **de longue haleine**.* • **Être hors d'haleine :** être très essoufflé. • **Reprendre haleine :** reprendre son souffle. • **Tenir quelqu'un en haleine :** retenir son attention jusqu'au bout. *Cette écrivaine sait **tenir** ses lecteurs **en haleine**.*

haletant, haletante adjectif
Qui halète. *Il est arrivé en sueur, tout **haletant**.*

haleter verbe ▸ conjug. 8
Respirer très vite et bruyamment après un effort. *Le chien a trop couru : il **halète**.*

hall nom masculin
Vaste salle qui se trouve à l'entrée d'un bâtiment. *On a rendez-vous dans le **hall** de l'hôtel.*

halle nom féminin
Bâtiment couvert où se tient un marché.
■ **halles** nom féminin pluriel Ensemble de bâtiments et d'installations où l'on s'approvisionne en produits alimentaires de toutes sortes. *Les **halles** de Sainte-Foy.*

Halloween nom féminin
Fête annuelle à l'occasion de laquelle les enfants, masqués et déguisés, font la tournée de leur quartier en présentant des sacs pour qu'on y dépose des friandises. ✎ Attention ! *Halloween* s'écrit avec une majuscule.

*Des costumes d'**Halloween***

hallucinant, hallucinante adjectif
Qui est très étonnant. *Ce portrait ressemble au modèle d'une façon **hallucinante**.* SYN extraordinaire, incroyable.

hallucination nom féminin
Sensation de voir ou d'entendre des choses qui n'existent pas. *Tu as dû être victime d'une **hallucination** : il n'y a pas de monstre dans ta chambre.* SYN illusion, vision.

halo nom masculin
Cercle légèrement flou qui entoure une source lumineuse. *Ce soir, la lune est entourée d'un **halo**.*

halogène adjectif
Se dit d'une lampe qui donne un éclairage très lumineux. *Une lampe **halogène**.*

halte nom féminin
Moment d'arrêt. *Après trois heures de marche, les randonneurs ont fait une **halte** dans une clairière.* SYN pause. • **Halte routière :** espace aménagé en bordure d'une route où les voyageurs peuvent se reposer.

halte-garderie nom féminin
Garderie qui accueille momentanément et occasionnellement les enfants durant l'absence de leurs parents et pour des périodes de vingt-quatre heures ou moins. *Il y a une **halte-garderie** dans le centre commercial.*
✎ Pluriel : *des **haltes-garderies**.*

haltère nom masculin
Instrument de culture physique constitué de deux masses métalliques fixées à chaque extrémité d'une barre. *L'athlète soulève un **haltère** à bout de bras.* • **Poids et haltères :** sport qui consiste à soulever des haltères. SYN haltérophilie. ♦ Famille du mot : haltérophile, haltérophilie.

Des **haltères**

haltérophile nom
Personne qui pratique l'haltérophilie.

haltérophilie nom féminin
Sport qui consiste à soulever des haltères. * Chercher aussi *poids et haltères**.

hamac nom masculin
Morceau de toile ou de filet suspendu par ses extrémités, qui sert de lit. *Greg se balance dans un **hamac** suspendu entre deux arbres.*

hamburger nom masculin
Boulette de viande hachée qui se mange dans un petit pain rond.

hameau, hameaux nom masculin
Petit groupe de maisons isolées, situé en milieu rural. *Les enfants du **hameau** fréquentent l'école du village.*

hameçon nom masculin
Petit crochet en métal fixé au bout d'une ligne. *Le pêcheur accroche un appât à son **hameçon**.*

hampe nom féminin
Longue tige de bois qui sert de support à un drapeau ou au fer d'une lance.

hamster nom masculin
Petit mammifère rongeur. *Guillaume aimerait beaucoup avoir un **hamster** comme animal de compagnie.*

hanche nom féminin
Partie latérale du corps, entre la taille et le haut de la cuisse. *Elle porte une ceinture sur les **hanches**.* 👁p. 246.

handball nom masculin
Sport d'équipe dont les règles ressemblent à celles du soccer, mais où le ballon est lancé à la main. *Le **handball** oppose deux équipes de sept ou de onze joueurs.*

handicap nom masculin
❶ Déficience intellectuelle ou physique. *Marco est aveugle, mais son **handicap** ne l'empêche pas de jouer du piano.* ❷ Désavantage qui diminue les chances de réussite de quelqu'un. *Pour faire du basketball, sa petite taille est un **handicap**.* CONTR avantage. ♦ Famille du mot : handicapé, handicaper.

handicapé, handicapée nom
Personne atteinte d'une déficience physique ou intellectuelle. *La télévision a retransmis les compétitions d'athlétisme réservées aux **handicapés**.* * Chercher aussi *invalide*, *paralympique*.

handicaper verbe ▸ conjug. 3
Constituer un handicap. *Son asthme le **handicape** beaucoup pour faire du sport.* SYN désavantager. CONTR avantager.

hangar nom masculin
Bâtiment qui sert à entreposer des véhicules, des machines ou des marchandises. *Le tracteur est dans le **hangar** de la ferme.*

hanneton nom masculin
Gros insecte brun. *Les **hannetons** sont très nuisibles aux cultures.* 👁p. 570.

Un **hanneton**

hanter verbe ▸ conjug. 3
❶ Apparaître dans un endroit, en parlant de fantômes, d'esprits. *Certaines personnes croient qu'un fantôme **hante** cette maison.* ❷ Au sens figuré, rester sans cesse présent à l'esprit de quelqu'un. *Des images du tremblement de terre le **hantent** jour et nuit.* SYN obséder.

hantise nom féminin
Inquiétude continuelle. *Il vit dans la **hantise** de l'échec.* SYN obsession.

happer verbe ▸ conjug. 3
Saisir brusquement avec sa gueule ou son bec. *Le chat **a happé** la souris et l'a croquée.*

hara-kiri nom masculin
Manière de se suicider en s'ouvrant le ventre avec un sabre, pratiquée au Japon par les samouraïs. ✎ On peut écrire aussi ***harakiri***.

haras nom masculin
Lieu où l'on élève des chevaux. * Attention ! Le *s* du mot *haras* ne se prononce pas.

harassant, harassante adjectif
Qui harasse, qui est très fatigant. *Un travail* ***harassant****.* SYN épuisant, exténuant.

harasser verbe ▶ conjug. 3
Causer une extrême fatigue. *Ce long voyage nous* ***a harassés****.* SYN épuiser, éreinter, exténuer.

harcèlement nom masculin
Action de harceler. *Les élèves ont eu accès à un programme de prévention contre le* ***harcèlement*** *et l'intimidation.*

harceler verbe ▶ conjug. 8
❶ Mener de petites attaques répétées. *Les soldats* ***harcelaient*** *l'ennemi chaque nuit.* ❷ Tourmenter ou importuner sans arrêt. *Le journaliste* ***harcelait*** *la vedette de questions.*

hardi, hardie adjectif
Qui n'hésite pas à prendre des risques. *Autrefois, de* ***hardis*** *navigateurs partaient à la découverte de terres inconnues.* SYN audacieux, intrépide. CONTR craintif, peureux, timoré. ♦ Famille du mot : hardiesse, hardiment.

hardiesse nom féminin
Caractère d'une personne hardie. *La* ***hardiesse*** *de la skieuse lui a permis de remporter la descente.* SYN audace, intrépidité. CONTR lâcheté.

hardiment adverbe
D'une manière hardie. *Le pompier a pénétré* ***hardiment*** *dans la maison en flammes.* SYN bravement, courageusement. CONTR timidement.

harem nom masculin
❶ Appartement réservé aux femmes chez certains musulmans. *Seul le sultan pouvait pénétrer dans le* ***harem*** *où vivaient ses épouses.* ❷ Groupe de femmes qui habitent le harem.

hareng nom masculin
Poisson de mer au dos bleu-vert et au ventre argenté. *Les* ***harengs*** *se déplacent en bancs.* * Attention ! Le *g* du mot *hareng* ne se prononce pas.

Un **hareng**

harfang nom masculin
Sorte de chouette au plumage blanc, particulièrement bien adaptée au climat froid. *Le* ***harfang*** *des neiges est un des emblèmes du Québec.* * Attention ! Le *g* du mot *harfang* ne se prononce pas.

Un **harfang** des neiges

hargne nom féminin
Mauvaise humeur et comportement agressif. *Elle a refusé avec* ***hargne*** *de céder sa place à une personne pressée.*

hargneux, hargneuse adjectif
Qui est plein de hargne. *Ce chien est souvent* ***hargneux****.* SYN agressif. CONTR doux, gentil.

haricot nom masculin
Plante potagère dont les gousses et les graines sont comestibles. *Les* ***haricots*** *verts sont mes légumes préférés.*

Des **haricots**

harmonica nom masculin
Petit instrument de musique composé d'un boîtier contenant des pièces de métal qui vibrent quand on souffle dedans. SYN musique* à bouche.

Un **harmonica**

harmonie nom féminin
❶ Accord équilibré et harmonieux entre les éléments d'un ensemble. *Des teintes en **harmonie**.* **CONTR** disparité. ❷ Bonne entente entre des personnes. *L'**harmonie** règne entre les membres de cette famille.* **CONTR** désaccord, mésentente. ♦ Famille du mot : harmonieusement, harmonieux, harmoniser, harmonium.

harmonieusement adverbe
De façon harmonieuse.

harmonieux, harmonieuse adjectif
❶ Qui est agréable à l'oreille. *Le chant **harmonieux** du rossignol.* **SYN** mélodieux. **CONTR** discordant. ❷ Qui est composé de parties en harmonie. *Un bâtiment aux proportions **harmonieuses**.* **SYN** équilibré, proportionné.

harmoniser verbe ▸ conjug. 3
Mettre en harmonie. *La décoratrice a su **harmoniser** l'ameublement de cette pièce.* ■ s'**harmoniser** : être en harmonie. *Cette coupe de cheveux **s'harmonise** avec la forme de son visage.*

harnachement nom masculin
❶ Ensemble des pièces du harnais d'un cheval. ❷ Équipement lourd et volumineux. *Le **harnachement** d'un astronaute, d'un scaphandrier.*

harnacher verbe ▸ conjug. 3
Mettre un harnais à un cheval.

harnais nom masculin
❶ Équipement d'un cheval ou d'un animal de trait, qui sert à le monter ou à l'atteler. *Le mors, les rênes, la selle sont quelques éléments du **harnais**.* 👁p. 141. ❷ Ensemble de sangles qui entourent le corps, dans la pratique de certains sports. *Le **harnais** d'une alpiniste.*

harpe nom féminin
Grand instrument de musique formé d'un cadre triangulaire sur lequel sont tendues des cordes que l'on pince. 👁p. 692.

harpiste nom
Personne qui joue de la harpe.

*Une **harpe***

harpon nom masculin
Grande flèche métallique dont on se sert pour prendre de gros poissons. *Les Inuits se servent de **harpons** pour la chasse aux mammifères marins.*

harponner verbe ▸ conjug. 3
Attraper au harpon. *Des plongeurs sous-marins **ont harponné** un requin.*

hasard nom masculin
❶ Ce qui n'est pas prévisible et qui échappe à la volonté de l'être humain. *C'est le **hasard** qui nous a réunis.* **SYN** destin, sort. ❷ Évènement imprévu et inexplicable. *Cette découverte est due à un heureux **hasard**.* **SYN** chance. • **À tout hasard :** en prévision de ce qui pourrait se produire. *J'emporte un parapluie **à tout hasard**.* • **Au hasard :** sans but ou sans réflexion. *Partir **au hasard**. Choisir **au hasard**.* • **Jeu de hasard :** jeu où l'on peut gagner grâce à la chance et non grâce à la réflexion. *La loterie est un **jeu de hasard**.* • **Par hasard :** accidentellement, sans l'avoir voulu. • **Par le plus grand des hasards :** d'une façon tout à fait inattendue. ♦ Famille du mot : hasarder, hasardeux.

hasarder verbe ▸ conjug. 3
Exprimer une idée en prenant le risque de se tromper. ***Hasarder** une explication, une hypothèse.* ■ se **hasarder** : s'exposer à un risque. *Il n'est pas prudent de **se hasarder** sur cette vieille passerelle.*

hasardeux, hasardeuse adjectif
Qui comporte des risques. *L'escalade de cette falaise est une entreprise **hasardeuse**.* **SYN** dangereux, risqué.

haschisch ou **hachich** nom masculin
Drogue tirée d'une plante de la famille du chanvre.

hase nom féminin
Femelle du lièvre ou du lapin sauvage. * Chercher aussi *lapereau, lapine*.

a b c d e f g **h** i j k l m n o p q r s t u v w x y z

hâte nom féminin
Grande rapidité dans l'action. *Dans la **hâte** du départ, nous avons oublié une valise.* • **À la hâte :** avec précipitation et sans soin. • **Avoir hâte :** être impatient. *J'ai **hâte** de partir.* • **En toute hâte :** de toute urgence ou en se dépêchant. ♦ Famille du mot : hâter, hâtif.

hâter verbe ▸ conjug. 3
Faire quelque chose plus vite ou plus tôt que prévu. *Nous devons **hâter** la réalisation des travaux.* SYN avancer. CONTR retarder. • **Hâter le pas :** marcher plus vite. SYN accélérer, presser. ■ *se* **hâter** : se dépêcher. *Il **se hâte** de terminer ses devoirs pour pouvoir s'amuser.* SYN se presser.

hâtif, hâtive adjectif
❶ Qui est fait à la hâte, trop vite. *Une décision **hâtive**.* ❷ Qui est en avance par rapport à ce qui est normal, qui a mûri trop tôt. *Ces fruits **hâtifs** manquent de saveur.* SYN précoce. CONTR tardif.

hausse nom féminin
Augmentation en valeur, en degré. ***Hausse** des prix. Le thermomètre est à la **hausse**.* CONTR baisse, fléchissement. • **En hausse :** qui augmente. *La température du malade est **en hausse**.*

hausser verbe ▸ conjug. 3
❶ Augmenter quelque chose en valeur ou en intensité. ***Hausser** les salaires.* CONTR baisser. • **Hausser la voix, le ton :** parler plus fort pour se faire entendre ou se faire obéir. • **Hausser les épaules :** soulever les épaules pour marquer son mépris ou son indifférence. ❷ Améliorer, élever le niveau de quelque chose. *L'enseignant a demandé aux élèves de **hausser** la qualité de leurs travaux.* ■ *se* **hausser** : se dresser. • **Se hausser sur la pointe des pieds :** se dresser sur la pointe des pieds.

haut, haute adjectif
❶ Qui a une certaine taille dans le sens vertical. *Une tour **haute** de trente mètres. Une **haute** montagne.* SYN élevé. CONTR bas. ❷ Qui atteint une intensité élevée. *Chauffer un métal à **haute** température.* ❸ Qui est supérieur, très bon. *Un appareil de **haute** précision.* ❹ Aigu. *Une note **haute**.* CONTR bas, grave. ■ **haut** nom masculin Partie supérieure ou sommet. *Le **haut** du sapin est décoré d'une étoile.* CONTR bas. • **De haut :** de telle hauteur. *Un immeuble de cinquante mètres **de haut**.* • **Des hauts et des bas :** des moments où les choses se passent bien et des moments où les choses ne vont pas. ■ **haut** adverbe À un degré ou à un niveau élevé. *Parlez plus **haut**, on ne vous entend pas.* CONTR bas. *La fusée s'est élevée très **haut** dans le ciel.* • **À voix haute, à haute voix :** fort. *Chanter **à haute voix** sous la douche.* CONTR à voix basse. • **En haut :** dans la partie la plus élevée. *Elle s'est rendue **en haut** pour admirer le panorama.* CONTR en bas. • **En haut de :** dans la partie élevée, supérieure. *Il a grimpé **en haut de** l'arbre.* CONTR en bas de. • **Tomber de haut :** être très surpris ou très déçu. ♦ Famille du mot : hautain, hautbois, haute-fidélité, hauteur, haut-fond, haut-fourneau, haut-le-cœur, haut-parleur.

hautain, hautaine adjectif
Qui a une attitude fière et méprisante. *Elle a regardé sa rivale d'un air **hautain**.* SYN arrogant, dédaigneux.

hautbois nom masculin
Instrument de musique à vent qui ressemble à la clarinette.

Un hautbo

haute-fidélité nom féminin
• **Chaîne haute-fidélité :** appareil dont la qualité technique permet d'obtenir une très bonne reproduction des sons. ✎ On peut écrire aussi ***hautefidélité***.

hauteur nom féminin
❶ Dimension dans le sens vertical. *Ce mur a deux mètres de **hauteur**.* SYN haut. ❷ Niveau par rapport au sol. *Ces deux lits sont à la même **hauteur**.* ❸ Lieu élevé. *Ce village a été construit sur une **hauteur**.* SYN butte, colline. • **Être à la hauteur :** être capable d'accomplir correctement quelque chose ou de faire face à une situation. *Je lui fais confiance pour ce travail : elle **est à la hauteur**.*

haut-fond nom masculin
Endroit d'un cours d'eau où l'eau n'est pas assez profonde pour la navigation. * Chercher aussi *bas-fond, écueil*.

Un **haut-fond**

haut-fourneau nom masculin
Four dans lequel on fait fondre le minerai de fer pour fabriquer de la fonte. ✎ Pluriel : *des **hauts-fourneaux**.*

haut-le-cœur nom masculin invariable
Envie subite de vomir. *Cette odeur de friture me donne des **haut-le-cœur**.* **SYN** nausée.

haut-parleur nom masculin
Appareil qui transforme le courant électrique en ondes sonores. *Ce **haut-parleur** ne fonctionne pas.* ✎ Pluriel : *des **haut-parleurs**.* ✎ On peut écrire aussi ***hautparleur***.

havre nom masculin
Dans la langue littéraire, refuge. *Cette île est un **havre** de paix.*

hayon nom masculin
Porte arrière de certains véhicules, qui s'ouvre de bas en haut. * Ne pas confondre *hayon* et *haillons*.

hé ! interjection
Sert à appeler quelqu'un ou à l'interpeller. ***Hé !** Viens voir !* * Ne pas confondre *hé !* et *eh !*

hebdomadaire adjectif
Qui se produit une fois par semaine. *Le lundi est le jour de fermeture **hebdomadaire** du salon de coiffure.* ■ **hebdomadaire** nom masculin Revue ou journal qui paraît chaque semaine. *Ce magazine de sport est un **hebdomadaire**.* * Abréviation familière : ***hebdo***. * Chercher aussi *mensuel*, *quotidien*.

hébergement nom masculin
Action d'héberger quelqu'un. *Avant de partir là-bas, renseignez-vous sur les conditions d'**hébergement**.* **SYN** logement. • **Centre d'hébergement :** établissement qui accueille des personnes âgées.

héberger verbe ▸ conjug. 5
Recevoir ou loger quelqu'un chez soi. *Nous avons suffisamment de place pour vous **héberger** quelques jours.*

hébété, hébétée adjectif
Hagard, rendu stupide sous l'effet d'un choc. *Il regardait sa maison brûler d'un air **hébété**.* **SYN** ahuri.

hébraïque adjectif
Qui concerne les Hébreux. *La littérature **hébraïque**.*

hébreu, hébreux adjectif masculin
Qui concerne les Hébreux, le peuple juif. *L'alphabet **hébreu**.* * L'adjectif *hébreu* n'a pas de féminin : on emploie *hébraïque*. ■ **hébreu** nom masculin Langue officielle de l'État d'Israël. *Les Israéliens parlent l'**hébreu**.*

hécatombe nom féminin
Massacre d'êtres humains ou d'animaux. *La marée noire a causé une **hécatombe** parmi les oiseaux de mer.*

hect(o)- préfixe
Placé devant une unité de mesure, *hect(o)-* la multiplie par cent (***hecto**litre* = cent litres).

hectare nom masculin
Unité de superficie qui vaut cent ares ou dix mille mètres carrés. * Abréviation : ***ha***.

hectogramme nom masculin
Unité de poids qui vaut cent grammes. * Abréviation : ***hg***.

hectolitre nom masculin
Unité de capacité qui vaut cent litres. * Abréviation : ***hl***.

hectomètre nom masculin
Unité de longueur qui vaut cent mètres. * Abréviation : ***hm***.

hein ! interjection
Dans la langue familière, mot qui sert à indiquer la surprise, l'impatience. ***Hein !** Qu'est-ce que tu dis ?*

hélas ! interjection
Sert à indiquer la tristesse, le regret. ***Hélas !** Nous sommes obligés de nous séparer !*

héler verbe ▸ conjug. 8
Appeler de loin. *Il **a hélé** un taxi qui passait.* ✎ On peut écrire aussi, au futur, *elle **hèlera***; au conditionnel, *il **hèlerait***.

hélice nom féminin
Appareil constitué de plusieurs pales tournant autour d'un axe, qui sert à propulser un avion ou un bateau. *Des avions à **hélices**.*

hélicoptère nom masculin
Appareil d'aviation qui s'élève et se déplace dans l'air grâce à une grande hélice horizontale. *Un **hélicoptère** décolle et atterrit verticalement.*

Un **hélicoptère**

a b c d e f g h i j k l m n o p q r s t u v w

a b c d e f g **h** i j k l m n o p q r s t u v w x y z

héliport nom masculin
Terrain de décollage et d'atterrissage réservé aux hélicoptères.

hélium nom masculin
Gaz très léger. *Des ballons gonflés à l'**hélium**.* * Attention ! La deuxième syllabe du mot *hélium* se prononce *liome*.

hématome nom masculin
Bleu. *Fang a les jambes couvertes d'**hématomes** à cause d'une chute à vélo.* * Chercher aussi *contusion*, *ecchymose*.

hémisphère nom masculin
Chaque moitié du globe terrestre, située de part et d'autre de l'équateur. *Le Canada est situé dans l'**hémisphère** Nord.*

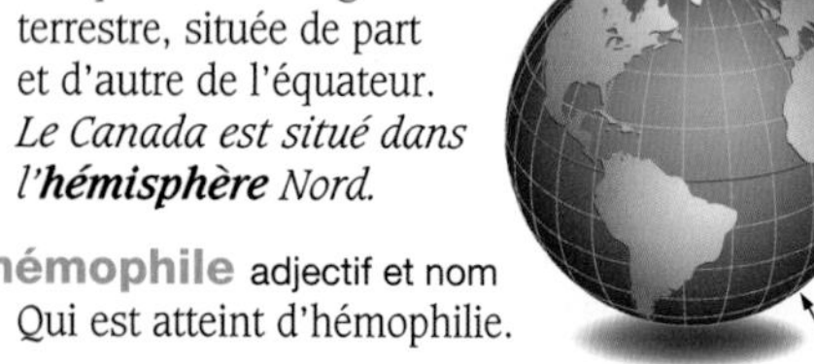
Les **hémisphères**

hémophile adjectif et nom
Qui est atteint d'hémophilie.

hémophilie nom féminin
Maladie héréditaire dans laquelle une blessure, même légère, peut entraîner une grave hémorragie.

hémorragie nom féminin
Écoulement important de sang hors des vaisseaux. *La médecin a fait un pansement au blessé pour arrêter l'**hémorragie**.* * Chercher aussi *garrot*, *transfusion*.

henné nom masculin
❶ Arbuste épineux du Moyen-Orient et d'Afrique du Nord qui produit une poudre colorante. ❷ Poudre jaune ou rouge qui sert de teinture pour les cheveux et le corps. *Un shampooing au **henné**. Des tatouages au **henné**.*

hennir verbe ▸ conjug. 11
Pousser des hennissements. *Le cheval **hennit**.*

hennissement nom masculin
Cri du cheval.

hépatite nom féminin
Maladie du foie. *Certaines **hépatites** sont dues à des virus.*

herbage nom masculin
Prairie dont l'herbe pousse naturellement. *Les vaches broutent dans l'**herbage**.* **SYN** pré.

herbe nom féminin
Plante fine et verte, à tige souple, qui pousse naturellement. *Nous avons pique-niqué sur l'**herbe**.* • **Couper l'herbe sous le pied de quelqu'un :** faire quelque chose avant lui, le devancer. • **En herbe :** se dit du blé qui n'est pas encore mûr. Au sens figuré, se dit de quelqu'un qui est doué pour l'activité qu'il exercera plus tard. *Une violoniste **en herbe**.* • **Fines herbes :** plantes utilisées pour parfumer les plats. *Le persil, la ciboulette, le basilic, la coriandre, etc., sont des **fines herbes**.* • **Herbe à poux :** plante qui pousse notamment sur le bord des routes, des terrains vagues, et dont le pollen très irritant cause la fièvre des foins, qui incommode une grande partie de la population. • **Herbe à puces :** plante qui se trouve dans les sous-bois et dont le contact provoque de violentes démangeaisons cutanées. • **Mauvaise herbe :** plante qui gêne le développement des plantes cultivées. ♦ Famille du mot : désherbant, désherber, herbage, herbicide, herbier, herbivore.

herbicide adjectif
Qui détruit les mauvaises herbes. *Un produit **herbicide**.* ■ **herbicide** nom masculin Produit destiné à détruire les mauvaises herbes. *Cet **herbicide** est très efficace.*

herbier nom masculin
Collection de plantes séchées que l'on colle sur des feuilles de papier.

herbivore adjectif et nom
Qui se nourrit d'herbe et de végétaux. *Le cheval est un animal **herbivore**. – Les mammifères ruminants comme la vache, le cerf, le mouton sont des **herbivores**.* * Chercher aussi *carnivore*, *frugivore*, *granivore*, *insectivore*, *omnivore*.

herboriser verbe ▸ conjug. 3
Cueillir des plantes sauvages pour les étudier ou les utiliser en cuisine ou en médecine.

herboriste nom
Personne qui vend des préparations à base de plantes médicinales.

hercule nom masculin
Homme d'une force exceptionnelle. *Cet athlète est un véritable **hercule**.* **SYN** colosse.

herculéen, herculéenne adjectif
Digne d'un hercule. *Il faudrait une force **herculéenne** pour soulever ce gros rocher.* **SYN** colossal.

héréditaire adjectif
Qui se transmet des parents aux enfants. *Certains caractères physiques comme la couleur des yeux sont **héréditaires**.* * Chercher aussi *génétique*.

hérédité nom féminin
Transmission naturelle de certains caractères d'une personne à ses descendants. *Les ressemblances physiques entre parents et enfants sont liées à l'**hérédité**.*

hérésie nom féminin
❶ Doctrine contraire aux principes établis officiellement dans une religion. ❷ Opinion ou pratique qui va à l'encontre de celle qui est généralement admise. *Manger du foie gras avec du ketchup est une **hérésie**.*

hérétique adjectif et nom
Qui soutient une hérésie. *Un livre **hérétique**. – Autrefois, l'Église catholique considérait les protestants comme des **hérétiques**.*

hérissé, hérissée adjectif
Dressé sur la tête, sur le corps. *Des cheveux **hérissés**.* **SYN** ébouriffé, hirsute. • **Hérissé de :** recouvert de choses qui se dressent comme des piquants. *Une pelote **hérissée d'**épingles.*

hérisser verbe ▸ conjug. 3
❶ Dresser ses poils, ses plumes. *Mon chat **hérisse** ses poils dès qu'il a peur.* ❷ Au sens figuré, horripiler. *Sa vulgarité me **hérisse**.* ■ *se* **hérisser** : se dresser. *Les poils du chat **se sont hérissés** à la vue de l'écureuil.*

hérisson nom masculin
Petit mammifère au corps hérissé de piquants. *Pour se défendre, le **hérisson** se met en boule.*

*Un **hérisson***

héritage nom masculin
Ensemble des biens transmis par une personne qui vient de mourir. *Cette vieille dame a laissé un gros **héritage** à ses successeurs.*

hériter verbe ▸ conjug. 3
❶ Devenir propriétaire par héritage. *Elle **a hérité** d'une immense fortune à la mort de son oncle.* * Chercher aussi *léguer*. ❷ Recevoir par hérédité. *Noémie **a hérité** de la couleur des cheveux de son père.* ♦ Famille du mot : déshériter, héritage, héritier.

héritier, héritière nom
Personne qui hérite. *Son oncle a décidé qu'elle serait son **héritière**.* * Chercher aussi *testament*.

hermaphrodite adjectif et nom masculin
Qui possède les caractères des deux sexes, mâle et femelle. *Les escargots sont **hermaphrodites**. – Cet **hermaphrodite** possède à la fois des testicules et des ovaires.*

hermétique adjectif
❶ Qui est parfaitement étanche. *Ce médicament est conservé dans un flacon **hermétique**.* **SYN** étanche. ❷ Qui est difficile à comprendre. *Cette poésie m'a paru très **hermétique**.* **SYN** obscur. **CONTR** clair.

hermine nom féminin
Petit animal carnivore qui ressemble à la belette et dont le poil, fauve en été, devient blanc l'hiver. *La fourrure de l'**hermine** est très recherchée.*

*Une **hermine***

hernie nom féminin
Grosseur qui se forme dans le corps quand un organe s'est déplacé hors de sa cavité naturelle. *Un effort violent peut provoquer une **hernie**.*

a b c d e f g h i j

① héroïne nom féminin
Drogue puissante fabriquée à partir de l'opium.

② héroïne ➔Voir **héros**

héroïque adjectif
Qui est digne d'un héros. *Des sauveteurs **héroïques**.* SYN brave. CONTR lâche, peureux. *Un acte **héroïque**.*

héroïquement adverbe
De façon héroïque. *Les sauveteurs se sont comportés **héroïquement**.* SYN bravement.

héroïsme nom masculin
Courage exceptionnel. *Ce pompier a reçu une médaille pour son **héroïsme** pendant l'incendie.* SYN bravoure. CONTR lâcheté.

héron nom masculin
Grand oiseau échassier au long cou et au long bec. *Les **hérons** se nourrissent de poissons et de grenouilles.*

*Un **héron** bleu*

héros, héroïne nom
❶ Personne qui se distingue par son héroïsme. *Elle s'est conduite en **héroïne** en sauvant deux enfants de la noyade.* ❷ Personnage principal d'une histoire, d'un évènement. *Le **héros** de cette série d'aventures extraordinaires m'a fasciné.* ♦ Famille du mot : héroïque, héroïquement, héroïsme.

herse nom féminin
❶ Instrument agricole muni de dents métalliques pour briser les mottes de terre. ❷ Grille hérissée de pointes qui s'abaisse pour défendre l'entrée des forteresses. 👁p. 185.

hésitant, hésitante adjectif
Qui hésite. *Mia reste **hésitante** devant un tel choix.* SYN indécis. CONTR décidé, résolu. *Des réponses **hésitantes**.* CONTR assuré, catégorique.

hésitation nom féminin
Fait d'hésiter. *Joëlle a choisi son nouveau jeu vidéo après un long moment d'**hésitation**.* SYN indécision. CONTR assurance, détermination.

hésiter verbe ▸conjug. 3
❶ Avoir du mal à prendre une décision. *Elle **hésite** à partir en voiture à cause du verglas.* ❷ Montrer son indécision en s'arrêtant au cours d'une action. *Koumar lit lentement, en **hésitant** à chaque mot.* ♦ Famille du mot : hésitant, hésitation.

hétéroclite adjectif
Qui forme un mélange bizarre de choses qui ne vont pas ensemble. *L'ameublement de cette chambre est **hétéroclite**.* SYN disparate.

hétérogène adjectif
Qui est composé d'éléments de nature différente. *Ces gens venus des quatre coins du monde forment un groupe **hétérogène**.* CONTR homogène.

hétérosexuel, hétérosexuelle
adjectif et nom
Qui éprouve une attirance sexuelle pour des personnes du sexe opposé.

hêtre nom masculin
Grand arbre à tronc droit, à écorce lisse et à bois blanc utilisé en menuiserie.

*Un **hêtre***

heu ! interjection
Sert à exprimer l'hésitation, le doute, la gêne. *Rends-moi mon stylo ! – **Heu !**... Je crois que je l'ai perdu.* ✎ On écrit aussi ***euh !***

s t u v w x y z

heure nom féminin
❶ Période de temps qui correspond à la vingt-quatrième partie d'une journée. *Une **heure** est divisée en soixante minutes. Nous avons rendez-vous dans une **heure**.* ❷ Moment déterminé de la journée. *Quelle **heure** est-il ?* • **À la bonne heure ! :** c'est bien, c'est satisfaisant. • **À l'heure :** au moment prévu ou à l'heure exacte. *Il est arrivé juste **à l'heure**.* • **À l'heure qu'il est :** en ce moment. ***À l'heure qu'il est**, elle doit être rentrée chez elle.* • **De bonne heure :** tôt. • **Tout à l'heure :** il y a quelques instants ou un peu plus tard. *Il a téléphoné **tout à l'heure**. Je vous rejoins **tout à l'heure**.* • **L'heure H :** heure fixée à l'avance pour déclencher une attaque, une opération spéciale. *La fusée a décollé à **l'heure H**.* • **D'heure en heure :** peu à peu, à mesure que les heures passent. *Avec ces fortes pluies, la rivière grossit **d'heure en heure**.*

Des **hévéas**

heureusement adverbe
Par bonheur. *Il a fait une chute, mais **heureusement**, il n'est pas blessé.* **CONTR** malheureusement.

heureux, heureuse adjectif
❶ Qui est plein de joie, de bonheur. *Vivre des moments **heureux**. C'est une famille **heureuse**.* **CONTR** malheureux. ❷ Qui est très satisfait. *Nous sommes très **heureux** de vous revoir.* **SYN** content. ❸ Qui est favorisé par la chance. *Après cette chute, il peut s'estimer **heureux** de ne pas être blessé.*

heurt nom masculin
Fait de se heurter. *Des **heurts** ont eu lieu entre les manifestants et les forces de l'ordre.*

heurter verbe ▸ conjug. 3
❶ Toucher violemment. *La voiture **a heurté** un arbre.* **SYN** percuter. *En courant, Manolo **a heurté** un passant.* **SYN** cogner. ❷ Au sens figuré, contrarier quelqu'un. *Ses mauvaises manières me **heurtent**.* **SYN** choquer.
■ *se* **heurter à** ❶ Se cogner contre. *En marchant dans le noir, il **s'est heurté à** la table.* ❷ Au sens figuré, rencontrer un obstacle, éprouver une difficulté. *Il **s'est heurté à** une difficulté inattendue.*

hévéa nom masculin
Arbre des pays chauds dont on tire une substance servant à fabriquer le caoutchouc.

hexagone nom masculin
Figure géométrique qui comporte six côtés et six angles. *On appelle la France « l'**Hexagone** », du fait de sa forme.* 👁p. 484.

hi ! interjection
Interjection qui, répétée, signale le rire. ***Hi ! Hi ! Hi !** Cette blague est très drôle.*

hiatus nom masculin
Suite de deux voyelles à l'intérieur d'un mot ou entre deux mots. *« **Aérien** » et « il **a été** » sont des exemples de **hiatus**.*

hibernation nom féminin
État proche du sommeil dans lequel certains animaux vivent pendant l'hiver.

hiberner verbe ▸ conjug. 3
Passer l'hiver en hibernation. *Les ours, les marmottes, les chauves-souris **hibernent**.* * Ne pas confondre *hiberner* et *hiverner*.

hibou, hiboux nom masculin
Oiseau de proie nocturne. *Les **hiboux** se nourrissent de souris et d'autres petits animaux.* * Chercher aussi *hululer*, *rapace*.

Un **hibou**

a b c d e f g h i j k l m n o p q r s t u v w x y z

hic nom masculin invariable
• **Le hic :** dans la langue familière, annonce une difficulté, un problème. *Juan aimerait faire de la plongée sous-marine, mais **le hic**, c'est qu'il ne sait pas nager !* ✎ On peut écrire aussi, au pluriel, *des **hics***.

hideux, hideuse adjectif
Qui est d'une laideur qui fait peur. *Samuel a fait un cauchemar peuplé de monstres **hideux**.* **SYN** affreux, horrible.

hidjab nom masculin
Voile couvrant les cheveux, les oreilles et le cou de nombreuses musulmanes dès qu'elles sont en présence d'étrangers. * Attention ! Dans le mot *hidjab*, les quatre consonnes se prononcent. * Chercher aussi *bourka*, *foulard*, *niquab*, *tchador*, *voile*.

hier adverbe
Jour qui précède aujourd'hui. *Aujourd'hui, c'est lundi ; **hier**, c'était dimanche.* * Chercher aussi *avant-hier*, *veille*. • **Ne pas dater d'hier :** être très ancien. *Ces photos jaunies **ne datent pas d'hier**.*

hiérarchie nom féminin
Organisation d'un groupe de personnes selon leur importance ou leur pouvoir. *La directrice a le poste le plus élevé dans la **hiérarchie** de l'école.* * Chercher aussi *échelle*.

hiérarchique adjectif
Qui concerne une hiérarchie. *Une pyramide illustre la structure **hiérarchique** chez les Incas.*

hiéroglyphe nom masculin
Signe d'écriture des anciens Égyptiens. *Les **hiéroglyphes** sont de petits dessins qui symbolisent des mots ou des idées.*

*Des **hiéroglyphes***

hilarant, hilarante adjectif
Qui fait rire. *Le numéro des clowns était vraiment **hilarant**.* **SYN** comique, désopilant, drôle.

hilare adjectif
Qui est très gai. *Le film était vraiment comique, et, dans la salle, tout le monde était **hilare**.* **SYN** réjoui. **CONTR** sombre. ♦ Famille du mot : hilarant, hilarité.

hilarité nom féminin
Brusque accès de rire. *Sa blague a déclenché l'**hilarité** générale.*

hindou, hindoue adjectif
Qui concerne l'hindouisme. *Un rituel **hindou**.* ■ **hindou, hindoue** nom Personne qui a pour religion l'hindouisme. *Les **hindous** ont pour guides spirituels le gourou et le brahmane.* ✎ On peut écrire aussi *un **indou***, *une **indoue***.

hindouisme nom masculin
Religion très répandue en Inde. *Les adeptes de l'**hindouisme** vénèrent de nombreuses divinités.* ✎ On peut écrire aussi ***indouisme***.

hippique adjectif
Qui concerne les chevaux ou l'équitation. *Un concours **hippique**.* * Chercher aussi *équestre*, *hippodrome*.

hippocampe nom masculin
Petit poisson marin dont la tête rappelle celle d'un cheval. *L'**hippocampe** nage à la verticale.* 👁p. 802.

*Un **hippocampe***

hippodrome nom masculin
Terrain destiné aux courses de chevaux. *L'**hippodrome** de Trois-Rivières.* * Chercher aussi *équestre*, *équitation*, *hippique*.

hippopotame nom masculin
Gros mammifère herbivore qui vit dans les fleuves d'Afrique. *Certains **hippopotames** peuvent atteindre quatre tonnes.* * Chercher aussi *pachyderme*.

*Un **hippopotame** et son petit*

hirondelle nom féminin
Petit oiseau migrateur à queue fourchue. *Les **hirondelles** reviennent des pays chauds aux premiers jours du printemps.*

Une **hirondelle**

hirsute adjectif
Qui est tout ébouriffé, mal coiffé. *Il vient de sortir de son lit, tout **hirsute**.*

hisser verbe ▸ conjug. 3
Faire monter quelque chose en se servant de cordes. ***Hisser** un drapeau.* ■ *se* **hisser**: grimper ou s'élever en faisant de gros efforts. ***Se hisser** sur un mur, sur un toit.*

histoire nom féminin
❶ Récit rapportant des faits réels ou imaginaires. *Pour endormir son petit frère, Marie-Ève lui raconte une **histoire**.* * Chercher aussi *conte*. ❷ Ensemble des évènements qui se sont déroulés dans le passé et qui ont marqué une collectivité, une époque. *Étudier l'**histoire** de la Nouvelle-France.* ❸ Chose fausse que l'on raconte pour tromper quelqu'un. *Arrête de me raconter des **histoires**!* **SYN** mensonge. ❹ Incident fâcheux, désagréable. *Faire un voyage sans **histoire**. Ces facéties vont t'attirer des **histoires**.* **SYN** difficulté, ennui. • **En faire toute une histoire**: exagérer l'importance de quelque chose. • **Faire des histoires**: faire des difficultés. ♦ Famille du mot: historien, historique, préhistoire, préhistorique.

historien, historienne nom
Spécialiste des études d'histoire.

historique adjectif
❶ Qui concerne l'histoire, les évènements du passé. *Il rassemble des documents **historiques** sur la vie au début de la colonie.* ❷ Qui a réellement existé dans le passé. *Jacques Cartier est un personnage **historique**.* **CONTR** légendaire. ❸ Qui est important dans l'histoire du pays. *La bataille des plaines d'Abraham est un évènement **historique**.* ■ **historique** nom masculin Récit qui expose, dans l'ordre chronologique, tous les faits concernant un évènement. *Faire l'**historique** d'une enquête.*

hiver nom masculin
Saison la plus froide de l'année, qui suit l'automne et précède le printemps. ♦ Famille du mot: hivernal, hivernant, hiverner.

hivernal, hivernale, hivernaux adjectif
De l'hiver. *Nous sommes en automne, mais il fait déjà un froid **hivernal**.* * Chercher aussi *estival*.

hivernant, hivernante nom
Personne qui quitte son lieu de résidence habituel durant la saison froide pour des régions au climat plus doux. *Les **hivernants** sont nombreux en Floride.* * Chercher aussi *estivant*.

hiverner verbe ▸ conjug. 3
Passer l'hiver à l'abri. *Les bernaches **hivernent** dans le Sud.* * Ne pas confondre *hiverner* et *hiberner*.

HLM nom féminin ou masculin invariable
Sigle de ***h**abitation à **l**oyer **m**odique*. Immeuble dont les appartements à loyer peu élevé sont destinés à des personnes à faible revenu.

ho! interjection
Sert à interpeller quelqu'un, à exprimer la surprise ou l'admiration. ***Ho!** quel beau cadeau!* * Chercher aussi *oh!*

hochement nom masculin
• **Hochement de tête**: fait de hocher la tête. *Il m'a répondu par un **hochement de tête**.*

hocher verbe ▸ conjug. 3
• **Hocher la tête**: remuer la tête de haut en bas en signe d'accord ou de droite à gauche en signe de désaccord.

hochet nom masculin
Jouet de bébé qui fait du bruit quand on l'agite.

hockey nom masculin
Sport d'équipe qui consiste à envoyer une rondelle ou un ballon dans le but adverse en se servant d'un bâton en forme de palette à son extrémité. *Le **hockey** sur glace.* 👁p. 526. *Le **hockey** sur gazon.*

hockeyeur, hockeyeuse nom
Personne qui joue au hockey. *Cette équipe compte d'excellentes **hockeyeuses**.*

holà! interjection
Sert à arrêter, à modérer quelqu'un. ***Holà!** faites moins de bruit!* ■ **holà** nom masculin • **Mettre le holà à quelque chose**: mettre fin à quelque chose, mettre bon ordre à une situation. *J'ai décidé de **mettre le holà à** tout ce gaspillage.*

Le hockey

Le hockey est le sport national de bien des peuples nordiques, des Québécois en particulier. Et qui dit sport national dit héros national. Rares sont les personnes qui n'ont jamais entendu parler de Maurice Richard, de Jean Béliveau ou de Guy Lafleur, joueurs-vedettes du Canadien de Montréal et véritables légendes du hockey.

C'est sur les patinoires extérieures des villages et des villes que le hockey a permis à des milliers de jeunes d'exprimer leur passion sans pareille pour ce sport d'hiver. Aujourd'hui, on joue au hockey un peu partout dans le monde, que ce soit dans le cadre des Jeux olympiques, des championnats mondiaux ou dans les ligues nationales qui se sont constituées dans plusieurs pays. Le simple bâton de bois d'autrefois, utilisé pour frapper tout objet pouvant servir de rondelle, a fait place à un équipement sophistiqué. Les règles de sécurité, quant à elles, ont fait l'objet de profondes modifications. Mais le bonheur de jouer au hockey, lui, ne s'est jamais démenti !

L'équipement de hockey

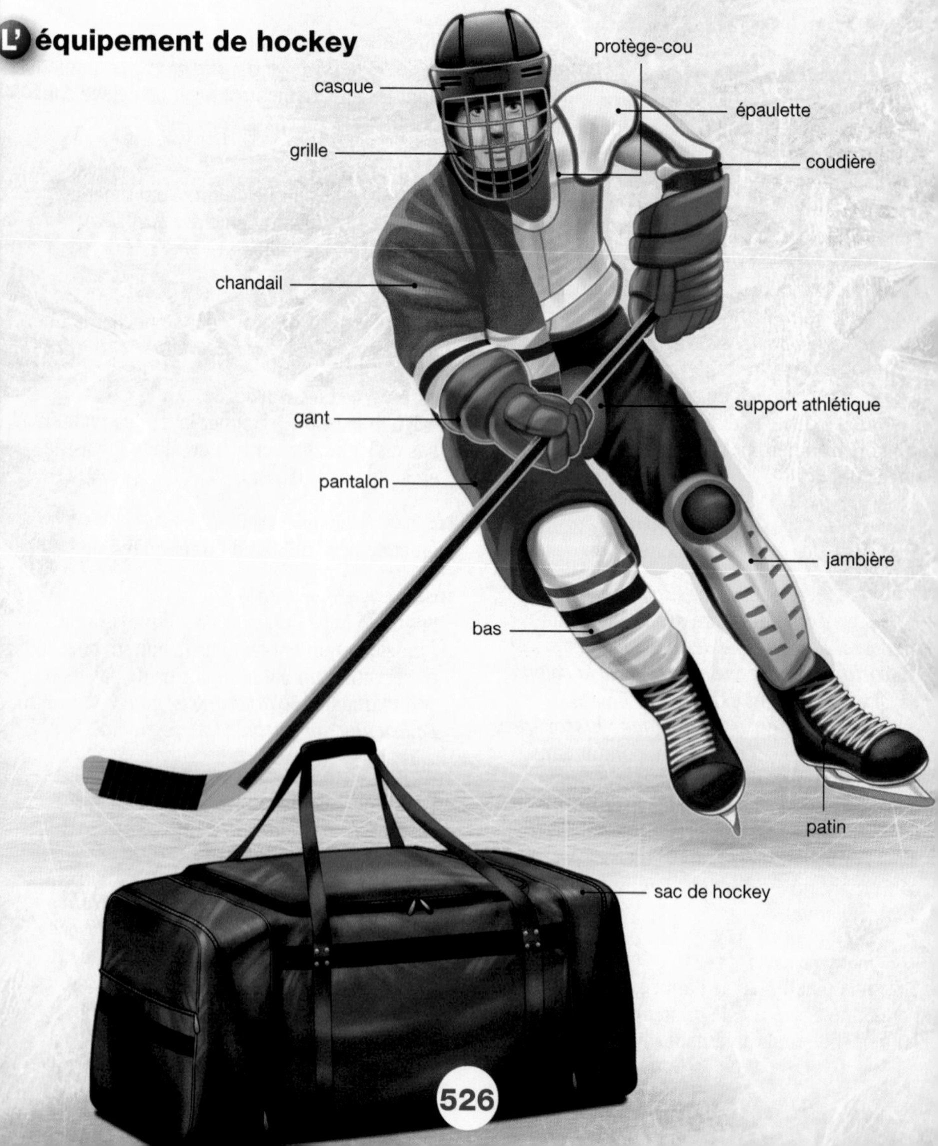

La patinoire

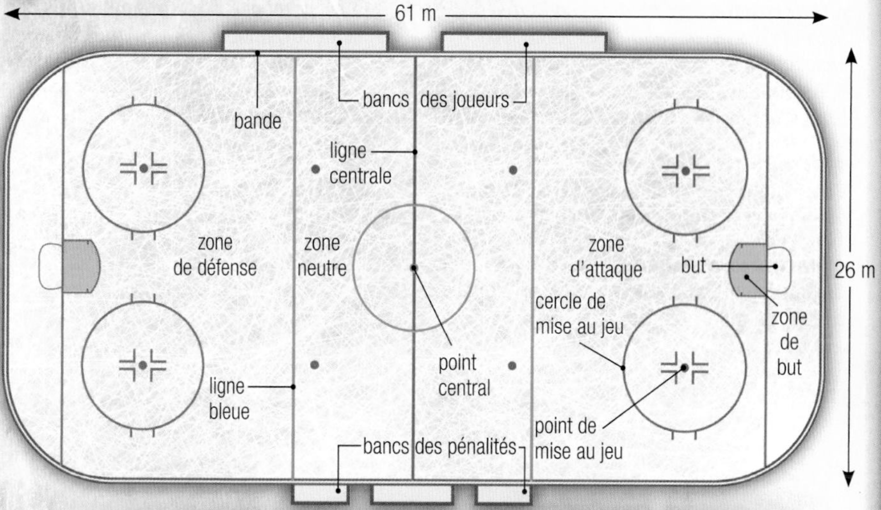

61 m
bancs des joueurs
bande
ligne centrale
zone de défense
zone neutre
zone d'attaque
but
26 m
cercle de mise au jeu
zone de but
point central
ligne bleue
point de mise au jeu
bancs des pénalités

a b c d e f g h i j k l m n o p q r s t u v w x y z

Holocauste nom masculin
Extermination des Juifs par les nazis. *L'**Holocauste** s'est produit pendant la Seconde Guerre mondiale.* ✎ Attention ! *Holocauste* s'écrit avec une majuscule. * Aujourd'hui, on emploie plus couramment le mot *Shoah*.

hologramme nom masculin
Photo qui donne l'impression de relief quand on la regarde sous un certain angle.

homard nom masculin
Crustacé marin aux pattes armées de grosses pinces, dont la carapace bleue devient rouge à la cuisson.

Un **homard**

homéopathie nom féminin
Traitement des maladies consistant à absorber des quantités très faibles de produits qui, à doses fortes, provoqueraient la maladie que l'on veut soigner.

homéopathique adjectif
Qui concerne l'homéopathie. *Un traitement **homéopathique**.*

homicide nom masculin
Fait de tuer un être humain. *Le meurtre est un **homicide** volontaire ; le fait de tuer quelqu'un par accident est un **homicide** involontaire.* * Chercher aussi *assassinat*, *crime*, *meurtre*.

hommage nom masculin
Acte qui marque le respect ou l'admiration. *On a rendu **hommage** à leur courage.*

homme nom masculin
❶ Être humain adulte de sexe masculin. *Ce magasin vend des vêtements pour **hommes**.* ❷ Être humain en général. *De même que le langage, le rire est le propre de l'**homme**.* * Dans ce sens, on dira préférablement *être humain* ou *humain*, sauf dans les locutions figées. • **Comme un seul homme** : tous ensemble et en même temps. *Ils ont répondu **comme un seul homme**.* • **Homme d'affaires** : homme qui a un emploi important dans l'industrie, le commerce. • **Homme de loi** : avocat, juge, etc. • **Homme politique** : député, sénateur, ministre, etc. • **Homme de ménage** : employé qui fait le ménage. • **D'homme à homme** : avec franchise. *Expliquons-nous **d'homme à homme**.*

homme-grenouille, femme-grenouille nom
Plongeur sous-marin équipé de bouteilles à oxygène. *Un **homme-grenouille** répare la coque du bateau.* ✎ Pluriel : *des **hommes-grenouilles**, des **femmes-grenouilles***. * Aujourd'hui, on emploie plus couramment les mots *plongeur*, *plongeuse*. * Chercher aussi *scaphandrier*.

Un **homme-grenouille**

homogène adjectif
Qui est formé d'éléments qui vont bien ensemble ou qui sont de même nature. *Pour gagner ce match, il faut une équipe **homogène**.* CONTR hétérogène.

homographe adjectif et nom masculin
Se dit de mots qui s'écrivent de la même façon et qui ont des sens différents. Ils peuvent avoir la même prononciation (ce sont alors des homophones). *Émile est **content**. Émile et Félix **content** leur histoire incroyable. Dans ces phrases, les mots en gras sont des **homographes**.*

homologue nom
Personne qui remplit la même fonction qu'une autre. *Le ministre canadien de l'Agriculture et de l'Agroalimentaire a rencontré son **homologue** français.*

homologuer verbe ▸ conjug. 3
Reconnaître officiellement la validité de quelque chose. ***Homologuer** un record.* SYN ② sanctionner, valider.

homonyme adjectif et nom masculin
Se dit de mots qui se prononcent ou qui s'écrivent de la même façon, mais qui ont des sens différents. *Les homophones et les homographes sont des **homonymes**.*

homophone adjectif et nom masculin
Se dit de mots qui se prononcent de la même façon, mais qui ont des sens différents. *« Ces », « ses », « c'est » et « s'est » sont des* ***homophones****.* ➾Voir p. 1325.

homosexuel, homosexuelle adjectif et nom
Qui éprouve une attirance sexuelle pour des personnes de son sexe. **SYN** gai. * Chercher aussi *lesbienne*.

hondurien, hondurienne adjectif et nom
Du Honduras. *Le territoire* ***hondurien****. – Les* ***Honduriens****, les* ***Honduriennes****.* ✎ Attention! Le nom, qui désigne les habitants, s'écrit avec une majuscule.

hongrois, hongroise
➾Voir tableau, p. 1319.

honnête adjectif
❶ Qui ne cherche pas à tromper ou à voler. *William est bien trop* ***honnête*** *pour tricher.* **SYN** intègre, loyal. **CONTR** déloyal, malhonnête. ❷ Qui est d'un niveau moyen, acceptable. *Ce restaurant offre un service* ***honnête****.* **SYN** honorable, passable. ♦ Famille du mot: honnêtement, honnêteté, malhonnête, malhonnêteté.

honnêtement adverbe
De façon honnête. *Alexis a toujours gagné sa vie* ***honnêtement****.*

honnêteté nom féminin
Qualité d'une personne honnête. *C'est une commerçante d'une parfaite* ***honnêteté****.* **SYN** droiture, intégrité. **CONTR** malhonnêteté.

honneur nom masculin
❶ Sentiment d'être digne du respect d'autrui. *Il est prêt à se battre pour défendre son* ***honneur****.* ❷ Marque d'estime envers quelqu'un que l'on respecte. *Le premier ministre sera accueilli avec tous les* ***honneurs*** *qui lui sont dus.* • **Être à l'honneur:** être célébré. *Les fromages du Québec* ***seront à l'honneur*** *pendant cette dégustation.* • **Donner sa parole d'honneur:** jurer. • **En l'honneur de:** pour honorer quelqu'un. • **Faire honneur à quelqu'un:** se conduire bien, de manière à le rendre fier. • **Faire honneur à un plat:** manger copieusement et avec grand plaisir. *Il* ***a fait honneur à*** *notre ragoût de chevreuil.* ♦ Famille du mot: déshonneur, déshonorant, déshonorer, honorable, honoraires, honorer, honorifique.

honorable adjectif
❶ Qui mérite l'estime ou le respect des autres. *Un homme* ***honorable****.* **SYN** respectable. ❷ Qui est suffisant, mais pas excellent. *Il a eu une note* ***honorable*** *à son examen.* **SYN** honnête, moyen, passable.

honoraires nom masculin pluriel
Somme d'argent donnée en paiement aux membres de certaines professions. *Un avocat, un notaire reçoivent des* ***honoraires****; un employé reçoit un salaire.* * Chercher aussi *rémunération*, *revenu*.

honorer verbe ▸ conjug. 3
Manifester son respect à quelqu'un. *Une cérémonie aura lieu pour* ***honorer*** *la mémoire de ce grand écrivain.* **SYN** célébrer.

honorifique adjectif
Qui est destiné à honorer quelqu'un. *Il a été nommé président de la soirée à titre* ***honorifique****.*

honte nom féminin
❶ Sentiment de culpabilité ou d'humiliation. *Elle a* ***honte*** *de ses mensonges.* ❷ Chose odieuse ou action déshonorante. *C'est une* ***honte*** *de trahir un ami.*

honteux, honteuse adjectif
❶ Qui éprouve de la honte. *Il est* ***honteux*** *d'avoir manqué de courage.* **SYN** confus. ❷ Qui est déshonorant, scandaleux. *C'est* ***honteux*** *d'attaquer quelqu'un de plus faible que soi.* **SYN** dégoûtant, ignoble, infâme, méprisable.

hop! interjection
Mot qui invite à aller plus vite. *Allez* ***hop!*** *Tout le monde debout!*

hôpital, hôpitaux nom masculin
Établissement dans lequel on soigne ou opère les malades et les blessés. *L'ambulance a transporté la victime de l'accident à l'****hôpital****.* * Chercher aussi *clinique*.

hoquet nom masculin
Contraction du diaphragme qui provoque des secousses et des bruits involontaires dans la gorge. *Avoir le* ***hoquet****.*

horaire adjectif
Qui correspond à une durée d'une heure. *Le salaire* ***horaire****.* ■ **horaire** nom masculin ❶ Tableau qui indique les heures d'arrivée et de départ d'un moyen de transport. *Des* ***horaires*** *de train.* ❷ Emploi du temps. *Les* ***horaires*** *des cours sont affichés au babillard.*

a b c d e f g h i j k l m n o p q r s t u v w x y z

a b c d e f g h i j k l

horde nom féminin
Groupe de gens peu rassurants ou d'animaux. *Une **horde** de voyous. Une **horde** de loups.*
* Chercher aussi *meute*.

horizon nom masculin
❶ Ligne qui semble séparer le ciel et la terre. *Le soleil disparaît sous l'**horizon**.* ❷ Au sens figuré, domaine d'action ou de réflexion. *L'invention du laser a ouvert de nouveaux **horizons** à la médecine.* ♦ Famille du mot : horizontal, horizontalement.

horizontal, horizontale, horizontaux adjectif
Qui est parallèle à la ligne d'horizon. *La surface d'un liquide est toujours **horizontale**.*
* Chercher aussi *oblique*, *vertical*.
■ **horizontale** nom féminin Ligne horizontale.

horizontalement adverbe
En position horizontale. *Écartez les bras **horizontalement**.* CONTR verticalement.

L'**horloge** du parlement d'Ottawa

horloge nom féminin
Appareil de grande taille qui indique l'heure et qui est généralement placé à l'extérieur d'un bâtiment ou dans un lieu public. *Il est midi à l'**horloge** de la gare.* ♦ Famille du mot : horloger, horlogerie.

horloger, horlogère nom
Personne qui fabrique, répare ou vend des montres, des horloges, etc.

horlogerie nom féminin
❶ Fabrication ou commerce des instruments qui indiquent l'heure. *L'**horlogerie** suisse est réputée.* ❷ Magasin de l'horloger.

hormis préposition
Dans la langue littéraire, sauf. *Tous les enfants étaient présents à la fête, **hormis** Manuela.* SYN à part, excepté.

hormone nom féminin
Substance sécrétée par certaines glandes, qui agit sur les organes du corps. *Les **hormones** sont transportées par le sang.*

horo- préfixe
Placé au début d'un mot pour former un autre mot, *horo-* signifie « heure » (***horo**dateur*).

horodateur nom masculin
Appareil qui sert à imprimer la date et l'heure. *L'**horodateur** d'un parcomètre.*
■ **horodateur, horodatrice** adjectif Qui indique la date et l'heure. *Une machine **horodatrice**.*

horoscope nom masculin
Prédiction de l'avenir de quelqu'un d'après la position des planètes à sa naissance.
* Chercher aussi *zodiaque*.

horreur nom féminin
❶ Réaction d'effroi ou de dégoût provoquée par quelque chose d'affreux. *La vue d'une araignée remplit Anh d'**horreur**.* ❷ Ce qui est terrifiant ou très laid. *Cette casquette est une **horreur** !* • **Avoir horreur de quelque chose** : le détester. *Benjamin **a horreur du** rap.* • **Film d'horreur** : qui inspire la terreur, l'effroi. ■ **horreurs** nom féminin pluriel Actes ou paroles horribles. *Ce pays a connu les **horreurs** de la guerre.* SYN atrocités.

horrible adjectif
❶ Qui inspire de l'horreur. *Une histoire **horrible**.* SYN épouvantable, terrifiant. ❷ Qui est très laid ou très pénible à supporter. *Un **horrible** mal de dents.*

horriblement adverbe
❶ De façon horrible. *Elle a été **horriblement** blessée.* SYN affreusement, atrocement. ❷ Très. *Je suis **horriblement** en retard.* SYN excessivement

horrifier verbe ▸ conjug. 10
Provoquer de l'horreur. *Le spectacle de l'accident les **a horrifiés**.*

horripilant, horripilante adjectif
Qui horripile. *Dans la rue, les marteaux-piqueurs font un bruit **horripilant**.* SYN énervant, exaspérant, irritant.

horripiler verbe ▸ conjug. 3
Irriter au plus haut point. *Arrête de pleurnicher, tu m'**horripiles** !* SYN exaspérer.

hors de préposition
À l'extérieur d'un lieu. *Il habite **hors de** la ville.* • **Hors de danger** : à l'abri du danger ou sauvé d'un danger. • **Hors de prix** : trop cher. • **Hors de soi** : dans une violente colère. *Tes mensonges me mettent **hors de moi**.* • **Hors d'usage** : trop vieux ou trop abîmé. *Des jouets **hors d'usage**.* • **Hors de tout doute** : certain.

q r s t u v w x y z

hors-bord nom masculin invariable
Canot rapide dont le moteur se trouve à l'arrière et à l'extérieur de la coque. ✎ On peut écrire aussi, au pluriel, *des **hors-bords***.

Un **hors-bord**

hors-d'œuvre nom masculin invariable
Plat que l'on sert au début du repas, avant l'entrée. *Servir des crudités en **hors-d'œuvre**.* * Chercher aussi *entrée*.

hors-jeu nom masculin invariable
Dans certains sports, faute d'un joueur qui se trouve à un endroit de la surface de jeu où il n'a pas le droit d'être. ✎ On peut écrire aussi, au pluriel, *des **hors-jeux***.

hors-la-loi nom masculin invariable
Bandit, malfaiteur. *Une bande de **hors-la-loi** terrorisait la région.*

horticole adjectif
Qui concerne l'horticulture. *Nous avons vu de belles fleurs exotiques à l'exposition **horticole**.*

horticulteur, horticultrice nom
Personne qui fait de l'horticulture. * Chercher aussi *arboriculteur, jardinier, pépiniériste*.

horticulture nom féminin
Culture des légumes, des arbres fruitiers, des arbres d'ornement et des fleurs.

① **hospitalier, hospitalière** adjectif
De l'hôpital. *Les médecins et les infirmières font partie du personnel **hospitalier**.*

② **hospitalier, hospitalière** adjectif
Qui pratique l'hospitalité. *Ces gens **hospitaliers** savent accueillir les touristes.* **SYN** accueillant. **CONTR** inhospitalier.

hospitaliser verbe ▸ conjug. 3
Faire entrer quelqu'un à l'hôpital. *On va **hospitaliser** Tracy pour l'opérer de l'appendicite.*

hospitalité nom féminin
Fait d'accueillir ou de loger des gens chez soi. *Il a offert l'**hospitalité** à ses voisins inondés.*

hostie nom féminin
Rondelle de pain azyme que le prêtre distribue au moment de la communion.

hostile adjectif
❶ Qui a l'attitude d'un ennemi. *Il a tenu des propos **hostiles** à mon égard.* **SYN** agressif. **CONTR** amical, bienveillant. ❷ Qui est opposé à quelque chose. *Les gens de la région sont **hostiles** à l'installation d'éoliennes.* **CONTR** favorable.

hostilité nom féminin
Attitude d'une personne hostile. *Il regardait l'inconnu avec **hostilité**.* **SYN** malveillance. ■ **hostilités** nom féminin pluriel Actes de guerre. *Le traité de paix a mis fin aux **hostilités**.*

hot-dog nom masculin
Sandwich composé d'un petit pain de forme allongé, fendu sur le côté, contenant une saucisse fumée bouillie ou grillée. *Un **hot-dog** garni de relish et de moutarde.* ✎ Pluriel : *des **hot-dogs***. ✎ On peut écrire aussi *un **hotdog**, des **hotdogs***.

hôte, hôtesse nom
Personne qui donne l'hospitalité à quelqu'un. *Les invités ont été très bien accueillis par leur **hôtesse**.* ■ **hôte** nom Personne qui est reçue chez quelqu'un. *Ariane est l'**hôte** de son amie Malika.* **SYN** invité. • **Table d'hôte** : repas complet dont le prix comprend plusieurs services. ■ **hôtesse** nom féminin Femme chargée de l'accueil des visiteurs. *Des **hôtesses** nous ont renseignés à l'entrée de l'exposition.*

hôtel nom masculin
Établissement dans lequel on peut louer une chambre pour une ou plusieurs nuits. *Nous avons passé une semaine de vacances à l'**hôtel**.* * Chercher aussi *auberge*. • **Hôtel de ville** : mairie. • **Maître d'hôtel** : personne qui dirige le service dans un grand restaurant. ♦ Famille du mot : hôtelier, hôtellerie.

hôtelier, hôtelière nom
Personne qui dirige un hôtel. ■ **hôtelier, hôtelière** adjectif Qui concerne l'hôtellerie. *Une école **hôtelière**.*

hôtellerie nom féminin
Ensemble des activités qui concernent les hôtels et les restaurants.

hôtesse ↠Voir **hôte**

hotte nom féminin
❶ Grand panier muni de bretelles, que l'on porte sur le dos. *Adam a dessiné un père Noël avec une **hotte** débordant de jouets.* ❷ Partie d'une cheminée située au-dessus du foyer. ❸ Appareil électrique fixé au-dessus d'une cuisinière pour aspirer les odeurs et la fumée.

a b c d e f g h i j k l m n o p q r s t u v w x y z

houblon nom masculin
Plante grimpante dont les fleurs servent à la fabrication de la bière.

Du **houblon**

houille nom féminin
Charbon. • **Houille blanche:** énergie électrique produite par les barrages. * Chercher aussi *énergie hydraulique**, *hydroélectricité.*

houiller, houillère adjectif
Qui contient de la houille. *Un gisement* ***houiller.***

houle nom féminin
Mouvement qui agite l'eau en ondulations. *Il n'y a pas de vagues ce matin, seulement une légère* ***houle.*** * Chercher aussi *roulis*, *tangage*.

houlette nom féminin
• **Sous la houlette de quelqu'un:** sous sa conduite ou sous son autorité. *La randonnée se fera* ***sous la houlette d'****un guide.*

houleux, houleuse adjectif
❶ Qui est agité par la houle. *Une mer* ***houleuse.*** **SYN** agité, mouvementé. **CONTR** calme, d'huile.
❷ Au sens figuré, qui est agité, mouvementé. *La réunion s'est terminée dans une atmosphère* ***houleuse.*** **SYN** orageux, tumultueux. **CONTR** calme, paisible.

houppe nom féminin
❶ Touffe de brins de laine. *Cette tuque est garnie d'une* ***houppe.*** ❷ Touffe de cheveux. *Le bébé a une petite* ***houppe*** *sur le sommet de la tête.*

houppette nom féminin
Petite houppe. *Ma mère se poudre le visage avec une* ***houppette.***

hourra! interjection
Sert à exprimer l'enthousiasme, la joie. ***Hourra!*** *vive la championne!* ■ **hourra** nom masculin Cri d'enthousiasme. *Les spectateurs poussaient des* ***hourras*** *au passage des coureurs.*

housse nom féminin
Enveloppe souple dont on recouvre un objet pour le protéger. *Une* ***housse*** *de matelas.*

houx nom masculin
Arbuste à feuilles vertes et piquantes, dont les fruits forment de petites boules rouges. * Ne pas confondre *houx*, *ou* et *où*.

Du **hou**

huard nom masculin
❶ Grand oiseau aquatique qui se distingue du canard et de l'oie par son bec effilé. *On voit beaucoup de* ***huards*** *dans la région des Grands Lacs.* ❷ Pièce d'un dollar canadien sur laquelle est représenté un huard. ✎ On écri aussi ***huart.***

Un **huard**

hublot nom masculin
Petite fenêtre étanche sur un bateau ou dans un avion. 👁p. 93.

huche nom féminin
Coffre de bois à couvercle plat où l'on range le pain.

hue! interjection
Cri que l'on pousse pour faire avancer un cheval. *Allez,* ***hue!***

huées nom féminin pluriel
Cris d'hostilité. *Le discours a été interrompu par les* ***huées*** *du public.* **CONTR** ovation.

huer verbe ▸ conjug. 3
Manifester son mécontentement par des huées. *Les joueurs se sont fait* ***huer*** *par les spectateurs.* **CONTR** acclamer, applaudir, ovationner.

huile nom féminin
❶ Liquide gras tiré de certains végétaux, que l'on utilise pour la cuisine. ***Huile*** *d'olive, de tournesol, de colza, d'arachide.* * Chercher aussi *oléagineux*. ❷ Liquide gras utilisé pour le graissage des machines et des moteurs.
• **Faire tache d'huile:** s'étendre rapidement, se propager. *Le mécontentement* ***a fait tache d'huile.*** • **Jeter de l'huile sur le feu:**

envenimer une dispute. • **Mer d'huile :** mer très calme et lisse. **CONTR** houleux. ♦ Famille du mot : huiler, huileux.

huiler verbe ▸ conjug. 3
Graisser. *Les rouages de cette machine grincent, il faudrait les* ***huiler****.*

huileux, huileuse adjectif
Qui est imbibé d'huile. *Il reste des traces* ***huileuses*** *sur la cuisinière.* **SYN** gras.

à **huis clos** adverbe
En dehors de la présence du public. *Ce procès aura lieu* ***à huis clos****.*

huissier, huissière nom
Personne qui fait exécuter les décisions de la justice.

huit déterminant invariable
Sept plus un (8). *Nathalie a* ***huit*** *ans.* ■ **huit** nom masculin invariable Chiffre ou nombre huit. *Un intérêt de* ***huit*** *pour cent.* ♦ Famille du mot : huitaine, huitième.

huitaine nom féminin
Ensemble d'environ huit. *Il viendra dans une* ***huitaine*** *de jours.*

huitième adjectif et nom
Qui occupe le rang numéro huit. *Le* ***huitième*** *jour. – Élias habite au* ***huitième****.* ■ **huitième** nom masculin Ce qui est contenu huit fois dans un tout. *Il a reçu un* ***huitième*** *de l'héritage de sa marraine.*

huître nom féminin
Mollusque marin à grande coquille, dont la chair est très estimée. *L'élevage des* ***huîtres*** *s'appelle l'ostréiculture.*
✎ On peut écrire aussi ***huitre***.

Une ***huître***

hululement nom masculin
Cri des rapaces nocturnes. *Le* ***hululement*** *du hibou, de la chouette.* ✎ On écrit aussi ***ululement***.

hululer verbe ▸ conjug. 3
Pousser des hululements. ✎ On écrit aussi ***ululer***.

hum ! interjection
Sert à exprimer le doute. ***Hum !*** *je me demande si tout cela est vrai.*

humain, humaine adjectif
❶ Qui concerne l'homme et la femme. *Le corps* ***humain****.* ❷ Qui est bon, généreux avec les autres. *Cette juge se montre à la fois juste et* ***humaine*** *dans ses jugements.* **CONTR** inhumain. ■ **humain** nom masculin Être humain. *Cet ermite vit seul, à l'écart de tous les* ***humains****.* 👁p. 534. ♦ Famille du mot : humainement, s'humaniser, humanitaire, humanité, humanoïde, inhumain, surhumain.

humainement adverbe
Avec humanité. *Les vainqueurs ont traité* ***humainement*** *leurs prisonniers.*

s'**humaniser** verbe ▸ conjug. 3
Devenir plus humain. *Il a fini par* ***s'humaniser*** *au contact de sa femme.*

humanitaire adjectif
Qui vise à améliorer le sort des êtres humains. *Cette organisation* ***humanitaire*** *lutte contre la faim dans le monde.*

humanité nom féminin
❶ Ensemble des êtres humains. *L'histoire de l'****humanité****.* ❷ Sentiment de bienveillance, de générosité à l'égard des autres. *Traiter quelqu'un avec* ***humanité****.*

humanoïde nom
Dans la science-fiction, robot à forme humaine.

humble adjectif
Qui fait preuve de modestie et de simplicité. *Cet artiste admiré de tous a su rester* ***humble****.* **SYN** modeste. **CONTR** orgueilleux, prétentieux.
♦ Famille du mot : humblement, humiliant, humiliation, humilier, humilité.

humblement adverbe
De façon humble. *Elle a reconnu* ***humblement*** *ses erreurs.*

humecter verbe ▸ conjug. 3
Mouiller légèrement. ***Humecter*** *du linge avant de le repasser.* **SYN** humidifier.

humer verbe ▸ conjug. 3
Aspirer pour sentir quelque chose. *Hassan* ***hume*** *l'odeur du poulet rôti.*

humérus nom masculin
Os du bras qui va de l'épaule au coude.
* Chercher aussi *cubitus*, *radius*.

humeur nom féminin
Tendance habituelle ou passagère du caractère d'une personne. *C'est un homme d'****humeur*** *agréable.* **SYN** tempérament. *Aujourd'hui, Marina est de bonne* ***humeur****.* • **Saute d'humeur :** changement brusque et subit du caractère.

L'humain

L'humain fait partie du règne animal. C'est un mammifère dont le nom scientifique, *Homo sapiens*, signifie «homme sage» ou «homme moderne».

L'évolution de l'être humain

Les singes et les humains ont un ancêtre commun : le chimpanzé. Il y a environ 8 millions d'années, la lignée des humains et la lignée des chimpanzés se sont séparées et, à partir de là, ont évolué différemment.

Les ancêtres probables des humains

L'*Homo habilis*

L'ancêtre le plus ancien de l'être humain est l'*Homo habilis* («homme habile»). Il serait apparu en Afrique il y a environ 2,5 millions d'années et se serait éteint il y a 1,6 million d'années. Il marchait sur ses jambes et fabriquait des outils en pierre taillée.

L'*Homo erectus*

L'*Homo erectus* est apparu il y a 1 million d'années et s'est éteint il y a 300 000 ans. Son nom signifie «homme dressé». L'*Homo erectus* était un chasseur-cueilleur et un charognard. Il est le premier à avoir maîtrisé le feu, il y a 450 000 ans, ce qui lui a permis de fabriquer des outils et de cuire ses aliments.

L'Homme de Néandertal

L'Homme de Néandertal est apparu en Europe et en Asie occidentale il y a 250 000 ans et s'est éteint il y a 30 000 ans. Il parlait, façonnait des outils complexes, réfléchissait comme les humains modernes, fabriquait des objets de parure et des outils en os. C'était un grand chasseur et il maîtrisait le feu. Il enterrait ses morts et semblait pratiquer un culte de l'ours, indice d'une forme de religion.

L'*Homo sapiens* ou homme moderne

L'*Homo sapiens* est le premier représentant direct de l'espèce humaine. Il va explorer son territoire, s'installer dans divers milieux. Avec lui naissent les notions de propriété, de famille, de vie conjugale, de travail, de domestication des animaux et d'agriculture. C'est lui qui bâtit les premières sociétés. Enfin, son cerveau se développant de façon extraordinaire, il réfléchit et devient ingénieux. Conséquemment, il invente l'écriture, l'architecture, la médecine, etc.

humide adjectif
❶ Qui est imprégné d'eau ou de vapeur d'eau. *Une cave aux murs **humides**.* CONTR sec. ❷ Où il pleut souvent. *Une région **humide**.* ♦ Famille du mot: humidificateur, humidifier, humidité.

humidificateur nom masculin
Appareil qui sert à humidifier l'air.

humidifier verbe ▸ conjug. 10
Rendre humide. *Les pluies **ont humidifié** la terre.* SYN imbiber, humecter, mouiller. CONTR sécher.

humidité nom féminin
État de ce qui est humide. *Noah ne supporte pas l'**humidité** de l'air marin.* CONTR sécheresse.

humiliant, humiliante adjectif
Qui cause de l'humiliation. *Notre équipe a subi une défaite **humiliante**.* SYN vexant.

humiliation nom féminin
Sentiment d'être humilié. *Jean-Pierre a pâli d'**humiliation** quand ses camarades se sont moqués de lui.* SYN honte.

humilier verbe ▸ conjug. 10
Blesser quelqu'un en lui faisant honte. *Elle m'**a humilié** en me traitant de menteur devant tout le monde.* SYN rabaisser.

humilité nom féminin
Fait de se conduire de façon humble. *Charlotte a fait preuve d'**humilité** en reconnaissant son erreur.* SYN modestie. CONTR orgueil, vanité.

humoriste nom
Personne qui écrit, dessine ou raconte les choses avec humour. *Cet **humoriste** est l'auteur de sketches très amusants.*

humoristique adjectif
Qui montre les choses avec humour. *Un dessin **humoristique**.* SYN comique, drôle.

humour nom masculin
Forme d'esprit qui consiste à faire rire de la réalité même quand elle est triste ou désagréable. *Elle nous a raconté ses mésaventures avec beaucoup d'**humour**.*
• **Humour noir:** humour portant sur des sujets horribles ou contraires à la morale.

humus nom masculin
Terre noire fertile formée de débris végétaux en décomposition. SYN terreau. * Attention! Le *s* du mot *humus* se prononce.

huppe nom féminin
Touffe de plumes qui orne la tête de certains oiseaux. *La **huppe** d'un cacatoès.*

*Une **huppe***

huppé, huppée adjectif
❶ Qui a une touffe de plumes sur la tête. *La gélinotte **huppée** est un oiseau commun au Canada.* ❷ Dans la langue familière, riche et distingué. *Les propriétaires de ce domaine sont des gens **huppés**.*

hurlement nom masculin
Cri violent. *Un **hurlement** de rage.*

hurler verbe ▸ conjug. 3
❶ Pousser des hurlements. *Les loups **ont hurlé** toute la nuit. Quand le chanteur est entré en scène, la foule s'est mise à **hurler**.* SYN brailler, vociférer. ❷ Parler ou chanter très fort. *Inutile de **hurler**, je ne suis pas sourd!*

hurluberlu, hurluberlue adjectif et nom
Dans la langue familière, personne fantasque, extravagante. *Une personne un peu **hurluberlue**. – Son oncle est un **hurluberlu**.* SYN farfelu, original.

huron-wendat, huronne-wendate adjectif et nom
De la nation amérindienne des Hurons-Wendats. *Une tradition **huronne-wendate**. – Les **Hurons-Wendats**, les **Huronnes-Wendates**.* 👁carte 5. ✎ Attention! Le nom, qui désigne les membres de la nation huronne-wendate, s'écrit avec une majuscule.

husky nom masculin
Chien de traîneau. ✎ Pluriel: *des **huskys**.* 👁p. 194.

*Un **husky***

hutte nom féminin
Petite cabane faite de matériaux légers. *Camille et ses amies ont construit une **hutte**.* SYN ① case.

a b c d e f g **h** i j k l m n o p q r s t u v w x y z

a b c d e f g h i j k l m n o p q r s t u v w x y z

hybride nom masculin
Animal ou plante qui résulte du croisement de deux espèces différentes. *Le mulet est un **hybride** de l'âne et de la jument.* ■ **hybride** adjectif Qui mélange des éléments différents. *Une voiture **hybride**.*

hydr(o)- préfixe
Placé au début d'un mot pour former un autre mot, *hydr(o)-* signifie « eau » (***hydr**aulique*).

hydrangée nom féminin
Arbuste à fleurs bleues, roses ou blanches, groupées en grosses boules.

hydratation nom féminin
Fait d'hydrater un organisme.

hydrater verbe ▸ conjug. 3
Fournir l'eau nécessaire à un organisme pour éviter qu'il se dessèche. *Il faut boire beaucoup l'été pour **hydrater** notre organisme.*
CONTR déshydrater.

hydraulique adjectif
Qui fonctionne grâce à la force de l'eau. *Une pompe **hydraulique**.* • **Énergie hydraulique :** énergie produite par l'eau en mouvement. *L'**énergie hydraulique** est l'une des plus grandes ressources du Québec.* * Chercher aussi *houille* blanche, hydroélectricité.*

hydravion nom masculin
Avion qui peut décoller d'une étendue d'eau et s'y poser.

Un **hydravion**

hydrocarbure nom masculin
Corps chimique composé de carbone et d'hydrogène. *Le pétrole, le gaz naturel sont des **hydrocarbures**.* * Chercher aussi *carburant*.

hydrocution nom féminin
Syncope qui peut se produire quand on entre dans une eau trop froide.

hydroélectricité nom féminin
Électricité fournie par les centrales hydroélectriques.

hydroélectrique adjectif
Qui transforme l'énergie hydraulique en électricité. *La centrale **hydroélectrique** Manic-5 utilise l'eau de la rivière Manicouagan pour produire de l'électricité.*

hydrofuge adjectif et nom
Qui protège de l'humidité, de l'eau. *Un vêtement **hydrofuge**. – Ce bois a été traité avec un **hydrofuge**.*

hydrogène nom masculin
Gaz incolore très léger qui se trouve dans l'air et dans l'eau. *L'eau est une combinaison d'oxygène et d'**hydrogène**.* * Chercher aussi *azote, oxygène*.

hydroglisseur nom masculin
Bateau à fond plat propulsé par une hélice d'avion. * Chercher aussi *aéroglisseur*.

Un **hydroglisseur**

hydrographie nom féminin
❶ Science qui étudie les mers, les lacs et les cours d'eau. ❷ Ensemble des cours d'eau et des lacs d'une région.

hydrophile adjectif
Qui absorbe l'eau, les liquides. *Du coton **hydrophile**.*

hyène nom féminin
Mammifère carnivore d'Asie et d'Afrique qui se nourrit principalement d'animaux morts. *L'**hyène** hurle.* * On dit ***l'**hyène* ou ***la** hyène*.

Une **hyène**

hygiène nom féminin
Ensemble des soins du corps nécessaires pour se maintenir en bonne santé. *Avoir de l'**hygiène** consiste notamment à se laver avec soin et à se nourrir de façon saine.*

hygiénique adjectif
Qui concerne l'hygiène. *Du papier **hygiénique**.*

hygiéniste nom
• **Hygiéniste dentaire:** personne spécialisée dans le nettoyage des dents et des gencives. *Chez le dentiste, l'**hygiéniste dentaire** a donné une brosse à dents à mon petit frère.*

*Une **hygiéniste***

hymne nom masculin
Chant national à la gloire d'un pays. *« Ô Canada » est l'**hymne** national canadien.*

hyper- préfixe
Placé au début d'un mot pour former un autre mot, *hyper-* signifie « excessivement », « au plus haut degré » (***hyper**nerveux*).

hyperactif, hyperactive adjectif
Qui manifeste des symptômes d'hyperactivité.

hyperactivité nom féminin
Trouble du comportement caractérisé par une activité incessante et sans but défini. *L'**hyperactivité** accompagne souvent le trouble du déficit d'attention.*

hyperlien nom masculin
Dans un document informatisé, relation établie avec de l'information pertinente au moyen d'une connexion Internet immédiatement activable. **SYN** lien.

hypertexte nom masculin
Présence dans un document informatisé de liens activables qui donnent accès à une information pertinente.

hypnose nom féminin
État proche du sommeil, provoqué par certains médicaments ou sous l'influence d'une personne.

hypnotiser verbe ▸ conjug. 3
❶ Mettre quelqu'un en état d'hypnose. *Ce magicien **a hypnotisé** une spectatrice.*
❷ Attirer l'attention de quelqu'un de façon irrésistible. *Ce spectacle féerique nous **avait hypnotisés**.* **SYN** fasciner.

hypocrisie nom féminin
Défaut d'une personne hypocrite. *Il fait semblant d'être d'accord avec toi, mais c'est de l'**hypocrisie**.* **CONTR** franchise, sincérité.

hypocrite adjectif et nom
Qui cache ses vrais sentiments et fait semblant d'être bon, sincère. *Elle m'a souri d'un air **hypocrite**, mais je sais qu'elle me déteste.* **SYN** ① faux, sournois. **CONTR** ① franc, sincère. – *Je n'ai aucune confiance en lui, c'est un **hypocrite**.*

hypothèse nom féminin
Ce que l'on suppose comme possible pour expliquer un fait. *On pense que l'accident est dû au brouillard, mais ce n'est qu'une **hypothèse**.* **SYN** supposition.

hypothétique adjectif
Qui est fondé sur une hypothèse. *Les causes de la disparition des dinosaures sont **hypothétiques**.* **SYN** incertain. **CONTR** certain, sûr.

hystérie nom féminin
Comportement d'une personne incapable de contrôler son excitation. *La victoire de leur équipe a déchaîné l'**hystérie** des partisans.*

hystérique adjectif et nom
Qui exprime l'hystérie. *Des hurlements **hystériques**.* **SYN** surexcité. – *Un, une **hystérique**.*

a b c d e f g h **i** j k l m n o p q r s t u v w x y z

i nom masculin invariable
Neuvième lettre de l'alphabet. *Le **i** est une voyelle.*

*Un **ibis***

ibis nom masculin
Oiseau blanc et noir qui vit dans les régions chaudes. *L'**ibis** est un échassier à long bec courbé.*

iceberg nom masculin
Masse de glace flottante que l'on rencontre dans les mers polaires. * Chercher aussi *banquise*.

*Un **iceberg***

ici adverbe
Dans le lieu où se trouve la personne qui parle. ***Ici**, on s'amuse bien.* **CONTR** là-bas. *D'**ici** à l'école, il y a cent mètres.* • **D'ici là :** de maintenant à cette date. • **D'ici peu :** dans peu de temps. **SYN** bientôt. * Chercher aussi *là*.

icône nom féminin
❶ Chez les chrétiens orthodoxes, image sainte peinte sur bois. ❷ Symbole qui apparaît sur l'écran de l'ordinateur et sur lequel on clique. ❸ Idole, vedette qui a marqué une époque, une mode, un courant. *Elvis Presley a été une **icône** du rock.*

idéal, idéale, idéals ou **idéaux** adjectif
Qui a toutes les qualités recherchées. *C'est une maison de campagne **idéale**.* **SYN** parfait.
■ **idéal** nom masculin ❶ Solution idéale. *L'**idéal** serait de travailler le matin et de faire du sport l'après-midi.* ❷ Projet auquel on tient le plus. *Elle cherche à réaliser son **idéal**.*
✎ Pluriel : *des **idéals*** ou *des **idéaux***.

idéaliser verbe ▸ conjug. 3
Attribuer à quelqu'un ou à quelque chose un caractère idéal. *Benjamin **idéalise** son grand frère.* **SYN** embellir.

idéaliste adjectif et nom
Qui pense et qui agit en fonction de son idéal, sans toujours tenir compte de la réalité. *Il a exprimé un point de vue **idéaliste**. – Une **idéaliste**.* **CONTR** réaliste.

idée nom féminin
❶ Représentation que l'on se fait des choses dans son esprit. *Ses **idées** ne sont pas très claires, on ne comprend pas bien ce qu'il veut dire.* **SYN** pensée. ❷ Vague notion. *Avez-vous une **idée** du temps que cela prendra ?*
❸ Manière de voir les choses. *Mickaël a son **idée** sur la question.* **SYN** opinion. ❹ Ce qu'on a l'intention de faire. *Laure devait venir, mais elle a changé d'**idée**.* • **Venir à l'idée :** venir à l'esprit. *Il ne t'est pas **venu à l'idée** de demander de l'aide ?* • **Se changer les idées :** se distraire. • **Se faire des idées :** s'imaginer des choses fausses.

identification nom féminin
Action d'identifier. *Le travail des chercheurs a permis l'**identification** du virus.*

identifier verbe ▸ conjug. 10
Découvrir l'identité de quelqu'un ou la nature de quelque chose. *La police **a identifié** le*

*coupable. Elssie cherche à **identifier** ces bruits.* ■ s'**identifier** : s'imaginer à la place de quelqu'un, se mettre dans sa peau. *David **s'identifie** au héros du film.*

identique adjectif
Absolument semblable. *Ces deux fauteuils sont **identiques**.* **SYN** pareil. **CONTR** différent.

identité nom féminin
❶ Éléments d'information (nom, date de naissance, signes physiques particuliers) permettant de reconnaître une personne. *La police vérifie l'**identité** d'un suspect.* ❷ Caractère identique. *L'**identité** de ces triplés ne fait aucun doute !* **SYN** similitude. ❸ Caractéristiques permanentes et stables d'une personne ou d'un groupe. *L'**identité** culturelle.*

idéogramme nom masculin
Signe graphique notant le sens et non les sons d'un mot. *Les Chinois et les Japonais écrivent avec des **idéogrammes**.*

*Un **idéogramme** (amour)*

idéologie nom féminin
Système d'idées ou de croyances propres à une époque, à un groupe ou à une société. *Cette **idéologie** prône la paix.*

idiot, idiote adjectif et nom
Bête. *C'est une question **idiote**.* **SYN** stupide. **CONTR** intelligent. – *Arrête de faire l'**idiot** !* **SYN** imbécile.

idiotie nom féminin
Chose idiote. *Diego n'arrête pas de dire des **idioties**.* **SYN** bêtise, sottise.

idole nom féminin
❶ Image ou statue représentant une divinité. *Les païens adoraient des **idoles**.* ❷ Vedette, artiste que le public adore. *Cette chanteuse est l'**idole** des jeunes.*

if nom masculin
Conifère aux épines vert sombre et aux baies rouges. *Une haie d'**ifs** borde le parc.*

*Une branche d'**if***

igloo ou **iglou** nom masculin
Habitation arrondie faite de blocs de neige durcie. *Autrefois, les Inuits dormaient dans des **iglous** pendant la période de la chasse.* 👁p. 512.

ignare adjectif et nom
Qui est extrêmement ignorant. **SYN** inculte. **CONTR** instruit.

ignifugé, ignifugée adjectif
Que l'on a rendu ininflammable. *La salle de spectacle est construite avec des matériaux **ignifugés**.*

ignoble adjectif
❶ Qui révolte par sa méchanceté. *Un **ignoble** individu.* **SYN** infâme, odieux. ❷ Qui provoque le dégoût. *Cet **ignoble** taudis va être détruit.* **SYN** infect, immonde, répugnant.

ignorance nom féminin
Défaut de connaissances ou de pratique dans un domaine donné. *Il reconnaît son **ignorance** en mécanique.*

ignorant, ignorante adjectif et nom
Qui manque d'instruction, de savoir. *Une personne **ignorante**.* **SYN** inculte. **CONTR** cultivé, insruit. – *Cet **ignorant** n'était pourtant pas un imbécile.* **SYN** ignare.

ignorer verbe ▸ conjug. 3
❶ Ne pas savoir. *J'**ignore** ce qu'il est devenu.* ❷ Faire semblant de ne pas reconnaître quelqu'un que l'on connaît. *Depuis qu'Alex a refusé de jouer avec elle, Jorane l'**ignore**.*
♦ Famille du mot : ignorance, ignorant.

iguane nom masculin
Grand lézard d'Amérique tropicale. *Les **iguanes** peuvent atteindre deux mètres de long.* 👁p. 892. * Attention ! Les lettres *gu* dans le mot *iguane* se prononcent *gou*.

*Un **iguane***

il, ils pronom
Pronom personnel masculin de la troisième personne qui sert à conjuguer le verbe. ***Il** court. **Ils** jouent.* * Chercher aussi *elle*.

île nom féminin
Terre entourée d'eau. *Anticosti est une **île**.* ✎ On peut écrire aussi ***ile***. * Chercher aussi *presqu'île*.

illégal, illégale, illégaux adjectif
Contraire à la loi. *Conduire sans permis est **illégal**.* **SYN** illicite, interdit. **CONTR** légal.

a b c d e f g h i j k l m n o p q u v w x y z

a b c d e f g h i j k l m n o p q r s t u v w x y z

illégalement adverbe
De manière illégale. *Ces marchandises ont été introduites **illégalement** sur le territoire.* **CONTR** légalement.

illégalité nom féminin
Caractère de ce qui est illégal. *Ce commerce se fait dans la plus complète **illégalité**.* **CONTR** légalité.

illégitime adjectif
Qui n'est pas légitime, pas conforme à la loi ni à la morale. *Il considère que cette sanction est **illégitime**.*

illettré, illettrée adjectif et nom
Qui ne sait ni lire ni écrire. *Beaucoup d'enfants sont **illettrés** dans le monde. – Elle apprend à lire aux **illettrés**.* **SYN** analphabète.

illicite adjectif
Contraire à la loi ou à la morale. *Le trafic de cigarettes est un commerce **illicite**.* **SYN** illégal, interdit.

illimité, illimitée adjectif
❶ Sans limites. *Gary a une confiance **illimitée** en son père.* **SYN** absolu, infini, total. ❷ Qui n'est pas fixé d'avance. *Une entente commerciale d'une durée **illimitée**.* **SYN** indéfini, indéterminé.

illisible adjectif
❶ Que l'on ne peut pas lire. *Cette ordonnance est **illisible**.* **SYN** indéchiffrable. **CONTR** lisible. ❷ Trop difficile ou trop ennuyant pour être lu. *Cette revue scientifique est **illisible**.*

illogique adjectif
Qui manque de logique. *Je ne la comprends pas, son comportement est **illogique**.* **SYN** absurde, incohérent. **CONTR** logique.

illumination nom féminin
❶ Idée soudaine qui surgit dans l'esprit de quelqu'un. *L'enquêteuse a eu soudain une **illumination**.* ❷ Lumière qui décore. *L'**illumination** de la croix du mont Royal.*

illuminé, illuminée adjectif
Éclairé, décoré de lumières. *Les façades des maisons étaient magnifiquement **illuminées**.* ■ **illuminé, illuminée** nom Personne qui a des projets, des idées illusoires, irréalisables. *Cet **illuminé** veut construire un vaisseau spatial dans son sous-sol.*

illuminer verbe ▸ conjug. 3
Éclairer d'une vive lumière. *De nombreuses personnes **illuminent** la façade de leur maison pendant les fêtes.*

illusion nom féminin
Idée fausse. *Tu crois que c'est facile, mais tu te fais des **illusions**.* • **Illusion d'optique**: perception fausse de la réalité due à un phénomène naturel. *Un mirage est une **illusion d'optique** due à la chaleur.* ♦ Famille du mot: désillusion, s'illusionner, illusionniste, illusoire.

s'**illusionner** verbe ▸ conjug. 3
Se faire des illusions. *Les chances de gagner à la loterie sont minimes, il ne faut pas **t'illusionner**.* **SYN** se leurrer.

illusionniste nom
Personne qui donne l'illusion de la magie en faisant apparaître et disparaître des objets. *L'**illusionniste** a fait sortir un lapin de son chapeau.* **SYN** magicien, prestidigitateur.

illusoire adjectif
Qui n'est qu'une illusion. *Il est **illusoire** d'espérer un succès.* **SYN** chimérique, trompeur, vain.

illustrateur, illustratrice nom
Personne qui fait des illustrations pour des livres, des magazines, des documents publicitaires, etc. **SYN** dessinateur.

illustration nom féminin
Image illustrant un texte. *Ce livre sur les volcans contient de magnifiques **illustrations**.*

illustre adjectif
Célèbre. *Elle a connu les artistes les plus **illustres** de son temps.* **SYN** fameux.

illustré, illustrée adjectif
Qui contient des illustrations. *Un livre **illustré**.*

illustrer verbe ▸ conjug. 3
❶ Décorer avec des illustrations. *Ce livre **est illustré** avec des dessins de l'auteur.* ❷ Donner un exemple pour mieux se faire comprendre. *Pourriez-vous **illustrer** votre idée?* ■ s'**illustrer**: dans la langue littéraire, se distinguer. *Cette nageuse **s'est illustrée** dans plusieurs compétitions.* ♦ Famille du mot: illustrateur, illustration, illustre, illustré.

îlot nom masculin
Petite île. *Un **îlot** rocheux.* ✎ On peut écrire aussi *ilot*.

Des **îlots**

image nom féminin
❶ Dessin ou photographie. *Audrey ne lit pas le livre, elle regarde seulement les **images**.* **SYN** illustration. ❷ Ce que renvoie le miroir. *Raphaël regarde son **image** dans le miroir.* **SYN** reflet. ❸ Ce que l'on voit sur un écran de cinéma ou de télévision. *L'**image** n'est pas très nette.* ❹ Représentation de quelque chose. *Ce livre donne une fausse **image** de la vie dans le Grand Nord.* ❺ Représentation ressemblante de quelqu'un. *C'est l'**image** de son père au même âge.* **SYN** portrait, réplique. ❻ Façon de parler qui fait des comparaisons avec des choses concrètes. *Dans l'expression: « Cette chambre est une vraie porcherie! », le mot « porcherie » est employé comme **image** de la saleté.* **SYN** métaphore.

imagé, imagée adjectif
Qui contient des images, des similitudes, des comparaisons. *Dire qu'une activité s'est déroulée sans un nuage est une manière de parler **imagée**.*

imaginable adjectif
Que l'on peut imaginer, concevoir. *On a cherché tous les moyens **imaginables** pour le décider à venir.* **SYN** concevable, possible.

imaginaire adjectif
Qui n'existe que dans l'imagination. *Les fantômes sont des êtres **imaginaires**.* **SYN** fictif, irréel. **CONTR** réel, vrai.

imaginatif, imaginative adjectif
Qui a beaucoup d'imagination. *Magda invente des histoires pour son petit frère: elle est très **imaginative**.*

imagination nom féminin
Faculté d'imaginer. *Il faut beaucoup d'**imagination** pour écrire des romans de science-fiction.*

imaginer verbe ▸ conjug. 3
❶ Se représenter des choses ou des gens dans son esprit. *Anh essaie d'**imaginer** comment était sa mère à son âge.* ❷ Inventer ou créer quelque chose qui n'existait pas. *On **a imaginé** des robots capables d'explorer les planètes.* ❸ Penser ou supposer quelque chose. *J'**imagine** que tu as raté l'autobus.* ■ s'**imaginer** ❶ Se représenter quelque chose dans son esprit. *J'essaie de **m'imaginer** adulte, avec des enfants.* ❷ Croire à tort. *Il **s'imagine** qu'il est le seul à savoir jongler.* **SYN** se figurer. ♦ Famille du mot: image, imagé, imaginable, imaginaire, imaginatif, imagination, inimaginable.

imago nom masculin ou féminin
Chez les insectes à métamorphose complète, insecte qui a fini sa métamorphose. *L'**imago** est le dernier stade de développement de l'insecte, après la larve et la nymphe.* 👁p. 570. * Chercher aussi *chrysalide, cocon.*

imam nom masculin
Chef religieux musulman. * Attention! Le *m* final du mot *imam* se prononce. * Chercher aussi *pasteur, prêtre, rabbin.*

imbattable adjectif
Que l'on ne peut pas battre. *Laurence est **imbattable** aux échecs.* **SYN** invincible.

imbécile adjectif et nom
Qui n'est pas intelligent. *Une remarque **imbécile**.* **SYN** bête, stupide. – *Quel **imbécile**!* **SYN** idiot.

imbécillité nom féminin
Caractère ou chose imbécile. *Dire des **imbécillités**.* **SYN** sottise, stupidité. ✎ On peut écrire aussi ***imbécilité***.

imberbe adjectif
Qui n'a pas de barbe. *Un adolescent **imberbe**.* **CONTR** barbu.

imbiber verbe ▸ conjug. 3
Imprégner d'un liquide. *Après les fortes pluies, le sol **est imbibé** d'eau.*

s'**imbriquer** verbe ▸ conjug. 3
❶ Se chevaucher ou s'emboîter. *Les pièces du casse-tête **s'imbriquent** les unes dans les autres.* ❷ Se mêler de manière inextricable. *Tous ces problèmes **se sont** étroitement **imbriqués**.*

imbroglio nom masculin
Situation très embrouillée. *Quel **imbroglio**! C'est à n'y rien comprendre.* * Attention! Le *g* du mot *imbroglio* peut ou non se prononcer.

imbuvable adjectif
Dont le goût est détestable. *Cette boisson est **imbuvable**.* **CONTR** buvable.

imitateur, imitatrice nom
Artiste qui imite des personnes célèbres. *Les politiciens sont les sujets favoris des **imitateurs**.*

imitation nom féminin
❶ Action d'imiter. *Myriam nous a bien fait rire avec son **imitation** du directeur.* ❷ Objet qui imite un modèle original. *Ce meuble n'est pas vraiment ancien, c'est une **imitation**.* **SYN** copie.

a b c d e f g h **i** j k l m n o p q r s t u v w x y z

a b c d e f g h i j k l m n o p q r s t u v w x y z

imiter verbe ▶ conjug. 3
❶ Reproduire ce que l'on a vu ou entendu. *Noura sait bien **imiter** le cri de la chouette.* ❷ Prendre pour modèle. *Antoine essaie d'**imiter** les grandes personnes.* ❸ Reproduire l'aspect de quelque chose. *C'est un tissu qui **imite** le cuir.* SYN copier. ♦ Famille du mot: imitateur, imitation, inimitable.

immaculé, immaculée adjectif
D'une propreté ou d'une blancheur parfaite. *Wapi a mis une chemise d'une blancheur **immaculée**.* SYN impeccable, net, propre.

immangeable adjectif
Qui n'est pas mangeable. *Tu as trop salé les pâtes: elles sont **immangeables**.* CONTR mangeable. * Attention! La première syllabe du mot *immangeable* se prononce *in*.

immanquable adjectif
Qui ne peut manquer d'arriver. *À cette vitesse, l'accident était **immanquable**.* SYN fatal, inévitable. * Attention! La première syllabe du mot *immanquable* se prononce *in*.

immatriculation nom féminin
Fait d'être immatriculé. *La plaque d'**immatriculation** d'une voiture.*

immatriculer verbe ▶ conjug. 3
Inscrire sur un registre officiel avec un numéro. *Il faut **immatriculer** son véhicule avant de circuler sur les routes.*

immature adjectif
Qui manque de maturité physique ou intellectuelle. *Elle est encore très **immature** pour ses seize ans.* CONTR mature.

immédiat, immédiate adjectif
❶ Qui a lieu tout de suite. *Sa réaction a été **immédiate**.* SYN instantané. ❷ Qui est le plus proche. *Ce sont nos voisins **immédiats**.*
■ **immédiat** nom masculin • **Dans l'immédiat**: pour le moment. *Je n'ai pas de travail pour vous **dans l'immédiat**.*

immédiatement adverbe
De façon immédiate. *Les pompiers sont arrivés **immédiatement**.* SYN aussitôt, sur-le-champ.

immense adjectif
Très grand. *Cette salle de réception est **immense**.* SYN colossal, énorme, gigantesque. *Vous me faites un **immense** plaisir.* SYN extrême. ♦ Famille du mot: immensément, immensité.

immensément adverbe
D'une manière immense. *C'est une famille **immensément** riche.* SYN extrêmement.

immensité nom féminin
Qualité de ce qui est immense. *La sonde spatiale s'est perdue dans l'**immensité** de l'espace.*

immerger verbe ▶ conjug. 5
Plonger dans un liquide. ***Immerger** des oléoducs.*

immersion nom féminin
❶ Action d'immerger. *L'**immersion** d'un sous-marin.* ❷ Méthode consistant à enseigner de façon intensive une langue seconde ou étrangère dans un milieu où c'est la langue première. *Ces Ontariens ont appris le français par **immersion** lors d'un séjour estival au Québec.*

immeuble nom masculin
Bâtiment à plusieurs étages. *Dans ce quartier, il y a des **immeubles** de bureaux et des **immeubles** d'habitation.*

immigrant, immigrante nom et adjectif
Personne qui immigre. *L'accueil des **immigrants**. – Une famille **immigrante**.* * Chercher aussi *émigrant*.

immigration nom féminin
Action d'immigrer. *La pauvreté conduit certaines populations à opter pour l'**immigration**.* * Chercher aussi *émigration*.

immigré, immigrée adjectif et nom
Se dit d'une personne qui a immigré. *Ma sœur donne des cours de français à des travailleurs **immigrés**. – Ces **immigrés** apprennent le français.* * Chercher aussi *émigré*.

immigrer verbe ▶ conjug. 3
Entrer dans un pays étranger pour s'y établir. *Beaucoup d'Européens **ont immigré** au Canada après la Seconde Guerre mondiale.* * Chercher aussi *émigrer*.

imminence nom féminin
Caractère imminent. *L'**imminence** de l'éruption volcanique a fait fuir la population.*

imminent, imminente adjectif
Qui est sur le point de se produire. *Son départ est **imminent**.* SYN proche. CONTR lointain.

s'**immiscer** verbe ▶ conjug. 4
Intervenir indiscrètement dans les affaires des autres. *Ce journaliste **s'est immiscé** dans la vie privée de l'actrice.*

immobile adjectif
Qui ne bouge pas. ***Immobile** dans sa cachette, Vincenzo retient son souffle.*

immobilier, immobilière adjectif
Qui concerne un immeuble. *Cette agente **immobilière** a vendu plusieurs maisons.* **CONTR** mobilier.

immobilisation nom féminin
État de ce qui est arrêté. *Il faut attendre l'**immobilisation** complète du train avant de descendre sur le quai.* **SYN** arrêt.

immobiliser verbe ▸ conjug. 3
Empêcher de bouger. *On a plâtré sa jambe cassée pour l'**immobiliser**.* ■ **s'immobiliser**: s'arrêter. *Le métro **s'est immobilisé** au milieu du tunnel.*

immobilité nom féminin
État de ce qui est immobile. *Le jaguar guette sa proie dans une totale **immobilité**.*

immoler verbe ▸ conjug. 3
Dans l'Antiquité, tuer en sacrifice à un dieu. ***Immoler** un mouton.* **SYN** sacrifier.

immonde adjectif
❶ Très sale. *Un bidonville **immonde**.* **SYN** dégoûtant, répugnant, sordide. ❷ Qui est moralement répugnant. *Un **immonde** tyran.* **SYN** ignoble.

immoral, immorale, immoraux adjectif
Qui est contraire à la morale. *Dans ce film, les bons sont punis et les méchants gagnent: c'est tout à fait **immoral**!* **CONTR** moral.

immortaliser verbe ▸ conjug. 3
Rendre immortel dans le souvenir. *La photographie **a immortalisé** cet instant.*

immortalité nom féminin
Caractère immortel. *Dans la plupart des traditions religieuses, on croit à l'**immortalité** de l'âme.*

immortel, immortelle adjectif
❶ Qui ne meurt pas. *Seuls les dieux sont **immortels**.* **CONTR** mortel. ❷ Dont le souvenir durera toujours. *Les exploits de Maurice Richard l'ont couvert d'une gloire **immortelle**.* **SYN** éternel.

immuable adjectif
Qui ne change jamais. *L'ordre des saisons est **immuable**.* **SYN** constant, invariable.

immuniser verbe ▸ conjug. 3
Protéger contre une maladie. *Les vaccins nous **immunisent** contre la maladie.* **SYN** protéger. * Chercher aussi *vacciner*.

immunité nom féminin
État d'un organisme immunisé. *Le fait d'avoir eu les oreillons entraîne une certaine **immunité** contre cette maladie.*

impact nom masculin
❶ Choc. *L'**impact** a été d'une telle violence que la voiture a pris feu.* ❷ Effet produit sur l'opinion par quelque chose. *Cette campagne publicitaire n'a eu aucun **impact**.* • **Point d'impact**: point où un projectile vient frapper.

① **impair, impaire** adjectif
Se dit d'un nombre qui, divisé par deux, ne donne pas deux nombres entiers. *Sept est un nombre **impair**.* **CONTR** pair.

② **impair** nom masculin
Parole ou attitude maladroite. *Bruce a commis un **impair** en oubliant l'anniversaire de son amie.* **SYN** gaffe.

impardonnable adjectif
Qui ne peut être pardonné. *C'est une erreur **impardonnable**.* **SYN** inexcusable. **CONTR** pardonnable.

① **imparfait, imparfaite** adjectif
Qui n'est pas parfait. *Faute de temps, ce travail est encore **imparfait**.*

② **imparfait** nom masculin
Temps passé du mode indicatif, qui sert à faire une description dans le passé ou à indiquer une action qui a duré un certain temps ou qui était habituelle. *Dans la phrase: « Tous les jours, il venait me voir. », le verbe « venir » est à l'**imparfait**.* * Chercher aussi *conditionnel, futur, passé, présent*.

impartial, impartiale, impartiaux adjectif
Qui n'a pas de parti pris. *Un arbitre **impartial**.* **SYN** juste, objectif. **CONTR** partial. * Attention! Le *t* du mot *impartial* se prononce comme un *s*.

impartialité nom féminin
Qualité de ce qui est impartial. *Un juge doit faire preuve d'**impartialité**.* **SYN** équité, objectivité. **CONTR** partialité. * Attention! Le *t* du mot *impartialité* se prononce comme un *s*.

a b c d e f g h i j k l m n o p q r s t u v w x y z

impasse nom féminin
❶ Petite rue sans issue. SYN cul-de-sac. ❷ Au sens figuré, situation qui semble sans issue. *Les négociations sont dans l'**impasse**.*

Une **impasse**

impassible adjectif
Qui ne laisse paraître ni trouble ni émotion. *Quand Luc a appris son échec, il est resté **impassible**.* SYN calme, imperturbable.

impatiemment adverbe
De façon impatiente. *Les candidats attendent **impatiemment** les résultats.* CONTR patiemment. * Attention ! Le premier *t* du mot *impatiemment* se prononce comme un *s*. La terminaison *emment* se prononce *amant*.

impatience nom féminin
État d'une personne impatiente. *Sarah attend le départ avec **impatience**.* CONTR patience. * Attention ! Le *t* du mot *impatience* se prononce comme un *s*.

impatient, impatiente adjectif
Qui manque de patience. *Yohan est **impatient** de revoir ses amis.* SYN désireux, pressé. CONTR patient. * Attention ! Le premier *t* du mot *impatient* se prononce comme un *s*.

*s'***impatienter** verbe ▸ conjug. 3
Perdre patience. *Olga n'est pas rentrée : ses parents **s'impatientent**.* SYN s'énerver. CONTR patienter. * Attention ! Le premier *t* du verbe *s'impatienter* se prononce comme un *s*.

impayé, impayée adjectif
Qui n'a pas été payé. *Elle a de nombreuses dettes **impayées**.*

impeccable adjectif
❶ Qui est parfaitement propre et net. *Son costume est **impeccable**.* SYN immaculé. ❷ Qui est sans aucun défaut. *Un travail **impeccable**.* SYN irréprochable.

impénétrable adjectif
❶ Que l'on ne peut pénétrer. *Une jungle **impénétrable**.* SYN inaccessible. ❷ Dont on ne peut deviner les sentiments. *C'est un être secret et **impénétrable**.* SYN énigmatique, mystérieux.

impensable adjectif
Que l'on ne peut envisager. *Aller sur la Lune était **impensable** autrefois.* SYN inconcevable, inimaginable.

impératif, impérative adjectif
❶ À quoi ou à qui il faut absolument obéir. *Un ton **impératif**.* SYN impérieux. ❷ Qui est absolument indispensable. *Il est **impératif** que vous soyez à l'heure !* SYN obligatoire.
■ **impératif** nom masculin Mode du verbe qui exprime l'ordre. *« Viens, venons, venez » est l'**impératif** présent du verbe « venir ».*
* Chercher aussi *indicatif, infinitif, participe, subjonctif*.

impératrice nom féminin
Épouse d'un empereur ou femme qui dirige un empire. *Catherine II était **impératrice** de Russie au 18ᵉ siècle.*

imperceptible adjectif
À peine perceptible. *À un bruit **imperceptible**, Noémie a deviné la présence de Benjamin.* SYN inaudible, indétectable. CONTR perceptible.

imperceptiblement adverbe
De façon imperceptible. *À marée montante, l'eau monte toujours **imperceptiblement**.*

imperfection nom féminin
Petit défaut qui empêche quelque chose d'être parfait. *Malgré quelques **imperfections**, ce travail est excellent.*

impérial, impériale, impériaux adjectif
D'un empereur ou d'un empire. *La famille **impériale**.* • **Système impérial :** système de mesure qui utilise le pied, la pinte, la livre, etc. * Chercher aussi *système métrique**.

impérialisme nom masculin
Domination politique ou économique d'un État sur d'autres États.

impérialiste adjectif
Qui fait preuve d'impérialisme. *Un pays **impérialiste**.*

impérieux, impérieuse adjectif
❶ Qui est très autoritaire. *Kim parle souvent d'un ton **impérieux**.* ❷ Auquel on ne peut résister. *Un besoin **impérieux**.* SYN irrésistible, pressant.

impérissable adjectif
Qui ne périt jamais, qui dure très longtemps. *Annick garde un souvenir **impérissable** de son voyage.* SYN inoubliable.

imperméabiliser verbe ▸ conjug. 3
Rendre imperméable. *La vendeuse nous a proposé un produit pour **imperméabiliser** les chaussures.*

imperméabilité nom féminin
Qualité de ce qui est imperméable. *L'**imperméabilité** de ce sol le rend impropre à la culture.* **CONTR** perméabilité.

imperméable adjectif
Qui ne se laisse pas traverser par l'eau ni par aucun liquide. *Le caoutchouc est une matière **imperméable**.* **CONTR** perméable.
■ **imperméable** nom masculin
Manteau qui protège de la pluie.

*Un **imperméable***

impersonnel, impersonnelle adjectif
Qui n'a rien de personnel. *Le ton de sa lettre est tout à fait **impersonnel**.* **SYN** neutre. • **Verbe impersonnel :** verbe qui ne se conjugue qu'à la troisième personne du singulier et dont le sujet ne représente personne. *« Neiger », « pleuvoir », « grêler » sont des **verbes impersonnels**.*

impertinence nom féminin
Attitude impertinente. *Elle a été punie pour son **impertinence**.* **SYN** insolence.

impertinent, impertinente adjectif
Qui est trop familier et manque de politesse, de respect envers les gens. *Mathis a été très **impertinent** avec la directrice.* **SYN** effronté, impoli, insolent.

imperturbable adjectif
Que rien ne perturbe. *Pénélope est toujours d'un calme **imperturbable**.*

impétueux, impétueuse adjectif
Qui est vif et ardent. *Un jeune homme **impétueux**.* **SYN** bouillant, fougueux.

impétuosité nom féminin
Enthousiasme spontané et violent. *Ils ont agi avec l'**impétuosité** de la jeunesse.* **SYN** ardeur, fougue.

impie adjectif et nom
Qui manifeste du mépris pour la religion. *Des paroles **impies**. – Ces **impies** ne fréquentent évidemment pas l'église.*

impitoyable adjectif
Sans pitié. *Une guerre **impitoyable**.* **SYN** féroce, inhumain.

implacable adjectif
❶ Qui est impitoyable, inflexible. *Une rivale **implacable**.* ❷ À quoi on ne peut échapper. *Une logique **implacable**.*

implantation nom féminin
Action d'implanter. *Le gouvernement a approuvé l'**implantation** d'une nouvelle usine dans la région.*

implanter verbe ▸ conjug. 3
Installer ou introduire de façon durable. *De nouvelles usines **ont été implantées** dans cette région.* ■ **s'implanter :** s'installer. *Au 17e siècle, beaucoup de Français **se sont implantés** au Canada.* **SYN** s'établir.

implicite adjectif
Qui se comprend sans être exprimé clairement. *Son sourire m'a remercié de façon **implicite**.* **CONTR** explicite. * Chercher aussi *tacite*.

impliquer verbe ▸ conjug. 3
❶ Avoir comme condition. *S'il veut progresser, cela **implique** qu'il se mette à travailler sérieusement.* **SYN** nécessiter, supposer. ❷ Mêler à un trafic malhonnête. *Il **est impliqué** dans une affaire d'escroquerie.* **SYN** compromettre.
■ **s'impliquer :** s'investir, s'engager. *Elles **s'impliquent** activement dans ce projet.*

implorer verbe ▸ conjug. 3
Supplier humblement. *Il **a imploré** le pardon de son père.*

impoli, impolie adjectif et nom
Qui n'est pas poli. *Il serait très **impoli** de partir sans saluer nos hôtes.* **SYN** grossier, incorrect. **CONTR** courtois, poli. – *Quelle **impolie** !*

impoliment adverbe
De manière impolie. *Nadia a refusé son invitation très **impoliment**.* **SYN** grossièrement. **CONTR** poliment.

*Un combat **impitoyable***

a b c d e f g h i j k l m n o p q r s t u v w x y z

impolitesse nom féminin
Fait d'être impoli. *Son **impolitesse** nous a choqués.* CONTR politesse.

impondérable nom masculin
Circonstance imprévisible. *Nous finirons à temps, mais il peut y avoir des **impondérables**.* * Attention ! Ce mot s'emploie généralement au pluriel.

impopulaire adjectif
Qui n'est pas populaire. *L'augmentation des impôts est une mesure **impopulaire**.*

importance nom féminin
Caractère de ce qui est important. *Il accorde beaucoup trop d'**importance** à cette affaire.* SYN intérêt. • **Attacher de l'importance à quelque chose** : y tenir. *Elle **attache** beaucoup d'**importance à** l'avis de ses parents.*

important, importante adjectif
❶ Qui peut avoir de grandes conséquences. *C'est un évènement très **important**.* SYN capital, majeur. CONTR secondaire. ❷ Qui est considérable. *Une foule **importante** a assisté à la cérémonie.* CONTR insignifiant. ❸ Qui a de l'influence. *Des personnages **importants** ont apporté leur soutien à cette cause.* SYN influent. ■ **important** nom masculin
Ce qui est essentiel, a de l'importance. *L'**important**, c'est de faire de son mieux.*

importateur, importatrice adjectif et nom
Qui fait le commerce d'importation. *Le Canada est un pays **importateur** de véhicules automobiles. – Ma tante est une **importatrice** de produits alimentaires.* CONTR exportateur.

importation nom féminin
Action d'importer des marchandises. *Au Canada, le thé et le café sont des produits d'**importation**.* CONTR exportation. * Chercher aussi *douane*.

① **importer** verbe ▸ conjug. 3
Avoir de l'importance ou de l'intérêt. *Ce qui lui **importe**, c'est de comprendre.* SYN compter. • **Il importe que** : il faut que. • **Peu importe !** ou **Qu'importe !** : cela n'a pas d'importance ! ■ *n'***importe** adverbe • **N'importe comment** : d'une manière quelconque. • **N'importe quand** : à un moment quelconque. *Vous serez la bienvenue **n'importe quand**.* • **N'importe où** : en un endroit quelconque. * Attention ! *Importer* ne s'emploie qu'aux troisièmes personnes du singulier et du pluriel. ♦ Famille du mot : importance, important.

② **importer** verbe ▸ conjug. 3
Faire venir dans un pays des marchandises de l'étranger. *Le Canada **importe** du coton, des fruits, des ordinateurs.* CONTR exporter. ♦ Famille du mot : importateur, importation.

③ **importer** verbe ▸ conjug. 3
Récupérer des données en les transmettant d'une application à une autre tout en tenant compte de la compatibilité des formats. *As-tu réussi à **importer** ces photos pour les transmettre par courriel ?*

importun, importune adjectif et nom
Qui importune, qui dérange. *Elle s'est débarrassée d'un visiteur **importun**.* SYN gênant, indésirable. – *Des **importuns** sont venus le déranger tard dans la soirée.*

importuner verbe ▸ conjug. 3
Déranger de façon insistante. *Je ne vous **importunerai** pas davantage, je m'en vais.*

imposable adjectif
Qui doit payer un impôt ou qui est soumis à l'impôt. *Il faut avoir un minimum de revenus pour être **imposable**.*

imposant, imposante adjectif
Qui en impose par sa grandeur, sa force ou son nombre. *Un **imposant** service d'ordre encadre le cortège.* SYN impressionnant.

① **imposer** verbe ▸ conjug. 3
❶ Faire payer un impôt. ***Imposer** les citoyens.* ❷ Soumettre à des taxes, à l'impôt. ***Imposer** une marchandise.* ♦ Famille du mot : imposable, impôt.

② **imposer** verbe ▸ conjug. 3
Obliger quelqu'un à subir quelque chose. *Yannick nous **a imposé** sa musique toute la soirée.* • **En imposer** : susciter le respect. ■ *s'***imposer** ❶ Être indispensable. *Une décision rapide **s'impose**.* ❷ Se faire accepter par la force ou par sa valeur. *Après des débuts difficiles, cette chanteuse a fini par **s'imposer**.*

impossibilité nom féminin
Fait d'être impossible. *Le malade est dans l'**impossibilité** de se lever.* SYN incapacité.

impossible adjectif
❶ Qui ne peut pas se faire. *Partir est **impossible** pour l'instant.* CONTR faisable, possible. ❷ Qui est insupportable. *Il a un caractère **impossible**.* ■ **impossible** nom masculin Ce qui est impossible. *Vous me demandez l'**impossible**.*

imposteur nom masculin
Personne qui trompe les autres en se faisant passer pour ce qu'elle n'est pas. *Ce médecin était un **imposteur**.* SYN charlatan.

imposture nom féminin
Tromperie faite par un imposteur. *Un journal a révélé l'**imposture**.* SYN escroquerie, fraude, supercherie.

impôt nom masculin
Contribution exigée par l'État pour payer les dépenses du pays. *Les **impôts** directs sont calculés sur les revenus; les **impôts** indirects sont compris dans le prix des marchandises.* * Chercher aussi *contribuable, fisc, taxe*.

impotent, impotente adjectif et nom
Qui ne peut marcher ou bouger qu'avec difficulté. *Il est devenu **impotent** à la suite d'un accident. – Une **impotente**.* SYN infirme, invalide. CONTR valide.

impraticable adjectif
Où l'on ne peut pas passer. *La neige a rendu cette route **impraticable**.* CONTR carrossable, praticable.

imprécis, imprécise adjectif
Qui manque de précision. *Mes souvenirs de cet évènement sont assez **imprécis**.* SYN flou, vague. CONTR précis.

imprécision nom féminin
Fait d'être imprécis. *L'**imprécision** de ce plan le rend inutilisable.* CONTR clarté, précision.

imprégner verbe ▸ conjug. 8
Pénétrer complètement. *L'humidité **imprègne** le sac de couchage.* ✎ On peut écrire aussi, au futur, *j'**imprègnerai***; au conditionnel, *il **imprègnerait***.

imprenable adjectif
❶ Qui ne peut être pris. *La forteresse était **imprenable**.* ❷ Qui ne peut être caché par aucun bâtiment. *De notre maison, nous avons une vue **imprenable** sur le fleuve.*

Une vue **imprenable**

imprésario nom masculin
Personne qui s'occupe de trouver des engagements pour un artiste. ✎ Pluriel: *des **imprésarios***.

① **impression** nom féminin
❶ Effet produit sur quelqu'un. *Ton ami nous a fait une bonne **impression**.* ❷ Opinion, sentiment que l'on a. *Pietro a l'**impression** qu'on ne le comprend pas.* ♦ Famille du mot: impressionnable, impressionnant, impressionner.

② **impression** nom féminin
Action d'imprimer. *L'**impression** des journaux se fait souvent de nuit.*

impressionnable adjectif
Qui se laisse très facilement impressionner. *C'est un enfant **impressionnable**.* SYN émotif, sensible.

impressionnant, impressionnante adjectif
Qui impressionne. *Les voitures de course roulent à une vitesse **impressionnante**.*

impressionner verbe ▸ conjug. 3
Faire une forte impression. *Son courage nous **a** beaucoup **impressionnés**.*

imprévisible adjectif
Que l'on ne peut pas prévoir. *Ses colères sont tout à fait **imprévisibles**.* SYN inattendu. CONTR prévisible.

imprévoyance nom féminin
Fait d'être imprévoyant. *En partant en randonnée sans provisions, Olivia a fait preuve d'**imprévoyance**.*

imprévoyant, imprévoyante adjectif
Qui n'est pas prévoyant. *Tu as été bien **imprévoyant** de ne pas mettre de cadenas à ton vélo.* CONTR prévoyant.

a b c d e f g h i j k l m

imprévu, imprévue adjectif
Qui arrive sans qu'on l'ait prévu. *Une rencontre **imprévue** m'a retardée.* SYN fortuit, inattendu.
■ **imprévu** nom masculin Ce qui n'est pas prévu. *Les **imprévus** d'un voyage.*

imprimante nom féminin
Appareil servant à imprimer un texte ou une image en mémoire dans un ordinateur.

imprimé nom masculin
Texte imprimé. *Les prospectus, les brochures, les journaux, les livres sont des **imprimés**.*

imprimer verbe ▸ conjug. 3
Reproduire sur du papier ou du tissu un texte ou des dessins au moyen de l'imprimerie. *Ce roman **a été imprimé** à mille exemplaires.*
♦ Famille du mot : ② impression, imprimante, imprimé, imprimerie, imprimeur, réimpression, réimprimer.

imprimerie nom féminin
❶ Technique permettant de reproduire un texte en de nombreux exemplaires. *L'invention de l'**imprimerie** par Gutenberg date du milieu du 15e siècle.* ❷ Établissement où l'on imprime des livres ou des journaux. *Elle travaille dans une **imprimerie**.*

*Une **imprimerie** artisanale*

imprimeur, imprimeuse nom
Personne qui dirige une imprimerie ou qui y travaille.

improbable adjectif
Qui est peu probable. *Il est **improbable** qu'ils arrivent ce soir.* SYN douteux. CONTR probable.

impromptu, impromptue adjectif
Qui n'a pas été prévu. *Son arrivée **impromptue** nous a agréablement surpris.*

imprononçable adjectif
Impossible à prononcer. *Son nom de famille est **imprononçable**.*

impropre adjectif
Qui ne convient pas. *« Lumière » au sens de « feu de circulation » est un mot **impropre**.*
• **Impropre à la consommation :** qui n'a pas les qualités nécessaires pour pouvoir être consommé. *Cette viande est **impropre à la consommation**.* CONTR propre à.

improvisation nom féminin
Art d'improviser. *Les élèves font de l'**improvisation** comme activité parascolaire.*

improviser verbe ▸ conjug. 3
Faire quelque chose sans l'avoir préparé et en inventant au fur et à mesure. *Elle **a improvisé** un discours en l'honneur des mariés.*

à l'**improviste** adverbe
D'une façon imprévue. *On ne l'attendait pas du tout, il est arrivé **à l'improviste**.*

imprudemment adverbe
De façon imprudente. *Alexia a traversé la rue très **imprudemment**.* CONTR prudemment.
* Attention ! La terminaison *emment* se prononce *amant*.

imprudence nom féminin
Action imprudente. *L'**imprudence** des campeurs a causé un incendie de forêt.*

imprudent, imprudente adjectif
Qui manque de prudence. *Un motoneigiste **imprudent** s'est aventuré sur le lac sans vérifier l'épaisseur de la glace.* CONTR prudent.

impuissance nom féminin
État d'une personne impuissante. *Les médecins avouent leur **impuissance** devant cette maladie.*

impuissant, impuissante adjectif
Qui n'a pas les moyens suffisants ou la capacité pour faire quelque chose. *On se sent **impuissant** devant tant de misère.*

impulsif, impulsive adjectif
Qui agit sans réfléchir, en suivant ses impulsions. *Une personne **impulsive**.* **CONTR** pondéré, posé, réfléchi.

impulsion nom féminin
❶ Brusque envie d'agir. *Il s'efforce de ne pas céder à son **impulsion** de manger tout le gâteau au chocolat.* ❷ Poussée qui met quelque chose en mouvement. *D'une détente de son index, Jade a donné une **impulsion** à la bille.*

impulsivité nom féminin
Tendance à agir en se laissant guider par un instinct, de manière brusque et irraisonnée. *Son **impulsivité** lui attire parfois des ennuis.*

impunément adverbe
Sans être puni. *Les élèves ne peuvent enfreindre **impunément** les règlements de l'école.*

impuni, impunie adjectif
Qui ne reçoit pas de punition. *Ce crime ne restera pas **impuni**.*

impunité nom féminin
Fait d'être impuni. *Il croyait pouvoir dépasser la limite de vitesse en toute **impunité**, mais un policier l'a arrêté.*

impur, impure adjectif
Qui contient des particules étrangères ou polluantes. *L'air de cette zone industrielle est **impur**.*

impureté nom féminin
Ce qui rend impur. *Le filtre arrête les **impuretés** de l'essence.* **SYN** saleté.

imputer verbe ▶ conjug. 3
Rendre responsable de quelque chose. *On peut **imputer** son échec au manque d'efforts.*

in- préfixe
Placé au début d'un mot pour former un autre mot, *in-* indique la négation, le contraire (***in**vraisemblable*). Le préfixe *in-* se change en *im-* devant un mot commençant par *b*, *m* et *p* (***im**battable*, ***im**mature*, ***im**parfait*) ; en *il-* devant un mot commençant par *l* (***il**légal*) ; en *ir-* devant un mot commençant par *r* (***ir**responsable*).

inabordable adjectif
D'un prix excessif. *Hors saison, les fraises sont souvent **inabordables**.* **SYN** ② cher. **CONTR** abordable.

inacceptable adjectif
Que l'on ne peut accepter. *Son comportement est **inacceptable**.* **SYN** inadmissible. **CONTR** acceptable, correct.

inaccessible adjectif
Qui n'est pas accessible, que l'on ne peut atteindre. *Pendant l'hiver, le chalet est **inaccessible**.* **CONTR** accessible.

inaccoutumé, inaccoutumée adjectif
Inhabituel. *Le facteur est passé à une heure **inaccoutumée**.* **CONTR** habituel.

inachevé, inachevée adjectif
Qui n'a pas été achevé, terminé. *La romancière a laissé son œuvre **inachevée**.*

inactif, inactive adjectif
Qui n'est pas actif. *Sa maladie l'a rendue **inactive** quelques jours.* **SYN** désœuvré, inoccupé, oisif. **CONTR** actif.

inaction nom féminin
État d'une personne sans activité. *Sa jambe cassée l'a forcé à l'**inaction**.* **SYN** désœuvrement, oisiveté. **CONTR** action.

inactivité nom féminin
Manque d'activité. *Cette **inactivité** rendait les enfants impatients.* **CONTR** activité.

inadapté, inadaptée adjectif
❶ Qui n'est pas adapté, qui ne convient pas. *Ces chaussures sont **inadaptées** à la marche en montagne.* ❷ Qui a de la difficulté à s'adapter à la vie en société, à se conformer à ce qu'on attend de lui. *Des enfants **inadaptés**.*

inadéquat, inadéquate adjectif
Qui n'est pas approprié, adéquat. *Ce vêtement est **inadéquat** pour une température aussi froide.* * Attention ! La dernière syllabe de ce mot se prononce *coua*, *couate*.

inadmissible adjectif
Qui n'est pas admissible, que l'on ne peut tolérer. *Vos retards répétés sont vraiment **inadmissibles**.* **SYN** inacceptable.

inadvertance nom féminin
• **Par inadvertance** : par manque d'attention, par mégarde. **CONTR** exprès, volontairement.

inaltérable adjectif
Qui ne peut s'altérer, s'abîmer. *L'or est un métal **inaltérable**.*

a b c d e f g h i j k l m n o p q r s t u v w x y z

inamical, inamicale, inamicaux adjectif
Qui n'est pas amical. *Son attitude* ***inamicale*** *me chagrine.* SYN hostile.

inanimé, inanimée adjectif
❶ Qui a perdu connaissance et semble sans vie. *Le blessé est resté longtemps* ***inanimé.*** SYN inconscient, inerte. ❷ Qui est sans vie. *Des objets* ***inanimés.***

inanition nom féminin
Épuisement dû au manque de nourriture. *Elle n'a rien mangé depuis deux jours ; elle tombe d'****inanition.***

inaperçu, inaperçue adjectif
• **Passer inaperçu :** ne pas être remarqué. *L'absence de Chloé* ***est passée inaperçue.***

inapplicable adjectif
Qui ne peut être appliqué, mis en pratique. *Ce règlement est* ***inapplicable*** *dans certains cas.* CONTR applicable.

inappréciable adjectif
Si important que l'on ne peut pas vraiment en apprécier la valeur. *Tu m'as rendu un service* ***inappréciable.*** SYN inestimable, précieux.

inapte adjectif
Qui n'est pas apte, n'a pas la capacité de réaliser quelque chose. *Son accident l'a rendu* ***inapte*** *au travail.* CONTR apte. * Ne pas confondre *inapte* et *inepte.*

inaptitude nom féminin
Manque d'aptitude, incapacité à accomplir quelque chose. *On lui reproche son* ***inaptitude*** *à se mêler à ses camarades.* CONTR aptitude.

inattaquable adjectif
Qui ne peut être attaqué, critiqué. *La réputation de cette personne est* ***inattaquable.*** SYN irréprochable.

inattendu, inattendue adjectif
Qui se produit alors que l'on ne s'y attendait pas. *Elle a remporté une victoire* ***inattendue.*** SYN imprévu, inespéré, surprenant. CONTR prévisible.

inattentif, inattentive adjectif
Distrait. *Elle n'a rien retenu de mes explications parce qu'elle était* ***inattentive.*** CONTR attentif.

inattention nom féminin
Fait d'être inattentif. *Il suffit parfois d'une seconde d'****inattention*** *pour avoir un accident.* SYN distraction, étourderie. CONTR attention.

inaudible adjectif
Qui est difficile à entendre, peu audible. *Cet enregistrement est* ***inaudible.*** SYN imperceptible. CONTR audible.

inauguration nom féminin
Action d'inaugurer. *L'****inauguration*** *du centre sportif aura lieu demain.*

inaugurer verbe ▸ conjug. 3
Marquer par une cérémonie officielle l'ouverture de quelque chose. *Le maire* ***a inauguré*** *le nouveau musée.*

inavouable adjectif
Que l'on n'ose pas avouer parce qu'on en a honte. *Une faute* ***inavouable.***

inca adjectif
Relatif aux Incas ou à leur civilisation. ■ **Inca** nom Peuple qui fonda au 13e siècle un puissant empire à partir de Cuzco, dans l'actuel Pérou, et fut conquis par les Espagnols au 16e siècle. *Les* ***Incas.*** 👁p. 552. ✎ Attention ! Le nom, qui désigne les membres de la nation inca, s'écrit avec une majuscule.

Un site ***inca***

incalculable adjectif
Que l'on ne peut calculer ni évaluer. *Le séisme a causé des dégâts matériels* ***incalculables.***

incandescence nom féminin
État d'une matière chauffée et lumineuse. *Pour forger le fer, il faut le porter à* ***incandescence.***

incandescent, incandescente adjectif
Qui est chauffé au point de devenir lumineux. *Les braises* ***incandescentes*** *du barbecue.*

incantation nom féminin
Formule magique. *La sorcière a envoûté la princesse avec ses* ***incantations.***

incapable adjectif et nom
Qui n'est pas capable, qui n'a pas les qualités nécessaires pour accomplir quelque chose. *Leyna est si émue qu'elle est **incapable** de parler.* **CONTR** capable. – *Ce travail déplorable a été réalisé par un **incapable**.*

incapacité nom féminin
❶ État d'une personne incapable de faire quelque chose. *La fièvre le met dans l'**incapacité** de travailler.* **SYN** impossibilité. ❷ Manque de capacité, de compétence. *Cette dirigeante a fait preuve d'**incapacité**.* **SYN** incompétence.

incarcération nom féminin
Action d'incarcérer. *Le juge a ordonné l'**incarcération** immédiate de l'accusé.* **SYN** emprisonnement.

incarcérer verbe ▸ conjug. 8
Mettre en prison. *On **a** arrêté et **incarcéré** l'escroc.* **SYN** écrouer, emprisonner. ✎ On peut écrire aussi, au futur, *elle **incarcèrera***; au conditionnel, *tu **incarcèrerais***.

incarner verbe ▸ conjug. 3
Interpréter un personnage, jouer un rôle. *Cette actrice **a incarné** Blanche-Neige au cinéma.*

incassable adjectif
Que l'on ne peut casser. *Des verres **incassables**.*

incendiaire adjectif
Destiné à déclencher des incendies. *Les bombes **incendiaires** ont détruit la ville.* ■ **incendiaire** nom Personne qui allume volontairement un incendie. *Les policiers ont arrêté l'**incendiaire**.* **SYN** pyromane.

incendie nom masculin
Grand feu qui se propage en faisant des dégâts. *Un **incendie** a détruit l'église.* ♦ Famille du mot: incendiaire, incendier. * Chercher aussi *pyromane*.

*Un **incendie***

incendier verbe ▸ conjug. 10
Détruire par un incendie. *Des milliers d'hectares de forêt **ont été incendiés**.*

incertain, incertaine adjectif
❶ Qui n'est pas certain. *Son retour est **incertain**.* **SYN** douteux, hypothétique. **CONTR** assuré, sûr. ❷ Qui peut changer. *Aujourd'hui, le temps est **incertain**.* **SYN** variable.

incertitude nom féminin
❶ État de ce qui est incertain. *Ils sont dans l'**incertitude** quant à l'issue des négociations.* ❷ État d'une personne qui hésite, qui n'est pas certaine. *Je ne sais pas quelle décision prendre: je suis dans l'**incertitude**.* **SYN** doute, indécision.

incessamment adverbe
D'un moment à l'autre. *Chang doit arriver **incessamment**.* **SYN** bientôt, sous peu.

incessant, incessante adjectif
Qui ne cesse jamais. *Le bruit **incessant** de la circulation.* **SYN** continuel, ininterrompu.

inceste nom masculin
Relations sexuelles entre membres très proches d'une même famille. *L'**inceste** est puni par la loi.*

incident nom masculin
Petit évènement imprévu, sans gravité. *L'activité s'est déroulée sans **incident**.*

incinération nom féminin
Action d'incinérer. *Une usine d'**incinération** des déchets.*

incinérer verbe ▸ conjug. 8
Réduire en cendres. *Les hindous ont coutume d'**incinérer** leurs morts.* ✎ On peut écrire aussi, au futur, *il **incinèrera***; au conditionnel, *nous **incinèrerions***.

inciser verbe ▸ conjug. 3
Faire une fente, une coupure avec un instrument tranchant. *Le médecin **a incisé** l'abcès.* ♦ Famille du mot: incisif, incision, incisive.

incisif, incisive adjectif
Blessant et dur. *Le directeur a donné des ordres sur un ton **incisif**.* **SYN** mordant.

La société inca vers 1500

Le territoire

Vers 1500, les Incas habitent un immense territoire de l'Amérique du Sud, dans les vallées et sur les plateaux de la cordillère des Andes. Ce territoire présente une grande variété de paysages : de hautes montagnes, des vallées et des plaines fertiles, une côte désertique et une forêt tropicale.

Les ressources naturelles

Les Incas vivent dans un environnement parfois hostile, au climat rude. Cependant, ils savent adapter leur milieu de vie à leurs besoins et développent des techniques impressionnantes. De plus, leur territoire est riche en ressources naturelles : nombreux cours d'eau, faune très variée, sol fertile, métaux.

La population

Vers 1500, on estime que les Incas sont plus de 10 millions.

Le mode de vie

Puisque les terres qu'ils habitent sont fertiles, les Incas vivent principalement de l'agriculture et de l'élevage. Ils n'ont donc pas à se déplacer pour trouver leur nourriture : ce sont des sédentaires.

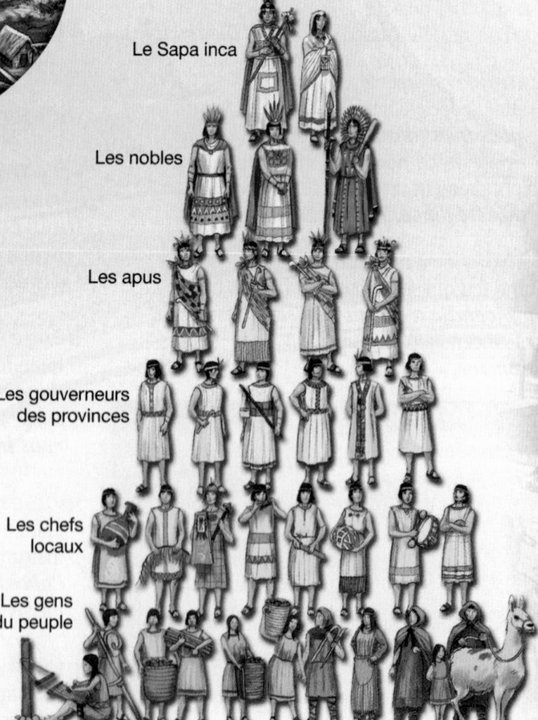

L'organisation sociale

La société inca est très structurée : l'empereur règne sur tous ses sujets. Les Incas sont au service de l'Empire et de leur souverain. Les hommes et les femmes ont des tâches précises à accomplir et doivent respecter des lois sévères sous peine de graves sanctions.

L'alimentation

Les Incas ne prennent que deux repas par jour, un premier tôt le matin et un autre au coucher du soleil. Leur alimentation se compose principalement de maïs bouilli et grillé, de pommes de terre rôties, bouillies ou en sauce, et de quinoa, un grain très nutritif qu'ils incorporent à la soupe, au gruau et aux ragoûts.

Les croyances et les coutumes

Très croyants, les Incas respectent et craignent de nombreux dieux. Le plus important se nomme Viracocha, alors que le plus vénéré est Inti, le dieu Soleil. Pour honorer leurs dieux, les Incas érigent de nombreux temples et organisent de somptueuses cérémonies.

a b c d e f g h **i** j k l m n o p q r s t u v w x y z

incision nom féminin
Coupure faite en incisant. *L'horticultrice a fait une* ***incision*** *dans l'écorce de l'arbre pour le greffer.*
SYN entaille.

Une *incision*

incisive nom féminin
Chacune des huit dents de devant. *Les* ***incisives*** *servent à couper les aliments.* 👁p. 298.
* Chercher aussi *canine, molaire, prémolaire.*

incitation nom féminin
Action d'inciter. *Ce beau livre est une véritable* ***incitation*** *à la lecture.*

inciter verbe ▸ conjug. 3
Pousser quelqu'un à faire quelque chose. *Son entraîneur l'****incite*** *à poursuivre ses efforts.*
SYN encourager.

inclinable adjectif
Qui peut s'incliner. *Les sièges avant de la voiture sont* ***inclinables****.*

inclinaison nom féminin
Position inclinée, penchée. *L'****inclinaison*** *du voilier rend Étienne malade.* * Ne pas confondre *inclinaison* et *inclination*.

inclination nom féminin
Penchant. *Chan a une* ***inclination*** *pour la musique.* * Ne pas confondre *inclination* et *inclinaison*.

incliner verbe ▸ conjug. 3
Pencher. *Les comédiens* ***inclinent*** *la tête pour saluer le public.* **CONTR** redresser. ■ s'**incliner** ❶ Se pencher. *Mon père* ***s'est incliné*** *pour saluer notre voisine.* ❷ S'avouer vaincu. *Vous avez gagné, je* ***m'incline****!* ♦ Famille du mot: inclinable, inclinaison, inclination.

*S'****incliner*** *pour saluer*

inclure verbe ▸ conjug. 51
Mettre dedans. *Le prix du repas n'****inclut*** *pas le pourboire.* **CONTR** exclure.

inclus, incluse adjectif
Qui est contenu dans un ensemble. *Dans ce jouet, les piles ne sont pas* ***incluses****.*
SYN compris. **CONTR** exclu.

incognito adverbe
Sans se faire reconnaître. *Cette actrice rêve de pouvoir voyager* ***incognito****.* ■ **incognito** nom masculin Situation de quelqu'un qui ne veut pas que l'on sache qui il est. *Le gagnant de la loterie a souhaité garder l'****incognito****.*
SYN anonymat.

incohérence nom féminin
Chose qui manque de cohérence. *Ce récit ne tient pas debout, il est plein d'****incohérences****.*
SYN contradiction.

incohérent, incohérente adjectif
Dont les idées ne s'enchaînent pas logiquement. *Nabil a tenu des propos* ***incohérents****.*
SYN décousu. **CONTR** cohérent.

incolore adjectif
Sans couleur. *L'eau est* ***incolore****.*

incomber verbe ▸ conjug. 3
Être à la charge de quelqu'un. *Cette responsabilité nous* ***incombe*** *à tous.*
* Attention! *Incomber* ne s'emploie qu'aux troisièmes personnes du singulier et du pluriel.

incombustible adjectif
Qui n'est pas combustible, qui ne brûle pas. *L'amiante est un matériau* ***incombustible****.*
CONTR combustible.

incommoder verbe ▸ conjug. 3
Causer une gêne physique. *Nathan* ***est incommodé*** *par l'odeur de l'essence.*

incomparable adjectif
Tellement supérieur que rien ne peut lui être comparé. *La performance de cette athlète est* ***incomparable****.* **SYN** unique.

incompatible adjectif
Qui n'est pas compatible, que l'on ne peut accorder avec autre chose. *Ce voyage est* ***incompatible*** *avec les dates de tes vacances.*
SYN inconciliable. **CONTR** compatible.

incompétence nom féminin
Fait d'être incompétent. *Pour entretenir le jardin, ils ont embauché une personne d'une totale* ***incompétence****.* **SYN** incapacité.
CONTR compétence.

incompétent, incompétente adjectif
Qui n'est pas compétent. *Ce garagiste est tout à fait **incompétent**.*

incomplet, incomplète adjectif
Auquel il manque quelque chose. *Ce livre est **incomplet**, il lui manque les dernières pages.* **CONTR** complet.

incompréhensible adjectif
❶ Impossible à comprendre. *Cette phrase est **incompréhensible**.* **SYN** obscur. ❷ Impossible à expliquer. *Sa colère est **incompréhensible**.* **SYN** inexplicable. **CONTR** compréhensible.

incompréhension nom féminin
Manque de compréhension. *Il y a trop d'**incompréhension** entre eux pour qu'ils puissent s'entendre.*

incompris, incomprise adjectif
Qui ne se sent pas compris ou apprécié à sa juste valeur. *Elle se sent **incomprise** de ses parents.*

inconcevable adjectif
Qui n'est pas concevable, imaginable. *Aller sur la Lune était **inconcevable** autrefois.* **SYN** impensable, inimaginable.

inconciliable adjectif
Que l'on ne peut concilier, accorder avec autre chose. *Ces deux points de vue sont **inconciliables**.*

inconditionnel, inconditionnelle adjectif
Sans condition, sans réserve. *J'apprécie sa fidélité **inconditionnelle**.* **SYN** absolu.

inconfort nom masculin
Manque de confort. *L'**inconfort** d'un lit de camp.*

inconfortable adjectif
Qui n'est pas confortable. *J'ai dormi dans un lit **inconfortable**.*

incongru, incongrue adjectif
Contraire au bon sens ou à l'usage. *Dans le contexte où elle se trouvait, sa remarque était tout à fait **incongrue**.* **SYN** déplacé, inconvenant.

inconnu, inconnue adjectif
Qui n'est pas connu. *Le metteur en scène a choisi des acteurs **inconnus**.* ■ **inconnu, inconnue** nom Personne que l'on ne connaît pas. *Les **inconnus** que l'on croise dans la rue.*

inconsciemment adverbe
De façon inconsciente, sans le vouloir. *Enzo a rangé **inconsciemment** la crème glacée dans le garde-manger.* **CONTR** consciemment.

inconscience nom féminin
État d'une personne inconsciente. *Conduire pendant cette tempête, c'est de l'**inconscience**.* **SYN** folie.

inconscient, inconsciente adjectif
❶ Qui a perdu conscience. *Le blessé est toujours **inconscient**.* **SYN** inanimé. **CONTR** conscient. ❷ Dont on n'a pas conscience. *La respiration est un réflexe **inconscient**.* ❸ Qui agit de manière imprudente. *Une automobiliste **inconsciente**.* **SYN** irresponsable. ■ **inconscient, inconsciente** nom Qui n'a pas conscience de ce qu'il fait. *Ce n'est pas un homme courageux, c'est un **inconscient** !* **SYN** irresponsable.

inconséquent, inconséquente adjectif
Qui agit sans réfléchir aux conséquences de ses actes. *En dépensant toutes ses économies, il s'est montré très **inconséquent**.* **SYN** irréfléchi.

inconsistant, inconsistante adjectif
❶ Qui manque de caractère, de volonté. *C'est une personne **inconsistante**.* ❷ Qui manque de cohérence, de logique, de substance. *Le scénario de ce film est **inconsistant**.* ❸ Qui manque de consistance, de fermeté. *Cette sauce est **inconsistante**.*

inconsolable adjectif
Que l'on ne peut pas consoler. *Elle est restée **inconsolable** de la mort de son chien.*

inconstant, inconstante adjectif
Qui manque de constance dans ses sentiments, qui change souvent. *Cette fille est **inconstante** : elle change souvent d'amies.* **SYN** infidèle, instable. **CONTR** constant, fidèle.

incontestable adjectif
Qui ne peut être contesté. *Malika a beaucoup grandi, c'est **incontestable**.* **SYN** certain, indéniable, indiscutable. **CONTR** contestable.

incontesté, incontestée adjectif
Que personne ne conteste. *C'est un chef d'équipe **incontesté**.*

incontrôlable adjectif
Que l'on ne peut ni contrôler ni vérifier. *Des rumeurs **incontrôlables** circulent à son sujet.*

a b c d e f g h **i** j k l m n o p q r s t u v w x y z

inconvenant, inconvenante adjectif
Qui est contraire aux convenances. *Des paroles* ***inconvenantes****.* **SYN** choquant, déplacé, incongru.

inconvénient nom masculin
Aspect négatif de quelque chose. *Quels sont les avantages et les* ***inconvénients*** *de cette profession ?* **SYN** défaut, désavantage. **CONTR** avantage.

incorporer verbe ▶ conjug. 3
Mélanger quelque chose à un tout. *Dans cette recette, il faut* ***incorporer*** *petit à petit les œufs battus au chocolat fondu.*

incorrect, incorrecte adjectif
❶ Qui n'est pas correct. *Son anglais est* ***incorrect*** *mais compréhensible.* ❷ Qui ne respecte pas les règles de la politesse. *Sarah a été très* ***incorrecte*** *avec Guido.* **SYN** grossier, impoli.

incorrigible adjectif
Que l'on ne peut corriger. *Il est d'une curiosité* ***incorrigible****.* **SYN** intègre.

incorruptible adjectif
Que l'on ne peut corrompre. *Un témoin* ***incorruptible****.* **SYN** intègre.

incrédule adjectif
Qui ne croit pas ce qui est dit. *En entendant l'histoire de Huong, Simon a eu un sourire* ***incrédule****.* **SYN** sceptique. **CONTR** crédule.

increvable adjectif
❶ Qui ne peut pas crever. *Un ballon* ***increvable****.* ❷ Dans la langue familière, infatigable. *Il y a des personnes* ***increvables****, qui ont une résistance à toute épreuve.*

incriminer verbe ▶ conjug. 3
Mettre en cause. *Ce n'est pas lui qu'il faut* ***incriminer****, il n'est pas coupable.* **SYN** accuser.

incroyable adjectif
❶ Difficile ou impossible à croire. *Je viens d'apprendre une nouvelle* ***incroyable****.* **SYN** invraisemblable. **CONTR** crédible, plausible, vraisemblable. ❷ Peu ordinaire. *Mon grand-père est d'une énergie* ***incroyable*** *pour ses quatre-vingts ans.* **SYN** étonnant, extraordinaire.

incroyant, incroyante adjectif et nom
Qui ne croit pas en Dieu. **SYN** athée. **CONTR** croyant.

incruster verbe ▶ conjug. 3
Décorer un objet en y insérant des éléments d'une autre matière. *Ce bracelet* ***est incrusté*** *de pierres précieuses.* ■ **s'incruster** : dans la langue familière, s'installer chez quelqu'un et ne plus vouloir en partir. *Il* ***s'est incrusté*** *chez nous depuis un mois.*

Des pierres ***incrustées***

incubateur nom masculin
Appareil stérile, semblable à un berceau aux parois de verre, destiné aux bébés nés prématurément ou fragiles pour les maintenir dans un environnement à température constante. *Le petit Léo doit demeurer dans l'****incubateur*** *jusqu'à ce qu'il ait atteint le poids voulu.*

incubation nom féminin
❶ Période pendant laquelle les oiseaux couvent leurs œufs. *Le poussin sort de l'œuf après trois semaines d'****incubation****.* * Chercher aussi *éclosion*. ❷ Temps qui s'écoule entre la pénétration du microbe dans l'organisme et le début de la maladie. *L'****incubation*** *d'une maladie.*

inculpé, inculpée adjectif et nom
Se dit d'une personne présumée coupable. * Chercher aussi *prévenu*.

inculper verbe ▶ conjug. 3
Accuser officiellement. *Il* ***est inculpé*** *de vol.*

inculquer verbe ▶ conjug. 3
Faire entrer dans la mémoire. *On lui* ***a inculqué*** *la politesse dès son plus jeune âge.* **SYN** enseigner.

① **inculte** adjectif
Qui n'est pas cultivé. *Une terre* ***inculte****.* **SYN** aride, stérile.

② **inculte** adjectif
Dont l'esprit n'est pas cultivé. *Lire est un bon moyen pour ne pas rester* ***inculte****.* **SYN** ignorant. **CONTR** cultivé, instruit.

incurable adjectif
Que l'on ne peut guérir. *Une maladie* ***incurable****.*

incursion nom féminin
Entrée soudaine et brève dans un lieu. *Des avions de guerre ont fait une **incursion** en territoire ennemi.* **SYN** attaque, invasion.

s'incurver verbe ▶ conjug. 3
Prendre une forme courbe. *L'étagère **s'est incurvée** sous le poids des livres.*

Des branches qui **s'incurvent** sous le poids de la neige.

indécent, indécente adjectif
Qui n'est pas convenable. *Une tenue **indécente**.* **CONTR** décent.

indéchiffrable adjectif
Qui ne peut être déchiffré, compris. *Une écriture, un texte **indéchiffrables**.* **SYN** illisible.

indécis, indécise adjectif
❶ Qui est incertain. *Prends un parapluie, le temps est **indécis**.* ❷ Qui a du mal à se décider. *Que faire aujourd'hui ? David est **indécis**.* **SYN** hésitant. **CONTR** décidé.

indécision nom féminin
État d'une personne indécise. *Cette **indécision** ne peut plus durer, il faut trancher.* **SYN** hésitation, incertitude.

indéfendable adjectif
Que l'on ne peut défendre. *Il a commis des actes **indéfendables**.*

indéfini, indéfinie adjectif
❶ Impossible à préciser. *Il portait de vieux vêtements délavés, d'une couleur **indéfinie**.* **SYN** indéterminé. **CONTR** précis. ❷ Se dit d'un déterminant désignant des choses, des animaux ou des gens sans préciser la quantité. *« Quelques », « plusieurs » sont des déterminants **indéfinis**.* **CONTR** défini.

indéfiniment adverbe
De manière indéfinie, sans limite dans le temps. *Ces discussions peuvent durer **indéfiniment**.* **SYN** à l'infini, éternellement.

indélébile adjectif
Qui ne peut être effacé. *Une encre **indélébile**.*

indemne adjectif
Qui n'a pas été blessé dans un accident. *Ils sont sortis **indemnes** de la maison en feu.* **SYN** sain* et sauf.

indemniser verbe ▶ conjug. 3
Verser une indemnité. *La compagnie aérienne **a indemnisé** les passagers pour les bagages perdus.* **SYN** dédommager.

indemnité nom féminin
Somme d'argent destinée à dédommager d'un préjudice subi ou à rembourser des frais. *Après l'inondation, le gouvernement a versé une **indemnité** aux sinistrés.* **SYN** dédommagement.

indéniable adjectif
Que personne ne peut nier. *J'ai raison, c'est **indéniable**.* **SYN** certain, incontestable, indiscutable.

indépendamment adverbe
Isolément, de façon individuelle. *Pour ce genre de situation, Juan préfère s'organiser **indépendamment**.* • **Indépendamment de** ❶ Sans tenir compte de. ***Indépendamment du** temps qu'il fera, nous irons faire du ski.* ❷ En plus de. ***Indépendamment de** son salaire, elle perçoit des commissions sur ses ventes.*

indépendance nom féminin
Situation d'une personne ou d'un État indépendants. *Ses parents lui laissent une grande **indépendance**.* **CONTR** dépendance. *Ce pays vient d'obtenir son **indépendance**.* * Chercher aussi *autonomie*.

indépendant, indépendante adjectif
❶ Qui ne dépend de personne. *C'est un journal **indépendant**.* **SYN** libre. **CONTR** dépendant. ❷ Qui aime l'indépendance. *Enfant, Zoé était déjà très **indépendante**.* **SYN** autonome. **CONTR** soumis. ❸ Qui n'a pas de rapport avec autre chose. *Le résultat d'une multiplication est **indépendant** de l'ordre des facteurs* ($2 \times 5 = 5 \times 2$). ❹ Qui est autonome, souverain. *Un territoire **indépendant**.*

indépendantiste nom et adjectif
Partisan de l'indépendance de son pays, de sa région. *Les **indépendantistes** du Québec. – Une députée **indépendantiste**.* **SYN** séparatiste, souverainiste. * Chercher aussi *fédéraliste*.

indescriptible adjectif
Qui ne peut être décrit. *Une joie **indescriptible**.*

a b c d e f g h i j k l m n o p q r s t u v w x y z

indésirable adjectif
Dont la présence n'est pas désirée. *Un visiteur **indésirable**.* **SYN** importun.

indestructible adjectif
Qui ne peut être détruit. *Un objet **indestructible**.*

indétectable adjectif
Que l'on ne peut détecter. *Une fuite d'eau **indétectable**.*

indéterminé, indéterminée adjectif
Indéfini, pas encore fixé. *Le magasin est fermé pour une durée **indéterminée**.* **CONTR** défini, déterminé.

① **index** nom masculin
Deuxième doigt de la main, le plus proche du pouce. *On se sert de l'**index** pour montrer quelque chose.* p. 331.

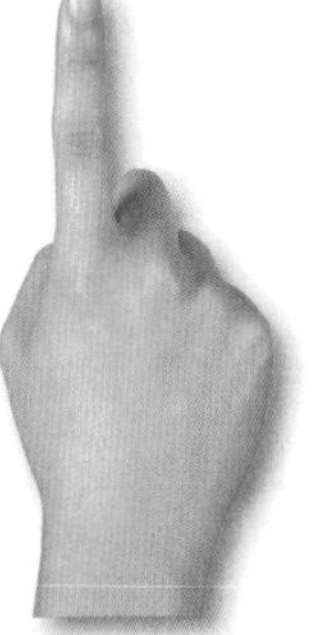
*Un **index***

② **index** nom masculin
Liste alphabétique de mots importants, de sujets traités ou d'auteurs cités, placée à la fin d'un livre.

*Un **indicateur** de vitesse*

indicateur nom masculin
Instrument de mesure. *Le conducteur regarde l'**indicateur** de vitesse.* **SYN** compteur.

① **indicatif, indicative** adjectif
• **À titre indicatif :** pour donner une idée. ***À titre indicatif**, voici la température moyenne en juillet dans cette région.*

② **indicatif** nom masculin
❶ Air de musique qui indique le début d'une émission. *Voilà l'**indicatif** de ton téléroman préféré !* ❷ Mode du verbe qui indique une action qui a lieu effectivement. *« J'irai » est le verbe « aller » au futur de l'**indicatif**.* * Chercher aussi *impératif, infinitif, participe, subjonctif.* • **Indicatif régional :** série de trois chiffres correspondant à une région donnée, que l'on doit composer avant le numéro de téléphone pour établir une communication. *Le 418 est l'**indicatif régional** de l'est du Québec.*

indication nom féminin
Ce qui est indiqué et sert à expliquer. *J'ai trouvé l'adresse facilement, grâce à tes **indications**.* **SYN** renseignement.

indice nom masculin
Signe qui indique l'existence de quelque chose. *Les empreintes laissées dans le sol sont des **indices** pour les enquêteurs.*

indien, indienne adjectif et nom
De l'Inde. *La cuisine **indienne**. – Les **Indiens**, les **Indiennes**.* ✎ Attention ! Le nom, qui désigne les habitants, s'écrit avec une majuscule. * Le nom *Indiens*, qui désignait autrefois les autochtones d'Amérique du Nord, a été remplacé par *Amérindiens*.

indifféremment adverbe
Sans faire de différence. *Avec son mari, elle parle **indifféremment** le français ou l'attikamek.* * Attention ! La terminaison *emment* se prononce *amant*.

indifférence nom féminin
Attitude d'une personne indifférente, qui ne prête pas attention. *Elle regarde la télévision avec **indifférence**.* **CONTR** intérêt.

indifférent, indifférente adjectif
❶ Qui n'a aucune importance pour quelqu'un. *Manger une pomme ou une orange, cela m'est **indifférent**.* ❷ Qui n'est touché, ému par rien. *Cette personne est **indifférente** à la misère des autres.* **SYN** insensible. **CONTR** sensible. ♦ Famille du mot : indifféremment, indifférence.

indigène adjectif et nom
❶ Qui est le premier occupant d'un territoire. *La populaton **indigène**. – En 1519, les **indigènes** du Mexique ont été conquis par les Espagnols.* **SYN** autochtone. ❷ Se dit d'une plante ou d'un animal issu de son milieu d'origine. *Une plante **indigène**.*

indigeste adjectif
Difficile à digérer. *Ce plat est **indigeste**.* **SYN** lourd. **CONTR** digeste.

indigestion nom féminin
Indisposition due à une digestion difficile. *À Noël, Marek a eu une **indigestion**, car il a mangé trop de chocolat.*

indignation nom féminin
Colère devant une action injuste ou malhonnête. *L'expulsion du joueur de hockey a soulevé l'**indignation** des partisans.* **SYN** révolte.

ndigne adjectif
❶ Qui n'est pas digne de quelque chose. *Ils ont triché, ils sont **indignes** de gagner cette course.* ❷ Qui provoque l'indignation. *Son comportement est **indigne**.* SYN déshonorant, méprisable. CONTR digne.

ndigner verbe ▸ conjug. 3
Remplir d'indignation. *Le massacre des gorilles **indigne** Irina.* SYN outrer, révolter, scandaliser.

indigo adjectif invariable
Bleu foncé proche du violet. *Le sofa du salon est bleu **indigo**.*
■ **indigo** nom masculin
Matière colorante extraite d'une plante. *Pour peindre la mer, je prendrai de l'**indigo**.*

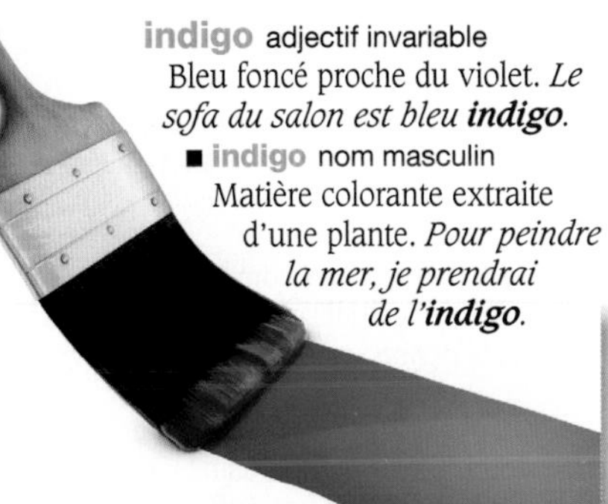

*Un bleu **indigo***

ndiqué, indiquée adjectif
Qui est recommandé dans telle situation. *Épuisé comme vous l'êtes, ce repos forcé est tout **indiqué**.*

indiquer verbe ▸ conjug. 3
❶ Montrer ou désigner de façon précise. *Sur la boussole, l'aiguille bleue **indique** le Nord.* SYN signaler. ❷ Renseigner quelqu'un sur quelque chose. *Pouvez-vous m'**indiquer** où sont les toilettes ?* SYN montrer. ♦ Famille du mot : indicateur, indicatif, indication, indiqué.

indirect, indirecte adjectif
❶ Qui n'est pas direct. *Une critique **indirecte**.* SYN détourné. ❷ Sans le dire franchement. *Il m'a dit ce qu'il pensait de façon **indirecte**.*
• **Complément indirect :** complément souvent relié au verbe par une préposition. * Chercher aussi *complément direct*.

indirectement adverbe
De façon indirecte. *J'ai su **indirectement** que tu étais malade ; c'est Noah qui me l'a dit.* CONTR directement.

indiscipline nom féminin
Manque de discipline. *Notre enseignante ne tolère pas l'**indiscipline**.* CONTR discipline.

indiscipliné, indisciplinée adjectif
Qui n'est pas discipliné. *William est trop **indiscipliné** pour travailler en équipe.* SYN désobéissant. CONTR discipliné.

indiscret, indiscrète adjectif
Qui est trop curieux ou trop bavard. *C'est très **indiscret** de ta part de lire une lettre qui ne t'est pas destinée !* CONTR discret.

indiscrètement adverbe
De façon indiscrète. *Kevin a regardé par le trou de la serrure, **indiscrètement**.* CONTR discrètement.

indiscrétion nom féminin
❶ Manque de discrétion. *Valérie ne cesse d'épier ses voisins : son **indiscrétion** est flagrante.* SYN curiosité. CONTR discrétion. ❷ Révélation d'un secret. *J'ai appris son départ par une **indiscrétion**.*

indiscutable adjectif
Qui ne se discute pas, ne peut être mis en doute. *Son habileté manuelle est **indiscutable**.* SYN certain, évident, incontestable, indéniable.

indispensable adjectif
Dont on ne peut se dispenser, se passer. *Il est **indispensable** de se brosser les dents tous les jours.* SYN nécessaire. CONTR inutile, superflu.

indisposer verbe ▸ conjug. 3
❶ Irriter par son attitude. *Son sans-gêne **indispose** tout le monde.* SYN ennuyer, gêner. ❷ Rendre un peu malade. *L'odeur d'essence l'**indispose**.* SYN déranger, gêner, incommoder.

indisposition nom féminin
État d'une personne indisposée. *C'est une **indisposition** passagère, elle sera vite remise.* SYN malaise.

indissociable adjectif
Que l'on ne peut pas dissocier, séparer. *Ces deux problèmes sont **indissociables**.* SYN inséparable.

indissoluble adjectif
Se dit d'un corps qui ne peut être dissous. *Le sable est **indissoluble** dans l'eau.*

indistinct, indistincte adjectif
Que l'on distingue mal. *On aperçoit une forme **indistincte** dans le brouillard.* SYN flou, imprécis, vague. CONTR distinct, net.

a b c d e f g h i j k l m n o p q r s t u v w x y z

individu nom masculin
❶ Chacun des êtres humains d'un groupe, d'une collectivité. *Chaque **individu** est différent des autres.* **SYN** personne. ❷ Personne que l'on méprise. *Je n'aime pas cet **individu**.*
♦ Famille du mot : individualiste, individuel, individuellement.

individualiste adjectif
❶ Qui fait preuve d'indépendance et veut se débrouiller seul. *Martin est trop **individualiste** pour voyager en groupe.* **SYN** indépendant.
❷ Qui favorise ses intérêts plutôt que ceux des autres. *Jérémie est **individualiste** : il ne pense qu'à lui.* **SYN** égoïste. **CONTR** altruiste.

individuel, individuelle adjectif
Qui est fait pour une seule personne. *Un enseignement **individuel**.* **SYN** particulier. **CONTR** collectif, commun.

individuellement adverbe
De façon individuelle. *Cet exercice doit être fait **individuellement**.* **SYN** séparément. **CONTR** collectivement, ensemble.

indolence nom féminin
Caractère d'une personne indolente. *Xavier s'est allongé avec **indolence** dans le hamac.* **SYN** mollesse, nonchalance. **CONTR** ardeur, vivacité.

indolent, indolente adjectif
Qui est sans énergie. *Cette canicule nous rend tous **indolents**.* **SYN** apathique, mou, nonchalant. **CONTR** actif, énergique, vif.

indolore adjectif
Qui ne fait pas souffrir. *Si tu ne bouges pas, cette piqûre sera **indolore**.* **CONTR** douloureux.

indomptable adjectif
❶ Que l'on ne peut pas dompter. *Certains animaux sauvages sont **indomptables**.*
❷ Que rien ne peut faire céder. *Une volonté **indomptable**.* **SYN** inflexible.

indonésien, indonésienne
➔Voir tableau, p. 1319.

indu, indue adjectif
• **Heure indue** : heure trop tardive. *Qui peut bien téléphoner à cette **heure indue** ?*

indubitable adjectif
Que l'on ne peut mettre en doute. *Sa bonne foi est **indubitable**.* **SYN** certain, incontestable, indiscutable.

induire verbe ▸ conjug. 43
• **Induire quelqu'un en erreur** : lui faire faire une erreur. *Ils nous **ont induits en erreur** en nous donnant la mauvaise information.* **SYN** tromper.

indulgence nom féminin
Caractère d'une personne indulgente. *Ses grands-parents font preuve de beaucoup d'**indulgence** envers lui.* **SYN** bienveillance, compréhension. **CONTR** sévérité.

indulgent, indulgente adjectif
Qui pardonne facilement. *Audrey est très **indulgente** avec son petit frère, même quand il est trop bruyant.* **SYN** compréhensif. **CONTR** dur, sévère.

industrialisation nom féminin
Fait de s'industrialiser. *L'**industrialisation** de cette région a créé beaucoup d'emplois.*

s'**industrialiser** verbe ▸ conjug. 3
Se doter d'industries, d'usines. *Ce pays commence à **s'industrialiser**.*

industrie nom féminin
❶ Activité économique consistant à transformer des matières premières en produits finis.
❷ Ensemble des entreprises d'un même secteur. *Le père de Vincent travaille dans l'**industrie** pharmaceutique.* ♦ Famille du mot : industrialisation, s'industrialiser, industriel.

industriel, industrielle adjectif
❶ Qui concerne l'industrie. *Montréal est le centre de la principale région **industrielle** du Québec.* ❷ Produit par l'industrie en grandes quantités. *Une production **industrielle**.* **CONTR** artisanal. ■ **industriel, industrielle** nom Personne qui possède ou dirige une usine. *Cette **industrielle** est à la tête d'une usine qui occupe un rang enviable.*

*Une zone **industrielle***

inébranlable adjectif
Que l'on ne peut pas ébranler, faire changer. *Sa décision est **inébranlable**, il ne changera pas d'avis.* **SYN** inflexible.

inédit, inédite adjectif
❶ Qui n'a pas encore été édité ou publié. *Son livre est resté **inédit**.* * Chercher aussi *manuscrit*. ❷ Qui est nouveau et original. *Des technologies **inédites** ont été utilisées pour réaliser ce film de science-fiction.* **SYN** innovateur, original.

inefficace adjectif
Qui n'a aucun effet. *Si ton asthme empire, c'est que ton traitement est **inefficace**.* **CONTR** efficace.

inefficacité nom féminin
Caractère inefficace. *Ce remède a été d'une totale **inefficacité**.* **CONTR** efficacité.

inégal, inégale, inégaux adjectif
❶ Qui n'est pas égal en dimension, en quantité, en valeur ou en durée. *La croissance de ces deux arbres est **inégale**.* **CONTR** égal. ❷ Qui n'est pas uni. *Une route **inégale**, pleine de trous.* **SYN** accidenté. **CONTR** lisse, plat. ❸ Qui manque de régularité. *Ses résultats scolaires sont **inégaux**.* **SYN** irrégulier. **CONTR** constant, régulier.

inégalable adjectif
Qui ne peut être égalé. *Ce record semble **inégalable**.* **SYN** exceptionnel, incomparable.

inégalité nom féminin
❶ Absence d'égalité. *Lutter contre l'**inégalité** des salaires entre les hommes et les femmes.* ❷ Élément inégal, irrégulier. *Les **inégalités** du chemin nous obligent à rouler lentement.* **SYN** aspérité.

inéluctable adjectif
Inévitable. *Tous les êtres humains finissent par mourir, c'est **inéluctable**.* **SYN** fatal.

inepte adjectif
Qui n'a aucun sens. *Cette remarque est totalement **inepte**.* **SYN** absurde, stupide.
* Ne pas confondre *inepte* et *inapte*.

inépuisable adjectif
❶ Que l'on ne peut épuiser. *Elle est d'une patience **inépuisable** avec les enfants.* ❷ Qui ne se fatigue pas de traiter d'un sujet. *Quand il commence à parler de cinéma, Thomas est **inépuisable**.* **SYN** intarissable.

inerte adjectif
Inanimé. *Après sa chute en skis, on l'a retrouvé **inerte** dans la neige.*

inertie nom féminin
Manque d'énergie, d'activité. *Alain est resté d'une désespérante **inertie** dans cette affaire.* **SYN** inaction, indolence, passivité.

inespéré, inespérée adjectif
Que l'on n'espérait pas ou plus. *Le joueur a marqué un but **inespéré** dans la dernière minute de la partie.* **SYN** imprévu, inattendu.

inestimable adjectif
Qui n'a pas de prix, que l'on ne peut évaluer. *Ce chef-d'œuvre est **inestimable**.* **SYN** inappréciable, précieux.

inévitable adjectif
Que l'on ne peut éviter. *Il y avait une nappe d'huile sur la route, le motard a fait une chute **inévitable**.* **SYN** fatal, inéluctable.

inévitablement adverbe
De façon inévitable. *Si vous ne lui expliquez pas comment faire, il se trompera **inévitablement**.* **SYN** fatalement, forcément.

inexact, inexacte adjectif
Qui contient des erreurs. *Ton calcul est **inexact**.* **SYN** erroné, faux. **CONTR** exact, juste.

inexactitude nom féminin
Chose inexacte. *Il y a quelques **inexactitudes** dans ta recherche.* **SYN** erreur, faute.

inexcusable adjectif
Que l'on ne peut excuser. *Les retards répétés de Loïc sont **inexcusables**.* **SYN** impardonnable.

inexistant, inexistante adjectif
Qui n'existe pas. *Les ressources de ce pays en voie de développement sont pratiquement **inexistantes**.*

inexpérience nom féminin
Manque d'expérience et de connaissances. **SYN** ignorance.

inexpérimenté, inexpérimentée adjectif
Qui n'a pas l'expérience de quelque chose. *Bruno vient juste d'apprendre à nager, c'est encore un nageur **inexpérimenté**.* **SYN** débutant, novice. **CONTR** expérimenté.

inexplicable adjectif
Qui ne peut être expliqué. *La cause de l'accident est **inexplicable**.* **SYN** incompréhensible, mystérieux. **CONTR** clair, évident.

inexploré, inexplorée adjectif
Qui n'a pas été exploré. *Il reste peu de régions **inexplorées** sur la Terre.* SYN vierge.

inexpressif, inexpressive adjectif
Qui ne manifeste aucun sentiment. *Son visage est **inexpressif**: il est impossible de savoir ce qu'elle pense.* CONTR expressif.

inexprimable adjectif
Qui est si intense qu'on ne peut l'exprimer. *Cette nouvelle a rempli Rachida d'un bonheur **inexprimable**.* SYN indescriptible.

in extremis adverbe
Au dernier moment. *Les habitants de l'immeuble en feu ont été sauvés **in extremis**.* * Attention! *In extremis* se prononce en faisant la liaison entre les deux mots. ✎ On peut écrire aussi ***in extrémis***.

infaillible adjectif
❶ Qui donnera sûrement un bon résultat. *Ces pastilles sont **infaillibles** contre le mal de gorge.* SYN efficace. ❷ Qui ne peut pas se tromper. *Personne n'est **infaillible**.*

infaisable adjectif
Qu'il est impossible de faire. *Cet exercice est trop difficile, je dirais même **infaisable**.*

infamant, infamante adjectif
Déshonorant. *Il a porté d'**infamantes** accusations contre elle.*

infâme adjectif
❶ Qui est horrible et odieux. *Un crime **infâme**.* SYN ignoble, immonde. ❷ Qui est très mauvais ou très sale. *Une nourriture **infâme**.* SYN infect. *Un logement **infâme**.* SYN répugnant, sordide.

infanterie nom féminin
Ensemble des troupes qui combattent à pied, armée de terre. *Ce soldat fait partie d'un régiment d'**infanterie**.*

*Un soldat d'**infanterie***

infantile adjectif
❶ Qui a un rapport avec l'enfance. *La rougeole est une maladie **infantile**.* ❷ Qui manque de maturité, de sérieux. *Ce comportement **infantile** n'est plus de ton âge!* SYN enfantin, puéril.

infarctus nom masculin
Grave maladie du cœur due à une artère bouchée. *Mon parrain a le cœur fragile depuis son **infarctus**.* * Attention! Ce mot se prononce *infarctus* (et non *infractus*).

infatigable adjectif
Que rien ne peut fatiguer. *Nathalie est une marcheuse **infatigable**.* SYN increvable, inlassable.

infect, infecte adjectif
❶ Qui est très mauvais. *Ce poisson n'est pas frais, il est **infect**.* CONTR délicieux, exquis. ❷ Dans la langue familière, qui suscite le dégoût moral. *Cette femme est **infecte** avec ses enfants.* SYN ignoble, infâme. ❸ Qui est très sale. *Un endroit **infect**.* ♦ Famille du mot: désinfectant, désinfecter, désinfection, infecter, infectieux, infection.

infecter verbe ▸ conjug. 3
❶ Contaminer. *Karine **a infecté** sa blessure à la main en jouant dans le sable.* ❷ Rendre malsain. *Ces émanations de soufre **infectent** le voisinage.* SYN empester. ❸ Dans un système informatique, provoquer des dégâts pouvant aller jusqu'à la destruction de fichiers en propageant un virus. * Ne pas confondre *infecter* et *infester*. ■ **s'infecter**: être contaminé par des germes. *Il faut tout de suite soigner une plaie pour éviter qu'elle **s'infecte**.*

infectieux, infectieuse adjectif
Qui est dû à une infection. *La rubéole est une maladie **infectieuse**.*

infection nom féminin
Pénétration dans l'organisme de germes pouvant provoquer une maladie et résultat de cette contamination. *Une **infection** pulmonaire doit être soignée rapidement.*

inférieur, inférieure adjectif
❶ Qui est placé en dessous. *La cafétéria de l'hôpital est à l'étage **inférieur**.* CONTR supérieur. ❷ Qui est plus petit. *Douze est **inférieur** à quinze.* ❸ Qui est moins fort. *Marco joue bien au tennis, mais à ce jeu, il est **inférieur** à Juliette.*

CONTR supérieur. ■ **inférieur, inférieure** nom Personne qui est au-dessous d'une autre dans une hiérarchie. **SYN** subalterne, subordonné. **CONTR** supérieur.

infériorité nom féminin
Caractère de ce qui est inférieur, moins fort. *Ils ont perdu à cause de leur **infériorité** numérique.* **CONTR** supériorité.

infernal, infernale, infernaux adjectif
Insupportable. *Ce marteau-piqueur fait un bruit **infernal**.*

infertilité nom féminin
En parlant d'un être vivant, incapacité à se reproduire. *Plusieurs couples ont recours aux cliniques d'**infertilité** dans l'espoir de pouvoir devenir parents.* **SYN** stérilité.

infester verbe ▸ conjug. 3
Envahir en grand nombre. *Dommage que cette belle forêt **soit infestée** de maringouins!* * Ne pas confondre *infester* et *infecter*.

infidèle adjectif
❶ Qui n'est pas fidèle en amitié ou en amour. *Cet homme est **infidèle** à sa femme.* **SYN** volage. ❷ Qui n'est pas exact ni conforme à la réalité. *Ton récit est **infidèle**, ce n'est pas ainsi que les choses se sont passées.* **SYN** inexact.

infidélité nom féminin
Manque de fidélité, particulièrement entre conjoints.

infiltration nom féminin
Action de s'infiltrer. *Le plombier cherche l'origine des **infiltrations** d'eau dans le plafond.*

infiltrer verbe ▸ conjug. 3
Introduire clandestinement un élément dans un groupe. *Un espion **a infiltré** ce réseau.* ■ **s'infiltrer**: pénétrer lentement à travers un corps. *À cause de l'orage, de l'eau **s'est infiltrée** dans le sous-sol.*

infime adjectif
Qui est très petit et insignifiant. *Il n'a qu'une chance **infime** de gagner.* **SYN** minime. **CONTR** énorme.

infini, infinie adjectif
Qui est sans fin. *La suite des nombres est **infinie**.* **SYN** illimité. ■ **infini** nom masculin
• **À l'infini**: sans fin, sans limite. *Le ciel s'étend **à l'infini**.* **SYN** indéfiniment. ♦ Famille du mot: infiniment, infinité.

infiniment adverbe
Extrêmement, très. *Je te suis **infiniment** reconnaissant de m'avoir aidé.*

infinité nom féminin
Quantité considérable. *Il existe une **infinité** d'étoiles.*

infinitif nom masculin
Mode du verbe quand il n'est pas conjugué. *«Jouer», «avoir», «partir», «être», «attendre» sont des verbes à l'**infinitif**.* * Chercher aussi *impératif, indicatif, participe, subjonctif*.

infirme adjectif et nom
Qui est atteint d'une infirmité. *Un très grave accident l'a rendue **infirme**. – Cet **infirme** a perdu sa jambe.* **SYN** handicapé. * Chercher aussi *impotent, invalide*.

infirmer verbe ▸ conjug. 3
Remettre en question. *Cette théorie **a été infirmée** par des scientifiques.* **SYN** démentir. **CONTR** confirmer.

infirmerie nom féminin
Local où l'on reçoit et soigne les malades ou les blessés. *Il y a une **infirmerie** dans cette usine.*

infirmier, infirmière nom
Personne qui donne des soins aux malades. *Une **infirmière** vient chaque jour lui faire une piqûre.*

infirmité nom féminin
État d'une personne qui ne peut utiliser une partie de son corps. *Malgré son **infirmité**, elle est très active.* * Chercher aussi *handicap*.

inflammable adjectif
Qui prend feu facilement. *Il ne faut jamais laisser de produits **inflammables** près d'une source de chaleur.* **CONTR** ininflammable.

Le symbole «**inflammable**»

inflammation nom féminin
Gonflement douloureux, irritation d'une partie du corps. *L'**inflammation** de l'oreille s'appelle une otite.*

inflation nom féminin
Hausse des prix. *Le gouvernement a pris des mesures contre l'**inflation**.*

a b c d e f g h i j k l m n o p q r s t u v w x y z

inflexible adjectif
❶ Qui est rigide. *Ce robot a été conçu avec un matériau **inflexible**.* CONTR flexible, souple. ❷ Que rien ne peut faire changer d'avis. *Malgré nos marchandages, il est resté **inflexible** sur le prix.* SYN inébranlable, sourd. CONTR influençable.

infliger verbe ▸ conjug. 5
Obliger quelqu'un à subir quelque chose de pénible. ***Infliger** une punition.* SYN imposer.

influençable adjectif
Qui est facile à influencer. *Un adolescent **influençable**.* CONTR inflexible.

influence nom féminin
Action qu'une chose ou une personne exerce sur une autre et qui entraîne un changement. *L'**influence** de la Lune sur les marées.* SYN action, effet. *Laurence a une grande **influence** sur ses frères.* SYN ② ascendant, emprise. * Ne pas confondre *influence* et *affluence*.

influencer verbe ▸ conjug. 4
Exercer une influence sur quelqu'un. *Olivier se laisse **influencer** par ses amis.*

influent, influente adjectif
Qui a de l'influence, du pouvoir. *Ce personnage est très **influent**.* SYN important, puissant.

influer verbe ▸ conjug. 3
Exercer une action. *On dit que le climat **influe** sur le caractère des gens.* SYN agir. ♦ Famille du mot : influençable, influence, influencer, influent.

infographie nom féminin
Application de l'informatique à la représentation graphique et au traitement de l'image. *Le service d'**infographie** a retouché cette image.*

infographiste nom
Spécialiste de l'infographie.

informateur, informatrice nom
Personne qui fournit des informations à la police. SYN délateur.

informaticien, informaticienne nom
Spécialiste de l'informatique.

information nom féminin
Renseignement ou nouvelle que l'on communique à quelqu'un. *Si tu as besoin d'une **information**, adresse-toi à l'accueil.* ■ **informations** nom féminin pluriel Nouvelles qui informent à la radio et à la télévision. *Ma mère écoute les **informations** à la radio.*

informatique nom féminin
Ensemble des techniques qui permettent de rassembler des données et de les organiser automatiquement en utilisant l'ordinateur. *À l'école, Véronique apprend l'**informatique**.* ■ **informatique** adjectif De l'informatique. *Tout le matériel **informatique** évolue très vite aujourd'hui.* ♦ Famille du mot : informaticien, informatisation, informatiser.

informatisation nom féminin
Action d'informatiser. *L'**informatisation** des dossiers médicaux facilite le travail des médecins.*

informatiser verbe ▸ conjug. 3
Équiper d'ordinateurs. *Ce service **est** entièrement **informatisé**.*

informe adjectif
Qui n'a pas vraiment de forme précise. *Le ballon crevé n'était plus qu'une masse **informe**.*

informer verbe ▸ conjug. 3
Donner une information. *On vous **a** mal **informé**, Yann n'habite pas ici.* ■ **s'informer** : se renseigner. *Sarah **s'informe** sur les horaires d'autobus.*

inforoute nom féminin
Autoroute de l'information.

infortune nom féminin
Malheur, malchance. *Ils sont accablés par l'**infortune**.* SYN adversité.

infortuné, infortunée adjectif et nom
Malheureux, malchanceux. *Ce sont des gens **infortunés**. – Cet **infortuné** mendie dans le métro.*

infraction nom féminin
Acte contraire au règlement ou à la loi. *Passer au feu rouge est une **infraction**.* SYN délit, faute. * Ne pas confondre *infraction* et *effraction*.

infranchissable adjectif
❶ Que l'on ne peut pas franchir. *Ce mur est **infranchissable**.* ❷ Au sens figuré, que l'on ne peut pas surmonter. *Réussir cet examen lui paraissait un obstacle **infranchissable**.*

infrarouge adjectif
Se dit de rayons invisibles, utilisés pour le chauffage, la cuisson, la photographie, etc.
■ **infrarouge** nom masculin Appareil qui utilise les rayons infrarouges. *Un four à **infrarouge**.*

*Une photographie à rayons **infrarouges***

infrastructure nom féminin
Ensemble de constructions et d'équipements. *L'**infrastructure** routière est insuffisante compte tenu du nombre croissant de véhicules.*

infroissable adjectif
Qui ne peut être froissé. *Un tissu **infroissable**.*

infructueux, infructueuse adjectif
Qui n'a pas réussi ou donné de résultats. *Les recherches sont restées **infructueuses**, aucun naufragé n'a été retrouvé.* **SYN** inefficace, vain. **CONTR** fructueux.

infuser verbe ▶ conjug. 3
Tremper des feuilles de thé ou de tisane dans l'eau bouillante pour qu'elles dégagent leur goût. *Ma grand-mère laisse **infuser** le sachet de tisane pendant cinq minutes.*

infusion nom féminin
Boisson faite avec des plantes infusées. *Une **infusion** de verveine.* **SYN** tisane.

s'**ingénier** verbe ▶ conjug. 10
Faire tous les efforts possibles pour arriver à un résultat. *Mon petit frère est malade et toute la famille **s'ingénie** à le distraire.*

ingénieur, ingénieure nom
Personne qui participe à des recherches ou qui dirige des travaux. *Elle est **ingénieure** en aéronautique.*

ingénieux, ingénieuse adjectif
Qui est plein d'astuce et d'esprit d'invention. *Benjamin a trouvé un procédé **ingénieux** pour réparer son vélo.* **SYN** astucieux, intelligent.

ingéniosité nom féminin
Caractère ingénieux. *C'est grâce à son **ingéniosité** qu'il peut réparer toutes sortes de choses.*

ingénu, ingénue adjectif et nom
Qui est d'une franchise naïve et candide. *Julio a pris un air **ingénu** pour répondre. – L'héroïne de ce roman est une **ingénue**.*

ingérence nom féminin
Fait de s'ingérer. *Elle ne tolère pas l'**ingérence** de sa famille dans sa vie privée.* **SYN** intervention.

s'**ingérer** verbe ▶ conjug. 8
Se mêler de quelque chose sans en avoir le droit, la permission. *Tu n'as pas à **t'ingérer** dans les affaires des autres.* **SYN** s'immiscer.
✎ On peut écrire aussi, au futur, *je **m'ingèrerai***; au conditionnel, *tu **t'ingèrerais***.

ingrat, ingrate adjectif et nom
Qui n'a aucune reconnaissance pour les bienfaits reçus. *Un fils **ingrat**. – Olga est une **ingrate**, elle ne nous a même pas remerciés.*
■ **ingrat, ingrate** adjectif ❶ Qui est déplaisant, désagréable. *Faire le ménage est un travail **ingrat**, mais nécessaire.* **SYN** pénible. ❷ Qui manque de charme ou de grâce. *Un physique **ingrat**.* **SYN** disgracieux.

ingratitude nom féminin
Caractère d'une personne ingrate. *Elle a fait preuve de beaucoup d'**ingratitude** envers ses parents.* **CONTR** gratitude, reconnaissance.

ingrédient nom masculin
Élément qui entre dans la composition d'un mélange. *Elle rassemble les **ingrédients** de la pâte à gaufres : la farine, les œufs et le lait.*

ingurgiter verbe ▶ conjug. 3
Manger ou boire avec avidité et en quantité. *David **a ingurgité** son déjeuner en cinq minutes.* **SYN** engloutir, engouffrer.

inhabitable adjectif
Où il est impossible d'habiter. *Leur maison a brûlé ; elle est **inhabitable**.*

inhabité, inhabitée adjectif
Où il n'y a pas d'habitants. *Cette île est **inhabitée**.* **SYN** désert. **CONTR** habité.

inhabituel, inhabituelle adjectif
Qui n'est pas habituel. *Il fait une chaleur **inhabituelle** pour la saison.* **SYN** anormal, inaccoutumé. **CONTR** habituel.

inhalation nom féminin
Absorption par les voies respiratoires de la vapeur d'une eau très chaude où l'on a mis un produit médicinal. *Pour soigner mon rhume, j'ai fait des **inhalations**.*

inhaler verbe ▸ conjug. 3
Aspirer par le nez ou la bouche. *Dans les villes polluées, on **inhale** des gaz toxiques.*

inhérent, inhérente adjectif
Qui est inséparable de quelque chose. *Ces responsabilités sont **inhérentes** à sa fonction.*

inhibé, inhibée adjectif
Qui est incapable d'agir ou de réagir. *Aïcha est très **inhibée**, elle reste renfermée sur elle-même.* **SYN** timide.

inhospitalier, inhospitalière adjectif
Qui n'est pas hospitalier, pas accueillant. *Cette région aride et inhabitée est **inhospitalière**.*

*Une région **inhospitalière***

inhumain, inhumaine adjectif
Qui n'est pas digne de l'être humain. *C'est **inhumain** de faire souffrir quelqu'un.* **SYN** barbare, cruel.

inhumation nom féminin
Enterrement. *L'**inhumation** du défunt aura lieu lundi.*

inhumer verbe ▸ conjug. 3
Enterrer. *Elle **a été inhumée** au cimetière du village.* **CONTR** déterrer, exhumer.

inimaginable adjectif
Que l'on peut difficilement imaginer. *Des aventures **inimaginables**.* **SYN** impensable, incroyable.

inimitable adjectif
Que l'on ne peut pas imiter. *Elle a un rire **inimitable**.*

ininflammable adjectif
Qui ne peut pas s'enflammer. *Une matière **ininflammable**.* **CONTR** inflammable.

inintelligible adjectif
Que l'on ne peut pas comprendre. *Un message **inintelligible**.* **SYN** incompréhensible. **CONTR** compréhensible, intelligible.

inintéressant, inintéressante adjectif
Qui n'est pas intéressant. *Une émission télévisée **inintéressante**.*

ininterrompu, ininterrompue adjectif
Qui ne s'interrompt pas. *Sur ce boulevard, le bruit de la circulation est **ininterrompu**.* **SYN** continu, continuel, incessant.

initial, initiale, initiaux adjectif
Qui se trouve au début de quelque chose. *Le projet **initial** a été modifié.* **SYN** premier. **CONTR** final. ■ **initiales** nom féminin pluriel Premières lettres du nom et du prénom d'une personne. *Éliane Morissette signe avec ses **initiales**: E. M.* * Attention! Le *t* du mot *initial* se prononce comme un *s*. ♦ Famille du mot: initialement, initiation, initiative, initié, initier.

initiation nom féminin
Action d'initier. *Cette émission est une bonne **initiation** au bricolage.* **SYN** introduction. * Attention! Les deux *t* du mot *initiation* se prononcent comme un *s*.

initiative nom féminin
❶ Action de quelqu'un qui entreprend quelque chose le premier. *C'est Liang qui a pris l'**initiative** de décorer la classe pour Noël.* ❷ Qualité de quelqu'un qui sait oser, qui sait se décider. *Elle a l'esprit d'**initiative**.* * Attention! Le premier *t* du mot *initiative* se prononce comme un *s*.

initié, initiée nom
Personne qui a des connaissances dans un domaine. *Seuls les **initiés** peuvent comprendre ce livre scientifique.* **CONTR** profane. * Attention! Le *t* du mot *initié* se prononce comme un *s*.

initier verbe ▸ conjug. 10
Faire acquérir à quelqu'un ses premières connaissances dans un domaine. *C'est son père qui l'**a initié** au jeu d'échecs.* * Attention! Le *t* du verbe *initier* se prononce comme un *s*.

injecter verbe ▸ conjug. 3
Faire pénétrer un liquide dans le corps à l'aide d'une seringue. ***Injecter** un vaccin contre le tétanos.*

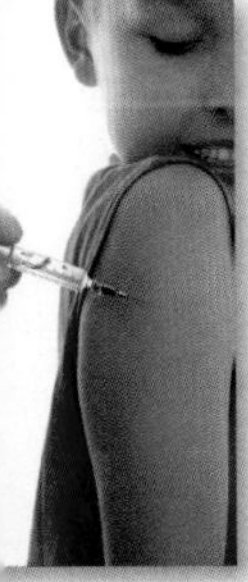
Une **injection**

injection nom féminin
Action de faire pénétrer un liquide dans le corps. *Les élèves auront une **injection** contre la grippe.* SYN piqûre.

injure nom féminin
Parole offensante et blessante. *Je te demande de cesser de lui lancer des **injures**.* SYN insulte. ♦ Famille du mot: injurier, injurieux.

injurier verbe ▸ conjug. 10
Lancer des injures à quelqu'un. *Ce grossier personnage s'est mis à nous **injurier**.* SYN insulter.

injurieux, injurieuse adjectif
Qui est offensant, vexant. *On m'a répété ses propos **injurieux**.* SYN insultant.

injuste adjectif
Qui n'est pas juste. *Une décision **injuste**.* CONTR équitable.

injustement adverbe
D'une manière injuste. *Cet élève a été **injustement** puni.* SYN à tort*.

injustice nom féminin
Acte injuste. *Être victime d'une **injustice**.*

injustifié, injustifiée adjectif
Qui est sans motif, n'est pas justifié. *Il n'y a aucun danger; vos craintes sont **injustifiées**.* CONTR fondé, justifié.

inlassable adjectif
Infatigable. *Pedro est un marcheur **inlassable**.*

inlassablement adverbe
Sans se lasser. *Anaïs joue **inlassablement** le même air au piano.*

inné, innée adjectif
Que l'on a dès la naissance. *Marina a un don **inné** pour la musique.* SYN naturel.

innocemment adverbe
De façon innocente, naïve. *Dire quelque chose **innocemment**.* * Attention! La terminaison *emment* se prononce *amant*.

innocence nom féminin
❶ Fait d'être innocent. *Son **innocence** ne fait aucun doute.* CONTR culpabilité. ❷ Avec naïveté, sans se méfier. *Elle m'a raconté son histoire avec **innocence**.* SYN candeur.

innocent, innocente adjectif et nom
❶ Qui n'a rien fait de mal. *Ce n'est pas Jérémie qui a cassé la vitre, il est **innocent**. – Un **innocent** a été arrêté par erreur.* CONTR coupable. ❷ Qui est crédule et naïf. *Alice a répondu d'un ton **innocent**. – Elle a fait l'**innocente**.* ■ **innocent, innocente** adjectif Qui n'est ni dangereux ni condamnable. *Ce sont des jeux bien **innocents**.* ♦ Famille du mot: innocemment, innocence, innocenter.

innocenter verbe ▸ conjug. 3
Prouver que quelqu'un est innocent. *Les témoins **ont innocenté** le suspect.* SYN disculper. CONTR condamner.

innombrable adjectif
Trop nombreux pour être compté. *Une foule **innombrable** a assisté à la parade.*

innovateur, innovatrice adjectif
Qui est original, qui fait des innovations. *Cet enseignant a trouvé un moyen **innovateur** pour intéresser ses élèves.* ■ **innovateur, innovatrice** nom Personne qui innove. *Cette architecte est une grande **innovatrice**.*

innovation nom féminin
Fait d'innover, de créer une nouveauté et résultat de cette nouveauté. *Cette nouvelle voiture comporte plusieurs **innovations** techniques.* SYN création.

innover verbe ▸ conjug. 3
Faire quelque chose de nouveau en créant un changement. *Il faut **innover** pour ne pas être dépassé.* ♦ Famille du mot: innovateur, innovation.

innu, innue adjectif et nom
De la nation amérindienne des Innus. *La culture **innue**. – Les **Innus**, les **Innues**.* 👁carte 5. ✎ Attention! Le nom, qui désigne les membres de la nation innue, s'écrit avec une majuscule. * On dit aussi *montagnais, montagnaise*.

inoccupé, inoccupée adjectif
❶ Qui n'est occupé par personne. *Cette place est **inoccupée**.* SYN libre, vacant. ❷ Qui ne fait rien. *Jason a toujours besoin de faire quelque chose, il déteste rester **inoccupé**.* SYN désœuvré, inactif, oisif. CONTR occupé.

inoculer verbe ▸ conjug. 3
Introduire une substance dans l'organisme. ***Inoculer** un vaccin, un poison.*

inodore adjectif
Qui n'a pas d'odeur. *Ces roses sont belles, mais totalement **inodores**.* CONTR odorant.

inoffensif, inoffensive adjectif
Qui est sans danger. *Ces petites bêtes sont totalement **inoffensives**.* CONTR dangereux.

inondation nom féminin
Grande quantité d'eau qui submerge un endroit. *Les pluies abondantes ont provoqué des **inondations**.*

Une ***inondation***

inonder verbe ▸ conjug. 3
Recouvrir d'eau de manière imprévue et accidentelle. *La baignoire a débordé et la salle de bains **est inondée**.*

inopiné, inopinée adjectif
Qui est inattendu, imprévu. *L'arrivée **inopinée** de nos amis nous a surpris.*

inopportun, inopportune adjectif
Qui n'est pas opportun, qui n'arrive pas au bon moment. *Il est arrivé à un moment **inopportun** et a dérangé tout le monde.*

inoubliable adjectif
Que l'on ne peut pas oublier. *Pour Guillaume, ces vacances resteront **inoubliables**.* **SYN** mémorable.

inouï, inouïe adjectif
Qui est extraordinaire. *Cet orage d'une violence **inouïe** a causé de nombreux dégâts.* **SYN** incroyable.

inoxydable adjectif
Qui ne s'oxyde pas, ne rouille pas. *Une casserole en acier **inoxydable**.*

Un barbecue en acier ***inoxydable***

inqualifiable adjectif
Qui est tellement scandaleux que l'on a du mal à le qualifier. *Un geste **inqualifiable**.* **SYN** indigne.

inquiet, inquiète adjectif
Qui se tourmente, qui a peur que quelque chose se passe mal. *Myriam est **inquiète** ; son chat a l'air malade.* **SYN** anxieux, soucieux. ♦ Famille du mot : inquiétant, inquiéter, inquiétude.

inquiétant, inquiétante adjectif
Qui inquiète. *Le moteur de la voiture fait un bruit **inquiétant**.* **SYN** alarmant. **CONTR** rassurant.

inquiéter verbe ▸ conjug. 8
Rendre inquiet. *Dimitri a de la fièvre, cela nous **inquiète**.* **SYN** préoccuper. ■ s'**inquiéter** : se tourmenter. *Ne **t'inquiète** pas, tout va bien se passer.* **SYN** se soucier, se tracasser. ✎ On peut écrire aussi, au futur, *tu (**t'**)**inquièteras*** ; au conditionnel, *elle (**s'**)**inquièterait***.

inquiétude nom féminin
État d'une personne inquiète. *Un ouragan est annoncé et l'**inquiétude** est grande chez les habitants.* **SYN** anxiété, appréhension.

insaisissable adjectif
❶ Que l'on n'arrive pas à attraper. *On a beau mettre du fromage et des pièges, la souris reste **insaisissable** !* ❷ Que l'on n'arrive pas à bien comprendre. *Un caractère **insaisissable**.*

insalubre adjectif
Qui n'est pas salubre. *Cet immeuble **insalubre** va être démoli.* **SYN** malsain.

insalubrité nom féminin
Caractère de ce qui est insalubre. *L'**insalubrité** de ce logement le rend inhabitable.* **CONTR** salubrité.

insanité nom féminin
Action ou parole absurde ou insensée. *Elle ferait mieux de se taire plutôt que de dire de telles **insanités** !* **SYN** absurdité, ineptie.

insatiable adjectif
❶ Qui n'est jamais rassasié. *Un appétit **insatiable**.* ❷ Qui ne peut être satisfait. *Le désir d'apprendre, chez Mathis, est **insatiable**.* ✱ Attention ! Le *t* du mot *insatiable* se prononce comme un *s*.

insatisfait, insatisfaite adjectif
Qui n'est pas satisfait. *Ses parents sont **insatisfaits** de ses résultats scolaires.* **SYN** mécontent. **CONTR** content, satisfait.

inscription nom féminin
❶ Mots inscrits sur une surface. *On a gravé une **inscription** sur ce monument.* ❷ Action d'inscrire sur une liste. *Ce club de gymnastique n'accepte plus les **inscriptions** après le 1er novembre.* **SYN** adhésion.

inscrire verbe ▸ conjug. 47
❶ Écrire quelque chose pour s'en souvenir. *Claudia **inscrit** ses dépenses dans un petit carnet.* ❷ Écrire le nom de quelqu'un sur une liste pour qu'il fasse partie d'un groupe. *Mickaëla **est inscrite** à une association de soccer.*
■ **s'inscrire**: faire inclure son nom dans une liste ou un registre qui confirme l'appartenance à un groupe. *Il **s'est inscrit** au club de judo.*

insectarium nom masculin
Lieu où l'on conserve des insectes afin de les étudier et de les exposer. *L'**insectarium** de Montréal a ouvert ses portes en 1990.*
* Attention! La dernière syllabe du mot *insectarium* se prononce *riome*.

insecte nom masculin
Petit animal qui a trois paires de pattes et souvent deux paires d'ailes. *La sauterelle est un **insecte** à longues pattes.* 👁p. 570. ♦ Famille du mot: insectarium, insecticide, insectivore.

insecticide nom masculin
Produit utilisé pour détruire les insectes. *Un **insecticide** en aérosol.*

insectivore adjectif et nom masculin
Animal qui se nourrit d'insectes. *L'hirondelle est **insectivore**. – La chauve-souris, la taupe, la musaraigne sont des **insectivores**.*
* Chercher aussi *carnivore*, *frugivore*, *granivore*, *herbivore*, *omnivore*.

insécurité nom féminin
Manque de sécurité, inquiétude. *Les habitants de ce bidonville vivent dans l'**insécurité**.*
CONTR sécurité.

insémination nom féminin
• **Insémination artificielle:** technique visant à provoquer une grossesse artificiellement, sans accouplement.

insensé, insensée adjectif
Qui est contraire à la raison et au bon sens. *C'est **insensé** de rouler si vite en ville.*
SYN aberrant, absurde, déraisonnable.
CONTR raisonnable, sensé.

insensibiliser verbe ▸ conjug. 3
Rendre insensible à la douleur. *Le dentiste va faire une piqûre pour **insensibiliser** le nerf.*
SYN anesthésier.

insensibilité nom féminin
Absence de sensibilité physique ou morale. *L'**insensibilité** au froid, aux démonstrations d'émotions.*

insensible adjectif
❶ Qui ne se laisse pas attendrir par quelque chose. *Cet égoïste est **insensible** aux malheurs des autres.* **SYN** indifférent. ❷ Qui a perdu la sensibilité physique. *Depuis qu'il est paralysé, une partie de son corps est devenue **insensible**.* ❸ Que l'on a de la difficulté à percevoir. *Il y a des différences **insensibles** entre ces deux tableaux.* **SYN** imperceptible.
CONTR notable, sensible.

insensiblement adverbe
De façon insensible, imperceptible. *Dès juillet, les jours commencent **insensiblement** à raccourcir.* **SYN** graduellement, imperceptiblement.

inséparable adjectif
Que l'on ne peut pas séparer. *Karen et William sont des amis **inséparables**, ils sont toujours ensemble.*

insérer verbe ▸ conjug. 8
Ajouter quelque chose en l'introduisant dans un ensemble. ***Insérer** un encart publicitaire dans un journal.* ■ **s'insérer** ❶ S'intégrer dans un groupe. *Il **s'est** bien **inséré** dans sa nouvelle école.* ❷ Entrer, se situer. *Ce nouveau cours **s'insère** bien dans la vocation de l'école.*
✎ On peut écrire aussi, au futur, *tu (**t'**)**insèreras***; au conditionnel, *nous (**nous**) **insèrerions***.

insertion nom féminin
❶ Action d'insérer quelque chose. *L'**insertion** d'une petite annonce dans un journal.* ❷ Fait de s'insérer. *L'**insertion** des jeunes dans le monde du travail.* **SYN** intégration.

insidieux, insidieuse adjectif
Qui constitue un piège. *Il faut se méfier de ses questions **insidieuses**.* **SYN** sournois.

insigne nom masculin
Petit objet porté par tous les membres d'un même groupe. *Ce militaire porte l'**insigne** de l'armée de l'air.*

insignifiant, insignifiante adjectif
❶ Qui manque de personnalité. *Des personnages **insignifiants**.* **SYN** banal, quelconque, terne.
❷ Qui est peu important. *Un détail **insignifiant**.* **SYN** dérisoire, futile, négligeable.

insinuation nom féminin
Chose que l'on insinue, que l'on ne dit pas vraiment. *Elle n'a cessé de faire des **insinuations** au sujet de ses amies.*
SYN sous-entendu.

Les insectes

Les insectes représentent les trois quarts des animaux de la planète. On compte actuellement près d'un million d'espèces d'insectes différentes. Cependant, comme on ne connaît pas toutes les espèces, on pense qu'il pourrait y en avoir plusieurs millions.

L'utilité des insectes

Les insectes servent de nourriture aux animaux et à d'autres insectes, ils participent à la pollinisation des fleurs, ils fertilisent les sols, ils font du recyclage de feuilles mortes, d'excréments et autres détritus dans la nature, et ils nettoient les forêts en mangeant des cadavres ou des excréments d'animaux.

L'anatomie des insectes

La majorité des insectes commencent leur vie sous forme de larves et subissent ensuite plusieurs changements lors de leur croissance. C'est ce que l'on appelle la métamorphose, laquelle compte différents stades selon les espèces.

métamorphose du papillon lune

L'œuf — *La larve (la chenille)* — *La pupe (la chrysalide)* — *L'adulte*

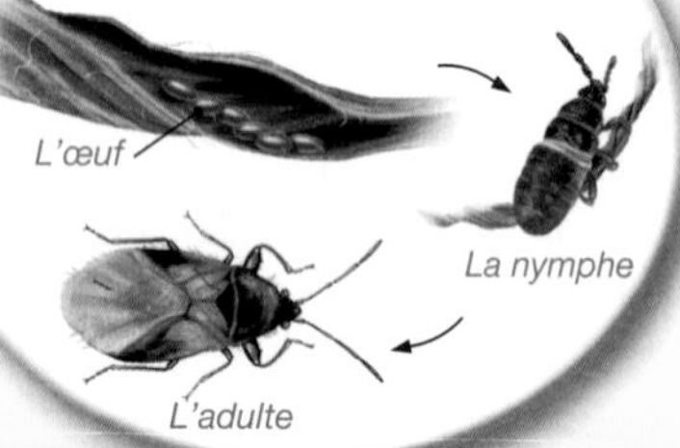

métamorphose de la punaise velue

L'œuf — *La nymphe* — *L'adulte*

Le corps des insectes comprend trois parties : la tête, le thorax et l'abdomen. C'est dans l'abdomen que se trouvent tous les organes principaux. Tous les insectes ont six pattes et au moins deux ailes fixées au thorax. Ils ont également une paire d'antennes sur la tête, qu'ils utilisent pour « sentir ».

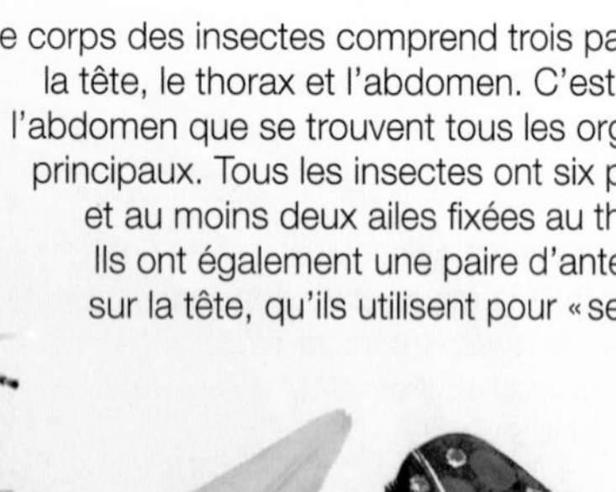

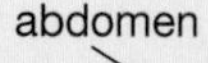

Quelques ordres d'insectes bien connus

Les orthoptères (sauterelles, grillons)

L'ordre des orthoptères comprend environ 17 000 espèces. La moitié de ces espèces sont des criquets.

Les coléoptères (scarabées, hannetons, coccinelles)

C'est dans cet ordre qu'on a identifié le plus grand nombre d'espèces.

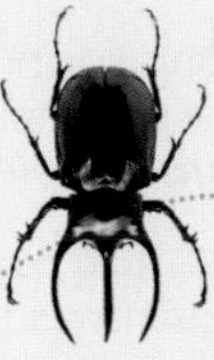

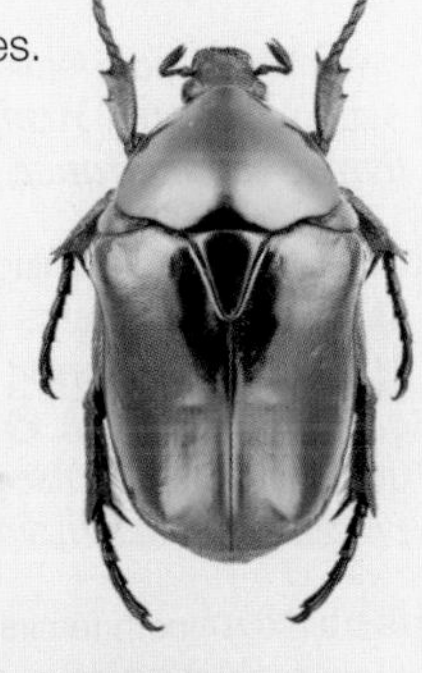

Les hyménoptères (abeilles, guêpes, bourdons et fourmis)

C'est l'ordre d'insectes le plus diversifié, après les coléoptères.

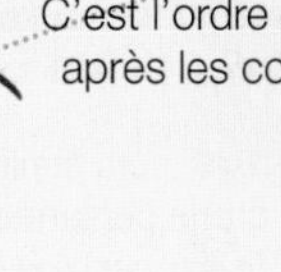

Les diptères (mouches, moucherons, moustiques)

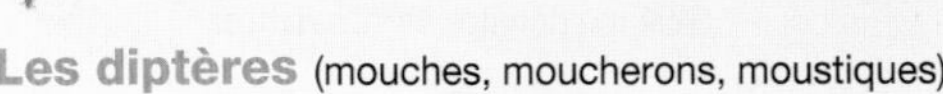

Les diptères ont une seule paire d'ailes, contrairement aux insectes appartenant aux autres ordres qui en ont deux ou trois.

Les lépidoptères (papillons)

Les larves des lépidoptères s'appellent des chenilles. Ces dernières fabriquent de la soie et construisent un cocon. Dans ce cocon, elles continueront de grandir et de se transformer pour devenir des papillons.

chenille

cocon

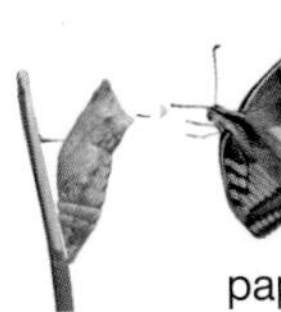
papillon

a b c d e f g h i j k l m n o p q r s t u v w x y z

insinuer verbe ▸ conjug. 3
Faire comprendre quelque chose sans le dire clairement. *Sarah **a insinué** que c'était Antoine le coupable.* ■ **s'insinuer** : s'introduire d'une manière habile. *Cela fait longtemps que Yann cherche à **s'insinuer** dans notre groupe.*

insipide adjectif
❶ Qui n'a aucun goût, aucune saveur. *Ce café est **insipide**.* SYN fade. ❷ Qui est sans intérêt. *Ce film est totalement **insipide**.* SYN ennuyant, monotone.

insistance nom féminin
Action d'insister. *Yasmina m'a réclamé son livre avec **insistance**.*

insister verbe ▸ conjug. 3
❶ Réclamer plusieurs fois quelque chose. *Maïa a beau **insister**, sa mère ne veut pas qu'elle sorte le soir.* ❷ Attirer l'attention sur quelque chose. *L'enseignante **insiste** sur la présentation des travaux.* SYN s'appesantir.

insolation nom féminin
Malaise dû à un coup de soleil. *Protégeons-nous du soleil pour éviter une **insolation**.*

insolence nom féminin
Action ou parole insolente. *Il a claqué la porte en partant : quelle **insolence** !* SYN arrogance, impertinence.

insolent, insolente adjectif et nom
Qui manque de respect envers quelqu'un. *Miguel a été puni pour avoir été **insolent** avec la directrice. – C'est une incorrigible **insolente**.* SYN effronté, impertinent. CONTR courtois, respectueux.

insolite adjectif
Qui surprend par son caractère étrange ou inhabituel. *Cette maison est remplie d'objets **insolites**.* SYN bizarre.

*Le tarsier, un animal **insolite***

insoluble adjectif
❶ Qui ne peut pas se dissoudre dans un liquide. *L'huile est **insoluble** dans l'eau.* CONTR soluble. ❷ Que l'on ne peut pas résoudre. *Ce problème est **insoluble**, on ne peut pas trouver une solution.*

insomniaque adjectif
Qui souffre d'insomnie. *Mon grand-père est **insomniaque**, il a beaucoup de difficulté à s'endormir.*

insomnie nom féminin
Difficulté à dormir. *Pour éviter les **insomnies**, Ève prend une tisane le soir.* * Chercher aussi *somnifère, somnolence.*

insondable adjectif
Dont on ne peut mesurer la profondeur. *Une mer **insondable**.*

insonorisation nom féminin
Action d'insonoriser un lieu. *L'**insonorisation** de cet appartement est parfaite.*

insonoriser verbe ▸ conjug. 3
Équiper un local pour atténuer les bruits. *Les salles de classe devraient **être** mieux **insonorisées**.* CONTR sonoriser.

insouciance nom féminin
Caractère d'une personne insouciante. *Il n'a pas senti le danger, quelle **insouciance** !* SYN indifférence, nonchalance.

insouciant, insouciante adjectif
Qui ne s'inquiète de rien. *C'est une fillette heureuse et **insouciante**.*

insoutenable adjectif
Que l'on ne peut pas supporter. *L'odeur de ce dépotoir est **insoutenable**.*

inspecter verbe ▸ conjug. 3
Examiner attentivement pour surveiller ou contrôler. *Le garagiste **a** soigneusement **inspecté** le moteur.* ♦ Famille du mot : inspecteur, inspection.

inspecteur, inspectrice nom
Personne chargée d'inspecter. *Le père de Frédéric est **inspecteur** des bâtiments.*

inspection nom féminin
Action d'inspecter. *Les douaniers ont procédé à l'**inspection** de certains bagages.* SYN contrôle.

inspiration nom féminin
❶ Fait d'inspirer de l'air. *L'**inspiration** est suivie de l'expiration.* * Chercher aussi *respiration*. ❷ Idée qui vient soudain à l'esprit. *Nous choisirons le restaurant selon l'**inspiration** du moment.* ❸ Souffle créateur, imagination. *Wang manque d'**inspiration** pour sa rédaction.*

inspirer verbe ▸ conjug. 3
❶ Faire entrer de l'air dans les poumons. ***Inspirez** profondément, puis expirez !* ❷ Faire naître une idée ou un sentiment dans l'esprit de quelqu'un. *Ce spectacle désolant **inspire** la pitié.* ■ *s'***inspirer de quelque chose** : y prendre des idées. *Cette cinéaste a fait son film en **s'inspirant de** ses souvenirs d'enfance.*

instabilité nom féminin
Caractère instable. *L'**instabilité** du temps nous empêche de partir en pique-nique.*

instable adjectif
❶ Qui ne tient pas bien en équilibre. *La table est **instable**, car elle a un pied cassé.* **SYN** branlant. **CONTR** stable. ❷ Qui change souvent. *Le temps est **instable** : tantôt il fait beau, tantôt il pleut.* **SYN** changeant, variable. ❸ Qui change souvent d'humeur ou d'idée. *Cette personne **instable** peut passer brusquement de la gaieté à la mélancolie.* **CONTR** équilibré.

installateur, installatrice nom
Personne qui fait des installations (généralement d'appareils).

installation nom féminin
❶ Action d'installer ou fait de s'installer. *Leur **installation** à Laval remonte à deux ans.* ❷ Ensemble des appareils et des matériels installés. *Les ouvriers sont en train de refaire toute l'**installation** électrique de la maison.* ❸ Mise en place. *L'**installation** d'un lave-vaisselle, l'**installation** d'un système de sécurité.*

installer verbe ▸ conjug. 3
Mettre en place. *Il fait beau, on va pouvoir **installer** les chaises longues autour de la piscine.* ■ *s'***installer** ❶ Aller dans un endroit pour y vivre. *Ils ont déménagé pour **s'installer** près de leurs enfants.* **SYN** s'établir. ❷ Se mettre à l'aise dans un endroit. *Mon grand-père **s'est installé** dans son fauteuil pour lire le journal.*
♦ Famille du mot : installateur, installation.

instant nom masculin
Moment très court. *Attends-moi, je reviens dans un **instant**.* • **À l'instant** : il y a très peu de temps. *Je l'ai quitté **à l'instant**.* • **Pour l'instant** : jusqu'à présent, pour le moment.
♦ Famille du mot : instantané, instantanément.

instantané, instantanée adjectif
❶ Qui ne demande qu'un instant. *Elle a pris une décision **instantanée**.* • **Café instantané** : café en poudre qui se dissout rapidement dans l'eau chaude. ❷ Qui se produit soudainement. *Une mort **instantanée**.* **SYN** soudain, subit.

instantanément adverbe
De façon instantanée. *David a **instantanément** proposé de m'aider.* **SYN** aussitôt, immédiatement.

instaurer verbe ▸ conjug. 3
Établir un régime, un usage ou un système. *Nous **avons instauré** de nouvelles règles de fonctionnement.* **SYN** établir, instituer.

instigateur, instigatrice nom
Personne qui est à l'origine de quelque chose. *Arianne est l'**instigatrice** de cette activité à l'école.*

instinct nom masculin
Force innée qui pousse les êtres vivants à faire certaines choses sans avoir besoin de les apprendre. *L'**instinct** pousse les jeunes mammifères à téter leur mère.* • **D'instinct** : par intuition. ***D'instinct**, nous avons su qu'il fallait partir.* * Attention ! Les lettres *ct* dans le mot *instinct* ne se prononcent pas.

instinctif, instinctive adjectif
Que l'on fait par instinct. *Il a fait un geste **instinctif** pour se protéger.* **SYN** automatique, machinal.

instituer verbe ▸ conjug. 3
Établir d'une manière durable. *Les dirigeants de la ligue de hockey **ont institué** de nouveaux règlements.* **SYN** instaurer.

institut nom masculin
Nom donné à certains établissements de recherche scientifique, d'enseignement ou à caractère commercial.

instituteur, institutrice nom
Enseignant dans une école primaire.

institution nom féminin
Chose instituée. *L'enseignement gratuit pour tous est une **institution** démocratique.*

■ **institutions** nom féminin pluriel Ensemble des lois et des principes qui règlent la vie politique d'un pays. * Chercher aussi *constitution*.

instructif, instructive adjectif
Qui permet de s'instruire. *Alicia regarde une émission **instructive** sur les animaux.*

instruction nom féminin
Savoir acquis au cours des études faites dans un établissement d'enseignement. *Issam a reçu une bonne **instruction** dans cette école.* **SYN** enseignement, formation. ■ **instructions** nom féminin pluriel Indications sur la manière de faire les choses. *Le pilote attend les **instructions** de la tour de contrôle.* **SYN** directives, ordres.

instruire verbe ▸ conjug. 43
Apporter des connaissances à quelqu'un. *Les enseignants sont chargés d'**instruire** les élèves.* ■ s'**instruire** : apprendre des choses. *Pénélope lit beaucoup pour **s'instruire**.* **SYN** se cultiver. ♦ Famille du mot : instructif, instruction.

instruit, instruite adjectif
Qui a de l'instruction, beaucoup de connaissances. **SYN** ignare, ignorant. **CONTR** cultivé.

instrument nom masculin
Objet qui sert à faire quelque chose. *Le thermomètre est un **instrument** de mesure de la température.* 👁 p. 575. *La guitare est un **instrument** de musique.* 👁 p. 692. ♦ Famille du mot : instrumental, instrumentiste.

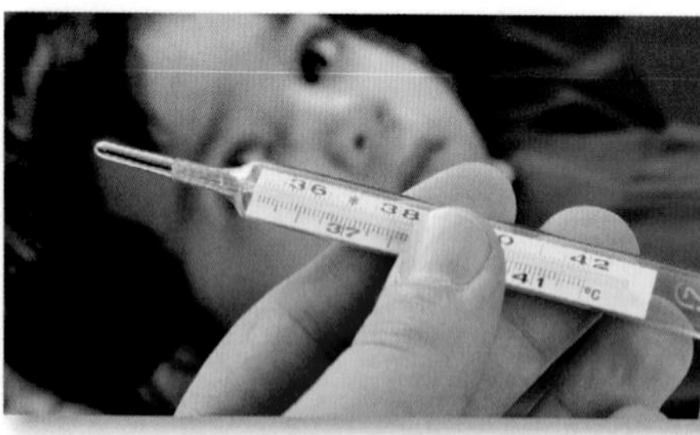

*Un **instrument** de mesure*

instrumental, instrumentale, instrumentaux adjectif
Qui est exécuté par des instruments de musique. *Un concert de musique **instrumentale**.*

instrumentiste nom
Personne qui joue d'un instrument de musique. *Un orchestre de trente **instrumentistes**.*

à l'**insu de** préposition
Sans que la chose soit sue par quelqu'un. *Il nous a photographiés **à notre insu**.*

insubmersible adjectif
Qui ne peut pas couler. *On disait à tort que le* Titanic *était **insubmersible**.*

insuffisamment adverbe
De manière insuffisante. **CONTR** suffisamment.

insuffisance nom féminin
Caractère d'une chose insuffisante. *L'**insuffisance** des ressources en eau pose des problèmes à ces agriculteurs.*

insuffisant, insuffisante adjectif
Qui ne suffit pas. *Les enfants ont trouvé **insuffisante** leur portion de dessert.* **CONTR** suffisant.

insulaire adjectif et nom
Qui habite une île. *Ce peuple **insulaire** vit surtout de la pêche. – Les Prince-Édouardiens sont des **insulaires**.*

insultant, insultante adjectif
Injurieux. *Il s'est excusé pour ses paroles **insultantes**.*

insulte nom féminin
Injure. *Les deux automobilistes en colère se sont lancé des **insultes**.*

insulter verbe ▸ conjug. 3
Injurier. *Il m'**a insulté** en me traitant d'imbécile.*

insupportable adjectif
❶ Qui est très dur à supporter. *Il fait une chaleur **insupportable**.* **SYN** infernal, intolérable. ❷ Qui est désagréable, pénible, en parlant de quelqu'un. *Les enfants ont été **insupportables**.*

s'**insurger** verbe ▸ conjug. 5
❶ Se révolter contre une autorité. *Ce peuple **s'est insurgé** contre la dictature.* **SYN** se soulever. ❷ S'opposer vivement à quelque chose. *Les habitants de la région **s'insurgent** contre le projet d'implantation d'éoliennes.*

insurmontable adjectif
❶ Que l'on ne peut pas franchir. *Les explorateurs sont arrivés devant un obstacle **insurmontable**.* **SYN** infranchissable. ❷ Que l'on ne peut pas surmonter. *Sa phobie des araignées semble **insurmontable**.* **SYN** invincible.

insurrection nom féminin
Soulèvement contre le pouvoir, l'autorité en place. **SYN** rébellion, révolte.

Les instruments de mesure et d'observation

Les instruments de mesure

Pour évaluer le monde qui nous entoure, nous avons développé des instruments de mesure. Ceux-ci nous permettent de déterminer avec une certaine précision une grandeur par rapport à une grandeur de référence.

Pour se comprendre, les scientifiques ont adopté le Système international d'unités (SI), inspiré du système métrique. Le SI compte sept unités de base : le mètre (m), le kilogramme (kg), la seconde (s), l'ampère (A), le kelvin (K), la mole (mol) et la candela (cd). Chaque unité de base possède ses multiples ou sous-multiples. Par exemple, pour le mètre, il y a le kilomètre, le centimètre, etc.

Voici quelques-uns des instruments de mesure que nous utilisons.

La règle

La règle est un instrument de géométrie permettant de mesurer des longueurs.

Le cylindre gradué

Le cylindre gradué permet de mesurer le volume d'un liquide.

La balance

La balance permet d'évaluer la masse des objets.

Le compte-gouttes

Le compte-gouttes permet de mesurer des liquides, goutte à goutte.

Le chronomètre

Le chronomètre permet de mesurer le temps.

Le thermomètre

Le thermomètre sert à mesurer et à afficher la valeur des températures.

Les instruments d'observation

Les instruments d'observation nous aident à mieux comprendre ce qui nous entoure, de l'infiniment petit à l'infiniment grand. Grâce à ce type d'instruments, nous avons été en mesure de découvrir tout un univers invisible à l'œil nu.

Voici quelques instruments d'observation courants.

La loupe

La loupe est constituée d'une lentille convexe (bombée) permettant d'obtenir une image agrandie d'un objet.

Le microscope

Le microscope permet d'obtenir une image agrandie d'un échantillon. Il nous permet donc d'observer des objets très petits ou invisibles à l'œil nu.

La longue-vue

La longue-vue, aussi appelée lunette d'approche, est un instrument d'optique qui permet de grossir des objets éloignés.

Les jumelles

Les jumelles permettent de grossir des objets éloignés. Elles sont surtout utilisées pour observer ce qui nous environne : oiseaux, paysages éloignés, personnes à distance, etc.

Le télescope

Le télescope capte et focalise la lumière, ce qui permet d'augmenter la luminosité et la taille des objets à observer. On s'en sert pour observer des objets dans l'espace ou la Terre à partir de l'espace.

intact, intacte adjectif
Qui est resté en bon état. *Kim a fait tomber un vase, mais contrairement à ce qu'elle craignait, il est **intact**.*

intarissable adjectif
❶ Qui ne s'épuise pas, qui est sans fin. *Une source **intarissable**.* SYN inépuisable. ❷ Qui ne peut pas s'arrêter de parler. *Sur ce sujet, elle est **intarissable**.*

intégral, intégrale, intégraux adjectif
Qui est entier, total. *Antoine demande le remboursement **intégral** de la somme qu'il a versée.* CONTR partiel. ♦ Famille du mot : désintégration, désintégrer, intégralement, intégralité, intégration, intègre, intégrer, intégrisme, intégriste, intégrité, réintégrer.

intégralement adverbe
De façon intégrale. *Guillaume a lu **intégralement** cet énorme roman d'aventures.* SYN complètement, entièrement.

intégralité nom féminin
État de ce qui est intégral. *Hélène a dépensé l'**intégralité** de son argent de poche pour s'acheter une console de jeu.* SYN totalité.

intégration nom féminin
Processus par lequel une personne ou un groupe s'insère dans le milieu, la société où il vit. *L'**intégration** des immigrants dans la société d'accueil.* SYN insertion.

intègre adjectif
Qui est d'une honnêteté parfaite. *On peut se fier à elle, c'est une femme **intègre**.* SYN honnête.

intégrer verbe ▸ conjug. 8
Faire entrer dans un tout. *Dans ce manuel de français, on **a intégré** une section sur la grammaire.* SYN inclure, insérer. ■ **s'intégrer** : faire partie d'un groupe et s'y sentir à l'aise. *Ingrid n'a eu aucun mal à **s'intégrer** dans l'équipe de basketball.* SYN s'insérer. ✎ On peut écrire aussi, au futur, *il (**s'**)**intègrera*** ; au conditionnel, *elle (**s'**)**intègrerait***.

intégriste nom
Partisan d'une attitude consistant à refuser toute évolution de sa religion par respect de la tradition.

intégrité nom féminin
Qualité d'une personne intègre. *Tout le monde connaît son **intégrité**.* SYN honnêteté.

intellectuel, intellectuelle adjectif
Qui fait appel à l'intelligence, à l'esprit. *S'agit-il d'un travail **intellectuel** ou d'un travail manuel ?* ■ **intellectuel, intellectuelle** nom
Personne qui se consacre au travail intellectuel. *Les écrivains, les historiens sont des **intellectuels**.*

intellectuellement adverbe
Sur le plan intellectuel. *Cette femme âgée est encore très vive **intellectuellement**.*

intelligemment adverbe
De façon intelligente. *Ils ont su réagir **intelligemment**.* ✻ Attention ! La terminaison *emment* se prononce *amant*.

intelligence nom féminin
Ensemble des qualités de l'esprit qui permettent de comprendre, de réfléchir et de s'adapter à une situation. *Cet élève est d'une **intelligence** remarquable.* CONTR bêtise, stupidité. ♦ Famille du mot : inintelligible, intelligemment, intelligent, intelligible.

intelligent, intelligente adjectif
Qui comprend vite et qui s'adapte rapidement. *Ces élèves ont tout de suite compris, car ils sont **intelligents**.* CONTR bête, stupide.

intelligible adjectif
Que l'on peut comprendre. *Il n'a pu nous dire que quelques mots **intelligibles**.* SYN clair, compréhensible. CONTR inintelligible.

intempéries nom féminin pluriel
Mauvais temps. *Les **intempéries** ont provoqué beaucoup de dégâts dans les cultures.*

Intempéries

intempestif, intempestive adjectif
Qui se produit à un moment qui ne convient pas. *Un fou rire **intempestif** l'a pris au beau milieu de la cérémonie.* SYN inopportun.

intenable adjectif
Insupportable. *L'odeur du chou-fleur dans la cuisine est **intenable**.*

ntendant, intendante nom
❶ Personne chargée d'administrer les ressources matérielles d'un établissement. *La mère de Laura est **intendante** dans un hôpital.* ❷ Anciennement, agent du pouvoir royal chargé de la police, de la justice et des finances. *Jean Talon a été **intendant** de la Nouvelle-France.* 👁p. 936.

ntense adjectif
Qui est très fort ou très vif. *Un bonheur **intense**. Dans les régions polaires, le froid est toujours **intense**.* **SYN** extrême. ♦ Famille du mot: intensément, intensif, intensification, intensifier, intensité.

ntensément adverbe
De façon intense. *Paola désire **intensément** revoir ses amis.*

ntensif, intensive adjectif
Qui fait l'objet d'un effort intense. *Les athlètes s'entraînent de façon **intensive**.* • **Culture intensive**: culture sur de petites surfaces, mais à hauts rendements. * Chercher aussi *culture extensive**.

ntensification nom féminin
Action de s'intensifier. *L'**intensification** des combats dans cette région a fait fuir les habitants.*

ntensifier verbe ▸ conjug. 10
Rendre plus intense, augmenter. *Il **a intensifié** ses efforts pour se préparer à l'examen.*
■ **s'intensifier**: devenir plus intense. *La circulation **s'intensifie** à l'heure de pointe.* **SYN** s'accroître, augmenter.

ntensité nom féminin
Caractère intense. *Ces stores diminuent l'**intensité** de la lumière.* **SYN** force.

ntenter verbe ▸ conjug. 3
Engager une action en justice contre quelqu'un. *Il **a intenté** un procès au journal qui l'avait diffamé.*

ntention nom féminin
Ce que l'on a décidé de faire. *Nathalie a l'**intention** d'aller au cinéma ce soir.* **SYN** dessein, projet. • **À l'intention de quelqu'un**: spécialement pour lui. *Ce service téléphonique a été créé **à l'intention des** jeunes.* ♦ Famille du mot: intentionné, intentionnel, intentionnellement.

intentionné, intentionnée adjectif
• **Être bien** ou **mal intentionné**: avoir de bonnes ou de mauvaises intentions à l'égard de quelqu'un.

intentionnel, intentionnelle adjectif
Qui est fait volontairement. *Amélie a fait exprès de se tromper, c'est une erreur **intentionnelle**.* **SYN** délibéré. **CONTR** involontaire.

intentionnellement adverbe
De façon intentionnelle. *Alexia m'a **intentionnellement** fermé la porte au nez.* **SYN** exprès. **CONTR** involontairement.

inter- préfixe
Placé au début d'un mot pour former un autre mot, *inter-* signifie «entre» (***inter**planétaire*).

intercalaire nom masculin
Feuille que l'on intercale dans un classeur. *Richard inscrit le nom de chaque matière sur des **intercalaires** de couleur.*

intercaler verbe ▸ conjug. 3
Placer entre deux choses ou dans un ensemble. *Sophie **a intercalé** des pages blanches entre chaque grand chapitre de son travail.*

intercepter verbe ▸ conjug. 3
Arrêter quelqu'un ou quelque chose au passage. *Le défenseur a réussi à **intercepter** la rondelle.*

interchangeable adjectif
Se dit de choses ou de personnes qui peuvent être mises à la place l'une de l'autre. *Les pneus de la voiture sont **interchangeables**.*

interculturel, interculturelle adjectif
Qui concerne les rapports entre cultures, entre civilisations différentes. *Ce projet **interculturel** tente de rapprocher les différentes communautés immigrantes du quartier.*

interdépendance nom féminin
Dépendance réciproque, mutuelle. *L'enseignante a recours à l'**interdépendance** pour faire travailler ses élèves en équipes.*

interdiction nom féminin
Action d'interdire quelque chose. ***Interdiction** de fumer dans les lieux publics.* **SYN** défense. **CONTR** autorisation, permission.

***Interdiction** de fumer*

a b c d e f g h i j k l m n o p q r s t u v w x y z

a b c d e f g h i j k l m n o p q r s t u v w x y z

interdire verbe ▸ conjug. 46
Commander à quelqu'un de ne pas faire quelque chose. *La police **interdit** l'accès de la rue, car il y a un incendie.* SYN défendre. CONTR autoriser, permettre. ✎ Attention ! *Interdire* se conjugue comme le verbe *dire*, sauf à la deuxième personne du pluriel du présent de l'indicatif et de l'impératif : *vous **interdisez**.* ♦ Famille du mot : interdiction, interdit.

interdisciplinaire adjectif
Au sein d'une équipe de travail, interaction de deux ou plusieurs disciplines, soit pour réaliser un projet, soit pour résoudre un problème. *Les meilleures solutions pour le transport en commun ont été suggérées par une équipe **interdisciplinaire**.*

interdit, interdite adjectif
❶ Qui n'est pas autorisé. *L'automobiliste distraite a pris une rue en sens **interdit**.* ❷ Qui est ébahi, stupéfait. *Une telle prouesse a laissé le public **interdit**.* SYN abasourdi, stupéfait.

intéressant, intéressante adjectif
❶ Qui provoque l'intérêt des gens. *Ce documentaire était tellement **intéressant** que Gregory s'en est servi pour son exposé.* CONTR inintéressant. ❷ Avantageux. *Au moment des soldes, les prix sont souvent **intéressants**.* ■ **intéressant, intéressante** nom • **Faire l'intéressant** : essayer de se faire remarquer.

intéressé, intéressée adjectif
❶ Qui n'a en vue que son intérêt personnel. *Cette personne **intéressée** agit sans penser aux autres.* CONTR désintéressé, généreux. ❷ Qui est concerné par quelque chose. *Les personnes **intéressées** sont priées de se présenter demain à la réunion.*

intéresser verbe ▸ conjug. 3
❶ Provoquer l'intérêt de quelqu'un pour quelque chose. *La visite du musée **a** beaucoup **intéressé** les élèves.* CONTR ennuyer. ❷ Avoir de l'importance pour quelqu'un. *Ce règlement **intéresse** tous les joueurs.* SYN concerner. ❸ Associer aux profits. *Ce vendeur **est intéressé** aux bénéfices.* ■ **s'intéresser à** : avoir de l'intérêt pour quelque chose. *Ingrid **s'intéresse** beaucoup **à** la peinture.* CONTR se désintéresser de.

intérêt nom masculin
❶ Attention particulière que l'on porte à quelque chose. *Zoé lit avec beaucoup d'**intérêt** un livre sur l'Univers.* CONTR indifférence. ❷ Ce qui est intéressant, d'une grande importance. *Cette découverte est d'un grand **intérêt** pour les chercheurs.* ❸ Recherche de ce qui est avantageux pour soi. *Saïd sait que c'est son **intérêt** de bien travailler à l'école.* ❹ Somme d'argent qu'il faut rembourser en plus de la somme empruntée. *Le montant des **intérêts** varie selon les banques.* ♦ Famille du mot : désintéressé, désintéressement, se désintéresser de, désintérêt, inintéressant, intéressant, intéressé, intéresser.

interface nom féminin
Ensemble des moyens qui rendent possibles la connexion et l'interaction entre le matériel, le logiciel et l'utilisateur.

intérieur, intérieure adjectif
❶ Qui est situé au-dedans. *Dans la cour **intérieure** de l'hôtel, il y a une fontaine.* CONTR extérieur. ❷ Qui concerne le pays où l'on est. *La politique **intérieure**.* CONTR étranger, international. ■ **intérieur** nom masculin ❶ Partie du dedans d'un endroit ou d'une chose. *Qu'y a-t-il à l'**intérieur** de la boîte ?* SYN dedans. CONTR extérieur. ❷ Habitation. *Leur **intérieur** est confortable et bien tenu.*

intérieurement adverbe
❶ À l'intérieur d'un lieu, dedans. *La façade est belle, mais **intérieurement**, cette maison est en mauvais état.* CONTR extérieurement. ❷ En soi-même. *Pierre a accepté de venir, alors qu'**intérieurement** il ne le souhaitait pas.*

intérim nom masculin
Remplacement provisoire d'une personne. *Assurer l'**intérim** d'une personne en congé.*

interjection nom féminin
Mot ou groupe de mots qui s'emploie pour exprimer un sentiment. *« Ah ! », « Ouf ! » et « Au secours ! » sont des **interjections**.*

interligne nom masculin
Espace compris entre deux lignes écrites. *Pour écrire un nouveau paragraphe, Zan a mis un double **interligne**.* * Attention ! On dit ***un** interligne.*

interlocuteur, interlocutrice nom
Personne avec laquelle on parle. *Elle n'a pas reconnu la voix de son **interlocuteur** au téléphone.*

interloquer verbe ▸ conjug. 3
Étonner quelqu'un au plus haut point. *Cette nouvelle l'**a interloqué**.* SYN ébahir, stupéfier.

intermédiaire adjectif
Qui se trouve entre deux choses. *Le gris est une couleur **intermédiaire** entre le blanc et le noir.* ■ **intermédiaire** nom Personne qui intervient entre des personnes ou des groupes pour établir un lien ou vendre un produit. *Joëlle a servi d'**intermédiaire** pour essayer de les réconcilier.* **SYN** médiateur. ■ **intermédiaire** nom masculin • **Par l'intermédiaire de quelqu'un :** avec son aide. *Vendre une maison **par l'intermédiaire d'**une agente d'immeubles.* **SYN** par l'entremise de.

interminable adjectif
Qui semble sans fin. *Sharon a trouvé le film ennuyant et **interminable**.* **SYN** long. **CONTR** bref, court.

intermittence nom féminin
• **Par intermittence :** de manière irrégulière, discontinue. *Des nuages cachent le soleil **par intermittence**.*

intermittent, intermittente adjectif
Qui s'arrête puis recommence. *Une pluie **intermittente**.* **SYN** discontinu.

internat nom masculin
Pour les futurs médecins, période de travail dans un hôpital, sous la direction de médecins. *Cette étudiante en médecine vient de finir son **internat**.*

international, internationale, internationaux adjectif
Qui a lieu entre les différents pays du monde. *Le commerce **international**.* **SYN** extérieur. **CONTR** intérieur, national.

internaute nom
Personne qui utilise le réseau Internet. *Alexia est une **internaute** chevronnée.*

① **interne** adjectif
Qui est situé à l'intérieur. *Les poumons, le cœur, le foie, les reins sont des organes **internes**.* **CONTR** externe.

② **interne** nom
Étudiant en médecine qui travaille dans un hôpital sous la direction de médecins.

*Une **internaute***

interner verbe ▸ conjug. 3
Enfermer dans un hôpital psychiatrique.

Internet nom masculin
Réseau informatique mondial, composé d'un ensemble de réseaux interconnectés, qui permet aux utilisateurs, les internautes, de communiquer à distance et d'avoir accès à une grande quantité d'information et de fichiers multimédias. *Les élèves ont fait une recherche sur les espèces en voie de disparition à partir de l'information trouvée sur **Internet**.* • **Site Internet :** lieu où un hôte Internet identifié par une adresse Internet est implanté. • **Adresse Internet :** groupe d'abréviations séparées par des points qui permettent d'avoir accès à un ordinateur relié à Internet. *C'est en utilisant l'**adresse Internet** d'un musée que ce groupe d'élèves a pu réserver une visite.* ✎ Attention ! *Internet* s'écrit avec une majuscule. * Attention ! Le *t* final du mot *Internet* se prononce. * Chercher aussi *hyperlien*, *Net*, *Web*, *webmestre*.

interpeller verbe ▸ conjug. 3
❶ Adresser la parole à quelqu'un d'une façon brusque. *Caroline **a interpellé** une dame dans la rue pour lui signaler que son sac était ouvert.* **SYN** apostropher. ❷ Vérifier l'identité de quelqu'un ou l'arrêter. *La police **a interpellé** plusieurs suspects.* ✎ On peut écrire aussi ***interpeler*** et conjuguer ce verbe sur le modèle de *appeler* (conjug. 9).

interphone nom masculin
Système de communication téléphonique interne. *La directrice a annoncé la fermeture de l'école par l'**interphone**.* * *Interphone* est le nom d'une marque.

interplanétaire adjectif
Qui est situé entre les planètes. *L'exploration des différents espaces **interplanétaires**.* * Chercher aussi *intersidéral*, *interstellaire*.

s'**interposer** verbe ▸ conjug. 3
Intervenir entre deux personnes comme médiateur. *L'enseignant **s'est interposé** pour séparer les élèves qui se battaient.*

a b c d e f g h i j k l m n o p q r s t u v w x y z

interprétation nom féminin
❶ Manière de comprendre quelque chose. *On peut donner plusieurs* ***interprétations*** *de cet évènement.* ❷ Façon de jouer une œuvre dramatique ou cinématographique, ou d'exécuter une pièce musicale. *J'ai beaucoup aimé l'****interprétation*** *de cette comédienne.*

interprète nom
❶ Personne qui traduit dans une autre langue les paroles ou les écrits de quelqu'un. *Julie est trilingue; plus tard, elle aimerait devenir* ***interprète****.* ❷ Personne qui interprète une œuvre dramatique, cinématographique ou musicale. *Les* ***interprètes*** *d'un film.* ♦ Famille du mot : interprétation, interpréter.

interpréter verbe ▸ conjug. 8
❶ Donner une signification à quelque chose. *Xavier* ***a mal interprété*** *ce que je lui ai dit.* **SYN** comprendre. ❷ Jouer un rôle au cinéma ou au théâtre, ou exécuter un morceau de musique. *Le pianiste* ***interprète*** *cette sonate avec brio.* ✎ On peut écrire aussi, au futur, *tu* ***interprèteras*** ; au conditionnel, *elle* ***interprèterait****.*

interrogateur, interrogatrice adjectif
Qui interroge. *Il m'a regardé d'un air* ***interrogateur****, sans comprendre.*

interrogatif, interrogative adjectif
Qui sert à interroger, à poser une question. *Dans la phrase* ***interrogative*** *« Qui veut jouer avec moi ? », « qui » est un pronom* ***interrogatif****.*

interrogation nom féminin
Ce que l'on dit pour interroger, pour poser une question. *« Pourquoi ris-tu ? » est une* ***interrogation****.* • **Point d'interrogation :** signe de ponctuation (?) indiquant que la phrase est interrogative.

interrogatoire nom masculin
Ensemble des questions posées à une personne par un policier ou un juge.

interroger verbe ▸ conjug. 5
Poser des questions à quelqu'un. *Pour trouver le bon chemin, nous avons dû* ***interroger*** *pratiquement tous les gens du village.* **SYN** questionner. ■ s'**interroger** : se poser des questions. *Je ne sais pas ce que je dois faire, je* ***m'interroge****.* **SYN** réfléchir. ♦ Famille du mot : interrogateur, interrogatif, interrogation, interrogatoire.

interrompre verbe ▸ conjug. 34
❶ Faire cesser quelque chose. *La sonnerie du téléphone* ***a interrompu*** *ma sieste.* ❷ Couper la parole à quelqu'un. *Je ne peux pas donner mon avis sans que tu m'****interrompes*** *à tout instant.* ■ s'**interrompre** : cesser de faire quelque chose, en particulier de parler. ♦ Famille du mot : ininterrompu, interrupteur, interruption.

interrupteur nom masculin
Appareil qui sert à interrompre ou à rétablir le passage du courant électrique. *Appuie sur l'****interrupteur*** *pour éteindre la lumière.*

interruption nom féminin
Fait d'interrompre quelque chose ou quelqu'un. *L'orage a entraîné l'****interruption*** *du match.* **SYN** arrêt. **CONTR** reprise.

intersection nom féminin
Endroit où deux lignes, deux routes se croisent. *À l'****intersection*** *des deux rues, il y a un panneau Arrêt.* **SYN** croisement.

Une ***intersection***

intersidéral, intersidérale, intersidéraux adjectif
Qui est situé entre les astres. *La navette spatiale a commencé son vol* ***intersidéral****.* * Chercher aussi *interplanétaire*, *interstellaire*.

interstellaire adjectif
Qui est situé entre les étoiles. *Ce roman raconte un voyage* ***interstellaire****.* * Chercher aussi *interplanétaire*, *intersidéral*.

intertitre nom masculin
Titre secondaire précisant les différentes parties d'un texte. * Chercher aussi *sous-titre*.

nterurbain adjectif masculin
Se dit d'un appel téléphonique acheminé à l'extérieur d'une zone de télécommunication considérée comme locale. ■ **interurbain** nom masculin Appel à distance. *Les **interurbains** qu'elle a faits ont haussé sa facture de téléphone.*

ntervalle nom masculin
❶ Distance séparant un lieu ou un élément d'un autre. *Planter des arbres à **intervalles** réguliers.* ❷ Espace de temps qui sépare deux faits. *Elles sont nées à deux ans d'**intervalle**.*

Arbres plantés à **intervalles** réguliers

ntervenir verbe ▸ conjug. 19
❶ Prendre part à ce qui se passe. *Maman **est intervenue** pour arrêter la chicane.* ❷ Se produire, avoir lieu. *Une trêve **est intervenue** entre les combattants.* ✎ Attention ! *Intervenir* se conjugue avec l'auxiliaire *être*.

ntervention nom féminin
❶ Action d'intervenir. *Sans l'**intervention** du sauveteur, Karina se serait noyée.* ❷ Opération chirurgicale. *Une petite **intervention** chirurgicale lui a rendu l'usage de sa main gauche.*

nterversion nom féminin
Fait d'intervertir deux choses. *L'**interversion** des lettres du mot « sa » donne « as » ; du mot « son » donne « nos ».* **SYN** permutation.

intervertir verbe ▸ conjug. 11
Mettre une chose à la place d'une autre. *Si on **intervertit** deux lettres du mot « signe », on obtient le mot « singe ».*

interview nom masculin ou féminin
Entretien qu'une personne accorde à un ou une journaliste désirant lui poser des questions.

interviewer verbe ▸ conjug. 3
Soumettre quelqu'un à une interview. ***Interviewer** une actrice à la radio.*

intestin nom masculin
Organe en forme de long tuyau situé dans l'abdomen. *Les aliments passent d'abord dans l'estomac, puis dans l'**intestin**.* 👁p. 320.
* Chercher aussi *boyau*.

intestinal, intestinale, intestinaux adjectif
De l'intestin. *Laurence a une maladie **intestinale**.*

intime adjectif
❶ Avec qui on est lié par un sentiment profond. *Depuis la maternelle, Noémie et Yann sont des amis **intimes**.* ❷ Qui se passe entre des personnes qui se connaissent bien. *Un souper **intime**.* ❸ Qui est au plus profond de soi. *Dans son journal, elle écrit ses pensées les plus **intimes**.* ♦ Famille du mot : intimement, intimité.

intimement adverbe
De façon intime. *Je l'ai **intimement** associé à mon projet.*

intimer verbe ▸ conjug. 3
Donner un ordre à quelqu'un avec autorité. *Le policier **intime** à l'automobiliste l'ordre de s'arrêter sur l'accotement.*

intimidation nom féminin
Action d'intimider. *Victime d'**intimidation**, cet élève a fini par dénoncer ses agresseurs.*

intimider verbe ▸ conjug. 3
Troubler ou rendre quelqu'un timide. *La présence de tous ces inconnus venus l'écouter jouer du piano **intimide** Claudia.* **SYN** impressionner. **CONTR** rassurer.

intimité nom féminin
Relation étroite entre des personnes. *Il y a entre eux une grande **intimité**.* • **Dans l'intimité** : en présence seulement des parents et des amis proches. *La cérémonie a eu lieu dans la plus stricte **intimité**.*

intituler verbe ▸ conjug. 3
Donner comme titre. *La Fontaine **a intitulé** l'une de ses fables « La Cigale et la Fourmi ».* ■ **s'intituler** : porter comme titre. *Ce récit **s'intitule** « La légende de la chasse-galerie ».*

intolérable adjectif
Insupportable. *La chaleur est **intolérable** dans cette région.* **CONTR** supportable.

intolérance nom féminin
Défaut d'une personne intolérante. *L'**intolérance** a été la cause de nombreuses guerres.* **CONTR** tolérance.

intolérant, intolérante adjectif
Qui ne veut ni comprendre ni admettre les idées des autres. *C'est un homme **intolérant**.* **CONTR** tolérant.

intonation nom féminin
Ton que l'on prend quand on parle. *Son **intonation** traduisait sa colère.*

a b c d e f g h i j k l m n o p q r s t u v w x y z

intoxication nom féminin
Maladie causée par du poison ou par un aliment avarié. *C'est une bactérie qui a provoqué cette **intoxication** alimentaire.* SYN empoisonnement.

intoxiquer verbe ▸ conjug. 3
Causer une intoxication. *Des champignons vénéneux **ont intoxiqué** toute la famille.*

intra- préfixe
Placé au début d'un mot pour former un autre mot, *intra-* signifie « à l'intérieur de » (***intra**veineuse*).

intraitable adjectif
Intransigeant. *Les parents de Fabrice sont **intraitables** en ce qui concerne la politesse.*

intramusculaire adjectif
Se dit d'une piqûre qui se fait dans l'épaisseur du muscle. * Chercher aussi *intraveineux*.

intranet nom masculin
Réseau de télécommunication réservé à l'usage d'un organisme et qui fait appel aux mêmes techniques qu'Internet. *Ces renseignements étaient fournis aux élèves à partir de l'**intranet** de leur commission scolaire.*
✎ Pluriel : *des **intranets**.* ✎ Attention ! Ce mot s'écrit avec une minuscule, alors qu'*Internet* prend la majuscule.

intransigeance nom féminin
Caractère d'une personne intransigeante. *Il fait preuve de trop d'**intransigeance** envers ses enfants.*

intransigeant, intransigeante adjectif
Qui n'accepte aucun arrangement, aucun compromis. *On ne pourra jamais s'entendre avec lui, il est trop **intransigeant**.* SYN inflexible, intraitable. CONTR accommodant, conciliant.

intransitif, intransitive adjectif
Se dit d'un verbe qui n'est pas suivi d'un complément direct ou indirect. *« Agir » est un verbe **intransitif**.* CONTR transitif.

intraveineux, intraveineuse adjectif
Qui se fait à l'intérieur d'une veine. *Une injection **intraveineuse**.* * Chercher aussi *intramusculaire*.

intrépide adjectif
Qui ne craint pas le danger. *Des sauveteurs **intrépides** sont allés dans la tempête au secours des naufragés.* SYN brave, courageux, hardi.

intrépidité nom féminin
Caractère d'une personne intrépide. *Grâce à l'**intrépidité** des pompiers, plusieurs personnes ont échappé à la mort.* SYN bravoure, courage.

intrigant, intrigante adjectif
Curieux, mystérieux. *Une réponse **intrigante**.*
■ **intrigant, intrigante** nom Personne qui intrigue pour obtenir ce qu'elle veut. *Une **intrigante**.* * Ne pas confondre *intrigant*, adjectif et nom, avec *intriguant*, participe présent invariable du verbe *intriguer*.

intrigue nom féminin
❶ Déroulement des évènements racontés dans une histoire. *L'**intrigue** d'un roman, l'**intrigue** d'un film.* ❷ Manœuvres secrètes et compliquées *Il a tout fait pour déjouer les **intrigues** de ses ennemis.* SYN machination, manigance.

intriguer verbe ▸ conjug. 3
❶ Exciter la curiosité. *Le chat **est intrigué** par un petit bruit.* ❷ Mener des intrigues. *Elle **a intrigué** pour obtenir cet emploi.* SYN manœuvrer. ♦ Famille du mot : intrigant, intrigue.

introduction nom féminin
❶ Fait d'introduire quelqu'un ou quelque chose dans un endroit. *L'**introduction** des visiteurs dans le bureau du premier ministre se fait dans le respect de l'étiquette. L'**introduction** de certaines marchandises est contrôlée par l'État.* ❷ Texte de présentation d'un livre ou d'un autre texte. *Dans l'**introduction**, l'auteure explique pourquoi elle a écrit son livre.* SYN avant-propos. * Chercher aussi *conclusion*, *développement*.

introduire verbe ▸ conjug. 43
❶ Faire pénétrer une chose à l'intérieur d'une autre. ***Introduire** une clé dans une serrure.* ❷ Faire adopter quelque chose de nouveau. ***Introduire** un certain style.* ■ **s'introduire** : pénétrer dans un lieu. *Le raton laveur a réussi à **s'introduire** dans le cabanon.* SYN pénétrer.

introniser verbe ▸ conjug. 3
Conférer un titre à quelqu'un. *Cette athlète **a été intronisée** au Temple de la renommée des sports du Canada.*

introuvable adjectif
Que l'on n'arrive pas à trouver. *Benjamin a fouillé partout, mais son baladeur MP3 est **introuvable**.*

ntrus, intruse nom
Personne qui s'est introduite quelque part sans y être invitée. *Des **intrus** ont perturbé la cérémonie.*

ntrusion nom féminin
Fait d'entrer quelque part sans y être invité. *L'**intrusion** d'un chien sur le terrain de tennis a fait rire les spectateurs du match.*

ntuitif, intuitive adjectif
Qui est doué d'intuition. *Elle a tout de suite compris qu'il n'allait pas bien, car elle est très **intuitive**.*

ntuition nom féminin
Impression de comprendre quelque chose sans avoir besoin de réfléchir. *Mon **intuition** me dit qu'on peut lui faire confiance.* **SYN** instinct.

nuit, inuite adjectif
Relatif aux Inuits ou à la culture des Inuits. *Les traditions **inuites**.* ■ **Inuit, Inuite** nom
Autochtone d'origine asiatique dont l'habitat et la civilisation sont historiquement liés au milieu arctique. 👁carte 5. ✎ Attention ! Le nom, qui désigne les membres de la nation inuite, s'écrit avec une majuscule. * Attention ! Le *t* du masculin *inuit* se prononce.

nuktitut nom masculin
Langue des Inuits de l'est du Canada.
* Attention ! Le *t* final du mot *inuktitut* se prononce.

nusable adjectif
Qui ne s'use pas ou qui met très longtemps à s'user. *Ces jeans sont vraiment **inusables**.*

nusité, inusitée adjectif
Qui n'est pas ou presque pas utilisé. *Un mot **inusité**.* **SYN** rare. **CONTR** courant, usité, usuel.

nutile adjectif
Qui n'a aucune utilité, qui ne sert à rien. *Il s'encombre toujours de bagages **inutiles**.* **CONTR** utile.

nutilisable adjectif
Qui ne peut pas être utilisé. *Avec des cordes manquantes, ma guitare est **inutilisable**.*

nutilité nom féminin
Fait d'être inutile. *L'**inutilité** de ses efforts l'a fâché.*

nvaincu, invaincue adjectif
Qui n'a jamais été vaincu. *Cette équipe est **invaincue** depuis le début du championnat.*

invalide adjectif et nom
Qui est incapable de mener une vie active normale à cause d'un handicap ou d'une maladie. *Il est **invalide** depuis son accident de la route.* **SYN** impotent, infirme. **CONTR** valide. – *Un **invalide** de guerre.*

invalidité nom féminin
État d'une personne invalide. *Son **invalidité** l'empêche de travailler.*

invariable adjectif
Dont la forme ne varie pas. *Les prépositions et les conjonctions sont des mots **invariables**.*

invasion nom féminin
❶ Envahissement d'un pays par des troupes armées. *L'armée a repoussé l'**invasion** ennemie.* ❷ Arrivée en masse qui cause une gêne ou un danger. *Une **invasion** de tordeuses des bourgeons a infesté les épinettes de nos forêts.*

invective nom féminin
Parole violente et injurieuse. *Il a poursuivi son discours sous les **invectives** de l'opposition.* **SYN** injure, insulte.

invendable adjectif
Que l'on ne peut pas vendre. *Ce terrain marécageux est **invendable**.*

inventaire nom masculin
Liste détaillée d'un ensemble d'objets, de marchandises. *Chaque année, les commerçants font l'**inventaire** de leur stock.* * Ne pas confondre *inventaire* et *éventaire*.

*Un **inventaire***

inventer verbe ▸ conjug. 3
❶ Trouver, créer ou réaliser quelque chose de nouveau. *Les frères Lumière **ont inventé** le cinéma.* ❷ Créer des histoires ou des personnages imaginaires. *C'est une écrivaine québécoise qui **a inventé** le personnage d'Aurélie Laflamme.* **SYN** imaginer.

a b c d e f g h i j k l m n o p q r s t u v w x y z

inventeur, inventrice nom
Personne qui invente quelque chose. *Le Québécois Joseph-Armand Bombardier est l'**inventeur** de la motoneige.* ♦ Famille du mot: inventer, inventif, invention.

inventif, inventive adjectif
Qui a le don d'inventer des choses nouvelles et ingénieuses. *Chloé a un esprit **inventif**.* **SYN** créatif.

invention nom féminin
❶ Chose qui a été inventée. *On doit l'**invention** de l'imprimerie à Gutenberg.* **SYN** création, découverte. ❷ Histoire mensongère inventée. *Ce que tu dis n'est pas vrai, c'est une **invention**.* **SYN** mensonge.

inverse adjectif
Qui est exactement contraire ou opposé à autre chose. *La voiture roule en sens **inverse**.*
■ **inverse** nom masculin Le contraire. *Tu fais toujours l'**inverse** de ce qu'on te demande.*
♦ Famille du mot: inversement, inverser, inversion.

inversement adverbe
De façon inverse. *Bernard est le frère de Pierre, et **inversement**.* **SYN** vice versa.

inverser verbe ▸ conjug. 3
Mettre dans l'ordre inverse. *Charlotte sera l'enseignante et Zoé l'élève, ensuite, vous **inverserez** les rôles.*

inversion nom féminin
Dans une phrase, déplacement d'un groupe de mots par rapport à sa place habituelle. *Dans la phrase « Que fait David ? », il y a **inversion** du groupe exerçant la fonction de sujet, « David ».*

invertébré, invertébrée adjectif
Qui n'a pas de colonne vertébrale.
■ **invertébré** nom masculin Animal qui n'a pas de colonne vertébrale. *Les insectes, les vers, les mollusques sont des **invertébrés**.* **CONTR** vertébré.

investigation nom féminin
Recherche approfondie. *Après de longues **investigations**, les policiers ont retrouvé l'arme du crime.*

investir verbe ▸ conjug. 11
❶ Placer de l'argent dans une affaire pour en retirer un profit. *Ma tante **a investi** son argent dans des appartements qu'elle loue.* ❷ Donner un pouvoir à quelqu'un ou le charger d'une mission. *Le gouvernement **a été investi** de tous les pouvoirs pour lutter contre le terrorisme.*

investissement nom masculin
Action d'investir de l'argent. *L'achat de cet immeuble est un bon **investissement**.* **SYN** placement.

investisseur, investisseuse nom
Personne, entreprise ou collectivité qui place de l'argent dans des entreprises. *Plusieurs immigrants sont admis au pays avec un statut d'**investisseur**.*

invétéré, invétérée adjectif
Qui a pris une mauvaise habitude et ne peut plus y renoncer. *C'est un joueur **invétéré**.*

invincible adjectif
❶ Que l'on ne peut pas vaincre. *Ce champion paraît **invincible**.* **SYN** imbattable. ❷ Que l'on ne peut pas dominer. *Renée a une peur **invincible** des araignées.* **SYN** insurmontable, irraisonné.

invisible adjectif
Qui ne peut pas être vu. *Le jour, les étoiles sont **invisibles**.* **CONTR** visible.

invitation nom féminin
Action d'inviter quelqu'un. *Une **invitation** à dîner.*

invité, invitée nom
Personne qui a reçu une invitation. *Les mariés accueillent leurs **invités**.*

Une éponge

Une étoile de mer

Un charançon

Un escargot

Un homard

Un ver plat marin

Des **invertébrés**

inviter verbe ▸ conjug. 3
Demander à quelqu'un de venir chez soi ou de se rendre quelque part. *Je vous **invite** à mon anniversaire.* ♦ Famille du mot : invitation, invité.

in vitro adjectif invariable
Se dit d'une expérience menée en laboratoire, dans un milieu artificiel. *La fécondation **in vitro**.*

invivable adjectif
Impossible à supporter, difficile à vivre. *Son mauvais caractère le rend **invivable**.*

invocation nom féminin
Action d'invoquer une divinité. *Dans cette tradition religieuse, on adresse des **invocations** aux dieux pour obtenir leur protection.*

involontaire adjectif
Que l'on fait sans le vouloir. *Maxime a fait tomber sa petite sœur, mais c'était **involontaire**.* **CONTR** délibéré, intentionnel, volontaire.

involontairement adverbe
Sans le vouloir. *Pardonne-moi si je t'ai **involontairement** fait de la peine.* **CONTR** délibérément, exprès, intentionnellement, volontairement.

invoquer verbe ▸ conjug. 3
❶ Prier une divinité pour lui demander son aide. *Le chaman **a invoqué** les esprits de tous les ancêtres.* ❷ Prendre quelque chose comme prétexte ou comme excuse. *Elle **a invoqué** un énorme mal de tête pour ne pas travailler.*

invraisemblable adjectif
Qui est difficile à croire parce que cela ne semble pas vrai. *Toute cette histoire me paraît **invraisemblable**.* **SYN** incroyable. **CONTR** crédible, plausible, vraisemblable.

invraisemblance nom féminin
Chose invraisemblable. *Nous avons remarqué de nombreuses **invraisemblances** dans son récit.* **CONTR** vraisemblance.

invulnérable adjectif
❶ Qui ne peut être ni blessé ni tué. *Le héros de l'histoire est un être **invulnérable**, qui échappe à tous les dangers.* **CONTR** vulnérable. ❷ Au sens figuré, qui ne se laisse pas toucher, atteindre. *Elle est **invulnérable** à la critique.*

iode nom féminin
Corps chimique présent dans l'eau de mer et dans les algues. • **Teinture d'iode :** produit pharmaceutique liquide qui contient de l'iode et sert de désinfectant.

irakien, irakienne
➔Voir tableau, p. 1319.

iranien, iranienne
➔Voir tableau, p. 1319.

irascible adjectif
Coléreux. *Son mal de dent le rend **irascible**.* **SYN** irritable.

iris nom masculin
❶ Plante à grandes fleurs bleues, violettes ou blanches et à longues feuilles pointues. ❷ Cercle coloré au milieu de l'œil. *La pupille est au centre de l'**iris**.*

Un **iris** versicolore

irisé, irisée adjectif
Qui a les couleurs de l'arc-en-ciel. *Le lac prend des reflets **irisés** au soleil.*

irlandais, irlandaise adjectif et nom
De l'Irlande. *La campagne **irlandaise**. – Les **Irlandais**, les **Irlandaises**.* ✎ Attention ! Le nom, qui désigne les habitants, s'écrit avec une majuscule. ■ **irlandais** nom masculin Langue parlée par les Irlandais.

ironie nom féminin
Manière de se moquer qui consiste à dire le contraire de ce que l'on veut faire comprendre. *Il lui a dit avec **ironie** qu'il était content de le voir.* ♦ Famille du mot : ironique, ironiquement.

ironique adjectif
Qui montre de l'ironie. *Un ton **ironique**, un regard **ironique**.* **SYN** moqueur, narquois, railleur.

ironiquement adverbe
De manière ironique. *En m'ouvrant la porte, il m'a dit **ironiquement** qu'il attendait ma visite avec impatience.*

iroquoien, iroquoienne adjectif
Relatif à une grande famille de langues amérindiennes, comprenant notamment celle des Hurons-Wendats et celle des Mohawks. 👁p. 586.

irradier verbe ▸ conjug. 10
Exposer un organisme à l'action de rayons radioactifs. *Les habitants de la région **ont été irradiés** à la suite d'un accident nucléaire.*

La société iroquoienne vers 1500

Le territoire

Vers 1500, les Iroquoiens habitent la région physiographique des basses-terres du Saint-Laurent et des Grands Lacs. Cette région, située de chaque côté du fleuve Saint-Laurent, est formée de plaines et de collines, et son sol est très fertile.

Les ressources naturelles

Les ressources naturelles du territoire occupé par les Iroquoiens leur procurent ce dont ils ont besoin pour subsister. Dans la forêt, ils trouvent le bois pour construire et chauffer leurs habitations, ainsi que diverses espèces d'animaux pour se nourrir et se vêtir. Ils peuvent se déplacer, pêcher, boire et se laver grâce aux nombreux cours d'eau présents dans leur environnement, comme le lac Érié, le lac Ontario et le fleuve Saint-Laurent.

La population

Vers 1500, on estime que près de 100 000 Iroquoiens vivent dans une centaine de villages. Il y a, entre autres, Hochelaga, où se trouve actuellement Montréal, et Stadaconé, l'emplacement actuel de la ville de Québec. Ces villages, entourés d'une palissade, comptent de 50 à 2000 habitants.

L'alimentation

Le maïs, les haricots et les courges constituent la base de l'alimentation des Iroquoiens. À cela s'ajoutent principalement le poisson qu'ils pêchent dans les cours d'eau environnants, la viande, les noix, les fruits sauvages et les graines de tournesol.

Le mode de vie

Puisque les terres qu'ils habitent sont fertiles et propices à l'agriculture, les Iroquoiens demeurent au même endroit : ce sont des sédentaires. Ils habitent des maisons longues, dans lesquelles sont regroupées plusieurs familles.

L'organisation sociale

La société iroquoienne est une société matriarcale, ce qui veut dire que les femmes y jouent un rôle très important. La vie est organisée autour de la famille et du clan, et ce dernier est dirigé par deux chefs : un chef de village (ou sachem) et un chef de guerre.

Les croyances et les coutumes

Les Iroquoiens ont un grand respect pour les éléments de la nature, car ils considèrent que ceux-ci sont animés par un esprit. De plus, ils croient que les esprits communiquent avec eux pendant leur sommeil. C'est pourquoi ils accordent une grande importance à leurs rêves. S'ils ne les comprennent pas, ils consultent le chaman, un homme ou une femme qui a acquis le don d'interpréter les rêves, de prédire l'avenir et de guérir les malades.

irraisonné, irraisonnée adjectif
Qui n'est pas contrôlé par la raison. *Sa peur **irraisonnée** de l'eau l'empêche d'apprendre à nager.*

irrationnel, irrationnelle adjectif
Qui est contraire à la raison. *La colère ou la peur nous poussent parfois à agir de façon **irrationnelle**.* **SYN** illogique. **CONTR** logique, rationnel.

irréalisable adjectif
Qui est impossible à réaliser. *Un souhait **irréalisable**.*

irréaliste adjectif
Qui manque de réalisme. *Cette prévision est **irréaliste**.* **CONTR** réaliste.

irréconciliable adjectif
Que l'on ne peut concilier, remettre en accord. *Ces deux points de vue sont **irréconciliables**.*

irréductible adjectif
❶ Qu'il est impossible de vaincre ou de contraindre. *C'est un adversaire **irréductible**.* **SYN** indomptable. ❷ Qui ne peut être simplifié. *Une fraction **irréductible**.*

irréel, irréelle adjectif
Qui n'appartient pas au monde réel. *Les personnages de contes de fées sont des êtres **irréels**.* **SYN** imaginaire. **CONTR** réel.

irréfléchi, irréfléchie adjectif
❶ Que l'on fait sans réfléchir, sans penser aux conséquences. *Une promesse **irréfléchie**.* ❷ Qui agit sans réfléchir. *Un garçon **irréfléchi**.* **CONTR** réfléchi.

irréfutable adjectif
Qu'il est impossible de réfuter. *Des preuves **irréfutables**.* **SYN** indéniable. **CONTR** contestable.

irrégularité nom féminin
❶ Fait d'être irrégulier. *Elle lui reproche l'**irrégularité** de ses visites.* ❷ Chose ou action contraire à la règle ou à la loi. *Les élections ont été annulées à cause de certaines **irrégularités**.* **SYN** illégalité.

irrégulier, irrégulière adjectif
❶ Qui n'est pas régulier dans sa forme, dans ses dimensions ou dans son rythme. *Une écriture **irrégulière**. Un travail **irrégulier**.* ❷ Qui ne suit pas les règles habituelles. *La conjugaison du verbe « aller » est **irrégulière**.* ❸ Qui est contraire à la loi. *Ce passager clandestin est en situation **irrégulière**.* **CONTR** régulier.

irrégulièrement adverbe
De façon irrégulière. *Elle aime bien le ski, mais elle en fait **irrégulièrement**.* **CONTR** régulièrement.

irrémédiable adjectif
À quoi on ne peut pas remédier. *Le gel a causé des dégâts **irrémédiables** aux cultures.* **SYN** irréparable.

irremplaçable adjectif
Que l'on ne peut pas remplacer. *C'est une employée **irremplaçable**.*

irréparable adjectif
❶ Que l'on ne peut pas réparer. *Votre voiture est **irréparable**.* ❷ Irrémédiable. *La destruction de ce monument est une perte **irréparable**.*

irréprochable adjectif
À qui, à quoi on ne peut faire aucun reproche. *Dans ce restaurant, le service est **irréprochable**.* **SYN** impeccable, parfait.

irrésistible adjectif
❶ À quoi on ne peut pas résister. *Ma grand-mère a une envie **irrésistible** de chocolat.* **SYN** impérieux. ❷ Qui donne envie de rire. *Les grimaces de ce clown sont vraiment **irrésistibles**.*

irrespirable adjectif
Qui est pénible ou dangereux à respirer. *Avec une telle pollution, l'air devient **irrespirable**.*

irresponsable adjectif et nom
Qui agit de manière irréfléchie, sans penser aux conséquences. *Il faut être **irresponsable** pour conduire à une telle vitesse ! – C'est une **irresponsable**.*

irréversible adjectif
Qui ne peut se produire que dans un seul sens, sans possibilité de retour en arrière. *Tous les être humains vieillissent, c'est **irréversible**.*

irrévocable adjectif
Qui est définitif et ne peut plus être modifié. *Je ne changerai pas d'avis, ma décision est **irrévocable**.*

irrigation nom féminin
Action d'irriguer la terre. *L'**irrigation** permet de cultiver les sols des régions sèches.*

irriguer verbe ▸ conjug. 3
Arroser la terre en faisant circuler l'eau au moyen de tuyaux, de canaux ou de rigoles. *Les régions sèches ont besoin d'**être irriguées**.*

*Un champ **irrigué***

irritable adjectif
Qui a tendance à se mettre en colère. *Quand Nicolas est fatigué, il devient **irritable**.*

irritant, irritante adjectif
Qui irrite. *Cette longue attente est très **irritante**.* **SYN** agaçant, énervant. *Un gaz **irritant**.*

irritation nom féminin
❶ Fait d'être irrité. *Le retard de l'avion a provoqué l'**irritation** des voyageurs.* **SYN** énervement. ❷ Légère inflammation. *Une **irritation** de la gorge, des gencives.*

irriter verbe ▸ conjug. 3
❶ Provoquer la colère de quelqu'un. *Son insolence **a irrité** ses parents.* **SYN** contrarier, fâcher. ❷ Provoquer une irritation. *À la piscine, le chlore risque d'**irriter** les yeux.* ♦ Famille du mot : irritable, irritant, irritation.

irruption nom féminin
Entrée brusque et inattendue. *Mon petit frère a fait **irruption** dans ma chambre.* * Ne pas confondre *irruption* et *éruption*.

islam nom masculin
Religion des musulmans. *Le fondateur de l'**islam** est le prophète Mahomet.* 👁p. 270.

islamique adjectif
Qui se rapporte à l'islam. *Le Coran est le livre sacré de la religion **islamique**.*

islandais, islandaise
➻Voir tableau, p. 1319.

isocèle adjectif
Se dit d'un triangle qui a deux côtés égaux. 👁p. 484. * Chercher aussi *équilatéral*.

isolant, isolante adjectif
Qui est destiné à isoler du son, de l'électricité, de la chaleur ou du froid. *Ce fil électrique est dans une gaine **isolante** en plastique.*
■ **isolant** nom masculin Matière isolante. *La laine minérale est un bon **isolant**.*
CONTR conducteur.

isolation nom féminin
Action d'isoler un lieu. *Au Canada, les maisons doivent avoir une bonne **isolation** contre le froid.*

isolé, isolée adjectif
Qui est à l'écart, séparé des autres. *Il vit dans un chalet **isolé**, au flanc de la montagne.*
SYN retiré.

isolement nom masculin
État d'une personne ou d'un endroit isolés. *Il souffre d'**isolement** depuis qu'il vit loin de sa famille.* **SYN** solitude.

isolément adverbe
De manière isolée. *Nous lirons **isolément** chaque paragraphe.* **SYN** séparément.

isoler verbe ▸ conjug. 3
❶ Séparer quelqu'un des autres personnes ou de son environnement habituel. *Ibrahim a la rougeole, il va falloir l'**isoler**.* ❷ Équiper un endroit pour le protéger des désagréments extérieurs. ***Isoler** un appartement du bruit, du froid ou de la chaleur.* ❸ Entourer un fil électrique d'une gaine protectrice pour éviter l'électrocution. ♦ Famille du mot : isolant, isolation, isolé, isolement, isolément, isoloir.

isoloir nom masculin
Cabine où un électeur s'isole pour voter. *L'**isoloir** préserve le secret du vote.*

isotherme adjectif
Qui garde quelque chose à une température constante pendant un certain temps. *Les sacs **isothermes** servent à transporter des produits surgelés.* **SYN** isothermique. * Chercher aussi *thermos*.

isothermique adjectif
Qui utilise un matériau isolant permettant de garder le corps à une température constante. *Les combinaisons **isothermiques** sont utilisées pour la plongée ou pour différents sports aquatiques.* **SYN** isotherme.

a b c d e f g h i j k l m n o p q r s t u v w x y z

a b c d e f g h i j k l m n o p q r s t u v w x y z

israélien, israélienne adjectif et nom
D'Israël. *L'agriculture* ***israélienne***. – *Les* ***Israéliens***, *les* ***Israéliennes***. ✎ Attention ! Le nom, qui désigne les habitants, s'écrit avec une majuscule.

israélite adjectif et nom
Qui appartient à la communauté, à la religion juive. *Une famille* ***israélite***. – *Les* ***israélites*** *prient dans une synagogue.* **SYN** juif. * Ne pas confondre *israélite* et *Israélien* (habitant de l'État d'Israël).

issu, issue adjectif
Qui a telle origine par sa naissance. *Les parents de Maïka sont* ***issus*** *d'une famille d'ouvriers.*

issue nom féminin
❶ Passage par lequel on peut sortir. *En cas d'incendie, prenez les* ***issues*** *de secours.*
❷ Au sens figuré, moyen de se tirer d'affaire, de surmonter une difficulté. *La situation est difficile, je ne vois aucune* ***issue***. • **À l'issue de** : à la fin. ***À l'issue de*** *la réunion, aucune décision n'avait été prise.*

isthme nom masculin
Étroite bande de terre entre deux mers. *Un canal traverse l'****isthme*** *de Panama.*
* Attention ! Le mot *isthme* se prononce *isme*.
* Chercher aussi *péninsule*, *presqu'île*.

Un **isthme**

italien, italienne adjectif et nom
D'Italie. *La cuisine* ***italienne***. – *Les* ***Italiens***, *les* ***Italiennes***. ✎ Attention ! Le nom, qui désigne les habitants, s'écrit avec une majuscule. ■ **italien** nom masculin Langue parlée par les Italiens.

italique nom masculin
Caractère typographique où les lettres sont inclinées vers la droite. *Les exemples cités dans ce dictionnaire sont en* ***italique***.

itinéraire nom masculin
Trajet que l'on suit pour aller d'un endroit à un autre. *Pourriez-vous m'indiquer l'****itinéraire*** *le plus court pour l'aéroport ?*

itinérant, itinérante adjectif
Qui se déplace d'un endroit à un autre pour exercer son métier. *Un vendeur* ***itinérant***. **CONTR** sédentaire. ■ **itinérant, itinérante** nom Personne sans lieu d'habitation fixe. *L'hiver, Katia distribue des repas chauds aux* ***itinérants***. **SYN** sans-abri, sans-logis.

ivoire nom masculin
❶ Matière blanche et dure des défenses ou des incisives de certains animaux. *Le commerce de l'****ivoire****, aujourd'hui interdit, a mis en danger la survie des éléphants.* ❷ Matière dure, recouverte d'émail, qui constitue les dents. 👁p. 298.

Défenses en **ivoire**

ivoirien, ivoirienne
➔Voir tableau, p. 1319.

ivre adjectif
❶ Qui a bu trop d'alcool. *Après un verre de vin, il se sentait déjà un peu* ***ivre***. **SYN** soûl. ❷ Qui est dans un grand état d'excitation. *Être* ***ivre*** *de joie, d'orgueil, de rage.*

ivresse nom féminin
❶ État d'une personne ivre. *Elle a été arrêtée pour conduite en état d'****ivresse***. **SYN** ébriété.
❷ État d'euphorie ou d'exaltation. *Dans l'****ivresse*** *de la victoire, elle s'est mise à sauter et à crier.* **SYN** griserie.

ivrogne nom
Personne qui a l'habitude de boire beaucoup d'alcool. *L'****ivrogne*** *est sorti du bar en titubant.*

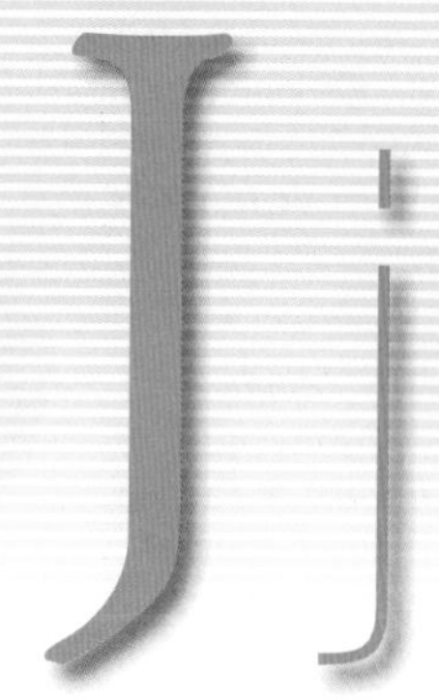

j nom masculin invariable
Dixième lettre de l'alphabet. *Le **j** est une consonne.* • **Le jour J :** le jour prévu pour déclencher quelque chose d'important.

j' →Voir **je**

jabot nom masculin
Poche située au bas du cou des oiseaux où les aliments restent quelque temps avant de passer dans l'estomac.

jacasser verbe ▸ conjug. 3
❶ Pousser leur cri, en parlant de certains oiseaux. *La pie et le geai **jacassent**.* ❷ Dans la langue familière, bavarder sans arrêt. *Julien et Stéphanie **jacassent**.* SYN jaser.

jachère nom féminin
État d'une terre que l'on ne cultive pas pendant un certain temps pour la laisser reposer. *Mettre un champ en **jachère**.* * Chercher aussi *friche*.

jacinthe nom féminin
Plante à bulbe dont les fleurs bleues, blanches ou roses forment des grappes. *Un bulbe de **jacinthe**.*

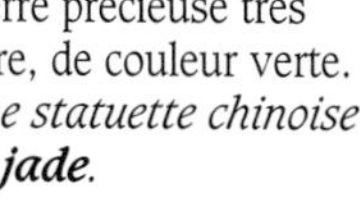

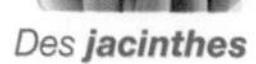

Des **jacinthes**

jade nom masculin
Pierre précieuse très dure, de couleur verte. *Une statuette chinoise en **jade**.*

jadis adverbe
Il y a longtemps, dans le passé. ***Jadis**, les gens s'éclairaient à la bougie.* SYN autrefois.

jaguar nom masculin
Grand félin de l'Amérique du Sud au pelage fauve tacheté de noir. 👁p. 432. * Attention ! La deuxième syllabe du mot *jaguar* se prononce *gouar*. * Chercher aussi *panthère*.

Un **jaguar**

jaillir verbe ▸ conjug. 11
Sortir avec force. *L'eau **a jailli** du tuyau.* SYN gicler.

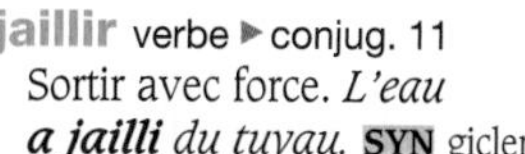

jaillissement nom masculin
Fait de jaillir. *Un **jaillissement** d'étincelles.*

jais nom masculin
Pierre noire et brillante, que l'on utilise pour faire des bijoux. • **Noir jais :** d'un noir intense comme le jais. *Des cheveux **noir jais**.* * Ne pas confondre *jais*, *geai* et *jet*.

jalon nom masculin
Piquet planté en terre pour servir de repère. *Des **jalons** alignés indiquaient les limites de la propriété.* • **Poser des jalons :** faire les premières démarches, préparer le terrain en vue d'une action.

jalonner verbe ▸ conjug. 3
❶ Planter des jalons pour indiquer des limites. *Les ouvriers **ont jalonné** le terrain.* SYN baliser. ❷ Marquer comme des jalons. *Des panneaux publicitaires **jalonnent** la route.* ❸ Se succéder dans le temps. *De nombreuses victoires **jalonnent** sa carrière de championne.*

jalousement adverbe
Avec beaucoup de soin. *Ces plans secrets sont **jalousement** gardés dans un coffre.*

jalouser verbe ▸ conjug. 3
Être jaloux de quelqu'un ou de quelque chose. ***Jalouser** la réussite de quelqu'un.* SYN envier.

jalousie nom féminin
❶ Sentiment d'une personne qui envie les autres et voudrait ce qu'ils possèdent. *La richesse de cet homme suscite la **jalousie** de ses voisins.* **SYN** envie. ❷ Sentiment de quelqu'un qui craint l'infidélité de la personne qu'il aime. *Il a fait une crise de **jalousie** à sa conjointe.*

jaloux, jalouse adjectif
Qui éprouve de la jalousie. *Camille est **jalouse** des succès de son cousin.* **SYN** envieux. *Un mari **jaloux**.* ♦ Famille du mot : jalousement, jalouser, jalousie.

jamaïcain, jamaïcaine adjectif et nom
De la Jamaïque. *La musique **jamaïcaine**. – Les **Jamaïcains**, les **Jamaïcaines**.* ✎ Attention ! Le nom, qui désigne les habitants, s'écrit avec une majuscule.

jamais adverbe
❶ À aucun moment ou en aucun cas. *Je ne bois **jamais** de boissons gazeuses.* **CONTR** toujours. *Êtes-vous déjà allé à l'opéra ? – Non, **jamais**.* **CONTR** déjà. ❷ À un moment quelconque. • **Si jamais** : si par hasard. ***Si jamais** il téléphone, dites-lui que je voudrais le voir.* • **À (tout) jamais** : pour toujours. *Il nous a quittés **à tout jamais**.*

jambage nom masculin
Trait vertical dans l'écriture d'une lettre. *Les lettres « u » et « n » ont deux **jambages**.*

jambe nom féminin
❶ Membre inférieur de l'être humain. *Un athlète aux **jambes** musclées.* 👁p. 246. ❷ Partie d'un vêtement qui couvre la jambe. *Benjamin a déchiré la **jambe** droite de son pantalon.* • **À toutes jambes** : en courant très vite. *S'enfuir **à toutes jambes**.* • **Être dans les jambes de quelqu'un** : le gêner en restant trop près de lui. • **Prendre ses jambes à son cou** : se sauver le plus vite possible. ♦ Famille du mot : enjambée, enjamber, jambage, jambette, jambière, jambon, jambonneau, unijambiste.

jambette nom féminin
Dans la langue familière, fait de mettre son pied devant les jambes de quelqu'un pour le faire tomber. **SYN** croc-en-jambe.

jambière nom féminin
Pièce d'équipement qui protège la jambe (au hockey et dans d'autres sports). 👁p. 526.

jambon nom masculin
Cuisse ou épaule de porc que l'on mange cuite, salée ou fumée. *Un sandwich au **jambon**.*

jambonneau, jambonneaux nom masculin
Petit jambon fait avec le jarret du cochon.

Une ***jante***

jante nom féminin
Partie métallique de la roue sur laquelle on fixe le pneu. *Attention, ton pneu est à plat, tu roules sur la **jante**.* 👁p. 88.

janvier nom masculin
Premier mois de l'année, qui compte trente et un jours. ✎ Attention ! Le nom des mois s'écrit avec une minuscule.

japonais, japonaise adjectif et nom
Du Japon. *Une estampe **japonaise**. – Les **Japonais**, les **Japonaises**.* ✎ Attention ! Le nom, qui désigne les habitants, s'écrit avec une majuscule. ■ **japonais** nom masculin Langue parlée par les Japonais. * On dit aussi *nippon*.

Une estampe ***japonaise***

jappement nom masculin
Aboiement court et aigu du chiot ou d'un chien de petite taille.

japper verbe ▸ conjug. 3
Pousser des jappements. *Mon petit chien **jappe** quand il a faim.*

jaquette nom féminin
❶ Veste de cérémonie pour homme. *Dans le dos, une **jaquette** se termine par de longs pans ouverts.* ❷ Couverture de papier, souvent illustrée, qui recouvre un livre.

jardin nom masculin
Terrain clos où l'on cultive des fruits, des légumes, des arbres. *Elle habite une maison avec un **jardin**.* • **Jardin botanique** : jardin où l'on cultive des plantes, des arbres qui sont rares ou que l'on veut étudier. • **Jardin d'enfants** : établissement qui accueille de tout petits enfants ou petite aire de jeu aménagée pour les enfants de deux à cinq ans. • **Jardin zoologique** : endroit où l'on peut voir des animaux sauvages que l'on garde en captivité. **SYN** zoo. ♦ Famille du mot : jardinage, jardiner, jardinier, jardinière.

jardinage nom masculin
Culture, entretien des jardins. *Ma grand-mère aime faire du **jardinage**.*

jardiner verbe ▸ conjug. 3
Faire du jardinage. *Il passe tout son temps libre à **jardiner**.*

jardinier, jardinière nom
Personne dont le métier est de cultiver, d'entretenir des jardins. *Le **jardinier** a taillé les arbres et arrosé les rosiers.* * Chercher aussi *arboriculteur*, *horticulteur*, *pépiniériste*.

jardinière nom féminin
Bac dans lequel on cultive des fleurs. *Ces **jardinières** aux fenêtres égayent la façade de la maison.*

jargon nom masculin
❶ Langage incompréhensible. *Il parle un **jargon** que je ne comprends pas.* **SYN** charabia. ❷ Langage particulier à un métier. *Le **jargon** des informaticiens.* * Chercher aussi *argot*.

Une **jarre**

jarre nom féminin
Grand vase en terre cuite. *Autrefois, on conservait l'eau, l'huile et les aliments dans des **jarres**.*

jarret nom masculin
❶ Partie de la jambe située derrière le genou. ❷ Morceau de viande situé sous l'épaule ou la cuisse du veau, du porc ou de l'agneau.

jars nom masculin
Mâle de l'oie.

jasant, jasante adjectif
Qui aime jaser. *Aurélie est une fille **jasante**.*

jaser verbe ▸ conjug. 3
❶ Faire des commentaires malveillants sur les autres, faire des critiques, des indiscrétions. *Ses manières bizarres font **jaser** les voisins.* ❷ Dans la langue familière, bavarder, parler. *Mes oncles et mes tantes **ont jasé** de leurs vacances toute la soirée.* ❸ Jacasser, en parlant de certains oiseaux.

jasette nom féminin
• **Avoir de la jasette :** aimer parler, être bavard.

jasmin nom masculin
Arbuste à fleurs blanches ou jaunes très odorantes.

Des fleurs de **jasmin**

jatte nom féminin
Plat rond et évasé, sans rebord. *Gabrielle a mis la salade dans une grande **jatte**.*

jauge nom féminin
❶ Règle graduée qui sert à mesurer le niveau de liquide dans un réservoir. ❷ Volume de marchandises qu'un bateau peut contenir. **SYN** tonnage.

jauger verbe ▸ conjug. 5
❶ Mesurer à l'aide d'une jauge. *Le garagiste **a jaugé** le niveau d'huile du moteur.* ❷ Au sens figuré, juger de la valeur ou des capacités de quelqu'un. *Quelques questions lui ont suffi pour **jauger** le candidat.* **SYN** évaluer. ❸ Avoir telle capacité. *Ce bateau peut **jauger** mille tonneaux.*

jaunâtre adjectif
D'un jaune terne. *Ce malade a le teint **jaunâtre**.*

jaune adjectif
De la couleur du citron ou de l'or. *Les jonquilles sont des fleurs **jaunes**.* ■ **jaune** nom masculin Couleur jaune. *Anh colorie le soleil en **jaune** vif.* 👁p. 251. • **Jaune d'œuf :** partie ronde et jaune qui est au centre de l'œuf. • **Rire jaune :** rire en se forçant, sans en avoir envie.
♦ Famille du mot : jaunâtre, jaunir, jaunisse.

jaunir verbe ▸ conjug. 11
❶ Rendre jaune. *La sécheresse **a jauni** l'herbe.* ❷ Devenir jaune. *Les pages de ce vieux livre **ont jauni** avec le temps.*

jaunisse nom féminin
Maladie du foie qui donne le teint jaune.

Javel nom féminin
• **Eau de Javel :** liquide utilisé comme décolorant et désinfectant. *Ces taches disparaîtront facilement avec de l'**eau de Javel**.*
* Attention ! *Javel* s'écrit avec une majuscule.
♦ Famille du mot : javellisant, javelliser.

javellisant, javellisante adjectif
Qui javellise. *Utiliser une lessive **javellisante**.*

javelliser verbe ▸ conjug. 3
Passer à l'eau de Javel. ***Javelliser** du linge blanc.*

a b c d e f g h i **j** k l m n o p q r s t u v w x y z

javelot nom masculin
Sorte de lance utilisée en athlétisme. *L'athlète a envoyé le **javelot** à quatre-vingt-cinq mètres.*

Le lancer du **javelot**

jazz nom masculin
Musique très rythmée créée par des musiciens noirs américains au début du 20e siècle. *Louis Armstrong était un célèbre trompettiste de **jazz**.* * Chercher aussi *blues*.

je pronom
Pronom personnel de la première personne du singulier, qui sert à conjuguer le verbe. ***Je** vais au cinéma.* ✎ *Je* devient *j'* devant une voyelle ou un « h » muet : ***J'**ai soif. **J'**hésite.*

jean nom masculin
❶ Grosse toile résistante, généralement de couleur bleue. *Un blouson en **jean**.* ❷ Pantalon confectionné avec cette toile. *Mon père porte toujours un **jean** la fin de semaine.* ✎ Pluriel : *des **jeans**.*

jeannette nom féminin
Fillette appartenant à un mouvement scout féminin. * Chercher aussi *cheftaine*, ② *guide*, *louveteau*, *scout*.

jeannois, jeannoise adjectif et nom
Du Lac-Saint-Jean. *Les spécialités de la cuisine **jeannoise**. – Les **Jeannois**, les **Jeannoises**.* ✎ Attention ! Le nom, qui désigne les habitants, s'écrit avec une majuscule.

jeep nom féminin
Voiture tout terrain. *À l'origine, la **jeep** était une voiture de l'armée américaine.* * *Jeep* est le nom d'une marque.

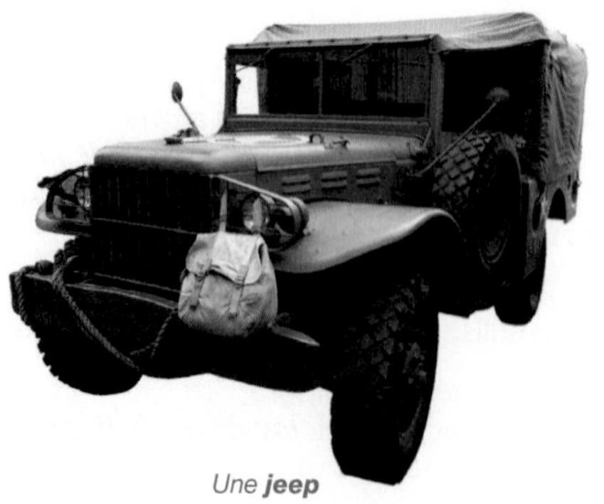
Une **jeep**

jello nom masculin
Gelée à saveur de fruit, préparée à partir d'une poudre de gélatine et de sucre. *Manger du **jello** à la fraise.* * *Jello* est le nom d'une marque.

jérémiades nom féminin pluriel
Plaintes continuelles. *Elle nous énerve avec ses **jérémiades**.* **SYN** lamentations.

jersey nom masculin
Tissu tricoté très souple. *Une robe en **jersey**.*

jet nom masculin
❶ Action de jeter. *Cette lanceuse de disque a réussi un beau **jet**.* ❷ Jaillissement d'un liquide ou d'un gaz sous pression. *Un **jet** de vapeur. Un bassin avec des **jets** d'eau.* • **D'un seul jet** : en une seule fois. *Il a écrit ce poème **d'un seul jet**.* • **Premier jet** : première esquisse d'une œuvre. * Ne pas confondre *jet*, *geai* et *jais*.

jetable adjectif
Que l'on jette après l'avoir utilisé. *Des assiettes **jetables**.*

jeté nom masculin
Étoffe ou tricot que l'on étend par ornement sur un lit, un fauteuil, etc.

jetée nom féminin
Sorte de mur qui s'avance dans la mer pour protéger un port des vagues. *Le bateau rentre au port ; il est déjà au bout de la **jetée**.*

Une **jetée**

jeter verbe ▸ conjug. 9
❶ Lancer à une certaine distance. ***Jeter** des cailloux dans l'eau.* ❷ Se débarrasser de choses inutiles. ***Jeter** des objets brisés à la poubelle.*
• **Jeter l'argent par les fenêtres** : le gaspiller.
• **Jeter un coup d'œil** : lancer un regard rapide.
• **Jeter de l'huile sur le feu** : envenimer un conflit. ■ *se* **jeter** ❶ Se précipiter vers

quelqu'un ou quelque chose. *À peine rentré de l'école, Jordan **s'est jeté** sur le sofa.* ❷ Déverser ses eaux dans un cours d'eau ou dans la mer. *Cette rivière **se jette** dans un lac.* • **Se jeter à l'eau :** au sens figuré, se décider à entreprendre quelque chose de difficile. ♦ Famille du mot : jet, jetable.

jeton nom masculin
Pièce plate et ronde d'un jeu de société.

jeu, jeux nom masculin
❶ Ce que l'on fait pour s'amuser. *Alan et Ashley ont inventé un nouveau **jeu**. Farida n'aime pas les **jeux** violents.* **SYN** amusement, divertissement. ❷ Ce que l'on utilise pour jouer. *Un **jeu** de dames, de cartes, d'échecs. Un **jeu** vidéo.* ❸ Ensemble des cartes qu'un joueur a en main. *Je risque de perdre, je n'ai pas un très bon **jeu**.* ❹ Divertissement où l'on risque de l'argent. *Il a beaucoup de chance au **jeu**.* ❺ Façon d'interpréter un rôle ou d'exécuter un morceau de musique. *Un bon acteur doit savoir changer son **jeu** suivant les personnages qu'il interprète.* ❻ Assortiment d'objets ou d'outils de même nature. *Un **jeu** de clés.* • **Cacher son jeu :** cacher ses intentions. • **Jeux olympiques :** ensemble de rencontres sportives organisées tous les quatre ans et auxquelles participent des athlètes de tous les pays. • **Jeu-questionnaire :** jeu diffusé à la radio ou à la télévision où des participants doivent répondre correctement aux questions posées pour recevoir des prix. • **D'entrée de jeu :** dès le début. • **Jeu de mots :** plaisanterie qui repose sur la ressemblance entre des mots. **SYN** calembour. ♦ Famille du mot : enjeu, enjoué, hors-jeu.

jeudi nom masculin
Jour de la semaine entre le mercredi et le vendredi. *Mon cours de musique a lieu tous les **jeudis**.*

à jeun adverbe
Sans avoir mangé. *Ce médicament doit être pris **à jeun**.* ✱ Attention ! L'adverbe *à jeun* se prononce *ajun*.

jeune adjectif
❶ Qui n'est pas avancé en âge. *Les parents de Justin sont très **jeunes**. La cousine de Lola n'est plus une enfant, c'est déjà une **jeune** fille.* **CONTR** âgé, vieux. ❷ Qui est d'un âge moins avancé que quelqu'un d'autre. *Pierre a une sœur plus **jeune** que lui.* ❸ Qui a l'aspect ou les caractéristiques de la jeunesse. *Ma grand-mère est restée très **jeune** d'esprit.* • **Jeune fille, jeune homme, jeunes gens :** personnes entre l'enfance et l'âge adulte. ■ **jeune** nom Personne jeune. *C'est un chanteur qui plaît beaucoup aux **jeunes**.* ♦ Famille du mot : jeunesse, rajeunir, rajeunissement.

jeûne nom masculin
Fait de jeûner. *Avant son opération, il a dû faire un **jeûne**.*

jeûner verbe ▸ conjug. 3
Se priver de nourriture. *Pendant le ramadan, les musulmans **jeûnent** du lever au coucher du soleil.* ✎ On peut écrire aussi ***jeuner***, sauf dans les formes *je, il, elle **jeûne*** et *tu **jeûnes*** pour les distinguer de *jeune, jeunes* (« qui n'est pas vieux »). ♦ Famille du mot : déjeuner, à jeun, jeûne.

jeunesse nom féminin
❶ Période de la vie entre l'enfance et l'âge adulte. *Il a passé toute sa **jeunesse** à la campagne.* **CONTR** vieillesse. ❷ Ensemble des personnes jeunes. *Cette librairie est spécialisée dans les livres destinés à la **jeunesse**.*

joaillerie nom féminin
❶ Art de fabriquer des bijoux. *Travailler dans la **joaillerie**.* ❷ Magasin où l'on vend des bijoux. *Cette bague vient d'une **joaillerie** réputée.* **SYN** bijouterie. ✱ Attention ! Le mot *joaillerie* se prononce *joayerie*.

joaillier, joaillière nom
Personne qui fabrique des bijoux. *Ce bijou a été créé par un **joaillier** célèbre.* ✱ Attention ! Ce mot se prononce *joayer* (au masculin), *joayère* (au féminin). ✎ On peut écrire aussi *un **joailler**, une **joaillère***.

La **joaillerie**

a b c d e f g h i j k l m n o p q

a b c d e f g h i j k l m n o p q r s t u v w x y z

jockey nom
Personne dont le métier est de monter les chevaux de course. *Le **jockey** est tombé tout près de la ligne d'arrivée.*

*Un **jockey***

joggeur, joggeuse nom
Personne qui pratique le jogging.

jogging nom masculin
Course à pied que l'on pratique pour se maintenir en forme. *Il fait du **jogging** tous les jours.*

joie nom féminin
Sentiment que l'on éprouve quand on est très heureux. *Il a ressenti une grande **joie** en retrouvant sa famille.* SYN bonheur. CONTR peine, tristesse. • **S'en donner à cœur joie :** profiter au maximum d'un moment agréable. *La fête est très réussie, tout le monde **s'en donne à cœur joie**.*

joindre verbe ▸ conjug. 35
❶ Réunir ou rapprocher des choses l'une contre l'autre. ***Joignez** bien vos pieds avant de plonger.* SYN rassembler. ❷ Mettre une chose avec une autre. *Il **a joint** une photo à son courriel.* SYN ajouter. ❸ Entrer en contact avec quelqu'un. *Voici le numéro de téléphone où le **joindre**.* SYN contacter. ■ *se* **joindre** • **Se joindre à quelqu'un :** aller avec lui. *Mes cousins **se joindront à** nous pour cette excursion.* SYN s'unir. ♦ Famille du mot : disjoindre, joint, jointure, rejoindre.

① **joint, jointe** adjectif
❶ Ajouté à autre chose. *Une lettre **jointe** à un colis.* ❷ Rapproché ou mis l'un contre l'autre. *Prier les mains **jointes**. Sauter à pieds **joints**.*

② **joint** nom masculin
Rondelle placée entre deux parties jointes pour que l'ensemble soit étanche. *Le robinet fuit, le **joint** est peut-être abîmé.*

jointure nom féminin
Endroit où deux os se joignent. *Faire craquer les **jointures** de ses doigts.* SYN articulation.

joker nom masculin
Carte à jouer qui peut remplacer n'importe quelle autre carte dans certains jeux.

joli, jolie adjectif
❶ Qui est agréable à regarder ou à entendre. *Un **joli** visage. De **jolies** fleurs. Une **jolie** voix.* SYN beau, harmonieux. CONTR laid, vilain. ❷ Dans la langue familière, qui est assez important. *Le gagnant de la loterie a remporté une **jolie** somme.* ♦ Famille du mot : enjoliver, enjoliveur, joliment.

joliment adverbe
D'une manière jolie. *Cette maison est **joliment** décorée.* SYN agréablement.

jonc nom masculin
❶ Plante à longue tige droite et flexible, qui pousse dans les endroits humides.
* Chercher aussi ② *quenouille, roseau.*
❷ Bague consistant en un cercle qui est partout de même épaisseur. *Liane et Andrew se sont échangé un **jonc** en or.* SYN anneau.

joncher verbe ▸ conjug. 3
Recouvrir le sol. *En automne, les feuilles mortes **jonchent** les allées du parc.* SYN parsemer.

jonction nom féminin
Endroit où deux choses se joignent. *Un panneau de signalisation a été installé à la **jonction** des deux rues.*

jongler verbe ▸ conjug. 3
Lancer en l'air des objets que l'on rattrape et que l'on relance sans arrêt. *Adam a appris à **jongler** avec six balles.*

jongleur, jongleuse nom
Artiste qui jongle. *Sur la piste du cirque, **jongleurs** et acrobates faisaient leur numéro.*

jonque nom féminin
Bateau à voile et à fond plat d'Extrême-Orient.

jonquille nom féminin
Fleur jaune qui pousse au printemps. *La **jonquille** est une variété de narcisse.*

*Des **jonquilles***

jordanien, jordanienne
➛Voir tableau, p. 1319.

Jos-Connaissant nom masculin invariable
Personne qui a la prétention de tout connaître. **SYN** monsieur* Je-sais-tout.

Joue nom féminin
Chaque côté du visage entre le nez et l'oreille. *Elle s'est mis un peu de poudre sur les* ***joues****.* p. 246.

Jouer verbe ▸ conjug. 3
❶ Se distraire en faisant des jeux. *Les enfants* ***jouent*** *dans la cour.* **SYN** s'amuser. ❷ Se servir d'un instrument de musique. *Louis* ***joue*** *du violon. Il* ***joue*** *un concerto de Mozart.* ❸ Risquer de l'argent à des jeux de hasard. *Il lui arrive de* ***jouer*** *à la loterie.* ❹ Interpréter un rôle au cinéma, au théâtre. *Cette comédienne* ***joue*** *surtout dans des films d'action.* ❺ Donner des représentations devant un public. *Dis-moi quelle pièce on* ***joue*** *en ce moment.* ❻ Risquer quelque chose d'important. *Ce pompier* ***a joué*** *sa vie pour sauver un enfant.* • **Jouer avec le feu :** prendre de très grands risques. • **Jouer la comédie :** faire semblant. • **Jouer le jeu :** faire quelque chose en acceptant de respecter les règles convenues. ♦ Famille du mot : déjouer, jouet, joueur.

Jouet nom masculin
Objet avec lequel on joue. *Tous les* ***jouets*** *étaient disposés au pied du sapin de Noël.*

Joueur, joueuse nom
Personne qui joue à un jeu ou qui pratique un sport. *Des* ***joueurs*** *de hockey. Un* ***joueur*** *de basketball.* • **Être beau joueur :** accepter de perdre sans se fâcher. • **Être mauvais joueur :** refuser d'accepter la défaite. ■ **joueur, joueuse** adjectif Qui aime jouer. *Ce chaton est très* ***joueur****.*

Joufflu, joufflue adjectif
Qui a de grosses joues. *Un bébé* ***joufflu****.*

Joug nom masculin
Pièce de bois que l'on fixe sur l'encolure des bœufs pour pouvoir les atteler. ✱ Attention ! Le *g* du mot *joug* ne se prononce pas.

Jouir verbe ▸ conjug. 11
❶ Avoir la possession ou le profit de quelque chose. *À quatre-vingts ans, mon grand-père* ***jouit*** *encore d'une bonne santé.* ❷ Avoir un grand plaisir, apprécier. *Nous* ***avons joui*** *du calme de la campagne.* **SYN** bénéficier.

Jouissance nom féminin
❶ Plaisir, grande joie. *Voilà enfin le soleil. Quelle* ***jouissance*** *!* ❷ Droit d'utiliser quelque chose. *Tous les locataires ont la* ***jouissance*** *de la salle de sport de l'immeuble.* **SYN** usage.

joujou, joujoux nom masculin
Jouet, dans le langage des petits enfants.

jour nom masculin
❶ Espace de temps qui dure vingt-quatre heures. *Il y a sept* ***jours*** *dans une semaine.* ❷ Espace de temps entre le lever et le coucher du soleil. *Nous partirons au lever du* ***jour****.* ❸ Lumière naturelle, lumière du jour. • **Il fait jour :** il fait clair. **CONTR** nuit. • **À jour :** qui est en règle, qui n'est pas en retard. *Il n'est pas* ***à jour*** *dans son travail.* • **Au grand jour :** à la vue de tout le monde. • **De nos jours :** à l'époque actuelle. • **D'un jour à l'autre :** à tout moment. *Elle peut accoucher* ***d'un jour à l'autre****.* • **Donner le jour à un enfant :** le mettre au monde. • **Voir le jour :** naître. • **Vivre au jour le jour :** sans souci du lendemain.

journal, journaux nom masculin
❶ Publication imprimée qui paraît chaque jour pour donner de l'information sur l'actualité. *J'ai lu cette nouvelle dans le* ***journal*** *d'hier.* **SYN** quotidien. ❷ Bulletin d'informations à la radio ou à la télévision. ❸ Cahier où l'on écrit régulièrement ses pensées ou les évènements de sa vie. *Farah ne montre son* ***journal*** *à personne.* ♦ Famille du mot : journalier, journalisme, journaliste.

journalier, journalière adjectif
Qui se fait chaque jour. *Les tâches* ***journalières****.* **SYN** quotidien. ■ **journalier, journalière** nom Personne engagée à la journée. *Cet agriculteur emploie des* ***journaliers*** *pour récolter ses fraises.*

journalisme nom masculin
Profession de journaliste. *Alexis veut faire du* ***journalisme****.*

journaliste nom
Personne chargée d'informer le public, soit dans les médias écrits, soit à la radio ou à la télévision. *Une* ***journaliste*** *d'enquête.*

journée nom féminin
Espace de temps compris entre le lever et le coucher du soleil. *Il a passé sa* ***journée*** *à travailler.*

joute nom féminin
❶ Au Moyen Âge, combat à la lance entre deux chevaliers. p. 190. **SYN** tournoi. ❷ Compétition sportive dans laquelle s'appliquent des règles spécifiques. *Une* ***joute*** *de tennis.* **SYN** match, partie.

a b c d e f g h i **j** k l m n o p q r s t u v w x y z

jovial, joviale adjectif
Qui est d'une gaieté franche et communicative. *Notre voisin est un homme **jovial**.* **SYN** enjoué, joyeux. **CONTR** maussade. ✎ Pluriel : *des enfants **jovials** ou **joviaux**.*

joyau, joyaux nom masculin
Bijou très précieux. *La reine portait de magnifiques **joyaux**.*

joyeusement adverbe
De façon joyeuse. *Notre équipe a **joyeusement** fêté sa victoire.* **SYN** gaiement. **CONTR** tristement.

joyeux, joyeuse adjectif
Qui ressent ou qui exprime de la joie. *Issam était tout **joyeux** de nous revoir.* **SYN** gai, heureux. **CONTR** morose, triste.

jubilation nom féminin
Joie intense. *Quelle **jubilation** d'avoir gagné !*

jubiler verbe ▶ conjug. 3
Éprouver de la jubilation. *Noémie **jubile** à l'idée de partir bientôt en vacances.* **SYN** exulter.

jucher verbe ▶ conjug. 3
Placer en hauteur. *Ma mère m'**a juché** sur ses épaules.* ■ se **jucher** : se percher. *Un oiseau **s'est juché** sur le pommier.*

judaïsme nom masculin
Religion pratiquée par les juifs, fondée sur les Dix Commandements donnés par Dieu à Moïse. *Le **judaïsme** est la plus ancienne religion monothéiste.*

judiciaire adjectif
Qui concerne la justice. *Cet innocent a été victime d'une erreur **judiciaire**.*

judicieusement adverbe
De façon judicieuse. *Dans cette affaire, Éloïse m'a **judicieusement** conseillé.* **SYN** intelligemment.

judicieux, judicieuse adjectif
Qui est plein de bon sens. *Un conseil, un choix **judicieux**.* **SYN** pertinent, sensé.

judo nom masculin
Sport de combat à main nue, d'origine japonaise, dans lequel on cherche à déséquilibrer son adversaire pour le faire tomber ou l'immobiliser. *Une prise de **judo**. Il est ceinture noire de **judo**.*

judoka nom
Personne qui pratique le judo. *Les **judokas** portent un kimono blanc, et la couleur de leur ceinture indique le niveau qu'ils ont atteint au judo.*

Des **judokas**

juge nom
❶ Magistrat chargé de rendre la justice. *Le suspect a été amené devant la **juge**.* ❷ Personne appelée à donner une opinion. *Si tu hésites entre ces deux livres, demande conseil au libraire, il sera bon **juge**.* ❸ Dans certains sports, personne chargée de faire respecter les règles au cours d'une compétition. *Les **juges** ont accordé les meilleures notes à cette gymnaste.* **SYN** arbitre, officiel.

jugement nom masculin
❶ Décision prise par un tribunal au cours d'un procès. *La cour va faire connaître son **jugement**.* **SYN** sentence, verdict. ❷ Qualité d'une personne qui apprécie les gens ou les choses à leur juste valeur. *Il a manqué de **jugement** en faisant confiance à un inconnu.* **SYN** discernement. ❸ Avis que l'on a sur quelqu'un ou quelque chose. *Nous n'avons pas le même **jugement** en ce qui concerne ce film.* **SYN** opinion.

jugeote nom féminin
Dans la langue familière, bon sens. *Cette personne n'a pas beaucoup de **jugeote**.*

juger verbe ▶ conjug. 5
❶ Prononcer un jugement. *Il **a été jugé** coupable et condamné à des travaux communautaires.* ❷ Donner une note ou une appréciation. *Les examens permettent de **juger** les candidats.* **SYN** évaluer. ❸ Avoir tel avis sur quelqu'un ou quelque chose. *Ling **juge** ce voyage trop dangereux.* **SYN** estimer. ♦ Famille du mot : adjuger, juge, jugement, jugeote, préjugé, préjuger.

Juif, Juive nom
Personne qui descend du peuple hébreu, un ancien peuple de Palestine. *Les **Juifs** de New York vivent principalement à Brooklyn.* ■ **juif, juive** adjectif et nom Adepte du judaïsme. *Cette famille **juive** est pratiquante. – Un **juif** pieux.* p. 270. **SYN** israélite. Attention ! Dans ce sens, le nom s'écrit avec une minuscule. ■ **juif, juive** adjectif Qui appartient au judaïsme. *Les cérémonies religieuses **juives** se déroulent dans une synagogue.*

juillet nom masculin
Septième mois de l'année, qui compte trente et un jours. Attention ! Le nom des mois s'écrit avec une minuscule.

juin nom masculin
Sixième mois de l'année, qui compte trente jours. *L'été commence le 21 ou le 22 **juin**.* Attention ! Le nom des mois s'écrit avec une minuscule.

jujube nom masculin
❶ Fruit de la taille d'une olive, qui provient d'un petit arbre originaire des pays tropicaux. ❷ Confiserie faite à partir de ce fruit.

jumeau, jumelle, jumeaux adjectif et nom
Qui est né lors du même accouchement, de la même mère. *Victor a une sœur **jumelle**. Ces **jumeaux** se ressemblent tellement que tout le monde les confond.* * Chercher aussi *quadruplés, quintuplés, triplés.* ■ **jumeau, jumelle, jumeaux** adjectif Se dit d'objets totalement semblables et placés l'un à côté de l'autre. *Des lits **jumeaux**.*

Des **jumelles**

jumelage nom masculin
Action de jumeler. *Le **jumelage** de deux villes, de deux classes.*

jumeler verbe ▸ conjug. 9
Associer deux endroits pour créer et développer des contacts, des liens entre eux en organisant des échanges, des rencontres entre les gens qui les fréquentent. *La ville de Québec **est jumelée** avec la ville française de Bordeaux.* On peut écrire aussi, au présent, *je **jumèle*** ; au futur, *tu **jumèleras*** ; au conditionnel, *nous **jumèlerions**.*

jumelle → Voir **jumeau**

jumelles nom féminin pluriel
Instrument d'optique formé de deux lunettes, qui sert à voir au loin. *Gabriel observe les oiseaux avec des **jumelles**.* p. 575.

jument nom féminin
Femelle du cheval. *La **jument** est suivie de son poulain.* * Chercher aussi ① *étalon, hennir, pouliche.*

jungle nom féminin
Dans les pays tropicaux, épaisse forêt où vivent les grands fauves. • **La loi de la jungle** (« manger ou être mangé ») **:** la loi du plus fort.

Une **jungle**

junior adjectif invariable
Qui s'adresse aux jeunes, aux adolescents. *Le style **junior**.* ■ **junior** nom masculin Au hockey, jeune sportif appartenant à une catégorie intermédiaire entre les novices et les seniors.

jupe nom féminin
Vêtement féminin qui part de la taille et couvre une partie des jambes. *Une **jupe** plissée. Une **jupe** droite.*

jupon nom masculin
Sous-vêtement en tissu léger que l'on porte sous une jupe.

juré, jurée nom
Membre d'un jury. *Après avoir délibéré, les **jurés** ont rendu leur verdict.*

jurer verbe ▸ conjug. 3
❶ Promettre par serment. *Stefano **a juré** de dire la vérité devant le tribunal.* ❷ Assurer formellement et avec solennité. *Je vous **jure** que je ne recommencerai pas une pareille bêtise.*

a b c d e f g h i j k l m n o p q r s t u v w x y z

❸ Dire des jurons. *Même si tu es furieux, ce n'est pas une raison pour **jurer**!* SYN sacrer. ❹ Être mal assorti avec autre chose. *Je trouve que ces deux couleurs **jurent** entre elles.*

juridique adjectif
Qui concerne les lois. *Si tu veux devenir avocat, tu devras faire des études **juridiques**.*

juron nom masculin
Mot grossier qui marque la déception, la contrariété, la colère, la frustration. *Dire des **jurons**.* * Chercher aussi *sacre*.

jury nom masculin
❶ Ensemble de personnes choisies parmi les citoyens et chargées de juger si une personne inculpée est coupable ou innocente du crime dont on l'accuse. *Le verdict du **jury** est: non coupable!* ❷ Groupe de personnes chargées de juger des candidats ou des œuvres. *Le **jury** décernera un prix au meilleur film du festival.* ✎ Pluriel: *des **jurys**.*

jus nom masculin
❶ Liquide contenu dans les fruits ou les légumes. *Du **jus** de pomme. Du **jus** de tomate.* ❷ Liquide provenant de la cuisson d'une viande. *Il arrose les pommes de terre avec le **jus** du rôti.*

Un jus de **tomate**

jusque préposition
Sert à indiquer une limite de lieu ou de temps. *Je vous ramène **jusque** chez vous.* ✎ *Jusque* devient *jusqu'* devant «à», «au»: *Katia a veillé **jusqu'**à minuit. Il est allé **jusqu'**au bout de la jetée.*

juste adjectif
❶ Qui est conforme à la réalité ou à la vérité. *Votre calcul est **juste**.* SYN correct, exact. CONTR faux. ❷ Qui est conforme à la justice. *Tout le monde a eu du gâteau sauf Carla, ce n'est pas **juste**!* SYN équitable. CONTR injuste. ❸ Qui est trop étroit, trop serré. *Ce pantalon est trop **juste**, essaie une taille plus grande.* ■ **juste** adverbe ❶ Avec exactitude, précision. *Erika chante **juste**.* CONTR faux. ❷ Précisément ou exactement. *Nous sommes partis à six heures **juste**.* ❸ Seulement. *Comme dessert, je prendrai **juste** un fruit.* • **Au juste**: exactement, précisément. *Qu'est-ce qu'il voulait **au juste**?* ♦ Famille du mot: ajustage, ajusté, ajuster, ajusteur, injuste, injustement, justement, justesse, rajustement, rajuster.

justement adverbe
Précisément. *C'est **justement** ce que j'allais dire.*

justesse nom féminin
Qualité de ce qui est juste. *Je te félicite pour la **justesse** de ton raisonnement. La **justesse** d'une voix.* • **De justesse**: de très peu. *Il a été sauvé **de justesse**.*

justice nom féminin
❶ Principe moral qui consiste à reconnaître et à respecter les droits de chacun. *Il traite ses élèves avec **justice**.* SYN équité. CONTR injustice. • **Justice sociale**: juste partage des richesses entre les humains. ❷ Pouvoir exercé par les juges et les tribunaux pour assurer le respect de la loi. *Exercer, rendre la **justice**.* ❸ Ensemble des personnes et des institutions qui sont chargées de ce pouvoir. *L'accusé a le droit de se défendre devant la **justice**.* • **Rendre justice à quelqu'un**: reconnaître ses mérites. ♦ Famille du mot: injustice, justicier.

justicier, justicière nom
Personne qui fait la justice toute seule, sans tenir compte des lois.

justification nom féminin
Ce qui permet de justifier quelque chose ou de se justifier. *Il est parti brusquement, sans donner de **justification**.*

justifier verbe ▸ conjug. 10
❶ Donner des explications valables à ce que l'on fait. *Elle **a justifié** son retard.* ❷ Faire admettre comme vrai ou comme juste. *Son comportement **justifie** la colère de ses parents.* ■ **se justifier**: prouver son innocence, expliquer sa conduite pour se disculper. *Il essaie de **se justifier**, mais personne ne le croit.* ♦ Famille du mot: injustifié, justification.

jute nom masculin
Fibre textile tirée d'une plante cultivée en Inde, dont on fait des tissus grossiers. *Un sac en toile de **jute**.* * Attention! On dit ***du** jute*.

juteux, juteuse adjectif
Qui contient beaucoup de jus. *L'orange est un fruit **juteux**.*

juvénile adjectif
Qui a l'aspect ou les qualités de la jeunesse. *Malgré son âge, elle a gardé un sourire **juvénile**.* SYN jeune.

juxtaposer verbe ▸ conjug. 3
Mettre l'un à côté de l'autre. *Il ne suffit pas de **juxtaposer** des couleurs sur une toile pour faire un tableau.*

k nom masculin invariable
Onzième lettre de l'alphabet. *Le **k** est une consonne.*

① **kaki** adjectif invariable
D'une couleur jaunâtre tirant sur le brun. *Les vêtements militaires sont généralement **kaki**.*

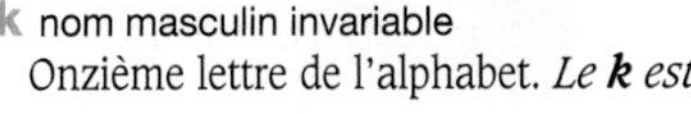

② **kaki** nom masculin
Fruit jaune orangé, au goût sucré, qui ressemble à une tomate. *Le **kaki** est originaire d'Asie.*

Des **kakis**

kaléidoscope nom masculin
Tube garni de petits miroirs où des morceaux de verre se déplacent pour donner chaque fois une image différente. *Les morceaux de verre coloré forment de jolis dessins dans mon **kaléidoscope**.*

kamikaze nom
Personne qui accepte de se tuer et de mettre la vie d'autres personnes en péril au nom d'une cause. *Une **kamikaze** s'est fait exploser.*
■ **kamikaze** adjectif Suicidaire. *Une idée **kamikaze**.*

kangourou nom masculin
Mammifère herbivore d'Australie qui se déplace en sautant sur ses pattes de derrière. *Après sa naissance, le petit du **kangourou** vit quelques mois dans une poche que sa mère a sur le ventre.*
👁p. 638.

Un **kangourou** et son petit

karaoké nom masculin
Activité qui consiste à chanter en public, accompagné de la version instrumentale de chansons dont on peut lire les paroles sur un écran vidéo.

karaté nom masculin
Sport de combat d'origine japonaise, dans lequel on porte des coups avec les mains et les pieds.

karatéka nom
Personne qui fait du karaté.

kart nom masculin
Petite voiture très basse et très rapide, sans carrosserie, que l'on utilise pour des compétitions. * Attention ! Le *t* du mot *kart* se prononce.

karting nom masculin
Sport qui consiste à faire des courses en kart. *Une piste de **karting**.*

kayak nom masculin
❶ Canot léger, long et étroit que l'on fait avancer à l'aide d'une pagaie double. *Descendre une rivière en **kayak**.* * Chercher aussi *canoé*, *pirogue*. ❷ Sport qui consiste à naviguer en kayak. *Faire du **kayak** est son sport favori.*
✎ Pluriel : *des **kayaks**.*

kayakiste nom
Sportif ou sportive qui pratique le kayak.

kazakh, kazakhe
➔Voir tableau, p. 1319.

kendo nom masculin
Art martial japonais qui se pratique avec des sabres de bambou.

kényan, kényane
➔Voir tableau, p. 1319.

a b c d e f g h i j k l m n o p q r s t u v w x y z

kérosène nom masculin
Carburant liquide tiré du pétrole. *Les avions à réaction fonctionnent au **kérosène**.*

ketchup nom masculin
Sauce épaisse, à base de tomates et d'épices, que l'on ajoute à certains plats. *Samuel aime manger les frites avec du **ketchup**.* ✎ Pluriel : *des **ketchups**.*

① **kilo-** préfixe
Placé devant le nom d'une unité de mesure, *kilo-* la multiplie par mille (***kilo**mètre*, ***kilo**gramme*).

② **kilo** nom masculin
Abréviation de *kilogramme*. *Elle a acheté deux **kilos** de cerises.*

kilogramme nom masculin
Unité de poids qui équivaut à mille grammes.
* Abréviation : ***kg***.

kilométrage nom masculin
Nombre de kilomètres parcourus. *Le compteur d'une voiture indique son **kilométrage**.*

kilomètre nom masculin
Unité de distance qui équivaut à mille mètres.
* Abréviation : ***km***. • **Kilomètre-heure :** unité de mesure servant à calculer la vitesse moyenne d'une voiture. *Sur cette route, la vitesse est limitée à soixante **kilomètres-heure**.*
* Abréviation : ***km/h***. ♦ Famille du mot : kilométrage, kilométrique.

kilométrique adjectif
Qui indique les kilomètres. *Des bornes **kilométriques**. Un compteur **kilométrique**.*

kilowatt nom masculin
Unité servant à mesurer une puissance. *On compte la consommation d'électricité en **kilowatts**.* * Abréviation : ***kW***.

kilt nom masculin
Jupe courte et plissée en tissu écossais.

kimono nom masculin
Longue tunique japonaise à manches larges, qui se ferme avec une ceinture.

kiosque nom masculin
❶ Pavillon ouvert dans un jardin. *Un **kiosque** à musique.* ❷ Petite boutique installée sur la voie publique. *Un **kiosque** à journaux.* ❸ Emplacement réservé dans une fête, une foire ou une exposition. *Cette maison d'édition dispose d'un **kiosque** au Salon du livre.* SYN stand.

Un *kimono*

kippa nom féminin
Calotte portée par les juifs pratiquants. 👁p. 270.
✎ Pluriel : *des **kippas***.

kirghiz, kirghize
➔Voir tableau, p. 1319.

kiribatien, kiribatienne
➔Voir tableau, p. 1319.

kiwi nom masculin
Fruit d'origine exotique à peau brune et à chair verte légèrement acide.

Des *kiwis*

klaxon nom masculin
Avertisseur sonore d'une voiture. *Il a donné un coup de **klaxon** avant de doubler.* * *Klaxon* est le nom d'une marque.

klaxonner verbe ▸ conjug. 3
Utiliser un klaxon. *Ça ne sert à rien de **klaxonner** quand on est bloqué dans un embouteillage.*

kleptomane nom
Personne qui ne peut s'empêcher de commettre des vols.

K.-O. adjectif
Abréviation de *knock-out*. Hors de combat. *Le boxeur a mis son adversaire **K.-O.** au premier round.*

koala nom masculin
Petit mammifère d'Australie. *Le **koala** vit dans les arbres et se nourrit de feuilles d'eucalyptus.* 👁p. 638.

kosovar, kosovare
➔Voir tableau, p. 1319.

koweïtien, koweïtienne
➔Voir tableau, p. 1319.

kung-fu nom masculin
Art martial d'origine chinoise.
✎ On peut écrire aussi ***kungfu***.

kyrielle nom féminin
Très grand nombre. *Une **kyrielle** d'enfants.*

kyste nom masculin
Petite grosseur qui se forme sous la peau ou à l'intérieur du corps. *Il a été opéré pour un **kyste** à la gorge.*

nom masculin invariable
Douzième lettre de l'alphabet. *Le **l** est une consonne.*

’ ➔Voir **le**

① **la** déterminant
Féminin de *le*.

② **la** nom masculin
Sixième note de musique de la gamme de do.

③ **la** pronom personnel ➔Voir ② **le**

à adverbe
❶ Dans ce lieu. *Tu te mets **là** et moi ici.* ❷ Avec le déterminant démonstratif, il est joint au nom par le trait d'union et sert à marquer l'insistance sur le nom. *Ce garçon-**là** est gentil.* **CONTR** -ci.
• **Là-bas :** au loin. • **Là-haut :** dans cet endroit plus élevé.

abeur nom masculin
Dans la langue littéraire, travail long et pénible. *Le dur **labeur** des travailleurs des mines.*

aboratoire nom masculin
Local aménagé pour faire des recherches scientifiques, des analyses médicales ou encore des travaux photographiques. • **Laboratoire pharmaceutique :** entreprise qui fabrique et qui vend des médicaments.

aborieux, laborieuse adjectif
Qui est le résultat de beaucoup d'efforts. *Ce vaccin est le résultat de **laborieuses** recherches.*

Des **labradors**

labour nom masculin
Travail consistant à labourer. *On élevait autrefois des chevaux de **labour**.*

labourage nom masculin
Action de labourer. *Le **labourage** se fait maintenant à l'aide de tracteurs.*

labourer verbe ▸ conjug. 3
Retourner la terre avec une charrue, une bêche ou une houe. *Il faut **labourer** avant de semer.*
♦ Famille du mot : labour, labourage.

labrador nom masculin
Grand chien au poil ras, noir ou fauve. 👁p. 194.

labyrinthe nom masculin
Réseau compliqué de rues ou de couloirs, où l'on ne retrouve pas facilement son chemin. *Cette vieille ville est un vrai **labyrinthe**.*
SYN dédale.

lac nom masculin
Grande étendue d'eau douce. *Nous avons fait du canot sur le **lac**.* ✱ Chercher aussi *étang*, *mare*.

lacer verbe ▸ conjug. 4
Attacher avec des lacets. *Ces tout petits enfants ne savent pas encore **lacer** leurs chaussures.*
CONTR délacer. ♦ Famille du mot : délacer, enlacer, lacet. ✱ Ne pas confondre *lacer* et *lasser*.

lacérer verbe ▸ conjug. 8
Couper et mettre en lambeaux. *Le chat **a lacéré** les rideaux avec ses griffes.* **SYN** déchirer.
✎ On peut écrire aussi, au futur, *je **lacèrerai*** ; au conditionnel, *elle **lacèrerait***.

lacet nom masculin
Cordon que l'on passe dans des œillets pour attacher des chaussures, des vêtements, etc. *Tes **lacets** sont détachés.* • **Route en lacets:** route qui présente une série de virages serrés, de zigzags.

① **lâche** adjectif
Qui n'est pas serré, pas tendu. *Ce nœud est trop **lâche**: il ne tiendra pas.*

② **lâche** adjectif et nom
Qui est sans courage. *C'est **lâche** de s'attaquer à un plus petit que soi.* **CONTR** brave, courageux. – *Quel **lâche**!*

lâchement adverbe
Avec lâcheté. *Elle nous a **lâchement** abandonnés.* **CONTR** bravement, courageusement.

lâcher verbe ▸ conjug. 3
❶ Cesser de tenir. *Carla **a lâché** la main de sa mère.* ❷ Ne plus résister. *Le nœud **a lâché**.* **SYN** céder. ❸ Dans la langue familière, abandonner quelqu'un brusquement. *Son associé l'**a lâchée**.* • **Lâcher prise:** abandonner, renoncer. *Il a tenté de convaincre ses amis, mais il a fini par **lâcher prise**.*
♦ Famille du mot: lâche, lâchement, lâcheté, lâcheur, relâche, relâchement, relâcher.

lâcheté nom féminin
❶ Caractère d'une personne lâche. *Sa **lâcheté** l'a poussé à s'enfuir.* **CONTR** bravoure, courage. ❷ Acte lâche. *Je ne te laisserai pas accuser à ma place, ce serait une **lâcheté**.*

lâcheur, lâcheuse nom
Dans la langue familière, personne qui abandonne ses amis lâchement. *C'est un **lâcheur**. Il nous avait promis de venir nous aider, mais au dernier moment, il a changé d'avis.*

laconique adjectif
Exprimé en peu de mots. *Elle lui a transmis une réponse **laconique**.* **SYN** bref, concis, court.

lacrymogène adjectif
Qui provoque des larmes. *Une bombe **lacrymogène**.*

lacté, lactée adjectif
Qui contient du lait. *Les yogourts et le fromage sont des produits **lactés**.* • **Voie lactée:** immense traînée d'étoiles, que l'on voit dans le ciel lorsque la nuit est claire. *Le système solaire fait partie de la **Voie lactée**.* ✎ Attention! *Voie* dans *Voie lactée* s'écrit avec une majuscule.

lactose nom masculin
Sucre contenu dans le lait des mammifères. *On trouve aujourd'hui plusieurs produits sans **lactose** pour les personnes qui ont une intolérance à ce type de sucre.*

lacune nom féminin
Ce qui manque pour que quelque chose soit complet. *Son histoire présente des **lacunes**.*

lagon nom masculin
Étendue d'eau salée séparée de la pleine mer par un récif de corail. *Les **lagons** du Pacifique.*

*Un **lagon***

lagune nom féminin
Étendue d'eau salée séparée de la mer par une étroite bande de sable. *La **lagune** de Venise.*

laïc ➔Voir **laïque**

laïcité nom féminin
Caractère de ce qui est laïque, indépendant de toute religion. *La **laïcité** de l'État.*

laid, laide adjectif
Qui n'est pas agréable à regarder. *Cet homme est **laid**.* **SYN** affreux. **CONTR** beau, joli. ♦ Famille du mot: enlaidir, laideur.

laideur nom féminin
Caractère de ce qui est laid. *Arlène aime son chien malgré sa **laideur**.* **CONTR** beauté.

laie nom féminin
Femelle du sanglier. * Chercher aussi *marcassin*.

lainage nom masculin
❶ Tissu de laine. *Son manteau est en **lainage**.* ❷ Vêtement de laine tricotée. *Les soirées sont fraîches, il faut prévoir un **lainage**.* **SYN** tricot.

laine nom féminin
Poil doux et souple du mouton et de certains animaux dont on fait des fils pour tisser ou tricoter. *Fatima a acheté des pelotes de* ***laine*** *pour se tricoter un chandail.* • **Laine d'acier:** tampon de fibres métalliques dont on se sert pour récurer. *Nettoyer une poêle à la* ***laine d'acier.*** ♦ Famille du mot: lainage, laineux.

laineux, laineuse adjectif
Qui a l'aspect ou la douceur de la laine. *Ce caniche a un poil* ***laineux.***

laïque adjectif
Qui est sans appartenance religieuse. *Une école* ***laïque.*** ■ **laïque** nom Chrétien qui n'est ni prêtre ni religieux. *Un* ***laïque*** *dit la messe avec le prêtre aujourd'hui.* ✎ Le nom masculin s'écrit aussi *laïc. Un* ***laïc.*** L'adjectif s'écrit *laïque* au masculin et au féminin.

laisse nom féminin
Lanière servant à retenir un animal. *L'accès aux chiens, même tenus en* ***laisse,*** *est interdit dans le centre commercial.*

laisser verbe ▸ conjug. 3
❶ Ne pas prendre avec soi. *Rebecca* ***a laissé*** *son sac à l'école.* ❷ Quitter quelqu'un, se séparer de quelqu'un. *Bachir* ***a laissé*** *son père à la gare. Notre voisine* ***a laissé*** *son conjoint.* **SYN** abandonner. ❸ Confier une chose à quelqu'un en partant. *Je te* ***laisse*** *mes clés.* ❹ Ne pas manger quelque chose. *Elle a mangé la viande, mais* ***a laissé*** *les légumes.* ❺ Autoriser à faire quelque chose. *On ne l'****a*** *pas* ***laissé*** *entrer.* ❻ Céder à un prix peu élevé. *Le maraîcher lui* ***a laissé*** *deux salades pour le prix d'une.* ❼ Léguer quelque chose. *Elle* ***a laissé*** *une fortune à ses enfants.* ❽ Ne pas faire changer d'état ou de lieu. *J'****ai laissé*** *le poulet au chaud dans le four.* • **Laisser tomber quelqu'un** ou **quelque chose:** au sens figuré et dans la langue familière, l'abandonner, ne plus s'en occuper. *Elle* ***a laissé tomber*** *ses amis.* • **Se laisser aller:** ne plus faire d'effort par manque d'énergie. ♦ Famille du mot: délaisser, laisser-aller, laissez-passer.

laisser-aller nom masculin invariable
Manque d'effort dans le comportement ou le travail. *Il y a un certain* ***laisser-aller*** *dans son travail.* **SYN** relâchement.

laissez-passer nom masculin invariable
Autorisation, permission. *J'ai obtenu un* ***laissez-passer*** *pour la première de ce film.*

lait nom masculin
Liquide blanc et opaque sécrété par les mamelles des mammifères pour nourrir leurs petits. *Le chevreau tète le* ***lait*** *de la chèvre.* ♦ Famille du mot: allaitement, allaiter, laitage, laiterie, laiteux, laitier, petit-lait.

laitage nom masculin
Aliment à base de lait. *Les yogourts et les fromages sont des* ***laitages.***

laiterie nom féminin
❶ Usine où le lait est traité pour la conservation ou transformé en produits dérivés. ❷ Commerce où l'on vend des produits laitiers.

laiteux, laiteuse adjectif
Dont la couleur rappelle celle du lait. *Des nuages d'un blanc* ***laiteux.***

laitier, laitière adjectif
Qui a rapport avec le lait. *Le beurre, le fromage, les yogourts sont des produits* ***laitiers.*** • **Vache laitière:** vache élevée pour son lait, qui donne du lait. ■ **laitier, laitière** nom Personne qui vend du lait ou qui le livre aux commerçants ou aux consommateurs.

laiton nom masculin
Alliage de cuivre et de zinc. *Des poignées de porte en* ***laiton.***

laitue nom féminin
Plante potagère que l'on consomme en salade. *J'ai préparé de la vinaigrette pour assaisonner la* ***laitue.***

Une **laitue**

lama nom masculin
Mammifère ruminant de la cordillère des Andes. *Le poil du* ***lama*** *sert à faire de la laine.*

Des **lamas**

a b c d e f g h i j k l m n o p q r s t u v w x y z

lamantin nom masculin
Gros mammifère aquatique qui vit dans les embouchures des fleuves tropicaux.

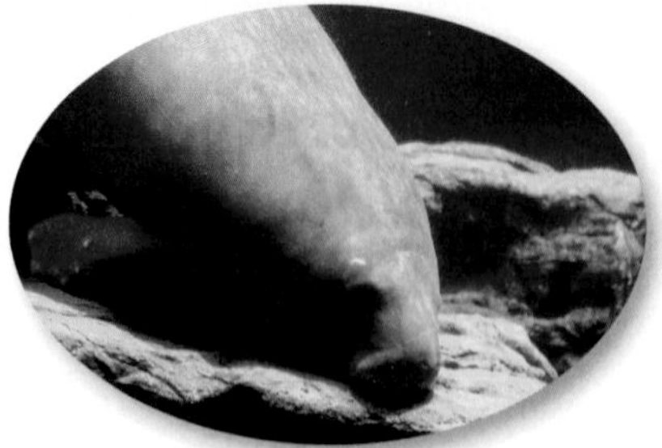
Un **lamantin**

lambeau, lambeaux nom masculin
Morceau déchiré de tissu ou de papier. *Cette chemise est tellement usée qu'elle tombe en* ***lambeaux****.*

lambin, lambine adjectif et nom
Qui lambine. *Il est* ***lambin*** *dans tout ce qu'il fait.* **SYN** lent. – *Elle est encore à la traîne. Quelle* ***lambine****!* **SYN** traînard.

lambiner verbe ▸ conjug. 3
Dans la langue familière, agir sans se presser, comme en flânant. *Hélène* ***lambine****: elle va rater son rendez-vous.* **SYN** traîner.

lame nom féminin
❶ Partie tranchante d'un outil ou d'une arme. *Une* ***lame*** *de couteau, une* ***lame*** *de rasoir.* ❷ Plaque mince et allongée. *Kevin a mis une algue entre deux* ***lames*** *de verre pour l'observer au microscope. Des* ***lames*** *de parquet.* * Chercher aussi *latte.* ❸ Grosse vague. *Une* ***lame*** *a fait chavirer le bateau.*

lamelle nom féminin
Petite lame ou tranche très mince. *Couper un concombre en* ***lamelles****.*

lamentable adjectif
❶ Qui est pitoyable, désolant. *Ce musicien a eu une fin* ***lamentable****.* **SYN** déplorable, navrant, pitoyable. ❷ Très mauvais. *Ses résultats scolaires sont* ***lamentables****.* **SYN** déplorable, piteux. **CONTR** excellent.

lamentablement adverbe
De façon lamentable. *Leur relation amoureuse a fini* ***lamentablement****.*

lamentation nom féminin
Plaintes répétées d'une personne qui se lamente. *Toutes leurs* ***lamentations*** *ne changeront rien à la situation.* **SYN** jérémiades.

se **lamenter** verbe ▸ conjug. 3
Se plaindre longuement. *Cesse de* ***te lamenter*** *et réfléchis pour trouver où tu as pu oublier ton baladeur MP3.* **SYN** se désoler, gémir. **CONTR** se réjouir.

laminer verbe ▸ conjug. 3
Amincir par un passage dans un laminoir. *On* ***lamine*** *le métal pour en faire des feuilles, des lames.*

lampadaire nom masculin
Lampe fixée sur un grand pied et destinée à éclairer une pièce d'habitation ou une rue.

Un **lampada**

lampe nom féminin
Appareil d'éclairage. *Les* ***lampes*** *à pétrole ont été remplacées par des* ***lampes*** *électriques.* • **Lampe de poche:** petit appareil portatif à piles qui permet d'éclairer.

lampion nom masculin
Bougie courte contenue dans un petit récipient en verre coloré. *Ma grand-mère a fait brûler des* ***lampions*** *à l'église.*

lanaudois, lanaudoise adjectif et nom
De la région de Lanaudière, au Québec. *Les municipalités* ***lanaudoises****.* – *Les* ***Lanaudois****, les* ***Lanaudoises****.* ✎ Attention! Le nom, qui désigne les habitants, s'écrit avec une majuscule.

lance nom féminin
Arme ancienne formée d'un manche terminé par un fer pointu. *Les soldats romains étaient armés de* ***lances****.* ♦ Famille du mot: lancée, lancement, lance-pierre, lancer, lanceur, relance, relancer.

lancée nom féminin
Élan d'une chose en mouvement, vitesse. • **Sur sa lancée:** en profitant de son élan. * Chercher aussi *erre* d'aller.*

lancement nom masculin
❶ Action de lancer. *Des journalistes du monde entier sont venus assister au* ***lancement*** *de la navette spatiale.* ❷ Action publicitaire servant à faire connaître un produit. *Le* ***lancement*** *du dernier CD de cette chanteuse a eu lieu hier.*

lance-pierre nom masculin
Objet à deux branches reliées par un élastique, servant à lancer des pierres. **SYN** fronde. ✎ Pluriel: *des* ***lance-pierres****.*

① **lancer** verbe ▶ conjug. 4
❶ Jeter avec force loin de soi. *Louis **lance** des cailloux dans l'eau.* SYN envoyer. ❷ Faire partir. *Une fusée **a été lancée** hier.* ❸ Faire démarrer. ***Lancer** une mode. **Lancer** une entreprise.* ❹ Émettre avec force. *Le chimpanzé peut **lancer** des cris stridents.* ❺ Faire connaître, promouvoir. *On **a lancé** un nouveau jeu.* ❻ Faire connaître, rendre célèbre. *C'est ce CD qui **a lancé** cette chanteuse.* ■ **se lancer** ❶ Se projeter vers l'avant. *Elle a agrippé le trapèze et **s'est lancée** dans le vide.* SYN s'élancer. ❷ Se jeter avec énergie dans quelque chose. *Julie **s'est lancée** dans la bagarre.* SYN se précipiter.

② **lancer** nom masculin
Épreuve sportive dans laquelle il faut lancer un poids, un disque ou un javelot le plus loin possible. • **Lancer frappé :** au hockey, lancer puissant qui consiste à prendre un élan avec le bâton. *Le défenseur a réussi à compter un but grâce à son **lancer frappé**.*

lanceur, lanceuse nom
Athlète spécialiste du lancer. *Une **lanceuse** de disque. Un **lanceur** de baseball.*

lancinant, lancinante adjectif
Caractérisé par une douleur aiguë qui s'atténue puis revient. *Sa blessure lui provoque des douleurs **lancinantes**.*

landau nom masculin
Voiture d'enfant munie d'une capote. ✎ Pluriel : *des **landaus**.* * Chercher aussi *poussette*.

langage nom masculin
❶ Moyen qu'ont les humains de communiquer par la parole ou l'écriture. ❷ Tout système organisé servant à s'exprimer. *L'abbé de L'Épée a inventé le premier **langage** des signes pour les sourds-muets.* ❸ Façon de parler d'une personne ou d'un groupe. *Dans le **langage** enfantin, le mot « bobo » désigne une blessure.*

langouste nom féminin
Gros crustacé marin proche du homard, mais de couleur rosée et sans pinces. *La chair de la **langouste** est très appréciée.*

langoustine nom féminin
Petit crustacé marin aux pinces longues et étroites.

langue nom féminin
❶ Organe charnu et mobile situé dans la bouche, qui permet de goûter les aliments et de parler. 👁p. 320. • **Tirer la langue à quelqu'un :** sortir la langue de sa bouche pour se moquer de lui. *Mathieu m'**a tiré la langue**.* ❷ Système de sons ou de signes qui permet à une communauté de communiquer. *Il y a plus de 5000 **langues** parlées dans le monde.* ❸ Langage spécialisé employé par un groupe ou par une personne. *On a souvent besoin d'un dictionnaire pour comprendre la **langue** médicale.* SYN jargon. • **Avoir la langue bien pendue :** être bavard. • **Donner sa langue au chat :** déclarer que l'on renonce à trouver la réponse à une devinette. • **Mauvaise langue** ou **langue de vipère :** personne médisante. • **Tenir sa langue :** garder un secret.

languette nom féminin
Ce qui a la forme d'une petite langue. *Les chaussures à lacets ont une **languette** de cuir sous les lacets.*

languir verbe ▶ conjug. 11
❶ Attendre dans l'ennui ou avec impatience. *Ne me fais pas **languir** ! Dis-moi vite qui a gagné le match.* ❷ Traîner en longueur. *La conversation **languissait**.*

languissant, languissante adjectif
Qui manque de vivacité. *Une conversation **languissante**.* SYN morne. CONTR animé.

lanière nom féminin
Étroite bande de cuir ou d'une autre matière souple. *La **lanière** d'un casque de vélo.*

lanterne nom féminin
Appareil d'éclairage qui a la forme d'une boîte aux parois transparentes. *La **lanterne** est l'ancêtre de la lampe de poche.*

laotien, laotienne
➜Voir tableau, p. 1319.

laper verbe ▶ conjug. 3
Boire un liquide à coups de langue. *Le chat **lape** le lait.*

lapereau, lapereaux nom masculin
Jeune lapin.

lapider verbe ▶ conjug. 3
Tuer en lançant des pierres.

lapin nom masculin
Petit mammifère herbivore élevé pour sa chair et sa fourrure. *Le **lapin** glapit.* 👁p. 638. * Chercher aussi *clapier, hase, lapereau, lapine*.

*Un **lapin***

a b c d e f g h i j k **l** m n o p q r s t u v

lapine nom féminin
Femelle du lapin. *Les **lapines** ont de nombreuses portées.* * Chercher aussi *clapier, hase, lapereau.*

laps nom masculin
• **Laps de temps :** intervalle de temps, moment, période.

lapsus nom masculin
Erreur involontaire qui fait dire ou écrire un mot pour un autre. *Alex a appelé son enseignante « Monsieur ». Ce **lapsus** a fait rire toute la classe.*

laque nom féminin
❶ Vernis brillant qui provient de la résine de certains arbres d'Asie. *Ce meuble est recouvert de **laque**.* ❷ Produit que l'on vaporise sur les cheveux pour les maintenir en place.

laquelle ➔Voir **lequel**

laquer verbe ▸ conjug. 3
❶ Passer des couches de laque. *Cet artisan **laque** des meubles.* ❷ Vaporiser de la laque. *La coiffeuse lui **a laqué** les cheveux.*

larcin nom masculin
Petit vol. *On l'accuse de plusieurs **larcins**.*

lard nom masculin
Couche de graisse située sous la peau du porc. *Des fèves au **lard**.* ♦ Famille du mot : larder, lardon.

larder verbe ▸ conjug. 3
Piquer des petits morceaux de lard dans la viande. *Le cuisinier **a lardé** le rôti.*

lardon nom masculin
Petit morceau de lard. *Une salade aux **lardons**.*

large adjectif
❶ Qui a telle largeur. *L'étagère est **large** de trente centimètres.* ❷ Dont la largeur est importante. *Un **large** boulevard.* **CONTR** étroit. ❸ Qui est ample. *Ce jean est trop **large** pour toi.* **CONTR** juste. ❹ Qui est grand ou important. *Dans ce livre, les illustrations tiennent une **large** place.* • **Avoir les idées larges, être large d'esprit :** être tolérant, ouvert. **CONTR** borné, étroit. ■ **large** nom masculin
❶ Largeur. *Le couloir a deux mètres de **large**.* ❷ Pleine mer. *On voit un pétrolier au **large**.* • **En long et en large :** de toutes les façons possibles, avec beaucoup de détails. • **Prendre le large :** s'enfuir. ♦ Famille du mot : élargir, élargissement, largement, largesses, largeur.

largement adverbe
❶ De façon large. *La fenêtre est **largement** ouverte.* ❷ De façon suffisante. *Tu as eu **largement** le temps de te préparer.*
SYN amplement. **CONTR** juste, à peine.

largesses nom féminin pluriel
Dons généreux. *Grâce aux **largesses** de son grand-père, il a rénové son chalet.*

largeur nom féminin
La plus petite dimension d'une surface. *La table a une **largeur** d'un mètre sur une longueur de deux mètres.* • **Largeur d'esprit :** qualité de quelqu'un qui est large d'esprit, tolérant.
SYN compréhension, ouverture* d'esprit.
CONTR étroitesse* d'esprit.

larguer verbe ▸ conjug. 3
❶ Détacher et lâcher. *Le bateau va partir ; les marins **ont largué** les amarres.* ❷ Lâcher en cours de vol. *Les avions **ont largué** des vivres pour les sinistrés.*

larme nom féminin
Goutte de liquide qui coule des yeux. *Une **larme** a roulé sur la joue de Myriam.*

larmoyer verbe ▸ conjug. 6
Être plein de larmes. *Ce vent froid me fait **larmoyer**.*

larve nom féminin
Forme prise par certains animaux avant de devenir adultes. *La chenille est la **larve** du papillon, le têtard est la **larve** de la grenouille.* 👁p. 46, 570. * Chercher aussi *chrysalide, cocon, imago, métamorphose.*

larynx nom masculin
Tube situé dans la gorge et qui contient les cordes vocales. *Le **larynx** permet d'émettre les sons.* 👁p. 988. * Chercher aussi *pharynx.*

las, lasse adjectif
❶ Qui est fatigué et sans énergie. *Après cette longue journée de travail, il se sent **las**.* ❷ Qui en a assez. *Je suis **lasse** de t'attendre !* * Attention ! Le *s* de l'adjectif masculin *las* ne se prononce pas. ♦ Famille du mot : délassement, délasser, inlassable, inlassablement, lassant, lasser, lassitude.

lasagne nom féminin
❶ Pâte alimentaire en forme de large ruban ondulé ou non sur les bords. ❷ Plat constitué de ces pâtes. *Une **lasagne** végétarienne.*

laser nom masculin
Appareil qui produit un rayon lumineux concentré. *La caissière lit le code-barres avec un lecteur **laser**.* * Attention ! La deuxième syllabe du mot *laser* se prononce *zère*.

lassant, lassante adjectif
Qui lasse. *Ses plaintes répétées finissent par être **lassantes**.* SYN ennuyant, fatigant.

lasser verbe ▸ conjug. 3
Ennuyer à force de répétitions. *Il **lasse** tout le monde avec ses discours interminables.* SYN fatiguer, importuner. * Ne pas confondre *lasser* et *lacer*. ■ se **lasser** : se fatiguer, en avoir assez. *On ne **se lasse** pas de l'écouter raconter des histoires.*

lassitude nom féminin
État d'une personne qui est lasse, physiquement ou moralement. *Ma grand-mère a poussé un soupir de **lassitude**.* SYN épuisement, fatigue.

Un *lasso*

lasso nom masculin
Longue corde terminée par un nœud coulant. *Les cow-boys capturaient les chevaux sauvages au **lasso**.*

latent, latente adjectif
Qui existe mais ne se manifeste pas. *On sent une rivalité **latente** entre ces deux groupes.*

latéral, latérale, latéraux adjectif
Qui se trouve sur le côté. *Il y a deux allées **latérales** dans cette église.* ♦ Famille du mot : bilatéral, équilatéral, unilatéral.

latin nom masculin
Langue des Romains de l'Antiquité. *L'italien, l'espagnol, le portugais, le français, le roumain viennent du **latin**.* • **Y perdre son latin** : n'y rien comprendre. *Que cette histoire est compliquée ! J'y **perds mon latin**.* ■ **latin, latine** adjectif Qui concerne le latin. *L'espagnol et le portugais sont des langues **latines**.*

latino-américain, latino-américaine adjectif et nom
D'Amérique latine. *La littérature **latino-américaine**. – Les **Latino-Américains**, les **Latino-Américaines**.* ✎ Attention ! Le nom, qui désigne les habitants, s'écrit avec une majuscule.

latitude nom féminin
❶ Distance d'un point de la Terre à l'équateur. *Les villes de New York et Madrid ont à peu près la même **latitude**.* * Chercher aussi *longitude*, *méridien*, *parallèle*. ❷ Au sens figuré, liberté d'agir. *Tu as toute **latitude** pour organiser ton travail.*

latte nom féminin
Pièce de bois longue, plate et étroite. *Les **lattes** d'un plancher.* * Chercher aussi *lame*.

lauréat, lauréate adjectif et nom
Qui a remporté un prix dans un concours. *Les équipes **lauréates** ont été récompensées. – On applaudit la jeune **lauréate**.*

laurentien, laurentienne adjectif
❶ De la chaîne de montagnes des Laurentides. *Le relief **laurentien**.* ❷ De la région des Laurentides. *La flore **laurentienne**.* ❸ Du fleuve Saint-Laurent. *Les rives **laurentiennes** sont escarpées à plusieurs endroits.* ✎ Attention ! Le nom, qui désigne les habitants des Laurentides, s'écrit avec une majuscule.

laurier nom masculin
Arbuste dont une variété donne des feuilles utilisées comme condiment. *La sauce a été aromatisée avec du thym et du **laurier**.* • **S'endormir, se reposer sur ses lauriers** : ne pas persévérer après un succès.

Un *laurier*

lavable adjectif
Qui peut être lavé sans être abîmé. *Cette robe est **lavable** à la machine.*

lavabo nom masculin
Sorte d'évier utilisé pour la toilette dans la salle de bain.

lavage nom masculin
Action de laver. *Mon chandail en laine a rétréci au **lavage**.* • **Salle de lavage** : buanderie.

a b c d e f g h i j k l m n o p q r s t u v w x y z

lavande nom féminin
Plante aromatique à petites fleurs bleu-mauve. *Ce savon est parfumé à la **lavande**.*

lave nom féminin
Matière brûlante constituée de roches en fusion, qui sort d'un volcan en éruption. *Sur les pentes du volcan, les coulées de **lave** se sont solidifiées.*
👁p. 1076.

La **lave** d'un volcan

lave-auto nom masculin
Établissement où on lave les voitures.
✎ Pluriel : *des **lave-autos**.*

lave-glace nom masculin
❶ Appareil qui envoie un jet de liquide sur le pare-brise d'un véhicule pour le nettoyer.
❷ Liquide que l'on met dans le réservoir du lave-glace et qui sert à laver le pare-brise.
✎ Pluriel : *des **lave-glaces**.* * On dit aussi, aux sens 1 et 2, ***lave-vitre***.

laver verbe ▸ conjug. 3
Nettoyer avec de l'eau. *Je vais **laver** la vaisselle.* ■ se **laver** : faire sa toilette. *Les enfants, allez **vous laver** ! Noémie **s'est lavé** les mains.* • **Se laver les mains de quelque chose :** ne pas s'en sentir responsable.
♦ Famille du mot : lavable, lavabo, lavage, lave-auto, lave-glace, laverie, lavette, laveur, laveuse, lave-vaisselle, lave-vitre.

laverie nom féminin
Établissement équipé de laveuses et de sécheuses où on lave soi-même son linge.

lavette nom féminin
Petite serviette ou petite vadrouille utilisée pour faire la vaisselle, essuyer la table, etc.

laveur, laveuse nom
Personne qui lave. *Un **laveur** de vitres.*

laveuse nom féminin
Machine à laver le linge. *Mes parents ont acheté une **laveuse** à chargement frontal.* **SYN** machine à laver.

lave-vaisselle nom masculin
Machine à laver la vaisselle. *Tous les soirs, Sumine met la vaisselle sale dans le **lave-vaisselle**.* ✎ Pluriel : *des **lave-vaisselle** ou **lave-vaisselles**.*

lave-vitre ➜Voir **lave-glace**

laxatif nom masculin
Médicament contre la constipation. **SYN** purgatif.

layette nom féminin
Ensemble des vêtements d'un bébé. *Leur bébé va bientôt naître, et sa **layette** est prête.*

① **le, la, les** déterminant
Déterminant masculin, féminin ou pluriel. ***Le** bol et **les** assiettes sont sur **la** table.*
✎ *Le* et *la* deviennent ***l'*** devant une voyelle ou un « h » muet : ***l'**arbre, **l'**homme.*

② **le, la, les** pronom
Pronom personnel de la troisième personne (masculin ou féminin, singulier ou pluriel), qui sert à compléter le verbe. *Jing **les** regarde avec envie.* ✎ *Le* et *la* deviennent ***l'*** devant une voyelle : *« Ton sac ? Je **l'**ai ! ».*

lécher verbe ▸ conjug. 8
Passer sa langue sur quelque chose. *Le chat **lèche** sa patte.* ✎ On peut écrire aussi, au futur, *tu **lècheras*** ; au conditionnel, *il **lècherait***.

lèche-vitrine nom masculin
• **Faire du lèche-vitrine :** dans la langue familière, regarder les vitrines des magasins en flânant. * Chercher aussi *magasinage*.

leçon nom féminin
❶ Ce qu'un élève doit apprendre. *Tanya révise ses **leçons**.* ❷ Cours dans une matière ou une discipline quelconque. *Véronique suit des **leçons** d'escrime.* • **Faire la leçon à quelqu'un :** lui faire des recommandations pour qu'il se conduise bien ou lui faire des reproches parce qu'il s'est mal conduit.
❸ Enseignement que l'on peut tirer d'une expérience. *Cet échec m'a servi de **leçon**.*

Un **lecteur**

lecteur, lectrice nom
Personne qui lit. *Samuel est un très bon **lecteur**.* ■ **lecteur** nom masculin Appareil capable de reproduire des sons ou de lire de l'information. *Un **lecteur** de CD, de DVD.* • **Lecteur électronique :** petit portable en forme de livre qui permet d'enregistrer et de lire des publications téléchargées dans Internet. * Chercher aussi *livre* numérique, tablette* de lecture*.

lecture nom féminin
❶ Action de lire. *Thomas aime la **lecture**.*
❷ Texte à lire. *Gabrielle a emporté de la **lecture** pour ses vacances.*

légal, légale, légaux adjectif
Conforme à la loi. *Conduire sans permis n'est pas **légal**.* SYN réglementaire. CONTR illégal. ♦ Famille du mot: illégal, illégalement, illégalité, légalement, légaliser, légalité.

légalement adverbe
De façon légale. *Au Canada, une personne est **légalement** majeure à dix-huit ans.*

légaliser verbe ▸ conjug. 3
Rendre légal. *Samuel et Dahlia **ont légalisé** leur union.*

légalité nom féminin
Ce qui est légal. *On est dans la **légalité** quand on respecte les lois.* CONTR illégalité.

légendaire adjectif
❶ Qui appartient à la légende. *La fée Carabosse est un personnage **légendaire**.* SYN fabuleux, imaginaire. CONTR historique. ❷ Bien connu de tous. *Sa distraction est **légendaire**.*

légende nom féminin
❶ Récit populaire souvent merveilleux, qui repose parfois sur des faits véridiques qui ont été amplifiés, transformés. *Selon la **légende**, un fantôme hante ce château.*
❷ Texte écrit sous une image et qui décrit ce qu'elle représente.

léger, légère adjectif
❶ D'un poids faible. *Pour une fois, ton sac est **léger**.* CONTR lourd. ❷ Peu épais. *Une robe **légère**.* CONTR chaud. ❸ Peu abondant. *Ce soir, je me contenterai d'un repas **léger**.* SYN frugal. CONTR copieux, lourd. ❹ Peu intense. *Le chat a un sommeil **léger**.* CONTR lourd, profond. ❺ Qui n'est pas fort. *Une brise **légère** s'est levée.* ❻ Qui est gracieux et semble ne pas avoir de poids. *Shan a une démarche **légère**.* CONTR lourd, pesant. ❼ Sans gravité. *Le cycliste n'a que de **légères** égratignures.* ❽ Peu réfléchi. *Un caractère **léger**.* SYN frivole, insouciant, superficiel. CONTR sérieux. • **À la légère**: étourdiment, sans réfléchir. ♦ Famille du mot: allégé, allègement, alléger, légèrement, légèreté.

légèrement adverbe
❶ De façon légère. *Par cette chaleur, il vaut mieux s'habiller **légèrement**.* CONTR chaudement. *On dînera **légèrement** avant de partir.* CONTR abondamment, copieusement. ❷ Un peu ou à peine. *William est **légèrement** plus grand que moi.* ❸ Sans réfléchir. *Tu as agi trop **légèrement**.* SYN à la légère.

légèreté nom féminin
❶ Caractère de ce qui est léger. *Cette raquette de tennis est d'une grande **légèreté**.*
❷ Caractère de ce qui est superficiel. *Cette décision a été prise avec **légèreté**.* SYN désinvolture, frivolité, insouciance.

légionnaire nom masculin
Soldat d'une troupe des armées romaines.

législatif, législative adjectif
Qui fait les lois. *L'Assemblée nationale exerce le pouvoir **législatif**.*

législation nom féminin
Ensemble des lois. *La **législation** canadienne. La **législation** commerciale.*

légitime adjectif
❶ Qui est compréhensible et justifié. *Il est **légitime**, à son âge, de vouloir être indépendant.* ❷ Qui est reconnu par la loi. *Une union **légitime**.* • **Légitime défense**: acte normalement interdit par la loi, mais excusable lorsque la personne est dans une situation où elle doit se défendre ou défendre quelqu'un d'autre. *Quand il a tiré sur les bandits qui menaçaient de le tuer, il était en état de **légitime défense**.*

legs nom masculin
Don que l'on fait par testament. *Elle a fait un **legs** important à son filleul.* * Attention! Le *s* du mot *legs* ne se prononce pas.

léguer verbe ▸ conjug. 8
❶ Donner par testament. *Elle **a légué** toute sa fortune à une organisation humanitaire.*
❷ Au sens figuré, transmettre à d'autres personnes. *Ma mère nous **a légué** sa passion de la musique.* ✎ On peut écrire aussi, au futur, *il **lèguera***; au conditionnel, *elle **lèguerait***.

légume nom masculin
Plante potagère. *Les salades et les épinards sont des **légumes** verts.*

légumineuse nom féminin
Plante dont le fruit est une gousse. *Les lentilles, les pois chiches et les haricots sont des **légumineuses**.*

légumineux, légumineuse adjectif
Se dit d'une plante dont le fruit est une gousse. *La gourgane est une plante **légumineuse**.*

lemming nom masculin
Petit rongeur qui vit dans les régions froides. *La fourrure du **lemming** le protège du froid.*

a b c d e f g h i j k **l** m n o p q r s y z

Un **lémurien**

lémurien nom masculin
Mammifère primate des régions tropicales. *Les **lémuriens** vivent dans les arbres et se nourrissent de fruits.*

lendemain nom masculin
Jour qui suit celui dont on parle. *L'école finit mardi, et on part en vacances le **lendemain**.* • **Du jour au lendemain** : en très peu de temps.

lent, lente adjectif
Qui n'est pas rapide dans ses mouvements ou dans ce qu'il fait. *Les personnes très âgées marchent à pas **lents**. Il travaille bien, mais il est un peu **lent**.* CONTR rapide. ♦ Famille du mot : lentement, lenteur, ralenti, ralentir, ralentissement, ralentisseur.

lente nom féminin
Œuf de pou. *Pour se débarrasser des poux, il faut aussi enlever les **lentes**.*

lentement adverbe
Avec lenteur. *Le soleil disparaît **lentement** à l'horizon.* SYN doucement. CONTR rapidement, vite.

lenteur nom féminin
Caractère de ce qui est lent. *La **lenteur** des tortues est bien connue.* CONTR rapidité.

① **lentille** nom féminin
❶ Plante qui produit des petites graines comestibles rondes, brunes ou vertes. ❷ Graine de cette plante. *Les **lentilles** sont des légumineuses.*

② **lentille** nom féminin
Disque de verre qui permet de voir plus ou moins gros. *Dans un appareil photo, il y a des **lentilles** concaves et convexes.* • **Lentilles cornéennes** : verres de contact.

Un **léopard**

léopard nom masculin
Mammifère carnassier d'Afrique, au pelage jaune tacheté de noir. 👁p. 432. * Chercher aussi *panthère*.

lèpre nom féminin
Maladie très grave et contagieuse qui déforme et ronge les chairs.

lépreux, lépreuse adjectif et nom
Qui est atteint de la lèpre. *Au Moyen Âge, les **lépreux** portaient une clochette et vivaient à l'écart des villes.*

lequel, laquelle pronom
❶ S'emploie comme pronom relatif après une préposition. *Le stylo avec **lequel** j'écris est noir. La personne à **laquelle** tu penses n'est pas là aujourd'hui.* ❷ S'emploie comme pronom interrogatif pour exprimer un choix. ***Laquelle** de ces personnes est la plus âgée ?* ✎ Pluriel : ***lesquels***, ***lesquelles***. Avec les prépositions *à* et *de*, ***lequel*** et ***laquelle*** se contractent en *auquel*, *auxquels*, *auxquelles*, *duquel*, *desquels*, *desquelles*.

① **les** déterminant
Déterminant pluriel de *le* et de *la*. ➔Voir ① **le**

② **les** pronom
Pronom personnel. ➔Voir ② **le**

lesbienne nom féminin
Homosexuelle. * Chercher aussi *gai*.

léser verbe ▸ conjug. 8
Désavantager quelqu'un par rapport aux autres. *Tu **as été lésé** dans ce partage.* SYN défavoriser, désavantager. CONTR avantager, favoriser. ✎ On peut écrire aussi, au futur, *tu **lèseras*** ; au conditionnel, *nous **lèserions***.

lésiner verbe ▸ conjug. 3
Dépenser le moins possible. *Quelle avarice ! Ils **lésinent** sur tout.*

lésion nom féminin
Blessure due à un accident ou à une maladie, qui abîme les organes du corps. *Son accident de voiture lui a causé une **lésion** à la tête.*

lesothien, lesothienne
➔Voir tableau, p. 1319.

lessive nom féminin
❶ Détergent pour laver le linge. ❷ Lavage du linge. *J'ai fait la **lessive** aujourd'hui.*

lest nom masculin
Poids servant à rendre plus stable ou plus lourd un ballon ou un bateau. *Le **lest** des montgolfières est fait de sacs de sable que l'on vide pour monter plus haut.* • **Lâcher du lest** : faire des concessions pour arranger les choses. * Attention ! Dans le mot *lest*, les lettres *s* et *t* se prononcent. ♦ Famille du mot : délester, lester.

leste adjectif
Qui a des mouvements souples et vifs. *Halinka grimpe aux arbres, elle est **leste** comme un chat.* SYN agile, alerte.

lester verbe ▸ conjug. 3
Charger de lest. *On **leste** les montgolfières.* CONTR délester.

etchi ➔Voir **litchi**

éthargie nom féminin
État de torpeur ou d'abattement. *Après l'entraînement, une* ***léthargie*** *nous a gagnés.*

éthargique adjectif
Qui tient de la léthargie. *Un comportement* ***léthargique****.* **SYN** apathique.

etton, lettone
➔Voir tableau, p. 1319.

ettre nom féminin
❶ Signe de l'alphabet qui sert à écrire les mots. *L'alphabet français a vingt-six* ***lettres****.* ❷ Écrit que l'on adresse à quelqu'un. *Yann a reçu une* ***lettre*** *de Kim.* • **À la lettre** ou **au pied de la lettre :** exactement, fidèlement. *On a respecté tes instructions* ***à la lettre****.* • **En toutes lettres :** sans utiliser d'abréviations.

eucémie nom féminin
Très grave maladie qui provoque une augmentation anormale des globules blancs dans le sang.

① **leur** ➔Voir ① **lui**

② **leur, leurs** déterminant
Déterminant possessif qui réfère à un possesseur à la troisième personne du pluriel. *Nos voisins sont partis en vacances avec* ***leurs*** *enfants et* ***leur*** *chatte.* * Chercher aussi *mon*, *ton*, *son*, *notre*, *votre*. ■ *le* **leur,** *la* **leur,** *les* **leurs** pronom Pronom possessif qui réfère à un possesseur à la troisième personne du pluriel, qui désigne ce qui est à eux, à elles, ce qui leur appartient. *C'est mon billet, voici* ***les leurs****. C'est ma maison, voici* ***la leur****.*
* Chercher aussi *mien*, *tien*, *sien*, *nôtre*, *vôtre*.

eurre nom masculin
❶ Appât artificiel qui imite la forme d'un animal. *Le pêcheur a mis un* ***leurre*** *au bout de sa ligne.* ❷ Faux espoir. *Cette promesse n'est qu'un* ***leurre****.* **SYN** illusion, tromperie.

leurrer verbe ▸conjug. 3
Tromper, duper. *Ce vendeur* ***l'a leurrée*** *sur la qualité du produit.* ■ *se* **leurrer :** se faire des illusions. *Il ne faut pas* ***se leurrer****, apprendre une langue étrangère n'est pas facile.*

levain nom masculin
Pâte dans laquelle on a mis de la levure pour qu'elle lève, qu'elle gonfle. *Du pain au* ***levain****.*

levant adjectif masculin
• **Soleil levant :** soleil qui se lève. ■ **levant** nom masculin Endroit de l'horizon où le soleil se lève. **SYN** est, orient. **CONTR** couchant.

levée nom féminin
❶ Moment où les employés de la Poste ramassent le courrier dans les boîtes aux lettres. *La dernière* ***levée*** *du courrier est à dix-sept heures.* ❷ Cartes à jouer ramassées en un tour par un joueur. *C'est Sophie qui a fait la première* ***levée****.*

① **lever** verbe ▸conjug. 8
❶ Soulever, déplacer de bas en haut. *Il* ***a levé*** *la tête vers le plafond.* **CONTR** baisser. • **Lever son verre :** porter un toast. *Je* ***lève mon verre*** *à la santé de nos hôtes.* ❷ Mettre fin à quelque chose. *La séance* ***est levée****.* ❸ Gonfler sous l'effet de la fermentation. *On doit laisser* ***lever*** *la pâte avant de faire cuire le pain.* ■ *se* **lever** ❶ Se mettre debout. *Les spectateurs* ***se sont levés*** *pour applaudir les comédiens.* ❷ Sortir du lit. *Les enfants* ***se sont levés*** *de bonne heure.* **CONTR** se coucher. ❸ Apparaître au-dessus de l'horizon. *Le soleil* ***se lève*** *à l'est.* **CONTR** se coucher. ❹ Commencer à souffler. *Le vent* ***s'est levé****.* ❺ Se dissiper. *Le brouillard* ***se lève****.*
♦ Famille du mot : levain, levant, levée, levure.

② **lever** nom masculin
❶ Moment où le soleil se lève. *Pierre se met au travail dès le* ***lever*** *du jour.* ❷ Moment où l'on se lève. *Dès son* ***lever****, il fait des exercices d'assouplissement.* **CONTR** coucher. ❸ Moment où le rideau se lève au théâtre. *Nous sommes arrivés au théâtre quelques minutes avant le* ***lever*** *du rideau.*

levier nom masculin
❶ Barre rigide qui sert à faire basculer ou à soulever des objets lourds. *Liang a pris un bâton comme* ***levier*** *afin de soulever la pierre.* 👁p. 630. ❷ Tige qui commande un mécanisme. *Dans cette voiture, le* ***levier*** *du frein à main se trouve à droite du conducteur.*

levraut ou **levreau** nom masculin
Jeune lièvre.

lèvre nom féminin
Chacune des parties charnues qui forment le rebord de la bouche. *Farida fait une moue en plissant les* ***lèvres****.* 👁p. 246. • **Manger du bout des lèvres :** manger à peine, sans appétit. • **Ne pas desserrer les lèvres :** rester silencieux.

a b c d e f g h i j k l m n o p q r s t u v w x y z

lévrier nom masculin
Chien au corps très fin et aux longues pattes.

Un **lévrier**

levure nom féminin
Produit utilisé pour faire lever la pâte. *On met de la **levure** dans la pâte de ce gâteau.*

lexique nom masculin
❶ Petit dictionnaire. *Elle cherche un mot dans son **lexique** français-espagnol.* ❷ Ensemble des mots d'une langue. *Le **lexique** de la langue française.* **SYN** vocabulaire.

lézard nom masculin
Petit reptile à quatre pattes et à longue queue effilée. *Un **lézard** vert se chauffe au soleil.*
👁p. 892.

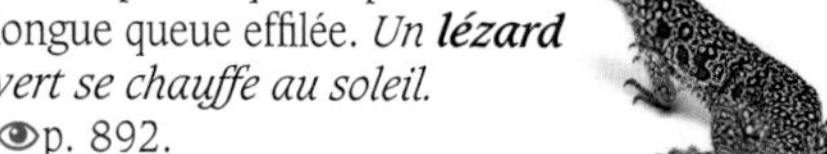

Un **lézard**

lézarde nom féminin
Fissure dans un mur. *Il y a des **lézardes** sur la façade de cette maison.* **SYN** crevasse.

se **lézarder** verbe ▸ conjug. 3
Avoir des lézardes. *Le plafond de la chapelle commence à **se lézarder**.* **SYN** se fissurer.

liaison nom féminin
❶ Ce qui relie deux choses. *Comprends-tu la **liaison** entre ces deux idées ?* **SYN** enchaînement, lien. ❷ Communication entre des personnes. *L'avion ne répond plus, la **liaison** radio a été coupée.* ❸ Transport d'un lieu à un autre. *Le train n'assure plus la **liaison** entre ces deux villes.* ❹ Prononciation de deux mots qui se suivent en liant la consonne finale du premier mot avec la première voyelle du mot qui suit. *Dans « un avion », on fait la **liaison** entre « un » et « avion ».* ❺ Relation amoureuse. *Jérémie et Anna ont une **liaison**.*

liane nom féminin
Plante dont la longue tige flexible grimpe et s'accroche aux arbres. *Dans la forêt équatoriale, les arbres sont couverts de **lianes**.*

liasse nom féminin
Papiers ou journaux liés ensemble. *Une **liasse** de billets de banque.*

libanais, libanaise adjectif et nom
Du Liban. *Le climat **libanais**. – Les **Libanais**, les **Libanaises**.* ✎ Attention ! Le nom, qui désigne les habitants, s'écrit avec une majuscule.

libeller verbe ▸ conjug. 3
Rédiger selon les règles établies. *Il faut **libeller** votre chèque à l'ordre de M. Tremblay.*

libellule nom féminin
Gros insecte au corps allongé et aux ailes transparentes. *Les **libellules** volent souvent au-dessus des rivières et des étangs.*

Une **libellule**

libéral, libérale, libéraux adjectif
Qui est favorable aux libertés individuelles. *Leurs parents leur ont donné une éducation **libérale**.* • **Profession libérale :** profession intellectuelle exercée librement ou sous la supervision d'une organisation professionnelle. *Les avocats et les médecins exercent une **profession libérale**.* * Chercher aussi *honoraires*. ■ **libéral, libérale, libéraux** adjectif et nom Partisan du Parti libéral. *Une députée **libérale**. – Les **libéraux**.* **SYN** rouge. * Chercher aussi *conservateur*.

libérateur, libératrice adjectif et nom
Qui libère des personnes ou un pays. *L'armée **libératrice** défile dans les rues de la ville. – La population a acclamé les **libérateurs**.*

libération nom féminin
❶ Action de rendre libre une personne. *La radio a annoncé la **libération** des otages.* **CONTR** emprisonnement. ❷ Action de délivrer de la présence d'un occupant. *Ce pays fête sa **libération**.* **CONTR** occupation.

libérer verbe ▸ conjug. 8
❶ Mettre en liberté. *Tous les prisonniers **ont été libérés**.* **SYN** relâcher. **CONTR** emprisonner. ❷ Délivrer de la présence d'un occupant. *En 1945, les Alliés **ont libéré** l'Europe occupée.* ■ *se* **libérer** : se rendre libre. *Mon père va essayer de **se libérer** pour venir avec nous au cinéma.* ♦ Famille du mot : libérateur, libération. ✎ On peut écrire aussi, au futur, *je **libèrerai*** ; au conditionnel, *tu **libèrerais***.

libérien, libérienne
➸Voir tableau, p. 1319.

liberté nom féminin
Fait d'être libre. *J'ai rendu sa **liberté** à l'oiseau.* **CONTR** captivité.

libraire nom
Personne qui tient une librairie. *Le **libraire** conseille Alexia sur le choix d'un livre.*

librairie nom féminin
Magasin où l'on vend des livres. *Amira regarde les BD dans la **librairie** de son quartier.*

libre adjectif
❶ Qui peut faire, penser et dire ce qu'il veut. *Pendant les vacances, les parents de Diego le laissent **libre** de choisir ses activités.* ❷ Qui n'est pas enfermé. *Le tribunal l'a acquitté, il est **libre**.* CONTR captif, détenu, prisonnier. ❸ Qui n'est pas occupé. *La place est **libre**.* SYN inoccupé, vacant. *Viens me voir dès que tu seras **libre**.* SYN disponible. CONTR occupé. ❹ Qui n'est pas gouverné par un dictateur ou dominé par un autre État. *Nous vivons dans un pays **libre**.* SYN indépendant. • **Entrée libre :** entrée gratuite ou sans obligation d'achat. • **Avoir le champ libre :** pouvoir agir sans que rien ne nous en empêche. • **Temps libre :** temps qui n'est pas retenu pour une activité quelconque et que l'on peut occuper comme on veut. ♦ Famille du mot : liberté, libre-échange, librement, libre-service.

libre-échange nom masculin
Système de commerce libre entre pays ou États. *Le Canada et les États-Unis ont signé un accord de **libre-échange**.*

librement adverbe
❶ En étant libre. *On peut circuler **librement** dans ce pays.* ❷ Avec franchise, sans retenue. *Vous pouvez parler **librement**.*

libre-service nom masculin
Magasin, station-service où les clients se servent eux-mêmes. ✎ Pluriel : *des **libres-services**.*

libyen, libyenne
➛Voir tableau, p. 1319.

lice nom féminin
• **Être en lice :** participer à une compétition. *Cette auteure **est en lice** pour le prix du meilleur roman jeunesse.*

licence nom féminin
Autorisation pour tenir un commerce, permission officielle.

licenciement nom masculin
Action de licencier. *L'entreprise ferme, il y aura deux cents **licenciements**.* SYN renvoi.

licencier verbe ▸ conjug. 10
Cesser d'employer quelqu'un. *On va devoir **licencier** une partie du personnel de l'usine.* SYN congédier, renvoyer. CONTR embaucher.

lichen nom masculin
Plante qui a l'aspect d'une mousse sèche et qui pousse sur les arbres, les pierres. *Le **lichen** permet de repérer le nord, car il pousse toujours sur la partie des troncs d'arbres exposée au nord.* ✻ Attention ! La deuxième syllabe du mot *lichen* se prononce *kène*.

licorne nom féminin
Animal légendaire ayant un corps de cheval et une longue corne au milieu du front.

*Une **licorne***

lie nom féminin
Dépôt laissé par le vin au fond d'une bouteille ou d'un tonneau.

liechtensteinois, liechtensteinoise
➛Voir tableau, p. 1319.

liège nom masculin
Matière légère et imperméable fournie par l'écorce d'une variété de chêne (le chêne-liège). *Ces bouchons sont en **liège**.*

lien nom masculin
❶ Ce qui sert à lier. *Une corde, une lanière, une courroie, un ruban sont des **liens**.* ❷ Relation entre deux personnes. *Ils ont le même nom, mais ils n'ont aucun **lien** de parenté. Travailler ensemble crée des **liens**.* SYN attaches. ❸ Rapport entre deux éléments. *Je n'ai pas fait le **lien** entre ces deux évènements.* SYN rapprochement. ❹ Connexion d'une application informatique servant à relier des documents, des sites Internet, etc. *Dans ce blogue, on trouve plusieurs **liens** intéressants sur le sujet.* SYN hyperlien.

lier verbe ▸ conjug. 10
❶ Attacher avec un lien. *Pour ce jeu, on lui **a lié** les pieds.* CONTR délier. ❷ Rapprocher par des sentiments d'amitié. *Craig et Laura **sont très liés**.* SYN unir. ❸ Mettre deux choses en rapport. *L'enquêteur **a lié** les deux affaires.* ■ **se lier** : avoir des liens, des relations d'amitié. *Barbara **s'est liée** avec les Gagné.* ♦ Famille du mot : délier, liaison, lien.

lierre nom masculin
Plante grimpante, qui s'accroche aux murs, aux troncs d'arbres. *Cette vieille maison est couverte de* ***lierre****.*

lieu, lieux nom masculin
Endroit de l'espace où se situe, se produit quelque chose. *Ce boulevard est un important* ***lieu*** *de passage. Je suis arrivé sur les* ***lieux*** *peu après l'accident.* • **Au lieu de :** plutôt que. *Tu ferais mieux de nous aider* ***au lieu de*** *nous regarder.* • **Avoir lieu :** se produire. *Cet incident* ***a eu lieu*** *la semaine dernière.* • **Lieu commun :** idée banale que tout le monde répète sans réfléchir. *« Il faut bien que jeunesse se passe » est un* ***lieu commun****.* **SYN** banalité, cliché. • **Tenir lieu de :** servir de. *Sa sœur aînée lui* ***a tenu lieu de*** *mère.*

lieue nom féminin
Ancienne mesure de distance qui valait environ quatre kilomètres. • **Être à cent lieues de :** très loin de. ***J'étais à cent lieues de*** *me douter de tout cela.*

lieutenant, lieutenante nom
Officier de grade inférieur à celui de capitaine.

lieutenant-gouverneur, lieutenante-gouverneure nom
Représentant du roi ou de la reine d'Angleterre dans chaque province du Canada. ✎ Pluriel : *des* ***lieutenants-gouverneurs****, des* ***lieutenantes-gouverneures****.*

lièvre nom masculin
Sorte de lapin sauvage, très rapide à la course. *La femelle du* ***lièvre*** *est la hase, son petit est le levraut.* • **Courir deux lièvres à la fois :** entreprendre deux choses en même temps.

Un **lièvre**

ligament nom masculin
Ensemble de fibres qui relient entre eux les os d'une articulation. *Maria s'est déchiré un* ***ligament*** *en tombant en planche à neige.*

ligature nom féminin
Action de ligaturer avec un lien. *Le pomiculteur a fait une* ***ligature*** *à la branche de pommier.*

ligaturer verbe ▸ conjug. 3
Serrer ou assembler par un lien. *Le jardinier* ***ligature*** *la branche greffée.*

ligne nom féminin
❶ Trait continu. *Marianne trace une* ***ligne*** *avec son crayon. François écrit en suivant les* ***lignes*** *de son cahier.* ❷ Limite qui sépare deux espaces. *Le coureur a franchi la* ***ligne*** *d'arrivée.* ❸ Suite de mots écrits à la même hauteur sur la page. *Un texte de trente* ***lignes****.* ❹ Itinéraire d'un autobus, d'un métro ou d'un train. *Le trafic est interrompu sur deux* ***lignes*** *du métro.* ❺ Suite de personnes ou de choses. *Mettez-vous sur une seule* ***ligne*** *!* **SYN** rangée. ❻ Fil d'une canne à pêche. *Le pêcheur a accroché un ver au bout de sa* ***ligne****.* ❼ Câble qui transporte l'électricité ou les communications téléphoniques. *On installe une nouvelle* ***ligne*** *électrique.* ❽ Élégance de la silhouette. *Mon père fait du sport pour garder la* ***ligne****.* • **En ligne :** accessible dans Internet.
♦ Famille du mot : alignement, aligner, lignée.

lignée nom féminin
Ensemble des descendants d'une personne.

ligoter verbe ▸ conjug. 3
Attacher solidement les bras et les jambes d'une personne. *Dans ce film, les cambrioleurs* ***ont ligoté*** *le gardien.*

ligue nom féminin
Association fondée dans un but précis. *La* ***Ligue*** *des droits de l'enfant se bat pour la défense des droits de l'enfant. Une* ***ligue*** *sportive.*

se **liguer** verbe ▸ conjug. 3
S'unir contre quelqu'un. *Ils* ***se sont ligués*** *contre lui.*

lilas nom masculin
❶ Arbuste aux fleurs odorantes blanches ou mauves, disposées en grappes. ❷ Fleur de cet arbuste. *Il lui a offert un bouquet de* ***lilas****.*

Un **lilas**

limace nom féminin
Mollusque sans coquille, allongé et rampant, nuisible aux végétaux. *Les **limaces** ont mangé la laitue.*

① **lime** nom féminin
Outil qui sert à user ou à polir. *Une **lime** à bois, une **lime** à ongles.*

② **lime** nom féminin
Sorte de citron à écorce et à chair vertes, à saveur très acide.

limer verbe ▸ conjug. 3
User ou façonner. *Le serrurier **lime** une clé.*

limette nom féminin
Variété de citron à saveur plus douce que la lime.

limitation nom féminin
État de ce qui est limité. *La **limitation** de vitesse a donné de bons résultats dans ce quartier.*

limite nom féminin
❶ Ce qui sépare deux territoires. *On marque les **limites** des champs et des terrains avec des bornes.* SYN frontière. ❷ Fin d'un espace de temps. *Noémie attend toujours la dernière **limite** pour faire ses devoirs.* ❸ Point extrême que l'on ne peut dépasser. *Le coureur est allé jusqu'à la **limite** de ses forces.* • **Dépasser les limites :** au sens figuré, exagérer, aller trop loin. *En me demandant ce montant, il **dépasse les limites**.* • **Limite de vitesse :** vitesse maximale à ne pas dépasser dans une zone donnée. ♦ Famille du mot : délimiter, illimité, limitation, limiter, limitrophe.

limiter verbe ▸ conjug. 3
Fixer les limites de quelque chose. *Sur cette route, on **a limité** la vitesse à 70 km/h.*

limitrophe adjectif
❶ Qui est situé près d'une frontière d'un pays ou d'une région. *Le Nouveau-Brunswick est **limitrophe** de l'État du Maine.* ❷ Qui a des frontières communes. *L'Alberta et la Colombie-Britannique sont des provinces **limitrophes**.*

limon nom masculin
Terre légère et fertile, faite d'argile et de sable déposés par les cours d'eau.

limonade nom féminin
Boisson faite de jus de citron et d'eau sucrée.

limousine nom féminin
Grande voiture, généralement conduite par un chauffeur. *Ils ont été conduits en **limousine** à leur hôtel.* * Chercher aussi *berline*, *cabriolet*, *coupé*, *familiale*.

limpide adjectif
❶ Parfaitement clair et transparent. *L'eau **limpide** de la rivière.* CONTR trouble. ❷ Facile à comprendre. *Une explication **limpide**.* CONTR obscur.

limpidité nom féminin
Qualité de ce qui est limpide. *On l'a félicité pour la **limpidité** de son exposé.* SYN clarté.

lin nom masculin
Plante à fleurs bleues dont on utilise la fibre pour faire de la toile et la graine pour faire de l'huile. *Une nappe en **lin**. Un pain avec des graines de **lin**.*

linceul nom masculin
Pièce de toile dans laquelle on ensevelit un mort. SYN suaire.

linéaire adjectif
Qui se fait par des lignes. *Dans un dessin **linéaire**, on ne représente que les contours.*

linge nom masculin
Ensemble des pièces de tissu que l'on utilise dans une maison. *Marco étend le **linge** sur la corde.* • **Linge à vaisselle :** torchon pour essuyer la vaisselle. • **Linge de maison :** ensemble de ce qu'il faut dans la maison (en fait de nappes, serviettes, draps, etc.).

lingerie nom féminin
❶ Ensemble des sous-vêtements et des vêtements de nuit féminins. *Julia a acheté de la **lingerie**.* ❷ Pièce ou placard où l'on range le linge. *Les draps propres sont rangés dans la **lingerie**.*

lingot nom masculin
Bloc de métal qui a été coulé dans un moule. *Les **lingots** d'or sont entreposés dans le coffre de la banque.*

linoléum nom masculin
Revêtement de sol imperméable. *Les couloirs de l'hôpital sont recouverts de **linoléum**.* SYN prélart. * Attention ! La dernière syllabe du mot *linoléum* se prononce *ome*.

a b c d e f g h i j k l m n o p q r s t u v w x y z

linotte nom féminin
Petit oiseau chanteur à plumage brun et rouge. • **Tête de linotte:** personne très étourdie.

lion nom masculin
Grand félin d'Afrique. *Le **lion** rugit.* 👁p. 432, 638. • **La part du lion:** la part la plus grosse prise par le plus fort.

Un **lion**

lionceau, lionceaux nom masculin
Petit du lion et de la lionne.

lionne nom féminin
Femelle du lion. *Les **lionnes** n'ont pas de crinière, contrairement aux mâles.*

lipide nom masculin
Corps gras d'origine végétale ou animale. *L'huile et le beurre sont des **lipides**.* 👁p. 36.

liquéfier verbe ▸ conjug. 10
Rendre liquide. *La chaleur **a liquéfié** le beurre.* ■ se **liquéfier**: devenir liquide. *La crème glacée **s'est liquéfiée** hors du congélateur.*

liqueur nom féminin
Boisson alcoolisée aromatisée et sucrée. *De la **liqueur** de poire.* **SYN** digestif.

liquidation nom féminin
❶ Action de liquider. *Le magasin annonce une **liquidation** avant la fermeture définitive.* ❷ Dans la langue familière, meurtre. *La **liquidation** d'un témoin gênant.*

liquide adjectif
❶ Qui coule ou a tendance à couler. *La cire devient **liquide** quand on la chauffe.* ❷ Se dit de l'argent qui se présente sous forme de pièces et de billets. *Vous préférez un chèque ou de l'argent **liquide** ?* ■ **liquide** nom masculin
❶ Substance liquide. *La glace est un solide, l'eau est un **liquide**.* ❷ Argent liquide. *Voici cinq cents dollars en **liquide**.* **SYN** espèces.
♦ Famille du mot: liquidation, liquider.

liquider verbe ▸ conjug. 3
❶ Vendre des marchandises au rabais. *Cette commerçante **liquide** ses marchandises.* **SYN** brader, solder. ❷ Dans la langue familière, tuer. *Les bandits **ont liquidé** un témoin.* **SYN** assassiner, exécuter.

lire verbe ▸ conjug. 45
❶ Reconnaître et comprendre les signes écrits. *Maintenant, Léa sait **lire** couramment.* ❷ Deviner grâce à certains signes. *Je **lis** dans tes yeux que tu es inquiète.* ♦ Famille du mot: illisible, lisibilité, lisible, lisiblement, relire.

lis ou **lys** nom masculin
❶ Plante à grandes fleurs très parfumées. ❷ Fleur de cette plante. *Quatre fleurs de **lis** figurent sur le drapeau du Québec.*
* Attention ! Le *s* du mot *lis, lys* se prononce.

Des **lis**

liseron nom masculin
Plante grimpante à fleurs en forme de cornet.

lisibilité nom féminin
Caractère de ce qui est lisible. *La **lisibilité** d'un texte.*

lisible adjectif
Facile à lire. *Une écriture **lisible**.* **CONTR** illisible.

lisiblement adverbe
De façon lisible. *Il faut écrire votre nom **lisiblement**.*

lisière nom féminin
❶ Limite d'un endroit. *J'ai cueilli ces framboises à la **lisière** du bois.* ❷ Bord d'une étoffe ou d'un tricot. *Il n'y a pas d'ourlet à faire, c'est la **lisière** du tissu.*

lisse adjectif
Qui est doux et uni au toucher. *Le cuir de ce sac est **lisse**.* **CONTR** granuleux, rugueux.

lisser verbe ▸ conjug. 3
Rendre lisse. *Le chat **lisse** ses poils avec sa langue.*

liste nom féminin
Suite de mots, de noms ou de nombres inscrits les uns à la suite des autres. *L'enseignante a dressé la **liste** des élèves qui participeront à cette activité.*

lit nom masculin
❶ Meuble sur lequel on se couche pour dormir. *Didier et Thomas dorment dans des* ***lits*** *superposés.* • **Aller au lit :** se coucher. • **Garder le lit :** rester au lit quand on est malade. • **Au saut du lit :** dès le réveil. ❷ Creux dans lequel coule habituellement un cours d'eau. *L'embâcle a fait sortir la rivière de son* ***lit****.* ♦ Famille du mot : s'aliter, literie, litière.

litchi nom masculin
Petit fruit exotique très sucré, à gros noyau. * On peut dire aussi ***letchi****.* * Attention ! Dans *litchi* et *letchi*, le *t* se prononce.

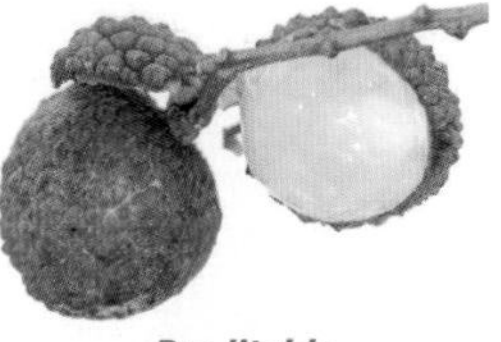

Des **litchis**

literie nom féminin
Garniture d'un lit. *Le sommier, le matelas, les oreillers, les draps et les couvertures constituent la* ***literie****.*

lithographie nom féminin
Dessin gravé sur une pierre spéciale qui sera imprimé. *Cette* ***lithographie*** *est signée par un très grand artiste.* * Abréviation : ***litho****.*

litière nom féminin
❶ Paille sur laquelle se couchent les animaux dans une écurie, une étable. ❷ Matière absorbante dans laquelle les chats domestiqués font leurs besoins. ❸ Bac contenant la litière du chat.

litige nom masculin
Désaccord entre deux personnes ou deux groupes. *Ils ont fini par régler leur* ***litige*** *à l'amiable.* **SYN** différend, dispute.

litre nom masculin
Unité de mesure de capacité employée surtout pour les liquides. *Cette bouteille contient un* ***litre****.* * Abréviation : ***l*** ou ***L****.*

littéraire adjectif
Qui concerne la littérature et les écrivains. *Une œuvre* ***littéraire****.*

littéral, littérale, littéraux adjectif
Qui suit le texte mot à mot. *Une traduction* ***littérale****.*

littéralement adverbe
Complètement, totalement. *Sa nouvelle coupe de cheveux la change* ***littéralement****.*

littérature nom féminin
Ensemble des œuvres écrites par des écrivains. *La poésie, le théâtre, les contes et les romans appartiennent à la* ***littérature****.*

littoral, littorale, littoraux adjectif
Qui appartient au bord de mer. *Les régions* ***littorales****.* ■ **littoral, littoraux** nom masculin
Côte, rivage.

Un **littoral**

lituanien, lituanienne
➔Voir tableau, p. 1319.

liturgie nom féminin
Déroulement du culte d'une religion. *Il y a beaucoup de chants dans la* ***liturgie*** *orthodoxe.*

livide adjectif
Extrêmement pâle. *Le blessé avait le visage* ***livide****.* **SYN** blafard, blême.

livraison nom féminin
Action de livrer à domicile ce qui a été acheté. *Elle attend avec impatience la* ***livraison*** *de son piano.*

① **livre** nom masculin
Texte imprimé sur des feuilles réunies sous une couverture. *Ursula a pris un* ***livre*** *à la bibliothèque.* **SYN** bouquin. • **Livre numérique :** tablette électronique sur l'écran de laquelle on peut lire en version numérique un livre que l'on télécharge. **SYN** tablette* de lecture. * Chercher aussi *lecteur électronique*. • **Livre d'or :** cahier que l'on fait signer par les visiteurs. *J'ai signé le* ***livre d'or*** *quand je suis allé visiter le parlement.*

② **livre** nom féminin
❶ Dans le système impérial, unité de masse valant seize onces (453 g). * Chercher aussi ③ *mille*, ② *pied*, ② *pouce*, ② *verge*. ❷ Un demi-kilo (500 g).

a b c d e f g h i j k l m n o p q r s t u v w x y z

livrer verbe ▶ conjug. 3
❶ Remettre à un acheteur la marchandise commandée. *On vient de nous **livrer** le lit.* ❷ Remettre au pouvoir de quelqu'un. *Il **a livré** la ville à l'ennemi.* • **Livrer bataille :** se battre. • **Livrer un secret :** le révéler. ■ *se* **livrer** ❶ Se rendre. *Le meurtrier **s'est livré** à la police.* ❷ Parler de soi. *C'est quelqu'un de timide qui ne **se livre** pas beaucoup.* **SYN** se confier. ♦ Famille du mot : livraison, livreur.

livret nom masculin
❶ Petit livre où l'on enregistre certains renseignements. *Un **livret** de banque.* ❷ En musique, texte d'un opéra ou d'une opérette.

livreur, livreuse nom
Personne qui livre les commandes. *Le **livreur** a apporté la pizza.*

lobe nom masculin
Partie arrondie d'un organe. *Le **lobe** des oreilles.*

local, locale, locaux adjectif
Qui concerne un endroit ou une région. *Le journal **local** a annoncé la visite du premier ministre. La dentiste lui a fait une anesthésie **locale**.* ■ **local, locaux** nom masculin Bâtiment ou salle pouvant servir à tel ou tel usage. *Ils ont trouvé un **local** pour établir leur commerce.* ♦ Famille du mot : localement, localisation, localiser, localité.

localement adverbe
Dans certains endroits. *Demain, on prévoit de la pluie **localement**.*

localisation nom féminin
Action de localiser. *Le sonar a permis une **localisation** précise de l'épave du bateau.*

localiser verbe ▶ conjug. 3
❶ Déterminer le lieu où se produit quelque chose. *Elle a réussi à **localiser** ces bruits.* **SYN** repérer, situer. ❷ Circonscrire. ***Localiser** un incendie.* **SYN** contenir, restreindre.

localité nom féminin
Petite agglomération ou village. *Ils campent dans une **localité** de la Mauricie.*

locataire nom
Personne qui loue un logement, une maison ou un bureau. *Le **locataire** paye un loyer au propriétaire.*

location nom féminin
❶ Action de louer. *Les parents de Jessica cherchent un chalet en **location** pour les vacances.* ❷ Chose louée. *Une voiture de **location**.*

locomotion nom féminin
Transport d'un lieu à un autre. • **Moyen de locomotion :** moyen de transport. *Le vélo, l'automobile, le train, l'avion sont des **moyens de locomotion**.*

*Une **locomotive***

locomotive nom féminin
Machine qui tire les trains. *Une **locomotive** électrique.*

locution nom féminin
Groupe de mots toujours employés ensemble avec un sens particulier. *« Mettre la puce à l'oreille » est une **locution** qui signifie « éveiller les soupçons, la curiosité (de quelqu'un) ».* **SYN** expression.

loge nom féminin
❶ Petit logement du concierge. *La **loge** est à droite dans le hall de l'immeuble.* ❷ Petite pièce dans les coulisses d'une salle de spectacle où les artistes se changent et se maquillent. ❸ Compartiment qui contient plusieurs places. *Nous avons assisté à une partie de hockey dans une **loge**.* * Chercher aussi *orchestre*, *parterre*. • **Être aux premières loges :** être très bien placé pour voir quelque chose. ♦ Famille du mot : déloger, logement, loger, logeur, reloger.

logement nom masculin
❶ Action de loger. *Assurer le **logement** d'un parent en visite.* **SYN** hébergement. ❷ Local où l'on peut loger. *Il y a un **logement** libre au-dessus de chez nous.*

loger verbe ▶ conjug. 5
❶ Habiter quelque part. *Quand elle va à Toronto, elle **loge** à l'hôtel.* **SYN** demeurer, résider, vivre. ❷ Donner un logement à quelqu'un. *Ils **ont logé** un ami pendant un mois.* **SYN** héberger. ❸ Faire entrer quelque part. *Le coffre de la voiture est plein, on ne peut rien y **loger** de plus.* **SYN** mettre. ■ *se* **loger** : s'installer dans un logement. *Ils ont trouvé à **se loger** sur la Rive-Sud.*

logeur, logeuse nom
Personne qui loue des chambres meublées. *Il a payé le loyer à sa **logeuse**.*

logiciel nom masculin
Programme pour un ordinateur. *Simon a acheté un nouveau **logiciel** de jeu.*

logique adjectif
❶ Qui est cohérent, conforme au bon sens. *Ton raisonnement est **logique**.* ❷ Qui est raisonnable. *Quand on n'a plus faim, on s'arrête de manger ; c'est **logique**.*
■ **logique** nom féminin Manière de raisonner juste. *Il a fait preuve de **logique** pour résoudre ce problème.* ♦ Famille du mot : illogique, logiquement.

logiquement adverbe
❶ Normalement. ***Logiquement**, il ne devrait pas tarder à rentrer.* ❷ Conformément à la logique. *Il a agi **logiquement** : il s'est arrêté et a réfléchi.*

logo nom masculin
Dessin qui sert d'emblème à une marque, un produit ou une entreprise.

loi nom féminin
❶ Ensemble des règles imposées à tous les individus d'une société et fixant les droits et les devoirs de chacun. *Dans notre démocratie, c'est le Parlement qui adopte les **lois**.* ❷ Règle qui explique un phénomène naturel. *Isaac Newton a découvert les **lois** de la gravitation.*

loin adverbe
❶ À une grande distance dans l'espace. *Au **loin**, on voit un bateau. Elle habite **loin** du centre-ville.* CONTR près. ❷ À une grande distance dans le temps. *Les vacances sont encore **loin**.* • **Aller loin :** réussir dans la vie. • **Aller trop loin :** exagérer, dépasser les limites. *Cesse de te moquer de lui, tu **vas trop loin**.* • **Loin de là :** bien au contraire. *Jade n'est pas gênée, **loin de là** !* • **Revenir de loin :** avoir échappé à un grand danger. • **Voir loin :** être prévoyant. ♦ Famille du mot : éloigné, éloignement, éloigner, lointain.

lointain, lointaine adjectif
❶ Qui est éloigné dans le temps. *Le vieil homme nous a conté des souvenirs de sa **lointaine** jeunesse.* CONTR proche. ❷ Qui est éloigné dans l'espace. *Un pays **lointain**.*
■ **lointain** nom masculin • **Dans le lointain :** au loin. *On distingue une maison **dans le lointain**.*

loir nom masculin
Petit rongeur à la queue longue et touffue. *Les **loirs** dorment pendant tout l'hiver.* • **Dormir comme un loir :** dormir profondément.

loisirs nom masculin pluriel
❶ Moments libres pour se distraire. *Depuis qu'il est à la retraite, il a beaucoup plus de **loisirs**.* ❷ Distractions avec lesquelles on occupe son temps libre. *La lecture et le cinéma sont ses **loisirs** favoris.*

lombago nom masculin
Douleur dans le bas du dos. *En jouant au ping-pong, Loïc s'est fait un **lombago**.* SYN tour de reins*. ✎ On peut écrire aussi ***lumbago***, mais la première syllabe se prononce alors comme dans *lundi*.

lombaire adjectif
Qui se situe en bas du dos. *Les vertèbres **lombaires**.*

lombric nom masculin
Nom scientifique du ver de terre. * Attention ! Le *c* du mot *lombric* se prononce.

Un **lombric**

long, longue adjectif
❶ Dont la longueur est importante. *Cette rue est **longue**.* CONTR court. ❷ Qui a telle longueur. *L'étagère est **longue** de deux mètres.* ❸ Qui dure longtemps. *Nous avons eu une **longue** discussion.* CONTR bref, court. ❹ Qui met du temps à faire quelque chose. *Elle est bien **longue** à revenir !* • **Avoir le bras long :** avoir de l'influence, du pouvoir. ■ **long** adverbe Beaucoup. *Son regard en dit **long** sur sa peine.*
■ **long** nom masculin Longueur. *Le couloir a dix mètres de **long**.* • **De long en large :** en refaisant sans cesse le même trajet dans un sens puis dans l'autre. *Il a parcouru la plage **de long en large**.* • **De tout son long :** en étant entièrement étendu par terre. *Virginie a trébuché et elle est tombée **de tout son long**.*
• **En long et en large :** sans faire grâce d'aucun détail. *Il nous a raconté son voyage **en long et en large**.* • **Le long de :** en suivant le bord. *Nous nous sommes promenés **le long du** canal.*
■ **longue** nom féminin • **À la longue :** avec le temps, petit à petit. ♦ Famille du mot : allongé, allongement, allonger, longer, longévité, longitude, longitudinal, longuement, longueur, longue-vue, prolongation, prolongement, prolonger, rallonge, rallonger.

longer verbe ▸ conjug. 5
Se déplacer ou être le long de quelque chose. *Le voilier **longe** la côte. La route **longe** la mer.*

a b c d e f g h i j k **l** m n o p q r s t u v w x y z

a b c d e f g h i j k l m n o p q r s t u v w x y z

longévité nom féminin
Longue durée de la vie. *Mourir à 112 ans, voilà une exceptionnelle **longévité**.*

longitude nom féminin
Distance qui sépare un point de la Terre du méridien de Greenwich en Grande-Bretagne. *Montréal se situe à 73° 39′ de **longitude** ouest.* * Chercher aussi *latitude, méridien, parallèle.*

longitudinal, longitudinale, longitudinaux adjectif
Dans le sens de la longueur. *Voici une coupe **longitudinale** de cette plante.* **CONTR** transversal.

longtemps adverbe
Pendant un long espace de temps. *Ça fait **longtemps** qu'on ne t'a pas vu.* ■ **longtemps** nom masculin Long moment. *Il est parti pour **longtemps**. Il ne reviendra pas avant **longtemps**.* • **Il y a longtemps:** autrefois.

longue → Voir **long**

longuement adverbe
Pendant un long temps. *Il nous a **longuement** raconté son voyage.* **CONTR** brièvement.

longueur nom féminin
❶ La plus grande dimension d'une surface. *La table a une **longueur** de deux mètres.* **CONTR** largeur. ❷ Trop longue durée. *Mariana trouve que ce séjour est d'une **longueur** interminable.* ❸ Espace de temps. *La **longueur** de ses vacances reste à préciser.* • **À longueur de:** pendant tout le temps de. *Il se plaint **à longueur de** journée.* • **Traîner en longueur:** durer trop longtemps.

longue-vue nom féminin
Lunette qui grossit les objets éloignés. *Le capitaine a pris sa **longue-vue** pour observer la baleine.* 👁p. 575.
✎ Pluriel: *des **longues-vues**.*
* Chercher aussi *jumelles.*

Une **longue-vue**

lopin nom masculin
Petit morceau de terrain. *Il cultive un **lopin** de terre près de sa maison.*

loquace adjectif
Qui parle beaucoup. *Elle s'est montrée **loquace** durant le souper.* **SYN** bavard, volubile. **CONTR** silencieux, taciturne.

loque nom féminin
Morceau de tissu usé ou déchiré. *Ce vieux manteau n'est plus qu'une **loque**.* • **En loques:** en lambeaux. *Un vêtement **en loques**.* **SYN** guenille, haillons.

loquet nom masculin
Petite barre de métal mobile qui sert de fermeture. *En soulevant le **loquet**, on peut ouvrir la porte.*

lorgner verbe ▸ conjug. 3
Regarder du coin de l'œil, avec envie. *Attention, ce chat **lorgne** ton poisson!* **SYN** loucher sur.

lorgnon nom masculin
Paire de lunettes sans branches qui tenaient sur le nez grâce à un ressort. *Le **lorgnon** était à la mode au début du 20e siècle.*

lors adverbe
• **Depuis lors:** depuis ce moment. • **Lors de:** au moment de. *Angelo et Martine se sont rencontrés **lors d'**un mariage.* **SYN** au cours* de, pendant.

lorsque conjonction
Au moment où. *Préviens-moi **lorsque** tu seras prêt.* **SYN** quand.

losange nom masculin
Figure géométrique dont les quatre côtés sont égaux, mais dont les angles ne sont pas droits. 👁p. 484.

① **lot** nom masculin
Ce que l'on gagne à la loterie. • **Le gros lot:** le lot le plus important.

② **lot** nom masculin
❶ Part attribuée à chacun dans le partage d'un bien, d'un terrain ou d'un héritage. *Le domaine a été partagé en plusieurs **lots**.* ❷ Articles de même nature vendus ensemble. *Mon père a acheté un **lot** de vieilles cartes de hockey.*

loterie nom féminin
Jeu de hasard où les numéros des billets gagnants sont tirés au sort.

lotion nom féminin
Liquide spécialement préparé pour les soins de la peau ou des cheveux. *Une **lotion** pour le corps, une **lotion** capillaire.*

lotissement nom masculin
Terrain à bâtir partagé en lots. *Ils font construire une maison dans le nouveau **lotissement**.*

loto nom masculin
❶ Jeu où l'on doit placer sur des cartons à cases numérotées les jetons correspondants tirés au hasard. *Derek et Yasmine font une partie de **loto**.* ❷ Jeu de hasard d'un organisme ou d'un État.

lotus nom masculin
Variété de nénuphar à grandes fleurs. *En Inde, le **lotus** est une fleur sacrée.* * Attention! Le *s* du mot *lotus* se prononce.

Un *lotus*

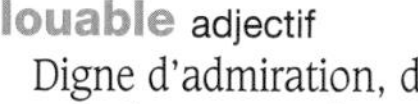

louable adjectif
Digne d'admiration, de compliments. *Félix a fait de **louables** efforts à cette étape-ci.* **SYN** méritoire. **CONTR** blâmable, condamnable.

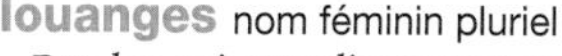

louanges nom féminin pluriel
Paroles qui complimentent quelqu'un. *L'acteur a été couvert de **louanges**.* **SYN** compliment, éloges, félicitations. **CONTR** ② critique.

① **louche** adjectif
Qui paraît suspect et éveille la méfiance. *Cette histoire est **louche**.*

② **louche** nom féminin
Cuillère large et profonde à long manche. *Pour servir la soupe, j'ai pris une **louche**.*

loucher verbe ▸ conjug. 3
Avoir les deux yeux qui ne regardent pas dans la même direction. *Les personnes qui **louchent** portent des lunettes spéciales.*

① **louer** verbe ▸ conjug. 3
❶ Prêter un local ou un bien à quelqu'un contre de l'argent. *Le propriétaire **loue** ce studio quatre cents dollars par mois.* ❷ Avoir un local ou un bien pour un temps limité, en payant. *Le père d'Antoine **loue** une voiture chaque été.*

② **louer** verbe ▸ conjug. 3
Dire son admiration. *Les médias **ont loué** le courage des sauveteurs.* ♦ Famille du mot: louable, louanges.

① **loup** nom masculin
Mammifère carnivore à l'allure de grand chien. *Des **loups** poursuivent le chevreuil. Le **loup** et la louve hurlent.* 👁p. 638.
• **Avoir une faim de loup:** avoir très faim. • **Marcher à pas de loup:** sans bruit.

② **loup** nom masculin
Petit masque noir qui couvre les yeux. *Les invités du bal costumé portaient des **loups**.*

loupe nom féminin
Lentille de verre qui donne une image agrandie des objets. *Mon frère observe des insectes à la **loupe**.* 👁p. 575.

Une *loupe*

loup-garou nom masculin
Homme qui, selon la légende, se métamorphose la nuit en loup. ✎ Pluriel: *des **loups-garous**.*

lourd, lourde adjectif
❶ Qui pèse un poids important. *Le sac est **lourd**, on va le porter ensemble.* **SYN** pesant. **CONTR** léger. ❷ Qui est lent, sans élégance ni souplesse. *Le vieil homme marche d'un pas **lourd**.* **SYN** pesant. ❸ Qui est oppressant. *Ce soir, le temps est **lourd**.* **SYN** orageux. ❹ Qui est pénible. *Entretenir cette maison est une **lourde** tâche.* **SYN** accablant, écrasant. **CONTR** léger. ❺ Difficile à digérer. *Ce dîner était bon, mais un peu **lourd**.* **SYN** indigeste. **CONTR** digeste, léger. ■ **lourd** adverbe Beaucoup. *Ça pèse **lourd**.* ♦ Famille du mot: alourdir, lourdaud, lourdement, lourdeur.

lourdaud, lourdaude nom et adjectif
Personne lourde de corps ou d'esprit. **SYN** balourd.

lourdement adverbe
❶ D'une manière lourde. *Camille est tombée **lourdement**.* **SYN** pesamment. ❷ De façon importante. *Vous vous trompez **lourdement**.* **SYN** énormément.

Un *loup*

lourdeur nom féminin
Caractère de ce qui est lourd. *La **lourdeur** d'un objet.* **CONTR** légèreté. *Courir avec **lourdeur**.* **CONTR** agilité, souplesse.

loutre nom féminin
Petit mammifère aux pattes palmées et au pelage brun, que l'on chasse pour sa fourrure. *La **loutre** se nourrit de poissons.*

Une **loutre**

louve nom féminin
Femelle du loup. *La **louve** allaite ses louveteaux dans sa tanière.*

louveteau, louveteaux nom masculin
❶ Petit du loup et de la louve. ❷ Jeune scout. * Chercher aussi *cheftaine*, ② *guide*, *jeannette*, *scout*.

louvoyer verbe ▸ conjug. 6
Naviguer en zigzag. *Pour avancer quand le vent vient de face, le voilier doit **louvoyer**.*

se **lover** verbe ▸ conjug. 3
S'enrouler sur soi-même. *Florence **s'est lovée** dans le fauteuil.*

loyal, loyale, loyaux adjectif
Qui est fidèle à sa parole et ne triche pas. *C'est un adversaire **loyal**.* **SYN** honnête. **CONTR** déloyal, perfide. ♦ Famille du mot : déloyal, loyalement, loyauté.

loyalement adverbe
D'une manière loyale. *Roberto a agi **loyalement**.* **SYN** honnêtement. **CONTR** perfidement.

loyauté nom féminin
Conduite loyale. *Sa **loyauté** ne peut être mise en doute.* **SYN** droiture, honnêteté. **CONTR** perfidie, traîtrise.

loyer nom masculin
Somme d'argent qu'un locataire paye régulièrement au propriétaire pour lui louer un appartement, une maison, un bureau, etc. *En général, on paye le **loyer** au début du mois.*

lubie nom féminin
Fantaisie subite et un peu folle. *Ils ne vont jamais à la mer, mais ils veulent acheter un voilier, c'est leur dernière **lubie**.* **SYN** caprice.

lubrifiant nom masculin
Produit qui lubrifie. *L'huile et la graisse sont des **lubrifiants**.*

lubrifier verbe ▸ conjug. 10
Graisser pour rendre glissant. *Yoan **lubrifie** la chaîne de son vélo.*

lucarne nom féminin
Petite fenêtre percée dans la pente d'un toit.

lucide adjectif
❶ Qui voit les choses telles qu'elles sont. *Gabriel voit bien les difficultés qui l'attendent, il est très **lucide**.* **SYN** clairvoyant, perspicace. ❷ Qui a toute sa conscience. *Elle est très âgée, mais parfaitement **lucide**.*

lucidité nom féminin
Fait d'être lucide. *Boris a su juger la situation avec **lucidité**.* **SYN** perspicacité, réalisme.

lucien, lucienne
➜Voir tableau, p. 1319.

luciole nom féminin
Petit insecte au corps lumineux. *Dans les nuits d'été, on voit voler les **lucioles**.* **SYN** mouche* à feu.

lucratif, lucrative adjectif
Qui rapporte de l'argent. *Un travail **lucratif**.* **SYN** rentable.

luette nom féminin
Petit appendice au fond du palais. *Quand on avale, la **luette** bouche l'entrée du nez et fait en sorte qu'on ne s'étouffe pas.*

lueur nom féminin
❶ Lumière faible ou passagère. *Ils ont monté leur tente à la **lueur** d'une lampe de poche.* ❷ Expression passagère du regard. *Une **lueur** de jalousie est passée dans ses yeux.* • **Une lueur de quelque chose :** un peu. *Il reste encore **une lueur d'**espoir.*

luge nom féminin
Petit traîneau à patins. *Les enfants ont dévalé la pente sur leur **luge**.*

lugubre adjectif
Qui est d'une tristesse affligeante. *Avec ses murs noirs, cette pièce est **lugubre**.* **SYN** sinistre. **CONTR** gai.

① **lui, leur** pronom
Pronom personnel de la troisième personne (masculin ou féminin ; singulier ou pluriel) correspondant à « à lui, à elle » (lui), à « à eux, à elles » (leur). ***Lui** as-tu dit ce que tu m'as raconté ? On **leur** a demandé de venir à midi. J'ai vu ma sœur, je **lui** ai demandé de venir.*

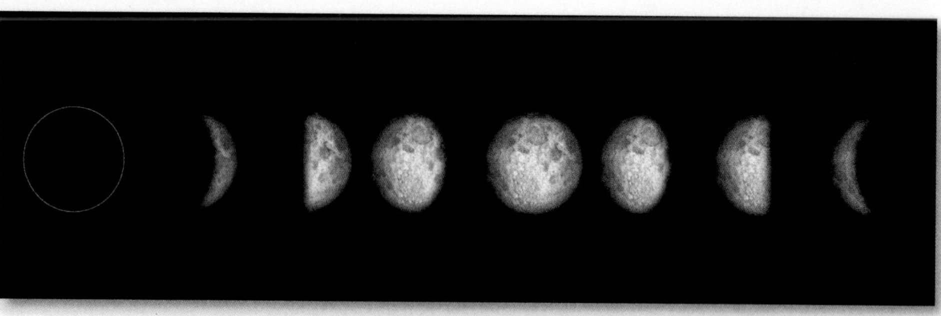
Les phases **lunaires** vues de la Terre

② **lui, eux, elle, elles** pronom
Pronom personnel de la troisième personne (masculin ou féminin singulier ou pluriel) souvent utilisé après une préposition. *Il compte sur **elle**. Je pense à **elles**. Il a mis l'enfant sur **lui**. C'est à **eux** de jouer.*

luire verbe ▸ conjug. 43
Produire ou refléter de la lumière. *Le soleil **luit** sur le lac.* SYN briller. ♦ Famille du mot : luisant, reluire. ✎ Attention ! *Luire* se conjugue sur le modèle de *cuire*, sauf au passé simple (*je **luis**, ils **luirent***) et au participe passé (***lui***).

luisant, luisante adjectif
Qui luit. *Son front est **luisant** de sueur.* • **Ver luisant :** coléoptère dont le corps de la femelle émet de la lumière. * Chercher aussi *luciole*.

lumbago ➔Voir **lombago**

lumière nom féminin
❶ Ce qui permet d'éclairer et de voir. *C'est la **lumière** du jour qui a réveillé Laura.* SYN clarté. CONTR obscurité. 👁p. 251. ❷ Ce qui sert à éclairer. *Avant d'aller se coucher, Mathys a éteint les **lumières** du salon.* • **Faire toute la lumière sur une chose :** trouver et donner toutes les explications nécessaires pour la comprendre.

luminaire nom masculin
Appareil d'éclairage. *Dans un magasin de **luminaires**, on trouve des lampes de chevet, des lustres, des lampadaires, des appliques.*

lumineux, lumineuse adjectif
❶ Qui émet de la lumière. *Une enseigne **lumineuse**.* ❷ Qui reçoit beaucoup de lumière. *Une chambre **lumineuse**.* SYN clair.

luminosité nom féminin
Qualité de ce qui est lumineux. *Pendant les nuits claires, on peut observer la grande **luminosité** de la Voie lactée.*

lunaire adjectif
De la Lune. *Le cycle **lunaire**.*

lunatique adjectif
❶ Qui change d'humeur très souvent et de façon imprévisible. *On ne peut pas se fier à David, il est très **lunatique**.* SYN changeant, versatile. ❷ Qui est dans la lune, distrait.

lunch nom masculin
❶ Repas constitué de mets légers présentés en buffet. ❷ Nourriture que l'on apporte avec soi et qui sert de repas à l'école, au travail, etc. ✎ Pluriel : *des **lunchs** ou **lunches***. • **Boîte à lunch :** contenant souple ou rigide dans lequel on apporte son repas.

lundi nom masculin
Jour de la semaine entre le dimanche et le mardi. *L'école recommence chaque **lundi**.*

lune nom féminin
Astre satellite de la Terre. *C'est parce que la **Lune** renvoie les rayons du Soleil qu'elle éclaire la Terre pendant la nuit. Noémie aime se promener au clair de **lune**.*
• **Demander** ou **promettre la lune à quelqu'un :** lui demander ou lui promettre des choses impossibles. • **Être dans la lune :** être distrait. SYN être dans les nuages*. ✎ Attention ! Quand il s'agit de l'astre, le mot *Lune* s'écrit avec une majuscule. ♦ Famille du mot : alunir, alunissage, lunaire, lunatique.

lunette nom féminin
Instrument servant à observer des objets. *Camille a regardé la Lune et les étoiles avec une **lunette** astronomique.* • **Lunette arrière :**

vitre arrière d'une voiture. 👁p. 88.
■ **lunettes** nom féminin pluriel Paire de verres fixés sur une monture, servant à corriger la vue ou à protéger les yeux. *Alexis a besoin de **lunettes** pour voir de loin.*

lunetterie nom féminin
Commerce qui s'intéresse à la conception et à la fabrication de lunettes. *Cette **lunetterie** du centre-ville est très populaire.*

lurette nom féminin
• **Il y a belle lurette :** dans la langue familière, il y a bien longtemps. ***Il y a belle lurette** que Viviane ne m'écrit plus.*

luron, luronne nom
• **Joyeux** ou **gai luron :** personne gaie, insouciante.

lustre nom masculin
❶ Appareil d'éclairage à plusieurs lampes, suspendu au plafond. *Il y a un **lustre** en cristal dans le hall de l'hôtel.* ❷ Éclat d'un objet brillant ou poli. *Cette décoratrice aime le **lustre** du marbre.*

lustré, lustrée adjectif
Brillant, luisant. *Ce chat a un poil **lustré**.*

luth nom masculin
Instrument de musique à cordes, au manche recourbé.

luthier, luthière nom
Personne qui fabrique et répare des instruments de musique à cordes. *Cette musicienne a fait réparer son violon par un **luthier**.*

Un *luth*

lutin nom masculin
Petit être légendaire, farceur et malicieux. *On disait autrefois que, pendant la nuit, les **lutins** changeaient tous les objets de place.* **SYN** farfadet.

lutrin nom masculin
Pupitre sur lequel on pose un document, un livre ouvert généralement lourd, pour en faciliter la lecture.

lutte nom féminin
❶ Sport de combat où chaque adversaire s'efforce d'immobiliser l'autre au sol. ❷ Bataill[e] entre deux adversaires. *Les deux orignaux se livrent une **lutte** sans merci.* **SYN** affrontement, combat. ❸ Action menée pour vaincre un fléau. *La **lutte** contre la faim, la **lutte** contre la désertification.* ♦ Famille du mot : lutter, lutteu[r]

lutter verbe ▸ conjug. 3
❶ Mener une lutte contre un adversaire. *Les deux cerfs **ont lutté** jusqu'à l'aube.* **SYN** se battre, combattre. ❷ Résister contre quelque chose. *Le bébé **lutte** contre le sommeil.* ❸ S'employer à vaincre un fléau. *Cette organisation **lutte** contre l'exploitation des enfants.*

lutteur, lutteuse nom
❶ Athlète qui pratique la lutte. ❷ Personne qui aime se battre et surmonter les obstacles. *Elle a un tempérament de **lutteuse**.*

luxation nom féminin
Déplacement d'un os hors de son articulation. *Le footballeur s'est fait une **luxation** du genou.* * Chercher aussi *entorse, foulure*.

luxe nom masculin
❶ Abondance d'objets chers et raffinés. *Ils ont toujours vécu dans le **luxe**.* ❷ Chose superflue et chère. *Manger du caviar, c'est du **luxe**.* ♦ Famille du mot : luxueusement, luxueux.

luxembourgeois, luxembourgeoise
➛Voir tableau, p. 1319.

se **luxer** verbe ▸ conjug. 3
Se faire une luxation. *Hugo **s'est luxé** le coude en tombant de sa planche à roulettes.* **SYN** se déboîter, se démettre.

luxueusement adverbe
De manière luxueuse. *Ils vivent **luxueusement**.*

luxueux, luxueuse adjectif
Qui est caractérisé par le luxe. *C'est un hôtel **luxueux**.* **SYN** fastueux, somptueux. **CONTR** modeste, simple.

luxuriant, luxuriante adjectif
Qui pousse abondamment et vigoureusement. *Une forêt **luxuriante**.* **SYN** exubérant, surabondant. **CONTR** maigre, rare.

luzerne nom féminin
Plante à petites fleurs violettes. *La **luzerne** sert de fourrage aux animaux de la ferme.*

De la **luzerne**

lycée nom masculin
En France, établissement d'enseignement secondaire. * Attention! Même s'il se termine en *-ée*, ce mot est du genre masculin.

lymphatique adjectif
Qui est mou et sans énergie. *C'est une personne au tempérament **lymphatique**.* SYN indolent. CONTR actif, nerveux.

lymphe nom féminin
Liquide incolore ou jaune pâle qui se trouve à l'intérieur de notre corps. *La **lymphe** nourrit les cellules, évacue les déchets et joue une fonction de défense dans l'organisme.*

lyncher verbe ▸ conjug. 3
Tuer quelqu'un que l'on pense coupable sans le juger. *Le chauffard a failli **être lynché** par les témoins de l'accident.*

lynx nom masculin
Mammifère carnivore sauvage qui ressemble à un grand chat. 👁p. 432, 638. • **Avoir des yeux de lynx:** avoir une très bonne vue, une vue très perçante.

Un **lynx**

lyre nom féminin
Instrument de musique à cordes utilisé dans l'Antiquité.

Une **lyre**

lyrique adjectif
Plein d'émotion, de passion et d'enthousiasme. *Le père de Sacha devient **lyrique** quand il parle de son village natal.*

lys →Voir **lis**

a
b
c
d
e
f
g
h
i
j
k
l
m
n
o
p
q
r

m nom masculin invariable
❶ Treizième lettre de l'alphabet. *Le **m** est une consonne.* ❷ Abréviation de *Monsieur* (M.). ❸ Chiffre romain (M) qui signifie mille. ❹ Symbole de mètre (m).

m' ➔Voir **me**

ma déterminant ➔Voir **mon**

macabre adjectif
Qui évoque la mort. *Ces décorations d'Halloween sont **macabres**.* SYN lugubre, sinistre.

macadam nom masculin
Revêtement routier fait de petites pierres et de sable tassés au rouleau compresseur. *Nous avons roulé sur un chemin de terre, puis sur le **macadam**.* * Attention ! Le *m* final du mot *macadam* se prononce. * Chercher aussi *asphalte, bitume, goudron*.

Des **macaques**

macaque nom masculin
Singe d'Asie au corps trapu. *Les **macaques** vivent en groupe.*

macareux nom masculin
Oiseau de mer noir et blanc, au bec multicolore. *On trouve d'innombrables **macareux** sur les côtes de Terre-Neuve-et-Labrador.*

① **macaron** nom masculin
Petit gâteau rond à la pâte d'amandes. *Avec le thé, on nous a servi des **macarons**.*

② **macaron** nom masculin
Insigne de forme arrondie que l'on accroche sur un vêtement. *Les organisateurs de la fête sont reconnaissables à leur **macaron**.*

macaroni nom masculin
Pâte alimentaire en forme de petit tube. *Sandrine aime le **macaroni** au fromage.* ✎ Pluriel : *des **macaronis***.

macédoine nom féminin
Mélange de légumes ou de fruits coupés en morceaux.

macédonien, macédonienne
➔Voir tableau, p. 1319.

macérer verbe ▸ conjug. 8
Tremper longtemps dans un liquide ou une préparation épicée. *Les cornichons **macèrent** dans le vinaigre.* ✎ On peut écrire aussi, au futur, *elle **macèrera*** ; au conditionnel, *il **macèrerait***.

mâcher verbe ▸ conjug. 3
Broyer un aliment entre ses mâchoires. *N'avale pas tout rond, **mâche** bien ce que tu manges !* SYN mastiquer. • **Mâcher le travail à quelqu'un** : le lui préparer pour qu'il puisse l'achever facilement. • **Ne pas mâcher ses mots** : parler avec trop de franchise, sans ménager la personne à qui l'on s'adresse.
♦ Famille du mot : mâchoire, mâchouiller.

machette nom féminin
Long couteau à lame épaisse. *Les ouvriers coupent les cannes à sucre à grands coups de **machette**.*

y
z

machiavélique adjectif
Rusé, sournois et calculateur. *Une idée **machiavélique**.* SYN diabolique. * Attention ! La deuxième syllabe du mot *machiavélique* se prononce *kia*.

machin nom masculin
Dans la langue familière, objet dont on ignore le nom. *Comment appelle-t-on ce **machin** ?* SYN chose, truc.

machinal, machinale, machinaux adjectif
Que l'on fait sans réfléchir, comme par réflexe. *Ahmed a arrêté son réveille-matin d'un geste **machinal**.* SYN automatique, mécanique.

machinalement adverbe
De façon machinale. *Alicia se gratte le front **machinalement** quand elle réfléchit.*

machination nom féminin
Ensemble d'actions préparées en secret pour nuire à quelqu'un. *On l'accuse à tort ; il s'agit d'une **machination**.* SYN complot, manœuvre.

machine nom féminin
Appareil conçu pour effectuer plus facilement certains travaux. *Une **machine** à coudre. Une **machine** à laver.* SYN laveuse. ♦ Famille du mot : machinal, machinalement, machinerie, machiniste.

machinerie nom féminin
Ensemble de machines réunies dans un seul lieu et visant à assurer un objectif commun. *Il fait très chaud dans la **machinerie** du navire.*

machiniste nom
Personne chargée des décors au théâtre, au cinéma ou à la télévision.

macho nom masculin
Dans la langue familière, homme qui affiche une attitude de supériorité envers les femmes. *Les propos de ce **macho** sont inappropriés.* ■ **macho** adjectif invariable Qui exprime un sentiment de supériorité envers les femmes. *Des idées **macho**.* * Attention ! Ce mot se prononce *matcho*.

mâchoire nom féminin
Chacun des deux os de la bouche dans lesquels les dents sont plantées. *Seule la **mâchoire** inférieure est mobile.* * Chercher aussi *mandibule, maxillaire*.

mâchouiller verbe ▸ conjug. 3
Mordre lentement ou machinalement. *Sigrid **mâchouille** le bout de son stylo à bille.* SYN mordiller.

maçon, maçonne nom
Personne qui fait des travaux de maçonnerie. *Le **maçon** est venu réparer le mur de briques.*

maçonnerie nom féminin
Ouvrage en pierres, en briques ou en béton destiné à la construction d'une maison.

madame nom féminin
Nom donné à une femme adulte. *Notre voisine s'appelle **Mme** Fortin.* ✎ Pluriel : ***mesdames***. * Abréviation : ***Mme***, ***Mmes***. * Chercher aussi *dame*.

madelinot, madelinienne adjectif et nom
De la région des Îles-de-la-Madeleine. *L'hospitalité **madelinienne**. – Les **Madelinots**, les **Madeliniennes**.* ✎ Attention ! Le nom, qui désigne les habitants, s'écrit avec une majuscule.

mademoiselle nom féminin
Nom donné aux jeunes filles ou aux femmes célibataires. ✎ Pluriel : ***mesdemoiselles***. * Abréviation : ***Mlle***, ***Mlles***.

madrier nom masculin
Pièce de bois d'une certaine épaisseur. *Des **madriers** soutiennent le toit de la maison.* SYN poutre.

mafia nom féminin
Vaste organisation de malfaiteurs. *Le trafic de faux billets est contrôlé par une **mafia**.*

magané, maganée adjectif
Dans la langue familière, en mauvais état, détérioré. *Le plancher du salon est tellement **magané** qu'il faut le refaire.* • **Avoir l'air magané :** paraître fatigué, épuisé.

magasin nom masculin
❶ Établissement où l'on vend des marchandises. *Les plus beaux **magasins** se trouvent dans la rue principale.* SYN boutique, commerce. • **Grand magasin :** vaste magasin qui comprend une variété de rayons spécialisés. *Faire des courses dans les **grands magasins**.* * Chercher aussi *supermarché*. ❷ Endroit où l'on entrepose des marchandises. *Les pièces de rechange sont rangées dans le **magasin**, derrière le garage.* SYN entrepôt. ♦ Famille du mot : emmagasiner, magasinage, magasiner, magasinier.

Des machines simples

Le mécanisme d'une machine simple est formé d'une seule pièce qui sert à faciliter un travail. En augmentant la force physique, la machine simple permet de soulever des charges ou de déplacer des objets lourds.

Toutes les machines simples sont dérivées soit du levier, soit du plan incliné.

Le levier

Le levier, utilisé pour soulever des charges, est une barre qui tourne autour d'un point d'appui que l'on nomme « pivot ». Généralement, la force est appliquée à une extrémité de la barre et, sous l'effet de cette force, l'autre extrémité se déplace en sens opposé, ce qui permet de soulever l'objet.

Un pied de biche

Une brouette

Des roues d'engrenage

Une balançoire à bascule

Une poulie

Tous les types de roues sont dérivés du levier : le pivot est remplacé par un essieu entouré de leviers. Ensemble, ces leviers permettent à la roue de tourner complètement, soit sur 360°.

Un treuil

Des roues

Le plan incliné

Le plan incliné est une surface plane qui est placée à angle pour créer une pente. Cette pente permet de déplacer une charge beaucoup plus facilement que sur un plan droit.

Un plan incliné

La vis est dérivée du plan incliné : c'est un plan incliné enroulé autour d'un cylindre.

Une vis

magasinage nom masculin
Action de faire des courses dans les magasins. * Chercher aussi *lèche-vitrine*.

magasiner verbe ▸ conjug. 3
Faire du magasinage. *J'**ai magasiné** tout l'après-midi avec mon père.*

magasinier, magasinière nom
Personne chargée de ranger et de garder les marchandises entreposées dans un magasin ou dans une entreprise.

magazine nom masculin
❶ Publication périodique illustrée. *Ce **magazine** paraît tous les mercredis.* **SYN** revue. ❷ À la radio ou à la télévision, émission régulière sur un sujet particulier. *Le **magazine** sportif.*

mage nom masculin
Personne qui pratique les sciences occultes, la magie. *Ce **mage** dit qu'il peut prédire l'avenir en étudiant les étoiles.* • **Rois mages :** selon la tradition chrétienne, personnages venus rendre visite à Jésus lors de sa naissance. *La visite des **Rois mages** est à l'origine de la fête des Rois.* * Chercher aussi *devin*, *sorcier*.

maghrébin, maghrébine adjectif et nom
Du Maghreb. *L'immigration **maghrébine**. – Les **Maghrébins**, les **Maghrébines**.*
✎ Attention ! Le nom, qui désigne les habitants, s'écrit avec une majuscule. ✎ On peut écrire aussi ***magrébin***, ***magrébine***.

magicien, magicienne nom
Personne qui fait des tours de magie. *Le **magicien** a fait apparaître une colombe.* **SYN** illusionniste, prestidigitateur. * Chercher aussi *enchanteur*, *fakir*, *fée*.

magie nom féminin
❶ Art de faire des choses qui semblent merveilleuses, inexplicables. *Elle est apparue devant nous comme par **magie**.* **SYN** enchantement. ❷ Influence, charme qu'exercent la nature, l'art, etc. *La **magie** de la première neige.* ♦ Famille du mot : mage, magicien, magique.

magique adjectif
Qui a un pouvoir extraordinaire attribuable à la magie. *La sorcière a fabriqué une poudre **magique** pour retrouver la jeunesse.*

magistral, magistrale, magistraux adjectif
Digne d'un maître. *D'un coup de pied **magistral**, Houssam a marqué un but.* **SYN** extraordinaire, formidable.

magistrat, magistrate nom
Fonctionnaire chargé de rendre la justice. *Les juges, les procureurs sont des **magistrats**.*

magistrature nom féminin
❶ Ensemble des magistrats. ❷ Fonction de magistrat. *La mère de Charles est dans la **magistrature**.*

magma nom masculin
Mélange pâteux de roches en fusion qui se forme à l'intérieur de la Terre. *La lave des volcans est constituée de **magma**.* 👁p. 1076. * Chercher aussi *écorce* terrestre*.

magnétique adjectif
❶ Qui attire les objets en fer, comme le font les aimants. *Certains minerais de fer sont **magnétiques**.* ❷ Au sens figuré, qui exerce une influence mystérieuse. *Cet acteur a un regard **magnétique**.* ♦ Famille du mot : magnétiser, magnétisme, magnétophone, magnétoscope.

magnétiser verbe ▸ conjug. 3
❶ Rendre magnétique quelque chose, lui donner les propriétés de l'aimant. *On peut **magnétiser** le fer grâce à l'électricité.* ❷ Au sens figuré, attirer, influencer par une force puissante et mystérieuse. *Cet homme politique **magnétise** les foules.* **SYN** fasciner.

magnétisme nom masculin
❶ Ensemble des propriétés des aimants. *Ibrahim adore jouer avec des aimants ; le **magnétisme** le passionne.* ❷ Au sens figuré, influence magnétique d'une personne. *Elle a été entraînée dans cette aventure par le **magnétisme** de cette femme.*

magnétophone nom masculin
Appareil permettant d'enregistrer des sons sur bande magnétique et de les reproduire.

magnétoscope nom masculin
Appareil permettant d'enregistrer une émission de télévision sur une bande magnétique et de la regarder plus tard. * Chercher aussi *vidéo*.

magnifique adjectif
Très beau. *Du haut de cette tour, on a une vue **magnifique** sur la mer.* **SYN** admirable, splendide, superbe. **CONTR** affreux, horrible, laid.

magnifiquement adverbe
De façon magnifique. *La fête s'est **magnifiquement** terminée par un feu d'artifice.*

Un **magnolia**

magnolia nom masculin
Arbre ornemental aux grandes fleurs très odorantes.

magot nom masculin
Dans la langue familière, grosse somme d'argent accumulée et cachée. *Il rêve de découvrir un **magot**.*

maharadja nom masculin
Titre des anciens princes de l'Inde. *Les **maharadjas** étaient connus pour leurs goûts extravagants.* * Attention ! Le *d* du mot *maharadja* se prononce.

mai nom masculin
Cinquième mois de l'année, qui compte trente et un jours. ✎ Attention ! Le nom des mois s'écrit avec une minuscule.

maigre adjectif
❶ Plus mince que la moyenne. *Ce chien est si **maigre** qu'il fait pitié.* CONTR corpulent, dodu, gras, gros. ❷ Qui contient peu de matière grasse. *Un yogourt **maigre**. Une viande **maigre**.* CONTR gras. ❸ Au sens figuré, qui n'est pas important ou suffisant. *L'enquête n'a donné que de **maigres** résultats.* SYN médiocre, mince.
◆ Famille du mot : amaigrir, amaigrissant, amaigrissement, maigreur, maigrichon, maigrir.

maigreur nom féminin
Fait d'être maigre. *Ces enfants sous-alimentés sont d'une effroyable **maigreur**.*

maigrichon, maigrichonne adjectif et nom
Qui est un peu maigre. *Une fillette **maigrichonne**.* CONTR grassouillet. – *Un **maigrichon**.*

maigrir verbe ▸ conjug. 11
Devenir plus maigre, perdre du poids. *Mon père **a maigri** à cause de sa maladie.* CONTR grossir.

maille nom féminin
Chacune des petites boucles de fil ou de laine dont l'entrelacement forme un tricot, un tissu. *Les **mailles** d'un tricot. Le poisson est passé à travers les **mailles** du filet de pêche.* • **Avoir maille à partir avec quelqu'un :** se disputer avec lui.

maillet nom masculin
Gros marteau en bois. *L'arpenteuse enfonce le piquet dans la terre à coups de **maillet**.*

maillon nom masculin
Anneau d'une chaîne. SYN chaînon.

Un **maillon**

maillot nom masculin
• **Maillot de corps :** sous-vêtement masculin qui couvre le haut du corps. *Sous sa chemise, Derek porte un **maillot de corps**.* • **Maillot de bain :** vêtement conçu pour se baigner.

main nom féminin
Partie du corps, constituée de la paume et des cinq doigts, qui termine le bras. *Ils se sont serré la **main** pour se dire bonjour.* 👁p. 246.
• **Avoir la main heureuse :** être chanceux.
• **Avoir le cœur sur la main :** être très généreux. • **Avoir quelque chose sous la main** ou **à portée de main :** l'avoir près de soi et pouvoir le saisir sans se déplacer. • **Mettre la main sur quelque chose :** le trouver.
• **Donner un coup de main à quelqu'un :** l'aider. • **En main(s) propre(s) :** directement à quelqu'un, sans intermédiaire. • **En mettre sa main au feu :** être sûr que quelque chose est vrai, être prêt à le parier. • **En venir aux mains :** en arriver à se battre. • **Être en bonnes mains :** être confié à quelqu'un en qui on peut avoir confiance. • **Faire des pieds et des mains :** se donner du mal pour arriver à son but. • **Gagner haut la main :** l'emporter très facilement. • **Mettre la main à la pâte :** contribuer à un travail. • **Avoir les mains pleines de pouces :** manquer d'habileté, être maladroit.

mainate nom masculin
Oiseau noir à bec jaune capable d'imiter la voix humaine.

main-d'œuvre nom féminin
❶ Ensemble des salariés. *Cette usine emploie surtout de la **main-d'œuvre** féminine.*
❷ Travail d'un ouvrier. *Pour réparer le four, il a fallu deux heures de **main-d'œuvre**.*

main-forte nom féminin
• **Prêter main-forte à quelqu'un :** l'aider pour exécuter quelque chose. ✎ On peut écrire aussi ***mainforte***.

maint, mainte adjectif
Dans la langue littéraire, plusieurs. *J'ai **maintes** fois fait ce chemin.*

maintenance nom féminin
Maintien d'un matériel technique en bon état de fonctionnement. *Elle est responsable de la **maintenance** des appareils de cette compagnie aérienne.*

maintenant adverbe
❶ Tout de suite. *Si tu veux arriver à temps, il faut partir **maintenant**.* ❷ Actuellement, à présent. *Il a beaucoup plu, mais **maintenant** il fait beau.*

maintenir verbe ▸ conjug. 19
❶ Tenir dans la même position. *Ce patineur **a maintenu** sa figure pendant plusieurs secondes.* **SYN** garder. **CONTR** changer, modifier. ❷ Faire durer ou conserver quelque chose. *Le radiateur **maintient** une bonne température dans la pièce.* **SYN** garder. ❸ Continuer d'affirmer. *Je **maintiens** que j'ai dit la vérité.* ■ **se maintenir** : rester dans le même état. *Alex fait du sport pour **se maintenir** en forme.* **SYN** se garder.

maintien nom masculin
❶ Action de maintenir dans le même état. *Je suis contre le **maintien** de ce règlement.* **CONTR** abandon. ❷ Manière de se tenir. *Elle suit des cours de **maintien**.* **SYN** attitude, posture, tenue.

maire, mairesse nom
Personne élue pour diriger les affaires d'une municipalité. *Le **maire** va inaugurer le nouveau parc de la ville.*

mairie nom féminin
Bâtiment où se trouvent le bureau du maire et l'administration municipale. **SYN** hôtel de ville.

mais conjonction
Annonce une opposition ou une concession. *Je voulais partir, **mais** il m'a retenu. La directrice est sévère, **mais** juste.* ■ **mais** adverbe Renforce ce qui vient d'être dit. *Viendras-tu demain ? – **Mais** oui.*

maïs nom masculin
Céréale à gros épis formés de grains jaunes, qui sert à nourrir les êtres humains et les animaux. *À la fin de l'été, c'est un vrai plaisir de se réunir pour déguster du **maïs**.* • **Maïs soufflé** : friandise faite de grains de maïs éclatés, sucrés ou salés. * Chercher aussi *blé d'Inde, épluchette.*

Du **maïs**

maison nom féminin
❶ Bâtiment qui sert d'habitation. 👁p. 512. *Guillaume sort de la **maison**.* * Chercher aussi *baraque, bicoque, chalet,* ② *ferme.* • **Maison longue** : cabane rectangulaire très longue et étroite, typique des abris de certains Amérindiens. 👁p. 586. • **Maison mobile** : habitation rectangulaire, généralement préfabriquée, munie de roues et pouvant servir de résidence principale. *Mon oncle habite dans une **maison mobile**.* • **Maison individuelle** : maison à logement unique. **SYN** maison unifamiliale*. • **À la maison** : chez soi. *Venez jouer **à la maison**.* * Chercher aussi *demeure, domicile, foyer.* ❷ Bâtiment qui sert à un usage particulier. ***Maison** des jeunes.* ❸ Entreprise où l'on travaille. *Une **maison** d'édition.* **SYN** firme, société. • **(Fait) maison** : fait à la maison. *Une tourtière **maison**, un gâteau **maison**.* ♦ Famille du mot : maisonnée, maisonnette.

maisonnée nom féminin
Ensemble des habitants d'une maison. *Toute la **maisonnée** se prépare à fêter Noël.* **SYN** famille.

maisonnette nom féminin
Petite maison. *Une **maisonnette** de poupée.*

maître, maîtresse nom
❶ Personne qui commande. *Le commandant du navire est le seul **maître** à bord.* ❷ Propriétaire d'un animal domestique. *Ce chien ne quitte jamais sa **maîtresse**.* ❸ Enseignant. *Sa **maîtresse** d'école s'appelle Mme Dufour.* ■ **maître** nom masculin ❶ Artiste, écrivain, savant très réputé et qui sert de modèle. *Le musée présente des tableaux de **maîtres**.* ❷ Titre donné à un notaire ou à un avocat, même quand il s'agit d'une femme. ***Maître** Marquis a mis sa toge d'avocate.* * Abréviation : ***M**[e]*. • **Coup de maître** : action qui montre que l'on est très habile. ■ **maîtresse** nom féminin Femme qui a une relation amoureuse avec un homme qui n'est pas son conjoint. * Chercher aussi *amant.* ■ **maître, maîtresse** adjectif ❶ Qui a le pouvoir de faire ou de contrôler quelque chose. *Norbert sait rester **maître** de ses nerfs. Elle est restée **maîtresse** de ses actes.* ❷ Qui est le plus important. *Aux échecs, la reine est une pièce **maîtresse**.*

a b c d e f g h i j k l m n o p q r s t u v w x y z

a b c d e f g h i j k l **m** n o p q r s t u v w x y z

• **Être maître, maîtresse de soi :** savoir garder son sang-froid. **SYN** se maîtriser. ✎ On peut écrire aussi ***maitre***, ***maitresse***. * Ne pas confondre *maître* et *mètre*.

maîtrise nom féminin
❶ Domination ou contrôle de quelque chose. *Les joueurs de soccer de cette équipe ont eu la **maîtrise** du ballon pendant une bonne partie du match.* ❷ Fait de maîtriser quelque chose. *Marie-Ève a une parfaite **maîtrise** de l'italien.* ❸ Diplôme universitaire de deuxième cycle. *Micha vient d'obtenir une **maîtrise** en géographie.* * Chercher aussi *baccalauréat*, *doctorat*. • **Maîtrise de soi :** contrôle de soi-même, sang-froid. ✎ On peut écrire aussi ***maitrise***.

maîtriser verbe ▸ conjug. 3
❶ Soumettre en employant la force. *Le cavalier a réussi à **maîtriser** son cheval qui s'était emballé.* ❷ Réussir à dominer une difficulté ou un danger. *Il a fallu trois heures d'effort pour **maîtriser** l'incendie.* ■ *se* **maîtriser** : se dominer ou se contrôler. *Marilou s'énerve vite, elle ne sait pas **se maîtriser**.* ✎ On peut écrire aussi (***se***) ***maitriser***.

majesté nom féminin
❶ Titre que l'on donne aux rois, aux reines, aux empereurs. *Sa **Majesté** la reine d'Angleterre.* ✎ Attention ! Dans ce sens, *Majesté* s'écrit avec une majuscule. ❷ Air de noblesse, de dignité, de grandeur. *L'allure de ce vieillard est pleine de **majesté**.*

majestueux, majestueuse adjectif
❶ Qui est plein de majesté. *Une démarche **majestueuse**.* **SYN** noble, solennel. ❷ Qui est imposant. *Nous avons admiré un paysage **majestueux**.* **SYN** grandiose.

majeur, majeure adjectif
❶ Qui est le plus important. *Il passe la **majeure** partie de sa journée à travailler.* ❷ Qui a atteint l'âge de la majorité. *Au Canada, on devient **majeur** à dix-huit ans.* **CONTR** ② mineur. ■ **majeur** nom masculin Le plus grand doigt de la main. 👁p. 331.

majoration nom féminin
Action de majorer. *Ma mère est indignée par la **majoration** du prix de l'essence.* **SYN** augmentation, hausse. **CONTR** baisse, diminution.

majorer verbe ▸ conjug. 3
Augmenter un prix, un tarif. *Le gouvernement **a majoré** la taxe sur l'essence.* **CONTR** baisser, diminuer.

majorette nom féminin
Jeune fille en uniforme qui défile dans une parade en maniant habilement un bâton.

majoritaire adjectif
Qui est en plus grand nombre. *Dans notre équipe de volleyball, les filles sont **majoritaires**.* **CONTR** minoritaire.

majorité nom féminin
❶ Le plus grand nombre de voix obtenues lors d'un vote. *Aux élections, il faut avoir la **majorité** pour être élu.* ❷ Parti politique qui réunit la majorité des suffrages et qui est d'accord avec le gouvernement. **CONTR** opposition. ❸ La plupart. *Une **majorité** de spectateurs a trouvé le film excellent.* ❹ Âge fixé par la loi pour avoir les droits et les devoirs des adultes. *Au Canada, la **majorité** est fixée à dix-huit ans.* **CONTR** minorité.

majuscule nom féminin et adjectif
Forme particulière d'une lettre habituellement plus grande que la minuscule. *On met une **majuscule** au début d'une phrase et d'un nom propre. – Peux-tu écrire ton nom en lettres **majuscules** ?* **CONTR** minuscule.

mal, maux nom masculin
❶ Ce qui est contraire à la morale, au bien. *J'essaie de faire le bien et d'éviter le **mal**.* ❷ Malheur ou calamité. *La famine est un des **maux** dont souffre la population de cette région.* ❸ Chose mauvaise, désagréable. *On m'a dit du **mal** de lui.* **CONTR** bien. ❹ Douleur physique. *J'arrête de marcher, car j'ai très **mal** aux pieds.* ❺ Malaise ou nausée. *Thomas a **mal** au cœur en voiture.* ❻ Difficulté à faire quelque chose. *Monica s'est couchée trop tard et, ce matin, elle a eu du **mal** à se lever.* • **Un mal nécessaire :** un inconvénient que l'on subit pour ensuite profiter d'un avantage. • **Se donner du mal :** faire des efforts. ■ **mal** adverbe De façon mauvaise. *Ces temps-ci, notre équipe joue **mal**.* **CONTR** bien. • **Mal prendre quelque chose :** ne pas l'accepter et se vexer. • **Pas mal :** dans la langue familière, beaucoup. *Il y avait **pas mal** de monde à la réunion.* ■ **mal** adjectif invariable Contraire à la morale. *C'est **mal** de te moquer de lui.* **CONTR** bien. • **Pas mal :** assez bien. *Ce film n'est **pas mal**.*

malade adjectif et nom
Qui est en mauvaise santé. *Tu es **malade**: soigne-toi bien.* SYN souffrant. – *Le **malade** doit se reposer.* ♦ Famille du mot: maladie, maladif.

maladie nom féminin
❶ Fait d'être malade. *Les vaccins permettent d'éviter certaines **maladies**.* ❷ Dans la langue familière, manie, obsession. *Il a la **maladie** du rangement.* • **En faire une maladie:** être très contrarié par quelque chose et y réagir fortement.

maladif, maladive adjectif
❶ Qui est souvent malade. *C'est une enfant **maladive**.* ❷ Qui est excessif, que l'on ne peut maîtriser. *Il a une peur **maladive** des araignées.*

maladresse nom féminin
❶ Manque d'adresse, d'habileté. *Mon petit frère attache ses lacets avec **maladresse**.* SYN gaucherie. ❷ Action ou parole maladroite. *Tu as commis une **maladresse** en oubliant de le remercier.* SYN erreur, gaffe.

maladroit, maladroite adjectif et nom
Qui manque d'adresse, d'habileté. *Cet ouvrier **maladroit** s'est frappé sur le doigt avec son marteau.* SYN gauche. CONTR adroit. – *Une **maladroite**.* ■ **maladroit, maladroite** adjectif Qui manque de tact, de délicatesse. *Jian a eu des mots **maladroits**, et sa sœur s'est vexée.*

maladroitement adverbe
De façon maladroite. *Elle s'y prend **maladroitement** quand elle fait du bricolage.* CONTR adroitement, habilement.

malais, malaise
➻Voir tableau, p. 1319.

malaise nom masculin
❶ Léger trouble de la santé. *Il faisait chaud et une dame a eu un **malaise** dans l'autobus.* ❷ État d'inquiétude, de gêne. *Amélie éprouve un **malaise** à parler devant la classe.*

malaria nom féminin
Maladie transmise par les moustiques et qui provoque une forte fièvre. *Pendant son séjour en Afrique, il a attrapé la **malaria**.* SYN paludisme.

malawite
➻Voir tableau, p. 1319.

malaxer verbe ▸ conjug. 3
Mélanger une matière pour l'amollir, la rendre homogène. *Pour réussir ce gâteau, il faut bien **malaxer** la pâte.*

malbouffe nom féminin
Nourriture de peu de valeur nutritive et riche en calories. *La **malbouffe** serait responsable de nombreux problèmes de santé.* * Chercher aussi *malnutrition*.

malchance nom féminin
Manque de chance. *Quelle **malchance**! Elle a raté son avion.*

malchanceux, malchanceuse adjectif
Qui a de la malchance. *Un joueur **malchanceux**.* CONTR chanceux.

malcommode adjectif
❶ Turbulent, indiscipliné. *Cette fille **malcommode** a agacé les autres enfants.* SYN désobéissant. ❷ Qui est désagréable, irritable. *Un patient **malcommode** a insulté l'infirmière.* SYN bourru, grincheux.

maldivien, maldivienne
➻Voir tableau, p. 1319.

mâle nom masculin
Animal de sexe masculin. *Le bélier est le **mâle** de la brebis.* CONTR femelle. ■ **mâle** adjectif ❶ De sexe masculin. *Notre chienne a eu une portée de chiots **mâles**.* ❷ Propre à l'homme. *Une voix **mâle**.* SYN masculin, viril. CONTR féminin.

malécite adjectif et nom
De la nation amérindienne des Malécites. *La culture **malécite**.* – *Les **Malécites**.* 👁carte 5. ✎ Attention! Le nom, qui désigne les membres de la nation malécite, s'écrit avec une majuscule.

malédiction nom féminin
Malheur qui semble causé par un mauvais sort. *Une **malédiction** pèse sur cette maison qui a déjà brûlé trois fois.* CONTR bénédiction.

maléfique adjectif
Qui exerce une influence surnaturelle visant à nuire. *Dans ce conte, une formule **maléfique** a transformé le prince en corbeau.*

malencontreux, malencontreuse adjectif
Qui survient à un mauvais moment. *Un **malencontreux** coup de volant a conduit la voiture dans le fossé.* SYN fâcheux, regrettable.

a b c d e f g h i j k l **m** n o p q r s t u v w x y z

mal-en-point adjectif invariable
Malade, blessé ou en mauvais état. *Après son accident, elle était plutôt* ***mal-en-point***. ✎ On écrit aussi ***mal en point***.

malentendant, malentendante adjectif et nom
Dont l'ouïe est très diminuée. *Des personnes* ***malentendantes***. – *Ce* ***malentendant*** *porte un appareil auditif.* ✱ Chercher aussi *sourd*.

malentendu nom masculin
❶ Fait de mal se comprendre, d'interpréter différemment une information. *C'est un* ***malentendu***, *je n'ai pas voulu dire cela !* **SYN** méprise. ❷ Mésentente, désaccord causé par une incompréhension. *De fâcheux* ***malentendus*** *surviennent fréquemment entre eux.*

malfaisant, malfaisante adjectif
Qui fait du mal. *Ce personnage* ***malfaisant*** *possède des pouvoirs surnaturels.* **SYN** néfaste, nuisible. **CONTR** bienfaisant.

malfaiteur nom masculin
Personne qui commet des crimes, des délits. *Les voleurs, les gangsters, les faussaires sont des* ***malfaiteurs***. **SYN** bandit.

malfamé, malfamée adjectif
Se dit d'un endroit qui a mauvaise réputation. *Il est imprudent d'aller la nuit dans ce quartier* ***malfamé***. ✎ On écrit aussi ***mal famé***, ***mal famée***.

malformation nom féminin
Anomalie d'un organe qui s'est mal formé avant la naissance. *On l'a opéré d'une* ***malformation*** *cardiaque.*

malgache
➔Voir tableau, p. 1319.

malgré préposition
Indique une opposition. *Nous nous sommes bien amusés* ***malgré*** *la pluie.* **SYN** en dépit de. • **Malgré tout** : quand même. *Même s'il est mauvais perdant, je joue* ***malgré tout*** *avec lui.*

malhabile adjectif
Maladroit. *Ma petite sœur commence à marcher, mais elle est encore* ***malhabile*** *sur ses jambes.* **SYN** gauche. **CONTR** adroit, habile.

malheur nom masculin
❶ Évènement triste, douloureux. *La guerre est un très grand* ***malheur***. **SYN** catastrophe. **CONTR** bonheur. ❷ Malchance. *Quel* ***malheur*** *! La cycliste a eu une crevaison et n'a pas terminé la course.* **CONTR** bonheur. • **Par malheur** : malheureusement. *La voiture est tombée en panne et,* ***par malheur***, *il s'est mis à neiger.* **CONTR** par bonheur. ♦ Famille du mot : malheureusement, malheureux.

malheureusement adverbe
Par malheur. ***Malheureusement***, *j'ai raté mon autobus.* **CONTR** heureusement.

malheureux, malheureuse adjectif
❶ Qui ressent de la peine, du chagrin. *Xavier est* ***malheureux***, *car Anh va déménager et il ne la verra plus.* ❷ Qui exprime la tristesse. *Ce chien a l'air* ***malheureux***. **SYN** triste. **CONTR** heureux. ❸ Qui a des conséquences regrettables. *Une situation* ***malheureuse***. **SYN** fâcheux, funeste. ❹ Qui est insignifiant, sans aucune importance. *Tu ne vas pas pleurer pour une* ***malheureuse*** *égratignure !* ■ **malheureux, malheureuse** nom Personne qui a eu des malheurs. *Cette* ***malheureuse*** *a perdu toute sa famille dans l'accident.*

malhonnête adjectif
Qui est contraire à l'honnêteté. *Il est* ***malhonnête*** *de mentir.* **CONTR** honnête.

malhonnêteté nom féminin
❶ Défaut d'une personne malhonnête. *Ta* ***malhonnêteté*** *te fera perdre tous tes amis.* **CONTR** honnêteté. ❷ Acte malhonnête. *Tricher à un examen, c'est une* ***malhonnêteté***.

malice nom féminin
Tendance à taquiner sans méchanceté. *Après avoir caché mes clés, Frédéric m'a regardé avec* ***malice***.

malicieux, malicieuse adjectif
Qui montre de la malice. *Sarah m'a adressé un sourire* ***malicieux***. **SYN** coquin, espiègle, farceur, taquin.

malien, malienne
➔Voir tableau, p. 1319.

malin, maligne adjectif et nom
Qui sait se débrouiller en toutes circonstances. *Cet enfant est* ***malin*** *comme un singe.* – *Lou est une petite* ***maligne***. **SYN** astucieux, débrouillard, futé. **CONTR** naïf, nigaud. ■ **malin, maligne** adjectif ❶ Qui montre de la méchanceté. *Marek éprouve un* ***malin*** *plaisir à nous contrarier.* ❷ Se dit d'une maladie grave. *Cette tumeur* ***maligne*** *doit être soignée rapidement.*

malingre adjectif
Faible et fragile. *Cheng est grand et fort, et pourtant, c'était un bébé **malingre**.* **SYN** chétif. **CONTR** fort, robuste.

malintentionné, malintentionnée adjectif
Qui a l'intention de nuire. *Quelqu'un de **malintentionné** a déclenché l'alarme d'incendie.* **SYN** malveillant.

malle nom féminin
Grand coffre où l'on mettait autrefois ses affaires quand on voyageait. * Chercher aussi *bagage*, *valise*.

*Des **malles***

malléable adjectif
❶ Qui est facile à modeler. *Le potier mouille la terre pour la rendre **malléable**.* ❷ Au sens figuré, qui se laisse facilement influencer. *Éric est un garçon particulièrement **malléable**.* **SYN** influençable. **CONTR** rigide.

mallette nom féminin
Petite valise. *Cette **mallette** contient des documents importants.*

malmener verbe ▸ conjug. 8
Être brutal avec quelqu'un. *Il **a été malmené** par des voyous.* **SYN** brutaliser, maltraiter, rudoyer.

malnutrition nom féminin
Alimentation insuffisante ou déséquilibrée. *Cet enfant chétif a souffert de **malnutrition**.* * Chercher aussi *malbouffe*, *sous-alimentation*.

malodorant, malodorante adjectif
Qui sent mauvais. *La niche de ce chien est **malodorante**.* **SYN** nauséabond, puant.

malotru, malotrue nom
Personne grossière. *Ce **malotru** ne cesse de dire des gros mots.* **SYN** goujat, rustre.

malpoli, malpolie adjectif et nom
Impoli. *Cette enfant **malpolie** a insulté la gardienne. – Tu pourrais t'excuser, petit **malpoli** !*

malpropre adjectif
❶ Sale. *Des vêtements **malpropres**.* **CONTR** propre. ❷ Malhonnête, contraire à la morale. *Des individus **malpropres** ont trempé dans cette affaire louche.*

malpropreté nom féminin
Saleté. *Quelle **malpropreté** dans cette maison !* **CONTR** propreté.

malsain, malsaine adjectif
Mauvais pour la santé. *Cette humidité constante est **malsaine**.* **SYN** insalubre. **CONTR** sain.

malt nom masculin
Orge que l'on a fait germer puis sécher. *Le **malt** sert à fabriquer la bière et le whisky.*

maltais, maltaise
→Voir tableau, p. 1319.

maltraiter verbe ▸ conjug. 3
Traiter brutalement une personne ou un animal. *Ce chien **a été maltraité** par son maître.* **SYN** brutaliser, malmener.

malveillance nom féminin
Caractère d'une personne qui cherche à nuire, à faire du mal. *Par **malveillance**, cette internaute a piraté plusieurs sites.* **SYN** hostilité, méchanceté. **CONTR** bienveillance.

malveillant, malveillante adjectif
Qui veut faire du mal aux autres. *La carrosserie de sa voiture a été rayée par des gens **malveillants**.* **SYN** hostile, malfaisant, méchant. **CONTR** amical, bienveillant.

malvoyant, malvoyante nom
Personne dont la vue est diminuée. * Chercher aussi *aveugle*, *non-voyant*.

maman nom féminin
Nom affectueux que les enfants donnent à leur mère.

mamelle nom féminin
Organe des femelles des mammifères, qui donne du lait. *Le chevreau tète les **mamelles** de sa mère.* * Chercher aussi *pis*.

mamelon nom masculin
Pointe du sein.

mammifère nom masculin
Animal vertébré dont la femelle a des mamelles pour allaiter ses petits. *L'être humain, le lapin, le cheval et le gorille sont des **mammifères**.* 👁p. 638.

Les mammifères

Les mammifères sont les animaux les plus développés du règne animal. On en compte actuellement près de 5400 espèces différentes. Les scientifiques estiment qu'il y en aurait encore 7000 inconnues. Rappelons que l'être humain est lui-même un mammifère.

Description des mammifères

Le mot mammifère signifie *qui a des mamelles*. Les mammifères sont des animaux qui nourrissent leurs petits au lait maternel. Sans les soins apportés par leurs parents, les petits ne pourraient pas survivre au-delà de la première période de leur existence.

Des particularités propres aux mammifères

Tous les mammifères femelles possèdent un nombre pair de mamelles, à l'exception des animaux de la famille des opossums, qui en ont treize. Presque tous sont vivipares, c'est-à-dire qu'ils donnent naissance à des petits entièrement formés, qui se sont développés à l'intérieur du corps de la mère.

Quelques mammifères bien connus

Des mammifères rongeurs

Le castor

Le cochon d'Inde

Le porc-épic

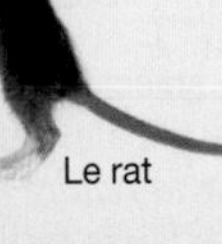
Le rat

Des mammifères à poche ou marsupiaux

L'opossum

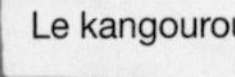
Le kangourou

Le koala

Des mammifères marins

La baleine bleue

Le phoque

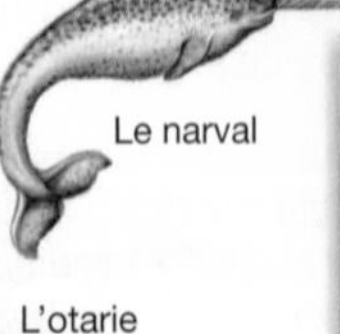
Le narval

Le dauphin

Le béluga

L'otarie

Des mammifères carnivores
Le guépard
L'ours polaire
L'ours noir
Le loup
Le furet
Le lion
Des mammifères herbivores
Le cheval
Le rhinocéros
La girafe
Le mouton
L'éléphant
Le caribou
Le lapin
Certains des mammifères les plus menacés
Le panda
Le gorille
Le lynx ibérique
Le tigre de Sibérie

mammouth nom masculin
Énorme éléphant de l'époque préhistorique. *Les hommes préhistoriques chassaient le **mammouth**.* * Attention ! Le *t* du mot *mammouth* se prononce.

Un **mammouth**

① **manche** nom masculin
Partie qui sert à tenir un objet. *Le bûcheron tient le **manche** de sa hache à deux mains.* • **Branler dans le manche :** dans la langue familière, hésiter.

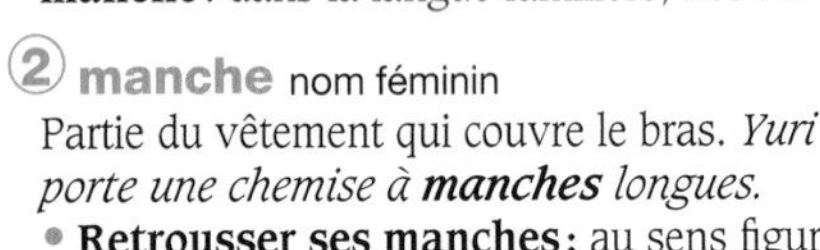

② **manche** nom féminin
Partie du vêtement qui couvre le bras. *Yuri porte une chemise à **manches** longues.* • **Retrousser ses manches :** au sens figuré, se mettre au travail.

③ **manche** nom féminin
Chacune des parties d'un jeu ou d'un match. *Ces joueuses de tennis ont disputé un match en trois **manches**.*

① **manchette** nom féminin
Poignet de certaines chemises à bouton amovible. *Pour Noël, mon père a eu des boutons de **manchette**.*

② **manchette** nom féminin
Titre en grosses lettres en première page d'un journal. *Une énorme **manchette** annonçait la mort de la star.* ■ **manchettes** nom féminin pluriel Évènements importants de l'actualité. *La lectrice de nouvelles présente les **manchettes** de la journée.*

③ **manchette** nom féminin
Au volleyball, coup donné sur le ballon avec les avant-bras joints.

manchon nom masculin
Étui de fourrure qui protège les mains du froid.

① **manchot, manchote**
adjectif et nom
Se dit de quelqu'un qui a perdu un bras ou les deux bras. • **Ne pas être manchot :** être adroit, habile. *Elle n'est pas **manchote** !*

② **manchot** nom masculin
Oiseau de mer de l'Antarctique, qui ressemble au pingouin. *Sur la banquise, les **manchots** peuvent former de gigantesques troupeaux.* 👁p. 720.

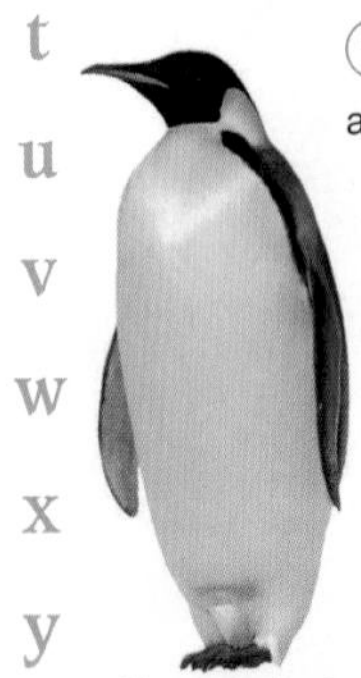
Un **manchot**

mandarin nom masculin
Langue chinoise parlée dans certaines régions de la Chine.

mandarine nom féminin
Agrume qui ressemble à une petite orange. 👁p. 28. * Chercher aussi *clémentine*.

mandat nom masculin
❶ Fonction confiée à une personne élue. *Un **mandat** de député, de maire.* ❷ Formulaire qui permet d'envoyer de l'argent par la poste. *Éloi a reçu un **mandat** postal de son grand-père.* • **Mandat d'arrêt :** document signé par un juge, qui permet d'arrêter quelqu'un.

mandater verbe ▸ conjug. 3
Confier un mandat à quelqu'un. *Les électeurs **mandatent** leur députée pour défendre leurs intérêts.* **SYN** déléguer.

mandibule nom féminin
❶ Partie de la bouche de certains insectes, qui leur sert à broyer la nourriture. ❷ Chez l'humain, maxillaire inférieur.

mandoline nom féminin
❶ Sorte de petite guitare à dos bombé. ❷ Ustensile de cuisine muni d'un jeu de lames insérées dans un cadre de plastique ou de métal, servant à trancher finement les aliments. *Ma mère se sert d'une **mandoline** pour trancher les carottes.*

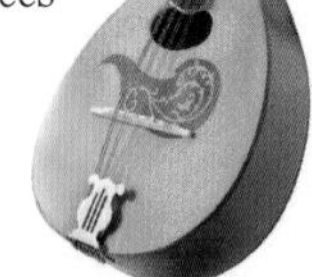
Une **mandoline**

manège nom masculin
❶ Piste où l'on dresse des chevaux et où l'on apprend à monter à cheval. *Les chevaux tournent autour du **manège**.* ❷ Attraction constituée de chevaux de bois ou de véhicules qui tournent autour d'un axe. *Faire un tour de **manège**.* ❸ Manière habile de se comporter pour parvenir à quelque chose. *On a vite compris son **manège**.* **SYN** intrigue, ② manœuvre.

manette nom féminin
Petit levier que l'on manœuvre à la main pour actionner un mécanisme. • **Manette de jeu :** dispositif de jeu vidéo que l'on manœuvre à l'aide de boutons-poussoirs et qui permet au joueur de réagir à ce qui se passe sur l'écran. *Philippe est très habile avec la **manette** de sa console de jeux vidéo.*

mangeable adjectif
Que l'on peut manger. *Cette viande est à peine **mangeable**.* CONTR immangeable.

mangeoire nom féminin
Récipient dans lequel on met la nourriture de certains animaux. *Ma grand-mère a installé une **mangeoire** pour les oiseaux.*

manger verbe ▸ conjug. 5
❶ Mâcher et avaler un aliment. *William **mange** une pomme.* ❷ Prendre un repas, se nourrir. *Camille n'aime pas **manger** à la cafétéria. Beaucoup de gens **mangent** trop.* SYN s'alimenter, se nourrir. • **Se laisser manger la laine sur le dos :** dans la langue familière, se laisser abuser, exploiter sans protester.
♦ Famille du mot : immangeable, mangeable, mangeoire, mangeur.

*Une **mangouste***

mangeur, mangeuse nom
• **Gros mangeur :** personne qui mange beaucoup.

mangouste nom féminin
Petit mammifère carnivore d'Afrique et d'Asie, proche de la belette. *Les **mangoustes** s'attaquent aux serpents.*

mangue nom féminin
Fruit exotique à chair jaune très parfumée.

*Des **mangues***

maniable adjectif
Qui est facile à manier, à utiliser ou à manœuvrer. *Cette grosse voiture n'est pas très **maniable** en ville.*

maniaque adjectif et nom
Qui a des manies. *Elle est **maniaque** et nettoie ses vitres tous les jours. – C'est un **maniaque** du rangement.* SYN obsédé. ■ **maniaque** nom ❶ Malade mental qui a des idées fixes. ❷ Personne qui a un goût exagéré, extrême pour quelque chose. *Un **maniaque** de voitures, une **maniaque** de jeux vidéo.*

manicois, manicoise adjectif et nom
De la région de la Manicouagan. *Une troupe de théâtre **manicoise**. – Les **Manicois**, les **Manicoises**.* ✎ Attention ! Le nom, qui désigne les habitants, s'écrit avec une majuscule.

manie nom féminin
Habitude bizarre et souvent excessive. *Elle a la **manie** de tourner sans cesse une mèche de cheveux entre ses doigts.*

maniement nom masculin
Action ou façon de manier quelque chose. *Je vais t'apprendre le **maniement** de l'appareil photo.* SYN manipulation.

manier verbe ▸ conjug. 10
❶ Prendre une chose dans ses mains pour la déplacer. *Le livreur **manie** avec précaution les colis fragiles.* SYN manipuler. ❷ Se servir de quelque chose. *Cora sait **manier** cet appareil.*

manière nom féminin
❶ Moyen que l'on utilise pour faire quelque chose. *Il existe plusieurs **manières** de faire cuire les œufs.* SYN façon. ❷ État d'une chose, d'un fait. *Sa **manière** de parler est typique du Lac-Saint-Jean.* • **De manière à :** afin de, pour. *Myles travaille fort **de manière à** réussir ses examens.* • **De toute manière :** de toute façon, quoi qu'il arrive. SYN en tout cas*. ■ **manières** nom féminin pluriel Façon de se comporter en société. *Il ne m'a pas salué, je n'aime pas ses **manières**.* • **Faire des manières :** se faire prier.

maniéré, maniérée adjectif
Qui manque de simplicité et de naturel. *Karen est **maniérée**.* SYN affecté, précieux.

manifestant, manifestante nom
Personne qui prend part à une manifestation.

manifestation nom féminin
❶ Fait de faire connaître ses sentiments. *Des **manifestations** de joie.* SYN démonstration, marque, témoignage. ❷ Groupe de personnes qui défilent pour exprimer leurs opinions. *Cette **manifestation** est organisée pour protester contre la guerre.*

manifeste adjectif
Dont on ne peut pas douter. *Leur bonheur est **manifeste**.* SYN évident, indéniable.

a b c d e f g h i j k l m n o p q r s t u v w x y z

manifestement adverbe
De façon manifeste, évidente. *Ce chien a **manifestement** très faim.* SYN visiblement.

manifester verbe ▸ conjug. 3
❶ Faire connaître un sentiment en l'exprimant clairement. *Irina **manifeste** sa joie en applaudissant.* SYN exprimer, montrer.
❷ Participer à une manifestation. *Les ouvriers **ont manifesté** contre la fermeture de l'usine.*
■ *se* **manifester** : apparaître sous telle forme. *Cette maladie **se manifeste** par des boutons sur tout le corps.* ♦ Famille du mot : manifestant, manifestation, manifestement.

manigance nom féminin
Manœuvre secrète. *Tu dois te méfier de ses **manigances**.* SYN magouille.

manigancer verbe ▸ conjug. 4
Préparer quelque chose secrètement. *Je me demande ce qu'il **manigance** dans mon dos.* SYN combiner, comploter.

manipulation nom féminin
Action de manipuler. *La **manipulation** de ce produit toxique est dangereuse.* SYN maniement.

manipuler verbe ▸ conjug. 3
❶ Déplacer, transporter. *Les déménageurs **manipulent** la vaisselle avec précaution.*
❷ Au sens figuré, exercer une influence sur une personne ou un groupe. *Ce gourou **manipule** les gens vulnérables.*

manitobain, manitobaine adjectif et nom
De la province du Manitoba. *Les prairies **manitobaines**. – Les **Manitobains**, les **Manitobaines**.* ✎ Attention ! Le nom, qui désigne les habitants, s'écrit avec une majuscule.

manitou nom masculin
❶ Chez les Amérindiens, divinité du bien (grand manitou) ou du mal (mauvais manitou). *Certains Amérindiens invoquent **Manitou** avant d'entreprendre une expédition de chasse.* 👁p. 34. ❷ Au sens figuré, personnage puissant, important. *Cet homme est un grand **manitou** de l'industrie automobile.*

manivelle nom féminin
Levier qui sert à faire tourner un mécanisme. *Mon père cherche la **manivelle** du cric pour changer le pneu crevé.*

manne nom féminin
Insecte qui s'apparente à la libellule et qui ne vit qu'un seul jour. *Près de ce cours d'eau, on peut voir un nuage de **mannes**.* SYN éphémère.

Une **manne**

mannequin nom
❶ Sorte de statue qui sert à la présentation de vêtements dans un magasin. *L'étalagiste refait la vitrine en changeant les vêtements des **mannequins**.* ❷ Personne qui présente au public les créations des couturiers. *Un défilé de **mannequins**.*

① **manœuvre** nom masculin
Ouvrier qui exécute des travaux non spécialisés. *Des **manœuvres** lavent les fenêtres de l'école.*

② **manœuvre** nom féminin
❶ Action de manœuvrer un appareil ou un véhicule. ❷ Exercice d'entraînement des militaires. *Ces soldats font des **manœuvres** dans la forêt.* ❸ Moyen plus ou moins honnête utilisé pour atteindre un but. *Ses habiles **manœuvres** lui ont permis d'obtenir ce qu'elle voulait.* SYN intrigue, machination, manège, manigance.

manœuvrer verbe ▸ conjug. 3
❶ Agir sur un appareil ou un véhicule pour le diriger ou le faire fonctionner. *Le chauffeur a du mal à **manœuvrer** son poids lourd.*
❷ Employer des moyens adroits pour parvenir à ses fins. *Jamila **a** si bien **manœuvré** qu'elle a obtenu ce qu'elle voulait.* SYN intriguer.

manoir nom masculin
Grande habitation ancienne située à la campagne.

manomètre nom masculin
Appareil servant à mesurer la pression d'un gaz ou d'un liquide.

manquant, manquante adjectif
Qui manque. *Trois élèves sont **manquants** ce matin.* SYN absent.

manque nom masculin
Absence ou insuffisance de quelque chose. *Le **manque** d'eau a tué cette plante.* SYN pénurie. CONTR abondance, excès.

manquer verbe ▸ conjug. 3
❶ Ne pas exister en quantité suffisante. *L'eau **manque** dans cette région.* SYN faire défaut. CONTR abonder. ❷ Être absent. *Plusieurs élèves de la classe **manquent** à cause d'une épidémie de grippe.* ❸ S'ennuyer de quelqu'un. *Depuis que Julien est pensionnaire, ses parents lui **manquent**.* ❹ Ne pas être là où il faut. *Il **manque** trois livres sur l'étagère.* ❺ Rater. *Nous **avons manqué** l'autobus.* ❻ Faillir. *Il **a manqué** (de) tomber.* ❼ Laisser échapper. *Elle **a manqué** une belle occasion de se divertir.*
• **Je n'y manquerai pas :** je le ferai sans faute. ♦ Famille du mot : immanquable, manquant, manque.

Une **mante** religieuse

mansarde nom féminin
Petite pièce située sous un toit et dont un mur est incliné.

mante nom féminin
• **Mante religieuse :** insecte au corps allongé et aux puissantes pattes antérieures. * Ne pas confondre *mante* et *menthe*.

manteau, manteaux nom masculin
❶ Vêtement qui se porte par-dessus les autres vêtements. *Lorsqu'il fait froid, je mets mon **manteau**.* * Chercher aussi *caban*, *cape*, *imperméable*, *paletot*, *pardessus*. ❷ Partie d'une cheminée construite en saillie au-dessus du foyer. *Un **manteau** de cheminée.*

manucure nom
Personne qui donne des soins de beauté aux mains et aux ongles. * Chercher aussi *pédicure*.

① **manuel, manuelle** adjectif
Qui se fait avec les mains. *Les artisans font un travail **manuel**.* ■ **manuel, manuelle** nom Personne habile de ses mains, qui emploie principalement ses mains. CONTR intellectuel.

② **manuel** nom masculin
Livre de classe. *J'ai perdu mon **manuel** de français.*

manuellement adverbe
De façon manuelle. *Ces épis de maïs ont été cueillis **manuellement**.* CONTR mécaniquement.

manufacture nom féminin
Établissement où le travail à la main prédomine. *Une **manufacture** de jouets.*

manuscrit, manuscrite adjectif
Qui est écrit à la main. *Envoie une lettre **manuscrite**, c'est plus personnel.* ■ **manuscrit** nom masculin ❶ Livre écrit à la main, avant l'invention de l'imprimerie. *Cette bibliothèque conserve des **manuscrits** du Moyen Âge.* ❷ Original d'un texte avant son impression. *Quel éditeur a publié votre **manuscrit** ?*

manutention nom féminin
Travail qui consiste à manipuler, ranger, charger et décharger des marchandises.

manutentionnaire nom
Personne qui fait des travaux de manutention.

mappemonde nom féminin
Carte du globe terrestre sur laquelle les deux hémisphères sont représentés côte à côte. * Chercher aussi *planisphère*.

maquereau, maquereaux nom masculin
Poisson de mer au dos bleu-vert rayé de noir.

maquette nom féminin
Modèle réduit. *Vincent a fait des **maquettes** d'avions et de voitures de course.* * Chercher aussi *aéromodélisme*.

maquillage nom masculin
❶ Action de se maquiller ou de maquiller quelqu'un. *Le **maquillage** des comédiens se fait dans leur loge.* ❷ Produits servant à maquiller. *Ma sœur s'est acheté du **maquillage**.*

maquiller verbe ▸ conjug. 3
❶ Mettre des produits colorés sur le visage de quelqu'un. *Pour l'Halloween, ma mère m'**avait maquillé** en clown.* SYN farder, grimer. ❷ Modifier l'aspect de quelque chose pour tromper. ***Maquiller** une voiture volée.* ■ se **maquiller** : se mettre des couleurs sur le visage pour s'embellir. *Audrey **se maquille** avant de sortir.* SYN se farder. CONTR se démaquiller.
♦ Famille du mot : démaquillant, démaquiller, maquillage.

① **marabout** adjectif
Boudeur, de mauvaise humeur. *Tu es bien **marabout**, ce matin !* SYN bougon, irritable.

② **marabout** nom masculin
Grand échassier au plumage gris et blanc, et au bec énorme.

Un **marabout**

maraîcher, maraîchère adjectif
Qui concerne la culture des légumes. *Il y a des cultures **maraîchères** dans cette région.* * Chercher aussi *potager*. ■ **maraîcher, maraîchère** nom Personne qui cultive des légumes pour les vendre. *Les laitues de ce **maraîcher** sont toujours très fraîches.* ✎ On peut écrire aussi ***maraicher***, ***maraichère***.

marais nom masculin
Étendue d'eau stagnante peu profonde et envahie par la végétation. *Les **marais** attirent souvent les maringouins.*

marasme nom masculin
❶ Découragement, abattement. *Cet échec l'a plongé dans le **marasme**.* SYN accablement, apathie. ❷ Au sens figuré, activité très ralentie. *Ce pays est en plein **marasme** économique.*

marathon nom masculin
❶ Épreuve de course à pied de 42 kilomètres. ❷ Au sens figuré, séance ou épreuve longue et pénible. *Un **marathon** de négociations.*

marathonien, marathonienne nom
Athlète qui court un marathon.

marâtre nom féminin
Mauvaise mère.

marauder verbe ▸ conjug. 3
Voler des produits dans une ferme, un jardin potager. *Le renard **a maraudé** dans le poulailler.*

maraudeur, maraudeuse nom
Personne ou animal qui maraude. *Le chien de garde a dérangé le **maraudeur** qui tentait de voler des légumes.*

marbre nom masculin
❶ Pierre calcaire très dure présentant parfois des taches et des lignes de couleurs variées. *Ce sculpteur polit le **marbre**.* * Chercher aussi ① *veine*. ❷ Objet en marbre. *Le **marbre** de la cheminée est cassé.* ♦ Famille du mot: marbré, marbrure.

marbré, marbrée adjectif
Qui est couvert de marbrures. *Un gâteau **marbré**.*

marbrure nom féminin
Tache ou dessin semblables à ceux du marbre.

Un **marché**

marcassin nom masculin
Petit du sanglier et de la laie.

marchand, marchande nom
Personne dont le métier est d'acheter des choses et de les revendre. *J'ai acheté des bleuets chez la **marchande** de fruits.* SYN commerçant. ■ **marchand, marchande** adjectif Qui concerne le commerce. *Sept-Îles est un port **marchand**.* ♦ Famille du mot: marchandage, marchander, marchandise.

marchandage nom masculin
Action de marchander.

marchander verbe ▸ conjug. 3
Discuter avec le vendeur du prix de quelque chose pour l'obtenir moins cher. *Ma mère adore **marchander** au marché aux puces.* SYN négocier.

marchandise nom féminin
Produit qui s'achète ou se vend. *Le bateau décharge les **marchandises** sur le port.* * Chercher aussi *article*, *denrée*, *produit*.

marche nom féminin
❶ Action de marcher. *Nous avons fait une grande **marche** dans la forêt.* ❷ Partie plate d'un escalier, sur laquelle on pose les pieds pour monter ou descendre. *Hélène monte les nombreuses **marches** de l'oratoire Saint-Joseph.* • **En marche**: qui fonctionne. *Michelle a mis la laveuse **en marche**.* • **Faire marche arrière**: reculer. • **Marche à suivre**: façon de procéder, méthode à employer.

marché nom masculin
❶ Endroit où les commerçants installent leur étalage pour vendre leurs marchandises. *Mon père aime l'animation du **marché** Jean-Talon.* ❷ Ensemble des achats et des ventes d'un produit. *Le **marché** de l'automobile, le **marché** de l'immobilier.* ❸ Arrangement entre deux personnes. *Jonathan a conclu un **marché** avec Laura: il met la table, elle la débarrassera.* • **(À) bon marché**: à bas prix. *Elle s'est procuré ce meuble ancien **à bon marché**. J'ai acheté ce livre **bon marché**.* • **Faire son marché**: faire ses courses, ses emplettes. • **Marché noir**: commerce illégal et clandestin de marchandises rares ou interdites.

marchepied nom masculin
Marche ou série de marches permettant de monter dans un véhicule.

marcher verbe ▸ conjug. 3
❶ Se déplacer en faisant des pas. *Mon petit frère a commencé à **marcher** à un an.* ❷ Aller à pied. *J'aime **marcher**.* ❸ Être en état de marche. *La voiture **marche** bien depuis que le garagiste l'a réparée.* **SYN** fonctionner. • **Faire marcher quelqu'un :** dans la langue familière, lui faire croire des choses fausses. ♦ Famille du mot : marche, marchepied, marchette, marcheur.

marchette nom féminin
Support métallique conçu pour aider à marcher. *Depuis son accident, mon grand-père doit utiliser une **marchette** pour se déplacer.*

marcheur, marcheuse nom
Personne qui marche beaucoup. *Pour faire cette randonnée en forêt, il faut être un bon **marcheur**.*

mardi nom masculin
Jour de la semaine entre le lundi et le mercredi. • **Mardi gras :** dans la tradition chrétienne, veille du mercredi des Cendres, premier jour de carême.

mare nom féminin
Petite étendue d'eau stagnante. *Près de la ferme, il y a une **mare** où nagent des canards.* * Chercher aussi *étang, lac*.

marécage nom masculin
Terrain très humide recouvert d'arbustes.

marécageux, marécageuse adjectif
Où il y a des marécages. *C'est un champ **marécageux** : on s'y enfonce facilement.*

maréchal-ferrant nom masculin
Artisan qui ferre les chevaux. *Autrefois, chaque village avait sa forge et son **maréchal-ferrant**.* ✎ Pluriel : *des **maréchaux-ferrants***.

marée nom féminin
Mouvement de la mer qui monte et descend à des intervalles réguliers. *À **marée** basse, la plage est très grande et il faut aller loin pour se baigner.* * Chercher aussi *flux, reflux*. • **Contre vents et marées :** malgré tous les obstacles. • **Marée noire :** pétrole répandu accidentellement sur la mer.

marelle nom féminin
Jeu où l'on saute à cloche-pied en poussant un caillou dans des cases tracées sur le sol. *Sophie et Rachid jouent à la **marelle**.*

margarine nom féminin
Matière grasse d'origine végétale. *Ma mère remplace parfois le beurre par de la **margarine** pour cuisiner.*

marge nom féminin
❶ Espace blanc laissé au bord d'une page écrite. *L'enseignante corrige nos travaux et met des annotations dans la **marge**.* ❷ Intervalle de temps dont on dispose. *Entre le souper et le concert, nous avons une heure de **marge**.* • **En marge :** à l'écart d'un groupe, de la société.

margelle nom féminin
❶ Rebord d'un puits, d'une fontaine ou d'un bassin. ❷ Espace ouvert aménagé devant les fenêtres du sous-sol, à l'extérieur d'un bâtiment, pour prévenir les infiltrations d'eau.

marginal, marginale, marginaux nom
Personne qui vit en marge de la société. *Ce **marginal** vit dans un chalet sans électricité et sans eau courante.* **SYN** anticonformiste.

marguerite nom féminin
Fleur au cœur jaune et aux pétales blancs.

Une **marguerite**

mari nom masculin
Homme avec lequel une femme est mariée. *Sa mère s'est mariée deux fois ; elle a eu deux **maris**.* **SYN** époux. * Chercher aussi *conjoint*.

mariage nom masculin
❶ Union civile de deux personnes qui se promettent assistance mutuelle. *Leur **mariage** a eu lieu au Palais de justice.* ❷ Cérémonie qui unit officiellement deux conjoints. *Le soir du **mariage**, un banquet est prévu.* **SYN** noce. ❸ Action d'associer, d'assortir des choses. *Le **mariage** des couleurs est particulièrement réussi dans la décoration de leur maison.*

marié, mariée adjectif et nom
Personne qui est unie à une autre par le mariage. *Maintenant, ils sont **mariés**. – Vive la **mariée** !*

marier verbe ▸ conjug. 10
❶ Célébrer le mariage de deux personnes. *La célébrante les **a mariés**.* ❷ Dans la langue familière, épouser. *Mon grand-père **a marié** ma grand-mère en 1970.* ■ se **marier** : s'unir par le mariage. *Ma cousine **s'est mariée** avec son ami d'enfance.* ♦ Famille du mot : mari, mariage, marié, se remarier.

marijuana ou **marihuana** nom féminin
Drogue qui provient du chanvre. * Chercher aussi *haschisch*, ② *stupéfiant*.

marin, marine adjectif
❶ Qui vit dans la mer ou qui vient de la mer. *Le thon est un poisson **marin**. Du sel **marin**.* ❷ Qui concerne la mer. *Le calmar géant vit dans les profondeurs **marines**.* • **Carte marine:** carte qui permet de naviguer sur la mer. ■ **marin** nom masculin Personne qui travaille sur un bateau. *Plusieurs **marins** ont disparu dans le naufrage.* SYN matelot, navigateur. * Chercher aussi ① *mousse*.

marinade nom féminin
❶ Mélange aromatisé dans lequel on laisse tremper des viandes ou des poissons.
❷ Légumes et fruits coupés en morceaux, macérés dans du vinaigre avec des graines aromatiques ou des épices, et servis comme condiments. *Avec la tourtière, on nous a servi des **marinades**.*

marine nom féminin
Ensemble des navires et des équipages d'un pays. *Ce navire appartient à la **marine** canadienne.* ■ **marine** adjectif invariable
• **Bleu marine:** bleu foncé.

mariner verbe ▸ conjug. 3
Tremper dans une marinade. *Mon père fait **mariner** les brochettes avant de les cuire au barbecue.* SYN macérer.

maringouin nom masculin
Moustique dont la piqûre provoque des démangeaisons.
👁p. 454.

Un **maringouin**

marionnette nom féminin
Sorte de poupée que l'on fait bouger avec la main ou en tirant sur des ficelles. * Chercher aussi *pantin*.

marionnettiste nom
Personne qui manipule des marionnettes.

Une **marionnette**

maritime adjectif
❶ Qui est au bord de la mer. *Québec est un port fluvial, Halifax, un port **maritime**.* ❷ Qui se fait par mer. *Les transports **maritimes**.*
* Chercher aussi *aérien*, *ferroviaire*, *fluvial*, *routier*.
• **Les provinces maritimes:** les provinces du Nouveau-Brunswick, de la Nouvelle-Écosse et de l'Île-du-Prince-Édouard. ■ **Maritimes** nom féminin pluriel Les provinces maritimes du Canada. *Nous avons passé une semaine dans les **Maritimes**.* ✎ Attention ! Dans ce sens, ce mot s'écrit avec une majuscule.

marketing nom masculin
Technique qui sert à favoriser la vente d'un produit. *Cette entreprise recherche un nouveau responsable du **marketing**.* ✎ On peut écrire aussi ***markéting***.

marmaille nom féminin
Dans la langue familière, groupe de jeunes enfants bruyants. * Chercher aussi *marmot*.

marmelade nom féminin
Préparation à base d'agrumes cuits avec du sucre. *De la **marmelade** d'oranges.*

marmite nom féminin
Récipient muni d'un couvercle et de poignées dans lequel on fait cuire des aliments.

marmiton nom masculin
Jeune apprenti cuisinier dans un restaurant.

marmonner verbe ▸ conjug. 3
Dire quelque chose à voix basse entre ses dents. *Je ne comprends pas ce que tu **marmonnes**.*
* Chercher aussi *bredouiller*, *grommeler*.

marmot nom masculin
Dans la langue familière, petit enfant. *Des **marmots** s'amusent dans la pataugeuse.*
* Chercher aussi *marmaille*.

marmotte nom féminin
Petit mammifère rongeur à la fourrure épaisse. *L'hiver, les **marmottes** hibernent dans leur terrier.* SYN siffleux. • **Dormir comme une marmotte:** dormir profondément.

marocain, marocaine adjectif et nom
Du Maroc. *L'artisanat **marocain**. – Les **Marocains**, les **Marocaines**.* ✎ Attention ! Le nom, qui désigne les habitants, s'écrit avec une majuscule.
♦ Famille du mot : maroquinerie, maroquinier. * Chercher aussi *maghrébin*.

Une **marmotte**

maroquinerie nom féminin
Fabrication ou commerce des objets en cuir.

maroquinier, maroquinière nom
Personne qui fabrique ou vend des objets en cuir.

marotte nom féminin
Manie, idée fixe d'une personne. *La nouvelle **marotte** de Saki, c'est le tennis.* **SYN** dada.

marquant, marquante adjectif
Qui laisse un souvenir durable. *La naissance de mon petit frère a été pour moi un évènement **marquant**.* **SYN** mémorable.

marque nom féminin
❶ Signe qui permet de reconnaître quelque chose. *Tous les moutons du troupeau portent une **marque** à l'oreille.* ❷ Trace qui reste sur quelque chose. *Il y a des **marques** de doigts sur les vitres.* **SYN** empreinte. ❸ Ce qui sert à montrer un sentiment. *Cette **marque** de tendresse l'a comblée.* **SYN** démonstration, témoignage. ❹ Nom donné à un produit par son fabricant. *Une **marque** de voiture, de détergent.* ❺ Décompte des points dans un jeu ou un sport. *À la fin du match, la **marque** était de 2 à 2.* **SYN** pointage, résultat, score.

marquer verbe ▸ conjug. 3
❶ Mettre une marque sur quelque chose. ***Marquer** les articles en solde avec une étiquette rouge.* ❷ Faire ou laisser une trace. *Le couteau **a marqué** la planche à découper.* ❸ Signaler, indiquer. *Ce panneau **marque** l'entrée du village.* ❹ Inscrire quelque chose. ***Marquer** son nom sur une feuille.* **SYN** écrire, noter. ❺ Laisser un souvenir ou une impression durables et forts. *Ce film **a marqué** toute une génération.* ❻ Dans un sport, surveiller de près un adversaire.
• **Marquer un but** (au soccer, au hockey, au basketball, etc.) : faire pénétrer le ballon, la rondelle dans le but. ♦ Famille du mot : démarquer, marquant, marque, marqueur.

marqueterie nom féminin
Placage de bois qui forme un motif décoratif sur un meuble, un plancher. ✎ On écrit aussi ***marquèterie***.

① **marqueur, marqueuse** nom
Personne qui marque des points dans un sport. **SYN** ② compteur.

② **marqueur** nom masculin
Crayon-feutre à pointe épaisse.

marraine nom féminin
Femme qui tient un enfant lors de son baptême et qui s'engage à s'occuper de lui. *À Noël, j'ai reçu un cadeau de ma **marraine**.* * Chercher aussi *filleul, parrain*.

marrant, marrante adjectif
Dans la langue familière, drôle. *Yohan est **marrant** avec ce chapeau!* **SYN** amusant, comique.

marre adverbe
• **En avoir marre** : dans la langue familière, en avoir assez.

marron nom masculin
❶ Châtaigne. *Des **marrons** grillés.* ❷ Couleur brun-rouge. *Choisir du **marron** pour les murs d'une chambre.* ■ **marron** adjectif invariable De la couleur brun-rouge du marron. *Une écharpe **marron**.*

marronnier nom masculin
Espèce de châtaignier qui donne les marrons.

mars nom masculin
Troisième mois de l'année, qui a trente et un jours. ✎ Attention! Le nom des mois s'écrit avec une minuscule.

marshallais, marshallaise
➔Voir tableau, p. 1319.

marsouin nom masculin
Mammifère marin qui ressemble à un petit dauphin. *Les **marsouins** sont des cétacés.*

*Un **marsouin***

marsupial, marsupiale, marsupiaux adjectif
Relatif à la poche ventrale des marsupiaux. *Un singe **marsupial**.* ■ **marsupiaux** nom masculin pluriel Groupe de mammifères dont les petits finissent de se développer dans une poche située sur le ventre de leur mère. *Les koalas et les kangourous sont des **marsupiaux**.*

a b c d e f g h i j k l **m** n o p q r s t u v w x y z

marteau, marteaux nom masculin
❶ Outil formé d'un bloc de métal au bout d'un manche en bois. *Il nous faut un **marteau** pour enfoncer ces crochets dans le mur.* ❷ Boule de métal reliée à un câble qu'un athlète doit lancer le plus loin possible après plusieurs rotations sur lui-même. *Le lancer du **marteau**.* ♦ Famille du mot : marteau-piqueur, martèlement, marteler.

marteau-piqueur nom masculin
Outil qui fonctionne à l'air comprimé et sert à défoncer le sol. *Les ouvriers défoncent l'asphalte avec un **marteau-piqueur**.* ✎ Pluriel : *des **marteaux-piqueurs***.

martèlement nom masculin
❶ Action de frapper à coups de marteau. *Le **martèlement** du fer sur l'enclume.* ❷ Bruit répétitif rappelant celui des coups de marteau. *Le **martèlement** des sabots des chevaux sur la chaussée.*

marteler verbe ▸ conjug. 8
❶ Frapper à coups de marteau. *L'ouvrier **martèle** le tuyau pour l'aplatir.* ❷ Frapper fort et à coups répétés. *Elle **martèle** la porte à coups de poing.* ❸ Parler d'une voix forte en détachant chacune des syllabes. *L'entraîneur de football **a martelé** les consignes lors de l'exercice.*

martial, martiale, martiaux adjectif
Qui est décidé et combatif. *Le régiment défile d'un pas **martial**.* • **Arts martiaux :** sports de combat d'origine japonaise. *Le judo, le karaté et l'aïkido sont des **arts martiaux**.* • **Cour martiale :** tribunal militaire. • **Loi martiale :** loi qui autorise l'emploi de la force armée pour le maintien de l'ordre. * Attention ! Le *t* du mot *martial* se prononce comme un *s*.

martien, martienne nom
Habitant fictif de la planète Mars. ■ **martien, martienne** adjectif Relatif à la planète Mars. *Les activités d'exploration **martienne** se poursuivent.* * Attention ! Le *t* du mot *martien* se prononce comme un *s*.

martinet nom masculin
Oiseau migrateur qui ressemble à l'hirondelle. *Les **martinets** volent très vite.*

martin-pêcheur nom masculin
Oiseau aux couleurs vives qui vit au bord des lacs et des rivières. *Le **martin-pêcheur** se nourrit de poissons.* ✎ Pluriel : *des **martins-pêcheurs***.

martre nom féminin
Petit mammifère carnivore au pelage brun et à la queue touffue. *La fourrure de la **martre** est très recherchée.*

*Une **martre***

martyr, martyre nom
Personne qui souffre ou qui meurt pour défendre sa foi ou son idéal. ■ **martyr, martyre** adjectif Que l'on maltraite. *Des enfants **martyrs**.* **SYN** maltraité. ♦ Famille du mot : martyre, martyriser.

martyre nom masculin
❶ Mort ou souffrance d'un martyr. ❷ Très grande souffrance. *Sa maladie a été un vrai **martyre**.*

martyriser verbe ▸ conjug. 3
Faire souffrir durement une personne ou un animal. **SYN** torturer.

mascarade nom féminin
Mise en scène hypocrite et trompeuse. *Ce n'est pas un procès, c'est une **mascarade**.* **SYN** imposture.

mascotte nom féminin
Animal, personnage ou objet considéré comme porte-bonheur. *Ce tigre est la **mascotte** de notre équipe de soccer.* **SYN** fétiche.

masculin, masculine adjectif
❶ De l'homme ou du mâle. *Stefanos est un prénom **masculin**. Une silhouette **masculine**.* ❷ Se dit d'un nom pouvant être précédé du déterminant « le » ou « un ». *Le « chat », un « bateau » sont des noms **masculins**.* **CONTR** féminin. ■ **masculin** nom masculin et adjectif Du genre masculin. *L'adjectif « fou » est au **masculin**. – Un pronom **masculin**.* **CONTR** féminin.

maskinongé nom masculin
Poisson d'eau douce du Canada qui ressemble au brochet. *Nous avons attrapé un* ***maskinongé*** *d'un mètre dès notre première heure de pêche.*

Un **maskinongé**

masochiste adjectif et nom
Qui prend du plaisir à souffrir. *Il faut être* ***masochiste*** *pour se baigner par ce froid.* * Abréviation familière : ***maso***.

masque nom masculin
❶ Objet que l'on porte sur le visage pour se déguiser. *Pour l'Halloween, on a fabriqué des* ***masques***. * Chercher aussi ③ *loup*. ❷ Objet que l'on porte sur le visage pour se protéger. ***Masque*** *de gardien de but.* ***Masque*** *de soudeur.* ♦ Famille du mot : démasquer, masqué, masquer.

masqué, masquée adjectif
Qui porte un masque. *Un visage* ***masqué***. • **Bal masqué :** bal où l'on porte un masque ou un déguisement.

masquer verbe ▸ conjug. 3
❶ Empêcher de voir quelque chose. *Cet immeuble* ***masque*** *la vue sur le fleuve.* **SYN** cacher, dissimuler. ❷ Cacher dans le but de tromper. *Elle a tenté de* ***masquer*** *les faits.* **SYN** dissimuler.

massacrant, massacrante adjectif
• **Humeur massacrante :** très mauvaise humeur.

massacre nom masculin
❶ Action de massacrer ou son résultat. *Cette guerre a été un* ***massacre***. **SYN** carnage, hécatombe, tuerie. ❷ Destruction de quelque chose. *Le* ***massacre*** *de cette forêt a soulevé la colère de la population.* ♦ Famille du mot : massacrant, massacrer.

massacrer verbe ▸ conjug. 3
❶ Tuer sauvagement et en grand nombre des êtres vivants sans défense. *Des braconniers* ***ont massacré*** *plusieurs éléphants.* ❷ Remporter une victoire de façon écrasante. *En gagnant 8-0, nous* ***avons massacré*** *l'équipe adverse.* ❸ Abîmer un objet, le détruire. ❹ Interpréter maladroitement une œuvre. *Ce jeune musicien* ***a massacré*** *cette pièce de Mozart.*

massage nom masculin
Action de masser. *La massothérapeute fait des* ***massages*** *pour soulager les douleurs.*

① **masse** nom féminin
❶ Quantité importante de matière qui forme un ensemble compact. *Ce sculpteur taille le marbre dans la* ***masse***. **SYN** bloc. ❷ Grand nombre de choses ou de personnes. *La* ***masse*** *des réfugiés est regroupée dans un camp.* • **En masse** ❶ En très grand nombre. *Pendant l'incendie, les curieux sont arrivés* ***en masse***. **SYN** en foule. ❷ Dans la langue familière, beaucoup. *Des frites, j'en veux* ***en masse*** *!* • **Une masse de :** un tas de. *Elle a appris* ***une masse de*** *choses en lisant ce livre.* ■ **masses** nom féminin pluriel Majorité des gens du peuple. *Cet homme politique plaît aux* ***masses***. ♦ Famille du mot : se masser, massif, massivement.

② **masse** nom féminin
Gros marteau de fer. *Ils ont abattu le mur à coups de* ***masse***.

③ **masse** nom féminin
Quantité de matière que contient un objet. *Le kilogramme est une unité de* ***masse***.

① **masser** verbe ▸ conjug. 3
Pétrir certaines parties du corps pour rendre les muscles plus souples, pour les détendre. *Ma mère* ***masse*** *le dos de mon frère quand il a mal.* ♦ Famille du mot : massage, masseur, massothérapeute, massothérapie.

② *se* **masser** verbe ▸ conjug. 3
Se rassembler en masse. *Les touristes* ***se massent*** *devant l'entrée du château Ramezay.*

masseur, masseuse nom
Personne qui pratique des massages. * Chercher aussi *chiropraticien*, *massothérapeute*.

massif, massive adjectif
❶ D'aspect lourd, trapu ou épais. *Le rhinocéros a une silhouette* ***massive***. ❷ Qui se produit en masse. *Des départs* ***massifs***. ❸ Qui forme une masse compacte. *Un meuble en bois* ***massif***. **SYN** plein. **CONTR** creux, vide. * Chercher aussi *plaqué*. ❹ Qui est donné en grande quantité. *Une dose* ***massive*** *d'antibiotiques devrait la guérir.* ■ **massif** nom masculin ❶ Ensemble de montagnes. *Dans le* ***massif*** *de Saint-Élie se trouvent les plus hauts sommets du Canada.*

* Chercher aussi *chaîne*. ❷ Assemblage de fleurs ou d'arbustes. *Ces **massifs** de roses sont très décoratifs.*

*Un **massif** de roses*

massivement adverbe
En très grand nombre. *Se déplacer **massivement** pour le défilé de la coupe Stanley.*

massothérapeute nom
Personne qui offre des soins corporels (massages et traitements) pour soulager des troubles du corps humain.

massothérapie nom féminin
Fait d'utiliser le massage à des fins thérapeutiques.

massue nom féminin
Gros bâton à l'extrémité épaisse, qui peut servir d'arme. *Les êtres humains de la préhistoire assommaient les animaux avec des **massues**.*

*Une **massue***

mastic nom masculin
Pâte collante qui durcit en séchant. *Le vitrier fixe la vitre de la fenêtre avec du **mastic**.*

mastication nom féminin
Action de mastiquer un aliment.

mastiquer verbe ▸ conjug. 3
Mâcher. *Il faut bien **mastiquer** les aliments avant de les avaler.*

mastodonte nom masculin
❶ Énorme mammifère préhistorique qui ressemblait à l'éléphant. ❷ Personne, animal ou chose d'une taille énorme. *Ce lutteur est un **mastodonte**.* **SYN** géant.

① **mat, mate** adjectif
❶ Qui ne brille pas. *Les murs sont peints avec une peinture à fini **mat**.* **CONTR** brillant, ② poli. ❷ Qui est assez foncé. *Guillaume a la peau **mate**.* **CONTR** clair.

② **mat** adjectif invariable
Aux échecs, position du roi qui ne peut plus être déplacé, ce qui assure la victoire au joueur adverse. *Le roi est **mat**.* * Attention ! Le *t* du mot *mat* se prononce.

mât nom masculin
❶ Sur un bateau, grand poteau qui porte les voiles. *Ce grand voilier a trois **mâts**.* ❷ Poteau qui soutient une tente ou qui porte un drapeau.

matador nom masculin
Torero qui met à mort le taureau dans une corrida. * Chercher aussi *picador*, *torero*.

match nom masculin
Compétition sportive entre deux équipes ou deux adversaires. *Dimanche, Félix va voir un **match** de football.* **SYN** joute, partie. ✎ Pluriel : *des **matchs***.

matelas nom masculin
Grand coussin rembourré sur lequel on se couche. *Alexia n'aime pas les **matelas** trop mous.* • **Matelas pneumatique :** grande enveloppe gonflable. *En camping, nous dormons sur des **matelas pneumatiques**.*

matelassé, matelassée adjectif
Qui est rembourré à la manière d'un matelas. *Cette veste **matelassée** est très confortable.*

matelot nom masculin
Marin. *Il s'est engagé comme **matelot** sur un cargo.* * Chercher aussi ① *mousse*.

mater verbe ▸ conjug. 3
Rendre docile et obéissant. *Pendant le rodéo, le cavalier essayait de **mater** un cheval sauvage.* **SYN** dompter, dresser.

se **matérialiser** verbe ▸ conjug. 3
Devenir réel et concret. *Ses rêves **se sont** enfin **matérialisés**.* **SYN** se concrétiser, se réaliser.

matériau, matériaux nom masculin
Matière utilisée pour fabriquer ou construire. *La pierre, la brique, le bois sont des **matériaux** de construction.*

① **matériel, matérielle** adjectif
❶ Qui est fait d'éléments que l'on peut voir et toucher. *La police recherche la preuve **matérielle** du crime.* **SYN** concret, physique.

* Chercher aussi *intellectuel, spirituel.* ❷ Qui concerne les choses et non les personnes. *Il n'y a aucun blessé dans l'accident, seulement des dégâts* ***matériels****.* ❸ Qui concerne l'argent et les moyens d'existence. *Avoir des problèmes* ***matériels****.*

② matériel nom masculin
Ensemble des outils ou des objets nécessaires à une activité. *L'électricienne a apporté tout son* ***matériel****.*

maternel, maternelle adjectif
❶ Qui vient de la mère. *Le lait* ***maternel****, l'amour* ***maternel****.* ❷ Relié à la mère par la filiation. *J'ai passé mes vacances chez mon grand-père* ***maternel****.* ❸ Qui évoque le comportement de la mère. *Un geste* ***maternel****, une parole* ***maternelle****.* • **Langue maternelle :** langue que l'on apprend en premier quand on est enfant. ■ **maternelle** nom féminin Classe où les enfants reçoivent une instruction préscolaire à cinq ans. *Mon petit frère est en* ***maternelle****.*

maternité nom féminin
Fait d'être mère. *La* ***maternité*** *apporte beaucoup de joie à Olivia.* * Chercher aussi *paternité.*

mathématicien, mathématicienne nom
Spécialiste de la mathématique.

mathématique adjectif
❶ Qui concerne la mathématique. ❷ Qui est précis et rigoureux. *Avoir l'esprit* ***mathématique****.* ■ **mathématique** nom féminin Science qui étudie les nombres, les grandeurs, les figures géométriques. *Zoé a beaucoup de mal en* ***mathématique****, elle réussit mieux en français.* * Abréviation familière : ***math(s)****.* * Chercher aussi *algèbre, géométrie.*

matière nom féminin
❶ Substance qui constitue les objets et les corps. *La* ***matière*** *est composée d'atomes.* ❷ Ce en quoi une chose est faite. *Le coton, la laine, la soie sont des* ***matières*** *textiles.* ❸ Sujet ou discipline. *Le français et l'éducation physique sont mes* ***matières*** *préférées.* • **En matière de quelque chose :** en ce qui concerne cette chose. ***En matière de*** *mécanique, Pierre n'y connaît rien.* • **Entrée en matière :** manière d'aborder une question, de présenter un sujet. **SYN** introduction. * Chercher aussi *préface.* • **Matière grise :** l'intelligence. • **Matière première :** produit à l'état brut que l'on transforme pour fabriquer des objets. • **Table des matières :** liste des textes ou des chapitres d'un livre.

matin nom masculin
Première partie de la journée commençant au lever du jour et se terminant à midi. *Le* ***matin****, Maryse déjeune avant d'aller à l'école.* **SYN** avant-midi. **CONTR** soir. • **De bon matin :** très tôt. ♦ Famille du mot : matinal, matinée.

matinal, matinale, matinaux adjectif
❶ Du matin. *La rosée* ***matinale****.* ❷ Qui se lève tôt. *Karen est très* ***matinale****.*

matinée nom féminin
Période de la journée entre le lever du soleil et midi. *Bernardo a magasiné toute la* ***matinée****.* **SYN** avant-midi, matin. • **Faire la grasse matinée :** se lever tard.

matou nom masculin
Gros chat mâle. *Un* ***matou*** *s'étire au soleil.*

matraque nom féminin
Arme en forme de bâton court. *Elle a été assommée par un coup de* ***matraque****.*

Un **matou**

matraquer verbe ▸ conjug. 3
Donner des coups de matraque à quelqu'un. *Il s'est fait* ***matraquer*** *par ses agresseurs.*

matriarcat nom masculin
Système social d'organisation dans lequel la mère exerce une influence de premier plan. * Chercher aussi *patriarcat.*

matricule nom masculin
Numéro d'inscription sur un registre. *Chaque étudiant de l'université a un numéro de* ***matricule****.*

matrimonial, matrimoniale, matrimoniaux adjectif
Relatif au mariage. *Des liens* ***matrimoniaux****.* • **Agence matrimoniale :** entreprise qui organise des rencontres entre des personnes qui veulent s'unir.

maturation nom féminin
Fait de mûrir. *Ce beau temps va accélérer la* ***maturation*** *des fruits.*

mature adjectif
Qui fait preuve d'un certain équilibre, d'une maturité physique et affective. **SYN** mûr. **CONTR** immature.

a b c d e f g h i j k l m n o p q r s t u v w x y z

maturité nom féminin
❶ État de ce qui est mûr. *Les tomates sont arrivées à **maturité**, on peut les cueillir.* ❷ État d'une personne épanouie, qui a atteint son plein développement. *Béatrice manque de **maturité**.*

maudire verbe ▸ conjug. 11
Proclamer que l'on déteste quelqu'un ou quelque chose. *Les cultivateurs **maudissent** la grêle qui a détruit les cultures.* SYN haïr. CONTR bénir. ✎ Attention ! *Maudire* se conjugue comme le verbe *finir*, sauf au participe passé : ***maudit**, **maudite**.*

maudit, maudite adjectif
Qui met en colère. *Cette **maudite** voiture est encore en panne.*

maugréer verbe ▸ conjug. 3
Bougonner, grogner, rouspéter. *Évelyne est de mauvaise humeur, elle n'arrête pas de **maugréer**.* SYN pester.

① **mauricien, mauricienne**
adjectif et nom
De la région de la Mauricie, au Québec. *Les lacs **mauriciens** sont parmi les plus beaux de la province. – Les **Mauriciens**, les **Mauriciennes**.* ✎ Attention ! Le nom, qui désigne les habitants, s'écrit avec une majuscule.

② **mauricien, mauricienne**
➔Voir tableau, p. 1319.

mauritanien, mauritanienne
➔Voir tableau, p. 1319.

mausolée nom masculin
Grand monument funéraire. * Attention ! Même s'il se termine en *-ée*, ce mot est du genre masculin.

*Un **mausolée***

maussade adjectif
❶ Qui manifeste de la mauvaise humeur. *Qu'est-ce qui t'arrive ? Tu as l'air **maussade** ce matin.* SYN grognon, renfrogné. CONTR enjoué, jovial. ❷ Se dit d'un temps gris et triste. *Si le temps reste **maussade**, nous n'irons pas à la piscine.*

mauvais, mauvaise adjectif
❶ Qui n'est pas bon au goût, qui est désagréable. *Cette poire est **mauvaise**.* ❷ Qui ne fait pas plaisir. *Malheureusement, les nouvelles sont **mauvaises**. Un **mauvais** souvenir.* SYN déplaisant. ❸ Méchant. *Méfie-toi, il est **mauvais** quand il se met en colère.* CONTR gentil. ❹ Qui est faible dans une matière ou une activité. *Tanya est **mauvaise** au ping-pong.* CONTR bon, fort. ❺ En parlant de la mer, dangereuse, agitée. *La mer est **mauvaise** aujourd'hui.* CONTR calme. ■ **mauvais** adverbe • **Il fait mauvais :** le temps est désagréable. CONTR beau. • **Mauvaise langue :** personne qui dit du mal des autres.

mauve adjectif
D'une couleur violet pâle. *Les fleurs de ce lilas sont **mauves**.* ■ **mauve** nom masculin Couleur violet pâle. *Elle aime particulièrement le **mauve**.*

maxillaire nom masculin
Chacun des deux os qui forment la mâchoire. * Chercher aussi *mandibule*.

maximal, maximale, maximaux adjectif
Qui atteint un maximum. *Elle roule à la vitesse **maximale** autorisée en ville.* CONTR minimal.

maxime nom féminin
Phrase courte qui résume une règle de conduite. *« Aide-toi et le ciel t'aidera » est une **maxime**.* * Chercher aussi *dicton*, *proverbe*.

maximum nom masculin
❶ Le plus possible. *Frédéric fait le **maximum** pour réussir.* CONTR minimum. ❷ Valeur maximale permise. *Dans cette zone scolaire, le **maximum** permis est de 30 km/h.* • **Au maximum :** au plus. ■ **maximum** adjectif Maximal. *L'âge **maximum** pour s'inscrire à cette activité est onze ans.* SYN maximal. CONTR minimal. ✎ Pluriel : *des **maximums** ou des **maxima**.* * Attention ! La dernière syllabe du mot *maximum* se prononce *mome*.

mayonnaise nom féminin
Sauce froide et épaisse à base de moutarde, de jaune d'œuf et d'huile. *Marc sort le pot de **mayonnaise** du réfrigérateur.*

mazout nom masculin
Combustible liquide tiré du pétrole. *Chauffer au **mazout**.* * Attention ! Le *t* du mot *mazout* se prononce.

me pronom
Pronom personnel de la première personne du singulier qui sert à compléter le verbe. *Je **me** vois dans la glace. Qui **m'**a téléphoné ?* * ***Me*** devient ***m'*** devant une voyelle ou un « h » muet : *je **m'**allonge, je **m'**habille.* * Chercher aussi *te, se, nous, vous.*

méandre nom masculin
Boucle que fait un cours d'eau. *Cette rivière a de nombreux **méandres**.* SYN sinuosité.

mécanicien, mécanicienne nom
Spécialiste de l'entretien et de la réparation des machines et des moteurs. *Ma mère cherche un bon **mécanicien** pour réparer sa voiture.*

Des **méandres**

mécanique adjectif
❶ Qui fonctionne grâce à un mécanisme. *Cette boîte à musique est **mécanique**.* ❷ Qui est fait à la machine et non pas à la main. *Dans cette usine, l'emballage des produits se fait de façon **mécanique**.* ❸ Qui concerne un moteur. *Une panne **mécanique**.* ❹ Qui se fait de façon inconsciente, automatique. *Un geste **mécanique**.* SYN machinal, naturel, spontané. ■ **mécanique** nom féminin ❶ Science de la construction et du fonctionnement des machines et des moteurs. *Amina est une passionnée de **mécanique**.* ❷ Mécanisme. *La **mécanique** d'une voiture, d'un piano.* ♦ Famille du mot : mécanicien, mécaniquement, mécanisé, mécanisme.

mécaniquement adverbe
De façon mécanique. *Ces biscuits sont emballés **mécaniquement**.*

mécanisé, mécanisée adjectif
Qui utilise des machines. *Dans ce pays, l'agriculture est très peu **mécanisée**.*

mécanisme nom masculin
Ensemble des pièces qui permettent à une machine de fonctionner. *La pendule ne marche plus, son **mécanisme** est brisé.* SYN mécanique.

mécène nom masculin
Personne ou entreprise qui donne de l'argent pour aider les arts et les artistes. *Elle est le **mécène** d'un jeune pianiste.*

méchamment adverbe
Avec méchanceté. *Tu t'es moqué **méchamment** de ta petite sœur.* CONTR gentiment.

méchanceté nom féminin
❶ Défaut d'une personne méchante. *C'est par **méchanceté** qu'il a cassé le jouet de son ami.* SYN cruauté. CONTR bonté, gentillesse. ❷ Parole méchante. *On dit beaucoup de **méchancetés** sur elle.*

méchant, méchante adjectif
Qui fait exprès de faire du mal. *Pourquoi es-tu **méchant** avec lui, il ne t'a rien fait !* SYN cruel, mauvais. CONTR bon, gentil. ■ **méchant, méchante** nom Personne méchante. *Les **méchants** triomphent rarement dans les films.* ♦ Famille du mot : méchamment, méchanceté.

mèche nom féminin
❶ Petite touffe de cheveux. *Estelle repousse la **mèche** qui lui tombe sur les yeux.* ❷ Petit cordon au milieu d'une bougie, qui permet de l'allumer. ❸ Tige métallique qui s'adapte à une perceuse. *Mon père a cassé plusieurs **mèches** avant d'arriver à faire un trou dans le béton.* • **Être de mèche avec quelqu'un** : dans la langue familière, être son complice. • **Vendre la mèche** : trahir un secret.

Une **mèche** de cheveux

méchoui nom masculin
Mouton ou agneau rôti à la broche.

méconnaissable adjectif
Que l'on a du mal à reconnaître. *Avec sa nouvelle coupe de cheveux, Lyane est **méconnaissable**.* CONTR reconnaissable.

méconnaissance nom féminin
Fait de méconnaître ou d'ignorer quelque chose. *À Berlin, sa **méconnaissance** de l'allemand l'a empêché de communiquer avec les gens.*

méconnaître verbe ▸ conjug. 37
Ne pas apprécier à sa juste valeur. *On **méconnaît** l'œuvre de cet écrivain.*
✎ On peut écrire aussi ***méconnaitre***.

méconnu, méconnue adjectif
Qui n'est pas apprécié à sa juste valeur. *Dommage que cette artiste soit **méconnue**, car elle a beaucoup de talent.*

mécontent, mécontente adjectif et nom
Qui n'est pas content. *Christos est **mécontent** de son bulletin.* CONTR content, satisfait. – *Les **mécontents** se sont plaints et ont été remboursés.*

mécontentement nom masculin
Fait d'être mécontent. *Léa exprime son **mécontentement** en boudant.* SYN contrariété.

mécontenter verbe ▸ conjug. 3
Rendre quelqu'un mécontent. *Ne rentre pas trop tard, tu vas **mécontenter** tes parents.* SYN contrarier, fâcher. CONTR contenter.

médaille nom féminin
❶ Petit bijou que l'on porte autour du cou. *Une **médaille** en or.* ❷ Décoration qui récompense une personne qui s'est distinguée dans un domaine quelconque. *Il a été décoré de la **médaille** militaire. Cet athlète a eu la **médaille** d'or aux Jeux olympiques.* • **L'envers de la médaille :** le mauvais côté d'une situation.
♦ Famille du mot : médaillé, médaillon.

médaillé, médaillée adjectif et nom
Qui a gagné une médaille à la guerre ou dans une compétition sportive. *Une athlète **médaillée**.* – *Les **médaillés** des Jeux olympiques.*

médaillon nom masculin
Bijou en forme de petite boîte qui peut contenir une photo ou une mèche de cheveux.

médecin nom
Personne qui exerce la médecine. *Myriam a de la fièvre, sa mère la conduit chez le **médecin**.* SYN docteur.

médecine nom féminin
Science qui étudie les maladies afin de les soigner. *La **médecine** progresse constamment.*

média nom masculin
Moyen de diffusion de l'information destinée au grand public. *La presse, la radio, la télévision et Internet sont les principaux **médias**.*
♦ Famille du mot : médiatique, médiatiser.

médian, médiane adjectif
Qui est placé au milieu. *Le ballon est posé sur la ligne **médiane** du terrain.* ■ **médiane** nom féminin Droite qui passe par l'un des sommets d'un triangle et le milieu du côté opposé.

médiateur, médiatrice nom
Personne chargée d'essayer de trouver un accord entre deux adversaires. SYN arbitre, conciliateur.

médiation nom féminin
Intervention d'un médiateur dans un conflit. *La **médiation** de l'ONU a empêché la guerre d'éclater.*

médiatique adjectif
Qui est transmis par les médias. *Ce livre a bénéficié d'une campagne **médiatique**.*

médiatiser verbe ▸ conjug. 3
Faire connaître par les médias. *Cet évènement **a été** largement **médiatisé**.*

médical, médicale, médicaux adjectif
Qui concerne la médecine et la santé. *Mon grand-père doit subir des examens **médicaux**.*

médicament nom masculin
Substance employée pour lutter contre les maladies ou pour les soulager. *Les **médicaments** s'achètent à la pharmacie.* SYN remède.

médicinal, médicinale, médicinaux adjectif
Que l'on peut utiliser comme médicament. *Elle se soigne avec des plantes **médicinales**.*

médiéval, médiévale, médiévaux adjectif
Qui concerne le Moyen Âge. *Nous avons visité une cité **médiévale**.* ✱ Chercher aussi *moyenâgeux*.

médiocre adjectif
❶ Qui n'est pas suffisant. *James a des résultats **médiocres** en français.* ❷ Qui n'a pas beaucoup de talent ou de capacités. *Ce pianiste est vraiment **médiocre**.* CONTR bon, excellent.

médiocrité nom féminin
Caractère médiocre. *Plusieurs critiques ont souligné la **médiocrité** de ce film.*

médire verbe ▸ conjug. 46
Dire du mal de quelqu'un. *Elle passe son temps à **médire** de ses voisins.* **SYN** dénigrer, déprécier, diffamer. ✎ Attention! *Médire* se conjugue comme le verbe *dire*, sauf à la deuxième personne du pluriel du présent de l'indicatif et de l'impératif: *vous **médisez**.* ♦ Famille du mot: médisance, médisant.

médisance nom féminin
Parole malveillante. *N'écoute pas ce que l'on dit d'eux, ce sont des **médisances**.* **SYN** cancan, potins, racontar, ragot.

médisant, médisante adjectif
Qui se plaît à médire. *Ce garçon a tenu des propos **médisants**.*

méditation nom féminin
Action de méditer. *Elle pratique la **méditation** et le yoga.* 👁p. 270.

méditer verbe ▸ conjug. 3
Réfléchir longuement et profondément. *Gabriel **a médité** les conseils de sa grand-mère.*

méditerranéen, méditerranéenne adjectif et nom
De la mer Méditerranée et des pays qu'elle baigne. *Le climat **méditerranéen**. – Les **Méditerranéens**, les **Méditerranéennes**.* ✎ Attention! Le nom, qui désigne les habitants, s'écrit avec une majuscule.

médium nom
Personne qui prétend communiquer avec l'esprit des morts. ✎ Pluriel: des ***médiums***.
* Attention! La deuxième syllabe du mot *médium* se prononce *diome*.

méduse nom féminin
Animal marin translucide et gélatineux. *Émilie ne veut plus se baigner, car elle a peur des **méduses**.*

Une **méduse**

médusé, médusée adjectif
Qui est très étonné. *Ariane est restée **médusée** par les tours du magicien.* **SYN** stupéfait.

méfait nom masculin
❶ Mauvaise action. *Jing a été puni pour son **méfait**.* ❷ Conséquence néfaste de quelque chose. *Les **méfaits** de la pollution sont considérables dans cette région.* **CONTR** bienfait.

méfiance nom féminin
État d'une personne qui se méfie. *Ta **méfiance** envers lui n'est pas justifiée, car il est très honnête.* **SYN** défiance. **CONTR** confiance.

méfiant, méfiante adjectif
Qui se méfie. *Depuis qu'ils ont été cambriolés, ils sont devenus très **méfiants**.* **SYN** soupçonneux.

se **méfier** verbe ▸ conjug. 10
❶ Ne pas se fier à quelqu'un ou à quelque chose. *Il faut **se méfier** de lui, il n'est pas toujours sincère.* **CONTR** se fier. ❷ Faire très attention. ***Méfiez-vous** des apparences trompeuses!*
♦ Famille du mot: méfiance, méfiant.

mégalomane adjectif et nom
Qui a des idées de grandeur, qui recherche la puissance et la gloire. *Anthony se prend pour un millionnaire, il est complètement **mégalomane**. – Une **mégalomane**.*

par **mégarde** adverbe
Sans le faire exprès. *Victor s'est trompé de porte **par mégarde**.* **SYN** par inadvertance, involontairement. **CONTR** exprès.

mégot nom masculin
Reste d'une cigarette ou d'un cigare qui ont été fumés. *Ce cendrier est plein de **mégots**.*

meilleur, meilleure adjectif et nom
Qui possède un plus haut degré de qualité. *Ce fromage est bon, mais celui-ci est encore **meilleur**.* • **Le meilleur, la meilleure**: qui possède le plus haut degré de qualité. *Cette boulangerie est **la meilleure** de la région.* **CONTR** pire.

mélancolie nom féminin
Tristesse vague accompagnée de rêverie. *Il regarde tomber la pluie avec **mélancolie**.* **SYN** vague* à l'âme.

mélancolique adjectif
Qui inspire de la mélancolie. *Une musique **mélancolique**.*

mélange nom masculin
Ensemble d'éléments mélangés, combinés. *Ce jus est extrait d'un **mélange** de fruits exotiques. Un **mélange** d'amour et de haine.*

mélanger verbe ▸ conjug. 5
❶ Mettre ensemble plusieurs éléments différents. *Pour faire la pâte à crêpes, Samantha **mélange** la farine, les œufs et le lait.* **SYN** mêler. **CONTR** séparer. ❷ Mettre en désordre. *Ma mère avait classé les photos, mais Camille **a tout mélangé**.* **CONTR** classer, trier.

a b c d e f g h i j k l m n o p q r s t u v w x y z

❸ Confondre. *Elle **mélange** ses cousines qui sont de vraies jumelles.* ♦ Famille du mot: mélange, mélangeur.

mélangeur nom masculin
Appareil électrique qui sert à mélanger les aliments, à les réduire en purée.

mêlant, mêlante adjectif
❶ Qui mêle, qui sème la confusion. *Il y a trop de personnages dans ce roman, c'est **mêlant**.* ❷ Dans la langue familière, où l'on peut se perdre facilement. *Pour se rendre au chalet, le chemin est vraiment **mêlant**.*

mélasse nom féminin
Sirop brun et épais qui provient de la fabrication du sucre. *J'adore les galettes à la **mélasse**.*

mêlé, mêlée adjectif
Embrouillé, confus. *Être **mêlé** dans ses idées.*

mêlée nom féminin
❶ Combat désordonné entre plusieurs personnes. *Dans la **mêlée**, Xavier a perdu ses lunettes.* ❷ Moment où les joueurs de rugby s'arc-boutent en se tenant par les épaules pour récupérer le ballon.

mêler verbe ▸ conjug. 3
❶ Mélanger. *La peintre **mêle** les couleurs sur sa palette.* ❷ Embrouiller, faire perdre le fil des idées. *Arrête de m'interrompre dans mon travail, tu me **mêles**.* ■ se **mêler**: se joindre à un groupe. *De nombreuses personnes **se sont mêlées** à la manifestation.* • **Se mêler de quelque chose**: s'en occuper, souvent de façon indiscrète. *Ne **te mêle** pas **de** cette histoire, ça ne te regarde pas.* ♦ Famille du mot: démêler, emmêler, entremêler, mêlant, mêlé, mêlée.

mélèze nom masculin
Conifère qui ressemble au sapin. *Le **mélèze** perd ses aiguilles à l'automne.* 👁p. 126.

Des **mélèzes**

méli-mélo nom masculin
Mélange confus de choses diverses. *Quel **méli-mélo**!* ✎ Pluriel: *des **mélis-mélos**.* ✎ On peut écrire aussi *un **méliméIo**, des **mélimélos**.*

mélioratif, méliorative adjectif
Se dit d'un mot, d'une tournure qui présente sous un jour favorable la chose ou la personne dont on parle. **CONTR** péjoratif.

mélodie nom féminin
Air d'une chanson. *Cette **mélodie** me trotte dans la tête depuis ce matin.*

mélodieux, mélodieuse adjectif
Qui est agréable à entendre. *Pia a une voix très **mélodieuse**.* **SYN** harmonieux.

mélodrame nom masculin
Pièce de théâtre ou film dans lesquels les caractères sont exagérés et les situations peu vraisemblables. * Chercher aussi *comédie*, *drame*, *tragédie*.

mélomane nom
Personne qui aime la musique avec passion.

melon nom masculin
Fruit à pépins dont la chair est juteuse et sucrée. *Il existe plusieurs variétés de **melons**.* * Chercher aussi *cantaloup*. • **Melon d'eau**: pastèque. • **Chapeau melon**: chapeau d'homme en feutre, rond et bombé.

Des **melons**

membrane nom féminin
Peau mince et souple qui enveloppe un organe.

membre nom masculin
Partie articulée du corps qui permet le mouvement. *L'être humain a quatre **membres**: deux bras et deux jambes.* ■ **membre** nom
Personne ou groupe qui fait partie d'un ensemble. *Jade est **membre** d'un club de judo. Les **membres** du barreau de la Mauricie.*

même adjectif
❶ Qui n'est pas différent. *Sacha et Mindy ont le **même** blouson, de la **même** couleur.* **SYN** identique, semblable. **CONTR** autre, différent. ❷ Après un nom ou un pronom, sert à insister sur la personne ou la chose. *Cette femme est la bonté **même**. Loïc a repeint lui-**même** sa chambre.* ■ **même** pronom Chose identique à une autre. *J'aime bien ton chandail, j'aimerais m'acheter le **même**.* **CONTR** autre. • **Cela revient au même :** c'est pareil, c'est la même chose. ■ **même** adverbe Et aussi. *Tout le monde a fait silence, **même** les enfants.* **SYN** y compris. • **De même :** de la même manière. *Elle se tait, et toute la classe fait **de même**.* • **Quand même, tout de même :** malgré tout, cependant, néanmoins. *C'est difficile de faire de la planche à voile, mais je veux essayer **quand même**.* ✎ Lorsque *même* renforce un pronom personnel, il y a un trait d'union entre le pronom et *même* : *moi-même, lui-même, eux-mêmes*.

① **mémoire** nom masculin
Texte écrit sur un sujet précis. *Cet étudiant écrit un **mémoire** sur l'œuvre de Léonard de Vinci.* ■ **Mémoires** nom masculin pluriel Livre dans lequel une personne raconte sa vie et ses souvenirs. *Cette femme célèbre a écrit ses **Mémoires**.* ✎ Attention ! Dans ce sens, *Mémoires* s'écrit avec une majuscule.

② **mémoire** nom féminin
❶ Ce qui permet à notre cerveau de se souvenir. *Amina apprend très vite, car elle a une excellente **mémoire**.* ❷ Dans un ordinateur, endroit où l'on enregistre et où l'on conserve les données. • **À la mémoire de quelqu'un :** en souvenir ou en l'honneur de quelqu'un. • **Avoir un trou de mémoire :** ne plus se rappeler quelque chose. • **De mémoire :** par cœur.

mémorable adjectif
Que l'on gardera longtemps dans sa mémoire. *Ce fut un match **mémorable**.* **SYN** inoubliable, marquant.

mémorisation nom féminin
Action de mémoriser. *Marie-Ève a une grande capacité de **mémorisation**.*

mémoriser verbe ▸ conjug. 3
Enregistrer des connaissances dans sa mémoire. *Luis n'arrive pas à **mémoriser** le code postal de son adresse.*

menaçant, menaçante adjectif
Qui menace ou exprime une menace. *Le ton de sa voix est **menaçant**.* **CONTR** rassurant.

menace nom féminin
❶ Parole ou geste hostiles visant à intimider. *Les ravisseurs emploient les **menaces** et le chantage.* ❷ Signes annonçant un danger. *Il y a des **menaces** d'éruption du volcan.*

menacer verbe ▸ conjug. 4
❶ Faire des menaces. *Il les **menaçait** avec un bâton.* ❷ Sembler sur le point de se produire. *L'orage **menace** d'éclater.* ♦ Famille du mot : menaçant, menace.

ménage nom masculin
❶ Travaux de nettoyage d'une maison. *Il ne fait pas souvent le **ménage**, il y a beaucoup de poussière.* ❷ Couple de personnes vivant ensemble. *Ce jeune **ménage** vient de s'installer.* • **Faire bon** ou **mauvais ménage avec quelqu'un :** s'entendre bien ou mal avec lui. ♦ Famille du mot : ménagement, ② ménager, ménagère.

ménagement nom masculin
Précautions que l'on prend avec quelqu'un pour ne pas le brusquer. *On lui a annoncé la mauvaise nouvelle avec **ménagement**.*

① **ménager** verbe ▸ conjug. 5
❶ Utiliser en dépensant le moins possible. *Pour arriver au sommet, les alpinistes **ménagent** leurs forces.* **SYN** épargner. **CONTR** gaspiller. ❷ Traiter quelqu'un avec précaution et sans le brusquer. *Elle est âgée, il faut la **ménager**.* ❸ Installer. *Ils **ont ménagé** une porte dans ce mur.* ■ *se* **ménager** : éviter de trop se fatiguer. *Il est cardiaque, il doit **se ménager**.*

② **ménager, ménagère** adjectif
Qui concerne l'entretien d'une maison. *Des travaux **ménagers**.*

ménagère nom féminin
❶ Femme qui s'occupe de sa maison. **SYN** maîtresse de maison. ❷ Service de couverts de table rangés dans un coffret. *Elle a reçu une **ménagère** en cadeau de mariage.*

ménagerie nom féminin
❶ Lieu où sont réunis des animaux exotiques. ❷ L'ensemble des animaux d'un cirque, d'un zoo.

mendiant, mendiante nom
Personne qui mendie. *Il y a de plus en plus de **mendiants** dans les grandes villes.*

a b c d e f g h i j k l m n o p q r s t u v w x y z

mendicité nom féminin
Action de mendier. *Le manque d'argent l'a conduit à la **mendicité**.*

mendier verbe ▸ conjug. 10
Demander l'aumône, la charité. *Il a dû **mendier** pour s'acheter un repas.* SYN quêter. ♦ Famille du mot : mendiant, mendicité.

mener verbe ▸ conjug. 8
❶ Aboutir quelque part. *C'est le chemin qui **mène** au chalet.* SYN conduire. ❷ Conduire en accompagnant. *Tous les matins, il **mène** sa fille à l'école.* SYN emmener. ❸ Diriger à son gré. *Il **mène** sa vie comme il l'entend.* ❹ Être en tête. *Ils **mènent** par 2-0.* • **Mener à bien une affaire :** la faire réussir. • **Ne mener à rien :** ne servir à rien. *Cesse de pleurer, ça **ne mène à rien**.*

meneur, meneuse nom
Personne qui mène et entraîne les autres. *On a arrêté les **meneurs** de l'émeute.*

meneuse de claque nom féminin
Jeune fille qui exécute dans un groupe des figures acrobatiques et des mouvements rythmés pour encourager une équipe sportive. *Les équipes de football ont des **meneuses de claques**.*

menhir nom masculin
Grande pierre dressée verticalement par des humains de la préhistoire. * Chercher aussi *dolmen*.

Des **menhirs**

méninge nom féminin
Chacune des membranes qui enveloppent le cerveau et la moelle épinière. • **Se creuser les méninges :** dans la langue familière, réfléchir. *Je **me suis creusé les méninges** pour trouver la solution.*

méningite nom féminin
Grave maladie qui provoque l'inflammation des méninges.

ménisque nom masculin
Cartilage placé entre deux os qui s'articulent. *Au karaté, Luc s'est déchiré le **ménisque** du genou.*

menottes nom féminin pluriel
Bracelets de métal reliés par une chaîne. *Le policier lui a mis des **menottes**.*

mensonge nom masculin
Affirmation fausse destinée à tromper. *Tu dis des **mensonges**.* SYN menterie. CONTR vérité.

mensonger, mensongère adjectif
Qui contient un mensonge. *Un témoignage **mensonger**.* SYN faux. CONTR véridique.

menstruation nom féminin
Écoulement sanguin qui se produit chaque mois chez la femme, à partir de la puberté. SYN règles.

mensualité nom féminin
Somme payée chaque mois. *Il paie sa voiture par **mensualités**.*

mensuel, mensuelle adjectif
Qui se produit, qui paraît chaque mois. *Une revue **mensuelle**.* ■ **mensuel** nom masculin Publication qui paraît chaque mois. ♦ Famille du mot : bimensuel, mensualité, mensuellement. * Chercher aussi *hebdomadaire*, *quotidien*.

mensuellement adverbe
Chaque mois. *Le compte de téléphone est payé **mensuellement**.*

mensurations nom féminin pluriel
Mesures principales du corps humain. *La docteure a pris les **mensurations** de Raphaëlle.*

mental, mentale, mentaux adjectif
Qui concerne le fonctionnement de l'esprit. *Il n'a plus toutes ses facultés **mentales**.* SYN psychique. CONTR ① physique. • **Calcul mental :** opération que l'on fait dans sa tête, sans écrire. ♦ Famille du mot : mentalement, mentalité.

mentalement adverbe
Par la pensée. *La mère de Bruno calcule **mentalement** le pourboire du serveur.*

mentalité nom féminin
Façon de penser. *Les **mentalités** ont beaucoup évolué au cours des vingt dernières années.*

menterie nom féminin
Dans la langue familière, mensonge. *Pénélope raconte souvent des **menteries**.*

menteur, menteuse nom et adjectif
Personne qui ment ou qui a l'habitude de mentir. *Il ne faut pas croire cette **menteuse**. – Il est **menteur**.*

menthe nom féminin
Plante très odorante dont on fait des tisanes, des bonbons et des sirops. *Gregory a commandé une tisane à la **menthe**.* * Ne pas confondre *menthe* et *mante*.

Un plant de **menthe**

mention nom féminin
Indication écrite donnant une information. *Prière de remplir le questionnaire en rayant les **mentions** inutiles.* • **Faire mention de quelque chose :** le dire. *Le journal télévisé **a fait mention de** cet accident.*

mentionner verbe ▸ conjug. 3
Signaler ou rapporter quelque chose. *Karina **a mentionné** la date de son anniversaire.*

mentir verbe ▸ conjug. 15
Dire des mensonges. *Ne le croyez pas, il **ment**.*

menton nom masculin
Partie du visage au-dessous de la bouche. 👁p. 246.

① **menu, menue** adjectif
❶ Dont le corps et les membres sont minces et frêles. *Yasmina est encore très **menue**.* **SYN** fluet. **CONTR** corpulent. ❷ Qui est petit. *Noémie coupe les légumes en **menus** morceaux.* ❸ De peu d'importance. *Émile a de l'argent de poche pour ses **menues** dépenses.* **CONTR** gros, important.

② **menu** nom masculin
❶ Dans un restaurant, liste des plats. *Il n'y a pas de poisson au **menu**.* ❷ Ensemble des plats d'un repas. *Le **menu** proposé par ma mère est varié et équilibré.* • **Menu du jour :** repas complet à prix fixe. *Le midi, je prends souvent le **menu du jour**.* ❸ Liste des commandes possibles proposée à l'utilisateur d'un logiciel, qui s'affiche sur l'écran de l'ordinateur.

menuiserie nom féminin
❶ Travail du bois, métier de menuisier. *Manolo est très attiré par la **menuiserie**.* * Chercher aussi *ébénisterie*. ❷ Atelier du menuisier.

menuisier, menuisière nom
Personne dont le métier est de travailler le bois. *Le **menuisier** fabrique les portes, les placards, les armoires de cuisine.*

se **méprendre** verbe ▸ conjug. 32
Dans la langue littéraire, se tromper. *Elle **s'est méprise** sur le sens de mes paroles.*

mépris nom masculin
Attitude montrant que l'on n'a aucune estime pour quelqu'un. *Il a été traité avec **mépris**.* **SYN** dédain. **CONTR** respect. • **Au mépris de quelque chose :** sans en tenir compte. *Elle a escaladé la falaise **au mépris du** danger.*

méprisable adjectif
Qui mérite le mépris. *Son attitude est **méprisable**.* **CONTR** respectable.

méprisant, méprisante adjectif
Qui témoigne du mépris. *Florence lui a lancé un regard **méprisant**.* **SYN** dédaigneux, hautain.

méprise nom féminin
Fait de se tromper. *Ibrahim s'est trompé de métro et s'est aperçu trop tard de sa **méprise**.* **SYN** erreur.

mépriser verbe ▸ conjug. 3
❶ Avoir du mépris. *Elle **méprise** les gens qui ne sont pas de son milieu.* **CONTR** admirer, apprécier, considérer, estimer, respecter. ❷ Ne faire aucun cas de quelque chose. *Elle **méprise** le danger.* **SYN** braver. ♦ Famille du mot : mépris, méprisable, méprisant.

mer nom féminin
❶ Vaste étendue d'eau salée qui recouvre une grande partie de la Terre. *Le bateau a pris la **mer**. Huân passe ses vacances au bord de la **mer**.* * Chercher aussi *marée*, *océan*, *outre-mer*, *vague*. ❷ Étendue délimitée d'eau salée, plus petite qu'un océan. *Sur l'atlas, Elliot a pu montrer les **mers** qui bordent le Canada.* • **Fruits de mer :** crustacés et coquillages comestibles. • **Ce n'est pas la mer à boire :** ce n'est pas tellement difficile. *Faire deux kilomètres à pied, **ce n'est pas la mer à boire**.* * Ne pas confondre *mer* et *mère*.

a b c d e f g h i j k l m n o p q r s t u v w x y z

mercenaire nom masculin
Soldat payé pour combattre dans une armée étrangère.

① merci nom masculin
Formule de remerciement. ***Merci** beaucoup!* *Dites-lui un grand **merci** de notre part.*
♦ Famille du mot: remerciement, remercier.

② merci nom féminin
• **Être à la merci de quelque chose** ou **de quelqu'un**: en dépendre entièrement, sans pouvoir faire quoi que ce soit. • **Sans merci**: sans aucune pitié. *Une guerre **sans merci**.*

mercredi nom masculin
Jour de la semaine entre le mardi et le jeudi. *Le **mercredi**, Bianca va au judo et Marco fait de la musique.*

mercure nom masculin
Métal liquide très lourd et brillant. *Quand il fait chaud, le **mercure** monte dans la colonne du thermomètre.*

mère nom féminin
❶ Femme qui a un ou plusieurs enfants. *Rebecca ressemble beaucoup à sa **mère**.* **SYN** maman. ❷ Femelle qui a eu des petits. *Le chevreau tète sa **mère**.* * Ne pas confondre *mère* et *mer*.

merguez nom féminin
Petite saucisse pimentée. *Annick a pris un couscous avec des **merguez**.* * Attention! La deuxième syllabe du mot *merguez* se prononce *guèze*.

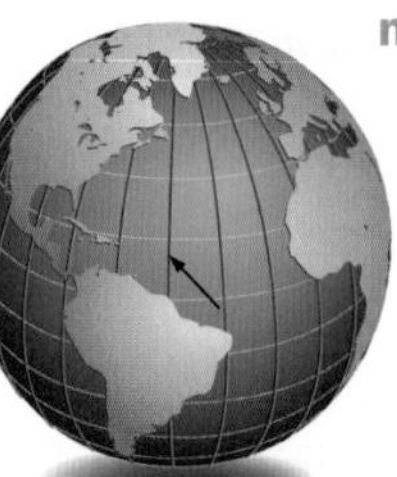
Des **méridiens**

méridien nom masculin
Grand cercle imaginaire passant par les deux pôles de la Terre. *On calcule la longitude et l'heure à partir du **méridien** de l'observatoire de Greenwich, en Grande-Bretagne.* * Chercher aussi *latitude*, *longitude*, *parallèle*.

méridional, méridionale, méridionaux adjectif
Du sud. *Le parc national de la Pointe-Pelée, en Ontario, est le point le plus **méridional** du Canada.* **CONTR** septentrional. ■ **méridional, méridionale, méridionaux** adjectif et nom
Du sud de la France. *L'accent **méridional** est très chantant. – Les **Méridionaux**, les **Méridionales**.* ✎ Attention! Le nom, qui désigne les habitants, s'écrit avec une majuscule.

meringue nom féminin
Pâtisserie légère faite de blancs d'œufs et de sucre. *Jordan monte des blancs en neige pour faire de la **meringue** pour la tarte au citron.*

merisier nom masculin
Cerisier sauvage. *Les ébénistes font des meubles avec le bois rouge du **merisier**.*

mérite nom masculin
Ce qui rend digne d'estime. *Gabrielle a eu beaucoup de **mérite** à rester calme dans cette situation.*

mériter verbe ▸ conjug. 3
❶ Avoir droit à quelque chose grâce à ses efforts ou être passible d'une punition. *Je t'emmène au cinéma, tu l'**as** bien **mérité**!* ❷ Valoir la peine. *Ce projet **mérite** que l'on y réfléchisse.* ♦ Famille du mot: mérite, méritoire.

méritoire adjectif
Où le mérite est grand. *Dylan a fait des efforts **méritoires** pour améliorer son français.* **SYN** louable.

merlan nom masculin
Poisson de mer qui vit en bancs.

merle nom masculin
• **Merle d'Amérique**: oiseau familier dont le plumage de la poitrine est rouge orangé. *Le **merle d'Amérique** vient de saisir un ver dans son bec.*

merveille nom féminin
Chose admirable, très belle. *Ce feu d'artifice est une **merveille**.* • **À merveille**: parfaitement. *Anh Dung et Élyse s'entendent **à merveille**.* **SYN** merveilleusement. • **Faire merveille**: donner d'excellents résultats. *Cette nouvelle machine **fait merveille**.* ♦ Famille du mot: émerveillement, émerveiller, merveilleusement, merveilleux.

merveilleusement adverbe
À merveille. *Tout s'est **merveilleusement** bien passé.* **SYN** admirablement, magnifiquement.

merveilleux, merveilleuse adjectif
❶ Qui provoque une grande admiration. *J'ai fait un rêve **merveilleux**.* **SYN** extraordinaire, magnifique, splendide. ❷ Magique, surnaturel. *Les contes nous font pénétrer dans un monde **merveilleux**.*

mes déterminant ➔Voir **mon**

mésange nom féminin
Petit oiseau au plumage coloré. *Olivier observe une **mésange** avec ses jumelles.* 👁p. 454, 720.

*Une **mésange***

mésaventure nom féminin
Aventure désagréable. *Ils ont vécu une **mésaventure** insolite durant leurs vacances.*

mesdames ➔Voir **madame**

mesdemoiselles ➔Voir **mademoiselle**

mésentente nom féminin
Mauvaise entente entre deux ou plusieurs personnes. *La **mésentente** entre Yann et sa sœur désole leurs parents.* **SYN** désaccord, discorde. **CONTR** entente, harmonie.

mesquin, mesquine adjectif
❶ Qui manque de générosité, qui est avare. *Cet homme **mesquin** ne fait jamais de cadeau à sa femme.* **CONTR** généreux. ❷ Qui témoigne d'un esprit étroit. *Cette remarque **mesquine** est inacceptable.* **SYN** ① bas.

mesquinerie nom féminin
Attitude ou action mesquine. *Elle a agi avec **mesquinerie** en se vengeant ainsi.* **SYN** bassesse.

message nom masculin
Information transmise à quelqu'un. • **Message texte :** court message écrit acheminé par téléphone portable. *Je lui ai envoyé un **message texte** pour l'aviser de mon retard.* **SYN** texto. ♦ Famille du mot : messager, messagerie.

messager, messagère nom
Personne chargée d'un message. *Voulez-vous être ma **messagère** et lui transmettre tous mes vœux ?*

messagerie nom féminin
• **Messagerie électronique :** service de télécommunication qui permet d'envoyer des messages électroniques. • **Messagerie vocale :** système de télécommunication qui permet de recevoir, d'envoyer ou de conserver des messages vocaux. *Catherine utilise fréquemment la **messagerie vocale** pour prendre ses messages à distance.* ■ **messageries** nom féminin pluriel Service rapide de transport de courrier, de marchandises. * Chercher aussi *coursier*.

messe nom féminin
Cérémonie du culte catholique. *Il va à la **messe** tous les dimanches.*

messie nom masculin
Selon la Bible, envoyé de Dieu. *Les chrétiens considèrent que le Christ est le **Messie**.* ✎ Attention ! Dans ce sens, ce mot s'écrit avec une majuscule. • **Attendre quelqu'un comme le messie :** espérer sa venue avec beaucoup d'impatience.

messieurs ➔Voir **monsieur**

mesure nom féminin
❶ Évaluation d'une grandeur. *Le menuisier a pris les **mesures** de la porte.* • **Unités de mesure :** unités qui servent à calculer les dimensions, la masse, la contenance, la durée, etc. *Le mètre, le gramme, le litre, l'heure sont des **unités de mesure**.* ❷ Division de la durée musicale en parties égales. *Le chef d'orchestre bat la **mesure**.* ❸ Modération dans sa manière de parler et d'agir. *Tu te fâches trop vite, tu devrais agir avec plus de **mesure**.* **SYN** réserve, retenue, sagesse. ❹ Moyen que l'on se donne pour atteindre un but. *Des **mesures** d'urgence ont été prises pour secourir les victimes du séisme.* • **Dans la mesure du possible :** autant qu'il sera possible. • **Être en mesure de faire quelque chose :** pouvoir le faire. • **Sur mesure :** spécialement fait aux mesures de quelqu'un. *Javier porte un costume fait **sur mesure**.*

mesurer verbe ▸conjug. 3
❶ Évaluer les dimensions, la quantité ou l'importance de quelque chose. *Le chronomètre **mesure** le temps. Justin **a** bien **mesuré** la faveur qu'on lui faisait.* ❷ Avoir telle taille, telle dimension. *Benjamin **mesure** déjà 1,50 m.* • **Se mesurer avec quelqu'un :** essayer ses forces en luttant contre lui. ♦ Famille du mot : démesuré, demi-mesure, mesure.

métal, métaux nom masculin
Matière brillante qui conduit bien la chaleur et l'électricité. *Le cuivre, le fer et l'aluminium sont des **métaux**. L'or est un **métal** précieux.* ♦ Famille du mot : métallique, métallisé, métallurgie, métallurgique. * Chercher aussi *alliage, minerai*.

métallique adjectif
❶ En métal. *Un boîtier **métallique**.* ❷ Qui résonne comme le métal, a l'aspect du métal. *Un son **métallique**. Un reflet **métallique**.*

a b c d e f g h i j k l m n o p q r s t u v w x y z

métallisé, métallisée adjectif
Qui a un aspect brillant comme le métal. *Une voiture gris **métallisé**.*

métallurgie nom féminin
Ensemble des industries et des techniques qui permettent la fabrication, le traitement ou la transformation des métaux. * Chercher aussi *haut*-fourneau, sidérurgie*.

métallurgique adjectif
De la métallurgie. *Cette ville est un centre **métallurgique**.*

métamorphose nom féminin
❶ Changements de forme subis par certains animaux au cours de leur vie. *Le hanneton résulte de la **métamorphose** du ver blanc.* 👁p. 570. * Chercher aussi *chrysalide, cocon, imago, larve*. ❷ Changement complet d'apparence, d'attitude. *Cette nouvelle coupe de cheveux est un grand changement, quelle **métamorphose** !*

métamorphoser verbe ▸ conjug. 3
Changer complètement l'apparence ou l'attitude de quelqu'un. *Son nouveau travail l'**a métamorphosé**.* **SYN** transformer.
■ *se* **métamorphoser** : subir une métamorphose. *La chenille **s'est métamorphosée** en papillon.*

métaphore nom féminin
Procédé qui consiste à utiliser un terme dans un sens figuré pour faire une comparaison, mais sans employer le mot « comme ». *Quand on parle du « printemps de la vie » pour désigner la jeunesse, on emploie une **métaphore**.*
SYN image.

météo nom féminin
Abréviation familière de *météorologie*. *Chaque matin, mon père consulte la **météo**.* ■ **météo** adjectif invariable Abréviation familière de *météorologique*. *Des prévisions **météo**.*

météore nom masculin
Traînée lumineuse d'un météorite dans le ciel. **SYN** étoile filante. ♦ Famille du mot : météo, météorite, météorologie, météorologique, météorologue.

météorite nom masculin ou féminin
Fragment rocheux ou métallique venant de l'espace et qui traverse l'atmosphère. *On a découvert un (ou une) **météorite** dans ce champ.*

météorologie nom féminin
Science qui étudie les phénomènes atmosphériques et permet de prévoir le temps. *La **météorologie** étudie le climat, les vents, la température, les pressions.* * Abréviation familière : ***météo***.

météorologique adjectif
De la météorologie. *Voici le bulletin **météorologique**.* * Abréviation familière : ***météo***. * Chercher aussi *atmosphérique*.

météorologue nom
Spécialiste de la météorologie. *Une **météorologue**.* * On dit aussi ***météorologiste***.

méthode nom féminin
❶ Moyen employé pour arriver à un résultat. *Jonathan a une **méthode** personnelle pour réviser.* **SYN** procédé, recette. ❷ Ouvrage où l'on enseigne les principes de base de quelque chose. *C'est une **méthode** d'apprentissage de l'anglais.* ❸ Qualité d'esprit qui consiste à agir en suivant un ordre logique. *Quand on travaille avec **méthode**, on arrive à un meilleur résultat.* ♦ Famille du mot : méthodique, méthodiquement.

méthodique adjectif
Qui a de la méthode. *Jade est très **méthodique**.*
SYN organisé. **CONTR** ① brouillon, désordonné.

méthodiquement adverbe
De façon méthodique. *Ses livres sont classés **méthodiquement** par ordre alphabétique.*

méticuleusement adverbe
De façon méticuleuse. *Enzo range **méticuleusement** les timbres de sa collection.*

méticuleux, méticuleuse adjectif
Qui est très soigneux et fait attention aux petits détails. *Stéphane est **méticuleux**, ce travail d'horloger lui convient parfaitement.*
SYN appliqué, minutieux, soigneux.
CONTR négligent.

métier nom masculin
Occupation qui permet de gagner sa vie. *Zachary rêve d'exercer le **métier** de pompier.* * Chercher aussi *profession*. • **Métier à tisser** : machine servant à fabriquer des tissus.

*Un **métier à tisser***

métis, métisse adjectif et nom
❶ Se dit d'une personne née de parents qui ne sont pas de la même origine ethnique. *Sa mère est anglaise, son père est indien, elle est **métisse**. – Les mulâtres sont des **métis**.*
❷ Autochtone du Canada dont les ancêtres sont amérindiens ou inuits et européens. *Louis Riel était un **Métis**.* ✎ Attention ! Le nom, qui désigne les membres de la communauté métisse, s'écrit avec une majuscule. * Attention ! Le *s* du masculin *métis* se prononce.

métrage nom masculin
Longueur en mètres. *Le **métrage** d'un tissu.*
• **Court métrage :** film qui dure entre quelques minutes et un quart d'heure. • **Long métrage :** film qui dure plus d'une heure.

mètre nom masculin
❶ Unité de mesure de longueur. *Zoé mesure un **mètre** vingt.* * Abréviation : ***m***. ❷ Règle ou ruban gradués, d'un mètre de long. *Le menuisier a un **mètre** métallique.* * Chercher aussi *galon*, *ruban* à mesurer*. * Ne pas confondre *mètre* et *maître*.

métrique adjectif
• **Système métrique :** système des poids et mesures qui a pour base le mètre. * Chercher aussi *système impérial**.

métro nom masculin
Chemin de fer électrique des grandes villes, partiellement ou totalement souterrain. *La première ligne du **métro** de Montréal a été inaugurée en octobre 1966.*

métronome nom masculin
Instrument qui marque le rythme quand on étudie un morceau de musique.

Des ***métronomes***

métropole nom féminin
Très grande ville. *Montréal, Toronto, Vancouver sont des **métropoles** du Canada.*

métropolitain, métropolitaine adjectif
De la métropole. *L'autoroute **métropolitaine** traverse d'est en ouest l'île de Montréal.*

mets nom masculin
Aliment servi à table. *La lasagne est mon **mets** préféré.* **SYN** plat.

mettable adjectif
Qui peut être mis. *Ce vieux jean déchiré n'est plus **mettable**.* **SYN** portable.

metteur, metteure nom
• **Metteur en scène, metteure en scène :** personne qui met en scène une pièce de théâtre ou un film.

mettre verbe ▸ conjug. 33
❶ Placer quelque chose ou quelqu'un dans un lieu. *Ma mère **met** des fleurs dans le vase. Ils **ont mis** le chien dans sa cage.* **CONTR** enlever.
❷ Placer sur son corps. *Elle **met** ses chaussures. Bernard **a mis** un tee-shirt.* ❸ Ajouter pour mélanger. *Mon père **met** du sucre dans son café.*
❹ Faire passer dans un autre état. *Anne **met** l'ordinateur en marche. Cette remarque **a mis** Maria en colère.* ❺ Employer de l'argent ou du temps pour quelque chose. *Il **a mis** dix dollars dans la cagnotte. Élodie **met** dix minutes pour aller à l'école.* • **Mettre un enfant au monde :** lui donner naissance. • **Mettre bas :** donner naissance à un petit, en parlant d'un animal. *La jument **a mis bas** hier.* • **Mettre en scène :** diriger le jeu des acteurs, les répétitions, veiller aux décors d'une pièce de théâtre ou d'un film. ■ *se* **mettre** ❶ Se placer dans un lieu ou dans un état. *Elle **s'est mise** près de la fenêtre. Il **s'est mis** à quatre pattes.*
❷ Commencer à faire quelque chose. *Il **s'est mis** à chanter.* ❸ S'habiller. *Elle **s'est mise** en tenue de soirée.* **SYN** se vêtir. • **Se mettre sur son trente-six :** mettre ses plus beaux vêtements. • **Ne plus savoir où se mettre :** être très gêné. • **Se mettre quelqu'un à dos :** le fâcher, s'en faire un ennemi. • **Y mettre du sien :** travailler sans compter, faire des concessions, se montrer conciliant. ♦ Famille du mot : démettre, mettable, metteur, mise, miser, remettre, remise.

① **meuble** adjectif
Facile à labourer. *On plante les légumes dans une terre **meuble**.*

② **meuble** nom masculin
Objet servant à aménager une maison. *Les fauteuils, les chaises, les tables, les lits sont des **meubles**.* ♦ Famille du mot : ameublement, meubler.

a b c d e f g h i j k l **m** n o p q r s t u v w x y z

a b c d e f g h i j k l m n o p q r s t u v w x y z

meubler verbe ▸ conjug. 3
❶ Garnir de meubles. *Cette maison **est meublée** à l'ancienne.* ❷ Au sens figuré, occuper un temps libre. *Elle **meuble** ses soirées en regardant la télévision.* **SYN** occuper.

meuglement nom masculin
Cri émis par les bovins. *Le **meuglement** d'une vache.* **SYN** beuglement, mugissement.

meugler verbe ▸ conjug. 3
Faire entendre des meuglements. *Les vaches, les bœufs et les taureaux **meuglent**.* **SYN** beugler, mugir.

① **meule** nom féminin
❶ Gros cylindre de pierre servant à broyer et à moudre. *Les **meules** du moulin moulent le grain.* ❷ Roue de pierre dure ou d'une matière abrasive qui sert à aiguiser et à polir. *Hussein affûte son couteau à la **meule**.* ❸ Grand fromage en forme de meule. *Une **meule** de cheddar.*

② **meule** nom féminin
Gros tas de foin ou de paille. *Les cultivateurs ont fauché l'herbe et fait des **meules** de foin.*

meunier, meunière nom
Personne qui exploite un moulin et fabrique de la farine.

meurtre nom masculin
Crime qui consiste à tuer quelqu'un volontairement. *Elle est accusée d'avoir commis un **meurtre**.* * Chercher aussi *assassinat*, *homicide*.

meurtrier, meurtrière nom
Personne qui a commis un meurtre. *Le **meurtrier** s'est rendu à la police.* * Chercher aussi *assassin*, *criminel*. ■ **meurtrier, meurtrière** adjectif Qui cause la mort. *Une arme **meurtrière**.*

meurtrière nom féminin
Étroite ouverture dans un mur de fortification. 👁p. 185. * Chercher aussi *créneau*.

meurtrir verbe ▸ conjug. 11
Faire une meurtrissure. *Le collier trop serré **meurtrissait** le cou du chien.*

meurtrissure nom féminin
Trace laissée par un coup ou un choc. *Après le match, le visage du boxeur était couvert de **meurtrissures**.*

meute nom féminin
❶ Troupe de chiens dressés pour poursuivre le gibier ou pour tirer un traîneau. *Le cerf est encerclé par la **meute**.* ❷ Groupe de loups. * Chercher aussi *horde*. ❸ Au sens figuré, groupe de personnes acharnées autour de quelqu'un. *La chanteuse était poursuivie par une **meute** d'admirateurs.*

mexicain, mexicaine adjectif et nom
Du Mexique. *L'art **mexicain**. – Les **Mexicains**, les **Mexicaines**.* ✎ Attention! Le nom, qui désigne les habitants, s'écrit avec une majuscule.

mezzanine nom féminin
Niveau intermédiaire aménagé dans une pièce haute de plafond. *Ils ont construit une **mezzanine**.*

mi nom masculin invariable
Troisième note de musique de la gamme de do.

miaulement nom masculin
Cri du chat.

miauler verbe ▸ conjug. 3
Émettre un miaulement. *Le chat **miaule** à la porte.*

miche nom féminin
Gros pain rond.

Une **mich**

à **mi-chemin** adverbe
À la moitié du chemin. *On s'est aperçus **à mi-chemin** que l'on avait oublié le pique-nique.*

mi-clos, mi-close adjectif
À moitié clos. *Le chien dort les yeux **mi-clos**.*

① **micmac** nom masculin
Dans la langue familière, manigances embrouillées. *Qu'est-ce que c'est encore que ces **micmacs** ?* **SYN** machination.

② **micmac, micmaque** adjectif et nom
De la nation amérindienne des Micmacs. *La langue **micmaque**. – Les **Micmacs**, les **Micmaques**.* 👁carte 5. ✎ Attention! Le nom, qui désigne les membres de la nation micmaque, s'écrit avec une majuscule.

① **micro-** préfixe
Placé au début d'un mot pour former un autre mot, *micro-* signifie «petit» (***micro**climat*, ***micro**scope*).

② **micro** nom masculin
Abréviation de *microphone*. Appareil servant à amplifier ou à enregistrer le son. *Sa voix est assez puissante pour qu'il se passe de **micro**.*

microbe nom masculin
Micro-organisme qui peut être à l'origine de maladies contagieuses. *Les **microbes** ne sont visibles qu'au microscope.* * Chercher aussi *bactérie*, *germe*, *virus*.

microbien, microbienne adjectif
Qui est dû à un microbe. *Les antibiotiques sont efficaces contre les maladies **microbiennes**.*

microclimat nom masculin
Climat propre à une zone de très faible étendue. *Il y a plusieurs **microclimats** en Colombie-Britannique.*

micronésien, micronésienne
➔Voir tableau, p. 1319.

micro-ondes nom masculin invariable
Four qui permet de cuire, de réchauffer ou de décongeler rapidement des aliments. *Un (four à) **micro-ondes** très performant.* ✎ On peut écrire aussi *un **microonde***, *des **microondes***.

micro-ordinateur nom masculin
Petit ordinateur. ✎ Pluriel : *des **micro-ordinateurs***. ✎ On peut écrire aussi ***microordinateur***.

micro-organisme nom masculin
Être vivant microscopique. *Les bactéries et les microbes sont des **micro-organismes**.* ✎ On peut écrire aussi ***microorganisme***.

microphone ➔Voir ② **micro**

microprocesseur nom masculin
Partie d'un micro-ordinateur qui effectue les calculs nécessaires à son fonctionnement.

microscope nom masculin
Instrument d'optique permettant d'observer des objets très petits ou invisibles à l'œil nu. *Alex a vu des globules blancs au **microscope**.* 👁p. 575.

Un **microscope**

microscopique adjectif
❶ Qui n'est visible qu'au microscope. *Le plancton est composé d'organismes **microscopiques**.* ❷ Qui est minuscule. *Son écriture **microscopique** est illisible.*

midi nom masculin
Milieu du jour correspondant à la douzième heure. *Les douze coups de **midi** ont sonné au clocher du village.* • **Chercher midi à quatorze heures** : chercher des difficultés là où il n'y en a pas, compliquer les choses.

mie nom féminin
Partie molle du pain. *Cédric mange la **mie** et laisse la croûte.*

miel nom masculin
Substance sucrée que les abeilles fabriquent avec le nectar des fleurs. *Au déjeuner, Federica a mis du **miel** sur ses rôties.*

Du **miel**

mielleux, mielleuse adjectif
D'une douceur hypocrite. *Il m'a remercié sur un ton **mielleux**.*

le **mien**, *la* **mienne** pronom
Pronom possessif qui réfère à un possesseur à la première personne du singulier, qui désigne ce qui est à moi, ce qui m'appartient. *À qui est cette casquette ? C'est **la mienne** !* * Chercher aussi *tien*, *sien*, *nôtre*, *vôtre*. ■ *les* **miens** nom masculin pluriel Mes parents, ma famille. *Je vais retrouver **les miens**.*

miette nom féminin
❶ Petite parcelle de pain ou de gâteau qui se détache. *Francis jette des **miettes** de pain aux moineaux.* ❷ Petit morceau de quelque chose. *Le verre s'est cassé en mille **miettes**.*

mieux adjectif
Meilleur, plus convenable, plus agréable. *Cette chemise est **mieux** que l'autre.* ■ **mieux** nom masculin Ce qui est le meilleur. *C'est le **mieux** que l'on puisse faire.* • **Pour le mieux** : le mieux possible. *Tout va **pour le mieux**.* • **Au mieux** : dans le meilleur des cas. ***Au mieux**, je vais arriver à l'heure du souper.* • **Faire de son mieux** : aussi bien que l'on peut. ■ **mieux** adverbe D'une meilleure façon. *Alan peut **mieux** faire.* • **Mieux vaut tard que jamais** : il est préférable d'être un peu en retard que de ne pas venir du tout. • **Aller mieux** : être en meilleure santé. • **Valoir mieux** : être préférable. *Il **vaut mieux** faire demi-tour.* • **Tant mieux !** : c'est bien !

mignon, mignonne adjectif
Charmant, joli. *Qu'il est **mignon**, ce chaton !* **SYN** adorable, ravissant.

migraine nom féminin
Mal de tête. *Ce bruit incessant m'a donné la **migraine**.*

a b c d e f g h i j k l m n o p q r s t u v w x y z

migrateur, migratrice adjectif
Qui fait des migrations. *Les bernaches sont des oiseaux **migrateurs**.*

migration nom féminin
❶ Déplacement de certains animaux vers des lieux déterminés, à certaines saisons. *La **migration** des oies blanches vers le sud annonce l'hiver.* ❷ Déplacement d'une personne ou d'un groupe d'une région à une autre pour s'y établir. *Depuis la découverte de l'Amérique, il y a eu des **migrations** successives vers ce continent.* ♦ Famille du mot: émigrant, émigration, émigré, émigrer, immigrant, immigration, immigré, immigrer, migrateur.

mijoter verbe ▸ conjug. 3
❶ Cuire à petit feu. *La sauce à spaghettis **mijote** sur la cuisinière.* ❷ Dans la langue familière, préparer quelque chose en secret. *Vous, vous **mijotez** un mauvais coup!* **SYN** comploter, tramer.

mil nom masculin
Céréale à petits grains cultivée dans les pays tropicaux. *Cette paysanne africaine écrase les grains de **mil** pour en faire des galettes.*

milice nom féminin
Troupe de volontaires qui remplacent ou aident la police ou l'armée.

milieu, milieux nom masculin
❶ Point situé à égale distance des extrémités d'une chose ou d'un lieu. *Juan a lancé la fléchette au beau **milieu** de la cible.* **SYN** centre. ❷ Période située à égale distance du début et de la fin. *Joëlle s'est réveillée au **milieu** de la nuit.* ❸ Entourage, groupe social d'une personne. *Il vient d'un **milieu** ouvrier.* ❹ Endroit dans lequel vit un être vivant. *Le **milieu** naturel des singes est la jungle.* **SYN** environnement. • **Au milieu de:** parmi. *Salma a trouvé une limace **au milieu des** buissons.* **SYN** dans.

militaire adjectif
De l'armée. *Un camion **militaire**.* ■ **militaire** nom Membre de l'armée. *Les soldats, les sous-officiers et les officiers sont des **militaires**.*

militant, militante nom
Personne qui milite. *La mère de Coralie est une **militante** syndicale.*

militer verbe ▸ conjug. 3
Lutter activement pour une cause ou un parti. *Il **milite** dans un parti politique.*

millage nom masculin
Nombre de milles parcourus. * Aujourd'hui, on parle de *kilométrage*, et non plus de *millage*.

① **mille** adjectif invariable
❶ Dix fois cent. *Cette montagne océanique a plus de **mille** mètres de hauteur.* ❷ Un très grand nombre. *Il faut lui répéter **mille** fois la même chose.* ♦ Famille du mot: millénaire, milliard, milliardaire, millième, millier, milligramme, millilitre, millimètre, millimétrique, million, millionnaire.

② **mille** nom masculin
Dans le système impérial, mesure de longueur qui vaut 1610 m environ. * Chercher aussi ② *livre*, ② *pied*, ② *pouce*, ② *verge*.

millefeuille nom masculin
Gâteau formé de nombreuses couches de pâte feuilletée et de crème.

millénaire adjectif
Qui existe depuis au moins mille ans. *Une tradition **millénaire**.* ■ **millénaire** nom masculin Période de mille ans. *On a amorcé le troisième **millénaire** en 2001.*

mille-pattes nom masculin invariable
Petit animal invertébré au corps composé d'anneaux. *Les **mille-pattes** ont au minimum vingt et une paires de pattes.* ✎ On peut écrire aussi *un **millepatte**, des **millepattes***.

Un **mille-pattes**

millet nom masculin
Céréale aux graines petites et nombreuses, cultivée en Afrique et en Asie. *William a acheté du **millet** pour ses perruches.* * Attention! Les deux *l* du mot *millet* se prononcent comme dans *fille*.

milli- préfixe
Placé devant le nom d'une unité de mesure, *milli-* divise par mille cette unité de mesure (***milli**mètre* = un millième de mètre).

milliard nom masculin
Mille millions. *Il y a des **milliards** d'étoiles dans le ciel.*

milliardaire adjectif et nom
Qui est extrêmement riche. *Elle est **milliardaire**. – Ce **milliardaire** possède plusieurs propriétés.* * Chercher aussi *millionnaire*.

millième adjectif et nom
Qui occupe le rang numéro mille. *Le **millième** abonné aura droit à un cadeau.* ■ **millième**

nom masculin Ce qui est contenu mille fois dans un tout. *Cet appareil prend des photos au **millième** de seconde.*

millier nom masculin
❶ Environ mille. *Un **millier** de dollars.* ❷ Très grand nombre. *Les spectateurs arrivaient par **milliers**.*

milligramme nom masculin
Millième partie du gramme. * Abréviation : ***mg***.

millilitre nom masculin
Millième partie du litre. * Abréviation : ***ml***.

millimètre nom masculin
Millième partie du mètre. * Abréviation : ***mm***.

millimétrique adjectif
• **Papier millimétrique :** papier quadrillé par des lignes qui sont espacées d'un millimètre. * On dit également ***millimétré***.

million nom masculin
Mille fois mille. *Elle a gagné un **million** de dollars à la loterie.*

millionnaire adjectif et nom
Qui est très riche. *Cet homme est **millionnaire**. – Une **millionnaire** extravagante.* * Chercher aussi *milliardaire*.

mime nom
Comédien qui s'exprime uniquement par des gestes, des attitudes et des expressions, sans parler. *Le **mime** a imité le policier, la grand-mère et le bébé.* ♦ Famille du mot : mimer, mimétisme, mimique. * Chercher aussi *pantomime*.

*Un **mime***

mimer verbe ▸ conjug. 3
Imiter seulement par des gestes, des attitudes et des expressions du visage. *Laura a fait rire toute la classe en **mimant** le directeur.*

mimétisme nom masculin
❶ Imitation inconsciente du comportement d'autrui. *Camila reproduit le ton de voix de sa mère par **mimétisme**.* ❷ Aptitude de certains animaux à prendre la couleur de leur environnement. *Le **mimétisme** du caméléon le protège de ses ennemis.*

mimique nom féminin
Geste ou expression du visage représentant un sentiment. *Samuel a raconté son aventure avec des **mimiques** irrésistibles.*

minable adjectif et nom
Dans la langue familière, médiocre. *On a déjeuné dans un restaurant plutôt **minable**. – Quelle bande de **minables** !*

minaret nom masculin
Haute tour d'une mosquée. *Du haut du **minaret**, le muezzin appelle les fidèles à la prière cinq fois par jour.*

minauder verbe ▸ conjug. 3
Faire des manières en parlant, chercher à plaire. *Ashley **minaude** quand elle demande quelque chose à ses parents.*

mince adjectif
❶ De peu d'épaisseur. *J'ai coupé une pomme en tranches **minces**.* **SYN** fin. **CONTR** épais. ❷ Qui n'est pas gros. *Guido est **mince** mais pas maigre.* **SYN** élancé, svelte. **CONTR** gros. ❸ Peu important. *Les renseignements que nous avons trouvés sont plutôt **minces**.* **SYN** maigre. ♦ Famille du mot : amincir, amincissant, minceur.

minceur nom féminin
Fait d'être mince.

① **mine** nom féminin
❶ Aspect du visage. *Tu as mauvaise **mine**, es-tu malade ?* ❷ Aspect extérieur de quelqu'un ou de quelque chose. *Sa **mine** ne m'inspire pas confiance.* • **Avoir bonne mine :** paraître en pleine forme. • **Faire mine :** faire semblant. • **Mine de rien :** sans en avoir l'air, comme si de rien n'était. **SYN** minauder. ♦ Famille du mot : minauder, minois.

② **mine** nom féminin
Endroit du sol où l'on creuse des galeries pour extraire du charbon ou des minerais. *Une **mine** de diamants. Une **mine** d'or.* ♦ Famille du mot : minerai, ① mineur, minier.

③ **mine** nom féminin
Fin cylindre gris ou coloré d'un crayon. *La **mine** de mon crayon est cassée.*

④ **mine** nom féminin
Engin explosif. *La jeep a sauté sur une **mine**.*

a b c d e f g h i j k l m n o p q r s t u v w x y z

miner verbe ▶ conjug. 3
❶ Enterrer des mines quelque part. ***Miner*** *une route.* ❷ Au sens figuré, détruire progressivement. *La maladie de sa femme* ***mine*** *son moral.* **SYN** ronger.

minerai nom masculin
Roche d'où l'on peut extraire un métal. *Le sous-sol de cette région est riche en* ***minerai*** *de fer.*

minéral, minérale, minéraux adjectif
Qui fait partie des minéraux. *Le granit et le sable sont des matières* ***minérales***.
• **Le règne minéral :** l'ensemble des minéraux.
• **Eau minérale :** eau qui contient des minéraux. ■ **minéral, minéraux** nom masculin Matière sans vie qui entre dans la composition des roches. *Le calcaire, le mica sont des* ***minéraux***. * Chercher aussi *animal, végétal.*

minéralogie nom féminin
Science des minéraux. *En nous montrant sa collection de pierres, Marianne nous a donné une leçon de* ***minéralogie***.

minet, minette nom
Dans la langue familière, chat.

① **mineur, mineuse** nom
Personne qui travaille dans une mine. *Les* ***mineurs*** *descendent au fond de la mine.*

② **mineur, mineure** adjectif
Qui a très peu d'importance. *Ces informations sont d'un intérêt* ***mineur***. **SYN** secondaire. **CONTR** majeur. ■ **mineur, mineure** adjectif et nom Qui n'a pas encore dix-huit ans, l'âge de la majorité au Canada. Cet enfant est encore ***mineur***. **CONTR** majeur. – *Les* ***mineurs*** *n'ont pas le droit de voter.*

mini- préfixe
Placé au début d'un mot pour former un autre mot, *mini-* signifie « petit », « très court » (***minigolf***, ***minijupe***).

miniature nom féminin
Tableau de très petites dimensions. *Son médaillon contient une* ***miniature*** *peinte à la main.* ■ **miniature** adjectif De petit format. *Des avions, des autos* ***miniatures***. * Chercher aussi *modèle* réduit.*

miniaturiser verbe ▶ conjug. 3
Réduire le plus possible les dimensions de quelque chose. *On a réussi à* ***miniaturiser*** *toutes sortes d'appareils.*

minier, minière adjectif
Qui concerne les mines. *On extrait beaucoup de fer dans cette région* ***minière***.

minigolf nom masculin
Golf miniature.

minijupe nom féminin
Jupe très courte.

minimal, minimale, minimaux adjectif
Qui atteint un minimum. *Les températures* ***minimales*** *sont supérieures à la moyenne saisonnière.* **SYN** minimum. **CONTR** maximal.

minime adjectif
Très petit. *Il y a une différence* ***minime*** *entre l'original et la copie du tableau.* **SYN** infime. **CONTR** considérable, énorme.

minimiser verbe ▶ conjug. 3
Réduire l'importance de quelque chose. *Il a tenté de* ***minimiser*** *sa responsabilité.*

minimum nom masculin
Le moins possible. *Il travaille peu, on peut dire qu'il en fait le* ***minimum***. **CONTR** maximum. ■ **minimum** adjectif Minimal. *Sur l'autoroute, la vitesse* ***minimum*** *permise est de 60 km/h.*
✎ Pluriel : (*des*) ***minimums*** ou (*des*) ***minima***.
* Attention ! L'adjectif *minimum* est invariable en genre. * Attention ! La dernière syllabe du mot *minimum* se prononce *mome*.

ministère nom masculin
❶ Division administrative de l'État qui se trouve sous la responsabilité d'un ministre. *Le* ***ministère*** *de la Santé et des Services sociaux.* ❷ Bâtiment où travaillent un ministre et son équipe. *Les manifestants se sont rassemblés devant le* ***ministère*** *des Affaires indiennes et du Nord Canada.*

ministériel, ministérielle adjectif
Du ministre ou du ministère. *La fonction* ***ministérielle***.

ministre nom
Membre du gouvernement qui dirige un ministère. *Le* ***ministre*** *de la Justice. La* ***ministre*** *du Travail.* * Chercher aussi *cabinet, gouvernement, politique*. ♦ Famille du mot : ministère, ministériel.

minois nom masculin
Visage frais et agréable d'un enfant ou d'une jeune fille. *Cette fillette a un charmant* ***minois***. **SYN** frimousse.

minoritaire adjectif
Qui appartient à la minorité. *Seize garçons et onze filles : les filles sont **minoritaires** dans la classe.* **CONTR** majoritaire.

minorité nom féminin
❶ Le plus petit nombre. *Dans la famille de Daniela, il y a une **minorité** de garçons.* **CONTR** majorité. ❷ Période pendant laquelle une personne est mineure. *Au Canada, la **minorité** va jusqu'à dix-huit ans.* **CONTR** majorité.

minou nom masculin
Nom familier du chat.

minoucher verbe ▸ conjug. 3
Dans la langue familière, flatter, caresser.

minuit nom masculin
Instant où un jour finit et où le suivant commence. ***Minuit** est la fin de la vingt-quatrième heure (24 h ou 0 h).*

minuscule adjectif
Très petit. *Dans le ciel, les étoiles paraissent **minuscules**.* **SYN** microscopique. **CONTR** énorme, gigantesque, immense. ■ **minuscule** nom féminin et adjectif Forme particulière d'une lettre plus petite que la majuscule. *En français, les noms communs commencent par une **minuscule**, les noms propres par une majuscule. – Commence ton mot avec un « b » **minuscule**.* **CONTR** capitale, majuscule.

minute nom féminin
❶ Unité de mesure du temps. *Une **minute** vaut soixante secondes, et il y a soixante **minutes** dans une heure.* ❷ Temps très court. *J'en ai pour une **minute**.* **SYN** instant. * Abréviation : ***min***. ♦ Famille du mot : minuter, minuterie.

minuter verbe ▸ conjug. 3
Définir avec précision la durée d'une activité, organiser un horaire à la minute près. *L'enseignante **minute** chacune des présentations orales.*

minuterie nom féminin
Dispositif qui éteint automatiquement l'électricité après un temps déterminé. *La **minuterie** d'un four.*

minutie nom féminin
Grand soin et grande précision dans les plus petits détails. *Le métier de chirurgien exige de la **minutie**.* ♦ Famille du mot : minutieusement, minutieux.

minutieusement adverbe
De façon minutieuse. *Martin monte ses maquettes très **minutieusement**.* **SYN** méticuleusement, soigneusement.

minutieux, minutieuse adjectif
Qui fait preuve de minutie. *Il faut être **minutieux** pour pouvoir construire des modèles réduits.* **SYN** méticuleux, soigneux.

mirabelle nom féminin
Petite prune jaune et parfumée. *De la confiture de **mirabelles**.*

Des ***mirabelles***

miracle nom masculin
❶ Phénomène extraordinaire expliqué par une intervention de Dieu ou d'un saint. *D'après les chrétiens, le Christ pouvait faire des **miracles**.* ❷ Fait à peine croyable tellement il est inattendu. *Par **miracle**, il n'a pas été blessé dans l'accident.*

miraculeux, miraculeuse adjectif
❶ Qui est dû à un miracle. *On dit que, dans ce lieu de pèlerinage, la guérison de certains malades est **miraculeuse**.* ❷ Qui est tout à fait extraordinaire. *C'est **miraculeux** qu'il ait guéri si vite !* **SYN** extraordinaire. **CONTR** naturel.

mirage nom masculin
Phénomène optique des déserts, causé par la chaleur de l'air. *Les **mirages** donnent parfois l'illusion de voir une nappe d'eau à l'horizon.*

mire nom féminin
• **Être le point de mire :** être l'objet de tous les regards, le centre d'intérêt.

se **mirer** verbe ▸ conjug. 3
Dans la langue littéraire, se refléter. *Les lumières **se miraient** dans la mer.*

mirobolant, mirobolante adjectif
Extraordinaire au point d'en être incroyable. *Il a hérité une somme **mirobolante**.* **SYN** fabuleux.

miroir nom masculin
Surface polie qui reflète les images. *Le **miroir** me renvoie mon image.* **SYN** glace. ♦ Famille du mot : mirage, mire, se mirer, miroitement, miroiter.

a b c d e f g h i j k l m n o p q r s t u v w x y z

miroitement nom masculin
Éclat d'une surface qui miroite. *Aurélie contemple le **miroitement** du lac au soleil couchant.* SYN scintillement.

miroiter verbe ▸ conjug. 3
Réfléchir la lumière du soleil avec des reflets changeants. *Le lac **miroite** au soleil.* SYN scintiller. • **Faire miroiter quelque chose à quelqu'un :** lui faire entrevoir un avantage possible.

misanthrope nom et adjectif
Qui déteste les gens, est peu sociable. *Ce **misanthrope** vit dans une maison isolée.* CONTR philanthrope. – *Ses malheurs l'ont rendu **misanthrope**.* CONTR sociable. * Chercher aussi *misogyne*.

mise nom féminin
❶ Action de mettre. *La **mise** à feu de la navette aura lieu ce matin.* ❷ Argent ou jetons que l'on joue. *Mia a récupéré toute sa **mise**.* • **Mise au jeu :** action de deux joueurs adverses qui tentent de s'emparer de la rondelle ou du ballon en début de partie ou lors d'une reprise après son interruption. • **Mise en échec :** au hockey, contact du haut du corps d'un joueur avec un joueur adverse pour lui faire perdre la rondelle ou l'empêcher d'avancer.

miser verbe ▸ conjug. 3
Mettre une mise. *Notre voisin **a misé** sur le cheval gagnant.* SYN gager, parier.

misérable adjectif
❶ Qui est très pauvre et pitoyable. *Ils habitent un quartier **misérable**.* ❷ Qui est insignifiant et sans importance. *Allez-vous vous fâcher pour une **misérable** histoire d'argent ?* SYN malheureux. * Attention ! Dans ce sens, *misérable* se place devant le nom. ■ **misérable** nom Personne malheureuse. *Ces **misérables** reçoivent un peu d'assistance.* SYN miséreux.

misérablement adverbe
De façon misérable. *Cette famille nombreuse vit **misérablement**.*

misère nom féminin
❶ État d'extrême pauvreté. *Ce grand musicien est mort dans la **misère**.* SYN dénuement. CONTR aisance, opulence, richesse. ❷ Évènement malheureux dont on souffre. *Anna raconte ses petites **misères** à sa mère.* • **Avoir de la misère :** dans la langue familière, avoir de la difficulté. *Stéphanie **a de la misère** à voir la route quand elle conduit le soir.* • **Manger de la misère :** dans la langue familière, avoir de la difficulté à joindre les deux bouts ; subir des épreuves. *Il **a mangé de la misère** avant que son talent soit reconnu.* ♦ Famille du mot : misérable, misérablement, miséreux.

miséreux, miséreuse adjectif et nom
Qui vit dans la misère. Une femme ***miséreuse***. SYN misérable. – *Des **miséreux** dormaient dans la rue par grand froid.*

miséricorde nom féminin
Compassion pour autrui qui pousse à pardonner.

misogyne adjectif et nom
Qui méprise les femmes. *Une opinion **misogyne**.* – *Quel **misogyne** !* * Chercher aussi *misanthrope*.

missel nom masculin
Livre contenant les prières et les chants de la messe.

missile nom masculin
Fusée munie d'une bombe que l'on peut guider vers un point précis. *L'avion a été abattu par un **missile**.*

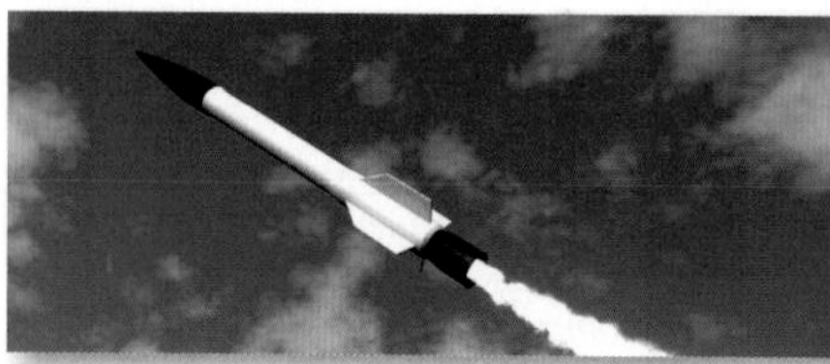

*Un **missile***

mission nom féminin
❶ Charge confiée à quelqu'un de faire quelque chose. *On m'a confié la **mission** de prévenir tous les amis.* SYN tâche. ❷ Groupe de personnes auxquelles une charge est confiée. *Elle participe à une **mission** archéologique en Égypte.* ❸ Organisation de missionnaires. ✎ Attention ! Au sens 3, ce mot s'écrit avec une majuscule.

missionnaire nom
Religieux envoyé pour propager l'Évangile en diverses contrées de la Terre. *Un de mes oncles est **missionnaire** en Afrique.*

missive nom féminin
Dans la langue littéraire, lettre. *Elle lisait patiemment cette interminable **missive**.*

mitaine nom féminin
❶ Gros gant qui recouvre la main sans séparation entre les doigts, sauf pour le pouce. *Elle a des **mitaines** assorties à sa tuque.* SYN moufle. ❷ Gant qui ne couvre pas le bout des doigts. *Sur cette photo, Antoine porte des **mitaines** multicolores.*

mite nom féminin
Insecte dont les larves attaquent la laine, la soie et les fourrures. *Ce costume est mangé par les **mites**.*

Une ***mite***

mi-temps nom féminin invariable
❶ Temps de repos entre les deux parties d'un match. *À la **mi-temps**, le pointage était de 3 à 0.* ❷ Chacune des deux parties d'un match. *Notre équipe a fait une remontée fulgurante pendant la deuxième **mi-temps**.* • **À mi-temps:** pendant la moitié du temps normal, à temps partiel. *Travailler **à mi-temps**.*

miteux, miteuse adjectif
D'aspect misérable. *Il a trouvé une chambre dans un hôtel **miteux**.* **SYN** minable. **CONTR** ① chic, luxueux.

mitigé, mitigée adjectif
Qui présente des réserves. *La critique a fait un accueil **mitigé** à ce film.* **SYN** incertain, nuancé.

mitoyen, mitoyenne adjectif
Qui sépare deux choses et leur est commun. *Les maisons jumelées ont un mur **mitoyen**.*

mitraille nom féminin
Décharge de projectiles d'armes à feu. *Les soldats montaient à l'assaut sous la **mitraille**.*

mitrailler verbe ▸ conjug. 3
❶ Tirer des rafales de projectiles. *L'aviation ennemie **mitraille** le régiment d'infanterie.* * Chercher aussi *canonner*. ❷ Dans la langue familière, photographier sous tous les angles. *Les photographes **ont mitraillé** la princesse.* ♦ Famille du mot: mitraille, mitraillette, mitrailleur, mitrailleuse.

mitraillette nom féminin
Arme automatique portative qui tire par rafales. *Des soldats armés de **mitraillettes**.*

mitrailleur adjectif masculin
Se dit d'un fusil ou d'un pistolet qui tire par rafales. *Un pistolet **mitrailleur**.*

mitrailleuse nom féminin
Arme automatique à tir en rafales, que l'on pose sur le sol ou que l'on fixe sur un véhicule.

mitre nom féminin
Haute coiffure triangulaire. *Les évêques portent une **mitre** lors des grandes cérémonies.*

Une ***mitre***

à **mi-voix** adverbe
En baissant la voix. *Emilio fredonne une chanson **à mi-voix**.*

mixte adjectif
❶ Qui comprend des personnes des deux sexes. *Notre équipe de hockey est **mixte**: filles et garçons en font partie.* ❷ Qui est fait de deux ou plusieurs éléments de nature différente. *Un système de chauffage **mixte**.*

mixture nom féminin
Mélange peu appétissant. *Cette boisson est composée d'une affreuse **mixture**.*

mobile adjectif
❶ Qui peut bouger ou être déplacé. *Une équipe **mobile** de sécurité.* **CONTR** fixe. ❷ Qui peut changer de valeur ou de date. *Noël est une fête fixe (le 25 décembre), Pâques est une fête **mobile** (la date change chaque année).* • **Feuille mobile:** feuille de papier qui n'est pas attachée à un bloc. **SYN** feuille volante*.

Un ***mobile***

■ **mobile** nom masculin ❶ Ce qui pousse à agir. *L'enquêteuse s'interroge sur le **mobile** du crime.* **SYN** cause, motif, raison. ❷ Objet décoratif dont les pièces légères, suspendues par des fils, peuvent bouger mécaniquement ou sous l'effet des courants d'air. *Ma mère a acheté un **mobile** pour la chambre du bébé.* ♦ Famille du mot: démobiliser, immobile, immobilier, immobilisation, immobiliser, immobilité, mobilier, mobilisation, mobiliser, mobilité.

mobilier nom masculin
Ensemble des meubles d'un logement. *Véronique a acheté son **mobilier** au marché aux puces.* **SYN** ameublement. ■ **mobilier, mobilière** adjectif • **Biens mobiliers:** biens qui peuvent se transporter, comme les meubles, les vêtements, etc. **CONTR** immobilier.

mobilisation nom féminin
Action de mobiliser. *Ce pays a décrété la **mobilisation** générale.* * Chercher aussi *conscription*. *La **mobilisation** des jeunes du village a permis de nettoyer les berges de ce cours d'eau.*

a b c d e f g h i j k l m n o p q r s t u v w x y z

mobiliser verbe ▶ conjug. 3
❶ Appeler les hommes et les femmes à l'armée en cas de guerre. **CONTR** démobiliser. ❷ Appeler à l'action et à la participation. *L'enseignante d'éducation physique **mobilise** les élèves pour participer aux olympiades.*

mobilité nom féminin
Possibilité de bouger ou de se déplacer. *Olivier a une **mobilité** réduite depuis son accident.*

mocassin nom masculin
❶ Chaussure d'origine amérindienne, faite de peau non tannée, sans semelle rigide. ❷ Chaussure basse, souple et sans lacets.

moche adjectif
Dans la langue familière, laid. *Cette coiffure est vraiment **moche**.* **SYN** vilain. **CONTR** beau, joli.

① **mode** nom masculin
❶ Manière de faire. • **Mode d'emploi :** notice qui précise les instructions d'utilisation d'un produit, d'un appareil, etc. ❷ Chacune des cinq manières dont le verbe peut se présenter. *L'indicatif, le subjonctif, l'impératif, l'infinitif et le participe sont les **modes** du verbe en français. « Écoutez-moi » est une phrase dont le verbe est au **mode** impératif.*

② **mode** nom féminin
Manière changeante de penser, de se vêtir, propre à une époque. *Ce genre de pantalon n'est plus à la **mode** cette année.*

modelage nom masculin
Action de modeler. *Yasmine a appris à faire du **modelage** à la garderie.* 👁p. 74.

modèle nom masculin
❶ Ce que l'on veut imiter, copier. *Ce portrait ne ressemble pas au **modèle**.* ❷ Ce qui mérite d'être imité. *Cet enfant est un **modèle** de sagesse.* • **Prendre modèle sur quelqu'un :** prendre exemple sur lui. ❸ Objet reproduit en de nombreux exemplaires. *Ce **modèle** de voiture s'est vendu à des millions d'exemplaires.* • **Modèle réduit :** reproduction d'un objet en miniature. *Construire des **modèles réduits** de bateaux.* **SYN** maquette. ♦ Famille du mot : modelage, modeler, modélisme, modéliste.

modeler verbe ▶ conjug. 8
Façonner une matière molle pour faire un objet. ***Modeler** un vase.* • **Pâte à modeler :** matériau malléable et coloré dont les enfants se servent pour fabriquer des formes. *Mélanie a fait des figurines en **pâte à modeler**.* 👁p. 74.

Modélisme

modélisme nom masculin
Fabrication de modèles réduits. *Hugo fait du **modélisme** avec son père, ils ont déjà construit la tour Eiffel.*

modéliste nom
❶ Personne qui dessine des modèles pour la mode. *Il est **modéliste** dans le prêt-à-porter.* ❷ Personne qui fabrique des modèles réduits.

modérateur, modératrice adjectif
Qui a tendance à modérer les excès des autres. *Dans la classe, Sacha joue un rôle **modérateur** par son calme et sa gentillesse.* ■ **modérateur modératrice** nom Personne qui modère les excès des autres. *La **modératrice** du débat attribue les tours de parole.*

modération nom féminin
Comportement modéré. *Les grévistes ont fait preuve de **modération** dans leurs revendications.* **SYN** mesure. **CONTR** abus, excès.

modéré, modérée adjectif
Qui reste dans une juste mesure. *Olga est très **modérée** dans ses paroles, elle ne choque jamais personne.* **SYN** pondéré, raisonnable. **CONTR** excessif. ■ **modéré, modérée** adjectif et nom Dont les opinions politiques sont éloignées des extrêmes. **CONTR** extrémiste.

modérer verbe ▶ conjug. 8
Réduire l'intensité ou l'excès de quelque chose. *Pour équilibrer son budget, il doit **modérer** ses dépenses.* **SYN** réfréner, tempérer. ✎ On peut écrire aussi, au futur, *tu **modèreras*** ; au conditionnel, *il **modèrerait***. ♦ Famille du mot : modérateur, modération, modéré.

moderne adjectif
De notre époque ou d'une époque récente. *Les électroménagers de cette cuisine sont très **modernes**.* **SYN** contemporain. **CONTR** ancien, vieux. *Des idées **modernes**.* **CONTR** archaïque, arriéré, démodé, rétrograde. ♦ Famille du mot : modernisation, moderniser.

modernisation nom féminin
Action de moderniser. *La **modernisation** d'un procédé de fabrication.*

moderniser verbe ▶ conjug. 3
Rendre plus moderne en intégrant les innovations les plus récentes. *Le dentiste **a modernisé** ses équipements.*

modeste adjectif
❶ Qui ne se vante pas de ses succès. *Cette athlète est très douée, mais c'est une fille*

modeste. **SYN** discret, humble. **CONTR** prétentieux, vaniteux. ❷ Qui est simple, sans luxe. *Ils habitent un logement* ***modeste***. ❸ Peu important. *Son père gagne un salaire* ***modeste***. **SYN** faible, limité. ♦ Famille du mot : modestement, modestie.

modestement adverbe
De façon modeste. *Malgré sa célébrité, ce musicien vit* ***modestement***. **SYN** simplement.

modestie nom féminin
Qualité d'une personne modeste. *Par* ***modestie***, *elle n'aime pas parler de ses succès.* **SYN** humilité. **CONTR** orgueil, prétention, vanité.

modification nom féminin
Action de modifier quelque chose. *L'architecte a fait de nombreuses* ***modifications*** *au plan d'origine.* **SYN** changement, transformation.

modifier verbe ▸ conjug. 10
❶ Changer une chose sans la transformer complètement. *Nous* ***avons modifié*** *la bibliothèque en y ajoutant des tablettes.* ❷ Préciser le sens d'un autre mot. *L'adverbe « très »* ***modifie*** *l'adjectif « aimable » dans l'exemple « Ma voisine est très aimable ».*

modique adjectif
De peu de valeur. *J'ai acheté cette lampe pour une somme* ***modique***. **SYN** faible.

modulation nom féminin
Variation d'un son en hauteur et en intensité. *Les* ***modulations*** *du chant du merle.*

module nom masculin
Élément qui se combine avec d'autres pour constituer un ensemble. *Assembler les différents* ***modules*** *d'un meuble en prêt-à-monter.*

moduler verbe ▸ conjug. 3
Émettre un son en faisant des modulations. *La cantatrice* ***module*** *un chant plaintif.*

moelle nom féminin
Substance molle et grasse qui se trouve à l'intérieur de certains os. *Mon chien raffole de la* ***moelle*** *de cet os.* • **Moelle épinière :** substance qui part du cerveau et assure le passage de l'influx nerveux vers les différentes parties du corps.

moelleux, moelleuse adjectif
Qui est mou et doux au toucher. *Elle adore s'enfoncer dans des coussins* ***moelleux***. **SYN** douillet. **CONTR** dur, raide.

mœurs nom féminin pluriel
Mode de vie et habitudes d'une personne, d'une société ou d'une espèce animale. *Cet ethnologue a étudié longtemps les* ***mœurs*** *des Jivaros d'Amazonie.* ✱ Attention ! Le *s* du mot *mœurs* peut se prononcer ou non.

mohair nom masculin
Laine soyeuse faite avec du poil de chèvre angora. *Un chandail en* ***mohair***.

mohawk adjectif et nom
De la nation amérindienne des Mohawks. *Un territoire* ***mohawk***. – *Les* ***Mohawks***. 👁carte 5. ✎ Attention ! Le nom, qui désigne les membres de la nation mohawk, s'écrit avec une majuscule.

moi pronom
Pronom personnel de la première personne du singulier qui sert à renforcer le sujet « je » ou à compléter le verbe. ***Moi***, *je préfère la couleur bleue. Je vous propose de venir chez* ***moi***.

moignon nom masculin
Ce qu'il reste d'un membre amputé. *Après son accident, on a dû lui couper le bras ; il n'a plus qu'un* ***moignon***.

moindre adjectif
Plus petit. *Il n'accepte pas la* ***moindre*** *critique.*

moine nom masculin
Religieux qui vit en communauté, à l'écart du monde. *Dans le temple, les* ***moines*** *ont prié toute la nuit.*

Un **moineau**

moineau, moineaux nom masculin
Petit oiseau brun et beige, très courant dans les villes et les campagnes. *Des* ***moineaux*** *pépient dans les arbres.*

moins adverbe
Sert à exprimer une quantité ou un degré inférieurs. *Il pèse* ***moins*** *de trente kilos. Mon sac à dos est* ***moins*** *lourd que le tien.* **CONTR** plus. • **À moins de** ou **à moins que :** sauf dans tel cas. *Nous allons rater le début du film,* ***à moins de*** *nous dépêcher,* ***à moins que*** *nous nous dépêchions.* • **Au moins :** au minimum. *Le trajet dure* ***au moins*** *deux heures.* **CONTR** au maximum, au plus.

• **Du moins :** en tout cas, de toute façon. *Nous nous verrons demain, **du moins** je l'espère.* • **Le moins :** sert à désigner le minimum, le degré le plus bas. *Ce qu'elle aime **le moins**, c'est ranger sa chambre.* • **Pas le moins du monde :** pas du tout. ■ **moins** préposition
❶ Sert à exprimer une soustraction. *Dix **moins** huit égale deux (10 – 8 = 2).* ❷ Sert à désigner un nombre négatif. *La météorologue annonce que la température descendra jusqu'à **moins** vingt-cinq degrés.*

mois nom masculin
Chacune des douze parties de l'année. *Le **mois** de janvier est le premier **mois** de l'année.*

moisi, moisie adjectif
Qui est couvert de moisissures. *Ne mange pas ce pain, il est **moisi**.* ■ **moisi** nom masculin
Ce qui est moisi. *Cette pièce est très humide, elle sent le **moisi**.* SYN moisissure.

moisir verbe ▸ conjug. 11
❶ Se couvrir de moisissures. *Tout **a moisi** dans la cave à cause de l'humidité.* ❷ Dans la langue familière, rester longtemps à attendre. *Inutile de **moisir** ici, il ne viendra pas.*
♦ Famille du mot : moisi, moisissure.

moisissure nom féminin
Mousse blanchâtre, verdâtre ou noire provenant de minuscules champignons qui poussent sur des matières humides ou en décomposition. *Ces fruits sont couverts de **moisissure**.*
SYN moisi.

moisson nom féminin
❶ Récolte des céréales. *Quand les blés sont mûrs, les cultivateurs font la **moisson**.*
❷ Céréales récoltées. *Rentrer la **moisson**.*
* Chercher aussi *cueillette*, *récolte*. ❸ Au sens figuré, grande quantité de choses. *Aux Jeux olympiques de Vancouver, les athlètes canadiens ont récolté une belle **moisson** de médailles.* ♦ Famille du mot : moissonner, moissonneur, moissonneuse-batteuse.

moissonner verbe ▸ conjug. 3
Faire la moisson. *Ici, on **moissonne** le blé au début du mois d'août.*

moissonneur, moissonneuse nom
Personne qui fait la moisson. *Tous les **moissonneurs** sont partis aux champs dès le lever du jour.*

moissonneuse-batteuse nom féminin
Machine agricole qui sert à récolter les céréales, à les battre et à trier les grains. ✎ Pluriel : *des **moissonneuses-batteuses**.*

*Une **moissonneuse-batteuse***

moite adjectif
Légèrement humide. *Le malade a le front **moite**.* CONTR sec.

moiteur nom féminin
Caractère de ce qui est moite. *La **moiteur** de ses mains trahissait sa nervosité.*

moitié nom féminin
❶ Chacune des deux parties égales d'un tout. *Raphaël et Nora auront chacun une **moitié** du gâteau. Quatre est la **moitié** de huit.*
❷ Milieu d'un espace. *Nous sommes à la **moitié** du trajet.* • **À moitié :** à demi ou en partie. *Un bol **à moitié** rempli de lait. Il hésitait car il était **à moitié** d'accord.*
SYN partiellement. CONTR complètement.

mol ➔Voir **mou**

molaire nom féminin
Grosse dent qui sert à broyer les aliments. *Les **molaires** sont situées au fond de la bouche.*
👁p. 298. * Chercher aussi *canine*, *incisive*, *prémolaire*.

moldave
➔Voir tableau, p. 1319.

molécule nom féminin
Ensemble d'atomes qui forment la plus petite partie d'une substance. *Une **molécule** d'eau est formée de deux atomes d'hydrogène et d'un atome d'oxygène.*

molester verbe ▸ conjug. 3
Maltraiter ou brutaliser quelqu'un. *Un inconnu **a molesté** un passant avant de le voler.*
SYN malmener, rudoyer.

molette nom féminin
Roulette dentée qui actionne un mécanisme. *La **molette** d'un briquet fait jaillir une étincelle.* • **Clé à molette**: outil dont les deux mâchoires se rapprochent ou s'écartent. *Le mécanicien s'est servi d'une **clé à molette** pour resserrer les boulons.*

molle ➔Voir **mou**

mollement adverbe
❶ Paresseusement, sans énergie. *Elle est **mollement** allongée sur le canapé.* ❷ Avec mollesse, faiblement. *Il a protesté **mollement**.* CONTR énergiquement.

mollesse nom féminin
❶ Caractère de ce qui est mou. *Cette tarte n'est pas très bonne à cause de la **mollesse** de la pâte.* CONTR dureté, fermeté. ❷ Manque de vitalité, d'énergie dans le caractère ou dans la conduite. *L'enseignante lui a reproché sa **mollesse**.* SYN indolence, nonchalance, paresse. CONTR ardeur, entrain, vivacité.

mollet nom masculin
Partie charnue située à l'arrière de la jambe, entre la cheville et le genou. *Ce coureur a les **mollets** très musclés.* 👁p. 246.

molleton nom masculin
Tissu de coton épais, léger et chaud.

molletonné, molletonnée adjectif
Doublé de molleton. *Une veste **molletonnée**.*

mollir verbe ▸conjug. 11
❶ Devenir mou. *La terre **a molli** à cause de la pluie.* CONTR durcir. ❷ Perdre de sa force, de sa vigueur. *Le vent **mollit**.* SYN diminuer, faiblir. *À la fin du match, il commençait à **mollir**.* SYN chanceler.

mollusque nom masculin
Animal au corps mou, parfois protégé par une coquille, qui vit dans l'eau ou en milieu humide. *La moule, l'escargot, le calmar sont des **mollusques**.* * Chercher aussi *invertébré*.

*Un **mollusque***

moment nom masculin
❶ Espace de temps. *Je vous rejoins dans un **moment**.* SYN instant. ❷ Instant précis pour faire quelque chose. *Ne partez pas maintenant, ce n'est pas le **moment**.* • **À tout moment**: continuellement ou n'importe quand. *Cet enfant réclame sa mère **à tout moment**.* SYN constamment. *Il peut arriver **à tout moment**.* • **En ce moment**: maintenant, actuellement. ***En ce moment**, il joue au hockey.* • **Au moment où**: à l'instant précis où un évènement se déroule. *Il est arrivé **au moment où** le film commençait.* • **Du moment que**: puisque. ***Du moment que** tu es content, je le suis aussi.* • **D'un moment à l'autre**: d'ici très peu de temps. • **Par moments**: parfois, de temps en temps. • **Pour le moment**: en ce qui concerne la période présente. ***Pour le moment**, tout va bien.* ♦ Famille du mot: momentané, momentanément.

momentané, momentanée adjectif
Qui ne dure qu'un moment. *Des travaux ont entraîné la fermeture **momentanée** de l'autoroute.* SYN passager, provisoire, temporaire. CONTR définitif.

momentanément adverbe
De façon momentanée. *Ma cousine habite **momentanément** chez nous.* SYN provisoirement, temporairement. CONTR définitivement.

momie nom féminin
Cadavre embaumé pour pouvoir être conservé. *Les **momies** des anciens Égyptiens étaient entourées de bandelettes et placées dans des sarcophages.* * Chercher aussi *pharaon*.

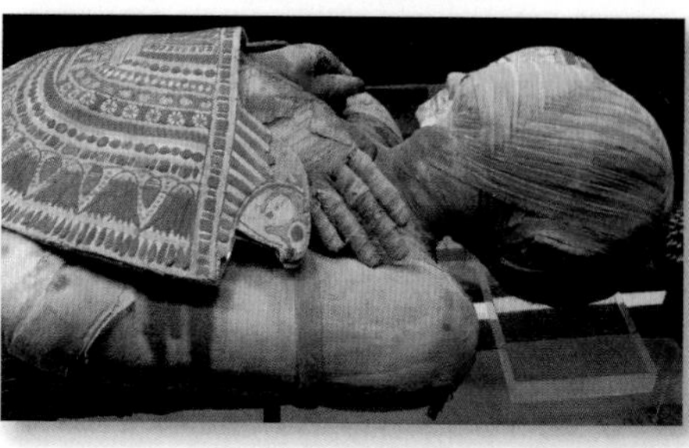

*Une **momie***

mon, ma, mes déterminant
Déterminant possessif qui réfère à un possesseur à la première personne du singulier. *J'habite ici, c'est **ma** maison. J'ai hâte de revoir **mes** amies. Je te prête **mon** stylo.*
* On emploie *mon* au lieu de *ma* devant un nom féminin commençant par une voyelle ou un « h » muet: ***mon** opinion, **mon** histoire.*
* Chercher aussi *ton, son, notre, votre, leur*.

monarchie nom féminin
État gouverné par un roi. *Le Royaume-Uni, la Suède, la Belgique, les Pays-Bas sont des **monarchies**.* SYN royauté. * Chercher aussi *démocratie, dictature*.

monarchiste adjectif et nom
Qui est partisan de la monarchie. *Des idées **monarchistes**.* SYN royaliste.

monarque nom masculin
Personne qui détient le pouvoir dans une monarchie. SYN roi, souverain. ♦ Famille du mot: monarchie, monarchiste.

monastère nom masculin
Ensemble de bâtiments où vivent des moines ou des religieuses. *Le cloître du **monastère**.* SYN couvent. * Chercher aussi *abbaye*.

monceau, monceaux nom masculin
Gros tas d'objets accumulés. *Il y a un **monceau** de cahiers et de livres sur mon bureau.*
♦ Famille du mot: amonceler, amoncellement.

mondain, mondaine adjectif et nom
Qui concerne la vie de la haute société. *Des femmes très **mondaines** assistaient à cette grande réception. – Ces **mondains** ne fréquentent que des vedettes.*

monde nom masculin
❶ Ensemble de tout ce qui existe. *De nombreux scientifiques essaient de comprendre l'origine du **monde**.* SYN Univers. ❷ La Terre entière. *Faire le tour du **monde**.* SYN planète.
❸ Ensemble des habitants de la Terre, le genre humain. *Cette découverte intéressera le **monde** entier.* SYN humanité. ❹ Ensemble des personnes appartenant à un même groupe social. *La mort de cette comédienne a attristé le **monde** du spectacle.* SYN milieu. ❺ Grand nombre de personnes. *Au moment de Noël, les magasins sont pleins de **monde**.* SYN gens.
• **Le monde:** la haute société, les gens riches. *Homme, femme du **monde**.* • **Au bout du monde:** très loin. • **C'est le monde à l'envers:** c'est le contraire de ce qui devrait se produire. • **Pour rien au monde:** jamais, à aucun prix. • **Mettre un enfant au monde:** lui donner naissance. • **Venir au monde:** naître. • **Tout le monde:** tous les gens, les gens en général. *La nouvelle a surpris **tout le monde**.* ♦ Famille du mot: mondain, mondial, mondialement, mondialisation.

mondial, mondiale, mondiaux adjectif
Qui concerne le monde entier. *Une guerre **mondiale**. La population **mondiale**.*
SYN planétaire.

mondialement adverbe
Dans le monde entier. *Un musicien **mondialement** célèbre.* SYN universellement.

mondialisation nom féminin
Développement mondial, à l'échelle planétaire. *La **mondialisation** de l'information.*

monégasque
➔Voir tableau, p. 1319.

monétaire adjectif
Qui concerne la monnaie. *Le dollar est l'unité **monétaire** du Canada.*

mongol, mongole
➔Voir tableau, p. 1319.

mongolien, mongolienne adjectif et nom
Qui est atteint d'une maladie grave causant une malformation physique et un retard mental. *Un enfant **mongolien**. – Cette **mongolienne** suit des cours avec une orthophoniste.* * Attention! Il est préférable de remplacer le terme *mongolien* par le terme *trisomique*.

moniteur, monitrice nom
❶ Personne chargée d'enseigner certains sports ou certaines techniques. *C'est ma **monitrice** de ski.* ❷ Personne chargée de s'occuper des enfants dans un camp de vacances. *Dans toutes leurs activités, ces jeunes sont encadrés par des **moniteurs** et des **monitrices**.*
* Chercher aussi *animateur*. ■ **moniteur** nom masculin ❶ Appareil électronique permettant de surveiller l'état des malades.
❷ En informatique, écran de visualisation qui a l'apparence d'un téléviseur.

monnaie nom féminin
❶ Ensemble de pièces et de billets qui servent à payer. *La **monnaie** européenne s'appelle l'« euro ».* ❷ Argent rendu quand on achète quelque chose. *La caissière m'a rendu la **monnaie**.* ❸ Ensemble de pièces de petite valeur. *J'ai besoin de **monnaie** pour acheter un jus dans la machine distributrice.* • **Rendre à quelqu'un la monnaie de sa pièce:** se venger de lui. ♦ Famille du mot: faux-monnayeur, monétaire, monnayer, porte-monnaie.

monnayer verbe ▸ conjug. 7
Tirer de l'argent ou un profit de quelque chose. *Cet artiste cherche à **monnayer** son talent.*
SYN vendre.

mono- préfixe
Placé au début d'un mot pour former un autre mot, *mono-* signifie « seul » (***mono**parental*, ***mono**ski*).

monocle nom masculin
Verre de lunette pour un seul œil, que l'on faisait tenir en le coinçant sous le sourcil. *Sur cette vieille photo, on voit un homme qui porte un **monocle**.*

*Un **monocle***

monocorde adjectif
Qui ne varie pas dans le ton, dans le rythme. *Ce mauvais acteur récite son texte d'une voix **monocorde**.* **SYN** monotone.

monolithe nom masculin
Monument fait d'une seule grosse pierre. *Un menhir est un **monolithe**.* * Chercher aussi *mégalithe*.

monologue nom masculin
Texte où un seul personnage exprime sa pensée. * Chercher aussi *dialogue*.

monologuer verbe ▸ conjug. 3
Parler tout seul. * Chercher aussi *dialoguer*.

mononucléose nom féminin
Maladie virale se traduisant par une extrême fatigue.

monoparental, monoparentale, monoparentaux adjectif
Qui concerne une famille ne comportant qu'un seul parent. *Les familles **monoparentales** ont besoin de soutien.*

monoplace adjectif
Qui ne comporte qu'une seule place. *Un avion **monoplace**.*

monopole nom masculin
Situation dans laquelle il n'existe qu'une seule entreprise ou que l'État pour offrir un produit ou un service à une multitude de clients. *Au Québec, l'État a le **monopole** de l'importation des vins et alcools.*

monopoliser verbe ▸ conjug. 3
Garder quelque chose pour soi, sans s'occuper des autres. *Ma sœur **monopolise** la console de jeux vidéo.* **SYN** accaparer.

monosyllabe nom masculin
Mot d'une seule syllabe. *« Mer », « non » sont des **monosyllabes**.* * Attention ! On dit ***un*** *monosyllabe*, mais ***une*** *syllabe*.

monothéisme nom masculin
Croyance en un seul dieu. *Le judaïsme, le christianisme et l'islam sont des religions fondées sur le **monothéisme**.* **CONTR** polythéisme.

monotone adjectif
❶ Qui ne varie pas, ne change pas. *Un paysage **monotone**, une vie **monotone**.* **SYN** uniforme. **CONTR** varié.
❷ Dont le ton ne varie pas. *Magalie a récité son texte sur un ton **monotone**.* **SYN** monocorde.

monotonie nom féminin
Caractère de ce qui est monotone. *Ce paysage de plaine est d'une grande **monotonie**.* **SYN** uniformité. **CONTR** diversité, variété.

monseigneur nom masculin
Titre honorifique donné aux évêques ou aux princes.

monsieur nom masculin
❶ Mot servant à s'adresser à un homme. *Entrez, **monsieur** ! J'ai rencontré **monsieur** Giroux dans l'ascenseur.* ❷ Homme. *Notre voisin est un vieux **monsieur** très sympathique.*
• **Monsieur Je-sais-tout :** personne qui a la prétention de tout connaître. **SYN** Jos-Connaissant.
✎ Pluriel : *des **messieurs***. * Abréviation : ***M.*** (monsieur) ; ***MM.*** (messieurs). * Attention ! Le mot *monsieur* se prononce *mecieu*, le mot *messieurs*, *mécieu*.

monstre nom masculin
❶ Animal imaginaire. *Dans la région, on racontait autrefois qu'un **monstre** vivait au fond du lac.* ❷ Personne effrayante ou très cruelle. *Un **monstre** de cruauté.* ■ **monstre** adjectif Dans la langue familière, énorme. *Je ne peux pas sortir, j'ai un travail **monstre**.* **SYN** énorme. *Un succès **monstre**.* **SYN** colossal, extraordinaire. ♦ Famille du mot : monstrueux, monstruosité.

monstrueux, monstrueuse adjectif
❶ Qui évoque un monstre. *Un crime **monstrueux**.* **SYN** abominable, effroyable.
❷ Qui a des dimensions énormes. *Une vague **monstrueuse** a renversé le bateau.* **SYN** gigantesque.

monstruosité nom féminin
Action monstrueuse. *Les nazis ont commis des **monstruosités** dans les camps de concentration.* **SYN** atrocité, horreur.

mont nom masculin
Élévation de terrain. *Le **mont** Saint-Élie est une très haute montagne, mais le **mont** Royal n'est qu'une colline.* • **Promettre monts et merveilles :** promettre des choses extraordinaires sans pouvoir réaliser ses promesses.

montage nom masculin
❶ Action d'assembler plusieurs parties pour en faire un tout. *Il y a un mode d'emploi pour réaliser le **montage** de ce meuble.* ❷ Action de sélectionner et d'assembler les morceaux de pellicule correspondant aux différentes séquences d'un film.

montagnais, montagnaise adjectif et nom
Autre nom pour *innu. Un établissement **montagnais**. – Les **Montagnais**, les **Montagnaises**.* ➜Voir **innu**. ✎ Attention ! Le nom, qui désigne les membres de la nation montagnaise, s'écrit avec une majuscule.
■ **montagnais** nom masculin Langue parlée par les Innus.

montagnard, montagnarde nom
Personne qui vit à la montagne.

montagne nom féminin
❶ Relief du sol qui s'élève à une grande hauteur. *Les nuages cachent le sommet de la **montagne**.* **CONTR** plaine. * Chercher aussi *altitude, relief, vallée.* ❷ Grande quantité. *Noah a préparé une **montagne** de sandwichs.* ❸ Difficulté qui semble insurmontable. *Entreprendre cette corvée lui semble une **montagne**.* • **Montagnes russes :** sorte de manège constitué de petits véhicules sur rail qui parcourent à grande vitesse un circuit de plusieurs montées et descentes. ♦ Famille du mot : montagnard, montagneux.

montagneux, montagneuse adjectif
Où il y a des montagnes. *Les stations de ski alpin se trouvent dans des régions **montagneuses**.*

① **montant, montante** adjectif
Qui monte. *Elle habite en haut d'une rue **montante**. La marée **montante**.*
CONTR descendant.

② **montant** nom masculin
Total d'un compte. *Le **montant** de la facture s'élève à cent dollars.*

③ **montant** nom masculin
Barre verticale qui sert de soutien. *Le ballon a heurté le **montant** du but.*

monté, montée adjectif
• **Coup monté :** action malveillante organisée en secret, complot. • **Pièce montée :** grand gâteau à plusieurs parties assemblées.

monte-charge nom masculin
Appareil qui sert à faire monter ou descendre des objets lourds ou encombrants. *Ce magasin utilise un **monte-charge** pour déplacer les marchandises.* ✎ Pluriel : *des **monte-charges**.*

montée nom féminin
❶ Action de se déplacer vers un lieu en hauteur. *Pour atteindre le sommet du mont, il faut prévoir une heure de **montée**.*
SYN ascension, escalade. **CONTR** descente.
❷ Route qui va vers le haut. *Le camion ralentit dans la **montée**.* **SYN** côte. **CONTR** descente.
❸ Augmentation de quelque chose. *On annonce une nouvelle **montée** des prix.*
SYN hausse. **CONTR** baisse.

monténégrin, monténégrine
➜Voir tableau, p. 1319.

monter verbe ▸conjug. 3
❶ Aller du bas vers le haut. *Le sentier **monte** le long de la colline. Farida **monte** l'escalier en courant.* **CONTR** descendre. ❷ Apporter quelque chose vers le haut. *N'oublie pas de **monter** le courrier en rentrant.* ❸ Utiliser un véhicule ou un animal pour se déplacer. ***Monter** à bicyclette. **Monter** à cheval.*
❹ S'installer dans un véhicule. ***Monter** en train, en avion.* ❺ Augmenter en intensité ou en valeur. *La chaleur **a monté** de plusieurs degrés.* **CONTR** baisser, descendre, diminuer.
❻ Augmenter de niveau. *Le niveau de la rivière **est monté** d'un mètre, hier.* **SYN** s'élever.
❼ Assembler différents éléments pour faire un tout. *Nous allons **monter** notre tente au bord de la rivière.* ❽ Fixer une pierre précieuse sur une monture. *Le joaillier **a monté** des rubis sur ce bracelet.* ❾ Créer et organiser quelque chose. *Ma tante **a monté** un magasin d'articles de sport.* • **Monter la tête à quelqu'un :** l'exciter, le pousser à se fâcher. • **Monter sur ses grands chevaux :** se fâcher. ■ *se* **monter**
❶ S'élever à telle somme. *Les réparations de la voiture **se montent** à mille dollars.*
❷ Dans la langue familière, se fâcher. *Elle **s'est montée** contre lui.* ♦ Famille du mot : démontable, démontage, démonté, démonter,

montage, montant, monté, monte-charge, montée, monture, remontant, remontée, remonte-pente, remonter.

montérégien, montérégienne
adjectif et nom
De la région de la Montérégie. *Les industries **montérégiennes**. – Les **Montérégiens**, les **Montérégiennes**.* ✎ Attention! Le nom, qui désigne les habitants, s'écrit avec une majuscule.

monteur, monteuse nom
❶ Personne qui assemble les pièces d'une machine et la met en état de fonctionner. ❷ Personne qui sélectionne et assemble les morceaux de pellicule correspondant aux différentes séquences qui forment un film.

montgolfière nom féminin
Ballon gonflé à l'air chaud de façon à pouvoir s'élever dans les airs. *La vue du haut d'une **montgolfière** est époustouflante.* * Chercher aussi *ballon* dirigeable*.

*Une **montgolfière***

monticule nom masculin
Petite élévation de terrain. *Les enfants s'amusent à glisser sur des **monticules** enneigés.* SYN butte.

montre nom féminin
Petit instrument portatif qui sert à indiquer l'heure. *Ma **montre** n'est pas à l'heure.* * Chercher aussi *chronomètre, horloge, pendule, réveil, trotteuse*.

montréalais, montréalaise
adjectif et nom
De la ville de Montréal. *Les festivals **montréalais**. – Les **Montréalais**, les **Montréalaises**.* ✎ Attention! Le nom, qui désigne les habitants, s'écrit avec une majuscule.

montrer verbe ▸ conjug. 3
❶ Faire voir. *Ingrid **montre** sa chambre à sa cousine.* ❷ Indiquer par un geste ou un signe. *Je vais vous **montrer** la route la plus courte pour aller au restaurant.* SYN désigner, expliquer. ❸ Laisser voir sa pensée, ses sentiments. *Il **a montré** beaucoup de générosité.* SYN démontrer, manifester. ❹ Démontrer ou enseigner quelque chose. *Cette histoire nous **montre** qu'il faut se méfier des gens trop bavards.* ❺ Apprendre en donnant une explication, une démonstration. *Je vais te **montrer** comment faire marcher cet appareil photo.* ■ *se* **montrer** ❶ Se faire voir. *J'en ai assez de te chercher, **montre-toi**!* CONTR se cacher, se dissimuler. ❷ Se révéler. *Elle **s'est montrée** très polie.*

① **monture** nom féminin
Animal que l'on monte pour se déplacer. *La cavalière dirige sa **monture** vers l'écurie.*

② **monture** nom féminin
Support qui maintient les verres des lunettes. *J'ai cassé la **monture** de mes lunettes.*

monument nom masculin
Édifice remarquable par sa valeur historique ou ses qualités esthétiques. *L'oratoire Saint-Joseph, le château Ramezay sont des **monuments**.* • **Monument aux morts**: construction ou statue édifiée en souvenir des morts d'une guerre.

monumental, monumentale, monumentaux adjectif
❶ Imposant par sa grandeur. *Une armoire **monumentale** orne la grande salle du château.* ❷ Énorme. *Il a fait une erreur **monumentale**.*

se **moquer** verbe ▸ conjug. 3
❶ Rire ou plaisanter à propos de quelqu'un, de quelque chose. *Fiona **s'est moquée** de ma nouvelle coiffure.* SYN railler, ridiculiser. ❷ Ne pas se soucier de quelque chose. *Liam ne veut pas me parler, mais je **m'en moque**.* SYN se désintéresser. ❸ Prendre les autres personnes pour des naïfs. *Cette histoire de fantôme est invraisemblable, Audrey **se moque** de toi!*
♦ Famille du mot: moquerie, moqueur.

a b c d e f g h i j k l m n o p q r s t u v w x y z

a b c d e f g h i j k l **m** n o p q r s t u v w x y z

moquerie nom féminin
Action ou parole moqueuse. *Ses **moqueries** m'ont fait de la peine.* SYN raillerie, sarcasme.

moquette nom féminin
Tapis collé ou cloué qui recouvre entièrement le sol d'une pièce. *La **moquette** a besoin d'être nettoyée.*

moqueur, moqueuse adjectif
Qui exprime de la moquerie. *Un sourire **moqueur**.* SYN ironique, narquois, railleur.

moral, morale, moraux adjectif
❶ Qui concerne la morale, les règles à suivre pour respecter ce qui est juste. *C'est un homme juste, qui a un grand sens **moral**.* SYN honnête. CONTR immoral. ❷ Qui concerne l'état d'esprit de quelqu'un. *Il est capable d'affronter les difficultés, il a une grande force **morale**.*
■ **moral** nom masculin État d'esprit optimiste ou pessimiste d'une personne. *Malgré la maladie, elle garde un bon **moral**.* ✎ Attention ! Dans ce sens, le pluriel est ***morals***. ■ **morale** nom féminin ❶ Ensemble de règles que l'on doit suivre pour bien se conduire. *La **morale** nous enseigne à faire la différence entre le bien et le mal.* ❷ Leçon que l'on peut tirer d'une histoire. *Dans une fable de La Fontaine, il y a toujours une **morale**.* SYN moralité. • **Faire la morale à quelqu'un :** lui expliquer pourquoi ce qu'il fait est mal et lui demander de mieux se conduire. SYN réprimander, sermonner. ♦ Famille du mot : démoraliser, immoral, moralement, moralisateur, moralité.

moralement adverbe
❶ En suivant les règles de la morale. *En faisant punir quelqu'un à sa place, Lucas n'agit pas d'une façon **moralement** acceptable.* ❷ En ce qui concerne l'esprit, le moral. *Éloïse est guérie de sa maladie, mais **moralement** elle ne va pas encore très bien.*

moralisateur, moralisatrice adjectif
Qui fait la morale. *Un discours **moralisateur**.*

moralité nom féminin
❶ Conduite d'une personne qui respecte les règles de la morale. *C'est un homme d'une grande **moralité**.* ❷ Enseignement moral qui conclut une histoire. *La **moralité** de cette histoire, c'est qu'il ne faut pas se croire plus malin que les autres.* SYN morale.

morbide adjectif
Qui n'est pas sain moralement. *Elle a un goût **morbide** pour les films d'horreur.* SYN malsain.

morceau, morceaux nom masculin
❶ Partie séparée d'un tout. *Le verre s'est brisé en mille **morceaux**.* SYN fragment. *Donne-moi un **morceau** de tarte.* SYN bout, portion. ❷ Passage d'une œuvre musicale. *Un beau **morceau** de violon.* ♦ Famille du mot : morceler, morcellement.

morceler verbe ▸ conjug. 9
Diviser en plusieurs morceaux. *On **a morcelé** ce terrain au bénéfice des héritiers.* SYN démembrer, fractionner, partager. ✎ On peut écrire aussi, au présent, *je **morcèle***; au futur, *tu **morcèleras***; au conditionnel, *nous **morcèlerions***.

morcellement nom masculin
Action de morceler quelque chose. *Le **morcellement** de cette terre a permis de construire plusieurs maisons.* SYN division. ✎ On peut écrire aussi ***morcèlement***.

mordant, mordante adjectif
Qui est agressif et blessant. *Ces paroles **mordantes** ont fait de la peine aux enfants.* SYN incisif. ■ **mordant** nom masculin Énergie dans l'attaque. *Notre équipe de soccer a du **mordant**.*

mordiller verbe ▸ conjug. 3
Mordre légèrement. *Le bébé a mal aux gencives, il **mordille** son jouet.*

mordre verbe ▸ conjug. 31
❶ Blesser en serrant entre ses dents. *Le chien du voisin **a mordu** Kevin.* ❷ Entamer avec les dents. *Karine **a mordu** dans une poire bien juteuse.* ❸ Entamer quelque chose en rongeant, en creusant. *La lame de la lime **mord** le bois.* ❹ Saisir l'appât et se faire prendre. *Un achigan **a mordu** à l'hameçon.* • **Se mordre la langue :** regretter des paroles ou s'empêcher de les prononcer. • **S'en mordre les pouces** ou **les doigts :** dans la langue familière, regretter intensément quelque chose. ♦ Famille du mot : mordant, mordiller, mordu, morsure.

mordu, mordue adjectif et nom
Dans la langue familière, passionné, fanatique. *Mickaëlle est une **mordue** de cinéma.*

se **morfondre** verbe ▸ conjug. 31
S'ennuyer à attendre. *Je **me suis morfondu** pendant deux heures à attendre mes amis.*

morgue nom féminin
Endroit où l'on dépose provisoirement les corps des personnes qui sont mortes.

moribond, moribonde adjectif et nom
Qui est sur le point de mourir. *Une plante **moribonde**. – Un **moribond**.* SYN agonisant, mourant.

morne adjectif
Qui est triste, ennuyeux. *Par ce mauvais temps, nous avons passé une **morne** journée au chalet.*

morose adjectif
Qui est d'humeur maussade, triste. *Tu sembles **morose** ce matin.* CONTR gai, joyeux.

morosité nom féminin
Caractère ou humeur morose. *Aucune blague n'a pu le sortir de sa **morosité**.* SYN tristesse. CONTR entrain, gaieté.

morphine nom féminin
Médicament calmant très puissant. *Pour calmer la douleur, le médecin lui a fait une piqûre de **morphine**.* * Chercher aussi *drogue*, ② *stupéfiant*.

morphologie nom féminin
❶ Forme du corps. *Léa a la **morphologie** idéale pour faire de l'athlétisme.* ❷ Partie de la grammaire qui étudie la forme des mots.

mors nom masculin
Petite tige de métal que l'on place dans la bouche d'un cheval pour le diriger. 👁p. 141. • **Prendre le mors aux dents :** s'emballer, en parlant d'un cheval. Au sens figuré, se mettre en colère, s'emporter. * Ne pas confondre *mors* et *mort*.

① **morse** nom masculin
Grand mammifère marin des régions polaires, dont le mâle est muni de deux défenses. *Un **morse** aux longues défenses remonte sur la banquise.*

*Un **morse***

② **morse** nom masculin
Système de signaux qui servait autrefois à envoyer des messages télégraphiques. *Trois points, trois traits puis trois points (...---...) représentent les lettres SOS en **morse**.*

morsure nom féminin
Blessure faite en mordant. *Le chien lui a fait une légère **morsure** au mollet.*

mort nom féminin
❶ Fin de la vie. *La **mort** de son oncle lui a causé beaucoup de chagrin.* SYN décès, disparition. ❷ Fin ou disparition de quelque chose. *S'il n'y a plus de touristes, ce sera la **mort** de ce village.* • **À la vie à la mort :** pour toujours. *Ils se sont juré d'être amis **à la vie à la mort**.* • **La mort dans l'âme :** avec une grande tristesse. *Ils se sont séparés **la mort dans l'âme**.* • **En vouloir à mort à quelqu'un :** avoir énormément de rancune contre cette personne. ■ **mort, morte** adjectif ❶ Qui a cessé de vivre. *Arthur a trouvé une souris **morte** dans la grange.* CONTR vivant. ❷ Qui est sans animation. *À part le centre-ville, les autres quartiers sont **morts** le soir.* CONTR animé. • **Être mort de peur :** être paralysé par la peur. ■ **mort, morte** nom Personne morte. *Le séisme a fait plusieurs **morts**.* ♦ Famille du mot : immortaliser, immortalité, immortel, mortalité, mortel, mortellement, mort-né, mortuaire, mourant, mourir. * Ne pas confondre *mort* et *mors*.

mortadelle nom féminin
Gros saucisson italien fait de porc et de bœuf. *Un sandwich à la **mortadelle**.*

mortalité nom féminin
Nombre de personnes qui meurent. *Dans certains pays d'Afrique, la **mortalité** augmente à cause de la famine.* • **Taux de mortalité :** nombre de morts dans une population au cours d'une période déterminée. *Le **taux de mortalité** d'un pays.* * Chercher aussi *démographie*, *natalité*.

mortel, mortelle adjectif
❶ Qui doit mourir un jour. *Tous les êtres humains sont **mortels**.* CONTR immortel. ❷ Qui cause la mort. *Une maladie **mortelle**.* ❸ Qui est extrêmement ennuyant. *Cette émission est d'un ennui **mortel**.* ❹ Qui déteste quelqu'un au point de souhaiter sa mort. *C'est son ennemi **mortel**.*

a b c d e f g h i j k l **m** n o p q r s t u v w x y z

mortellement adverbe
❶ De façon à causer la mort. *Il a été **mortellement** blessé.* ❷ Énormément, extrêmement. *Elle s'ennuie **mortellement** au chalet quand il pleut.*

① **mortier** nom masculin
Mélange de ciment, de sable et d'eau utilisé en construction.

② **mortier** nom masculin
Gros bol dans lequel on broie des substances à l'aide d'un pilon. *Écraser des épices dans un **mortier**.*

*Un **mortier***

③ **mortier** nom masculin
Sorte de petit canon à tir courbe. *Les soldats tirent des grenades avec des **mortiers**.*

mortifier verbe ▸ conjug. 10
Blesser moralement. *Vos moqueries **ont mortifié** Patrick.* **SYN** froisser, humilier, vexer.

mort-né, mort-née adjectif
Qui est mort à la naissance. *Un animal **mort-né**.* ✎ Pluriel : *des chatons **mort-nés**.*

mortuaire adjectif
Qui concerne la mort ou les enterrements. *Une cérémonie **mortuaire**.* • **Salon mortuaire** : lieu où l'on embaume, prépare et expose une personne décédée et où les proches se réunissent avant les funérailles. **SYN** salon funéraire*.

morue nom féminin
Poisson des mers froides. *La **morue** peut se manger fraîche, salée ou séchée.*

*Une **morue***

morve nom féminin
Liquide visqueux qui s'écoule du nez.

morveux, morveuse adjectif
Qui a de la morve au nez. *Un bébé **morveux**.* ■ **morveux, morveuse** nom Dans la langue familière, jeune plein de prétention. *Cette **morveuse** m'a insulté.*

mosaïque nom féminin
Décoration composée de petits fragments de pierre ou de céramique multicolores que l'on assemble pour former un dessin. *Des sols en **mosaïque**.*

mosquée nom féminin
Bâtiment dans lequel prient les musulmans. *Avant d'entrer dans une **mosquée**, on retire ses chaussures.* 👁p. 270. * Chercher aussi *minaret, église, pagode, synagogue, temple.*

*Une **mosquée***

mot nom masculin
❶ Groupe de sons ou de lettres qui a un sens. *La phrase « Olivia est à la maison » est composée de cinq **mots**.* ❷ Court message. *Il m'a envoyé un **mot** pour me remercier.* • **Avoir le dernier mot** : avoir raison dans une discussion. • **Avoir son mot à dire** : avoir le droit de donner son avis. • **Gros mot** : mot grossier, juron. * Chercher aussi *sacre.* • **Mot à mot** : sans changer un seul mot. *Je lui ai répété **mot à mot** notre conversation.* **SYN** textuellement. • **Mot de passe** : mot secret qui permet d'entrer quelque part ou de s'identifier quand on utilise un ordinateur. • **Prendre quelqu'un au mot** : considérer comme sérieux ce qu'il propose. • **Se donner le mot** : se mettre d'accord à l'avance. • **Avoir un mot sur le bout de la langue** : connaître un mot, mais ne pas s'en souvenir. • **Famille de mots** : ensemble des mots issus d'une même racine.

motard, motarde nom
Dans la langue familière, motocycliste.

motel nom masculin
Hôtel aménagé près des routes.

moteur, motrice adjectif
Qui produit un mouvement. *Les roues **motrices** d'une voiture. Les muscles **moteurs**.* ■ **moteur** nom masculin ❶ Appareil qui transforme l'énergie pour produire un mouvement. *Ce*

ventilateur est muni d'un petit ***moteur*** *électrique. Le* ***moteur*** *d'une voiture.* 👁p. 88. ❷ Au sens figuré, personne qui incite d'autres personnes à faire quelque chose. *Mon adjoint a été le* ***moteur*** *de ce projet.* **SYN** instigateur.

motif nom masculin
❶ Raison qui explique un acte. *Elle s'est fâchée sans* ***motif.*** **SYN** explication, justification. ❷ Paysage servant de modèle pour peindre un tableau. *Le* ***motif*** *de cette peinture est un pique-nique sur l'herbe.* ❸ Dessin ou ornement répété plusieurs fois. *Un tissu à* ***motifs*** *fleuris.* ♦ Famille du mot : motivation, motiver.

motivation nom féminin
Ce qui motive, pousse à agir de telle façon. *Alexane s'entraîne beaucoup ; sa* ***motivation*** *est de devenir la meilleure.*

motiver verbe ▸ conjug. 3
❶ Être le motif d'une action. *C'est la maladie qui* ***a motivé*** *son absence.* **SYN** expliquer, justifier. ❷ Pousser quelqu'un à agir. *L'entraîneur sait* ***motiver*** *les joueuses de son équipe.* **SYN** encourager, stimuler.

moto nom féminin
Abréviation de *motocyclette*, véhicule à deux roues et à moteur puissant. ♦ Famille du mot : motard, motocross, motocycliste.

motocross nom masculin
Course de motos sur un circuit accidenté. *Plusieurs concurrents du* ***motocross*** *sont tombés en panne.*

motocyclette ➔Voir **moto**

motocycliste nom
Personne qui conduit une moto.

motomarine nom féminin
Véhicule nautique motorisé à une ou deux places. *Cette* ***motomarine*** *est puissante et rapide.*

motoneige nom féminin
Véhicule motorisé à une ou deux places, muni de skis et de chenilles, pour circuler sur la neige.

motoneigiste nom
Personne qui utilise une motoneige. *Des* ***motoneigistes*** *ont entrepris une excursion dans le Grand Nord.*

motorisé, motorisée adjectif
Qui est équipé d'un moteur. *Le scooter est un véhicule* ***motorisé.***

motrice ➔Voir **moteur**

mots croisés nom masculin pluriel
Jeu qui consiste à trouver des mots à partir de leur définition et à les inscrire sur une grille dans le sens horizontal et dans le sens vertical.

mot mystère nom masculin
Jeu qui consiste à trouver et à encercler les lettres correspondant à une liste de mots qui se trouvent dans une grille. Les lettres restantes forment le mot mystère. ✎ Pluriel : *des* ***mots mystères.***

motte nom féminin
Petit bloc de terre compacte. *Des* ***mottes*** *de terre.* * Chercher aussi *herse.*

mou, molle adjectif
❶ Qui se déforme facilement. *Ce matelas est trop* ***mou.*** **CONTR** dur, ferme. ❷ Qui manque d'énergie, de dynamisme. *Il ne fait aucun effort, il est* ***mou.*** **SYN** indolent, nonchalant. **CONTR** actif, dynamique, énergique. * Attention ! On emploie *mol* devant un nom masculin commençant par une voyelle ou un « h » muet : *un* ***mol*** *oreiller.* ♦ Famille du mot : s'amollir, mollement, mollesse, mollet, mollir, ramollir.

mouche nom féminin
Une ***mouche***
❶ Petit insecte ailé très répandu. *Des* ***mouches*** *bourdonnent autour de nous.* 👁p. 570. • **Mouche noire :** insecte plus gros que le brûlot, dont la piqûre est très irritante. *Une nuée de* ***mouches noires*** *ont assailli les campeurs.* • **Mouche à feu :** petit insecte au corps lumineux. **SYN** luciole. ❷ Appât utilisé pour la pêche à la ligne. • **Pattes de mouche :** écriture petite et serrée, difficilement lisible. • **Quelle mouche l'a piqué ? :** pourquoi se fâche-t-il soudain ?

se **moucher** verbe ▸ conjug. 3
Débarrasser le nez des mucosités qui l'encombrent. *Quand on a un rhume, on* ***se mouche*** *souvent.*

moucheron nom masculin
Très petit insecte volant, d'une espèce proche de la mouche. 👁p. 570.

moucheté, mouchetée adjectif
Marqué de petites taches de couleur. *Mon chat a un pelage blanc* ***moucheté*** *de noir. Une truite* ***mouchetée.*** **SYN** tacheté.

mouchoir nom masculin
Morceau de tissu ou de papier qui sert à se moucher. *Un paquet de* ***mouchoirs*** *jetables.*

moudre verbe ▸ conjug. 54
Écraser des grains pour les réduire en poudre. ***Moudre*** *du poivre,* ***moudre*** *du café.*

a b c d e f g h i j k l m n o p q r s t u v w x y z

moue nom féminin
Grimace que l'on fait en avançant et en resserrant les lèvres. *Quand on la contrarie, Anh boude et fait la **moue**.*

mouette nom féminin
Oiseau de mer aux pattes palmées et au plumage blanc et gris.

Une **mouette**

mouffette nom féminin
Petit mammifère à fourrure noire et blanche, qui projette un liquide nauséabond lorsqu'il est attaqué. **SYN** bête* puante. ✎ On peut écrire aussi ***moufette***.

moufle nom féminin
Gros gant sans séparation entre les doigts, sauf pour le pouce. *Ma grand-mère m'a tricoté des **moufles**.* **SYN** mitaine.

mouflon nom masculin
Mammifère ruminant qui vit à l'état sauvage dans les montagnes. *Les grosses cornes du **mouflon** mâle sont recourbées vers l'arrière.*

Un **mouflon**

mouillage nom masculin
Endroit abrité où un bateau peut jeter l'ancre. *Le bateau est resté au **mouillage** durant la tempête.*

mouillé, mouillée adjectif
Qui a été en contact avec un liquide. *L'ourson d'Adam est vraiment **mouillé**; il va falloir le sécher.*

mouiller verbe ▸ conjug. 3
❶ Rendre humide. *Gary **a mouillé** son pantalon en marchant dans l'eau.* **CONTR** sécher ❷ Jeter l'ancre. *Des voiliers **ont mouillé** dans le port.* **CONTR** appareiller, lever l'ancre. ❸ Dans la langue familière, pleuvoir. *Il n'a pas cessé de **mouiller** durant les deux dernières semaines.*
■ *se* **mouiller** ❶ Devenir humide. *Si tu sors sous la pluie, tes vêtements vont **se mouiller**.* **CONTR** sécher. ❷ S'engager, se compromettre. *Raphaël ne veut pas **se mouiller**: il n'a pas révélé son opinion.* ♦ Famille du mot: mouillage, mouillé.

moulage nom masculin
Reproduction d'un objet que l'on fabrique en coulant une matière dans un moule.

moulant, moulante adjectif
Qui moule le corps. *Une robe **moulante**.* **SYN** ajusté. **CONTR** ample.

① **moule** nom masculin
Objet creux d'une forme précise, dans lequel on verse une matière pour qu'elle prenne cette forme. *Un **moule** à gâteau.*

② **moule** nom féminin
Petit mollusque marin comestible. *La **moule** a une coquille noire et allongée.*

moulé, moulée adjectif
• **Lettres moulées:** écriture à la main dont les caractères correspondent à ceux des livres imprimés.

mouler verbe ▸ conjug. 3
❶ Reproduire au moyen d'un moule. *Pour **mouler** cette statuette, Thomas verse du plâtre dans une forme en plastique.* ❷ Coller au corps en suivant exactement sa forme. *La danseuse porte un justaucorps qui la **moule**.*
♦ Famille du mot: démouler, moulage, moulant, moule.

moulin nom masculin
❶ Petit appareil ménager qui sert à moudre. *Un **moulin** à café électrique.* ❷ Bâtiment dans lequel on moud le grain. *Autrefois, tous les meuniers fabriquaient la farine de blé dans des **moulins** à vent ou à eau.* * Chercher aussi *minoterie*.

Un **moulin**

moulinet nom masculin
❶ Petite bobine actionnée par une manivelle. *Le pêcheur peut enrouler ou dérouler sa ligne en se servant du* ***moulinet****.* ❷ Mouvement de rotation effectué en faisant tourner les bras, une épée ou un bâton.

moulu, moulue adjectif
Que l'on a réduit en poudre. *Du café* ***moulu****.*

moulure nom féminin
Ornement en creux ou en relief. *Des* ***moulures*** *en plâtre ornent les plafonds de ce vieil appartement.*

mourant, mourante adjectif et nom
Qui est en train de mourir. *Un malade* ***mourant****. – Les dernières volontés de la* ***mourante*** *ont été respectées.* **SYN** agonisant, moribond.

mourir verbe ▸ conjug. 17
❶ Cesser de vivre. *Son vieil oncle* ***est mort*** *d'une crise cardiaque.* **SYN** décéder. *Les plantes* ***meurent*** *si on oublie de les arroser.* **SYN** périr. ❷ Disparaître peu à peu. *Remets une bûche sinon le feu va* ***mourir****.* **SYN** s'éteindre. • **Mourir de faim, de soif, de sommeil :** avoir très faim, très soif, très sommeil. • **Mourir de rire :** rire énormément.

mousquetaire nom masculin
Gentilhomme armé qui faisait partie de la garde du roi de France. *As-tu lu le roman d'Alexandre Dumas intitulé « Les Trois* ***Mousquetaires*** *» ?*

mousqueton nom masculin
Boucle métallique à ressort ou à vis qui sert à accrocher quelque chose. *Ses clés sont accrochées à sa ceinture par un* ***mousqueton****.*

Un **mousqueton**

moussant, moussante adjectif
Qui produit de la mousse. *Federica utilise un gel* ***moussant*** *pour la douche.*

① **mousse** nom masculin
Jeune garçon qui fait l'apprentissage du métier de marin.

② **mousse** nom féminin
❶ Amas de petites bulles d'air serrées. *De la* ***mousse*** *de shampooing. La* ***mousse*** *de la bière.* ❷ Crème légère faite avec des blancs d'œufs battus en neige. *On a eu de la* ***mousse*** *au chocolat au dessert.* ❸ Matière légère faite avec du caoutchouc ou du plastique renfermant de petites bulles d'air. *Des coussins en* ***mousse****.* ❹ Produit qui mousse. ***Mousse*** *à raser.*

③ **mousse** nom féminin
Plante à tiges courtes et serrées, qui pousse dans les lieux humides. *Un rocher couvert de* ***mousse****.*

mousser verbe ▸ conjug. 3
Produire de la mousse. *Ce savon* ***mousse*** *beaucoup.* • **Faire mousser :** faire valoir, vanter les mérites de quelqu'un ou de quelque chose. *Maxime* ***fait mousser*** *sa candidature au poste de président de la classe.*
SYN promouvoir. ♦ Famille du mot : moussant, mousse, mousseux.

mousseux, mousseuse adjectif
Qui fait de la mousse. *Une bière* ***mousseuse****. Une crème légère et bien* ***mousseuse****.*
■ **mousseux** nom masculin Vin qui mousse, qui pétille. *Une bouteille de* ***mousseux****.*

mousson nom féminin
En Asie du Sud-Est, vent qui souffle de la terre vers la mer en hiver et de la mer vers la terre en été. *La* ***mousson*** *d'été est caractérisée par de fortes pluies.*

moustache nom féminin
Poils qui poussent au-dessus de la lèvre supérieure. *Mon oncle se laisse pousser la* ***moustache****.* ■ **moustaches** nom féminin pluriel Longs poils raides qui se trouvent sur le museau de certains animaux. *Les* ***moustaches*** *des chats sont très sensibles.*

moustachu, moustachue adjectif
Qui porte une moustache. *Notre voisin est un homme* ***moustachu****.*

moustiquaire nom féminin
❶ Toile métallique tendue sur un châssis, que l'on place aux fenêtres pour empêcher les insectes d'entrer dans la maison. ❷ Rideau très fin et léger qui protège des moustiques. *En Afrique, Annabelle a dormi dans un lit entouré d'une* ***moustiquaire****.*

moustique nom masculin
Petit insecte ailé des lieux humides, qui pique les humains et les animaux pour sucer leur sang. *Les piqûres de* ***moustique*** *causent des démangeaisons douloureuses.* 👁p. 454.
SYN maringouin.

moût nom masculin
Jus de raisin, de poire ou de pomme qui sort du pressoir et qui n'a pas encore fermenté.
✎ On peut écrire aussi ***mout***.

La **moutarde**

moutarde nom féminin
❶ Plante à fleurs jaunes qui donne des graines. ❷ Condiment fait à base de ces graines. *Sarah met de la **moutarde** dans son sandwich au jambon.* • **La moutarde lui monte au nez :** dans la langue familière, il est sur le point de se fâcher.

mouton nom masculin
Mammifère ruminant domestique au poil épais et frisé. *On élève les **moutons** pour leur viande, leur laine et leur lait.* * Chercher aussi *agneau, bêler, bélier, brebis, ovin.* ■ **moutons** nom masculin pluriel Petites vagues couvertes d'écume blanche. • **Mouton noir :** personne non conformiste qui se distingue d'un groupe. SYN marginal, rebelle. • **Revenons à nos moutons :** dans la langue familière, revenons au sujet qui nous intéresse.

Des **moutons**

mouture nom féminin
Poudre obtenue quand on moud des grains. *Pour faire du café très fort, il faut que la **mouture** soit très fine.*

mouvant, mouvante adjectif
• **Sables mouvants :** sables humides dans lesquels on peut s'enliser. *À l'approche de ce marais, un écriteau annonce des **sables mouvants**.*

mouvement nom masculin
❶ Changement de place ou de position. *Le **mouvement** des vagues. Le **mouvement** des astres.* CONTR arrêt, immobilité. ❷ Action de mouvoir son corps. *Savana fait des **mouvements** de gymnastique.* ❸ Action ou réaction sous le coup d'une émotion. *Il regrette son **mouvement** de colère.* ❹ Circulation de personnes ou de véhicules. *La tour de contrôle surveille le **mouvement** des avions.* SYN trafic. ❺ Groupe ou association qui poursuit un but. *Il fait partie d'un **mouvement** pour la protection de l'environnement.* SYN organisation. ❻ Partie d'un morceau de musique. *La salle a applaudi longuement au dernier **mouvement** de la sonate.*

mouvementé, mouvementée adjectif
Qui est plein d'action, d'aventures. *Nous avons eu une fin de semaine très **mouvementée**.* SYN tumultueux. CONTR calme.

mouvoir verbe ▸ conjug. 24
Mettre en mouvement ou faire fonctionner. *Cette machine **est mue** par un moteur électrique.* SYN actionner. ■ *se* **mouvoir** : faire des mouvements. *Avec sa jambe plâtrée, il a du mal à **se mouvoir**.* SYN bouger. ♦ Famille du mot : mouvant, mouvement, mouvementé.

① **moyen, moyenne** adjectif
❶ Qui correspond à une valeur, à une quantité ou à une position intermédiaire entre les extrêmes. *Être d'une taille **moyenne**.* ❷ Qui est dans la normale, ni bon, ni mauvais. *William a des notes **moyennes** en math.* ❸ Qui est calculé en faisant la moyenne de deux quantités. *Si nous avons parcouru 150 km en deux heures, nous avons roulé à une vitesse **moyenne** de 75 km à l'heure.* ❹ Qui est représentatif d'une population, qui est du type le plus courant. *Il représente le Canadien **moyen**.* ♦ Famille du mot : moyenne, moyennement.

② **moyen** nom masculin
Ce que l'on fait ou ce que l'on utilise pour parvenir à son but. *Il faut trouver un **moyen** de l'amadouer.* SYN façon. • **Moyen de transport :** matériel qui permet de transporter des personnes ou des marchandises. *Le train et le bateau sont des **moyens de transport**.* • **Au moyen de quelque chose :** en s'en servant. *Il a réussi à ouvrir la porte **au moyen d'**un crochet.* SYN à l'aide de, grâce à. ■ **moyens** nom masculin pluriel ❶ Quantité d'argent dont une personne dispose. *Il n'a pas les **moyens** d'acheter une nouvelle voiture.* ❷ Capacités intellectuelles ou physiques d'une personne. *Au moment de l'examen, il a perdu tous ses **moyens**.* • **Par ses propres moyens :** sans être aidé, tout seul. *Elle a réussi à bâtir une entreprise **par ses propres moyens**.* • **Aux grands maux, les grands moyens :** quand la situation est très grave, il faut être capable de prendre des décisions énergiques.

Moyen Âge nom masculin
Période de l'histoire qui se situe entre la fin de l'Empire romain et la chute de Constantinople, du 5e au 15e siècle. *Les premières villes sont apparues au **Moyen Âge**.* ✎ Attention ! *Moyen Âge* s'écrit toujours avec des majuscules.

moyenâgeux, moyenâgeuse adjectif
Qui fait penser au Moyen Âge. *Ils ont décoré leur chambre dans un style **moyenâgeux**.* ✎ Attention ! *Moyenâgeux* s'écrit en un seul mot. * Chercher aussi *médiéval*.

moyennant préposition
En échange de. *Il a réussi à avoir un billet pour le spectacle **moyennant** une longue attente.*

moyenne nom féminin
❶ Opération qui consiste à faire le total de plusieurs quantités, puis à diviser ce total par le nombre de quantités additionnées. *Si nous additionnons 10 + 8 + 3 = 21, la **moyenne** de ces trois nombres sera égale à 7, puisque 21 ÷ 3 = 7.* ❷ Niveau intermédiaire le plus courant. *Cette enfant n'est ni grande, ni petite pour son âge ; elle est dans la **moyenne**.*

moyennement adverbe
De façon moyenne, assez peu. *Ce film nous a **moyennement** intéressés.*

moyeu, moyeux nom masculin
Partie centrale de la roue, qui tourne autour d'un axe. *Les rayons de la roue d'un vélo sont fixés au **moyeu**.* 👁p. 117. * Chercher aussi *essieu*.

mozambicain, mozambicaine
➛Voir tableau, p. 1319.

mozzarella nom féminin
Fromage de vache d'origine italienne. *On met de la **mozzarella** râpée sur la pizza.*

MRC
Sigle de ***m**unicipalité **r**égionale de **c**omté.*

mucus nom masculin
Liquide épais et visqueux produit par les muqueuses. *Il est enrhumé ; son nez est encombré de **mucus**.*

mue nom féminin
Fait de muer. *Au moment de la **mue**, le serpent abandonne son ancienne peau.* 👁p. 892.

muer verbe ▸ conjug. 3
❶ Changer de pelage, de carapace, de peau ou de plumage. *Les serpents, les oiseaux, les crustacés **muent**.* ❷ Changer de timbre de voix. *Les garçons **muent** au moment de l'adolescence.*

muet, muette adjectif et nom
Qui n'a pas l'usage de la parole. *Il est **muet** de naissance. – Les **muets** communiquent à l'aide du langage des signes.* ■ **muet, muette** adjectif ❶ Qui se tait, est incapable de parler. *Il est resté **muet** de surprise.* ❷ Qui n'est pas prononcé. *Dans le mot « poule », le « e » final est **muet**, dans le mot « homme », le « h » est **muet**.* ❸ Se dit d'un film sans paroles. *À la télévision, on a regardé un vieux film **muet**.*

muezzin nom masculin
Musulman chargé d'appeler les fidèles à la prière du haut du minaret d'une mosquée. ✎ On peut écrire aussi ***muezzine*** ou ***muézine***.

muffin nom masculin
❶ Petit gâteau rond. *Un **muffin** au son.* ❷ Petit pain rond et plat qui se mange généralement grillé.

mufle nom masculin
Bout du museau de certains mammifères. *Les vaches broutent, le **mufle** enfoui dans l'herbe.*

mugir verbe ▸ conjug. 11
❶ Pousser des mugissements. *Les vaches **mugissent** en rentrant à l'étable.* **SYN** beugler, meugler. ❷ Produire un mugissement. *Pendant la tempête, on entendait le vent **mugir**.*

mugissement nom masculin
❶ Cri du bœuf, de la vache. **SYN** beuglement, meuglement. ❷ Son long et sourd qui rappelle le cri des bovins. *Le **mugissement** d'une sirène.*

muguet nom masculin
Plante à petites fleurs blanches et parfumées, en forme de clochette.

Du **muguet**

mulâtre, mulâtresse nom
Personne née d'un parent blanc et d'un parent noir. ■ **mulâtre** adjectif Dont l'un des parents est blanc et l'autre, noir. *Une enfant **mulâtre**.* * Chercher aussi *métis*.

mule nom féminin
Animal femelle hybride de l'âne et de la jument. • **Tête de mule :** personne têtue.

mulet nom masculin
Animal mâle hybride de l'âne et de la jument. *Le **mulet** est un animal très robuste.*

Un **mulet**

mulot nom masculin
Petite souris des champs et des bois. *Le **mulot** est nuisible aux cultures.*

Un **mulot**

multi- préfixe
Placé au début d'un mot pour former un autre mot, *multi-* signifie « nombreux » (***multi**colore*, ***multi**ethnique*).

multicolore adjectif
Qui a plusieurs couleurs. *Pour la fête, la salle était décorée de guirlandes **multicolores**.* SYN bariolé. CONTR uni. * Chercher aussi *bicolore*, *tricolore*.

multiculturalisme nom masculin
Dans un pays, existence conjointe de nombreuses cultures. *Le **multiculturalisme** canadien.*

multiethnique adjectif
Qui concerne plusieurs ethnies. *La population de Montréal, de Toronto et de Vancouver est **multiethnique**.*

multimédia adjectif
Qui concerne plusieurs médias. *Un spectacle **multimédia**.* ■ **multimédia** nom masculin Ensemble des techniques permettant d'utiliser de façon simultanée et interactive plusieurs types de représentations de l'information (texte, sons, images fixes ou animées).
✎ Pluriel : *des **multimédias**.*

multimillionnaire adjectif et nom
Qui dispose de plusieurs millions de dollars. *Une famille **multimillionnaire**. – Ce **multimillionnaire** soutient de nombreux organismes d'aide à la jeunesse.*

multinationale nom féminin
Entreprise exerçant ses activités dans plusieurs pays. *Cette **multinationale** a transféré une grande partie de ses activités en Asie.*

multiple adjectif
Qui existe en grand nombre. *Ce champion a remporté de **multiples** trophées.* SYN divers, nombreux. CONTR unique. ■ **multiple** nom masculin Nombre qui contient plusieurs fois un autre nombre. *6 est un **multiple** de 2 et de 3 puisque 2 × 3 = 6.* ♦ Famille du mot : multiplicande, multiplicateur, multiplication, multiplier.

multiplicande nom masculin
Nombre qui est multiplié par un autre. *Quand on multiplie 25 par 5 (25 × 5), 25 est le **multiplicande**.*

multiplicateur nom masculin
Nombre qui multiplie un autre nombre. *Quand on multiplie 20 par 4 (20 × 4), 4 est le **multiplicateur**.*

multiplication nom féminin
Opération d'arithmétique qui consiste à ajouter plusieurs fois un nombre à lui-même. *6 × 4 = 6 + 6 + 6 + 6 = 24.* * Chercher aussi *division*.

multiplier verbe ▸ conjug. 10
❶ Faire une multiplication. *Si tu **multiplies** six par deux, tu obtiens douze (6 × 2 = 12).* ❷ Faire quelque chose un grand nombre de fois. *Au cours de cette partie d'échecs, Benoît **a multiplié** les erreurs.*

multitude nom féminin
❶ Très grand nombre. *Dans sa collection, on trouve une **multitude** d'objets rares.* ❷ Foule. *Le spectacle avait attiré une **multitude** d'amateurs de jazz.*

muni, munie adjectif
Qui est équipé d'un élément donné. *Cette voiture est **munie** de coussins gonflables latéraux.* SYN pourvu.

municipal, municipale, municipaux adjectif
Qui concerne la municipalité. *Notre équipe s'entraîne à la piscine **municipale**.*

municipalité nom féminin
Division territoriale administrée par un maire et des conseillers municipaux. • **Municipalité régionale de comté (MRC) :** organisme régional qui regroupe toutes les municipalités d'une même région.

se **munir** verbe ▸ conjug. 11
Prendre quelque chose avec soi. *Pour la randonnée, **munissez-vous** de provisions.*

munitions nom féminin pluriel
Ce qui sert à charger une arme à feu. *Les balles, les cartouches, les obus sont des **munitions**.*

muqueuse nom féminin
Membrane qui recouvre un organe et sécrète des mucosités. *À cause de son rhume, Émile a les **muqueuses** du nez très irritées.*

mur nom masculin
❶ Construction qui sert de soutien dans un bâtiment ou qui ferme un espace. *Les **murs** de la maison sont recouverts de briques.* ❷ Séparation entre les pièces d'un bâtiment. *Guillaume a mis des affiches sur tous les **murs** de sa chambre.* SYN cloison. • **Mettre quelqu'un au pied du mur :** l'obliger à prendre immédiatement une décision. • **Mur du son :** vitesse du son, pour un avion. ♦ Famille du mot : emmurer, muraille, mural, murer, muret. * Ne pas confondre *mur*, *mûr* et *mûre*.

mûr, mûre adjectif
❶ Qui est prêt à être récolté et mangé (fruits). *C'est le moment de cueillir ces prunes, elles sont **mûres**.* ❷ Qui a fini de se développer. *Elle n'est plus une jeune femme, c'est maintenant une femme **mûre**.* ❸ Qui a un jugement raisonnable, réfléchi. *Il n'a que quinze ans, mais je le trouve très **mûr** pour son âge.* SYN mature, sage. ♦ Famille du mot : mûrement, mûrir. * Ne pas confondre *mûr*, *mur* et *mûre*.

muraille nom féminin
Mur haut et épais. *La forteresse de Louisbourg, en Nouvelle-Écosse, est entourée de **murailles**.* SYN fortification, rempart.

mural, murale, muraux adjectif
Qui se fixe au mur. *Coralie range ses livres sur des étagères **murales**.*

mûre nom féminin
Petit fruit noir du mûrier. ✎ On peut écrire aussi ***mure***. * Ne pas confondre *mûre*, *mur* et *mûr*.

mûrement adverbe
Très longuement et avec soin. *David a **mûrement** réfléchi sa décision.* ✎ On peut écrire aussi ***murement***.

murène nom féminin
Poisson au corps dépourvu d'écailles, à la mâchoire puissante, armée de dents pointues. *La **murène** s'abrite dans les trous des rochers pour surprendre ses proies.*

*Une **murène***

murer verbe ▸ conjug. 3
Fermer par un mur. *On **a muré** les fenêtres de cet immeuble inhabité.* SYN boucher.

muret nom masculin
Petit mur. *Un **muret** de pierres entoure le terrain.*

mûrier nom masculin
❶ Arbre des régions méditerranéennes, dont les feuilles sont utilisées pour nourrir les vers à soie. ❷ Arbre originaire d'Orient, à fruits noirs acidulés. ✎ On peut écrire aussi ***murier***.

*Un **mûrier***

mûrir verbe ▸ conjug. 11
❶ Devenir mûr. *Les fraises deviennent rouges en **mûrissant**.* ❷ Devenir plus raisonnable, plus réfléchi. *Diego **a** beaucoup **mûri** en grandissant.* ❸ Mettre soigneusement au point, après avoir réfléchi. *Elle **a** longuement **mûri** son plan avant de l'exposer.* ✎ On peut écrire aussi ***murir***.

murmure nom masculin
❶ Bruit de voix léger et confus. *Quand la scène s'est éclairée, les **murmures** se sont tus dans la salle.* SYN chuchotement. ❷ Bruit très doux. *J'écoute le **murmure** du vent dans les feuilles.*

murmurer verbe ▸ conjug. 3
❶ Parler à voix basse. *Il **a murmuré** quelques mots à l'oreille de son ami.* SYN chuchoter. ❷ Se plaindre ou protester à voix basse. *À cause du retard, les spectateurs mécontents commençaient à **murmurer** dans la salle.*

musaraigne nom féminin
Petit mammifère au museau allongé, de la taille d'une souris. *La **musaraigne** se nourrit de vers et d'insectes.*

*Une **musaraigne***

musc nom masculin
Substance à odeur très forte, produite par certains animaux. *Le **musc** entre dans la fabrication de nombreux parfums.*

De la **muscade**

muscade nom féminin
Graine d'un arbre tropical utilisée comme épice. *Elle a saupoudré la purée de pommes de terre de* ***muscade*** *râpée.* * On dit aussi ***noix (de) muscade***.

muscle nom masculin
Organe qui se contracte pour produire des mouvements. *Ibrahim fait de la gymnastique pour développer ses* ***muscles***. ♦ Famille du mot: intramusculaire, musclé, muscler, musculaire, musculation, musculature.

musclé, musclée adjectif
Qui a des muscles développés. *Cet athlète est très* ***musclé***.

muscler verbe ▸ conjug. 3
Développer les muscles. *La marche en montagne* ***muscle*** *les jambes.*

musculaire adjectif
Qui concerne les muscles. *À la fin du match de tennis, Chloé avait des douleurs* ***musculaires*** *dans l'épaule et dans le bras.*

musculation nom féminin
Ensemble d'exercices qui développent la musculature. *Ces jeunes font de la* ***musculation*** *dans un centre de conditionnement physique.*

musculature nom féminin
Ensemble des muscles du corps. *Un athlète à la* ***musculature*** *puissante.*

muse nom féminin
Femme qui inspire un poète, un écrivain, un artiste.

museau, museaux nom masculin
Partie avant de la tête de certains animaux. *Le* ***museau*** *du chien, de la souris, du renard.*

musée nom masculin
Lieu public où sont rassemblés des objets qui ont un intérêt artistique, historique ou scientifique. *Le* ***Musée*** *du Québec possède une importante collection de peintures et de sculptures canadiennes.* * Attention! Même s'il est terminé en *-ée*, ce mot est du genre masculin.

museler verbe ▸ conjug. 9
Mettre une muselière à un animal. *Ce chien ne peut pas te mordre, son maître l'****a muselé***. ✎ On peut écrire aussi, au présent, *je* ***musèle***; au futur, *tu* ***musèleras***; au conditionnel, *vous* ***musèleriez***.

muselière nom féminin
Appareil que l'on fixe autour du museau d'un animal pour l'empêcher de mordre. *Ce chien agressif ne doit pas sortir sans* ***muselière***.

Une **muselière**

musical, musicale, musicaux adjectif
❶ Qui concerne la musique. *Une comédie* ***musicale***. ❷ Qui est harmonieux comme de la musique. *Une voix* ***musicale***.

musicien, musicienne nom
Personne qui compose ou qui joue de la musique. *Les* ***musiciens*** *accordent leurs instruments avant le concert.*

musique nom féminin
Art de combiner harmonieusement les sons suivant certaines règles. *Linh suit des cours de* ***musique***. *Lucas aimerait apprendre à jouer d'un instrument de* ***musique***. • **Connaître la musique:** savoir comment les choses se passent, savoir comment s'y prendre. • **Musique à bouche:** harmonica. *Isabelle joue de la flûte et moi, de la* ***musique à bouche***. ♦ Famille du mot: musical, musicien.

musulman, musulmane adjectif
Qui concerne l'islam. *La religion* ***musulmane*** *est fondée sur le Coran.* ■ **musulman, musulmane** nom Personne qui pratique la religion musulmane. *Les* ***musulmans*** *vont prier à la mosquée.* 👁p. 270.

mutant, mutante nom
Personnage imaginaire de la science-fiction qui apparaîtrait à la suite de mutations subies par l'espèce humaine.

mutation nom féminin
❶ Modification des caractères biologiques d'un être vivant. *La couleur d'une race d'animaux peut changer à cause d'une* ***mutation***. ❷ Changement de lieu de travail. *Il a demandé sa* ***mutation*** *à Vancouver.* ❸ Transformation. *La recherche pharmaceutique est en pleine* ***mutation***.

muter verbe ▸ conjug. 3
Changer le lieu de travail de quelqu'un. *Mon oncle voudrait* ***être muté*** *à l'étranger.*

mutilé, mutilée nom
Personne qui a perdu un membre. *Un **mutilé** de guerre.*

mutiler verbe ▸ conjug. 3
❶ Handicaper par l'amputation d'un membre. *Son accident de voiture l'**a mutilé** des deux jambes.* ❷ Abîmer. *En cassant des branches, vous **mutilez** les arbres.*

mutin nom masculin
Personne qui participe à une mutinerie. *Les **mutins** se sont emparés du navire et ont fait prisonnier leur capitaine.* **SYN** rebelle, révolté.
♦ Famille du mot : se mutiner, mutinerie.

se **mutiner** verbe ▸ conjug. 3
Se révolter en groupe contre l'autorité. *Des soldats **se sont mutinés** contre leurs officiers.*

mutinerie nom féminin
Révolte collective. *Une **mutinerie** a éclaté dans cette prison.* * Chercher aussi *agitation, émeute, trouble.*

mutisme nom masculin
Refus de parler. *L'accusé s'est enfermé dans le **mutisme**.*

mutuel, mutuelle adjectif
Qui s'échange de l'un à l'autre. *Ce couple est uni par un amour **mutuel**.* **SYN** réciproque.

mutuellement adverbe
De façon mutuelle. *Les deux sportives se sont félicitées **mutuellement**.* **SYN** réciproquement.

myanmarais, myanmaraise
➛Voir tableau, p. 1319.

mycologie nom féminin
Étude des champignons. *Anaïs s'intéresse à la **mycologie**.*

mygale nom féminin
Grosse araignée tropicale. *La piqûre de la **mygale** est dangereuse pour l'être humain.*

*Une **mygale***

myope adjectif et nom
Qui est atteint de myopie. *De loin, elle ne reconnaît personne parce qu'elle est **myope**. – Les **myopes**.*
* Chercher aussi *malvoyant, presbyte.*

myopie nom féminin
Trouble de la vue qui empêche de voir nettement ce qui est éloigné. *À cause de sa **myopie**, il est obligé de porter des lunettes.*

myriade nom féminin
Quantité innombrable. *Les **myriades** d'étoiles des nuits d'été.* **SYN** multitude.

mystère nom masculin
❶ Chose incompréhensible. *La disparition des dinosaures reste un **mystère** pour les scientifiques.* **SYN** énigme. ❷ Chose gardée secrète. *Je ne sais pas ce que je vais avoir comme cadeau, c'est un **mystère**.* ♦ Famille du mot : mystérieusement, mystérieux.

mystérieusement adverbe
De façon mystérieuse. *Des documents secrets ont **mystérieusement** disparu.*

mystérieux, mystérieuse adjectif
❶ Qui constitue un mystère. *Il est atteint d'un mal **mystérieux**.* **SYN** énigmatique, incompréhensible, inexplicable. ❷ Qui cache un secret. *Un sourire **mystérieux**.*

mystifier verbe ▸ conjug. 10
Tromper quelqu'un en profitant de sa naïveté. *Cet escroc **a mystifié** ses victimes.*

mystique adjectif et nom
Qui a une conduite inspirée par une foi religieuse intense.

mythe nom masculin
Récit légendaire qui raconte les exploits d'êtres imaginaires. *L'histoire des douze travaux d'Hercule est un **mythe** grec.* ♦ Famille du mot : mythique, mythologie, mythologique, mythomane.

mythique adjectif
Qui concerne les mythes.

mythologie nom féminin
Ensemble de mythes et de légendes. *Les aventures des dieux et des héros grecs forment la **mythologie** grecque.*

mythologique adjectif
Qui se rapporte à la mythologie. *Les dieux et les déesses **mythologiques**.*

mythomane adjectif et nom
Qui ne peut pas s'empêcher d'inventer des histoires. *Olivier est **mythomane** : il dit avoir été enlevé par des extraterrestres. – C'est une grande **mythomane**.*

Des instruments de musique

Depuis la nuit des temps, les humains fabriquent des instruments qui servent à produire de la musique. On distingue trois grandes familles d'instruments : les instruments à corde, les instruments à vent et les instruments à percussion.

Les instruments à cordes

Un instrument à cordes est un instrument de musique dans lequel le son est produit par la vibration d'une ou de plusieurs cordes. Elles peuvent être frottées (avec un archet), pincées (avec les doigts ou autre) ou frappées (avec de petits marteaux).

Les instruments à vent

Un instrument à vent est un instrument dans lequel de l'air est soufflé pour produire des sons musicaux. L'air est en général soufflé par le musicien (flûte, trompette, harmonica). Il est parfois produit par un sac d'air (cornemuse) ou par un geste (accordéon, orgue).

Les instruments à percussion

Les percussions englobent tous les instruments qui produisent un son grâce à la frappe d'un corps sur un autre. Ce sont probablement les premiers instruments de musique à avoir été fabriqués par les humains. On les trouve encore dans la plupart des genres musicaux.

n nom masculin invariable
Quatorzième lettre de l'alphabet. *Le **n** est une consonne.*

n' ➔Voir **ne**

nacelle nom féminin
Panier suspendu à une montgolfière, où se tiennent les passagers.

nacre nom féminin
Substance brillante qui recouvre l'intérieur de la coquille de certains mollusques. *Avec la **nacre**, on fait des boutons.*

nacré, nacrée adjectif
Qui brille comme de la nacre. *Ma sœur a mis un vernis **nacré** sur ses ongles.*

De la nacre

nage nom féminin
Manière ou action de nager. *La brasse et le crawl sont des **nages**.*

nageoire nom féminin
Organe qui permet aux poissons de nager. * Chercher aussi *aileron*.

nager verbe ▸ conjug. 5
❶ Faire des mouvements dans l'eau pour avancer. *Hugo apprend à **nager** la brasse.* ❷ Dans la langue familière, porter un vêtement trop grand. *Comme elle a maigri, elle **nage** maintenant dans tous ses vêtements.* SYN flotter. ❸ Au sens figuré, être submergé par un sentiment fort. ***Nager** dans le bonheur.*
♦ Famille du mot : nage, nageoire, nageur.

nageur, nageuse nom
Personne qui nage. *Fang est une bonne **nageuse**.*

naguère adverbe
Dans la langue littéraire, il y a peu de temps. *Ils se sont rencontrés **naguère**.* SYN récemment.

naïf, naïve adjectif et nom
❶ Qui est simple et naturel. *Les petits enfants sont **naïfs**.* SYN candide. ❷ Qui croit facilement tout ce qu'on lui dit. *Ces gens **naïfs** ont cru son histoire rocambolesque.* SYN crédule. – *Il ne faut pas la prendre pour une **naïve**.* SYN niaiseux.
♦ Famille du mot : naïvement, naïveté.

nain, naine nom
Personne de petite taille. *Fatima raconte à son petit frère l'histoire de Blanche-Neige et des sept **nains**.* CONTR géant. ■ **nain, naine** adjectif D'une espèce particulièrement petite. *Un caniche **nain**.*

naissance nom féminin
❶ Fait de naître. *Édouard attend avec impatience la **naissance** de son petit frère.* ❷ Natalité. *Le nombre des **naissances** est en nette diminution dans la plupart des pays occidentaux.* * Chercher aussi *démographie*. ❸ Moment où quelque chose commence. *La **naissance** du jour, la **naissance** d'un projet.*

naître verbe ▸ conjug. 37
❶ Venir au monde, sortir du ventre de sa mère. *Marie-Ève **est née** en 2004.* CONTR mourir. ❷ Commencer à exister. *Une grande amitié **est née** entre Boris et Julie.* • **Naître de :** provenir. *Ce projet **est né des** discussions que nous avons eues.* SYN résulter. * Attention ! *Naître* se conjugue comme *connaître*, sauf au passé simple : *je **naquis***, et au participe passé : ***né***.

✎ On peut écrire aussi, à l'infinitif, ***naitre*** ; au présent, *elle* ***nait*** ; au futur, *tu* ***naitras*** ; au conditionnel, *il* ***naitrait***. ♦ Famille du mot : natal, natalité, naissance, né, nouveau-né, renaissance, renaître.

naïve ➔Voir **naïf**

naïvement adverbe
De façon naïve. *Il a cru* ***naïvement*** *ce qu'on lui racontait.*

naïveté nom féminin
❶ Simplicité, confiance. *J'aime la* ***naïveté*** *des enfants.* **SYN** candeur. ❷ Crédulité. *Il a montré beaucoup de* ***naïveté*** *dans cette affaire.* **CONTR** méfiance.

namibien, namibienne
➔Voir tableau, p. 1319.

nanti, nantie adjectif et nom
Qui est riche, qui vit dans l'abondance. *Dans ce quartier habitent des gens* ***nantis***. – *Les* ***nantis*** *de la société.* **CONTR** démuni, nécessiteux, pauvre.

nappe nom féminin
❶ Linge qui recouvre une table et la protège. *Dans ce restaurant, toutes les tables sont recouvertes de* ***nappes*** *blanches.* ❷ Couche de liquide ou de gaz. *Une* ***nappe*** *de pétrole.* ♦ Famille du mot : napper, napperon.

napper verbe ▸ conjug. 3
Recouvrir un plat d'une sauce ou d'une crème. ***Napper*** *un gâteau de chocolat.* * Chercher aussi *glacer*.

napperon nom masculin
❶ Petite nappe individuelle sur laquelle on dépose l'assiette et le couvert. *Nous allons manger. Peux-tu mettre les* ***napperons*** *sur la table ?* ❷ Petit linge brodé que l'on met sur un meuble pour le protéger ou le décorer. *Un* ***napperon*** *de dentelle ornait le centre de la table.*

narcisse nom masculin
Plante à fleurs jaunes ou blanches très parfumées. *Une plate-bande de* ***narcisses***. * Chercher aussi *jonquille*.

narguer verbe ▸ conjug. 3
Provoquer avec insolence. *Elle* ***nargue*** *souvent ses amies.*

narine nom féminin
Chacun des deux orifices du nez. *L'être humain respire par la bouche et les* ***narines***. 👁p. 246. * Chercher aussi *naseau*.

Un ***narcisse***

narquois, narquoise adjectif
Qui est moqueur et malicieux. *Olivier m'a répondu d'un ton* ***narquois***. **SYN** goguenard, ironique, railleur.

narrateur, narratrice nom
Personne qui raconte une histoire. *La* ***narratrice*** *racontait l'histoire avec beaucoup d'expression.*

narratif, narrative adjectif
Qui raconte. *Le conte est un texte* ***narratif***.

narration nom féminin
Récit d'un évènement. *Il nous a fait la* ***narration*** *de ses vacances.*

narrer verbe ▸ conjug. 3
Dans la langue littéraire, raconter. *Nadja nous* ***a narré*** *ses aventures en Afrique.* ♦ Famille du mot : narrateur, narratif, narration.

narval nom masculin
Mammifère marin des mers arctiques, dont le mâle porte une longue défense sur le devant de la tête. *Le* ***narval*** *est un cétacé.* 👁p. 804.
✎ Pluriel : *des* ***narvals***.

Des ***narvals***

nasal, nasale, nasaux adjectif
Qui concerne le nez. *Les fosses* ***nasales***, *des écoulements* ***nasaux***.

naseau, naseaux nom masculin
Narine du cheval, du bœuf et d'autres grands mammifères.

nasillard, nasillarde adjectif
Qui semble venir du nez. *Les gens enrhumés ont une voix* ***nasillarde***.

a b c d e f g h i j k l m n o p q r s t u v w x y z

naskapi, naskapie adjectif et nom
De la nation amérindienne des Naskapis. *Une coutume **naskapie**. – Les **Naskapis**, les **Naskapies**.* ⊙carte 5. ✎ Attention ! Le nom, qui désigne les membres de la nation naskapie, s'écrit avec une majuscule.
■ **naskapi** nom masculin Langue parlée par les Naskapis.

natal, natale, natals adjectif
Où l'on est né. *Québec est ma ville **natale**.*

natalité nom féminin
Nombre des enfants qui naissent. *Quel est le taux de **natalité** dans ce pays ?* * Chercher aussi *démographie, mortalité*.

natation nom féminin
Sport pratiqué en nageant. *Alexia participe à une compétition de **natation**.*

natif, native adjectif
Originaire. *Kevin est madelinot, il est **natif** des Îles-de-la-Madeleine.*

nation nom féminin
Les humains et le territoire d'un pays. *Toutes les grandes **nations** du monde étaient représentées à ce congrès.* * Chercher aussi *État, patrie, pays, peuple*. ♦ Famille du mot : international, multinationale, national, nationalisation, nationaliser, nationalisme, nationaliste, nationalité.

national, nationale, nationaux adjectif
Qui concerne une nation. *Un hymne **national**. Le 24 juin est la fête **nationale** des Québécois et des Québécoises.*

nationalisation nom féminin
Action de nationaliser. *Au Québec, la **nationalisation** de l'électricité a eu lieu dans les années 1960.*

nationaliser verbe ▸ conjug. 3
Placer sous la direction de l'État ce qui appartenait à des propriétaires privés. *Ce pays vient de **nationaliser** l'extraction du pétrole.* **CONTR** privatiser.

nationalisme nom masculin
Attachement profond à la nation à laquelle on appartient.

nationaliste adjectif
Qui concerne le nationalisme. *Une fierté **nationaliste**.* ■ **nationaliste** nom Partisan du nationalisme. *Ce fervent **nationaliste** brandit le drapeau de son pays.*

nationalité nom féminin
Appartenance de quelqu'un à une nation déterminée. *Ali est né et vit au Maroc : il est de **nationalité** marocaine.*

natte nom féminin
❶ Tapis de paille tressée. *Jade déplie une **natte** pour s'allonger sur la plage.* ❷ Tresse de cheveux. *Sarah laisse pousser ses cheveux pour se faire une **natte**.*

Une **natte**

① **naturalisation** nom féminin
Fait d'accorder à un étranger la nationalité de son pays d'accueil. *Enrique attend sa **naturalisation**.*

② **naturalisation** nom féminin
Action de préparer un animal mort ou une plante coupée pour lui conserver une apparence de vie.

① **naturaliser** verbe ▸ conjug. 3
Donner à un étranger la nationalité du pays où il a choisi de vivre. *Carlos s'est fait **naturaliser** Canadien.*

② **naturaliser** verbe ▸ conjug. 3
Préparer un animal mort ou une plante coupée pour lui conserver une apparence de vie. *Cet ours **a été** remarquablement **naturalisé**.* **SYN** empailler. * Chercher aussi *taxidermiste*.

naturaliste nom
Spécialiste des sciences naturelles. *Les **naturalistes** étudient les végétaux, les minéraux et les animaux.*

nature nom féminin
❶ Ensemble de tout ce qui existe sur la Terre et qui n'est pas fabriqué par les humains. *Quelle est la place de l'être humain dans la **nature** ?* **SYN** monde, Univers. ❷ La campagne, les champs et les bois. *Les animaux sont heureux dans la **nature**.* ❸ Ce qui caractérise une chose. *Les géologues étudient la **nature** des roches.* **SYN** constitution. ❹ Caractère d'une personne. *Sofia est d'une **nature** généreuse.* **SYN** naturel, tempérament. • **Nature humaine :** ensemble des caractères communs à tous les êtres humains. • **Nature morte :** tableau qui représente des objets ou des plantes. • **Payer en nature :** payer en marchandises et non pas en argent. ♦ Famille du mot : dénaturer, naturaliste, naturel, naturellement, naturisme, surnaturel.

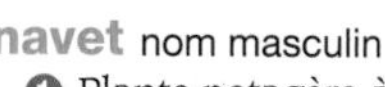

naturel, naturelle adjectif
❶ Qui fait partie de la nature. *Les tremblements de terre sont des phénomènes **naturels**.* ❷ Qui est normal, conforme à ce que l'on attend. *Mélissa trouve tout **naturel** d'aider les personnes âgées.* ❸ Qui est simple et spontané. *Un sourire **naturel**.* CONTR affecté, factice, forcé. ❹ Qui n'a pas été traité, modifié par l'être humain. *Une fibre **naturelle**.* CONTR artificiel, synthétique.
■ **naturel** nom masculin ❶ Caractère d'une personne. *Benoît est d'un **naturel** optimiste.* SYN nature, tempérament. ❷ Spontanéité avec laquelle quelqu'un se comporte. *Cette comédienne joue avec beaucoup de **naturel**.* CONTR affectation.

Un **navet**

naturellement adverbe
❶ De façon naturelle. *Les cheveux de ma cousine frisent **naturellement**.* ❷ Évidemment, forcément. ***Naturellement**, j'ai répondu à sa question.* SYN bien sûr.

naturisme nom masculin
Pratique qui invite à vivre nu en pleine nature. SYN nudisme.

naufrage nom masculin
Disparition d'un navire qui a coulé ou s'est échoué. *Un **naufrage** s'est produit pendant la tempête.* • **Faire naufrage :** chavirer, couler. * Chercher aussi *épave*.

naufragé, naufragée nom
Passager d'un bateau qui a fait naufrage. *Un canot de sauvetage a recueilli les **naufragés**.*

nauruan, nauruane
➣Voir tableau, p. 1319.

nauséabond, nauséabonde adjectif
Qui sent mauvais au point de donner la nausée. *Ce poisson pourri dégage une odeur **nauséabonde**.* SYN puant.

nausée nom féminin
Envie de vomir. *Les mouvements du bateau lui ont donné la **nausée**.* SYN haut-le-cœur.

nautique adjectif
Qui concerne les sports pratiqués sur l'eau. *Thomas pratique plusieurs sports **nautiques** : la voile, le kayak et le ski **nautique**.*

naval, navale, navals adjectif
Qui concerne les navires et la navigation. *Un architecte **naval** dessine des bateaux. On construit des bateaux dans les chantiers **navals**.*

navet nom masculin
❶ Plante potagère à racine comestible. *Une purée de **navets**.* ❷ Dans la langue familière, mauvais film. *Ce film est un **navet**.*

navette nom féminin
❶ Instrument d'un métier à tisser qui sert à entrecroiser les fils. ❷ Véhicule qui fait des allers et retours réguliers entre deux endroits. *Il y a une **navette** entre le centre-ville et l'aéroport.* • **Navette spatiale :** véhicule qu'on lance dans l'espace et qui revient sur la Terre. * Chercher aussi *vaisseau* spatial*.

Une **navette**

navigable adjectif
Où l'on peut naviguer. *Le fleuve Saint-Laurent est une voie **navigable** importante au Canada.*

navigateur, navigatrice nom
Personne qui navigue. *Ce **navigateur** solitaire vient de faire le tour du monde sur son voilier.*

navigation nom féminin
❶ Action de naviguer. *La tempête rend la **navigation** difficile.* ❷ Circulation des avions. *La **navigation** aérienne est très réglementée.*

naviguer verbe ▸conjug. 3
❶ Voyager en bateau. *Cet été, ses parents partent **naviguer** sur le fleuve Saint-Laurent, de Montréal à Matane.* ❷ Passer d'un document ou d'un site à l'autre dans Internet. *Karine a trouvé toute l'information nécessaire à sa recherche en **naviguant** sur Internet.* SYN fureter, surfer. ♦ Famille du mot : navigable, navigateur, navigation, navire.

navire nom masculin
Grand bateau conçu pour la navigation en haute mer. *Un cargo est un **navire** qui transporte des marchandises.*

navrant, navrante adjectif
Qui cause du souci, de la tristesse. *C'est un accident **navrant**.* SYN consternant, déplorable, désolant. CONTR réjouissant.

navré, navrée adjectif
• **Être navré de quelque chose :** en être désolé, le regretter. *Je **suis navrée de** t'avoir fâché.*

navrer verbe ▸conjug. 3
Peiner, chagriner. *Ton malheur me **navre**.* SYN attrister, consterner. CONTR ravir, réjouir.

nazi, nazie nom
Membre du parti du dictateur allemand Hitler. *Pendant la Seconde Guerre mondiale, les* ***nazis*** *ont commis des actes barbares.* ■ **nazi, nazie** adjectif Qui concerne les nazis. *La doctrine* ***nazie****.*

ne adverbe
Placé devant un verbe qui est généralement suivi de «pas», «plus», «rien», «jamais», *ne* indique la négation. *Il* ***ne*** *pleure jamais. Elle* ***ne*** *sait pas lire.* * ***Ne*** devient ***n'*** devant une voyelle ou un «h» muet: *Je* ***n'****en veux plus. Elle* ***n'****habite plus ici.*

né, née adjectif
❶ Qui est venu au monde dans telles circonstances. ***Né*** *d'un père québécois et d'une mère grecque, Christos est parfaitement bilingue.* • **Premier-né, dernier-né:** enfant qui est né le premier, le dernier dans une famille. *Lyane est la* ***première-née****, Raphaël, le* ***dernier-né****.* ✎ Dans ces mots composés, les deux éléments s'accordent en genre et en nombre. ❷ Qui a un don inné pour quelque chose. *Victor est un comédien-****né****.* ✎ Au sens 2, ***né*** est précédé d'un trait d'union et s'accorde en genre et en nombre avec le nom qu'il accompagne. *Des orateurs-****nés****.*

néanmoins adverbe
Indique une opposition. *Marissa est malade, elle va* ***néanmoins*** *à l'école.* **SYN** cependant, pourtant, toutefois.

néant nom masculin
Ce qui n'existe pas. • **Réduire à néant:** anéantir. *Tous leurs efforts* ***ont été réduits à néant*** *par un soudain changement de programme.*

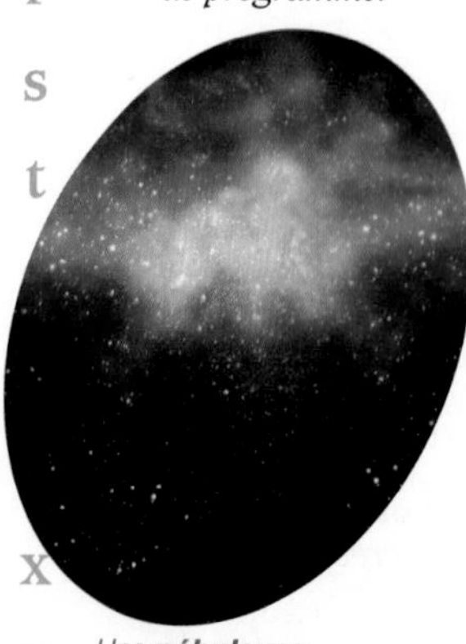
Une ***nébuleuse***

nébuleuse nom féminin
Grand nuage de gaz et de poussières interstellaires, qui présente un aspect vaporeux.

nébuleux, nébuleuse adjectif
❶ Qui est obscurci par les nuages. *Un ciel* ***nébuleux****.* ❷ Au sens figuré, qui est difficile à comprendre. *Des explications* ***nébuleuses****.* **SYN** confus, vague. **CONTR** clair, net, précis.

nécessaire adjectif
Dont on a absolument besoin. *L'eau est* ***nécessaire*** *à la vie.* **SYN** essentiel, indispensable. **CONTR** inutile, superflu. ■ **nécessaire** nom masculin ❶ Ce qui est indispensable. *Cette femme manque du* ***nécessaire*** *pour élever ses enfants.* **SYN** minimum. **CONTR** luxe, superflu. ❷ Boîte qui contient des objets destinés à un usage particulier. *Un* ***nécessaire*** *de voyage. Un* ***nécessaire*** *à couture.* • **Faire le nécessaire:** faire ce qu'il faut pour que quelque chose puisse avoir lieu. *Je vais* ***faire le nécessaire*** *pour que tu la rencontres.*
♦ Famille du mot: nécessairement, nécessité, nécessiter, nécessiteux.

nécessairement adverbe
De façon nécessaire. *Pour skier dans cette station de ski, il faut* ***nécessairement*** *un billet.* **SYN** obligatoirement.

nécessité nom féminin
❶ Chose nécessaire. *Manger est une* ***nécessité*** *pour l'organisme.* ❷ Obligation. *Il est dans la* ***nécessité*** *de partir.*

nécessiter verbe ▸conjug. 3
Rendre nécessaire. *Ce travail délicat* ***nécessite*** *beaucoup d'attention.* **SYN** demander, exiger.

nécessiteux, nécessiteuse adjectif et nom
Qui manque du nécessaire pour vivre. *Des gens* ***nécessiteux****.* **CONTR** aisé. – *Cette association vient en aide aux* ***nécessiteux****.* **SYN** pauvre. **CONTR** nanti, riche.

nectar nom masculin
❶ Liquide sucré produit par les fleurs. *Les abeilles butinent le* ***nectar*** *des fleurs pour fabriquer le miel.* ❷ Boisson obtenue par l'addition d'eau et de sucre à un jus ou une purée de fruits. *Judith raffole du* ***nectar*** *de pêche.*

nectarine nom féminin
Variété de pêche à peau lisse.

néerlandais, néerlandaise
➞Voir tableau, p. 1319.

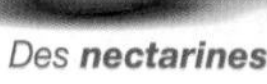
Des ***nectarines***

nef nom féminin
❶ Partie d'une église qui va du portail au chœur. *La* ***nef*** *de cette cathédrale est très haute.* 👁p. 170.
❷ Grand bateau à voiles du Moyen Âge.

néfaste adjectif
❶ Mauvais, dommageable. *La grêle est **néfaste** aux cultures.* SYN nuisible. ❷ Marqué par un évènement malheureux. *Mardi dernier a été un jour **néfaste**.* CONTR ① faste.

① **négatif, négative** adjectif
❶ Qui exprime une négation ou un refus. *La réponse de Roxane est **négative**.* CONTR affirmatif, positif. ❷ Qui refuse tout ce qu'on lui propose. *Il critique toujours tout, son attitude est **négative**.* CONTR positif. ❸ Dont la valeur est inférieure à zéro. *« –20 » est un nombre **négatif**.* CONTR positif. ■ **négative** nom féminin Refus, négation. *Répondre par la **négative**. Dans la **négative**, passez à la section suivante.* CONTR affirmative.

② **négatif** nom masculin
Pellicule développée où les parties claires et sombres sont inversées. *Prête-moi le **négatif**, je vais refaire cette photo.*

négation nom féminin
❶ Fait de nier ou de dire le contraire. *La **négation** de faits rapportés.* ❷ Mot servant à nier. *Le mot « non » exprime une **négation**.* CONTR affirmation.

négligé, négligée adjectif
Qui manque de soin. *Un travail **négligé**.* CONTR soigné. ■ **négligé** nom masculin Absence de soin dans la tenue. *On lui reproche souvent le **négligé** de ses vêtements.*

négligeable adjectif
Qui est très peu important. *La différence de taille entre ces deux enfants est **négligeable**.* SYN insignifiant, minime. CONTR appréciable, important.

négligence nom féminin
❶ Manque de soin, d'application ou d'attention. *Il y a beaucoup de **négligence** dans son travail.* ❷ Faute commise par inattention. *L'accident est dû à la **négligence** du conducteur.*

négligent, négligente adjectif
Qui fait preuve de négligence. *Shira est très **négligente**, elle n'a pas répondu au courriel de sa grand-mère.* CONTR consciencieux.

négliger verbe ▸ conjug. 5
❶ Ne pas prendre soin de quelque chose ou de quelqu'un. *Tu ne devrais pas **négliger** la présentation de ta recherche.* SYN se désintéresser. CONTR soigner. ❷ Délaisser. ***Négliger** ses amis.* ■ *se* **négliger** : ne pas prendre soin de soi. *Depuis qu'il est tout seul, il **se néglige**.* ♦ Famille du mot : négligé, négligeable, négligence, négligent.

négociant, négociante nom
Personne qui fait du commerce en gros. *Une **négociante** en bois.* SYN grossiste.

négociateur, négociatrice nom
Personne qui a pour mission de mener des négociations. *Tous les **négociateurs** sont parvenus à un accord.*

négociation nom féminin
Action de négocier. *Les **négociations** ont été longues et difficiles.*

négocier verbe ▸ conjug. 10
Discuter pour arriver à un accord. *Ces deux pays **ont négocié** un accord économique.* ♦ Famille du mot : négociant, négociateur, négociation.

nègre, négresse nom
Terme péjoratif pour désigner une personne de race noire. ■ **nègre** adjectif Qui concerne la race noire. *L'art **nègre**. La poésie **nègre**.*

négrier nom masculin
Autrefois, personne qui faisait la traite des esclaves noirs.

neige nom féminin
Eau congelée qui tombe en flocons blancs et légers. *Les skieurs sont contents, car la **neige** est bonne.* 👁p. 710. • **Classe de neige** : séjour d'un groupe d'élèves dans un lieu propice à la pratique de sports d'hiver. • **Tempête de neige** : chute de neige abondante accompagnée de vents très forts. *Hier, il y a eu une grosse **tempête de neige** dans la région de Québec.* SYN blizzard. • **Faire boule de neige** : prendre de l'ampleur, s'étendre.

neiger verbe ▸ conjug. 5
Tomber sous forme de neige. *Cet hiver, il **a** beaucoup **neigé**.* * Attention ! *Neiger* ne s'emploie qu'à la troisième personne du singulier. ♦ Famille du mot : déneigement, déneiger, déneigeur, déneigeuse, enneigé, enneigement, neige.

nénuphar nom masculin
Plante à grandes feuilles rondes et à fleurs qui pousse dans l'eau. *Cet étang est couvert de **nénuphars**.* ✎ On peut écrire aussi ***nénufar***.

*Un **nénuphar***

a b c d e f g h i j k l m n o p q r s t u v w x y z

néo- préfixe
Placé au début d'un mot pour former un autre mot, *néo-* signifie «nouveau» (***néo**logisme*).

néo-brunswickois, néo-brunswickoise adjectif et nom
De la province du Nouveau-Brunswick. *La capitale **néo-brunswickoise**. – Les **Néo-Brunswickois**, les **Néo-Brunswickoises**.* ✎ Attention! Le nom, qui désigne les habitants, s'écrit avec une majuscule. ✎ On peut écrire aussi ***néobrunswickois***, ***néobrunswickoise***.

néo-écossais, néo-écossaise adjectif et nom
De la province de la Nouvelle-Écosse. *Le tourisme **néo-écossais**. – Les **Néo-Écossais**, les **Néo-Écossaises**.* ✎ Attention! Le nom, qui désigne les habitants, s'écrit avec une majuscule. ✎ On peut écrire aussi ***néoécossais***, ***néoécossaise***.

néolithique nom masculin
Dernière période de la préhistoire. * Chercher aussi *paléolithique*.

néologisme nom masculin
Mot nouveau ou sens nouveau qui apparaît dans la langue. *Les mots «pourriel» et «clavardage» sont des **néologismes**.*

néon nom masculin
❶ Gaz utilisé pour l'éclairage. ❷ Tube fluorescent contenant ce gaz d'éclairage. *Ces bureaux sont éclairés au **néon**.*

néophyte nom
Personne qui pratique depuis peu une discipline, une doctrine, un art, etc. *Luis fait du parachutisme, mais c'est un **néophyte**.*

néo-zélandais, néo-zélandaise
➔Voir tableau, p. 1319. ✎ On peut écrire aussi ***néozélandais***, ***néozélandaise***.

népalais, népalaise
➔Voir tableau, p. 1319.

nerf nom masculin
Ensemble de fibres qui permettent la communication dans les deux sens entre le cerveau et l'ensemble du corps. *Les **nerfs** transmettent le mouvement et la sensibilité.* • **Avoir du nerf:** être énergique, dynamique. • **Être à bout de nerfs:** être très tendu, nerveux. • **Taper sur les nerfs de quelqu'un:** l'agacer profondément. * Attention! Le *f* du mot *nerf* ne se prononce pas. ♦ Famille du mot: énervant, énervement, énerver, nerveusement, nerveux, nervosité, nervure.

nerveusement adverbe
Avec nervosité. *Il se ronge les ongles **nerveusement**.* **CONTR** calmement, posément.

nerveux, nerveuse adjectif
❶ Qui est agité, excité. *Avant le spectacle, il était très **nerveux**.* **SYN** énervé. **CONTR** calme. ❷ Qui concerne les nerfs. *Une cellule **nerveuse**.* • **Système nerveux:** ensemble formé par les nerfs, le cerveau et la moelle épinière.

nervosité nom féminin
Caractère d'une personne nerveuse. *La veille de l'examen, Philippe était d'une grande **nervosité**.* **SYN** agitation, énervement. **CONTR** calme.

*Des **nervures***

nervure nom féminin
Ligne en relief sur une surface. *On peut observer des **nervures** à la surface des feuilles d'arbres.* 👁p. 435.

n'est-ce pas? adverbe
Expression interrogative qui sert à demander un avis ou à obtenir une confirmation quant à ce qui vient d'être énoncé. *Je peux compter sur toi, **n'est-ce pas?***

① **net, nette** adjectif
❶ Propre. *Je ne peux pas mettre cette chemise, elle n'est pas **nette**.* **SYN** immaculé. **CONTR** sale. ❷ Qui est indiscutable et évident. *Cet hiver, Yann a fait de **nets** progrès en anglais.* **SYN** clair, évident. ❸ Dont on distingue de façon précise et claire les contours ou les détails. *Tu as dû bouger en prenant cette photo, car elle n'est pas **nette**.* **CONTR** flou. ❹ Qui est calculé après certaines déductions. *Salaire **net**.* **CONTR** brut. • **En avoir le cœur net:** ne plus avoir de doute sur quelque chose. ■ **net** adverbe Tout d'un coup, soudain, brusquement. *En voyant les enfants traverser, l'automobiliste s'est arrêté **net**.* ✎ Attention! Quand il est adverbe, *net* est invariable. * Attention! Le *t* de *net*, adjectif masculin et adverbe, se prononce. ♦ Famille du mot: nettement, netteté, nettoyage, nettoyant, nettoyer, nettoyeur.

② **Net** nom masculin
Dans la langue familière, le réseau Internet. *Gabrielle a passé la soirée à naviguer sur le **Net**.* * Attention! Le *t* du mot *Net* se prononce.

nettement adverbe
❶ D'une manière nette, claire et précise. *La silhouette de la cathédrale se dessine **nettement** à l'horizon.* SYN distinctement. ❷ Beaucoup, vraiment. *Cette couleur est **nettement** trop sombre pour la chambre.* SYN carrément.

netteté nom féminin
Caractère de ce qui est net, précis. *La **netteté** d'une photo. S'exprimer avec **netteté**.* SYN clarté, précision.

nettoyage nom masculin
Action de nettoyer. *Acheter un produit pour le **nettoyage** des vitres.*

nettoyant nom masculin
Produit qui nettoie ou détache. *Ce **nettoyant** est très efficace.*

nettoyer verbe ▶ conjug. 6
Rendre propre. *Après mon bain, je **nettoie** la baignoire.*

① **nettoyeur** nom masculin
Établissement où l'on nettoie et repasse les vêtements. *Ma mère a porté son manteau chez le **nettoyeur**.*

② **nettoyeur, nettoyeuse** nom
Personne chargée du nettoyage. *Un **nettoyeur** de vitres.*

① **neuf** déterminant invariable
Huit plus un (9). *Amina a **neuf** ans.* ■ **neuf** nom masculin invariable Chiffre ou nombre neuf. *Chung habite au **neuf**, rue Joliette.* * Attention! Le *f* du mot *neuf* se prononce souvent comme un *v* devant une voyelle ou un «h» muet.

② **neuf, neuve** adjectif
❶ Qui n'a pas encore servi. *Pour la rentrée, Émile a acheté un sac à dos **neuf**.* SYN nouveau. CONTR d'occasion, usagé, vieux. ❷ Qui est récent, moderne. *Un bâtiment **neuf**.* ❸ Qui est original, novateur. *Des idées **neuves**.* ■ **neuf** nom masculin Ce qui est nouveau. *Elle est entièrement vêtue de **neuf**. Quoi de **neuf** depuis notre dernière rencontre?*

neurologie nom féminin
Branche de la médecine qui soigne les maladies du système nerveux.

neurologue nom
Médecin spécialiste de la neurologie. *Derick a eu des convulsions, il doit voir une **neurologue**.*

neurone nom masculin
Cellule des centres nerveux. ♦ Famille du mot: neurologie, neurologue.

neutraliser verbe ▶ conjug. 3
Empêcher quelqu'un ou quelque chose d'agir. *La police a réussi à **neutraliser** le voleur.*

neutralité nom féminin
État d'une personne ou d'un pays qui reste neutre. *Les spectateurs ont apprécié la **neutralité** de l'arbitre.* SYN impartialité, objectivité. CONTR partialité, subjectivité.

neutre adjectif
❶ Qui ne prend pas parti. *Il est parfois difficile de rester **neutre**.* SYN impartial, objectif. CONTR partisan. ❷ Qui ne prend pas part à un conflit. *Un pays **neutre**.* ❸ Qui a peu d'éclat. *Une couleur **neutre**.* ❹ Qui est détaché, sans passion. *Elle m'a répondu d'un ton **neutre**.* SYN impersonnel. ♦ Famille du mot: neutraliser, neutralité.

neuvième adjectif et nom
Qui occupe le rang numéro neuf. *Ils viennent de s'installer au **neuvième** étage. – David est le **neuvième** de la liste.* ■ **neuvième** nom masculin Ce qui est contenu neuf fois dans un tout. *Dix est le **neuvième** de quatre-vingt-dix.*

neveu, neveux nom masculin
Fils du frère ou de la sœur de quelqu'un. *Mon frère a deux fils: ce sont mes **neveux**.* * Chercher aussi *nièce, oncle, tante*.

nez nom masculin
Organe situé au milieu du visage, qui sert à respirer et à sentir les odeurs. *Léa a des taches de rousseur sur le **nez**.* 👁p. 246. * Chercher aussi *narine, nasal, nasiller, odorat*. • **Rire au nez de quelqu'un**: se moquer de lui sans s'en cacher. • **Se laisser mener par le bout du nez**: dans la langue familière, se laisser commander par quelqu'un en obéissant à tous ses caprices. • **Au nez de quelqu'un**: en sa présence. • **Fourrer** ou **mettre son nez partout**: être très curieux. • **Ne pas voir plus loin que le bout de son nez**: être incapable d'apprécier les situations ou de prévoir les évènements à moyen ou à long terme. • **Se trouver nez à nez avec quelqu'un**: se trouver face à face avec lui.

ni conjonction
Sert à réunir des mots, des groupes de mots ou des phrases à valeur négative. *Tu veux manger ou boire quelque chose? – Non, je n'ai **ni** faim **ni** soif.* • **Ni plus ni moins**: vraiment, véritablement. *C'est du chantage, **ni plus ni moins**.*

a b c d e f g h i j k l m **n** o p q r s t u v w x y z

niais, niaise adjectif et nom
Qui est naïf et stupide. *Il est assez **niais** pour avoir cru à cette plaisanterie. – Une **niaise**.* SYN niaiseux. ♦ Famille du mot : niaisage, niaiser, niaiserie, niaiseux.

niaisage nom masculin
❶ Dans la langue familière, action niaise. *Arrête ce **niaisage** !* ❷ Dans la langue familière, perte de temps. ❸ Hésitation, tergiversations. *Fais ton choix et arrête ce **niaisage**.*

niaiser verbe ▸ conjug. 3
❶ Dans la langue familière, ennuyer, agacer. *Mon frère n'arrête pas de me **niaiser**.* ❷ Dans la langue familière, perdre son temps à des riens. *Johanna **niaise** dans sa chambre.*

niaiserie nom féminin
❶ Action ou parole niaise. *Il ne raconte que des **niaiseries**.* SYN bêtise, idiotie. ❷ Chose sans importance. *Ne perdons pas de temps avec ces **niaiseries**.* SYN futilité.

niaiseux, niaiseuse adjectif et nom
Dans la langue familière, naïf et stupide. *Il a eu l'air **niaiseux**. – Une **niaiseuse**.* SYN idiot, imbécile, niais.

nicaraguayen, nicaraguayenne adjectif et nom
Du Nicaragua. *La population **nicaraguayenne**. – Les **Nicaraguayens**, les **Nicaraguayennes**.* ✎ Attention ! Le nom, qui désigne les habitants, s'écrit avec une majuscule.

niche nom féminin
❶ Petite cabane qui sert d'abri à un chien. *Notre chien dort dans sa **niche**.* ❷ Creux pratiqué dans l'épaisseur d'un mur. *Karine range ses poupées dans une **niche** vitrée.*

Une *niche*

nichée nom féminin
Groupe d'oiseaux d'une même couvée qui sont encore au nid. * Chercher aussi *couvée*, *portée*.

nicher verbe ▸ conjug. 3
Faire son nid quelque part. *Beaucoup d'oiseaux **nichent** dans ce gros chêne.* ■ se **nicher** : se réfugier quelque part. *Le chat est allé **se nicher** sous le lit.* SYN se blottir, se cacher. ♦ Famille du mot : dénicher, niche, nichée.

nicotine nom féminin
Substance contenue dans le tabac et qui est dangereuse pour la santé.

nid nom masculin
❶ Abri que les oiseaux construisent pour pondre, couver leurs œufs et élever leurs petits. *John a ramassé au pied d'un arbre un **nid** abandonné.* ❷ Habitation de certains animaux. *Un **nid** de guêpes, un **nid** de chenilles.*

Un **nid** de merle

nid-de-poule nom masculin
Trou dans la chaussée. *À la fin de l'hiver, les routes sont pleines de **nids-de-poule**.*

nièce nom féminin
Fille du frère ou de la sœur de quelqu'un. *Maya est ma **nièce**, c'est la fille de ma sœur.* * Chercher aussi *neveu*, *oncle*, *tante*.

nier verbe ▸ conjug. 10
Dire qu'une chose n'est pas vraie. *Maxime **nie** avoir fait ce mauvais coup.* CONTR avouer, reconnaître. ♦ Famille du mot : indéniable, renégat, renier.

nigaud, nigaude adjectif et nom
Qui est un peu bête ou naïf. *Son cousin est un peu **nigaud**. – Elle joue un rôle de **nigaude**.* SYN niais, niaiseux, sot, stupide. CONTR malin.

nigérian, nigériane
➜Voir tableau, p. 1319.

nigérien, nigérienne
➜Voir tableau, p. 1319.

nimbus nom masculin
Gros nuage qui annonce la pluie. * Attention ! Le *s* du mot *nimbus* se prononce.

n'importe ➜Voir ① **importer**

NIP
Sigle de ***n**uméro d'**i**dentification **p**ersonnel. Quand ma mère va au guichet, elle compose son **NIP**.*

nippon, nipponne adjectif et nom
Du Japon. *Une fête **nipponne**. – Les **Nippons**, les **Nipponnes**.* ✎ Attention ! Le nom, qui désigne les habitants, s'écrit avec une majuscule.

niquab nom masculin
Vêtement qui recouvre entièrement la tête et le visage de certaines femmes musulmanes, à l'exception d'une fente pour les yeux. * Chercher aussi *bourka*, *foulard*, *hidjab*, *tchador*, *voile*.

niveau, niveaux nom masculin
❶ Hauteur d'une chose par rapport à une surface qui sert de référence. *L'Everest atteint la hauteur de 8846 mètres au-dessus du **niveau** de la mer. Le garagiste vérifie le **niveau** d'huile.* ❷ Instrument qui sert à vérifier qu'une surface est plane. *Le menuisier utilise un **niveau** pour bien poser le plancher.* ❸ Degré de comparaison par rapport à un critère. *Le **niveau** des élèves de cette classe est très inégal.* ❹ Degré de hiérarchie, échelon. *Les élèves de tous les **niveaux** pourront participer à cette activité.* • **Niveau de vie:** conditions d'existence et revenu de quelqu'un. • **Au niveau de** ❶ À la hauteur de. *La tête de Mark arrive **au niveau de** mon épaule.* ❷ À la portée de quelqu'un. *L'interprétation de cette pièce n'est pas **au niveau de** n'importe quel comédien.*

*Un **niveau***

niveler verbe ▸ conjug. 9
❶ Rendre une surface horizontale et plane. *Le bulldozer **nivelle** la route.* **SYN** aplanir, égaliser. ❷ Au sens figuré, égaliser des choses abstraites. ***Niveler** les inégalités sociales.* ✎ On peut écrire aussi, au présent, *je **nivèle***; au futur, *tu **nivèleras***; au conditionnel, *nous **nivèlerions***.

nivellement nom masculin
Fait de niveler, de mettre au même niveau. *Le **nivellement** d'un terrain.* ✎ On peut écrire aussi ***nivèlement***.

noble adjectif et nom
Qui fait partie de la noblesse. *Une famille **noble**.* **SYN** aristocratique. – *Certains **nobles** vivaient autrefois à la cour du roi de France.* **SYN** aristocrate. ■ **noble** adjectif Qui est généreux et digne d'admiration. *Ce geste **noble** vous honore.* **SYN** digne. **CONTR** bas, méprisable.
♦ Famille du mot: anoblir, noblesse.

noblesse nom féminin
❶ Classe sociale la plus élevée et dont les membres jouissaient de privilèges. *Autrefois, la **noblesse** était très puissante.* **SYN** aristocratie.
* Chercher aussi *bourgeoisie*, *prolétariat*.
❷ Grandeur d'âme et générosité. *En lui pardonnant, Nicolas a fait preuve de **noblesse**.* **SYN** dignité. **CONTR** bassesse.

noce nom féminin
Fête qui suit la cérémonie du mariage. *La **noce** aura lieu dans une salle de réception.* ■ **noces** nom féminin pluriel Mariage. *Andréanne et Raphaël vont célébrer leurs **noces**.*

nocif, nocive adjectif
Qui est dangereux pour la santé. *Fumer est très **nocif** pour les poumons.* **SYN** nuisible, toxique. **CONTR** inoffensif.

nocivité nom féminin
Caractère nocif. *La **nocivité** du tabac.*

noctambule nom
Personne qui aime sortir et s'amuser la nuit.

nocturne adjectif
❶ Qui se passe pendant la nuit. *Une promenade **nocturne**.* ❷ Dont la vie active a lieu la nuit. *Le hibou et la chouette sont des animaux **nocturnes**.* **CONTR** diurne.

Noël nom masculin
Fête chrétienne qui célèbre l'anniversaire de la naissance de Jésus-Christ. ***Noël** a lieu le 25 décembre.* • **Arbre de Noël:** sapin décoré et illuminé à l'occasion des fêtes de Noël.
• **Père Noël:** personnage légendaire qui apporte des cadeaux aux enfants la nuit de Noël.

nœud nom masculin
❶ Boucle servant à attacher, que l'on fait en croisant et en serrant une corde, une ficelle, un lacet. *Antoine n'aime pas les chaussures à lacets, car il n'arrive pas à faire les **nœuds**.*
❷ Partie ronde et dure à l'intérieur du bois d'un arbre. *Ces planches sont pleines de **nœuds**.*
❸ Point le plus important. *Elle m'a expliqué le **nœud** du problème.* ❹ Unité de vitesse équivalant à un mille marin par heure, soit 1852 m/h. *Ce voilier file dix **nœuds**.*

nœud de chaise

nœud de chaise double

nœud de plein poing

nœud plat

nœud d'arrêt

nœud de pêcheur

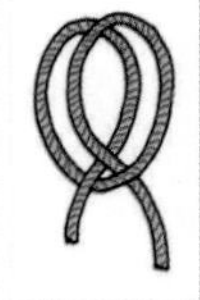
nœud de cabestan

nœud sur taquet

*Différents types de **nœuds***

a b c d e f g h i j k l m **n** o p q r s t u v w x y z

noir, noire adjectif
❶ De la couleur la plus sombre. *Les corneilles sont de couleur* ***noire****.* • **Nuit noire :** nuit particulièrement obscure, sans lune et sans étoiles. ❷ Qui a la peau très foncée. *Les populations* ***noires*** *d'Afrique.* ❸ Au sens figuré, qui est triste et pessimiste. *Avoir des idées* ***noires****. Un film* ***noir****.* ❹ Qui est clandestin, illégal. *Le marché* ***noir****, le travail au* ***noir****.*
• **La bête noire de quelqu'un :** la chose ou la personne qu'il déteste vraiment le plus.
• **Humour noir :** genre d'humour cynique, qui porte sur des sujets graves, souvent même macabres. ■ **noir** nom masculin ❶ Couleur noire. *Le* ***noir*** *est souvent porté en signe de deuil en Occident.* ❷ Obscurité. *Le bébé pleure, car il a peur du* ***noir****.* • **Broyer du noir :** être triste et déprimé. ■ **Noir, Noire** nom Personne à la peau noire. *Les* ***Noirs*** *américains ont inventé le jazz.* ✎ Attention ! En ce sens, ce mot s'écrit avec une majuscule. ■ **noire** nom féminin Note de musique qui vaut la moitié d'une blanche ou deux croches. ♦ Famille du mot : noirâtre, noirceur, noircir.

noirâtre adjectif
Qui est presque noir. *Après avoir rangé le garage, Alexandre avait les mains* ***noirâtres****.*

noirceur nom féminin
Obscurité. *Sa mère exige qu'elle rentre avant la* ***noirceur****.*

noircir verbe ▸ conjug. 11
❶ Donner une couleur noire. *Ma grande sœur veut* ***noircir*** *ses cheveux.* ❷ Au sens figuré, présenter de façon très noire, pessimiste. *Inutile de* ***noircir*** *davantage la situation.*

noisetier nom masculin
Arbuste qui produit les noisettes.

noisette nom féminin
Petit fruit du noisetier, recouvert d'une coquille dure. *Les écureuils ont mangé toutes les* ***noisettes****.*

Des **noisettes**

noix nom féminin
❶ Fruit du noyer, recouvert d'une coquille dure et contenant une grosse amande. *Pour manger des* ***noix****, il faut d'abord les écaler.* ❷ Fruit de certains arbres. *Des* ***noix*** *de cajou, des* ***noix*** *de coco.*

Des **noix**

nom nom masculin
❶ Mot qui sert à désigner de façon précise une chose ou un être vivant. *Je ne connais pas le* ***nom*** *de cette plante.* **SYN** appellation. ❷ Ensemble formé du prénom et du nom de famille, qui sert à identifier une personne. *Mélodie Gagné est le* ***nom*** *de ma meilleure amie.* ❸ Classe de mot variable qui sert à nommer les choses, les personnes, les animaux, les sentiments, etc. • **Au nom de quelqu'un :** à sa place. *Victor parle* ***au nom des*** *autres élèves.* • **Nom commun :** mot qui sert à désigner des réalités en général. *Les mots « chat », « canneberge » et « gentillesse » sont des* ***noms communs*** *et ils s'écrivent avec une minuscule.* **SYN** substantif. • **Nom propre :** mot qui désigne une réalité particulière. *Les mots « Bergeron », « Montréal », « Ariane » et « Nelligan » sont des* ***noms propres*** *et ils s'écrivent avec une majuscule.* • **Nom de famille :** nom transmis à un enfant par l'un de ses parents ou les deux. *Gagné est le* ***nom de famille*** *de Mélodie. Ma cousine porte les* ***noms de famille*** *de ses parents : elle se nomme Marianne Côté-Ménard.* ♦ Famille du mot : dénominateur, dénomination, dénommé, dénommer, nominal, nomination, nommer, prénom, pronom, renom, renommé, renommée, surnom, surnommer.

nomade adjectif et nom
Qui n'a pas d'habitation fixe, qui se déplace régulièrement. *Les Algonquiens avaient un mode de vie* ***nomade****. – Dans le désert, les* ***nomades*** *vivent dans des tentes.* **CONTR** sédentaire.

Des **nomades**

nombre nom masculin
❶ Chiffre ou ensemble de chiffres représentant des unités que l'on peut compter. *Le* ***nombre*** *140 est un* ***nombre*** *de trois chiffres.* ❷ Quantité de personnes ou de choses. *Connais-tu le* ***nombre*** *des habitants de la ville où tu habites ? Luc a visité la Grèce un certain* ***nombre*** *de fois.* ❸ Forme que prend

un mot variable pour exprimer le singulier ou le pluriel. *L'adjectif s'accorde en genre et en* ***nombre*** *avec le nom auquel il se rapporte.* ♦ Famille du mot : dénombrement, dénombrer, innombrable, nombreux, surnombre.

nombreux, nombreuse adjectif
Qui est formé d'un grand nombre de personnes ou de choses. *Une foule très* ***nombreuse*** *s'est rassemblée. La tempête a provoqué de* ***nombreux*** *dégâts.*

nombril nom masculin
Petite cicatrice ronde située au milieu du ventre, là où le cordon ombilical a été sectionné. **SYN** ombilic. 👁p. 246. * Attention ! Le *l* du mot *nombril* ne se prononce pas, en général.

nominal, nominale, nominaux adjectif
❶ Qui concerne le nom des personnes. *L'enseignante a fait la liste* ***nominale*** *des élèves.* ❷ Qui se rapporte à un nom. *« Le chat » est un groupe* ***nominal.***

nomination nom féminin
Fait de nommer ou d'être nommé à un emploi. *La* ***nomination*** *de la nouvelle directrice a été annoncée aujourd'hui.*

nommer verbe ▸ conjug. 3
❶ Désigner quelqu'un ou quelque chose par son nom. *Saurais-tu* ***nommer*** *les pays qui forment l'Amérique du Sud ?* ❷ Désigner quelqu'un pour remplir une fonction. *Véronique* ***a été nommée*** *capitaine de son équipe.* ■ **se nommer** : s'appeler. *Elle* ***se nomme*** *Katia Auger.*

non adverbe
Mot qui sert à exprimer la négation ou le refus. *Tu viens avec moi ? –* ***Non,*** *je ne peux pas.* **CONTR** oui. • **Non plus :** a le sens de *aussi* dans une phrase à la forme négative. *Il n'a pas faim, moi* ***non plus.*** ■ **non** nom masculin invariable Fait de dire non. *Elle m'a répondu par un* ***non*** *catégorique.*

nonagénaire adjectif et nom
Qui a entre quatre-vingt-dix et quatre-vingt-dix-neuf ans. *Mon grand-père est* ***nonagénaire.*** *– Cette* ***nonagénaire*** *a une nombreuse descendance.*

nonchalance nom féminin
Manque d'ardeur et d'énergie. *Chloé et son chien flânent avec* ***nonchalance*** *sur la berge du fleuve.* **SYN** mollesse, paresse. **CONTR** ardeur, énergie, entrain.

nonchalant, nonchalante adjectif
Qui montre de la nonchalance. *Xavier marche d'un pas* ***nonchalant.*** **SYN** indolent, paresseux. **CONTR** énergique, vif.

non-fumeur, non-fumeuse nom
Personne qui ne fume pas.

non-sens nom masculin
Ce qui est dépourvu de sens, contraire à la raison. *C'est un* ***non-sens*** *de polluer ainsi.* **SYN** absurdité.

non-violence nom féminin
Doctrine de ceux qui refusent d'utiliser la violence. *Ce groupe prêche la* ***non-violence.***

non-violent, non-violente adjectif et nom
Qui est partisan de la non-violence. *Une manifestation* ***non violente.*** *– Plusieurs* ***non-violents*** *ont défilé au centre-ville.* * Attention ! Seul le nom *non-violent* s'écrit avec un trait d'union. * Chercher aussi *pacifiste.*

non-voyant, non-voyante nom
Aveugle. ✎ Pluriel : *des* ***non-voyants,*** *des* ***non-voyantes.*** * Chercher aussi *malvoyant.*

nord nom masculin
❶ Un des quatre points cardinaux, auquel on fait face quand on a l'ouest à sa gauche et l'est à sa droite. *L'aiguille d'une boussole indique le* ***nord.*** **CONTR** sud. ❷ Partie qui se situe au nord d'un pays ou d'une région. *La municipalité de la Baie-James est située dans le* ***nord*** *du Québec.* ❸ Territoire situé dans cette partie et dont les limites sont fixées par la tradition. *Pendant les vacances, nous irons skier dans le* ***Nord.*** • **Le Grand Nord :** les régions glacées autour du pôle Nord. • **Perdre le nord :** dans la langue familière, perdre la tête. ■ **nord** adjectif invariable Qui est situé au nord. *La rive* ***nord*** *d'un fleuve. L'Atlantique* ***Nord.*** ✎ Attention ! Le point cardinal s'écrit avec une minuscule quand il désigne une orientation (*l'entrée* ***sud*** *du métro*), avec une majuscule quand il désigne un pays, une région (*l'Amérique du* ***Nord***).

nord-américain, nord-américaine
adjectif et nom
De l'Amérique du Nord. *Les échanges commerciaux* ***nord-américains.*** *– Les* ***Nord-Américains,*** *les* ***Nord-Américaines.*** ✎ Attention ! Le nom, qui désigne les habitants, s'écrit avec des majuscules.

a b c d e f g h i j k l m n o p q r s t u v w x y z

nord-coréen, nord-coréenne
➔Voir tableau, p. 1319.

nord-côtier, nord-côtière adjectif et nom
De la Côte-Nord. *Une grande entreprise **nord-côtière**. – Les **Nord-Côtiers**, les **Nord-Côtières**.* ✎ Attention! Le nom, qui désigne les habitants, s'écrit avec des majuscules.

nordique adjectif et nom
❶ Qui concerne les régions arctiques. *Les villages **nordiques** du Québec.* SYN boréal, septentrional. CONTR austral. ❷ Qui concerne les pays de l'Europe du Nord. *La Suède et la Norvège sont des pays **nordiques**. – Les Finlandais sont des **Nordiques**.* ✎ Attention! Le nom, qui désigne les habitants, s'écrit avec une majuscule.

*Un paysage **nordique***

normal, normale, normaux adjectif
Qui est ordinaire ou habituel, conforme à la norme, à la moyenne. *Il fait très chaud, mais c'est une température **normale** pour un mois d'août. Il est **normal** qu'un bébé dorme plusieurs heures par jour.* SYN naturel. CONTR anormal, exceptionnel. ■ **normale** nom féminin Ce qui est normal, habituel, conforme à la règle commune. *La situation devrait revenir à la **normale**.*

normalement adverbe
❶ De manière normale, habituelle. ***Normalement**, ils soupent vers six heures.* SYN d'habitude, généralement, ordinairement. ❷ S'il ne se passe rien de particulier. ***Normalement**, Alberto devrait arriver à quatre heures.* SYN en principe, théoriquement.

norme nom féminin
❶ Règle, principe auxquels on doit se conformer. *Pour fabriquer des jouets, il faut respecter les **normes** de sécurité.* ❷ État habituel qui correspond à la majorité des cas. *En ce qui concerne sa taille et son poids, cet enfant est dans la **norme**.* SYN moyenne.
♦ Famille du mot: anormal, anormalement, normal, normalement.

noroît nom masculin
Vent du nord-ouest. ✎ On peut écrire aussi ***noroit***.

norvégien, norvégienne
➔Voir tableau, p. 1319.

nos ➔Voir **notre**

nostalgie nom féminin
Sentiment de tristesse causé par le regret de quelque chose. *Il parle avec **nostalgie** de son enfance au Liban.*

nostalgique adjectif
Qui est rempli de nostalgie. *Ces chansons d'autrefois rendent ma grand-mère **nostalgique**.* SYN mélancolique.

notable adjectif
Qui mérite d'être remarqué. *Ernesto a vraiment fait des progrès **notables** en français.* SYN appréciable, sensible. CONTR négligeable.
■ **notable** nom Personne importante par sa situation sociale. *Le maire, le médecin, la notaire font partie des **notables** du village.* SYN personnalité.

notaire nom
Personne qui établit des actes de vente et des contrats, et garantit leur validité légale. *Mes parents ont consulté une **notaire** pour leur testament.* * Chercher aussi *étude*.

notamment adverbe
Particulièrement, surtout. *Carmen adore les fruits, **notamment** les oranges.* SYN en particulier, spécialement.

notation nom féminin
❶ Action, manière d'accorder une note. *Au secondaire, la **notation** se fait en pourcentage.* ❷ Représentation des sons par des signes écrits. ***Notation** musicale.*

① **note** nom féminin
❶ Chacun des signes qui représentent les sons et servent à écrire la musique. *Les sept **notes** de la gamme sont do, ré, mi, fa, sol, la, si.*
• **Une fausse note**: une note qui n'est pas dans le ton juste. * Chercher aussi *bémol, blanche, croche, dièse, noire, ronde*.
❷ Élément. *J'ajoute à ce dessin une **note** de couleur.* SYN touche.

*Les **notes** de la gamme de do*

② note nom féminin
❶ Bref commentaire. *Dans cet ouvrage, il y a des **notes** en bas de page.* **SYN** annotation. ❷ Petit texte que l'on écrit pour s'en souvenir. *Au musée, Laura prend des **notes** sur ce que dit le guide.* ❸ Mesure de l'appréciation d'un devoir, d'un travail, etc. *Gabriel a obtenu une bonne **note** à son examen.* ❹ Papier qui indique le prix à payer. *Ma mère demande la **note** au serveur pour payer les consommations.* **SYN** addition. ❺ Brève communication écrite servant à informer. *Une **note** officielle de la direction.* ♦ Famille du mot : annotation, annoter, dénoter, notation, noter, notice.

noter verbe ▸ conjug. 3
❶ Écrire un renseignement. *Il **a noté** mon adresse et mon numéro de téléphone dans son carnet.* **SYN** inscrire. ❷ Mettre une note à un devoir, un travail, etc. *Myriam trouve que son enseignante **a noté** très sévèrement son exposé.* **SYN** évaluer. ❸ Remarquer. *On **note** une nette amélioration de l'état du malade.* **SYN** constater, observer.

notice nom féminin
❶ Petit texte qui explique comment utiliser une chose. *Julia lit la **notice** qui accompagne la laveuse.* **SYN** mode d'emploi*. ❷ Petit texte placé au début d'un livre et servant à l'introduire. ❸ Petit texte très bref. *Une **notice** bibliographique.*

notion nom féminin
❶ Connaissance élémentaire d'une science, d'une langue. *Marina a quelques **notions** d'espagnol.* **SYN** rudiments. * Attention ! Dans ce sens, ce mot s'emploie au pluriel. ❷ Idée que l'on se fait de quelque chose. *Les petits enfants n'ont aucune **notion** du danger.* **SYN** sens.

notoire adjectif
Qui est connu d'un grand nombre de personnes. *C'est un menteur **notoire**.*

notoriété nom féminin
Célébrité, renommée. *Cette comédienne jouit d'une grande **notoriété**.* **SYN** popularité, renom, réputation.

notre, nos déterminant
Déterminant possessif qui réfère à un possesseur à la première personne du pluriel. *Mon frère et moi, nous avons chacun **notre** chambre et **nos** jeux.* * Chercher aussi *mon, ton, son, votre, leur*.

le **nôtre**, *la* **nôtre** pronom
Pronom possessif qui réfère à un possesseur à la première personne du pluriel, qui désigne ce qui est à nous, ce qui nous appartient. *Ce n'est pas notre chat ; **le nôtre** est gris.* * Chercher aussi *mien, tien, sien, vôtre, leur*. ■ *les* **nôtres** nom masculin pluriel Nos parents ou ceux qui nous sont proches. *J'espère que vous serez **des nôtres** pour la fête.*

nouer verbe ▸ conjug. 3
Faire un nœud à quelque chose. *À cinq ans, Pascale sait **nouer** ses lacets toute seule.* **SYN** attacher. **CONTR** délacer, dénouer.

noueux, noueuse adjectif
Où il y a beaucoup de nœuds. *Un tronc d'arbre **noueux**.*

nougat nom masculin
Confiserie à base d'amandes, de sucre caramélisé et de miel.

nouille nom féminin
Pâte alimentaire en forme de lanière étroite. *À la cafétéria, on a mangé des **nouilles** à la sauce tomate.*

nourricier, nourricière adjectif
Qui procure de la nourriture. *La Terre **nourricière**.*

nourrir verbe ▸ conjug. 11
❶ Donner à manger. *Sarah **nourrit** son cochon d'Inde.* **SYN** alimenter. ❷ Donner de quoi subsister, de quoi vivre. *Cette usine **nourrit** plusieurs familles de la région.* **SYN** entretenir. ❸ Entretenir en faisant durer plus longtemps. *Je **nourris** le feu dans la cheminée.* **SYN** alimenter. ■ *se* **nourrir** : manger tel aliment. *Les lions **se nourrissent** de viande.* ♦ Famille du mot : nourricier, nourrissant, nourrisson, nourriture.

nourrissant, nourrissante adjectif
❶ Qui est nutritif. *Les fruits sont des aliments **nourrissants**.* ❷ Qui comble la faim, qui est riche en calories. *Les fèves au lard sont un plat très **nourrissant**.* **SYN** bourratif, riche. **CONTR** léger.

nourrisson nom masculin
Petit bébé qui se nourrit surtout de lait.

nourriture nom féminin
Aliments avec lesquels on se nourrit. *Il faut essayer d'avoir une **nourriture** équilibrée.* **SYN** alimentation.

a b c d e f g h i j k l m n o p q r s t u v w x y z

nous pronom
Pronom personnel de la première personne du pluriel qui sert à conjuguer ou à compléter le verbe. ***Nous** travaillons. Vladimir **nous** a téléphoné.* * Chercher aussi *me, te, se, vous.*

nouveau, nouvelle, nouveaux adjectif
❶ Qui existe depuis peu de temps. *Ce film est tout **nouveau**.* CONTR ancien. ❷ Qui remplace l'ancien. *Il s'est acheté une **nouvelle** voiture.* CONTR vieux. ❸ Qui vient d'arriver quelque part. *Nous avons de **nouveaux** voisins.* ❹ Qui est neuf et original. *Cette artiste cherche des idées **nouvelles**.* * Attention ! On emploie ***nouvel*** devant un nom masculin commençant par une voyelle ou un « h » muet : *un **nouvel** appareil, un **nouvel** hôpital.* ■ **nouveau, nouvelle, nouveaux** nom Personne qui vient d'entrer dans un groupe. *Il y a deux **nouveaux** dans notre classe.* ■ **nouveau** nom masculin Chose ou évènement nouveaux. *Il n'y a rien de **nouveau** depuis hier.* • **De nouveau :** une fois de plus. *Abdel est **de nouveau** malade.* • **À nouveau :** une nouvelle fois, en s'y prenant de façon différente. *Il a décoré sa maison **à nouveau**.* ■ **nouvelle** nom féminin ❶ Annonce d'un évènement qui vient d'arriver. *La **nouvelle** de cette naissance nous a fait grand plaisir.* ❷ Récit plus court qu'un roman et qui met en scène peu de personnages. *Cet écrivain a écrit plusieurs recueils de **nouvelles**.* ■ **nouvelles** nom féminin pluriel ❶ Renseignements récents sur quelqu'un. *On a reçu des **nouvelles** de notre grand-mère.* ❷ Informations diffusées par les médias. *Chaque matin, ma mère écoute les **nouvelles** à la radio.* ♦ Famille du mot : nouveau-né, nouveauté, nouvellement, novateur.

nouveau-né, nouveau-née nom
Bébé ou petit d'un animal qui vient de naître. *La maman et le **nouveau-né** se portent bien.* ✎ Pluriel : *des **nouveau-nés**, des **nouveau-nées**.*

nouveauté nom féminin
❶ Caractère de ce qui est nouveau. *Aurélie déteste la routine, elle aime la **nouveauté**.* ❷ Chose nouvelle. *Quelles sont les **nouveautés** au cinéma, cette semaine ?*

nouvel, nouvelle → Voir **nouveau**

nouvellement adverbe
Depuis peu de temps. *Nos voisins sont **nouvellement** arrivés au pays.* SYN récemment.

novateur, novatrice adjectif et nom
Qui innove. *Ses idées sont très **novatrices**. – Cet artiste est un **novateur**.* SYN avant-gardiste.

novembre nom masculin
Onzième mois de l'année, qui compte trente jours. *Il fait déjà froid en **novembre**.* ✎ Attention ! Le nom des mois s'écrit avec une minuscule.

novice adjectif et nom
Qui débute dans un métier ou une activité et qui n'a pas encore d'expérience. *Un professeur de ski **novice**.* SYN inexpérimenté. CONTR expérimenté. *– Jennifer n'a pris que quelques leçons de tennis, c'est encore une **novice**.* SYN apprenti, débutant.

noyade nom féminin
Fait de se noyer. *Elle a sauvé l'enfant de la **noyade**.*

noyau, noyaux nom masculin
❶ Partie dure qui se trouve à l'intérieur de certains fruits et qui contient la graine. *Les olives, les cerises et les abricots ont un **noyau**.* * Chercher aussi *pépin*. ❷ Partie centrale de quelque chose. *Le **noyau** d'une cellule.*

*Des **noyaux** de fruits*

noyé, noyée adjectif
Mort en se noyant. *Ce marin est mort **noyé**.* ■ **noyé, noyée** nom Personne qui s'est noyée. *Après la tempête, on a repêché deux **noyés**.*

① **noyer** verbe ▸ conjug. 6
❶ Tuer une personne ou un animal en les mettant dans un liquide quelconque. *Le crocodile **noie** ses proies.* ❷ Recouvrir d'eau. *Les pluies diluviennes **ont noyé** les champs.* SYN inonder, submerger. ❸ Embrouiller, faire disparaître dans un ensemble confus. *Elle nous **a noyés** dans des explications compliquées.* ■ *se* **noyer** : mourir asphyxié sous l'eau. *Si tu te jettes à l'eau sans savoir nager, tu risques de **te noyer**.* • **Se noyer dans un verre d'eau :** être incapable de se débrouiller, avoir de la difficulté à surmonter le moindre obstacle. ♦ Famille du mot : noyade, noyé.

② **noyer** nom masculin
Arbre fruitier qui donne les noix. 👁p. 126.

Un noyer

nu, nue adjectif
❶ Qui ne porte aucun vêtement. *Sophie s'est mise toute **nue** pour prendre une douche.* CONTR habillé, vêtu. ❷ Sans aucune décoration ni aucun ornement. *Les murs de sa chambre sont entièrement **nus**.* ❸ Qui ne porte aucune feuille. *En hiver, ces arbres sont **nus**.* • **À mains nues :** sans arme. *Ils se sont battus **à mains nues**.* • **À l'œil nu :** en regardant sans instrument spécial. *Tu devrais prendre des jumelles, car tu ne verras rien **à l'œil nu**.* • **Nu-tête, nu-pieds :** sans que ces parties du corps soient couvertes (sans chapeau ; sans chaussures ni chaussettes). *Elle est toujours **nu-pieds** dans la maison.* • **Mettre à nu :** dénuder. ***Mettre à nu** un câble électrique.* ♦ Famille du mot : dénuder, nudisme, nudité.

nuage nom masculin
❶ Amas de fines gouttelettes d'eau qui flotte dans le ciel. *Ces gros **nuages** devraient apporter la pluie.* 👁p. 710. ❷ Matière vaporeuse qui empêche de voir. *Un **nuage** de poussière et de fumée s'est élevé après l'explosion.* • **Être dans les nuages :** être distrait ou rêveur. SYN être dans la lune*.

nuageux, nuageuse adjectif
Couvert de nuages. *Le ciel est **nuageux** aujourd'hui, il pourrait bien pleuvoir.*

nuance nom féminin
❶ Chacun des degrés d'une couleur. *Pour la peinture de sa chambre, Hélène hésite entre différentes **nuances** de jaune.* SYN teinte, ton. ❷ Petite différence. *Il y a une **nuance** de sens entre beau et magnifique.*

nuancer verbe ▸ conjug. 4
Exprimer quelque chose en tenant compte des nuances. *Quand vous connaîtrez mieux la situation, vous **nuancerez** votre opinion.*

nucléaire adjectif
• **Énergie nucléaire :** énergie produite par la désintégration du noyau de l'atome. SYN énergie atomique*. • **Centrale nucléaire :** usine qui utilise l'énergie nucléaire pour produire de l'électricité. ■ **nucléaire** nom masculin Énergie nucléaire. *Le **nucléaire** fournit 15 % de l'électricité au Canada.*

nudisme nom masculin
Doctrine qui incite à vivre nu en pleine nature. SYN naturisme.

nudité nom féminin
État d'une personne nue.

nue nom fémimin
• **Tomber des nues :** être très surpris en apprenant une nouvelle. • **Porter quelqu'un aux nues :** faire son éloge, le glorifier.

nuée nom féminin
Grande quantité d'insectes, d'oiseaux, qui évoque un nuage. *Le soir, il y a ici des **nuées** de moustiques.*

nuire verbe ▸ conjug. 43
Causer du tort ou du mal. *Le tabac et l'alcool **nuisent** à la santé. Cette personne ne pense qu'à **nuire** aux autres.* ✎ Attention ! *Nuire* se conjugue comme *cuire*, sauf au participe passé : ***nui***. ♦ Famille du mot : nuisance, nuisible.

nuisible adjectif
Qui nuit. *Des insectes **nuisibles** aux cultures. Une pollution **nuisible** à la santé.* SYN dangereux, néfaste, nocif. CONTR bienfaisant.

nuit nom féminin
❶ Durée pendant laquelle le Soleil n'éclaire pas la partie de la Terre où l'on se trouve. *En hiver, les **nuits** sont plus longues qu'en été.* CONTR jour. ❷ Obscurité. *Il est neuf heures du soir, la **nuit** commence à tomber.* SYN noirceur. • **De nuit** ❶ Pendant la nuit. *Cet infirmier travaille **de nuit**.* ❷ Nocturne. *Le hibou est un oiseau **de nuit**.* CONTR diurne.

① **nul, nulle** déterminant
Pas un seul. ***Nulle** autre chanson n'est aussi belle que celle-ci.* SYN aucun. ■ **nul** pronom Personne. *C'est un secret que **nul** ne doit connaître.* ♦ Famille du mot : nullement, nulle part.

② **nul, nulle** adjectif
❶ Qui n'a aucune valeur. *Cette décision est **nulle**.* CONTR valable. ❷ Qui est très mauvais. *Ce spectacle est **nul**.* CONTR bon. • **Match nul :** match dans lequel il n'y a ni gagnant ni perdant. ♦ Famille du mot : annulation, annuler, nullement, nullité.

Les nuages

Les nuages sont des masses visibles de gouttelettes d'eau ou de cristaux de glace en suspension dans l'atmosphère. Ils sont à l'origine de précipitations comme la neige et la pluie.

La formation des nuages

De l'eau s'évapore en permanence des océans, des lacs et du sol. Lorsque cette vapeur d'eau s'élève dans l'atmosphère, elle se refroidit et se condense : c'est de ce processus que résulte la formation des nuages. Lorsque ce refroidissement survient près du sol, cela donne du brouillard.

On distingue deux types de nuages : les cumuliformes, qui sont des nuages bourgeonnants à l'aspect de choux-fleurs, et les stratiformes, qui sont des nuages étendus plutôt uniformes.

Ces deux types de nuages sont eux-mêmes divisés en quatre groupes. Il y a les nuages hauts (cirrus), les nuages d'altitude moyenne, les nuages bas et les nuages convectifs.

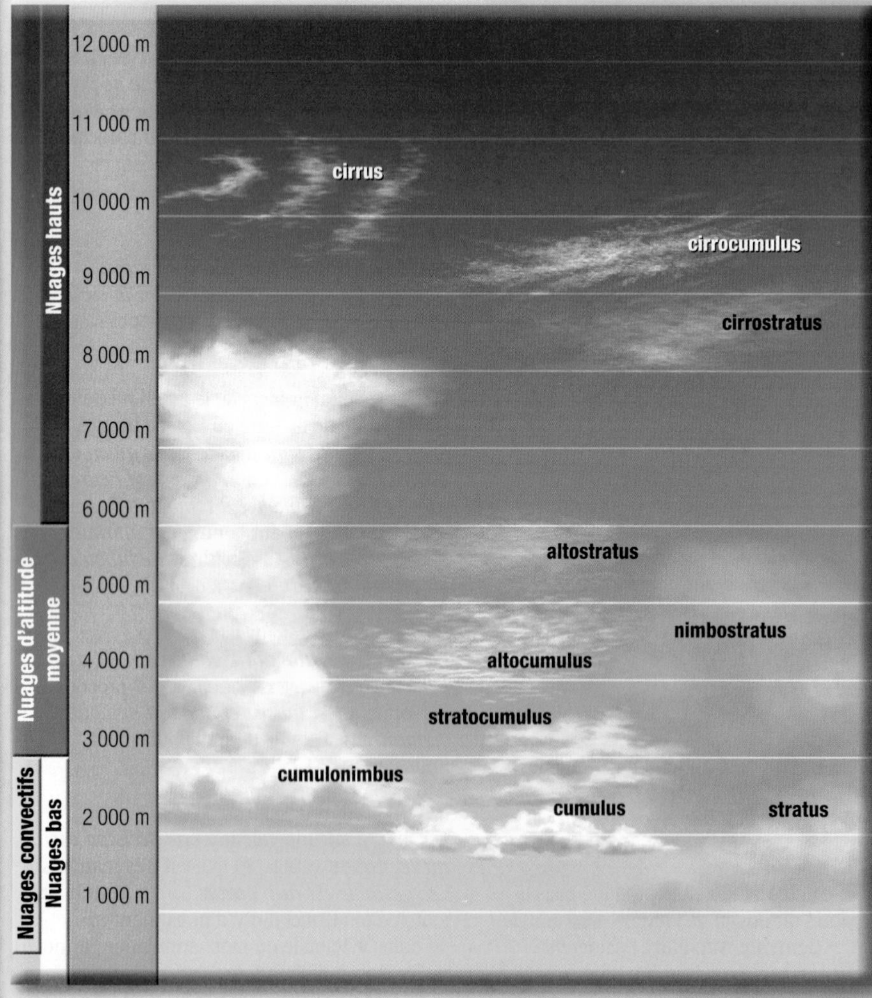

Les nuages et les conditions météorologiques

Les nuages dans le ciel sont comme les mots dans un livre : ils forment des phrases visuelles. En apprenant à les lire, on peut déchiffrer la météo et savoir à l'avance le temps qu'il fera. Voici quelques types de nuages et ce qu'ils signifient.

Nuages hauts (cirrus)

Les **cirrus** sont blancs et se présentent en longues traînées allongées. Ils annoncent parfois un changement de temps imminent, mais ne sont pas associés à des précipitations.

Les **cirrocumulus,** qui se composent principalement de cristaux de glace, prennent la forme de petits amoncellements semblables à des boules de coton. En grand nombre, ils annoncent du mauvais temps, mais ne le génère pas par eux-mêmes.

Les **cirrostratus,** qui prennent la forme d'une vaste couche, annoncent habituellement l'arrivée d'un front chaud et de précipitations, bien qu'ils n'en produisent pas eux-mêmes.

Nuages d'altitude moyenne

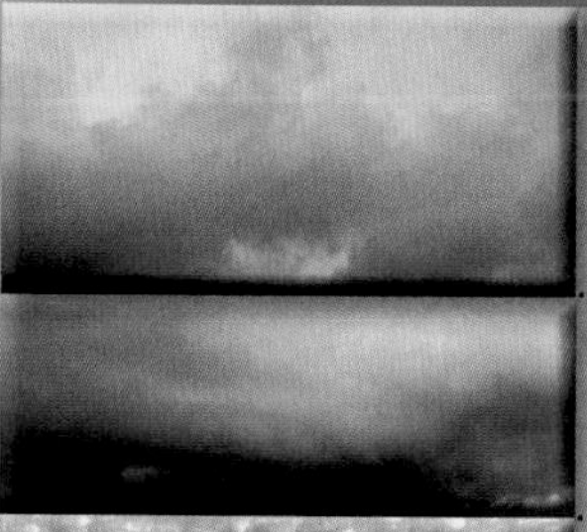

Les **altostratus** sont grisâtres ou bleuâtres et couvrent entièrement ou partiellement le ciel. Ils annoncent habituellement l'arrivée de nimbostratus. Les altostratus sont rarement associés à des précipitations. Lorsqu'il s'en produit, celles-ci s'évaporent avant même d'atteindre le sol, étant donné la grande distance entre la base des nuages et le sol.

Les **nimbostratus** sont souvent sombres et épais. Ils sont généralement associés à un front chaud et ils déversent une grande quantité de précipitations (de la pluie ou de la neige continue).

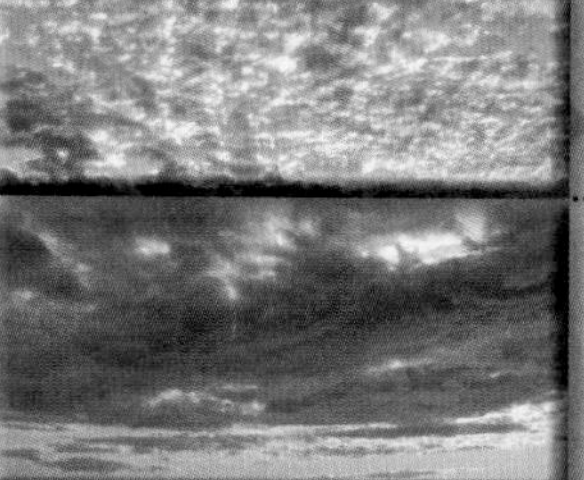

Les **altocumulus,** lorsque très nombreux, laissent une ombre au sol et annoncent une baisse de pression et donc du mauvais temps. Ils produisent rarement des précipitations.

Les **stratocumulus** ressemblent à des rouleaux à base plate plus ou moins espacés entre eux. Ils peuvent également se constituer à partir de cumulus qui s'agglutinent en une seule couche. Ces nuages peuvent avoir un aspect menaçant, mais ils ne sont généralement pas accompagnés de précipitations.

Nuages bas

Les **stratus** apparaissent lorsque le brouillard matinal s'élève ou, parfois, sous la pluie. Ils produisent occasionnellement de la bruine.

Nuages convectifs

Les **cumulonimbus** sont des nuages d'orage très étendus verticalement. Blancs sur le dessus et gris en dessous, ils sont souvent accompagnés de pluies intenses, de foudre, de vents violents et parfois même de grêle.

Les **cumulus** sont généralement des nuages de beau temps. Ils prennent la forme de moutons individuels à base plate et au sommet irrégulier.

a b c d e f g h i j k l m n o p q r s t u v w x y z

nullement adverbe
Pas du tout. *Tu ne me gênes **nullement**.*

nulle part adverbe
À aucun endroit. *Béatrice a beau chercher son livre, elle ne le trouve **nulle part**.*
CONTR partout.

nullité nom féminin
Caractère nul de quelque chose. *La **nullité** d'une élection.*

numéral, numérale, numéraux adjectif et nom
• **Déterminant numéral**: déterminant qui représente un nombre. *Les **déterminants numéraux** indiquent la quantité (un, deux, trois). – Employez un **numéral** devant le nom sujet de votre phrase.* * Chercher aussi ① *cardinal, ordinal.*

numérateur nom masculin
Terme d'une fraction placé au-dessus de la barre de division. *Dans la fraction $\frac{5}{8}$, le **numérateur** est 5.* * Chercher aussi *dénominateur*.

numération nom féminin
Action de compter, de dénombrer. ♦ Famille du mot: alphanumérique, numéral, numérateur, numérique, numériser, numériseur.

numérique adjectif
❶ Considéré du point de vue du nombre. *Ils ont gagné grâce à leur supériorité **numérique**.*
❷ Qui enregistre une information sous forme de nombres. *Un système d'affichage **numérique**.*

numériser verbe ▸ conjug. 3
Coder des informations en données numériques pour les enregistrer, les traiter ou encore les transmettre. ***Numériser** des photos.*

numériseur nom masculin
Appareil servant à numériser des documents.

numéro nom masculin
❶ Chiffre ou ensemble de chiffres. *Les hockeyeurs ont un **numéro** sur leur chandail.*
❷ Exemplaire d'un journal ou d'une revue. *Le prochain **numéro** de cette revue sort le 15 juin.*
❸ Partie d'un spectacle. *Guillaume a surtout aimé le **numéro** des clowns.* ♦ Famille du mot: numérotation, numéroter.

numérotation nom féminin
Action ou façon de numéroter. *Il y a une erreur dans la **numérotation** des pages.*

numéroter verbe ▸ conjug. 3
Marquer d'un numéro pour indiquer un ordre. *Clara **numérote** les pages de son exposé.*

nunavimiuq, nunavimiut adjectif et nom
De la région du Nunavik, au nord du Québec. *La toundra **nunavimiuq**. – Les **Nunavimiut**.* ✎ Attention! Le nom, qui désigne les habitants, s'écrit avec une majuscule.

nunavutois, nunavutoise adjectif et nom
Du territoire du Nunavut, à l'est du Canada. *Le climat **nunavutois**. – Les **Nunavutois**, les **Nunavutoises**.* ✎ Attention! Le nom, qui désigne les habitants, s'écrit avec une majuscule.

nuptial, nuptiale, nuptiaux adjectif
Du mariage. *La cérémonie **nuptiale** a eu lieu à l'hôtel de ville.*

nuque nom féminin
Partie arrière du cou. *Pour faire cet exercice, Léa a croisé les mains derrière la **nuque**.* 👁p. 246.

nutriment nom masculin
Substance alimentaire que l'organisme peut assimiler entièrement. *Les protides, les lipides et les glucides sont des **nutriments**.* 👁p. 36.

nutritif, nutritive adjectif
Nourrissant. *La banane est un fruit très **nutritif**.* ♦ Famille du mot: malnutrition, nutriment, nutrition, nutritionniste.

nutrition nom féminin
❶ Manière de se nourrir. *Cette médecin a fait des recherches sur la **nutrition** des adolescents.* SYN alimentation. ❷ Assimilation des aliments par l'organisme. SYN digestion.

nutritionniste nom
Spécialiste de la nutrition. *Un **nutritionniste** lui a indiqué le régime alimentaire à suivre.* * Chercher aussi *diététiste*.

nylon nom masculin
Fibre textile synthétique. *Une chemise en **nylon** n'a pas besoin d'être repassée.* * *Nylon* est le nom d'une marque.

nymphe nom féminin
❶ Insecte qui n'est plus à l'état de larve, mais qui n'a pas encore fini sa métamorphose. *La **nymphe** est le deuxième stade de développement des insectes entre la larve et l'imago.* ❷ Dans la mythologie grecque, divinité féminine qui habitait dans la nature.

o nom masculin invariable
Quinzième lettre de l'alphabet. *Le **o** est une voyelle.*

oasis nom féminin
Endroit du désert couvert de végétation et habité grâce à la présence d'un point d'eau. *De nombreux palmiers poussent dans les **oasis**.* * Attention ! On dit ***une** oasis*.

*Une **oasis***

obéir verbe ▸ conjug. 11
Se soumettre à l'autorité de quelqu'un. *Les soldats **obéissent** aux ordres des officiers.* **CONTR** désobéir. ♦ Famille du mot : désobéir, désobéissance, désobéissant, obéissance, obéissant.

obéissance nom féminin
Fait d'obéir à un ordre, de suivre des règles. *Ce chien montre une totale **obéissance** à sa maîtresse.* **SYN** soumission. **CONTR** désobéissance.

obéissant, obéissante adjectif
Qui obéit. *Un enfant **obéissant**.* **SYN** docile, soumis. **CONTR** désobéissant.

obélisque nom masculin
Colonne de pierre à quatre faces, se terminant en pointe. *Les anciens Égyptiens plaçaient les **obélisques** à l'entrée de leurs temples.* * Attention ! On dit ***un** obélisque*.

*Un **obélisque***

obèse adjectif et nom
Qui est anormalement gros. *Cet homme **obèse** suit un régime.* **SYN** énorme. **CONTR** maigre. – *Une **obèse**.*

obésité nom féminin
État d'une personne qui a un surplus de poids important. *Son **obésité** la handicape beaucoup.*

objecter verbe ▸ conjug. 3
Opposer comme argument. *Je n'ai rien à **objecter** à ce que vous dites.* **SYN** répliquer, répondre.

① **objectif, objective** adjectif
Qui voit les choses comme elles sont réellement. *Cet article est un compte rendu **objectif** des évènements.* **SYN** impartial, neutre. **CONTR** partial, subjectif. ♦ Famille du mot : objectivement, objectivité.

② **objectif** nom masculin
But que l'on cherche à atteindre. *Noah s'est fixé comme **objectif** d'améliorer son lancer frappé au hockey.*

③ **objectif** nom masculin
Ensemble de lentilles de verre d'un instrument, d'un appareil. *L'**objectif** d'un appareil photo.*

objection nom féminin
Raison de s'opposer à une proposition. *Quelqu'un a-t-il une **objection** ?*

a b c d e f g h i j k l m n o p q r s t u v w x y z

objectivement adverbe
De façon objective, sans parti pris. *Ce journal rapporte **objectivement** ce qui s'est passé.*

objectivité nom féminin
Qualité d'une personne ou d'une chose objective. *Ce reportage manque d'**objectivité**.* SYN impartialité. CONTR parti* pris, partialité, subjectivité.

objet nom masculin
❶ Chose que l'on peut voir ou toucher. *Un ordinateur, un crayon, une affiche sont des **objets**.* ❷ Cause, motif. *Voici l'**objet** de ma visite.* SYN but. • **Sans objet**: sans raison d'être. *Cette personne est parfaitement honnête, votre méfiance est **sans objet**.*

obligation nom féminin
Ce que l'on est obligé de faire. *Ses **obligations** professionnelles l'ont empêché de venir.* SYN responsabilité.

obligatoire adjectif
Que l'on est obligé de faire sous peine de sanctions. *Le port de la ceinture de sécurité est **obligatoire** en voiture.* SYN indispensable. CONTR facultatif.

obligatoirement adverbe
De façon obligatoire. *Il faut **obligatoirement** présenter un passeport quand on traverse la frontière américaine.* SYN nécessairement.

obligeant, obligeante adjectif
Qui aime rendre service. *M. Gauthier est un homme très **obligeant**.* SYN aimable, complaisant, serviable. CONTR désobligeant.

obliger verbe ▸ conjug. 5
Forcer quelqu'un à faire quelque chose. *La pluie nous **a obligés** à nous abriter.* SYN contraindre. ♦ Famille du mot: désobligeant, obligation, obligatoire, obligatoirement, obligeant.

oblique adjectif
Qui est de biais, qui n'est ni vertical ni horizontal. *Anna a dessiné le toit de la maison avec deux lignes **obliques**.* • **En oblique**: en diagonale.

obliquer verbe ▸ conjug. 3
Changer de direction. *La voiture **a obliqué** vers la droite.* SYN tourner.

oblitérer verbe ▸ conjug. 8
Marquer un timbre d'un cachet pour qu'il ne puisse pas servir de nouveau.

oblong, oblongue adjectif
De forme allongée. *Les aubergines ont une forme **oblongue**.* * Attention ! Le *g* du masculin *oblong* ne se prononce pas.

obscène adjectif
Qui est indécent et très grossier. *Des graffitis **obscènes**.*

obscénité nom féminin
Parole ou geste obscène. *Dire des **obscénités**.*

obscur, obscure adjectif
❶ Qui manque de lumière. *Cet appartement est très **obscur**.* SYN sombre. CONTR clair, lumineux. ❷ Qui est difficile à comprendre. *Ce texte contient quelques passages **obscurs**.* SYN confus. CONTR clair. ❸ Qui est peu connu. *Ce tableau a été fait par un peintre **obscur**.* CONTR célèbre, illustre. ♦ Famille du mot: obscurcir, obscurité.

obscurcir verbe ▸ conjug. 11
Rendre obscur. *De gros nuages noirs **obscurcissent** le ciel.* SYN assombrir. CONTR éclaircir.

obscurité nom féminin
Absence de lumière. *Julien se déplace aisément dans l'**obscurité**.* SYN noir.

obsédant, obsédante adjectif
Qui obsède. *Elle ne peut se débarrasser de cette idée **obsédante**.*

obséder verbe ▸ conjug. 8
Occuper sans cesse l'esprit. *Ce mauvais souvenir l'**obsède**.* SYN hanter, tourmenter, tracasser. ✎ On peut écrire aussi, au futur, *j'**obsèderai***; au conditionnel, *elle **obsèderait***. ♦ Famille du mot: obsédant, obsession.

obsèques nom féminin pluriel
Funérailles. *Les **obsèques** ont eu lieu dans la plus stricte intimité.*

observable adjectif
Que l'on peut observer. *La fonte des glaciers est un phénomène **observable**.*

observateur, observatrice adjectif
Qui observe attentivement. *Daniel remarque tous les détails, c'est un garçon **observateur**.* ■ **observateur, observatrice** nom Personne chargée d'observer quelque chose sans y participer. *L'ONU a envoyé des **observateurs** dans la zone des combats.*

observation nom féminin
❶ Action d'observer avec attention. *Ibrahim a le sens de l'**observation**, il ferait un parfait*

détective. ❷ Critique, reproche. *Son père lui a fait des **observations** sur sa tenue.* **SYN** commentaire. ❸ Réflexion sur une question. *Vos **observations** sont très justes.* **SYN** remarque. ❹ Action de se conformer à une règle, à une loi. *L'**observation** d'un règlement.* **SYN** obéissance, respect.

observatoire nom masculin
Établissement destiné aux observations scientifiques. *Les astronomes ont observé la comète avec le télescope de l'**observatoire**.*

Des ***observatoires***

observer verbe ▸ conjug. 3
❶ Regarder attentivement pour étudier ou surveiller. *Valérie **a observé** des oiseaux dans leur nid.* ❷ Se conformer à une règle. *Les automobilistes doivent **observer** les limites de vitesse.* **SYN** respecter. **CONTR** enfreindre. ❸ Remarquer, noter. *J'**ai observé** un changement dans son attitude.* ♦ Famille du mot : observable, observateur, observation, observatoire.

obsession nom féminin
Pensée obsédante, idée fixe. *Elle ne pense plus qu'à son examen, c'est devenu une **obsession**.* **SYN** hantise.

obstacle nom masculin
❶ Ce qui empêche de passer. *La voiture a évité l'**obstacle** de justesse.* ❷ Ce qui gêne ou empêche la réalisation de quelque chose. *Pour réussir, elle a dû surmonter beaucoup d'**obstacles**.* **SYN** difficulté.

obstination nom féminin
Caractère ou comportement d'une personne qui s'obstine. *Son **obstination** à étudier le mènera sûrement très loin.* **SYN** acharnement, entêtement, persévérance, ténacité.

obstiné, obstinée adjectif
Qui s'obstine. *C'est une chercheuse **obstinée**.* **SYN** acharné, entêté, persévérant, tenace.

obstinément adverbe
Avec obstination. *Sigrid refuse **obstinément** de se faire aider.*

s'**obstiner** verbe ▸ conjug. 3
Persévérer avec entêtement. *Mon père **s'obstine** à réparer lui-même le moteur de sa voiture.* **SYN** s'acharner, s'entêter. ♦ Famille du mot : obstination, obstiné, obstinément.

obstruction nom féminin
• **Faire de l'obstruction :** bloquer le déroulement d'une discussion ou d'une action.

obstruer verbe ▸ conjug. 3
Boucher, empêcher de passer. *Ces voitures accidentées **obstruent** la route.* **SYN** barrer.

obtenir verbe ▸ conjug. 19
Parvenir à avoir, se faire accorder ce que l'on désire. *Mathieu **a obtenu** la permission d'aller au cinéma.*

obtention nom féminin
Fait d'obtenir. *Il achètera une voiture dès l'**obtention** de son permis de conduire.*

obturation nom féminin
Action d'obturer, état de ce qui est obturé. *L'**obturation** d'une canalisation a privé d'eau tout le quartier.*

obturer verbe ▸ conjug. 3
Boucher une ouverture ou un trou. *L'entrée du souterrain **a été obturée**.* **SYN** colmater, fermer.

obtus, obtuse adjectif
Sans finesse, sans ouverture d'esprit. *Je le trouve **obtus**.* **SYN** borné, épais. **CONTR** fin, ouvert, subtil. • **Angle obtus :** angle plus ouvert que l'angle droit. 👁p. 484. * Chercher aussi *aigu*.

obus nom masculin
Projectile rempli d'explosif, que lance un canon.

occasion nom féminin
❶ Circonstance favorable. *Dimitri a profité de l'**occasion** pour s'en aller.* ❷ Marchandise vendue à un prix intéressant. *Un ordinateur à ce prix-là, c'est une **occasion**.* • **À l'occasion :** si le cas se présente. • **À l'occasion d'un évènement :** à cause de celui-ci ou à ce moment-là. *Nous sommes allés au restaurant **à l'occasion de** son anniversaire.* • **D'occasion :** qui n'est pas neuf. *Une voiture **d'occasion**.* ♦ Famille du mot : occasionnel, occasionnellement, occasionner.

a b c d e f g h i j k l m n **o** p q r s t u v w x y z

occasionnel, occasionnelle adjectif
Qui se produit à l'occasion. *Le sport est pour lui une activité **occasionnelle**.* **CONTR** habituel, régulier.

occasionnellement adverbe
De façon occasionnelle. *Elle fait du théâtre **occasionnellement**.* **SYN** parfois. **CONTR** habituellement.

occasionner verbe ▸ conjug. 3
Être l'occasion malheureuse de quelque chose. *Son étourderie lui **a occasionné** bien des ennuis.* **SYN** causer, provoquer.

occident nom masculin
Côté de l'horizon où le soleil se couche. **SYN** couchant, ouest. **CONTR** levant, orient.
• **L'Occident**: l'ensemble des pays de l'Europe de l'Ouest et de l'Amérique du Nord.
✎ Attention! Dans ce sens, ce mot s'écrit avec une majuscule.

occidental, occidentale, occidentaux adjectif
Qui est à l'ouest. *La ville d'Amqui est située dans la partie **occidentale** de la Gaspésie.* **CONTR** oriental. ■ **occidental, occidentale, occidentaux** adjectif et nom De l'Occident. *Les pays **occidentaux**. – Les Canadiens, les Américains, les Anglais sont des **Occidentaux**.* ✎ Attention! Le nom, qui désigne les habitants des pays occidentaux, s'écrit avec une majuscule.

occulte adjectif
• **Sciences occultes**: études qui s'intéressent à des phénomènes inexplicables. *L'astrologie, l'alchimie, la sorcellerie sont des **sciences occultes**.*

occupant, occupante nom
❶ Personne qui occupe un local ou un lieu. *Les **occupants** de l'immeuble ont été évacués par les pompiers.* **SYN** habitant, locataire. ❷ Ennemi qui occupe un pays. *Les **occupants** ont dû quitter le pays.* **SYN** envahisseur.

occupation nom féminin
❶ Activité qui occupe le temps. *Léo a beaucoup d'**occupations**.* **SYN** activité. ❷ Action d'occuper un pays. *Les habitants de ce pays ont beaucoup souffert pendant l'**occupation**.* **CONTR** libération.

occupé, occupée adjectif
❶ Qui est en train de faire quelque chose ou qui a beaucoup à faire. *Linda est une fille toujours très **occupée**.* **CONTR** désœuvré, oisif. ❷ Où quelqu'un est déjà installé. *La place est déjà **occupée**, il faudra s'asseoir ailleurs.* **SYN** pris. **CONTR** disponible, inoccupé, libre. ❸ Qui est pris, occupé. *La ligne est **occupée**.* ❹ Qui est envah par un pays ennemi. *L'armée ennemie a été chassée des régions **occupées**.*

occuper verbe ▸ conjug. 3
❶ Remplir le temps de quelqu'un. *À quoi **occupez**-vous toutes vos soirées?* **SYN** consacrer. ❷ Remplir un espace. *Ce meuble **occupe** une grande partie du séjour.* ❸ Habite un lieu. *Nos amis **occupent** l'appartement du deuxième étage.* ❹ Se rendre maître d'un lieu. *Ce pays **a été occupé** pendant longtemps.* ❺ Exercer une fonction, détenir un rang. *Le Canada **occupe** la deuxième place au classement.* ■ **s'occuper de**: consacrer du temps et de l'attention à quelqu'un ou à quelqu chose. *C'est Raphaël qui **s'occupe du** chat.* ♦ Famille du mot: inoccupé, occupant, occupation, occupé.

océan nom masculin
Vaste étendue d'eau salée. *D'est en ouest, le Canada s'étend de l'**océan** Atlantique à l'**océan** Pacifique.* ♦ Famille du mot: océanien, océanique, océanographie.

océanien, océanienne adjectif et nom
De l'Océanie. *Les pays **océaniens**. – Les **Océaniens**, les **Océaniennes**.* ✎ Attention! Le nom, qui désigne les habitants, s'écrit avec une majuscule.

océanique adjectif
Se dit des régions proches de l'océan. *Les régions **océaniques**.* ■ **océanique** nom masculin Navire qui traverse l'océan. *Un **océanique** remonte le fleuve Saint-Laurent.*

océanographie nom féminin
Science qui étudie les mers et les océans.

ocelot nom masculin
Félin de l'Amérique du Sud, à la fourrure tachetée de brun.

Un **ocelot**

ocre adjectif invariable
De couleur jaune foncé ou jaune-brun. *Un village marocain aux maisons **ocre**.* ■ **ocre** nom masculin Couleur ocre. *Un dégradé d'**ocres**.*

octave nom féminin
Intervalle de huit notes portant le même nom dans deux gammes successives. * Attention ! On dit ***une** octave.*

octobre nom masculin
Dixième mois de l'année, qui compte trente et un jours. ✎ Attention ! Le nom des mois s'écrit avec une minuscule.

octogénaire adjectif et nom
Qui a entre quatre-vingts et quatre-vingt-neuf ans. *L'arrière-grand-mère de Valentina est **octogénaire**. – Un **octogénaire** en forme.*

octogone nom masculin
Polygone à huit côtés. 👁p. 484.

octroyer verbe ▸ conjug. 6
Attribuer par faveur. *La directrice **a octroyé** une prime au personnel de l'entreprise.* **SYN** accorder. ■ **s'octroyer** : s'accorder. *Il **s'est octroyé** la plus grosse part du gâteau.*

oculaire adjectif
De l'œil. *Le globe **oculaire**.* • **Témoin oculaire :** qui a vu une chose de ses propres yeux et en témoigne. ■ **oculaire** nom masculin Partie d'un appareil d'optique où l'on applique l'œil.

odeur nom féminin
Sensation perçue par le nez. *Il flotte une **odeur** de beignes chauds dans la cuisine.* ♦ Famille du mot : déodorant, désodorisant, inodore, malodorant, odorant, odorat.

odieux, odieuse adjectif
❶ Qui inspire le dégoût, l'indignation. *Un crime **odieux**.* **SYN** ignoble. ❷ Qui est détestable. *Son égoïsme est parfois **odieux**.* **SYN** insupportable. **CONTR** charmant.

odorant, odorante adjectif
Qui répand une odeur. *Le lis, le lilas sont des fleurs **odorantes**.* **CONTR** inodore.

odorat nom masculin
Sens par lequel on perçoit les odeurs. *L'**odorat** des chiens est très développé.* * Chercher aussi *goût, ouïe, toucher, vue.*

odyssée nom féminin
Voyage plein de péripéties. *Leur retour de vacances a été une véritable **odyssée**.*

œdème nom masculin
Gonflement des tissus. *Notre voisine a un **œdème** des jambes.* * Attention ! La première syllabe du mot *œdème* se prononce *é* ou *eu*.

œil nom masculin
Organe de la vue. *Emanuel a de bons **yeux**.* 👁p. 246. • **Œil au beurre noir :** œil tuméfié, meurtri. • **Ne pas pouvoir fermer l'œil :** être incapable de dormir. • **À l'œil :** dans la langue familière, gratuitement. • **Avoir l'œil à tout :** veiller à tous les détails. • **Avoir quelqu'un à l'œil :** le surveiller. • **Jeter un coup d'œil :** regarder rapidement. • **Coûter les yeux de la tête :** coûter très cher. • **D'un bon** ou **d'un mauvais œil :** favorablement ou défavorablement. • **Faire les gros yeux à quelqu'un :** le regarder sévèrement, d'un air mécontent. • **Fermer les yeux sur quelque chose :** faire comme si on ne l'avait pas vu. • **Ouvrir l'œil :** être très attentif, vigilant. • **Ouvrir les yeux :** voir la réalité telle qu'elle est. • **Sauter aux yeux :** être évident. *La solution de ce problème **saute aux yeux**.* • **Pour les beaux yeux de quelqu'un :** pour lui plaire, gratuitement. • **Avoir les yeux plus grands que la panse :** se servir très généreusement, mais ne pas parvenir à finir son assiette. ✎ Pluriel : *des **yeux**.* ♦ Famille du mot : œil-de-bœuf, œillère, ② œillet.

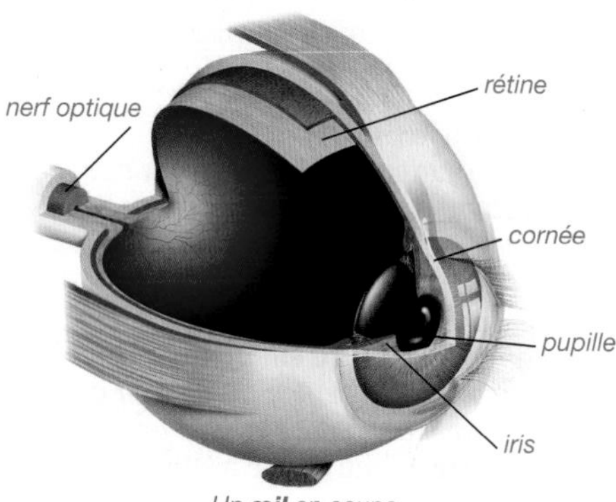

*Un **œil** en coupe*

a b c d e f g h i j k l m n **o** p q r s t u v w x y z

œil-de-bœuf nom masculin
Lucarne ronde ou ovale. *Un **œil-de-bœuf** éclaire notre cage d'escalier.* ✎ Pluriel: *des **œils-de-bœuf**.*

œillère nom féminin
Chacune des plaques de cuir qui empêchent un cheval de voir sur les côtés. • **Avoir des œillères:** au sens figuré, être borné, avoir l'esprit étroit.

① **œillet** nom masculin
Plante aux fleurs très parfumées. *Le marié portait un **œillet** à la boutonnière.*

② **œillet** nom masculin
Petit trou cerclé de métal dans lequel on passe un lacet ou un cordon. *Thomas passe de nouveaux lacets dans les **œillets** de ses espadrilles.*

Un œillet

œsophage nom masculin
Partie du tube digestif qui relie la bouche à l'estomac. *Les aliments descendent dans l'estomac en passant par l'**œsophage**.* 👁p. 320. * Attention! La première syllabe du mot *œsophage* se prononce *é*.

œuf nom masculin
❶ Corps dur de forme arrondie que pondent les femelles des oiseaux. *La poule couve les **œufs** qu'elle a pondus.* ❷ En alimentation, œuf de poule. *Véronique aime beaucoup les sandwichs aux **œufs**.* ❸ Corps que pondent les femelles de reptiles, de poissons, d'insectes. *Des **œufs** de poisson.* • **Marcher sur des œufs:** agir avec une grande prudence. • **Mettre tous ses œufs dans le même panier:** tout miser dans une seule affaire. * Attention! Le *f* du mot *œuf* se prononce seulement au singulier. * Chercher aussi *ovipare*.

œuvre nom féminin
❶ Ce que quelqu'un a fait. *Cette belle cabane est l'**œuvre** de Marco.* **SYN** ouvrage, travail. ❷ Ce qui est produit par un artiste. *Sonia a cette **œuvre** de Chopin en CD.* ❸ Organisation charitable. *Elle a fait don de sa fortune à une **œuvre**.* • **Mettre en œuvre:** mettre en application. *Le gouvernement **met en œuvre** un programme de lutte contre la pauvreté.* • **Se mettre à l'œuvre:** se mettre au travail.

offensant, offensante adjectif
Qui offense, qui insulte. *Vos paroles sont **offensantes**.* **SYN** blessant, injurieux, insultant.

offense nom féminin
Parole ou action qui offense, qui insulte. *Cette remarque est une **offense**.* **SYN** affront, insulte. ♦ Famille du mot: inoffensif, offensant, offenser, offensif.

offenser verbe ▶ conjug. 3
Blesser quelqu'un en portant atteinte à sa dignité. *En vous moquant de lui, vous l'**avez offensé**.* **SYN** humilier, vexer.

offensif, offensive adjectif
Qui attaque. *Notre entraîneur encourage un jeu **offensif**.* **CONTR** défensif.
■ **offensive** nom féminin ❶ Attaque, assaut contre quelqu'un ou quelque chose. *L'armée essaie de repousser l'**offensive** ennemie.* ❷ Action des joueurs d'une équipe pour tenter de marquer des buts. *L'**offensive** de cette équipe de football a donné un jeu dynamique.*

office nom masculin
❶ Agence ou bureau chargés d'une question précise. *L'**Office** québécois de la langue française.* ❷ Service religieux. *L'**office** a lieu chaque dimanche à onze heures.* • **D'office:** sans demander l'avis de la personne concernée. *On m'a confié **d'office** cette mission.* • **Faire office de:** remplir une fonction ou un rôle. *Comme il était le seul à parler le portugais, il **a fait office d'**interprète.*

officiel, officielle adjectif
❶ Qui vient de l'État ou d'une autorité. *Le passeport et le permis de conduire sont des documents **officiels**.* ❷ Reconnu comme vrai par une autorité. *La nouvelle est maintenant **officielle**.* **CONTR** officieux. ■ **officiel, officielle** nom ❶ Personne qui représente l'État ou une autorité. *Cette tribune est réservée aux **officiels**.* ❷ Personne qui participe à l'organisation d'une épreuve sportive ou d'une compétition et qui en assure le bon déroulement. *Ces arbitres seront les **officiels** du match.* **SYN** arbitre, juge.

officiellement adverbe
De façon officielle. *Son oncle a été avisé **officiellement** de sa nomination.* **CONTR** officieusement.

officier, officière nom
Militaire, marin qui a un grade. *Les lieutenants, les capitaines, les généraux sont des **officiers**.*

officieusement adverbe
De façon officieuse. *Elle a appris **officieusement** qu'elle était nommée ambassadrice.* **CONTR** officiellement.

officieux, officieuse adjectif
Qui n'est pas confirmé officiellement. *Sa nomination est encore **officieuse**.* **CONTR** officiel.

offrande nom féminin
Dans la langue littéraire, don. *À l'église, on peut déposer son **offrande** dans un panier.*

offrant nom masculin
• **Le plus offrant:** celui qui offre le prix le plus élevé pour acheter quelque chose.

offre nom féminin
Ce qui est offert. *Elle m'a proposé de m'aider, j'ai accepté son **offre**.* **SYN** proposition.

offrir verbe ▸ conjug. 12
❶ Faire cadeau de quelque chose. *Xavier **a offert** des fleurs à sa mère.* ❷ Proposer quelque chose à quelqu'un. *Diego **a offert** à la vieille dame de l'aider.* ❸ Présenter ou montrer. *Après le cyclone, le paysage **offrait** un spectacle désolant.* ♦ Famille du mot: offrande, offrant, offre.

offusquer verbe ▸ conjug. 3
Déplaire à quelqu'un en heurtant sa sensibilité. *Nous **avons offusqué** notre tante avec nos plaisanteries.* **SYN** blesser, choquer, offenser.

ogive nom féminin
❶ Chacun des deux arcs qui se croisent pour soutenir une voûte. *Cette cathédrale a des fenêtres en **ogive**.* ❷ Partie pointue à l'avant d'un obus ou d'un missile. *L'**ogive** contient la charge nucléaire.*

Des **ogives**

OGM nom masculin
Sigle de ***o**rganisme **g**énétiquement **m**odifié*. Organisme modifié la plupart du temps en laboratoire pour transformer ses caractéristiques de façon durable. *Il semble que ce maïs soit considéré comme un **OGM**.* * Chercher aussi *transgénique*.

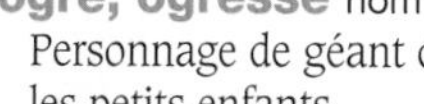

ogre, ogresse nom
Personnage de géant des contes qui dévore les petits enfants.

oh! interjection
Marque la surprise, l'admiration, la colère. ***Oh!** Que c'est beau!* * Chercher aussi *ho!*

oie nom féminin
Oiseau palmipède migrateur, au plumage blanc ou gris. *Il existe des **oies** domestiques et des **oies** sauvages.* * Chercher aussi *bernache*, *gaver*, *jars*, *oison*, *outarde*.

oignon nom masculin
❶ Plante potagère dont le bulbe est comestible. *Myriam pleure en coupant les **oignons**.* • **Oignon vert:** oignon semblable à un mince poireau, doté de longues feuilles vertes. * Chercher aussi *échalote*. ❷ Bulbe de certaines plantes. *Des **oignons** de tulipe et de jacinthe.* • **En rang d'oignons:** alignés sur une seule ligne. • **S'occuper de ses oignons:** dans la langue familière, se mêler de ses affaires. • **Traiter quelqu'un aux petits oignons:** le traiter avec beaucoup d'attention et d'empressement. ✎ On peut écrire aussi ***ognon***.

oiseau, oiseaux nom masculin
Animal vertébré ovipare, au corps couvert de plumes, qui a deux pattes et deux ailes. *Le hibou est un **oiseau** de nuit; l'aigle est un **oiseau** de proie; les volailles sont des **oiseaux** de basse-cour.* 👁p. 720. * Chercher aussi *ornithologie*. • **À vol d'oiseau:** en ligne droite. *De Montréal à Toronto, il y a environ 500 km **à vol d'oiseau**.* • **Être aux oiseaux:** être aux anges. • **Avoir un appétit d'oiseau:** avoir très peu d'appétit.

oiseau-mouche nom masculin
Colibri. ✎ Pluriel: *des **oiseaux-mouches***.

oisif, oisive adjectif
Désœuvré. *Maude ne reste jamais **oisive**.* **SYN** inactif, inoccupé. ■ **oisif, oisive** nom
Personne qui n'a pas d'occupation, qui dispose de tout son temps. *Un **oisif** nanti.*

oisillon nom masculin
Petit oiseau. *William a recueilli un **oisillon** tombé du nid.*

oisiveté nom féminin
État d'une personne oisive. *Vivre dans l'**oisiveté**.* **SYN** désœuvrement, inaction.

oison nom masculin
Petit de l'oie et du jars.

Les oiseaux

Les oiseaux sont des descendants des dinosaures. Ils ont tous des ailes, un bec, des plumes, et ils pondent des œufs. Ce sont donc des ovipares. On compte actuellement près de 10 000 espèces d'oiseaux différentes.

L'incroyable capacité de voler

Les oiseaux sont parmi les rares espèces animales à être capables de voler. En fait, leur corps s'est parfaitement adapté à la fonction du vol. Chaque espèce d'oiseau est d'ailleurs dotée d'un type d'ailes adapté à son mode de vie. D'autre part, les os de leur squelette sont creux et remplis d'air. Cet air pénètre dans des sacs reliés aux poumons, ce qui permet aux oiseaux de rester en équilibre durant le vol.

Une autruche

Certains oiseaux qui n'ont pas de prédateurs ou qui n'avaient pas besoin de voler pour se nourrir ont perdu cette faculté, comme les manchots, les kiwis, les émeus et les autruches. On compte une soixantaine d'espèces de ces oiseaux dits « coureurs ».

Un kiwi

Un manchot

D'autres particularités

Lorsque vient la période des amours, les mâles observent un rituel que l'on appelle « parade nuptiale ». Certains exécutent des danses, font entendre des chants différents, changent de couleur, et ce, afin de séduire la femelle convoitée. C'est l'une des raisons pour lesquelles les mâles sont souvent plus beaux et plus colorés que les femelles.

Une parade nuptiale

Chez plusieurs espèces d'oiseaux, lorsque les petits naissent, le mâle et la femelle s'occupent à tour de rôle de les nourrir et de les protéger.

Un oiseau et ses petits

Les différents types d'oiseaux selon leur rapport au territoire

Les oiseaux se divisent en trois catégories : sédentaires, erratiques et migrateurs. Les oiseaux sédentaires vivent toute l'année au même endroit. Les oiseaux erratiques quittent parfois leur territoire. Quant aux oiseaux migrateurs, ils quittent leur territoire chaque automne et y reviennent chaque printemps pour pondre leurs œufs et élever leurs petits.

Le rôle des oiseaux auprès des humains

Les oiseaux sont utiles aux humains à plusieurs égards. Ils constituent d'abord et avant tout une source de nourriture appréciable. Parmi les oiseaux d'élevage, on trouve diverses espèces de volaille (poulet, dindon, autruche, oie, canard d'élevage, etc.). Certains oiseaux sauvages (canard, bernache, dindon sauvage, etc.) sont chassés pour leur viande.

Les oiseaux ont pendant longtemps été utilisés comme messagers (pigeon). Ils ont également été dressés à la chasse (faucon, épervier) et leurs plumes ont servi de parure et de décorations (autruche, paon). Par ailleurs, les canaris, les perruches et perroquets sont des animaux de compagnie très prisés pour leur talent de chanteurs ou pour leur sociabilité.

Une perruche

Un faucon

Des perroquets

OK adverbe
Dans la langue familière, d'accord, entendu. ***OK**, je t'attendrai en face de l'école.*

oka nom masculin
Fromage à pâte ferme fabriqué à l'origine par les moines de l'abbaye d'Oka.

okapi nom masculin
Mammifère ruminant d'Afrique, au pelage brun et aux pattes rayées de blanc.

Un **okapi**

oléagineux, oléagineuse adjectif
Qui contient de l'huile. *Les arachides sont des graines **oléagineuses**.* ■ **oléagineux** nom masculin Plante dont on extrait de l'huile. *Le maïs, le tournesol, l'arachide sont des **oléagineux**.*

oléoduc nom masculin
Canalisation destinée au transport du pétrole. **SYN** pipeline. * Attention! Le *c* du mot *oléoduc* se prononce. * Chercher aussi *aqueduc*, *gazoduc*.

olfactif, olfactive adjectif
Qui concerne l'odorat. *Le nez sert à percevoir les sensations **olfactives**.*

olive nom féminin
Fruit comestible de l'olivier, dont on extrait de l'huile. *Je préfère les **olives** vertes aux **olives** noires.*

olivier nom masculin
Arbre des régions méditerranéennes dont le fruit est l'olive.

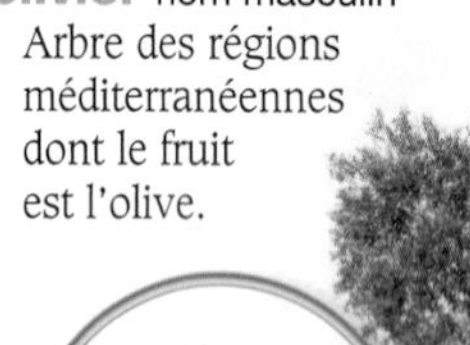

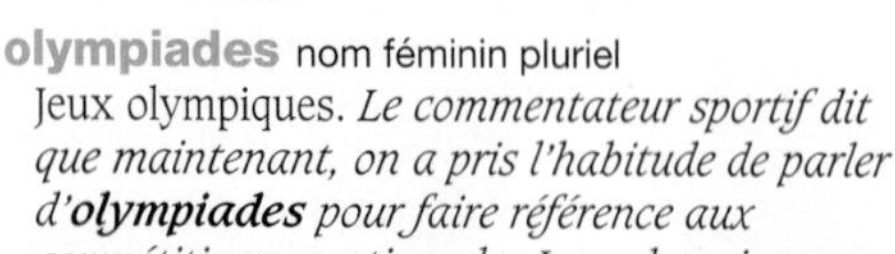

Un **olivier**

olympiades nom féminin pluriel
Jeux olympiques. *Le commentateur sportif dit que maintenant, on a pris l'habitude de parler d'**olympiades** pour faire référence aux compétitions sportives des Jeux olympiques.*

olympique adjectif
Qui concerne les Jeux olympiques. *Une piscine **olympique** mesure 50 m de long.* • **Jeux olympiques:** épreuves sportives internationales qui ont lieu tous les quatre ans. *Les **Jeux olympiques** d'hiver sont décalés de deux ans par rapport aux **Jeux olympiques** d'été.*

omanais, omanaise
➔Voir tableau, p. 1319.

ombilic nom masculin
Nombril. * Attention! Le *c* du mot *ombilic* se prononce.

ombilical, ombilicale, ombilicaux adjectif
• **Cordon ombilical:** cordon torsadé qui relie le fœtus à sa mère et lui permet de vivre dans son ventre. *Le nombril est la cicatrice de la coupure, à la naissance, du **cordon ombilical**.*

ombrage nom masculin
Ombre produite par les feuillages des arbres. *Ma mère lit sous l'**ombrage** du chêne.* • **Prendre ombrage de quelque chose:** dans la langue littéraire, mal le prendre, en être vexé ou jaloux.

ombragé, ombragée adjectif
Où il y a de l'ombre. *Les pique-niqueurs se sont installés dans un endroit **ombragé**.*

ombrageux, ombrageuse adjectif
❶ Se dit d'un cheval qui a peur des ombres et même de son ombre. ❷ Qui prend ombrage facilement. *James a un caractère **ombrageux**.* **SYN** susceptible.

ombre nom féminin
Zone sombre qui se produit quand la lumière est arrêtée par un objet opaque. *Ils se reposent à l'**ombre** de l'érable. Les lampadaires dessinent l'**ombre** des passants dans la nuit.* • **Pas l'ombre d'un doute:** pas le moindre doute. *Il n'y a **pas l'ombre d'un doute**, c'est bien lui!* • **Avoir peur de son ombre:** être très peureux, très craintif. ♦ Famille du mot: ombrage, ombragé, ombrageux, ombrelle.

ombrelle nom féminin
Petit parasol portatif pour dames.

omelette nom féminin
Plat composé d'œufs battus et cuits à la poêle. *Une **omelette** aux champignons.*

omettre verbe ▸ conjug. 33
Négliger de faire ou de dire quelque chose. *Vous **avez omis** de me rendre ma monnaie.* **SYN** oublier.

omission nom féminin
Chose omise. *Il y a plusieurs **omissions** dans votre récit.* SYN oubli.

omni- préfixe
Placé au début d'un mot pour former un autre mot, *omni-* signifie «tout» (***omni**bus*, ***omni**vore*).

omnibus nom masculin
Train qui s'arrête à toutes les gares. *Ce train de banlieue est un **omnibus**.* * Attention! Le *s* du mot *omnibus* se prononce.

omnivore adjectif
Qui se nourrit aussi bien d'animaux que de végétaux. *Le porc est **omnivore**.* * Chercher aussi *carnivore, frugivore, granivore, herbivore, insectivore.*

omoplate nom féminin
Os plat de l'épaule. *L'**omoplate** a la forme d'un triangle.*

on pronom
❶ Les gens en général. ***On** espère la paix dans le monde.* ❷ Une ou plusieurs personnes que l'on ne nomme pas. ***On** vient de me dire qu'il était arrivé.* ❸ Dans la langue courante, non recherchée, nous. *Est-ce qu'**on** va voir ce film?*

once nom féminin
❶ Dans le système impérial, unité de masse qui vaut environ vingt-huit grammes. * Chercher aussi ② *livre.* ❷ Très petite quantité. *Il n'a pas une **once** de malice.*

oncle nom masculin
Frère du père ou de la mère. *François est le frère de mon père, Marc est le frère de ma mère, Georges est le mari de ma tante: ils sont tous les trois mes **oncles**.* * Chercher aussi *neveu, nièce, tante.*

onctueux, onctueuse adjectif
D'une consistance lisse et veloutée. *La mousse au chocolat est **onctueuse**.*

onde nom féminin
❶ Mouvement à la surface de l'eau, qui se propage en rides successives. *Abdel produit des **ondes** sur l'eau en lançant des pierres.* ❷ Vibration qui se propage de proche en proche. *Les couleurs sont des **ondes** lumineuses, les bruits sont des **ondes** sonores.* • **Être sur la même longueur d'onde**: se comprendre parfaitement. ■ **ondes** nom féminin pluriel Émission de radio. *L'information est diffusée sur les **ondes**.*

ondée nom féminin
Pluie subite et brève. *La météo annonce des **ondées**.* SYN averse.

on-dit nom masculin invariable
Rumeur qui circule. *Il est prudent de ne jamais croire les **on-dit**.* SYN cancan, commérage, racontar.

ondulation nom féminin
❶ Mouvement régulier qui s'abaisse et s'élève. *L'**ondulation** des vagues fait bouger la barque.* ❷ Ce qui évoque ce mouvement par sa forme. *Ses cheveux ont des **ondulations** naturelles.*

ondulé, ondulée adjectif
Qui présente des ondulations. *Le toit du hangar est en tôle **ondulée**.*

onduler verbe ▸ conjug. 3
Faire des ondulations. *Les drapeaux **ondulent** au vent.*

onéreux, onéreuse adjectif
Coûteux, cher. *L'entretien de cette grande maison est **onéreux**.* SYN dispendieux. CONTR économique.

ONG nom féminin invariable
Sigle de ***o**rganisation **n**on **g**ouvernementale.* Organisation qui ne dépend pas des gouvernements et ne cherche pas à faire des profits, mais poursuit plutôt des objectifs humanitaires.

ongle nom masculin
Corne qui recouvre le bout des doigts et des orteils. *Emma se lime les **ongles**.*

onglée nom féminin
Engourdissement douloureux du bout des doigts, dû au froid. *Après la bataille de boules de neige, Lina avait l'**onglée**.*

onguent nom masculin
Pommade calmante grasse. *Cet **onguent** est vraiment efficace sur une brûlure.*

onomatopée nom féminin
Mot dont le son imite ou évoque la chose qu'il représente. *«Miaou», «toc», «zézayer» sont des **onomatopées**.*

ontarien, ontarienne adjectif et nom
De la province de l'Ontario. *L'économie **ontarienne**. – Les **Ontariens**, les **Ontariennes**.* ✎ Attention! Le nom, qui désigne les habitants, s'écrit avec une majuscule.

a b c d e f g h i j k l m n **o** p q r s t u v w x y z

ONU
Sigle de ***O****rganisation des* ***N****ations* ***U****nies*. Organisation internationale dont le but est de maintenir la paix entre les peuples.

onze déterminant invariable
Dix plus un (11). *L'horloge a sonné* ***onze*** *coups.* ■ **onze** nom masculin invariable Nombre onze. *Nous partons en vacances le* ***onze*** *juillet.*

onzième adjectif et nom
Qui occupe le rang numéro onze. *Leur bureau est au* ***onzième*** *étage. – Sarah est la* ***onzième*** *sur la liste.* ■ **onzième** nom masculin Ce qui est contenu onze fois dans un tout. *Il a eu le* ***onzième*** *de l'héritage.*

opaque adjectif
Qui ne laisse pas passer la lumière. *Un brouillard* ***opaque*** *cachait le paysage.*
CONTR translucide, transparent.

opéra nom masculin
Œuvre dramatique mise en musique et dont les paroles sont chantées. *« La Flûte enchantée » est un* ***opéra*** *de Mozart.* * Chercher aussi *cantatrice*, *lyrique*.

opérable adjectif
Qui peut être opéré. *La chirurgienne a estimé que la tumeur était* ***opérable****.*

opérateur, opératrice nom
Personne chargée de faire fonctionner une machine, un appareil. *Un* ***opérateur*** *de prise de vues.*

opération nom féminin
❶ Ce qui permet de faire un calcul. *Les quatre* ***opérations*** *sont l'addition, la soustraction, la multiplication et la division.* ❷ Action d'opérer un malade ou un blessé. *Le père de Sofia a subi plusieurs* ***opérations*** *chirurgicales.* **SYN** intervention. ❸ Ensemble d'actions visant à obtenir un résultat. *Une* ***opération*** *de sauvetage.* ❹ Affaire commerciale. *Des* ***opérations*** *boursières.*

opérationnel, opérationnelle adjectif
Qui est prêt à effectuer les opérations qu'on lui demande. *L'équipe de secours sera* ***opérationnelle*** *demain matin.*

opératoire adjectif
Qui concerne une opération chirurgicale. *La médecine* ***opératoire*** *s'intéresse aux techniques utilisées lors des interventions chirurgicales.* • **Bloc opératoire :** ensemble des équipements servant aux opérations chirurgicales. *Les infirmières ont conduit le blessé au* ***bloc opératoire****.*

opérer verbe ▸ conjug. 8
❶ Effectuer une opération chirurgicale. *Le chirurgien qui l'****opère*** *a une excellente réputation.* ❷ Accomplir une action. *Les pompiers* ***ont opéré*** *un sauvetage dangereux.* ❸ Agir, procéder. *Elles* ***ont opéré*** *avec prudence.* ✎ On peut écrire aussi, au futur, *tu* ***opèreras*** ; au conditionnel, *vous* ***opèreriez****.*
♦ Famille du mot : opérable, opérateur, opération, opérationnel, opératoire.

ophtalmologie nom féminin
Médecine spécialisée qui étudie l'œil et soigne les maladies des yeux.

ophtalmologiste nom
Médecin spécialiste de l'ophtalmologie. *L'****ophtalmologiste*** *a opéré ma grand-mère de ses cataractes.* * On dit aussi *ophtalmologue*. * Chercher aussi *opticien*, *optométriste*.

opiner verbe ▸ conjug. 3
• **Opiner du bonnet :** montrer par un signe de tête que l'on est d'accord.

opiniâtre adjectif
Qui fait preuve d'une volonté tenace. *Elle doit ce beau résultat à ses efforts* ***opiniâtres****.*
SYN acharné, obstiné.

opiniâtreté nom féminin
Attitude opiniâtre. *Il a continué ses recherches avec* ***opiniâtreté****, sans se soucier des critiques.*
SYN acharnement, détermination, ténacité.

opinion nom féminin
Jugement personnel. *Quelle est votre* ***opinion*** *sur cette affaire ?*
SYN avis, point de vue. • **L'opinion publique :** manière de penser des gens en général. *Les propos du ministre ont choqué l'****opinion publique****.*

opossum nom masculin
Marsupial d'Amérique au pelage gris, noir ou blanc. 👁p. 638.

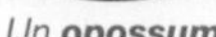
Un **opossum**

opportun, opportune adjectif
Qui vient au bon moment. *Ils ont attendu le moment* ***opportun*** *pour annoncer la nouvelle.* SYN favorable, propice. CONTR inopportun. ♦ Famille du mot: inopportun, opportuniste, opportunité.

opportuniste nom et adjectif
Qui agit selon les circonstances pour servir ses intérêts. *Il change d'avis quand ça l'arrange, c'est un* ***opportuniste****. – Une personne* ***opportuniste****.*

opportunité nom féminin
Caractère de ce qui est opportun. *Les médecins ont discuté de l'****opportunité*** *d'une intervention chirurgicale.*

opposant, opposante nom
Personne qui s'oppose. *Les* ***opposants*** *à ce projet de loi sont nombreux.* SYN adversaire.

opposé, opposée adjectif
❶ Qui est en vis-à-vis. *Le traversier conduit les voyageurs sur la rive* ***opposée*** *du fleuve.* • **À l'opposé:** dans une direction contraire. *Lucas est parti par là, Mariève,* ***à l'opposé****.* ❷ Qui va en sens contraire. *Nous ne prendrons pas le même autobus, car je vais dans la direction* ***opposée****.* SYN contraire. ❸ Qui est contre une idée, un projet. *Elle est* ***opposée*** *à cette mesure.* SYN hostile. CONTR favorable. ■ **opposé** nom masculin Chose opposée. *Le caractère de Sergio est l'****opposé*** *de celui d'Ariane.* SYN contraire, inverse.

opposer verbe ▸ conjug. 3
❶ Mettre face à face. *Ce combat de boxe* ***oppose*** *deux adversaires de même catégorie.* ❷ Mettre comme obstacle. *Ils* ***ont opposé*** *une résistance farouche avant de se rendre.* ❸ Mettre en contraste pour comparer. *On* ***oppose*** *souvent la ville à la banlieue.* ■ *s'***opposer à**: empêcher quelque chose, y faire obstacle. *Ils* ***s'opposent à*** *ce projet.* ♦ Famille du mot: opposant, opposé, opposition.

opposition nom féminin
❶ Action, fait de s'opposer. *Elle voudrait faire du saut à l'élastique, mais elle se heurte à l'****opposition*** *de ses parents.* SYN interdiction, refus. ❷ Parti qui s'oppose au gouvernement. *L'****opposition*** *a voté contre le projet de loi.* • **En opposition:** en contraste ou en conflit. *Sa façon d'agir est* ***en opposition*** *avec la mienne.*

oppressant, oppressante adjectif
Qui gêne la respiration, qui donne l'impression d'étouffer. *Une chaleur* ***oppressante****.* SYN étouffant, suffocant.

oppresser verbe ▸ conjug. 3
Gêner la respiration. *Ce temps lourd et orageux nous* ***oppresse****.* ♦ Famille du mot: oppressant, oppresseur, oppression, opprimé, opprimer. * Ne pas confondre *oppresser* et *opprimer*.

oppresseur nom masculin
Personne qui opprime les autres. *Les opprimés se sont révoltés contre leurs* ***oppresseurs****.* SYN tyran.

oppression nom féminin
❶ Sensation de ne pas pouvoir respirer normalement. *Les asthmatiques souffrent d'****oppression****.* SYN suffocation. ❷ Pouvoir abusif et injuste. *Des guérilleros se battent contre l'****oppression*** *exercée par le dictateur.* SYN tyrannie.

opprimé, opprimée adjectif et nom
Soumis à une oppression. *Un peuple* ***opprimé****. – Les* ***opprimés*** *se sont révoltés.*

opprimer verbe ▸ conjug. 3
Exercer une autorité abusive et injuste. *Un dictateur* ***opprime*** *le peuple.* SYN tyranniser. * Ne pas confondre *opprimer* et *oppresser*.

opter verbe ▸ conjug. 3
Choisir entre plusieurs choses. *J'****opte*** *pour cette solution.* ♦ Famille du mot: option, optionnel.

opticien, opticienne nom
Personne qui fabrique ou qui vend des lunettes et certains instruments d'optique. *L'****opticien*** *a fait les lunettes que l'optométriste avait prescrites.* * Chercher aussi *ophtalmologiste*, *optométriste*.

optimal, optimale, optimaux adjectif
Qui est le meilleur possible. *Ce sont des conditions* ***optimales*** *pour faire du ski.* SYN idéal.

optimisme nom masculin
Tendance à voir le bon côté des choses. *Elle garde son* ***optimisme*** *même dans les moments difficiles.* CONTR pessimisme.

optimiste adjectif et nom
Qui fait preuve d'optimisme. *Malgré ses ennuis, elle reste* ***optimiste****. – Les* ***optimistes*** *trouvent que la vie est belle.* CONTR pessimiste.

a b c d e f g h i j k l m n o p q r s t u v w x y z

option nom féminin
❶ Action ou possibilité de choisir. *Il a deux* ***options****: aller au cégep ou se trouver du travail.* **SYN** choix. ❷ Matière que les étudiants peuvent choisir pour compléter leur programme d'études. *Noémie a choisi l'****option*** *théâtre.* ❸ Accessoire que l'on peut acheter en plus. *Les sièges en cuir sont en* ***option*** *dans cette voiture.* ❹ Solution, idée pour laquelle on opte. *Ils n'ont pas les mêmes* ***options*** *politiques.*

optionnel, optionnelle adjectif
Qui est choisi parmi plusieurs possibilités. *Ils ont choisi les mêmes cours* ***optionnels****.* **SYN** facultatif. **CONTR** obligatoire.

optique adjectif
Qui concerne la vision. *Le nerf* ***optique*** *transmet au cerveau les images perçues par l'œil.* ■ **optique** nom féminin ❶ Partie de la physique qui étudie la lumière et la vision. ❷ Manière de voir et de juger. *Les enfants et les adultes n'ont pas toujours la même* ***optique****.* **SYN** point de vue. • **Instrument d'optique:** instrument qui permet de voir mieux en corrigeant la vue ou en grossissant les objets.

optométriste nom
Spécialiste de la mesure de la vue. *Je vais chez l'****optométriste*** *pour un examen de la vue.* * Chercher aussi *ophtalmologiste, opticien.*

opulence nom féminin
Grande abondance de richesses. *Cette famille vit dans l'****opulence****.* **CONTR** dénuement, misère.

opulent, opulente adjectif
Très riche. *Des gens d'affaires* ***opulents****.*

① **or** nom masculin
Métal précieux inaltérable, de couleur jaune. *Une bague en* ***or****.* • **À prix d'or:** très cher. • **Cœur d'or:** bon cœur. • **Rouler sur l'or:** être très riche. • **Pas pour tout l'or du monde:** à aucun prix. • **Âge d'or:** âge de la retraite, en général entre soixante et soixante-cinq ans.

② **or** conjonction
Sert à relier deux idées en marquant une opposition. *Je voulais aller jouer dehors,* ***or*** *il a commencé à pleuvoir.*

orage nom masculin
Perturbation atmosphérique qui se traduit par des éclairs, du tonnerre et de la pluie. *Le temps est lourd, il va y avoir un* ***orage****.* • **Il y a de l'orage dans l'air:** il va y avoir une dispute.

orageux, orageuse adjectif
❶ Menacé ou troublé par l'orage. *Le temps est lourd et* ***orageux****.* ❷ Qui est violent et très bruyant. *Une discussion* ***orageuse****.* **SYN** houleux. **CONTR** calme, paisible.

oral, orale, oraux adjectif
❶ Fait de vive voix. *Une présentation* ***orale****.* * Chercher aussi *écrit.* ❷ Qui concerne la bouche. *Prendre un médicament par voie* ***orale****.* **SYN** buccal. ■ **oral, oraux** nom masculin ❶ Examen oral. *Elle s'est bien préparée pour son* ***oral****.* ❷ La langue parlée, l'expression verbale. *Serguei s'exprime mieux à l'****oral*** *qu'à l'écrit.*

oralement adverbe
De manière orale. *Il nous a donné* ***oralement*** *sa réponse.* **SYN** verbalement, de vive voix*.

orange nom féminin
Agrume, fruit comestible de l'oranger. 👁p. 28. ■ **orange** adjectif invariable De la couleur de l'orange. *Des chaussettes* ***orange****.* 👁p. 251. ♦ Famille du mot: orangé, orangeade, oranger, orangeraie.

orangé, orangée adjectif
D'une couleur qui tire sur l'orange. *Des nuages* ***orangés*** *entouraient le soleil couchant.*

orangeade nom féminin
Boisson gazeuse à saveur d'orange. *On nous a servi des verres d'****orangeade****.*

oranger nom masculin
Arbre des régions chaudes qui produit les oranges. *Elle adore le parfum des* ***orangers*** *en fleurs.*

Un ***oranger***

orangeraie nom féminin
Plantation d'orangers.

orang-outan nom masculin
Grand singe d'Indonésie au pelage roux et aux membres antérieurs très longs. *Les* ***orangs-outans*** *vivent dans la forêt équatoriale.* ✎ On écrit aussi ***orang-outang****.* * Attention! Les *g* dans les deux orthographes du mot ne se prononcent pas.

Un bébé ***orang-outan***

orateur, oratrice nom
Personne qui prononce un discours. *La salle a applaudi l'**oratrice**.*

① **oratoire** nom masculin
Lieu de culte. *À Montréal, l'**oratoire** Saint-Joseph attire de nombreux touristes.*

② **oratoire** adjectif
Qui concerne l'éloquence, l'art de bien parler. *L'art **oratoire**.*

orbite nom féminin
❶ Cavité de l'œil. *Il a les yeux enfoncés dans les **orbites**.* ❷ Courbe parcourue par un astre ou par un satellite autour d'un astre. *L'**orbite** de la Lune autour de la Terre dure 27 jours 7 heures et 43 minutes.* * Chercher aussi *graviter*.

orchestre nom masculin
❶ Groupe de musiciens qui jouent ensemble. *Dans un **orchestre** symphonique, il y a des instruments à cordes, des instruments à vent et des percussions.* ❷ Rez-de-chaussée d'une salle de spectacle. *L'**orchestre** est plus près de la scène que le balcon.* * Attention ! Dans ce mot, les lettres *ch* se prononcent *k*. * Chercher aussi *loge*, *parterre*.

orchidée nom féminin
Plante tropicale aux fleurs de couleurs vives et variées. * Attention ! Dans ce mot, les lettres *ch* se prononcent *k*.

Une ***orchidée***

ordinaire adjectif
❶ Qui est dans l'ordre des choses. *Une journée **ordinaire**.* SYN courant, habituel, normal. CONTR exceptionnel, extraordinaire. ❷ De la qualité la plus courante. *Voulez-vous un pain aux raisins ou un pain **ordinaire** ?* SYN normal.
■ **ordinaire** nom masculin
Ce qui est courant. *Elle aime porter des vêtements qui sortent de l'**ordinaire**.* • **D'ordinaire :** d'habitude. ***D'ordinaire**, Adriana se lève tôt.* SYN habituellement, ordinairement. ♦ Famille du mot : extraordinaire, extraordinairement, ordinairement.

ordinairement adverbe
D'une manière ordinaire. ***Ordinairement**, Antoine est plus enjoué.* SYN généralement, d'habitude, habituellement, d'ordinaire.

ordinateur nom masculin
Machine électronique de traitement de l'information, capable de faire très rapidement des opérations complexes. *Ève a utilisé son **ordinateur** pour clavarder.* * Chercher aussi *informatique*.

ordonnance nom féminin
❶ Ce que le médecin prescrit par écrit. *J'ai présenté une **ordonnance** à la pharmacienne pour obtenir mon médicament.* ❷ Organisation du déroulement de quelque chose selon un ordre. *L'**ordonnance** d'une cérémonie.*

ordonné, ordonnée adjectif
Qui a de l'ordre, qui range ses affaires. *Amélie est une enfant méthodique et **ordonnée**.* CONTR ① brouillon, désordonné.

ordonner verbe ▸ conjug. 3
❶ Donner un ordre. *Il m'**a ordonné** de rester ici.* SYN commander. ❷ Prescrire un remède, une ordonnance. *Le médecin m'**a ordonné** ce sirop contre la toux.* ❸ Mettre en ordre. *Il faut **ordonner** tes idées pour faire ta rédaction.* SYN classer, organiser. ❹ Donner à un homme le sacrement qui fait de lui un prêtre. *Il **a été ordonné** prêtre.* ♦ Famille du mot : désordonné, ordonnance, ordonné, ordre.

① **ordre** nom masculin
❶ Manière de ranger, de classer. *Je range mes livres par **ordre** alphabétique.* ❷ État de quelque chose qui est rangé. *Je dois mettre de l'**ordre** dans mon garde-robe.* CONTR désordre. ❸ Bonne organisation et calme d'un pays. *La police maintient l'**ordre** en faisant respecter les lois.* ❹ Association officielle des membres d'une même profession. *Pour pouvoir exercer, un acupuncteur doit être inscrit à l'**Ordre** des acupuncteurs.* ❺ Groupe de religieux obéissant à certaines règles. *Cette religieuse appartient à l'**ordre** des Carmélites.* • **Avoir de l'ordre :** avoir tendance à mettre les choses à leur place et à agir avec méthode. • **Ordre de grandeur :** valeur approximative. *Combien mesure cette chambre ? Donnez-moi un **ordre de grandeur**.*

② **ordre** nom masculin
Parole qui oblige à faire telle ou telle chose. *Je vous donne l'**ordre** de rester ici. Vous resterez ici jusqu'à nouvel **ordre**.* • **Être sous les ordres de quelqu'un :** devoir lui obéir. • **Ordre du jour :** liste des questions à aborder au cours d'une réunion.

a b c d e f g h i j k l m n o p q r s t u v w x y z

ordures nom féminin pluriel
Ce que l'on jette à la poubelle. *Les éboueurs ramassent les **ordures**.* **SYN** déchets.

ordurier, ordurière adjectif
Très grossier. *Des mots **orduriers**.* **SYN** injurieux, obscène, vulgaire.

orée nom féminin
Dans la langue littéraire, lisière. *Les chasseurs sont parvenus à l'**orée** du bois.*

oreille nom féminin
Chacun des deux organes situés de chaque côté de la tête et qui servent à entendre. *Quand Kate est enrhumée, elle a les **oreilles** qui se bouchent.* 👁p. 246. * Chercher aussi *ouïe*. • **Être dur d'oreille :** être un peu sourd. • **Faire la sourde oreille :** faire semblant de ne pas entendre. • **Dresser l'oreille, ouvrir l'oreille** ou **prêter l'oreille :** écouter attentivement. • **Mettre la puce à l'oreille de quelqu'un :** éveiller son attention. • **Se faire tirer l'oreille :** se faire prier avant d'accepter. • **Venir aux oreilles de quelqu'un :** lui être raconté.

oreiller nom masculin
Coussin servant à soutenir la tête d'une personne qui dort. *Laura dort sans **oreiller**.*

oreillette nom féminin
Chacune des deux cavités supérieures du cœur. *Les **oreillettes** communiquent avec les ventricules.* 👁p. 988.

oreillons nom masculin pluriel
Maladie contagieuse qui fait enfler les glandes situées sous les oreilles. *Les **oreillons** sont dus à un virus.*

d'**ores et déjà** adverbe
Dès maintenant. *5 à 0 : le match est **d'ores et déjà** gagné.*

orfèvre nom
Personne qui fabrique ou qui vend des objets en métal précieux.

orfèvrerie nom féminin
Travail de l'orfèvre. *Ces pièces d'**orfèvrerie** sont en argent massif.*

orfraie nom féminin
Aigle de grande taille. • **Pousser des cris d'orfraie :** pousser des cris affreux.

organe nom masculin
Partie du corps remplissant une fonction particulière. *Les yeux, les oreilles, la langue, le foie, le cœur sont des **organes**.* ♦ Famille du mot : organique, organisme.

organique adjectif
❶ Qui est propre aux organes. *Son cœur malade ne remplit plus sa fonction **organique**.* ❷ Qui est produit par un être vivant. *Le sang est un liquide **organique**.*

organisateur, organisatrice nom
Personne qui organise. *Le maire a remercié les **organisateurs** de l'exposition.*

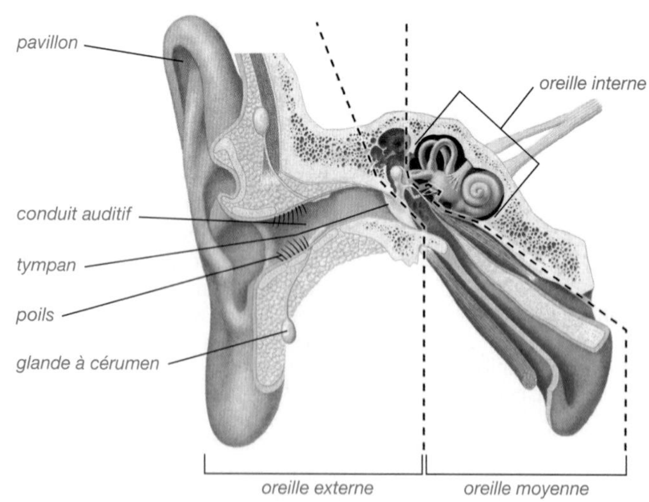

*Une **oreille***

organisation nom féminin
❶ Action d'organiser. *L'**organisation** de cette rencontre mondiale a demandé une année de travail.* **SYN** préparation. ❷ Manière dont quelque chose est organisé. *Ton **organisation** n'est pas efficace, tu perds du temps.* ❸ Groupe organisé. *Il s'occupe d'une **organisation** qui lutte contre la faim dans le monde.* **SYN** groupement, mouvement. ♦ Famille du mot: désorganisation, désorganiser, organisateur, organisé, organiser, réorganiser.

organisé, organisée adjectif
❶ Qui sait s'organiser. *Diego est un garçon très **organisé**.* **SYN** ordonné. ❷ Préparé d'avance par un organisateur. *M. et Mme Houle ont fait un voyage **organisé**.*

organiser verbe ▸ conjug. 3
❶ Préparer avec méthode et dans un but précis. *Cynthia **a organisé** une épluchette de blé d'Inde.* ❷ Dans la langue familière, berner, tromper. *Il l'**a organisée** pour qu'elle n'y voie que du feu.* **SYN** duper, rouler. ■ **s'organiser**: aménager son temps pour agir efficacement. *Andreas ne perd jamais de temps, il sait **s'organiser**.*

organisme nom masculin
❶ Ensemble des organes constituant un être vivant. *La fatigue diminue la résistance de l'**organisme**.* ❷ Être vivant. *Les microbes sont des **organismes** microscopiques.* ❸ Ensemble des services qui s'occupent d'une tâche précise. *L'Unicef est un **organisme** de secours et d'entraide pour les enfants.*

organiste nom
Personne qui joue de l'orgue.

orge nom féminin
Céréale qui ressemble au blé. *On utilise de l'**orge** dans la fabrication de la bière.*

orgue nom masculin
Grand instrument à vent composé de claviers, de tuyaux et d'une soufflerie. *Dans certaines églises, on joue de l'**orgue** pendant la messe.* 👁p. 692.
* Attention! Le mot *orgue* est masculin au singulier et féminin au pluriel. *Catherine aime écouter les grandes **orgues** de la cathédrale.*

*Un **orgue***

orgueil nom masculin
Défaut d'une personne qui se croit supérieure aux autres. *Son **orgueil** la rend parfois désagréable avec ses amies.* **SYN** arrogance, vanité. **CONTR** humilité, modestie.

orgueilleux, orgueilleuse adjectif
Qui a de l'orgueil. *Sarah est très **orgueilleuse** et ne veut pas qu'on l'aide.* **SYN** fier, hautain, prétentieux. **CONTR** humble.

orient nom masculin
Côté de l'horizon où le soleil se lève. **SYN** est, levant. **CONTR** couchant, occident, ouest.
• **L'Orient:** l'ensemble des pays d'Asie. *L'Iran, le Japon sont des pays d'**Orient**.* ✎ Attention! Dans ce sens, *Orient* s'écrit avec une majuscule.

orientable adjectif
Que l'on peut orienter. *Francis a une lampe de bureau **orientable**.*

oriental, orientale, orientaux adjectif
Situé du côté de l'orient. *New York se situe sur la côte **orientale** des États-Unis.* **SYN** est. **CONTR** occidental. ■ **oriental, orientale, orientaux** adjectif et nom D'Orient. *L'Iran, la Syrie sont des pays **orientaux**. – Elle s'est mariée avec un **Oriental**.* **CONTR** occidental. ✎ Attention! :Le nom, qui désigne les habitants de cette région du monde, s'écrit avec une majuscule.

orientation nom féminin
❶ Situation d'un lieu par rapport aux points cardinaux. *L'**orientation** de la cour nous permet de profiter du soleil tout l'après-midi.* **SYN** exposition. ❷ Direction que l'on prend pour ses études. *Une conseillère d'**orientation**.*
• **Avoir le sens de l'orientation:** être capable de trouver son chemin. *Samantha se repère très vite: elle **a le sens de l'orientation**.*

orienter verbe ▸ conjug. 3
❶ Placer quelque chose par rapport aux points cardinaux. *Ils ont demandé à l'architecte paysagiste d'**orienter** leur piscine vers le sud.* **SYN** exposer. ❷ Diriger vers telle ou telle direction. *On l'**a orienté** vers un métier manuel. L'enseignante **a orienté** la discussion sur un autre sujet.* ■ **s'orienter**: trouver sa direction. *Alex ne sait pas encore bien **s'orienter** dans son nouveau quartier.* **SYN** se repérer. ♦ Famille du mot: désorienter, orientable, orientation.

orifice nom masculin
Ouverture. *L'eau s'échappe par cet **orifice**.* **SYN** trou.

origami nom masculin
Art de plier le papier en lui donnant diverses formes. * Chercher aussi *pliage*.

Des feuilles d'**origan**

origan nom masculin
Plante aromatique qui rappelle la marjolaine. *Des grillades assaisonnées à l'**origan**.*

originaire adjectif
Qui tire son origine de tel endroit. *La mère de Trevor est **originaire** de la Jamaïque.* SYN natif.

original, originale, originaux adjectif
Qui sort de l'ordinaire. *C'est une idée **originale** et intéressante.* CONTR banal. * Ne pas confondre *original* et *originel*. ■ **original, originale, originaux** nom Qui ne fait pas comme tout le monde. *Il mange son dessert au début du repas, c'est un **original**.* SYN excentrique. CONTR conformiste. ■ **original, originaux** nom masculin Œuvre authentique ou document d'origine. *J'ai oublié l'**original** du contrat sur la photocopieuse.* CONTR copie, double, duplicata.

originalité nom féminin
Caractère original. *Voilà un film d'une grande **originalité**.* SYN nouveauté. CONTR banalité.

origine nom féminin
❶ Provenance. *Ma grand-mère est d'**origine** acadienne.* SYN ascendance. ❷ Source. *Beaucoup de mots sont d'**origine** latine.* * Chercher aussi *étymologie*. ❸ Point de départ. *Plusieurs savants recherchent l'**origine** de la vie. À l'**origine**, Montréal s'appelait Hochelaga.* SYN commencement, début. ❹ Ce qui explique quelque chose ou en est la cause. *Un malentendu est à l'**origine** de leur dispute.* ♦ Famille du mot : originaire, originel.

originel, originelle adjectif
Qui date de l'origine. *L'instinct **originel** des chats les pousse à chasser les souris.* * Ne pas confondre *originel* et *original*.

orignal, orignaux nom masculin
Élan d'Amérique et plus particulièrement du Canada et de l'Alaska. *L'**orignal** mâle perd ses bois chaque année.* 👁p. 454.

orme nom masculin
Grand arbre à feuilles dentelées et à bois dur.

ornement nom masculin
Élément qui sert à orner, à décorer. *On vient de déménager, il n'y a pas d'**ornements** sur les murs du salon.* SYN décoration.

Un **orme**

ornemental, ornementale, ornementaux adjectif
Qui sert à orner, à décorer. *Les orchidées sont des plantes **ornementales**.* SYN décoratif.

orner verbe ▸ conjug. 3
Rendre plus beau, décorer. *Le sapin **est orné** de guirlandes.* SYN agrémenter, garnir. ♦ Famille du mot : ornement, ornemental.

ornière nom féminin
Trace creusée par les roues d'un véhicule dans un chemin de terre. *La voiture s'est embourbée dans une **ornière**.*

ornithologie nom féminin
Science qui étudie les oiseaux. *Viera est membre d'un club d'**ornithologie**.*

ornithorynque nom masculin
Mammifère d'Australie à bec de canard, à queue de castor et aux pattes palmées. *L'**ornithorynque** est ovipare et vit en partie dans l'eau.*

Un **ornithorynque**

orphelin, orpheline adjectif et nom
Qui a perdu ses deux parents ou l'un des deux. *Un enfant **orphelin**. – Une **orpheline**.*

orphelinat nom masculin
Établissement où l'on recueille les orphelins.

orque nom féminin
Mammifère marin très vorace. *Une **orque** énorme s'ébat dans le bassin.* SYN épaulard. * Attention ! On dit ***une** orque*.

orteil nom masculin
Doigt de pied. *Le gros **orteil** n'a que deux phalanges.* 👁p. 246.

orthodontiste nom
Dentiste qui corrige la position des dents sur la mâchoire.

orthodoxe adjectif
❶ Conforme à une tradition ou aux usages habituels. *Une opinion peu **orthodoxe**.* ❷ Se dit d'une Église chrétienne d'Orient. *Une église **orthodoxe**.* ■ **orthodoxe** nom Chrétien qui appartient à une Église d'Orient. *Les **orthodoxes** ne reconnaissent pas le pape comme chef de l'Église.*

orthogonal, orthogonale, orthogonaux adjectif
À angle droit. *Deux droites **orthogonales** se coupent toujours à angle droit.* SYN perpendiculaire.

orthographe nom féminin
Manière correcte d'écrire les mots. *Caroline a vérifié l'**orthographe** du mot «joaillier» dans son dictionnaire. Avoir une bonne, une mauvaise **orthographe**.* ♦ Famille du mot: orthographier, orthographique.

orthographier verbe ▸ conjug. 10
Écrire les mots selon les règles de l'orthographe ou selon une manière propre. *Comment **orthographiez**-vous votre prénom? Il **a orthographié** ce mot d'une drôle de façon.*

orthographique adjectif
Qui concerne l'orthographe. *Les règles **orthographiques**.*

orthopédagogue nom
Personne dont la formation permet de dépister les troubles d'apprentissage scolaire des enfants, des adolescents ou des adultes.

orthophoniste nom
Personne qui corrige les troubles du langage parlé et écrit. *Il consulte l'**orthophoniste** parce qu'il confond certains sons.*

ortie nom féminin
Plante dont les feuilles sont couvertes de petits poils qui piquent. *Marianne s'est piquée en marchant dans les **orties**.*

os nom masculin
Chacune des parties solides qui composent le squelette d'un être humain ou d'un animal. *Le radius est un **os** de l'avant-bras. Le chien ronge un **os**.* * Chercher aussi *articulation*.
• **En chair et en os**: en personne.
• **Jusqu'aux os**: complètement. *La pluie l'a trempé **jusqu'aux os**.* • **N'avoir que la peau sur les os**: être très maigre. • **Tomber sur un os**: dans la langue familière, éprouver une difficulté. * Attention! Le *s* du mot *os* se prononce seulement au singulier. ♦ Famille du mot: désosser, ossature, ossements, osseux.

*Les **os** du Tyrannosaure Rex*

oscillation nom féminin
Mouvement d'un objet qui oscille. *Les **oscillations** d'un pendule.* SYN balancement. * Attention! Les deux *l* du mot *oscillation* se prononcent comme un seul.

osciller verbe ▸ conjug. 3
❶ Faire des mouvements de va-et-vient autour d'un point fixe. ❷ Au sens figuré, hésiter. ***Osciller** entre deux choix de carrière.* SYN vaciller. * Attention! Les deux *l* du verbe *osciller* se prononcent comme un seul.

osé, osée adjectif
❶ Fait avec audace. *Un projet **osé**.* SYN audacieux, téméraire. ❷ Qui peut choquer. *Une plaisanterie **osée**.*

oser verbe ▸ conjug. 3
Avoir l'audace de faire quelque chose. *Ce chien a l'air méchant, je n'**ose** pas m'en approcher.*

osier nom masculin
Saule de petite taille dont on utilise les branches flexibles pour fabriquer des objets. *On a installé des fauteuils en **osier** dans la véranda.*

*Un panier en **osier***

ossature nom féminin
❶ Ensemble des os du squelette. *Irina a une **ossature** très fine.* SYN squelette. ❷ Ensemble de piliers qui soutiennent un bâtiment. * Chercher aussi *charpente*.

ossements nom masculin pluriel
Os décharnés et desséchés. *On a découvert les **ossements** d'un tyrannosaure.*

osseux, osseuse adjectif
❶ Des os. *Une tuberculose **osseuse**.* ❷ Dont les os apparaissent sous la peau. *Le vieil homme avait les doigts maigres et **osseux**.*

ostensible adjectif
Qu'on laisse voir exprès dans le but de produire un effet. *Il lui a tourné le dos d'une manière **ostensible**.* CONTR discret.

ostentation nom féminin
Attitude de quelqu'un qui désire que l'on voie ce qu'il possède. *Il affiche un luxe plein d'**ostentation**.* CONTR discrétion.

a b c d e f g h i j k l m n o p q r s t u v w x y z

a b c d e f g h i j k l m n o p q r s t u v w x y z

ostréiculture nom féminin
Élevage des huîtres. *En Gaspésie, on pratique l'**ostréiculture**.*

otage nom
Personne que l'on retient prisonnière pour obtenir quelque chose en échange. *Les terroristes ont menacé de tuer leurs **otages** s'ils n'obtiennent pas une rançon.*

otarie nom féminin
Mammifère marin voisin du phoque. *À l'aquarium, nous avons vu des **otaries**.* 👁p. 638.

Des **otaries**

ôter verbe ▸ conjug. 3
❶ Retirer une pièce de l'habillement. *Nathalie **a ôté** son manteau.* **SYN** enlever, retirer. ❷ Enlever quelque chose de l'endroit où il était. *David **a ôté** ce qui encombrait son bureau.* ❸ Retrancher une quantité. *Si l'on **ôte** sept de dix, il reste trois.* **SYN** déduire, retrancher, soustraire.

otite nom féminin
Maladie des oreilles. *Les jeunes enfants ont souvent des **otites**.*

ou conjonction
❶ Indique un choix, une alternative. *Tu viens **ou** tu restes? Il faut te décider.* ❷ Indique une double possibilité. *Cet appareil fonctionne à l'électricité **ou** à l'énergie solaire.* ❸ Indique une approximation. *Il doit y avoir huit **ou** dix kilomètres entre les deux villages.* * On dit parfois ***ou bien***. * Ne pas confondre *ou*, *où* et *houx*.

où adverbe
Interroge sur le lieu ou la direction. ***Où** vas-tu? Par **où** êtes-vous passés?* ■ **où** pronom relatif Remplace un nom indiquant le lieu ou le temps. *Je me souviens du jour et de l'endroit **où** nous nous sommes rencontrés.* * Ne pas confondre *où*, *ou* et *houx*.

ouananiche nom féminin
Saumon d'eau douce. *Ils sont allés pêcher la **ouananiche** dans le lac Saint-Jean.*

Une **ouananiche**

ouaouaron nom masculin
Grenouille géante de l'Amérique du Nord. *Le **ouaouaron** hiberne dès le début de septembre.* 👁p. 46. * Attention! Il n'y a ni liaison ni élision avec le mot *ouaouaron*.

ouate nom féminin
Coton qui absorbe les liquides. *L'infirmière nettoie les écorchures avec de la **ouate**.* * On peut dire *de **l'ouate*** ou *de **la ouate***.

oubli nom masculin
❶ Action d'oublier. *Cette civilisation disparue a sombré dans l'**oubli**.* ❷ Chose oubliée. *Votre nom n'est pas sur la liste? C'est sûrement un **oubli**.* **SYN** omission.

oublier verbe ▸ conjug. 10
❶ Perdre le souvenir de quelque chose ou de quelqu'un. *J'**ai oublié** son prénom.* **CONTR** se rappeler, se souvenir. ❷ Laisser sans le vouloir. *Kevin **a oublié** sa casquette à l'école.* ❸ Omettre par manque d'attention. *Chang **a oublié** de me dire que tu avais appelé.* **SYN** négliger. ❹ Cesser de penser à quelque chose ou à quelqu'un. *Avec le temps, elle a fini par l'**oublier**.* **CONTR** se souvenir. ♦ Famille du mot: inoubliable, oubli, oubliettes.

oubliettes nom féminin pluriel
Cachot souterrain dans lequel on enfermait des prisonniers.

ouest nom masculin invariable
❶ Un des quatre points cardinaux qui désigne la direction où le soleil se couche. *Le ciel était tout rouge à l'**ouest**.* ❷ Partie qui se situe à l'ouest d'un pays, d'une région. *Pierre est en vacances dans une petite ville de l'**ouest** du Canada.* ■ **ouest** adjectif invariable Qui est situé à l'ouest. *La côte **ouest** des États-Unis.* **CONTR** est. ✎ Attention! Le point cardinal s'écrit avec une minuscule quand il désigne une orientation (*un vent de l'**ouest***), avec une majuscule quand il désigne un pays, une région (*l'Allemagne de l'**Ouest***).

ouf! interjection
Exprime le soulagement. ***Ouf!** Nous sommes enfin arrivés!*

ougandais, ougandaise
➔Voir tableau, p. 1319.

oui adverbe
Indique l'affirmation ou le fait d'être d'accord. *L'as-tu vu ? **Oui**.* CONTR non. ■ **oui** nom masculin invariable Fait de dire oui. *Il m'a répondu par un **oui** hésitant.* • **Pour un oui, pour un non :** quelle que soit la raison. *Elle rit **pour un oui, pour un non**.* * Ne pas confondre *oui* et *ouïe*.

ouï-dire nom masculin invariable
Rumeur, commérage. • **Par ouï-dire :** pour l'avoir entendu dire. *J'ai appris **par ouï-dire** qu'ils avaient déménagé.*

ouïe nom féminin
❶ Celui des cinq sens qui permet d'entendre les sons. *Le chat a l'**ouïe** très fine.* * Chercher aussi *goût*, *odorat*, *toucher*, *vue*. ❷ Chacune des deux fentes qui sont de chaque côté de la tête d'un poisson et par lesquelles il respire. *Le pêcheur attrape le brochet par les **ouïes**.* * Ne pas confondre *ouïe* et *oui*.

ouistiti nom masculin
Petit singe d'Amérique du Sud à longue queue.

oups ! interjection
Sert à exprimer l'embarras à la suite d'une gaffe ou d'une erreur.

ouragan nom masculin
Très violente tempête. *Un **ouragan** a ravagé plusieurs villes de la côte est des États-Unis.* * Chercher aussi *cyclone*, *tornade*, *typhon*.

ourlet nom masculin
Bord d'une étoffe replié et cousu. *L'**ourlet** de la robe de Federica est décousu.*

ours nom masculin
❶ Grand mammifère sauvage au corps couvert d'une très épaisse fourrure. *L'**ours** a une fourrure brune, noire ou blanche.* 👁p. 454, 638. * Chercher aussi *grogner*, *ourse*, *ourson*. ❷ Personne peu sociable. *Il ne dit jamais bonjour. Quel **ours** !*

Une **ourse** et son petit

ourse nom féminin
Femelle de l'ours. *L'**ourse** devient féroce si l'on menace ses oursons.* • **La Grande Ourse :** la troisième constellation en importance et l'une des plus connues en Amérique du Nord. * Attention ! Les noms des constellations s'écrivent avec des majuscules.

oursin nom masculin
Animal marin dont la carapace ronde est hérissée de piquants. *L'**oursin** vit dans les rochers ou sur le sable.*

Un **oursin**

ourson nom masculin
Petit de l'ours. * Chercher aussi *grogner*.

outaouais, outaouaise adjectif et nom
De la région de l'Outaouais. *Le tourisme **outaouais**. – Les **Outaouais**, les **Outaouaises**.* ✎ Attention ! Le nom, qui désigne les habitants, s'écrit avec une majuscule.

outarde nom féminin
Oie sauvage à bec court et menu. *On appelle **outarde** la bernache du Canada.*

outil nom masculin
Instrument de travail manuel. *Le marteau, la scie, le rabot sont des **outils** de menuiserie.* ♦ Famille du mot : outillage, outiller.

outillage nom masculin
Ensemble des machines et des outils utilisés pour une activité. *L'**outillage** du garagiste.* SYN équipement.

outiller verbe ▸conjug. 3
Équiper en outils. *Il **a outillé** son entreprise avec un équipement ultramoderne.* ■ s'**outiller** : se procurer les outils nécessaires à une activité. *Léa **s'est outillée** pour faire des bijoux.*

outrage nom masculin
Offense grave. *Elle m'a traité de voleur, quel **outrage** !* SYN affront, injure, offense.

a b c d e f g h i j k l m n **o** p q r s t u v w x y z

outrager verbe ▸ conjug. 5
Faire outrage à quelqu'un. *Le discours de cet extrémiste **a outragé** son auditoire.* SYN offenser.

outre préposition
En plus de. ***Outre** cette maison, ils ont un chalet dans les Cantons-de-l'Est.* ■ **outre** adverbe • **Outre mesure :** trop. *Elle s'inquiète **outre mesure**.* • **En outre :** en plus. *C'est un chanteur et **en outre** un bon acteur.* • **Passer outre :** ne pas tenir compte de quelque chose.

outremer adjectif invariable
Bleu intense. *La pierre de sa bague est d'un bleu **outremer**.*

outre-mer adverbe
Situé de l'autre côté de l'océan. *Pour le Canada, la France est un pays d'**outre-mer**.*

outrepasser verbe ▸ conjug. 3
Franchir la limite de quelque chose. *En faisant cette promesse, il **a outrepassé** ses pouvoirs.* SYN dépasser.

outrer verbe ▸ conjug. 3
Mettre quelqu'un hors de lui. *Son agressivité m'**a outré**.* SYN indigner, révolter. * Attention ! *Outrer* ne s'emploie qu'aux temps composés.

ouvert, ouverte adjectif
❶ Qui n'est pas fermé. *La porte est restée **ouverte** toute la nuit.* CONTR fermé. ❷ Qui est accueillant et exprime la franchise. *Son air **ouvert** attire la sympathie.* CONTR renfermé.

ouvertement adverbe
Sans cacher ce que l'on pense. *Elle lui a **ouvertement** dit ce qu'elle pensait.* SYN franchement.

ouverture nom féminin
❶ Action d'ouvrir ou de s'ouvrir. *L'**ouverture** des portes est automatique.* CONTR fermeture. ❷ Mise en service ou commencement de quelque chose. *On prévoit l'**ouverture** d'une nouvelle patinoire.* SYN création, installation. ❸ Espace vide dans une paroi. *Il y a beaucoup d'**ouvertures** sur cette façade.* • **Ouverture d'esprit :** qualité d'un esprit ouvert. *Elles ont montré beaucoup d'**ouverture d'esprit** au cours des discussions.* CONTR étroitesse* d'esprit.

ouvrable adjectif
• **Jour ouvrable :** jour de la semaine où l'on travaille. CONTR férié.

ouvrage nom masculin
❶ Travail à faire. *Dès qu'ils ont eu le matériel, ils se sont mis à l'**ouvrage**.* SYN tâche. ❷ Écrit scientifique, technique ou littéraire. *Vous trouverez cet **ouvrage** à la bibliothèque municipale.* SYN livre. ❸ Objet produit par un ouvrier, un artisan ou un artiste. *Cette catalogne est un **ouvrage** magnifique.* • **Avoir le cœur à l'ouvrage :** avoir envie de travailler ; travailler avec plaisir.

ouvrant, ouvrante adjectif
• **Toit ouvrant :** partie du toit d'une voiture qui peut s'ouvrir. * Chercher aussi *décapotable*.

ouvre-boîte nom masculin
Instrument coupant servant à ouvrir les boîtes de conserve. ✎ Pluriel : *des **ouvre-boîtes**.* ✎ On peut écrire aussi ***ouvre-boite***.

ouvre-bouteille nom masculin
Décapsuleur. *Il faut un **ouvre-bouteille** pour ouvrir cette boisson gazeuse.* ✎ Pluriel : *des **ouvre-bouteilles**.*

ouvrier, ouvrière nom
Personne qui accomplit un travail manuel. *L'usine de chaussures emploie deux cents **ouvriers**.* * Chercher aussi *cadre, employé, salarié*. ■ **ouvrière** nom féminin Femelle stérile chez les abeilles, les guêpes et les fourmis. *Les **ouvrières** construisent le nid, prennent soin des larves et défendent la colonie.* ■ **ouvrier, ouvrière** adjectif Qui concerne les ouvriers. *Une manifestation **ouvrière** a eu lieu devant l'usine.* CONTR patronal.

ouvrir verbe ▸ conjug. 12
❶ Défaire ce qui fermait pour rendre l'intérieur accessible. ***Ouvre** vite ton cadeau !* CONTR fermer. ❷ Séparer ou écarter ce qui était rapproché. *Carla **ouvre** l'enveloppe.* ❸ Recevoir le public. *La magasin **ouvre** à dix heures.* ❹ Faire commencer. *La présidente **a ouvert** la séance.* ❺ Pratiquer une ouverture. *Ils **ont ouvert** une fenêtre dans le mur.* SYN percer. ❻ Installer. *On **a ouvert** une boulangerie dans le quartier.* ❼ Inciser. ***Ouvrir** un abcès.* ❽ Dans la langue familière, mettre en marche. ***Ouvrir** la télévision, la radio.* ■ **s'ouvrir** ❶ Écarter ses pétales. *La rose **s'est ouverte**.* SYN éclore, s'épanouir. ❷ Se blesser. *Benjamin **s'est ouvert** le pied.* ♦ Famille du mot : entrouvrir, ouvert, ouvertement, ouverture, ouvrant, ouvre-boîte, ouvre-bouteille, réouverture, rouvrir.

ouzbek, ouzbeke
→Voir tableau, p. 1319.

ovaire nom masculin
Chacune des deux glandes reproductrices des femmes et des femelles. *Les ovules se forment dans l'**ovaire**.*

ovale adjectif
Qui a la forme d'un œuf. *Ce miroir est **ovale**.* ■ **ovale** nom masculin Figure géométrique en forme d'œuf. *Tracer un **ovale**.* * Chercher aussi *ellipse*.

ovation nom féminin
Acclamation enthousiaste pour honorer quelqu'un. *La foule a fait une **ovation** aux vainqueurs.* CONTR huées.

ovationner verbe ▸ conjug. 3
Faire une ovation. *Les spectateurs **ovationnent** longuement la pianiste.* SYN acclamer. CONTR huer.

ovin, ovine adjectif
Qui concerne les moutons. *Il existe plusieurs races **ovines**.* ■ **ovin** nom masculin Mouton. * Chercher aussi *bovin, porcin*.

Des **ovins**

ovipare adjectif et nom
Se dit d'un animal qui pond des œufs pour se reproduire. *Les oiseaux, les reptiles, les poissons sont **ovipares**. – Ce lézard est un **ovipare**.* * Chercher aussi *ovovivipare, vivipare*.

ovni nom masculin
Sigle de ***O**bjet **v**olant **n**on **i**dentifié*. Objet vu dans le ciel et que l'on considère comme un engin spatial des extraterrestres. ✎ Pluriel : *des **ovnis***.

ovovivipare adjectif et nom
Se dit d'un animal qui pond, pour se reproduire, des œufs qu'il conserve dans son corps jusqu'à leur éclosion. *Un serpent **ovovivipare**.* * Chercher aussi *ovipare*.

ovulation nom féminin
Libération mensuelle d'un ovule dans le ventre des femmes, qui permettra la fécondation s'il y a rencontre avec une cellule reproductrice mâle.

ovule nom masculin
Cellule sexuelle femelle chez un être vivant. *L'**ovule**, une fois fécondé par un spermatozoïde, se transforme en œuf.* * Attention ! On dit ***un** ovule*.

oxydation nom féminin
Fait de s'oxyder. *L'humidité provoque l'**oxydation** des métaux.*

oxyde nom masculin
Ce qui résulte de la combinaison de l'oxygène avec un autre élément chimique. *La rouille est de l'**oxyde** de fer.* • **Oxyde de carbone :** gaz toxique produit par l'oxydation du carbone. ♦ Famille du mot : inoxydable, oxydation, s'oxyder.

s'**oxyder** verbe ▸ conjug. 3
Se détériorer sous l'action de l'oxygène. *Quand le fer **s'oxyde**, il se forme de la rouille.*

oxygène nom masculin
Gaz invisible et inodore contenu dans l'air. *L'**oxygène** est nécessaire à la vie.* * Chercher aussi *azote, hydrogène*. ♦ Famille du mot : oxygéné, s'oxygéner.

oxygéné, oxygénée adjectif
• **Eau oxygénée :** liquide désinfectant qui contient beaucoup de molécules d'oxygène. *Christos nettoie sa coupure avec de l'**eau oxygénée**.*

s'**oxygéner** verbe ▸ conjug. 8
Respirer de l'air pur. *Dimanche, nous irons **nous oxygéner** à la campagne.* ✎ On peut écrire aussi, au futur, *il **s'oxygènera*** ; au conditionnel, *elle **s'oxygènerait***.

ozone nom masculin
Sorte de gaz. • **Couche d'ozone :** couche de ce gaz qui se trouve dans la haute atmosphère et qui protège la Terre des radiations dangereuses du Soleil.

Dans cette section, plusieurs mots commencent par *ph*. Ces deux consonnes se prononcent comme un *f*.

p nom masculin invariable
Seizième lettre de l'alphabet. *Le **p** est une consonne.*

pacage nom masculin
❶ Action de faire paître le bétail. ❷ Terrain où l'on fait paître le bétail. **SYN** pâturage.

pacane nom féminin
Espèce de noix de forme allongée. *Une tarte aux **pacanes**.*

pacha nom masculin
❶ Gouverneur de province dans l'ancien Empire turc. ❷ Dans la langue familière, personne qui se fait servir par son entourage. *Ça ne semble pas le gêner d'être traité comme un **pacha**.*

pachyderme nom masculin
Gros mammifère ongulé non ruminant, à la peau épaisse. *Les éléphants, les hippopotames et les rhinocéros sont des **pachydermes**.*
* Attention ! La deuxième syllabe de *pachyderme* se prononce *ki* ou *chi*.

pacificateur, pacificatrice nom
Personne qui pacifie, qui rétablit l'entente entre les individus quand la situation est tendue.
* Chercher aussi *arbitre*, *conciliateur*, *médiateur*.

pacifier verbe ▸ conjug. 10
❶ Rétablir la paix dans un pays. *L'armée **a pacifié** la région et a chassé les ennemis.* ❷ Au sens figuré, apaiser, rendre plus calme. *Son humour a permis de désamorcer le conflit et de **pacifier** les relations.* **SYN** calmer.
♦ Famille du mot : pacificateur, pacifique, pacifiquement, pacifiste.

pacifique adjectif
❶ Qui aime la paix. *Un homme très **pacifique**.* **SYN** paisible, tranquille. **CONTR** agressif. ❷ Qui se déroule sans violence. *Une manifestation **pacifique**.* **CONTR** violent.

pacifiquement adverbe
De façon pacifique. *Ils ont négocié **pacifiquement**.*

pacifiste adjectif et nom
Qui est partisan de la paix. *Des idées **pacifistes**. – Les **pacifistes** demandent le désarmement.* * Chercher aussi *non-violent*.

pacotille nom féminin
Marchandise de peu de valeur. *Ce magasin vend des bijoux de **pacotille**.*

pacte nom masculin
Accord solennel entre des pays ou des individus. *Ces deux pays ont conclu un **pacte**.* **SYN** entente, traité.

pactiser verbe ▸ conjug. 3
Faire un pacte avec quelqu'un. *Ce traître **a pactisé** avec l'ennemi.* **SYN** s'allier, s'entendre.

paella nom féminin
Plat espagnol composé de riz, de crustacés, de poissons, de viande et de légumes.
✎ On peut écrire aussi ***paélia***.

pagaie nom féminin
Rame courte formée d'un manche et d'une pale que l'on utilise pour propulser une embarcation nautique. *On doit tenir la* ***pagaie*** *à deux mains pour faire avancer le canot.* * Attention! La deuxième syllabe de *pagaie* se prononce *guè*.

pagaille nom féminin
Dans la langue familière, désordre. *Quelle* ***pagaille*** *dans la cuisine!*

pagayer verbe ▸ conjug. 7
Ramer à l'aide d'une pagaie. *Ils* ***ont pagayé*** *sur un lac paisible.*

Pagayer

① **page** nom féminin
❶ Chacun des côtés d'un feuillet de papier. *Chaque feuille a une* ***page*** *recto et une* ***page*** *verso.* ❷ Feuille de papier. *Mon petit frère a déchiré une* ***page*** *de mon cahier.* ❸ Texte écrit sur une page. *David lit la* ***page*** *des petites annonces dans le journal.* • **Tourner la page**: oublier le passé, passer à autre chose.

② **page** nom masculin
Jeune noble qui était autrefois au service d'une dame ou d'un seigneur. *La reine arriva, suivie de ses* ***pages****.*

pagination nom féminin
Numérotation des pages d'un document, d'un livre ou d'un cahier.

pagne nom masculin
Morceau d'étoffe couvrant le corps de la ceinture aux genoux. *Anna a rapporté un* ***pagne*** *de Tahiti.*

pagode nom féminin
Temple des religions d'Extrême-Orient. *Cette* ***pagode*** *a plusieurs toits superposés.* * Chercher aussi *église*, *mosquée*, *synagogue*, *temple*.

paie nom féminin
Argent que quelqu'un reçoit pour son travail. *Les ouvriers de cette usine touchent une* ***paie*** *aux deux semaines.* **SYN** salaire. ✎ On écrit aussi ***paye***. * Attention! *Paie* se prononce *pè*; *paye* se prononce *peille*.

paiement nom masculin
Action de payer. *Vous faites le* ***paiement*** *en argent comptant ou par carte de crédit?* **SYN** règlement. ✎ On écrit aussi ***payement***. * Attention! *Paiement* se prononce *pèment*; *payement* se prononce *peillement*.

païen, païenne adjectif et nom
❶ Propre aux personnes qui ne pratiquent aucune des grandes religions qui vénèrent Dieu. *Une croyance* ***païenne****. – Des* ***païens****.* ❷ Sans religion. *Mener une vie* ***païenne****.* **SYN** athée, impie. ■ **païen, païenne** nom Pour les premiers chrétiens, personne qui adorait plusieurs dieux.

paillasse nom féminin
Grand sac de paille qui servait autrefois de matelas. *Dormir sur une* ***paillasse****.*

paille nom féminin
❶ Tige des céréales, séparée du grain. *Des bottes de* ***paille****.* ❷ Petit tuyau servant à aspirer un liquide. *Elle a bu son jus d'orange avec une* ***paille****.* • **Être sur la paille**: être dans la misère. • **Un feu de paille**: se dit d'une chose passagère, de courte durée. • **Tirer à la courte paille**: tirer au sort avec des brins de paille de différentes longueurs. ♦ Famille du mot: empailler, paillasse, paillette, paillis.

paillette nom féminin
Particule mince et brillante que l'on utilise pour décorer une étoffe. *La chanteuse portait une robe à* ***paillettes****.*

paillis nom masculin
Couche de matériaux protecteurs (copeaux d'écorce, sciure de bois, paille, etc.) destinée à protéger le sol. *Pour limiter la progression des mauvaises herbes, ma mère étend du* ***paillis*** *dans son jardin.*

pain nom masculin
Aliment fait de farine, d'eau et de levure, pétri et cuit au four. *Le boulanger fabrique le* ***pain****.* • **Avoir du pain sur la planche**: avoir beaucoup de travail. • **Pain d'épice**: gâteau à base de farine de seigle, de miel et d'épices. • **Pain doré**: tranche de pain trempée dans un mélange d'œuf et de lait, et passée à la poêle. • **Pain (à) hamburger**: petit pain rond, de forme aplatie, fendu sur le côté. • **Pain (à) hot dog**: petit pain de forme allongée, fendu sur le côté. * Chercher aussi *panure*. * Ne pas confondre *pain* et *pin*.

① **pair, paire** adjectif
Qui donne un nombre entier quand on le divise par 2. *6 est un nombre **pair** puisque 6 ÷ 2 = 3.* **CONTR** impair. * Ne pas confondre *pair, paire, père* et *pers.*

② **pair** nom masculin
Personne qui exerce une fonction semblable à une autre. *Le savant a été reconnu par ses **pairs**.* • **De pair :** ensemble. *Ces deux choses vont **de pair**.* • **Hors pair :** sans égal. *Un cuisinier **hors pair**.* * Ne pas confondre *pair, paire, père* et *pers.*

paire nom féminin
❶ Groupe de deux objets allant ensemble. *Élodie a demandé une **paire** de patins pour Noël.* ❷ Objet formé de deux parties identiques. *Une **paire** de lunettes. Une **paire** de jumelles.* * Ne pas confondre *paire, pair, père* et *pers.*

paisible adjectif
Qui est en paix, où règne la paix. *C'est un village **paisible** où il fait bon vivre.* **SYN** tranquille.

paisiblement adverbe
De façon paisible. *L'enfant dort **paisiblement**.* **SYN** tranquillement.

paître verbe ▸ conjug. 37
Brouter l'herbe. *Le berger mène **paître** ses moutons.* * Attention ! *Paître* n'a ni passé simple ni participe passé. ✎ On peut écrire aussi, à l'infinitif, ***paitre*** ; au présent, *elle **pait*** ; au futur, *elle **paitra*** ; au conditionnel, *il **paitrait**.*

paix nom féminin
❶ Absence de conflit. *Le symbole de la **paix** est une colombe qui tient dans son bec un brin d'olivier.* **CONTR** conflit, guerre. ❷ État de calme et de tranquillité. *Je préfère la **paix** de la campagne au bruit de la ville.* • **En paix :** sans se battre. *La guerre est finie, ces deux pays vont pouvoir vivre **en paix**.* • **Faire la paix :** se réconcilier. ♦ Famille du mot : apaisant, apaisement, apaiser, paisible, paisiblement.

pakistanais, pakistanaise
➜Voir tableau, p. 1319.

palace nom masculin
Grand hôtel de luxe.

① **palais** nom masculin
Vaste et riche demeure où vit un roi ou un chef d'État. * Chercher aussi *château.* • **Palais de justice :** bâtiment où se trouvent les tribunaux.

Le **palais** de Buckingham

② **palais** nom masculin
Partie supérieure de l'intérieur de la bouche. *Pour prononcer le « l », la langue touche le **palais**.*

palan nom masculin
Appareil de levage formé de deux systèmes de poulies. *Un **palan** permet de soulever verticalement de lourdes charges.* * Chercher aussi *élévateur,* ② *grue.*

palaois, palaoise
➜Voir tableau, p. 1319.

pale nom féminin
❶ Branche d'une hélice. *Ce ventilateur a une hélice à huit **pales**.* ❷ Extrémité d'un aviron. * Ne pas confondre *pale* et *pâle.*

Une **pale**

pâle adjectif
❶ Qui a perdu ses couleurs. *Louis a le teint **pâle**.* **SYN** blême, livide. ❷ D'une couleur claire. *Marianne porte un ruban bleu **pâle** dans les cheveux.* **CONTR** foncé, vif. ❸ Au sens figuré, qui est fade, sans éclat. *Ce tableau est une **pâle** imitation de l'original.* ♦ Famille du mot : pâleur, pâlir, pâlot. * Ne pas confondre *pâle* et *pale.*

palefrenier, palefrenière nom
Personne chargée du soin des chevaux.

paléolithique nom masculin
Période préhistorique durant laquelle l'être humain a taillé ses outils dans la pierre et l'os. *Les premières peintures rupestres datent du **paléolithique**.* * Chercher aussi *néolithique.*

paléontologie nom féminin
Science du passé des êtres vivants fondée sur l'étude des fossiles.

palestinien, palestinienne adjectif et nom
De Palestine. *Un village **palestinien**. – Les **Palestiniens**, les **Palestiniennes**.* ✎ Attention ! Le nom, qui désigne les habitants, s'écrit avec une majuscule.

paletot nom masculin
Manteau d'homme assez ample allant jusqu'à mi-cuisse. *Bernard a relevé son col et boutonné son **paletot**.* **SYN** pardessus.

palette nom féminin
❶ Plaque percée d'un trou pour le pouce, sur laquelle le peintre mélange les couleurs. ❷ Plateau de chargement permettant de transporter des marchandises avec une machine élévatrice.

pâleur nom féminin
Caractère de ce qui est pâle. *La **pâleur** du malade est inquiétante.*

palier nom masculin
Plate-forme d'un escalier entre deux étages. *Dans cet immeuble, il y a quatre appartements par **palier**.* • **Par paliers :** progressivement. *Ralentir **par paliers**.*

pâlir verbe ▸ conjug. 11
❶ Devenir pâle. *Il **a pâli** en apprenant son échec.* **SYN** blêmir. ❷ Perdre sa couleur. *Les rideaux exposés au soleil **ont pâli**.* **SYN** passer.

palissade nom féminin
Clôture faite de planches assemblées. *Julianne a posé son vélo contre la **palissade** du chantier.*

palliatif, palliative adjectif
Qui soulage des symptômes sans guérir. *Des soins **palliatifs**.* ■ **palliatif** nom masculin
Mesure qui corrige provisoirement une situation, qui n'y remédie que passagèrement.

pallier verbe ▸ conjug. 10
Corriger provisoirement une situation. *S'éclairer à la bougie **pallie** la coupure d'électricité.*

palmarès nom masculin
Liste des gagnants d'un concours. *Son nom figure au **palmarès** du festival.*

palme nom féminin
❶ Feuille du palmier. *Les **palmes** du cocotier poussent tout en haut du tronc.* ❷ Symbole de la victoire. *Il a remporté la **palme** en franchissant le premier la ligne d'arrivée.*
❸ Accessoire de caoutchouc qui permet de nager plus vite. *La forme des **palmes** imite celle de la patte du canard.* ♦ Famille du mot : palmé, palmeraie, palmier, palmipède.

palmé, palmée adjectif
Dont les doigts sont réunis par une membrane. *La grenouille, le canard, l'ornithorynque ont les pattes **palmées**.*

Des pattes **palmées**

palmeraie nom féminin
Lieu planté de palmiers. *La plupart des oasis sont des **palmeraies**.*

palmier nom masculin
Arbre des régions chaudes dont les grandes feuilles sont réunies au sommet du tronc. *Certains **palmiers** donnent des dattes, d'autres des noix de coco.*

Un **palmier**

palmipède adjectif et nom masculin
Dont les pieds sont palmés. *Un oiseau **palmipède**. – Le canard, le pingouin, la mouette sont des **palmipèdes**.*

pâlot, pâlotte adjectif
Un peu pâle. *Kevin ne dort pas assez, il est **pâlot**.*

palourde nom féminin
Mollusque comestible qui vit enfoui dans le sable. *Les **palourdes** ont une coquille striée.*

Des **palourdes**

palper verbe ▸ conjug. 3
Examiner en tâtant avec la main. *La médecin **palpe** le ventre de Roberto.*

palpitant, palpitante adjectif
❶ Qui palpite. *Un cœur **palpitant**.* ❷ Dans la langue familière, qui passionne. *Laura est plongée dans un roman policier **palpitant**.*
SYN captivant.

palpitations nom féminin pluriel
Battements sensibles et accélérés du cœur. *Quand elle monte l'escalier, ma grand-mère a des **palpitations**.*

palpiter verbe ▸ conjug. 3
Avoir des palpitations. *Son cœur* ***palpite*** *de joie à l'idée de revoir son ami.* ♦ Famille du mot : palpitant, palpitations.

paludisme nom masculin
Maladie infectieuse propagée par les moustiques et qui provoque de fortes fièvres. *Dans les pays tropicaux, il y a beaucoup de cas de* ***paludisme****.* **SYN** malaria.

se **pâmer** verbe ▸ conjug. 3
S'extasier. *Elle* ***s'est pâmée*** *d'admiration devant cette vedette de cinéma.*

pampa nom féminin
Vaste plaine couverte d'herbe de l'Amérique du Sud. *Les troupeaux de la* ***pampa*** *argentine.* * Chercher aussi *brousse, savane, steppe.*

pamplemousse nom masculin
Gros agrume jaune ou rose au goût acidulé. *Myriam trouve le jus de* ***pamplemousse*** *trop amer.* 👁p. 28.

pan nom masculin
❶ Partie flottante d'un vêtement. *Un* ***pan*** *de ta chemise n'est pas rentré dans ton pantalon.* ❷ Partie plus ou moins large d'un mur. *Ce* ***pan*** *de mur doit être nettoyé.* * Ne pas confondre *pan* et *paon.*

panacée nom féminin
Remède qui résoud tous les problèmes, qui guérit tous les maux. *Cette solution n'est pas une* ***panacée****.*

panache nom masculin
❶ Touffe de plumes ornant une coiffure. *Sur le casque du chevalier, un* ***panache*** *flotte au vent.* ❷ Ce qui évoque par sa forme cet ornement. *L'écureuil a une queue en* ***panache****.* ❸ Bois des grands cervidés. *Un orignal au* ***panache*** *impressionnant.* • **Avoir du panache :** avoir de la prestance, présenter une attitude fière et imposante.

panais nom masculin
Plante dont la racine blanche est comestible. *Une purée de* ***panais****.*

panaméen, panaméenne adjectif et nom
Du Panama. *Les provinces* ***panaméennes****.* – *Les* ***Panaméens****, les* ***Panaméennes****.* ✎ Attention ! Le nom, qui désigne les habitants, s'écrit avec une majuscule.

panaméricain, panaméricaine adjectif
Qui concerne tout le continent américain. *Une conférence* ***panaméricaine****.*

panaris nom masculin
Inflammation aiguë du doigt. *Une écharde lui a causé un* ***panaris****.* * Attention ! Le *s* du mot *panaris* ne se prononce pas.

pancarte nom féminin
Affiche portant une inscription. *As-tu vu le nom de la ville sur la* ***pancarte*** *?* **SYN** écriteau.

pancréas nom masculin
Glande digestive située derrière l'estomac. *Le* ***pancréas*** *joue un rôle essentiel dans la digestion.* 👁p. 320. * Attention ! Le *s* du mot *pancréas* se prononce.

panda nom masculin
Mammifère au pelage noir et blanc, voisin de l'ours, qui vit en Chine et au Tibet. *Le* ***panda*** *se nourrit de pousses de bambou.* 👁p. 638.

Un ***panda***

pané, panée adjectif
Recouvert de chapelure. *Du poisson* ***pané****.*

panier nom masculin
❶ Récipient à anse servant à transporter des choses. *Samuel et Chloé ont pris des* ***paniers*** *pour cueillir des bleuets.* ❷ Cercle métallique entouré d'un filet qui constitue le but au basketball. *Gina a réussi un* ***panier****.* • **Panier percé :** personne qui ne peut garder un secret, une confidence. *J'ai cessé de me confier à Isabelle, car c'est un* ***panier percé****.* **SYN** porte-panier.

panini nom masculin
Sandwich que l'on fait griller. *Un* ***panini*** *végétarien.* ✎ Pluriel : *des* ***paninis****.*

panique nom féminin
Affolement soudain et incontrôlable. *En entendant l'explosion, la foule a été prise de* ***panique****.*

paniquer verbe ▸ conjug. 3
Être pris de panique. *Elle* ***a paniqué*** *devant le danger.* **SYN** s'affoler.

panne nom féminin
Arrêt accidentel du fonctionnement d'un mécanisme. *Nous sommes tombés en **panne** sur l'autoroute. Il y a une **panne** d'électricité dans tout le quartier.* • **Être en panne de quelque chose :** en manquer. *Je rédigerai mon texte demain, car je **suis en panne d'**inspiration.*

panneau, panneaux nom masculin
❶ Plaque servant de support à des indications. *Les **panneaux** de limitation de vitesse indiquent la vitesse à respecter. Un **panneau** publicitaire.* ❷ Surface plane entourée d'une bordure. *Le menuisier a démonté les **panneaux** de l'armoire.* • **Tomber dans le panneau :** se laisser prendre au piège.

panoplie nom féminin
Déguisement d'enfant. *Pour Noël, Olivia voudrait une **panoplie** d'astronaute, Thomas a choisi celle de Zorro.*

panorama nom masculin
Vue circulaire que l'on découvre d'une hauteur. *Ils sont montés au belvédère pour voir le **panorama**.* SYN paysage.

Un **panorama**

panoramique adjectif
Propre à un panorama. *La carte postale montre une vue **panoramique** de la ville.*

panse nom féminin
Partie de l'estomac des ruminants.

pansement nom masculin
Compresse ou bande adhésive maintenant un peu de gaze que l'on applique sur une plaie. *Il faut désinfecter la plaie avant de mettre un **pansement**.* • **Pansement adhésif :** bande adhésive comportant un morceau de gaze au centre et qui est destinée à protéger une plaie. SYN diachylon.

panser verbe ▸ conjug. 3
❶ Mettre un pansement. *L'infirmier a nettoyé et **a pansé** la plaie.* ❷ Nettoyer un animal. *La cavalière **panse** son cheval.*

pantalon nom masculin
Vêtement qui va de la taille aux pieds en enveloppant chaque jambe. *Ludmila préfère porter des **pantalons**.*

panthère nom féminin
Mammifère carnassier d'Afrique et d'Asie. *La **panthère** a tué une gazelle.* * Chercher aussi *jaguar*, *léopard*.

Une **panthère**

pantin nom masculin
❶ Sorte de marionnette dont on fait bouger les membres en tirant sur des fils. ❷ Au sens figuré, personne influençable, facile à manipuler. SYN girouette, marionnette.

pantois, pantoise adjectif
Stupéfait. *On reste **pantois** devant une telle beauté.* SYN ahuri, étonné, surpris.

pantomime nom féminin
Art de s'exprimer par des gestes et des mimiques. * Chercher aussi *mime*.

pantouflard, pantouflarde adjectif et nom
Qui aime rester chez lui, qui tient à ses habitudes. *Étienne est très **pantouflard** : il sort rarement.* SYN casanier. – *Cette **pantouflarde** ne bouge pas de son fauteuil !*

pantoufle nom féminin
Chaussure d'intérieur. *Quel plaisir de retrouver ses **pantoufles** après une si longue journée de marche !* SYN chausson.

panure nom féminin
Pain émietté. *Enrober des filets de poisson de **panure**.* SYN chapelure.

Des bâtonnets de poisson recouverts de **panure**

paon nom masculin
Oiseau originaire d'Asie, dont la queue bleu-vert et tachetée peut se dresser en éventail chez le mâle. *Le **paon** fait la roue.* • **Fier comme un paon :** très vaniteux. * Attention ! Le *o* du mot *paon* ne se prononce pas. * Ne pas confondre *paon* et *pan*.

Un **paon**

Un **paon** faisant la roue

papa nom masculin
Nom affectueux que les enfants donnent à leur père.

papal, papale, papaux adjectif
Du pape. *La bénédiction **papale**.* SYN pontifical.

papaye nom féminin
Fruit exotique ovale, de couleur jaune orangé. *La **papaye** ressemble au melon.* * Attention ! La deuxième syllabe du mot *papaye* se prononce *paille*.

De la **papaye**

pape nom masculin
Chef suprême de l'Église catholique. *Le **pape** est considéré par les catholiques comme le successeur de l'apôtre Pierre.* SYN souverain pontife*. • **Sérieux comme un pape :** très sérieux.

paperasse nom féminin
Ensemble d'écrits inintéressants et encombrants. *La boîte aux lettres se remplit tous les jours d'un tas de **paperasses**.*

papeterie nom féminin
❶ Magasin où l'on vend du papier et des fournitures pour l'école et le bureau. ❷ Usine où l'on fabrique du papier. ✎ On peut écrire aussi ***papèterie***.

papetier, papetière adjectif
Qui concerne le papier. *L'industrie **papetière**.*

papetière nom féminin
Entreprise, usine qui fabrique du papier, du carton à partir de pâte à papier.

papier nom masculin
❶ Matière fabriquée à partir d'une pâte de fibres végétales, aplatie et séchée. *Rebecca voudrait une feuille de **papier** pour faire un dessin.* 👁p. 74. ❷ Document écrit ou imprimé. *La mère de Yann met de l'ordre dans ses **papiers**, elle range les lettres et les factures.* • **Papiers (d'identité) :** documents qui établissent l'identité d'une personne (permis de conduire, carte d'assurance sociale, etc.). • **Papier ciré :** papier imprégné de cire, utilisé pour emballer les aliments. • **Papier-mouchoir :** rectangle de papier doux que l'on utilise pour se moucher et que l'on jette après usage. • **Papier hygiénique :** papier pour usage sanitaire dans les toilettes. • **Papier de verre :** papier d'émeri. • **Papier peint :** papier décoratif que l'on colle sur les murs intérieurs d'un appartement.

papille nom féminin
Petit point à la surface de la langue. *C'est grâce aux **papilles** que l'on sent le goût des aliments.*

papillon nom masculin
Insecte qui a quatre grandes ailes colorées. *Un **papillon** jaune s'est posé sur cette fleur.* * Chercher aussi *chenille, chrysalide, cocon, larve, métamorphose*. 👁p. 570. • **Nœud papillon :** cravate plate nouée en forme de papillon. • **Nage papillon :** nage qui se pratique sur le ventre et où les bras font de grands battements simultanés hors de l'eau.

La transformation du **papillon**

papillonner verbe ▸ conjug. 3
Passer d'une personne à une autre ou d'une chose à une autre sans s'arrêter à aucune. *Les hôtes **papillonnaient** d'un invité à l'autre.* SYN s'éparpiller.

papillote nom féminin
❶ Morceau de papier coloré servant à envelopper des bonbons. ❷ Morceau de feuille d'aluminium servant à envelopper des aliments que l'on fait cuire au four. *Hier soir, nous avons mangé du poisson en **papillote**.*

papoter verbe ▸ conjug. 3
Dans la langue familière, bavarder. *Ces enfants restent toujours à **papoter** après la classe.* SYN jaser.

papouasien, papouasienne
➻Voir tableau, p. 1319.

paprika nom masculin
Piment doux en poudre qui sert à épicer les plats.

papyrus nom masculin
❶ Plante qui pousse sur les bords du Nil. *Les anciens Égyptiens utilisaient les tiges de **papyrus** pour fabriquer des feuilles sur lesquelles ils écrivaient.* ❷ Manuscrit très ancien écrit sur papyrus. * Attention ! Le *s* du mot *papyrus* se prononce. * Chercher aussi *parchemin*.

Un **papyrus**

Pâque nom féminin singulier
Fête juive qui commémore chaque année la sortie d'Égypte des Hébreux. *La **Pâque** dure huit jours.* ■ **Pâques** nom féminin pluriel Fête chrétienne qui rappelle la résurrection du Christ. *Joyeuses **Pâques**.* ■ **Pâques** nom masculin singulier Jour de cette fête. ***Pâques** est célébré le premier dimanche après la pleine lune qui suit le 22 mars.* ✎ Attention ! Les mots *Pâque*, *Pâques* s'écrivent avec une majuscule.

paquebot nom masculin
Grand navire destiné au transport de passagers. *Le* Titanic *était un superbe **paquebot** qui a coulé lors de son premier voyage.* 👁p. 108.
* Chercher aussi *cabine*, *cargo*, *croisière*, *escale*.

pâquerette nom féminin
Petite fleur blanche ou rosée, au cœur jaune, rappelant la marguerite.

Pâques ➻Voir **Pâque**

paquet nom masculin
❶ Un ou plusieurs objets enveloppés dans un emballage. *Julie a envoyé un **paquet** par la poste à sa cousine.* SYN colis. ❷ Produit contenu dans un emballage. *Veux-tu aller acheter un **paquet** de gomme ?* ❸ Grande masse ou grande quantité. *Pour son anniversaire, Sacha a reçu un **paquet** de cadeaux.* • **Mettre le paquet** : dans la langue familière, employer tous les moyens, donner le maximum. *Pour gagner la course, elle **a mis le paquet**.*
♦ Famille du mot : dépaqueter, empaqueter.

par préposition
Sert à marquer diverses relations entre des groupes de mots. *Passe **par** là* (lieu). *Les oies blanches sont arrivées **par** un beau matin d'avril* (temps). *Je vais la voir deux fois **par** semaine* (fréquence). *William a pris Zoé **par** la main* (moyen). * Ne pas confondre *par* et *part*.

para- préfixe
Placé au début d'un mot pour former un autre mot, *para-* signifie soit « à côté de » (***para**scolaire*), soit « pour protéger de » (***para**pluie*).

parabole nom féminin
❶ Antenne parabolique. ❷ En géométrie, courbe plane.

parabolique adjectif
Qui a la forme d'une parabole. *Une antenne **parabolique**. Des skis **paraboliques**.*

parachutage nom masculin
Action de parachuter. *Le **parachutage** de vivres dans cette région sinistrée aura lieu demain.*

parachute nom masculin
Appareil fait d'une grande toile qui, en se dépliant, ralentit la chute d'une personne ou d'un objet lancés d'un avion. *Justine rêve de sauter en **parachute**.*
♦ Famille du mot : parachutage, parachuter, parachutisme, parachutiste.

Un **parachute**

parachuter verbe ▸ conjug. 3
Larguer en parachute. *On **a parachuté** des vivres aux sinistrés.*

a b c d e f g h i j k l m n o **p** q r s t u v w x y z

parachutisme nom masculin
Pratique du saut en parachute. *À l'armée, Déborah a suivi un cours de* ***parachutisme****.*

parachutiste nom
Personne qui pratique le parachutisme. *Ce* ***parachutiste*** *est très expérimenté.*

parade nom féminin
Chez plusieurs animaux, comportement de séduction qui précède l'accouplement. *La* ***parade*** *nuptiale de l'oiseau mâle.* 👁p. 720.

parader verbe ▸ conjug. 3
Se montrer dans le but de se faire admirer. *Il* ***parade*** *devant nous sur son nouveau vélo.* **SYN** se pavaner.

paradis nom masculin
❶ Lieu de bonheur où séjourneraient, après la mort, les âmes de ceux qui se sont bien conduits. *Dans certaines religions, on croit à l'existence du* ***paradis****.* **SYN** ciel. **CONTR** enfer. ❷ Endroit très agréable, merveilleux. *Ce parc est un* ***paradis*** *pour les enfants.*

paradisiaque adjectif
Qui évoque le paradis. *Une île* ***paradisiaque****.* **SYN** enchanteur.

paradoxal, paradoxale, paradoxaux
adjectif
Qui est bizarre, comme un paradoxe. *Benjamin adore la tarte aux pommes et il ne veut pas en manger ; c'est* ***paradoxal*** *!* **SYN** contradictoire.

paradoxe nom masculin
Opinion ou raisonnement en contradiction avec la logique. *Il est écologiste, mais il ne recycle rien : c'est un* ***paradoxe****.* **SYN** contradiction.

paraffine nom féminin
Matière blanche semblable à de la cire, qui sert notamment à fabriquer les bougies.

parages nom masculin pluriel
Environs, voisinage. • **Dans les parages :** dans les environs. *Il n'y a aucune pharmacie* ***dans les parages****.*

paragraphe nom masculin
Partie d'un texte que l'on sépare du reste en allant à la ligne. *Nous allons lire le dernier* ***paragraphe*** *de ce texte.*

paraguayen, paraguayenne
adjectif et nom
Du Paraguay. *Les ethnies* ***paraguayennes****.* – *Les* ***Paraguayens****, les* ***Paraguayennes****.*
✎ Attention ! Le nom, qui désigne les habitants s'écrit avec une majuscule.

paraître verbe ▸ conjug. 37
❶ Devenir visible. *À la tombée de la nuit, des étoiles* ***paraissent*** *dans le ciel.* **SYN** apparaître. **CONTR** disparaître. ❷ Être édité et mis en vente. *Ce magazine* ***paraît*** *chaque semaine.* ❸ Avoir l'air. *Florence* ***paraît*** *heureuse de nous voir. Il* ***paraît*** *plus vieux quand il porte des lunettes.* **SYN** sembler. • **Il paraît, paraît-il, à ce qu'il paraît :** on le dit. ***Il paraît*** *que l'été sera très chaud. Cette nouvelle voiture est décevante,* ***à ce qu'il paraît****.* ✎ On peut écrire aussi, à l'infinitif, ***paraitre*** ; au présent, *il* ***parait*** ; au futur, *elle* ***paraitra*** ; au conditionnel, *ils* ***paraitraient****.* ♦ Famille du mot : comparaître, disparaître, reparaître, transparaître.

parallèle adjectif
Se dit de lignes qui sont toujours à la même distance l'une de l'autre et qui ne se coupent donc jamais. *Des rues* ***parallèles****.* 👁p. 484. ■ **parallèle** nom féminin Droite parallèle à une autre. ■ **parallèle** nom masculin ❶ Cercle imaginaire autour de la Terre, parallèle à l'équateur. * Chercher aussi *latitude*, *longitude*, *méridien*. ❷ Comparaison entre deux personnes ou deux choses. *L'enseignante a fait un* ***parallèle*** *entre les deux personnages principaux de ce récit.* ♦ Famille du mot : parallèlement, parallélépipède, parallélisme, parallélogramme.

Les **parallèles**

parallèlement adverbe
❶ De façon parallèle. *Les voitures sont garées* ***parallèlement*** *au trottoir.* ❷ En même temps. *Il fait ses études et,* ***parallèlement****, il s'entraîne intensivement au hockey.*

parallélépipède nom masculin
Solide qui a six faces parallèles deux à deux. *Une brique est un* ***parallélépipède****.*

parallélisme nom masculin
État de ce qui est parallèle. *La mécanicienne a vérifié le* ***parallélisme*** *des roues de la voiture.*

parallélogramme nom masculin
Figure géométrique qui a quatre côtés parallèles deux à deux. *Un carré, un losange et un rectangle sont des* ***parallélogrammes****.* 👁p. 484.

paralympique adjectif
Qui concerne les compétitions sportives réunissant les athlètes handicapés. *Les Jeux **paralympiques** se déroulent à la même période que les Jeux olympiques.*

paralysé, paralysée adjectif et nom
Qui est atteint de paralysie. *Un bras **paralysé**. – Grâce à leur détermination, ces **paralysés** réussissent à faire du sport.* SYN paralytique.
* Chercher aussi *handicapé, paraplégique*.

paralyser verbe ▶ conjug. 3
❶ Rendre incapable de bouger. *Ce serpent **paralyse** ses proies avec son venin.* ❷ Empêcher quelque chose de fonctionner. *Le verglas **a paralysé** la circulation sur l'autoroute.* ❸ Empêcher quelqu'un de réagir. *La peur le **paralyse**.* SYN figer, immobiliser.
♦ Famille du mot : paralysé, paralysie, paralytique.

paralysie nom féminin
❶ Incapacité de bouger une partie du corps à cause d'une maladie ou d'un accident. *Il a été frappé de **paralysie** à la suite d'une attaque cérébrale.* ❷ Arrêt d'une activité. *La grève a entraîné une **paralysie** de l'aéroport.* ❸ Incapacité de réagir. *La **paralysie** causée par la peur.*

paralytique nom
Personne atteinte de paralysie. SYN paralysé.
* Chercher aussi *paraplégique*.

paranoïa nom féminin
Maladie mentale caractérisée par des troubles de jugement et de perception. *Sa **paranoïa** lui fait imaginer qu'il est l'objet de persécutions.*

parapente nom masculin
Sport qui consiste à sauter en parachute à partir d'une falaise ou d'une montagne. *Quand on fait du **parapente**, on utilise les courants aériens pour se déplacer.*

Du **parapente**

parapet nom masculin
Petit mur qui empêche de tomber. *Appuyés au **parapet** du pont, ils regardaient passer les bateaux.* SYN garde-fou.

paraplégique nom
Personne paralysée des deux membres supérieurs ou inférieurs. * Chercher aussi *handicapé*.

parapluie nom masculin
Objet constitué d'une toile imperméable tendue sur des tiges souples, qui sert à se protéger de la pluie. *Ouvre ton **parapluie**, il commence à pleuvoir.*

parascolaire adjectif
Qui se fait dans le cadre de l'école, sans faire partie du programme scolaire. *Des activités **parascolaires**.*

parasite nom masculin et adjectif
Être vivant qui se fixe sur un autre pour s'en nourrir. *Le pou est un **parasite** de l'être humain. – Un champignon **parasite**.*
■ **parasite** nom masculin Personne qui vit aux dépens des autres. *Je ne veux plus recevoir ce **parasite** chez moi !* ■ **parasites** nom masculin pluriel Bruits ou signaux qui perturbent la réception d'une émission de radio ou de télévision.

parasol nom masculin
Sorte de grand parapluie qui sert à se protéger du soleil. *À la plage, Véronique s'abrite sous un **parasol**.*

paratonnerre nom masculin
Tige de fer fixée sur un toit, qui sert à se protéger de la foudre. *C'est l'Américain Benjamin Franklin qui a inventé le **paratonnerre**.*

paravent nom masculin
Ensemble de panneaux articulés fait pour isoler ou cacher quelque chose. *La danseuse se change derrière un **paravent**.*

parc nom masculin
❶ Terrain public où l'on trouve de la verdure et qui est destiné à la détente, à la promenade ou à l'amusement. *Les enfants s'amusent au **parc**.* ❷ Petit enclos portatif dans lequel on met les jeunes enfants. *Le bébé dormait paisiblement dans son **parc**.* • **Parc d'attractions** : lieu doté de nombreuses installations destinées à l'amusement. • **Parc national, parc provincial** : lieu destiné aux activités de loisir, où vivent des espèces animales et végétales protégées. *Le **parc national** de la Mauricie.*

* Chercher aussi ① *réserve*. • **Parc à huîtres :** bassin où l'on élève des huîtres. * Chercher aussi *ostréiculture*. • **Parc de stationnement :** endroit aménagé pour le stationnement des voitures.

parcelle nom féminin
❶ Petit fragment. *On a trouvé des **parcelles** d'or dans le sable de la rivière.* ❷ Portion de terrain. *Il a utilisé une **parcelle** de son terrain pour faire un potager.*

parce que conjonction
Sert à indiquer la cause, la raison. *Il a enlevé son blouson **parce qu'**il avait trop chaud.* **SYN** car. ✎ Attention ! *Parce que* s'écrit toujours en deux mots.

parchemin nom masculin
Peau d'animal spécialement traitée, utilisée pour l'écriture ou la reliure. *Au Moyen Âge, les livres étaient écrits à la main sur des **parchemins**.*

*Un **parchemin** (12e siècle)*

parcimonie nom féminin
Sens de l'économie un peu excessif. • **Avec parcimonie :** en très petite quantité et avec une certaine avarice. *Les réserves de nourriture diminuaient ; il fallait les distribuer **avec parcimonie**.* **CONTR** générosité, profusion.

parcimonieux, parcimonieuse adjectif
Qui est un peu avare. *Mon grand-père était très **parcimonieux** : « Un sou est un sou », disait-il.* **CONTR** dépensier, généreux.

parcomètre nom masculin
Appareil qui se trouve sur la voie publique et dans lequel on introduit une somme d'argent correspondant à un certain temps de stationnement.

parcourir verbe ▸ conjug. 16
❶ Aller d'un bout à l'autre d'un endroit. *Ils **ont parcouru** toute l'île pour trouver de l'eau douce.* **SYN** sillonner, traverser. ❷ Effectuer un parcours. *Demain, les coureurs de marathon devront **parcourir** 42 km.* ❸ Lire rapidement. *J'**ai parcouru** le journal pendant le trajet en métro.* **SYN** feuilleter, survoler.

parcours nom masculin
Trajet pour aller d'un endroit à un autre. *Cet autobus ne s'arrête que deux fois sur son **parcours**.*

par-delà préposition
De l'autre côté. *Ici nous sommes au Québec, mais **par-delà** la frontière, ce sont les États-Unis.*

par-dessous ➜Voir **dessous**

pardessus nom masculin
Manteau d'homme. *En hiver, il porte un gros **pardessus** et un foulard de laine.* **SYN** paletot. ✎ Attention ! Ici, *pardessus* s'écrit en un seul mot.

par-dessus ➜Voir **dessus**

pardon nom masculin
❶ Action de pardonner ou son résultat. *Tu as eu tort de mentir, tu devrais lui demander **pardon**.* • **Accorder son pardon :** pardonner. ❷ Formule utilisée pour s'excuser ou interpeller. ***Pardon**, monsieur, pourriez-vous m'indiquer où se trouve l'hôtel de ville ?*

pardonnable adjectif
Qui peut être pardonné. *Il s'est trompé ; sa faute est **pardonnable**.* **CONTR** impardonnable.

pardonner verbe ▸ conjug. 3
❶ Ne pas en vouloir à quelqu'un de ce qu'il a fait. *Elle ne l'a pas fait exprès, il faut lui **pardonner**.* **SYN** excuser. ❷ Formule utilisée pour s'excuser. ***Pardonnez**-moi de vous avoir dérangés.* ♦ Famille du mot : impardonnable, pardon, pardonnable.

pare-balles adjectif invariable
• **Gilet pare-balles :** gilet qui protège des balles des armes à feu. *Le policier portait un **gilet pare-balles**.* ✎ On peut écrire aussi, au singulier, *un gilet **pare-balle***.

pare-brise nom masculin invariable
Grande vitre de protection à l'avant d'un véhicule. *Mon père a mis les essuie-glaces en marche pour nettoyer le **pare-brise**.* 👁p. 88. ✎ On peut écrire aussi *un **parebrise**, des **parebrises***.

pare-chocs nom masculin invariable
Barre de protection placée à l'avant et à l'arrière d'un véhicule. *En stationnant sa voiture, elle a heurté le **pare-chocs** arrière du véhicule qui se trouvait en avant.* 👁p. 88. ✎ On peut écrire aussi *un **parechoc**, des **parechocs***.

pareil, pareille adjectif
❶ Qui est identique à autre chose. *Son manteau et le mien sont **pareils**.* SYN semblable. CONTR différent. ❷ De cette sorte. *Il n'avait jamais ressenti une **pareille** joie.* SYN tel.
■ **pareil, pareille** nom • **Ne pas avoir son pareil** ou **sa pareille** : être sans égal dans un domaine. *Pour faire des farces, il **n'a pas son pareil**. Elle **n'a pas sa pareille** en improvisation.* ■ **pareille** nom féminin
• **Rendre la pareille à quelqu'un** : lui faire la même chose que ce qu'il a fait. *Il m'a aidé à déménager, je lui **rendrai la pareille**.*

pareillement adverbe
De la même façon. *Ils sont **pareillement** engagés dans des activités sportives.*

parent, parente nom et adjectif
Personne qui appartient à la même famille. *Nous ne connaissons pas cette cousine, c'est une **parente** éloignée de mon père. – Nous sommes **parents** avec les Desnoyers.*
■ **parents** nom masculin pluriel Le père et la mère de quelqu'un. *Les **parents** de Sarah sont très fiers de leur fille.* ♦ Famille du mot : apparenté, beaux-parents, grands-parents, parental, parenté.

parental, parentale, parentaux adjectif
Qui concerne les parents. *La responsabilité **parentale**. Des congés **parentaux**.*

parenté nom féminin
❶ Fait d'être parents. *Félix et Ursula n'ont aucun lien de **parenté**.* ❷ Ensemble des personnes qui font partie de la famille. *Toute la **parenté** assistait au mariage de Sofia.*
❸ Au sens figuré, ressemblance, affinité, analogie. *On peut observer une certaine **parenté** dans les façons d'agir de ce groupe d'amis.*

parenthèse nom féminin
Chacun des deux signes encadrant un mot, un groupe de mots ou une phrase qui ne sont pas indispensables, mais qui apportent une précision. *Dans la phrase « Ibrahim a acheté des boissons (sodas, jus de fruits, etc.) », on a écrit « sodas, jus de fruits, etc. » entre **parenthèses**.*

paréo nom masculin
Vêtement de plage semblable à une robe ou à une jupe, dont on se drape de différentes manières. *Ma sœur porte un **paréo** quand elle va à la plage.*

parer verbe ▸ conjug. 3
Éviter ou détourner une attaque. *Il a réussi à **parer** tous les coups de son adversaire.* SYN esquiver. • **Être paré contre quelque chose** : en être protégé. *Avec ce chapeau et ces lunettes, tu **es paré contre** le soleil.*
♦ Famille du mot : déparer, pare-balles, pare-brise, pare-chocs, pare-soleil.

se **parer** verbe ▸ conjug. 3
S'habiller avec élégance. *Amélie **s'est parée** pour le bal des finissants.*

pare-soleil nom masculin invariable
Dans une voiture, écran orientable qui protège du soleil. ✎ On peut écrire aussi, au pluriel, *des **pare-soleils***.

paresse nom féminin
Comportement d'une personne paresseuse. *Cette forte chaleur nous pousse à la **paresse**.* CONTR dynamisme, énergie. ♦ Famille du mot : paresser, paresseux.

paresser verbe ▸ conjug. 3
Se laisser aller à la paresse. *Le dimanche matin, Christos aime bien **paresser** dans son lit.*

paresseux, paresseuse adjectif et nom
Qui ne fait pas d'efforts ou ne veut pas travailler. *Elle est intelligente, mais très **paresseuse**. – Ce **paresseux** refuse de faire le moindre effort.* SYN fainéant, flanc-mou. CONTR travailleur. ■ **paresseux** nom masculin Mammifère tropical qui se déplace avec des mouvements très lents.

*Un **paresseux***

parfait, parfaite adjectif
❶ Qui est sans défaut, totalement satisfaisant. *Le peintre a réalisé une nature morte **parfaite**.* CONTR imparfait. ❷ Idéal. *C'est un endroit **parfait** pour camper.* ♦ Famille du mot : imparfait, parfaitement.

a b c d e f g h i j k l m n o **p** q r s t u v w x y z

parfaitement adverbe
❶ De façon parfaite. *L'acteur connaît **parfaitement** son rôle.* ❷ Totalement, tout à fait. *Vous avez **parfaitement** raison.* **SYN** absolument, entièrement.

parfois adverbe
De temps en temps. *Il lui arrive **parfois** de lire jusqu'au petit matin.* **SYN** quelquefois.

parfum nom masculin
❶ Odeur agréable qui se dégage de quelque chose. *Le **parfum** du lilas embaumait la pièce.* **SYN** senteur. * Chercher aussi *arôme, bouquet, effluve, fumet*. ❷ Liquide odorant que l'on utilise pour sentir bon. *Marek a offert un **parfum** à sa mère.* ❸ Goût agréable de certains aliments. *Je voudrais une crème glacée à la vanille, c'est mon **parfum** préféré.* • **Être au parfum :** être au courant de quelque chose. ♦ Famille du mot : parfumé, parfumer, parfumerie.

parfumé, parfumée adjectif
❶ Qui répand une odeur agréable. *Ces bougies **parfumées** embaument la pièce.* ❷ Qui est aromatisé. *Des pommes au four **parfumées** à la cannelle.*

parfumer verbe ▸ conjug. 3
❶ Imprégner d'un parfum. *Alice **parfume** son linge avec des sachets de lavande.* ❷ Aromatiser. *J'ajoute du sirop d'érable pour **parfumer** mon yogourt.* ■ *se* **parfumer** : se mettre du parfum. *Ma sœur se maquille et **se parfume** chaque matin.*

parfumerie nom féminin
Magasin où l'on vend des parfums et des produits de beauté.

pari nom masculin
❶ Jeu dans lequel chacun des participants s'engage à donner quelque chose à celui qui aura raison. *Bruno a fait le **pari** d'arriver le premier et il a gagné.* ❷ Jeu où l'on peut gagner ou perdre de l'argent selon l'issue d'une compétition. ♦ Famille du mot : parier, parieur.

parier verbe ▸ conjug. 10
❶ Faire un pari. *Je **parie** cinq dollars que je serai arrivé avant toi.* **SYN** gager. ❷ Prédire, affirmer quelque chose. *Je te **parie** qu'il arrivera en retard.*

parieur, parieuse nom
Personne qui parie de l'argent. *Les **parieurs** suivent les chevaux avec des jumelles.*

parité nom féminin
Égalité. *Ce syndicat réclame la **parité** des salaires entre les hommes et les femmes.* **CONTR** disparité.

se **parjurer** verbe ▸ conjug. 3
Faire un faux serment.

parka nom masculin ou féminin
Manteau court à capuchon, en tissu imperméable et souvent doublé de duvet ou de fourrure. *Avec ce (cette) **parka**, tu es paré contre le froid.*

parlant, parlante adjectif
Qui exprime quelque chose de façon convaincante. *Son commerce marche très bien, les bénéfices qu'il a réalisés sont **parlants**.* **SYN** éloquent.

parlement nom masculin
❶ Ensemble des parlementaires qui discutent et votent les lois. *Le **Parlement** n'a pas adopté ce projet de loi.* ❷ Édifice où siègent les parlementaires. *Le **parlement** de Québec.* ✎ Attention ! Au sens 1, *Parlement* s'écrit avec une majuscule.

parlementaire adjectif
Qui concerne le Parlement. *Les journalistes ont fait le bilan de la session **parlementaire**.* ■ **parlementaire** nom ❶ Membre du Parlement (député, députée ou sénateur, sénatrice). ❷ Personne envoyée afin de parlementer. *Le général a reçu les **parlementaires** de l'armée ennemie.*

parlementer verbe ▸ conjug. 3
Discuter dans le but de trouver un accord. *Les autorités **parlementent** avec les terroristes pour obtenir la libération des otages.* **SYN** négocier.

parler verbe ▸ conjug. 3
❶ Utiliser des mots pour s'exprimer et communiquer. *La petite sœur de Paolo commence à peine à **parler**.* ❷ Savoir s'exprimer dans une langue. *C'est un touriste japonais, mais il **parle** très bien le français.* ❸ Se faire comprendre. *Les muets **parlent** par gestes.* ❹ Converser avec quelqu'un. *Dina **parle** avec son ami.* ❺ Avoir un projet ou une intention. *Les parents de Jérémie **parlent** de déménager.* ❻ Faire des aveux. *Le voleur **a parlé** : il a donné le nom de sa complice.* ♦ Famille du mot : franc-parler, haut-parleur, parlant, parleur, parloir, parlote, reparler.

parleur, parleuse nom
• **Beau parleur :** personne qui parle beaucoup mais qui n'agit pas.

parloir nom masculin
Salle où l'on reçoit les visiteurs pour parler avec eux. *Le **parloir** d'une prison.*

parlote nom féminin
Dans la langue familière, bavardage. *Anaïs a de la **parlote** : elle est au téléphone depuis une heure.* ✎ On écrit aussi ***parlotte***.

parmesan nom masculin
Fromage italien à pâte dure. *J'ai saupoudré les pâtes de **parmesan** râpé.*

parmi préposition
Au nombre de. *Il y a beaucoup d'enfants **parmi** les visiteurs de ce musée.* **SYN** au milieu de.

parodie nom féminin
Imitation amusante. *Cette humoriste excelle dans les **parodies** de politiciens et politiciennes.*

parodier verbe ▸ conjug. 10
Imiter quelqu'un ou quelque chose pour s'en moquer. *Dans ses sketchs, cet imitateur **parodie** des gens célèbres.*

paroi nom féminin
❶ Versant vertical et abrupt d'un rocher. *Les alpinistes ont escaladé la **paroi** sud de la montagne.* ❷ Face latérale d'un objet ou surface intérieure d'un endroit. *Ces deux bureaux sont séparés par une **paroi** de verre.*

paroisse nom féminin
Territoire dont un religieux a la charge. *Le curé de la **paroisse** a organisé une collecte de vêtements.* ♦ Famille du mot : paroissial, paroissien.

paroissial, paroissiale, paroissiaux adjectif
De la paroisse. *Les joueurs de bingo se réunissent une fois par semaine dans la salle **paroissiale**.*

paroissien, paroissienne nom
Personne qui fait partie d'une paroisse. *Le curé accueille ses **paroissiens**.*

*Une **paroi** rocheuse*

parole nom féminin
❶ Faculté de s'exprimer et de communiquer par le langage. *Contrairement aux humains, les animaux ne sont pas doués de la **parole**.* ❷ Mot ou phrase que l'on dit. *L'entraîneur a adressé quelques **paroles** d'encouragement à son équipe.* ❸ Promesse que l'on fait oralement. *Je n'oublierai pas de t'écrire, je t'en donne ma **parole**.* **SYN** engagement.
• **Prendre la parole :** commencer à parler.
• **Passer la parole à quelqu'un :** se taire pour qu'il puisse parler à son tour. • **Couper la parole à quelqu'un :** l'interrompre pendant qu'il parle. • **Croire quelqu'un sur parole :** croire ce qu'il dit sans avoir besoin de preuve.
• **Droit de parole :** autorisation de s'exprimer. *Les élèves ont eu tour à tour le **droit de parole**.* ■ **paroles** nom féminin pluriel Texte d'une chanson. *Je connais l'air de cette chanson, mais j'ai oublié les **paroles**.*
♦ Famille du mot : parolier, porte-parole.

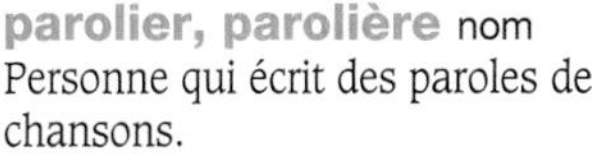

parolier, parolière nom
Personne qui écrit des paroles de chansons.

paronyme nom masculin
Mot semblable à un autre, mais de sens très différent. *« Avènement » et « évènement » sont des **paronymes**.*

paroxysme nom masculin
Moment le plus violent d'un évènement ou d'un sentiment. *Quand le vent s'est levé, l'incendie a atteint son **paroxysme**. Leur fébrilité est à son **paroxysme**.* **SYN** maximum.

parquer verbe ▸ conjug. 3
Mettre dans un endroit fermé ou clôturé. *Le fermier **a parqué** ses moutons pour la nuit.*

parquet nom masculin
Sol constitué de lames de bois assemblées. *Vernir un **parquet**.* **SYN** plancher.

parrain nom masculin
Homme qui s'engage à veiller sur un enfant lors de son baptême. *Le **parrain** et la marraine de Mathilde sont des amis de ses parents.* ✻ Chercher aussi *filleul*.

a b c d e f g h i j k l m n o p q r s t u v w x y z

parrainer verbe ▸ conjug. 3
Financer un club, une association. *Cet homme d'affaires* ***parraine*** *l'équipe de football de la ville.* SYN commanditer.

parsemer verbe ▸ conjug. 8
Être répandu un peu partout. *Les feuilles mortes* ***parsèment*** *les pelouses.* SYN joncher.

part nom féminin
Partie séparée d'un tout. *Ma mère a coupé huit* ***parts*** *de tarte.* • **À part**: à l'écart. *Ne mélange pas tes affaires avec celles de ton frère, mets-les* ***à part****.* • **À part quelqu'un** ou **quelque chose**: sauf. *Tout le monde est venu,* ***à part*** *Franco.* SYN excepté, hormis. • **De la part de quelqu'un**: qui vient de cette personne. *C'est un cadeau* ***de la part d'****Alexia.* • **De part et d'autre**: de chaque côté. *Il y a des rosiers* ***de part et d'autre*** *de l'entrée.* • **D'une part..., d'autre part**: d'un côté... et de l'autre. *Il vaut mieux partir:* ***d'une part****, il est tard,* ***d'autre part****, tu es fatigué.* • **Faire part de quelque chose à quelqu'un**: le lui dire. *Nous sommes heureux de vous* ***faire part de*** *notre mariage.* • **Prendre part à quelque chose**: y participer. • **Pour ma part**: en ce qui me concerne. • **Autre part**: dans un autre endroit. SYN ailleurs. • **Nulle part**: dans aucun endroit. CONTR partout. • **Quelque part**: à un certain endroit. • **À part entière**: totalement, entièrement. *Elle entend être citoyenne* ***à part entière****.* ♦ Famille du mot: départager, partage, partager, quote-part. * Ne pas confondre *part* et *par*.

partage nom masculin
Action de partager. *Les pirates ont fait le* ***partage*** *du butin.*

partager verbe ▸ conjug. 5
❶ Diviser en plusieurs parts. *Les associés* ***ont partagé*** *les bénéfices.* ❷ Donner une partie de ce qui nous appartient. *Il* ***a partagé*** *sa collation avec moi.* ❸ Avoir quelque chose en commun avec quelqu'un. *Loïc et Ève* ***partagent*** *la même passion pour la musique.*

partance nom féminin
• **En partance**: sur le point de partir. *Les passagers* ***en partance*** *pour Madrid doivent se présenter à la porte numéro quatre.*

partant, partante adjectif
• **Être partant**: être d'accord pour faire quelque chose. *Qui* ***est partant*** *pour un pique-nique?*

partenaire nom
Personne à laquelle on est associé. *Pour gagner ce match, tu dois faire confiance à tes* ***partenaires****.*

partenariat nom masculin
Association entre des partenaires dans le but de réaliser un projet. *La Ville et cette école de musique ont conclu un* ***partenariat*** *pour organiser un festival de la chanson.*

parterre nom masculin
❶ Partie d'un jardin où l'on cultive des fleurs, des plantes ornementales. *Des* ***parterres*** *de tulipes ornaient les pelouses du parc.* * Chercher aussi *massif*, *plate-bande*.
❷ Rez-de-chaussée d'une salle de spectacle.
* Attention! Dans ces sens, *parterre* s'écrit en un seul mot. * Chercher aussi *balcon*, *loge*, *orchestre*.

Un **parterre**

parti nom masculin
• **Parti politique**: groupe ou association de personnes qui poursuivent le même but politique. • **En prendre son parti**: accepter les choses comme elles sont. • **Parti pris**: attitude d'une personne qui a une idée préconçue. *Tu lui donnes toujours tort, c'est un* ***parti pris****.* SYN préjugé. • **Prendre le parti de quelqu'un**: le soutenir. • **Prendre parti**: se décider pour ou contre quelque chose. • **Tirer parti de quelque chose**: savoir l'utiliser le mieux possible.
♦ Famille du mot: impartial, impartialité, partial, partialité. * Ne pas confondre *parti* et *partie*.

partial, partiale, partiaux adjectif
Qui a un parti pris injuste. *Je ne discute plus de cette affaire avec toi, car tu es trop* ***partial****.* SYN injuste, subjectif. CONTR impartial, objectif.
* Attention! Le *t* du mot *partial* se prononce comme un *s*. * Ne pas confondre *partial* et *partiel*.

partialité nom féminin
Attitude d'une personne partiale, injuste. *Elle prétend que notre équipe a perdu à cause de la* ***partialité*** *de l'arbitre.* CONTR impartialité, objectivité. * Attention! Le premier *t* du mot *partialité* se prononce comme un *s*.

participant, participante nom
Personne qui participe à quelque chose. *Tous les **participants** du marathon ont pris le départ.*

participation nom féminin
Action de participer. *Le directeur a remercié les parents pour leur **participation** à l'organisation de la fête de l'école.*
SYN collaboration, concours, coopération.

participe nom masculin
Une des formes impersonnelles du verbe. *« Jouant » est le **participe** présent du verbe « jouer » et « joué » est son **participe** passé.* * Chercher aussi *impératif, indicatif, infinitif, subjonctif.*

participer verbe ▸ conjug. 3
Se joindre à d'autres personnes pour faire quelque chose avec elles. ***Participer** à un concours, à une fête, à un jeu.* **SYN** contribuer, coopérer. ♦ Famille du mot : participant, participation.

particularité nom féminin
Caractère particulier. *Plusieurs mammifères comme les baleines ont la **particularité** de vivre dans l'eau.* **SYN** caractéristique.

particule nom féminin
Minuscule partie d'une matière. *L'établi du menuisier est couvert de **particules** de bois.*

particulier, particulière adjectif
❶ Qui différencie une personne ou une chose des autres. *Ces fruits exotiques ont un goût **particulier**.* **SYN** spécial, unique. **CONTR** banal, ordinaire. ❷ Qui ne concerne qu'une seule personne. *Shuang suit des cours **particuliers** de français.* **SYN** individuel. ■ **particulier** nom masculin Personne qui est considérée individuellement, en dehors d'un groupe. *Cet immeuble appartient à une société et non à un **particulier**.* ■ *en* **particulier** adverbe ❶ Particulièrement. *Cora adore les desserts, **en particulier** la tarte aux bleuets.* ❷ Seul à seul. *J'ai pu lui parler **en particulier**.* **SYN** en privé. ♦ Famille du mot : particularité, particulièrement.

particulièrement adverbe
❶ De façon particulière, spéciale. *Guillaume aime la musique, **particulièrement** le rock.* **SYN** en particulier, surtout. ❷ Très. *Il fait **particulièrement** chaud aujourd'hui.*

partie nom féminin
❶ Morceau d'un tout, d'un ensemble. *Je n'ai vu que la dernière **partie** du film.* ❷ Durée d'un jeu. *Xavier et Noémie ont fait une **partie** de ping-pong.* ❸ Chaque personne qui est engagée dans un procès. *L'avocat de la défense a attaqué la **partie** adverse.* ❹ Divertissement qui se pratique à plusieurs. *Une **partie** de pêche. Une **partie** de sucre.* • **Faire partie de quelque chose** : être un membre, un élément d'un groupe. *Il **fait partie d'**un orchestre de jazz.* • **Prendre quelqu'un à partie** : s'attaquer à lui. ♦ Famille du mot : partiel, partiellement. * Ne pas confondre *partie* et *parti*.

partiel, partielle adjectif
Qui ne représente qu'une partie d'un ensemble. *Les journalistes n'ont que des renseignements **partiels** sur cette catastrophe.* • **À temps partiel** : se dit d'un travail qui comporte un horaire inférieur aux heures normales de travail, mais qui s'effectue sur une base régulière. **SYN** à mi-temps. * Attention ! Le *t* du mot *partiel* se prononce comme un *s*. * Ne pas confondre *partiel* et *partial*.

partiellement adverbe
De façon partielle. *Cet immeuble a été **partiellement** détruit par un incendie.* **CONTR** complètement, entièrement, totalement. * Attention ! Le premier *t* du mot *partiellement* se prononce comme un *s*.

partir verbe ▸ conjug. 15
❶ Quitter un lieu. *Nous **partons** demain en vacances.* **CONTR** arriver, rester. ❷ Avoir comme origine, comme point de départ. *L'autobus **partira** de Québec à huit heures. Toute l'affaire **est partie** d'un malentendu.* **CONTR** aboutir. ❸ Disparaître. *Cette tache de graisse **partira** au lavage.* ❹ Être lancé. *Les fusées du feu d'artifice **sont parties** dans une succession ininterrompue.* • **À partir de** : indique le point de départ. *Les cours de tennis commencent **à partir de** demain. Nous avons roulé sous la neige **à partir de** Boucherville.* * Attention ! *Partir* se conjugue avec l'auxiliaire *être*. ♦ Famille du mot : départ, partance, partant, repartir.

partisan, partisane nom
❶ Personne qui défend les idées d'une autre personne, d'un groupe ou d'un parti. *Ses **partisans** ont fêté son élection.* **SYN** adepte. **CONTR** adversaire. ❷ Personne qui encourage, qui soutient une équipe sportive. *Laurent ne joue pas au soccer, mais c'est un **partisan** de notre équipe.* ■ **partisan, partisane** adjectif ❶ Qui est partial, subjectif. *Une analyse **partisane**.* ❷ Qui défend telle solution. *La nuit tombe, je suis **partisan** de rentrer.*

a b c d e f g h i j k l m n o **p** q r s t u v w x y z

a b c d e f g h i j k l m n o p q r s t u v w x y z

partition nom féminin
Morceau de musique écrit pour un instrument. *Il connaît par cœur ce morceau de piano et il peut le jouer sans la* ***partition****.*

partout adverbe
Dans tous les endroits. *Adam a mis des affiches* ***partout*** *dans sa chambre.* **CONTR** nulle part.

parure nom féminin
Assortiment de beaux bijoux. *Pour la réception, elle portait une* ***parure*** *de diamants.*

Une ***parure***

parution nom féminin
Publication d'un texte. *La* ***parution*** *de ce roman est prévue pour le mois prochain.*

parvenir verbe ▸ conjug. 19
❶ Arriver à sa destination. *Ma lettre* ***parviendra*** *à Katia dans quelques jours.* ❷ Réussir après beaucoup d'efforts. *Les alpinistes* ***sont parvenus*** *à gravir la paroi.*

parvenu, parvenue nom
Personne qui s'est enrichie rapidement et qui étale sa richesse.

parvis nom masculin
Place située devant la façade d'une église ou devant un grand bâtiment public. *On a pris des photos des mariés sur le* ***parvis*** *de la cathédrale.* 👁p. 170. * Attention ! Le *s* du mot *parvis* ne se prononce pas. * Chercher aussi *esplanade*.

① **pas** adverbe
En relation avec « ne » ou « n' », sert à exprimer la négation. *Emma* ***ne*** *veut* ***pas*** *venir. Juan* ***n'****écoute* ***pas*** *ce qu'on lui dit.*

② **pas** nom masculin
❶ Mouvement que l'on fait en marchant. *La petite sœur de Josh commence à faire ses premiers* ***pas****.* ❷ Façon de marcher. *Marcher à grands* ***pas****.* **SYN** enjambée. ❸ Trace de pied. *La détective examine les* ***pas*** *dans la boue.* • **À deux pas :** tout près. *J'habite* ***à deux pas*** *de l'école.* • **Au pas :** à la même cadence. *Le régiment défile* ***au pas****.* • **Faire le premier pas :** prendre l'initiative. • **Faire les cent pas :** marcher de long en large avec impatience. • **Faux pas :** erreur, maladresse. • **Mauvais pas :** situation difficile. • **Pas à pas :** lentement et prudemment. *Ils avançaient* ***pas à pas*** *sur le sentier escarpé.* • **À pas de loup :** en marchant lentement et silencieusement.

passable adjectif
Qui est tout juste satisfaisant. *En math, ses résultats sont* ***passables****.* **SYN** acceptable, convenable, moyen. **CONTR** excellent, remarquable.

passage nom masculin
❶ Action de passer. *Vous gênez le* ***passage*** *des spectateurs qui se dirigent vers la sortie.* ❷ Endroit par où l'on peut passer. *J'essaie de trouver un* ***passage*** *dans la foule.* ❸ Extrait d'un texte, d'un film ou d'une musique. *Je ne connais que quelques* ***passages*** *de ce poème.* • **Au passage :** en passant. *Si tu vas au dépanneur, prends du lait* ***au passage****.* • **De passage :** qui reste très peu de temps quelque part. • **Passage à niveau :** endroit où une voie ferrée et une route se croisent. • **Passage pour piétons :** endroit d'une rue où les piétons peuvent traverser.

Un ***passage*** *pour piétons*

① **passager, passagère** adjectif
Qui ne dure que peu de temps. *Il fait beau, ce n'était qu'une petite pluie* ***passagère****.* **SYN** court, momentané. **CONTR** durable.

② **passager, passagère** nom
Personne qui fait usage d'un moyen de transport. *Les* ***passagers*** *du traversier attendent sur le quai pour embarquer.*

① **passant, passante** adjectif
Où il passe beaucoup de monde. *Cette rue est très* ***passante****.* **SYN** fréquenté.

② passant, passante nom
Personne qui passe à pied dans la rue. *J'ai demandé à des **passants** de m'indiquer le chemin du musée.* * Chercher aussi *piéton*.

passe nom féminin
Action de passer le ballon ou la rondelle à un joueur de son équipe. *Les deux joueurs de hockey se font des **passes**.* • **En passe de :** sur le point de. *Ce chanteur est **en passe de** devenir célèbre.* • **Mot de passe :** mot secret que l'on doit connaître si l'on veut entrer quelque part ou ensemble de caractères qui donne à un utilisateur l'accès à un service. • **Une bonne** ou **une mauvaise passe :** une période heureuse ou malheureuse.

passé nom masculin
Temps, époque, période qui se situe avant. *Nos traditions viennent du **passé**.* * Chercher aussi *présent, avenir. Quand on écrit « il venait », « il est venu », on emploie des temps de verbes qui expriment l'idée du **passé**.* • **Passé composé :** temps de verbe qui exprime un fait terminé dans le passé. * Chercher aussi *futur, présent*. ■ **passé, passée** adjectif Qui a existé ou qui s'est déroulé avant le moment présent. *J'ai fait leur connaissance l'année **passée**.*

passe-droit nom masculin
Privilège accordé à quelqu'un au détriment d'autres personnes. *Cette femme influente accorde des **passe-droits** à ses amis.*

passe-montagne nom masculin
Bonnet qui enveloppe la tête et ne laisse que le visage découvert. SYN cagoule. ✎ Pluriel : *des **passe-montagnes***.

passe-partout nom masculin invariable
Clé spéciale permettant d'ouvrir plusieurs types de serrures. *Le serrurier a ouvert ma porte avec un **passe-partout** quand j'ai perdu mes clés.* ✎ On peut écrire aussi *un **passepartout**, des **passepartouts***. ■ **passe-partout** adjectif invariable Qui convient en toutes circonstances. *Il a mis une tenue **passe-partout** pour ne pas se faire remarquer.* ✎ On peut écrire aussi ***passepartout***.

Un **passereau**

passe-passe nom masculin invariable
• **Tour de passe-passe :** tour d'adresse qui consiste à faire disparaître un objet et à le faire réapparaître. Au sens figuré, tromperie habile. ✎ On peut écrire aussi ***passepasse***.

passeport nom masculin
Document confirmant l'identité d'une personne et lui permettant d'aller à l'étranger.

passer verbe ▸ conjug. 3
❶ Se déplacer d'un lieu à un autre sans s'arrêter. *Des voitures **passent** à toute allure sur l'autoroute.* ❷ Aller à un endroit momentanément. *Karine **a passé** la journée au chalet.* ❸ Traverser un lieu ou suivre tel chemin. *Pour aller au lac, il faut **passer** par le bois.* ❹ S'écouler ou se dérouler. *Je trouve que les vacances **passent** trop vite.* ❺ Employer son temps. *Il **a passé** la soirée à regarder la télévision.* ❻ Répondre à des questions écrites ou orales à un examen. ***Passer** un examen de mathématique.* ❼ Diffuser un film, une émission, etc. *Hier, on **a passé** un très bon film policier à la télévision.* ❽ Disparaître peu à peu. *Avec ces comprimés, ton mal de dents va **passer**.* ❾ Prêter. *J'ai froid, peux-tu me **passer** une veste ?* ❿ Filtrer ou tamiser une substance. ***Passer** une sauce pour enlever les grumeaux.* ⓫ Perdre de son intensité, en parlant d'une couleur. *Cette robe bleue **a passé** au soleil.* • **Passer pour :** avoir telle réputation. *Stéphanie **passe pour** la meilleure skieuse de l'équipe.* ✎ Attention ! Le verbe *passer* se conjugue tantôt avec l'auxiliaire *être* (*je **suis passé** à Mascouche*), tantôt avec l'auxiliaire *avoir* (*j'**ai passé** une bonne soirée*). ■ *se* **passer :** avoir lieu ou se dérouler. *L'histoire **se passe** dans un vaisseau spatial.* • **Se passer de quelque chose :** s'en priver. *Je peux **me passer de** dessert s'il n'y en a plus.* ♦ Famille du mot : passable, passage, passager, passant, passe, passé, passe-droit, passe-montagne, passe-partout, passe-passe, passeport, passerelle, passe-temps, passeur, passoire.

passereau, passereaux nom masculin
Espèce d'oiseaux de petite ou moyenne taille. *Le moineau, le merle, le corbeau sont des **passereaux**.*

a b c d e f g h i j k l m n o p q r s t u v w x y z

a b c d e f g h i j k l m n o p q r s t u v w x y z

passerelle nom féminin
❶ Pont étroit réservé aux piétons. *Une **passerelle** permet de traverser la voie ferrée.* ❷ Escalier mobile qui permet de monter à bord d'un bateau ou d'un avion. ❸ Plate-forme qui se trouve au-dessus des cabines d'un bateau. *Le commandant est sur la **passerelle**.* 👁p. 108.

passe-temps nom masculin invariable
Occupation pour passer agréablement le temps. *La pêche à la ligne est son **passe-temps** favori.* SYN distraction, divertissement. ✎ On peut écrire aussi ***passetemps***.

passeur, passeuse nom
❶ Personne qui fait traverser un cours d'eau quand il n'existe pas de pont. ❷ Personne qui fait passer clandestinement une frontière.

passible adjectif
• **Être passible de quelque chose :** le mériter. *Le stationnement est interdit devant l'école, vous **êtes passible d'**une contravention.*

passif, passive adjectif
Qui subit les choses sans réagir. *Éloi est resté **passif** malgré les reproches qu'on lui faisait.* SYN amorphe, indifférent, inerte. CONTR actif, dynamique, énergique. ♦ Famille du mot : passivement, passivité.

passion nom féminin
❶ Amour ardent pour quelqu'un. *Il aime sa femme avec **passion**.* ❷ Chose que l'on aime par-dessus tout. *Sa **passion**, c'est le théâtre.* • **Fruit de la passion :** fruit exotique au goût acidulé. ♦ Famille du mot : passionnant, passionné, passionnel, passionnément, passionner.

passionnant, passionnante adjectif
Qui passionne. *Il a vécu des aventures **passionnantes**.* SYN captivant, palpitant. CONTR ennuyant.

passionné, passionnée adjectif et nom
Qui aime quelque chose avec passion. *Un écologiste **passionné**. – Pia est une **passionnée** de musique.* SYN fervent.

passionnel, passionnelle adjectif
• **Crime passionnel :** crime commis par dépit amoureux ou par jalousie.

passionnément adverbe
Avec passion. *Elle aime ce chanteur **passionnément**.*

passionner verbe ▸ conjug. 3
Inspirer à quelqu'un un intérêt très vif. *Ce livre m'**a passionné**.* ■ *se* **passionner pour** : s'intéresser vivement. *Frédéric **se passionne pour** la planche à neige.*

passivement adverbe
De façon passive, sans intervenir. *Elle suit **passivement** la conversation.*

passivité nom féminin
État d'une personne passive. *Rachid attend avec **passivité** que quelqu'un l'aide à trouver la solution.*

passoire nom féminin
Récipient percé de trous, qui sert à égoutter ou à filtrer. *Gabriel égoutte les pâtes dans la **passoire**.*

pastel nom masculin
❶ Bâtonnet fait d'une pâte dure colorée. *Un portrait peint au **pastel**.* 👁p. 74. ❷ Œuvre exécutée avec ces bâtonnets. *Cette galerie d'art expose des **pastels**.* ■ **pastel** adjectif invariable Qui est d'une couleur claire et délicate. *Une robe bleu **pastel**.*

pastèque nom féminin
Gros fruit à écorce verte et à chair rose très juteuse. *Une tranche de **pastèque**.* SYN melon* d'eau.

*Une **pastèque***

pasteur nom masculin
Chez les protestants, personne qui dirige le culte. *Les fidèles se réunissent au temple pour écouter l'enseignement de leur **pasteur**.* * Chercher aussi *imam*, *prêtre*, *rabbin*.

pasteuriser verbe ▸ conjug. 3
Chauffer les aliments pour détruire les microbes qu'ils contiennent. *On **pasteurise** le lait pour le conserver plus longtemps.* * Chercher aussi *stériliser*.

pastiche nom masculin
Texte imitant la manière d'écrire d'un auteur.

pastille nom féminin
Petit bonbon ou médicament souvent rond et plat. *Des **pastilles** à la menthe.*

patate nom féminin
Dans la langue familière, pomme de terre. *Des **patates** bouillies.* • **Patates frites**: (pommes de terre) frites. • **Patate douce**: racine d'une plante tropicale au goût sucré. • **Être dans les patates**: dans la langue familière, être dans l'erreur, se tromper.

Une **patate** douce

pataugeoire nom féminin
Bassin peu profond pour les petits enfants. *Ma petite sœur s'amuse dans la **pataugeoire**.* **SYN** barboteuse.

patauger verbe ▶ conjug. 5
Marcher sur un sol boueux ou dans l'eau. *Les enfants s'amusent à **patauger** dans les flaques.*

pâte nom féminin
Mélange de farine et d'eau ou de lait que l'on pétrit généralement et que l'on fait cuire. *De la **pâte** à tarte.* • **Mettre la main à la pâte**: participer à l'exécution d'une tâche. • **Pâte à modeler**: matière molle que l'on peut pétrir pour faire des formes. 👁p 74. • **Pâte de fruits**: confiserie faite avec de la pulpe de fruits et du sucre. • **Pâte à papier**: bois réduit en pâte, qui sert à fabriquer le papier. ■ **pâtes (alimentaires)** nom féminin pluriel Aliment à base de semoule de blé. *Les nouilles, les spaghettis, les macaronis sont des **pâtes**.*

pâté nom masculin
Préparation faite de viande hachée assaisonnée, cuite au four, que l'on mange froide. *Du **pâté** de campagne, du **pâté** de foie.* **SYN** terrine. • **Pâté en croûte**: pâté de viande ou de poisson cuit dans une pâte. • **Pâté chinois**: mets composé de viande hachée, de maïs et de pommes de terre en purée disposés en couches superposées et cuit au four. • **Pâté de maisons**: ensemble de maisons formant un bloc délimité par des rues.

pâtée nom féminin
Mélange épais d'aliments dont on nourrit certains animaux. *De la **pâtée** pour chiens.*

patelin nom masculin
Dans la langue familière, petit village. *Ils vivent dans un **patelin** perdu dans la montagne.*

patente nom féminin
Dans la langue familière, objet quelconque dont on ignore le nom. *À quoi sert cette **patente**-là ?*

patenter verbe ▶ conjug. 3
Dans la langue familière, bricoler, fabriquer avec les moyens du bord. *Il **a patenté** un traîneau pour sa fille.*

patère nom féminin
Crochet fixé à un mur, sur lequel on accroche des vêtements.

paternel, paternelle adjectif
❶ Du père. *L'autorité **paternelle**.* ❷ Du côté du père. *Il ressemble à son grand-père **paternel**.* * Chercher aussi *maternel*.

paternité nom féminin
❶ Fait d'être père. *Depuis la naissance de sa fille, il a découvert les joies de la **paternité**.* * Chercher aussi *maternité*. ❷ Au sens figuré, fait d'être l'auteur de quelque chose. *Des savants américains revendiquent la **paternité** de cette découverte.*

pâteux, pâteuse adjectif
Qui a la consistance molle et collante de la pâte. *Cette purée est trop **pâteuse**.*

pathétique adjectif
Qui est triste et émouvant. *Ce film met en scène une histoire **pathétique**.* **SYN** bouleversant, dramatique, poignant.

pathologique adjectif
Qui est causé par une maladie. *Son mal de tête permanent est **pathologique**.*

patiemment adverbe
Avec patience. *Dans la salle d'attente, j'attends **patiemment** mon tour.* **SYN** calmement. **CONTR** impatiemment. * Attention ! Le premier *t* du mot *patiemment* se prononce comme un *s*. * Attention ! La terminaison *emment* se prononce *amant*.

patience nom féminin
❶ Qualité d'une personne qui sait attendre sans perdre son calme. *Pour être un bon pêcheur, il faut de la **patience**.* **CONTR** impatience. ❷ Qualité d'une personne qui va jusqu'au bout, sans se décourager. *Avec un peu de **patience**, tu arriveras à finir ce casse-tête.* **SYN** persévérance. ❸ Jeu de cartes auquel on joue tout seul. **SYN** réussite. * Attention ! Le *t* du mot *patience* se prononce comme un *s*.

① patient, patiente adjectif
❶ Qui fait preuve de patience. *L'enseignant est **patient** avec ses élèves.* CONTR impatient. ❷ Qui demande de la patience. *Cette scientifique a identifié le virus après de longues et **patientes** recherches.* * Attention ! Le premier *t* du mot *patient* se prononce comme un *s*. ♦ Famille du mot : impatiemment, impatience, impatient, s'impatienter, patiemment, patience, patienter.

② patient, patiente nom
Client d'un médecin. *Le chirurgien opère un de ses **patients**.* * Attention ! Le premier *t* du mot *patient* se prononce comme un *s*.

patienter
verbe ▶ conjug. 3
Attendre avec patience. *Il **a patienté** deux heures avant de voir le médecin.* CONTR s'impatienter. * Attention ! Le premier *t* du verbe *patienter* se prononce comme un *s*.

patin nom masculin
Pièce mobile qui frotte sur une roue. *Les **patins** des freins d'une bicyclette.* • **Patin à glace :** chaussure équipée d'une lame en métal pour glisser sur la glace. 👁p. 526. • **Patin à roulettes :** chaussure munie de roulettes pour glisser sur le sol. • **Patin à roues alignées :** chaussure munie de roulettes disposées sur une même ligne, à la façon du patin à glace. • **Être vite sur ses patins :** dans la langue familière, réagir rapidement à une situation. • **Accrocher ses patins :** prendre sa retraite, mettre fin à une activité. ♦ Famille du mot : patinage, patiner, patineur, patinoire.

patinage nom masculin
Sport pratiqué avec des patins à glace, à roulettes ou à roues alignées. *Lyane fait du **patinage** artistique.*

patiner verbe ▶ conjug. 3
❶ Faire du patinage. *Le lac est gelé, nous allons pouvoir **patiner**.* ❷ Tourner ou glisser sans avancer. *Les roues de la voiture se sont mises à **patiner** sur le verglas.* ❸ Dans la langue familière, faire des détours pour éviter de répondre à une question. *Ma sœur **a patiné** quand mes parents lui ont demandé à quelle heure elle était rentrée.*

patineur, patineuse nom
Personne qui fait du patinage. *La **patineuse** glissait avec grâce et légèreté sur la glace.*

patinoire nom féminin
❶ Lieu aménagé pour le patinage. *Tous les samedis, Karim va à la **patinoire**.* 👁p. 526. * Chercher aussi *aréna*. ❷ Endroit très glissant. *Cette route est une véritable **patinoire**.*

patio nom masculin
Cour intérieure d'une maison. *Ma mère a installé le barbecue sur le **patio**.* * Attention ! Le *t* du mot *patio* peut aussi se prononcer comme un *s*.

Des **pâtisseries**

pâtisserie nom féminin
❶ Gâteau fait avec de la pâte sucrée, cuite au four. *Au dessert, nous avons eu le choix entre plusieurs **pâtisseries**.* ❷ Magasin où l'on fait et où l'on vend des pâtisseries.

pâtissier, pâtissière nom
Personne qui fait ou qui vend des pâtisseries.

patois nom masculin
Langue particulière à une région, dialecte. *Dans ce village, les personnes âgées se parlent en **patois**.*

patriarcat nom masculin
Système social d'organisation dans lequel le père exerce une influence de premier plan. * Chercher aussi *matriarcat*.

patriarche nom masculin
Vieil homme qui détient l'autorité dans une famille. *Tous respectent le **patriarche**.*

patrie nom féminin
Pays natal auquel on est très attaché. *Ce réfugié politique a dû fuir sa **patrie**.* * Chercher aussi *nation*. ♦ Famille du mot : compatriote, s'expatrier, patriote, patriotique, patriotisme, rapatriement, rapatrier.

patrimoine nom masculin
❶ Ensemble des biens et des richesses d'une famille. *Will et Ashley ont hérité du **patrimoine** de leurs parents.* ❷ Ensemble des richesses communes d'un peuple (arts, culture, traditions, etc.). *Le **patrimoine** culturel.*

patriote nom et adjectif
Qui aime beaucoup sa patrie et accepte de la servir. *Ces **patriotes** sont prêts à risquer leur vie pour défendre leur pays. – Mon frère est très **patriote**.*

patriotique adjectif
Qui est inspiré par le patriotisme. *L'hymne national canadien est un chant **patriotique**.*

patriotisme nom masculin
Amour de la patrie.

① **patron, patronne** nom
❶ Personne qui dirige une entreprise ou des employés. *Un **patron** d'usine. Une **patronne** d'auberge.* ❷ Dans la religion chrétienne, saint ou sainte considérés comme les protecteurs d'un lieu ou d'une catégorie de personnes. *Saint Nicolas est le **patron** des écoliers.* ♦ Famille du mot: patronage, patronal, patronat.

② **patron** nom masculin
Modèle en papier servant à faire un vêtement. *Julia s'est fait une robe d'après un **patron**.*

patronage nom masculin
Protection accordée par une personne ou une organisation. *L'inauguration du stade s'est déroulée sous le **patronage** du maire.*

patronal, patronale, patronaux adjectif
❶ Qui concerne tous les patrons d'entreprise. *La directrice de l'usine est allée à une réunion **patronale**.* ❷ Qui concerne un saint patron. *Une fête **patronale** est organisée en l'honneur de sainte Anne.*

patronat nom masculin
Ensemble des patrons. *Mme Bourgon est influente au sein du **patronat** provincial.*

patrouille nom féminin
Petit groupe de personnes chargées d'une mission. *Une **patrouille** de police fait des rondes dans le quartier.* • **Voiture de patrouille :** véhicule qui sert à patrouiller.

patrouiller verbe ▸ conjug. 3
Circuler en patrouille pour surveiller. *Des douaniers **patrouillent** le long de la frontière.*

patte nom féminin
Membre d'un animal. *L'ours s'est dressé sur ses **pattes** arrière. La plupart des insectes ont trois paires de **pattes**.*

pâturage nom masculin
Prairie où paît le bétail. *Les vaches vont au **pâturage**.* **SYN** herbage, pacage.

pâture nom féminin
Ce qui sert de nourriture à un animal. *L'hirondelle apporte la **pâture** à ses petits.*

paume nom féminin
Creux de la main. *Laurie serre quelques pièces de monnaie dans la **paume** de sa main.* **CONTR** dos.

paupière nom féminin
Membrane de peau mobile et bordée de cils qui protège l'œil.

paupiette nom féminin
Tranche de viande farcie, roulée et ficelée. *La bouchère prépare des **paupiettes** de veau.*

pattes de chat

patte de grenouille

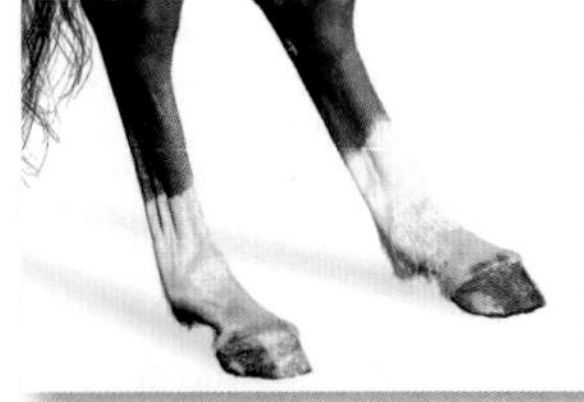
pattes de cheval

pattes de canard

pattes de criquet

pattes de crabe

*Diverses **pattes** d'animaux*

a b c d e f g h i j k l m n o **p** q r s t u v w x y z

pause nom féminin
Arrêt momentané qui permet de se reposer. *Après deux heures de marche, nous avons fait une petite* ***pause****.* * Ne pas confondre *pause* et *pose*.

pauvre adjectif et nom
❶ Qui n'a pas d'argent et manque du nécessaire pour vivre. *Ces gens* ***pauvres*** *vivent dans un taudis. – Cette association s'occupe des* ***pauvres*** *du quartier.* SYN indigent, miséreux, nécessiteux. CONTR aisé, nanti, riche. ❷ Qui inspire la pitié. *Le* ***pauvre*** *chien tremblait de froid.* SYN pitoyable. – *Le* ***pauvre****! Il est malade.* SYN malheureux. ■ **pauvre** adjectif Qui est improductif, n'a pas beaucoup de ressources. *Cette terre aride est très* ***pauvre****.* CONTR fertile, productif. ♦ Famille du mot: appauvrir, pauvrement, pauvreté.

pauvrement adverbe
D'une manière pauvre. *Cet homme vit* ***pauvrement*** *dans un petit appartement.*

pauvreté nom féminin
État d'une personne pauvre. *Depuis que leur mère est au chômage, ils vivent dans la* ***pauvreté****.* SYN dénuement. CONTR richesse.

pavage nom masculin
❶ Action de paver. *Le* ***pavage*** *du patio a pris deux jours.* ❷ Revêtement fait de pavés ou de dalles. *Le* ***pavage*** *du patio forme un dessin géométrique.* * Chercher aussi *carrelage, dallage*.

se **pavaner** verbe ▸ conjug. 3
Circuler de façon orgueilleuse pour se faire remarquer. *Il* ***se pavane*** *dans sa nouvelle voiture de sport.* SYN parader.

pavé nom masculin
Petit bloc de pierre taillée qui sert au revêtement des rues. *Olivier n'aime pas faire du vélo sur les* ***pavés****.*

paver verbe ▸ conjug. 3
Couvrir un sol avec des pavés ou des dalles. *On* ***a pavé*** *cette rue piétonne.*

pavillon nom masculin
❶ Édifice rattaché administrativement à un bâtiment principal. *Le* ***pavillon*** *de la Faculté des lettres de l'Université Laval.* ❷ Partie externe de l'oreille.

pavot nom masculin
Plante à fleurs blanches ou rouges que l'on cultive pour ses graines.

Une fleur de ***pavot***

payable adjectif
Qui doit être payé. *Le loyer de notre appartement est* ***payable*** *au début du mois.*

payant, payante adjectif
❶ Qu'il faut payer. *L'entrée du musée est* ***payante****.* CONTR gratuit. ❷ Qui rapporte de l'argent ou des avantages. *Ses efforts ont été* ***payants*** *puisqu'il a réussi son examen.*

paye ↠Voir **paie**

payement ↠Voir **paiement**

payer verbe ▸ conjug. 7
❶ Donner de l'argent en contrepartie de ce que l'on achète. *Il* ***a payé*** *ce pantalon cinquante dollars.* ❷ Donner à quelqu'un l'argent qui lui est dû en retour du travail accompli. *Les propriétaires* ***paieront*** *l'entrepreneur à la fin des travaux.* ❸ Dans la langue familière, offrir. *Mickaël* ***a payé*** *un baladeur MP3 à son amie.* ❹ Être profitable ou rentable. *Son travail* ***paie*** *bien.* ❺ Subir les conséquences d'un acte. *Il s'est moqué de moi, mais il me le* ***paiera****!* ♦ Famille du mot: impayé, paie, paiement, payable, payant, paye, payeur.

payeur, payeuse nom
Personne qui paye l'argent qu'elle doit. *Ce client est un bon* ***payeur****.*

pays nom masculin
❶ Territoire séparé des autres par des frontières et dirigé par un gouvernement. *Le Venezuela, le Brésil et l'Argentine sont des* ***pays*** *d'Amérique du Sud.* * Chercher aussi *État, nation, patrie*. ❷ Région géographique. *Si vous allez aux îles de la Madeleine, il faut goûter les spécialités du* ***pays****.* • **Avoir le mal du pays:** avoir la nostalgie de son lieu d'origine, de sa patrie. *Quand je pars en voyage longtemps, j'****ai le mal du pays****.* ♦ Famille du mot: dépaysement, dépayser, paysage, paysager, paysagiste.

paysage nom masculin
Étendue que l'on voit d'un endroit. *Les promeneurs s'arrêtaient pour admirer le* ***paysage****.* SYN panorama, site.

Un ***paysage***

paysager, paysagère adjectif
Qui tente de reproduire un effet de paysage naturel. *Un aménagement **paysager**.*

paysagiste nom
Personne qui dessine et aménage des jardins ou des parcs.

paysan, paysanne nom
Personne qui vit de la culture de la terre ou de l'élevage des animaux. *Cette ferme et ces champs de blé appartiennent à un riche **paysan**.* * Chercher aussi *agriculteur*, *cultivateur*, *habitant*. ■ **paysan, paysanne** adjectif Qui concerne les paysans ou la campagne. *C'est un citadin qui ne connaît rien à la vie **paysanne**.* **SYN** rural.

PDG nom invariable
Sigle de ***p**résident-**d**irecteur **g**énéral*, ***p**résidente-**d**irectrice **g**énérale*. *Il est **PDG** d'une compagnie de transport.* **SYN** patron.

péage nom masculin
❶ Somme d'argent qu'il faut payer pour passer à certains endroits. *Une autoroute à **péage**.* ❷ Endroit où l'on paye ce droit. *Le camion s'est arrêté au **péage**.*

peau, peaux nom féminin
❶ Enveloppe souple qui couvre le corps des humains et de certains animaux. *Elle utilise une crème pour hydrater sa **peau**. Un animal qui mue change de **peau**.* ❷ Cuir fait avec la peau tannée d'un animal. *Une veste en **peau** de mouton.* ❸ Enveloppe d'un fruit. *Fatima n'aime pas manger les pêches avec la **peau**.* * Chercher aussi *écorce*, *épluchure*, *pelure*, *zeste*. • **Être bien** ou **mal dans sa peau**: se sentir à l'aise ou mal à l'aise. • **N'avoir que la peau sur les os**: être extrêmement maigre. • **Se mettre dans la peau de quelqu'un**: imaginer que l'on est à sa place. *C'est un excellent acteur qui sait **se mettre dans la peau de** son personnage.* • **Risquer sa peau**: risquer sa vie.

peaufiner
verbe ▸ conjug. 3
Fignoler une œuvre, un travail.

pécari
nom masculin
Cochon sauvage d'Amérique.

Un **pécari**

peccadille nom féminin
Petite faute sans importance. *Tu ne vas pas te fâcher avec lui pour cette **peccadille**!*

① **pêche** nom féminin
❶ Action de pêcher des poissons. *Clément a remporté ce tournoi de **pêche**.* ❷ Poisson pêché. *La **pêche** a été bonne?* ♦ Famille du mot: pêcher, pêcheur, repêchage, repêcher.

② **pêche** nom féminin
Fruit du pêcher à noyau très dur, à peau veloutée et à chair juteuse. * Chercher aussi *nectarine*.

péché nom masculin
Faute que l'on commet en faisant ce qui est interdit par la religion. ♦ Famille du mot: pécher, pécheur.

pécher verbe ▸ conjug. 8
Commettre un péché. *Il regrette d'avoir **péché**.* ✎ On peut écrire aussi, au futur, *je **pècherai***; au conditionnel, *elle **pècherait***.

① **pêcher** verbe ▸ conjug. 3
Prendre du poisson. *Ce saumon **a été pêché** en Colombie-Britannique.*

② **pêcher** nom masculin
Arbre fruitier qui donne des pêches.

Un **pêcher**

pécheur, pécheresse nom
Personne qui a commis des péchés. ✎ On peut écrire aussi *un **pècheur***, *une **pècheresse***.

pêcheur, pêcheuse nom
Personne qui pêche. *Une **pêcheuse** de homards. Le **pêcheur** remonte ses filets.*

pectoral, pectorale, pectoraux adjectif
Relatif à la poitrine. *Une douleur **pectorale**.* ■ **pectoraux** nom masculin pluriel Muscles de la poitrine. *Il fait des haltères pour développer ses **pectoraux**.*

pécuniaire adjectif
Qui concerne l'argent. *Ils sont dans une situation **pécuniaire** difficile.* **SYN** financier.

pédagogie nom féminin
Science de l'éducation. *Si tu veux devenir professeure, tu devras étudier la **pédagogie**.* ♦ Famille du mot : pédagogique, pédagogue.

pédagogique adjectif
De la pédagogie. *Ces méthodes **pédagogiques** favorisent la coopération.*

pédagogue nom
Personne qui sait enseigner. *Cet enseignant est un excellent **pédagogue**.*

pédale nom féminin
Pièce qui fait fonctionner un mécanisme quand on appuie dessus avec le pied. *Les **pédales** d'un vélo.* 👁p. 117. • **Perdre les pédales :** dans la langue familière, perdre la tête. • **Mettre la pédale douce :** ralentir ses activités. *Elle a dû **mettre la pédale douce** après sa maladie.* ♦ Famille du mot : pédaler, pédalier, pédalo.

pédaler verbe ▸ conjug. 3
Appuyer sur les pédales. *C'est dur de **pédaler** dans les montées !*

pédalier nom masculin
Mécanisme composé des pédales, du pignon et des roues dentées d'une bicyclette. *Le **pédalier** fait tourner la chaîne d'un vélo.* 👁p. 117.

pédalo nom masculin
Petite embarcation munie de flotteurs que l'on fait avancer en pédalant. *On a loué un **pédalo** pour faire une promenade sur le lac.* * Pédalo est le nom d'une marque.

Des **pédalos**

pédestre adjectif
Que l'on fait à pied. *Une randonnée **pédestre**.*

pédiatre nom
Médecin qui soigne les enfants. *Elle va faire vacciner son bébé chez la **pédiatre**.*

pédiatrie nom féminin
Branche de la médecine concernant les enfants.

pédicure nom
Personne qui donne des soins de beauté aux pieds. * Chercher aussi *manucure*.

pédigrée nom masculin
Document qui indique et garantit l'origine d'un animal de race. *C'est un très beau chien, mais il n'a pas de **pédigrée**.*

pédoncule nom masculin
Petite queue qui rattache la fleur ou le fruit à la branche.

Un **pédoncule**

pédophile nom
Adulte qui a une attirance sexuelle pour les enfants. *Le **pédophile** a été arrêté.*

pègre nom féminin
Ensemble des voleurs, des escrocs et des criminels. *C'est un homme dangereux qui fait partie de la **pègre**.*

peigne nom masculin
Instrument à dents qui sert à démêler et à coiffer les cheveux. *Elle s'est donné un petit coup de **peigne** avant de sortir.* • **Passer au peigne fin :** contrôler minutieusement. *La police **a passé** la scène du crime **au peigne fin**.*

peigner verbe ▸ conjug. 3
Démêler et lisser les cheveux à l'aide d'un peigne. *Juliette **peigne** sa poupée.* **SYN** coiffer. ■ *se* **peigner** : se coiffer. *Il **s'est peigné** avec soin.* ♦ Famille du mot : dépeigner, peigne.

peignoir nom masculin
Vêtement ample qui se ferme devant avec une ceinture. *Un **peignoir** de bain.* **SYN** robe* de chambre.

peindre verbe ▸ conjug. 35
❶ Couvrir de peinture. *On **a peint** les murs du séjour en bleu.* **SYN** peinturer. ❷ Représenter des choses réelles ou imaginées en se servant de la peinture. *Comment s'appelle l'artiste qui **a peint** ce tableau ?* ❸ Décrire en parlant ou en écrivant. *Ce livre **peint** la vie d'une famille au temps de la Nouvelle-France.* ♦ Famille du mot : dépeindre, peintre, peinture, peinturer, repeindre.

peine nom féminin
❶ Souffrance morale. *Le départ de mes amis me fait de la **peine**.* SYN chagrin. CONTR joie, plaisir. ❷ Punition infligée par la justice à un coupable. *L'accusé a été condamné à une **peine** de prison.* • **Peine de mort** ou **peine capitale :** condamnation à mort prononcée par la justice. *La **peine de mort** est interdite au Canada.* ❸ Effort qu'il faut fournir pour faire ou obtenir quelque chose. *Ce travail lui a demandé beaucoup de **peine**.* • **Valoir la peine :** mériter que l'on se donne du mal. *N'allez pas voir ce film, cela n'en **vaut** pas **la peine**.* • **À peine :** presque pas ou depuis peu de temps. *L'orchestre est trop loin, on l'entend **à peine**. Je l'ai vu il y a **à peine** deux jours.* • **Ce n'est pas la peine :** c'est inutile. ***Ce n'est pas la peine** de crier, je t'entends très bien.* * Ne pas confondre *peine*, *pêne* et *penne*.

peiner verbe ▸ conjug. 3
❶ Causer de la peine. *La mort de mon chien m'**a** beaucoup **peiné**.* SYN affliger, attrister, chagriner. ❷ Avoir de la difficulté à faire quelque chose. *Les cyclistes **ont peiné** dans la côte.*

peintre nom
❶ Personne qui peint des murs, des bâtiments. *Un **peintre** rafraîchit la façade de l'immeuble.* ❷ Artiste qui peint des tableaux. *Alfred Pellan est un **peintre** célèbre.*

peinture nom féminin
❶ Matière liquide et colorante qui sert à peindre. *De la **peinture** à l'huile, de la **peinture** acrylique.* 👁p 74, 251. ❷ Art de peindre. *Tristan suit des cours de **peinture**.* ❸ Ouvrage d'un artiste peintre. *Elle expose ses **peintures** dans une galerie d'art de Québec.* SYN tableau.

De la **peinture**

peinturer verbe ▸ conjug. 3
Couvrir de peinture. *Ma mère va **peinturer** la cuisine en jaune.* SYN peindre.

péjoratif, péjorative adjectif
Qui exprime un jugement négatif, une critique. *« Braillard », « canaille » sont des mots **péjoratifs**.* CONTR mélioratif.

pékinois nom masculin
Petit chien à poils longs et à oreilles pendantes, dont le museau paraît écrasé.

Un **pékinois**

pelage nom masculin
Ensemble des poils d'un animal. *Un loup au **pelage** gris.*

pêle-mêle adverbe
En désordre, n'importe comment. *Il a mis quelques vêtements **pêle-mêle** dans son sac à dos.* SYN en vrac. ✎ On peut écrire aussi ***pêlemêle***.

peler verbe ▸ conjug. 8
❶ Enlever la peau d'un fruit. *Pour faire de la compote, il faut d'abord **peler** les pommes.* SYN éplucher. ❷ Avoir le dessus de la peau qui se détache par petits morceaux. *Antoine a un coup de soleil, son dos **pèle**.*

pèlerin nom masculin
Personne qui fait un pèlerinage. *De nombreux **pèlerins** vont prier à Sainte-Anne-de-Beaupré.*

pèlerinage nom masculin
Voyage que l'on fait pour aller prier dans un lieu saint. *Pour les musulmans, La Mecque est un lieu de **pèlerinage**.*

pélican nom masculin
Grand oiseau palmipède des régions chaudes, dont le bec en forme de poche lui permet d'accumuler de la nourriture pour ses petits.

Des **pélicans**

a b c d e f g h i j k l m n o p q r s t u v w x y z

pelisse nom féminin
Manteau doublé de fourrure.

pelle nom féminin
Outil formé d'une plaque munie d'un manche. *Les ouvriers sortent la terre de la tranchée avec leur **pelle**.* • **Pelle mécanique :** engin mécanique muni de roues ou de chenilles, qui sert à creuser ou à lever et déplacer des matériaux. * Chercher aussi *bouteur*, *excavatrice*. ♦ Famille du mot : pelletée, pelleter.

pelletée nom féminin
Contenu d'une pelle. *Il a jeté une **pelletée** de sel sur les marches verglacées.*

pelleter verbe ▸ conjug. 9
Déplacer avec une pelle. *Ma voisine m'a aidée à **pelleter** la neige.* • **Pelleter la neige dans la cour du voisin :** refiler un problème à quelqu'un d'autre. ✎ On peut écrire aussi, au présent, *je **pellète*** ; au futur, *elle **pellètera*** ; au conditionnel, *il **pellèterait***.

pellicule nom féminin
❶ Petite écaille de peau morte qui se détache du cuir chevelu. *Mon frère utilise un shampooing spécial contre les **pellicules**.* ❷ Couche fine d'une matière. *Les fenêtres sont couvertes d'une **pellicule** de givre.* ❸ Feuille mince couverte d'une substance sensible à la lumière. *Une **pellicule** cinématographique.* SYN film.

pelote nom féminin
❶ Boule formée d'un long fil enroulé sur lui-même. *J'ai acheté des **pelotes** de laine pour tricoter un foulard.* ❷ Petit coussin sur lequel on peut planter des aiguilles, des épingles.

peloton nom masculin
Groupe serré de personnes. *Le champion cycliste s'est détaché du **peloton**.*

*Un **peloton***

se **pelotonner** verbe ▸ conjug. 3
Se mettre en boule. *La chatte **s'est pelotonnée** sous la couette.* SYN se blottir.

pelouse nom féminin
Terrain couvert de gazon. *Tondre la **pelouse**.* * Chercher aussi *gazon* en plaques*.

peluche nom féminin
❶ Tissu à poils soyeux qui ressemble à de la fourrure. *Des animaux en **peluche**.* ❷ Animal en peluche. *Émilie a une collection de **peluches**.* SYN toutou. ■ **peluches** nom féminin pluriel Petits brins de tissu qui se détachent. *Ce torchon laisse des **peluches** sur les verres.*

*Un ourson en **peluche***

pelure nom féminin
Peau d'un fruit ou d'un légume qui a été pelé. *Composter des **pelures** de fruits.* SYN épluchure.

pénal, pénale, pénaux adjectif
Qui concerne les peines en cas de crime. *Les juges appliquent le code **pénal**.*

pénaliser verbe ▸ conjug. 3
❶ Infliger une peine à quelqu'un. *L'arbitre **a pénalisé** ce joueur pour sa rudesse.* SYN sanctionner. ❷ Désavantager quelqu'un. *Cette épreuve physique **pénalise** les candidats en mauvaise condition physique.*

pénalité nom féminin
Punition infligée à quelqu'un qui a agi contre les règles. *Cette hockeyeuse a eu une **pénalité**.*

pénates nom masculin pluriel
• **Regagner ses pénates :** rentrer chez soi.

penaud, penaude adjectif
Qui est honteux et confus. *Tommy se sent **penaud** d'avoir oublié d'aller chercher sa petite sœur.*

penchant nom masculin
Goût que l'on éprouve pour quelque chose ou pour quelqu'un. *Cet enfant semble avoir un **penchant** pour le dessin.* **SYN** inclination.

pencher verbe ▸ conjug. 3
❶ Incliner vers le bas. ***Pencher** la tête.* ❷ Ne pas être vertical ou en équilibre. *Émile a peur, car le bateau **penche**.* ■ *se* **pencher** : s'incliner. *Francis **se penche** pour cueillir des fleurs.* • **Se pencher sur quelque chose :** s'y intéresser. *Des chercheurs **se penchent sur** ce nouveau virus.*

pendaison nom féminin
Action de pendre quelqu'un ou de se pendre. *Autrefois, les assassins étaient condamnés à la **pendaison**.*

① **pendant** préposition
Indique le moment d'une action. *Ils se sont rencontrés **pendant** un voyage.* **SYN** au cours* de, durant. ■ **pendant que** conjonction Dans le même temps que. *Je mets la table **pendant que** tu réchauffes le plat.* **SYN** alors que, tandis que.

② **pendant, pendante** adjectif
Qui pend. *Les épagneuls ont les oreilles **pendantes**.*

pendentif nom masculin
Bijou suspendu à une chaîne. *Julie porte une perle en **pendentif**.*

*Un **pendentif***

penderie nom féminin
Placard dans lequel on suspend des vêtements. *J'ai accroché mon manteau dans la **penderie**.* * Chercher aussi *garde-robe*.

pendre verbe ▸ conjug. 31
❶ Être accroché par le haut. *Une ampoule **pend** au plafond.* ❷ Suspendre quelque chose. *Linh **pend** son manteau à la patère.* ❸ Faire mourir quelqu'un en le suspendant par le cou avec une corde. *Jadis, on **pendait** les condamnés à mort.* • **Être pendu aux lèvres de quelqu'un :** l'écouter avec intérêt, avec attention. • **Avoir la langue bien pendue :** aimer parler, être bavard. ♦ Famille du mot : pendaison, pendant, pendentif, penderie, pendu, suspendre, suspendu.

pendu, pendue nom
Personne morte par pendaison.

① **pendule** nom masculin
Objet suspendu à un fil et qui oscille.

② **pendule** nom féminin
Petite horloge accrochée au mur ou posée sur un meuble.

*Une **pendule***

pêne nom masculin
Pièce d'une serrure qui se déplace quand on tourne la clé. * Ne pas confondre *pêne*, *peine* et *penne*.

pénétrant, pénétrante adjectif
❶ Qui pénètre, transperce. *Un froid **pénétrant**.* ❷ Qui est puissant, fort. *Cette fleur dégage un parfum **pénétrant**.* ❸ Au sens figuré, qui est aigu et perçant. *Un regard **pénétrant**.*

pénétration nom féminin
Action de pénétrer. *La **pénétration** de la flèche dans la cible.*

pénétrer verbe ▸ conjug. 8
❶ Entrer dans un lieu. *Avant de **pénétrer** dans une mosquée, les musulmans retirent leurs chaussures.* ❷ Au sens figuré, parvenir à comprendre. *Le détective **a pénétré** le mystère.* ✎ On peut écrire aussi, au futur, *je **pénètrerai***; au conditionnel, *elle **pénètrerait**.* ♦ Famille du mot : impénétrable, pénétrant, pénétration.

pénible adjectif
❶ Qui se fait avec de la peine, des efforts. *Défoncer la chaussée au marteau-piqueur est un travail **pénible**.* **SYN** épuisant. **CONTR** aisé, facile. ❷ Qui cause de la peine, du chagrin. *L'accident d'Erika est une nouvelle **pénible**.* **SYN** affligeant, triste. ❸ Difficile à supporter. *C'est une situation **pénible**.*

a b c d e f g h i j k l m n o p q r s t u v w x y z

péniblement adverbe
Avec peine. *Arnaud marche **péniblement** avec ses béquilles.* SYN difficilement. CONTR aisément, facilement.

péniche nom féminin
Long bateau à fond plat qui sert au transport des marchandises sur les cours d'eau.
* Chercher aussi *batelier, marinier.*

pénicilline nom féminin
Antibiotique qui combat les infections.

péninsule nom féminin
Grande presqu'île. *La Gaspésie est une **péninsule**.* * Chercher aussi *isthme.*

pénis nom masculin
Organe génital de l'homme et des animaux mâles. SYN verge. * Attention ! Le *s* du mot *pénis* se prononce.

pénitence nom féminin
Punition. *Comme **pénitence**, Julien a été privé de télévision.* ♦ Famille du mot : pénitencier, pénitentiaire.

pénitencier nom masculin
Prison.

pénitentiaire adjectif
Relatif à la prison. *Un établissement **pénitentiaire**.* * Attention ! Le deuxième *t* de *pénitentiaire* se prononce comme un *s*.

penne nom féminin
Grande plume des ailes et de la queue d'un oiseau. * Ne pas confondre *penne*, *peine* et *pêne*.

pénombre nom féminin
Lumière faible et douce. *Chang a tiré les rideaux de sa chambre et se repose dans la **pénombre**.*

pensable adjectif
Que l'on peut imaginer. *La puissance de cet engin est à peine **pensable**.* SYN envisageable, imaginable. CONTR impensable.

pense-bête nom masculin
Moyen employé pour se rappeler quelque chose. *Pour ne pas oublier les anniversaires de la famille, Édouard s'est fait un **pense-bête**.*
✎ Pluriel : *des **pense-bêtes**.*

① **pensée** nom féminin
❶ Faculté de penser, de réfléchir. *Je serai demain avec toi par la **pensée**.* SYN esprit. ❷ Ce que l'on pense. *Elle ne laisse jamais deviner ses **pensées**.* SYN idée, opinion.

② **pensée** nom féminin
Fleur diversement colorée, aux larges pétales veloutés.

penser verbe ▸ conjug. 3
❶ Concevoir des idées et des jugements dans son esprit. *Il importe de **penser** avant d'agir.* SYN réfléchir. ❷ Avoir dans l'esprit. *Je **pensais** justement à toi.* ❸ Avoir telle opinion. *Je **pense** qu'elle a raison.* SYN croire, estimer. ❹ Avoir un projet, une intention. *Nous **pensons** partir demain.* SYN envisager, projeter. ❺ Ne pas oublier. ***Pense** à prendre ton parapluie, il risque de pleuvoir.* ♦ Famille du mot : arrière-pensée, impensable, pensable, pense-bête, pensée, penseur, pensif.

penseur, penseuse nom
Personne qui pense et réfléchit sur les grands problèmes de la vie. *Ce savant est un grand **penseur**.*

pensif, pensive adjectif
Qui est plongé dans ses pensées. *Malika regarde dehors d'un air **pensif**.* SYN méditatif, songeur.

① **pension** nom féminin
Somme d'argent payée régulièrement à une personne. *Ces retraités touchent une **pension**.* * Chercher aussi *allocation*, *retraite*.
• **Pension alimentaire :** somme d'argent payée régulièrement par un conjoint ou une conjointe après une séparation ou un divorce.

② **pension** nom féminin
❶ Établissement scolaire qui accueille des pensionnaires. *L'année prochaine, Lina ira en **pension**.* SYN pensionnat. ❷ Prix d'une chambre et des repas dans un hôtel. • **Pension de famille :** sorte d'hôtel où l'hébergement et les repas rappellent la vie de famille. ♦ Famille du mot : pensionnaire, pensionnat.

pensionnaire nom
❶ Élève qui habite et prend ses repas dans l'établissement scolaire qu'il fréquente. *Ricardo sera **pensionnaire** l'année prochaine.* ❷ Personne qui paie une pension pour être nourrie et logée. *Les **pensionnaires** de l'auberge sont de tous âges.*

pensionnat nom masculin
Établissement scolaire qui accueille des pensionnaires. *Dans ce **pensionnat**, les élèves dorment dans des dortoirs.* SYN pension.

pentagone nom masculin
Figure géométrique qui a cinq côtés et cinq angles. 👁p. 484. * Attention ! La première syllabe du mot *pentagone* se prononce *pin*.

pente nom féminin
Terrain ou surface inclinés. *Nora a du mal à gravir la **pente** à vélo.* • **Remonter la pente :** aller mieux après une période difficile. *Mélanie était très malade, mais elle **remonte la pente**.*

pénurie nom féminin
Manque de ce qui est indispensable. *La **pénurie** de vivres et d'eau est dramatique dans cette région.* CONTR abondance.

pépère adjectif
Dans la langue familière, tranquille, paisible. *Hier, nous avons passé une soirée **pépère** à regarder la télévision.* ■ **pépère** nom masculin Dans la langue familière, grand-père. *Nous célébrerons bientôt les quatre-vingts ans de **pépère**.*

pépier verbe ▸ conjug. 10
Pousser de petits cris, en parlant des jeunes oiseaux.

① **pépin** nom masculin
Petite graine de certains fruits. *Les citrons, les pommes, les raisins ont des **pépins**.*
* Chercher aussi *noyau*.

② **pépin** nom masculin
Dans la langue familière, ennui. *On a eu des **pépins** sur la route : une crevaison et une panne d'essence !* SYN problème.

pépinière nom féminin
Terrain où sont plantés de jeunes arbres destinés à être replantés ailleurs.

Une **pépinière**

pépiniériste nom
Personne qui s'occupe d'une pépinière.
* Chercher aussi *arboriculteur, horticulteur, jardinier*.

pépite nom féminin
❶ Morceau d'or pur. *Des chercheurs d'or ont trouvé des **pépites** dans ce torrent.*
❷ Petit fragment d'un aliment. *Des **pépites** de chocolat.*

pepperoni nom masculin
Saucisson sec de porc et de bœuf, très relevé. *Une pizza au **pepperoni**.* ✎ On peut écrire aussi ***pepperoni***.

péquiste nom et adjectif
Membre du Parti québécois. *Les **péquistes**. – L'idéologie **péquiste**.*

perçage nom masculin
❶ Action de percer. *Le **perçage** d'une feuille avec un poinçon.* ❷ Perforation d'une partie du corps afin d'y introduire un bijou. *Elle s'est fait faire un **perçage** au nombril.* ❸ Bijou mis en place après la procédure de perçage. *Son **perçage** au sourcil est discret.*

perçant, perçante adjectif
❶ Qui est très aigu et fait mal aux oreilles. *Les cris **perçants** des enfants en train de jouer.* ❷ Qui est pénétrant. *Un regard **perçant**.*
• **Avoir une vue perçante :** avoir une très bonne vue.

percée nom féminin
❶ Ouverture qui permet un passage ou un point de vue. *Cette forêt est très dense, il faut trouver une **percée** pour y pénétrer.* SYN trouée.
❷ Action de pénétrer la défense de l'adversaire. *Les joueurs ont réussi une **percée** dans la défense adverse.* ❸ Développement important. *Une **percée** scientifique, une **percée** technologique.*

percement nom masculin
Action de percer. *Le **percement** d'un tunnel nécessite le recours à de gros engins.*

perce-neige nom masculin ou féminin invariable
Petite fleur blanche à clochettes qui pousse à la fin de l'hiver. ✎ On peut écrire aussi, au pluriel, *des **perce-neiges***.

Des **perce-neige**

perce-oreille nom masculin
Petit insecte dont l'abdomen se termine par une pince. ✎ Pluriel : *des **perce-oreilles**.*

Un **perce-oreille**

percepteur, perceptrice nom
Fonctionnaire chargé de percevoir l'impôt.

perceptible adjectif
Qui peut être perçu par les sens. *Cette étoile est **perceptible** à l'œil nu.* CONTR imperceptible.

perception nom féminin
❶ Fait de percevoir par les sens. *La **perception** des sons, des odeurs.* ❷ Opération par laquelle l'État perçoit l'impôt. ♦ Famille du mot : imperceptible, imperceptiblement, percepteur, perceptible, percevoir.

percer verbe ▸ conjug. 4
❶ Faire un trou ou une ouverture. ***Percer** un mur.* SYN ouvrir. ***Percer** un tunnel.* SYN creuser. ❷ Au sens figuré, comprendre ou découvrir quelque chose. ***Percer** un secret.* ❸ Passer au travers (de quelque chose). *Le soleil **perce** les nuages.* SYN transpercer. ♦ Famille du mot : perçage, perçant, percée, percement, perce-neige, perce-oreille, perceuse, transpercer.

perceuse nom féminin
Outil qui sert à percer des trous. *Ma mère a utilisé une **perceuse** pour fixer des étagères au mur.* * Chercher aussi *vilebrequin*.

percevoir verbe ▸ conjug. 21
❶ Connaître par les organes des sens. *Il a le nez bouché et ne **perçoit** plus les odeurs.* ❷ Saisir par l'esprit. *J'**ai perçu** une certaine colère dans ses propos.* ❸ Recevoir de l'argent. *Il **perçoit** son salaire à la fin du mois. L'État **perçoit** l'impôt et les taxes.*

perchaude nom féminin
Poisson d'eau douce dont la chair est appréciée.

Une **perchaude**

① **perche** nom féminin
Bâton long et mince. *Ces athlètes s'entraînent au saut à la **perche**.* • **Tendre la perche à quelqu'un :** l'aider à se tirer d'affaire.

② **perche** nom féminin
Au cinéma et à la télévision, longue tige mince à laquelle est fixé un micro.

se **percher** verbe ▸ conjug. 3
Se poser sur un endroit en hauteur. *Le chat **s'est perché** sur l'armoire.*
SYN se jucher.

Une **perchiste**

perchiste nom
❶ Athlète qui pratique le saut à la perche. ❷ Au cinéma et à la télévision, personne chargée de tenir la perche à son au-dessus de la personne qui parle.

perchoir nom masculin
Endroit où se perchent les oiseaux. *Les perruches sont sur le **perchoir** de leur cage.*

percolateur nom masculin
Machine qui sert à faire du café en grande quantité. *La patronne du café a mis son **percolateur** en marche.*

percussion nom féminin
• **À percussion :** se dit d'un instrument de musique que l'on frappe pour en jouer. *La batterie, le tambour et les cymbales sont des instruments **à percussion**.* 👁p. 692.
* Chercher aussi *corde*, *vent*.

percussionniste nom
Personne qui joue d'un instrument à percussion.

percutant, percutante adjectif
Qui fait beaucoup d'effet. *Elle a eu des arguments **percutants** pour nous convaincre.*

percuter verbe ▸ conjug. 3
Heurter violemment. *En dérapant, la voiture **a percuté** un mur.*

perdant, perdante adjectif et nom
Qui perd. *La joueuse **perdante** a voulu prendre sa revanche.* CONTR victorieux. – *Alex est un mauvais **perdant**.* SYN vaincu. CONTR gagnant.

perdition nom féminin
• **En perdition :** en danger. *Un voilier est **en perdition** dans la tempête.*

perdre verbe ▸ conjug. 31
❶ Ne plus avoir ou ne plus retrouver quelque chose. *Roxane **a perdu** sa montre.* **SYN** égarer. **CONTR** retrouver. ❷ Se faire battre à un jeu ou à un sport. *Notre équipe **a perdu**.* **CONTR** gagner. ❸ Être séparé de quelqu'un par la mort. *Kateri vient de **perdre** son grand-père.* ❹ Ne pas faire bon usage de quelque chose. *Charles **perd** son temps au lieu de travailler.* **SYN** gaspiller. • **Perdre la tête :** s'affoler. • **Perdre le fil de ses idées :** ne plus savoir ce que l'on voulait dire. ■ *se* **perdre** : ne plus retrouver son chemin. *Ils **se sont perdus** dans la forêt.* **SYN** s'égarer. • **S'y perdre :** ne plus rien comprendre à quelque chose. *Ces calculs sont trop compliqués, je **m'y perds** !* • **Se perdre dans les détails :** s'attarder à tous les petits détails en oubliant le principal. ♦ Famille du mot : perdant, perdition, perdu, perte.

perdreau, perdreaux nom masculin
Jeune perdrix.

perdrix nom féminin
Oiseau au plumage gris ou roux. *La **perdrix** niche au sol.*

Une **perdrix**

perdu, perdue adjectif
❶ Que l'on ne retrouve plus. *Des objets **perdus**.* **SYN** égaré. ❷ Qui est sur le point de mourir. *Le malade est **perdu**, on ne peut plus le sauver.* ❸ Qui est très isolé. *Ils habitent un coin **perdu**.* ❹ Gaspillé, employé de manière infructueuse. *Du temps **perdu**.*

père nom masculin
❶ Homme qui a eu un ou plusieurs enfants. *Mon oncle est **père** de trois enfants.* **SYN** papa. ❷ Nom donné à certains religieux, dans la religion catholique. *C'est le **père** Chabot qui dit la messe dans notre paroisse.* ❸ Inventeur. *Gutenberg est le **père** de l'imprimerie.* * Ne pas confondre *père*, *pair*, *paire* et *pers*.

pérégrinations nom féminin pluriel
Allées et venues d'un lieu à un autre. *Il m'a raconté ses **pérégrinations** aux quatre coins du monde.*

péremption nom féminin
• **Date de péremption :** date limite d'utilisation d'un produit.

péremptoire adjectif
Auquel on ne peut pas répliquer. *Il m'a demandé d'un ton **péremptoire** de me taire.*

perfection nom féminin
Qualité de ce qui est parfait. *La **perfection** n'est pas de ce monde.* • **À la perfection :** de façon parfaite, excellente. *Ernesto parle le français et l'espagnol **à la perfection**.* ♦ Famille du mot : imperfection, perfectionnement, perfectionner, perfectionniste.

perfectionnement nom masculin
Action de perfectionner ou de se perfectionner. *Shira suit des cours de **perfectionnement** en gestion du personnel.*

perfectionner verbe ▸ conjug. 3
Rendre meilleur, parfait. *Elle **a perfectionné** son style.* **SYN** améliorer. ■ *se* **perfectionner** : s'améliorer. *Felipe suit un stage pour **se perfectionner** en informatique.*

perfectionniste adjectif et nom
Qui cherche à atteindre la perfection dans ce qu'il fait. *Une personne **perfectionniste**. – Ce **perfectionniste** n'arrête pas de corriger son texte.*

perfide adjectif
Qui est trompeur, déloyal. *Je ne lui fais pas confiance, car je sais qu'il est **perfide**.* **SYN** fourbe, sournois.

perforateur nom masculin
Appareil servant à percer des trous dans des documents.

perforation nom féminin
Action de perforer. *L'accident lui a causé une **perforation** du poumon.*

perforer verbe ▸ conjug. 3
Percer de trous. *J'**ai perforé** ces feuilles pour les ranger dans mon classeur à anneaux.*

performance nom féminin
Résultat obtenu lors d'une compétition. *Cette athlète a réussi la meilleure **performance** mondiale en saut en hauteur.*

performant, performante adjectif
Qui est capable de performances élevées. *Cet ordinateur est très **performant**.*

perfusion nom féminin
Injection lente et continue d'une substance dans le sang, au moyen d'un goutte-à-goutte.

a b c d e f g h i j k l m n o p q r s t u v w x y z

pergola nom féminin
Construction légère à toit ouvert dans un jardin. *Des rosiers grimpants recouvrent la **pergola**.*

*Une **pergola***

péricliter verbe ▸ conjug. 3
Aller à sa ruine. *Depuis quelque temps, son commerce **périclite**.* SYN décliner. CONTR prospérer.

péril nom masculin
Dans la langue littéraire, danger. *Ces alpinistes s'exposent aux plus grands **périls** en refusant de prendre un guide.* • **À ses risques et périls:** en acceptant de courir tous les risques. • **Au péril de sa vie:** en risquant sa vie. *Le pompier a sauvé l'enfant prisonnier de l'incendie **au péril de sa vie**.*

périlleux, périlleuse adjectif
Qui présente un danger. *La descente de cette rivière en kayak est **périlleuse**.* SYN dangereux.

périmé, périmée adjectif
Qui n'est plus valable. *Votre passeport est **périmé**, il faut le renouveler.* CONTR valide.

périmètre nom masculin
❶ Longueur de la ligne qui fait le tour d'une figure plane. *Le **périmètre** d'un cercle s'appelle la circonférence.* ❷ Zone ou surface délimitée. *Il est interdit de construire dans le **périmètre** du parc provincial.*

période nom féminin
Espace de temps. *Pendant la **période** des vacances, nous irons faire du camping.* SYN durée. ♦ Famille du mot: périodique, périodiquement.

périodique adjectif
Qui se reproduit à intervalles réguliers. *Le rhume des foins est une affection **périodique**.* ■ **périodique** nom masculin Journal ou magazine qui paraît à intervalles réguliers. *Les quotidiens, les hebdomadaires et les mensuels sont des **périodiques**.*

périodiquement adverbe
De façon périodique, régulièrement. *Le comité se réunit **périodiquement** pour évaluer la situation.*

péripétie nom féminin
Évènement imprévu. *Un voyage riche en **péripéties**.* * Attention ! Le *t* du mot *péripétie* se prononce comme un *s*.

périphérie nom féminin
Quartier d'une ville éloigné du centre. *Samuel habite à la **périphérie** de Joliette.*

périphérique adjectif
Qui est situé à la périphérie. *Les quartiers **périphériques** du centre-ville.* ■ **périphérique** nom masculin Appareil relié à un ordinateur qui permet d'assurer l'entrée et la sortie de données. *Le clavier, l'écran, l'imprimante sont des **périphériques**.*

périphrase nom féminin
Procédé qui consiste à utiliser plusieurs mots pour désigner quelque chose qui peut se dire en un seul. *« L'astre de la nuit » est une **périphrase** pour désigner la Lune.*

périple nom masculin
Long voyage. *Élise rêve d'un **périple** en Chine.*

périr verbe ▸ conjug. 11
Dans la langue littéraire, mourir. *Plusieurs pêcheurs **ont péri** dans la tempête.* ♦ Famille du mot: impérissable, périssable.

périscope nom masculin
Appareil optique qui permet de voir par-dessus un obstacle. *Le **périscope** d'un sous-marin.*

périssable adjectif
Qui s'abîme facilement. *Les légumes frais sont des aliments **périssables**.*

perle nom féminin
❶ Petite boule brillante formée de la nacre des huîtres. *Liv porte un collier de **perles**.* ❷ Petite boule percée de deux trous. *Salomé enfile des **perles** de bois pour se faire un bracelet.* ♦ Famille du mot: perler, perlière.

perler verbe ▸ conjug. 3
Former de petites gouttes. *La sueur **perle** sur le front des coureurs.*

perlière adjectif féminin
Qui produit les perles. *Des huîtres **perlières**.*

permanence nom féminin
Service assuré sans interruption. *Des policiers assurent une **permanence** au poste de police.*
• **En permanence :** de façon permanente. *Le service du 911 est assuré **en permanence**.*

permanent, permanente adjectif
Qui ne s'arrête pas. *Camille souffre d'une douleur **permanente** dans le dos.* **SYN** constant, continu.

perméabilité nom féminin
Propriété de ce qui est perméable.
CONTR imperméabilité.

perméable adjectif
Qui laisse passer un liquide. *Cette terre sablonneuse est très **perméable**.*
CONTR imperméable. ♦ Famille du mot : imperméabiliser, imperméabilité, imperméable, perméabilité.

permettre verbe ▸ conjug. 33
❶ Donner la permission de faire quelque chose. *Ses parents lui **ont permis** d'aller au cinéma.* **SYN** autoriser. **CONTR** défendre, interdire. ❷ Rendre quelque chose possible. *Son nouvel horaire lui **permet** de rentrer plus tôt.* **CONTR** empêcher.
■ *se* **permettre quelque chose** : oser le faire. *Je **me suis permis** d'entrer sans frapper.*
♦ Famille du mot : permis, permissif, permission.

permis nom masculin
Autorisation officielle qui donne le droit de faire quelque chose. *Il vient d'obtenir son **permis** de conduire.*

permissif, permissive adjectif
Qui permet beaucoup de choses. *Ses parents sont très **permissifs** avec lui.*

permission nom féminin
❶ Droit de faire quelque chose. *Federica n'a pas eu la **permission** de sortir.* **SYN** autorisation. **CONTR** défense, interdiction. ❷ Congé accordé à un militaire. *Ces soldats sont en **permission**.*

permutation nom féminin
Action de permuter. **SYN** interversion.

permuter verbe ▸ conjug. 3
Mettre une chose à la place d'une autre. *En **permutant** les lettres du mot « en », on obtient le mot « ne ».* **SYN** intervertir.

pernicieux, pernicieuse adjectif
Qui est nuisible et dangereux. *Ces idées **pernicieuses** lui vaudront des ennuis.*

péroné nom masculin
Un des os de la jambe. * Chercher aussi *tibia*.

peroxyde nom masculin
Produit d'usage courant qui sert à désinfecter les plaies. **SYN** eau* oxygénée.

perpendiculaire adjectif
• **Lignes perpendiculaires :** lignes qui se coupent en formant un angle droit. 👁p. 484.
■ **perpendiculaire** nom féminin Ligne perpendiculaire à une autre ligne.

perpétuel, perpétuelle adjectif
Qui ne s'arrête jamais. *Ils habitent près de l'aéroport et souffrent du vacarme **perpétuel** des avions.* **SYN** constant, continuel, incessant.

perpétuellement adverbe
Toujours. *Liam joue **perpétuellement** le même air au piano.* **SYN** continuellement, sans cesse.

perpétuer verbe ▸ conjug. 3
Faire durer quelque chose. *Les membres de cette communauté autochtone **perpétuent** les traditions ancestrales.* ♦ Famille du mot : perpétuel, perpétuellement, perpétuité.

perpétuité nom féminin
• **À perpétuité :** pour toute la vie. *L'assassin a été condamné à la prison **à perpétuité**.*

perplexe adjectif
Qui est hésitant ou embarrassé. *Ma question l'a laissé **perplexe**.*

perplexité nom féminin
État d'une personne perplexe.

perquisition nom féminin
Recherche faite dans un lieu par la police. *Cette **perquisition** a permis aux enquêteurs de trouver des preuves.*

perquisitionner verbe ▸ conjug. 3
Faire une perquisition. *La police **a perquisitionné** leur appartement.*

perron nom masculin
Petit escalier extérieur qui se termine par un palier devant une porte d'entrée. *Il nous a accueillis sur le **perron**.*

perroquet nom masculin
Oiseau au plumage coloré, capable d'imiter la voix humaine. 👁p. 720.

*Un **perroquet***

a b c d e f g h i j k l m n o p q r s t u v w x y z

perruche nom féminin
Sorte de petit perroquet. p. 720.

Une **perruche**

perruque nom féminin
Fausse chevelure. *Cette actrice porte une **perruque** rousse pour le rôle qu'elle interprète.*

pers adjectif
D'une couleur qui se situe entre le bleu et le vert. *Des yeux **pers**.* * Ne pas confondre *pers*, *pair*, *paire* et *père*.

persécuter verbe ▸ conjug. 3
Faire souffrir par des traitements cruels et injustes. *Il prend un malin plaisir à **persécuter** son chien.* SYN martyriser.

persécution nom féminin
Action de persécuter. *Subir des **persécutions**.*

persévérance nom féminin
Constance dans l'effort. *Joëlle s'entraîne avec beaucoup de **persévérance**.* SYN obstination, ténacité.

persévérant, persévérante adjectif
Qui persévère. *Si tu es **persévérant**, tu finiras par réaliser ton projet.* SYN tenace.

persévérer verbe ▸ conjug. 8
Continuer avec acharnement à faire ou à penser quelque chose. *Il **a persévéré** dans son idée de devenir médecin.* CONTR renoncer.
✎ On peut écrire aussi, au futur, *je **persévèrerai***; au conditionnel, *elle **persévèrerait***.
♦ Famille du mot: persévérance, persévérant.

persil nom masculin
Plante à feuilles vertes parfumées, utilisée comme condiment. *Il a mis du **persil** dans la salade de tomates.*

Du **persil**

persistance nom féminin
Fait de persister, de durer. *La **persistance** des chutes de neige a paralysé la région.*

persistant, persistante adjectif
❶ Qui persiste. *Une toux **persistante**.* SYN durable, tenace. ❷ Qui ne tombe pas en hiver. *Les conifères ont un feuillage **persistant**.* CONTR caduc.

persister verbe ▸ conjug. 3
❶ Persévérer dans ce que l'on fait ou ce que l'on pense. *Il **persiste** à croire que tu te moques de lui.* SYN continuer, s'obstiner. ❷ Durer un certain temps. *Si les symptômes **persistent**, il faudra consulter un médecin.* CONTR cesser.
♦ Famille du mot: persistance, persistant.

personnage nom masculin
❶ Personne importante ou célèbre. *Les grands **personnages** de l'histoire de la Nouvelle-France.* ❷ Personne imaginaire représentée dans un livre ou un film. *Cet acteur joue souvent les **personnages** de détective dans les films à suspense.*

personnaliser verbe ▸ conjug. 3
Donner un caractère personnel et original à quelque chose. *Maya **a personnalisé** sa chambre en la décorant à son goût.* * Ne pas confondre *personnaliser* et *personnifier*.

personnalité nom féminin
❶ Traits de caractère d'une personne. *Ce sont des sœurs jumelles, mais elles n'ont pas du tout la même **personnalité**.* ❷ Personne importante. *De nombreuses **personnalités** ont assisté à la cérémonie.*

① **personne** pronom
Pas un seul être humain. *J'ai sonné, mais **personne** n'a répondu.*

② **personne** nom féminin
❶ Être humain. *Il y avait déjà trois **personnes** dans la salle d'attente du dentiste.* ❷ Forme de la conjugaison du verbe différente selon celui qui parle (je, nous), celui à qui l'on parle (tu, vous) ou celui dont on parle (il, elle, ils, elles). *« Tu chantes » est à la deuxième **personne** du singulier.* • **En personne**: lui-même. *Le premier ministre **en personne** a félicité les médaillés olympiques.* SYN personnellement. • **Grande personne**: adulte. • **Personne-ressource**: personne ayant les connaissances et la formation nécessaires pour résoudre un problème dans un domaine donné, et à qui l'on peut faire appel. * Chercher aussi *expert*, *spécialiste*. ♦ Famille du mot: impersonnel, personnage, personnaliser, personnalité, personnel, personnellement, personnifier.

personnel, personnelle adjectif
❶ Qui est propre à une personne. *J'aimerais avoir votre avis **personnel** sur cette question.* ❷ Qui relève de l'intimité d'une personne. *Je ne dirai pas mon âge, c'est **personnel**. Ma vie **personnelle** est différente de ma vie professionnelle.* • **Pronom personnel :** pronom qui sert à conjuguer ou à compléter un verbe. *« Je », « tu », « il », « elle », « elles » sont des **pronoms personnels**.* • **Verbe personnel :** verbe dont le sujet correspond à une personne ou à une chose, contrairement au verbe impersonnel. ■ **personnel** nom masculin Ensemble des personnes qui travaillent quelque part ou pour une même organisation. *Le **personnel** d'un hôtel, d'un magasin.*

personnellement adverbe
❶ En personne. *Elle a promis de s'occuper **personnellement** de cette affaire.* ❷ Pour ma part, en ce qui me concerne. ***Personnellement**, je n'ai pas compris la question.*

personnifier verbe ▸ conjug. 10
Représenter une chose abstraite par une personne. *Depuis qu'il a traversé le Canada avec une jambe artificielle, Terry Fox **personnifie** le courage et la lutte contre le cancer.* * Ne pas confondre *personnifier* et *personnaliser*.

perspective nom féminin
❶ Représentation d'un objet donnant l'impression du relief et de la profondeur. *L'architecte a dessiné la façade de la maison en **perspective**.* ❷ Idée que l'on se fait d'un évènement à venir. *La **perspective** de ce voyage l'enchante.*

*Une **perspective***

perspicace adjectif
Qui est capable de percevoir ou de comprendre ce qui échappe à la plupart des gens. *Elle a tout compris, c'est une observatrice **perspicace**.* SYN clairvoyant, intelligent.

perspicacité nom féminin
Caractère perspicace. *La détective a mené l'enquête avec **perspicacité**.* SYN finesse, intelligence.

persuader verbe ▸ conjug. 3
Convaincre. *Anh essaie de **persuader** sa mère de l'emmener au cinéma.* CONTR dissuader. • **Être persuadé de quelque chose :** en être absolument sûr. *Justin **est persuadé d'**avoir rendu le livre à la bibliothécaire.* ♦ Famille du mot : persuasif, persuasion.

persuasif, persuasive adjectif
Qui est capable de persuader. *Il s'est montré si **persuasif** que nous lui avons donné notre accord.* SYN convaincant.

persuasion nom féminin
Action ou façon de persuader. *Sa capacité de **persuasion** est étonnante.*

perte nom féminin
❶ Fait de perdre quelque chose que l'on avait. *Ma mère a déclaré la **perte** de sa carte de crédit.* ❷ Mort. *La **perte** de son chat attriste beaucoup Anna.* ❸ Fait de perdre de l'argent. *Il a subi de grosses **pertes** en jouant à la Bourse.* CONTR bénéfice, gain. ❹ Mauvais emploi de quelque chose. *C'est une **perte** de temps.* SYN gaspillage. • **À perte de vue :** aussi loin que l'on peut voir. • **En pure perte :** sans résultat ou sans profit.

pertinemment adverbe
D'une manière certaine et précise. *Il savait **pertinemment** qu'elle l'aiderait.*

pertinent, pertinente adjectif
Qui est plein de bon sens. *Ta question est très **pertinente**.*

perturbation nom féminin
❶ Ce qui perturbe quelque chose. *La grève des transports en commun entraîne beaucoup de **perturbations**.* ❷ Changement de temps caractérisé par de la pluie et du vent. *Une **perturbation** traversera l'est de la province.*

perturber verbe ▸ conjug. 3
Empêcher quelque chose de fonctionner ou de se dérouler normalement. *Le verglas **a perturbé** la circulation sur l'autoroute.* ♦ Famille du mot : imperturbable, perturbation.

péruvien, péruvienne adjectif et nom
Du Pérou. *Les Andes **péruviennes**. – Les **Péruviens**, les **Péruviennes**.* ✎ Attention ! Le nom, qui désigne les habitants, s'écrit avec une majuscule.

a b c d e f g h i j k l m n o p q r s t u v w x y z

Une **pervenche**

pervenche nom féminin
Petite fleur bleue.

pervers, perverse adjectif et nom
Qui aime faire le mal ou des choses immorales. *Une personne **perverse**. – Ce **pervers** est un individu dangereux.* • **Effet pervers :** effet opposé à celui que l'on espérait. ♦ Famille du mot : perversité, pervertir.

perversité nom féminin
Attitude d'une personne perverse.

pervertir verbe ▸ conjug. 11
Pousser quelqu'un à faire le mal. *Ses mauvaises fréquentations l'**ont perverti**.* SYN corrompre.

pesamment adverbe
D'une manière pesante. *Ce vieux chien marche **pesamment**.* SYN lourdement.

pesant, pesante adjectif
❶ Qui pèse lourd. *Ce sac à dos est trop **pesant** pour lui.* ❷ Au sens figuré, qui donne une impression de lourdeur. *Une démarche **pesante**.* ❸ Qui est pénible à supporter. *Un silence **pesant**.*

pesanteur nom féminin
Force d'attraction qui attire tous les corps vers le centre de la Terre et qui fait qu'ils ont un poids. *Si tu lâches cette balle, elle va tomber à cause de la **pesanteur**.* SYN attraction, gravitation. CONTR apesanteur.

pesée nom féminin
Action de peser. *À la dernière **pesée**, le bébé faisait 4,3 kg.*

pèse-lettre nom masculin
Petite balance pour peser les lettres. ✎ Pluriel : *des **pèse-lettres**.*

pèse-personne nom masculin
Balance sur laquelle on monte pour se peser. ✎ Pluriel : *des **pèse-personnes**.*

peser verbe ▸ conjug. 8
❶ Avoir un certain poids. *À la naissance, ce bébé **pesait** près de quatre kilos.* ❷ Déterminer un poids. *Le boucher **pèse** les steaks sur sa balance.* ❸ Avoir de l'importance ou de l'influence. *Ton avis **a pesé** sur ma décision.* ❹ Être pénible à supporter. *La solitude lui **pèse**.* • **Peser le pour et le contre :** examiner attentivement les avantages et les inconvénients.
■ *se* **peser** : monter sur une balance pour mesurer son poids. *Elsa **se pèse** tous les matins.* ♦ Famille du mot : apesanteur, pesamment, pesant, pesanteur, pesée, pèse-lettre, pèse-personne.

peso nom féminin
Monnaie de plusieurs pays de l'Amérique latine (Cuba, Mexique, etc.).

pessimisme nom masculin
Tendance à penser que tout va ou ira mal. CONTR optimisme.

pessimiste adjectif et nom
Qui fait preuve de pessimisme. *Aïda croit qu'elle ne réussira pas son examen, elle est très **pessimiste**. – Ce **pessimiste** prédit toutes sortes de catastrophes à venir.* SYN défaitiste. CONTR optimiste.

peste nom féminin
❶ Très grave maladie contagieuse. *La **peste** se transmet par les rats.* ❷ Dans la langue familière, enfant insupportable. *Aurélie est une petite **peste**.* ♦ Famille du mot : empester, pester, pesticide, pestiféré.

pester verbe ▸ conjug. 3
Manifester de la mauvaise humeur contre quelqu'un ou quelque chose. *Mon père **peste** contre l'ascenseur qui est toujours en panne.* SYN maugréer, rouspéter.

pesticide nom masculin
Produit chimique qui détruit les animaux ou les plantes nuisibles. *L'usage des **pesticides** occasionne d'importants problèmes environnementaux.*

pestiféré, pestiférée adjectif et nom
Qui est atteint de la peste.

pet nom masculin
Dans la langue familière, gaz intestinal qui s'échappe par l'anus.

pétale nom masculin
Chacune des parties colorées d'une fleur, dont l'ensemble forme la corolle. *Quand les fleurs se fanent, les **pétales** tombent.* 👁p. 446.
* Attention ! On dit ***un** pétale.*

Des **pétales**

pétarade nom féminin
Série de brèves détonations. *Les **pétarades** des motocyclettes.*

pétarader verbe ▸conjug. 3
Faire entendre une pétarade. *On entend un feu d'artifice **pétarader** dans le lointain.*

pétard nom masculin
Petite charge de poudre explosive.

péter verbe ▸conjug. 8
❶ Dans la langue familière, faire un pet. ❷ Dans la langue familière, briser. *Il **a pété** sa planche à roulettes.* • **Péter le feu :** dans la langue familière, déborder d'entrain, d'énergie. ✎ On peut écrire aussi, au futur, *il **pètera***; au conditionnel, *elle **pèterait***.

pétillant, pétillante adjectif
❶ Qui pétille. *De l'eau **pétillante**.* SYN gazeux. ❷ Au sens figuré, qui brille avec éclat. *Cet enfant a des yeux **pétillants** de malice.* SYN scintillant, vif.

pétiller verbe ▸conjug. 3
❶ Faire des petits bruits secs et répétés. *Le feu **pétille** dans la cheminée.* ❷ Faire de petites bulles de gaz. *L'eau gazeuse **pétille** dans le verre.* ❸ Briller d'un vif éclat. *Ses yeux **pétillent** de bonheur.*

pétiole nom masculin
Queue d'une feuille d'arbre. 👁p 435.
* Attention ! Le *t* du mot *pétiole* se prononce comme un *s*.

petit, petite adjectif
❶ Qui est d'une taille inférieure à la moyenne. *Le ouistiti est un tout **petit** singe.* CONTR grand. ❷ Qui est plus jeune. *Jules a six ans et sa **petite** sœur en a quatre.* ❸ Minime. *Il a un **petit** budget pour ses sorties.* SYN modeste, modique. ❹ De courte durée. *Une **petite** promenade.* ❺ Peu important. *Un **petit** rhume.* • **Se faire tout petit :** essayer de ne pas être remarqué. ■ **petit, petite** nom Jeune enfant. *Les **petits** de la garderie font la sieste l'après-midi.* ■ **petit** nom masculin Jeune animal. *Les **petits** d'une chatte s'appellent des « chatons ».* ■ **petit** adverbe • **Petit à petit :** peu à peu. *Le malade récupère **petit à petit**.* SYN progressivement.

petite-fille nom féminin
Fille du fils ou de la fille d'une personne. ✎ Pluriel : *des **petites-filles***.

petit-fils nom masculin
Fils du fils ou de la fille d'une personne. ✎ Pluriel : *des **petits-fils***.

pétition nom féminin
Texte écrit exprimant une demande ou une plainte et qui est adressé à une autorité. *Les résidents du quartier ont signé une **pétition** pour l'installation d'un feu de circulation devant l'école.*

petit-lait nom masculin
Résidu liquide qui se sépare du lait caillé. ✎ Pluriel : *des **petits-laits***.

petit pois ➔Voir **pois**

petits-enfants nom masculin pluriel
Enfants du fils ou de la fille de quelqu'un. *La grand-mère est fière de ses **petits-enfants**.*

pétoncle nom masculin
Mollusque dont on consomme une partie. *Il y a des **pétoncles** au menu.*

Des **pétoncles**

pétrifier verbe ▸conjug. 10
Au sens figuré, figer par un sentiment violent. *L'annonce de l'accident nous **a pétrifiés**.* ■ se **pétrifier** : se transformer en pierre. *En creusant, nous avons trouvé un coquillage qui **s'était pétrifié**.*

pétrin nom masculin
Grand récipient pour pétrir la pâte à pain. *Le boulanger mélange la farine, l'eau, le sel et le levain dans un **pétrin**.* • **Être dans le pétrin :** dans la langue familière, avoir des ennuis. *Ça va mal, je **suis dans le pétrin**.*

pétrir verbe ▸conjug. 11
Mélanger et presser une pâte avec les mains. *Il faut **pétrir** la pâte à pain.*

pétrole nom masculin
Huile minérale tirée du sous-sol et utilisée comme source d'énergie. *Le **pétrole** est une ressource naturelle.* ♦ Famille du mot : pétrolier, pétrolifère.

pétrolier, pétrolière adjectif
Qui concerne le pétrole. *L'essence, le mazout sont des produits **pétroliers**.* ■ **pétrolier** nom masculin Navire qui transporte du pétrole. 👁p. 108.

a b c f g h i j k l m n o **p** q r s t u v w x y z

pétrolifère adjectif
Qui contient du pétrole. *Un terrain **pétrolifère**.*

Un **pétunia**

pétunia nom masculin
Plante à fleurs colorées.

peu adverbe
❶ En petite quantité. *Cette voiture consomme **peu** d'essence.* **CONTR** beaucoup. ❷ Pas très. *Ma voisine est **peu** bavarde.* ❸ Pas longtemps. *Cette mode a **peu** duré.* • **À peu près :** presque, approximativement. *Ton manteau est **à peu près** sec. La réunion a duré **à peu près** une heure.* • **Depuis peu :** il n'y a pas longtemps. *Elle est rentrée **depuis peu**.* • **Peu à peu :** lentement et progressivement, petit à petit. ***Peu à peu**, elle s'est habituée à sa nouvelle école.* • **Pour un peu :** il s'en est fallu de peu de chose. • **Sous peu :** bientôt. *Nous aurons la réponse **sous peu**.* • **Un peu :** légèrement. *Il est **un peu** déçu.* • **Un peu de :** une petite quantité de. *Je voudrais juste **un peu de** lait.*

peuplade nom féminin
Groupement humain d'importance moyenne établi dans une société dite « primitive ».

peuple nom masculin
❶ Ensemble des habitants d'un même territoire et appartenant à une même nation. *Le discours du premier ministre s'adresse au **peuple** québécois.* ❷ Partie la plus nombreuse et la moins riche de la population. *Le **peuple** s'est révolté.* ♦ Famille du mot : dépeuplement, dépeupler, peuplade, peuplé, peuplement, peupler, populeux, se repeupler, surpeuplé, surpeuplement.

peuplé, peuplée adjectif
Où il y a des habitants. *Ce pays est très **peuplé**.*

peuplement nom masculin
Occupation par des habitants. *Le **peuplement** de cette région diminue.*

peupler verbe ▸ conjug. 3
Occuper un endroit et en constituer la population. *Avant l'arrivée des Européens, les Amérindiens **peuplaient** l'Amérique.*

peuplier nom masculin
Arbre haut et mince qui pousse dans les endroits humides. 👁p. 126.

Un **peuplier**

peur nom féminin
Crainte éprouvée face à un danger ou à une menace. *La **peur** du vide l'empêche de s'approcher du bord de la falaise.* • **Avoir peur de :** craindre. *Léa **a peur des** guêpes.* **SYN** redouter. • **Faire peur :** effrayer. *Les araignées lui **font peur**.* • **De peur de :** par crainte de. *Je ne suis pas allé chez eux **de peur de** les déranger.* • **Partir en peur :** dans la langue familière, s'énerver, perdre son sang-froid. • **Peur bleue :** dans la langue familière, peur très intense. ♦ Famille du mot : apeuré, peureux.

peureux, peureuse adjectif
Qui a facilement peur. *Notre chien est **peureux**, il se cache sous le lit au moindre bruit.* **SYN** craintif. **CONTR** courageux, hardi.

peut-être adverbe
Indique une possibilité. *Tu viens jouer dehors avec nous si je finis mes devoirs à temps ? – **Peut-être**.* **SYN** possiblement, probablement. **CONTR** certainement, sûrement.

phalange nom féminin
Chacune des parties articulées des doigts et des orteils. *Les doigts comportent trois **phalanges**, sauf le pouce qui en a deux.*

pharaon nom masculin
Souverain de l'Égypte antique. *Les pyramides servaient de tombeaux aux **pharaons**.*
* Chercher aussi *momie*.

phare nom masculin
❶ Tour construite au bord de la mer et destinée à envoyer des signaux lumineux pour guider les bateaux. *Il y a un **phare** à l'entrée de ce port.* ❷ Lumière placée à l'avant d'un véhicule pour éclairer la route. 👁p. 88.
* Ne pas confondre *phare*, *fard* et *fart*.

Un **phare**

pharmaceutique adjectif
Qui concerne la pharmacie. *La mère de Nathalie travaille dans l'industrie **pharmaceutique**.*

pharmacie nom féminin
❶ Science de la préparation et de la composition des médicaments. *Le grand frère d'Helena est étudiant en **pharmacie**.* ❷ Magasin où l'on vend les médicaments. ❸ Petite armoire où l'on range les produits pharmaceutiques. *Je cherche les pansements adhésifs dans la **pharmacie**.*
♦ Famille du mot: pharmaceutique, pharmacien.

pharmacien, pharmacienne nom
Personne qui vend des médicaments et qui conseille les clients.

pharyngite nom féminin
Inflammation du pharynx.

pharynx nom masculin
Conduit allant du fond de la bouche à l'œsophage. 👁p. 320, 988. * Chercher aussi *larynx*.

phase nom féminin
Chacune des étapes marquant l'évolution d'un phénomène. *Les **phases** de la transformation d'une chenille en papillon.* **SYN** stade.

phénoménal, phénoménale, phénoménaux adjectif
Qui est vraiment très surprenant, extraordinaire. *Louis Cyr avait une force **phénoménale**.* **SYN** prodigieux.

phénomène nom masculin
❶ Fait que l'on peut observer. *La pluie, le vent, les marées sont des **phénomènes** naturels.* ❷ Chose extraordinaire. *Ce veau à deux têtes est un **phénomène**.*

philanthrope nom
Personne qui agit avec générosité et désintéressement. *Cette **philanthrope** subventionne un orphelinat.* **CONTR** misanthrope.

philanthropie nom féminin
Amour de tous les humains. *Ce mécène fait preuve d'une grande **philanthropie**.*

philatélie nom féminin
Étude ou collection des timbres-poste.

philatéliste nom
Personne qui collectionne les timbres-poste.

philippin, philippine
➔Voir tableau, p. 1319.

philosophe nom
Spécialiste de la philosophie. *Platon était un très grand **philosophe** grec.* ■ **philosophe** adjectif Qui accepte ce qui lui arrive avec calme et sérénité. *Elle est devenue **philosophe** avec l'âge.*

philosophie nom féminin
❶ Réflexion sur les grands problèmes de la vie, de l'Univers. *La **philosophie** s'intéresse à des questions comme la liberté, la morale, Dieu, la mort.* ❷ Sagesse et sérénité. *Il a pris la nouvelle de sa maladie avec **philosophie**.*
♦ Famille du mot: philosophe, philosophique.

philosophique adjectif
Qui concerne la philosophie. *Une discussion **philosophique**.*

phobie nom féminin
Peur maladive et irraisonnée. *Gabrielle a la **phobie** des araignées.*

phonétique nom féminin
Science qui étudie les sons de la parole.
■ **phonétique** adjectif Qui sert à montrer comment un mot se prononce. *Les signes **phonétiques** permettent de transcrire les sons.*

phoque nom masculin
Mammifère marin vivant surtout dans les mers froides. *Le **phoque** se nourrit de poissons.* 👁p. 638.
* Chercher aussi *blanchon*.

*Un **phoque***

phosphate nom masculin
Produit chimique qui contient du phosphore et qui est utilisé comme engrais.

phosphore nom masculin
Substance chimique qui émet une lueur bleuâtre dans l'obscurité.

a b c d e f g h i j k l m n o **p** w x y z

a b c d e f g h i j k l m n o p q r s t u v w x y z

phosphorescent, phosphorescente adjectif
Qui émet de la lumière dans l'obscurité. *Le ver luisant est un animal* ***phosphorescent****.*

photo nom féminin
❶ Technique qui permet de créer des images par l'action de la lumière sur une pellicule. *Martin aime faire de la* ***photo****.* ❷ Image obtenue par ce procédé. *Ses* ***photos*** *de vacances sont très réussies.* ■ **photo** adjectif invariable Qui concerne la photo. *N'oublie pas de prendre ton appareil* ***photo****!* * ***Photo*** est l'abréviation de *photographie* ou de *photographique*. ♦ Famille du mot: photogénique, photographe, photographier.

photocopie nom féminin
Copie d'un document par reproduction photographique. *Jade a fait la* ***photocopie*** *d'un article de journal pour son exposé.* ♦ Famille du mot: photocopier, photocopieur.

photocopier verbe ▸ conjug. 10
Faire la photocopie d'un document. *Ma mère* ***a photocopié*** *tous ses diplômes.*

photocopieur nom masculin
Appareil qui sert à photocopier. * On dit aussi *une* ***photocopieuse****.*

photogénique adjectif
Qui est très bien en photo. *Chloé est belle sur cette photo, il faut dire qu'elle est particulièrement* ***photogénique****.*

photographe nom
Personne qui prend des photos. *La mère de Marie est* ***photographe*** *de mode.*

photographie ➔Voir **photo**

photographier verbe ▸ conjug. 10
Prendre en photo. *Thomas aime surtout* ***photographier*** *les paysages.*

photographique ➔Voir **photo**

phrase nom féminin
Ensemble de groupes de mots qui a un sens. *La* ***phrase*** *commence par une majuscule et se termine par un point.*

physicien, physicienne nom
Spécialiste de la physique. *Albert Einstein était un grand* ***physicien****.*

physiologie nom féminin
Science qui étudie le fonctionnement des organes des êtres vivants.

physionomie nom féminin
Aspect du visage. *Mathieu a une* ***physionomie*** *très souriante.*

physiothérapie nom féminin
Traitement médical qui fait appel à diverses techniques. *Après son accident, il a reçu des traitements de* ***physiothérapie****.*

① **physique** nom masculin
Aspect extérieur d'une personne. *Son* ***physique*** *lui a permis de devenir mannequin.* ■ **physique** adjectif ❶ Qui concerne le corps humain. *Chaque jour, Sarah fait des exercices* ***physiques****.* * Chercher aussi *intellectuel*, *mental*. ❷ Qui concerne la nature, ce qui est concret. *Le monde* ***physique****.* **SYN** matériel. • **Éducation physique:** gymnastique.

② **physique** nom féminin
Science qui étudie la matière et les lois de la nature. *L'électricité, la mécanique, l'électronique font partie de la* ***physique****.* * Chercher aussi *chimie*. ■ **physique** adjectif Qui concerne la physique. *L'apesanteur et la gravité sont des phénomènes* ***physiques****.*

physiquement adverbe
Sur le plan physique. *Depuis qu'il fait de l'exercice, il se sent* ***physiquement*** *mieux.*

piaffer verbe ▸ conjug. 3
Frapper la terre avec les sabots de devant, en parlant d'un cheval.

piaillement nom masculin
Petits cris aigus d'un oiseau.

piailler verbe ▸ conjug. 3
❶ Pousser des piaillements. *Cet arbre est plein de moineaux qui* ***piaillent****.* ❷ Dans la langue familière, crier. *Les petits* ***piaillent*** *dans la garderie.*

pianiste nom
Personne qui joue du piano.

Une ***pianiste***

piano nom masculin
Instrument de musique à clavier et à cordes. 👁p. 692. ♦ Famille du mot: pianiste, pianoter.

pianoter verbe ▸ conjug. 3
❶ Jouer du piano maladroitement, sans talent. *Il* ***pianote*** *un air connu.* ❷ Taper sur les touches d'un clavier. *Sergéi* ***pianote*** *sur son ordinateur.* **SYN** pitonner.

piastre nom féminin
Dans la langue familière, dollar. *Il me restait cinq* ***piastres*** *dans le porte-monnaie.*

① **pic** nom masculin
Montagne au sommet pointu. * Ne pas confondre *pic* et *pique*.

② **pic** nom masculin
Outil pointu servant à creuser. *L'ouvrier attaque la roche à coups de* ***pic****.* * Ne pas confondre *pic* et *pique*.

③ **pic** nom masculin
Oiseau grimpeur doté d'un bec pointu qui lui permet d'attraper les vers dans les troncs d'arbres. * Ne pas confondre *pic* et *pique*.

Un ***pic***

à **pic** adverbe
❶ Verticalement. *Cette falaise s'élève* ***à pic*** *au-dessus de la mer. Le bateau a coulé* ***à pic****.* ❷ Dans la langue familière, à propos, à un bon moment. *Ce chèque tombe* ***à pic****: nous n'avions plus un sou!*

picador nom masculin
Dans une corrida, cavalier muni d'une pique. ✎ Pluriel: *des* ***picadors****.* * Chercher aussi *matador, toréro*.

pichenotte nom féminin
Coup donné avec un doigt replié contre le pouce, puis brusqment détendu. **SYN** chiquenaude. * On dit aussi ***pichenette***.

pichet nom masculin
Récipient à anse et à bec évasé. *Un* ***pichet*** *d'eau.*

pickpocket nom masculin
Personne qui, dans les lieux publics, vole le contenu des poches ou des sacs des gens. *Un* ***pickpocket*** *a été arrêté dans le métro.* **SYN** voleur à la tire*.

picorer verbe ▸ conjug. 3
Manger en piquant çà et là à petits coups de bec. *Dans la basse-cour, les poules* ***picorent*** *des graines.*

picotement nom masculin
Sensation de piqûres légères et répétées. *Ursula est engourdie et sent des* ***picotements*** *dans les jambes.* **SYN** fourmillement.

picoter verbe ▸ conjug. 3
Causer des picotements. *La fumée me* ***picote*** *les yeux.*

pictogramme nom masculin
Dessin simplifié utilisé pour donner des indications faciles à comprendre. *Ce* ***pictogramme*** *représente une halte routière.*

Des ***pictogrammes***

① **pie** nom féminin
❶ Oiseau noir et blanc à longue queue. * Chercher aussi *jacasser*. ❷ Dans la langue familière, personne qui parle beaucoup. *C'est une vraie* ***pie****! Elle passe son temps au téléphone.* * Ne pas confondre *pie* et *pis*.

② **pie** adjectif invariable
Qui est noir et blanc, ou brun et blanc. *Des vaches* ***pie*** *paissent dans le pré.* * Ne pas confondre *pie* et *pis*.

Une ***pie***

a b c d e f g h i j k l m n o **p** q r s t u v w x y z

pièce nom féminin
❶ Petit objet de métal rond et plat qui sert de monnaie. *Mia a payé avec un billet et l'épicier lui a rendu plusieurs **pièces**.* ❷ Partie séparée d'un ensemble. *Le carburateur est une des **pièces** importantes d'un moteur.* ❸ Dans un local, chaque espace séparé par des murs. *Cet appartement de cinq **pièces** comporte trois chambres.* ❹ Morceau de musique. *Jouer une **pièce** (de musique) au piano.* • **Pièce de théâtre :** histoire écrite pour être jouée au théâtre par des comédiens. *Cette **pièce** de Michel Tremblay est remarquablement interprétée.* • **Rendre à quelqu'un la monnaie de sa pièce :** se venger de lui. • **Mettre en pièces :** casser en plusieurs morceaux.

① **pied** nom masculin
❶ Partie du corps humain située au bas de la jambe, qui sert à marcher et à se tenir debout. *Ses chaussures lui font mal aux **pieds**.* 👁p. 246. ❷ Partie d'un objet ou d'une plante qui est en contact avec le sol. *Les **pieds** de cette baignoire antique sont magnifiques. Le cultivateur a récolté des **pieds** de céleri.* ❸ Partie inférieure d'une chose. *Au **pied** de la montagne.* • **À pied :** en marchant. • **Au pied levé :** à l'improviste, sans préparation. • **Avoir le pied marin :** être à l'aise sur un bateau. • **Avoir les pieds sur terre :** être réaliste. • **Avoir les deux pieds dans la même bottine :** être maladroit, peu débrouillard. • **Travailler d'arrache-pied :** travailler énormément. • **Prendre quelque chose au pied de la lettre :** au sens exact des termes, sans interpréter. • **Avoir pied :** pouvoir toucher le fond de l'eau avec les pieds. • **De pied ferme :** avec détermination, sans crainte. • **Mettre quelque chose sur pied :** l'organiser. • **Pied de nez :** geste de moquerie fait en plaçant le pouce sur le nez avec la main grande ouverte. • **Retomber sur ses pieds :** se tirer adroitement d'une situation difficile.

② **pied** nom masculin
Dans le système impérial, unité de longueur valant trente centimètres environ. * Chercher aussi ② *livre*, ③ *mille*, ② *pouce*, ② *verge*.

③ **pied** nom masculin
Dans un poème, syllabe d'un vers. *Un alexandrin est un vers de douze **pieds**.*

pied-à-terre nom masculin invariable
Logement que l'on habite de temps en temps. *Ma cousine habite à la campagne, mais elle a un **pied-à-terre** en ville.* * Attention ! Le mot *pied-à-terre* se prononce *piétatère*.

pied-de-biche nom masculin
Outil formé d'une barre de fer recourbée à un bout pour servir de levier. *Mon père utilise un **pied-de-biche** pour défaire les lattes du plancher.* 👁p. 630.
✎ Pluriel : *des **pieds-de-biche***.

Un **pied-de-biche**

pied-de-roi nom masculin
Règle pliante graduée en pieds et en pouces.
✎ Pluriel : *des **pieds-de-roi***.

piédestal, piédestaux nom masculin
Socle d'une statue. *La sculpture est posée sur un **piédestal** en marbre.* • **Mettre quelqu'un sur un piédestal :** l'admirer énormément, même si ce n'est pas toujours mérité.

piège nom masculin
❶ Objet ou appareil qui sert à capturer les animaux. *Une souricière est un **piège** pour attraper les souris.* ❷ Difficulté cachée. *Cette dictée est pleine de **pièges**.* **SYN** embûche. • **Tendre un piège à quelqu'un :** tenter de le tromper.

piéger verbe ▸ conjug. 5 et 8
❶ Attraper avec un piège. *Les coureurs des bois **piégeaient** les animaux à fourrure.* ❷ Tendre un piège à quelqu'un. **SYN** traquenard. ❸ Disposer quelque part un engin qui explose au moment voulu. ***Piéger** un lieu, une voiture.*
✎ On peut écrire aussi, au futur, *je **piègerai*** ; au conditionnel, *il **piègerait***.

pierre nom féminin
❶ Matière dure que l'on extrait du sol. *La **pierre** sert de matériau de construction.* * Chercher aussi *minéral*. ❷ Caillou plus ou moins gros. *Sur cette route de montagne, il faut faire attention aux chutes de **pierres**.* **SYN** roc, rocher. • **Pierre précieuse :** minéral rare avec lequel on fait des bijoux. *Les diamants et les rubis sont des **pierres précieuses**.* • **Jeter la pierre à quelqu'un :** l'accuser ou le blâmer.

pierreries nom féminin pluriel
Pierres précieuses taillées. *Une couronne ornée de **pierreries**.*

piété nom féminin
Caractère d'une personne qui montre un fort sentiment religieux. *Ces nombreuses offrandes témoignent de la **piété** des fidèles.*

piétiner verbe ▸ conjug. 3
❶ Écraser quelque chose en marchant dessus. *Les enfants **ont piétiné** la plate-bande devant la maison.* ❷ Marcher en avançant très lentement. *Les gens qui font la queue **piétinent** devant le cinéma.* ❸ Ne faire aucun progrès. *L'enquête **piétine**.* **SYN** stagner.

piéton, piétonne nom
Personne qui circule à pied. *Ce passage est réservé aux **piétons**.* * Chercher aussi ② *passant*. ■ **piéton, piétonne** adjectif
Qui est réservé aux piétons. *C'est agréable de se promener dans les rues **piétonnes**.* **SYN** piétonnier.

piétonnier, piétonnière adjectif
Piéton. *Tout ce secteur est devenu **piétonnier**.*

piètre adjectif
Qui est très médiocre. *Malgré ses efforts, il n'obtient que de **piètres** résultats.* **SYN** insuffisant, mauvais. * Attention ! Cet adjectif se place toujours devant le nom.

pieu, pieux nom masculin
Piquet de bois ou de fer enfoncé dans le sol. *Ils ont tendu une clôture de fil de fer entre des **pieux** pour délimiter leur champ.* * Ne pas confondre *pieu* et *pieux*.

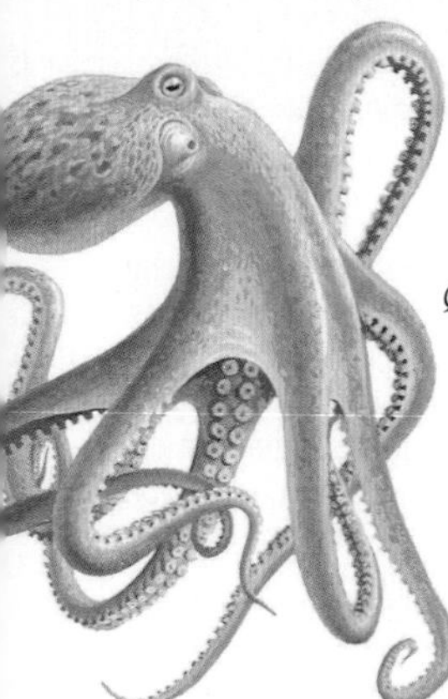
Une **pieuvre**

pieuvre nom féminin
Mollusque marin à huit tentacules munis de ventouses. *Quand la **pieuvre** est attaquée, elle envoie un jet d'encre.* **SYN** poulpe.

pieux, pieuse adjectif
Qui a ou qui montre des sentiments religieux très forts. *Cet homme très **pieux** fait chaque année un pèlerinage.* * Ne pas confondre *pieux* et *pieu*.

pige nom féminin
• **Travailler à la pige :** travailler à son compte, en étant rémunéré pour chaque contrat confié par une ou des entreprises.

pigeon nom masculin
Oiseau au corps trapu gris, blanc ou brun. *Le **pigeon** roucoule.* 👁p. 720. • **Pigeon voyageur :** pigeon dressé pour porter des messages. * Chercher aussi *colombe*, *tourterelle*.

Un **pigeon**

pigeonnier nom masculin
❶ Construction percée de niches servant à abriter les pigeons domestiques. ❷ Au sens figuré et dans la langue familière, meuble divisé en plusieurs petites cases dans lesquelles on met le courrier des employés d'une organisation.

piger verbe ▸ conjug. 5
Dans la langue familière, prendre au hasard. *L'animatrice **a pigé** un nom dans le chapeau.* **SYN** tirer.

pigiste nom
Personne qui travaille à la pige. *Sa mère est **pigiste** ; elle écrit des articles pour différentes publications.*

pigment nom masculin
Substance qui donne sa couleur à une chose. *Pour obtenir cette couleur de peinture, on mélange différents **pigments**.*

① **pignon** nom masculin
Roue dentée d'un engrenage. *À vélo, quand on change de vitesse, la chaîne passe sur un autre **pignon**.*

② **pignon** nom masculin
Partie supérieure, en forme de triangle, de la façade d'une maison ou d'un mur entre les deux pentes du toit. • **Avoir pignon sur rue :** avoir un magasin, un commerce bien situé.

③ **pignon** nom masculin
Graine comestible de la pomme de pin. *Ma mère met des **pignons** dans la salade.*

① **pile** adverbe
Dans la langue familière, exactement. *La séance va commencer à deux heures **pile**.* • **S'arrêter pile :** s'arrêter tout d'un coup, brusquement. • **Tomber pile :** arriver au bon moment.

② **pile** nom féminin
❶ Ensemble d'objets placés les uns sur les autres. *Ma mère a rangé les draps en **pile** dans l'armoire.* ❷ Maçonnerie qui sert de support à un pont. *Le bateau passe entre les **piles** du pont.* **SYN** pilier.

a b c d e f g h i j k l m n o p q r s t u v w x y z

③ **pile** nom féminin
Appareil qui fournit du courant électrique. *Emma a acheté des **piles** pour sa lampe de poche.*

④ **pile** nom féminin
Côté d'une pièce de monnaie où figure sa valeur. CONTR face. • **Jouer à pile ou face:** laisser le hasard décider entre deux solutions en lançant en l'air une pièce de monnaie. *Nous **avons joué à pile ou face** pour savoir quelle équipe commencerait.*

piler verbe ▸ conjug. 3
❶ Réduire en poudre ou en petits morceaux. ***Piler** de l'ail dans un mortier.* ❷ Dans la langue familière, marcher sur quelque chose. *J'ai cassé mes lunettes en **pilant** dessus.*
• **Piler sur son orgueil:** mettre son orgueil de côté.

pileux, pileuse adjectif
• **Système pileux:** ensemble des poils et des cheveux.

pilier nom masculin
Colonne, poteau qui soutient une construction. *Le balcon repose sur des **piliers** de béton.*

pillage nom masculin
Action de piller. *Les journalistes ont été témoins de scènes de **pillage**.* * Attention! Les deux *l* dans le mot *pillage* se prononcent comme dans *fille*.

pillard, pillarde nom
Personne qui pille. *Ce magasin a été dévalisé par une bande de **pillards**.* * Attention! Les deux *l* dans le mot *pillard* se prononcent comme dans *fille*.

piller verbe ▸ conjug. 3
Voler et saccager un lieu. *Les rebelles **ont pillé** la ville.* * Attention! Les deux *l* dans le mot *piller* se prononcent comme dans *fille*. ♦ Famille du mot: pillage, pillard.

pilon nom masculin
❶ Instrument au bout arrondi servant à piler. * Chercher aussi *mortier*. ❷ Ustensile de cuisine servant à réduire en purée certains aliments. *Ma mère utilise un **pilon** pour faire de la purée de pommes de terre.* ❸ Partie de la patte d'une volaille. *Hier, nous avons mangé des **pilons** de poulet.*

pilonner verbe ▸ conjug. 3
Soumettre à un violent bombardement. *Les bombardiers **ont pilonné** la gare.*

pilotage nom masculin
Action de piloter. *Une école de **pilotage**.*
• **Cabine, poste de pilotage:** local d'où le pilote conduit un bateau, un avion. 👁p. 93.

pilote nom
Personne qui dirige un bateau, un avion ou une voiture de course. *Le père de Caroline est **pilote** dans une compagnie d'aviation. Gilles Villeneuve était un excellent **pilote** de course.* ■ **pilote** complément du nom
Qui expérimente une nouvelle méthode. *Une école **pilote**.* ♦ Famille du mot: copilote, pilotage, piloter.

piloter verbe ▸ conjug. 3
Conduire en qualité de pilote. *Maxime veut apprendre à **piloter** un hélicoptère.*

pilotis nom masculin
Ensemble de pieux enfoncés dans le sol et destinés à soutenir une construction. *En Asie, j'ai vu de nombreuses maisons sur **pilotis**.*

*Une maison sur **pilotis***

pilule nom féminin
Médicament que l'on prend par la bouche. *Cette **pilule** est à prendre avant le repas.*
* Chercher aussi *cachet, comprimé, gélule*.
• **Prendre la pilule:** prendre un médicament pour ne pas avoir d'enfant, en parlant des femmes. * Chercher aussi *anticonceptionnel*.

pimbêche nom féminin
Femme ou fille prétentieuse et désagréable. *Ses amies l'ont traitée de **pimbêche**.*

piment nom masculin
Fruit à saveur piquante, utilisé comme condiment. *Les petits **piments** rouges sont très forts. Les poivrons sont des **piments** doux.*

*Des **piments***

pimenter verbe ▶ conjug. 3
Assaisonner avec du piment. *La cuisinière a trop **pimenté** la sauce.*

pimpant, pimpante adjectif
Qui donne une impression de fraîcheur et d'élégance. *Ma tante est arrivée au mariage toute **pimpante**.*

pin nom masculin
Arbre toujours vert, dont les feuilles sont des aiguilles et qui produit de la résine. 👁p 126. * Chercher aussi *conifère, résineux*. • **Pomme de pin :** fruit du pin, fait d'écailles renfermant les graines. **SYN** ② cocotte. * Ne pas confondre *pin* et *pain*. * Chercher aussi *pignon*.

Un **pin**

pinailler verbe ▶ conjug. 3
Dans la langue familière, se soucier exagérément des détails, de la précision. *On ne va pas **pinailler** pour 50 cents !*

pince nom féminin
❶ Instrument à deux branches servant à saisir ou à serrer. *Pour enlever ce clou, ma mère prend une **pince**.* • **Pince à linge :** instrument qui sert à fixer le linge sur une corde à linge ou sur un séchoir. **SYN** épingle* à linge. ❷ Extrémité fourchue des pattes avant de certains crustacés. *Les écrevisses, les crabes et les homards ont des **pinces**.*

pincé, pincée adjectif
• **Air pincé :** air hautain et froid.

pinceau, pinceaux nom masculin
Instrument fait d'une petite touffe de poils fixée au bout d'un manche. *Avec un **pinceau**, on peut appliquer de la peinture.* 👁p. 74.

pincée nom féminin
Quantité de matière en poudre que l'on peut prendre entre deux doigts. *Une **pincée** de sel.*

pincement nom masculin
❶ Action de pincer. ❷ Au sens figuré, sensation d'angoisse ou de chagrin. *En revoyant son ancienne maison, Irina a eu un petit **pincement** au cœur.*

pincer verbe ▶ conjug. 4
❶ Serrer avec les doigts ou entre deux objets. *Ma sœur m'**a pincé** le bras.* ❷ Rapprocher en serrant. *Elle **pince** les lèvres pour montrer son désaccord.* ❸ Dans la langue familière, prendre quelqu'un en faute. *Le voleur s'est fait **pincer**.* **SYN** arrêter. ❹ Donner une sensation désagréable. *Le froid nous **pince** le visage.*
■ *se* **pincer** : se coincer la peau dans un objet qui serre à la façon d'une pince. *Arielle **s'est pincé** les doigts dans la porte.* ♦ Famille du mot : pince, pincé, pincée, pincement, pince-sans-rire, pincettes, pinçon.

pince-sans-rire nom invariable
Personne qui plaisante tout en gardant son sérieux. *Rachid est un vrai **pince-sans-rire**.*

pincettes nom féminin pluriel
Longue pince en fer servant à saisir les tisons. *Julie déplace les bûches avec les **pincettes** pour activer le feu.* • **Ne pas être à prendre avec des pincettes :** être de très mauvaise humeur.

pinçon nom masculin
Trace d'un pincement sur la peau.

pinède nom féminin
Terrain planté de pins. *Nous sommes allés nous promener dans la **pinède**.*

pingouin nom masculin
Oiseau de mer noir et blanc qui se tient debout et vit dans les régions arctiques. *Contrairement aux manchots, les **pingouins** peuvent voler.*

ping-pong nom masculin invariable
Sport qui se joue sur une table avec une petite balle et des raquettes. *Philippe a envoyé la balle de **ping-pong** dans le filet.* **SYN** tennis* de table. * Attention ! Les deux *g* du mot *ping-pong* se prononcent. ✎ On peut écrire aussi *un **pingpong**, des **pingpongs***. * Chercher aussi *pongiste*.

Un **pingouin**

pingre nom et adjectif
Avare. *Ce **pingre** est incapable de faire le moindre cadeau.* **SYN** grippe-sou, séraphin. – *Elle est très **pingre**.* **SYN** chiche.

pinson nom masculin
Petit oiseau au chant mélodieux. • **Gai comme un pinson :** très gai, très joyeux.

Un **pinson**

pintade nom féminin
Oiseau de basse-cour au plumage gris tacheté de blanc. *Cette cultivatrice élève des* ***pintades.***

Une **pintade**

pioche nom féminin
Outil formé d'un manche terminé par un fer pointu, qui sert à creuser. *Le jardinier creuse la terre avec une* ***pioche.***

piocher verbe ▸ conjug. 3
❶ Creuser avec une pioche. *Avant de planter les fleurs, il faudra* ***piocher*** *la terre.* ❷ Dans la langue familière, travailler très fort. *Pour réussir son cours, il a dû* ***piocher*** *sa chimie.*

piolet nom masculin
Canne munie d'un pic à l'une de ses extrémités et d'un fer pointu à l'autre. *Les alpinistes se servent de leur* ***piolet*** *pour marcher sur la glace.*

pion nom masculin
Pièce que l'on déplace dans certains jeux. *Les* ***pions*** *du jeu de dames, du jeu d'échecs.*

pionnier, pionnière nom
❶ Personne qui défriche et cultive des contrées inhabitées. *Il n'y avait pas de cultures dans cette région avant l'arrivée des* ***pionniers.***
❷ Personne qui explore une nouvelle voie. *Les frères Montgolfier ont été les* ***pionniers*** *de la navigation aérienne.*

pipe nom féminin
Objet servant à fumer. *Mon grand-père nous a montré sa collection de* ***pipes.***

pipeau, pipeaux nom masculin
Petite flûte à bec. *Loukian joue un air populaire avec son* ***pipeau.*** * Chercher aussi *fifre.*

pipeline nom masculin
Canalisation destinée au transport de fluides comme le pétrole, le gaz naturel. * Chercher aussi *aqueduc, gazoduc, oléoduc.*

piper verbe ▸ conjug. 3
Truquer des dés ou des cartes dans l'intention de tricher.

pipette nom féminin
Tube de verre mince et généralement gradué, servant à prélever un peu de liquide.

pipi nom masculin
• **Faire pipi :** dans la langue familière, uriner. *Le chien a levé la patte pour* ***faire pipi*** *contre un arbre.* **SYN** pisser.

piquant, piquante adjectif
Qui pique. *Ce piment est très* ***piquant*** *: j'ai la bouche en feu.* ■ **piquant** nom masculin Épine ou aiguille de certains animaux ou végétaux. *Les cactus, les hérissons ont des* ***piquants.***

pique nom féminin
Arme ancienne faite d'une pointe en fer plat au bout d'un long manche. ■ **pique** nom masculin Une des quatre couleurs du jeu de cartes, figurée par une pique noire. * Chercher aussi *carreau, cœur, trèfle.* * Ne pas confondre *pique* et *pic.*

piqué nom masculin
• **En piqué :** presque à la verticale. *Les avions descendaient* ***en piqué.***

pique-assiette nom
Personne qui cherche toujours à se faire inviter chez les autres pour ne pas dépenser d'argent pour se nourrir. ✎ Pluriel : *des* ***pique-assiettes.***

pique-nique ou **piquenique** nom masculin
Repas froid pris en plein air. *Pour l'excursion de dimanche, chacun doit apporter son* ***pique-nique.*** ✎ Pluriel : *des* ***pique-niques****, des* ***piqueniques.***

pique-niquer ou **piqueniquer** verbe ▸ conjug. 3
Faire un pique-nique. *Le père de Léonie cherche un endroit agréable pour* ***pique-niquer.***

piquer verbe ▸ conjug. 3
❶ Percer la peau avec un objet pointu ou un dard. *Xavier s'est fait* ***piquer*** *par une guêpe.* ❷ Faire une piqûre. *L'infirmière* ***a piqué*** *Noémie contre le tétanos.* ❸ Faire des points de couture dans quelque chose. *Ma mère* ***pique*** *les rideaux à la machine.* **SYN** coudre. ❹ Produire une sensation de piqûre, de picotement ou de brûlure. *La moutarde forte me* ***pique*** *la langue.* **SYN** irriter. ❺ Se mettre brusquement à faire quelque chose. *Marc* ***a piqué*** *une colère. Les cavaliers* ***ont piqué*** *un galop.* ❻ Descendre à la verticale. *L'avion* ***pique*** *droit vers le sol.* ❼ Dans la langue familière, voler. *Charlotte* ***a piqué*** *la BD de son frère.* **SYN** ② faucher.

♦ Famille du mot: piquant, pique, piqué, pique-assiette, pique-nique, piquet, piquetage, piqueter, piqueteur, piqûre.

piquet nom masculin
Petit pieu que l'on enfonce dans la terre. *Miguel enfonce les **piquets** pour monter la tente.* • **Piquet de grève:** groupe de grévistes qui veillent à ce que l'ordre de grève soit exécuté. SYN ligne de piquetage*.

piquetage nom masculin
Manifestation collective des travailleurs aux abords d'un lieu de travail, lors d'une grève ou d'une mésentente. • **Ligne de piquetage:** piquet de grève.

① **piqueter** verbe ▸ conjug. 9
Installer des piquets. *L'arpenteur **a piqueté** ce terrain.* ✎ On peut écrire aussi, au présent, *je **piquète***; au futur, *tu **piquèteras***; au conditionnel, *elle **piquèterait***.

② **piqueter** verbe ▸ conjug. 9
Faire du piquetage. *Ces éducatrices **ont piqueté** toute la journée pour réclamer de meilleures conditions de travail.* ✎ On peut écrire aussi, au présent, *je **piquète***; au futur, *tu **piquèteras***; au conditionnel, *il **piquèterait***.

piqueteur, piqueteuse nom
Personne qui participe à un piquetage.

piqûre nom féminin
❶ Petite plaie faite par un instrument aigu ou par le dard de certains animaux. *Les **piqûres** de guêpes provoquent parfois des allergies.* ❷ Injection faite avec une seringue. *L'infirmière vient tous les jours faire une **piqûre** au grand-père de Sonia.* ✎ On peut écrire aussi ***piqure***.

piranha nom masculin
Petit poisson carnivore très vorace des fleuves d'Amérique du Sud.

Un **piranha**

piratage nom masculin
Action de pirater. *Le **piratage** des films est interdit par la loi.*

pirate nom masculin
Bandit qui attaque les navires pour les piller. 👁p. 784. * Chercher aussi *corsaire*. • **Pirate de l'air:** personne qui détourne un avion en utilisant la menace. • **Pirate informatique:** personne qui s'infiltre dans un système informatique pour voler son contenu, le modifier ou le détruire. ♦ Famille du mot: piratage, pirater, piraterie.

pirater verbe ▸ conjug. 3
Reproduire illégalement un film, de la musique, un logiciel, etc.

piraterie nom féminin
❶ Agissements des pirates. *La **piraterie** en mer existe toujours.* 👁p. 784. ❷ Vol, fraude. *La **piraterie** informatique, musicale.*

pire adjectif et nom
Qui est plus mauvais. *Avec la chaleur, le niveau de pollution est **pire** que celui d'hier. C'est le **pire** de tous.* CONTR meilleur. ■ **pire** nom masculin Ce qu'il y a de plus mauvais. *Ils ont fait le serment de vivre ensemble pour le meilleur et pour le **pire**.*

pirogue nom féminin
Embarcation longue et étroite. * Chercher aussi *canoé, kayak*.

Des **pirogues**

pirouette nom féminin
Tour complet sur soi-même. *Malika est étourdie à force de faire des **pirouettes**.*

① **pis** adverbe
• **Tant pis!:** c'est ennuyant, mais on n'y peut rien. *J'ai manqué mon autobus, **tant pis!*** • **Tant pis pour quelqu'un:** c'est dommage pour lui, mais il l'a cherché. *Les retardataires n'ont vu le film qu'à moitié, **tant pis pour eux**.* • **Aller de mal en pis:** aller de plus en plus mal. * Attention! Le *s* du mot *pis* ne se prononce pas. * Ne pas confondre *pis* et *pie*.

② **pis** nom masculin
Mamelle d'un animal femelle. *La fermière nettoie les **pis** de la chèvre avant de la traire.* * Attention! Le *s* du mot *pis* ne se prononce pas. * Ne pas confondre *pis* et *pie*.

pis-aller nom masculin invariable
Solution peu satisfaisante que l'on choisit faute de mieux. *Cet horaire de travail est un **pis-aller**.* * Attention! Le mot *pis-aller* se prononce *pizalé*.

Les pirates

Les pirates étaient des brigands qui sillonnaient les mers pour s'emparer de la cargaison des navires. On les a parfois désignés sous le nom de boucaniers ou de flibustiers. Contrairement à la croyance populaire, c'étaient le plus souvent des gens pauvres, qui ne mangeaient pas à leur faim. La plupart mouraient jeunes au combat, ou pendus par la justice de l'époque.

La piraterie

La piraterie existe depuis l'Antiquité. En effet, comme la mer était un milieu où régnait la «loi du plus fort», toutes les civilisations qui disposaient d'une flotte étaient confrontées à la piraterie.

La piraterie avait des règles strictes de fonctionnement. Tout d'abord, les pirates élisaient un capitaine, dont ils reconnaissaient le savoir-faire marin et l'autorité naturelle, puis un quartier-maître, qui secondait le capitaine et faisait régner l'ordre parmi l'équipage. Le quartier-maître avait le pouvoir de convoquer l'Assemblée, où chaque homme – à l'exception des mousses et des nouveaux marins – avait droit de parole et pouvait voter. Il pouvait aussi demander un procès contre le capitaine. Si le capitaine refusait de subir le procès, il était immédiatement reconnu coupable et, le plus souvent, abandonné sur une île en guise de condamnation.

Parfois, des groupes de pirates partageaient les butins dont ils s'emparaient en respectant des règles définies. Mais cela ne se produisait que rarement, car les pirates étaient d'abord et avant tout des criminels avides de s'enrichir.

Quelques pirates célèbres

Le drapeau de Jack Rackham

Jack Rackham (1682-1720)

Plus connu sous le nom de Calico Jack, Jack Rackham ou John Rackham était un pirate du début du18e siècle. Hergé s'est inspiré de son histoire pour écrire « Le Secret de La Licorne » et « Le Trésor de Rackham le Rouge » dans *Les Aventures de Tintin*. C'est aussi Jack Rackham qui a inspiré le film *Le Pirate des Caraïbes,* et son drapeau qui a flotté sur le *Black Pearl.*

Anne Bonny (1697-1782)

Elle avait le visage crasseux et portait des vêtements en loques. Déguisée en homme pour pouvoir être acceptée parmi l'équipage, elle a fini par succomber au charme de Jack Rackham.

Barbe Noire (1680-1718)

Connu aussi sous le nom d'Edward Teach, Barbe Noire est l'un des pirates les plus célèbres de l'histoire de la piraterie. Il a eu quatorze femmes et presque autant de noms. Il a semé la terreur dans les Caraïbes pendant deux ans.

Le Baronnet Noir (1682-1722)

Bartholomew Roberts, un boucanier britannique, était surnommé *Le Baronnet Noir.* Il semble qu'il ait mené la carrière la plus fructueuse de toute l'histoire de la piraterie en capturant plusieurs centaines de navires dans les Caraïbes.

a b c

pisciculteur, piscicultrice nom
Personne qui fait l'élevage de poissons.

pisciculture nom féminin
Élevage de poissons. *Dans cet étang, on fait de la* ***pisciculture*** *de truites.*

La ***pisciculture***

piscine nom féminin
Bassin aménagé pour la natation. *Avec mes sœurs, nous allons à la* ***piscine*** *une fois par semaine pour apprendre à nager.*

Des ***pissenlits***

pissenlit nom masculin
Plante à feuilles dentelées et à fleurs jaunes. *Cette pelouse est parsemée de* ***pissenlits****.*

pisser verbe ▸ conjug. 3
Dans la langue familière, uriner. *Le chat* ***a pissé*** *sur le tapis.* **SYN** faire pipi*.

pistache nom féminin
Graine verte produite par un arbre des régions chaudes, qui a un peu le goût de l'amande. *Une crème glacée à la* ***pistache****.*

Des ***pistaches***

piste nom féminin
❶ Trace du passage d'un animal ou d'un être humain. *Les chasseurs sont sur la* ***piste*** *d'un orignal.* ❷ Indice qui guide la recherche. *Le malfaiteur s'amuse à brouiller les* ***pistes****.* ❸ Terrain aménagé pour différents usages. *Une* ***piste*** *de ski. Une* ***piste*** *d'atterrissage.* • **Piste cyclable :** piste aménagée en bordure d'une rue ou d'une route réservée aux cyclistes. *Il y a de plus en plus de* ***pistes cyclables*** *dans les villes canadiennes.* ❹ Chemin de terre non aménagé. *Ils ont suivi la* ***piste*** *tracée à travers la brousse.* ❺ Emplacement servant de scène au cirque. *L'écuyère fait un tour de* ***piste*** *pour saluer le public.*

pistil nom masculin
Organe femelle de la fleur. *Le* ***pistil*** *se transforme en fruit après avoir reçu le pollen.* 👁p. 446, 792. * Attention ! Le *l* du mot *pistil* se prononce. * Chercher aussi *étamine*.

pistolet nom masculin
❶ Arme à feu qui se tient d'une seule main. *Tirer un coup de* ***pistolet****.* * Chercher aussi *revolver*. ❷ Appareil qui a la forme d'un pistolet. *Repeindre une voiture au* ***pistolet****.*

piston nom masculin
Pièce cylindrique qui coulisse dans un moteur ou dans une pompe.

pita nom masculin
Pain sans levain ayant la forme d'un disque. *À midi, nous avons mangé des* ***pitas*** *garnis de poulet et de salade.*

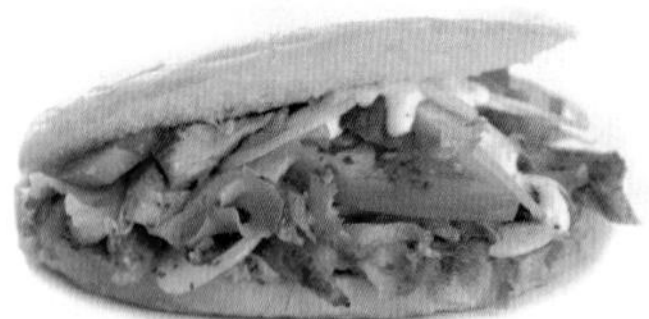

Un ***pita*** *garni*

pitance nom féminin
Nourriture quotidienne. *On a servi au prisonnier une maigre* ***pitance****.*

piteux, piteuse adjectif
❶ Qui inspire de la pitié. *Après leur défaite, ils affichaient un air* ***piteux****.* **SYN** déçu, triste. ❷ Qui est mauvais, lamentable. *Des résultats* ***piteux****.* **SYN** déplorable, lamentable. • **En piteux état :** en mauvais état. *Ce vieux vélo est en* ***piteux*** *état.*

pitié nom féminin
Sentiment de sympathie, de compassion que l'on éprouve pour une personne qui souffre. *Cette jeune femme qui demandait de l'aide m'a fait* ***pitié****.* ♦ Famille du mot : apitoiement, apitoyer, impitoyable, piteux, pitoyable.

k l m n o p q r s t u v w x y z

piton nom masculin
❶ Clou ou vis dont la tête est en forme d'anneau ou de crochet. *La tringle à rideaux est maintenue par deux **pitons**.* ❷ Pic isolé d'une montagne. *Un **piton** rocheux.* ❸ Dans la langue familière, bouton servant à actionner un appareil. * Ne pas confondre *piton* et *python*.

pitonner verbe ▸ conjug. 3
❶ Dans la langue familière, passer continuellement d'une station de télévision à une autre à l'aide de la télécommande. **SYN** zapper. ❷ Dans la langue familière, appuyer sur des boutons, sur les touches d'un clavier. ***Pitonner** sur l'ordinateur, sur la calculatrice.*

pitoyable adjectif
Qui fait pitié. *Les réfugiés étaient dans un état **pitoyable**.* **SYN** désolant, lamentable.

pitre nom masculin
Personne qui fait rire par ses grimaces et ses plaisanteries. *Gloria ne cesse de faire le **pitre**.* **SYN** bouffon, clown.

pitrerie nom féminin
Grimace ou farce de pitre. *Ses **pitreries** font rire tout le monde.* **SYN** clownerie.

pittoresque adjectif
Qui frappe par sa beauté ou son originalité. *C'est un village très **pittoresque**.* **CONTR** banal, ordinaire.

*Une vue **pittoresque***

pivoine nom féminin
Plante aux grosses fleurs odorantes rouges, roses ou blanches. • **Rouge comme une pivoine :** très rouge.

pivot nom masculin
Axe fixe autour duquel peut tourner une pièce mobile. *Les engrenages d'une montre tournent sur des **pivots**.*

pivoter verbe ▸ conjug. 3
Tourner comme sur un pivot. *Ce tabouret **pivote**.*

pizza nom féminin
Mets d'origine italienne fait à partir d'une pâte plate et ronde, garnie de tomates, de champignons, de fromage, etc. *Ces **pizzas** sont cuites dans un four à bois.* * Attention ! Le mot *pizza* se prononce comme s'il y avait un *d* entre les deux syllabes.

pizzeria nom féminin
Restaurant où l'on sert des pizzas. ✎ On peut écrire aussi ***pizzéria***. * Attention ! Le mot *pizzeria* se prononce comme s'il y avait un *d* après la première syllabe.

placard nom masculin
Armoire aménagée dans un mur. *L'appartement est petit, mais il y a beaucoup de **placards**.* * Chercher aussi *garde-robe*, *penderie*.

placarder verbe ▸ conjug. 3
Coller sur un panneau d'affichage ou un mur. ***Placarder** un avis de recherche.* **SYN** afficher.

place nom féminin
❶ Endroit où l'on met une chose. *J'ai changé mon lit de **place**.* ❷ Espace libre. *Il n'y a plus de **place** dans la valise.* ❸ Siège dans un véhicule ou une salle de spectacle. *C'est une voiture familiale à six **places**.* ❹ Rang obtenu dans un classement. *Ce plongeur occupe la première **place** au classement de la compétition.* ❺ Dans une ville ou un village, espace où aboutissent plusieurs rues. *Yoan et Silvana se sont donné rendez-vous à Montréal, **place** Jacques-Cartier.* • **À la place de quelqu'un** ou **de quelque chose :** pour le remplacer. *Je prendrai du poisson **à la place de** la viande.* • **Ne pas tenir en place :** être très agité. • **Place forte :** ville fortifiée, forteresse. • **Prendre place :** s'installer. • **Se mettre à la place de quelqu'un :** imaginer ce qu'il ressent dans la situation où il est. • **Faire du surplace :** ne pas avancer. *Les voitures **font du surplace** dans l'embouteillage.* • **Faire place à :** être remplacé par. *Le chahut **a fait place au** silence.* • **Sur place :** sur les lieux mêmes de l'évènement. *On a donné **sur place** les premiers soins au blessé.*
◆ Famille du mot : déplacé, déplacement, déplacer, emplacement, placement, placer, replacer.

*Une **pivoine***

a b c d e f g h i j k l m n o p q r s t u v w x y z

placement nom masculin
❶ Argent placé. *Ce **placement** lui a rapporté beaucoup d'argent.* SYN investissement.
❷ Action de trouver un emploi à quelqu'un. *Il a trouvé un emploi grâce à un service de **placement**.*

placenta nom masculin
Organe situé dans l'utérus des mammifères, qui assure la nourriture du fœtus grâce au cordon ombilical. *Le **placenta** est expulsé lors de l'accouchement.* * Attention ! Dans *placenta*, les lettres *en* se prononcent *in*.

placer verbe ▸ conjug. 4
❶ Mettre quelqu'un ou quelque chose à une certaine place. *L'hôtesse **a placé** les invités. Brian **a placé** ses autos miniatures sur l'étagère de sa chambre.* ❷ Investir de l'argent pour qu'il rapporte des intérêts. *Il se demande comment il doit **placer** son argent.* • **Placer un mot**: intervenir dans une conversation. *Elle n'a pas pu **placer un mot**.*

placide adjectif
Qui est toujours calme et paisible. *Mon voisin est un homme **placide**.* SYN flegmatique, impassible. CONTR nerveux.

placier, placière nom
Personne qui conduit chacun à sa place lors d'un spectacle, d'une cérémonie.

placotage nom masculin
❶ Dans la langue familière, discussion à bâtons rompus. *J'écoute les **placotages** des spectateurs.* SYN bavardage. ❷ Dans la langue familière, commérage, médisance.

placoter verbe ▸ conjug. 3
❶ Bavarder de choses et d'autres. *En attendant que le film commence, les spectateurs **placotent**.* ❷ Tenir des propos désobligeants sur quelqu'un. *Qui est-ce qui **a** encore **placoté** sur mon compte ?*

placoteux ou **placoteur, placoteuse** nom
Personne qui placote. *Il y a plusieurs **placoteux** dans la classe.*

plafond nom masculin
❶ Partie supérieure d'une pièce d'habitation, opposée au sol. *Un lustre est suspendu au **plafond**.* ❷ Au sens figuré, limite supérieure. *La compagnie d'assurances ne rembourse pas au-delà d'un certain **plafond**.* CONTR plancher.
♦ Famille du mot : plafonner, plafonnier.

plafonner verbe ▸ conjug. 3
Atteindre un plafond, un maximum. *Cette voiture électrique **plafonne** à 60 km/h.*

plafonnier nom masculin
Appareil d'éclairage fixé au plafond. *Le **plafonnier** d'une voiture.*

plage nom féminin
Rivage plat de sable ou de galets, au bord de la mer, des lacs et des rivières. *Les **plages** de l'Île-du-Prince-Édouard s'étendent sur des kilomètres. Mettez vos maillots de bain, nous allons à la **plage** !*

*Une **plage***

plagiat nom masculin
Action de plagier, copie plagiée. *Cette chanson est un **plagiat**.*

plagier verbe ▸ conjug. 10
S'approprier les idées d'un auteur ou d'un artiste. *Cet auteur **a plagié** le livre d'une romancière américaine.* SYN copier.

plaider verbe ▸ conjug. 3
Défendre une cause devant un tribunal. *Elle a trouvé un avocat pour **plaider** sa cause.*
♦ Famille du mot : plaidoirie, plaidoyer.

plaidoirie nom féminin
Discours d'une personne qui plaide. *Un long silence a suivi la **plaidoirie** émouvante de l'avocate.*

plaidoyer nom masculin
Exposé en faveur d'une idée ou d'une personne. *Le conférencier a fait un **plaidoyer** en faveur des droits de l'enfant.*

plaie nom féminin
Blessure qui laisse la chair ouverte. *Les coupures, les balafres, les brûlures sont des **plaies**.*

plaignant, plaignante nom et adjectif
Personne qui dépose une plainte en justice. *Le juge a écouté la **plaignante**. – La partie **plaignante** a exposé les faits.*

plaindre verbe ▸ conjug. 35
Éprouver de la pitié pour quelqu'un. *Lucas **plaint** les sans-abri.* ■ *se* **plaindre** ❶ Exprimer sa souffrance. *Jennifer **se plaint** d'une vive douleur dans la hanche.* ❷ Exprimer son mécontentement. *Elle **s'est plainte** parce que ses voisins faisaient trop de bruit.*
♦ Famille du mot : plaignant, plainte, plaintif.

plaine nom féminin
Grande étendue de terrain plat. *Au Canada, les Prairies sont d'immenses **plaines**.*

de **plain-pied** adverbe
Sur le même niveau. *Les portes-fenêtres de la salle à manger donnent **de plain-pied** sur le patio.*

plainte nom féminin
❶ Cri d'une personne qui se plaint. *Le blessé faisait entendre une faible **plainte**.* SYN gémissement. ❷ Expression du mécontentement de quelqu'un. *Il y a eu des **plaintes** à cause du bruit.* ❸ Accusation en justice. *Ils ont porté **plainte** pour fraude.*
* Ne pas confondre *plainte* et *plinthe*.

plaintif, plaintive adjectif
Qui exprime une plainte ou une douleur. *Le chien blessé poussait des cris **plaintifs**.*

plaire verbe ▸ conjug. 41
Être agréable à quelqu'un. *Cette émission nous **a plu**.* CONTR déplaire. • **S'il vous plaît, s'il te plaît :** formule de politesse pour demander quelque chose. ■ *se* **plaire** ❶ Se trouver bien quelque part. *Il **se plaît** beaucoup dans cette région.* ❷ Avoir du plaisir à faire quelque chose. *Il **se plaît** à faire du dessin.* ❸ Avoir de l'attirance l'un pour l'autre. *Noah et Karen **se plaisent**.* ✎ On peut écrire aussi *il, elle **plait** ; s'il vous **plait**.* ♦ Famille du mot : déplaire, déplaisant, plaisance, plaisancier, plaisant.

plaisance nom féminin
• **Navigation de plaisance :** pratique d'activités nautiques pour le plaisir. * Chercher aussi *plaisancier*.

*La navigation de **plaisance***

plaisancier, plaisancière nom
Personne qui pratique la navigation de plaisance.

plaisant, plaisante adjectif
❶ Qui plaît. *Cet endroit près de la rivière est très **plaisant** en été.* SYN agréable. CONTR déplaisant. ❷ Qui amuse. *Ton histoire est **plaisante**.* SYN amusant, drôle. ■ **plaisant** nom masculin • **Mauvais plaisant :** personne qui fait des plaisanteries de mauvais goût.

plaisanter verbe ▸ conjug. 3
Dire ou faire des choses qui font rire. *Marina aime bien **plaisanter**.* • **Ne pas plaisanter avec quelque chose :** le prendre très au sérieux.
♦ Famille du mot : plaisanterie, plaisantin.

plaisanterie nom féminin
Chose dite ou faite pour plaisanter. *Ses **plaisanteries** ont détendu l'atmosphère.* SYN ① blague, boutade, ① farce.

plaisantin nom masculin
Personne qui aime plaisanter au point qu'on ne peut la prendre au sérieux. SYN farceur.

plaisir nom masculin
Sensation ou sentiment agréable. *Quel **plaisir** de manger sur la terrasse ! Cela m'a fait un grand **plaisir** de revoir ma cousine.* • **Avec plaisir :** très volontiers. *Voulez-vous un coup de main ? – **Avec plaisir** !*

① **plan, plane** adjectif
Qui est plat et uni. *Le menuisier rabote la planche pour qu'elle soit parfaitement **plane**.*

② **plan** nom masculin
❶ Carte ou dessin d'une ville, d'un lieu ou d'un bâtiment. *On voit sur le **plan** que le parc est à côté de l'église.* ❷ Manière dont on envisage de faire une action. *Ricardo a exposé son **plan** à ses amis.* ❸ Organisation d'un texte ou d'un livre. *L'enseignante nous a donné un **plan** pour rédiger notre texte.* ❹ Place où se trouvent les éléments d'une image selon leur distance. *Au premier **plan** du tableau, il y a un cheval ; à l'arrière-plan, une montagne.* ❺ Surface plane. *Le dessus de la table forme un **plan** horizontal.* ❻ Importance relative de quelqu'un ou de quelque chose. *On ne peut pas mettre ces deux affaires sur le même **plan**. C'est une artiste de premier **plan**.* • **Plan cartésien :** plan muni d'un système de repérage formé de deux droites graduées qui se coupent perpendiculairement. • **Laisser quelque chose**

a b c d e f g h i j k l m n o p q r s t u v w x y z

en plan : ne plus s'en occuper, l'abandonner. • **Rester en plan** : en attente ou inachevé. • **Sur le plan de quelque chose** : de ce point de vue. *Ce professeur est très strict **sur le plan de** la discipline.* ♦ Famille du mot : aplanir, arrière-plan, planification, planifier.

planche nom féminin
❶ Longue pièce de bois plate et peu épaisse. *Le menuisier scie des **planches** afin de faire un meuble.* ❷ Page d'illustrations. *Ce livre sur les plantes contient de magnifiques **planches** en couleurs.* • **Avoir du pain sur la planche** : avoir beaucoup de travail à accomplir. • **Faire la planche** : se laisser flotter sur le dos. • **Monter sur les planches** : devenir comédien. • **Planche à repasser** : planche montée sur pieds et recouverte d'une toile molletonnée, sur laquelle on repasse le linge. • **Planche à roulettes** : planche munie de roulettes, permettant de se déplacer et de faire des figures. • **Planche à neige** : planche pour glisser sur la neige. * Chercher aussi *planchiste*, *surfeur* des neiges*. • **Planche à voile** : planche munie d'une voile fixée sur un mât mobile, permettant de glisser sur l'eau. * Chercher aussi *planchiste*, *véliplanchiste*. ♦ Famille du mot : plancher, planchette, planchiste.

De la **planche à voile**

plancher nom masculin
❶ Sol qui sépare deux étages. *Un **plancher** en béton.* ❷ Sol d'un véhicule, d'une habitation, etc. *Ma mère a passé l'aspirateur sur le **plancher** de sa voiture.* ❸ Au sens figuré, limite inférieure. *On a fixé un **plancher** pour le nombre de participants.* **CONTR** plafond.

planchette nom féminin
Petite planche.

planchiste nom
❶ Personne qui pratique la planche à voile. **SYN** véliplanchiste. ❷ Personne qui pratique la planche à neige. **SYN** surfeur* des neiges. ❸ Personne qui pratique la planche à roulettes.

plancton nom masculin
Ensemble de petits animaux minuscules ou microscopiques qui se trouvent dans l'eau de mer. *Le **plancton** est la principale nourriture des baleines.*

planer verbe ▸ conjug. 3
❶ Voler sans battre des ailes ou sans l'aide d'un moteur. *Ces mouettes profitent d'un courant aérien pour **planer**.* ❷ Flotter dans l'air. *Un nuage de fumée **plane** au-dessus des toits.* ❸ Peser comme une menace. *Un mystère **plane** sur cette affaire.*

planétaire adjectif
❶ Qui concerne les planètes. *La plus grosse planète du système **planétaire** est Jupiter.* ❷ Qui concerne toute la Terre. *La pollution est un problème **planétaire**.* **SYN** mondial.

planétarium nom masculin
Salle à coupole où sont représentés les astres et leurs mouvements. *Avec la classe, nous avons visité le **planétarium** de Montréal.* * Attention ! La dernière syllabe du mot *planétarium* se prononce *riome*.

planète nom féminin
Corps céleste qui tourne autour du Soleil. *Mercure et Vénus sont les deux **planètes** les plus proches du Soleil.* 👁p. 1008. ♦ Famille du mot : interplanétaire, planétaire, planétarium.

Les **planètes** du système solaire

planeur nom masculin
Avion sans moteur fait pour planer. *Le **planeur** s'est posé sur le champ.*

planification nom féminin
Action de planifier. *Cette usine a établi la **planification** de sa production.*

planifier verbe ▸ conjug. 10
Organiser selon un plan. *Mes grands-parents **ont** soigneusement **planifié** leur retraite.*

planisphère nom masculin
Carte qui représente toute la Terre. 👁carte 1. * Attention ! On dit ***un** planisphère*. * Chercher aussi *mappemonde*.

plant nom masculin
Jeune plante destinée à être transplantée ou qui vient de l'être. *Des **plants** de haricots.*

plantaire adjectif
De la plante du pied. *Ingrid a une verrue **plantaire**.*

plantation nom féminin
❶ Végétaux plantés sur un terrain. *La cultivatrice arrose ses **plantations**.* ❷ Grande exploitation agricole des pays tropicaux. *Les **plantations** de café du Brésil.*

① **plante** nom féminin
Tout végétal enraciné dans la terre. *Des **plantes** potagères, fourragères, médicinales.* 👁p. 792. * Chercher aussi *botanique*.

② **plante** nom féminin
• **Plante du pied :** dessous du pied.

planter verbe ▸ conjug. 3
❶ Mettre des graines, des bulbes ou des plantes en terre pour qu'ils prennent racine. *Le jardinier **plante** des fleurs.* ❷ Enfoncer dans le sol ou dans une matière solide. *Marco et Pénélope **ont planté** les piquets de la tente.* ■ se **planter** ❶ S'enfoncer. *Un clou **s'est planté** dans sa chaussure.* ❷ Se placer quelque part et y rester sans bouger. *Le chien **s'est planté** à la porte du magasin pour attendre son maître.* ❸ Dans la langue familière et au sens figuré, échouer. *Il **s'est planté** à son examen de conduite.* ♦ Famille du mot : plant, plantation, plante, planteur, transplantation, transplanter.

planteur, planteuse nom
Personne qui exploite une plantation dans les pays tropicaux. *Un **planteur** de canne à sucre.*

plantureux, plantureuse adjectif
Se dit d'un repas très abondant. *Un **plantureux** souper d'anniversaire.* **SYN** copieux. **CONTR** frugal.

plaque nom féminin
❶ Feuille plus ou moins épaisse d'une matière rigide. *Une **plaque** d'aluminium.* ❷ Support en métal portant des indications. *Le cabinet dentaire est identifié par une **plaque** à l'entrée de l'immeuble.* ❸ Tache sur la peau. *Une **plaque** d'eczéma.* ♦ Famille du mot : plaqué, plaquer, plaquette.

plaqué nom masculin
Métal ordinaire recouvert d'une mince couche d'un métal précieux. *Du **plaqué** or.*

plaquer verbe ▸ conjug. 3
❶ Recouvrir d'une plaque. *Cet artisan **plaque** ses bijoux avec de l'or.* ❷ Maintenir avec force. *Le souffle de l'explosion l'**a plaqué** au sol.* ❸ Dans la langue familière, quitter, laisser tomber. *Sa conjointe l'**a plaqué**.*

plaquette nom féminin
❶ Petite plaque. *Une **plaquette** de chocolat.* ❷ Cellule sanguine qui joue un rôle dans la coagulation.

plasma nom masculin
Partie liquide et claire du sang. *Les globules blancs et les globules rouges baignent dans le **plasma**.*

plastifier verbe ▸ conjug. 10
Recouvrir de plastique. *Adrian a fait **plastifier** son diplôme.*

plastique adjectif
• **Arts plastiques :** arts qui s'occupent de la forme et du volume des choses. *La sculpture, le dessin et la peinture sont des **arts plastiques**.* 👁p. 74. • **Matière plastique :** matière synthétique que l'on peut mouler facilement. *Un verre en **matière plastique**.* ■ **plastique** nom masculin Matière synthétique.

plastron nom masculin
Pièce de cuir rembourrée que l'on porte sur la poitrine pour se protéger lors de la pratique de certains sports.

*Un **plastron***

a b c d e f g h i j k l m n o **p** q r s t u v w x y z

Les plantes

Les plantes appartiennent au règne végétal. Il y a de 250 000 à 300 000 espèces de plantes connues. Ce sont des êtres vivants capables de pousser dans les conditions les moins favorables, à l'aide de la lumière du soleil. Les plantes sont à la base de la chaîne alimentaire; aussi, toutes les autres formes de vie, y compris les êtres humains, en dépendent.

L'anatomie des plantes

Les végétaux sont des organismes qui se développent à partir de sels minéraux et de dioxyde de carbone (CO_2). Ces substances sont absorbées par les feuilles grâce à la lumière du soleil : c'est ce qu'on appelle la photosynthèse. Pour survivre et se développer, les plantes ont besoin de lumière, d'eau, de terre et d'air.

À la base du processus de germination se trouve la **graine**, qui absorbe l'humidité du sol. Elle développe ensuite des racines et une tige qui émerge du sol.

Les **racines** sont sous la terre. Ce sont elles qui fixent la plante dans le sol et y puisent l'eau et les nutriments nécessaires à la plante.

La **tige** est à l'extérieur du sol. C'est elle qui porte les feuilles, les fleurs et les fruits, et qui achemine les nutriments vers les feuilles.

Les **feuilles**, généralement plates, sont vertes. Ce sont elles qui font la photosynthèse. De plus, elles produisent du CO_2, respirent et transpirent.

Les **fleurs** contiennent les organes reproducteurs des plantes. Une fois fécondées, elles se transforment progressivement en **fruits**.

Le mode de reproduction sexuée des végétaux

Pour qu'une plante se reproduise, ses **fleurs** doivent être fécondées. En règle générale, la fécondation se fait entre une plante mâle et une plante femelle. Elle se produit lorsque le **pollen**, libéré par les **étamines** (organe mâle), entre en contact avec le **pistil** (organe femelle) d'une autre fleur. Le pollen peut être transporté par le vent ou l'eau, ou par les insectes, en particulier les abeilles. C'est ce qu'on appelle la pollinisation.

Une fois fécondée, la fleur se transforme en **fruit** après plusieurs étapes. C'est le pistil qui va se transformer en fruit, et l'ovule fécondé qui est à l'origine de la graine. Cette **graine** servira à produire une nouvelle plante.

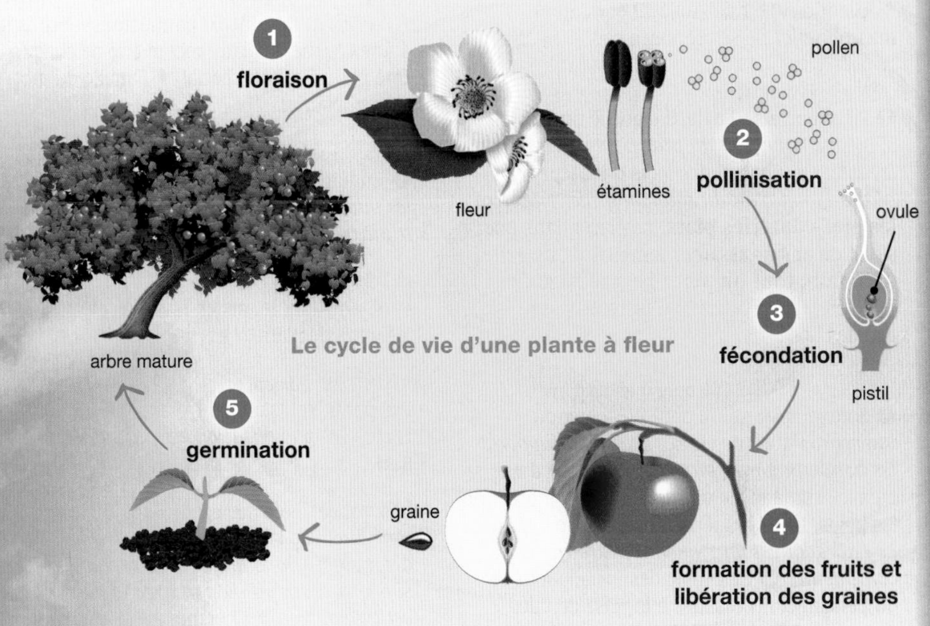

Le cycle de vie d'une plante à fleur

Certaines fleurs ont des couleurs vives et des odeurs attirantes. Ces caractéristiques ont pour objectif d'attirer les insectes qui se chargeront de leur fécondation.

① **plat, plate** adjectif
❶ Qui a une surface plane, sans creux ni bosse. *Les Prairies sont une région très **plate** du Canada.* **CONTR** accidenté. ❷ Qui est peu profond. *Des assiettes **plates**.* **CONTR** creux. ❸ Qui a peu d'épaisseur ou de hauteur. *Pour la randonnée, il faut des chaussures **plates**.* ❹ Non gazeux. *De l'eau **plate**.* • **À plat :** horizontalement. *Un livre posé **à plat** sur la table.* • **Calme plat :** absence d'agitation. • **Être à plat :** dans la langue familière, être très fatigué. • **Pneu à plat :** pneu dégonflé. ■ **plat** nom masculin Partie plate de quelque chose. *Faire du vélo sur le **plat**, c'est agréable.* * Attention ! Le *t* de l'adjectif et du nom masculin *plat* ne se prononce pas.

② **plat** nom masculin
❶ Pièce de vaisselle dans laquelle on sert les aliments. *Il me faut un **plat** pour mettre les légumes.* ❷ Chacun des mets d'un repas. *Le **plat** du jour, c'est du saumon grillé.* • **Mettre les pieds dans les plats :** se placer dans une situation embarrassante, commettre une gaffe. • **En faire tout un plat :** dans la langue familière, faire beaucoup d'histoires pour peu de chose.

plateau, plateaux nom masculin
❶ Sorte de plat utilisé pour présenter ou transporter quelque chose. *Le serveur apporte les boissons sur un **plateau**.* ❷ Partie d'une balance sur laquelle on met les objets à peser ou les poids. ❸ Grand terrain plat situé en altitude. *Le Labrador est un immense **plateau** continental.* ❹ Ensemble des installations et du personnel nécessaires à la prise de vues en studio.

plate-bande nom féminin
Bande de terrain cultivée. *Devant la maison, il y a une **plate-bande** d'iris.* ✎ Pluriel : *des **plates-bandes**.* ✎ On peut écrire aussi *une **platebande**, des **platebandes**.*

plate-forme ou **plateforme** nom féminin
Surface plane horizontale généralement surélevée. *La **plate-forme** d'un échafaudage, d'un camion.* ✎ Pluriel : *des **plates-formes**, des **plateformes**.*

① **platine** nom masculin
Métal précieux blanc-gris, malléable et inaltérable. *Une bague en **platine**.* ■ **platine** adjectif invariable D'un blond presque blanc. *Des cheveux **platine**.*

② **platine** nom féminin
Support plat sur lequel on met les disques pour les écouter. *Une **platine** laser.*

platitude nom féminin
Propos plat et sans originalité. *Il n'a dit que des **platitudes**.* **SYN** banalité.

plâtre nom masculin
❶ Poudre blanche que l'on mélange avec de l'eau pour faire une pâte qui durcit en séchant. *On utilise le **plâtre** pour faire des moulages.* ❷ Bandage recouvert de plâtre, utilisé pour immobiliser un membre fracturé. *Nathan s'est cassé la jambe en ski ; on lui a mis un **plâtre**.* • **Panneau de plâtre :** panneau usiné constitué d'une couche de plâtre recouverte de chaque côté par un carton spécial. ♦ Famille du mot : plâtrer, plâtrier.

plâtrer verbe ▸ conjug. 3
❶ Enduire de plâtre. *Les plâtriers **ont plâtré** les murs.* ❷ Mettre dans un plâtre. *La médecin **a plâtré** le bras du blessé.*

plâtrier, plâtrière nom
Personne dont le métier est de recouvrir les murs de plâtre.

plausible adjectif
Qui paraît suffisamment vrai pour qu'on le croie. *Son explication est **plausible**.* **SYN** crédible, vraisemblable.

plébiscite nom masculin
Vote direct de la population sur une question déterminée. *Dans un **plébiscite**, on doit dire si on est d'accord ou non avec la personne qui est au pouvoir.* * Chercher aussi *référendum*.

plein, pleine adjectif
❶ Qui contient tout ce qu'il peut contenir. *Le verre est **plein** à ras bord. La salle de cinéma est **pleine**.* **CONTR** vide. ❷ Qui contient beaucoup de choses. *Ce pantalon est **plein** de trous. Cette chemise est **pleine** de taches.* ❸ Qui est complet ou entier. *C'est demain la **pleine** lune. Il travaille à temps **plein**.* **CONTR** partiel. • **En plein :** au milieu de. *Ça s'est passé **en plein** jour.* ■ **plein** préposition Indique une grande quantité. *Il a de la boue **plein** les bottes.* • **En avoir plein le dos :** dans la langue familière, en avoir assez. ■ **plein** nom masculin • **Battre son plein :** être à son point culminant. *Il est arrivé quand la fête **battait son plein**.* • **Faire le plein :** remplir son réservoir de carburant. ♦ Famille du mot : pleinement, plénitude, trop-plein.

pleinement adverbe
D'une manière pleine et entière. *Je suis **pleinement** satisfait.* **SYN** complètement, totalement.

plénitude nom féminin
Dans la langue littéraire, totalité, bonheur. *Ce Noël passé en famille a été un vrai moment de **plénitude**.*

pleurer verbe ▶ conjug. 3
❶ Verser des larmes. *Magalie rit tellement qu'elle en **pleure**.* ❷ Ressentir un grand chagrin. *Ludovic **pleure** la mort de son chien.* ♦ Famille du mot : pleurnicher, pleurs.

pleurnicher verbe ▶ conjug. 3
Pleurer sans cesse et sans raison. *Mon petit frère **pleurniche** encore.*

Des **pleurotes**

pleurote nom masculin
Champignon comestible qui pousse sur les troncs d'arbres.

pleurs nom masculin pluriel
Dans la langue littéraire, larmes. *J'ai trouvé Liam en **pleurs**.*

pleuvoir verbe ▶ conjug. 30
❶ Tomber, en parlant de la pluie. *Il **pleut** ; prenez vos parapluies !* • **Pleuvoir à boire debout :** pleuvoir très fort. ❷ Au sens figuré, arriver en abondance. *Les injures **pleuvaient** sur lui.* * Attention ! *Pleuvoir* ne s'emploie qu'aux troisièmes personnes du singulier et du pluriel.

plexiglas nom masculin
Matière plastique transparente et dure. *Le pare-brise de la moto est en **plexiglas**.* * *Plexiglas* est le nom d'une marque. * Attention ! Le *s* du mot *plexiglas* se prononce.

plexus nom masculin
• **Plexus solaire :** creux de l'estomac. *Un coup dans le **plexus solaire** lui a coupé le souffle.* * Attention ! Le *s* du mot *plexus* se prononce.

pli nom masculin
❶ Partie d'un tissu, d'une feuille rabattue sur elle-même. *Les **plis** d'un dépliant.* ❷ Marque qui reste à l'endroit où une chose a été pliée. *La feuille s'est déchirée à l'endroit du **pli**.* **SYN** pliure. ❸ Ondulation. *Les **plis** d'un terrain.* • **Mise en plis :** opération qui consiste à faire boucler les cheveux après les avoir mouillés. • **Prendre le pli :** prendre l'habitude. • **Ne pas faire un pli :** dans la langue familière, être indifférent, ne pas être dérangé par quelqu'un ou quelque chose. * Ne pas confondre *pli* et *plie*.

pliage nom masculin
❶ Action de plier. *Nous nous sommes chargés du **pliage** des vêtements.* ❷ Feuille de papier pliée en forme d'objet ou d'animal. *Myriam et Arnaud font toutes sortes de **pliages**.* * Chercher aussi *origami*.

pliant, pliante adjectif
Conçu pour être plié. *Une table **pliante**, un lit **pliant**.*

plie nom féminin
Poisson plat de l'Atlantique Nord. *On confond souvent la **plie** et la sole, qui est un autre poisson plat.* * Ne pas confondre *plie* et *pli*.

Une **plie**

plier verbe ▶ conjug. 10
❶ Rabattre une partie d'un objet sur l'autre. *Yann **plie** sa feuille pour la mettre dans l'enveloppe.* **CONTR** déplier. ❷ Rabattre les unes sur les autres les parties d'un objet articulé. *Elle **plie** son éventail.* ❸ Se courber. *Le roseau **plie** facilement.* **SYN** ployer. ■ *se* **plier :** se soumettre ou s'adapter par force. *Il a bien fallu **se plier** aux règlements.* **SYN** céder, obéir. ♦ Famille du mot : dépliant, déplier, pli, pliage, pliant, plisser, pliure, repli, replier.

plinthe nom féminin
Planche fixée au bas d'un mur. • **Plinthe électrique :** appareil de chauffage long et plat que l'on fixe au bas d'un mur. * Ne pas confondre *plinthe* et *plainte*.

plisser verbe ▶ conjug. 3
❶ Orner ou marquer de plis. *Quand Benjamin est très attentif, il **plisse** le front.* **SYN** froncer. ❷ Faire des plis. *Ses chaussettes **plissent**.*

pliure nom féminin
Marque qui reste à l'endroit où une chose est pliée habituellement. *David a fait rallonger son jean, mais on voit la **pliure** de l'ourlet précédent.* **SYN** pli.

a b c d e f g h i j k l m n o **p** q r s t u v w x y z

plomb nom masculin
❶ Métal gris, lourd et très malléable. *On fait des tuyaux, des poids avec le* ***plomb****.* ❷ Petite boule de ce métal qui garnit une cartouche de chasse. ❸ Morceau de ce métal utilisé pour alourdir une ligne de pêche. ❹ Fusible d'un circuit électrique fait de fils de ce métal.
* Chercher aussi *disjoncteur*. ♦ Famille du mot : plombage, plomber, plomberie, plombier.

plombage nom masculin
Alliage qui sert à plomber une dent cariée.

plomber verbe ▶ conjug. 3
❶ Obturer une dent cariée avec un alliage ou un ciment. *La dentiste m'****a plombé*** *deux dents.* ❷ Alourdir avec du plomb. *Le pêcheur* ***plombe*** *ses filets.*

plomberie nom féminin
❶ Métier de plombier. *Un entrepreneur en* ***plomberie****.* ❷ Ensemble des canalisations d'une maison. *La* ***plomberie*** *est vieille, il faudrait la refaire.*

plombier, plombière nom
Personne dont le métier est d'installer ou de réparer les canalisations d'eau ou de gaz d'une maison. *Le* ***plombier*** *est venu déboucher le lavabo.*

plongeant, plongeante adjectif
Dirigé de haut en bas. *Du balcon du chalet, on a une vue* ***plongeante*** *sur le lac.*

plongée nom féminin
Sport qui consiste à plonger sous l'eau pour pêcher ou explorer les fonds marins. *Son équipement de* ***plongée*** *comporte une combinaison, un masque et des palmes.*

Faire de la ***plongée*** *sous-marine*

plongeoir nom masculin
Tremplin d'où l'on plonge. *Chang hésite à sauter du grand* ***plongeoir****.*

plongeon nom masculin
Action de plonger. *Alexandre a réussi un beau* ***plongeon****.*

plonger verbe ▶ conjug. 5
❶ Sauter dans l'eau la tête la première. *L'homme* ***a plongé*** *dans la rivière pour sauver l'enfant qui se noyait.* ❷ Enfoncer dans un liquide. *Ma mère* ***plonge*** *la louche dans la soupière.* ❸ Introduire profondément. *Issam* ***plonge*** *la main dans le paquet de bonbons.* ❹ Mettre brusquement quelqu'un dans un certain état. *Cette nouvelle les* ***a plongés*** *dans la stupeur.* ■ *se* **plonger** : se livrer tout entier à une occupation. *Boris* ***s'est plongé*** *dans la lecture d'une BD.* **SYN** s'absorber. ♦ Famille du mot : plongeant, plongée, plongeoir, plongeon, plongeur.

plongeur, plongeuse nom
❶ Personne qui plonge ou qui fait de la plongée. *Des* ***plongeurs*** *recherchent l'épave au fond du lac.* ❷ Personne qui lave la vaisselle dans un restaurant.

ployer verbe ▶ conjug. 6
Dans la langue littéraire, courber. *Les branches d'arbres* ***ploient*** *sous le poids de la neige.* **SYN** fléchir, plier.

pluie nom féminin
❶ Eau qui tombe des nuages sous forme de gouttes. *La* ***pluie*** *s'est mise à tomber.* 👁p. 710. • **Pluies acides :** pluies chargées de polluants industriels. *Les* ***pluies acides*** *ont détruit la végétation dans cette région.* ❷ Au sens figuré, très grand nombre. *Les comédiens ont reçu une* ***pluie*** *de félicitations.* • **Parler de la pluie et du beau temps :** dire des choses banales, sans importance.

plumage nom masculin
Ensemble des plumes d'un oiseau. *Ce perroquet a un* ***plumage*** *multicolore.*

plume nom féminin
❶ Tige creuse garnie de fines lamelles et de duvet qui protège le corps des oiseaux et leur permet de voler. ❷ Pointe métallique d'un stylo, qui sert à écrire à l'encre. ♦ Famille du mot : plumage, plumeau, plumer, porte-plume.

plumeau, plumeaux nom masculin
Balayette garnie de plumes. *Le* ***plumeau*** *sert à épousseter.*

Un ***plumeau***

plumer verbe ▸ conjug. 3
❶ Dépouiller un oiseau de ses plumes. ***Plumer** un poulet.* ❷ Dans la langue familière, dépouiller quelqu'un de ses biens ou de son argent. *Cet escroc nous **a plumés**.* **SYN** voler.

la **plupart** nom féminin
Le plus grand nombre. ***La plupart** des amis de Greg vont à la même école que lui.* **SYN** majorité. • **La plupart du temps :** le plus souvent, presque toujours.

pluriel nom masculin
Forme servant à désigner plusieurs personnes ou plusieurs choses. *La plupart des noms et des adjectifs ont un « s » au **pluriel**. Le mot « fiançailles » ne s'emploie qu'au **pluriel**.* **CONTR** singulier.

① **plus** adverbe
Sert à exprimer une quantité ou un degré supérieur. *Il est **plus** rapide que toi.* **CONTR** moins. • **Au plus :** au maximum. **CONTR** au moins. • **De plus**, **en plus :** en outre. • **De plus en plus :** en augmentant progressivement. *Il est **de plus en plus** à l'aise avec nous.* • **Le plus :** sert à désigner le maximum, le degré le plus haut. *De tous les légumes, ce sont les carottes que Nascan aime **le plus**.* **CONTR** le moins. ■ **plus** préposition Sert à exprimer une addition. *Sept **plus** deux égale neuf (7 + 2 = 9).*

② **plus** adverbe
En relation avec « ne », sert à exprimer que quelque chose ne continue pas. *Il **ne** pleut **plus**.* • **Non plus :** équivaut à « aussi » dans une phrase négative. *Gary n'aime pas la soupe au chou et moi **non plus**.*

plusieurs déterminant pluriel
Plus d'un, plus d'une. *J'ai rencontré **plusieurs** amis.* * Chercher aussi *quelques*. ■ **plusieurs** pronom indéfini pluriel Un certain nombre de personnes ou de choses. ***Plusieurs** participent aux activités du midi.*

plus-que-parfait nom masculin
Temps du verbe du passé formé d'un auxiliaire à l'imparfait suivi du participe passé du verbe. *Dans la phrase « je le lui avais dit », « dire » est conjugué au **plus-que-parfait**.*

plutonium nom masculin
Matériau radioactif utilisé pour produire de l'énergie nucléaire. * Attention ! La dernière syllabe du mot *plutonium* se prononce *niome*.

plutôt adverbe
❶ De préférence. *Ce fauteuil est inconfortable, assieds-toi **plutôt** sur celui-là.* ❷ Assez. *Il fait **plutôt** froid.*

pluvial, pluviale, pluviaux adjectif
Relatif à la pluie. *Les citernes reçoivent les eaux **pluviales**.*

pluvier nom masculin
Oiseau de rivage. *On distingue deux groupes de **pluviers** : les **pluviers** à collier et les **pluviers** sans collier.*

pluvieux, pluvieuse adjectif
Où les pluies sont fréquentes. *Une région **pluvieuse**.*

pluviomètre nom masculin
Instrument servant à mesurer la quantité de pluie tombée dans un lieu pendant un temps déterminé.

PME nom féminin invariable
Sigle de ***p**etite et **m**oyenne **e**ntreprise*. *Ma mère dirige une **PME**.*

pneu nom masculin
Bande de caoutchouc qui entoure une roue. *Shira a gonflé les **pneus** de son vélo.* 👁p. 88, 117.

pneumatique adjectif
❶ Qui est fait d'une enveloppe de caoutchouc que l'on peut gonfler. *Massimo a descendu la rivière dans un canot **pneumatique**.* ❷ Qui fonctionne à l'air comprimé. *Les ouvriers ont défoncé le trottoir avec un marteau **pneumatique**.*

pneumonie nom féminin
Maladie des poumons.

poche nom féminin
❶ Partie d'un vêtement destinée à contenir ce que l'on veut porter sur soi. *Mon père met son portefeuille dans la **poche** intérieure de sa veste.* ❷ Compartiment d'un sac. *Son sac à dos est très pratique, car il a plein de **poches**.* ❸ Déformation de ce qui est détendu. *Mon pantalon fait des **poches** aux genoux.* ❹ Renflement de la peau à l'endroit de la paupière inférieure. *Mon oncle a des **poches** sous les yeux.* • **De poche :** de petite taille afin de pouvoir être mis dans une poche. *Une lampe, une calculatrice **de poche**.* • **Livre de poche :** livre bon marché et de petite taille, facile à emporter dans sa poche. • **Argent de poche :** somme d'argent destinée aux petites dépenses personnelles. ♦ Famille du mot : empocher, pochette.

a b c d e f g h i j k l m n o p q r s t u v w x y z

pocher verbe ▸ conjug. 3
Faire cuire dans un liquide très chaud. ***Pocher** des œufs.*

pochette nom féminin
❶ Enveloppe ou sachet qui contient quelque chose. *Une **pochette** de disque.* ❷ Petit mouchoir qui orne la poche de poitrine d'un veston. *Une **pochette** en soie.*

pochoir nom masculin
Forme découpée permettant de reproduire facilement un dessin. *J'ai dessiné des étoiles sur le mur de ma chambre à l'aide d'un **pochoir**.*

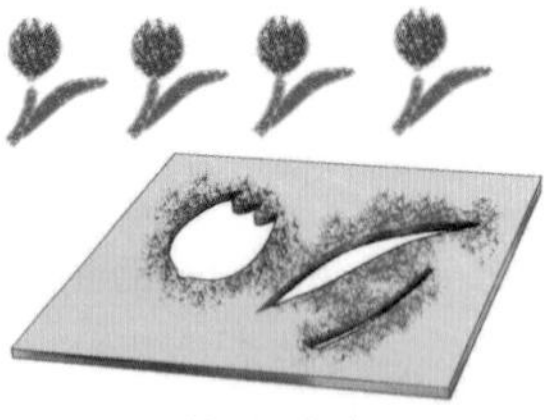

Un **pochoir**

podiatre nom
Personne qui pose des diagnostics concernant les anomalies et les affections locales du pied et qui les traite par différents moyens. *Mon grand-père a dû consulter un **podiatre**.*

podium nom masculin
Estrade sur laquelle montent les vainqueurs d'une compétition sportive pour recevoir leur prix. * Attention ! La deuxième syllabe du mot *podium* se prononce *diome*.

① **poêle** nom masculin
Appareil de chauffage. *Un **poêle** à bois, à charbon, à mazout.* * Attention ! Dans le mot *poêle*, *oê* se prononse *oi*. * Ne pas confondre *poêle* et *poil*.

Un **poêle** à bois

② **poêle** nom féminin
Ustensile de cuisine en métal, rond et peu profond, à long manche. *Éloi et Marilou font sauter des crêpes dans la **poêle**.* * Attention ! Dans le mot *poêle*, *oê* se prononce *oi*. * Ne pas confondre *poêle* et *poil*.

poêlon nom masculin
Casserole épaisse, souvent à manche creux. *La sauce tomate mijote dans un **poêlon**.* * Attention ! Dans le mot *poêlon*, *oê* se prononce *oi*.

poème nom masculin
Texte de poésie. *Les sonnets, les fables, les épopées sont différentes sortes de **poèmes**.* **SYN** poésie.

poésie nom féminin
❶ Art d'écrire (généralement en vers) en utilisant les sons, les rythmes, les images pour exprimer ses émotions et ses sentiments. ❷ Poème. *Élodie récite une **poésie**.* ❸ Caractère poétique de quelque chose. *Cette histoire est pleine de **poésie**.*

poète nom
Écrivain qui fait de la poésie. *Émile Nelligan, Rina Lasnier et Gilles Vigneault sont des **poètes** québécois célèbres.*

poétique adjectif
❶ Relatif à la poésie. *Un texte **poétique**.* ❷ Qui évoque la poésie par son charme, sa beauté ou sa délicatesse. *Un film **poétique**.*

poids nom masculin
❶ Ce que pèse une personne ou une chose. *Le **poids** du piano est de 250 kilos.* ❷ Masse de métal servant à peser. ❸ Boule de métal que les athlètes cherchent à lancer le plus loin possible. *Au stade, Alexis s'entraîne au lancer du **poids**.* ❹ Au sens figuré, ce qui accable et oppresse. *M. Grenier est accablé par le **poids** des soucis. Son aveu lui a ôté un **poids** de la conscience.* ❺ Importance ou force de quelque chose. *C'est un argument de **poids**.* • **Avoir deux poids deux mesures :** ne pas traiter équitablement deux personnes. • **Ne pas faire le poids :** ne pas avoir l'autorité ou les compétences nécessaires. * Ne pas confondre *poids* et *pois*.

poids lourd nom masculin
Gros camion. *Ce **poids lourd** a obstrué la ruelle.* ✎ Pluriel : *des **poids lourds**.*

poignant, poignante adjectif
Qui serre le cœur et donne envie de pleurer. *La fin de ce film est **poignante**.*

poignard nom masculin
Arme à lame large, courte et pointue.

poignarder verbe ▸ conjug. 3
Frapper avec un poignard.

poigne nom féminin
❶ Force que l'on a dans les mains. *Toi qui as de la **poigne**, voudrais-tu dévisser ce couvercle ?* ❷ Au sens figuré, autorité. *Cette chef a de la **poigne**.*

poignée nom féminin
❶ Partie d'un objet par laquelle on le saisit avec la main. *La **poignée** d'une porte.* ❷ Quantité contenue dans une main fermée. *Fatima prend une **poignée** de bleuets dans le casseau.* ❸ Petit nombre de gens. *À la dernière station, il ne restait qu'une **poignée** de voyageurs dans le métro.* • **Poignée de main :** geste de salutation qui consiste à serrer la main de la personne rencontrée.

poignet nom masculin
❶ Articulation qui réunit la main et l'avant-bras. *Il porte sa montre au **poignet** droit.* 👁p. 246. ❷ Extrémité de la manche d'un vêtement qui recouvre le poignet. *Les **poignets** de ma chemise sont usés.*

poil nom masculin
❶ Chacun des filaments qui poussent sur la peau des mammifères. *Les cils, les sourcils, la barbe, la moustache, les cheveux sont des **poils**.* ❷ Ensemble des poils d'un animal. *Le **poil** des lapins est très doux.* **SYN** pelage. ❸ Filament d'un pinceau, d'une brosse. • **Reprendre du poil de la bête :** dans la langue familière, retrouver la santé après une maladie ou reprendre courage après un chagrin, une déception. • **Être de bon, de mauvais poil :** dans la langue familière, être de bonne, de mauvaise humeur. • **À poil :** dans la langue familière, tout nu. * Ne pas confondre *poil* et *poêle*.

poilu, poilue adjectif
Couvert de poils. *Cet homme est très **poilu**.* **SYN** velu.

poinçon nom masculin
Outil fait d'une tige de métal pointu, qui sert à graver ou à faire des trous. *Un **poinçon** de cordonnier.*

poinçonner verbe ▸ conjug. 3
Faire une marque ou un trou à l'aide d'un poinçon. ***Poinçonner** un billet.*

poindre verbe ▸ conjug. 35
Dans la langue littéraire, se lever, en parlant du jour. *C'est l'aube, le jour va **poindre**.* * Attention ! *Poindre* ne s'emploie qu'à la troisième personne du singulier.

poing nom masculin
Main fermée. *Dans sa colère, il a tapé du **poing** sur la table.* • **Dormir à poings fermés :** dormir très profondément. * Ne pas confondre *poing* et *point*.

① **point** nom masculin
❶ Signe de ponctuation (.) ou signe servant à l'écriture. *À la fin d'une phrase, on met habituellement un **point**. Vincent oublie de mettre les **points** sur les i. Le tréma est formé de deux **points**.* ❷ Endroit fixe. *Ce restaurant est un **point** de rencontre.* ❸ La plus petite partie d'espace. *Le bateau n'est plus qu'un **point** à l'horizon. Les diagonales se croisent en un **point** situé au milieu du rectangle.* ❹ Unité qui sert à noter. *Raphaël a fait beaucoup de **points** au scrabble. Cette équipe a marqué un **point**.* **SYN** but. ❺ Chacun des sujets abordés pendant un exposé ou une discussion. *Il y a un **point** sur lequel je voudrais revenir.* • **À point :** au moment ou au degré voulu. *Tu arrives **à point**. Il aime le steak **à point**.* • **Au même point :** dans le même état, sans aucun progrès. *Après toutes ces discussions, nous en sommes toujours **au même point**.* • **Faire le point :** établir précisément la situation dans laquelle on se trouve. • **Mal en point :** malade, pas très en forme. • **Mise au point :** réglage précis d'une chose pour qu'elle fonctionne comme on le souhaite. • **Mettre les points sur les i :** expliquer les choses en insistant de telle manière que tout le monde comprenne. • **Mettre un point final à quelque chose :** le terminer. • **Point chaud :** endroit où il y a des conflits. • **Point d'eau :** endroit où l'on peut trouver de l'eau. • **Point faible :** défaut ou petite faiblesse. • **Être sur le point de :** être prêt à. *Nous **sommes sur le point de** partir.* • **En tout point :** complètement, entièrement. *Ces jumelles se ressemblent **en tout point**.* ♦ Famille du mot : pointage, pointe, pointer, pointillé, pointu, pointure. * Ne pas confondre *point* et *poing*.

② **point** adverbe
Synonyme ancien et littéraire de la négation « pas ». *Je **n'en** veux **point**.* * Ne pas confondre *point* et *poing*.

pointage nom masculin
❶ Action de pointer. *L'enseignante fait le **pointage** des élèves avec sa liste.* ❷ Décompte des points dans un jeu ou un sport. *Le **pointage** final est 3-0.* **SYN** marque, résultat, score.

point de vue nom masculin
❶ Lieu d'où l'on voit bien un paysage. *Le **point de vue** est bien plus beau du haut des remparts.* ❷ Manière de voir les choses. *Ils n'ont pas le même **point de vue** sur ce sujet.* **SYN** avis, opinion. ✎ Pluriel : *des **points de vue**.*

pointe nom féminin
❶ Bout piquant de quelque chose. *J'ai cassé la **pointe** de mon crayon.* ❷ Extrémité effilée d'un objet. *La **pointe** d'un clocher.* ❸ Bande de terre, partie d'un territoire qui s'avance dans une étendue d'eau. *Nous irons jusqu'à cette **pointe** rocheuse.* SYN cap. ❹ Bout des pieds. *Ophélie marche sur la **pointe** des pieds pour ne pas réveiller son petit frère.* ❺ Petite quantité. *Une **pointe** d'ail.* ❻ Accélération momentanée. *Le pilote de course fait des **pointes** à 280 kilomètres à l'heure.* • **Être à la pointe :** être à l'avant-garde. • **Faire des pointes :** pour une danseuse, marcher sur le bout de ses chaussons. • **Heure de pointe :** heure de grande affluence.

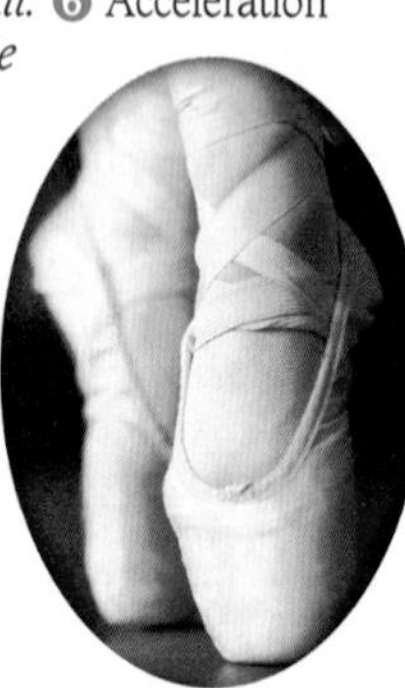
*Faire des **pointes***

pointer verbe ▸ conjug. 3
❶ Marquer d'un point ou d'un signe. *Laure **pointe** sur sa liste les livres qu'elle a déjà.* ❷ Enregistrer ses heures d'entrée et de sortie. *Dans cette entreprise, tout le personnel doit **pointer**.* ❸ Diriger. *Les archers **pointent** leurs flèches vers la cible.* ❹ Dresser en pointe. *Le chien **pointe** les oreilles.*

pointillé nom masculin
Ligne formée d'une suite de petits points espacés. *J'ai découpé le formulaire en suivant le **pointillé**.*

pointilleux, pointilleuse adjectif
Qui a tendance à ne négliger aucun détail. *Il est plus qu'exigeant : il est **pointilleux**.*

pointu, pointue adjectif
Qui se termine en pointe. *Le clown porte un chapeau **pointu**.* CONTR arrondi.

pointure nom féminin
Taille, en parlant des chaussures, des gants, des chapeaux, etc. *Quelle est la **pointure** de tes chaussures ?*

point-virgule nom masculin
Signe de ponctuation (;).

poire nom féminin
Fruit du poirier, à pépins et de forme allongée. • **Couper la poire en deux :** faire quelques concessions pour se mettre d'accord.

poireau, poireaux nom masculin
Plante potagère de forme allongée. *Une soupe aux **poireaux**.*

*Un **poireau***

poirier nom masculin
Arbre fruitier qui donne les poires.

*Une **poire***
*Un **poirier***

pois nom masculin
• **Petit pois :** graine verte et ronde contenue dans une cosse. *Ouvrir une boîte de **petits pois**. Écosser des **petits pois**.* • **Soupe aux pois :** soupe faite avec des pois secs jaunes et du lard salé. • **Pois chiche :** gros pois rond de couleur beige. • **Pois mange-tout :** pois qui se mange avec la cosse. • **À pois :** décoré de petits ronds. *Une cravate **à pois**.* • **Pois de senteur :** plante grimpante aux fleurs très odorantes.
* Ne pas confondre *pois* et *poids*.

poison nom masculin
Substance dangereuse pour la santé. *Les feuilles de cette plante contiennent du **poison**.*
♦ Famille du mot : contrepoison, empoisonnement, empoisonner.

poisseux, poisseuse adjectif
Qui est gluant et collant. *Avoir les mains **poisseuses**.*

poisson nom masculin
Vertébré aquatique au corps couvert d'écailles, pourvu de nageoires et de branchies. *Le brochet est un **poisson** d'eau douce, la sole un **poisson** de mer.* 👁p. 802. • **Poisson des chenaux :** poisson ressemblant à la morue, que l'on pêche l'hiver sous la glace. SYN poulamon. • **Être comme un poisson dans l'eau :** être bien là où l'on est. • **Poisson d'avril :** farce que l'on fait le 1er avril. • **En queue de poisson :** se dit d'une chose dont la conclusion n'est pas satisfaisante. *Ce film se termine **en queue de poisson**.* ♦ Famille du mot : poissonnerie, poissonneux, poissonnier.

poissonnerie nom féminin
Magasin où l'on vend du poisson et des fruits de mer.

poissonneux, poissonneuse adjectif
Où il y a beaucoup de poissons. *Une rivière **poissonneuse**.*

poissonnier, poissonnière nom
Personne qui tient une poissonnerie. *Le **poissonnier** a vidé le poisson.*

poitrail nom masculin
Devant du corps du cheval, entre le cou et les pattes. *Un cheval au **poitrail** puissant tirait la charrette.*

poitrine nom féminin
❶ Partie du corps entre les épaules et la taille, qui contient le cœur et les poumons. *Le chanteur gonfle sa **poitrine** pour chanter.* SYN buste, thorax. 👁p. 246. ❷ Seins d'une femme. *Ma tante a une forte **poitrine**.*

poivre nom masculin
Épice de saveur piquante, faite avec la graine séchée du poivrier. *Un steak au **poivre**.*
♦ Famille du mot : poivrer, poivrier, poivrière.

poivrer verbe ▸ conjug. 3
Assaisonner avec du poivre.

poivrier nom masculin
Arbrisseau tropical qui donne le poivre.

Du **poivre**
Un **poivrier**

poivrière nom féminin
Ustensile pour le poivre moulu ou petit moulin à poivre.

poivron nom masculin
Piment doux de couleur verte, jaune, orange ou rouge. *Des **poivrons** farcis.*

Des **poivrons**

poker nom masculin
Jeu de cartes où l'on mise de l'argent.

polaire adjectif
Qui concerne les pôles. *Les régions **polaires** sont couvertes de glace.*

polar ➔Voir **policier**

polariser verbe ▸ conjug. 3
Orienter vers soi. *Il réussit toujours à **polariser** l'attention.*

polatouche nom masculin
Écureuil nocturne pourvu d'une membrane de chaque côté du corps qui lui permet de voler.

pôle nom masculin
Chacune des extrémités de l'axe imaginaire autour duquel tourne la Terre. *Le **pôle** Nord et le **pôle** Sud.* 👁p. 804. • **Pôle d'attraction :** endroit qui attire les gens. *Ce manège est un **pôle d'attraction** pour les enfants.*

polémique nom féminin
Débat plus ou moins violent. *La déclaration du ministre a suscité de très vives **polémiques** dans la presse.* SYN controverse.

① **poli, polie** adjectif
Qui respecte les règles de la politesse. *Guillaume est toujours très **poli**.* CONTR grossier, impoli.
♦ Famille du mot : impoli, impoliment, impolitesse, poliment, politesse.

② **poli, polie** adjectif
Lisse et brillant. *Du métal **poli**.* CONTR mat, rugueux.

① **police** nom féminin
Ensemble des personnes chargées de faire respecter la loi et de veiller à la sécurité des citoyens.

② **police** nom féminin
Contrat d'assurance. *Mme Laporte a souscrit une **police** d'assurance pour son appartement.*

Les poissons

Un chirurgien à poitrine blanche

Les poissons sont des vertébrés qui vivent dans l'eau, respirent par des branchies et nagent grâce à leur queue et à leurs nageoires. Chez la plupart des espèces, les poissons sont couverts d'écailles. Cependant, ils ont tous le sang froid, c'est-à-dire que la température de leur corps est variable.

L'incroyable diversité des poissons

Les poissons sont apparus il y a environ 450 millions d'années. Ils ont donné naissance aux ancêtres des vertébrés terrestres comme les amphibiens, les reptiles et les mammifères.

Les poissons vivent dans plusieurs milieux : en eau douce et en eau salée, dans les eaux marécageuses et les eaux claires. On les trouve dans les profondeurs abyssales des océans, dans les torrents de montagnes, et même dans les eaux glaciales de l'Antarctique. Seule la mer Morte, qui est très salée, n'en abrite aucun.

On a recensé environ 28 000 espèces de poissons. Cependant, on estime qu'il y en a environ 32 500, sans compter les espèces disparues.

Les différents poissons

Les poissons sont divisés en deux groupes. Les poissons cartilagineux (chondrichthyens) et les poissons osseux (ostéichtyens), qui comprennent les poissons à nageoires charnues (sarcoptérygiens) et les poissons à nageoires rayonnées (actinoptérygiens).

Les poissons cartilagineux (chondrichtyens)

Les poissons cartilagineux ont un squelette en cartilage, ce qui leur assure une certaine flexibilité. Celle-ci fait d'eux d'excellents nageurs. En voici quelques-uns :

Un requin des récifs

Un requin-marteau

Un poisson-scie

Une raie

Les poissons osseux (ostéichtyens)

Comme leur nom l'indique, les poissons osseux ont des os. Ils comptent pour environ 95 % de toutes les espèces connues. Plus récents que les poissons cartilagineux, ils ont des mâchoires mieux formées et des nageoires mobiles.

Un coelacanthe

Les poissons à nageoires charnues (sarcoptérygiens)

Les poissons à nageoires charnues se rapprochent des tétrapodes, c'est-à-dire des animaux à quatre pattes qui respirent grâce à des poumons. La plupart des espèces faisant partie de ce groupe sont éteintes.

Un dipneuste

Les poissons à nageoires rayonnées (actinoptérygiens)

On trouve les poissons à nageoires rayonnées aussi bien en eau douce qu'en eau salée. Ils forment un groupe très diversifié. En voici quelques-uns :

Un dragon de mer feuillu

Un poisson-scorpion

Un poisson-clown

Un poisson-hérisson

Des poissons-papillons

Un hippocampe

Un poisson mandarin

Le pôle Nord

Un ours polaire

Situé au milieu de l'océan glacial Arctique, le pôle Nord est recouvert en permanence par la banquise, une étendue d'eau marine gelée pouvant atteindre 4 m d'épaisseur. La température y varie entre -43 °C et 0 °C.

Cependant, la banquise est menacée par le réchauffement climatique, et l'on va jusqu'à craindre que la fonte de la glace arctique entraîne avec elle, d'ici quelques décennies, la disparition des ours polaires dont elle est l'habitat.

Lors du solstice d'été, vers le 21 juin, le pôle Nord vit ce que l'on appelle le **jour polaire**. Pendant plusieurs mois, le soleil ne se couche pas ou à peu près pas, car il reste au-dessus de l'horizon. Inversement, lors du solstice d'hiver, vers le 21 décembre, le soleil ne se lève pas.
C'est la **nuit polaire**.

Des morses

Un loup

Un goéland

Un cormoran

Un renard polaire

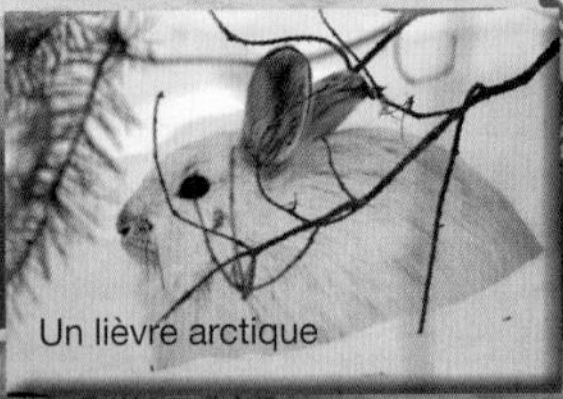

Un lièvre arctique

Un bœuf musqué

Un lemming

Un grand-duc d'Amérique

Un macareux

Un flétan du Groenland

Un omble chevalier

Un béluga

Un harfang des neiges

Un bruant

Un lynx

La faune et la flore

Malgré la brièveté de la saison d'été, de nombreuses espèces animales et végétales vivent au pôle Nord. Cette région est très sensible à l'érosion des sols et à la perturbation des rares lieux de reproduction des espèces animales locales.

Un caribou

On y trouve des oiseaux marins (macareux, goélands, cormorans) et des oiseaux terrestres (bruants, grands corbeaux, grands-ducs d'Amérique, harfangs des neiges). La région du pôle Nord abrite également 48 espèces de mammifères terrestres tels l'ours polaire, le loup, le lynx, le renard polaire, le caribou, le bœuf musqué, le lièvre arctique et le lemming, ainsi que divers mammifères marins comme le morse, l'otarie, le narval et le béluga. Par ailleurs, de nombreux poissons comme l'omble chevalier et le flétan du Groenland peuplent les eaux de la région.

Malgré un environnement hostile, la flore arctique est très riche. Elle compte près de 400 espèces de plantes à fleurs, des mousses, des lichens et des petits arbustes disséminés dans les terres froides de la toundra. En tout, 2000 espèces végétales y ont été recensées.

Lichen des caribous

Plaquebière (ou Chicouté)

Saxifrage pourpre

Dryade arctique

Un narval

Toundra

polichinelle nom masculin
Personnage du théâtre de marionnettes, bossu devant et derrière. • **Secret de polichinelle :** chose que l'on croit secrète, mais qui est connue de tous.

Un ***polichinelle***

policier, policière adjectif
❶ Relatif à la police. *Les chiens* ***policiers*** *sont dressés pour aider les policiers dans leurs recherches.* ❷ Qui met en scène des détectives ou des policiers. *Il y avait un film* ***policier*** *à la télévision, hier soir. Un roman* ***policier****.* * Abréviation familière : ***polar****.* ■ **policier, policière** nom Personne qui fait partie de la police.

poliment adverbe
D'une manière polie. *Lauriane écoute* ***poliment*** *les recommandations de sa grand-mère.*

poliomyélite nom féminin
Maladie de la moelle épinière qui peut provoquer la paralysie. *La docteure a vacciné Antoine contre la* ***poliomyélite****.* * Abréviation courante : ***polio****.*

polir verbe ▸ conjug. 11
Rendre quelque chose lisse et luisant à force de frotter. *Il faut* ***polir*** *le marbre pour le rendre brillant.* ♦ Famille du mot : dépoli, poli, polissage, polisseuse.

polissage nom masculin
Action de polir.

polisseuse nom féminin
Appareil qui sert à polir les planchers.

polisson, polissonne nom
Personne très impolie. *Ce jeune homme est un* ***polisson****.*

politesse nom féminin
Manière de se comporter d'une personne bien élevée. *On a félicité Melina pour sa* ***politesse****.* CONTR impolitesse. * Chercher aussi *courtoisie*.

politicien, politicienne nom
Personne qui s'occupe de politique. *Cette jeune* ***politicienne*** *sera peut-être ministre un jour.*

politique nom féminin
Manière de gouverner un État. *La* ***politique*** *intérieure, la* ***politique*** *extérieure d'un pays.* ■ **politique** adjectif Qui concerne la politique. *Un discours* ***politique****.*

pollen nom masculin
Poudre colorée produite par les étamines des fleurs et qui sert à leur fécondation. *Le* ***pollen*** *est transporté par les insectes et par le vent.* 👁p. 446, 792. * Attention ! Le *n* du mot *pollen* se prononce.

polluant, polluante adjectif
Qui pollue. *Certains produits chimiques sont très* ***polluants****.* ■ **polluant** nom masculin Produit qui pollue. *Les* ***polluants*** *industriels sont nombreux.*

polluer verbe ▸ conjug. 3
Salir et rendre malsain pour la santé. *En déversant des déchets dans la rivière, cette usine* ***pollue*** *l'eau.* ♦ Famille du mot : polluant, pollueur, pollution.

pollueur, pollueuse adjectif et nom
Qui cause de la pollution. *Un agent* ***pollueur****.* SYN polluant. – *Des amendes ont été infligées aux* ***pollueurs****.*

pollution nom féminin
Action de polluer, résultat de cette action. *Aujourd'hui, les gaz d'échappement des véhicules sont la source principale de la* ***pollution*** *atmosphérique des villes.* 👁p. 372, 386.

polo nom masculin
❶ Sorte de chemise de sport en tricot que l'on enfile par la tête. ❷ Sport d'équipe pratiqué à cheval, qui se joue avec une boule en bois et des maillets. *Au* ***polo****, il y a deux équipes de quatre cavaliers chacune.*

Jouer au ***polo***

polonais, polonaise
➔Voir tableau, p. 1319.

poltron, poltronne adjectif et nom
Qui est très peureux. *C'est un grand* ***poltron***.
SYN froussard.

poly- préfixe
Placé au début d'un mot pour former un autre mot, *poly-* signifie « plusieurs », « nombreux » (***poly****culture*, ***poly****théiste*).

polychrome adjectif
Peint de plusieurs couleurs. *Un coffre à jouets* ***polychrome***.

polyclinique nom féminin
Clinique où l'on donne plusieurs types de soins. *Claudio a passé une radiographie dans une* ***polyclinique***.

polyculture nom féminin
Culture de plusieurs plantes en même temps. *C'est une région de* ***polyculture*** *où l'on trouve des vergers, du blé, du maïs, des légumes.*

polyester nom masculin
Sorte de tissu synthétique. *Ce maillot de bain est en* ***polyester***. * Attention ! Le *r* du mot *polyester* se prononce.

polygame adjectif et nom
Qui a plusieurs conjointes. *Certains musulmans sont* ***polygames***.

polyglotte adjectif et nom
Qui parle plusieurs langues. *Cette guide est* ***polyglotte***. – *Un* ***polyglotte***. * Chercher aussi *bilingue*, *unilingue*.

polygone nom masculin
Figure géométrique qui a plusieurs côtés. *Le triangle, le losange sont des* ***polygones***.
👁p. 484.

polystyrène nom masculin
Matière plastique isolante et très légère. *Un verre en* ***polystyrène***.

polythéisme nom masculin
Religion dans laquelle on adore plusieurs dieux.
CONTR monothéisme.

polyvalent, polyvalente adjectif
Qui peut servir à plusieurs usages. *Une salle* ***polyvalente***.

polyvalente nom féminin
École secondaire où sont dispensés à la fois l'enseignement général et l'enseignement professionnel. * Chercher aussi *cégep*, *collégial*, *secondaire*.

pomiculteur, pomicultrice nom
Personne qui fait de la pomiculture. *Mon oncle est un important* ***pomiculteur*** *de Saint-Hilaire.*

pomiculture nom féminin
Culture des arbres qui donnent des fruits à pépins, particulièrement des pommiers.

pommade nom féminin
Médicament qui se présente sous la forme d'une pâte grasse. *Cette* ***pommade*** *calme les douleurs musculaires.* * Chercher aussi *onguent*.

pomme nom féminin
Fruit rond du pommier, à pépins et à peau fine. *Une tarte aux* ***pommes***. • **Pomme d'Adam** : bosse de cartilage que les hommes ont sur le devant du cou. 👁p. 246. • **Pomme de pin** : fruit du pin, fait d'écailles renfermant les graines. **SYN** ② cocotte. * Chercher aussi *pignon*. • **Tomber dans les pommes** : dans la langue familière, s'évanouir.

pommeau, pommeaux nom masculin
❶ Boule servant de poignée à une canne ou à une épée. *Une canne à* ***pommeau*** *d'argent.* ❷ Partie relevée à l'avant d'une selle de cheval.

pomme de terre nom féminin
Plante potagère dont les tubercules sont comestibles. ✎ Pluriel : *des* ***pommes de terre***.

pommetier nom masculin
Arbre fruitier qui produit la pommette.

① **pommette** nom féminin
Petite pomme légèrement acidulée. *De la gelée de* ***pommettes***.

② **pommette** nom féminin
Haut de la joue, au-dessous de l'œil. *Sumin a les* ***pommettes*** *saillantes.*

pommier nom masculin
Arbre fruitier qui produit la pomme. *Des* ***pommiers*** *en fleurs.*

Une **pomme**

Un **pommier**

a b c d e f g h i j k l m n o p q r s t u v w x y z

① **pompe** nom féminin
Appareil destiné à aspirer ou à refouler un liquide ou un gaz. *Une **pompe** à eau, à essence. Une **pompe** à vélo.* • **Coup de pompe :** dans la langue familière, sensation soudaine de grande fatigue.
♦ Famille du mot : pomper, pompier, pompiste.

② **pompe** nom féminin
• **En grande pompe :** en grande cérémonie. *Les funérailles du chef d'État se sont déroulées **en grande pompe**.* ■ **pompes** nom féminin pluriel • **Pompes funèbres :** service chargé de l'organisation des funérailles. * Chercher aussi *croque-mort*, *salon funéraire**, *salon mortuaire**.

pomper verbe ▸ conjug. 3
Aspirer ou refouler avec une pompe. *Quand le sous-sol a été inondé, il a fallu **pomper** l'eau.*

pompeux, pompeuse adjectif
Prétentieux et solennel. *Cet acteur a fait un discours **pompeux**.* **CONTR** simple.

pompier, pompière nom
Personne chargée de combattre les incendies. *On a appelé les **pompiers** dès que l'incendie a éclaté.*

pompiste nom
Personne qui distribue le carburant dans une station-service. *Le **pompiste** a lavé le pare-brise après avoir fait le plein d'essence.*

pompon nom masculin
Petite boule de brins de laine, de coton ou de soie. *La tuque de Marie-Ève est ornée d'un **pompon**.*

se **pomponner** verbe ▸ conjug. 3
Mettre beaucoup de soin à sa toilette. *Arielle passe beaucoup de temps à **se pomponner**.* **SYN** se bichonner.

ponce adjectif féminin
• **Pierre ponce :** roche légère et rugueuse qui sert à nettoyer. *Mickaël se frotte les talons avec une **pierre ponce**.*

poncer verbe ▸ conjug. 4
Frotter et gratter avec une matière rugueuse pour rendre lisse. *Avant de vernir le bois, il faut le **poncer**.* ♦ Famille du mot : ponce, ponceuse.

*Une **ponceuse***

ponceuse nom féminin
Machine servant à poncer. *Une **ponceuse** électrique.*

poncho nom masculin
Manteau fait d'une couverture percée au centre pour passer la tête. *Un **poncho** de laine.*
* Attention ! Dans le mot *poncho*, le *n* peut s'entendre et le *ch* se prononcer *tch*.

ponction nom féminin
Fait de retirer un liquide du corps avec une seringue. *Le médecin a fait une **ponction** lombaire à Noam.*

ponctualité nom féminin
Qualité d'une personne qui arrive toujours à l'heure. *Tu n'auras pas à l'attendre, elle est toujours d'une grande **ponctualité**.* **SYN** exactitude.

ponctuation nom féminin
Ensemble des signes qui servent à séparer des mots, des groupes de mots ou des phrases. *La virgule, le point d'exclamation et le point sont des signes de **ponctuation**.*

ponctuel, ponctuelle adjectif
Qui arrive toujours à l'heure. *Sois **ponctuel**, sinon nous raterons l'autobus.* **SYN** exact.
♦ Famille du mot : ponctualité, ponctuellement.

ponctuellement adverbe
De façon ponctuelle. *Miguel est arrivé **ponctuellement** à son rendez-vous.*

ponctuer verbe ▸ conjug. 3
Mettre les signes de ponctuation. *Jérémie **a** bien **ponctué** son texte.*

pondération nom féminin
Qualité d'une personne pondérée. *Ce politicien est connu pour sa **pondération**.*

pondéré, pondérée adjectif
Qui n'agit qu'après avoir pesé le pour et le contre et non sous le coup d'une impulsion. *Cette femme **pondérée** m'a donné d'utiles conseils.* **SYN** posé, réfléchi. **CONTR** impulsif.

pondeuse nom féminin
Poule que l'on élève surtout pour ses œufs.

pondre verbe ▸ conjug. 31
❶ Produire un œuf. *Les oiseaux, les reptiles, les poissons, les insectes **pondent** des œufs.* * Chercher aussi *ovipare*. ❷ Dans la langue familière, produire ou rédiger. *J'**ai pondu** ce texte hier soir.*

poney nom masculin
Cheval de petite taille. *Claudia fait une promenade sur le dos d'un **poney**.*

Un **poney**

pongiste nom
Personne qui joue au ping-pong.

pont nom masculin
❶ Construction permettant de franchir un cours d'eau, une route ou encore une voie ferrée. ❷ Plancher recouvrant la coque d'un bateau. *Les gros navires peuvent avoir jusqu'à quatre **ponts**.* ❸ Appareil qui soulève les voitures pour que l'on puisse travailler dessous. *La mécanicienne a fait monter la camionnette sur le **pont**.* • **Pont aérien :** va-et-vient d'avions établissant une liaison d'urgence. *Grâce au **pont aérien**, les sinistrés ont reçu des vivres et des médicaments.* ♦ Famille du mot : pont-levis, ponton.

Un **pont**

ponte nom féminin
Action de pondre. *Après la **ponte**, l'hirondelle couve ses œufs.*

pontife nom masculin
• **Le souverain pontife :** le pape. ♦ Famille du mot : pontifical, pontificat.

pontifical, pontificale, pontificaux adjectif
Du pape. *La bénédiction **pontificale**.* **SYN** papal.

pontificat nom masculin
Fonction de pape. *Le **pontificat** de Jean-Paul II a duré plus de vingt-six ans.*

pont-levis nom masculin
Pont qui se lève ou s'abaisse au-dessus du fossé entourant un château fort. 👁p. 185. ✎ Pluriel : *des **ponts-levis**.*

ponton nom masculin
Plate-forme flottante. *On a construit un **ponton** sur le lac en guise de débarcadère.*

pop adjectif invariable
Se dit de la musique à la mode dans les années 1960, qui venait d'Angleterre et des États-Unis. *Les Beatles ont été le groupe de musique **pop** le plus connu.* ✎ On peut écrire aussi *des musiques **pops**.*

pope nom masculin
Prêtre de l'Église orthodoxe. *Il n'est pas interdit aux **popes** de se marier.*

popote nom féminin
Dans la langue familière, cuisine. *Les ouvriers du chantier font leur **popote** sur un réchaud.*

populaire adjectif
❶ Qui est relatif au peuple. *Elle habite dans un quartier **populaire**.* **CONTR** bourgeois, chic. ❷ Qui est connu et aimé d'un grand nombre de gens. *Cette actrice est très **populaire**.* **CONTR** impopulaire. ♦ Famille du mot : impopulaire, populariser, popularité.

populariser verbe ▸ conjug. 3
Rendre populaire. *La télévision **a popularisé** cette pièce de théâtre.*

popularité nom féminin
Fait d'être populaire, de plaire au plus grand nombre. *La **popularité** de ce chanteur s'est beaucoup accrue depuis son dernier concert.*

population nom féminin
Ensemble des habitants d'un pays, d'une région ou d'une ville. *La **population** de la Chine dépasse le milliard d'habitants.*

populeux, populeuse adjectif
Très peuplé. *Un quartier **populeux**.*

porc nom masculin
❶ Cochon. *Un élevage de **porcs**.* * Chercher aussi *grogner, truie, verrat.* ❷ Viande de cet animal. *Cette saucisse est faite avec du **porc**.* ❸ Peau de cet animal. *Un sac en peau de **porc**.* ♦ Famille du mot : porcelet, porcherie, porcin. * Ne pas confondre *porc, pore* et *port.*

porcelaine nom féminin
Matière fine, blanche et fragile avec laquelle on fait de la vaisselle. *Un service à vaisselle en **porcelaine**.* * Chercher aussi *céramique, faïence, grès.*

Un **porcelet**

porcelet nom masculin
Jeune porc. *Les **porcelets** tètent la truie.* SYN goret.

porc-épic nom masculin
Mammifère rongeur dont le corps est couvert de longs piquants. *Le **porc-épic** hérisse ses piquants en cas de danger.* 👁p. 638. ✎ Pluriel : *des **porcs-épics**.* * Attention ! Les deux *c* du mot *porc-épic* se prononçant, on entend *porképik* au singulier et au pluriel.

Un **porc-épic**

porche nom masculin
Espace couvert protégeant l'entrée d'un bâtiment. *Abritons-nous sous ce **porche** en attendant la fin de l'averse.* 👁p. 170.

porcherie nom féminin
Bâtiment où l'on élève des porcs. *Le soir, tous les cochons rentrent dans la **porcherie**.*

porcin, porcine adjectif
Qui se rapporte au porc. *Les sangliers appartiennent à la race **porcine**.* * Chercher aussi *bovin, ovin*.

pore nom masculin
Orifice microscopique à la surface de la peau. *Les **pores** de la peau.* * Ne pas confondre *pore, porc* et *port*.

poreux, poreuse adjectif
Qui a des trous minuscules laissant passer l'eau. *Ce vase en terre cuite est **poreux**.* SYN perméable. CONTR étanche, imperméable.

pornographique adjectif
Qui représente les relations sexuelles sous un aspect obscène. *Un film **pornographique**.* * Abréviation familière : ***porno***.

① **port** nom masculin
❶ Endroit aménagé au bord de la mer ou d'un fleuve pour recevoir les bateaux. *Il y a des **ports** de pêche, des **ports** de plaisance et des **ports** de commerce.* ❷ Ville où il y a un port. *Montréal, Halifax et Vancouver sont de grands **ports** canadiens.* • **Arriver à bon port :** arriver à son lieu de destination sans accident. * Ne pas confondre *port, porc* et *pore*.

② **port** nom masculin
❶ Fait de porter quelque chose. *Le **port** du casque est obligatoire pour les motards.* ❷ Prix du transport d'un colis ou d'une lettre. *Les frais de **port** sont à la charge du destinataire de la commande.* * Ne pas confondre *port, porc* et *pore*.

③ **port** nom masculin
• **Port USB :** interface qui permet l'échange de données entre l'ordinateur et un ou plusieurs périphériques. *Son ordinateur est équipé de **ports USB**.*

portable adjectif
❶ Que l'on peut porter. *Cette robe est encore **portable**.* SYN mettable. ❷ Portatif. *Un ordinateur **portable**.*
■ **portable** nom masculin
❶ Ordinateur portable. ❷ Téléphone portable. SYN cellulaire.

portage nom masculin
Action de porter une embarcation entre deux cours d'eau ou entre deux sections d'un même cours d'eau. *Nous avons traversé une forêt où le **portage** du canot était très difficile. Faire du **portage**.*

① **portail** nom masculin
Grande porte d'un bâtiment ou d'une propriété. *Les deux battants du **portail** de l'église s'ouvrent pour les mariés.* 👁p. 170.

② **portail** nom masculin
Page d'accueil d'un site Internet qui met à la disposition des internautes un grand nombre de ressources et de services.

portant, portante adjectif
• **Bien** ou **mal portant :** en bonne ou en mauvaise santé. • **À bout portant :** le bout de l'arme à feu touchant presque la cible.

portatif, portative adjectif
Que l'on peut transporter facilement. *Un lecteur DVD **portatif**.* SYN portable.

porte nom féminin
Panneau mobile permettant d'ouvrir ou de fermer l'accès à un lieu, à un meuble ou à un véhicule. *Maude ferme toujours la **porte** de sa chambre.* • **Mettre quelqu'un à la porte :** le chasser ou le renvoyer. • **Frapper à la bonne porte :** s'adresser au bon endroit, à la personne qui peut le mieux vous aider. • **Journée portes ouvertes :** journée pendant laquelle le public est invité à visiter un établissement scolaire, une

a b c d e f g h i j k l m n o **p** q r s t u v w x y z

entreprise. ♦ Famille du mot : portail, porte-à-porte, porte-fenêtre, portier, portière, portillon.

porte-à-faux nom masculin invariable
• **En porte-à-faux** : en équilibre instable. *Le plat était* ***en porte-à-faux*** *sur le bord de la table : il est tombé.*

porte-à-porte nom masculin invariable
• **Faire du porte-à-porte** : aller de logement en logement pour vendre ou présenter quelque chose.

porte-avions nom masculin invariable
Grand bateau de guerre aménagé pour transporter des avions et leur permettre d'atterrir et de décoller. ✎ On peut écrire aussi, au singulier, *un* ***porte-avion***.

porte-bagages nom masculin invariable
Support sur lequel on peut attacher des bagages. *Arthur a attaché son sac sur le* ***porte-bagages*** *de son vélo.* ✎ On peut écrire aussi, au singulier, *un* ***porte-bagage***.

porte-bébé nom masculin
Dispositif souple ou rigide qui sert à transporter un bébé sur le ventre ou sur le dos de quelqu'un. ✎ Pluriel : *des* ***porte-bébés***.

Un **porte-bébé**

porte-bonheur nom masculin invariable
Objet qui est censé porter chance. *M. Cloutier a mis un fer à cheval comme* ***porte-bonheur*** *à l'entrée de sa maison.* **SYN** fétiche. ✎ On peut écrire aussi, au pluriel, *des* ***porte-bonheurs***.

porte-cartes nom masculin invariable
Petit étui contenant les papiers que l'on a habituellement sur soi. *Bianca a rangé sa carte de crédit dans son* ***porte-cartes***. ✎ On peut écrire aussi, au singulier, *un* ***porte-carte***.

porte-clés nom masculin invariable
Anneau ou étui pour porter les clés. ✎ On peut écrire aussi *un* ***porteclé***, *des* ***porteclés***.

porte-documents nom masculin invariable
Serviette plate servant à transporter des papiers. *Un* ***porte-documents*** *en cuir.* ✎ On peut écrire aussi, au singulier, *un* ***porte-document***.

portée nom féminin
❶ Distance à laquelle une arme peut envoyer un projectile. *Kevin s'est fabriqué un arc qui a une* ***portée*** *de vingt mètres.* ❷ Distance à laquelle on peut atteindre quelque chose ou quelqu'un. *Donne-moi ce livre, il est juste à* ***portée*** *de ta main.* ❸ Effet important produit par quelque chose. *Je crois que tu ne mesures pas la* ***portée*** *de ce que tu dis.* ❹ Ensemble des petits d'une femelle nés en même temps. *Ma chienne a eu une* ***portée*** *de six chiots.* * Chercher aussi *couvée*, *nichée*. ❺ Lignes parallèles sur lesquelles on note la musique. *Il y a cinq lignes dans une* ***portée***. • **À la portée de quelqu'un** : qui peut être compris ou fait par lui. • **Hors de portée** : inaccessible.

porte-fenêtre nom féminin
Porte vitrée donnant sur un balcon ou une terrasse. *La* ***porte-fenêtre*** *du salon donne sur la terrasse.* ✎ Pluriel : *des* ***portes-fenêtres***.

portefeuille nom masculin
Étui à plusieurs poches où l'on met son argent et ses papiers. *Tristan a reçu un* ***portefeuille*** *en cuir pour son anniversaire.*

portemanteau, portemanteaux nom masculin
Crochet servant à suspendre les vêtements. *Samuel a accroché son blouson au* ***portemanteau***.

porte-monnaie nom masculin invariable
Petite pochette pour les pièces de monnaie. *Ariane cherche une pièce de deux dollars dans son* ***porte-monnaie***. ✎ On peut écrire aussi *un* ***portemonnaie***, *des* ***portemonnaies***.

porte-panier nom masculin
Personne qui rapporte. **SYN** panier* percé. ✎ Pluriel : *des* ***porte-paniers***.

porte-parole nom invariable
Personne chargée de parler au nom des autres. *Les représentants de classe sont les* ***porte-parole*** *des élèves.* ✎ On peut écrire aussi, au pluriel, *des* ***porte-paroles***.

porte-plume nom masculin invariable
Manche au bout duquel est enfoncée une plume pour écrire. *Le stylo a remplacé le* ***porte-plume***. ✎ On peut écrire aussi *un* ***porteplume***, *des* ***porteplumes***.

porte-poussière nom masculin invariable
Pelle servant à recueillir les résidus du balayage. ✎ On peut écrire aussi, au pluriel, *des* ***porte-poussières***.

porter verbe ▸ conjug. 3
❶ Soulever ou soutenir une chose ou une personne. *Frédéric* ***porte*** *sa petite sœur sur ses épaules.* ❷ Prendre avec soi et emporter ailleurs. *Anaïs* ***a porté*** *un colis au bureau de poste.* **SYN** apporter. ❸ Avoir sur soi. *Yoël* ***porte*** *un blouson. Le père de Farida* ***porte*** *la barbe.* ❹ Avoir dans son ventre avant de mettre au

monde. *L'éléphante **porte** ses petits pendant vingt et un mois.* ❺ Avoir une certaine portée. *La voix **porte** loin dans cette grotte.* ❻ Avoir la charge de quelque chose. *C'est lui qui **porte** la responsabilité du projet.* ❼ Avoir pour sujet. *Ce livre **porte** sur les sports extrêmes.* • **Porter bonheur** ou **malheur** : apporter la chance ou la malchance. • **Porter plainte** : déposer une plainte en justice. • **Porter secours** : secourir. ■ *se* **porter** : être dans tel ou tel état de santé. *La malade **se porte** mieux.* ♦ Famille du mot : port, portable, portant, portatif, portée, porteur.

porte-savon nom masculin
Petit support où l'on met le savon. *Il y a un **porte-savon** dans la salle de bains.* ✎ Pluriel : *des **porte-savons**.*

porte-serviette nom masculin
Support où l'on suspend les serviettes de toilette. ✎ Pluriel : *des **porte-serviettes**.*

porteur, porteuse adjectif
Qui porte quelque chose. *Il était **porteur** d'une maladie contagieuse.* ■ **porteur, porteuse** nom Personne qui porte les bagages, les colis, les équipements, etc. *Ma grand-mère était trop chargée ; on a appelé un **porteur**.*

Un **porte-voix**

porte-voix nom masculin invariable
Instrument portatif destiné à amplifier la voix. *Pour se faire entendre, il parle à la foule avec un **porte-voix**.* ✎ On peut écrire aussi *un, des **portevoix**.*

portier, portière nom
Personne qui a la charge de garder la porte d'un établissement. *Le **portier** de l'hôtel a ouvert la porte aux voyageurs.*

portière nom féminin
Porte d'une voiture ou d'un train. *Le train va partir. Attention à la fermeture automatique des **portières** !*

portillon nom masculin
Petite porte basse à battant. *Un **portillon** sépare la salle du restaurant de la cuisine.*

portion nom féminin
❶ Part de nourriture pour une personne. *À la cafétéria, Liora a pris une double **portion** de dessert.* ❷ Partie d'un tout. *Cette **portion** de la route est barrée à cause des travaux.* **SYN** tronçon.

portoricain, portoricaine adjectif et nom
De l'île de Porto Rico. *Le tourisme **portoricain**. – Les **Portoricains**, les **Portoricaines**.*
✎ Attention ! Le nom, qui désigne les habitants, s'écrit avec une majuscule.

portrait nom masculin
❶ Photographie, dessin ou peinture représentant une personne. ❷ Description de quelqu'un ou de quelque chose. *Anh nous a fait le **portrait** de son enfance dans son pays natal.* • **Être tout le portrait de quelqu'un** : lui ressembler beaucoup.

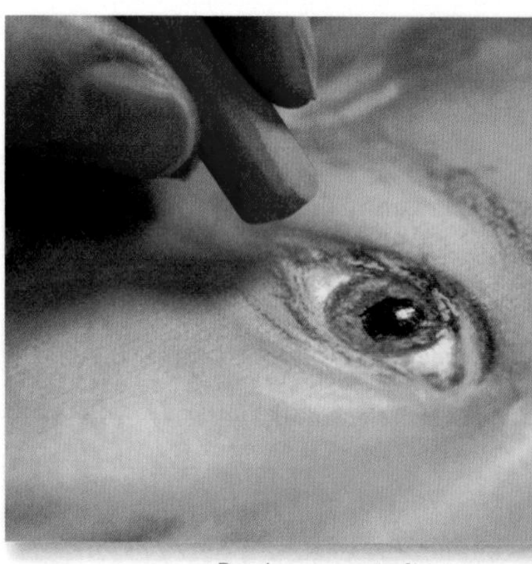
Dessiner un **portrait**

portrait-robot nom masculin
Portrait d'un individu recherché, réalisé d'après les indications des témoins. ✎ Pluriel : *des **portraits-robots**.*

portuaire adjectif
D'un port. *Les activités **portuaires** de Sept-Îles sont très importantes.*

portugais, portugaise
➜Voir tableau, p. 1319.

pose nom féminin
❶ Action de poser, de fixer. *La **pose** du plancher en bois franc a pris peu de temps.* ❷ Attitude de quelqu'un qui pose. *Édouard n'a pas une **pose** très naturelle sur cette photo.*
* Ne pas confondre *pose* et *pause*.

posé, posée adjectif
Pondéré. *C'est un homme **posé** qui ne parle pas à tort et à travers.* **SYN** raisonnable, réfléchi. **CONTR** impulsif.

posément adverbe
De façon posée. *Enzo a expliqué* ***posément*** *pourquoi il voulait partir.* SYN calmement.

poser verbe ▸ conjug. 3
❶ Mettre quelque chose sur un support. *Claudie* ***a posé*** *un vase sur la table.* SYN déposer, placer. ❷ Fixer ou installer à l'endroit approprié. *L'ouvrier vient de* ***poser*** *la céramique dans la salle de bains.* ❸ Prendre une attitude et rester sans bouger. *Le photographe demande à tous les invités de* ***poser*** *pour la photo souvenir.* • **Poser une question à quelqu'un :** l'interroger. *L'enseignante* ***a posé une question à*** *Hugo.* • **Poser sa candidature :** se présenter comme candidat. ■ *se* **poser :** cesser son vol, pour un oiseau, ou atterrir, pour un avion. CONTR s'envoler. ♦ Famille du mot : pose, posé, posément.

positif, positive adjectif
❶ Qui exprime une affirmation. *J'ai reçu une réponse* ***positive*** *à ma demande.* CONTR négatif. ❷ Bon, utile. *Ce voyage a eu un effet* ***positif.*** SYN bénéfique. ❸ Se dit d'un nombre supérieur à 0. *« +3 » est un nombre* ***positif.*** CONTR négatif.

position nom féminin
❶ Façon de se tenir. *Gabriel a des fourmis dans la main, car il a dormi dans une mauvaise* ***position.*** SYN posture. ❷ Endroit où quelque chose se trouve. *La latitude et la longitude permettent de connaître la* ***position*** *d'un bateau.* SYN emplacement. ❸ Place occupée par rapport aux autres. *La voiture nº 6 est actuellement en seconde* ***position.*** SYN rang. ❹ Point de vue sur un sujet. *Ils ont des* ***positions*** *opposées sur cette question.* SYN avis, opinion. • **Prendre position :** donner son opinion. • **Rester sur ses positions :** refuser de céder.

posologie nom féminin
Quantité de médicament à prendre. *La* ***posologie*** *dépend de l'âge du malade, de son poids, etc.*

posséder verbe ▸ conjug. 8
Avoir à soi. *Elvira* ***possède*** *un scooteur.* ♦ Famille du mot : déposséder, possesseur, possessif, possession.

possesseur nom masculin
Personne qui possède quelque chose. *Il est* ***possesseur*** *de documents de la plus haute importance.*

possessif, possessive adjectif
Qui marque la possession. *« Mon », « ta », « leurs » sont des déterminants* ***possessifs.***

possession nom féminin
Fait de posséder quelque chose. *Cette petite ferme est sa seule* ***possession.***

possibilité nom féminin
❶ Fait d'être possible. *J'ai la* ***possibilité*** *d'aller vous voir.* CONTR impossibilité. ❷ Chose possible. *Il y a beaucoup de* ***possibilités,*** *si vous avez envie de vous distraire à Montréal.*

possible adjectif
❶ Qui peut arriver. *Il est* ***possible*** *que tu ne le reconnaisses pas car il a beaucoup changé.* CONTR impossible. ❷ Qui peut être fait. *Faire cette randonnée en deux heures est* ***possible.*** SYN faisable, réalisable. ■ **possible** nom masculin • **Faire son possible :** faire tout ce que l'on peut. ***J'ai fait mon possible*** *pour arriver à l'heure.* ♦ Famille du mot : impossibilité, impossible, possibilité, possiblement.

possiblement adverbe
Peut-être. *Elle viendra* ***possiblement*** *à Noël.*

postal, postale, postaux adjectif
De la poste. *Le service* ***postal*** *est interrompu en raison d'une grève.*

① **poste** nom masculin
❶ Endroit où l'on doit être pour remplir son rôle. *Le bateau peut partir, tous les marins sont à leur* ***poste.*** ❷ Endroit où certaines personnes exercent leurs fonctions. *Après leur ronde, les policiers regagnent le* ***poste.*** ❸ Fonction à laquelle on est nommé. *Il a un* ***poste*** *au ministère des Finances.* SYN emploi. • **Poste de pilotage :** endroit d'un avion ou d'un bateau où se trouve le pilote. 👁p. 93. • **Poste de traite :** endroit où se faisait le commerce avec les Amérindiens et les Inuits.

Un **poste de pilotage**

a b c d e f g h i j k l m n o **p** q r s t u v w x y z

② poste nom féminin
❶ Service chargé du transport et de la distribution du courrier. *D'après le cachet de la **poste**, la lettre est partie le 2 mai.* ❷ Bureau de poste. *Camille a acheté des timbres à la **poste**.* ♦ Famille du mot: postal, poster, postier, postillon.

① poster verbe ▸ conjug. 3
Mettre à un poste. *Le lieutenant **a posté** des sentinelles près du pont.* ■ *se* **poster**: se placer à un endroit. *Mathis **s'est posté** à la fenêtre pour guetter l'arrivée de sa marraine.*

② poster verbe ▸ conjug. 3
Mettre à la poste. *La secrétaire **poste** le courrier quotidien.*

Un **pot**

postérieur, postérieure adjectif
❶ Qui a lieu après. *Ta naissance est **postérieure** à la mienne.* ❷ Qui est situé derrière. *Le kangourou se déplace toujours sur ses pattes **postérieures**.* CONTR antérieur. ■ **postérieur** nom masculin Dans la langue familière, fesses, derrière.

posthume adjectif
Qui se produit après la mort. *Cet artiste a eu une gloire **posthume**.*

postiche adjectif
Qui n'est pas naturel. *Au théâtre, les comédiens portent souvent des barbes et des moustaches **postiches**.* SYN faux.

postier, postière nom
Personne qui travaille à la poste.

postillon nom masculin
❶ Autrefois, homme qui conduisait une voiture de la poste. ❷ Gouttelette de salive projetée en parlant.

postillonner verbe ▸ conjug. 3
Envoyer des postillons.

post-scriptum nom masculin invariable
Texte que l'on ajoute à une lettre après la signature. *Loïc a mis en **post-scriptum**: « P.-S. N'oubliez pas de m'écrire à votre tour ! »* ✎ On peut écrire aussi *un **postscriptum**, des **postscriptums***. * Abréviation: ***P.-S.*** * Attention ! La dernière syllabe du mot *post-scriptum* se prononce *tome*.

postuler verbe ▸ conjug. 3
Présenter sa candidature à un emploi. *Elle **postule** un emploi de chef de service.*

posture nom féminin
Position du corps. *Sarah change de **posture** pour s'asseoir plus confortablement.* SYN attitude. • **En mauvaise posture**: dans une situation difficile. *Cette bavure a mis la police **en mauvaise posture**.*

pot nom masculin
❶ Récipient servant à divers usages. *Un **pot** à eau. Un **pot** de fleurs.* ❷ Récipient dans lequel les jeunes enfants font leurs besoins. *Le bébé est assis sur son **pot**.* • **Pot d'échappement**: tuyau par lequel les gaz brûlés sont évacués d'un véhicule. • **Tourner autour du pot**: ne pas aborder franchement ce que l'on veut dire.

potable adjectif
Que l'on peut boire sans danger. *De l'eau **potable**.*

potage nom masculin
Bouillon dans lequel on a fait cuire des légumes ou de la viande. *Kirsten aime le **potage** aux légumes.*

potager, potagère adjectif
• **Plante potagère**: plante utilisée comme légume. *Les carottes, les pommes de terre, les radis sont des **plantes potagères**.* * Chercher aussi *maraîcher*. ■ **potager** nom masculin Jardin où l'on cultive des légumes. *En été, il arrose son **potager** tous les soirs.*

potassium nom masculin
Élément chimique très répandu dans la nature. *Cette eau minérale contient beaucoup de **potassium**.* * Attention ! La dernière syllabe du mot *potassium* se prononce *ciome*.

pot-au-feu nom masculin invariable
Plat de bœuf et de légumes bouillis. SYN bouilli. * Attention ! Le mot *pot-au-feu* se prononce en faisant la liaison entre *pot-* et *au-*.

pot-de-vin nom masculin
Somme d'argent versée secrètement à quelqu'un pour obtenir un avantage. *Cette entreprise est soupçonnée d'avoir versé un **pot-de-vin** au député.* ✎ Pluriel: *des **pots-de-vin**.*

poteau, poteaux nom masculin
Longue pièce de bois ou de ciment plantée verticalement dans le sol et qui sert de support. *La route est bordée de **poteaux** électriques.*

potelé, potelée adjectif
Dodu. *Ce bébé est **potelé**.* CONTR maigre.

potence nom féminin
Instrument qui servait au supplice de la pendaison. *Autrefois, les brigands étaient condamnés à la **potence**.*

potentiel, potentielle adjectif
Qui pourrait exister. *Mon père a trouvé un acheteur **potentiel** pour sa voiture.* SYN possible, virtuel. ■ **potentiel** nom masculin Ensemble des ressources dont peut disposer un individu, un groupe, un pays. *Cette région a un grand **potentiel** agricole.* * Attention ! Le deuxième *t* du mot *potentiel* se prononce comme un *s*.

poterie nom féminin
❶ Fabrication d'objets en terre cuite. *Ma mère s'est inscrite à un cours de **poterie**.* ❷ Objet ou ustensile en terre cuite. *On a trouvé des débris de **poteries** anciennes sur ce site.*

Faire de la **poterie**

potiche nom féminin
Grand vase en porcelaine.

potier, potière nom
Personne qui fabrique et vend des poteries. *Le **potier** travaille à l'aide d'un tour.*

potins nom masculin pluriel
Dans la langue familière, commérages. *Les **potins** du quartier ne l'intéressent pas.* SYN rumeur.

potion nom féminin
Médicament à boire. *Il paraît que cette **potion** calme la toux.*

potiron nom masculin
Grosse citrouille. *Un potage au **potiron**.*

pot-pourri nom masculin
Mélange de plusieurs airs de musique. ✎ Pluriel : *des **pots-pourris**.* ✎ On peut écrire aussi *un **potpourri**, des **potpourris**.*

pou, poux nom masculin
Insecte parasite de l'être humain et de certains animaux. *Il y a une épidémie de **poux** dans la classe de ma sœur.*

Un **pou**

poubelle nom féminin
Contenant pour les ordures ménagères.

① **pouce** nom masculin
Doigt le plus gros et le plus court de la main. *Il s'est foulé le **pouce** en jouant au ballon.* 👁p. 331. • **Donner un coup de pouce :** aider quelqu'un ou quelque chose à réussir. • **Manger sur le pouce :** dans la langue familière, manger très rapidement. • **Se tourner les pouces :** dans la langue familière, rester sans rien faire. • **Faire du pouce :** faire de l'auto-stop.

② **pouce** nom masculin
Dans le système impérial, unité de longueur valant deux centimètres et demi environ. * Chercher aussi ② *livre*, ③ *mille*, ② *pied*, ② *verge*.

pouding nom masculin
Gâteau cuit au four sur des fruits ou sur une préparation sucrée. *Enrico préfère le **pouding** à la rhubarbe.* • **Pouding chômeur :** pouding cuit sur un sirop à base de cassonade.

poudre nom féminin
❶ Matière écrasée en petits grains très fins. *Fabienne met du sucre en **poudre** pour décorer le gâteau.* ❷ Matière explosive. *Les cartouches de fusil contiennent de la **poudre**.* ❸ Substance très fine qui sert au maquillage. *Odile s'est mis un peu de **poudre** sur les joues.* • **Jeter de la poudre aux yeux :** chercher à éblouir les autres. • **Mettre le feu aux poudres :** déclencher un conflit ou une forte manifestation de violence. ♦ Famille du mot : poudrer, poudrerie, poudreux, poudrier, poudrière.

① **poudrer** verbe ▸ conjug. 3
Mettre de la poudre sur la peau. *La maquilleuse **poudre** le visage de la comédienne.* ■ *se* **poudrer** : se mettre de la poudre.

② **poudrer** verbe ▸ conjug. 3
Tourbillonner sous l'action du vent, en parlant de la neige. *Quand il **poudre**, on ne voit rien sur cette route.* * Attention ! *Poudrer* ne s'emploie qu'à la troisième personne du singulier. * Chercher aussi *poudrerie*.

a b c d e f g h i j k l m n o p q r s t u v w x y z

a b c d e f g h i j k l m n o p q r s t u v w x y z

poudrerie nom féminin
Neige fine que le vent soulève en tourbillons.

poudreux, poudreuse adjectif
Qui est léger et fin comme de la poudre. *Les skieuses s'élancent dans la neige **poudreuse**.*
■ **poudreuse** nom féminin Neige poudreuse.

poudrier nom masculin
Petite boîte plate qui renferme de la poudre pour le maquillage. *J'ai offert à ma grand-mère un beau **poudrier**.*

poudrière nom féminin
Entrepôt où l'on garde des explosifs.

pouf nom masculin
Siège bas, rembourré et sans dossier, où l'on peut s'asseoir ou poser les pieds.

pouffer verbe ▸ conjug. 3
Éclater de rire en essayant d'être discret. *Emma n'a pas pu s'empêcher de **pouffer** de rire quand Manolo a trébuché.* **SYN** s'esclaffer.

poulailler nom masculin
Abri pour les poules. *Guido a trouvé des œufs dans le **poulailler**.*

poulain nom masculin
Petit de la jument. * Chercher aussi *cheval*, ① *étalon*, *hennir*, *jument*.

poulamon nom masculin
Poisson ressemblant à la morue, que l'on pêche l'hiver sous la glace. **SYN** poisson* des chenaux.

poule nom féminin
Oiseau de basse-cour que l'on élève pour sa chair et ses œufs. *Le coq est le mâle de la **poule**.* * Chercher aussi *caqueter*, *poussin*, *volaille*.
• **Poule mouillée :** dans la langue familière, personne qui manque de courage. • **Chair de poule :** peau dont les poils se hérissent. *Il fait froid, j'ai la **chair de poule**.* ♦ Famille du mot : poulailler, poulet, poussin.

Une **poule**

poulet nom masculin
Jeune poule ou jeune coq, plus grand que le poussin. *On a acheté un **poulet** rôti.* 👁p. 720.

pouliche nom féminin
Jeune jument. * Chercher aussi *cheval*, ① *étalon*, *hennir*, *poulain*.

poulie nom féminin
Petite roue sur laquelle s'enroule un câble ou une corde. *Les **poulies** permettent de soulever de lourdes charges.* 👁p. 630.

poulpe nom masculin
Pieuvre. * Attention ! On dit ***un** poulpe*.

pouls nom masculin
Battement du sang dans les artères, que l'on peut sentir notamment en tâtant l'intérieur du poignet. *Après une course, le **pouls** est très rapide.* * Attention ! Dans le mot *pouls*, les lettres *ls* ne se prononcent pas. * Chercher aussi *pulsation*.

poumon nom masculin
Chacun des deux organes situés dans le thorax, qui servent à respirer. 👁p. 988.

poupe nom féminin
Partie arrière d'un navire. *Le gouvernail se trouve à la **poupe** des bateaux.* **CONTR** proue.
• **Avoir le vent en poupe :** être poussé vers le succès.

poupée nom féminin
Jouet qui représente une personne. *Jouer à la **poupée**.*

poupon nom masculin
Bébé. *Ce **poupon** est potelé.*

pouponnière nom féminin
Établissement où l'on prend soin des enfants de la naissance à dix-huit mois.

① **pour** préposition
Sert à marquer diverses relations entre des groupes de mots. *Léonie est sortie **pour** acheter du lait* (but). **SYN** afin de. *Yohan a un texte à lire **pour** demain* (temps). *Le magasin est fermé **pour** travaux* (cause). *Le train part **pour** Toronto* (destination). *Ils ont tous voté **pour** ce candidat* (option). *Elle n'a pas assez travaillé **pour** réussir* (conséquence). *Emmanuel est grand **pour** son âge* (comparaison).
■ **pour que** conjonction Afin que.

② **pour** nom masculin
• **Le pour et le contre :** les avantages et les inconvénients.

pourboire nom masculin
Somme d'argent qu'un client laisse en plus du prix à payer, à la personne qui lui a fourni un service. *Ma mère a donné un **pourboire** au chauffeur de taxi.* * Chercher aussi *service*.

pourcentage nom masculin
Proportion par rapport à cent unités. *Quarante-cinq élèves sur cent sont des filles ; le **pourcentage** des filles est donc de quarante-cinq pour cent (45 %).*

pourchasser verbe ▸ conjug. 3
Poursuivre sans relâche. *Les hyènes **pourchassent** le buffle blessé.*

pourparlers nom masculin pluriel
Ensemble des discussions en vue de régler une affaire. *Les **pourparlers** entre ces deux pays ont abouti à un traité de paix.*

pourpre adjectif
D'une couleur rouge violet. ■ **pourpre** nom masculin Couleur pourpre.

pourquoi adverbe
Interroge sur la cause, la raison de quelque chose. ***Pourquoi** ris-tu ? Je vais t'expliquer **pourquoi** je suis en retard.* • **C'est pourquoi** : c'est pour cette raison. *Maïka est très malade, **c'est pourquoi** elle est absente.*

pourri, pourrie adjectif
Qui s'est décomposé. *Des fruits **pourris**.*

pourriel nom masculin
Courriel de type publicitaire envoyé à de très nombreux internautes sans leur consentement.

pourrir verbe ▸ conjug. 11
❶ S'abîmer en se décomposant. *Ces pommes **ont pourri** sur l'arbre.* **SYN** se gâter. ❷ Gâter extrêmement. *Ses parents le **pourrissent**.*

pourriture nom féminin
État de ce qui est pourri. *D'où vient cette odeur de **pourriture** ?*

Une **pousse**

poursuite nom féminin
Action de poursuivre. *Elle s'est lancée à la **poursuite** de son frère.* ■ **poursuites** nom féminin pluriel Fait de poursuivre quelqu'un en justice. *Comme il ne voulait pas payer son loyer, la propriétaire l'a menacé de **poursuites**.*

poursuivant, poursuivante nom
Personne qui en poursuit une autre. *Il a réussi à échapper à ses **poursuivants**.*

poursuivre verbe ▸ conjug. 49
❶ Courir après une personne ou un animal pour le rattraper. *La lionne **poursuit** sa proie à travers la savane.* **SYN** pourchasser. ❷ Continuer ou reprendre ce que l'on a commencé. *Il **a poursuivi** son récit après une brève interruption.* ❸ Porter plainte contre quelqu'un en lui faisant un procès. *Elle l'**a poursuivi** en justice pour escroquerie.* ♦ Famille du mot : poursuite, poursuivant.

pourtant adverbe
Indique une opposition. *Nadine a attrapé froid : elle était **pourtant** habillée chaudement.* **SYN** cependant, néanmoins.

pourtour nom masculin
Partie qui fait le tour d'une surface ou d'un objet. *Le **pourtour** du lac est planté de sapins.*

pourvoir verbe ▸ conjug. 23
❶ Fournir ce qui est nécessaire à quelqu'un. *Les parents doivent **pourvoir** aux besoins de leurs enfants.* **SYN** subvenir. ❷ Équiper de ce qui est nécessaire. *Il **a pourvu** sa cuisine d'électroménagers ultramodernes.*

pourvoirie nom féminin
Établissement qui propose aux chasseurs, aux pêcheurs et aux amateurs de plein air divers services et installations (hébergement, guide, matériel). *L'été dernier, nous avons passé une semaine en pleine nature dans une **pourvoirie** de Charlevoix.*

pourvu que conjonction
❶ Exprime un souhait. ***Pourvu que** la pluie s'arrête et que l'on puisse sortir !* ❷ Exprime une condition. *Vous pouvez jouer au parc **pourvu que** vous restiez ensemble.*

pousse nom féminin
Partie jeune d'une plante. *En avril, les premières **pousses** apparaissent.* * Chercher aussi *bourgeon*, *germe*.

poussée nom féminin
❶ Force exercée en poussant. *La porte s'est ouverte sous la **poussée** du vent.* **SYN** pression. ❷ Brusque accès d'un état maladif. *Une **poussée** de fièvre.* **SYN** ② accès.

① **pousser** verbe ▸ conjug. 3
Se développer ou grandir. *Les chênes **poussent** plus lentement que les sapins.* **SYN** croître.

② **pousser** verbe ▸ conjug. 3
❶ Appuyer sur quelque chose pour le faire bouger ou pour le faire tomber. *Mon père*

a poussé le meuble pour le déplacer. CONTR tirer. *Ma sœur m'**a poussé** et je suis tombé.* SYN bousculer. CONTR tirer. ❷ Inciter quelqu'un à faire quelque chose. *C'est son père qui **pousse** Thomas à faire du judo.* SYN encourager. • **Pousser quelqu'un à bout :** l'exaspérer. *Ses jérémiades continuelles nous **poussent à bout**.* ■ se **pousser** : s'écarter pour laisser la place. *Ma sœur **s'est poussée** un peu pour me laisser de la place sur le banc.* ♦ Famille du mot : poussée, poussette.

poussette nom féminin
Petite voiture de bébé, souvent pliante, que l'on pousse devant soi. * Chercher aussi *landau*.

poussière nom féminin
Petits grains de matière très fins et très légers. *En roulant sur le chemin de terre, la jeep a soulevé des nuages de **poussière**.* ♦ Famille du mot : dépoussiérer, poussiéreux.

poussiéreux, poussiéreuse adjectif
Couvert de poussière. *Des meubles **poussiéreux**.*

poussin nom masculin
Petit de la poule. *Ces **poussins** viennent d'éclore.* * Chercher aussi *piailler*.

poutine nom féminin
Mets composé de frites auxquelles on ajoute du fromage en grains et une sauce brune chaude.

poutre nom féminin
Morceau de bois long et épais qui soutient un toit ou un plafond. * Chercher aussi *charpente*.

Des **poutres**

poutrelle nom féminin
Poutre en métal.

① **pouvoir** verbe ▸ conjug. 27
❶ Être capable de faire quelque chose. *Est-ce que tu **peux** porter cette grosse valise ?* ❷ Avoir le droit ou la permission de faire quelque chose. *Vous **pouvez** regarder cette émission.* ❸ Être possible. *Tu **peux** te faire mal avec ce couteau.* SYN risquer. • **N'en pouvoir plus :** être très fatigué ou en avoir assez. *Je m'arrête, je **n'en peux plus** !*

② **pouvoir** nom masculin
❶ Possibilité ou faculté de faire quelque chose. *Il n'a pas le **pouvoir** de décider.* ❷ Autorité ou puissance. *Les médias ont le **pouvoir** d'influencer l'opinion publique.* • **Pouvoir d'achat :** ce que l'on peut acheter en fonction de ses revenus.

pow-wow nom masculin invariable
Rencontre d'Amérindiens durant laquelle se tiennent diverses activités culturelles et traditionnelles.

prairie nom féminin
Terrain recouvert d'herbe. *Les vaches paissent dans la **prairie**.* SYN herbage, pâturage, pré.

praline nom féminin
Bonbon fait d'une amande grillée recouverte de sucre.

praliné, pralinée adjectif
Qui est parfumé avec des pralines écrasées. *Une crème glacée **pralinée**.*

praticable adjectif
Où l'on peut passer sans danger. *Ce sentier le long de la falaise est **praticable** toute l'année.* SYN carrossable. CONTR impraticable.

praticien, praticienne nom
Personne qui met en pratique ses connaissances pour soigner. *Les médecins, les dentistes, les vétérinaires sont des **praticiens**.* CONTR chercheur, théoricien.

pratiquant, pratiquante adjectif et nom
Qui pratique une religion. *Les catholiques **pratiquants** vont à la messe le dimanche. – Une **pratiquante**.*

① **pratique** adjectif
❶ Qui est facile à utiliser. *Ce couteau est très **pratique** pour éplucher les légumes.* SYN commode. ❷ Qui permet de mettre en pratique ce que l'on a appris en théorie. *Maintenant que vous avez bien compris, passons aux exercices **pratiques**.* CONTR théorique. ❸ Qui a le sens des réalités, qui est efficace. *Elle a l'esprit **pratique** et trouve des solutions ingénieuses.*

② **pratique** nom féminin
❶ Activité qui a pour but de mettre en application les choses que l'on a apprises. *Après la théorie, passons à la **pratique**.* SYN application, exécution. CONTR théorie. ❷ Manière d'agir. *Copier sur son voisin n'est pas une **pratique** honnête.* SYN procédé. ❸ Habitude de faire quelque chose. *Amina a une grande **pratique** du bricolage.* SYN expérience. ❹ Fait de pratiquer une religion. *Ces musulmans ont une **pratique** fervente.* • **Mettre en pratique quelque chose:** l'appliquer. *Ce que j'ai appris en menuiserie, je voudrais le **mettre en pratique**.* ♦ Famille du mot: impraticable, praticable, praticien, pratiquant, pratiquement, pratiquer.

pratiquement adverbe
❶ Dans la pratique. ***Pratiquement**, ce projet semble irréalisable.* CONTR théoriquement. ❷ À peu près. *Cette espèce végétale a **pratiquement** disparu.* SYN presque, quasiment.

pratiquer verbe ▸ conjug. 3
❶ Faire quelque chose de façon régulière, exercer une activité. *Pour être en forme, Victor **pratique** plusieurs sports. Jasmine **pratique** la médecine depuis dix ans.* ❷ Faire. *Les cambrioleurs **ont pratiqué** une ouverture dans le mur de la banque.* ❸ Accomplir les actes commandés par une religion. *Ses parents sont croyants, mais ils ne **pratiquent** pas.*

pré nom masculin
Petite prairie. *Le fermier a conduit ses vaches dans le **pré**.*

*Un **pré***

pré- préfixe
Placé au début d'un mot pour former un autre mot, *pré-* signifie «avant» (***pré**avis*, ***pré**histoire*).

préalable adjectif
Qui doit avoir lieu avant autre chose. *Une discussion **préalable** a permis de trouver rapidement une solution.* SYN préliminaire. ■ **préalable** nom masculin • **Au préalable:** avant, d'abord. *Si vous voulez aller au musée, achetez un billet **au préalable**.*

préambule nom masculin
Début d'un discours. *Après un court **préambule**, la conférencière a abordé le sujet.*

préavis nom masculin
Avertissement que l'on doit donner officiellement. *Cette employée a donné un **préavis** de démission à la direction.*

précaire adjectif
Qui est fragile et incertain. *Il a un emploi **précaire**.* CONTR stable.

précaution nom féminin
Ce que l'on fait pour éviter un ennui ou un danger. *Ils ont pris la **précaution** de se faire vacciner. Le conducteur roule avec **précaution** sur la route enneigée.* SYN prudence.

précédemment adverbe
Antérieurement. *Je t'ai déjà dit **précédemment** que je n'étais pas disponible.* * Attention! La terminaison *emment* se prononce *amant*.

précédent, précédente adjectif
Qui précède quelque chose. *Cette fois, il a accepté; la fois **précédente**, il avait refusé.* CONTR suivant. ■ **précédent** nom masculin Décision antérieure sur laquelle on peut s'appuyer pour réclamer la même chose. *Si je vous permettais de manger en classe, je créerais un **précédent**.* • **Sans précédent:** unique, jamais vu. *Ce film a eu un succès **sans précédent**.*

précéder verbe ▸ conjug. 8
❶ Se passer avant. *La présentation des joueurs **précédera** la partie.* CONTR suivre. ❷ Marcher devant quelqu'un. *Tanya me **précède** pour me montrer le chemin.* SYN devancer. CONTR suivre. ✎ On peut écrire aussi, au futur, *je **précèderai***; au conditionnel, *tu **précèderais***. ♦ Famille du mot: précédemment, précédent.

précepte nom masculin
Formule qui énonce une règle de morale.

prêcher verbe ▸ conjug. 3
❶ Faire un prêche. *Le prêtre est monté en chaire pour **prêcher**.* ❷ Conseiller quelque chose avec insistance. ***Prêcher** la modération, le calme, la patience.* SYN recommander.

a b c d e f g h i j k l m n o p q r s t u v w x y z

précieusement adverbe
Avec un grand soin. *Xavier range **précieusement** sa collection de timbres.*

précieux, précieuse adjectif
❶ Qui a une grande valeur. *Le diamant et le rubis sont des pierres **précieuses**.* ❷ Que l'on apprécie beaucoup. *Votre aide nous a été très **précieuse**.* **SYN** appréciable. ❸ Qui manque de naturel. *Elle nous parlait d'un ton **précieux**.* **SYN** affecté, maniéré. **CONTR** naturel, simple.

*Des pierres **précieuses***

précipice nom masculin
Trou profond aux parois à pic. *Un torrent coule au fond du **précipice**.* **SYN** gouffre, ravin.

précipitamment adverbe
Avec précipitation. *Sébastien a reculé **précipitamment**.*

précipitation nom féminin
Trop grande hâte. *Pas de **précipitation**, nous avons tout notre temps.* ■ **précipitations** nom féminin pluriel Phénomène atmosphérique tel que la pluie, la neige, la grêle. *La météorologue annonce de fortes **précipitations** en Gaspésie.* 👁p. 710.

précipiter verbe ▸ conjug. 3
Faire quelque chose avec précipitation. *La mauvaise température l'a obligé à **précipiter** son retour.* **SYN** hâter. **CONTR** retarder.
■ **se précipiter**: se jeter de haut en bas. *Le parachutiste **se précipite** dans le vide.*
■ **se précipiter sur**: s'élancer brusquement. *Le lion **s'est précipité sur** sa proie.* **SYN** se ruer.
♦ Famille du mot: précipitamment, précipitation.

précis, précise adjectif
❶ Qui est clair, exact et détaillé. *Ton plan était tellement **précis** qu'on a trouvé tout de suite l'endroit.* **CONTR** approximatif, évasif, imprécis, vague. ❷ Qui agit avec sûreté et minutie. *Un chirurgien doit être très **précis** dans ses gestes.* ❸ Exactement à cette heure-là. *L'avion décolle à 14 heures **précises**.* ♦ Famille du mot: imprécis, imprécision, précisément, préciser, précision.

précisément adverbe
❶ De manière précise. *J'ai répondu **précisément** à toutes les questions.* **SYN** exactement. ❷ Justement. *Voilà **précisément** ce que je voulais vous dire.*

préciser verbe ▸ conjug. 3
Faire connaître de façon précise ou plus précise. *N'oublie pas de me **préciser** l'heure de ton arrivée.* ■ **se préciser**: se confirmer. *La menace d'ouragan **se précise**.*

précision nom féminin
❶ Caractère précis. *J'ai apprécié la **précision** de ses indications.* **SYN** clarté. **CONTR** confusion, imprécision. ❷ Renseignement qui précise quelque chose. *Je voudrais quelques **précisions** concernant les horaires d'autobus.*

précoce adjectif
❶ Qui arrive plus tôt que d'habitude. *L'hiver est **précoce** cette année.* **SYN** hâtif. **CONTR** tardif. ❷ Qui est en avance pour son âge. *Elle commence à parler déjà! C'est une enfant **précoce**.*

précocité nom féminin
Caractère précoce. *La **précocité** de ce bébé est étonnante.*

préconçu, préconçue adjectif
• **Idée préconçue**: idée toute faite, que l'on adopte sans réfléchir. *Il faut se méfier des **idées préconçues**.* * Chercher aussi *préjugé*.

préconiser verbe ▸ conjug. 3
Recommander vivement. *Le médecin **préconise** le repos à sa patiente.*

précurseur adjectif masculin
Qui précède et annonce quelque chose. *La sève des érables commence à couler: c'est un signe **précurseur** du printemps.* ■ **précurseur** nom masculin Personne très en avance sur les autres. *Gregor Mendel est considéré comme le **précurseur** de la génétique.* **SYN** pionnier.

prédateur nom masculin
Animal qui se nourrit d'autres animaux vivants. *Le guépard, la panthère, les rapaces sont des **prédateurs**.*

*Un **prédateur***

prédécesseur nom masculin
Personne qui a précédé quelqu'un dans un emploi. *Le nouveau maire est plus jeune que son **prédécesseur**.* CONTR successeur.

prédestiné, prédestinée adjectif
Qui semble destiné par avance à quelque chose. *Ce plâtrier s'appelle M. Masson ; c'est un nom **prédestiné** !*

prédicat nom masculin
Fonction grammaticale exercée par le groupe du verbe. *Le **prédicat** indique ce que l'on dit à propos du sujet.*

prédicateur, prédicatrice nom
Personne qui prêche.

prédiction nom féminin
Ce qui a été prédit. *Dina ne croit pas aux **prédictions** des astrologues.* SYN prophétie.

prédilection nom féminin
Nette préférence. *Justine a une **prédilection** pour le piano.* • **De prédilection :** préféré. *C'est son instrument **de prédilection**.*

prédire verbe ▸ conjug. 46
Annoncer à l'avance ce qui va arriver. *Je t'**avais prédit** que tu remporterais cette victoire.* ✎ Attention ! *Prédire* se conjugue comme le verbe *dire*, sauf à la deuxième personne du pluriel du présent de l'indicatif et de l'impératif : *vous **prédisez**.*

prédisposer verbe ▸ conjug. 3
Mettre quelqu'un par avance dans des conditions favorables. *Sa grande taille le **prédispose** à faire du basketball.*

prédominer verbe ▸ conjug. 3
Être le plus important ou le plus fréquent. *Ce qui **prédomine** dans son caractère, c'est sa bonne humeur.*

préfabriqué, préfabriquée adjectif
Qui est construit avec des éléments prêts à être assemblés. *Une maison **préfabriquée**.*

préface nom féminin
Texte de présentation placé au début d'un livre. *Dans sa **préface**, l'auteur explique ses intentions.* SYN avant-propos, introduction.

préférable adjectif
Qui mérite d'être préféré. *Cette solution me semble **préférable** à toutes les autres.*

préféré, préférée adjectif et nom
Que l'on préfère. *Quel est ton plat **préféré** ?* SYN favori. – *Mon **préféré**, c'est le pâté chinois.*

préférence nom féminin
Fait de préférer une chose à une autre. *Alex a une **préférence** pour les sports individuels.* • **De préférence :** plutôt qu'autre chose. *Si tu veux lui faire plaisir, offre-lui **de préférence** un livre.*

préférer verbe ▸ conjug. 8
Aimer mieux. *Les fruits que Samantha **préfère**, ce sont les framboises.* ✎ On peut écrire aussi, au futur, *je **préfèrerai*** ; au conditionnel, *elle **préfèrerait***. ♦ Famille du mot : préférable, préféré, préférence.

préfixe nom masculin
Élément placé devant un mot et servant à en former un autre de sens différent. *Dans incomplet, « in- » est un **préfixe** qui exprime le contraire.*

préhistoire nom féminin
Période de l'histoire de l'humanité qui a précédé l'invention de l'écriture. *Ces gravures rupestres datent de la **préhistoire**.*

*Des gravures de la **préhistoire***

préhistorique adjectif
De la préhistoire. *Tous les humains **préhistoriques** vivaient de chasse et de cueillette.*

préjudice nom masculin
Tort causé à quelqu'un. *Cette accusation lui a causé un grave **préjudice**.*

préjudiciable adjectif
Qui cause un préjudice. *Ce voyage a été **préjudiciable** à sa santé.* SYN nuisible.

a b c d e f g h i j k l m n o p q r s t u v w x y z

préjugé nom masculin
Idée toute faite, que l'on a sans connaître la réalité concernée. *Les **préjugés** de Léo l'empêchent de goûter à la cuisine exotique.* * Chercher aussi *idée préconcue**.

prélart nom masculin
Revêtement de sol épais et imperméabilisé. **SYN** linoléum.

se **prélasser** verbe ▸ conjug. 3
Se reposer agréablement sans rien faire. *Rania **se prélasse** dans le hamac.*

prélèvement nom masculin
❶ Action de prélever. *Olivier paie son électricité par **prélèvements** bancaires automatiques.* ❷ Matière prélevée. *Un **prélèvement** de sang.* **SYN** prise* de sang.

prélever verbe ▸ conjug. 8
Prendre une partie d'un ensemble. *Les géologues **ont prélevé** quelques échantillons de roches.* **SYN** extraire.

préliminaire adjectif
Qui précède et prépare quelque chose. *Cette épreuve **préliminaire** servira à choisir les athlètes qui passeront à la finale.*

prélude nom masculin
❶ Début d'un morceau de musique. *Audrey apprend à jouer un **prélude** de Bach au piano.* ❷ Au sens figuré, évènement qui annonce quelque chose. *Ce voyage a été pour eux le **prélude** d'une grande amitié.*

prématuré, prématurée adjectif
Qui se produit trop tôt. *L'arrivée **prématurée** du printemps nous a tous agréablement surpris.* **SYN** précoce. **CONTR** tardif. ■ **prématuré, prématurée** adjectif et nom Né avant terme. *Ces bébés **prématurés** sont placés en couveuse. – Cette **prématurée** prend du mieux.*

prématurément adverbe
De façon prématurée. *Ces graines ont été semées **prématurément**.*

préméditer verbe ▸ conjug. 3
Décider et préparer quelque chose à l'avance. *Il **a** soigneusement **prémédité** son mauvais coup.*

premier, première adjectif
❶ Qui occupe le rang numéro un. *Lundi prochain sera le **premier** jour du mois de mai.* ❷ Qui vient avant les autres dans le temps ou dans l'espace. *Nous avons marqué un but dans la **première** minute de la partie.* **CONTR** dernier. ❸ Qui est en tête. *Cette skieuse est arrivée **première**.* • **Nombre premier :** nombre que l'on ne peut diviser que par lui-même si l'on veut obtenir un nombre entier. • **Premier ministre, première ministre :** dans les monarchies constitutionnelles, chef de gouvernement. ■ **premier, première** nom Qui est avant les autres, qui arrive au début, qui commence. *Franck est le **premier** à s'être inscrit au cours de natation.* ■ **premier** nom masculin ❶ Premier étage. *Habiter au **premier**.* ❷ Premier terme d'une charade. *Mon **premier** est...* ■ **première** nom féminin Première représentation d'un spectacle, d'une pièce de théâtre. *Nous avons eu la chance d'assister à la **première** de cette comédie musicale.* * Abréviation : ***1**^er^*, ***1**^re^*.

premièrement adverbe
En premier lieu. *Pour s'inscrire, il faut **premièrement** remplir ce formulaire et ensuite payer les frais d'adhésion.* **SYN** d'abord.

prémolaire nom féminin
Dent placée entre la canine et les molaires. *L'être humain a huit **prémolaires**.* 👁p. 298.

prémonition nom féminin
Avertissement mystérieux de ce qui va arriver. *Une étrange **prémonition** nous empêche de faire ce voyage.* **SYN** pressentiment.

prémonitoire adjectif
Qui relève de la prémonition. *Ève raconte qu'elle a fait hier un rêve **prémonitoire**.*

se **prémunir** verbe ▸ conjug. 11
Se protéger contre un mal ou un danger. *Pour **se prémunir** contre la grippe, il s'est fait vacciner.*

prénatal, prénatale, prénatals ou **prénataux** adjectif
Qui précède la naissance, qui est survenu pendant la grossesse. *Cette femme enceinte suit des cours **prénatals** pour bien se préparer à l'accouchement.*

*Des exercices **prénataux***

prendre verbe ▸ conjug. 32
❶ Saisir avec ses mains. ***Prendre*** *un livre dans la bibliothèque.* ❷ Emporter avec soi. *Il va pleuvoir,* ***prends*** *un parapluie.* ❸ Enlever quelque chose à quelqu'un. *Il pleure car sa sœur lui* ***a pris*** *ses jouets.* **CONTR** rendre.
❹ Se rendre maître de quelque chose. *L'armée ennemie* ***a pris*** *la ville.* ❺ Attraper un animal. *Les pêcheurs* ***ont pris*** *beaucoup de poissons.*
❻ Absorber quelque chose. *Elle doit* ***prendre*** *ses médicaments tous les jours.* ❼ Utiliser, employer. *Il* ***a pris*** *ses outils pour réparer la machine à laver.* ❽ Se servir d'un moyen de transport. *Pour aller à l'école, Laurie* ***prend*** *l'autobus.* ❾ Commencer à brûler. *Le feu* ***a pris*** *dans le grenier.* ❿ Commencer à avoir une certaine consistance, à durcir. *La gelée commence à* ***prendre****. Sur le lac, la glace est en train de* ***prendre****.* • **Prendre l'air :** respirer l'air du dehors. • **Prendre la route :** commencer un voyage par la route. • **Passer prendre quelqu'un :** aller le chercher. ■ *se* **prendre** : s'accrocher. *Vanessa* ***s'est pris*** *les pieds dans la corde à danser.* • **Se laisser prendre :** se laisser convaincre ou tromper. *Elle* ***s'est laissée prendre*** *à ses promesses.* • **S'en prendre à quelqu'un :** lui faire des reproches ou l'attaquer. • **S'y prendre bien** ou **mal :** agir de façon adroite ou maladroite. ♦ Famille du mot : imprenable, preneur, prise.

preneur, preneuse nom
• **Trouver preneur :** trouver un acheteur. *Cette maison n'****a*** *pas encore* ***trouvé preneur****.*

prénom nom masculin
Nom joint au nom de famille qui permet de distinguer les membres d'une même famille. *Cheyenne est un* ***prénom*** *amérindien.*

se **prénommer** verbe ▸ conjug. 3
Avoir pour prénom. *Mon cousin* ***se prénomme*** *Alexis.*

préoccupant, préoccupante adjectif
Qui préoccupe. *La situation est* ***préoccupante*** *: l'embâcle menace d'inonder la région.*
SYN inquiétant.

préoccupation nom féminin
Chose qui préoccupe. *Jade m'a parlé de ses* ***préoccupations****.* **SYN** inquiétude, souci.

préoccuper verbe ▸ conjug. 3
Inquiéter. *Cette affaire le* ***préoccupe****.*
■ *se* **préoccuper** : s'inquiéter. *Félix est trop jeune pour* ***se préoccuper*** *de son avenir.*
♦ Famille du mot : préoccupant, préoccupation.

préparatifs nom masculin pluriel
Ce que l'on fait pour préparer quelque chose. *Les* ***préparatifs*** *du voyage sont terminés.*

préparation nom féminin
Action de préparer. *La* ***préparation*** *de ces confitures est longue.*

préparatoire adjectif
Qui sert à préparer. *Une réunion* ***préparatoire****.*

préparer verbe ▸ conjug. 3
❶ Faire ce qu'il faut pour que quelque chose soit prêt. *Noémie* ***prépare*** *le déjeuner.*
❷ S'entraîner pour réussir quelque chose. ***Préparer*** *une compétition, un examen.*
■ *se* **préparer** : se disposer ou s'apprêter à faire quelque chose. *Annick* ***se prépare*** *à sortir.* ♦ Famille du mot : préparatifs, préparation, préparatoire.

prépondérant, prépondérante adjectif
Qui a plus de poids ou d'autorité que les autres. *Andrew a une influence* ***prépondérante*** *dans ce groupe.*

préposé, préposée nom
Personne chargée d'un service particulier. *Ma sœur travaille comme* ***préposée*** *au vestiaire dans un théâtre.*

préposition nom féminin
Mot invariable qui marque diverses relations entre des groupes de mots. *« À », « de », « pour », « sur » sont des* ***prépositions****.*

près adverbe
Proche. *Il y a un stade tout* ***près****. Les presbytes ont du mal à voir de* ***près****.* **CONTR** de loin. ■ **près de** préposition ❶ Indique l'approximation. *Il est* ***près de*** *midi.* **SYN** à peu près, environ, presque. ❷ Indique une petite distance. *La route passe* ***près de*** *chez lui.* **CONTR** loin de. * Ne pas confondre *près* et *prêt*.

présage nom masculin
Signe favorable ou défavorable qui annonce l'avenir. *Le ciel rouge est un* ***présage*** *de beau temps pour demain.*

présager verbe ▸ conjug. 5
Annoncer quelque chose à venir. *Ces rafales de vent* ***présagent*** *une tempête.*

presbyte adjectif et nom
Qui a de la difficulté à voir nettement de près. *Ma grand-mère a du mal à lire : elle devient* ***presbyte****.* * Chercher aussi *malvoyant*, *myope*.

presbytère nom masculin
Maison où habite le curé d'une paroisse.

a b c d e f g h i j k l m n o p q r s t u v w x y z

préscolaire adjectif
Qui concerne l'étape préparatoire à l'enseignement primaire. *Une activité **préscolaire**.* ■ **préscolaire** nom Étape préparatoire à l'enseignement primaire. *Le **préscolaire** prépare l'enfant à sa scolarisation.*

prescription nom féminin
Ce qui est prescrit. *Tu dois suivre les **prescriptions** du médecin écrites sur l'ordonnance.*

prescrire verbe ▸ conjug. 47
Donner comme traitement. *La médecin lui **a prescrit** des antibiotiques.*

présence nom féminin
Fait d'être présent. *Ta **présence** n'est pas obligatoire.* CONTR absence. • **En présence de quelqu'un :** devant lui. *Elle l'a dit **en présence de** sa mère.*

① **présent, présente** adjectif
❶ Qui est là. *Tous les élèves de la classe étaient **présents** pour la photo de groupe.* CONTR absent. ❷ Qui existe actuellement, par opposition au passé et au futur. *Profitons du moment **présent**.* ■ **présent** nom masculin Temps, époque, période qui se passe maintenant. *Dans le **présent**, tu es en train de lire un dictionnaire. Quand on écrit « il vient », on emploie un temps de verbe qui exprime l'idée du **présent**.* • **Présent de l'indicatif :** temps de verbe qui sert à exprimer un fait général ou qui a lieu dans le présent. * Chercher aussi *futur*, *passé*. • **À présent :** maintenant, actuellement. *Ce matin, il pleuvait ; **à présent**, il fait beau.*

② **présent** nom masculin
Dans la langue littéraire, cadeau.

présentable adjectif
Qui est digne d'être présenté. *Ce plat n'est pas **présentable**.*

présentateur, présentatrice nom
Personne qui présente une émission, un spectacle. *Cette émission a changé de **présentateur**.*

présentation nom féminin
❶ Manière de présenter quelque chose ou de se présenter. *Il a une **présentation** très soignée.* ❷ Action de présenter les gens les uns aux autres. *Venez, je vais faire les **présentations**.*

présentement adverbe
Actuellement, maintenant. *Je suis **présentement** au supermarché.* SYN en ce moment.

présenter verbe ▸ conjug. 3
❶ Faire connaître une personne à une autre. *Je te **présente** ma petite sœur Annie-Laure.* ❷ Disposer quelque chose pour le montrer. *Ce libraire **présente** très bien les livres dans sa vitrine.* ❸ Montrer quelque chose. *Le policier lui a demandé de **présenter** son permis de conduire.* ■ se **présenter** ❶ Se faire connaître à quelqu'un en disant son nom. *Elle **s'est présentée** à son voisin.* ❷ Être candidat à un examen ou à une élection. ❸ Apparaître ou survenir. *Quand l'occasion **se présentera**, je ferai ce grand voyage.* SYN arriver, se produire. ♦ Famille du mot : présentable, présentateur, présentation, présentoir.

présentoir nom masculin
Support qui permet de présenter un produit ou un ouvrage. *Cette libraire expose les nouveaux livres sur un **présentoir**.*

préservatif nom masculin
Gaine en caoutchouc utilisée par les hommes au moment des rapports sexuels pour ne pas faire d'enfant ou pour se protéger contre certaines maladies.

préservation nom féminin
Action de préserver. *La **préservation** d'une espèce animale menacée.*

préserver verbe ▸ conjug. 3
Protéger contre quelque chose. *Cet imperméable te **préservera** de la pluie.* ♦ Famille du mot : préservatif, préservation.

présidence nom féminin
Fonction de président. *Nathan est candidat à la **présidence** de sa classe.*

président, présidente nom
Personne qui préside une assemblée ou un État. *La **présidente** du jury a annoncé les résultats.*

présidentiel, présidentielle adjectif
Du président. *En Haïti, le palais **présidentiel** a été détruit par le séisme.* * Attention ! Le *t* du mot *présidentiel* se prononce comme un *s*.

présider verbe ▸ conjug. 3
Diriger comme président. ***Présider** une assemblée.* ♦ Famille du mot : présidence, président, présidentiel.

présomptueux, présomptueuse adjectif
Prétentieux. *Lucas se dit le meilleur joueur de l'équipe ; il est **présomptueux**.* CONTR modeste.

presque adverbe
Pas tout à fait. *Maya est* ***presque*** *aussi grande que Samuel.*

presqu'île nom féminin
Terre presque entièrement entourée d'eau, mais rattachée à la côte par une bande de terre. * Chercher aussi *isthme, péninsule.*

La **presqu'île** de Bruce dans la baie Georgienne, en Ontario

pressant, pressante adjectif
Qui presse, qui est urgent. *Il a un besoin* ***pressant*** *d'aller aux toilettes.*

presse nom féminin
❶ Machine qui sert à imprimer. *Cet ouvrage n'est pas encore paru, il est sous* ***presse****.* ❷ Ensemble des journaux. *Toute la* ***presse*** *a parlé de cet évènement.* ❸ Machine qui sert à écraser, à comprimer ou à déformer des objets.

pressé, pressée adjectif
❶ Qui est obligé de se dépêcher. *Je me sauve, car je suis très* ***pressée****.* ❷ Qu'il faut faire rapidement. *Un travail* ***pressé****.* **SYN** urgent. • **Aller au plus pressé :** faire tout de suite ce qui est le plus urgent.

presse-citron nom masculin
Ustensile qui sert à presser les agrumes pour en extraire le jus. ✎ Pluriel : *des* ***presse-citrons****.*

pressentiment nom masculin
Connaissance intuitive d'un évènement que l'on pressent. *J'avais le* ***pressentiment*** *de notre victoire.* **SYN** intuition, prémonition.

pressentir verbe ▸ conjug. 15
Sentir à l'avance que quelque chose va arriver. *Le chien* ***avait pressenti*** *l'orage.*

presse-papiers nom masculin invariable
❶ Objet lourd que l'on pose sur des papiers pour les empêcher de s'envoler. ✎ On peut écrire aussi, au singulier, *un* ***presse-papier****.* ❷ Zone de la mémoire vive de l'ordinateur utilisée pour les opérations de copier-coller ou de couper-coller.

presser verbe ▸ conjug. 3
❶ Appuyer sur quelque chose. ***Presse*** *le bouton pour allumer la lampe.* ❷ Serrer un fruit pour en faire sortir le jus. ***Presser*** *une orange, un citron.* ❸ Demander avec insistance à quelqu'un de faire quelque chose. *La cliente* ***presse*** *le garagiste de finir la réparation.* ❹ Être urgent. *Dépêchez-vous, ça* ***presse*** *!* ■ **se presser** ❶ Se serrer, s'entasser quelque part. *La foule* ***se presse*** *à l'entrée du stade.* ❷ Se dépêcher, se hâter. ***Presse-toi****, nous allons être en retard !*
♦ Famille du mot : pressant, presse, pressé, presse-citron, presse-papiers, pression, pressoir.

pression nom féminin
❶ Fait d'appuyer sur quelque chose. *Elle a fermé sa valise d'une* ***pression*** *de la main.* ❷ Force exercée par un liquide ou un gaz. *Vérifier la* ***pression*** *des pneus.* • **Faire pression sur quelqu'un :** essayer de le forcer à faire quelque chose. • **Pression atmosphérique :** poids de l'air qui est dans l'atmosphère.

pressoir nom masculin
Presse utilisée pour extraire le jus du raisin, des pommes ou des olives. *Son oncle a un* ***pressoir*** *à pommes.*

pressurisé, pressurisée adjectif
Qui est maintenu à la pression atmosphérique normale. *Tous les avions de ligne sont* ***pressurisés****.*

prestance nom féminin
Allure et maintien élégants ou imposants. *Ces militaires en uniforme ont de la* ***prestance****.*

prestidigitateur, prestidigitatrice nom
Personne qui fait des tours de magie. **SYN** magicien.

prestige nom masculin
Attrait et admiration produits par quelqu'un ou quelque chose. *Cette chanteuse d'opéra bénéficie d'un grand* ***prestige****.*

prestigieux, prestigieuse adjectif
Qui a beaucoup de prestige. *C'est une troupe de danse* ***prestigieuse****.*

présumer verbe ▸ conjug. 3
Croire ou supposer quelque chose. *Je* ***présume*** *qu'il a raison.*

① **prêt, prête** adjectif
❶ Qui a fini de se préparer. *Mélodie est* ***prête*** *à partir.* ❷ Dont la préparation est faite. *Le souper sera* ***prêt*** *bientôt.* * Ne pas confondre *prêt* et *près*.

② **prêt** nom masculin
Somme d'argent ou chose prêtée. *Ils doivent rembourser leur* ***prêt*** *sur cinq ans.* * Chercher aussi *emprunt*. * Ne pas confondre *prêt* et *près*.

prêt-à-monter nom masculin
Ensemble d'éléments détachés accompagnés d'un schéma de montage, que le client peut assembler lui-même. *Cette bibliothèque est un* ***prêt-à-monter****.* ✎ Pluriel : *des* ***prêts-à-monter****.*

prêt-à-porter nom masculin
Confection de vêtements en série. *Cette collection de* ***prêt-à-porter*** *a été dessinée par une jeune designer.* ✎ Pluriel : *des* ***prêts-à-porter****.*

prétendre verbe ▸ conjug. 31
❶ Affirmer quelque chose de douteux. *Liam* ***prétend*** *avoir déjà battu de nombreux records.* ❷ Avoir une intention, une volonté. *Il* ***prétend*** *faire le tour du monde en voilier.* **SYN** vouloir. ♦ Famille du mot : prétendu, prétentieux, prétention.

prétendu, prétendue adjectif
Qui est faux ou douteux. *Elle est absente à cause d'une* ***prétendue*** *migraine.*

prétentieux, prétentieuse adjectif et nom
Qui se prétend supérieur aux autres. *Elle est si* ***prétentieuse*** *qu'elle ne dit jamais bonjour.* **SYN** présomptueux. **CONTR** humble, modeste. – *Il se dit invincible aux échecs, quel* ***prétentieux****!* **SYN** vaniteux. * Attention ! Le deuxième *t* du mot *prétentieux* se prononce comme un *s*.

prétention nom féminin
❶ Volonté de faire quelque chose. *Il a la* ***prétention*** *de tout réussir.* **SYN** ambition. ❷ Caractère d'une personne prétentieuse. *Ce jeune acteur est d'une* ***prétention*** *insupportable.* **SYN** vanité. **CONTR** modestie, simplicité.

prêter verbe ▸ conjug. 3
❶ Laisser une chose à la disposition d'une personne à condition qu'elle la rende. *J'ai oublié mon stylo, peux-tu m'en* ***prêter*** *un ?* **CONTR** emprunter. ❷ Attribuer à quelqu'un. *On lui* ***prête*** *des intentions qu'il n'a jamais eues.* • **Prêter à rire :** faire rire. *Ce malentendu* ***prête à rire****.* • **Prêter attention :** être attentif. *Les élèves* ***prêtent attention*** *au discours de la directrice.* • **Prêter l'oreille :** écouter attentivement. *Le gardien de sécurité* ***prête l'oreille*** *au moindre bruit.* ♦ Famille du mot : prêt, prêteur.

prêteur, prêteuse adjectif
Qui prête volontiers. *Cédric n'est pas* ***prêteur****.*

prétexte nom masculin
Fausse raison que l'on donne. *Cora cherche un* ***prétexte*** *pour ne pas ranger sa chambre.*

prétexter verbe ▸ conjug. 3
Donner comme prétexte. *Philippe* ***a prétexté*** *un travail urgent pour ne pas venir.*

prêtre nom masculin
Dans la religion catholique, homme qui est chargé du culte. *Autrefois, les* ***prêtres*** *disaient la messe en latin.* * Chercher aussi *imam*, *pasteur*, *rabbin*.

preuve nom féminin
❶ Ce qui sert à prouver qu'une chose est vraie. *Pour que je croie ce que tu dis, il me faudrait une* ***preuve****.* ❷ Deuxième calcul qui permet de vérifier qu'une opération est juste. *Elsa est sûre qu'elle ne s'est pas trompée dans son calcul : elle a fait la* ***preuve****.* • **Faire preuve de quelque chose :** le manifester. *Elle* ***a fait preuve d'****une grande patience.* • **Faire ses preuves :** montrer sa valeur et ses capacités.

prévaloir verbe ▸ conjug. 25
L'emporter, avoir l'avantage. *Sa solution* ***a prévalu*** *sur toutes les autres propositions.* ✎ Attention ! *Prévaloir* se conjugue comme le verbe *valoir*, sauf au subjonctif présent : *qu'il* ***prévale****, qu'elles* ***prévalent****.*

prévenance nom féminin
Attention gentille que l'on a pour quelqu'un. *Charles est plein de **prévenance** pour sa petite sœur.* **SYN** empressement, gentillesse.

prévenant, prévenante adjectif
Qui est plein de prévenance. *Elle est très **prévenante** envers ses invités.* **SYN** aimable, attentionné, empressé.

prévenir verbe ▸ conjug. 19
❶ Informer à l'avance. ***Préviens**-nous si tu veux venir.* **SYN** avertir, aviser. ❷ Mettre au courant. *L'ascenseur est en panne, il faut **prévenir** le concierge.* **SYN** alerter, informer. ❸ Faire en sorte d'empêcher quelque chose. *Ce vaccin **prévient** la grippe.* ❹ Aller au-devant de quelque chose. *Il cherche toujours à **prévenir** les désirs de ses amis.* ♦ Famille du mot : prévenance, prévenant, préventif, prévention, prévenu.

préventif, préventive adjectif
Qui a pour but de prévenir les maladies. *Ce traitement **préventif** est très efficace.*

prévention nom féminin
Ensemble de mesures destinées à prévenir certains risques. *La **prévention** routière.*

prévenu, prévenue nom
Personne que l'on croit coupable. *Quand la juge est entrée, le **prévenu** s'est levé.* * Chercher aussi *inculpé*.

prévisible adjectif
Que l'on peut prévoir. *Son succès était **prévisible**.* **CONTR** imprévisible, inattendu.

prévision nom féminin
❶ Action de prévoir. *J'ai préparé le souper en **prévision** de votre venue.* ❷ Ce qui est prévu. *Les **prévisions** météorologiques inquiètent les voyageurs.*

prévoir verbe ▸ conjug. 22
❶ Imaginer à l'avance ce qui doit arriver. *Personne n'**avait prévu** cet évènement.* ❷ Organiser à l'avance. *On **a prévu** des sandwichs pour le voyage.* ✎ Attention ! *Prévoir* se conjugue comme le verbe *voir*, sauf au futur : *je **prévoirai***, et au conditionnel présent : *je **prévoirais***. ♦ Famille du mot : imprévisible, imprévoyance, imprévoyant, imprévu, prévisible, prévision, prévoyance, prévoyant.

prévoyance nom féminin
Qualité d'une personne qui sait prévoir. *Les randonneurs ont eu la **prévoyance** de prendre leurs coupe-vent avec eux.* **CONTR** imprévoyance.

prévoyant, prévoyante adjectif
Qui fait preuve de prévoyance. *Justin est **prévoyant** : il a apporté son parapluie.* **CONTR** imprévoyant.

prier verbe ▸ conjug. 10
❶ S'adresser à Dieu ou à une divinité. *Les catholiques **prient** à l'église, les juifs à la synagogue, et les musulmans à la mosquée.* 👁p. 270. ❷ Demander avec humilité. *Je vous **prie** de m'excuser.*

prière nom féminin
Parole que l'on adresse à Dieu ou à une divinité. *Réciter ses **prières**.* 👁p. 270. • **Prière de :** formule de politesse qui accompagne une demande. ***Prière de** frapper avant d'entrer.*

primaire adjectif
Se dit de l'enseignement du premier degré, qui va de la première à la sixième année. • **Ère primaire :** période géologique la plus ancienne, au cours de laquelle sont apparus les poissons. • **Besoin primaire :** besoin lié à la survie : manger, boire, dormir, etc. • **Couleur primaire :** couleur qui fait partie des trois couleurs (bleu, jaune et rouge) à partir desquelles on peut obtenir toutes les autres couleurs. 👁p. 251. ■ **primaire** nom masculin Enseignement primaire. *Sa tante est enseignante au **primaire**.* * Chercher aussi *préscolaire*, *secondaire*, *collégial*, *universitaire*.

primate nom masculin
Mammifère évolué tel que le singe et l'être humain. *Les **primates** peuvent saisir les objets grâce à leurs mains.*

Un **primate** et son petit

① **prime** adjectif
• **De prime abord :** à première vue. ***De prime abord**, le moniteur de ski a l'air gentil.*

a b c d e f g h i j k l m n o p q r s t u v w x y z

② **prime** nom féminin
❶ Somme d'argent accordée en plus du salaire. *Il a touché une **prime** de rendement.*
❷ Montant que l'on doit payer pour s'assurer. *Une **prime** d'assurance.* **SYN** gratification.
• **En prime :** en supplément. *En s'abonnant à ce magazine, on a droit, **en prime**, à un radioréveil.*

① **primer** verbe ▶ conjug. 3
Distinguer par un prix ou une récompense. *Ce film **a été primé** au dernier festival de films pour enfants.*

② **primer** verbe ▶ conjug. 3
Venir en premier. *Chez elle, c'est la générosité qui **prime**.* **SYN** dominer.

primeur nom féminin
Fait d'être le premier à apprendre quelque chose. *Il nous a réservé la **primeur** de l'annonce de son mariage.*

primevère nom féminin
Plante à fleurs jaunes. *Les **primevères** fleurissent au printemps.*

primitif, primitive adjectif
❶ Qui existait au début. *Des espèces **primitives**.* ❷ Qui est très simple. *Des embarcations **primitives**.* **SYN** rudimentaire.

primordial, primordiale, primordiaux adjectif
Qui est très important. *Cette découverte est **primordiale** pour la recherche scientifique.* **SYN** capital, essentiel.

prince nom masculin
Fils d'un souverain ou membre d'une famille royale. • **Être bon prince :** se montrer généreux, tolérant. ♦ Famille du mot : princesse, princier, principauté.

prince-édouardien, prince-édouardienne adjectif et nom
De la province de l'Île-du-Prince-Édouard. *Les plages **prince-édouardiennes**.* – *Les **Prince-Édouardiens**, les **Prince-Édouardiennes**.* ✎ Attention ! Le nom, qui désigne les habitants, s'écrit avec une majuscule.

princesse nom féminin
Fille d'un roi ou d'un prince, ou femme d'un prince.

princier, princière adjectif
Qui est digne d'un prince, d'une princesse. *Une réception **princière**.* **SYN** somptueux.

principal, principale, principaux adjectif
Qui est le plus important. *Les **principales** villes du Canada sont Calgary, Montréal, Toronto et Vancouver.* ■ **principal** nom masculin Chose la plus importante. *Le **principal**, c'est d'agir avec prudence.* **SYN** essentiel.

principalement adverbe
Avant tout. *Bernardino s'est déplacé **principalement** pour nous voir.* **SYN** spécialement, surtout.

*Des **primevères***

principauté nom féminin
Petit État gouverné par un prince. *La **principauté** de Monaco.*

principe nom masculin
❶ Règle que l'on suit dans sa conduite. *Il a agi selon ses **principes**.* ❷ Loi scientifique. *Apprendre les **principes** de la physique.*
• **En principe :** si tout se passe comme prévu. ***En principe**, notre avion arrive à dix heures.* **SYN** normalement, théoriquement.

printanier, printanière adjectif
Du printemps. *Il fait un temps **printanier**.*

printemps nom masculin
Saison de l'année qui fait suite à l'hiver et précède l'été. *Au **printemps**, les arbres fruitiers fleurissent.*

prioritaire adjectif
Qui a la priorité. *Les ambulances et les camions de pompiers sont des véhicules **prioritaires**.*

priorité nom féminin
❶ Droit de passer avant les autres. *Sur la route, les ambulances et les camions de pompiers ont la **priorité**.* ❷ Ce qui est le plus important, ce qui doit passer en premier. *La réussite scolaire est l'une des **priorités** du gouvernement.*

prise nom féminin
❶ Action de prendre, de s'emparer de quelque chose. *Cette gravure représente une vue de la **prise** de Québec le 13 septembre 1759.*
❷ Poisson pris. *Les pêcheurs sont fiers de leurs **prises** aujourd'hui.* ❸ Façon d'attraper un adversaire. *Arnaud apprend une nouvelle **prise** de judo.* ❹ Endroit sur lequel on peut s'appuyer pour se tenir. *Les grimpeurs cherchent des **prises** dans le rocher.* • **Prise (de courant) :** dispositif qui permet de brancher un appareil électrique. *Elle cherche une **prise** pour*

brancher sa perceuse.
• **Prise de sang:** action de prélever du sang pour l'analyser. **SYN** prélèvement* sanguin.

Un **prisme**

prisme nom masculin
❶ Solide ayant deux faces parallèles en forme de triangles égaux. 👁p. 484. ❷ Objet en forme de prisme, qui décompose la lumière qui le traverse.

prison nom féminin
Endroit où sont enfermées des personnes condamnées pour un crime. ♦ Famille du mot: emprisonnement, emprisonner, prisonnier.

prisonnier, prisonnière nom
Personne qui est en prison. *Ce **prisonnier** sera bientôt libéré.* **SYN** détenu. ■ **prisonnier, prisonnière** adjectif Qui ne peut se libérer de quelque chose. *Ce bateau est **prisonnier** des glaces.*

privation nom féminin
Fait d'être privé de quelque chose. *Ces gens ont souffert de **privations** pendant la guerre.*

privatiser verbe ▸ conjug. 3
Vendre à une entreprise privée ce qui appartenait à l'État. *Cette banque **a été privatisée**.* **CONTR** nationaliser.

privé, privée adjectif
❶ Qui est réservé à certaines personnes. *Cette plage est **privée**.* ❷ Qui est personnel et intime. *Sa vie **privée** ne m'intéresse pas.* ❸ Qui ne dépend pas de l'État. *Il travaille dans une entreprise **privée**.* **CONTR** public. • **En privé:** seul à seul. *J'ai pu lui parler **en privé**.* **SYN** en particulier.

priver verbe ▸ conjug. 3
Refuser quelque chose d'agréable à quelqu'un. *David **est privé** de jeux vidéo.* ■ se **priver**: faire des sacrifices. *Elle est obligée de **se priver** pour assurer le bien-être de ses enfants.*

privilège nom masculin
Avantage ou droit particulier accordé à quelqu'un ou à un groupe. *Autrefois, les nobles jouissaient de nombreux **privilèges**.*

privilégié, privilégiée adjectif et nom
Qui bénéficie de privilèges, qui a de la chance. *Nous avons été **privilégiés** puisqu'il a fait un temps splendide. – Quelques rares **privilégiés** ont été invités à ce souper.*

privilégier verbe ▸ conjug. 10
Accorder un privilège, favoriser. *Pour ce partage, nous allons **privilégier** les plus jeunes.* **SYN** avantager.
♦ Famille du mot: privilège, privilégié.

prix nom masculin
❶ Somme d'argent que l'on doit payer pour acheter quelque chose. *Le **prix** de cette voiture est très élevé.* **SYN** coût, montant, valeur. ❷ Récompense attribuée lors d'une compétition. *Cette comédienne a eu le **prix** d'interprétation.* • **À aucun prix:** en aucun cas. • **À tout prix:** coûte que coûte, absolument. *Mon chien s'est perdu, il faut le retrouver **à tout prix**.* • **Hors de prix:** très cher. *Une montre **hors de prix**.*

probabilité nom féminin
Caractère de ce qui est probable. *La **probabilité** de gagner contre un tel adversaire est faible.*

probable adjectif
Qui a de bonnes chances de se produire. *Il est peu **probable** que Guillaume veuille venir avec nous.* **SYN** possible, vraisemblable. **CONTR** improbable. ♦ Famille du mot: improbable, probabilité, probablement.

probablement adverbe
De façon probable. *Le ciel est lourd, il va **probablement** pleuvoir.* **SYN** vraisemblablement.

probant, probante adjectif
Qui prouve quelque chose. *Sa démonstration est très **probante**.* **SYN** concluant, convaincant.

problématique adjectif
Qui pose des problèmes. *Leur venue est **problématique**, car nous n'avons pas de place pour les loger.*

problème nom masculin
❶ Difficulté ou situation compliquée à laquelle on doit trouver une solution. *Dans cette rue, vous pourrez stationner votre voiture sans **problème**.* ❷ Exercice de mathématique. *Arthur n'a pas su résoudre ce **problème**.*

procédé nom masculin
Méthode pour obtenir un résultat. *Cette usine expérimente de nouveaux **procédés** de fabrication.* **SYN** ② moyen.

a b c d e f g h i j k l m n o **p** q r s t u v w x y z

procéder verbe ▸ conjug. 8
Exécuter une action. *Le mécanicien **procède** au réglage du moteur.* ✎ On peut écrire aussi, au futur, *je **procèderai***; au conditionnel, *tu **procèderais***.

procédure nom féminin
❶ Manière de procéder. *Quelle est la **procédure** à suivre pour obtenir un passeport ?* ❷ Ensemble des règles qu'il faut appliquer en justice. *Il existe un code de **procédure** civile et un code de **procédure** pénale.*

procès nom masculin
Action en justice devant un tribunal. *Le **procès** de cet accusé a été couvert par tous les médias.*

procession nom féminin
Cortège religieux souvent accompagné de chants et de prières. *De nombreux fidèles ont pris part à cette **procession**.*

processus nom masculin
Manière dont les choses se passent, évoluent. *Cette géologue étudie les **processus** d'érosion.*

procès-verbal nom masculin
Compte rendu officiel d'une réunion. ✎ Pluriel : *des **procès-verbaux***.

① **prochain, prochaine** adjectif
Qui suit immédiatement dans le temps ou dans l'espace. *J'ai rendez-vous avec lui la semaine **prochaine**. Arrêtons-nous à la **prochaine** station-service pour faire le plein.* • **À la prochaine** : mot que l'on dit à quelqu'un quand on le quitte. *Au revoir ! **À la prochaine** !*
* Chercher aussi *à bientôt**, *au revoir**.

② **prochain** nom masculin
Autrui. *Aimer son **prochain**.*

prochainement adverbe
Dans un avenir proche. *Ce livre doit paraître **prochainement**.* **SYN** bientôt.

proche adjectif
❶ Qui est près d'un endroit. *Sa maison est **proche** de l'école.* **SYN** voisin. **CONTR** éloigné. ❷ Qui va bientôt arriver. *Nous sommes le 20 décembre, le Nouvel An est **proche**.* **SYN** imminent. **CONTR** lointain. ❸ Qui n'est pas très différent. *Leurs opinions politiques sont assez **proches**.* **CONTR** différent. ❹ Avec qui on est intime. *Des amis **proches**.* ■ **proche** nom
Parent ou ami intime. *Seuls les **proches** étaient invités.* ♦ Famille du mot : approchant, approche, approcher, rapprochement, rapprocher.

proclamation nom féminin
Déclaration solennelle. *Ce parti politique attend avec impatience la **proclamation** des résultats du vote.*

proclamer verbe ▸ conjug. 3
❶ Annoncer officiellement et avec solennité. *La Loi des mesures de guerre **a été proclamée** au Québec en octobre 1970.* ❷ Affirmer publiquement et avec force. *L'accusé **proclame** son innocence.* **SYN** clamer.

procréation nom féminin
Action d'engendrer un autre être humain.

procuration nom féminin
Document officiel qui autorise à agir à la place de quelqu'un. *Voter par **procuration**.*

procurer verbe ▸ conjug. 3
❶ Faire avoir ou fournir quelque chose à quelqu'un. *Son copain a réussi à lui **procurer** une place pour le concert.* **SYN** obtenir. ❷ Apporter. *Le sport me **procure** beaucoup de plaisir.* ■ *se* **procurer** : obtenir. *Savana a eu du mal à **se procurer** ce livre.*

procureur, procureure nom
Avocat qui représente l'État dans un procès.

prodige nom masculin
❶ Chose extraordinaire, miraculeuse. *Sa subite guérison est un véritable **prodige** !* ❷ Personne qui a des dons extraordinaires. *Ce jeune violoniste est un **prodige**.* ♦ Famille du mot : prodigieusement, prodigieux.

prodigieusement adverbe
De façon prodigieuse. *Elle est **prodigieusement** douée.* **SYN** extraordinairement, extrêmement.

prodigieux, prodigieuse adjectif
Qui tient du prodige. *Ces athlètes ont une endurance **prodigieuse**.* **SYN** extraordinaire, phénoménal.

prodiguer verbe ▸ conjug. 3
Donner généreusement. ***Prodiguer** des soins aux blessés. **Prodiguer** des encouragements.*

producteur, productrice adjectif et nom
Qui produit. *L'Asie est une région **productrice** de riz. – Les **producteurs** de fruits du sud de l'Ontario.* ■ **producteur, productrice** nom
Personne qui produit un film ou une émission de télévision en trouvant les ressources nécessaires.

productif, productive adjectif
❶ Qui produit beaucoup. *Cette terre est très **productive**.* CONTR pauvre, stérile. ❷ Fructueux. *Une rencontre **productive**.*

production nom féminin
❶ Ce qui est produit par l'agriculture ou l'industrie. *Cette entreprise exporte une partie de sa **production**.* ❷ Quantité produite. *La **production** de blé a augmenté grâce à la mécanisation.*

productivité nom féminin
Rapport entre la quantité de biens produits et les moyens nécessaires pour les produire. SYN rendement.

produire verbe ▸ conjug. 43
❶ Causer quelque chose. *Le passage du cyclone **a produit** des ravages sur l'île.* SYN provoquer. ❷ Fabriquer des objets pour les vendre. *Cette usine **produit** des automobiles.* ❸ Donner. *Les pommiers **ont produit** beaucoup de pommes cette année.* ❹ Fournir l'argent nécessaire à la réalisation d'un film ou d'une émission.
■ *se* **produire** : avoir lieu. *Un incident **s'est produit** pendant la cérémonie.* ♦ Famille du mot : producteur, productif, production, productivité, produit, sous-produit, surproduction.

produit nom masculin
❶ Chose produite. *Les fruits, les légumes sont des **produits** de l'agriculture.* * Chercher aussi *article, denrée, marchandise.* ❷ Résultat d'une multiplication. *24 est le **produit** de 6 × 4.*

proéminent, proéminente adjectif
Qui dépasse, qui est en relief. *Un nez **proéminent**.*

profanation nom féminin
Action de profaner. *La **profanation** d'un cimetière est un acte infâme.*

profane adjectif et nom
❶ Qui n'est pas de la nature du religieux. *Une fête **profane**.* ❷ Qui ignore tout d'un art ou d'une science. *William est totalement **profane** en informatique.* SYN ignorant. CONTR connaisseur, initié.
♦ Famille du mot : profanation, profaner.

Un **profil**

profaner verbe ▸ conjug. 3
Ne pas respecter le caractère sacré de quelque chose. *Le tombeau du pharaon **a été profané** et pillé à maintes reprises.*

proférer verbe ▸ conjug. 8
Dire à haute voix et avec violence. ***Proférer** des insultes, des menaces.* ✎ On peut écrire aussi, au futur, *je **proférerai*** ; au conditionnel, *elle **proférerait***.

professeur, professeure nom
Personne qui enseigne à des élèves. *Sa mère est **professeure** de français dans un cégep.*

① **profession** nom féminin
Travail que l'on fait pour gagner sa vie. *Quelle est la **profession** de tes parents ?*
• **De profession** : professionnel. *Elle est musicienne **de profession**.* * Chercher aussi *métier*.

② **profession** nom féminin
• **Faire profession de quelque chose** : le déclarer ouvertement. *Il **fait profession d'**appartenir à un mouvement écologique.*
• **Profession de foi** : déclaration publique pour annoncer que l'on croit à certaines idées (religieuses, politiques, etc.).

professionnel, professionnelle adjectif
Qui concerne une profession. *Ses obligations **professionnelles** l'amènent à voyager.*
■ **professionnel, professionnelle** adjectif et nom Qui pratique une activité comme métier. *Des joueurs de tennis **professionnels**.* CONTR amateur. – *Un **professionnel** de la santé.*

professoral, professorale, professoraux adjectif
Qui concerne les professeurs. *Le corps **professoral**.*

profil nom masculin
❶ Contour d'un visage vu de côté. *Sur cette photo, on le voit de **profil**.* ❷ Ensemble des traits psychologiques et des aptitudes d'une personne. *Il a le **profil** de l'emploi.* ❸ Ensemble de caractéristiques d'une personne qui participe à un site de réseautage personnel.

a b c d e f g h i j k l m n o **p** q r s t u v w x y z

se profiler verbe ▸ conjug. 3
Apparaître avec des contours précis. *La tour du CN **se profile** à l'horizon.* SYN se découper, se détacher.

profit nom masculin
❶ Avantage que l'on retire de quelque chose. *Cette nageuse a tiré **profit** des conseils de son entraîneur.* ❷ Gain d'argent. *Cette entreprise a réalisé de gros **profits**.* SYN bénéfice. CONTR perte. • **Au profit de :** au bénéfice de. *Cette fête est organisée **au profit de** la recherche médicale.* • **Mettre à profit :** bien utiliser, tirer parti. *Elle **a mis à profit** les conseils de son grand-père.* ♦ Famille du mot : profitable, profiter, profiteur.

profitable adjectif
Qui procure un bénéfice. *Quelques jours de repos vous seront très **profitables**.* SYN bénéfique, utile.

profiter verbe ▸ conjug. 3
❶ Tirer profit d'une occasion pour faire quelque chose. *Il **a profité** de son voyage pour conclure des affaires.* ❷ Tirer un avantage de quelque chose. ***Profitez** bien de ce massage.* • **Profiter de quelqu'un :** l'exploiter. • **Profiter à quelqu'un :** lui être utile. *Ces cours de français **ont profité à** Vladimir.* SYN servir.

profiteur, profiteuse nom
Personne qui profite des autres sans scrupule.

profond, profonde adjectif
❶ Dont le fond est très éloigné de la surface. *Ce lac est très **profond**.* ❷ Qui est intense. *Un **profond** sommeil. Une passion **profonde**.* ❸ Qui va au fond des choses sans s'arrêter aux apparences. *Ce vieil homme est d'une sagesse **profonde**.* CONTR superficiel. ♦ Famille du mot : approfondir, profondément, profondeur.

profondément adverbe
❶ À une grande profondeur. *On a découvert des statues **profondément** enfouies dans le sable.* ❷ De façon profonde, intense. *Zacharie est **profondément** ému de retrouver ses cousines.*

profondeur nom féminin
❶ Distance qui va de la surface jusqu'au fond. *Ce puits a environ quatorze mètres de **profondeur**.* ❷ Dimension qui va de l'avant vers l'arrière. *Ces étagères ont trente centimètres de **profondeur**.* ❸ Qualité qui permet d'aller au fond des choses. *J'admire la **profondeur** de son savoir.*

profusion nom féminin
Très grande quantité. *Nous avons cueilli une **profusion** de bleuets.*

progéniture nom féminin
Ensemble des petits d'un animal, des enfants d'une personne. *La louve nourrit sa **progéniture**.*

*Une cane et sa **progéniture***

programmable adjectif
Que l'on peut programmer. *Une cafetière électrique **programmable**.*

programmation nom féminin
❶ Organisation des programmes. *La **programmation** de la nouvelle saison sera dévoilée bientôt.* ❷ Ensemble des opérations qui fournissent un programme à un ordinateur.

programme nom masculin
❶ Liste d'émissions ou de films prévus. *Les émissions au **programme** ce matin sont intéressantes. Le samedi matin, Émile regarde un **programme** pour enfants.* ❷ Ensemble de matières à étudier. *Le **programme** du deuxième cycle du primaire.* ❸ Ensemble des projets à réaliser, des buts à atteindre. *Chaque parti politique a présenté son **programme** aux électeurs.* ❹ Ensemble des instructions que l'on met dans la mémoire d'un ordinateur pour qu'il puisse fonctionner. ♦ Famille du mot : programmable, programmation, programmer.

programmer verbe ▸ conjug. 3
❶ Inscrire dans un programme. *Cette émission **est programmée** à une heure de grande écoute.* ❷ Donner des instructions à un appareil ou à un ordinateur. *Ma mère **a programmé** l'enregistreur numérique pour pouvoir regarder le film de fin de soirée le lendemain.* ❸ Prévoir et organiser à l'avance. *Ils **ont programmé** un voyage au Mexique pour la fin de l'année.*

progrès nom masculin
❶ Amélioration dans un domaine ou une matière. *Brian a fait beaucoup de **progrès***

au hockey. ❷ Développement de la société, de la civilisation. *Le **progrès** s'est traduit par de nombreuses inventions.* ♦ Famille du mot: progresser, progressif, progression, progressiste, progressivement.

progresser verbe ▶ conjug. 3
❶ Se développer ou s'étendre. *L'incendie **progresse** rapidement.* CONTR reculer, régresser. ❷ Faire des progrès. *Michal **a** beaucoup **progressé** en français.*

progressif, progressive adjectif
Qui se fait peu à peu. *On prévoit un réchauffement **progressif** de la température.* SYN graduel. CONTR dégressif.

progression nom féminin
❶ Mouvement vers l'avant. *Les chutes de neige n'ont pas arrêté la **progression** des alpinistes.* SYN avance. ❷ Développement continu. *La **progression** d'une maladie.*

progressiste adjectif et nom
Qui est favorable au progrès social. *Ce parti politique défend des idées **progressistes**.* SYN évolué. CONTR conservateur, réactionnaire, rétrograde.

progressivement adverbe
De façon progressive. *Ils ont aménagé **progressivement** leur nouvel appartement.* SYN graduellement, petit à petit.

prohiber verbe ▶ conjug. 3
Interdire, défendre de par la loi. *Le gouvernement a voté des lois qui **prohibent** le trafic de drogues.*

proie nom féminin
Animal qu'un autre animal tue pour le manger. *Dissimulé dans l'herbe, le serpent guette sa **proie**.* • **Être en proie à quelque chose**: être tourmenté par cela. *Depuis sa défaite, notre équipe **est en proie au** découragement.* • **Être la proie des flammes**: être détruit par le feu. • **Oiseau de proie**: oiseau qui se nourrit d'animaux qu'il capture vivants. *Le faucon et l'épervier sont des **oiseaux de proie**.* SYN rapace. * Chercher aussi *prédateur*.

projecteur nom masculin
❶ Appareil qui sert à projeter des images sur un écran. *J'ai branché mon ordinateur au **projecteur** pour faire ma présentation.* ❷ Appareil d'éclairage qui projette une lumière très puissante. *Des **projecteurs** éclairent la façade de la cathédrale.*

projectile nom masculin
Objet qu'on lance à la main ou avec une arme. *Un caillou, une balle de fusil, une flèche sont des **projectiles**.*

projection nom féminin
❶ Ce qui est projeté. *Une **projection** volcanique.* ❷ Action de projeter un film. *La **projection** du film a été interrompue par une panne.* ♦ Famille du mot: projecteur, projectile.

*Une **projection** volcanique*

projet nom masculin
Ce que l'on projette de faire. *Myriam a des **projets** pour la fin de semaine.* SYN plan.

projeter verbe ▶ conjug. 9
❶ Lancer avec force. *Il **a projeté** le poids à plus de vingt mètres.* ❷ Faire apparaître des images sur un écran. ***Projeter** un film.* ❸ Prévoir faire quelque chose. *Nous **avons projeté** de passer nos vacances en Mauricie.*

prolétaire nom
Travailleur qui vit uniquement de son salaire, qui ne possède pas de capitaux. CONTR bourgeois, capitaliste.

prolétariat nom masculin
Ensemble des prolétaires. *Le **prolétariat** s'est développé en même temps que l'industrie.* * Chercher aussi *bourgeoisie, noblesse*.

prolifération nom féminin
Fait de proliférer. *On observe une **prolifération** des allergies alimentaires.*

proliférer verbe ▶ conjug. 8
Se reproduire, se multiplier très rapidement. *Dans cette réserve naturelle, les oiseaux **prolifèrent**.* SYN se multiplier. ✎ On peut écrire aussi, au futur, *il **prolifèrera***; au conditionnel, *elle **prolifèrerait***. ♦ Famille du mot: prolifération, prolifique.

prolifique adjectif
Qui se reproduit très rapidement. *Les lapins sont des animaux très* ***prolifiques****.* SYN fécond.

prologue nom masculin
Première partie d'un roman ou d'une pièce de théâtre, qui sert à expliquer ce qui s'est passé avant le début de l'histoire.

prolongation nom féminin
Action de prolonger la durée de quelque chose. *Il a obtenu une* ***prolongation*** *de son contrat. Notre équipe de hockey a marqué le but de la victoire pendant la* ***prolongation****.*

prolongement nom masculin
Fait de se prolonger dans l'espace. *Le* ***prolongement*** *de cette autoroute aura des avantages économiques importants pour la région.*

prolonger verbe ▸ conjug. 5
❶ Faire durer plus longtemps que prévu. *Nous* ***avons prolongé*** *notre voyage d'une semaine.* ❷ Augmenter la longueur. ***Prolonger*** *une rue.* ♦ Famille du mot : prolongation, prolongement.

promenade nom féminin
Petit trajet que l'on fait pour son plaisir. *On a fait une* ***promenade*** *au bord de l'eau.*

promener verbe ▸ conjug. 8
Faire faire une promenade. *Jonathan aime* ***promener*** *son chien dans la forêt.*
■ *se* **promener** : faire une promenade. *Des familles* ***se promènent*** *le long du canal.*
♦ Famille du mot : promenade, promeneur.

promeneur, promeneuse nom
Personne qui se promène. *Des* ***promeneurs*** *flânent dans le Vieux-Québec.*

promesse nom féminin
Ce que l'on a promis. *J'ai confiance en elle, elle tient toujours ses* ***promesses****.* SYN engagement.

prometteur, prometteuse adjectif
Qui fait espérer une réussite. *Ce chanteur n'est pas encore connu, mais ses débuts sont* ***prometteurs****.*

promettre verbe ▸ conjug. 33
S'engager à faire quelque chose. *Nabila* ***a promis*** *de me prêter ses jeux vidéo.*
■ *se* **promettre** : prendre une résolution. *Il* ***s'est promis*** *de ne plus se ronger les ongles.*
♦ Famille du mot : promesse, prometteur.

promiscuité nom féminin
Situation désagréable qui oblige à vivre trop près d'autres personnes. *Dans ce camp de réfugiés, la* ***promiscuité*** *est un réel problème.*

promontoire nom masculin
Pointe de terre élevée qui domine la mer. *Il y a un phare au sommet du* ***promontoire****.*

Un ***promontoire***

promoteur, promotrice nom
❶ Personne à l'origine de la création de quelque chose. *Elle est la* ***promotrice*** *de ce festival.* ❷ Personne qui fait construire des immeubles pour les vendre. *Un* ***promoteur*** *immobilier.*

promotion nom féminin
❶ Action de promouvoir quelqu'un à un grade supérieur. *Il a été nommé directeur, c'est une* ***promotion*** *très importante.* ❷ Action de promouvoir un produit, un endroit, etc. *Faire la* ***promotion*** *d'une région.*

promotionnel, promotionnelle adjectif
Qui est destiné à promouvoir quelque chose. *Cette campagne* ***promotionnelle*** *a connu un grand succès.*

promouvoir verbe ▸ conjug. 24
❶ Élever à un grade supérieur. *Notre oncle vient d'****être promu*** *directeur général de l'entreprise.* ❷ Favoriser le développement ou l'organisation de quelque chose. *Le gouvernement a décidé de* ***promouvoir*** *un programme de lutte contre le décrochage scolaire.* ❸ Augmenter la vente d'un produit par des actions publicitaires. *Ce magasin*

promeut *ses ordinateurs à l'aide de messages publicitaires télévisés.*

prompt, prompte adjectif
❶ Dans la langue littéraire, rapide. *Marie est* ***prompte*** *à répliquer aux critiques.* ❷ Qui s'emporte facilement. *Josh est* ***prompt*** *ce matin; il a dû se lever du mauvais pied.* **SYN** colérique, irritable, susceptible. * Attention! Les lettres *pt* de l'adjectif masculin et *p* de l'adjectif féminin peuvent se prononcer ou non.

promulguer verbe ▸ conjug. 3
Publier officiellement une loi. *Le gouvernement vient de* ***promulguer*** *une nouvelle loi sur le tabac.*

prôner verbe ▸ conjug. 3
Recommander avec beaucoup d'insistance. *Au Québec, on* ***prône*** *le respect et la tolérance.*

pronom nom masculin
Mot qui désigne une personne qui communique (je, tu, etc.) ou mot qui remplace un groupe de mots ou une phrase (elle, lui, lequel, chacun, celles, etc.). *«Je», «tu», «il», «elle» sont des* ***pronoms*** *personnels; «lequel», «laquelle» sont des* ***pronoms*** *interrogatifs; «ceci» est un* ***pronom*** *démonstratif; «aucune», «on» sont des* ***pronoms*** *indéfinis.*

pronominal, pronominale, pronominaux adjectif
• **Verbe pronominal:** verbe qui est précédé du pronom personnel «se / s'» à l'infinitif ou du pronom de la même personne que le sujet s'il est conjugué. *«Se souvenir» et «s'endormir» sont des* ***verbes pronominaux****.*

prononcer verbe ▸ conjug. 4
❶ Articuler les sons qui composent un mot. *Il faut* ***prononcer*** *le «s» dans le mot «autobus».* ❷ Dire quelque chose. *Il* ***a prononcé*** *un petit discours de bienvenue.* ■ *se* **prononcer** ❶ Être articulé. *«Laid» et «lait»* ***se prononcent*** *de la même façon.* ❷ Donner son avis. *Le jury doit* ***se prononcer*** *sur la culpabilité de l'accusé.*

prononciation nom féminin
Manière de prononcer. *La* ***prononciation*** *de l'allemand est difficile.*

pronostic nom masculin
Prévision que l'on donne sur ce qui pourrait se produire. *Selon les* ***pronostics****, c'est le maire actuel qui sera réélu.* **SYN** prédiction.

propagande nom féminin
Action exercée dans le but d'influencer les gens. *Ils font de la* ***propagande*** *pour leur association en distribuant des encarts.*

propagation nom féminin
Fait de se propager. *Les médecins essaient d'enrayer la* ***propagation*** *de l'épidémie.*

propager verbe ▸ conjug. 5
Faire connaître à tout le monde. *Les médias* ***ont propagé*** *les détails de cette affaire.* **SYN** diffuser. ■ *se* **propager**: gagner du terrain. *Malgré les efforts des pompiers, l'incendie* ***s'est*** *rapidement* ***propagé****.* **SYN** s'étendre.

propane nom masculin
Gaz utilisé comme combustible. *Au chalet, notre cuisinière fonctionne au* ***propane****.*

prophète nom masculin
Homme inspiré par Dieu pour révéler ses volontés. *Pour les juifs, les chrétiens et les musulmans, Abraham est un* ***prophète****.*
• **Prophète de malheur:** personne qui annonce des choses déplaisantes, mauvaises.

prophétie nom féminin
Prédiction. *Les* ***prophéties*** *d'un cartomancien.* * Attention! Dans le mot *prophétie*, le *t* se prononce comme un *s*.

propice adjectif
Opportun. *Le temps est clément, c'est le moment* ***propice*** *pour aller skier.*

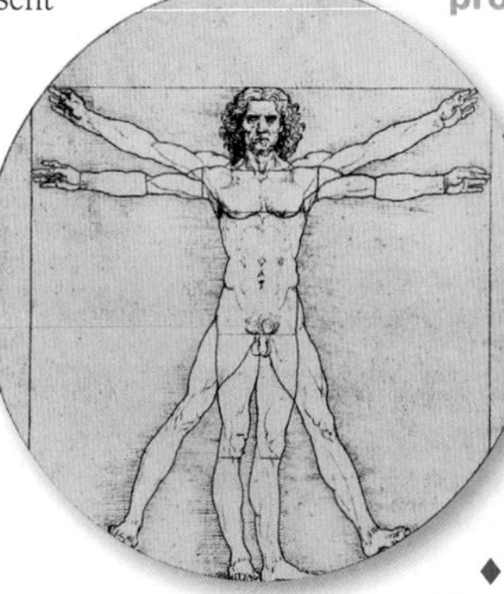
Les **proportions**

proportion nom féminin
Rapport de grandeur entre deux quantités. *Les élèves ont réussi cet examen dans une* ***proportion*** *de 73%.* ■ **proportions** nom féminin pluriel ❶ Dimensions considérées les unes par rapport aux autres. *Cet immeuble a des* ***proportions*** *harmonieuses.* ❷ Importance plus ou moins grande. *Ce scandale a pris des* ***proportions*** *considérables.*
♦ Famille du mot: disproportion, disproportionné, proportionné, proportionnel, proportionnellement.

a b c d e f g h i j k l m n o p q r s t u v w x y z

proportionné, proportionnée adjectif
Qui a de belles proportions. *Une taille **proportionnée**.* CONTR disproportionné.

proportionnel, proportionnelle adjectif
Qui est en proportion avec autre chose. *Le poids de cet enfant est **proportionnel** à sa taille.*

proportionnellement adverbe
De façon proportionnelle. *Les impôts augmentent **proportionnellement** au salaire.*

propos nom masculin
Ce qu'on a l'intention de faire. *Le **propos** de ce clown est de faire rire le public.* SYN but, dessein. • **À propos :** au bon moment. *Nous allions commencer la réunion, tu arrives **à propos**.* SYN à pic. • **À propos de quelque chose :** à ce sujet. *Nous discutons **à propos de** notre voyage.* • **À tout propos :** à n'importe quelle occasion. *Il fait des blagues **à tout propos**.* ■ **propos** nom masculin pluriel Ensemble de paroles. *Ils ont échangé des **propos** banals.*

proposer verbe ▸ conjug. 3
Offrir un choix ou soumettre une idée à quelqu'un. *Fanny m'**a proposé** d'aller faire du vélo avec elle.* ■ *se* **proposer** ❶ Offrir ses services. *Il **s'est proposé** pour tondre la pelouse.* ❷ Avoir comme intention. *Nos voisins **se proposent** de visiter prochainement la Gaspésie.*

proposition nom féminin
Chose proposée. *Elle m'a invité à dîner, mais j'ai refusé sa **proposition**.* SYN offre.

① **propre** adjectif
Qui est net et sans tache. *Issam s'est changé et a mis des vêtements **propres**.* CONTR malpropre, sale. ♦ Famille du mot : malpropre, malpropreté, proprement, propreté.

② **propre** adjectif
❶ Qui appartient personnellement à quelqu'un. *Inutile de venir me chercher, je viendrai par mes **propres** moyens.* ❷ Se dit du sens premier d'un mot. *Le mot « peste » désigne une maladie au sens **propre** et une personne méchante ou une chose nuisible au sens figuré.* • **Propre à :** qui convient à quelque chose. *Ce lait périmé n'est pas **propre à** la consommation.* CONTR impropre. ■ **propre** nom masculin Caractère particulier d'une personne ou d'une chose. *La parole est le **propre** de l'être humain.* • **En propre :** personnellement. *Cette maison lui appartient **en propre**.* • **Mettre au propre :** recopier un texte que l'on a écrit au brouillon.

proprement adverbe
D'une manière propre. *Ce bébé commence à manger **proprement**.* • **À proprement parler :** en employant le mot qui convient. *Ce livre n'est pas **à proprement parler** un chef-d'œuvre.*

propreté nom féminin
Qualité de ce qui est propre. *Sa chambre est d'une **propreté** remarquable.* CONTR saleté.

propriétaire nom
Personne à qui appartient quelque chose. *Les locataires payent un loyer mensuel au **propriétaire** de leur appartement.*

propriété nom féminin
❶ Fait d'être propriétaire de quelque chose. *Tous ces champs sont la **propriété** du même agriculteur.* ❷ Maison avec un terrain autour. *Ils ont une **propriété** au Témiscamingue.* ❸ Caractère particulier de quelque chose. *Une des **propriétés** du cuivre est d'être un bon conducteur.* SYN caractéristique, particularité. ♦ Famille du mot : copropriétaire, copropriété, exproprier, propriétaire.

propulser verbe ▸ conjug. 3
Faire avancer un engin. *Ce sont les réacteurs qui **propulsent** les avions à réaction.*

propulsion nom féminin
Mouvement qui propulse quelque chose. *Cette voiture est équipée d'un moteur à **propulsion** électrique.*

proscrire verbe ▸ conjug. 47
Interdire strictement. *Dans certains pays arabes, la loi **proscrit** la consommation d'alcool.*

proscrit, proscrite adjectif
Qui est interdit. *L'usage de produits chimiques pour l'entretien des pelouses est **proscrit** dans cette municipalité.*

prose nom féminin
Façon courante d'écrire et de parler, qui se différencie de la poésie. *Un romancier écrit en **prose** et un poète écrit en vers.*

prospecter verbe ▸ conjug. 3
Explorer un terrain pour y découvrir des richesses minérales. *On **prospecte** cette région dans l'espoir de trouver du pétrole.*

prospection nom féminin
Action de prospecter. *Cette firme fait de la **prospection** de gaz de schiste dans la vallée du Saint-Laurent.*

prospectus nom masculin
Brochure publicitaire qui est distribuée gratuitement. *La boîte aux lettres est pleine de **prospectus**.* **SYN** dépliant. * Attention ! Le *s* final du mot *prospectus* se prononce.

prospère adjectif
Qui est dans un état de réussite, de succès. *Elle dirige une entreprise **prospère**.* **SYN** florissant. ♦ Famille du mot : prospérer, prospérité.

prospérer verbe ▸ conjug. 8
Se développer avec succès. *Le commerce **prospère** dans la région grâce à la présence de nombreux touristes.* **CONTR** péricliter. ✎ On peut écrire aussi, au futur, *tu **prospèreras***; au conditionnel, *nous **prospèrerions***.

prospérité nom féminin
Situation prospère. *Grâce à ses ressources minières, ce pays vit dans la **prospérité**.*

se **prosterner** verbe ▸ conjug. 3
S'incliner très bas en signe de respect. *Ils **se prosternent** devant la statue de leur dieu.*

prostitué, prostituée nom
Personne qui se prostitue.

se **prostituer** verbe ▸ conjug. 3
Avoir des relations sexuelles avec quelqu'un en échange d'une somme d'argent. ♦ Famille du mot : prostitué, prostitution.

prostitution nom féminin
Activité des personnes qui gagnent leur vie en se prostituant.

prostré, prostrée adjectif
Qui est très abattu, accablé. *Après l'accident, elle est restée **prostrée** pendant des heures.* **SYN** effondré.

protagoniste nom
Personne qui joue un rôle important dans une histoire. *À la suite de cette bagarre, la police a interrogé le **protagoniste**.*

protecteur, protectrice adjectif et nom
Qui protège et défend contre les dangers. *Ce chien abandonné a été recueilli par la société **protectrice** des animaux. – Une **protectrice** des arts.*

protection nom féminin
❶ Action de protéger. *Tu n'as rien à craindre, tu es sous ma **protection**.* ❷ Ce qui protège. *Les écrans solaires sont une **protection** efficace contre les coups de soleil.*

protège-lame nom masculin
Étui allongé où l'on insère la lame d'un patin pour l'empêcher de s'endommager quand le joueur ou le patineur quitte la glace. ✎ Pluriel : *des **protège-lames***.

protéger verbe ▸ conjug. 5 et 8
❶ Défendre une personne, un animal contre les dangers. *La chatte **protège** ses petits.* ❷ Préserver ou mettre à l'abri. *Ce produit **protège** les métaux contre la rouille.* ✎ On peut écrire aussi, au futur, *je **protègerai***; au conditionnel, *tu **protègerais***.

protéine nom féminin
Substance indispensable à l'organisme et que l'on trouve dans la viande, le poisson, les œufs, les noix, etc. *Les lentilles constituent une bonne soure de **protéines**.* 👁p. 36.

protestant, protestante nom
Chrétien adepte du protestantisme. *Les **protestants** vont prier au temple.*

protestantisme nom masculin
Religion fondée par des chrétiens qui refusaient l'autorité du pape.

protestataire nom
Personne qui proteste contre quelque chose. *Les **protestataires** ont fait circuler une pétition.*

protestation nom féminin
Fait de protester. *Des manifestants ont défilé dans la rue en signe de **protestation**.*

protester verbe ▸ conjug. 3
❶ Déclarer avec force son désaccord ou son opposition. *Les écologistes **protestent** contre la pollution de l'eau.* **SYN** s'opposer. **CONTR** approuver. ❷ Affirmer avec force son bon droit. *Face au juge, le prévenu **a protesté** de son innocence.* ♦ Famille du mot : protestant, protestantisme, protestataire, protestation.

prothèse nom féminin
Appareil qui remplace un membre ou un organe. *Pour corriger sa surdité, il porte une **prothèse** auditive.*

protocole nom masculin
Ensemble des règles qu'il faut suivre durant une réunion ou une cérémonie officielle. *Ce chef d'État étranger a été reçu selon le **protocole**.*

prototype nom masculin
Exemplaire unique d'un objet qui sera ensuite fabriqué en série. *Ce gadget électronique n'est pas encore en vente, c'est un **prototype**.*

protubérance nom féminin
Petite partie en relief. *Une piqûre de guêpe a formé une **protubérance** sur son bras.*

proue nom féminin
Partie avant d'un navire. *Autrefois, la **proue** était ornée d'une sculpture.* **CONTR** poupe.

*Des **proues** de navires*

prouesse nom féminin
Exploit. *Les spectateurs admirent les **prouesses** des acrobates.*

prouver verbe ▸ conjug. 3
❶ Établir la vérité ou la réalité de quelque chose. *Il faudra **prouver** vos déclarations.* ❷ Démontrer par des actions, des gestes. *Veronica m'**a prouvé** son amitié.* **SYN** témoigner.

provenance nom féminin
Lieu d'où vient une chose. *J'ignore la **provenance** de ce document.* **SYN** origine.
• **En provenance de quelque part :** qui vient de cet endroit. *L'avion **en provenance de** Londres vient d'atterrir.*

provenir verbe ▸ conjug. 19
❶ Venir de tel endroit. *Ces clémentines **proviennent** du Maroc.* ❷ Être la conséquence de quelque chose. *Sa fatigue **provient** d'un manque de sommeil.* **SYN** résulter.

proverbe nom masculin
Formule figée qui exprime une vérité générale ou un conseil de sagesse. *« Mieux vaut tard que jamais » est un **proverbe**.* * Chercher aussi *dicton*, *maxime*.

proverbial, proverbiale, proverbiaux adjectif
Qui est connu de tout le monde. *Sa générosité est **proverbiale**.*

providence nom féminin
Sagesse de Dieu qui protège les humains et gouverne le monde.

providentiel, providentielle adjectif
Qui se produit au bon moment grâce à un heureux hasard. *Le passage **providentiel** d'un cargo a permis de sauver les naufragés.* * Attention ! Le *t* du mot *providentiel* se prononce comme un *s*.

province nom féminin
Division territoriale et politique d'un pays. *Le Canada est constitué de dix **provinces** et de trois territoires.*

provincial, provinciale, provinciaux adjectif et nom
De la province. *Le gouvernement **provincial**. – L'éducation et la santé relèvent du **provincial**.* * Chercher aussi *fédéral*.

provision nom féminin
❶ Réserve de choses utiles ou nécessaires. *L'écureuil a fait sa **provision** de graines pour l'hiver.* ❷ Somme d'argent en réserve dans un compte en banque. *Attention de ne pas faire un chèque sans **provision** !* ■ **provisions** nom féminin pluriel Produits que l'on achète pour la vie de tous les jours. *Nous avons assez de **provisions** pour la semaine.* • **Faire des provisions :** acheter les vivres, les produits d'entretien nécessaires à la vie de tous les jours.
♦ Famille du mot : approvisionnement, approvisionner.

provisoire adjectif
Qui n'est pas prévu pour durer longtemps. *Après les inondations, on a logé les habitants du village dans des bâtiments **provisoires**.* **SYN** temporaire. **CONTR** définitif.

provisoirement adverbe
De façon provisoire. *Son oncle loge **provisoirement** à l'hôtel.* **SYN** temporairement. **CONTR** définitivement.

provocant, provocante adjectif
Qui provoque, agresse les autres. *Une attitude **provocante**.* **SYN** agressif.

provocateur, provocatrice nom
Personne qui pousse les autres à la violence dans le but de justifier l'intervention de la police. *Des **provocateurs** ont perturbé la manifestation.*

provocation nom féminin
Acte ou paroles d'un provocateur. *Elle a gardé son calme malgré les **provocations**.*

provoquer verbe ▸ conjug. 3
❶ Être la cause de quelque chose. *Le brouillard **a provoqué** de nombreux carambolages.* SYN causer, entraîner. ❷ Pousser une personne ou un animal à la violence. *Le chat ne t'aurait pas griffé si tu ne l'**avais** pas **provoqué**.* SYN braver, défier. ♦ Famille du mot : provocant, provocateur, provocation.

proximité nom féminin
Caractère de ce qui est proche. *La **proximité** de la fin de l'année scolaire rend les élèves nerveux. Le principal avantage de ce chalet, c'est sa **proximité** des pentes de ski.*
• **À proximité de :** près de. *Juliette habite **à proximité de** l'école.*

pruche nom féminin
Conifère de l'Amérique du Nord voisin du sapin. 👁p. 126.

prudemment adverbe
De façon prudente. *Les randonneurs avancent **prudemment** sur le chemin escarpé.* CONTR imprudemment. * Attention ! La terminaison *emment* se prononce *amant*.

prudence nom féminin
Attitude d'une personne qui réfléchit, prévoit les dangers et essaie de les éviter. *Les enfants ont traversé la rue avec **prudence**.* CONTR imprudence.

prudent, prudente adjectif
❶ Qui agit avec prudence. *Un conducteur **prudent** reste toujours très attentif au volant.* ❷ Qui est suggéré par la prudence. *Une décision **prudente**.* ♦ Famille du mot : imprudemment, imprudence, imprudent, prudemment, prudence.

prune nom féminin
Fruit à noyau du prunier, à chair juteuse et sucrée. ♦ Famille du mot : pruneau, prunelle, prunier.

Des **pruneaux**

pruneau, pruneaux nom masculin
Prune séchée de couleur noirâtre.

prunelle nom féminin
❶ Pupille de l'œil.
• **Tenir à quelque chose comme à la prunelle de ses yeux :** y tenir énormément, plus que tout.
❷ Eau-de-vie de prune.

prunier nom masculin
Arbre fruitier qui produit les prunes.

Des **prunes**

Un **prunier**

P.-S. ➔Voir **post-scriptum**

psaume nom masculin
Chant religieux juif ou chrétien. *Le prêtre récite un **psaume** tiré de l'Ancien Testament.*

pseudonyme nom masculin
❶ Nom qu'un artiste ou un écrivain choisit à la place du sien. *Cette écrivaine a publié certains de ses livres sous un **pseudonyme**.* ❷ Nom d'emprunt d'un internaute. *Dans ce forum de discussion, on le connaît sous le **pseudonyme** de Miki.*

psychanalyse nom féminin
Méthode qui consiste à soigner les troubles psychologiques d'une personne en lui faisant rechercher dans sa mémoire des souvenirs anciens qui l'ont vivement perturbée.
* Attention ! Dans *psychanalyse*, les lettres *ch* se prononcent *k*. * Chercher aussi *psychiatrie*, *psychologie*.

psychiatre nom
Médecin spécialiste des maladies mentales.
* Attention ! Dans *psychiatre*, les lettres *ch* se prononcent *k*. ♦ Famille du mot : psychiatrie, psychiatrique.

psychiatrie nom féminin
Partie de la médecine qui s'occupe des maladies mentales. * Attention ! Dans *psychiatrie*, les lettres *ch* se prononcent *k*.

psychiatrique adjectif
Qui concerne la psychiatrie. *Des soins **psychiatriques**.* * Attention ! Dans *psychiatrique*, les lettres *ch* se prononcent *k*.

psychique adjectif
Mental. *Physiquement il est guéri, mais il souffre de troubles **psychiques**.*

psychologie nom féminin
❶ Science qui étudie comment une personne organise ses pensées et essaie d'expliquer les raisons de son comportement. ❷ Fait d'être capable de comprendre les sentiments des autres, de prévoir leurs réactions. *Pour enseigner, il faut beaucoup de **psychologie**.* * Attention ! Dans *psychologie*, les lettres *ch* se prononcent *k*. ♦ Famille du mot : psychologique, psychologue.

psychologique adjectif
Qui concerne la psychologie. *Depuis la séparation de ses parents, cet enfant a des problèmes **psychologiques**.* * Attention ! Dans *psychologique*, les lettres *ch* se prononcent *k*.

psychologue nom
Spécialiste de la psychologie. *Nous avons rencontré une **psychologue** pour nous aider à régler ce problème.* ■ **psychologue** adjectif Qui a de la psychologie, de l'intuition. *Il s'est montré très **psychologue**.* * Attention ! Dans *psychologue*, les lettres *ch* se prononcent *k*.

psychothérapeute nom
Spécialiste de la psychothérapie. * Attention ! Dans *psychothérapeute*, les lettres *ch* se prononcent *k*.

psychothérapie nom féminin
Approche thématique qui fait appel à des moyens psychologiques pour résoudre des problèmes psychiques. * Attention ! Dans *psychothérapie*, les lettres *ch* se prononcent *k*.

ptérodactyle nom masculin
Reptile volant préhistorique, à long bec pointu. *Le **ptérodactyle** vivait à la même époque que les dinosaures.*

Un **ptérodactyle**

puant, puante adjectif
Qui pue. *Un tas d'ordures **puantes**.* SYN nauséabond, malodorant. • **Bête puante :** dans la langue familière, mouffette.

puanteur nom féminin
Très mauvaise odeur. *Une horrible **puanteur** montait des égouts.*

pub nom féminin
Abréviation familière de *publicité*. *Mickaël aime regarder les **pubs** à la télé.*

puberté nom féminin
Période de changements physiques et psychologiques qui se produisent lors du passage de l'enfance à l'adolescence.

pubis nom masculin
Endroit en forme de triangle au bas du ventre. *Le **pubis** se couvre de poils au moment de la puberté.* 👁p. 246. * Attention ! Le *s* du mot *pubis* se prononce.

public, publique adjectif
❶ Qui concerne l'ensemble des gens. *Le vote de cette nouvelle loi passionne l'opinion **publique**.* ❷ Qui est ouvert à tout le monde. *Une réunion **publique**.* CONTR privé. ■ **public** nom masculin ❶ Ensemble des gens, de la population. *L'exposition est ouverte au **public**.* ❷ Ensemble des personnes qui assistent à un spectacle. *Tout le **public** a applaudi les musiciens.* • **En public :** devant un public. *Il a peur de parler **en public**.*

publication nom féminin
❶ Action de publier un texte. *La **publication** de ce roman est très attendue.* SYN parution. ❷ Livre ou journal publié. *Dans cette section de la librairie, nous trouverons les **publications** pour enfants.*

publicitaire adjectif
Qui concerne la publicité. *Un panneau **publicitaire**.*

publicité nom féminin
❶ Technique qui a pour but de faire connaître au public un produit, un service, pour mieux le vendre. *Cette marque de café est très connue grâce à la **publicité**.* ❷ Annonce, affiche, film, etc., servant à faire connaître un produit, un service. *Cette **publicité** a remporté plusieurs prix.*

publier verbe ▸ conjug. 10
❶ Imprimer un texte et le mettre en vente. *Cet éditeur **publie** surtout des bandes dessinées.* SYN éditer. ❷ Annoncer une nouvelle au public. *Les journaux **ont publié** les résultats des élections.*

publiquement adverbe
En public. *Il a fait cette déclaration **publiquement**.*

puce nom féminin
❶ Petit insecte brun sans ailes, parasite de l'être humain et des mammifères. *La **puce** pique la peau pour aspirer le sang dont elle se nourrit.* ❷ Petit élément sur lequel sont stockées des informations qui peuvent être lues par un ordinateur. *Les cartes de téléphone sont des cartes à **puce**.* • **Marché aux puces:** lieu où l'on vend toutes sortes de vieux objets et des vêtements d'occasion. • **Mettre la puce à l'oreille à quelqu'un:** lui inspirer des soupçons. *Sa réaction m'**a mis la puce à l'oreille**.*

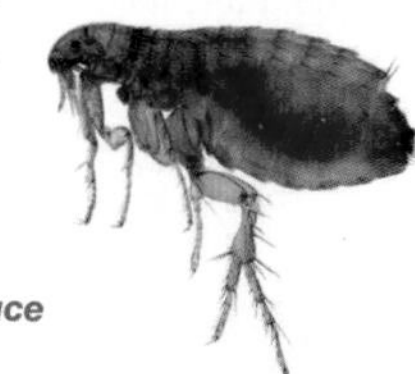

*Une **puce***

puceron nom masculin
Tout petit insecte parasite des plantes. *Les **pucerons** sont des insectes très nuisibles.*

pudeur nom féminin
Sentiment de gêne que ressent une personne qui n'aime pas montrer son corps ou ses sentiments intimes. *C'est par **pudeur** qu'Amélie ferme la porte de sa chambre quand elle s'habille.*

pudique adjectif
Qui se comporte avec pudeur. *Il est trop **pudique** pour laisser voir son chagrin.*

puer verbe ▸ conjug. 3
Sentir très mauvais. *En été, ces marécages **puent** la vase.* **SYN** empester. ♦ Famille du mot: puant, puanteur.

puériculture nom féminin
Ensemble des méthodes utilisées pour s'occuper des petits enfants.

puéril, puérile adjectif
Qui n'est pas digne d'une personne raisonnable, qui manque de maturité. *Ces enfants sont trop grands pour des jeux aussi **puérils**.*
SYN enfantin, infantile.

puis adverbe
Sert à indiquer ce qui vient après. *Il a lu quelques pages, **puis** il s'est endormi.*
SYN ensuite. • **Et puis:** d'ailleurs, en outre. *Cette émission m'ennuie, **et puis** j'ai sommeil.*
* Ne pas confondre *puis* et *puits*.

puiser verbe ▸ conjug. 3
❶ Prendre du liquide au moyen d'un récipient. *Elle allait **puiser** de l'eau à la rivière.*
❷ Prendre dans des réserves. *Il **a puisé** dans sa tirelire pour offrir un cadeau à sa mère.*

puisque conjonction
Sert à indiquer la cause. *Reprends un peu de spaghetti **puisque** tu as encore faim.*
SYN étant donné* que.

puissance nom féminin
❶ Autorité ou pouvoir dont on dispose. *La **puissance** de ce roi s'étend sur tout le pays.*
❷ Force qui produit un effet ou qui fournit une énergie. *Le voilier filait grâce à la **puissance** du vent.* • **Grande puissance:** État qui possède des forces et des richesses. *La Chine, l'Allemagne et les États-Unis sont des **grandes puissances**.*

puissant, puissante adjectif
❶ Qui possède une grande puissance. *Sa richesse a fait de lui un homme **puissant**.*
❷ Fort. *Une athlète aux muscles **puissants**.*
♦ Famille du mot: impuissance, impuissant, puissance.

puits nom masculin
❶ Cavité très profonde creusée dans le sol pour recueillir les eaux souterraines. ❷ Excavation pratiquée dans le sol et destinée à exploiter un gisement. *Un **puits** de pétrole. Un **puits** de mine.* ✎ Attention! Le mot *puits* s'écrit avec un *s* même au singulier. * Ne pas confondre *puits* et *puis*.

pulluler verbe ▸ conjug. 3
Être en très grand nombre dans un endroit. *Les poissons **pullulent** dans cet étang.*

pulmonaire adjectif
Des poumons. *La tuberculose est une maladie **pulmonaire**.*

pulpe nom féminin
❶ Partie charnue d'un fruit. *Antoine aime les prunes bien mûres, à la **pulpe** juteuse.* 👁p. 28. ❷ Tissu qui se trouve à l'intérieur des dents. 👁p. 298.

pulsation nom féminin
Battement du cœur et des artères. *Les **pulsations** s'accélèrent quand on court.*
* Chercher aussi *pouls*.

pulvérisateur nom masculin
Appareil qui sert à pulvériser un liquide. *Il a repeint le pare-chocs de sa voiture à l'aide d'un **pulvérisateur**.* * Chercher aussi *aérosol*, *atomiseur*.

pulvériser verbe ▸ conjug. 3
❶ Projeter en fines gouttelettes. *Le jardinier **a pulvérisé** de l'insecticide sur les rosiers.* ❷ Détruire complètement. *L'explosion **a pulvérisé** les vitres de l'immeuble.* ❸ Dépasser très largement. ***Pulvériser** un record.*

puma nom masculin
Grand félin d'Amérique, au pelage beige. *Le **puma** guette sa proie du haut d'un arbre.* SYN couguar. 👁p. 432.

Des **pumas**

Une **punaise**

① **punaise** nom féminin
Petit insecte au corps aplati, qui sent très mauvais quand on l'écrase. *La **punaise** pique l'être humain pour sucer son sang.*

② **punaise** nom féminin
Petit clou à pointe courte et à tête large. *L'enseignante a fixé nos dessins au mur avec des **punaises**.*

punch nom masculin
Boisson alcoolisée à base de rhum, d'épices et de sirop de sucre ou mélange de jus de fruits. *Nos amis antillais nous ont appris à faire du **punch**.* ✎ On peut écrire aussi **ponch**.

punir verbe ▸ conjug. 11
Infliger une punition à quelqu'un. *Ses parents **l'ont puni** pour avoir menti.* SYN châtier. CONTR récompenser. ♦ Famille du mot : impuni, punition.

punition nom féminin
❶ Chose désagréable que l'on inflige à quelqu'un qui a mal agi. *Ce mensonge mérite une **punition** sévère.* SYN châtiment, sanction. CONTR récompense. ❷ Sanction infligée à un joueur ou à une équipe sportive qui n'a pas respecté une règle du jeu. SYN pénalité.

pupille nom féminin
Petit cercle noir au centre de l'iris de l'œil. *Les **pupilles** rétrécissent quand la lumière est intense.* SYN prunelle.

pupitre nom masculin
Petite table inclinée qui sert à poser un livre, du papier ou de quoi dessiner.

pur, pure adjectif
❶ Qui n'est pas mélangé à autre chose. *Un foulard en **pure** laine.* ❷ Qui n'est pas pollué. *L'air **pur** de la montagne.* CONTR impur. ❸ Qui est moralement sans reproche. *Une jeune fille au cœur **pur**.* ❹ Qui est exactement et uniquement ainsi. *C'est la **pure** vérité.* SYN simple. ♦ Famille du mot : épuration, épurer, impur, impureté, purement, pureté, purifier.

purée nom féminin
Légumes cuits à l'eau et écrasés. *De la **purée** de carottes, de pommes de terre.*

purement adverbe
Uniquement. *Si je t'aide, c'est **purement** par amitié.* • **Purement et simplement :** totalement et sans explication. *Elle refuse **purement et simplement** de le voir.*

pureté nom féminin
Caractère de ce qui est pur, sans mélange. *On contrôle régulièrement la **pureté** de l'eau de la ville.*

purgatif, purgative adjectif
Qui sert à purger l'intestin. *Des plantes **purgatives**.* ■ **purgatif** nom masculin Laxatif. *Un **purgatif** efficace.*

a b c d e n o p q r s t u v w x y z

purgatoire nom masculin
Dans la religion catholique, lieu où les âmes des morts doivent expier leurs fautes avant d'aller au paradis.

purger verbe ▶ conjug. 5
❶ Évacuer le gaz ou le liquide qui bouche le passage dans un tuyau ou dans un appareil. ***Purger** un radiateur.* ❷ Débarrasser l'intestin de ce qui l'encombre à l'aide d'un purgatif.
• **Purger une peine :** subir une peine à laquelle on est condamné. ♦ Famille du mot : purgatif, purgatoire.

purifier verbe ▶ conjug. 10
Rendre pur en débarrassant des impuretés. *Cette usine possède des installations destinées à **purifier** l'eau.* **SYN** assainir.

purin nom masculin
Liquide constitué de la décomposition du fumier et des urines animales qui sert d'engrais.

puritain, puritaine adjectif et nom
Qui respecte les principes moraux de façon très rigide. *Raphaël a reçu une éducation **puritaine** dans ce pensionnat religieux.*

pur-sang nom masculin invariable
Cheval de course de race pure.

purulent, purulente adjectif
Qui contient du pus. *Il faut immédiatement désinfecter cette plaie **purulente**.*

pus nom masculin
Liquide jaunâtre qui apparaît sur les plaies infectées.

pustule nom féminin
Bouton qui contient du pus.

putréfaction nom féminin
Fait de se putréfier. *On a trouvé le cadavre d'un animal en **putréfaction**.* **SYN** décomposition.

se **putréfier** verbe ▶ conjug. 10
Pourrir, se décomposer. *Cette viande **s'est putréfiée** sous l'effet de la chaleur.*

putsch nom masculin
Coup d'État. *Certains officiers ont organisé un **putsch** afin de s'emparer du pouvoir.* ✎ Pluriel : *des **putschs**.* * Attention ! Dans *putsch*, le *u* se prononce *ou* et les lettres *sch* se prononcent *che*.

pygmée nom
Personne de petite taille appartenant à certaines tribus africaines. ■ **pygmée** adjectif Désigne parfois des espèces caractérisées par leur taille réduite. *Le ouistiti **pygmée**.* * Attention ! Ce mot se termine en *ée* même au masculin.

pyjama nom masculin
Vêtement de nuit composé d'une veste et d'un pantalon. *Anaïs préfère les **pyjamas** aux chemises de nuit.*

pylône nom masculin
Grand poteau qui sert de support. *Les câbles électriques sont fixés sur des **pylônes**.*

pyramide nom féminin
❶ Solide à base carrée et à quatre faces triangulaires qui se rejoignent en un point appelé « sommet ». 👁p. 484. ❷ Monument ayant cette forme. *Les **pyramides** d'Égypte servaient de tombeaux aux pharaons.*

Une ***pyramide***

pyrex nom masculin
Verre qui résiste à la chaleur du four. *Ma mère a fait un pâté chinois dans un plat en **pyrex**.* * *Pyrex* est le nom d'une marque.

pyromane nom
Personne qui ne peut s'empêcher d'allumer des incendies. *On a arrêté le **pyromane** qui mettait le feu dans des granges.* **SYN** incendiaire.

python nom masculin
Grand serpent d'Afrique et d'Asie qui étouffe ses proies en les serrant entre ses anneaux avant de les avaler. * Chercher aussi *boa*. * Ne pas confondre *python* et *piton*.

a b c d e f g h i j k l m n o p q r s t u v w x y z

*Dans les mots précédés d'un astérisque, la première syllabe se prononce *ka* ou *koua*.

q nom masculin invariable
Dix-septième lettre de l'alphabet. *Le **q** est une consonne.*

qatarien, qatarienne
➔Voir tableau, p. 1319.

Qc
Abréviation de *Québec*.

qu'➔Voir **que**

***quadragénaire** adjectif et nom
Qui a entre quarante et quarante-neuf ans.

***quadri-, *quadru-** préfixes
Placés au début d'un mot pour former un autre mot, *quadri-*, *quadru-* signifient « quatre » (***quadri**latère*, ***quadru**pède*).

***quadrilatère** nom masculin
Figure géométrique qui a quatre côtés. *Le carré, le rectangle, le losange et le trapèze sont des **quadrilatères**.* 👁p. 484.

quadrillage nom masculin
Ensemble des traits qui divisent une surface en carrés. *Du papier à petit **quadrillage**.*

quadrillé, quadrillée adjectif
Dont la surface est divisée en petits carrés. *Du papier **quadrillé**.*

quadriller verbe ▸ conjug. 3
❶ Diviser une surface en petits carrés. ***Quadriller** une feuille de papier.* ❷ Surveiller une zone en mettant des policiers dans plusieurs endroits. *La police **a quadrillé** le quartier pour retrouver le suspect.*

quadrimoteur nom masculin
Avion équipé de quatre moteurs.

***quadrupède** adjectif et nom masculin
Qui a quatre pattes. *La vache, le mouton et le chat sont des **quadrupèdes**.* * Chercher aussi *bipède*.

***quadruple** adjectif
Qui est reproduit quatre fois. *Il a fait un **quadruple** saut périlleux.* ■ **quadruple** nom masculin Nombre obtenu en en quadruplant un autre. *Huit est le **quadruple** de deux (8 = 4 × 2).* ♦ Famille du mot : quadrupler, quadruplés.

***quadrupler** verbe ▸ conjug. 3
Multiplier par quatre. *Grâce à la qualité de ses produits, ce commerçant **a quadruplé** ses ventes.*

***quadruplés, quadruplées** nom pluriel
Quatre enfants nés de la même mère au cours du même accouchement. * Chercher aussi *jumeau, quintuplés, triplés*.

quai nom masculin
❶ Plate-forme le long d'une voie ferrée ou d'un métro. *Le train est attendu au **quai** numéro 4.* ❷ Endroit aménagé pour l'accostage des bateaux. *Des passagers se dirigent vers le **quai** d'embarquement.* **SYN** débarcadère, embarcadère.

Un **quai**

qualificatif, qualificative adjectif
Qui sert à qualifier une personne, une équipe pour une compétition sportive. *Une épreuve **qualificative**.* ■ **qualificatif** nom masculin Mot qui sert à qualifier quelqu'un. *Il a utilisé des **qualificatifs** injurieux à l'égard de son adversaire.*

qualification nom féminin
❶ Formation ou niveau de compétence exigé pour un travail. *Pour obtenir cet emploi, il faut avoir la **qualification** requise.* ❷ Droit de participer à une compétition après avoir réussi certaines épreuves. *Notre équipe a obtenu sa **qualification** pour la finale.*

qualifier verbe ▸ conjug. 10
Désigner une personne ou une chose par des mots qui la caractérisent. *On **qualifie** cette usine d'ultramoderne.* • **Être qualifié :** avoir la qualification pour faire une chose. *Elle **est** parfaitement **qualifiée** pour s'occuper de personnes âgées.* ■ se **qualifier** : obtenir sa qualification à la suite d'épreuves sportives. *Notre équipe **s'est qualifiée** pour la demi-finale de la coupe.* ♦ Famille du mot : disqualification, disqualifier, inqualifiable, qualificatif, qualification.

qualité nom féminin
❶ Ce qui fait qu'une chose est bonne ou mauvaise. *Je doute de la **qualité** de ce produit.* ❷ Trait de caractère qui rend une personne digne de mérite. *Les deux grandes **qualités** d'Alexia sont la franchise et la générosité.* CONTR défaut. • **En qualité de :** en tant que, à titre de. ***En qualité de** directeur, il a fait des recommandations aux enseignants.*

quand adverbe
À quel moment. ***Quand** a-t-il prévu de partir ?* ■ **quand** conjonction Au moment où. *Je serai là **quand** tu rentreras de l'école.* SYN lorsque. • **Quand même :** tout de même, malgré tout. *On lui a demandé de rester, mais il est parti **quand même**.* * Ne pas confondre *quand* et *quant*.

quant à préposition
En ce qui concerne quelqu'un ou quelque chose. *Jasmine aime lire les BD ; **quant à** moi, je préfère les romans.* SYN pour ma part. * Ne pas confondre *quant* et *quand*.

quantité nom féminin
❶ Ce que l'on peut mesurer en comptant ou en pesant. *Quelle **quantité** de beurre faut-il pour faire ce gâteau ?* ❷ Grand nombre. *Pendant son voyage, Julien a pris une grande **quantité** de photos.* SYN multitude, tas. • **En quantité :** en grand nombre. *Cynthia a des BD **en quantité**.*

quarantaine nom féminin
❶ Nombre d'environ quarante. *Il y a une **quarantaine** de personnes dans la salle.* ❷ Âge de quarante ans environ. *Il paraît très jeune, mais il a sans doute la **quarantaine**.* * Chercher aussi *quadragénaire*. ❸ Isolément imposé dans des situations où l'on craint qu'une maladie se propage. *Ces passagers ont été mis en **quarantaine**.* • **Mettre quelqu'un en quarantaine :** le tenir à l'écart.

quarante déterminant invariable
Quatre fois dix (40). *Chiara a lu **quarante** pages de son livre. Il vient d'avoir **quarante** ans.* ♦ Famille du mot : quarantaine, quarantième.

quarantième adjectif et nom
Qui occupe le rang numéro quarante. *Éric a lu son livre jusqu'à la **quarantième** page.* ■ **quarantième** nom masculin Ce qui est contenu quarante fois dans un tout. *Le **quarantième** de quatre-vingts est deux.*

quart nom masculin
❶ Chaque partie d'un tout divisé en quatre. *David a mangé un **quart** de poulet pour le dîner.* ❷ Période de travail au cours d'une journée. *Cette infirmière travaille pendant le **quart** de nuit.* • **Et quart** ou **un quart**, **moins le quart :** servent à indiquer qu'il est 15 minutes après l'heure ou avant l'heure. *3 heures **et quart**, c'est 3 h 15.*

quart d'heure nom masculin
Durée de quinze minutes. *J'arriverai dans un **quart d'heure**.* ✎ Pluriel : *des **quarts d'heure***. • **Passer un mauvais quart d'heure :** passer un mauvais moment.

***quartette** nom masculin
Groupe de quatre musiciens de jazz. * Chercher aussi *quatuor*.

quartier nom masculin
❶ Morceau d'environ un quart. *Farid a mangé un **quartier** de pomme.* ❷ Division naturelle de certains fruits. *Un **quartier** d'orange.*

③ Partie d'une ville. *Elle habite dans un **quartier** multiethnique.* ④ Chacune des phases de la Lune. *La Lune est dans son premier **quartier**.* 👁p. 625. • **Quartier général**: endroit où est établi l'état-major d'une armée.

*Du **quartz***

quartz nom masculin
Roche très dure formée de cristaux. *Le granit contient du **quartz**. Une montre à **quartz**.* * Attention ! Ce mot se prononce *kouartse*.

quasi adverbe
Presque, pour ainsi dire. *Les travaux sont **quasi** terminés.* **SYN** quasiment. *Irina a gagné la **quasi**-totalité des épreuves.* ✎ On met un trait d'union après *quasi-* quand on l'emploie devant un nom.

quasiment adverbe
Presque. *C'est une si vieille amie qu'elle fait **quasiment** partie de la famille.* **SYN** quasi.

quaternaire nom masculin
• **Ère quaternaire**: période géologique marquée par l'apparition et l'évolution de l'être humain.

quatorze déterminant invariable
Dix plus quatre (14). *Fatima a invité **quatorze** personnes à son anniversaire.* ■ **quatorze** nom masculin invariable Nombre quatorze. *Sept plus sept égale **quatorze**.*

quatorzième adjectif et nom
Qui occupe le rang numéro quatorze. *Olivier habite au **quatorzième** étage. – Elle est la **quatorzième** à s'inscrire à cette activité.* ■ **quatorzième** nom masculin Ce qui est contenu quatorze fois dans un tout.

quatre déterminant invariable
Trois plus un (4). *Le petit frère de Gaëlle a **quatre** ans.* • **Manger comme quatre**: manger énormément. • **Se mettre en quatre**: se donner beaucoup de mal. ■ **quatre** nom masculin invariable Chiffre ou nombre quatre. *Le **quatre** mai prochain, nous fêterons ton anniversaire.*

quatre-quatre nom masculin invariable
Véhicule à quatre roues motrices. ✎ On écrit aussi ***4 × 4***.

quatre-vingt-dix déterminant invariable
Neuf fois dix (90). *Il habite à **quatre-vingt-dix** kilomètres de Val-d'Or.*

quatre-vingts déterminant
Quatre fois vingt (80). ***Quatre-vingts** personnes ont assisté à la réunion.* ✎ Attention ! Lorsque *quatre-vingts* est suivi d'un autre nombre, il ne prend pas de *s*: ***quatre-vingt**-deux.*

quatrième adjectif et nom
Qui occupe le rang numéro quatre. *Ce bébé est leur **quatrième** enfant. – Vous serez la **quatrième** à passer en entrevue.*

quatuor nom masculin
① Orchestre formé de quatre musiciens. * Chercher aussi *quartette*. ② Morceau de musique écrit pour quatre instruments. *Les musiciens vont interpréter un **quatuor** de Beethoven.*

*Un **quatuor** à cordes*

① **que** pronom
① Sert à interroger sur une chose. ***Que** cherchez-vous ?* ② Sert à introduire une phrase qui complète un nom, habituellement celui qui précède. *Le livre **que** tu cherches est sur mon bureau.* * Attention ! *Que* devient ***qu'*** devant une voyelle ou un « h » muet.

② **que** conjonction
① Sert à relier deux phrases. *Je suis sûr **qu'**elle viendra. Je voudrais **que** tu me prêtes un stylo.* ② S'utilise dans les comparaisons. *Tu es plus frileuse **que** moi.* ③ Suivi d'un verbe au subjonctif, sert à exprimer un souhait, un ordre. ***Qu'**il se taise !* • **Ne... que**: seulement. *Il **ne** reste **qu'**un seul pamplemousse.* ■ **que** adverbe Sert à introduire une phrase exclamative. ***Que** la mariée est jolie ! **Qu'**il est mignon, ce chiot !* **SYN** comme. * Attention ! *Que* devient ***qu'*** devant une voyelle ou un « h » muet.

québécisme nom masculin
Mot ou expression propre au français du Québec. * Chercher aussi *acadianisme, amérindianisme, canadianisme.*

québécois, québécoise adjectif et nom
De la province de Québec ou de la ville de Québec. *Le territoire **québécois** compte des milliers de lacs. – Les **Québécois**, les **Québécoises**.* ✎ Attention! Le nom, qui désigne les habitants, s'écrit avec une majuscule.

quel, quelle déterminant
❶ Sert à poser une question. ***Quel** temps fait-il?* ❷ Sert à introduire une exclamation. ***Quelles** belles sculptures!* ■ **quel, quelle** pronom Sert à interroger. ***Quel** est ton chanteur préféré?* • **Quel que, quelle que:** n'importe lequel, n'importe laquelle. ***Quelles que** soient vos raisons, nous allons les respecter.*

quelconque adjectif
❶ N'importe lequel. *Si tu as un ennui **quelconque**, tu peux compter sur moi.* ❷ Qui ne présente aucun intérêt particulier. *Ce film était vraiment **quelconque**.* SYN insignifiant, médiocre, ordinaire.

quelque déterminant
Sert à indiquer un petit nombre indéterminé de ce que le nom désigne. *Il y a **quelque** jours que je ne l'ai pas vu.* ■ **quelques** déterminant Sert à indiquer un petit nombre de personnes, de choses. *Mes parents ont invité **quelques** amis à souper.* * Chercher aussi *plusieurs.*

quelque chose pronom masculin
Désigne une chose indéterminée. *Ce colis contient **quelque chose** que tu attends depuis longtemps.*

quelquefois adverbe
De temps en temps ou à certains moments. *Amélie va **quelquefois** au parc avec ses amis.* SYN parfois. CONTR jamais, souvent, toujours.

quelque part adverbe
Dans un lieu indéterminé. *Nous nous sommes déjà vus **quelque part**.*

Des **quenouilles**

quelques-uns, quelques-unes pronom
Un petit nombre de personnes ou de choses. *Est-ce que je peux cueillir **quelques-unes** de ces fleurs?*

quelqu'un, quelqu'une pronom
Une personne indéterminée. *Va ouvrir la porte, **quelqu'un** a sonné.* SYN on. ✎ Pluriel: ***quelques-uns***, ***quelques-unes***.

quémander verbe ▸ conjug. 3
Demander avec insistance. *Ce chien est toujours en train de **quémander** de la nourriture.*

qu'en-dira-t-on nom masculin invariable
Ce que les gens racontent sur les autres. *Il vit comme il en a envie, sans se préoccuper du **qu'en-dira-t-on**.*

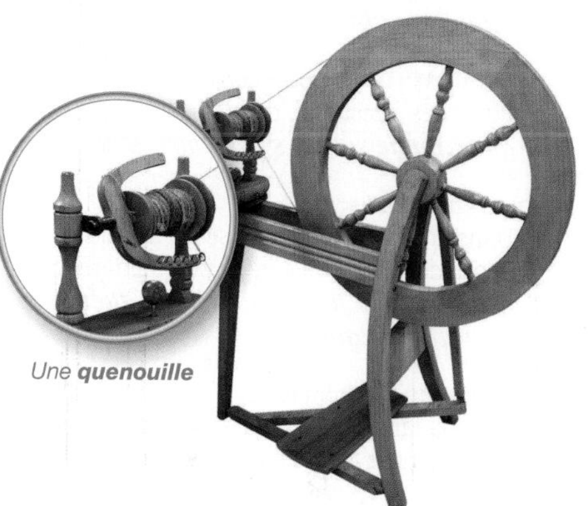
Une **quenouille**

① **quenouille** nom féminin
Petit bâton sur lequel on enroulait autrefois des fibres de laine ou de lin que les femmes filaient. * Chercher aussi *fuseau, rouet.*

② **quenouille** nom féminin
Plante à longue tige qui pousse dans les marécages. *J'ai ramassé des **quenouilles** en me promenant le long du fleuve.* * Chercher aussi *jonc, roseau.*

querelle nom féminin
Dispute, différend provoqué par un désaccord. *Une **querelle** a éclaté entre les deux automobilistes.* • **Chercher querelle à quelqu'un:** le provoquer, se montrer agressif envers lui.

se **quereller** verbe ▸ conjug. 3
Se disputer. *Ils **se sont querellés** pour des niaiseries.*

a b c d e f g h i j k l m n o p **q** r s t u v w x y z

a b c d e f g h i j k l m n o p **q** r s t u v w x y z

question nom féminin
❶ Demande adressée à quelqu'un afin d'obtenir une réponse. *Je ne comprends pas votre **question**.* ❷ Sujet de discussion ou problème à résoudre. *Nous discuterons de cette **question** à la réunion.* • **En question :** dont il s'agit. *Je vais vous présenter la personne **en question**.* • **Hors de question :** se dit d'une chose que l'on refuse absolument. *Il est **hors de question** que tu sortes ce soir.* • **Il est question de quelqu'un** ou **de quelque chose :** on en parle. ***Il est question de** sa cousine dans son courriel. **Il est question** pour notre classe **d'**organiser une excursion.*
♦ Famille du mot : questionnaire, questionner.

questionnaire nom masculin
Série de questions. *Répondre à un **questionnaire**.*

questionner verbe ▸ conjug. 3
Poser des questions. *Le médecin l'**a** longuement **questionné** sur ses symptômes.* SYN interroger.

quétaine adjectif
Dans la langue familière, se dit de quelque chose de peu de valeur, de peu d'intérêt ou de mauvais goût. *Juan lit un roman **quétaine**. Un vêtement **quétaine**.*

quétainerie nom féminin
Dans la langue familière, objet bon marché, clinquant. *Ce bracelet est une **quétainerie**.*

quête nom féminin
Action de recueillir de l'argent. *Une **quête** en faveur des victimes du séisme.* SYN collecte.
• **En quête de quelque chose :** à sa recherche. *L'orage approche, mettons-nous **en quête d'**un abri.*

quêter verbe ▸ conjug. 3
❶ Faire la quête. *Elle **quête** pour un organisme de charité.* ❷ Demander avec insistance. *Elle **quête** une promotion depuis des années.* ❸ Mendier, demander l'aumône. *Ce sans-abri **quête** à la sortie du métro.*

queue nom féminin
❶ Extrémité arrière du corps de certains animaux. *Les écureuils ont une **queue** en panache.* ❷ Tige d'une fleur ou d'un fruit. *La **queue** d'une cerise.* SYN pédoncule. ❸ File d'attente. *Des gens font la **queue** devant le cinéma.* ❹ Ce qui est placé au bout, à la fin. *Nous sommes assis dans la **queue** de l'avion.* CONTR tête. 👁p. 93. • **À la queue leu leu :** les uns derrière les autres, à la file. • **Finir en queue de poisson :** se terminer sans conclusion. • **N'avoir ni queue ni tête :** n'avoir aucun sens. *Cette histoire **n'a ni queue ni tête**.*

queue-de-cheval nom féminin
Coiffure dans laquelle les cheveux sont noués derrière la tête et retombent sur la nuque.
✎ Pluriel : *des **queues-de-cheval**.*

qui pronom
❶ Sert à interroger à propos de quelqu'un. ***Qui** est là ? À **qui** es-tu en train d'écrire ?* ❷ Sert à introduire une phrase qui complète un nom ou un pronom, habituellement celui qui précède. *Le garçon **qui** arrive est mon cousin. Celle **qui** a été embauchée a beaucoup d'expérience.*

quiche nom féminin
Tarte salée faite d'un mélange de crème et d'œufs et garnie de jambon, de poireaux, d'asperges, etc.

*Une **quiche***

quiconque pronom
N'importe qui. *Ariane réussit les tartes aux pommes mieux que **quiconque**.*

quidam nom masculin
Personne quelconque, que l'on ne connaît pas. *Il a demandé l'heure à un **quidam** dans la rue.*
* Attention ! Le *m* du mot *quidam* se prononce.

quiétude nom féminin
Dans la langue littéraire, tranquillité. *Il aime la **quiétude** de la vie à la campagne.*

quignon nom masculin
• **Quignon de pain :** morceau de pain contenant beaucoup de croûte. *On a gardé un **quignon de pain** pour les oiseaux.*

quille nom féminin
❶ Pièce de bois allongée que l'on fait tomber en lançant une boule. *Un jeu de **quilles**.*
❷ Partie inférieure de la coque d'un navire. *Le bateau a été déséquilibré quand sa **quille** a heurté un rocher.*

Un jeu de **quilles**

quincaillerie nom féminin
Magasin où l'on vend des clous, des outils, des ustensiles de ménage et de bricolage.

quincaillier, quincaillière ou **quincailler, quincaillère** nom
Personne qui tient une quincaillerie.

quinquagénaire adjectif et nom
Qui a entre cinquante et cinquante-neuf ans. *Notre voisin est **quinquagénaire**. – De dynamiques **quinquagénaires**.*

quinte nom féminin
• **Quinte de toux :** accès de toux violent. *Étienne a eu plusieurs **quintes de toux** pendant la nuit à cause de sa bronchite.*

quintette nom masculin
Ensemble de cinq musiciens. *Un **quintette** de jazz.*

Un **quintette**

quintuple adjectif
Qui est reproduit cinq fois. *Il a obtenu un montant d'argent **quintuple** de celui qu'il espérait.* ■ **quintuple** nom masculin Nombre obtenu en en quintuplant un autre. *Cinquante est le **quintuple** de dix (50 = 10 × 5).*
♦ Famille du mot : quintupler, quintuplés.

quintupler verbe ▸ conjug. 3
Multiplier par cinq. *Ce magasin **a quintuplé** les ventes de ses produits.*

quintuplés, quintuplées nom pluriel
Cinq enfants nés de la même mère au cours du même accouchement. * Chercher aussi *jumeau, quadruplés, triplés.*

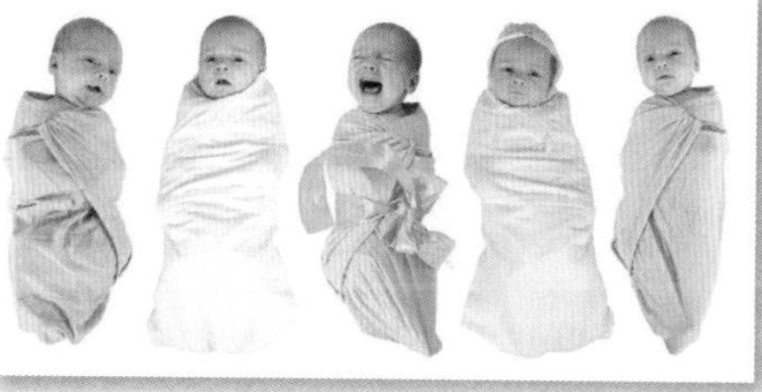

Des **quintuplés**

quinzaine nom féminin
Ensemble d'environ quinze. *Il y a une **quinzaine** de clients dans le magasin. On se revoit dans une **quinzaine**.*

quinze déterminant invariable
Dix plus cinq (15). *J'ai lu les **quinze** premières pages de ce livre. Cet immeuble a **quinze** étages.* ■ **quinze** nom masculin invariable Nombre quinze. *Valérie arrivera le **quinze** mai.*
♦ Famille du mot : quinzaine, quinzième.

quinzième adjectif et nom
Qui occupe le rang numéro quinze. *Hassan habite au **quinzième** étage d'une tour. – Ce coureur est le **quinzième** à passer le fil d'arrivée.* ■ **quinzième** nom masculin Ce qui est contenu quinze fois dans un tout. *Quatre est le **quinzième** de soixante.*

quiproquo nom masculin
Erreur qui consiste à prendre une personne ou une chose pour une autre. *Elle l'a prise pour sa sœur, ce qui a donné lieu à un **quiproquo** amusant.* **SYN** méprise.

a b c d e f g h i j k l m n o p q r s t u v w x y z

quittance nom féminin
Document prouvant que l'on a payé. *Une fois sa dette remboursée, il a obtenu une* ***quittance****.* **SYN** reçu.

quitte adjectif
Qui ne doit plus rien à quelqu'un. *Je vous ai rendu un service, vous m'en avez rendu un autre; nous sommes* ***quittes****.* • **Quitte à:** au risque de. *Il s'est engagé à finir le travail commencé,* ***quitte à*** *devoir y passer la nuit.*

quitter verbe ▸ conjug. 3
❶ Partir d'un endroit. *Il* ***a quitté*** *la Bolivie depuis six mois.* ❷ Cesser une activité. *Il* ***a quitté*** *son club d'escrime pour faire du judo.* **SYN** abandonner, laisser. • **Ne quittez pas:** formule que l'on utilise au téléphone pour demander à quelqu'un de ne pas raccrocher.
■ *se* **quitter**: se séparer. *Elles* ***se sont quittées*** *avec beaucoup de tristesse.*

qui-vive nom masculin invariable
• **Être sur le qui-vive:** être sur ses gardes, en alerte.

quoi pronom
Sert à interroger à propos de quelque chose. *À* ***quoi*** *pensez-vous ? Je ne sais pas* ***quoi*** *faire.*
• **De quoi:** ce qui est nécessaire, ce qu'il faut. *Ces pauvres gens n'ont pas* ***de quoi*** *vivre. Avec ce nouvel ensemble de construction, il a* ***de quoi*** *s'amuser durant des semaines.*

quoique conjonction
Sert à exprimer l'opposition. *Benoît est allé travailler* ***quoiqu'****il soit malade.* **SYN** bien que.
* Attention ! *Quoique* est généralement suivi d'un verbe au subjonctif.

quota nom masculin
❶ Pourcentage fixé à l'avance. *Il y a des* ***quotas*** *sur les exportations de bois vers les États-Unis.* **SYN** limite. ❷ Objectif à atteindre. *Un* ***quota*** *de vente.* • **Avoir son quota:** dans la langue familière, en avoir assez. *J'****ai mon quota*** *! Je rentre à la maison.*

quote-part nom féminin
Part que chacun donne ou reçoit. *Chaque actionnaire recevra une* ***quote-part*** *des bénéfices.* ✎ Pluriel: *des* ***quotes-parts****.* ✎ On peut écrire aussi *une* ***quotepart****, des* ***quoteparts****.*

quotidien, quotidienne adjectif
Qui a lieu chaque jour. *Faire la vaisselle fait partie des tâches* ***quotidiennes****.* **SYN** journalier.
■ **quotidien** nom masculin ❶ Journal qui paraît chaque jour. *La nouvelle a été annoncée ce matin dans tous les* ***quotidiens*** *du pays.*
* Chercher aussi *hebdomadaire*, *mensuel*.
❷ Vie de tous les jours. *Ces vacances nous permettront de nous évader de la routine du* ***quotidien****.*

quotidiennement adverbe
De façon quotidienne. *Ce vieux monsieur fait* ***quotidiennement*** *une marche.*

quotient nom masculin
Résultat d'une division. *5 est le* ***quotient*** *de 50 divisé par 10.* • **Quotient intellectuel:** rapport du niveau intellectuel d'une personne avec celui de son groupe d'âge.

r nom masculin invariable
Dix-huitième lettre de l'alphabet. *Le **r** est une consonne.*

rabâcher verbe ▸ conjug. 3
Répéter sans arrêt les mêmes choses. *Elle **rabâche** toujours la même histoire.* **SYN** radoter, ressasser.

rabais nom masculin
Réduction accordée sur le prix de quelque chose. *Le vendeur m'a fait un **rabais**, car le pantalon avait un défaut.* * Chercher aussi *remise*.

rabaisser verbe ▸ conjug. 3
Mettre au-dessous de sa valeur. *Il cherche à **rabaisser** ses concurrents.* **SYN** dénigrer, dévaloriser.

rabat nom masculin
Partie d'une chose qui peut se rabattre. *Cette veste a des poches à **rabats**.*

rabat-joie nom invariable
Personne qui trouble la joie des autres par sa mauvaise humeur. *En boudant, tu es le **rabat-joie** de la fête.* **SYN** trouble-fête.
✎ On peut écrire aussi *un, une **rabat-joie**, des **rabat-joies**.*

rabattre verbe ▸ conjug. 31
❶ Replier ou refermer quelque chose. ***Rabattre** le couvercle d'une boîte.* **CONTR** relever. ❷ Faire descendre. *Le vent **rabat** les fumées d'usine.* ❸ Déduire une certaine somme sur un prix. *La vendeuse **a rabattu** son prix.* **SYN** réduire. ❹ Forcer le gibier à aller dans la direction des chasseurs. ■ *se* **rabattre** : se replier. *Cette voiture est munie de banquettes qui **se rabattent**.* • **Se rabattre sur quelque chose** : s'en contenter faute de mieux. *Faute de moyens, il **s'est rabattu sur** du matériel d'occasion.* ♦ Famille du mot : rabat, rabat-joie.

rabbin nom masculin
Chef religieux d'une communauté juive. * Chercher aussi *imam*, *pasteur*, *prêtre*.

rabot nom masculin
Outil de menuisier qui sert à raboter. *Mon père vient d'acheter un nouveau **rabot**.*

*Un **rabot***

raboter verbe ▸ conjug. 3
Rendre plat et lisse au moyen d'un rabot. *Elle **a raboté** le bas de la porte, car elle frottait sur le tapis.*

raboteux, raboteuse adjectif
Qui est accidenté, inégal. *Pour nous rendre au chalet, nous devons emprunter une route **raboteuse**.*

rabougri, rabougrie adjectif
Qui est chétif, recroquevillé. *Cet arbre est malade : ses branches sont **rabougries**.*

rabrouer verbe ▸ conjug. 3
Repousser quelqu'un avec rudesse. *Juliette **a rabroué** son frère.*

a b c d e f g h i j k l m n o p q r s t u v w x y z

raccommodage nom masculin
Action de raccommoder un vêtement. *Ma grand-mère a fini son **racommodage**.* **SYN** reprisage.

raccommoder verbe ▸ conjug. 3
Réparer en cousant ce qui est troué ou déchiré. *Tatiana essaie de **raccommoder** sa robe.* **SYN** rapiécer, repriser. ■ *se* **raccommoder** : dans la langue familière, se réconcilier. *Après quelques jours de chicane, elles **se sont raccommodées**.*

raccompagner verbe ▸ conjug. 3
Ramener. *La mère d'Eva m'**a raccompagné** chez moi.* **SYN** reconduire.

raccord nom masculin
Pièce qui permet de raccorder deux éléments.

raccordement nom masculin
Action de raccorder. *L'électricienne procède au **raccordement** du chauffe-eau.* **SYN** branchement.

raccorder verbe ▸ conjug. 3
Relier par un raccord. *Le plombier **a raccordé** deux tuyaux.* ■ *se* **raccorder** : se rattacher. *Plus loin, ce chemin **se raccorde** à la route.* ♦ Famille du mot : raccord, raccordement.

raccourci nom masculin
Chemin plus court. *Ce **raccourci** va nous faire gagner dix minutes.*

raccourcir verbe ▸ conjug. 11
❶ Rendre plus court. *Cette jupe est trop longue, il faut la **raccourcir**.* ❷ Devenir plus court. *L'été est fini, les jours commencent déjà à **raccourcir**.* **CONTR** rallonger.

raccrochage nom masculin
❶ Action de raccrocher. ❷ Retour aux études après interruption de celles-ci. *La commission scolaire a pris des mesures pour favoriser le **raccrochage** des jeunes.* **CONTR** décrochage.

raccrocher verbe ▸ conjug. 3
❶ Accrocher de nouveau. *Après avoir repeint le salon, il va falloir **raccrocher** les tableaux.* **CONTR** décrocher. ❷ Mettre fin à une communication téléphonique. *Je n'ai pas beaucoup de temps, je dois **raccrocher** !* ❸ Retourner aux études après les avoir interrompues pendant un temps. **CONTR** décrocher. ■ *se* **raccrocher** : se retenir à quelque chose. *Il a réussi à **se raccrocher** à une branche.*

race nom féminin
❶ Groupe d'êtres humains qui ont certaines ressemblances physiques. *La plupart des Africains sont de **race** noire.* ❷ Catégorie d'une espèce animale. *Mon chien est un caniche de pure **race**.* ♦ Famille du mot : antiraciste, racé, racial, racisme, raciste.

racé, racée adjectif
Qui a les qualités propres à sa race. *Un chien **racé**.*

rachat nom masculin
Action de racheter quelque chose.

racheter verbe ▸ conjug. 8
❶ Acheter de nouveau. *Il n'y a plus de beurre, il faut en **racheter**.* ❷ Acheter à quelqu'un ce qu'il avait acheté pour lui. *Mon oncle veut vendre sa voiture, c'est ma mère qui va la lui **racheter**.* ❸ Réparer. *Il **a racheté** ses erreurs.* ■ *se* **racheter** : se faire pardonner. *Émile a voulu **se racheter** en faisant la vaisselle.*

rachitique adjectif
❶ Dont le squelette s'est mal développé. ❷ Maigre. *La médecin a examiné des enfants **rachitiques**.* **SYN** chétif, malingre.

racial, raciale, raciaux adjectif
Qui concerne la race. *La loi interdit toute discrimination **raciale**.*

racine nom féminin
❶ Partie des végétaux qui s'enfonce dans la terre. *Ce gros arbre a des **racines** très profondes.* 👁p. 66, p. 792. • **Prendre racine** : s'enraciner. ❷ Partie d'une dent enfoncée dans la gencive.

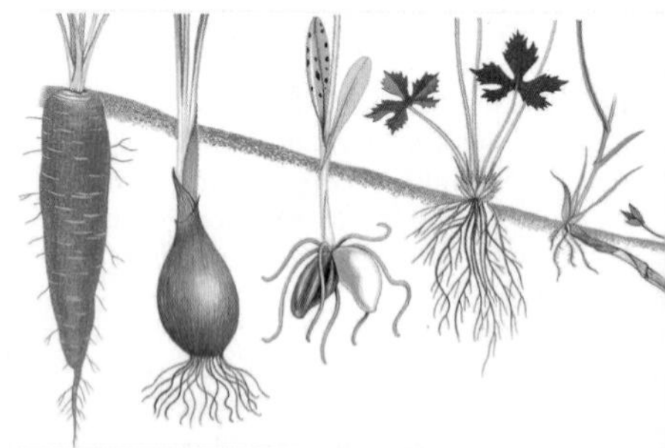

*Des **racines***

racisme nom masculin
Doctrine et comportement de ceux qui pensent qu'une race humaine est supérieure aux autres races. *Il faut lutter contre toutes les formes de **racisme**.* * Chercher aussi *antisémitisme*.

raciste nom et adjectif
Qui fait preuve de racisme. *En méprisant ceux qui ne leur ressemblent pas, les **racistes** ont causé beaucoup de malheurs. – Des idées **racistes**.*

raclée nom féminin
❶ Dans la langue familière, série de coups. *Recevoir une **raclée**.* **SYN** volée. ❷ Au sens figuré, défaite écrasante. *Nous avons perdu 8-0 : toute une **raclée** !*

racler verbe ▸ conjug. 3
Gratter quelque chose pour le nettoyer. *J'**ai raclé** la casserole pour bien la laver.*

racoler verbe ▸ conjug. 3
Attirer les clients par tous les moyens pour leur vendre quelque chose. *Cette vendeuse **racolait** les passants pour vendre sa marchandise.*

racontar nom masculin
Dans la langue familière, commérage. *Ses **racontars** ne m'intéressent pas.*
SYN cancan, potins.

raconter verbe ▸ conjug. 3
Faire le récit d'un évènement. *Nos amis nous **ont raconté** leur voyage au Mexique.*
SYN narrer, relater.

radar nom masculin
Appareil qui montre sur un écran la position et la distance d'une chose que l'on ne voit pas. *Les avions sont guidés par des **radars**.*
* Chercher aussi *sonar*.

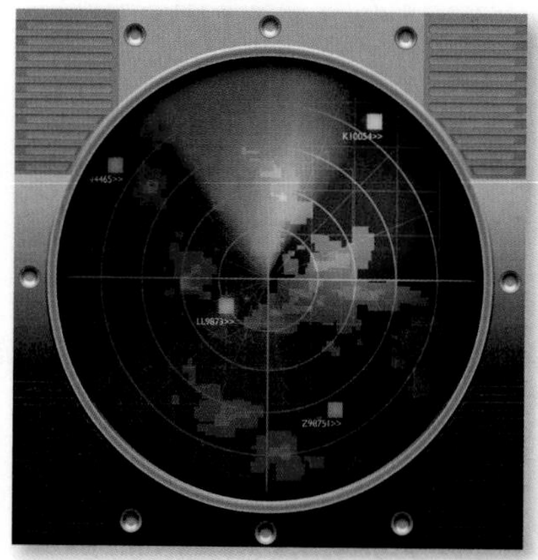
Un **radar**

radar photo nom masculin
Radar utilisé sur les routes, muni d'un appareil pour photographier les véhicules qui dépassent les limites de vitesse autorisées. ✎ Pluriel : *des **radars photo**.*

rade nom féminin
Grand bassin qui communique avec la mer. *Les navires viennent s'abriter dans la **rade**.*

radeau, radeaux nom masculin
Embarcation faite de morceaux de bois assemblés. *Ils ont construit un **radeau** pour traverser la rivière.*

Un **radeau**

radiateur nom masculin
❶ Appareil de chauffage. *Dans chaque pièce de la maison, il y a un **radiateur**.* ❷ Appareil servant à refroidir le moteur d'une voiture.

① **radiation** nom féminin
Rayonnement invisible qui peut présenter un danger. *Des habitants de la région ont été victimes de **radiations** radioactives.*

② **radiation** nom féminin
Action de radier quelqu'un d'un ordre professionnel. *L'Ordre des médecins a prononcé la **radiation** de ce chirurgien.*

① **radical, radicale, radicaux** adjectif
❶ Qui attaque un mal dans ses causes profondes. *Prendre des mesures **radicales** pour enrayer le décrochage scolaire.* ❷ Qui est complet, total. *Une transformation **radicale**.*

② **radical, radicaux** nom masculin
Partie du verbe qui exprime le sens et qui ne change habituellement pas quand on le conjugue. *Dans je **chant**e, tu **chant**es, il **chant**ait, nous **chant**erons, la partie « chant » est le **radical**.*

radicalement adverbe
D'une manière radicale. *Ces deux frères ont des caractères **radicalement** opposés.*
SYN complètement, totalement.

a b c d e f g h i j k l m n o p q **r** s t u v w x y z

radier verbe ▸ conjug. 10
Rayer quelqu'un d'une liste ou d'un ordre professionnel. ***Radier*** *un électeur de la liste électorale.*

radieux, radieuse adjectif
❶ Qui brille d'un vif éclat. *Il fait un soleil* ***radieux*** *ce matin.* SYN éclatant. ❷ Qui rayonne de joie, de bonheur. *Un sourire* ***radieux****.* SYN heureux.

radin, radine adjectif et nom
Dans la langue familière, avare. *Il est bien trop* ***radin*** *pour offrir des fleurs. – C'est une* ***radine****.* CONTR généreux.

① **radio** nom féminin
❶ Abréviation de *radiodiffusion. Cette émission est transmise par* ***radio****.* ❷ Appareil qui reçoit et transmet des ondes pour produire des sons.

② **radio** nom féminin
Abréviation de *radiographie. Fatima doit passer une* ***radio*** *pour savoir si elle a une entorse ou une fracture.*

radioactif, radioactive adjectif
Qui émet des radiations ou des rayonnements résultant de réactions nucléaires. *Les déchets* ***radioactifs*** *des centrales nucléaires sont très dangereux.*

radioactivité nom féminin
Caractère radioactif de certains corps. *La* ***radioactivité*** *du radium et de l'uranium.*

radiodiffusé, radiodiffusée adjectif
Qui est transmis par la radio. *Cette partie de hockey sera* ***radiodiffusée*** *en direct.*

radiodiffusion nom féminin
Procédé qui permet d'envoyer des sons en utilisant des ondes.

radiographie nom féminin
❶ Technique qui permet de photographier l'intérieur du corps grâce aux rayons X. ❷ Image obtenue à l'aide de cette technique.

radiologie nom féminin
Spécialité de la médecine qui utilise certains rayonnements pour faire des diagnostics ou pour soigner certaines maladies.

radiologue ou **radiologiste** nom
Médecin spécialiste de la radiologie. *Une* ***radiologue*** *examine la radiographie.*

radiophonique adjectif
Qui passe à la radio. *Les émissions* ***radiophoniques****.*

radioréveil nom masculin
Appareil qui combine une radio et un réveil. *David a mis son* ***radioréveil*** *à sept heures.* ✎ Pluriel : *des* ***radioréveils****.*

radis nom masculin
Plante potagère cultivée pour sa racine comestible. *Au marché, j'ai acheté des* ***radis****.*

Des ***radis***

radium nom masculin
Métal radioactif. * Attention ! La deuxième syllabe du mot *radium* se prononce *diome*.

radius nom masculin
Le plus court des deux os de l'avant-bras. * Attention ! Le *s* du mot *radius* se prononce. * Chercher aussi *cubitus*, *humérus*.

radotage nom masculin
Action de radoter. *Ses* ***radotages*** *me fatiguent.*

radoter verbe ▸ conjug. 3
Dire des choses qui n'ont pas de sens ou répéter sans cesse la même chose. *Sa vieille tante commence à* ***radoter****.* SYN divaguer, rabâcher.

se **radoucir** verbe ▸ conjug. 11
❶ Devenir plus doux, plus chaud. *Au printemps, le temps commence à* ***se radoucir****.* SYN se réchauffer. ❷ Devenir plus calme ou plus aimable. *Après son accès de colère, il* ***s'est radouci****.*

radoucissement nom masculin
Fait de se radoucir. *On sent un* ***radoucissement*** *de la température.* SYN réchauffement.

rafale nom féminin
❶ Coup de vent soudain et violent. *On annonce des* ***rafales*** *de neige en soirée.* SYN bourrasque. ❷ Série de coups de feu tirés très rapidement. *Une* ***rafale*** *de mitraillette.*

raffermir verbe ▸ conjug. 11
Rendre plus ferme. *Sergio fait du conditionnement physique pour* ***raffermir*** *ses abdominaux.* SYN durcir.

raffinage nom masculin
Opération qui consiste à raffiner un produit. *Le **raffinage** du pétrole permet d'obtenir de l'essence.* * Chercher aussi *distillation*.

raffiné, raffinée adjectif
❶ Qui a été traité par raffinage. *Une huile **raffinée**.* ❷ Qui montre du goût et de la distinction. *Elle est toujours habillée de façon **raffinée**.* **SYN** élégant. **CONTR** grossier, vulgaire.

raffinement nom masculin
Qualité de ce qui est raffiné. *Leur maison est décorée avec beaucoup de **raffinement**.* **SYN** recherche.

raffiner verbe ▸ conjug. 3
Rendre une matière plus pure. ***Raffiner** du sucre, du pétrole.* ♦ Famille du mot : raffinage, raffiné, raffinement, raffinerie.

raffinerie nom féminin
Usine où l'on raffine un produit. *Une **raffinerie** de pétrole.*

*Les **raffineries** de pétrole de Montréal*

raffoler verbe ▸ conjug. 3
Aimer à la folie. *Maude **raffole** du sucre à la crème.* **SYN** adorer.

rafistoler verbe ▸ conjug. 3
Dans la langue familière, réparer quelque chose grossièrement. *J'**ai rafistolé** mon livre avec du ruban adhésif.*

rafler verbe ▸ conjug. 3
Dans la langue familière, prendre et emporter tout ce que l'on trouve. *Les voleurs **ont raflé** tous les bijoux qu'ils ont trouvés.*

rafraîchir verbe ▸ conjug. 11
❶ Rendre plus frais. *La pluie **a rafraîchi** l'atmosphère.* ❷ Calmer la soif. *Cette eau froide nous **a** bien **rafraîchis**.* ❸ Redonner de la fraîcheur et de l'éclat à ce qui était défraîchi. *Elle **a rafraîchi** la peinture de sa chambre.* • **Rafraîchir la mémoire de quelqu'un :** lui rappeler ce qu'il semble avoir oublié. *Il m'avait promis une récompense ; je vais lui **rafraîchir la mémoire**.* ■ **se rafraîchir** ❶ Devenir plus frais. *La température **se rafraîchit**.* **CONTR** se réchauffer. ❷ Se procurer une sensation de fraîcheur. *Arnaud **se rafraîchit** en prenant une douche.* ✎ On peut écrire aussi ***(se) rafraichir***.

rafraîchissant, rafraîchissante adjectif
Qui rafraîchit. *Le thé glacé est **rafraîchissant**.* ✎ On peut écrire aussi ***rafraichissant***, ***rafraichissante***.

rafraîchissement nom masculin
❶ Fait de se rafraîchir. *On annonce un **rafraîchissement** de la température.* **CONTR** radoucissement. ❷ Boisson fraîche. *Servir des **rafraîchissements**.* ✎ On peut écrire aussi ***rafraichissement***.

rafting nom masculin
Sport qui consiste à descendre les rapides d'une rivière à bord d'un radeau pneumatique.

ragaillardir verbe ▸ conjug. 11
Redonner des forces, de la gaieté. *Cette heureuse nouvelle l'**a ragaillardi**.* **SYN** réconforter, revigorer.

rage nom féminin
❶ Maladie mortelle qui peut être transmise par la morsure de certains animaux comme les chiens et les renards. ❷ Colère très violente. *Félix est fou de **rage**, car on lui a volé son vélo.* • **Faire rage :** atteindre une très grande violence. *L'incendie **fait rage**.* • **Rage de dents :** mal de dents très violent. ♦ Famille du mot : enragé, enrager, rager, rageur, rageusement.

rager verbe ▸ conjug. 5
Dans la langue familière, enrager. *Elle **rage** d'avoir échoué si près du but.*

rageur, rageuse adjectif
Qui exprime la colère. *Il a claqué la porte d'un geste **rageur**.* **SYN** furieux.

rageusement adverbe
De façon rageuse. *Elle a déchiré la lettre **rageusement**.* **SYN** furieusement.

ragoût nom masculin
Plat de viande ou de légumes cuits longuement dans une sauce. • **Ragoût de boulettes :** ragoût à base de petites boules de viande hachée, roulées dans la farine. • **Ragoût de pattes (de cochon) :** ragoût à base de pieds de porc. ✎ On peut écrire aussi ***ragout***.

ragoûtant, ragoûtante adjectif
• **Pas** ou **peu ragoûtant** : qui dégoûte. *Ce fromage moisi n'est **pas** très **ragoûtant**.* ✎ On peut écrire aussi ***ragoutant***.

raid nom masculin
❶ Attaque rapide menée par surprise contre un ennemi. *Un **raid** aérien.* ❷ Épreuve sportive d'endurance sur une grande distance. *Participer à un **raid** automobile.* * Attention ! Le *d* du mot *raid* se prononce. * Chercher aussi *rallye*. ✎ Ne pas confondre *raid* et *raide*.

raide adjectif
❶ Qui est difficile à plier. *Après avoir enlevé le plâtre, son bras était encore **raide**.* **CONTR** souple. ❷ Qui ne forme pas de boucles. *Erika a les cheveux **raides**.* ❸ Qui est très incliné. *Nous avons gravi une pente **raide**.* **SYN** abrupt, escarpé. • **Être sur la corde raide** : être dans une situation délicate, dangereuse (comme un funambule qui marche sur une corde tendue). ■ **raide** adverbe Soudain. *Tomber **raide** mort.* **SYN** brusquement. ♦ Famille du mot : raideur, raidir. ✎ Ne pas confondre *raide* et *raid*.

raideur nom féminin
Fait d'être raide. *La **raideur** de sa jambe la gêne pour marcher.* **CONTR** souplesse.

raidir verbe ▸ conjug. 11
Rendre raide. ***Raidir** un cordage.* **SYN** tendre. ■ *se* **raidir** : devenir raide. *Ses doigts **se raidissent** au contact du froid.*

① **raie** nom féminin
❶ Rayure. *Le tissu de la chaise longue est blanc avec des **raies** vertes.* **SYN** ligne. ❷ Ligne qui sépare les cheveux en deux. *Éliane fait sa **raie** avec un peigne.*

② **raie** nom féminin
Poisson de mer au corps aplati. *Certaines **raies** peuvent peser plus d'une tonne.* 👁p. 802.

*Une **raie***

raifort nom masculin
Condiment obtenu à partir d'une plante dont la racine a un goût piquant. *On sert habituellement les sushis avec une espèce de **raifort**.*

rail nom masculin
❶ Chacune des deux barres d'acier parallèles sur lesquelles roulent les trains. *Les **rails** sont fixés sur des traverses.* **SYN** voie* ferrée. ❷ Barre de métal qui sert à guider le mouvement d'un objet. *La porte coulissante glisse sur un **rail**.* ♦ Famille du mot : déraillement, dérailler, dérailleur.

*Des **rails***

railler verbe ▸ conjug. 3
Se moquer, ridiculiser. *Ce n'est pas gentil de **railler** ses amis.* ♦ Famille du mot : raillerie, railleur.

raillerie nom féminin
Moquerie. *Les **railleries** de ses amis lui ont fait de la peine.* **SYN** sarcasme.

railleur, railleuse adjectif
Moqueur. *Un ton **railleur**.* **SYN** narquois, sarcastique.

rainette nom féminin
Petite grenouille. * Chercher aussi *ouaouaron*. 👁p. 46.

rainure nom féminin
Fente longue et étroite. *Les **rainures** d'un plancher.*

raisin nom masculin
Fruit de la vigne formé de petits grains réunis en grappes. *On peut faire du vin avec du **raisin** rouge ou du **raisin** vert.*

*Des **raisins***

raison nom féminin
❶ Ce qui permet à l'être humain de réfléchir et de juger ce qu'il est bon de faire. *Dans cette guerre, la folie l'a emporté sur la **raison**.* ❷ Ce qui explique un fait ou une action. *Le match a été annulé en **raison** des intempéries. Sais-tu pour quelle **raison** il s'est mis en colère ?* SYN cause, motif. • **À plus forte raison** ou **raison de plus :** pour un motif d'autant plus fort, d'autant plus valable. *Elle s'ennuie souvent le dimanche, **raison de plus** pour l'inviter.* • **Avoir de bonnes raisons :** avoir de bonnes excuses. • **Avoir raison :** dire ou faire ce qui est bien ou juste, ne pas se tromper. CONTR avoir tort. • **Ce n'est pas une raison :** ce n'est pas une excuse valable. • **Comme de raison :** évidemment. ***Comme de raison**, il a trouvé une bonne excuse pour ne pas descendre les ordures.* • **À raison de :** au rythme de, sur la base de. *Elle suit des cours de guitare **à raison de** deux heures par semaine.* • **Se faire une raison :** se résigner à accepter ce que l'on ne peut pas changer. ♦ Famille du mot : déraisonnable, déraisonner, irraisonné, raisonnable, raisonnablement, raisonnement, raisonner.

raisonnable adjectif
❶ Qui agit suivant la raison. *Soyez **raisonnables**, attendez la fin de l'orage pour sortir.* SYN sensé. CONTR déraisonnable, fou. ❷ Qui n'est pas excessif. *Alexis s'est acheté un vélo à un prix **raisonnable**.* SYN convenable, modéré. CONTR excessif, exorbitant.

raisonnablement adverbe
D'une façon raisonnable. *Pour être en bonne santé, il faut boire et manger **raisonnablement**.*

raisonnement nom masculin
Suite des idées et des jugements qui s'enchaînent de façon logique pour arriver à une conclusion. *Je ne comprends pas ton **raisonnement** ; peux-tu me l'expliquer ?*

raisonner verbe ▸ conjug. 3
Se servir de sa raison pour juger ou démontrer. *Pour résoudre ce problème, Annick essaie de **raisonner**.* SYN réfléchir. • **Raisonner quelqu'un :** essayer de le convaincre d'être raisonnable. *Ton ami exagère, tu devrais le **raisonner**.* * Ne pas confondre *raisonner* et *résonner*.

rajeunir verbe ▸ conjug. 11
Faire paraître plus jeune. *Cette nouvelle coupe de cheveux la **rajeunit**.* CONTR vieillir.

rajeunissement nom masculin
Fait de rajeunir.

rajouter verbe ▸ conjug. 3
Ajouter de nouveau. *Ce yogourt est déjà sucré, ce n'est pas la peine de **rajouter** du sucre.*

rajustement nom masculin
Fait de rajuster. *Le **rajustement** des salaires.* * On dit aussi ***réajustement***.

rajuster verbe ▸ conjug. 3
❶ Remettre en ordre. ***Rajuster** sa coiffure.* SYN arranger. ❷ Remettre à son juste niveau. ***Rajuster** les salaires pour suivre la hausse des prix.* * On dit aussi ***réajuster***.

râle nom masculin
Bruit rauque et anormal que l'on fait parfois en respirant.

ralenti nom masculin
• **Au ralenti :** à faible vitesse.

ralentir verbe ▸ conjug. 11
Aller plus lentement. *Les automobilistes doivent **ralentir** dans les zones scolaires.* CONTR accélérer.

ralentissement nom masculin
Fait de ralentir. *Aux heures de pointe, on constate un **ralentissement** de la circulation.* CONTR accélération.

ralentisseur nom masculin
Sorte de dos-d'âne qui oblige les automobilistes à ralentir.

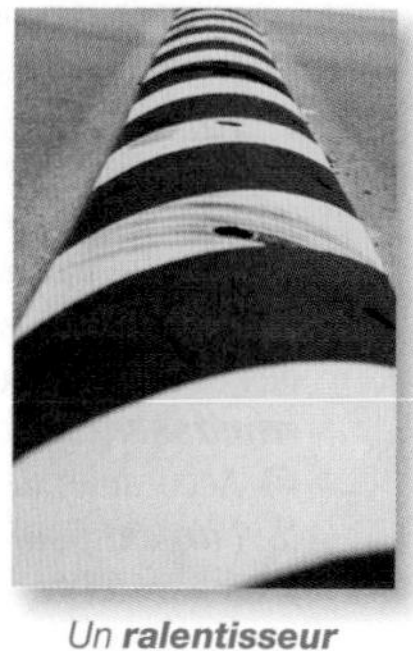
*Un **ralentisseur***

râler verbe ▸ conjug. 3
❶ Faire entendre un râle. ❷ Dans la langue familière, manifester sa mauvaise humeur. *Il n'a pas cessé de **râler**.* SYN chialer, grogner, protester, rouspéter.

ralliement nom masculin
❶ Action de se rassembler. *Les manifestants se sont donné un point de **ralliement**.* CONTR dispersion. ❷ Fait de se rallier. *Ce candidat espère bénéficier du **ralliement** des écologistes.* SYN adhésion.

rallier verbe ▸ conjug. 10
Regrouper des gens dispersés. *Le général a **rallié** ses troupes.* SYN rassembler.
■ *se* **rallier :** adhérer à une opinion. *Elle a fini par **se rallier** à notre cause.*

a b c d e f g h i j k l m n o p q r s t u v w x y z

rallonge nom féminin
❶ Élément qui permet de rallonger un objet. *Si on est douze à table, il faut mettre les deux* ***rallonges****.* ❷ Fil électrique qui sert à en prolonger un autre. *Pour pouvoir brancher cette lampe, il faut une* ***rallonge****.*

rallonger verbe ▸ conjug. 5
❶ Rendre plus long. *Pénélope a défait l'ourlet de sa robe pour la* ***rallonger****.* **CONTR** raccourcir. ❷ Devenir plus long. *Les jours* ***rallongent****.* **CONTR** diminuer.

rallumer verbe ▸ conjug. 3
Allumer de nouveau. *Le feu s'est éteint, je vais le* ***rallumer****.*

rallye nom masculin
Compétition dans laquelle les concurrents doivent rallier un endroit déterminé après un certain nombre d'épreuves. * Chercher aussi *raid*.

ramadan nom masculin
Mois pendant lequel les musulmans doivent s'abstenir de manger et de boire entre le lever et le coucher du soleil.

ramage nom masculin
Chant d'oiseau.

ramages nom masculin pluriel
Dessin de branchages, de rameaux. *Elle porte une robe à* ***ramages****.*

ramassage nom masculin
Action de ramasser. *Les enfants ont participé au* ***ramassage*** *des feuilles mortes.*

ramasser verbe ▸ conjug. 3
❶ Prendre par terre. *Sur la plage, les enfants* ***ont ramassé*** *des coquillages.* ❷ Rassembler des choses qui sont dispersées. *Les éboueurs* ***ramassent*** *les ordures ménagères.* ❸ Accumuler de l'argent. ***Ramasser*** *de l'argent pour ses vieux jours.* **SYN** épargner. ■ *se* **ramasser** ❶ Dans la langue familière, mettre de l'ordre. *Je* ***me ramasse*** *pour pouvoir retrouver mes choses.* ❷ Se replier en contractant ses muscles. *Le chat* ***se ramasse*** *avant de bondir.* ❸ Dans la langue familière, se retrouver par terre ou dans un lieu. *Elle* ***s'est ramassée*** *par terre sur la piste cyclable. Il* ***s'est ramassé*** *en prison.* ♦ Famille du mot : ramassage, ramassis.

ramassis nom masculin
Ensemble de choses ou de gens sans valeur. *Un* ***ramassis*** *de vieux objets.*

rambarde nom féminin
Rampe qui sert de garde-fou. *La* ***rambarde*** *d'un pont, d'une passerelle.* **SYN** bastingage, parapet.

① **rame** nom féminin
Longue pièce de bois dont une extrémité, élargie et plate, sert à faire avancer une embarcation. ♦ Famille du mot : ramer, rameur.

② **rame** nom féminin
File de wagons attachés les uns aux autres. *Laura est montée en tête de la* ***rame*** *de métro.*

Une ***rame*** *de métro*

rameau, rameaux nom masculin
Petite branche d'un arbre ou d'un arbuste. 👁p. 66.

ramener verbe ▸ conjug. 8
❶ Amener quelqu'un là où il était avant. *Après le film, mes amis m'****ont ramené*** *chez moi en voiture.* **SYN** raccompagner, reconduire. ❷ Faire revenir à l'état antérieur. *Ce médiateur tente de* ***ramener*** *la paix entre les deux groupes.* **SYN** rétablir.

ramer verbe ▸ conjug. 3
Manœuvrer les rames d'une embarcation. *Yohan a mal aux bras à force de* ***ramer****.*

rameur, rameuse nom
Personne qui rame. *Quatre* ***rameurs*** *faisaient avancer le bateau.*

ramification nom féminin
Division d'une chose en parties plus petites. *Sur ce dessin, tu peux voir la* ***ramification*** *des branches.*

se **ramifier** verbe ▸ conjug. 10
Se subdiviser en plusieurs ramifications. *La plus grosse branche de cet arbre* ***s'est ramifiée****.*

ramollir verbe ▸ conjug. 11
❶ Rendre plus mou. *Odile chauffe la pâte à modeler dans ses mains pour la* ***ramollir****.* ❷ Au sens figuré, rendre plus mou, moins énergique. *Bruno devient paresseux ; l'inactivité le* ***ramollit****.*

ramonage nom masculin
Action de ramoner. *Le* ***ramonage*** *régulier des cheminées est recommandé.*

ramoner verbe ▸ conjug. 3
Enlever la suie d'un conduit de cheminée.
♦ Famille du mot : ramonage, ramoneur.

ramoneur, ramoneuse nom
Personne qui ramone les cheminées.

rampe nom féminin
❶ Barre fixée le long d'un escalier qui sert à se tenir. *Pour descendre l'escalier, Sophie se tient à la* ***rampe****.* ❷ Plan incliné qui permet le passage entre deux niveaux. *Une* ***rampe*** *permet l'accès au garage.* ❸ Rangée de lumières au bord d'une scène de théâtre. *Les feux de la* ***rampe****.* • **Rampe de lancement :** dispositif qui permet le lancement d'une fusée dans l'espace.

ramper verbe ▸ conjug. 3
❶ Se déplacer sur le ventre, par ondulations du corps. *Sarah observe les chenilles qui* ***rampent*** *sur la feuille.* ❷ S'abaisser, se soumettre devant quelqu'un. *Domenico n'a pas à* ***ramper*** *devant ses supérieurs.*

ramure nom féminin
❶ Ensemble des branches d'un arbre. 👁p. 66. ❷ Ensemble des bois d'un cervidé. 👁p. 124.

rancart nom masculin
• **Mettre au rancart :** dans la langue familière, jeter quelque chose ou s'en débarrasser. *Cette vieille machine à coudre ne marche plus, il faut la* ***mettre au rancart****.*

ranch nom masculin
Grande ferme d'élevage aux États-Unis. *Dans ce* ***ranch****, on élève des bœufs.* ✎ Pluriel : *des* ***ranchs****.*

Un ***ranch***

rancœur nom féminin
Ressentiment. *Maxime a été victime d'une injustice et en garde une profonde* ***rancœur****.* **SYN** amertume.

rançon nom féminin
❶ Somme d'argent que l'on verse en échange de la liberté d'une personne prise en otage. *Les ravisseurs exigent une* ***rançon****.* ❷ Inconvénient que peut entraîner une chose agréable. *Cette actrice a du mal à préserver sa vie privée, c'est la* ***rançon*** *de sa célébrité.* **SYN** contrepartie, prix.

rancune nom féminin
Ressentiment profond envers quelqu'un, accompagné du désir de se venger. *Elle n'éprouve aucune* ***rancune*** *envers lui.*

rancunier, rancunière adjectif et nom
Qui éprouve facilement de la rancune. *Une personne* ***rancunière*** *– Un* ***rancunier****.*

randonnée nom féminin
Longue promenade, excursion. *Mathieu a fait une* ***randonnée*** *de quatre jours dans les montagnes Rocheuses.*

randonneur, randonneuse nom
Personne qui fait une randonnée. *Les* ***randonneurs*** *sont rentrés épuisés.*

rang nom masculin
❶ Ensemble de personnes ou de choses disposées sur une même ligne (par opposition à *file*). *Les élèves se sont mis en* ***rangs****. Dans le jardin, il y a des* ***rangs*** *de carottes.* ❷ Série de mailles que l'on tricote sur la même aiguille. *Un* ***rang*** *de tricot.* ❸ Ligne de sièges placés côte à côte. *Au cinéma, Emma préfère s'installer au dernier* ***rang****.* **SYN** rangée. ❹ Place dans un classement. *Ce joueur de tennis occupe le premier* ***rang*** *au classement.* ❺ Place dans la société. *Une personne de haut* ***rang****.* ❻ Au Québec, portions de territoires agricoles de forme rectangulaire, parallèles les unes aux autres et toutes desservies à l'une de leurs extrémités par un même chemin. *La famille Béliveau habite le cinquième* ***rang****.*

rangée nom féminin
Suite de choses ou de personnes placées les unes à côté des autres, côte à côte. *Une* ***rangée*** *d'arbres bordent la route.* **SYN** rang.

a b c d e f g h i j k l m n o p q r s t u v w x y z

rangement nom masculin
❶ Action de ranger, de mettre en ordre. *Le **rangement** de sa chambre s'est fait rapidement.* ❷ Espace pour ranger, placard. *C'est un appartement pratique, avec beaucoup de **rangements**.*

ranger verbe ▶ conjug. 5
❶ Mettre en ordre. *Lucas **range** sa chambre avant de partir.* CONTR déranger. ❷ Placer une chose à l'endroit habituel. *Peux-tu **ranger** ton manteau ?* ■ se **ranger** ❶ Se mettre en rangs. *Les élèves **se sont rangés** deux par deux.* ❷ S'écarter pour laisser le passage. *Il faut **se ranger** sur le bord de la route en attendant la dépanneuse.* ♦ Famille du mot : dérangé, dérangement, déranger, rangement.

ranimer verbe ▶ conjug. 3
❶ Faire revenir à la conscience ou à la vie. *Les secouristes essaient de **ranimer** le blessé.* ❷ Redonner de la vivacité. *Le vent **a ranimé** l'incendie.* SYN attiser.

rap nom masculin
Style de musique très rythmée, dont les textes, improvisés ou non, sont scandés.

rapace nom masculin
Oiseau de proie. *Le faucon est un **rapace**.* 👁p. 720. ■ **rapace** adjectif Qui est avide d'argent. *Un homme d'affaires **rapace**.* SYN cupide.

rapailler verbe ▶ conjug. 3
Dans la langue familière, regrouper des objets dispersés. *Je vais **rapailler** mes affaires et te rejoindre dans quelques minutes.* SYN réunir.

rapatriement nom masculin
Action de rapatrier. *Le **rapatriement** des Canadiens a été organisé rapidement.*

rapatrier verbe ▶ conjug. 10
Faire revenir quelqu'un dans son pays. *Le touriste blessé **a été rapatrié**.*

râpe nom féminin
❶ Ustensile de cuisine qui sert à réduire des aliments en petits morceaux. *Une **râpe** à fromage.* ❷ Sorte de grosse lime. *Une **râpe** à bois.* ♦ Famille du mot : râpé, râpeux.

râpé, râpée adjectif
❶ Qui est usé par le frottement. *Un pantalon **râpé** aux genoux.* ❷ Qui est réduit en petits morceaux avec une râpe. *Anna met du parmesan **râpé** sur ses pâtes.*

rapetisser verbe ▶ conjug. 3
Devenir plus petit. *Fouad ne peut plus mettre ce chandail : il **a rapetissé** au lavage.* SYN rétrécir.

râpeux, râpeuse adjectif
Qui est rugueux comme une râpe. *Les chats ont une langue **râpeuse**.*

rapide adjectif
❶ Qui se déplace vite. *Le guépard est un félin très **rapide**.* CONTR lent. ❷ Qui prend peu de temps ou qui agit vite. *Une guérison **rapide**.* SYN prompt. ■ **rapide** nom masculin Partie d'un cours d'eau où le courant est très fort et tourbillonnant. *Sabrina a descendu les **rapides** de Lachine en canot.* ♦ Famille du mot : rapidement, rapidité.

*Les **rapides** du canal de Lachine*

rapidement adverbe
En peu de temps. *On n'aura pas beaucoup de temps à midi, il va falloir manger **rapidement**.* CONTR lentement.

rapidité nom féminin
Fait d'être rapide. *La **rapidité** des secours a permis de sauver les sinistrés.* CONTR lenteur.

rapiécer verbe ▶ conjug. 4 et 8
Raccommoder un vêtement en cousant une pièce de tissu. ✎ On peut écrire aussi, au futur, *je **rapiècerai***; au conditionnel, *il **rapiècerait***.

rappel nom masculin
❶ Applaudissements prolongés pour faire revenir un artiste sur la scène. *Il y a eu plusieurs **rappels** à la fin du concert.* ❷ Action de rappeler. *Ces véhicules font l'objet d'un **rappel** de la part du manufacturier.*

rappeler verbe ▶ conjug. 9
❶ Appeler une personne ou un animal pour les faire revenir. *Le Canada **a rappelé** ses soldats au pays.* ❷ Appeler de nouveau quelqu'un au téléphone. *Ça ne répond pas, je **rappellerai** plus tard.* ❸ Faire penser à quelque chose. *Ce paysage me **rappelle** la Gaspésie.* ■ se **rappeler** : se souvenir de quelque chose ou de quelqu'un. ***Te rappelles**-tu l'histoire de ce film ?*

rappeur, rappeuse nom
Personne qui chante du rap. *Cette **rappeuse** connaît un grand succès en ce moment.*

rapport nom masculin
❶ Ce qui rapproche deux choses ou deux personnes. *Il n'y a aucun **rapport** entre ces deux évènements. On a toujours eu d'excellents **rapports** avec nos voisins.* SYN relation. ❷ Fait de rapporter ce que l'on a vu ou entendu. *Les policiers ont fait un **rapport**.* SYN compte rendu. ❸ Compte rendu officiel. *Nous attendons les conclusions de ce **rapport**.* • **Par rapport à**: par comparaison. *Yann est grand **par rapport à** sa sœur.*

rapporter verbe ▸ conjug. 3
❶ Apporter quelque chose pour le donner ou pour le rendre. *Adam m'**a rapporté** le livre que je lui avais prêté.* ❷ Raconter ce que l'on a vu et entendu. *Elle **a rapporté** ce qui s'était passé.* SYN relater. ❸ Faire gagner de l'argent. *La vente de sa vieille voiture lui **a rapporté** plus qu'il espérait.* ❹ Dénoncer quelqu'un. *Il **a rapporté** le mauvais coup de son frère.* ■ *se* **rapporter**: avoir un rapport, un lien avec quelque chose. *Chang s'intéresse au cinéma et à tout ce qui **s'y rapporte**.* ♦ Famille du mot: rapport, rapporteur.

rapporteur nom masculin
Instrument en forme de demi-cercle gradué qui sert à mesurer les angles.

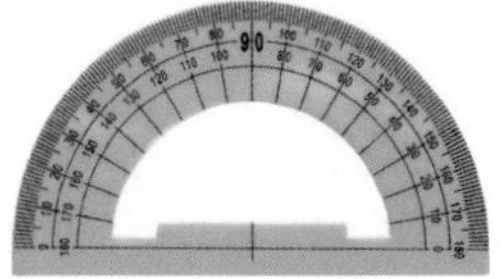

Un **rapporteur**

rapprochement nom masculin
❶ Fait de se rapprocher. *Cette entente devrait favoriser le **rapprochement** entre ces deux pays.* ❷ Action de rapprocher deux choses. *Il a fait un **rapprochement** entre les deux évènements.* SYN lien, parallèle.

rapprocher verbe ▸ conjug. 3
❶ Mettre plus près. *Cédric **a rapproché** sa chaise de la table.* CONTR éloigner. ❷ Rendre plus proche. *Cette naissance **a rapproché** les membres de la famille.* ❸ Rendre plus proche dans le temps. *Chaque heure passée la **rapprochait** du départ.* ■ *se* **rapprocher** ❶ Se mettre plus près. ***Rapprochez-vous** de moi.* ❷ Être proche, ressemblant. *Les goûts de Roxane **se rapprochent** de ceux de Anh.*

rapt nom masculin
Enlèvement d'une personne. *Cette personne a été victime d'un **rapt**.* * Attention! Le *t* du mot *rapt* se prononce.

raquette nom féminin
❶ Instrument qui sert à envoyer une balle ou un volant. *Une **raquette** de tennis, de badminton.* ❷ Large semelle que l'on adapte à la chaussure pour se déplacer sur la neige sans s'enfoncer. • **Faire de la raquette**: marcher à l'aide de raquettes, pratiquer le sport de la raquette.

Divers types de **raquettes**

raquetteur, raquetteuse nom
Personne qui se déplace en raquettes, qui pratique ce sport.

rare adjectif
❶ Qui n'arrive pas souvent. *Nathan est en retard, c'est **rare** de sa part.* SYN inhabituel. CONTR fréquent. ❷ Difficile à trouver. *Un timbre **rare**.* ❸ Que l'on ne trouve pas abondamment. *L'eau est **rare** dans le désert.* CONTR commun, courant. ♦ Famille du mot: rarement, rareté, rarissime.

rarement adverbe
Peu souvent. *Estelle est très **rarement** malade.* CONTR fréquemment.

rareté nom féminin
Caractère de ce qui est rare. *La **rareté** de ce livre en fait sa valeur.*

rarissime adjectif
Qui est très rare. *Certaines maladies sont devenues **rarissimes** aujourd'hui.*

a b c d e f g h i j k l m n o p q r s t u v w x y z

ras, rase adjectif
Qui est très court. *Un chien à poil **ras**.* **CONTR** long. • **À ras bord :** jusqu'au niveau du bord. *L'évier est plein **à ras bord**.* • **Au ras de :** très près. *L'avion vole **au ras du** sol.* • **En avoir ras le bol :** dans la langue familière, en avoir assez. *J'**en ai ras le bol** de tes menteries !*

rasage nom masculin
Action de raser. *Cette lotion s'applique après le **rasage**.*

raser verbe ▸ conjug. 3
❶ Couper les poils ou les cheveux au ras de la peau. *Mon oncle s'est fait **raser** la tête.* ❷ Démolir complètement. *Les employés de la ville **raseront** cet immeuble insalubre.* ❸ Passer au ras de quelque chose. *La balle de tennis **a rasé** le filet.* **SYN** effleurer, frôler. ■ *se* **raser** : se couper les poils de la barbe. *Mon père **se rase** tous les matins.* ♦ Famille du mot : ras, rasage, rasoir.

rasoir nom masculin
Instrument qui sert à raser les poils.

rassasier verbe ▸ conjug. 10
Apaiser complètement la faim. *Julie a un petit appétit, quelques bouchées la **rassasient**.*

rassemblement nom masculin
Fait de se rassembler. *Un **rassemblement** se forme autour du magicien.*

rassembler verbe ▸ conjug. 3
Mettre ensemble. *Mathis **a rassemblé** tous ses jouets dans un coffre.* **CONTR** disperser, éparpiller. ■ *se* **rassembler** : se réunir, se regrouper. *Pour le mariage, toute la famille **se rassemblera**.* **SYN** s'assembler.

se **rasseoir** verbe ▸ conjug. 29
S'asseoir de nouveau. *Après avoir porté un toast à ses hôtes, il **s'est rassis**.*

rassis, rassise adjectif
Qui n'est pas frais. *Du pain **rassis**.*

rassurant, rassurante adjectif
Qui rassure. *Les dernières nouvelles de sa santé sont plutôt **rassurantes**.* **CONTR** inquiétant.

rassurer verbe ▸ conjug. 3
Faire disparaître l'inquiétude ou la peur. *Le médecin nous **a rassurés** : la guérison sera rapide.* **SYN** tranquilliser. **CONTR** affoler, inquiéter.

rat nom masculin
Mammifère rongeur plus gros que la souris, très nuisible. 👁p. 638. • **Rat musqué :** petit animal de l'Amérique du Nord recherché pour sa fourrure.

*Un **rat***

se **ratatiner** verbe ▸ conjug. 3
Devenir petit et ridé. *Ces vieilles pommes **se sont ratatinées**.*

ratatouille nom féminin
Plat composé de tomates, d'oignons, de courgettes, de poivrons et d'aubergines cuits dans l'huile d'olive.

① **rate** nom féminin
Organe situé en arrière de l'estomac.

② **rate** nom féminin
Femelle du rat.

raté, ratée nom
Personne qui n'a pas réussi dans la vie. ■ **raté** nom masculin Mauvais fonctionnement, anomalie. *Les **ratés** du système de santé.*

râteau, râteaux nom masculin
Outil de jardinage qui sert à ratisser. *Nous ratissons les feuilles mortes avec un **râteau**.*

*Un **râteau***

râtelier nom masculin
Sorte d'échelle fixée horizontalement au mur destinée à recevoir le fourrage pour le bétail.

rater verbe ▸ conjug. 3
❶ Ne pas réussir. *Myriam **a raté** son gâteau.* ❷ Ne pas atteindre ou ne pas attraper. *Il **a raté** l'autobus.* **SYN** manquer.

ratifier verbe ▸ conjug. 10
Approuver officiellement. ***Ratifier** un contrat.*

ration nom féminin
Quantité de nourriture distribuée à chacun. *Chaque matin, le cultivateur distribue aux chevaux leur **ration** d'avoine.* ♦ Famille du mot : rationnement, rationner.

rationnel, rationnelle adjectif
Qui est conforme à la raison et au bon sens. *Cette femme **rationnelle** prend souvent de bonnes décisions.* **SYN** sensé. **CONTR** irrationnel. ♦ Famille du mot : irrationnel, rationnellement.

rationnement nom masculin
Action de rationner. *La sécheresse a entraîné le **rationnement** de l'eau.*

rationner verbe ▶ conjug. 3
Limiter la consommation de quelque chose. *Pendant la guerre, on **rationnait** la nourriture.* ■ se **rationner**: limiter sa consommation. *Ils ont dû **se rationner** pour ne pas épuiser trop rapidement leurs réserves d'eau.*

ratissage nom masculin
Action de ratisser. *Le **ratissage** des feuilles mortes. Le **ratissage** d'un secteur de la ville.*

ratisser verbe ▶ conjug. 3
❶ Nettoyer avec un râteau. *Le jardinier **ratisse** la pelouse.* ❷ Fouiller méthodiquement un lieu. *Pour retrouver les malfaiteurs, la police **a ratissé** le secteur.*

raton nom masculin
Jeune rat. • **Raton laveur:** petit mammifère carnivore d'Amérique. *Le **raton laveur** lave ses aliments avant de les manger.*

Un **raton laveur**

ratoureux, ratoureuse adjectif et nom
Dans la langue familière, qui est rusé, malin. *Une personne **ratoureuse**. – Ce petit **ratoureux** a trouvé le moyen de nous berner.*

rattachement nom masculin
Action de rattacher. *Le **rattachement** du Texas aux États-Unis date de 1845.*

rattacher verbe ▶ conjug. 3
❶ Attacher ce qui s'est détaché. *Mes lacets étaient défaits, je les **ai rattachés**.* ❷ Attacher, établir un lien. *Il **a rattaché** ce fil électrique au circuit.*

rattrapage nom masculin
• **Cours de rattrapage:** cours destiné aux élèves qui ont un retard à rattraper. * Chercher aussi *récupération*.

rattraper verbe ▶ conjug. 3
❶ Attraper une personne ou un animal qui se sont échappés. *Enzo **a rattrapé** son chien qui s'était sauvé.* ❷ Rejoindre quelqu'un qui a pris de l'avance. *Pars devant, je te **rattraperai**.* ❸ Regagner le temps perdu. *Cette coureuse essaie de **rattraper** son retard.* ■ se **rattraper**: se retenir. *Gabriel **s'est rattrapé** à la rampe pour ne pas tomber dans l'escalier.*

rature nom féminin
Trait pour barrer ce que l'on a écrit. *Ce devoir est plein de **ratures**.*

raturer verbe ▶ conjug. 3
Faire des ratures. *Sonia **a raturé** plusieurs mots.* **SYN** rayer.

rauque adjectif
Se dit d'une voix grave et voilée. *Éric a la voix **rauque** à force d'avoir crié.*

ravager verbe ▶ conjug. 5
Faire des ravages. *L'incendie **a ravagé** plusieurs hectares de forêt.* **SYN** détruire, dévaster.

ravages nom masculin pluriel
Dégâts importants. *La grêle a fait des **ravages** dans les cultures.* **SYN** dommage.

ravaler verbe ▶ conjug. 3
❶ Nettoyer et restaurer la façade d'un immeuble. *Pour **ravaler** l'immeuble, les ouvriers ont installé un échafaudage.* ❷ Avaler de nouveau. ***Ravaler** sa salive.*

rave nom féminin
Plante potagère à racine comestible. *Les betteraves, les navets et les radis sont des **raves**.*

ravi, ravie adjectif
Qui est très content. *Je suis **ravie** d'avoir fait votre connaissance.* **SYN** enchanté.

ravigoter verbe ▶ conjug. 3
Dans la langue familière, redonner de la vigueur. *Cette petite sieste nous **a ravigotés**.* **SYN** ragaillardir, revigorer.

ravin nom masculin
Vallée étroite et profonde. *Le camion est tombé au fond du **ravin**.*

ravioli nom masculin
Petit carré de pâte farci d'un hachis de viande ou de légumes. *Julianne mange des **raviolis** à la sauce tomate.*

① **ravir** verbe ▶ conjug. 11
Faire un grand plaisir à quelqu'un. *Sa réussite nous **a ravis**.* • **À ravir:** très bien. *Ta nouvelle coiffure te va **à ravir**.* ♦ Famille du mot: ravi, ravissant, ravissement.

a b c d e f g h i j k l m n o p q r s t u v w x y z

② ravir verbe ▸ conjug. 11
Dans la langue littéraire, prendre quelque chose de force. *Elle voudrait bien lui* ***ravir*** *le titre de championne.*

se **raviser** verbe ▸ conjug. 3
Changer d'avis. *Hier, Sarah était d'accord pour venir avec nous, mais elle* ***s'est ravisée.***

ravissant, ravissante adjectif
Qui est très joli. *Une enfant* ***ravissante.***

ravissement nom masculin
État de grande joie, de grand bonheur. *Allez voir ce spectacle de danse, c'est un* ***ravissement.*** **SYN** enchantement.

ravisseur, ravisseuse nom
Personne qui a enlevé quelqu'un. *Le* ***ravisseur*** *exige une rançon.* * Chercher aussi *rapt.*

ravitaillement nom masculin
❶ Action de ravitailler. *Ce camion-citerne assure le* ***ravitaillement*** *de plusieurs stations-service.* **SYN** approvisionnement. ❷ Réserves de nourriture. *Les trois randonneurs ont du* ***ravitaillement*** *pour quatre jours.* **SYN** provisions.

ravitailler verbe ▸ conjug. 3
Faire parvenir des vivres ou du matériel. *Des hélicoptères* ***ont ravitaillé*** *les habitants d'un village sinistré.*

raviver verbe ▸ conjug. 3
Rendre plus vif ou plus intense. ***Raviver*** *le feu dans la cheminée. Cette photo* ***a ravivé*** *ses souvenirs.* **SYN** ranimer.

rayer verbe ▸ conjug. 7
❶ Barrer d'un trait. *Dans cet exercice, les élèves doivent* ***rayer*** *les noms.* **SYN** barrer, supprimer. ❷ Faire une rayure sur une surface. *Il* ***a rayé*** *le verre de ses lunettes.* **SYN** érafler.

① rayon nom masculin
❶ Bande de lumière. *Un* ***rayon*** *de soleil.* ❷ Rayonnement ou radiation. *Un* ***rayon*** *laser. Des* ***rayons*** *X.* ❸ Tige de métal allant du centre de la roue à la jante. *Les* ***rayons*** *d'une roue de bicyclette.* 👁p. 117. ❹ Ligne qui joint le centre d'un cercle à un point de sa circonférence. *Le* ***rayon*** *est égal à la moitié du diamètre.* 👁p. 484. • **Rayon d'action :** zone d'action ou d'influence. *Cet avion a un* ***rayon d'action*** *de mille kilomètres.* ♦ Famille du mot : rayonnement, rayonner.

② rayon nom masculin
❶ Gâteau de cire dont les alvéoles sont remplies de miel par les abeilles. ❷ Planche d'une bibliothèque, d'un placard. *Les livres d'histoire sont rangés sur le* ***rayon*** *du haut.* **SYN** étagère. ❸ Partie d'un magasin où se trouvent des produits de même sorte. *Le* ***rayon*** *alimentation est au fond du magasin.*

rayonnement nom masculin
❶ Ensemble de radiations émises par un corps. *Le* ***rayonnement*** *du soleil est une source d'énergie.* ❷ Influence bienfaisante, prestige. *Le* ***rayonnement*** *d'une culture, d'une civilisation.*

Le ***rayonnement*** *du soleil*

rayonner verbe ▸ conjug. 3
❶ Répandre de la lumière. *Ce matin, le soleil* ***rayonne.*** ❷ Exprimer le bonheur, la joie ou la satisfaction. *Le visage des nouveaux parents* ***rayonne*** *de bonheur.* ❸ Être très largement diffusé. *Ce cirque* ***rayonne*** *dans le monde.*

rayure nom féminin
❶ Ligne ou bande étroite sur une surface de couleur différente. *Le tigre et le zèbre ont des* ***rayures*** *noires sur leur pelage.* **SYN** raie. ❷ Marque laissée sur une surface par un objet pointu. *La portière gauche de la voiture a une* ***rayure.***

raz de marée ou **raz-de-marée**
nom masculin invariable
Énorme vague souvent provoquée par une éruption volcanique sous-marine ou un tremblement de terre qui peut pénétrer très loin dans les terres. * Chercher aussi *tsunami.*

razzia nom féminin
• **Faire une razzia sur quelque chose:** l'emporter, le faire disparaître rapidement. *Les clients **ont fait une razzia sur** les soldes.*

re-, ré- préfixes
Placés au début d'un mot pour former un autre mot, *re-*, *ré-* marquent généralement la répétition de l'action (***redire***, ***réactiver***).

ré nom masculin
Deuxième note de musique de la gamme de do.

réabonner verbe ▸ conjug. 3
Abonner de nouveau.

réacteur nom masculin
Moteur à réaction d'un avion. *Un biréacteur possède deux **réacteurs**.* 👁p. 93.

Un **réacteur**

réaction nom féminin
Manière de réagir. *Je ne le croyais pas capable d'une **réaction** si rapide. Une **réaction** à un vaccin.* • **Avion à réaction:** avion dont le moteur rejette les gaz vers l'arrière.

réactionnaire adjectif et nom
Qui s'oppose au progrès. *Mon grand-père craint les changements; il est resté très **réactionnaire**.* **SYN** rétrograde. **CONTR** progressiste.

réadaptation nom
Ensemble des mesures permettant à un ancien malade ou à une personne handicapée de récupérer le maximum de possibilités physiques, mentales et professionnelles qui faciliteront sa vie quotidienne.

se **réadapter** verbe ▸ conjug. 3
S'adapter de nouveau. *Après son long séjour à la campagne, Katia a du mal à **se réadapter** à la ville.*

réagir verbe ▸ conjug. 11
❶ Agir d'une certaine façon par rapport à un évènement. *En apprenant la nouvelle, elle **a réagi** avec calme et sang-froid.* ❷ Lutter, se défendre contre quelque chose. *Il s'est laissé accuser sans **réagir**.*

réajustement ➔Voir **rajustement**

réajuster ➔Voir **rajuster**

réalisable adjectif
Que l'on peut réaliser. *C'est un projet **réalisable**.* **SYN** faisable, possible. **CONTR** irréalisable.

réalisateur, réalisatrice nom
Personne qui dirige la réalisation d'un film. *Le journaliste a interviewé la **réalisatrice** du film.*

réalisation nom féminin
❶ Action de réaliser quelque chose. *La **réalisation** d'un projet.* ❷ Ensemble des opérations de mise en scène et de tournage. *Ce cinéaste vient d'achever la **réalisation** de son nouveau film.*

réaliser verbe ▸ conjug. 3
❶ Rendre réel et effectif ce que l'on avait imaginé. *Il **a** enfin **réalisé** son rêve de piloter un avion.* ❷ Diriger la réalisation d'un film. *Il a fallu de très gros moyens pour **réaliser** ce film.* ❸ Accomplir. ***Réaliser** un exploit sportif.* ❹ Comprendre. *Il n'**a** pas **réalisé** ce qu'il lui arrivait.* ♦ Famille du mot: irréalisable, réalisable, réalisateur, réalisation.

réalisme nom masculin
Aptitude à tenir compte de la réalité. *Manquer de **réalisme**.*

réaliste adjectif et nom
Qui a le sens des réalités. *Sabrina est **réaliste**.* **CONTR** idéaliste, irréaliste.

réalité nom féminin
Ce qui est réel, qui existe vraiment. *Le travail fait partie des **réalités** quotidiennes des adultes.* • **En réalité:** en fait. *Il donne l'impression d'être calme, mais **en réalité**, c'est quelqu'un de très nerveux.*

Le **reboisement** d'une terre

réanimation nom féminin
Technique médicale utilisée pour ranimer des malades ou des accidentés.

réapparaître verbe ▸ conjug. 37
Apparaître de nouveau. *La grippe **réapparaît** chaque hiver.* ✎ On peut écrire aussi ***réapparaitre***.

réapparition nom féminin
Fait de réapparaître. *Ce comédien a fait une **réapparition** inattendue.*

rébarbatif, rébarbative adjectif
Qui rebute par son caractère désagréable ou ennuyant. *Ce long texte est **rébarbatif**.*

rebattre verbe ▸ conjug. 31
• **Rebattre les oreilles à quelqu'un :** le lasser en lui répétant toujours la même chose. *Il nous **rebat les oreilles** de ses succès sportifs.*

rebelle adjectif et nom
Qui refuse de se soumettre à une autorité. *Les troupes **rebelles** ont pris le pouvoir.* SYN insoumis, révolté. – *Les **rebelles** ont attaqué le fort.* • **Rebelle à :** qui résiste, qui ne se soumet pas. *Luc est **rebelle à** toute discipline.*
♦ Famille du mot : se rebeller, rébellion.

se **rebeller** verbe ▸ conjug. 3
Se révolter. *Une partie de l'armée **s'est rebellée**.* SYN s'insurger, se soulever.

rébellion nom féminin
Révolte. *Une **rébellion** a éclaté dans ce pays.* SYN soulèvement.

se **rebiffer** verbe ▸ conjug. 3
Refuser vivement d'obéir. *Dès qu'on lui dit de ranger sa chambre, Patrick **se rebiffe**.* SYN se révolter.

reboisement nom masculin
Action de reboiser. CONTR déboisement.

reboiser verbe ▸ conjug. 3
Planter des arbres sur un terrain qui a été déboisé. *Après les incendies, on **a reboisé** cette région.* CONTR déboiser.

rebond nom masculin
Fait de rebondir. *Le **rebond** d'une balle.*

rebondir verbe ▸ conjug. 11
❶ Faire un ou plusieurs bonds après avoir heurté un obstacle ou le sol. *Aurélie fait **rebondir** son ballon contre le mur.* ❷ Avoir des rebondissements. *Ce fait nouveau risque de faire **rebondir** l'affaire.*

rebondissement nom masculin
Épisode nouveau et inattendu. *Cette histoire passionnante est pleine de **rebondissements**.*

rebord nom masculin
Bord en saillie. *Un pigeon s'est posé sur le **rebord** du toit.*

reboucher verbe ▸ conjug. 3
Boucher de nouveau. ***Reboucher** une bouteille. Il faut **reboucher** les trous du mur avant de le repeindre.*

à **rebours** adverbe
Dans le sens contraire au sens habituel. *10, 9, 8, 7, … le compte **à rebours** commence.*

à **rebrousse-poil** adverbe
À l'opposé du sens naturel des poils. *Mon chat n'aime pas qu'on le caresse **à rebrousse-poil**.*

rebrousser verbe ▸ conjug. 3
Relever dans un sens contraire à la direction naturelle. *Si tu caresses le chat en lui **rebroussant** le poil, il risque de te griffer.* • **Rebrousser chemin :** faire demi-tour et revenir sur ses pas.

rébus nom masculin
Suite de lettres et de dessins qui forment une devinette. *Essaie de déchiffrer ce **rébus**.* * Ne pas confondre *rébus* et *rebut*.

*Un **rébus***
Charitable ① chat ② rit ③ table

rebut nom masculin
• **Mettre au rebut :** se débarrasser de choses sans valeur. *Plutôt que de **mettre au rebut** tous ces jouets brisés, nous pourrions les recycler.* **SYN** se débarrasser, jeter. * Ne pas confondre *rebut* et *rébus*.

rebutant, rebutante adjectif
Qui rebute. *Un travail **rebutant**.* **SYN** déplaisant. **CONTR** attrayant.

rebuter verbe ▸ conjug. 3
Décourager, dégoûter ou déplaire. *Le moindre effort le **rebute**.* **CONTR** attirer.

récalcitrant, récalcitrante adjectif
Qui résiste avec entêtement. *L'âne **récalcitrant** ne veut plus avancer.* **CONTR** docile.

récapitulatif, récapitulative adjectif
Qui récapitule. *Ma mère a fait une liste **récapitulative** de ses dépenses.*

récapitulation nom féminin
Action de récapituler. *Faire une **récapitulation** des évènements marquants de l'année.*

récapituler verbe ▸ conjug. 3
Résumer les éléments de quelque chose. *Ce livre **récapitule** les grandes inventions du dernier siècle.* ♦ Famille du mot : récapitulatif, récapitulation.

recel nom masculin
Fait de receler des objets volés. *Cet homme a été arrêté pour **recel** de bijoux.*

receler ou **recéler** verbe ▸ conjug. 8
❶ Cacher illégalement des objets volés. *Il **recelait** des tableaux volés.* ❷ Renfermer. *Le sous-sol de ce pays **recèle** de nombreux gisements miniers.* ✎ Avec la forme *recéler*, on peut écrire aussi, au futur, *je **recèlerai***; au conditionnel, *elle **recèlerait**.* ♦ Famille du mot : recel, receleur.

receleur, receleuse ou **recéleur, recéleuse** nom
Personne qui recèle des objets volés.

récemment adverbe
Il y a peu de temps. *Ils ont changé d'adresse **récemment**.* **SYN** dernièrement. * Attention ! La terminaison *emment* se prononce *amant*.

recensement nom masculin
Action de recenser. *Le **recensement** de la population canadienne se fait tous les cinq ans.*

recenser verbe ▸ conjug. 3
Faire le compte officiel de la population d'une ville, d'une région ou d'un pays. **SYN** dénombrer.

récent, récente adjectif
Qui n'existe pas depuis longtemps. *C'est un film **récent**.* **SYN** nouveau. **CONTR** ancien.

récepteur nom masculin
Appareil qui permet de recevoir des sons et des images. **CONTR** émetteur.

réceptif, réceptive adjectif
Qui est sensible à quelque chose. *Gabriela est très **réceptive** aux commentaires de ses camarades.*

réception nom féminin
❶ Fait de recevoir quelque chose. *La **réception** d'une lettre.* ❷ Fait de recevoir des invités. *Pour le mariage de leur fille, ils ont donné une **réception**.* ❸ Service d'accueil d'un hôtel ou d'une entreprise. *Pour avoir des renseignements, adressez-vous à la **réception**.* ♦ Famille du mot : récepteur, réceptif, réceptionner, réceptionniste.

réceptionner verbe ▸ conjug. 3
Accepter des marchandises livrées après les avoir vérifiées. *Le responsable du magasin **réceptionne** la livraison.*

réceptionniste nom
Personne chargée de la réception des clients ou des visiteurs.

récession nom féminin
Ralentissement de l'activité économique. *Pendant les périodes de **récession**, il y a beaucoup de chômage.*

a b c d e f g h

recette nom féminin
❶ Total des sommes d'argent reçues. *Ce commerçant compte la **recette** de la journée.* ❷ Ensemble des indications qui permettent de préparer un plat. *Il faut bien suivre la **recette** pour réussir ce gâteau.* ❸ Moyen, procédé. *Il prétend avoir une **recette** infaillible pour gagner.* SYN méthode.

recevable adjectif
Que l'on peut recevoir, accepter. *Ton excuse n'est pas **recevable**.* SYN acceptable.

receveur, receveuse nom
❶ Personne chargée de percevoir certains impôts. *Le **receveur** général.* ❷ Personne qui reçoit le sang ou un organe d'un donneur. ❸ Au baseball, joueur placé derrière le marbre qui doit attraper la balle envoyée par le lanceur.

Un **receveur**

Une **receveuse**

r s t u v w x y z

recevoir verbe ▸ conjug. 21
❶ Avoir quelque chose qui vous a été envoyé. *J'ai bien **reçu** ton colis.* CONTR envoyer. ❷ Avoir comme cadeau. *Pour Noël, Thomas **a reçu** un vélo.* CONTR donner. ❸ Accueillir quelqu'un chez soi. *Emmanuelle **reçoit** ses amis pour le souper.* ❹ Être atteint par quelqu'un ou par quelque chose. ***Recevoir** une punition, un appel important.* ♦ Famille du mot : recevable, receveur, reçu.

de **rechange** adverbe
Qui permet de remplacer quelque chose ou de se changer. *Un pneu **de rechange**. Prendre des vêtements **de rechange**.*

recharge nom féminin
Ce qui sert à recharger. *Charles a acheté une **recharge** de cartouche d'encre pour son imprimante.*

rechargeable adjectif
Qui peut être rechargé. *Une pile **rechargeable**.*

recharger verbe ▸ conjug. 5
Remettre dans un appareil ou une arme ce qui est nécessaire à son fonctionnement. ***Recharger** un cellulaire.*

réchaud nom masculin
Petit fourneau qui sert à cuire les aliments. *Un **réchaud** de camping.*

réchauffement nom masculin
Fait de se réchauffer. *Le **réchauffement** climatique a provoqué le recul de la banquise.* 👁p. 804. CONTR refroidissement.

réchauffer verbe ▸ conjug. 3
Faire chauffer ce qui est froid ou refroidi. *La soupe est tiède, je vais la **réchauffer**.*
■ *se* **réchauffer** : avoir chaud de nouveau. *Annie s'est installée devant le foyer pour **se réchauffer**.*

rêche adjectif
Qui est rude au toucher. *La langue du chat est **rêche**.* SYN rugueux. CONTR doux.

recherche nom féminin
❶ Action de rechercher. *Mon père est à la **recherche** de ses clés de voiture.* ❷ Travail scientifique qui contribue à faire avancer les connaissances. *Cette biologiste fait des **recherches** sur les virus de la grippe.* ❸ Soin extrême, raffinement. *Il est toujours habillé avec **recherche**.*

rechercher verbe ▸ conjug. 3
Chercher activement et avec beaucoup d'attention. ***Rechercher** un suspect.*

recherchiste nom
Personne qui fait pour d'autres des recherches de renseignements, à partir de diverses sources, dans le but de produire des documents, des publications ou des émissions de radio ou de télévision.

rechigner verbe ▸ conjug. 3
Montrer de la mauvaise volonté. *Muriel **rechigne** à débarrasser la table.* SYN répugner.

rechute nom féminin
Fait de tomber malade de nouveau. *Sa guérison semblait proche, mais il a fait une **rechute**.*

rechuter verbe ▸ conjug. 3
Avoir une rechute. *Elle n'a pas suivi son traitement jusqu'au bout et elle **a rechuté**.*

récidive nom féminin
Fait de récidiver. *La punition sera plus sévère s'il y a **récidive**.* ♦ Famille du mot : récidiver, récidiviste.

récidiver verbe ▸ conjug. 3
Commettre de nouveau la même infraction. *À peine libéré, le voleur **a récidivé**.*

récidiviste nom
Personne accusée de récidive.

récif nom masculin
Rocher ou ensemble de rochers qui se trouvent à fleur d'eau. *Le bateau s'est brisé sur un **récif**.*

*Des **récifs***

récipient nom masculin
Objet creux qui sert à contenir quelque chose. *Un bocal, un seau, un bol sont des **récipients**.*

réciproque adjectif
Qui se produit entre deux personnes ou deux parties. *Jules et Carlos se portent une admiration **réciproque** : chacun d'eux admire l'autre.* ■ **réciproque** nom féminin Action inverse. *La prochaine fois, nous vous rendrons la **réciproque** : vous viendrez souper chez nous.*

réciproquement adverbe
De façon réciproque. *Lyane et Kelly ont l'habitude de se rendre service **réciproquement**.* **SYN** mutuellement.

récit nom masculin
Histoire que l'on raconte. *Le **récit** de ses aventures nous a fait beaucoup rire.* **SYN** narration.

récital, récitals nom masculin
Concert donné par un seul interprète. *Le prochain **récital** de ce pianiste est prévu pour janvier.*

récitation nom féminin
Texte que l'on récite. *La **récitation** d'une prière.*

réciter verbe ▸ conjug. 3
Dire à haute voix et de mémoire ce que l'on a appris. ***Réciter** un poème.*

réclamation nom féminin
Action de réclamer pour faire respecter un droit. *Cet appareil est défectueux, il va falloir adresser une **réclamation** au fabricant.* **SYN** plainte.

réclamer verbe ▸ conjug. 3
Insister pour avoir ce que l'on veut. *Le bébé pleure, car il **réclame** son biberon.*

reclasser verbe ▸ conjug. 3
Classer de nouveau. *Les photos ont été mélangées, Mickaël essaie de les **reclasser**.*

reclus, recluse adjectif et nom
Qui vit enfermé et isolé. *Elle est **recluse** dans sa chambre. – Vivre comme un **reclus**.*

réclusion nom féminin
Emprisonnement. *Cet homme vient d'être condamné à dix ans de **réclusion**.* **SYN** détention.

se **recoiffer** verbe ▸ conjug. 3
Remettre en ordre sa coiffure. *Zoé **se recoiffe** devant le miroir.*

recoin nom masculin
Endroit caché. *On a retrouvé le chat dans un **recoin** du sous-sol.*

recoller verbe ▸ conjug. 3
Réparer un objet cassé avec de la colle. *Ma mère **recolle** le bol cassé.*

récolte nom féminin
Action de récolter. *Cette année, la **récolte** des pommes a été abondante.* * Chercher aussi *cueillette*, *moisson*.

récolter verbe ▸ conjug. 3
❶ Cueillir ou ramasser les produits de la terre quand ils sont mûrs. *On **récolte** le blé en été.* ❷ Au sens figuré, recueillir ou obtenir quelque chose. ***Récolter** des ennuis, **récolter** des renseignements.*

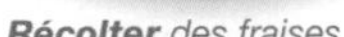

__Récolter__ des fraises

recommandable adjectif
Qui peut être recommandé. *Cette personne est **recommandable**.*

recommandation nom féminin
❶ Action de recommander quelqu'un. *Son enseignante lui a fait une lettre de **recommandation** pour le concours.* ❷ Ce que l'on recommande à quelqu'un. *Avant de partir au camp de vacances, Ariane a bien écouté les **recommandations** de ses parents.* SYN conseil.

recommandé, recommandée adjectif
Se dit d'une lettre ou d'un colis qui, moyennant un supplément, sont remis au destinataire en personne.

recommander verbe ▸ conjug. 3
❶ Conseiller vivement et avec insistance. *On **recommande** la plus grande prudence sur les routes à cause du verglas.* ❷ Dire du bien de quelqu'un afin de le soutenir. ***Recommander** une candidate à un employeur.* SYN appuyer. ♦ Famille du mot : recommandable, recommandation, recommandé.

recommencer verbe ▸ conjug. 4
❶ Refaire. *Brian a gâché son dessin, il doit le **recommencer**.* ❷ Commencer de nouveau après une interruption. *Les cours **recommencent** en septembre.* SYN reprendre.

récompense nom féminin
Cadeau ou privilège que l'on reçoit quand on a fait quelque chose de bien. *Mon petit frère a reçu une **récompense** pour avoir aidé ma mère.* CONTR châtiment, punition.

récompenser verbe ▸ conjug. 3
Donner une récompense. *Cette enseignante **récompense** ses élèves régulièrement.* CONTR châtier, punir.

réconciliation nom féminin
Fait de se réconcilier. *Leur **réconciliation** a réjoui leurs amis communs.*

réconcilier verbe ▸ conjug. 10
Rétablir de bonnes relations entre des personnes qui s'étaient disputées. *Marc et Patrice étaient prêts à se battre, mais nous avons réussi à les **réconcilier**.* ■ se **réconcilier** : se raccommoder, faire la paix. CONTR se fâcher.

reconduire verbe ▸ conjug. 43
❶ Ramener. ***Reconduire** un ami chez lui.* SYN raccompagner. ❷ Renouveler. ***Reconduire** un bail.*

réconfort nom masculin
Ce qui réconforte. *La visite de ses amis a été un **réconfort** pour la malade.*

réconfortant, réconfortante adjectif
Qui réconforte. *Les dernières nouvelles du blessé sont **réconfortantes**.*

réconforter verbe ▸ conjug. 3
❶ Redonner du courage, de l'espoir. *Ces témoignages d'amitié l'**ont réconforté**.* ❷ Redonner des forces physiques. *Après leur journée de ski, un chocolat chaud les **a réconfortés**.* SYN remonter, revigorer. ♦ Famille du mot : réconfort, réconfortant.

reconnaissable adjectif
Que l'on peut facilement reconnaître. *Notre maison est **reconnaissable** entre toutes : elle est rouge.*

reconnaissance nom féminin
❶ Sentiment que l'on a envers une personne qui s'est montrée gentille et généreuse. *Je veux te dire ma **reconnaissance** pour l'aide que tu m'as apportée.* SYN gratitude. ❷ Action de reconnaître comme vrai, légitime. *La **reconnaissance** d'un droit.* ❸ Action de reconnaître un lieu. *Des éclaireurs ont été envoyés en **reconnaissance**.*

reconnaissant, reconnaissante adjectif
Qui manifeste de la reconnaissance. *Je te suis **reconnaissante** de m'avoir aidée.*

reconnaître verbe ▸ conjug. 37
❶ Savoir qui est quelqu'un ou ce qu'est quelque chose pour l'avoir déjà vu. *Il n'a pas changé, je l'**ai** tout de suite **reconnu**.* ❷ Admettre que quelque chose est vrai ou légitime. *Gaëlle **reconnaît** qu'elle a eu tort de se fâcher.* SYN avouer. ❸ Explorer un lieu. *Les marcheurs sont partis **reconnaître** le terrain pour voir s'ils peuvent y camper.* ■ se **reconnaître** : se retrouver et s'orienter. *Je suis incapable de **me reconnaître** dans ce quartier : il a tellement changé !* ✎ On peut écrire aussi ***reconnaitre***. ♦ Famille du mot : reconnaissable, reconnaissance, reconnaissant, reconnu.

reconnu, reconnue adjectif
Admis pour vrai ou pour important. SYN indiscutable, officiel, renommé.

reconquérir verbe ▸ conjug. 18
Conquérir de nouveau. ***Reconquérir** un territoire perdu.*

reconstituer verbe ▸ conjug. 3
Rétablir une chose dans son état original. *Pour ce film, on **a reconstitué** un village du temps de la Nouvelle-France.*

reconstitution nom féminin
Action de reconstituer. *La **reconstitution** d'un crime est destinée à comprendre comment il a été commis.*

reconstruction nom féminin
Action de reconstruire quelque chose.

reconstruire verbe ▸ conjug. 43
Construire de nouveau ce qui a été détruit. *La maison **a été reconstruite** après l'incendie.*

reconvertir verbe ▸ conjug. 11
Changer la nature des activités d'une usine ou d'une entreprise. *Cette usine **a été reconvertie** : elle fabrique maintenant du matériel électronique.*

recopier verbe ▸ conjug. 10
Copier un texte déjà écrit. *Magalie a fait son brouillon, demain elle le **recopiera**.* **SYN** transcrire.

Gâteau **recouvert** d'un glaçage

record nom masculin
Meilleur résultat obtenu jusque-là. *Cet athlète a battu le **record** mondial du saut en hauteur.*

recoucher verbe ▸ conjug. 3
Remettre quelqu'un au lit. *Elle a donné le biberon au bébé, puis l'**a recouché**.* ■ *se* **recoucher** : se remettre au lit. *La malade **s'est recouchée**.*

recoudre verbe ▸ conjug. 53
Coudre ce qui a été décousu. *Sofia apprend à **recoudre** un bouton.*

recoupement nom masculin
Action de recouper plusieurs renseignements pour voir s'ils coïncident.

recouper verbe ▸ conjug. 3
❶ Couper de nouveau. *Est-ce qu'il faut que je **recoupe** du pain ?* ❷ Vérifier des faits ou de l'information en les confrontant. ***Recouper** des témoignages.*

recourbé, recourbée adjectif
Qui est courbé à son extrémité. *Un hameçon est une pointe de métal **recourbée**.*

recourir verbe ▸ conjug. 16
Demander l'aide de quelqu'un. *On a dû **recourir** à un serrurier pour ouvrir la porte.*

recours nom masculin
Fait de recourir à quelqu'un. *Il a fallu avoir **recours** à une voisine pour faire garder notre chat.*

recouvrement nom masculin
Fait de recouvrer un paiement. *Le **recouvrement** des comptes impayés.*

recouvrer verbe ▸ conjug. 3
❶ Dans la langue littéraire, retrouver ce que l'on avait perdu. *Le blessé **recouvre** peu à peu l'usage de la parole.* ❷ Recueillir le paiement d'une somme due. *Elle est chargée de **recouvrer** les factures impayées.* * Ne pas confondre *recouvrer* et *recouvrir*.

recouvrir verbe ▸ conjug. 12
❶ Couvrir complètement. *Ma mère **a recouvert** le gâteau d'un glaçage au chocolat.* **SYN** napper. ❷ Protéger avec une couverture ou un couvercle. *Chloé **a recouvert** tous ses livres de classe.* * Ne pas confondre *recouvrir* et *recouvrer*.

récréatif, récréative adjectif
Qui sert à amuser, à divertir. *Un centre **récréatif**.*

récréation nom féminin
Moment pendant lequel les élèves peuvent jouer et se détendre. • **Cour de récréation :** endroit où les élèves se rendent pour la récréation.

récréotouristique adjectif
Qui a trait aux activités de loisir, en particulier aux activités de plein air susceptibles de favoriser le tourisme.

récriminations nom féminin pluriel
Fait de récriminer. *Je n'écoute même plus ses **récriminations**.* **SYN** plainte, protestation, reproche.

récriminer verbe ▸ conjug. 3
Exprimer ses critiques ou son désaccord avec amertume ou agressivité. *Il **récrimine** souvent contre ses voisins.*

récrire →Voir **réécrire**

se **recroqueviller** verbe ▸ conjug. 3
Se replier sur soi-même. *Océane **s'est recroquevillée** sous la couverture pour avoir moins froid.*

recrudescence nom féminin
Nouvelle augmentation, plus grave, d'un phénomène. *La **recrudescence** de la grippe inquiète les autorités.*

recrue nom féminin
❶ Jeune soldat qui commence son instruction militaire. ❷ Personne qui s'ajoute à un groupe. *Carole est une **recrue** dans l'équipe de basketball.* ♦ Famille du mot : recrutement, recruter.

recrutement nom masculin
Action de recruter.

recruter verbe ▸ conjug. 3
Engager. *Cette entreprise **recrute** des ingénieurs.* **SYN** embaucher.

rectangle nom masculin
Figure géométrique qui a quatre angles droits et dont les côtés sont égaux deux à deux. 👁p. 484. ■ **rectangle** adjectif Qui a un angle droit. *Un triangle **rectangle**.*

rectangulaire adjectif
Qui a la forme d'un rectangle. *Une table **rectangulaire**.*

rectificatif, rectificative adjectif
Qui sert à rectifier une erreur. *Un message **rectificatif**.* ■ **rectificatif** nom masculin Texte rectificatif. *Envoyer un **rectificatif**.*

rectification nom féminin
Action de rectifier. *Les dates annoncées étaient fausses, le journal a dû faire une **rectification**.* **SYN** correction.

rectifier verbe ▸ conjug. 10
Corriger une erreur, une inexactitude. *Rosalie se sert de son dictionnaire pour **rectifier** ses fautes d'orthographe.* ♦ Famille du mot : rectificatif, rectification.

rectiligne adjectif
Qui est en ligne droite. *Une route **rectiligne**.*

recto nom masculin
Première page d'une feuille, qui est le côté opposé au verso. *Kevin commence à écrire au **recto** de la feuille, puis tourne la page pour continuer au verso.*

rectum nom masculin
Dernière partie de l'intestin, qui aboutit à l'anus. 👁p. 320. * Attention ! La deuxième syllabe du mot *rectum* se prononce *tome*.

reçu nom masculin
Document qui prouve qu'une chose vous a été remise. *Le livreur m'a apporté un colis, j'ai dû signer un **reçu**.*

recueil nom masculin
Livre qui réunit plusieurs textes. *Cet ouvrage est un **recueil** de poésies.*

recueillement nom masculin
État d'une personne qui se recueille. *Les moines vivent dans le **recueillement**.*

recueillir verbe ▸ conjug. 13
❶ Rassembler des choses, de l'argent. *Cette association **recueille** des vêtements pour les distribuer aux démunis.* ❷ Prendre chez soi, héberger. *Karine **a recueilli** un petit chat abandonné.*

se **recueillir** verbe ▸ conjug. 13
S'isoler du monde extérieur pour méditer. *Yasmine **s'est recueillie** sur la tombe de sa grand-mère.*

recul nom masculin
❶ Fait de reculer. *Avoir un brusque mouvement de **recul**.* ❷ Prendre de la distance dans l'espace et le temps. *Pour regarder cette immense toile, il faut prendre du **recul**. À ce jour, on manque de **recul** pour comprendre ce qui s'est passé dans cette affaire.* ❸ Au sens figuré, diminution d'un phénomène. *Grâce au vaccin, le tétanos est en net **recul**.*

reculé, reculée adjectif
❶ Qui est loin ou difficile d'accès. *Il vit dans un endroit **reculé**.* **SYN** isolé, retiré. ❷ Qui est éloigné dans le temps. *À une époque **reculée**, les êtres humains vivaient dans des grottes.*

reculer verbe ▸ conjug. 3
❶ Aller en arrière. *La voiture doit **reculer** pour sortir du garage.* **CONTR** avancer. ❷ Mettre une chose plus loin en arrière. *Tu es trop près de la table, **recule** ta chaise.* ❸ Remettre à plus tard. *Nous avons décidé de **reculer** cette réunion.* **SYN** différer, retarder. ❹ Hésiter ou renoncer à agir. *Pedro n'**a** jamais **reculé** devant les difficultés.* ♦ Famille du mot : recul, reculé, à reculons.

à **reculons** adverbe
❶ En reculant. *Il n'est pas facile de marcher **à reculons**.* ❷ Au sens figuré, avec des réticences. *Il est allé chez la dentiste **à reculons**.*

Un bac de **récupération**

récupération nom féminin
❶ Action de récupérer. *Le bac de **récupération**.* ❷ Activité servant

a b c d e f g h i j k l m n o p q r s t u v w x y z

à rattraper un retard dans l'apprentissage. *Elle est allée en **récupération** pour bien se préparer à son examen.* * Chercher aussi *cours de rattrapage**.

récupérer verbe ▸ conjug. 8
❶ Reprendre ce qui nous appartient. *J'aimerais bien **récupérer** le livre que je lui ai prêté.* ❷ Rassembler des choses qui peuvent encore servir. *Daniel **a récupéré** des morceaux de bois pour fabriquer une niche pour son chien.* ❸ Retrouver ses forces. *Elle **a** bien **récupéré** après son opération.* **SYN** se remettre. ❹ Rattraper un retard dans une matière scolaire. ✎ On peut écrire aussi, au futur, *il **récupèrera***; au conditionnel, *nous **récupèrerions***.

récurer verbe ▸ conjug. 3
Nettoyer en frottant, en grattant. ***Récurer** une poêle.*

recyclable adjectif
Que l'on peut recycler. *Les matériaux **recyclables** sont triés.*

recyclage nom masculin
Action de recycler. *Le **recyclage** du verre, du papier.*

Le **recyclage**

recycler verbe ▸ conjug. 3
Utiliser des matériaux usagés pour fabriquer de nouveaux produits. *Des bacs sont mis à la disposition des citoyens pour récupérer les matériaux à **recycler**.* ■ se **recycler**: suivre une formation. *Pour garder son poste dans l'entreprise, il a dû **se recycler**.* ♦ Famille du mot: recyclable, recyclage.

rédacteur, rédactrice nom
Personne qui rédige des textes, des articles. *Les **rédacteurs** du journal se réunissent chaque matin.*

rédaction nom féminin
Action ou manière de rédiger un texte. *La **rédaction** d'un article par un journaliste.*

redescendre verbe ▸ conjug. 31
Descendre une fois que l'on est monté. *J'ai oublié de voir s'il y avait du courrier, il faut que je **redescende**.* **CONTR** remonter.

redevable adjectif
Qui doit quelque chose à quelqu'un. *Il est **redevable** de sa victoire à son entraîneuse.*

redevance nom féminin
Somme d'argent que l'on doit payer régulièrement (taxe, impôt, etc.).

rediffusion nom féminin
Action de rediffuser. *Cette émission populaire est en **rediffusion** l'été.*

rédiger verbe ▸ conjug. 5
Écrire. *L'écrivaine a fini de **rédiger** son roman.*

redingote nom féminin
Longue veste que les hommes portaient autrefois.

Une **redingote**

redire verbe ▸ conjug. 46
Dire une nouvelle fois. *Peux-tu me **redire** ton nom ?* **SYN** répéter.
• **Avoir** ou **trouver quelque chose à redire**: trouver quelque chose à critiquer, à blâmer.

redondance nom féminin
Répétition d'une information déjà fournie. *Il y a des **redondances** dans ce texte.*

redondant, redondante adjectif
Qui comporte des redondances. *Il y a des passages **redondants** dans ce texte.*

redoubler verbe ▸ conjug. 3
❶ Recommencer le même niveau scolaire. ❷ Devenir soudain beaucoup plus fort. *La tempête **redouble** de violence.*

a b c d e f g h i j k l m n o p q r s t u v w x y z

redoutable adjectif
Qu'il faut redouter. *Ce chien* ***redoutable*** *garde la maison.* **CONTR** inoffensif.

redouter verbe ▶ conjug. 3
Craindre. *Jonathan* ***redoute*** *d'être exclu de l'équipe.* **SYN** appréhender.

redoux nom masculin
Radoucissement de la température après une période de froid.

redressement nom masculin
Fait de se redresser. *Le gouvernement se félicite du* ***redressement*** *de l'économie.*

redresser verbe ▶ conjug. 3
Remettre droit. *Le garagiste* ***a redressé*** *le pare-chocs tordu.* ■ *se* **redresser** ❶ Se relever. *Frédéric s'est accroupi, puis il* ***s'est redressé.*** ❷ Se tenir droit. *Tu es tout voûté, essaie de* ***te redresser.*** ❸ Revenir à un bon état. *L'économie de ce pays* ***s'est redressée.***

réduction nom féminin
❶ Action de réduire quelque chose. *Une importante* ***réduction*** *des dépenses s'impose.* ❷ Diminution du prix d'une marchandise. *Les jeunes et les aînés ont droit à des* ***réductions*** *au cinéma.* * Chercher aussi *escompte, rabais, remise.* ❸ Reproduction dans un format plus petit. *Cette maquette d'avion est une* ***réduction*** *exacte du* Spirit of St. Louis *de Charles Lindbergh.*

réduire verbe ▶ conjug. 43
❶ Rendre moins important. *On* ***a réduit*** *le nombre de classes dans cette école.* **SYN** diminuer, limiter. **CONTR** augmenter. ❷ Transformer une substance en poudre, en miettes ou en bouillie. ***Réduire*** *le blé en farine.* ❸ Amener quelqu'un à un état pénible. *Le chômage l'****a réduit*** *à la misère.* ■ *se* **réduire à quelque chose**: être limité à cette chose. *Ses économies* ***se réduisent à*** *quelques dollars.* ♦ Famille du mot: réduction, réduit.

réduit, réduite adjectif
Qui est inférieur au prix normal. *Ces marchandises sont vendues à prix* ***réduit.***
• **Modèle réduit**: objet construit en réduction. **SYN** maquette.

Un ***modèle réduit***

réécrire verbe ▶ conjug. 47
❶ Écrire de nouveau. *Trevor* ***a réécrit*** *sa lettre. Je lui* ***ai réécrit*** *aussitôt que j'ai reçu son courriel.* ❷ Rédiger autrement, d'une autre manière. *Il faudra* ***réécrire*** *ce document.* * On dit aussi ***récrire.***

rééditer verbe ▶ conjug. 3
Procéder à la réédition d'un ouvrage. *Ce livre est épuisé, mais il va* ***être réédité.***

réédition nom féminin
Nouvelle édition d'un ouvrage.

rééducation nom féminin
Ensemble d'exercices destinés à rétablir l'usage d'un organe. *Pour recouvrer l'usage de sa cheville, Tom fait des séances de* ***rééducation.***

rééduquer verbe ▶ conjug. 3
Faire subir une rééducation. *Les physiothérapeutes* ***rééduquent*** *les blessés.*

réel, réelle adjectif
Qui existe vraiment. *Cette histoire est* ***réelle,*** *je ne l'ai pas inventée.* **SYN** authentique. **CONTR** fictif. ♦ Famille du mot: irréaliste, irréel, réaliser, réalisme, réaliste, réalité, réellement.

réélection nom féminin
Fait d'être réélu. *Il est si populaire que l'on s'attend à sa* ***réélection.***

réélire verbe ▶ conjug. 45
Élire de nouveau quelqu'un. *Cette candidate a de fortes chances d'****être réélue.***

réellement adverbe
Vraiment. *Cet évènement a* ***réellement*** *eu lieu.* **SYN** effectivement, véritablement.

refaire verbe ▶ conjug. 42
❶ Faire de nouveau ce que l'on a déjà fait. *Je me suis trompé dans mon calcul, il faut que je le* ***refasse.*** **SYN** recommencer. ❷ Remettre un lieu en bon état. *Nous allons* ***refaire*** *la salle de bains.* **SYN** restaurer.

réfection nom féminin
Action de remettre en bon état. *La* ***réfection*** *du gymnase se fera pendant l'été.* **SYN** réparation.

réfectoire nom masculin
Grande salle à manger d'une collectivité. *Les pensionnaires prennent leurs repas dans un* ***réfectoire.*** * Chercher aussi *cafétéria.*

référence nom féminin
Indication précise des ouvrages ou des passages auxquels le lecteur doit se reporter. *Les **références** sont en bas de page.* • **Ouvrage de référence** : livre que l'on consulte pour avoir un renseignement sûr. *Les dictionnaires et les atlas sont des **ouvrages de référence**.* ■ **références** nom féminin pluriel Témoignages qui renseignent sur les compétences de quelqu'un. *Pour ce poste, les candidats doivent fournir des **références**.*

référendum nom masculin
Vote de tous les électeurs d'un pays ou des citoyens d'une municipalité sur une question précise. *À un **référendum**, les électeurs répondent par oui ou par non.* **SYN** consultation. * Attention ! La dernière syllabe du mot *référendum* se prononce *dome*. * Chercher aussi *plébiscite*.

se **référer** verbe ▸ conjug. 8
Se reporter à quelque chose ou à quelqu'un pour une vérification. *Pour corriger ses fautes d'orthographe, Tristan **se réfère** à son dictionnaire.* ✎ On peut écrire aussi, au futur, *tu **te réfèreras*** ; au conditionnel, *elle **se réfèrerait***.

refermer verbe ▸ conjug. 3
Fermer de nouveau ce qui était ouvert. *Je vous prie de **refermer** la porte derrière vous.*

réfléchi, réfléchie adjectif
Qui réfléchit avant de parler ou d'agir. *Mila est très **réfléchie**, elle ne fait jamais rien dans la précipitation.* **CONTR** étourdi, impulsif, irréfléchi.

réfléchir verbe ▸ conjug. 11
❶ Penser à quelque chose avec beaucoup d'attention. *Je ne sais pas encore ce que je dois faire ; il faut que j'y **réfléchisse**.* ❷ Renvoyer l'image de quelque chose. *Le miroir **réfléchit** son visage.* **SYN** refléter. ■ *se* **réfléchir** : être renvoyé. *Son image **se réfléchit** sur la vitre.* **SYN** se refléter. ♦ Famille du mot : irréfléchi, réfléchi, réflexion.

reflet nom masculin
❶ Image ou lumière reflétée par une surface. *Felipe regarde le **reflet** des arbres dans le lac.* ❷ Nuance de coloration produite par la lumière. *Ses cheveux ont des **reflets** dorés au soleil.*

refléter verbe ▸ conjug. 8
❶ Renvoyer l'image d'une personne ou d'une chose. *Le lac **reflète** le ciel.* **SYN** réfléchir. ❷ Indiquer quelque chose. *Ses questions **reflètent** un esprit curieux.* ■ *se* **refléter** : être renvoyé. *La lune **se reflète** sur la neige.* **SYN** se réfléchir. ✎ On peut écrire aussi, au futur, *il **(se) reflètera*** ; au conditionnel, *elles **(se) reflèteraient***.

réflexe nom masculin
Mouvement très rapide que l'on fait automatiquement. *Louis a eu le **réflexe** de rattraper le vase au moment où il tombait.*

réflexion nom féminin
❶ Action de réfléchir. *Il demande quelques jours de **réflexion** avant de se décider à accepter cet emploi.* ❷ Remarque ou critique adressée à quelqu'un. *Ses **réflexions** sont vraiment vexantes.* ❸ Phénomène par lequel la lumière ou le son sont réfléchis. *La **réflexion** d'un rayon lumineux.*

refluer verbe ▸ conjug. 3
Se mettre à aller en sens inverse. *La mer **reflue** quand la marée commence à descendre.* **SYN** se retirer.

reflux nom masculin
Mouvement de la marée descendante. **CONTR** flux. * Attention ! Le *x* du mot *reflux* ne se prononce pas.

réforme nom féminin
Changement apporté en vue d'une amélioration. *On parle depuis très longtemps d'une **réforme** du système de santé.*

réformer verbe ▸ conjug. 3
Faire des réformes. ***Réformer** l'enseignement.*

refouler verbe ▸ conjug. 3
❶ Obliger quelqu'un à reculer. *La police **a refoulé** les curieux.* **SYN** repousser. ❷ Empêcher un sentiment de se manifester. *Natacha a eu du mal à **refouler** ses larmes.* **SYN** réprimer, retenir.

réfractaire adjectif
Qui refuse de se soumettre, qui résiste. *Ces gens sont **réfractaires** au changement.*

*Un **reflet***

refrain nom masculin
Paroles d'une chanson que l'on répète sur le même air après chaque couplet. *Nicolas ne connaît que le **refrain** de cette chanson.*

réfréner verbe ▸ conjug. 8
Mettre un frein à un sentiment, à une tendance. ***Réfréner** ses désirs, ses envies, son impatience, sa colère.* **SYN** modérer, réprimer, retenir.

réfrigérateur nom masculin
Électroménager destiné à conserver les aliments au froid. *Il y a un bac spécial pour les légumes et les fruits dans le **réfrigérateur**.*

réfrigérer verbe ▸ conjug. 8
Refroidir en vue de conserver. *Il faut **réfrigérer** le poisson dès qu'il est pêché.* **SYN** frigorifier. ✎ On peut écrire aussi, au futur, *tu **réfrigèreras***; au conditionnel, *je **réfrigèrerais***. * Chercher aussi *congeler*, *surgeler*.

refroidir verbe ▸ conjug. 11
❶ Devenir plus froid. *Ma mère a laissé **refroidir** son café.* **CONTR** chauffer. ❷ Rendre plus froid. ***Refroidis** le biberon sous l'eau froide, il est trop chaud.* **CONTR** réchauffer.
❸ Diminuer l'ardeur ou le courage. *Son accueil glacial nous **a refroidis**.* **SYN** décourager.
■ se **refroidir**: devenir plus froid. *Le temps **s'est refroidi**.* **CONTR** se réchauffer.

refroidissement nom masculin
Fait de se refroidir. *On annonce un **refroidissement** de la température dans cette région.* **CONTR** réchauffement.

refuge nom masculin
❶ Lieu où l'on se sent en sécurité, à l'abri. *Pendant l'orage, nous avons trouvé **refuge** dans une grange.* ❷ Maison qui sert d'abri et d'hébergement aux alpinistes ou aux randonneurs. *On a fait cinq jours de randonnée en dormant dans des **refuges**.* ♦ Famille du mot: réfugié, se réfugier.

réfugié, réfugiée nom et adjectif
Personne qui a dû fuir son pays d'origine. *Le Canada accueille des **réfugiés**. – Une famille **réfugiée**.*

se **réfugier** verbe ▸ conjug. 10
Se mettre dans un lieu pour être à l'abri. *Poursuivi par un chien, le chat **s'est réfugié** au sommet d'un arbre.*

refus nom masculin
Fait de refuser. *Un **refus** catégorique.*
CONTR acceptation, accord, consentement.
• **Ce n'est pas de refus**: dans la langue familière, indique que l'on accepte avec plaisir.

refuser verbe ▸ conjug. 3
Ne pas accepter. *J'ai proposé à Linh de l'aider, mais elle **a refusé**.* ■ se **refuser à**: ne pas accepter. *Il **se refuse à** faire cette démarche.* **CONTR** consentir. • **Ne rien se refuser**: ne se priver de rien.

réfuter verbe ▸ conjug. 3
Démontrer qu'une affirmation est fausse. *La police **a réfuté** la preuve de l'accusé.*

regagner verbe ▸ conjug. 3
❶ Gagner de nouveau ce que l'on avait perdu. *Le coureur **a regagné** le temps perdu.* **SYN** rattraper. ❷ Retourner à un endroit. *Le bateau **a regagné** le port.*

regain nom masculin
Retour de ce qui paraissait perdu ou fini. *Les joueurs ont un **regain** d'énergie.* **SYN** renouveau, reprise.

régal nom masculin
Mets délicieux. *Cette tarte au sucre est un vrai **régal**.* **SYN** délice.

se **régaler** verbe ▸ conjug. 3
Prendre un grand plaisir à manger quelque chose de bon. *Les enfants **se sont régalés** avec leur chocolat de Pâques.* **SYN** se délecter.

regard nom masculin
Action ou manière de regarder. *Ce chien a un **regard** doux et intelligent.* • **Au premier regard**: sur-le-champ, aussitôt.

regardant, regardante adjectif
❶ Dans la langue familière, mesquin, qui regarde à la dépense. *Pour la nourriture, il n'est pas **regardant**, car il aime la qualité.* **SYN** économe. ❷ Exigeant. *Cette enseignante n'est pas trop **regardante** sur la discipline.*

regarder verbe ▸ conjug. 3
❶ Fixer ses yeux sur quelque chose ou sur quelqu'un. *Josh **regarde** le paysage avec admiration.* ❷ Concerner quelqu'un. *Leurs problèmes ne me **regardent** pas.* • **Regarder à la dépense**: hésiter à dépenser beaucoup. *Mon grand-père est économe et **regarde à la dépense**.* ■ se **regarder**: se contempler. *Selma **se regarde** dans le miroir.* ♦ Famille du mot: regard, regardant.

a b c d e f g h i j k l m n o p q r s t u v w x y z

régate nom féminin
Course de bateaux. *Le départ de la **régate** est prévu pour onze heures.*

*Une **régate***

régénérer verbe ▶ conjug. 8
Rendre un organe plus sain. *Cette crème **régénère** la peau abîmée par le soleil.* ✎ On peut écrire aussi, au futur, *elle **régénèrera***; au conditionnel, *il **régénèrerait**.*

régie nom féminin
❶ Organisme d'un gouvernement. *La **Régie** des rentes du Québec.* ❷ Direction de l'organisation matérielle d'un spectacle. *La **régie** règle les caméras et les micros.*

① **régime** nom masculin
❶ Manière dont un État est organisé et gouverné. *Un **régime** démocratique permet au peuple de s'exprimer.* ❷ Ensemble des règles ou des lois qui organisent une institution. *Le **régime** matrimonial, le **régime** fiscal.* ❸ Manière particulière de se nourrir. *Il a trop de cholestérol, il doit suivre un **régime**.* * Chercher aussi *diète*. ❹ Vitesse à laquelle tourne un moteur. *Une voiture à plein **régime** consomme beaucoup d'essence.*

② **régime** nom masculin
Ensemble de fruits qui poussent en grappes sur une même tige. *Un **régime** de bananes.*

régiment nom masculin
Troupe de soldats composée de plusieurs bataillons. *Un **régiment** est commandé par un colonel.*

région nom féminin
❶ Partie d'un espace géographique. *Le Québec compte vingt-deux **régions** touristiques.* ❷ Étendue autour d'une ville. *Elle s'est installée dans la **région** torontoise.* ❸ Espace géographique situé en dehors des grands centres urbains. *Ce médecin travaille en **région**.* • **Région administrative**: division administrative d'un territoire. *La **région administrative** de la Côte-Nord.*

régional, régionale, régionaux adjectif
Qui est particulier à une région. *Quand Pia voyage au Mexique, elle aime goûter la cuisine **régionale**.*

régisseur, régisseuse nom
Personne qui dirige la régie d'un spectacle.

registre nom masculin
❶ Grand cahier où l'on consigne des renseignements importants (comptes, renseignements officiels, etc.). ❷ Niveau de langue. *Le **registre** standard, familier.*

réglable adjectif
Que l'on peut régler. *Le volant de cette voiture est **réglable**.*

réglage nom masculin
Action de régler un appareil. *Les couleurs de cette télévision ont besoin d'un **réglage**.*

règle nom féminin
❶ Instrument qui sert à tracer des lignes et à mesurer. *Rachid se sert de sa **règle** pour tracer un triangle.* 👁p. 575. ❷ Indications que l'on doit suivre dans un jeu, une technique ou un art. *Ève connaît les **règles** du jeu d'échecs. Les élèves apprennent les **règles** d'accord du participe passé.* ❸ Loi, principe. *Les **règles** de l'école.* **SYN** règlement. • **Dans les règles**: comme il faut. *Ce travail a été fait **dans les règles**.* • **En règle**: conforme à la loi. *David a un passeport **en règle**.* • **En règle générale**: habituellement. ■ **règles** nom féminin pluriel Écoulement de sang qui a lieu chaque mois chez les femmes, de la puberté à la ménopause. **SYN** menstruation.

règlement nom masculin
❶ Ensemble des règles qu'il faut suivre. *Les **règlements** de l'école.* ❷ Fait de régler ce que l'on doit. *Le **règlement** des achats se fait à la caisse du magasin.* **SYN** paiement. ❸ Fait de régler une affaire. *On espère un **règlement** très rapide du conflit.*
♦ Famille du mot: dérégler, réglable, réglage, règle, réglementaire, réglementation, réglementer.

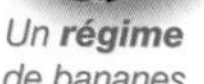
*Un **régime** de bananes*

a b c d e f g h i j k

réglementaire adjectif
Fixé par un règlement. *C'est une procédure* ***réglementaire.*** ✎ On peut écrire aussi ***règlementaire.***

réglementation nom féminin
Ensemble de règlements. *La vente de certains médicaments est soumise à une* ***réglementation.*** ✎ On peut écrire aussi ***règlementation.***

réglementer verbe ▸ conjug. 3
Soumettre à des règlements. *Dans le centre-ville, le stationnement* ***est réglementé.*** ✎ On peut écrire aussi ***règlementer.***

régler verbe ▸ conjug. 8
❶ Mettre au point un mécanisme pour qu'il fonctionne bien. *Angela essaie de* ***régler*** *les couleurs de la télévision.* CONTR dérégler. ❷ Trouver une solution définitive à quelque chose. *Ce problème* ***a été*** *vite* ***réglé.*** SYN résoudre. ❸ Payer ce que l'on doit. *Elle* ***a réglé*** *cette facture.* ✎ On peut écrire aussi, au futur, *je* ***règlerai***; au conditionnel, *tu* ***règlerais.***

De la **réglisse**

réglisse nom féminin
❶ Plante dont on utilise la racine en confiserie. ❷ Bonbon aromatisé à la réglisse. *Au cinéma, je m'achète de la* ***réglisse.***

m n o p q r

règne nom masculin
❶ Temps pendant lequel règne un souverain. *Le* ***règne*** *de la reine Victoria a été très long.* ❷ Chacune des trois grandes divisions de la nature. *Le* ***règne*** *minéral, le* ***règne*** *végétal et le* ***règne*** *animal.*

régner verbe ▸ conjug. 8
❶ Exercer le pouvoir, pour un souverain. *La reine Victoria* ***a régné*** *soixante-quatre ans.* ❷ Exister de manière durable. *La paix* ***règne*** *dans ce pays.*

s t u v w x y z

regorger verbe ▸ conjug. 5
Avoir en abondance. *Cette région* ***regorge*** *de richesses.* SYN abonder. CONTR manquer.
* Chercher aussi *foisonner.*

régresser verbe ▸ conjug. 3
Diminuer en intensité ou en nombre. *L'analphabétisme* ***régresse*** *dans ce pays.* SYN reculer. CONTR progresser.

régression nom féminin
Fait de régresser. *On enregistre une* ***régression*** *du chômage.* SYN recul. CONTR expansion, progression.

regret nom masculin
❶ Sentiment de tristesse ou de chagrin. *Ma grand-mère pense parfois à sa jeunesse avec* ***regret.*** ❷ Fait de regretter ce que l'on a fait ou d'avoir été la cause de quelque chose. *Guido éprouve du* ***regret*** *d'avoir fait de la peine à son ami.* SYN remords. • **À regret**: à contrecœur. *Il part* ***à regret.*** ♦ Famille du mot: regrettable, regretter.

regrettable adjectif
Qui mérite d'être regretté. *C'est bien* ***regrettable*** *que Kevin soit absent.* SYN fâcheux.

regretter verbe ▸ conjug. 3
❶ Éprouver du regret. *Mélanie* ***regrette*** *le temps où son grand frère était à la maison.* ❷ Éprouver du mécontentement. *Ma mère* ***regrette*** *d'avoir acheté cette voiture.*

regrouper verbe ▸ conjug. 3
Grouper en un même endroit. *L'enseignant* ***a regroupé*** *les élèves dans la cour de l'école.* SYN rassembler, réunir. ■ *se* **regrouper**: reformer un groupe. *Après la récréation, les élèves* ***se sont regroupés*** *dans la cour.* CONTR se disperser.

régulariser verbe ▸ conjug. 3
❶ Rendre conforme aux règlements. *Il* ***a régularisé*** *sa situation.* ❷ Rendre régulier. *Elle prend des médicaments pour* ***régulariser*** *son rythme cardiaque.*

régularité nom féminin
❶ Caractère régulier. *Johanna s'entraîne avec beaucoup de* ***régularité.*** SYN constance. CONTR irrégularité. ❷ Qualité de ce qui est conforme aux règlements. *Des citoyens ont contesté la* ***régularité*** *de cette décision.* SYN légalité. ❸ Harmonie, symétrie. *Un visage d'une parfaite* ***régularité.***

régulier, régulière adjectif
❶ Qui ne change pas ou se répète de la même façon. *Le battement du pouls de Thomas est* ***régulier.*** SYN constant. CONTR irrégulier. ❷ Qui est conforme aux règles ou à la loi. *Cet emprisonnement n'est pas* ***régulier.*** ❸ Harmonieux. *Gregory a des traits* ***réguliers.*** ❹ Qui suit les règles normales de conjugaison. *Le verbe « aimer » est un verbe* ***régulier.*** ♦ Famille du mot: irrégularité, irrégulier, irrégulièrement, régulariser, régularité, régulièrement.

régulièrement adverbe
De façon régulière. *Elle consulte* ***régulièrement*** *ses parents.*

régurgiter verbe ▶ conjug. 3
Faire remonter dans la bouche un aliment que l'on vient d'avaler. *Le bébé* ***régurgite*** *son lait.*

réhabiliter verbe ▶ conjug. 3
Faire retrouver à quelqu'un l'estime de tous. *Après avoir prouvé son innocence, il* ***a été réhabilité****.*

rehausser verbe ▶ conjug. 3
❶ Rendre plus haut. *Les ouvriers ont entrepris de* ***rehausser*** *ce muret.* **SYN** surélever. ❷ Mettre davantage en valeur. *Cette couleur* ***rehausse*** *l'éclat de son teint.*

réimpression nom féminin
Action de réimprimer. *Ce livre est épuisé, mais il est actuellement en* ***réimpression****.*

réimprimer verbe ▶ conjug. 3
Imprimer de nouveau. *Ce livre a un tel succès qu'on va le* ***réimprimer****.*

rein nom masculin
Chacun des deux organes qui sécrètent l'urine. *Le* ***rein*** *sert à filtrer le sang pour en éliminer les déchets.* • **Tour de reins :** douleur dans le bas du dos. **SYN** lumbago. ■ **reins** nom masculin pluriel Bas du dos. *Mon père a mal aux* ***reins****.*

réincarnation nom féminin
Croyance selon laquelle on revit dans un nouveau corps après la mort. *Les hindous croient à la* ***réincarnation****.*

reine nom féminin
Épouse d'un roi ou souveraine d'un royaume. *Le roi et la* ***reine*** *ouvrent le bal.* * Ne pas confondre *reine*, *rêne* et *renne*.

réintégrer verbe ▶ conjug. 8
Revenir dans un endroit que l'on avait quitté. *Après les travaux, il* ***a réintégré*** *son appartement.* ✎ On peut écrire aussi, au futur, *je* ***réintègrerai*** ; au conditionnel, *tu* ***réintègrerais***.

rejaillir verbe ▶ conjug. 11
❶ Jaillir avec force en parlant d'un liquide. *Le tuyau s'est brisé et l'eau* ***a rejailli*** *sur le plombier.* ❷ Au sens figuré, atteindre indirectement. *Le scandale* ***a rejailli*** *sur ses proches.* **SYN** retomber.

rejet nom masculin
Action de rejeter. *On l'a informé du* ***rejet*** *de sa demande.* **SYN** refus.

rejeter verbe ▶ conjug. 9
❶ Jeter hors de soi ou de nouveau. *Le volcan* ***a rejeté*** *des cendres et de la lave.* ❷ Refuser une proposition. *Le comité de sélection* ***a rejeté*** *sa candidature.* **SYN** repousser. **CONTR** accepter. ❸ Faire porter à quelqu'un d'autre la responsabilité de quelque chose. *Il* ***rejette*** *tous les torts sur elle.*

rejoindre verbe ▶ conjug. 35
❶ Aller retrouver des gens ou retourner à un endroit. *Ming* ***rejoint*** *ses amis à l'aréna.* ❷ Rattraper quelqu'un. *Partez devant, je vous* ***rejoins*** *!* ■ *se* **rejoindre** : aboutir au même endroit. *Les deux routes* ***se rejoignent*** *plus loin.*

réjouir verbe ▶ conjug. 11
Faire plaisir à quelqu'un. *Tes succès me* ***réjouissent****.* **CONTR** désoler. ■ *se* **réjouir** : être heureux. *Malika* ***se réjouit*** *de venir avec nous.* ♦ Famille du mot : réjouissance, réjouissant.

réjouissance nom féminin
Joie collective. *Noël est une occasion de* ***réjouissance*** *pour la famille.* ■ **réjouissances** nom féminin pluriel Fête pour célébrer quelque chose. *La Saint-Jean-Baptiste est l'occasion de vives* ***réjouissances*** *au Québec.*

réjouissant, réjouissante adjectif
Qui réjouit. *Une nouvelle* ***réjouissante****.* **CONTR** désolant.

relâche nom féminin
• **Faire relâche :** arrêter momentanément les représentations. *Ce théâtre* ***fait relâche*** *le lundi.* • **Sans relâche :** sans interruption dans le travail ou dans l'effort. *Les pompiers luttent* ***sans relâche*** *contre l'incendie.* **SYN** sans trêve. • **Semaine de relâche :** interruption des cours pendant une semaine au milieu de l'année scolaire.

relâchement nom masculin
Fait de relâcher son effort. *Il ne peut se permettre aucun* ***relâchement*** *dans son entraînement.*

relâcher verbe ▶ conjug. 3
❶ Desserrer ce qui était serré ou tendu. *Il faut* ***relâcher*** *cette corde.* **SYN** détendre. ❷ Remettre en liberté. *On* ***a relâché*** *ce prisonnier.* ■ *se* **relâcher** : perdre de sa rigueur ou de sa fermeté. *La discipline* ***se relâche*** *à la fin de l'année scolaire.* ♦ Famille du mot : relâche, relâchement.

a b c d e f g h i j k l m n o p q r s t u v w x y z

relais nom masculin
Dispositif qui retransmet les émissions envoyées par un émetteur principal. *Un **relais** de télévision.* • **Course de relais :** épreuve sportive de course à pied dans laquelle les concurrents de chaque équipe se remplacent au cours du parcours. • **Prendre le relais :** remplacer quelqu'un dans sa tâche. *Quand tu voudras te reposer, je **prendrai le relais**.* SYN relayer. ✎ On peut écrire aussi, au singulier, *un **relai***.

*Une course de **relais***

relance nom féminin
Action de relancer. *La **relance** de l'économie.* SYN reprise.

relancer verbe ▸ conjug. 4
❶ Lancer de nouveau ou en sens inverse. *Le joueur de tennis **relance** la balle.* SYN renvoyer. ❷ Donner un nouvel élan. *Des mesures ont été prises pour **relancer** les activités parascolaires.* ❸ Insister auprès de quelqu'un pour obtenir quelque chose. *Ce journal **relance** ses anciens abonnés pour qu'ils se réabonnent.*

relater verbe ▸ conjug. 3
Raconter, rapporter. *L'article de journal **relate** les faits.*

relatif, relative adjectif
❶ Qui concerne quelque chose ou s'y rapporte. *C'est un article **relatif** au réchauffement climatique.* ❷ Qui n'a pas de valeur en soi-même, mais seulement en comparaison avec autre chose. *Ils ont connu un bonheur **relatif**.* • **Pronom relatif :** mot qui introduit une phrase qui complète un nom, habituellement celui qui précède. *« Qui », « que », « dont », « où » sont des **pronoms relatifs**.* * Chercher aussi *antécédent*.

relation nom féminin
❶ Rapport entre plusieurs choses. *L'enquêteur a tout de suite fait la **relation** entre ces deux évènements.* SYN lien. ❷ Rapport entre des personnes. *Leurs **relations** sont très cordiales.* ❸ Rapport entre des groupes, des États, etc. *Des **relations** diplomatiques.* ❹ Personne avec laquelle on est en rapport. *Mme Cloutier a invité ses **relations** d'affaires au restaurant.* • **Avoir des relations :** connaître des gens célèbres ou importants. • **Avoir des relations sexuelles avec une personne :** faire l'amour avec elle.

relativement adverbe
De façon relative. *Cette famille est **relativement** riche.* SYN assez.

relaxation nom féminin
Fait de se relaxer. *Des séances de **relaxation** pour combattre le stress.* SYN détente, repos.

se **relaxer** verbe ▸ conjug. 3
Se décontracter. *Pour **me relaxer**, j'essaie de ne plus penser à rien.* SYN se détendre.

relayer verbe ▸ conjug. 7
Remplacer quelqu'un dans sa tâche. *Mon père m'a demandé de le **relayer** pour mettre la table.* ■ *se* **relayer :** se remplacer tour à tour. *Nous **nous sommes relayés** pour déblayer l'entrée.*

reléguer verbe ▸ conjug. 8
Mettre un objet à l'écart pour s'en débarrasser. *On **a relégué** le vieux fauteuil au grenier.* ✎ On peut écrire aussi, au futur, *je **relèguerai***; au conditionnel, *vous **relègueriez***.

relève nom féminin
Remplacement d'une personne dans une tâche. *Miléna va prendre la **relève** de Francis pour qu'il puisse se reposer.*

relevé nom masculin
Fait de noter par écrit. *La banque envoie régulièrement des **relevés** à ses clients.*

relèvement nom masculin
Action de relever quelque chose. *La direction a procédé à un **relèvement** des salaires.* SYN augmentation, hausse. CONTR baisse.

relever verbe ▸ conjug. 8
❶ Remettre en position verticale. *Il **a relevé** sa petite sœur qui était tombée.* ❷ Mettre quelque chose plus haut. *Samuel **relève** les manches de sa chemise avant de se mettre au travail.* SYN remonter. CONTR abaisser, baisser. ❸ Noter des informations. *Le directeur **a relevé** le nom des élèves qui voulaient former une équipe de basketball.* ❹ Améliorer un niveau. *La direction de l'usine a décidé de **relever** la*

qualité de ses produits. **SYN** augmenter, remonter. ❺ Donner plus de goût. *Il a mis du poivre dans la sauce pour la* ***relever.*** ❻ Remplacer quelqu'un dans une occupation. *Le chauffeur d'autobus* ***est relevé*** *par une collègue à la mi-journée.* ♦ Famille du mot : relève, relevé, relèvement.

relief nom masculin
Aspect plus ou moins accidenté de la surface de la Terre. *Les plaines, les plateaux, les montagnes et les vallées forment le* ***relief*** *de la Terre.* • **En relief :** qui dépasse d'une surface. *L'écriture en braille est constituée de points* ***en relief.*** • **Mettre quelque chose en relief :** le mettre en évidence.

Le ***relief*** *des Rocheuses*

relier verbe ▸ conjug. 10
❶ Assembler des feuillets et les munir d'une couverture. *L'enseignant* ***a relié*** *les poèmes de la classe pour en faire un recueil de poésie.* * Chercher aussi *brocher.* ❷ Rattacher des choses ensemble par un lien. ***Reliez*** *les points par des traits et vous verrez apparaître un personnage.* ❸ Au sens figuré, établir un lien. *La journaliste* ***a relié*** *ces deux faits.* ❹ Faire communiquer. *Un pont* ***relie*** *l'île au continent.* ♦ Famille du mot : relieur, reliure.

relieur, relieuse nom
Personne dont le métier est de relier des livres.

religieusement adverbe
❶ De façon religieuse. *Ils se sont mariés* ***religieusement.*** ❷ Avec un respect presque religieux. *Guillaume suit* ***religieusement*** *les conseils de son grand frère.*

religieux, religieuse adjectif
Qui se rapporte à la religion. *Prier est l'un des actes principaux de la vie* ***religieuse.***

■ **religieux, religieuse** nom Personne qui consacre sa vie à Dieu. *Beaucoup de* ***religieux*** *vivent dans des couvents ou des monastères.*

religion nom féminin
Ensemble de rites et de pratiques liés à la croyance en un ou plusieurs dieux. *Le judaïsme, le christianisme et l'islam sont les principales* ***religions*** *monothéistes.* 👁p. 270.

relire verbe ▸ conjug. 45
❶ Lire de nouveau. *Leonardo* ***relit*** *ce livre pour la troisième fois.* ❷ Lire une autre fois pour vérifier s'il y a des fautes. *Huang* ***relit*** *son texte pour le réviser.*

relish nom féminin
Condiment aux cornichons. *J'adore la* ***relish*** *dans un hot-dog.*

reliure nom féminin
Couverture d'un livre. *Ce livre a une* ***reliure*** *rigide.* • **Reliure à anneaux :** classeur muni d'anneaux dans lequel on classe des feuilles mobiles. **SYN** classeur* à anneaux.

reloger verbe ▸ conjug. 5
Procurer un nouveau logement. *Avant de démolir cet immeuble, la Ville a dû* ***reloger*** *ses occupants.*

reluire verbe ▸ conjug. 43
Luire en reflétant la lumière. *Après y avoir mis de l'encaustique, Kim frotte les meubles pour les faire* ***reluire.*** **SYN** briller.

remanier verbe ▸ conjug. 10
Retoucher et modifier. *L'écrivaine* ***a remanié*** *complètement la fin de son livre.*

se **remarier** verbe ▸ conjug. 10
Se marier de nouveau. *Ce veuf* ***s'est remarié.***

remarquable adjectif
Digne d'être remarqué. *Cette artiste est tout à fait* ***remarquable.*** **SYN** extraordinaire.

remarquablement adverbe
De façon remarquable. *Nicolas est* ***remarquablement*** *observateur.* **SYN** très.

remarque nom féminin
❶ Opinion que l'on exprime. *Pierre a fait une* ***remarque*** *pertinente à Julie.* **SYN** commentaire, observation, réflexion. ❷ Petite note destinée à attirer l'attention. *Dans ce dictionnaire, il y a des* ***remarques*** *sur la prononciation de certains mots.*

remarquer verbe ▸ conjug. 3
Faire attention à quelque chose ou à quelqu'un. *Tout le monde **a remarqué** qu'il était fâché.* **SYN** s'apercevoir, constater, observer. • **Se faire remarquer :** chercher à attirer l'attention. *Mon petit frère **se fait remarquer** en pleurnichant tout le temps.* ♦ Famille du mot : remarquable, remarquablement, remarque.

rembarquer verbe ▸ conjug. 3
Embarquer de nouveau. *Après une escale à Toronto, on **a rembarqué** pour Montréal.*

remblai nom masculin
Masse de matériaux apportés pour surélever un terrain ou pour boucher des trous. *Les rails sont posés sur le **remblai**.*

remblayer verbe ▸ conjug. 7
Combler ou surélever par un remblai. *Les ouvriers **remblaient** la chaussée.*

rembourrer verbe ▸ conjug. 3
Remplir d'une matière souple naturelle ou synthétique. *Ce fauteuil en cuir est confortable parce qu'il **est** bien **rembourré**.*

remboursement nom masculin
Action de rembourser. *Elle a demandé le **remboursement** d'un article défectueux.*

rembourser verbe ▸ conjug. 3
Rendre de l'argent à quelqu'un. *Thomas **a remboursé** à Maya les dix dollars qu'il lui devait.*

se **rembrunir** verbe ▸ conjug. 11
Prendre un air sombre et triste. *Sonia **s'est rembrunie** en apercevant son ancien copain.*

remède nom masculin
❶ Médicament. *Ce **remède** est efficace contre la toux.* ❷ Au sens figuré, moyen de faire cesser ou d'apaiser quelque chose. *La lecture est un **remède** à l'ennui.* ♦ Famille du mot : irrémédiable, remédier.

remédier verbe ▸ conjug. 10
Trouver un remède, une solution à quelque chose de problématique. *Pour **remédier** au manque de personnel, on a embauché des étudiants.*

se **remémorer** verbe ▸ conjug. 3
Se souvenir. *Lily **se remémore** le rêve qu'elle a fait pendant la nuit.*

remerciement nom masculin
Action de remercier. *Après la fête, Han a envoyé un courriel de **remerciement** à tous ses invités.*

remercier verbe ▸ conjug. 10
❶ Dire merci pour exprimer sa reconnaissance. *Je te **remercie** d'y avoir pensé.* ❷ Renvoyer. *Mme Grenier **a remercié** deux employés de son service.* **SYN** congédier.

remettre verbe ▸ conjug. 33
❶ Mettre une chose à l'endroit où elle était. *Tu veux bien **remettre** ce vase à sa place ?* **SYN** replacer. ❷ Mettre de nouveau sur soi. *Aïcha **a remis** son chandail parce qu'elle avait froid.* ❸ Ajouter. *Elle a dû **remettre** de l'huile dans la vinaigrette.* ❹ Rétablir dans son état antérieur. *Jérémie **a remis** de l'ordre dans sa chambre.* ❺ Déposer entre les mains de quelqu'un. *On **a remis** un trophée au vainqueur.* ❻ Reporter à une date ultérieure. *La rencontre **a été remise** à samedi prochain.* ■ *se* **remettre** : retrouver la santé ou son état normal. *Camille **se remet** de sa grippe. Il **se remet** de ses émotions.* • **S'en remettre à quelqu'un :** lui faire confiance. • **Se remettre à :** recommencer. *Arielle **s'est remise à** jouer au soccer.*

remise nom féminin
❶ Action de remettre. *La **remise** des prix aura lieu dans l'auditorium.* ❷ Réduction. *Cette boutique fait une **remise** de 20 % sur tous les articles.* * Chercher aussi *rabais*. ❸ Local servant à ranger des choses. *Sofia a mis son vélo dans la **remise**.*

remiser verbe ▸ conjug. 3
Mettre à l'abri, ranger pour quelque temps. *Il **a remisé** ses skis au sous-sol.*

rémission nom féminin
Atténuation temporaire d'une maladie. *Pendant les moments de **rémission**, le malade a demandé à voir ses amis.*

remontant nom masculin
Médicament qui redonne des forces. *Le médecin lui a prescrit un **remontant**.* **SYN** fortifiant, tonique.

remontée nom féminin
Action de remonter. *Yann a fait la **remontée** de la rivière en canot.* • **Remontée mécanique :** appareil qui permet aux skieurs de remonter en

haut des pistes. *Les téléphériques, les remonte-pentes sont des **remontées mécaniques**.*

remonte-pente nom masculin
Remontée mécanique faite d'un câble muni de perches. *Les skieurs s'accrochent aux perches du **remonte-pente**.* ✎ Pluriel: *des **remonte-pentes**.*

*Un **remonte-pente***

remonter verbe ▸ conjug. 3
❶ Monter de nouveau. *Nadine **remonte** chercher ses clés qu'elle a oubliées.* **CONTR** redescendre. *Depuis son accident, Antoine n'**est** pas **remonté** à bicyclette.* ❷ Augmenter de nouveau. *Au printemps, la température **remonte**.* ❸ Dater de telle époque. *Les faits **remontent** au mois de septembre.* ❹ Relever. *Claudia **remonte** les manches de son chemisier.* ❺ Aller en sens inverse. *Le kayakiste a de la peine à **remonter** le courant.* ❻ Retendre le ressort d'un mécanisme. *On **remonte** cette vieille horloge une fois par semaine.* ❼ Remettre ensemble des éléments démontés. *Le garagiste **a remonté** le moteur de la voiture.* ❽ Redonner des forces. *Ce médicament m'**a remonté**.* **SYN** revigorer. • **Remonter le moral de quelqu'un:** lui redonner du courage quand il est triste, déprimé. **SYN** réconforter. * Attention! *Remonter* se conjugue tantôt avec l'auxiliaire *être*, tantôt avec l'auxiliaire *avoir*.

remontrance nom féminin
Observation ou reproche. *On lui a fait des **remontrances** pour son retard.* **SYN** réprimande.

remords nom masculin
Regret et malaise dus au sentiment d'avoir fait quelque chose de mal. *Bruno a des **remords** d'avoir été désagréable avec Yasmina.* ✎ Attention! Ne pas oublier le *s* de *remords* même au singulier.

remorque nom féminin
Véhicule sans moteur tiré par un autre véhicule. *Mon oncle transporte une motoneige sur sa **remorque**.* ♦ Famille du mot: remorquer, remorqueur, remorqueuse.

remorquer verbe ▸ conjug. 3
Traîner derrière soi. *La dépanneuse **remorque** la voiture accidentée.*

remorqueur nom masculin
Navire spécialement conçu pour remorquer d'autres bateaux. *Le **remorqueur** entraîne le navire vers la sortie du port.*

remorqueuse nom féminin
Camion spécialement équipé pour dépanner ou remorquer les véhicules en panne ou accidentés. **SYN** dépanneuse.

*Une **remorqueuse***

remous nom masculin
❶ Tourbillon qui se forme dans l'eau. *Les **remous** de la rivière Rouge.* • **Bain à remous:** bain équipé d'un système de propulsion d'eau ou d'air qui donne une impression apaisante de massage. ❷ Au sens figuré, agitation confuse. *Sa déclaration a provoqué des **remous** dans l'assistance.* ✎ Attention! Ne pas oublier le *s* de *remous* même au singulier.

rempart nom masculin
Muraille entourant et protégeant une ville fortifiée. *Les **remparts** du Vieux-Québec.*

remplaçant, remplaçante nom
Personne qui en remplace une autre dans ses fonctions. *Aujourd'hui, c'est un **remplaçant** qui enseigne.* **SYN** suppléant.

remplacement nom masculin
Fait de remplacer une personne ou une chose. *C'est un stagiaire qui assure le **remplacement** de notre enseignante.*

remplacer verbe ▸ conjug. 4
❶ Mettre une autre chose à la place. *Cette machine est irréparable; il faut la **remplacer**.* ❷ Prendre la place de quelqu'un. *Quand le directeur est absent, c'est son adjointe qui le **remplace**.* ♦ Famille du mot: irremplaçable, remplaçant, remplacement.

a b c d e f g h i j k l m n o p q r s t u v w x y z

remplir verbe ▸ conjug. 11
❶ Rendre plein. *Les enfants **ont rempli** leur bol de céréales.* CONTR vider. ❷ Occuper son temps. *Ma journée **a été** bien **remplie**.* ❸ Occuper l'esprit ou le cœur de quelqu'un. *Sacha **est rempli** d'admiration pour Jorane.* ❹ Répondre par écrit pour fournir l'information demandée. *Les candidats doivent **remplir** le formulaire d'inscription.* ❺ Exercer. *Le premier ministre **remplit** des fonctions importantes.* ❻ Accomplir une tâche que l'on s'est fixée. *Elle n'**a** pas **rempli** ses engagements.*

remplissage nom masculin
Action de remplir. *On ne peut pas se baigner pendant le **remplissage** de la piscine.*

remporter verbe ▸ conjug. 3
❶ Repartir avec ce que l'on avait apporté. *Si vous n'en voulez plus, je **remporte** le dessert.* ❷ Gagner dans une compétition. *L'équipe de notre école **a remporté** le match.*

remue-ménage nom masculin
Bruit accompagnant une agitation désordonnée. *Il y a du **remue-ménage** dans la classe.* ✎ Pluriel : *des **remue-ménage*** ou ***remue-ménages***.

remue-méninge ou **remue-méninges** nom masculin
Réunion pendant laquelle les participants réfléchissent à haute voix, émettent des idées et formulent des propositions. *Le **remue-méninge** nous a permis de proposer de nouvelles activités pour la classe.* ✎ Pluriel : *des **remue-méninges***.

remuer verbe ▸ conjug. 3
❶ Bouger, faire des mouvements. *Mon petit frère **remue** tout le temps.* SYN s'agiter. *Les lapins **remuent** leur nez.* ❷ Agiter pour mélanger. *Alice **remue** la sauce avec une cuiller.* • **Remuer ciel et terre :** faire tous les efforts possibles pour atteindre un but. *Mme Joncas **a remué ciel et terre** pour faire accepter son projet.* ♦ Famille du mot : remue-ménage, remue-méninge.

rémunérateur, rémunératrice adjectif
Qui rapporte de l'argent. *Un travail **rémunérateur**.*

rémunération nom féminin
Somme que l'on donne afin de rémunérer un travail. *Alex et Leila ont gardé les enfants de la voisine, ce qui leur a donné une petite **rémunération**.* SYN rétribution. * Attention ! Ce mot se prononce *ré**mu**nération*. * Chercher aussi *honoraires*, *revenu*, *salaire*.

rémunérer verbe ▸ conjug. 8
Payer quelqu'un pour un travail. *Hugo **a été rémunéré** pour tondre la pelouse.* SYN rétribuer. * Attention ! Ce verbe se prononce *ré**mu**nérer*. ♦ Famille du mot : rémunérateur, rémunération.

renaissance nom féminin
❶ Nouvel essor de quelque chose. *Après la guerre, ce pays a connu une **renaissance** économique.* SYN renouveau. ❷ Période historique de renouvellement artistique et culturel qui s'étend en Europe de la fin du 14e siècle au début du 17e siècle. *Michel-Ange est un artiste de la **Renaissance**.* ✎ Attention ! Au sens 2, ce mot s'écrit avec une majuscule.

renaître verbe ▸ conjug. 37
❶ Naître de nouveau, reprendre vie. *La nature **renaît** au printemps.* ❷ Recommencer à exister. *Elle a enfin marqué un but ; l'espoir **renaît** dans notre équipe.* SYN revivre. ✎ On peut écrire aussi ***renaitre***. * Attention ! *Renaître* n'a pas de participe passé, donc pas de temps composés.

*Un **renard***

renard nom masculin
Mammifère carnivore à la fourrure épaisse, au museau pointu et à la queue touffue. *Un **renard** s'est pris dans le piège.* 👁p. 454. * Chercher aussi *glapir*, *renardeau*.

renarde nom féminin
Femelle du renard.

renardeau, renardeaux nom masculin
Jeune renard.

renchérir verbe ▸ conjug. 11
Faire ou dire la même chose en allant plus loin. *Maria a dit qu'elle n'aimait pas le film et Benoît **a renchéri**.*

rencontre nom féminin
❶ Fait de se rencontrer. *La **rencontre** des deux amis a eu lieu au parc.* ❷ Compétition sportive. *Une **rencontre** de boxe, de tennis.* SYN match. • **Aller à la rencontre de quelqu'un :** aller au-devant de lui.

rencontrer verbe ▸ conjug. 3
❶ Se trouver en présence de quelqu'un. *Yann **a rencontré** sa voisine au dépanneur.* ❷ Affronter dans un match. *Demain, notre équipe de soccer doit **rencontrer** la vôtre.*

❸ Se trouver en présence d'un problème, d'une difficulté. *Les enfants **ont rencontré** un problème quand l'alimentation électrique de leur classe a été coupée.* ■ se **rencontrer** : faire connaissance. *Elles **se sont rencontrées** lors de la fête d'un ami commun.*

rendement nom masculin
❶ Importance d'une récolte par rapport à la surface de terrain. *Le **rendement** de ce champ de blé a augmenté.* ❷ Productivité. *Le directeur de l'usine veut améliorer le **rendement** de ses ouvriers.*

rendez-vous nom masculin invariable
Rencontre prévue entre deux ou plusieurs personnes. *Eyden a **rendez-vous** avec Vincent.*

se **rendormir** verbe ▸ conjug. 15
S'endormir de nouveau. *Des bruits l'ont réveillé et il n'a pas pu **se rendormir**.*

rendre verbe ▸ conjug. 31
❶ Redonner à quelqu'un ce qu'on lui avait emprunté ou ce qu'il avait perdu. ***As**-tu **rendu** son livre à Alicia ?* SYN restituer. CONTR garder. ❷ Donner en retour. *La caissière **rend** la monnaie.* ❸ Mettre dans tel ou tel état. *Cette histoire l'**a rendu** songeur.* • **Rendre compte de quelque chose à quelqu'un :** le lui raconter. • **Rendre des comptes à quelqu'un :** lui expliquer ce que l'on a fait, se justifier. ■ se **rendre** ❶ Aller quelque part. *Ils **se rendent** chez leur grand-mère tous les dimanches.* ❷ S'avouer vaincu et cesser le combat. *L'ennemi **s'est rendu**.* SYN capituler.

rêne nom féminin
Chacune des courroies fixées au mors d'un cheval et servant à le diriger. *La cavalière tient bien les **rênes** du cheval.* SYN guides. 👁p. 141.
* Ne pas confondre *rêne*, *reine* et *renne*.

renfermé, renfermée adjectif
Qui ne montre pas ses sentiments, ses impressions. *C'est une enfant timide et **renfermée**.* SYN réservé, secret, taciturne. CONTR expansif, ouvert. ■ **renfermé** nom masculin Mauvaise odeur d'un local non aéré. *Il faut ouvrir la fenêtre, cette chambre sent le **renfermé**.*

renfermer verbe ▸ conjug. 3
Avoir à l'intérieur. *Qu'est-ce que **renferme** cette boîte ?* SYN contenir, receler. ■ se **renfermer** : se replier sur soi-même en ne montrant pas ses sentiments. *Dès qu'on lui pose des questions personnelles, Éric **se renferme**.*

renflouer verbe ▸ conjug. 3
❶ Remettre à flot un navire. *Les plongeurs sont parvenus à **renflouer** le bateau.* ❷ Rétablir la situation d'une personne ou d'une entreprise en lui prêtant de l'argent. *La banque **a renfloué** cette entreprise.*

renfoncement nom masculin
Ce qui est enfoncé, renfoncé, qui forme un creux. *Fiona s'est abritée de la pluie dans le **renfoncement** d'une porte.*

renfoncer verbe ▸ conjug. 4
Dans la langue familière, s'enfoncer encore davantage. *Ses pieds **renfonçaient** dans la vase.*

renforcement nom masculin
Action de renforcer. *Des poutres d'acier assurent le **renforcement** de la structure.*

renforcer verbe ▸ conjug. 4
❶ Rendre plus fort, plus solide. *Bachir **a renforcé** sa valise en l'entourant d'une sangle.* SYN consolider. ❷ Accroître le nombre d'un groupe. *Ariane et Ben sont venus **renforcer** la chorale.*

renfort nom masculin
Nouveaux éléments pour renforcer une armée ou un groupe. *On a besoin de **renfort** pour former une troupe de théâtre.* • **À grand renfort de quelque chose :** en utilisant une grande quantité de cette chose. *Kevin a montré le chemin aux étrangers **à grand renfort de** gestes.*

se **renfrogner** verbe ▸ conjug. 3
Prendre une expression de mécontentement. *À l'annonce de cette mauvaise nouvelle, son visage **s'est renfrogné**.* SYN se rembrunir.

rengaine nom féminin
❶ Refrain très connu ou chanson que l'on entend partout. *Laurent fredonne une vieille **rengaine**.* ❷ Banalités lassantes à force d'être répétées. *Avec lui, c'est toujours la même **rengaine**.*

se **rengorger** verbe ▸ conjug. 5
Prendre des airs avantageux. *Il **se rengorge** depuis que son fils a participé aux Jeux olympiques.*

renier verbe ▸ conjug. 10
Cesser d'être fidèle à quelque chose ou à quelqu'un. *Depuis qu'il est célèbre, il **renie** son milieu et ses amis.* SYN désavouer.

renifler verbe ▸ conjug. 3
Aspirer bruyamment par le nez. *Fabio est enrhumé : il n'arrête pas de **renifler**.*

renne nom masculin
Mammifère ruminant voisin du cerf qui vit dans le Grand Nord. *Avec leurs bois aplatis, les **rennes** fouillent la neige pour trouver leur nourriture.* SYN caribou. 👁p. 124.
* Ne pas confondre *renne*, *reine* et *rêne*.

Un **renne**

renom nom masculin
Réputation favorable de quelqu'un ou de quelque chose. *Ce restaurant doit son **renom** à son cuisinier.* SYN célébrité, notoriété, renommée. • **De grand renom :** très connu.

renommé, renommée adjectif
Qui jouit d'un grand renom. *Un chef d'orchestre **renommé**.* SYN réputé.
■ **renommée** nom féminin Renom. *C'est une artiste de **renommée** internationale.*

renoncer verbe ▸ conjug. 4
Abandonner un projet. *Depuis son accident, cet athlète **a renoncé** à la compétition.*

renouer verbe ▸ conjug. 3
❶ Rattacher un nœud. *Sophie **a renoué** la ceinture de sa robe.* ❷ Reprendre ce qui a été interrompu. *Elle **a renoué** avec ses amis d'autrefois.*

renouveau nom masculin
Nouveau succès de quelque chose. *La montgolfière connaît un **renouveau** depuis quelques années.*

renouvelable adjectif
Qui peut être renouvelé. *Votre abonnement est **renouvelable** au mois de janvier.* • **Énergie renouvelable :** énergie dont la source ne s'épuise pas. *Le soleil et le vent sont des **énergies renouvelables**.*

renouveler verbe ▸ conjug. 9
❶ Donner une apparence nouvelle en remplaçant quelque chose. ***Renouveler** sa garde-robe.* SYN changer. ❷ Faire quelque chose de nouveau. *Le pilote de course **renouvelle** aujourd'hui sa performance de l'an dernier.* SYN recommencer. ■ *se* **renouveler** ❶ Se reproduire. *Le même incident **s'est renouvelé** hier soir.* ❷ Changer en apportant des éléments nouveaux. *Liam répète toujours les mêmes blagues; il ne cherche pas à **se renouveler**.*
✎ On peut écrire aussi, au présent, *je **renouvèle***; au futur, *tu **renouvèleras***; au conditionnel, *elle **renouvèlerait***. ♦ Famille du mot : renouveau, renouvelable, renouvellement.

renouvellement nom masculin
Action de renouveler. *Roberto a demandé le **renouvellement** de son passeport.* ✎ On peut écrire aussi *renouvèlement*.

rénovation nom féminin
Action de rénover. *Les travaux de **rénovation** de l'immeuble doivent durer un an.* SYN réfection, restauration.

rénover verbe ▸ conjug. 3
Remettre à neuf. *Ils **ont** entièrement **rénové** leur maison.* SYN moderniser.

renseignement nom masculin
Ce que l'on fait connaître à quelqu'un. *Adressez-vous au bureau des **renseignements**.* SYN indication, information.

renseigner verbe ▸ conjug. 3
Fournir à quelqu'un un renseignement. ***Renseigner** un touriste.* SYN informer.
■ *se* **renseigner** : prendre des renseignements. *Ils **se sont renseignés** sur leur lieu de destination. **T'es**-tu **renseigné** sur l'heure d'arrivée de ta sœur ?* SYN s'informer.

rentabilité nom féminin
Caractère rentable. *Cette chef d'entreprise a augmenté la **rentabilité** de son usine.*

rentable adjectif
Qui produit un bénéfice. *Ce commerce est très **rentable**.* SYN fructueux, profitable.

rente nom féminin
Revenu régulier que l'on tire d'un capital ou de propriétés. *Ses **rentes** lui permettent de vivre sans travailler.*

rentier, rentière nom
Personne qui vit de ses rentes.

rentrée nom féminin
❶ Moment où l'activité reprend après une pause. *La **rentrée** des classes a lieu à la fin d'août.* ❷ Somme d'argent que l'on reçoit. *Le succès de ses bandes dessinées lui assure des **rentrées** inespérées.*

rentrer verbe ▸ conjug. 3
❶ Entrer dans un lieu. *L'écureuil **est rentré** dans sa cachette.* CONTR ressortir. ❷ Revenir chez soi. *Hier, je **suis rentré** très tard.* ❸ Mettre à l'abri. *J'**ai rentré** la voiture au garage.* CONTR sortir. ❹ Faire entrer quelque chose quelque part. *Gabrielle a réussi à **rentrer** la balle dans le trou.* SYN introduire. ❺ Dans la langue familière, entrer en collision. *La voiture **est rentrée** dans le camion.* * Attention ! *Rentrer* se conjugue avec l'auxiliaire *être*, sauf aux sens 3 et 4.

renversant, renversante adjectif
Très étonnant. *Cette nouvelle **renversante** l'a laissé sans voix.* SYN stupéfiant.

à la **renverse** adverbe
• **Tomber à la renverse :** tomber sur le dos. *Allan a perdu l'équilibre et il **est tombé à la renverse**.*

renversement nom masculin
❶ Changement complet. *Dans cette histoire, il y a eu plusieurs **renversements** de situation.* SYN retournement. ❷ Chute. *Le **renversement** du gouvernement.*

renverser verbe ▸ conjug. 3
❶ Faire tomber. *En courant, Kim **a renversé** une chaise. Simon **a été renversé** par une voiture.* ❷ Provoquer la chute d'un gouvernement. *Ce parti veut **renverser** le gouvernement.* ❸ Étonner profondément. *Cette nouvelle nous **a renversés**.*

renvoi nom masculin
❶ Action de renvoyer une personne d'un emploi ou d'un établissement. *Le **renvoi** d'un employé.* SYN licenciement. ❷ Indication qu'il faut se reporter à une autre page. *Dans ce dictionnaire, les **renvois** sont indiqués par une flèche.*

renvoyer verbe ▸ conjug. 6
❶ Faire retourner quelqu'un à l'endroit d'où il est parti. *L'hôpital **a renvoyé** le malade chez lui.* ❷ Chasser quelqu'un, le congédier. *Un des joueurs de l'équipe de soccer **a été renvoyé** pour dopage.* SYN exclure. ❸ Envoyer en retour ou relancer. *Julien **renvoie** le ballon d'un coup de pied.*

réorganiser verbe ▸ conjug. 3
Organiser autrement. *Maïa **a réorganisé** sa fin de semaine.*

réouverture nom féminin
Action de rouvrir ce qui a été fermé. *Il y a un article dans le journal sur la **réouverture** prochaine du cinéma.*

repaire nom masculin
❶ Lieu qui sert de refuge aux animaux sauvages. *Le **repaire** d'un ours.* SYN antre, tanière. ❷ Lieu où se réfugient des malfaiteurs. *Cette maison était un **repaire** de voleurs.* * Ne pas confondre *repaire* et *repère*.

répandre verbe ▸ conjug. 31
❶ Verser quelque chose qui s'étale ou se disperse. *Gabriel **a répandu** le paquet de sucre par terre.* ❷ Dégager quelque chose dans l'espace. *Ces fleurs **répandent** un parfum agréable.* ❸ Faire connaître à un vaste public. *Les médias **ont répandu** la nouvelle.* SYN diffuser, propager. ■ *se* **répandre** ❶ Couler et s'étaler. *À cause d'une fuite, l'eau **s'est répandue** dans la cuisine.* ❷ Se propager. *Cette mode **se répand** partout.*

répandu, répandue adjectif
Que l'on voit très souvent. *C'est un modèle d'aspirateur très **répandu**.* SYN courant.

réparable adjectif
Qui peut être réparé. *Cette montre est **réparable**.* CONTR irréparable.

réparateur, réparatrice nom
Personne qui répare ce qui est endommagé. *Un **réparateur** d'électroménagers.* ■ **réparateur, réparatrice** adjectif Qui redonne des forces. *Un sommeil **réparateur**.*

réparation nom féminin
Action de réparer quelque chose. *On ne peut pas passer, car le pont est en **réparation**.*

réparer verbe ▸ conjug. 3
❶ Remettre en bon état. *Le cordonnier **a réparé** mes chaussures.* ❷ Faire disparaître les conséquences d'une faute. *Claudie a pu **réparer** son oubli à temps.* ♦ Famille du mot : irréparable, réparable, réparateur, réparation.

reparler verbe ▸ conjug. 3
Parler de nouveau. *Je suis pressé, on **reparlera** de ce projet plus tard.*

répartie ou **repartie** nom féminin
Réponse rapide et qui tombe à propos. *Ses **réparties** comiques amusent le public.* SYN réplique. * Attention ! Le mot *repartie* se prononce *répartie*.

a b c d e f g h i j k l m n o p q r s t u v w x y z

repartir verbe ▸ conjug. 15
Partir de nouveau. *Après un bref arrêt à Montréal, elle **est repartie** à l'étranger.*

répartir verbe ▸ conjug. 11
❶ Partager selon certaines règles. *On **a réparti** les sacs à porter en fonction de la force de chacun.* **SYN** distribuer, diviser. ❷ Échelonner sur un temps plus ou moins long. *Le paiement **est réparti** sur dix ans.* ■ *se* **répartir** : se distribuer. *Les associés **se sont réparti** les bénéfices.*

répartition nom féminin
Action de répartir. *Édouard s'est chargé de la **répartition** des tâches.* **SYN** distribution, partage.

repas nom masculin
Nourriture prise chaque jour à des heures régulières. *Un **repas** copieux.*

repassage nom masculin
Action de repasser du linge. *Il écoute de la musique en faisant son **repassage**.*

① **repasser** verbe ▸ conjug. 3
❶ Passer de nouveau. *Nous **repasserons** demain.* **SYN** revenir. ❷ Se représenter à un examen. *Pour obtenir son diplôme, il doit **repasser** son examen de mathématique.* ❸ Faire passer de nouveau. *Zoé ne cesse de **repasser** ce disque.*

② **repasser** verbe ▸ conjug. 3
Défroisser le linge avec un fer à repasser. *Julien **repasse** son tee-shirt.*

repêchage nom masculin
Période annuelle de recrutement des joueurs qui feront leur entrée dans le sport professionnel.

repêcher verbe ▸ conjug. 3
❶ Retirer de l'eau ce qui y est tombé. *Les secouristes **ont repêché** de justesse un promeneur qui avait glissé dans la rivière.* ❷ Sélectionner un joueur lors d'une séance de repêchage. *Notre équipe **a repêché** un excellent gardien de but.*

repeindre verbe ▸ conjug. 35
Peindre de nouveau. *On **repeint** régulièrement la cuisine.*

se **repentir** verbe ▸ conjug. 15
Regretter vivement d'avoir fait quelque chose. *Il **se repent** d'avoir provoqué cette dispute.*

repentir nom masculin
Fait de se repentir. *Son **repentir** est sincère, il faut lui pardonner.* **SYN** remords.

repérage nom masculin
Action de repérer. *Une carte du ciel facilite le **repérage** des étoiles.*

répercussion nom féminin
Conséquence indirecte ou lointaine. *Les **répercussions** de la crise économique.* **SYN** contrecoup, effet.

répercuter verbe ▸ conjug. 3
Renvoyer un son. *Les couloirs de l'école **répercutent** les cris des élèves.*
■ *se* **répercuter** : avoir des répercussions. *La hausse du prix du pétrole **se répercute** sur le prix de l'essence.*

repère nom masculin
Marque ou objet qui permet de situer quelque chose dans l'espace. *Ce panneau publicitaire me sert de point de **repère** pour retrouver mon chemin.* * Ne pas confondre *repère* et *repaire*.

repérer verbe ▸ conjug. 8
Remarquer quelque chose ou quelqu'un. *Nous **avons repéré** un endroit où camper.*
■ *se* **repérer** : se situer grâce à des points de repère. *Les astres dans le ciel permettent aux navigateurs de **se repérer**.* ✎ On peut écrire aussi, au futur, *je **(me) repèrerai***; au conditionnel, *tu **(te) repèrerais***.

répertoire nom masculin
❶ Inventaire de renseignements classés de façon méthodique. *Un **répertoire** d'adresses.* ❷ Ensemble des œuvres qu'un artiste a l'habitude d'interpréter. *Cette chanteuse a une nouvelle chanson à son **répertoire**.* ❸ Liste des fichiers et des sous-répertoires que l'on trouve à un niveau déterminé de stockage de données.

répertorier verbe ▸ conjug. 10
Inscrire sur un répertoire. *Pour faire le catalogue d'une exposition, on **répertorie** les œuvres exposées.*

répéter verbe ▸ conjug. 8
❶ Dire de nouveau. *Je te **répète** que je préfère rester à la maison.* ❷ Dire ce que l'on sait à quelqu'un. *Miguel est au courant, quelqu'un*

*le lui **a répété**.* **SYN** rapporter. ❸ Refaire ce que l'on a déjà fait. *Cet ouvrier **répète** les mêmes gestes.* ❹ S'exercer à jouer un spectacle sans le public. *Les comédiens **répètent** une dernière fois avant la première représentation.* ✎ On peut écrire aussi, au futur, *il **répètera***; au conditionnel, *elle **répèterait***. ♦ Famille du mot: répétitif, répétition.

répétitif, répétitive adjectif
Qui se répète de façon monotone. *Le travail à la chaîne est un travail **répétitif**.*

répétition nom féminin
❶ Séance pendant laquelle les artistes répètent. *Une **répétition** d'orchestre.* * Chercher aussi *générale*. ❷ Fait de se répéter. *L'enseignant nous demande d'éviter les **répétitions** dans nos textes.* **SYN** redondance.

se **repeupler** verbe ▸ conjug. 3
Se peupler de nouveaux habitants. *Grâce à l'implantation de ces nouvelles usines, la région **s'est repeuplée**.* **CONTR** se dépeupler.

répit nom masculin
Moment de détente. *Elle s'est accordé un moment de **répit** avant de repartir.* • **Sans répit**: sans cesse, sans arrêt. *Il travaille **sans répit** pour rattraper son retard.*

replacer verbe ▸ conjug. 4
Remettre à sa place. *Mélina **a replacé** les livres dans la bibliothèque.* **SYN** ranger.

repli nom masculin
❶ Ondulation du sol ou d'une étoffe. *Le magicien dissimule diverses choses dans les **replis** de sa cape.* ❷ Action de se replier. *Le **repli** des manifestants se fait en bon ordre.* **SYN** recul.

replier verbe ▸ conjug. 10
Plier ce qui a été déplié. *Il **a replié** la carte routière après l'avoir consultée.* ■ *se* **replier**: opérer un mouvement de retraite. *L'officier a donné l'ordre aux soldats de **se replier**.* **SYN** reculer. • **Se replier sur soi-même**: s'isoler des autres en cachant ses sentiments.

① **réplique** nom féminin
❶ Action de répliquer. *Stéphanie a la **réplique** facile.* **SYN** répartie. ❷ Ce qu'un acteur doit répondre à un autre. *L'acteur avait tellement le trac qu'il a mélangé plusieurs **répliques**.*

② **réplique** nom féminin
Copie, reproduction d'une chose. *Cette voiture est une **réplique** d'un modèle ancien.*

répliquer verbe ▸ conjug. 3
Répondre vivement. *Obéir sans **répliquer**.*

se **replonger** verbe ▸ conjug. 5
Se laisser accaparer de nouveau par une occupation. *Danaé **s'est replongée** dans sa BD.*

répondant, répondante nom
❶ Personne qui se rend responsable d'une autre. ❷ Personne qui répond aux questions d'un enquêteur lors d'un sondage.

répondeur nom masculin
Appareil relié à une ligne téléphonique, qui permet d'enregistrer des messages. *Je n'ai pas pu la joindre, mais j'ai laissé un message sur son **répondeur**.*

répondre verbe ▸ conjug. 31
❶ Dire son avis en réaction à une question. *Isabelle n'a pas voulu **répondre** à ma question.* ❷ Écrire à son tour. *Elsie **a répondu** à mon message texte.* ❸ Correspondre. *Pour lui, le sport **répond** à un besoin.* ❹ Se porter garant de quelqu'un. *Je **réponds** de lui comme de moi-même!* ❺ Réagir à une action. *Cette voiture est agréable à conduire, elle **répond** bien.* ♦ Famille du mot: répondant, répondeur, réponse.

réponse nom féminin
Ce qui est dit ou écrit pour répondre. *Cette **réponse** est exacte. Ma lettre est restée sans **réponse**.*

report nom masculin
Fait d'être reporté. *Le **report** du match a déçu les spectateurs.*

reportage nom masculin
Article ou film d'un journaliste racontant ce qu'il a vu. *Abdel et Laure ont vu un **reportage** sur les bélugas du fleuve Saint-Laurent.*

reporter verbe ▸ conjug. 3
❶ Renvoyer à plus tard. *À cause de la pluie, le match de tennis **a été reporté**.* **SYN** remettre, repousser. ❷ Appliquer à une chose ou à une personne. *Cette jeune femme sans enfant **a reporté** toute son affection sur son neveu.* ■ *se* **reporter**: aller voir à l'endroit indiqué dans le texte ou ailleurs.

reporteur, reportrice nom
Journaliste chargé de faire des reportages. *Une remarquable **reportrice**.*

Une **reportrice**

repos nom masculin
Fait de se reposer. *L'entraînement a été exigeant, Anaïs a besoin de **repos**.* • **De tout repos :** qui ne donne aucun mal, aucun souci. *Son métier n'est pas **de tout repos**.*

reposant, reposante adjectif
Qui repose. *Ce séjour à la campagne était très **reposant**.* CONTR fatigant.

① **reposer** verbe ▸ conjug. 3
❶ Poser une chose que l'on a soulevée. *Éloïse **repose** son livre sur la table.* ❷ Être posé sur quelque chose. *Ce pont **repose** sur des piliers.* ❸ Dans un sens figuré, être appuyé sur quelque chose de solide. *Tes craintes ne **reposent** sur rien.* SYN être fondé.

② **reposer** verbe ▸ conjug. 3
Faire disparaître la fatigue. *Ces vacances nous **ont reposés**.* CONTR fatiguer. ■ *se* **reposer** : prendre du repos, se délasser, se détendre. *Elle est très fatiguée et a besoin de **se reposer**.*
◆ Famille du mot : repos, reposant.

repoussant, repoussante adjectif
Qui inspire du dégoût, de la répulsion. *Une saleté **repoussante**.*

① **repousser** verbe ▸ conjug. 3
❶ Pousser en arrière ou loin de soi. *Le vent **repousse** les feuilles mortes. Éliette **repousse** sa chaise pour se lever.* ❷ Faire reculer. *La police **repousse** les manifestants.* ❸ Ne pas accepter. *Il **a repoussé** ma proposition.* SYN décliner, refuser, rejeter. ❹ Remettre à plus tard. *Ils **ont repoussé** la date de leur mariage.* SYN différer, reporter.

② **repousser** verbe ▸ conjug. 3
Pousser de nouveau. *Les crocus **repoussent** à la fin de l'hiver.*

répréhensible adjectif
Qui mérite d'être blâmé. *Voler est une action **répréhensible**.* SYN condamnable. CONTR louable.

reprendre verbe ▸ conjug. 32
❶ Prendre encore une fois. *François **a repris** de la soupe.* ❷ Prendre de nouveau. *Le boxeur **a repris** le dessus sur son adversaire.* ❸ Prendre ce que l'on avait prêté ou donné. *Tu peux **reprendre** ton crayon, je n'en ai plus besoin.* ❹ Recommencer après une interruption. *Les ouvriers **ont repris** le travail.* ❺ Rectifier l'erreur de quelqu'un. *Quand je me trompe en parlant, ma mère me **reprend**.* SYN corriger.
• **On ne m'y reprendra plus :** je ne referai pas la même erreur.

représailles nom féminin pluriel
Ce que l'on fait subir à quelqu'un pour se venger. *Chloé n'ose pas faire de farce à Pedro par crainte de **représailles**.*

représentant, représentante nom
❶ Personne chargée de représenter une personne ou un groupe. *Un ambassadeur est le **représentant** d'un État dans un pays étranger.* SYN délégué. ❷ Personne qui représente une entreprise commerciale. *Cette **représentante** montre de nouveaux produits à son client.*

représentatif, représentative adjectif
Qui représente bien un ensemble de choses ou de personnes. *Cette réaction est **représentative** de l'opinion des jeunes.* SYN caractéristique, typique.

représentation nom féminin
Spectacle présenté devant un public. *Les élèves donneront deux **représentations** de leur pièce de théâtre.*

représenter verbe ▸ conjug. 3
❶ Donner l'image de quelque chose. *Ce tableau **représente** un petit port de pêche.* SYN montrer. ❷ Être le symbole de quelque chose. *Une balance **représente** la Justice.* SYN symboliser. ❸ Jouer une pièce en public. *L'atelier de théâtre **va représenter*** Les belles-sœurs *de Michel Tremblay.* ❹ Être l'équivalent de quelque chose. *Ce travail **a représenté** un gros effort pour Chen.* SYN constituer. ❺ Parler, agir au

nom de quelqu'un. *Les députés **représentent** leurs électeurs.* ■ **se représenter** ❶ se présenter de nouveau. *Le frère de Benjamin a raté son audition; il doit **se représenter**.* ❷ Imaginer. *Je n'arrive pas à me représenter la scène.* ♦ Famille du mot: représentant, représentatif, représentation.

répression nom féminin
Action de réprimer. *Des mesures radicales ont été prises pour la **répression** de la criminalité.* SYN punition.

réprimande nom féminin
Fait de réprimander quelqu'un. *Ses parents lui ont fait une **réprimande**.* SYN remontrance, reproche. CONTR compliment.

réprimander verbe ▸ conjug. 3
Faire des reproches à quelqu'un sur sa façon de se conduire. *L'enseignante **a réprimandé** Anna pour son retard.* SYN gronder.

réprimer verbe ▸ conjug. 3
❶ Empêcher de s'exprimer. *Quand sa mère a vu son air piteux, elle **a réprimé** sa colère.* SYN contenir, refouler. ❷ Faire cesser quelque chose en punissant ou en utilisant la force. *La manifestation **a été** durement **réprimée**.*

reprisage nom masculin
Action de repriser un vêtement. SYN raccommodage.

reprise nom féminin
❶ Fait de reprendre, de recommencer. *La **reprise** de l'entraînement aura lieu mardi.* ❷ Partie d'un match de boxe. *Une **reprise** dure trois minutes.* SYN round. ❸ Accélération rapide d'un moteur. *Cette moto a de bonnes **reprises**.* • **À plusieurs reprises**: plusieurs fois. *David a éternué **à plusieurs reprises**.*

repriser verbe ▸ conjug. 3
Faire du reprisage. ***Repriser** un vêtement.* SYN raccommoder.

réprobateur, réprobatrice adjectif
Qui exprime la réprobation. *Monica a lancé un regard **réprobateur** à Sébastien.* SYN désapprobateur. CONTR approbateur.

réprobation nom féminin
Fait de réprouver quelque chose. *La **réprobation** se lisait dans le regard de Pierre.* SYN désapprobation. CONTR approbation.

reproche nom masculin
Critique faite à quelqu'un sur sa conduite. *On lui a fait des **reproches** pour sa mauvaise conduite.* SYN blâme, réprimande. CONTR compliment, félicitations. ♦ Famille du mot: irréprochable, reprocher.

reprocher verbe ▸ conjug. 3
Faire des reproches. *On lui **reproche** son insouciance.* ■ **se reprocher quelque chose**: s'en sentir coupable. *Je **me reproche** d'avoir oublié ton anniversaire.*

reproducteur, reproductrice adjectif
Qui sert à la reproduction. *Le pistil et les étamines sont les organes **reproducteurs** des fleurs.*

reproduction nom féminin
❶ Fait de se reproduire, pour les êtres vivants. *La **reproduction** des lapins est très rapide.* ❷ Imitation exacte d'une œuvre d'art, d'un texte, d'une image, etc. *C'est une **reproduction** d'une toile de Riopelle.* SYN copie, imitation.

reproduire verbe ▸ conjug. 43
❶ Imiter aussi fidèlement que possible. *Pour ce film, on a essayé de **reproduire** un village d'autrefois.* ❷ Faire en plusieurs exemplaires. *Le dessin de Nora **a été reproduit** dans plusieurs revues.* SYN copier. ■ **se reproduire** ❶ Donner naissance à de nouveaux êtres vivants. *Les souris **se reproduisent** rapidement.* ❷ Se produire une nouvelle fois. *Cet incident ne doit pas **se reproduire**.* ♦ Famille du mot: reproducteur, reproduction.

réprouver verbe ▸ conjug. 3
Condamner sévèrement. *Je **réprouve** l'intolérance.* SYN blâmer, désapprouver. CONTR approuver. ♦ Famille du mot: réprobateur, réprobation.

reptile nom masculin
Animal vertébré rampant au corps recouvert d'écailles. *Les lézards, les tortues, les crocodiles et les serpents sont des **reptiles**.* 👁p. 892.

repu, repue adjectif
Qui n'a plus faim. ***Repu**, le chat s'est endormi près du feu.*

république nom féminin
Forme de gouvernement où le peuple élit ses représentants. *La France et l'Italie sont des **républiques**.* * Chercher aussi *démocratie, dictature, empire, monarchie*.

répugnance nom féminin
Sentiment de grand dégoût. *Il a ramassé les ordures avec **répugnance**.* SYN répulsion. ♦ Famille du mot: répugnant, répugner.

Les reptiles

Les reptiles sont des vertébrés à sang froid, apparus sur la Terre il y a environ 320 millions d'années. Ils sont les descendants des amphibiens et les ancêtres des mammifères et des oiseaux. Bien que le mot *reptile* signifie *qui rampe*, la majorité des reptiles ne se déplacent pas de cette façon.

On a recensé environ 8200 espèces de reptiles à ce jour, mais il en reste certainement beaucoup d'autres à découvrir.

Description des reptiles

La plupart des reptiles pondent des œufs (ce qui les range parmi les ovipares) et sont carnivores. Toutes les espèces, à l'exception de la tortue marine, ont la peau couverte d'écailles.

Un caméléon

Des œufs de reptile

Le plus petit reptile, le gecko, a 1,6 centimètre de long, et le plus gros, le crocodile marin, 6 mètres de long et une masse de 1000 kilos. On trouve des reptiles sur tous les continents, excepté l'Antarctique.

Un gecko

Un crocodile marin

Des particularités propres aux reptiles

De nombreux reptiles muent, c'est-à-dire qu'ils changent de peau. La mue intervient durant les phases de croissance de ces animaux, car leur épiderme n'est pas extensible. En certains cas, ce phénomène est pratiquement invisible.

La mue d'une couleuvre rayée

Les reptiles sont à respiration pulmonaire, aucune espèce n'étant totalement aquatique. C'est pourquoi, quand ils sont dans l'eau, ils doivent régulièrement venir à la surface pour respirer.

Le métabolisme des reptiles est plus lent que celui des autres animaux, ce qui signifie qu'ils ont besoin de moins d'énergie. Cette caractéristique permet donc aux spécimens les plus grands de ne manger qu'occasionnellement, parfois même une seule fois par mois.

Une tortue marine

Différents reptiles connus

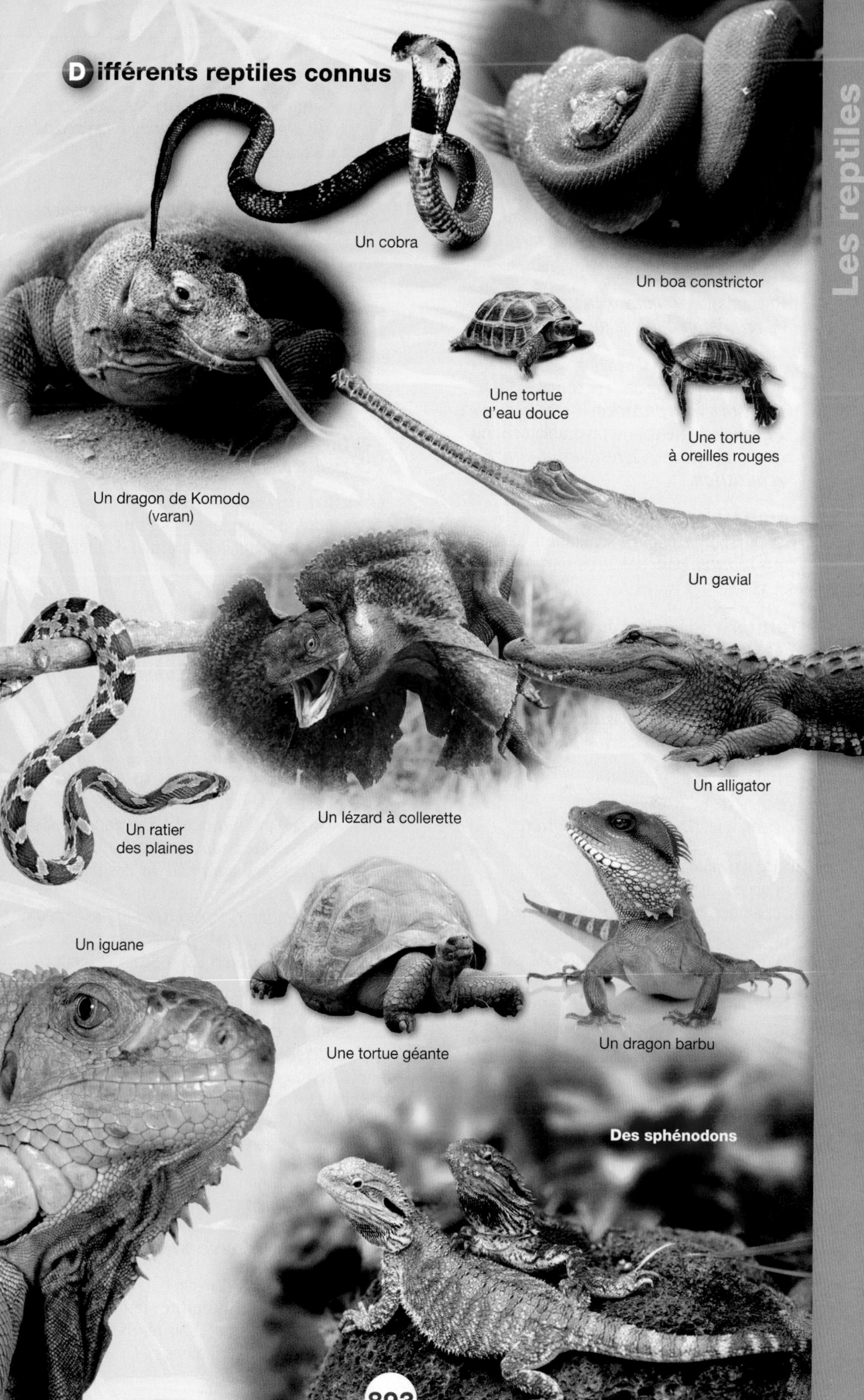

Un cobra

Un boa constrictor

Une tortue d'eau douce

Une tortue à oreilles rouges

Un dragon de Komodo (varan)

Un gavial

Un alligator

Un lézard à collerette

Un ratier des plaines

Un iguane

Une tortue géante

Un dragon barbu

Des sphénodons

répugnant, répugnante adjectif
Qui répugne. *Ce taudis était d'une saleté **répugnante**.* **SYN** dégoûtant, repoussant.

répugner verbe ▸ conjug. 3
❶ Inspirer de la répugnance. *La tricherie me **répugne**.* **SYN** dégoûter. ❷ Ne pas aimer faire quelque chose. *Elle **répugne** à mentir.*

répulsion nom féminin
Répugnance. *Tommy a eu un mouvement de **répulsion** à la vue du crapaud.*

réputation nom féminin
❶ Le fait d'être considéré comme. *Cette dentiste a la **réputation** d'être très douce.* ❷ Le fait d'être connu favorablement ou défavorablement. *Ce restaurant a très bonne **réputation**.*

réputé, réputée adjectif
Connu pour sa bonne réputation. *Cette ville est **réputée** pour son artisanat.* **SYN** célèbre, renommé.

requérir verbe ▸ conjug. 18
❶ Demander en justice. *Le procureur **a requis** une peine d'emprisonnement contre l'accusé.* **SYN** exiger, réclamer. ❷ Rendre indispensable. *Ce travail **requiert** beaucoup d'attention.* **SYN** demander, nécessiter. ♦ Famille du mot : requête, requis.

requête nom féminin
Demande. *Soumettre une **requête**.*

requin nom masculin
Poisson marin très vorace, dont certaines espèces sont dangereuses pour l'être humain. *Les plongeurs ont aperçu un **requin**.* 👁p. 802.

Des **requins**

requis, requise adjectif
Que l'on exige. *Avez-vous les compétences **requises** pour ce poste ?* **SYN** nécessaire, obligatoire.

réquisitionner verbe ▸ conjug. 3
Utiliser d'autorité les biens ou les services des gens. *Après le séisme, le gouvernement **a réquisitionné** l'école pour les sinistrés.*

rescapé, rescapée nom
Qui a échappé à une catastrophe. *Dans cet accident d'avion, il n'y a eu qu'un **rescapé**.* **SYN** survivant.

rescaper verbe ▸ conjug. 3
Sauver quelqu'un d'un danger. *Le pompier **a rescapé** la femme en détresse.*

à la **rescousse** adverbe
À l'aide, au secours. *Quand on l'a appelé, Thomas est venu **à la rescousse**.*

réseau, réseaux nom masculin
❶ Ensemble de voies, de canaux, de lignes, d'ordinateurs reliés entre eux. *L'orage a endommagé le **réseau** informatique.* ❷ Organisation clandestine. *Le **réseau** de trafiquants a été démantelé.*

réseautage nom masculin
Constitution et exploitation d'un réseau de relations personnelles ou professionnelles dont on sait tirer parti.

réservation nom féminin
Action de réserver une place ou une chambre d'hôtel. *Elle a fait ses **réservations** d'hôtels pour tout son séjour en Europe.*

① **réserve** nom féminin
❶ Ce que l'on a réservé en cas de besoin. *L'écureuil a plusieurs cachettes où il met ses **réserves**.* **SYN** provision. ❷ Territoire où les plantes et les animaux sont protégés. *Le Parc national Nahanni, dans les Territoires du Nord-Ouest, est une **réserve** naturelle.* ❸ Restriction que l'on fait parce que l'on n'est pas tout à fait d'accord. *Quand j'ai expliqué mon plan, Elliot a émis des **réserves**.* • **Sans réserve :** complètement, totalement. *Léa a une admiration **sans réserve** pour son père.* • **Sous réserve de :** à condition de. *Il accepte de publier ce roman **sous réserve d'**en changer la fin.* • **Sous toutes réserves :** sans garantie. *Il m'a donné cette information **sous toutes réserves**.* ♦ Famille du mot : réservation, réservé, réserver, réservoir.

② **réserve** nom féminin
Attitude d'une personne discrète qui ne montre pas ses sentiments. *Notre voisin montre beaucoup de **réserve**.* **SYN** discrétion, retenue.

③ **réserve** nom féminin
• **Réserve amérindienne :** territoire appartenant à l'État, mais réservé à l'usage et au profit d'Amérindiens.

réservé, réservée adjectif
Qui montre de la réserve. *Antoine est un garçon timide et **réservé**.* **SYN** discret.

réserver verbe ▸ conjug. 3
❶ Retenir à l'avance. *Je vous **ai réservé** une chambre d'hôtel.* ❷ Mettre de côté. *Comme Xavier n'était pas là, Julie lui **a réservé** sa part.* **SYN** garder. ❸ Destiner à quelqu'un ou à quelque chose en particulier. *Cette pièce **est réservée** aux réunions.*

réservoir nom masculin
❶ Nappe d'eau à niveau contrôlé dont la retenue sert à des fins utilitaires. *Le **réservoir** Gouin.* ❷ Récipient où l'on met en réserve un liquide ou un gaz. *Un **réservoir** d'essence.* 👁p. 88. **SYN** citerne, cuve.

résidence nom féminin
Endroit où l'on réside. *Son travail l'oblige à changer souvent de **résidence**.* **SYN** demeure, habitation. 👁p. 512. • **Résidence secondaire :** deuxième demeure où l'on va à l'occasion. *Ses parents ont une **résidence secondaire** en Floride.*

résident, résidente nom
Habitant. *Le concierge a informé les **résidents** qu'il procéderait au contrôle des détecteurs de fumée.*

résidentiel, résidentielle adjectif
Où il y a surtout des maisons et des immeubles. *Il n'y a pas d'usines dans les quartiers **résidentiels**.* * Attention ! Le *t* de *résidentiel* se prononce comme un *s*.

résider verbe ▸ conjug. 3
❶ Habiter dans un endroit. *Elle **réside** dans le centre-ville.* **SYN** demeurer. ❷ Être, se trouver. *Le seul inconvénient de ce jeu **réside** dans son prix.* ♦ Famille du mot : résidence, résident, résidentiel.

résidu nom masculin
Ce qui reste et qui est inutilisable. *L'industrie chimique produit beaucoup de **résidus**.* **SYN** déchet.

résignation nom féminin
État d'esprit d'une personne qui se résigne. *Il accepte son sort avec **résignation**.* **SYN** soumission. **CONTR** révolte.

se **résigner** verbe ▸ conjug. 3
Accepter sans protester des choses pénibles ou injustes. *Nous devons annuler notre voyage, il faut **nous résigner**.* **SYN** se soumettre. **CONTR** se révolter.

résilience nom féminin
Capacité de surmonter un stress intense, même quand les risques sont très importants, et de s'adapter de manière à continuer d'évoluer positivement. *Certaines personnes qui ont connu des situations extrêmement pénibles restent saines en raison de leur **résilience**.*

résilier verbe ▸ conjug. 10
Mettre fin à un contrat. *M. Paquette **a résilié** son bail.*

De la **résine**

résine nom féminin
Substance végétale visqueuse. *Les pins produisent de la **résine**.*

résineux adjectif et nom masculin
Arbre riche en résine. *Le mélèze est un arbre **résineux**. – Les conifères sont des **résineux**.* 👁p. 126.
* Chercher aussi *feuillu*.

résistance nom féminin
❶ Capacité d'une chose à résister à l'usure. *La **résistance** d'une voiture.* **SYN** robustesse, solidité. **CONTR** fragilité. ❷ Capacité d'une personne à supporter la fatigue ou la souffrance. *Véronique fait de longues randonnées, elle a beaucoup de **résistance**.* **SYN** endurance. ❸ Action de résister. *Les assiégés opposent une vive **résistance** à leurs assaillants.* ❹ Groupe de personnes qui luttent pour chasser l'ennemi, se défendre. *Dans ce pays occupé, la **résistance** s'organise.*

résistant, résistante adjectif
❶ Qui résiste. *Le chêne est un bois très **résistant**.* **SYN** solide. **CONTR** fragile. ❷ Qui est capable de résister à des conditions de vie difficiles. *Le lama est un animal très **résistant**.* **SYN** endurant, robuste. ■ **résistant, résistante** nom Personne qui résiste à l'ennemi qui occupe son pays. *Les **résistants** se battent avec courage.*

résister verbe ▸ conjug. 3
❶ Supporter des choses sans se casser. *Le vieux pont **a résisté** à la crue du fleuve.* **CONTR** céder. ❷ Avoir la force de supporter quelque chose.

a b c d e f g h i j k l m n o p q r s t u v w x y z

*Tous les sportifs s'entraînent pour **résister** à la fatigue.* ❸ Se défendre contre quelqu'un qui attaque. *Le chauffeur de taxi a pu **résister** à son agresseur.* ♦ Famille du mot : irrésistible, résistance, résistant.

résolu, résolue adjectif
Qui sait ce qu'il veut. *Luc a parlé sur un ton **résolu**.* SYN décidé, déterminé, énergique. CONTR hésitant. ♦ Famille du mot : résolument, résolution.

résolument adverbe
De façon résolue, avec courage. *Maxime s'oppose **résolument** à cette injustice.* SYN fermement.

résolution nom féminin
❶ Décision fermement arrêtée. *Il a pris la **résolution** de faire du sport.* ❷ Qualité d'une personne résolue. *Ils ont agi avec **résolution**.* SYN énergie, fermeté. ❸ Fait de trouver la solution d'une difficulté, d'un problème. *La **résolution** de ce conflit a pris peu de temps.*

résonner verbe ▸ conjug. 3
Faire un bruit qui vibre. *Leurs pas **résonnent** dans la nuit.* SYN retentir. * Ne pas confondre *résonner* et *raisonner*.

résorber verbe ▸ conjug. 3
Éliminer, supprimer progressivement. *Ces mesures devraient pouvoir **résorber** le chômage.* ■ *se* **résorber** : disparaître peu à peu. *La plaie **s'est résorbée** en quelques jours.*

résoudre verbe ▸ conjug. 52
Apporter une solution à quelque chose. ***Résoudre** un mystère.* SYN dénouer.

se **résoudre** verbe ▸ conjug. 52
Prendre la décision de faire telle chose. *Il **s'est résolu** à quitter Toronto.* SYN se décider.

respect nom masculin
❶ Considération que l'on a pour quelqu'un que l'on estime et que l'on admire. *Ibrahim a du **respect** pour son professeur de judo.* SYN estime. CONTR mépris. ❷ Fait de respecter des règles, des usages. *L'arbitre doit veiller au **respect** des règles du jeu.* * Attention ! Dans le mot *respect*, les lettres *ct* ne se prononcent pas.

respectable adjectif
Qui mérite le respect. *Une personne très **respectable**.* SYN honorable. CONTR méprisable.

respecter verbe ▸ conjug. 3
❶ Éprouver du respect pour quelqu'un. *Flavie **respecte** ses parents.* CONTR mépriser. ❷ Se conformer à une règle. *Les employés sont priés de **respecter** les horaires.* SYN observer. ❸ Veiller à ne pas déranger ou à ne pas troubler. *À la bibliothèque, nous devons **respecter** le silence.* ♦ Famille du mot : respect, respectable, respectueux.

respectif, respective adjectif
De chaque personne ou de chaque chose par rapport aux autres. *Voici les positions **respectives** du Soleil et de la Lune.*

respectivement adverbe
Chacun en ce qui le concerne. *Julien et Karim ont **respectivement** huit et dix ans.*

respectueux, respectueuse adjectif
Qui marque du respect. *Ce brigadier scolaire est toujours **respectueux** envers les enfants.* SYN poli. CONTR insolent.

respiration nom féminin
Fait de respirer. *Sous l'eau, Erika a retenu sa **respiration**.*

respiratoire adjectif
De la respiration. *Le système **respiratoire**.* 👁p. 988.

respirer verbe ▸ conjug. 3
❶ Faire entrer de l'air dans les poumons puis le rejeter. *Quand on **respire**, on inspire de l'oxygène et on expire du gaz carbonique.* ❷ Avoir un moment de répit. *Ouf ! On peut enfin **respirer** !* ❸ Donner telle impression. ***Respirer** la joie de vivre, la santé, le bonheur.* SYN exprimer. ♦ Famille du mot : irrespirable, respiration, respiratoire.

resplendir verbe ▸ conjug. 11
Briller avec éclat. *La lune **resplendit** dans le ciel.*

resplendissant, resplendissante adjectif
Qui resplendit. *Il fait un temps **resplendissant**.* SYN magnifique, radieux, splendide.

responsabilité nom féminin
Fait d'être responsable de quelque chose. *Elle a une lourde **responsabilité** dans cette affaire. Zachary a la **responsabilité** de débarrasser la table.*

responsable adjectif et nom
❶ Qui est la cause de quelque chose. *On a retrouvé le **responsable** de l'acte de vandalisme.* ❷ Qui a la charge de quelque chose. *Olivier a accepté d'être **responsable** de la bibliothèque.*

ressac nom masculin
Retour violent des vagues sur elles-mêmes après avoir frappé les rochers.

Le **ressac**

se **ressaisir** verbe ▸ conjug. 11
Être de nouveau maître de soi. *Le moment de panique passé, Marianne **s'est ressaisie**.*

ressasser verbe ▸ conjug. 3
Dire ou penser toujours les mêmes choses. *Il **ressasse** sans arrêt ces vieilles histoires.* **SYN** rabâcher.

ressemblance nom féminin
Fait de se ressembler. *La **ressemblance** entre les jumelles était parfaite.* **CONTR** contraste, différence.

ressemblant, ressemblante adjectif
Qui ressemble beaucoup à l'original. *Le portrait que Camille a fait de son petit frère est très **ressemblant**.*

ressembler verbe ▸ conjug. 3
Avoir un caractère ou des traits semblables. *Jasmine **ressemble** physiquement à sa mère.* **CONTR** différer. ♦ Famille du mot : ressemblance, ressemblant.

ressemeler verbe ▸ conjug. 9
Remplacer la semelle d'une chaussure. *Le cordonnier **ressemelle** une paire de bottes.* ✎ On peut écrire aussi, au présent, *je **ressemèle***; au futur, *tu **ressemèleras***; au conditionnel, *vous **ressemèleriez***.

ressentiment nom masculin
Sentiment que l'on garde à propos d'une chose que l'on n'a pas pardonnée. *On l'a punie injustement ; elle en garde du **ressentiment**.* **SYN** rancœur.

ressentir verbe ▸ conjug. 15
Éprouver une sensation ou un sentiment. *Il **a ressenti** une grande tristesse en voyant pleurer son ami.* ■ *se* **ressentir de** : continuer à éprouver les effets de quelque chose. *Elle **s'est ressentie** longtemps **de** sa chute de vélo.*

resserrer verbe ▸ conjug. 3
Serrer davantage. ***Resserrer** un boulon.* ■ *se* **resserrer** : devenir plus étroit, plus serré. *Le sentier **se resserre** à cet endroit.*

resservir verbe ▸ conjug. 15
Servir de nouveau. *Ce sac à dos n'est pas abîmé, il pourra **resservir**. Ma tante nous **a resservi** de la crème glacée.* ■ *se* **resservir** : se servir de nouveau. *Si vous aimez cette tarte, **resservez-vous**.*

① **ressort** nom masculin
Mécanisme d'acier qui reprend sa forme après avoir été tendu ou comprimé. *Les **ressorts** d'un matelas.*

② **ressort** nom masculin
• **En dernier ressort** : finalement. ***En dernier ressort**, nous lui demanderons de nous aider.*
• **Être du ressort de** : être du domaine de (quelqu'un, quelque chose). *Cette affaire ne nous concerne pas, elle **est du ressort de** la justice.*

ressortir verbe ▸ conjug. 15
❶ Sortir d'un endroit où l'on vient d'entrer. *Il **est ressorti** de la boutique sans rien acheter.*
❷ Se voir mieux grâce à un contraste. *Ce tableau **ressort** bien sur fond clair.* **SYN** se détacher. • **Il ressort** : il résulte. *Qu'**est-il ressorti** de votre discussion ?*

ressortissant, ressortissante nom
Personne vivant dans un pays étranger. *Les **ressortissants** canadiens ont été évacués par avion du pays en guerre.* **SYN** sujet.

ressource nom féminin
❶ Recours, moyen de se tirer d'une situation. *Si je ne trouve pas ce livre en librairie, j'ai la **ressource** de l'emprunter à la bibliothèque.*
❷ Richesse d'un pays. *L'eau est une **ressource** importante au Québec.*
■ **ressources** nom féminin pluriel Moyens de subsistance. *Leurs **ressources** sont modestes.*

ressusciter verbe ▸ conjug. 3
Revenir de la mort à la vie. *D'après les Évangiles, Jésus-Christ **a ressuscité** au bout de trois jours.*

restant nom masculin
Ce qu'il reste. *Prends le **restant** de pâté chinois pour ton lunch.*

a b c d e f g h i j k l m n o p q r s t u v w x y z

restaurant nom masculin
Établissement où l'on sert des repas contre de l'argent.

restaurateur, restauratrice nom
Personne qui tient un restaurant.

① **restauration** nom féminin
Métier de restaurateur. *Plus tard, Yaël aimerait bien travailler dans la* ***restauration****.*
• **Restauration rapide :** cuisine économique qui demande peu de temps de préparation et que l'on peut consommer sur place ou emporter.

② **restauration** nom féminin
Action de restaurer. *On a entrepris la* ***restauration*** *de cette maison.* **SYN** réfection, rénovation.

Une ***restauration***

se **restaurer** verbe ▸ conjug. 3
Reprendre des forces en mangeant. ♦ Famille du mot : restaurant, restaurateur, restauration.

Se ***restaurer***

restaurer verbe ▸ conjug. 3
Remettre en état. ***Restaurer*** *un meuble ancien.*

reste nom masculin
Ce qu'il reste. *Voici une partie de l'épicerie, le* ***reste*** *est dans le coffre de la voiture.* ■ **restes** nom masculin pluriel Ce qu'il reste d'un repas. *Le lendemain de la fête, on a mangé les* ***restes****.*

rester verbe ▸ conjug. 3
❶ Être encore là ou exister encore. *Il ne me* ***reste*** *plus beaucoup de temps pour terminer ce travail.* ❷ Continuer d'être dans tel endroit ou dans tel état. *Il* ***est resté*** *longtemps en Afrique.* * Attention ! *Rester* se conjugue avec l'auxiliaire *être*. ♦ Famille du mot : restant, reste.

restituer verbe ▸ conjug. 3
Rendre. *Ce baladeur MP3 n'est pas à toi ; il faut le* ***restituer*** *à son propriétaire.*

restitution nom féminin
Action de restituer. *La* ***restitution*** *d'un objet volé.*

restreindre verbe ▸ conjug. 35
Réduire la quantité ou l'étendue de quelque chose. *M. Péloquin* ***a restreint*** *ses activités.* **SYN** diminuer. ■ *se* **restreindre** : limiter sa consommation. *Nous n'avons plus beaucoup d'argent, il va falloir* ***nous restreindre****.*

restreint, restreinte adjectif
Limité. *La pièce a été jouée devant un public* ***restreint****.* **SYN** réduit.

restriction nom féminin
• **Sans restriction :** complètement, sans réserve. *Il approuve notre démarche* ***sans restriction****.* ■ **restrictions** nom féminin pluriel Mesures visant à limiter la consommation. *À cause de la sécheresse, il y a des* ***restrictions*** *d'eau.* **SYN** rationnement.

résultat nom masculin
❶ Ce qui résulte de quelque chose. *Cette médaille est le* ***résultat*** *de ses efforts.* **SYN** conséquence. ❷ Solution d'un calcul. *Quel est le* ***résultat*** *de cette division ?* ❸ Succès ou échec d'un examen, d'une compétition. *Les* ***résultats*** *du match font la une du journal.*

résulter verbe ▸ conjug. 3
Être la conséquence de quelque chose. *Je me demande ce qu'il* ***résultera*** *de cette décision.* **SYN** découler.

résumé nom masculin
Petit texte qui en résume un autre. *Bertrand a rédigé un **résumé** de ce livre.*

résumer verbe ▸ conjug. 3
Exprimer en peu de mots les idées principales. *Christopher **a résumé** pour la classe le film qu'il avait vu.*

résurrection nom féminin
Fait de ressusciter. *Les chrétiens croient à la **résurrection**.*

rétablir verbe ▸ conjug. 11
Établir de nouveau. *L'électricité **a été rétablie**.* ■ *se* **rétablir** ❶ Revenir. *Le calme **s'est rétabli**.* ❷ Retrouver une bonne santé. *Le malade **s'est** vite **rétabli**.* **SYN** récupérer, se remettre.

rétablissement nom masculin
❶ Action de rétablir. *Le **rétablissement** de la paix.* ❷ Fait de se rétablir. *Je vous souhaite un prompt **rétablissement**.* **SYN** guérison.

retaper verbe ▸ conjug. 3
Dans la langue familière, rendre l'aspect du neuf. *Mon père **a retapé** cette vieille armoire.* **SYN** restaurer.

retard nom masculin
❶ Fait d'arriver après le moment fixé. *Benoît est arrivé en **retard** à son rendez-vous.* **CONTR** avance. ❷ Fait de fonctionner plus lentement que la normale. *La montre de Samantha prend du **retard**.*

retardataire adjectif et nom
Qui arrive en retard. *Les élèves **retardataires** devront se justifier. – Les **retardataires** se sont excusés.*

retardement nom masculin
• **Bombe à retardement**: bombe munie d'un mécanisme qui en retarde l'explosion.

retarder verbe ▸ conjug. 3
❶ Mettre quelqu'un en retard. *Un incident nous **a retardés**.* ❷ Remettre à plus tard. *Marie-Ève **a retardé** son départ de deux jours.* **SYN** repousser. **CONTR** avancer. ❸ Prendre du retard. *La pendule **retarde**.* **CONTR** avancer.
♦ Famille du mot: retard, retardataire, retardement.

retenir verbe ▸ conjug. 19
❶ Empêcher de partir. *Ne **retiens** pas Sarah, elle est déjà en retard. La grippe l'**a retenu** au lit.* **SYN** garder. ❷ Tenir pour empêcher de tomber. *Si on n'**avait** pas **retenu** Nicolas, il tombait dans l'escalier.* ❸ Garder en mémoire. *Ma petite sœur n'arrive pas à **retenir** cette comptine.* **SYN** se rappeler, se souvenir. ❹ Garder des places. *Mme Leblanc **a retenu** une chambre d'hôtel.* ❺ Avoir des ressemblances avec quelqu'un. *Elle excelle en cuisine: elle **retient** de son père.* ❻ Garder une partie d'une somme. *Sur chaque paie, ma mère **retient** une certaine somme pour sa retraite.* ■ *se* **retenir** ❶ Se raccrocher. *Carla **s'est retenue** à la branche pour ne pas glisser.* ❷ Résister à une envie. *Tom a eu un mal fou à **se retenir** de rire.*

retentir verbe ▸ conjug. 11
Faire entendre un grand bruit. *Un coup de tonnerre **a retenti**.* **SYN** résonner. ♦ Famille du mot: retentissant, retentissement.

retentissant, retentissante adjectif
❶ Qui retentit. *Une voix **retentissante**.* **SYN** bruyant, éclatant, sonore. ❷ Qui a un très grand retentissement. *Un succès **retentissant**.*

retentissement nom masculin
Fait de provoquer des réactions et de l'intérêt. *Les Jeux olympiques ont un **retentissement** mondial.*

retenue nom féminin
❶ Punition qui consiste à retenir un élève à l'école en dehors des heures de classe. ❷ Chiffre que l'on met de côté dans une opération pour le compter avec ceux de la colonne précédente. *En faisant sa soustraction, Thierry a oublié une **retenue**.* ❸ Somme retenue sur un salaire. ❹ Comportement d'une personne discrète et réservée. *Il agit avec beaucoup de **retenue**.* **SYN** discrétion, réserve. **CONTR** laisser-aller.

réticence nom féminin
Attitude d'une personne qui hésite. *Il m'a raconté sa mésaventure avec **réticence**.*

réticent, réticente adjectif
Qui manifeste de la réticence. **SYN** hésitant.

rétine nom féminin
Membrane du fond de l'œil, qui transmet les images au nerf optique. 👁p. 717.

retiré, retirée adjectif
Situé à l'écart. *Ils habitent une maison **retirée**.* **SYN** isolé.

retirer verbe ▸ conjug. 3
❶ Enlever ce qui couvre ou qui gêne. *William **retire** sa casquette avant d'entrer en classe.*

a b c d e f g h i j k l m n o p q r s t u v w x y z

SYN ôter. CONTR mettre. ❷ Tirer quelque chose ou quelqu'un de là où il est. *Mon père **retire** le rôti du four.* ❸ Reprendre ce que l'on avait accordé. *On lui **a retiré** son permis de conduire.* ❹ Renoncer à quelque chose. *Elle **a retiré** sa candidature.* CONTR maintenir. ❺ Tirer un bénéfice. *Qu'**as**-tu **retiré** de cette lecture ?* ■ *se* **retirer** ❶ Quitter un lieu. *Elle **s'est retirée** à la campagne.* ❷ Refluer. *La mer **s'est retirée** au loin.* CONTR monter.

retombées nom féminin pluriel
❶ Ce qui retombe. *Lors d'une éruption volcanique, il y a des **retombées** de cendres.* ❷ Effets indirects. *Cette découverte entraînera de nombreuses **retombées**.*

retomber verbe ▸ conjug. 3
❶ Atteindre le sol après un saut. *Par chance, Zoé **est retombée** sur ses pieds.* ❷ Revenir à une situation antérieure. *Il **est retombé** malade.* ❸ Rejaillir sur quelqu'un. *Tous nos ennuis **sont retombés** sur lui.* * Attention ! *Retomber* se conjugue avec l'auxiliaire *être*.

retordre verbe
• **Donner du fil à retordre à quelqu'un :** lui causer beaucoup d'ennuis.

rétorquer verbe ▸ conjug. 3
Répondre pour se défendre. *Comme on reprochait à Noah de n'être pas gentil avec sa cousine, il **a rétorqué** qu'elle l'avait provoqué.* SYN répliquer.

retouche nom féminin
Fait de retoucher. *Avec quelques **retouches**, cette robe sera parfaite.*

retoucher verbe ▸ conjug. 3
❶ Apporter des corrections à un travail pour l'améliorer. *L'artiste **a retouché** son dessin.* ❷ Rectifier un vêtement afin de l'adapter aux bonnes mesures. *Ce manteau est trop large pour toi, il faut le **retoucher**.*

***Retoucher** un vêtement*

retour nom masculin
❶ Action de revenir à son point de départ. *J'attendrai ton **retour**.* CONTR départ. ❷ Réapparition de quelque chose qui revient régulièrement. *Le **retour** du printemps.* • **En retour :** en échange. *Elle m'a aidé sans rien demander **en retour**.*

retournement nom masculin
Changement imprévu et complet. *On ne s'attendait pas à un tel **retournement** de l'opinion.* SYN renversement.

retourner verbe ▸ conjug. 3
❶ Revenir d'où l'on vient. *Il était tard, Yohan a dû **retourner** chez lui.* SYN rentrer. ❷ Aller de nouveau dans un lieu que l'on a déjà vu. *J'aimerais **retourner** à New York.* ❸ Renvoyer à l'expéditeur. *Ce colis ne m'était pas destiné, je l'**ai retourné**.* ❹ Tourner de l'autre côté. *Élianne **retourne** une crêpe.* * Attention ! Aux sens 1 et 2, *retourner* se conjugue avec l'auxiliaire *être* ; aux sens 3 et 4, il se conjugue avec l'auxiliaire *avoir*. ■ *se* **retourner** : tourner la tête ou tout le corps en arrière. *En entendant le rire de Marco, Souad **s'est retournée**.*

retracer verbe ▸ conjug. 4
Rappeler en faisant revivre. *Ce roman **retrace** l'exploration du pôle Nord.*

rétracter verbe ▸ conjug. 3
Retirer vers l'intérieur. *Le chat **rétracte** ses griffes.* ■ *se* **rétracter** ❶ Revenir sur ce que l'on a dit auparavant. *L'accusé a avoué, puis il **s'est rétracté**.* SYN se dédire. ❷ Reculer et rentrer à l'intérieur. *Quand j'appuie sur le bouton, la pointe de mon stylo à bille **se rétracte**.*

retrait nom masculin
❶ Action de retirer. *Faire un **retrait** d'argent au guichet automatique.* ❷ Action de se retirer. *Après le **retrait** des eaux, les rues du village étaient pleines de débris.* • **En retrait :** en arrière des autres. *Nous étions tous en ligne, sauf Marie qui s'était placée **en retrait**.*

① **retraite** nom féminin
Situation d'une personne qui a fini de travailler et touche une pension. *Ma tante sera à la **retraite** l'an prochain.*

② **retraite** nom féminin
• **Battre en retraite :** reculer devant l'ennemi, abandonner le terrain. *L'armée **a battu en retraite**.* * Chercher aussi *recul*, *repli*.

retraité, retraitée adjectif et nom
Qui est à la retraite. *Mes grands-parents seront bientôt* ***retraités****. – Cette* ***retraitée*** *voyage beaucoup.*

retranchement nom masculin
Position de défense, fortification pour se protéger de l'ennemi. *Les combattants se sont mis à l'abri de l'ennemi dans leur* ***retranchement****.*

retrancher verbe ▸ conjug. 3
Enlever une partie d'un tout. *Mon texte était trop long; j'ai dû* ***retrancher*** *quelques phrases.* **SYN** ôter, retirer, soustraire. **CONTR** ajouter. ■ *se* **retrancher**: se mettre à l'abri dans un retranchement. **SYN** se réfugier.

retransmettre verbe ▸ conjug. 33
Diffuser une émission de radio ou de télévision. *Le match de hockey* ***sera retransmis*** *en direct.*

retransmission nom féminin
Émission retransmise. *Manuela a regardé à la télévision la* ***retransmission*** *de ce reportage.*

rétrécir verbe ▸ conjug. 11
❶ Diminuer en largeur. *Ma mère* ***rétrécit*** *mon pantalon.* **CONTR** élargir. ❷ Devenir plus étroit. *Mon chandail* ***a rétréci*** *au lavage.* **SYN** rapetisser. **CONTR** s'agrandir. ■ *se* **rétrécir**: devenir de plus en plus étroit. *En montant, le chemin* ***se rétrécit****.* **CONTR** s'élargir.

rétrécissement nom masculin
Fait de rétrécir. *Ce panneau indique un* ***rétrécissement*** *de la route.*

rétribuer verbe ▸ conjug. 3
Payer quelqu'un pour un travail. *Mon père* ***a rétribué*** *le voisin pour avoir déblayé l'entrée.*

rétribution nom féminin
Somme d'argent que l'on donne afin de rétribuer un travail. *On lui a proposé une* ***rétribution*** *pour tondre la pelouse.* **SYN** rémunération, salaire.

rétro- préfixe
Placé au début d'un mot pour former un autre mot, *rétro-* signifie « en arrière » (***rétro****viseur*).

rétro adjectif invariable
Qui imite un style, une atmosphère de la première moitié du 20e siècle. *Des meubles* ***rétro****.*

rétrograde adjectif
Qui est contre les innovations et le progrès. *Ces gens ont des idées* ***rétrogrades*** *sur l'éducation des enfants.* **SYN** arriéré, réactionnaire. **CONTR** progressiste.

rétrograder verbe ▸ conjug. 3
❶ Revenir au stade précédent en perdant ce que l'on a acquis. *Cette défaite l'a fait* ***rétrograder*** *de cinq places au classement mondial.*
❷ Passer à la vitesse inférieure, dans une voiture à transmission manuelle. *La conductrice* ***a rétrogradé*** *avant de prendre le virage.*

rétrospective nom féminin
Exposition réunissant les œuvres d'un artiste ou d'une période. *Mes parents sont allés voir une* ***rétrospective*** *du cinéma italien.*

retroussé, retroussée adjectif
• **Nez retroussé**: nez au bout relevé. *Cet enfant a un petit* ***nez retroussé****.*

retrousser verbe ▸ conjug. 3
Relever vers le haut. *L'ouvrier* ***a retroussé*** *ses manches pour travailler.*

retrouvailles nom féminin pluriel
Fait de se retrouver après une séparation. *Nous avons fêté nos* ***retrouvailles*** *au restaurant.*

retrouver verbe ▸ conjug. 3
❶ Trouver ce qui était perdu. *Clément a fini par* ***retrouver*** *ses clés.* ❷ Être de nouveau en présence de quelqu'un. *Je vous* ***retrouverai*** *devant l'école.* **SYN** rejoindre. ❸ Reconnaître. *On* ***retrouve*** *chez les deux frères les mêmes expressions du visage.* ■ *se* **retrouver** ❶ Être de nouveau réunis. *Nous* ***nous sommes retrouvés*** *dix ans plus tard.* **CONTR** se séparer. ❷ Trouver son chemin. *On* ***se retrouve*** *difficilement dans ce quartier.* ❸ Être subitement dans telle situation. *Il* ***se retrouve*** *au chômage.*

rétroviseur nom masculin
Miroir qui permet au conducteur de voir la route derrière lui. *Elle regarde dans le* ***rétroviseur*** *avant de changer de voie.* 👁p. 88.

Un ***rétroviseur***

a b c d e f g h i j k l m n o p q **r** s t u v w x y z

réunion nom féminin
Fait de se réunir ou groupe de personnes qui se réunissent. *La **réunion** aura lieu à dix-huit heures précises.*

réunir verbe ▸ conjug. 11
Regrouper des choses ou des gens. *Il **a réuni** les documents nécessaires pour s'inscrire.* SYN rassembler. ■ *se* **réunir**: se regrouper. *La famille **se réunit** toujours à Noël.* SYN se rassembler.

réussir verbe ▸ conjug. 11
❶ Avoir un bon résultat. *Je veux bien essayer, mais je ne suis pas sûr de **réussir**.* CONTR échouer. ❷ Arriver au résultat souhaité. *Salomé **a réussi** à me convaincre.* SYN parvenir. ❸ Faire du bien à quelqu'un. *Les vacances lui **ont réussi**: il a l'air reposé.*

réussite nom féminin
❶ Fait de réussir. *Cette fête est une **réussite**.* SYN succès. CONTR échec. ❷ Jeu de cartes auquel on joue en solitaire. *Ariane fait une **réussite**.* SYN patience.

revalorisation nom féminin
Action d'augmenter la valeur de quelque chose. *La **revalorisation** du travail manuel.*

revanche nom féminin
❶ Fait de se venger ou de reprendre l'avantage. *Sa **revanche** a été terrible.* SYN vengeance. ❷ Seconde manche d'un jeu. *Tu as perdu la première partie; je t'accorde une **revanche**.* • **Prendre sa revanche**: se venger. • **En revanche**: en retour. SYN en contrepartie.

rêvasser verbe ▸ conjug. 3
Penser dans le vague. *Elle **rêvasse**, le regard perdu au loin.*

rêve nom masculin
❶ Suite d'images que l'on se représente mentalement pendant le sommeil. *Simon a fait un **rêve** dans lequel il volait comme un oiseau.* ❷ Beau projet que l'on aimerait réaliser. *Son **rêve**, c'est de devenir journaliste.*

rêvé, rêvée adjectif
De rêve. *C'est le chalet **rêvé** pour passer des vacances.* SYN idéal.

revêche adjectif
Qui est d'un abord rébarbatif, désagréable. *Un air **revêche**.* SYN hargneux. CONTR aimable.

réveil nom masculin
❶ Moment où l'on se réveille. *Dès notre **réveil**, nous partirons.* ❷ Petite pendule qui sonne à l'heure à laquelle on veut être réveillé. *À quelle heure as-tu réglé ton **réveil**?* * ***Réveil*** est l'abréviation de *réveille-matin*.

réveille-matin nom masculin invariable
Réveil. ✎ Attention! On écrit *rév**eil*** (sens 2), mais *rév**eille**-matin*. ✎ On peut écrire aussi, au pluriel, *des **réveille-matins***.

réveiller verbe ▸ conjug. 3
❶ Tirer quelqu'un du sommeil. *Le bébé dort bien, il ne faut pas le **réveiller**.* SYN éveiller. ❷ Au sens figuré, faire renaître. *Cette musique **réveille** en eux de vieux souvenirs.* SYN raviver. ■ *se* **réveiller**: sortir du sommeil. *Tous les matins, il **se réveille** de bonne heure.* SYN s'éveiller. CONTR s'endormir.

réveillon nom masculin
Repas de fête des nuits de Noël et du Nouvel An. *Au **réveillon** du jour de l'An, tout le monde s'embrasse à minuit.*

réveillonner verbe ▸ conjug. 3
Faire un réveillon. *À Noël, Adriana et Sergueï **réveillonnent** avec leurs parents.*

révélateur, révélatrice adjectif
Qui révèle quelque chose de caché. *Philippe a rougi, c'est **révélateur** de sa timidité.* SYN significatif.

révélation nom féminin
Chose ou personne révélée. *Les **révélations** du journaliste ont surpris les lecteurs. Cette chanteuse est la **révélation** de l'année.*

révéler verbe ▸ conjug. 8
Faire connaître ce qui était inconnu ou secret. *Elle m'**a révélé** son projet.* SYN dévoiler, divulguer. CONTR taire. ■ *se* **révéler**: se montrer petit à petit. *Ses craintes **se sont révélées** injustifiées.* ✎ On peut écrire aussi, au futur, *je **(me) révèlerai***; au conditionnel, *elle **(se) révèlerait***. ♦ Famille du mot: révélateur, révélation.

revenant, revenante nom
Mort qui apparaîtrait la nuit aux vivants. *Il essaie de nous terroriser avec ses histoires de **revenants**.* SYN fantôme.

revendication nom féminin
Ce que l'on revendique. *Les manifestants ont exposé leurs **revendications**.*

revendiquer verbe ▸ conjug. 3
Demander avec insistance ce à quoi on pense avoir droit. *Mon grand frère* ***revendique*** *une chambre pour lui tout seul.* **SYN** réclamer.

revendre verbe ▸ conjug. 31
Vendre ce que l'on a acheté. *Les Trudeau* ***ont revendu*** *leur maison.* • **Avoir de quelque chose à revendre, en avoir à revendre**: en avoir beaucoup. *Il* ***a*** *de l'imagination* ***à revendre***.

Un **réverbère**

revenir verbe ▸ conjug. 19
❶ Rentrer. *Le chat ne s'était pas perdu; il* ***est revenu*** *à la maison.* ❷ Venir de nouveau. *Vous auriez dû prendre rendez-vous;* ***revenez*** *demain.* **SYN** repasser. ❸ Retourner à l'endroit d'où l'on est parti. *Il* ***est revenu*** *après une longue absence.* **SYN** rentrer. ❹ Être de nouveau présent à l'esprit. *Ça y est, ça me* ***revient****, elle s'appelle Élisa!* **SYN** se souvenir. ❺ Être ce à quoi on a droit. *Cette part d'héritage nous* ***revient***. ❻ Équivaloir. *Cela* ***revient*** *au même.* ❼ Coûter en tout. *Le voyage* ***revient*** *à cent dollars par personne.* ❽ Dans la langue familière, inspirer confiance. *Ce garçon ne me* ***revient*** *pas.* • **Faire revenir un aliment**: le faire dorer dans une matière grasse. **SYN** rissoler. • **Ne pas en revenir**: être très étonné. • **Revenir à soi**: reprendre conscience. • **Revenir de loin**: avoir échappé de justesse à un grand danger. * Attention! *Revenir* se conjugue avec l'auxiliaire *être*. ♦ Famille du mot: revenant, revenu.

revenu nom masculin
Ce qui revient à quelqu'un en tant que salaire, rente, intérêt, etc. *Le* ***revenu*** *de cette personne est élevé.* * Chercher aussi *honoraires*, *rémunération*, *salaire*.

rêver verbe ▸ conjug. 3
❶ Faire un rêve pendant son sommeil. *Cette nuit, Justin* ***a rêvé*** *qu'il remportait la médaille d'or.* ❷ Laisser aller son imagination. *Victor a lu un livre d'aventures qui l'a fait* ***rêver***. ❸ Avoir très envie de quelque chose. *Éva* ***rêve*** *de devenir exploratrice.* ♦ Famille du mot: rêvasser, rêve, rêvé, rêverie, rêveur.

réverbération nom féminin
Réflexion de la lumière, du son ou de la chaleur. *La* ***réverbération*** *du soleil sur la neige fait mal aux yeux.*

réverbère nom masculin
Appareil d'éclairage de la voie publique. *Dès que la nuit tombe, les* ***réverbères*** *s'allument.*

reverdir verbe ▸ conjug. 11
Redevenir vert. *Le printemps a fait* ***reverdir*** *la nature.*

révérence nom féminin
Salut que l'on fait en penchant le buste et en pliant les genoux. *Autrefois, les gens faisaient la* ***révérence*** *devant le roi et la reine.*

rêverie nom féminin
Fait de laisser courir son imagination. *Antoine est plongé dans ses* ***rêveries***.

revers nom masculin
❶ Côté opposé au côté principal, à la face d'un objet. *Daniel a écrit son nom au* ***revers*** *de son dessin.* **SYN** dos, envers, verso. ❷ Partie d'un vêtement repliée vers l'extérieur. *Il a mis l'insigne sur le* ***revers*** *de son veston.* ❸ Au tennis et au ping-pong, coup de raquette donné avec le dos de la main en avant. *Il a gagné grâce à un* ***revers*** *fulgurant.* ❹ Évènement malheureux dans la vie d'une personne. *Il ne s'est jamais découragé malgré tous les* ***revers*** *qu'il a subis.* **SYN** épreuve, malheur. • **Le revers de la médaille**: le mauvais côté d'une chose qui présente par ailleurs des avantages.

réversible adjectif
Qui se porte aussi bien à l'envers qu'à l'endroit. *Un manteau* ***réversible***.

revêtement nom masculin
Matériau qui recouvre une surface. *Le* ***revêtement*** *des fenêtres est en aluminium.*

revêtir verbe ▸ conjug. 15
❶ Mettre un vêtement. *Avant d'entrer en scène, les comédiens* ***ont revêtu*** *leurs costumes.* ❷ Recouvrir d'un revêtement. *Le sol* ***était revêtu*** *d'une céramique imitant le bois.* ✎ Attention! *Revêtir* s'écrit *revêts* aux deux premières personnes du singulier du présent de l'indicatif.

rêveur, rêveuse adjectif et nom
Qui a tendance à la rêverie. *Une enfant* ***rêveuse***. – *Il est distrait, c'est un* ***rêveur***.

revigorer verbe ▸ conjug. 3
Réconforter. *Ce chocolat chaud nous* ***a revigorés***. **SYN** ragaillardir.

a b c d e f g h i j k l m n o p q r s t u v w x y z

revirement nom masculin
Changement brusque et total d'une opinion, d'une attitude. *Je n'arrive pas à m'expliquer son* ***revirement****.* **SYN** volte-face.

réviser verbe ▶ conjug. 3
❶ Relire ce que l'on a appris pour mieux s'en souvenir. ***Réviser*** *en vue d'un examen.* **SYN** revoir. ❷ Vérifier le fonctionnement d'un mécanisme. *Elle a fait* ***réviser*** *sa voiture par le garagiste.*

révision nom féminin
❶ Action de réviser ce que l'on a appris. *Ces exercices de* ***révision*** *l'aideront pour l'examen.* ❷ Action de réviser un mécanisme. *La mécanicienne a terminé la* ***révision*** *du moteur.*

revivre verbe ▶ conjug. 50
❶ Vivre de nouveau ce que l'on a déjà éprouvé. *Il aimerait pouvoir* ***revivre*** *les jours heureux de son enfance.* • **Faire revivre :** raconter des évènements du passé d'une façon vivante. *Cette romancière* ***fait revivre*** *des personnages de la Nouvelle-France.* ❷ Reprendre des forces. *Dès que je suis au bord de la mer, je* ***revis****.*

révocation nom féminin
Action de révoquer, de destituer. *Il est accusé de fraude, sa* ***révocation*** *est inévitable.*

revoir verbe ▶ conjug. 22
❶ Voir de nouveau. *Ma mère* ***a revu*** *son amie d'enfance. J'aimerais* ***revoir*** *ce film.* ❷ Voir de nouveau dans son esprit, dans ses souvenirs. *Je te* ***revois*** *encore quand tu étais tout petit.* ❸ Réviser. *Avant l'examen, Malik* ***a revu*** *toutes ses notes de cours.*

au **revoir** interjection
Mots que l'on dit à quelqu'un quand on le quitte. ***Au revoir****, chers amis !* **SYN** bye !
* Chercher aussi *à bientôt*, *à la prochaine*.

révoltant, révoltante adjectif
Qui provoque la révolte, l'indignation. *Une conduite* ***révoltante****.* **SYN** choquant.

révolte nom féminin
❶ Fait de refuser d'obéir à une autorité et de se battre contre elle. *La* ***révolte*** *des esclaves contre leurs maîtres.* **SYN** insurrection, rébellion, soulèvement. * Chercher aussi ② *révolution*. ❷ Mouvement d'indignation contre ce qui est injuste. *La condamnation de cet innocent a provoqué un sentiment de* ***révolte****.* **CONTR** résignation.

révolté, révoltée adjectif et nom
Qui est en révolte. *Les prisonniers* ***révoltés*** *ont refusé de regagner leur cellule. – C'est une* ***révoltée****.* **SYN** insurgé, rebelle.

révolter verbe ▶ conjug. 3
Provoquer la révolte, l'indignation. *Sa méchanceté nous* ***a révoltés****.* **SYN** écœurer, indigner. ■ *se* **révolter** : refuser d'obéir à une autorité. *Les esclaves* ***se sont révoltés****.* **SYN** s'insurger, se rebeller, se soulever. ♦ Famille du mot : révoltant, révolte, révolté.

révolu, révolue adjectif
Qui appartient au passé. *L'époque où l'on se déplaçait à cheval est* ***révolue****.*

① **révolution** nom féminin
Mouvement d'un astre qui revient à son point de départ après avoir tourné autour d'un autre astre. *La* ***révolution*** *de la Terre autour du Soleil dure une année.* 👁p. 1008.

② **révolution** nom féminin
❶ Bouleversement complet et violent du régime politique d'un pays. *La* ***Révolution*** *américaine (1775-1783) a permis aux Américains d'obtenir leur indépendance de l'Angleterre.*
* Chercher aussi *révolte*. ❷ Changement profond. *L'Internet a entraîné une* ***révolution*** *dans les communications.* ♦ Famille du mot : révolutionnaire, révolutionner.

révolutionnaire adjectif
❶ Qui concerne la révolution. *Ce parti politique mène une action* ***révolutionnaire****.* ❷ Qui provoque une révolution, un grand changement. *La vaccination a été une découverte* ***révolutionnaire****.* ■ **révolutionnaire** nom
Personne qui participe à une révolution. *Les* ***révolutionnaires*** *ont pris le pouvoir.*

révolutionner verbe ▶ conjug. 3
Transformer profondément. *L'invention du moteur à réaction* ***a révolutionné*** *l'aviation.*

revolver *ou* **révolver** nom masculin
Arme à feu à canon court qui permet de tirer plusieurs coups à la suite. *Charger un* ***revolver****.*
* Chercher aussi *pistolet*.

révoquer verbe ▶ conjug. 3
Priver de sa fonction. *Ce haut fonctionnaire* ***a été révoqué*** *pour fraude.* **SYN** destituer.

① **revue** nom féminin
Publication qui paraît à intervalles réguliers. *Mon père est abonné à une* ***revue*** *de chasse et pêche.* **SYN** magazine.

② **revue** nom féminin
Défilé militaire. *La **revue** du jour du Souvenir.* • **Passer en revue :** examiner en détail. *Le douanier **passe en revue** le contenu de la valise.*

se **révulser** verbe ▸ conjug. 3
En parlant des yeux, se retourner sous le coup d'une douleur ou d'une émotion. *Les yeux du malade **se sont révulsés**.*

rez-de-chaussée nom masculin invariable
Partie d'une habitation qui se trouve au niveau du sol. *Les locataires du **rez-de-chaussée** n'utilisent pas l'ascenseur.*

rhabiller verbe ▸ conjug. 3
Habiller quelqu'un qui est déshabillé. *Mina **rhabille** sa poupée.* ■ *se* **rhabiller** : remettre ses vêtements. *Après le cours de natation, les enfants **se rhabillent**.*

rhinocéros nom masculin
Gros mammifère sauvage d'Afrique et d'Asie, qui porte une ou deux cornes sur le nez. 👁p. 638. * Attention ! Le *s* du mot *rhinocéros* se prononce.

Un **rhinocéros**

rhododendron nom masculin
Arbuste à fleurs roses ou rouges. *J'arrose les **rhododendrons**.*

Des **rhododendrons**

rhubarbe nom féminin
Plante à larges feuilles dont la tige est comestible. *Une tarte à la **rhubarbe**.*

rhum nom masculin
Alcool produit par la fermentation de la canne à sucre. *Olivier a préparé du punch avec du **rhum** des Antilles.* * Attention ! Le mot *rhum* se prononce *rome*.

rhumatisme nom masculin
Douleur articulaire. *En vieillissant, elle souffre de **rhumatismes**.* * Chercher aussi *arthrite*.

rhume nom masculin
Inflammation d'origine virale ou allergique qui affecte les muqueuses du nez et les voies respiratoires. *Lara a le nez qui coule, elle a dû attraper un **rhume**.*

ribambelle nom féminin
Dans la langue familière, grand nombre de personnes ou de choses. *Frédéric a une **ribambelle** de cousins et de cousines.*

ricanement nom masculin
Action de ricaner. *Leurs **ricanements** dérangent toute la classe.*

ricaner verbe ▸ conjug. 3
Rire avec une intention moqueuse. *Il **a ricané** méchamment quand sa voisine s'est fait punir.*

riche adjectif et nom
Qui possède beaucoup d'argent, de richesses. *Le propriétaire de ce yacht est un homme très **riche**. – De nombreux **riches** habitent dans ce quartier.* CONTR pauvre. ■ **riche** adjectif ❶ Qui a beaucoup de ressources, qui est fécond. *Un sous-sol **riche**. Une terre **riche**.* SYN fertile. ❷ Qui contient quelque chose en abondance. *Des aliments **riches** en protéines.* ♦ Famille du mot : enrichir, enrichissement, richement, richesse, richissime.

richement adverbe
De manière riche, luxueuse. *Une demeure **richement** meublée.*

richesse nom féminin
❶ Fait d'être riche. *Sa **richesse** fait des envieux.* ❷ Ressource naturelle abondante dans une région. *Le pétrole est la seule **richesse** de cette*

région. ■ **richesses** nom féminin pluriel
Ensemble de biens matériels. *Julien rêve d'une juste répartition des **richesses** entre les humains.*

richissime adjectif
Extrêmement riche. *Une famille **richissime**.*

ricocher verbe ▸ conjug. 3
Faire un ricochet. *Le caillou **a ricoché** à la surface de l'eau.* SYN rebondir.

ricochet nom masculin
Rebond qu'un objet fait sur l'eau quand on le lance en oblique. *Les enfants s'amusent à faire des **ricochets** avec des cailloux.*

rictus nom masculin
Grimace qui contracte les lèvres. *Quand il s'est cogné le genou, Marc a eu un **rictus** de douleur.*
* Attention ! Le *s* du mot *rictus* se prononce.

ride nom féminin
Petit pli qui se forme sur la peau. *Cette dame âgée a des **rides**.*

rideau, rideaux nom masculin
❶ Pan de tissu suspendu devant une fenêtre. *Laura ouvre les **rideaux** pour laisser entrer le soleil.* ❷ Draperie placée devant la scène d'un théâtre. *Le **rideau** se lève quand le spectacle commence.*

rider verbe ▸ conjug. 3
Faire des rides. *Le vent **ridait** la surface du lac.* ■ **se rider** : se couvrir de rides. *Il a beaucoup vieilli, son visage **s'est ridé**.* ♦ Famille du mot : dérider, ride.

ridicule adjectif
❶ Qui provoque l'envie de rire, de se moquer. *Ce chapeau est vraiment **ridicule**.* SYN grotesque. ❷ Qui ne présente aucun intérêt ou qui n'est pas sensé. *C'est **ridicule** de se fâcher pour si peu.* SYN absurde, idiot. ❸ Qui représente très peu de chose. *C'est un prix **ridicule** pour un ordinateur de cette qualité.* SYN dérisoire, insignifiant, minime. ■ **ridicule** nom masculin
Ce qui est ridicule. *Il se couvre de **ridicule** en parlant de ce qu'il ne connaît pas.*

ridiculiser verbe ▸ conjug. 3
Tourner quelqu'un en ridicule. *On l'**a ridiculisé** devant ses amis.* ■ **se ridiculiser** : se rendre ridicule. *Elle **s'est ridiculisée** avec ses airs de supériorité.*

rien pronom
Aucune chose. *Je n'ai **rien** dit. Ce que tu fais ne sert à **rien**.* • **Pour rien :** inutilement. *On a fait ce travail **pour rien**.* • **Cela ne fait rien :** cela n'a pas d'importance. ■ **rien** nom masculin
Chose sans importance. *Elle rit pour un **rien**.*
• **En un rien de temps :** en très peu de temps. *Nous avons fait ce trajet **en un rien de temps**.*

rieur, rieuse adjectif et nom
Qui aime rire. *Mélanie est une enfant **rieuse**. – Benjamin a mis les **rieurs** de son côté.*

rigatoni nom masculin
Pâte alimentaire en forme de tube creux à surface striée. *Des **rigatonis** aux crevettes.*

rigide adjectif
❶ Qui n'est pas flexible ou qui ne se déforme pas. *Du carton **rigide**, du plastique **rigide**.* CONTR souple. ❷ Qui est très rigoureux, très strict. *C'est un homme très **rigide**.*

rigidité nom féminin
Fait d'être rigide. *La **rigidité** d'une barre de fer. Une juge d'une grande **rigidité**.* CONTR souplesse.

rigolade nom féminin
Dans la langue familière, amusement. *Cette bataille de boules de neige, quelle **rigolade** !*

rigole nom féminin
❶ Petit fossé étroit qui sert à l'écoulement des eaux. *Nous avons creusé une **rigole** autour de la tente.* ❷ Filet d'eau qui ruisselle. *La pluie forme des **rigoles** sur le sentier.*

rigoler verbe ▸ conjug. 3
Dans la langue familière, rire. *Il s'est fâché alors que j'avais dit ça pour **rigoler**.* ♦ Famille du mot : rigolade, rigolo.

rigolo, rigolote adjectif
Dans la langue familière, amusant. *Un film **rigolo**. Elle est **rigolote** avec ce chapeau.*

rigoureusement adverbe
De façon rigoureuse. *Tout ce que dit le témoin est **rigoureusement** exact.* SYN absolument, totalement.

rigoureux, rigoureuse adjectif
❶ Dur à supporter. *Un hiver **rigoureux**.* SYN rude. CONTR clément. ❷ Qui est d'une grande rigueur, extrêmement précis. *En mathématique, il faut avoir des raisonnements **rigoureux**.*

rigueur nom féminin
❶ Grande sévérité. *C'est une faute grave qu'il faut punir avec **rigueur**.* ❷ Grande précision.

Ces calculs ont été faits avec ***rigueur****.*
❸ Caractère de ce qui est difficile à supporter. *Il est parti en Floride pour fuir les* ***rigueurs*** *de l'hiver.* • **À la rigueur :** s'il n'est pas possible de faire autrement. *Je peux* ***à la rigueur*** *retarder mon voyage de quelques jours.* • **De rigueur :** exigé par des règles, des habitudes. *Pour le bal, une tenue de soirée est* ***de rigueur****.* • **Tenir rigueur de quelque chose à quelqu'un :** lui en vouloir. *Si j'arrive en retard, ne* ***m'en tiens*** *pas* ***rigueur****.*
♦ Famille du mot : rigoureusement, rigoureux.

rime nom féminin
Répétition du même son à la fin de deux ou plusieurs vers.

rimer verbe ▸ conjug. 3
Se terminer par le même son. *« Jolie »* ***rime*** *avec « folie ».* • **Ne rimer à rien :** n'avoir aucun sens. *Cette discussion* ***ne rime à rien****.*

rinçage nom masculin
Action de rincer. *Le programme de la laveuse comporte le lavage, le* ***rinçage*** *et l'essorage.*

rince-bouche nom masculin
Liquide généralement antiseptique destiné à rafraîchir l'haleine.

rincer verbe ▸ conjug. 4
Nettoyer avec de l'eau claire. *Il faut* ***rincer*** *la laitue avant de la manger.*

ring nom masculin
Estrade carrée entourée de cordes pour les combats de boxe ou de lutte. *Les boxeurs sont montés sur le* ***ring****.* ✎ Pluriel : *des* ***rings****.*

Un ***ring*** *de boxe*

riposte nom féminin
Réaction de défense rapide et vigoureuse. *Notre équipe s'est fait surprendre par la* ***riposte*** *de l'équipe adverse.* **SYN** contre-attaque, réplique.

riposter verbe ▸ conjug. 3
Répondre ou réagir avec vivacité à une attaque. *Quand elle lui a dit de se taire, il* ***a riposté*** *qu'il avait le droit de s'exprimer.*

① **rire** verbe ▸ conjug. 48
❶ Exprimer sa gaieté par des mouvements du visage accompagnés de petits sons saccadés. *Le bébé* ***rit*** *aux éclats quand on le chatouille.*
❷ Se moquer de quelqu'un. *Marie ne supporte pas que l'on* ***rie*** *d'elle.* • **Pour rire :** pour plaisanter. *J'ai dit ça* ***pour rire****.* • **Rire au nez de quelqu'un :** se moquer ouvertement de lui. • **Rire jaune :** se forcer à rire alors que l'on est mécontent ou vexé.

② **rire** nom masculin
Action de rire. *On entendait les* ***rires*** *des enfants dans le parc. Un éclat de* ***rire****.* • **Avoir le fou rire :** rire sans pouvoir s'arrêter.

risée nom féminin
• **Être la risée des autres :** être la personne dont tout le monde se moque. *Cet acteur* ***a été la risée des*** *spectateurs.*

risible adjectif
Qui donne envie de rire ou de se moquer. *Il est tombé et s'est fait mal, il n'y a rien de* ***risible*** *à cela.*

risque nom masculin
Ce qui présente un danger. *Il est prêt à prendre tous les* ***risques*** *pour remporter cette compétition.* ♦ Famille du mot : risqué, risquer.

risqué, risquée adjectif
Qui comporte des risques. *Cette expédition dans la jungle est très* ***risquée****.* **SYN** dangereux, hasardeux.

risquer verbe ▸ conjug. 3
❶ Courir un risque, un danger. *Il* ***a risqué*** *sa vie pour sauver cet enfant de la noyade.*
❷ Comporter tel risque. *Le village* ***risque*** *d'être inondé si le fleuve est en crue.*

rissoler verbe ▸ conjug. 3
Cuire un aliment à feu vif pour qu'il prenne une couleur dorée. *Faire* ***rissoler*** *des pommes de terre.*

ristourne nom féminin
Réduction que fait un commerçant à un client sur le prix d'un objet. *Le vendeur nous a fait une* ***ristourne*** *de 10 % sur ce blouson.*

rite nom masculin
❶ Ensemble des règles et des cérémonies d'une religion. *Ils se sont mariés à l'église selon*

*le **rite** catholique.* 👁p. 270. ❷ Habitude que l'on respecte religieusement. *Le repas de Noël se passe tous les ans chez ma grand-mère, c'est un **rite**.*

ritournelle nom féminin
Chanson à refrain. *En ce moment, tout le monde fredonne cette **ritournelle**.*

rituel, rituelle adjectif
❶ Qui concerne les rites. *Pendant la cérémonie du baptême, le prêtre récite les paroles **rituelles**.* **SYN** traditionnel. ❷ Qui revient comme un rite. *Chaque soir, ma mère vient me faire un baiser **rituel** avant que je m'endorme.*
■ **rituel** nom masculin Ensemble de règles, de rites. *Le **rituel** de la première communion.*

rivage nom masculin
Bande de terre qui longe la mer. *Malgré la tempête, le bateau a pu regagner le **rivage**.* **SYN** côte, littoral.

rival, rivale, rivaux adjectif et nom
Qui lutte pour surpasser quelqu'un d'autre. *Les deux équipes **rivales** se préparent à la finale. – David a battu tous ses **rivaux** dans l'épreuve de saut en hauteur.* **SYN** adversaire, concurrent.
♦ Famille du mot : rivaliser, rivalité.

rivaliser verbe ▸ conjug. 3
Être le rival de quelqu'un. *Aux échecs, Jérémie est capable de **rivaliser** avec les meilleurs.*

rivalité nom féminin
Situation dans laquelle on rivalise avec d'autres. *Il n'y a aucune **rivalité** entre les deux amies.* **SYN** compétition, concurrence.

rive nom féminin
Bord d'un cours d'eau ou d'un lac. **SYN** berge.

river verbe ▸ conjug. 3
❶ Fixer des éléments entre eux avec des rivets. *Il **a rivé** ces deux plaques de métal.* ❷ Au sens figuré, enchaîner. *Elle **est rivée** à son ordinateur.*

riverain, riveraine nom
Personne qui habite une maison située le long d'un cours d'eau, d'un lac ou d'une route. *Les maisons des **riverains** ont été inondées lors de la crue de la rivière.*

rivet nom masculin
Sorte de clou dont on aplatit les deux extrémités. *Les poches de mon pantalon sont fixées par de petits **rivets**.*

rivière nom féminin
Cours d'eau qui se jette dans un autre cours d'eau. *Jonathan va pêcher sur les bords de la **rivière**.* * Chercher aussi *fleuve*.

*Une **rivière***

riz nom masculin
Céréale cultivée dans les pays humides et chauds pour ses grains comestibles. *Le **riz** est l'aliment de base de nombreux pays d'Asie.*

rizière nom féminin
Champ où l'on cultive le riz. *Les **rizières** doivent être recouvertes d'eau quand le riz commence à pousser.*

*Du **riz***

*Une **rizière***

robe nom féminin
❶ Vêtement de femme constitué d'un corsage et d'une jupe formant une seule pièce. *Marianne porte une **robe** d'été sans manches.* ❷ Vêtement long et ample des avocats et des juges au tribunal. ❸ Pelage de certains animaux. *Un cheval à la **robe** brune.* * Chercher aussi *fourrure*. • **Robe de chambre** : vêtement d'intérieur. *Émilie a mis son pyjama et sa **robe de chambre**.* **SYN** peignoir.

robinet nom masculin
Appareil permettant d'arrêter ou de laisser couler l'eau, le gaz. *La baignoire va déborder, ferme le* ***robinet****.*

robot nom masculin
Machine automatique capable d'exécuter certains travaux à la place de l'être humain. *Dans cette histoire de science-fiction, les* ***robots*** *ont l'apparence d'humains.*

robotique nom féminin
Ensemble des techniques permettant de fabriquer des robots.

robuste adjectif
Qui est très fort ou très résistant. *Un enfant* ***robuste****.* CONTR chétif, délicat, fragile, frêle. *Une voiture* ***robuste****.*

robustesse nom féminin
Qualité d'une personne, d'une chose robuste. *La voiture a supporté l'impact grâce à sa* ***robustesse****.* SYN solidité. CONTR fragilité.

roc nom masculin
Masse rocheuse. *Ce tunnel a été creusé dans le* ***roc****.* SYN rocher.

rocaille nom féminin
❶ Amas de cailloux. *Seuls quelques arbustes arrivent à pousser sur cette* ***rocaille****.*
❷ Aménagement de pierres entre lesquelles on fait pousser des plantes, des fleurs. *Le devant de cette maison est orné d'une* ***rocaille****.*

Une ***rocaille***

rocailleux, rocailleuse adjectif
Couvert de rocaille. *Un chemin* ***rocailleux****.* SYN caillouteux. • **Voix rocailleuse :** voix rauque.

rocambolesque adjectif
Plein d'invraisemblances. *Le héros de ce roman vit des aventures* ***rocambolesques****.*

roche nom féminin
❶ Matière solide qui constitue l'écorce terrestre. *Le granit, le basalte, le calcaire sont des* ***roches****.* ❷ Pierre, caillou. *Il s'amuse à lancer des* ***roches*** *dans la rivière.* • **Clair comme de l'eau de roche :** très évident.

rocher nom masculin
Grosse masse de pierre. *Les vagues venaient se briser sur les* ***rochers****.*

rocheux, rocheuse adjectif
Qui est formé de rochers. *Une paroi* ***rocheuse****.*

rock ou **rock and roll** nom masculin et adjectif invariable
Musique très rythmée apparue aux États-Unis dans les années 1950. *Un groupe de* ***rock****. – Une chanteuse* ***rock****.*

rockeur, rockeuse nom
Chanteur ou musicien de rock.

rodage nom masculin
Action de roder quelque chose de nouveau. *Ne roule pas si vite, le scooter est encore en* ***rodage****. Le* ***rodage*** *de ce spectacle va bon train.* SYN mise au point.

rodéo nom masculin
Concours qui consiste à tenir le plus longtemps possible sur un cheval ou un bœuf sauvage pour le dompter. ✎ Pluriel : *des* ***rodéos****.*

Un ***rodéo***

roder verbe ▸ conjug. 3
Mettre au point quelque chose de nouveau. ***Roder*** *un moteur,* ***roder*** *une pièce de théâtre.* * Ne pas confondre *roder* et *rôder*.

rôder verbe ▸ conjug. 3
Aller et venir dans un endroit, souvent avec de mauvaises intentions. *Un individu bizarre* ***rôde*** *dans le quartier.* * Ne pas confondre *rôder* et *roder*.

a b c d e f g h i j k l m n o p q r s t u v w x y z

rôdeur, rôdeuse nom
Personne qui rôde. *Des chiens gardent la ferme pour éloigner les **rôdeurs**.*

rogner verbe ▸ conjug. 3
Couper les bords de quelque chose. ***Rogner** une feuille de papier.*

rognon nom masculin
Rein comestible de certains animaux. *Des **rognons** de veau.*

roi nom masculin
❶ Chef d'État dans un régime monarchique. *Les **rois** de France se succédaient de père en fils.* * Chercher aussi *dynastie*. ❷ L'une des figures du jeu de cartes qui représente un roi. • **Fête des Rois :** fête chrétienne qui rappelle la visite des Rois mages venus honorer Jésus à sa naissance. • **Galette (ou gâteau) des Rois :** gâteau contenant une fève, que l'on mange à l'occasion de la fête des Rois.

roitelet nom masculin
Petit oiseau dont le mâle porte une huppe colorée sur la tête.

rôle nom masculin
❶ Ensemble des paroles et des gestes d'un acteur quand il joue au cinéma ou au théâtre. *Un acteur doit connaître son **rôle** par cœur.* ❷ Fonction qu'une personne doit remplir. *Le **rôle** d'un médecin est de soigner les malades.* • **À tour de rôle :** chacun son tour, l'un après l'autre. *Les élèves font leur présentation orale **à tour de rôle**.*

① **romain, romaine** adjectif et nom
De l'ancien empire de Rome. *Les ruines **romaines**. – Les **Romains**, les **Romaines** parlaient le latin.* ✎ Attention ! Le nom, qui désigne les habitants, s'écrit avec une majuscule.

② **romain, romaine** adjectif
• **Chiffres romains :** lettres utilisées pour représenter les chiffres. *Les **chiffres romains** sont souvent utilisés pour écrire les siècles.*

roman nom masculin
Long récit en prose qui raconte une histoire imaginée. *Les **romans** d'aventures me passionnent.* ♦ Famille du mot : romancé, romancier, romanesque, romantique.

romancé, romancée adjectif
Qui mêle des éléments réels et des éléments imaginaires. *Ce film est une biographie **romancée** de Maurice Richard.*

romancier, romancière nom
Personne qui écrit des romans. *Gabrielle Roy était une grande **romancière**.*

romanesque adjectif
Qui ressemble à un roman. *Ce célèbre aventurier a vécu une existence très **romanesque**.*

romantique adjectif
Qui est très sensible, sentimental. *C'est une jeune fille **romantique** qui adore les histoires d'amour.*

Du *romarin*

romarin nom masculin
Arbuste odorant dont on utilise les feuilles comme condiment. *Cette sauce est parfumée au **romarin**.*

rompre verbe ▸ conjug. 34
❶ Casser. *Le chien **a rompu** la corde qui l'attachait.* ❷ Cesser d'avoir des relations. *Il **a rompu** avec sa famille.* SYN se brouiller, se fâcher. ❸ Déranger ou interrompre quelque chose. *Des hurlements **ont rompu** le silence.* SYN troubler. • **Applaudir à tout rompre :** applaudir très fort.

ronce nom féminin
Arbuste sauvage épineux.

Une *ronce*

ronchonner verbe ▸ conjug. 3
Grommeler. *Alexis doit être de mauvaise humeur : je l'entends **ronchonner**.* SYN bougonner.

rond, ronde adjectif
❶ Qui a la forme d'un cercle ou d'une sphère. *Une table **ronde**.* SYN circulaire. *On joue au soccer avec un ballon **rond**.* SYN sphérique. ❷ Qui a une forme arrondie, sans angles. *Un bébé aux joues **rondes**.* ❸ Qui est petit et gros. *Notre voisine est une dame un peu **ronde**.* • **Chiffre rond :** nombre sans décimale et facile à retenir. ■ **rond** nom masculin Figure ou dessin de forme ronde. *Pour dessiner un soleil, tu fais d'abord un **rond**.* SYN cercle. • **Tourner en rond :** rester au même point sans faire de

a b c d e f g h i j k l m n o p q r s t u v w x y z

progrès. ■ **rond** adverbe • **Tourner rond**: aller bien. *Depuis ce matin, rien ne* ***tourne rond****.* ♦ Famille du mot: arrondi, arrondir, ronde, rondelet, rondelle, rondement, rondeur, rondin, rond-point.

ronde nom féminin
❶ Danse dans laquelle on tourne en rond en se tenant par la main. *Les petits chantent en faisant la* ***ronde****.* ❷ Tournée d'inspection ou de surveillance. *Le gardien de sécurité fait sa* ***ronde****.* ❸ Note de musique qui vaut deux blanches ou quatre noires. • **À la ronde**: aux alentours. *Notre maison est isolée, il n'y a personne à cinq kilomètres* ***à la ronde****.*

rondelet, rondelette adjectif
Qui est un peu rond, un peu gros. *Un bébé* ***rondelet****.* **SYN** dodu, grassouillet, potelé.

rondelle nom féminin
❶ Tranche ronde et fine. *Couper une carotte en* ***rondelles****.* ❷ Morceau de caoutchouc rond utilisé pour jouer au hockey. *Laurent a lancé la* ***rondelle*** *du centre de la patinoire et il a marqué un but.*

rondement adverbe
Avec rapidité et efficacité. *Elle a mené la discussion* ***rondement****.*

rondeur nom féminin
Forme arrondie d'une partie du corps. *Ma tante n'est pas grosse, mais elle a quelques* ***rondeurs****.*

rondin nom masculin
❶ Morceau de bois cylindrique. *Il a chargé le vieux poêle à bois avec des* ***rondins****.* ❷ Bois rond. *Un chalet en* ***rondins****.*

rond-point nom masculin
Carrefour circulaire. *Les voitures tournent autour du* ***rond-point****.* ✎ Pluriel: *des* ***ronds-points****.* ✎ On peut écrire aussi *un* ***rondpoint****, des* ***rondpoints****.*

ronflement nom masculin
❶ Bruit que fait une personne qui ronfle. *Tes* ***ronflements*** *m'empêchent de dormir.* ❷ Bruit sourd et régulier. *Le* ***ronflement*** *d'un moteur.*

ronfler verbe ▸ conjug. 3
❶ Faire du bruit en respirant pendant son sommeil. *Je t'ai entendu* ***ronfler*** *toute la nuit.* ❷ Faire un bruit sourd et régulier. *Le vieux poêle à bois* ***ronflait****.*

ronger verbe ▸ conjug. 5
❶ Gruger à petits coups de dents. *Le chien est en train de* ***ronger*** *un os.* **SYN** grignoter. ❷ Détruire quelque chose peu à peu. *La rouille* ***a rongé*** *cette vieille voiture.* ❸ Causer un grand tourment. *Depuis qu'il a perdu son emploi, l'angoisse le* ***ronge****.*

rongeur nom masculin
Mammifère à longues incisives tranchantes qui lui permettent de ronger les aliments. *L'écureuil, la souris et le hamster sont des* ***rongeurs****.*

ronronnement nom masculin
❶ Petit grondement sourd et régulier que fait entendre un chat quand il est satisfait. ❷ Bourdonnement sourd et régulier d'une machine. *Le* ***ronronnement*** *d'un moteur.*

ronronner verbe ▸ conjug. 3
Faire entendre un ronronnement. *Allongée sur mes genoux, ma chatte* ***ronronne****.*

roquette nom féminin
Petite fusée contenant une charge explosive. *Un avion armé de* ***roquettes****.*

rorqual nom masculin
Mammifère marin des mers froides qui ressemble à la baleine.

rosace nom féminin
Grand vitrail de forme circulaire. *Les* ***rosaces*** *d'une cathédrale.* 👁p. 170.

Une ***rosace***

rosâtre adjectif
D'un rose terne.

rosbif nom masculin
Rôti de bœuf. *Ma mère découpe le* ***rosbif*** *en tranches.*

a b c d e f g h i j k l m n o p q r s t u v w x y z

① **rose** adjectif
D'un rouge très clair. *Ma petite sœur aime porter des vêtements **roses**.* ■ **rose** nom masculin Couleur rose. *Amélie a habillé sa poupée en **rose**.* ♦ Famille du mot: rosâtre, rosé.

② **rose** nom féminin
Fleur du rosier, souvent parfumée, dont la tige porte des épines. *Ces **roses** blanches sentent très bon.* • **À l'eau de rose:** sentimental et un peu naïf. *Un film **à l'eau de rose**.* ♦ Famille du mot: rosace, roseraie, rosier.

rosé, rosée adjectif
Légèrement rose. *Laurie a un joli teint **rosé**.* ■ **rosé** nom masculin Vin de couleur rouge clair. *Une bouteille de **rosé**.*

roseau, roseaux nom masculin
Plante aquatique à tige haute et flexible. * Chercher aussi *jonc*, ② *quenouille*.

rosée nom féminin
Gouttelettes d'eau qui se déposent pendant la nuit sur le sol et les plantes. *Ce matin, la pelouse était couverte de **rosée**.*

roseraie nom féminin
Terrain planté de rosiers.

rosier nom masculin
Arbuste épineux qui donne des roses. *Emilio taille les **rosiers**.*

rossignol nom masculin
Petit oiseau au chant très mélodieux.

rot nom masculin
Bruit que font les gaz de l'estomac en sortant par la bouche. *Elle fait faire un **rot** à son bébé avant de le coucher.* * Attention! Le *t* du mot *rot* ne se prononce pas.

rotatif, rotative adjectif
Qui fonctionne en tournant. *Le mouvement **rotatif** d'une hélice.*

rotation nom féminin
Mouvement tournant. *La **rotation** de la Terre autour du Soleil dure un an.*

roter verbe ▸ conjug. 3
Faire un rot. *Il **a roté** après avoir bu un verre d'eau gazeuse.*

rôti, rôtie adjectif
Cuit au four ou à la broche. *À Noël, nous avons mangé de la dinde **rôtie**.* ■ **rôti** nom masculin Morceau de viande que l'on a fait rôtir. *Un **rôti** de bœuf.* ■ **rôtie** nom féminin Tranche de pain grillée. *Au déjeuner, je mange souvent des **rôties** avec du beurre d'arachide.*

rotin nom masculin
Tige souple et solide d'un palmier que l'on peut tresser. *On a installé des fauteuils en **rotin** sur la galerie.*

rôtir verbe ▸ conjug. 11
Faire cuire une viande à feu vif au four ou à la broche. *Faire **rôtir** un poulet.* ♦ Famille du mot: rôti, rôtisserie, rôtissoire.

rôtisserie nom féminin
Restaurant spécialisé dans la préparation de viandes rôties à la broche, en particulier le poulet.

rôtissoire nom féminin
❶ Appareil qui sert à rôtir la viande. *Des poulets cuisent dans la **rôtissoire** électrique de la boucherie.* ❷ Grand récipient avec couvercle prévu pour faire cuire au four une pièce de viande.

rotonde nom féminin
Édifice circulaire surmonté d'une coupole.

rotor nom masculin
Grande hélice horizontale d'un hélicoptère.

rotule nom féminin
Petit os plat et mobile à l'avant du genou.

rouage nom masculin
Chacune des roues dentées d'un mécanisme. *Les **rouages** d'une pendule.*

rouble nom masculin
Monnaie de la Russie.

roucoulement nom masculin
Cri du pigeon et de la tourterelle.

roucouler verbe ▸ conjug. 3
Faire entendre des roucoulements. *Les pigeons **roucoulent** sur le toit.*

roue nom féminin
❶ Pièce circulaire qui permet à un véhicule de rouler. *Les **roues** d'une voiture, d'un avion, d'un vélo.* 👁p. 88, 93, 117. ❷ Élément circulaire qui transmet un mouvement. *Les **roues** dentées du mécanisme d'une horloge.* • **Être la cinquième roue du carrosse:** être considéré comme inutile, insignifiant. • **Faire la roue:** faire tourner son corps en s'appuyant sur les mains, puis sur les pieds. Pour un paon, déployer en éventail les plumes de sa queue.

• **Mettre des bâtons dans les roues de quelqu'un :** l'empêcher de réaliser ses projets en faisant surgir des difficultés.

rouer verbe ▸ conjug. 3
• **Rouer quelqu'un de coups :** le frapper avec violence. *Ce voyou* ***a roué de coups*** *un passant.*

rouet nom masculin
Instrument qui servait autrefois à filer la laine, le chanvre et le lin. * Chercher aussi *fuseau*, ① *quenouille*.

Un ***rouet***

rouge adjectif
De la couleur du sang ou des coquelicots. *Une bouteille de vin* ***rouge****. Fanny a les joues* ***rouges*** *à cause du froid.* ■ **rouge** nom masculin ❶ Couleur rouge. *Lou s'habille souvent en* ***rouge****.* • **Rouge à lèvres :** maquillage pour colorer les lèvres. *Ma grande sœur se met du* ***rouge à lèvres****.* ❷ Membre du Parti libéral. *Les* ***rouges*** *et les bleus vont se faire une chaude lutte aux prochaines élections.* * Chercher aussi *bleu*. ■ **rouge** adverbe • **Voir rouge :** entrer dans une violente colère. ♦ Famille du mot : rougeâtre, rougeaud, rougeole, rougeoyer, rougeur, rougir.

rougeâtre adjectif
Qui a une teinte un peu rouge. *Au soleil couchant, le ciel a pris des reflets* ***rougeâtres****.*

rougeaud, rougeaude adjectif
Qui a le visage très rouge. *Notre voisin est un homme* ***rougeaud****.*

rougeole nom féminin
Maladie contagieuse qui provoque l'apparition de taches rouges sur la peau. *Anaïs s'est fait vacciner contre la* ***rougeole****.*

rougeoyer verbe ▸ conjug. 6
Prendre des reflets rouges. *L'incendie* ***rougeoyait*** *dans la nuit.*

rougeur nom féminin
Tache rouge qui apparaît sur la peau. *Certaines maladies provoquent l'apparition de* ***rougeurs*** *sur le corps.*

rougir verbe ▸ conjug. 11
Devenir rouge. ***Rougir*** *de timidité, de colère.*

rouille nom féminin
Croûte rougeâtre qui se forme sur le fer sous l'effet de l'humidité. *Ce vieux vélo est couvert de* ***rouille****.*

rouiller verbe ▸ conjug. 3
❶ Se couvrir de rouille. *Les outils de jardinage vont* ***rouiller*** *s'ils restent sous la pluie.* ❷ Au sens figuré, être moins adroit faute de pratique. *Il y a longtemps que je n'ai pas joué au tennis ; je* ***suis*** *un peu* ***rouillé****.*

roulade nom féminin
Culbute. *Au gymnase, on s'amuse à faire des* ***roulades****.*

roulant, roulante adjectif
Qui peut se déplacer grâce à des roulettes. *Un fauteuil* ***roulant****.* • **Escalier roulant :** escalier dont les marches sont entraînées par un mécanisme.

roulé, roulée adjectif
• **Col roulé :** col de chandail roulé sur lui-même.

rouleau, rouleaux nom masculin
❶ Ustensile en forme de cylindre. *Un* ***rouleau*** *à pâtisserie. Un* ***rouleau*** *à peinture.* ❷ Bande enroulée en forme de cylindre. *Un* ***rouleau*** *de papier d'aluminium.*

roulement nom masculin
❶ Bruit sourd et continu. *Un* ***roulement*** *de tambour.* ❷ Système qui consiste à travailler à tour de rôle au même poste. *Les ouvriers de cette usine travaillent par* ***roulement****.*

rouler verbe ▸ conjug. 3
❶ Se déplacer en tournant sur soi-même. *Le ballon* ***a roulé*** *sur la chaussée.* ❷ Se déplacer sur des roues. *Le camion* ***roulait*** *au ralenti.* ❸ Mettre quelque chose en rouleau. *Les déménageurs* ***ont roulé*** *les tapis pour les transporter.* CONTR dérouler. ❹ Dans la langue

a b c d e f g h i j k l m n o p q r s t u v w x y z

familière, tromper. *Il s'est fait **rouler** par un escroc.* • **Rouler sur l'or :** être très riche. ■ *se* **rouler** ❶ Se tourner d'un côté à l'autre en étant allongé. ***Se rouler** dans l'herbe.* ❷ S'enrouler. *Julie **s'est roulée** dans sa couette pour se réchauffer.* ♦ Famille du mot : dérouler, déroulement, enrouler, roulade, roulant, roulé, rouleau, roulement, roulette, roulis, roulotte.

roulette nom féminin
❶ Petite roue. *Une table sur **roulettes**.* ❷ Jeu de hasard dans lequel on lance une petite boule sur un plateau tournant qui comporte des cases numérotées.

roulis nom masculin
Mouvement de balancement d'un bateau d'un côté à l'autre. *Les marins sont habitués au **roulis**.* * Chercher aussi *tangage*.

roulotte nom féminin
Véhicule de camping tiré par une voiture. *Il y a beaucoup de **roulottes** sur le terrain de camping.* **SYN** caravane.

roumain, roumaine
➛Voir tableau, p. 1319.

round nom masculin
Chacune des parties d'un match de boxe. *Le boxeur a mis son adversaire K.-O. au huitième **round**.* **SYN** reprise.

roupie nom féminin
Monnaie de l'Inde, du Pakistan, etc.

roupiller verbe ▸ conjug. 3
Dans la langue familière, dormir. *Je vais aller **roupiller**.*

rouquin, rouquine adjectif et nom
Dans la langue familière, roux, rousse. *La sœur de William est **rouquine**. – Un grand **rouquin**.*

rouspéter verbe ▸ conjug. 8
Dans la langue familière, protester. *Va ranger ta chambre sans **rouspéter** !* **SYN** pester, râler. ✎ On peut écrire aussi, au futur, *tu **rouspèteras*** ; au conditionnel, *il **rouspèterait***.

rousseler verbe ▸ conjug. 9
Se couvrir de taches de rousseur. *Le soleil fait **rousseler** le dos de Maxime.*

rousseur nom féminin
• **Tache de rousseur :** petite tache rousse sur la peau. *Laura a des **taches de rousseur** sur le nez.*

roussi nom masculin
Odeur de ce qui commence à brûler. *Éteins le four, cela sent le **roussi** !*

route nom féminin
❶ Voie de circulation aménagée en dehors des villes. *Il y a beaucoup de circulation sur cette **route**.* ❷ Direction à suivre ou trajet que l'on parcourt. *Nous avons pique-niqué en cours de **route**.* **SYN** chemin, itinéraire. • **En route ! :** partons ! • **Faire fausse route :** se tromper. *Ce n'est pas lui le coupable, vous **faites fausse route**.* • **Mettre en route :** faire fonctionner un appareil ou un véhicule.

routier, routière adjectif
Qui concerne les routes. *Une carte **routière**.* • **Le réseau routier :** l'ensemble des routes. * Chercher aussi *ferroviaire, fluvial, maritime*. ■ **routier** nom masculin Conducteur de camions qui effectue de longs trajets. **SYN** camionneur.

routine nom féminin
Habitude d'agir et de penser toujours de la même manière. *Il aime l'imprévu et l'aventure, il a horreur de la **routine**.*

routinier, routinière adjectif
Marqué par la routine. *Un travail **routinier**.*

rouvrir verbe ▸ conjug. 12
Ouvrir de nouveau. *Ce magasin **rouvrira** après les travaux.*

roux, rousse adjectif
Qui est d'une couleur entre l'orange et le rouge. ■ **roux, rousse** adjectif et nom Qui a les cheveux roux. *Notre voisine est **rousse**. – Un **roux** aux yeux verts.* **SYN** rouquin. ♦ Famille du mot : rousseler, rousseur, roussi.

royal, royale, royaux adjectif
❶ Du roi. *Le prince héritier recevra la couronne **royale**.* ❷ Qui est digne d'un roi. *On nous a servi un repas **royal**.* **SYN** magnifique, somptueux. ♦ Famille du mot : royalement, royaliste, royaume, royauté.

royalement adverbe
De façon royale. *Ils ont reçu **royalement** leurs invités.*

royaliste adjectif et nom
Partisan du roi ou de la royauté. *Un parti politique **royaliste**.* **SYN** monarchiste.

royaume nom masculin
Pays gouverné par un roi ou une reine. *Le **royaume** de Grande-Bretagne.*

royauté nom féminin
Pouvoir royal. *En 1789, la Révolution française a provoqué la chute de la* ***royauté****.* **SYN** monarchie.

ruade nom féminin
Mouvement brusque d'un animal qui rue. *Ne reste pas derrière ce cheval, il pourrait lancer une* ***ruade****.*

ruban nom masculin
Bande fine et étroite de tissu ou de papier. *Anabelle a attaché les cheveux de sa poupée avec un* ***ruban****.* • **Ruban adhésif:** ruban présentant un côté enduit d'une substance adhésive. *J'ai utilisé du* ***ruban adhésif*** *pour emballer ces cadeaux.* • **Ruban à mesurer:** ruban en étoffe, en plastique ou en métal, divisé en centimètres. **SYN** galon.

rubéole nom féminin
Maladie bénigne mais très contagieuse.

rubis nom masculin
Pierre précieuse de couleur rouge. *Un bracelet orné de* ***rubis****.*

rubrique nom féminin
Suite d'articles d'un journal sur un même sujet. *Ma sœur commence toujours par lire la* ***rubrique*** *des spectacles dans le journal.*

ruche nom féminin
Petit abri où l'on élève des abeilles. *L'apiculteur a installé cinq* ***ruches*** *dans son champ.*

Des ***ruches***

rude adjectif
❶ Difficile à supporter. *Un hiver* ***rude****. Dans cette région désertique, la vie est* ***rude****.*
❷ Qui manque de douceur. *Ces aventuriers sont des hommes* ***rudes****.* **SYN** brutal, dur. **CONTR** doux, raffiné. ♦ Famille du mot: rudement, rudesse, rudoyer.

rudement adverbe
De manière rude. *Elle nous a repoussés* ***rudement****.* **SYN** brutalement, durement.

rudesse nom féminin
Caractère de ce qui est rude. *Il a refusé avec* ***rudesse*** *de nous aider.* **SYN** âpreté, brusquerie, brutalité.

rudimentaire adjectif
Qui ne comporte que l'essentiel. *Avec ces branchages, Joëlle a construit une cabane* ***rudimentaire****.*

rudiments nom masculin pluriel
Connaissances de base. *Alexandre connaît déjà les* ***rudiments*** *de la musique.* **SYN** a b c.

rudoyer verbe ▸ conjug. 6
Traiter quelqu'un avec rudesse. *Cet homme* ***rudoie*** *ses employés.* **SYN** brusquer, malmener.

rue nom féminin
Voie bordée de maisons dans une ville ou un village. *Émile habite dans une petite* ***rue*** *près de l'école. Une* ***rue*** *à sens unique.*
• **Être à la rue:** être sans logement par manque d'argent.

ruée nom féminin
Mouvement d'un grand nombre de personnes dans la même direction. *Au moment des soldes, c'est la* ***ruée*** *vers les magasins.*

ruelle nom féminin
Petite rue étroite. *Les* ***ruelles*** *du Vieux-Québec.*

ruer verbe ▸ conjug. 3
Lancer brusquement en l'air les pattes arrière, en parlant d'un cheval, d'un âne. *Le cheval affolé s'est mis à* ***ruer****.* ■ se **ruer**: s'élancer brusquement et très violemment. *La foule* ***s'est ruée*** *vers la sortie.* **SYN** se précipiter. ♦ Famille du mot: ruade, ruée.

rugby nom masculin
Sport opposant deux équipes, qui se joue à la main et au pied avec un ballon ovale.

rugir verbe ▸ conjug. 11
Pousser des rugissements. *Dans la brousse, il a entendu des lions* ***rugir****.*

rugissement nom masculin
❶ Cri du lion et de certains grands fauves. *Les* ***rugissements*** *du tigre le glaçaient d'effroi.*
❷ Hurlement violent. *Des* ***rugissements*** *de fureur.*

a b c d e f g h i j k l m n o p q r s t u v w x y z

rugosité nom féminin
Caractère de ce qui est rugueux. *La **rugosité** du papier d'émeri.*

rugueux, rugueuse adjectif
Qui râpe au toucher. *L'écorce de ce vieux chêne est **rugueuse**.* CONTR lisse.

ruine nom féminin
❶ Débris d'un bâtiment détruit, écroulé. *Un tremblement de terre a ravagé la ville ; il ne reste plus que des **ruines**.* • **En ruine :** qui s'écroule peu à peu. *Cette maison n'est plus entretenue ; elle tombe **en ruine**.* ❷ Perte des biens d'une personne. *Son commerce ne marche plus du tout, elle est au bord de la **ruine**.* ♦ Famille du mot : ruiner, ruineux.

Des *ruines*

ruiner verbe ▸ conjug. 3
Causer la ruine. *Les inondations **ont ruiné** les agriculteurs de cette région.* ■ se **ruiner** : perdre toute sa fortune. *Il **s'est ruiné** dans cette affaire.*

ruineux, ruineuse adjectif
Qui entraîne des dépenses trop importantes. *C'est une propriété magnifique, mais son entretien est **ruineux**.*

ruisseau, ruisseaux nom masculin
Petit cours d'eau. *Des enfants pêchent au bord du **ruisseau**.* ♦ Famille du mot : ruisselant, ruisseler, ruissellement.

ruisselant, ruisselante adjectif
Qui ruisselle. *Le coureur était **ruisselant** de sueur.*

ruisseler verbe ▸ conjug. 9
Couler en formant de petits ruisseaux. *La pluie **ruisselait** le long des vitres.* ✎ On peut écrire aussi, au présent, *je **ruissèle*** ; au futur, *tu **ruissèleras*** ; au conditionnel, *elle **ruissèlerait**.*

ruissellement nom masculin
Fait de ruisseler. *Le **ruissellement** des eaux de pluie sur les toits.* ✎ On peut écrire aussi ***ruissèlement***.

rumeur nom féminin
❶ Bruit confus assourdi. *Même quand les fenêtres sont fermées, on entend la **rumeur** de la ville.* ❷ Nouvelle qui se répand dans le public. *On dit que ce ministre va démissionner, mais ce n'est encore qu'une **rumeur**.*

ruminant nom masculin
Mammifère qui rumine. *La vache, la chèvre, le cerf, le chameau sont des **ruminants**.*

ruminer verbe ▸ conjug. 3
❶ Pour certains animaux, mâcher de nouveau les aliments en les faisant remonter de l'estomac jusqu'à la bouche. *Couchées dans l'herbe, les vaches **ruminent**.* ❷ Au sens figuré, retourner sans arrêt les mêmes pensées dans son esprit. *Depuis des mois, il **rumine** son échec.*

rupestre adjectif
Qui est dessiné ou gravé dans la roche. *Les peintures **rupestres** de cette grotte datent de la préhistoire.*

Des peintures **rupestres**

rupture nom féminin
❶ Fait de se rompre. *La **rupture** d'une canalisation d'eau a provoqué l'inondation.* ❷ Interruption brutale. *On annonce la **rupture** des relations diplomatiques entre ces deux pays.* ❸ Séparation entre des personnes jusque-là unies. *Ils ne se parlent plus depuis leur **rupture**.*

rural, rurale, ruraux adjectif
Qui concerne la campagne. *Il vit à Montréal, il ne connaît rien de la vie **rurale**.* CONTR urbain. ■ **rural, rurale, ruraux** nom Les habitants de la campagne. CONTR citadin. * Chercher aussi *agriculture*.

ruse nom féminin
Moyen habile utilisé pour tromper. *Il a utilisé mille **ruses** pour échapper à ses ennemis.* **SYN** stratagème, subterfuge. ♦ Famille du mot : rusé, ruser.

rusé, rusée adjectif
Qui agit avec ruse. *Son adversaire est **rusé** comme un renard.* **SYN** adroit, futé, malin.

ruser verbe ▸ conjug. 3
Agir avec ruse.

russe
➔Voir tableau, p. 1319.

rustique adjectif
Qui a des formes simples et traditionnelles. *Une table en chêne **rustique**.*

rustre nom masculin
Homme grossier, sans éducation. *Ce **rustre** est parti au milieu du repas sans s'excuser.* **SYN** goujat.

rut nom masculin
Période d'activité sexuelle qui pousse les animaux à s'accoupler. *Une chienne en **rut**.*
* Attention ! Le *t* du mot *rut* se prononce.

rutabaga nom masculin
Sorte de navet de couleur jaune. *Il a mis du **rutabaga** dans le bouilli.*

rutilant, rutilante adjectif
Qui brille d'un éclat très vif. *Caroline porte des bracelets **rutilants**.* **SYN** étincelant.

rwandais, rwandaise
➔Voir tableau, p. 1319.

rythme nom masculin
❶ Mouvement de la musique. *Ils dansaient au **rythme** d'un air de jazz.* ❷ Mouvement qui se produit à intervalles réguliers. *Le **rythme** de la respiration.* **SYN** cadence. ♦ Famille du mot : rythmer, rythmique.

rythmer verbe ▸ conjug. 3
❶ Marquer le rythme. *Les danseurs tapent du pied pour **rythmer** la cadence.* ❷ Donner un certain rythme. *Les saisons **rythment** la vie des agriculteurs.*

rythmique adjectif
Qui se pratique sur le rythme d'une musique. *Elle fait de la gymnastique **rythmique**.*

*Jeune fille pratiquant la gymnastique **rythmique***

s nom masculin invariable
Dix-neuvième lettre de l'alphabet. *Le **s** est une consonne.*

s' ➔Voir **se**

sa ➔Voir ① **son**

sabbat nom masculin
❶ Dans la religion juive, jour de repos hebdomadaire, le samedi, consacré au culte divin. ❷ Dans les légendes, réunion nocturne de sorciers et de sorcières. * Attention ! Ce mot se prononce *chabate* au sens 1. Au sens 2, le *t* ne se prononce pas.

sabbatique adjectif
• **Année sabbatique :** année de congé accordée à certains salariés pour leur permettre de parfaire leur formation professionnelle, de se consacrer à la recherche ou à des projets personnels.

sablage nom masculin
Action de sabler. *On effectue le **sablage** du plancher avant de le vernir.*

sable nom masculin
Matière constituée de petits grains provenant de débris de roches ou de coquillages. *Les enfants font des châteaux de **sable** sur la plage.*
◆ Famille du mot : sablage, sablé, sabler, sableux, sablier, sablonneux.

sablé, sablée adjectif
• **Pâte sablée :** pâte très friable, faite avec beaucoup de beurre. ■ **sablé** nom masculin Biscuit à pâte sablée.

sabler verbe ▸ conjug. 3
❶ Couvrir de sable. *Cette route est verglacée, il faut la **sabler**.* ❷ Décaper. ***Sabler** un meuble.*
• **Sabler le champagne :** célébrer un évènement en buvant du champagne.

sableux, sableuse adjectif
Qui contient du sable. *Le lit de cette rivière est **sableux**.*

sablier nom masculin
Petit instrument en verre fait de deux contenants superposés dans lequel du sable coule lentement de haut en bas. *On se sert d'un **sablier** pour mesurer le temps de cuisson des œufs à la coque.*

Un **sablier**

sablonneux, sablonneuse adjectif
Qui est couvert de sable. *Un chemin **sablonneux**.*

saborder verbe ▸ conjug. 3
❶ Couler volontairement un navire.
❷ Au sens figuré, mettre fin volontairement à quelque chose.

Des **sabots**

sabot nom masculin
❶ Chaussure en bois. *Autrefois, à la campagne, presque tout le monde marchait en **sabots**.* ❷ Corne qui protège le pied de certains animaux. *Le cheval, le zèbre et le bœuf ont des **sabots**.* • **Sabot de Denver :** dispositif installé par un huissier pour immobiliser un véhicule faisant l'objet d'un certain nombre de contraventions impayées.

sabotage nom masculin
Action de saboter quelque chose. *Le **sabotage** du pont a bloqué le convoi.*

saboter verbe ▸ conjug. 3
❶ Détériorer ou détruire volontairement une machine, une installation. ***Saboter** une voie ferrée.* ❷ Faire vite et mal. *Le garagiste **a saboté** son travail.* ♦ Famille du mot : sabot, sabotage, saboteur.

saboteur, saboteuse nom
Personne qui sabote quelque chose.

sabre nom masculin
Grosse épée dont la lame coupe d'un seul côté.

sac nom masculin
Récipient fait d'une matière souple (tissu, cuir, plastique, toile, etc.) qui sert à transporter des choses. • **Sac (à main) :** accessoire de femme destiné à transporter les papiers, l'argent, les clés, etc. *Ma mère cherche ses clés dans son **sac à main**.* • **Sac à dos :** sac que l'on porte sur le dos à l'aide de bretelles. *Les randonneurs bouclent leur **sac à dos**.* • **Sac d'école :** sac dans lequel les écoliers rangent leurs livres, leurs cahiers et divers autres effets scolaires. • **Sac de couchage :** enveloppe de toile garnie de duvet ou de fibres chaudes, dans laquelle on se glisse pour dormir. • **Avoir plus d'un tour dans son sac :** être très malin. • **Prendre quelqu'un la main dans le sac :** le surprendre en flagrant délit.

saccade nom féminin
Secousse brusque et irrégulière. *La voiture avance par **saccades**, elle va tomber en panne.* **SYN** à-coup.

saccadé, saccadée adjectif
Qui se fait par saccades. *Ce robot a des gestes **saccadés**.*

saccage nom masculin
Action de saccager. *Le chien a fait un vrai **saccage** en courant dans les tulipes.*

saccager verbe ▸ conjug. 5
Ravager. *Le chat **a saccagé** le fauteuil avec ses griffes.*

sacerdoce nom masculin
Fonction de prêtre.

sachem nom masculin
Ancien qui exerçait une fonction de chef et de conseiller chez les peuples amérindiens du Canada.

sachet nom masculin
Petit sac. *Du thé en **sachets**.*

sacoche nom féminin
Grand sac de cuir ou de toile. *Le porte-bagage de cette bicyclette est muni de **sacoches**.*

sacre nom masculin
❶ Cérémonie religieuse qui accompagne le couronnement d'un roi ou d'un empereur. * Chercher aussi *couronnement*. ❷ Juron formé sur un mot du vocabulaire religieux.

sacré, sacrée adjectif
❶ Qui a un rapport avec la religion. *L'église, la synagogue et la mosquée sont des lieux **sacrés**.* **CONTR** profane. ❷ Qu'il faut absolument respecter. *Pour ce peuple, l'hospitalité est une chose **sacrée**.* ❸ Renforce familièrement un terme injurieux ou admiratif. *C'est un **sacré** bon gars !*

sacrement nom masculin
Cérémonie importante de la religion chrétienne. *Le baptême, la communion et le mariage font partie des sept **sacrements**.*

① **sacrer** verbe ▸ conjug. 3
Donner solennellement le titre de souverain lors du sacre. *Charlemagne **a été sacré** empereur par le pape en l'an 800.* ♦ Famille du mot : sacre, sacré, sacrement. * Chercher aussi *couronner*.

② **sacrer** verbe ▸ conjug. 3
Jurer, blasphémer. *Quand il s'est donné un coup de marteau sur les doigts, il s'est mis à **sacrer**.*

sacrifice nom masculin
❶ Offrande à une divinité. *Dans l'Antiquité, on offrait aux dieux des animaux en **sacrifice**.* ❷ Renoncement ou privation. *Ils ont fait des **sacrifices** pour pouvoir acheter une maison.*

sacrifier verbe ▸ conjug. 10
❶ Offrir en sacrifice. *Les Romains **sacrifiaient** des animaux à leurs divinités.* **SYN** immoler. ❷ Renoncer à quelque chose pour autre chose que l'on juge plus important. *Il a dû **sacrifier** le sport pour réussir ses études.* ■ se **sacrifier** : se dévouer, se priver. *Ils **se sont sacrifiés** pour élever leurs enfants.*

sacrilège nom masculin
❶ Crime commis contre une chose sacrée. *Profaner une tombe est un **sacrilège**.* ❷ Manque de respect envers ce qui est vénérable. *Abattre ces arbres centenaires serait un **sacrilège**.*

a b c d e f g h i

sacristie nom féminin
Dans une église, salle où l'on range les objets qui servent au culte.

sadique adjectif et nom
Qui prend plaisir à faire souffrir ou à voir souffrir. *Souad a enfermé le chat dans le placard, elle est vraiment **sadique**!* SYN cruel. – *Un **sadique**.*

sadisme nom masculin
Comportement sadique.

safari nom masculin
Expédition en Afrique pour observer ou chasser des animaux sauvages.
• **Safari-photo:** excursion au cours de laquelle on photographie des bêtes sauvages. ✎ Pluriel: *des **safaris-photos**.*

*Un **safari-photo***

safran nom masculin
Poudre jaune-orangé extraite d'une fleur, dont on se sert comme condiment ou colorant. *Du riz au **safran**.*

saga nom féminin
❶ Récit qui raconte l'histoire d'une famille sur plusieurs générations. ❷ Histoire mouvementée et pleine de rebondissements. *Une **saga** judiciaire.*

sage adjectif et nom
Qui est plein de bon sens et de prudence. *Comme il y a du blizzard, ils ont pris la **sage** décision de prendre le métro.* SYN raisonnable, sensé. CONTR imprudent. – *Mon oncle est le **sage** de la famille, il donne toujours de bons conseils.* ■ **sage** adjectif Qui est calme et obéissant. *Les enfants ont été très **sages**.*
♦ Famille du mot: s'assagir, sage-femme, sagement, sagesse.

sage-femme nom féminin
Personne dont le métier est d'aider les femmes qui accouchent. *La mère d'Oscar est **sage-femme**.* ✎ Pluriel: *des **sages-femmes**.*
✎ On peut écrire aussi *une **sagefemme**, des **sagefemmes**.*

sagement adverbe
De façon sage. *Les enfants jouent **sagement** dans leur chambre.* SYN tranquillement.

sagesse nom féminin
❶ Qualité d'une personne sage, prudente. *Ses conseils sont pleins de **sagesse**.* ❷ Qualité d'une personne sage, calme et obéissante. *Ce matin, Aurélie a été d'une **sagesse** exemplaire.*

saguenayen, saguenayenne
adjectif et nom
De la région du Saguenay. *La beauté du paysage **saguenayen**.* – *Les **Saguenayens**, les **Saguenayennes**.* ✎ Attention! Le nom, qui désigne les habitants, s'écrit avec une majuscule.

saignant, saignante adjectif
❶ Qui saigne. *Une plaie **saignante**.* ❷ Qui est peu cuit. *De la viande **saignante**.*

saignement nom masculin
Fait de saigner. *Après le choc, Maxime a eu un **saignement** de nez.* SYN hémorragie.

saigner verbe ▸ conjug. 3
❶ Perdre du sang. *Mathis est tombé de vélo, ses genoux **saignent**. Corinne **saigne** du nez.*
❷ Tuer un animal en l'égorgeant et le vider de son sang. *La fermière **a saigné** un canard.*
♦ Famille du mot: saignant, saignement.

saillant, saillante adjectif
Qui fait saillie. *La corniche **saillante** d'un bâtiment.* * Attention! Le mot *saillant* se prononce *sayant*.

saillie nom féminin
Partie qui dépasse d'une surface. *Un balcon en **saillie**.* * Attention! Le mot *saillie* se prononce *sayie*.

saillir verbe ▸ conjug. 14
Être en saillie, former un relief. *Quand l'haltérophile soulève des haltères, on voit ses muscles qui **saillent**.* * Attention! Le verbe *saillir* se prononce *sayir*. ♦ Famille du mot: saillant, saillie.

sain, saine adjectif
❶ Qui est bon pour la santé. *À la campagne, l'air est plus **sain** qu'en ville.* SYN salubre.

q r s t u v w x y z

CONTR insalubre. ❷ Qui est en bonne santé physique. *Ces volailles élevées en plein air et nourries au grain sont **saines**.* CONTR malade. ❸ Qui prouve une bonne mentalité. *Il a toujours eu de **saines** distractions.* CONTR malsain. • **Sain et sauf**: indemne. *Tous les locataires sont sortis **sains et saufs** de l'immeuble en flammes.* ♦ Famille du mot: assainissement, assainir, malsain, sanatorium, sanitaire, santé. * Ne pas confondre *sain*, *saint* et *sein*.

saindoux nom masculin
Graisse de porc fondue. *Des cretons recouverts de **saindoux**.*

saint, sainte nom
Dans la religion catholique, personne qui fait l'objet d'un culte après sa mort, qui a été canonisée. *Des statues de **saints** ornent le porche de la cathédrale.* ■ **saint, sainte** adjectif Qui appartient à la religion. *La Bible, les Évangiles, le Coran sont des livres **saints**.* SYN sacré. * Ne pas confondre *saint*, *sain* et *sein*.

saint-bernard nom masculin
Grand chien au poil long, autrefois dressé pour le sauvetage des personnes perdues en montagne. ✎ Pluriel: *des **saint-bernards**.* 👁p. 194.

*Un **saint-bernard***

sainteté nom féminin
Qualité d'une personne ou d'une chose sainte. *Respecter la **sainteté** d'un lieu.* • **Sa Sainteté**: titre donné au pape.

saint-marinais, saint-marinaise
➔Voir tableau, p. 1319.

saisie nom féminin
❶ Confiscation d'un bien ordonnée par la justice. *Pour éviter la **saisie** de leurs meubles, ils ont dû rembourser leurs dettes.* ❷ Action de saisir un texte sur un ordinateur. * Chercher aussi *frappe*.

saisir verbe ▸ conjug. 11
❶ Attraper vivement avec la main. *Nicolas **a saisi** la balle au vol.* ❷ Mettre immédiatement à profit un évènement. ***Saisir** une occasion, le bon moment.* ❸ Comprendre. ***As**-tu bien **saisi** mes explications ?* ❹ Surprendre quelqu'un d'une façon brutale ou désagréable. *En sortant de la maison, le froid nous **a saisis**.* ❺ Effectuer une saisie par une décision de justice. *L'huissier risque de **saisir** leurs meubles s'ils ne paient pas leurs dettes.* ❻ Enregistrer des données dans la mémoire d'un ordinateur. *Leila **saisit** les noms des membres du club.* ■ se **saisir de quelque chose**: s'en emparer. *Les cambrioleurs **se sont saisis du** tiroir-caisse avant de s'enfuir.* ♦ Famille du mot: se dessaisir, insaisissable, saisie, saisissant, saisissement.

saisissant, saisissante adjectif
Qui fait une vive impression. *Cette sculpture est d'une beauté **saisissante**.* SYN frappant.

saisissement nom masculin
Émotion forte et soudaine causée par une impression vive ou un choc. *Il est resté sans voix de **saisissement**.*

saison nom féminin
❶ Chacune des quatre divisions de l'année. *Les quatre **saisons** sont le printemps, l'été, l'automne et l'hiver.* ❷ Période de l'année où une activité bat son plein. *C'est la **saison** des fraises. La **saison** des festivals.*

saisonnier, saisonnière adjectif
Qui n'a lieu qu'à certaines saisons. *Le ski est un sport **saisonnier**.*

salade nom féminin
❶ Plat froid constitué d'un mélange d'aliments assaisonnés. *Une **salade** de pommes de terre, de tomates.* • **Salade de fruits**: mélange de fruits coupés en morceaux. ❷ Plante potagère dont on mange les feuilles crues. *La laitue romaine, la laitue frisée et la roquette sont des **salades** aux goûts différents.*

saladier nom masculin
Plat creux dans lequel on sert la salade. *Mon père prépare la vinaigrette dans le **saladier** avant d'y déposer les feuilles de laitue.*

salaire nom masculin
Somme d'argent que l'on reçoit régulièrement en échange de son travail. *Ma mère a obtenu une augmentation de* ***salaire***. **SYN** rémunération. ♦ Famille du mot : salarial, salarié. * Chercher aussi *honoraires, rémunération, revenu*.

salaison nom féminin
Opération qui consiste à saler certains aliments pour mieux les conserver. *La* ***salaison*** *de la morue.*

salamandre nom féminin
Petit amphibien semblable à un lézard dont la peau sécrète un liquide toxique. 👁p. 46.

salami nom masculin
Gros saucisson sec d'origine italienne.

salarial, salariale, salariaux adjectif
Qui concerne les salaires. *Une politique* ***salariale*** *égalitaire.*

Une **salamandre**

salarié, salariée adjectif et nom
Qui reçoit un salaire en échange de son travail. *Un travailleur* ***salarié***. – *Cette entreprise emploie quarante* ***salariés***. * Chercher aussi *cadre, employé, ouvrier*.

sale adjectif
❶ Qui est couvert de taches ou de poussière. *Cette chemise est* ***sale***, *il faut la laver.* **SYN** malpropre. **CONTR** net, propre. ❷ Qui est mauvais, désagréable ou dangereux. *Une* ***sale*** *affaire.* ♦ Famille du mot : saleté, salir, salissant. * Ne pas confondre *sale* et *salle*.

salé, salée adjectif
❶ Qui contient du sel. *Du beurre* ***salé***.
❷ Assaisonné avec du sel. *Ce plat est trop* ***salé***. **CONTR** fade.

saler verbe ▸ conjug. 3
Mettre du sel pour assaisonner. *Tu* ***as*** *trop* ***salé*** *les haricots.*

saleté nom féminin
❶ État de ce qui est sale. *Ce jean est d'une* ***saleté*** *repoussante.* **SYN** malpropreté. **CONTR** propreté. ❷ Chose sale. *Après avoir pris leur collation, les enfants ont laissé des* ***saletés*** *dans la cuisine.* **SYN** cochonnerie.

salière nom féminin
Petit récipient pour mettre le sel.

salin, saline adjectif
Qui contient du sel. *Respirer l'air* ***salin*** *de l'océan.*

salir verbe ▸ conjug. 11
Rendre sale. *En tombant, Erika* ***a sali*** *sa robe.* ■ *se* **salir** : devenir sale. *Tu vas* ***te salir*** *si tu ne mets pas de tablier pour cuisiner.*

salissant, salissante adjectif
❶ Qui salit. *Un travail* ***salissant***. ❷ Qui se salit facilement. *Le blanc est une couleur* ***salissante***.

salivaire adjectif
• **Glandes salivaires** : glandes qui sécrètent la salive. 👁p. 320.

salive nom féminin
Liquide que l'on a dans la bouche. ♦ Famille du mot : salivaire, saliver.

saliver verbe ▸ conjug. 3
Sécréter de la salive. *Les bonnes odeurs qui viennent de la cuisine nous font* ***saliver***. * Chercher aussi *baver*.

salle nom féminin
❶ Pièce d'un appartement ou d'une maison qui a une fonction précise. *La* ***salle*** *à manger est au rez-de-chaussée, la* ***salle*** *de bains est au premier étage.* • **Salle de lavage** : buanderie. ❷ Local collectif. *Une* ***salle*** *de cinéma. La* ***salle*** *d'attente d'un hôpital.* ❸ Ensemble des spectateurs. *Toute la* ***salle*** *a applaudi à la fin du concert.* * Ne pas confondre *salle* et *sale*.

salomonais, salomonaise
➽Voir tableau, p. 1319.

salon nom masculin
❶ Pièce d'une résidence où l'on reçoit les invités. *Mes parents et leurs invités discutent dans le* ***salon***. ❷ Exposition composée de stands. *Le* ***Salon*** *de l'automobile.* ✎ Attention ! Au sens 2, ce mot s'écrit avec une majuscule.
• **Salon de coiffure** : commerce d'un coiffeur.
• **Salon de thé** : établissement où l'on sert des pâtisseries, du thé et du café.

salopette nom féminin
Vêtement à bretelles composé d'un pantalon et d'une partie qui protège la poitrine. *On a habillé cet épouvantail d'une* ***salopette***.

saltimbanque nom
Acrobate, jongleur qui fait des tours d'adresse en public. *Des* ***saltimbanques*** *amusent les passants dans la rue piétonne.*

salubre adjectif
Qui est bon pour la santé. *Dans cette région montagneuse, le climat est **salubre**.* SYN sain. CONTR insalubre, malsain. ♦ Famille du mot : insalubre, insalubrité, salubrité.

salubrité nom féminin
Qualité de ce qui est salubre. *Vérifier la **salubrité** d'un vieil immeuble.* CONTR insalubrité.

saluer verbe ▸ conjug. 3
❶ Faire un salut à quelqu'un. *Julien est très poli, il **salue** toujours ses voisins.* ❷ Accueillir quelqu'un ou un évènement. *La salle **a salué** l'arrivée des comédiens par des applaudissements.*

① **salut** nom masculin
Geste ou parole pour dire bonjour, bonsoir ou au revoir. *Faire un **salut** de la main.* SYN salutation. ■ **salut!** interjection Dans la langue familière, bonjour ou au revoir.

② **salut** nom masculin
Fait d'échapper à un danger ou à la mort. *Prisonniers de l'immeuble en feu, ils doivent leur **salut** aux pompiers.*

salutaire adjectif
Qui a une action bénéfique. *Son séjour à la mer lui a été **salutaire**.* SYN bienfaisant, utile.

salutation nom féminin
❶ Action de saluer. *Les danseurs ont fait une **salutation** finale avant de sortir de scène.* ❷ Formule de politesse à la fin d'une lettre. *Je vous adresse mes **salutations** distinguées.*

salvadorien, salvadorienne
➔Voir tableau, p. 1319.

salve nom féminin
Ensemble de coups de canon ou de coups de feu tirés en même temps.

samedi nom masculin
Jour de la semaine entre le vendredi et le dimanche.

samoen, samoenne
➔Voir tableau, p. 1319.

samouraï ou **samourai** nom masculin
Membre de la classe des guerriers dans le Japon féodal. *Les **samouraïs** étaient tous au service d'un seigneur.* ✎ On écrit aussi ***samurai***. * Chercher aussi *hara-kiri*.

*Un **samouraï***

sanatorium nom masculin
Établissement où l'on soigne les personnes atteintes de tuberculose. * Attention ! La dernière syllabe du mot *sanatorium* se prononce *riome*.

① **sanction** nom féminin
Punition. *Une **sanction** très sévère.*

② **sanction** nom féminin
Fait d'être approuvé officiellement. *Le projet de loi a reçu la **sanction** des députés.*

① **sanctionner** verbe ▸ conjug. 3
Infliger une sanction. *Il faut **sanctionner** sévèrement cette faute.*

② **sanctionner** verbe ▸ conjug. 3
Approuver ou confirmer officiellement. *Le gouvernement **a sanctionné** ce décret.*

sanctuaire nom masculin
Édifice où l'on célèbre un culte. *L'oratoire Saint-Joseph est un **sanctuaire** chrétien.*

sandale nom féminin
Chaussure légère formée d'une semelle qui s'attache au pied par des lanières. *Noémie porte des **sandales** rouges.*

sandwich nom masculin
Tranches de pain entre lesquelles on met du jambon, du fromage, du saucisson, etc. *On a préparé des **sandwichs** pour ce long voyage.*

sang nom masculin
Liquide qui circule dans les veines et les artères à travers tout le corps. *Le blessé a perdu beaucoup de **sang**.* • **Faire couler le sang** : faire de nombreuses victimes. • **Suer sang et eau** : se donner beaucoup de peine. • **Mon sang n'a fait qu'un tour** : j'ai été bouleversé. • **Se faire du mauvais sang** ou **se ronger les sangs** : se faire du souci, s'inquiéter. • **Un pur-sang** : un cheval de race pure. ♦ Famille du mot : ensanglanté, sang-froid, sanglant, sanguin, sanguinaire, sanguine, sanguinolent.

sang-froid nom masculin invariable
Maîtrise de soi et calme que l'on montre quand il y a du danger. *Grâce au **sang-froid** des pompiers, tout le monde a pu être sauvé.*

a b c d e f g h i j k l m n o p q r s t u v w x y z

a b c d e f g h i j k l m n o p q r s t u v w x y z

sanglant, sanglante adjectif
❶ Qui est couvert de sang. SYN ensanglanté. ❷ Qui fait couler beaucoup de sang. *Le combat entre les deux armées a été **sanglant**.* SYN meurtrier.

sangle nom féminin
Bande large et plate qui sert à attacher. *Pour qu'elle ne s'ouvre pas, j'ai mis une **sangle** autour de la valise.*

sanglier nom masculin
Cochon sauvage qui vit dans les forêts des pays tempérés. * Chercher aussi *laie*, *marcassin*.

Des **sangliers**

sanglot nom masculin
Bruit que fait entendre quelqu'un qui pleure. *En apprenant la nouvelle, Sarah-Jade a éclaté en **sanglots**.*

sangloter verbe ▸ conjug. 3
Pleurer avec des sanglots. *Ce n'est pas grave, arrête de **sangloter** comme ça !*

sangsue nom féminin
Ver aquatique qui s'agrippe à la peau, grâce à ses ventouses, et qui suce le sang.

sanguin, sanguine adjectif
Qui a un rapport avec le sang. *Les artères et les veines sont des vaisseaux **sanguins**.*

sanguinaire adjectif
Qui aime faire couler le sang. *Les fauves sont des animaux **sanguinaires**.* SYN cruel, féroce.

sanguine nom féminin
Variété d'orange à chair rouge très juteuse.

sanguinolent, sanguinolente adjectif
Qui est taché de sang. *Un pansement **sanguinolent**.*

sanitaire adjectif
❶ Qui a un rapport avec la santé et l'hygiène. *Le maire a pris des mesures **sanitaires** pour rendre salubres les vieux immeubles de la ville.* ❷ Se dit des appareils qui utilisent l'eau courante. *Les principaux appareils **sanitaires** sont le lavabo, la baignoire et les toilettes.*

sans préposition
Sert à indiquer l'absence, le manque, la privation. *Vas-y **sans** moi. Un régime **sans** sel. Rester **sans** rien dire.* ■ **sans que** conjonction De manière que quelque chose ne se fasse pas. *Thomas est parti **sans qu'**on s'en aperçoive.* * Attention ! *Sans que* se construit avec le subjonctif.

sans-abri nom
Personne qui n'a plus de logement. *Elle fait une collecte pour venir en aide aux **sans-abris**.* SYN itinérant.

sans cesse adverbe
Sans arrêt. *Il neige **sans cesse** depuis trois jours.* SYN continuellement.

sans-cœur nom et adjectif invariable
Personne insensible à la souffrance des autres. *Une bande de **sans-cœurs**. – Un homme **sans-cœur**.*

sans-dessein adjectif et nom invariables
Dans la langue familière, idiot, imbécile. *Ceux qui ont détruit cet abribus sont **sans-dessein**. – Des **sans-dessein**.* ✎ On peut écrire aussi, au pluriel, *des **sans-desseins***.

sans fil adjectif
Relatif aux communications qui ne nécessitent pas de connexion pour fonctionner. *Un réseau **sans fil**.* ■ **sans-fil** nom masculin Récepteur téléphonique qui fonctionne dans un espace déterminé sans être directement en lien avec sa base. *Prends le **sans-fil**, tu seras plus tranquille pour parler.* ✎ Pluriel : des ***sans-fils***.

santé nom féminin
❶ État de quelqu'un qui n'est pas malade. *Cet enfant est en bonne **santé**.* ❷ État de l'organisme. *Avoir une bonne, une mauvaise **santé**. Une **santé** fragile.*

santoméen, santoméenne
➔Voir tableau, p. 1319.

saoudien, saoudienne
➔Voir tableau, p. 1319.

saper verbe ▸ conjug. 3
Creuser peu à peu la base de quelque chose. *La mer **sape** petit à petit les falaises.* • **Saper le moral de quelqu'un :** le décourager. SYN miner.

saphir nom masculin
Pierre précieuse d'un bleu transparent.

sapin nom masculin
Arbre toujours vert qui possède des aiguilles. *Cette forêt de **sapins** sent bon.* 👁p. 126. * Chercher aussi *conifère, résineux.* • **Se faire passer un sapin :** dans la langue familière, se faire duper, se faire berner.

sapinière nom féminin
Forêt de sapins.

sarbacane nom féminin
Tuyau dans lequel on souffle pour envoyer de petits projectiles.

Un *sapin*

sarcasme nom masculin
Moquerie méchante ou ironique. *Je n'ai pas apprécié ses **sarcasmes**.* SYN raillerie.

sarcastique adjectif
Qui est plein de sarcasme. *Ses remarques **sarcastiques** m'ont blessé.*

sarcelle nom féminin
Petit canard sauvage qui vit au bord des étangs et des marais.

sarcler verbe ▸ conjug. 3
Arracher les mauvaises herbes à l'aide d'un outil.

sarcophage nom masculin
Tombeau de pierre. *Les archéologues ont découvert des momies dans des **sarcophages**.*

sardine nom féminin
Petit poisson de mer argenté, qui se déplace par bancs. *Les **sardines** se mangent le plus souvent en conserve.*

sari nom masculin
Costume traditionnel des femmes de l'Inde, fait d'une grande pièce d'étoffe drapée autour du corps.

sarrasin nom masculin
Céréale à petits grains. *De la farine de **sarrasin**.*

Un *sari*

sas nom masculin
Compartiment étanche fermé par des portes hermétiques qui permet le passage entre deux milieux dont la pression est différente. *Le **sas** d'un sous-marin, d'un engin spatial.*
* Attention ! Le *s* final du mot *sas* se prononce.

saskatchewanais, saskatchewanaise adjectif et nom
De la province de la Saskatchewan. *Les ressources **saskatchewanaises**. – Les **Saskatchewanais**, les **Saskatchewanaises**.* ✎ Attention ! Le nom, qui désigne les habitants, s'écrit avec une majuscule.

satellite nom masculin
❶ Astre qui tourne autour d'une planète. *La Lune est le **satellite** de la Terre.* 👁p. 1008. ❷ Engin lancé au moyen d'une fusée et qui tourne en orbite autour de la Terre. *Lancer un nouveau **satellite** de télécommunications.*
* Chercher aussi *graviter, orbite.*

satiété nom féminin
• **À satiété :** jusqu'à ce que l'on n'ait plus faim ou soif. *Lou a cueilli des bleuets et en a mangé **à satiété**.* * Attention ! Le premier *t* du mot *satiété* se prononce comme un *s*.

satin nom masculin
Tissu doux et brillant. *La mariée avait une robe de **satin** blanc.*

satiné, satinée adjectif
Qui a la douceur et le brillant du satin. *Cette fleur a des pétales **satinés**.*

satire nom féminin
Écrit ou discours dans lequel on se moque de quelqu'un ou de quelque chose. *Cette comédie présente une **satire** amusante de notre société.*

satirique adjectif
Qui constitue une satire. *Ce journal **satirique** ridiculise les politiciens.*

satisfaction nom féminin
Sentiment de plaisir d'une personne satisfaite. *Sa réussite à l'examen est une grande **satisfaction** pour elle.* SYN joie. CONTR déception, frustration.
• **Obtenir satisfaction :** recevoir ce que l'on demande. *Il continuera de réclamer tant qu'il n'**aura** pas **obtenu satisfaction**.*

a b c d e f g h i j k l m n o p q r s t u v w x y z

satisfaire verbe ▶ conjug. 42
❶ Correspondre à ce que quelqu'un souhaite. *Est-ce que cette réponse vous **satisfait**?* **SYN** contenter. ❷ Faire ce qui est exigé. *Guillaume **a satisfait** à ma demande.* ❸ Assouvir. ***Satisfaire** sa curiosité.* ♦ Famille du mot: insatisfait, satisfaction, satisfaisant, satisfait.

satisfaisant, satisfaisante adjectif
Qui donne de la satisfaction. *Jérôme a des résultats **satisfaisants** en français.* **SYN** acceptable, convenable.

satisfait, satisfaite adjectif
Qui est content. *Ma mère est très **satisfaite** de sa nouvelle voiture.* **CONTR** mécontent.

saturation nom féminin
❶ Action de saturer, son résultat. *La **saturation** d'une solution.* ❷ Impression de satiété. *Après leur repas à la cabane à sucre, les enfants ont éprouvé une totale **saturation**.*

saturé, saturée adjectif
❶ Qui est rempli à l'excès de quelque chose. *Un air **saturé** d'humidité.* ❷ Qui est rassasié jusqu'au dégoût. *Amélie a vu trois films d'affilée, elle est **saturée** de cinéma.*

sauce nom féminin
Liquide qui accompagne certains plats et leur donne du goût. *Chloé prépare une **sauce** vinaigrette pour la salade et Ludovic, une **sauce** tomate pour les spaghettis.* ♦ Famille du mot: saucer, saucette, saucière.

saucer verbe ▶ conjug. 4
❶ Tremper dans un liquide ou dans une sauce. *J'aime **saucer** les biscuits dans un verre de lait.* ❷ Essuyer la sauce avec du pain. *La sauce était si bonne que Yohan n'a pas pu s'empêcher de **saucer** son assiette.*

saucette nom féminin
Dans la langue familière, baignade de courte durée. *Les enfants ont fait une **saucette** avant d'aller au lit.*

saucière nom féminin
Récipient utilisé pour servir les sauces. *Mettre le jus du rôti dans une **saucière**.*

saucisse nom féminin
Sorte de charcuterie assaisonnée placée dans un boyau. *On met des **saucisses** dans les hot-dogs.*

saucisson nom masculin
Sorte de grosse saucisse cuite ou séchée, qui se mange froide, coupée en rondelles. *Ce **saucisson** à l'ail est délicieux.*

① **sauf** préposition
Excepté. *Mes amis sont tous venus à ma fête, **sauf** Ariane qui était malade.* **SYN** à part, hormis.

② **sauf, sauve** adjectif
Indemne, hors de danger. *Sa maison a brûlé, mais il est **sauf**.* • **Avoir la vie sauve:** ne pas avoir été tué. *Il n'y a pas eu de victimes, tout le monde **a eu la vie sauve**.*

sauge nom féminin
Plante aromatique dont les feuilles servent à parfumer certains plats.

saugrenu, saugrenue adjectif
Qui surprend par son caractère bizarre ou inattendu. *Dan pose souvent des questions **saugrenues**.*

saule nom masculin
Arbre qui pousse dans les endroits humides. • **Saule pleureur:** variété de saule dont les branches retombent jusqu'à terre.

*Un **saule** pleureur*

saumâtre adjectif
Se dit d'une eau qui a un goût légèrement salé. *L'eau **saumâtre** de la lagune.*

saumon nom masculin
Gros poisson à chair rose. *Les **saumons** vivent dans la mer et remontent les fleuves pour aller pondre là où ils sont nés.*

saumure nom féminin
Liquide salé utilisé pour conserver certains aliments. *Les anchois, les harengs, les olives peuvent être mis dans un bain de **saumure**.*

sauna nom masculin
Établissement ou pièce où l'on prend des bains de vapeur ou de chaleur sèche. *Ce gymnase est équipé d'un **sauna**.*

saupoudrer verbe ▶ conjug. 3
Répandre une matière en poudre sur un aliment. *J'**ai saupoudré** mes pâtes de parmesan râpé.*

saut nom masculin
Action de sauter. *Cet athlète vient de remporter l'épreuve de **saut** en hauteur.* • **Faire un saut quelque part :** aller rapidement quelque part sans y rester. • **Saut périlleux :** saut acrobatique au cours duquel le corps fait un tour complet sur lui-même. • **Saut à l'élastique :** saut périlleux qui consiste à s'élancer dans le vide, à partir d'une grande hauteur, en étant retenu aux pieds par un câble élastique.
* Ne pas confondre *saut*, *sceau*, *seau* et *sot*.

saute nom féminin
Changement brusque et subit. *Une **saute** de température. Des **sautes** d'humeur.*

sauté, sautée adjectif
Cuit à feu vif dans un corps gras. *Des pommes de terre **sautées**.* ■ **sauté** nom masculin Mets cuit à feu vif dans un corps gras. *Un sauté de bœuf accompagné de légumes.*

saute-mouton nom masculin
Jeu dans lequel on saute par-dessus un autre joueur qui se tient courbé. *Les enfants jouent à **saute-mouton** dans le jardin.* ✎ Pluriel : *des **saute-moutons**.*

sauter verbe ▶ conjug. 3
❶ S'élever au-dessus du sol et retomber. *Il faut **sauter** pour franchir le ruisseau.* SYN bondir. *Ingrid **saute** à la corde.* ❷ S'élancer d'un endroit élevé et se précipiter dans le vide. *Juan adore **sauter** en parachute.* ❸ Être projeté en l'air brusquement. *Le bouchon de la bouteille de champagne **a sauté**.* ❹ Être détruit par un explosif. *Faire **sauter** un pont.* ❺ Cuire à feu vif dans un corps gras. *Faire **sauter** des légumes.* ❻ Fondre. *Un court-circuit a fait **sauter** les fusibles.* ❼ Omettre quelque chose. *Tu **as sauté** un mot, ta phrase n'a pas de sens.* • **Sauter au cou de quelqu'un :** s'élancer pour l'embrasser avec joie. • **Sauter aux yeux :** être évident. ♦ Famille du mot : saut, saute, sauté, saute-mouton, sauterelle, sautiller.

sauterelle nom féminin
Insecte qui se déplace en sautant. *Les **sauterelles** ont de très longues pattes arrière.*
👁p. 570.

*Une **sauterelle***

sautiller verbe ▶ conjug. 3
Faire de petits sauts. *L'oiseau **sautille** sur la branche.*

sauvage adjectif
❶ Qui n'est pas apprivoisé et vit en liberté. *La mouffette est un animal **sauvage**.* CONTR apprivoisé, domestique. ❷ Qui pousse sans être cultivé, naturellement. *Agnès a fait un bouquet de fleurs **sauvages**.* ❸ Qui n'est ni habité ni cultivé. *Cette région est très **sauvage**.* ■ **sauvage** adjectif et nom ❶ Qui préfère la solitude plutôt que la compagnie des autres. *Clément est timide et **sauvage**.* CONTR sociable. ❷ Qui est barbare, cruel. *Cet homme a eu un comportement de **sauvage**.*

sauvagerie nom féminin
Caractère d'un acte sauvage, barbare. *Se battre avec **sauvagerie**.* SYN brutalité, cruauté, férocité.

sauvegarde nom féminin
Fait de sauvegarder, de préserver quelque chose. *La **sauvegarde** de la nature. La **sauvegarde** d'un fichier.* SYN protection.

sauvegarder verbe ▶ conjug. 3
❶ Empêcher la destruction de quelque chose. ***Sauvegarder** la faune et la flore d'une région.* SYN préserver. ❷ Enregistrer ou copier un fichier informatisé pour éviter de le perdre. *N'oubliez pas de **sauvegarder** votre texte avant de fermer l'ordinateur.*

sauve-qui-peut nom masculin invariable
Panique qui entraîne une fuite désordonnée. *Un début d'incendie au fond du magasin a provoqué un **sauve-qui-peut** général.* SYN affolement, débandade.

a b c d e f g h i j k l m n o p q r s t u v w x y z

sauver verbe ▸ conjug. 3
❶ Faire échapper à un danger ou à la mort. *Le sang-froid du pilote a permis de **sauver** les passagers de l'avion.* ❷ Faire échapper à la destruction. *En le décapant, il a pu **sauver** ce vieux meuble.* ■ *se* **sauver** : s'enfuir précipitamment. *Les chats **se sont sauvés** à l'arrivée du chien.* ♦ Famille du mot : sauve-qui-peut, sauvetage, sauveteur, à la sauvette, sauveur.

sauvetage nom masculin
Action de sauver quelqu'un d'un danger. *Plusieurs bateaux ont participé au **sauvetage** des naufragés.*

sauveteur, sauveteuse nom
❶ Personne qui participe à un sauvetage. ❷ Personne qualifiée pour surveiller les nageurs dans un plan d'eau. *Mon frère est **sauveteur** à la piscine municipale.* * Ne pas confondre *sauveteur* et *sauveur*.

à la **sauvette** adverbe
Rapidement et discrètement. *Il est parti **à la sauvette** avant la fin du concert.*

sauveur nom masculin
Personne qui sauve quelqu'un d'un grave danger. *Il a sauvé Émile de la noyade, il est son **sauveur**.* * Ne pas confondre *sauveur* et *sauveteur*.

savamment adverbe
De façon savante. *Tout a été **savamment** calculé.*

savane nom féminin
Très grande prairie des régions tropicales, où poussent de hautes herbes. *Le lion rôde dans la **savane**.* * Chercher aussi *brousse*, *pampa*, *steppe*.

La **savane**

savant, savante adjectif
❶ Qui sait beaucoup de choses. *Un historien **savant**.* SYN érudit, instruit. ❷ Qui suppose des connaissances. *Les mots très **savants** ne sont pas employés dans la langue courante.* SYN compliqué, difficile. • **Animal savant :** animal dressé pour le cirque. *Le numéro des **singes savants** a beaucoup plu aux enfants.* ■ **savant, savante** nom Personne qui possède de vastes connaissances et contribue au progrès d'une science. *Ces **savants** font de la recherche médicale.*

savate nom féminin
Vieille pantoufle ou vieille chaussure.

saveur nom féminin
Goût caractéristique de quelque chose. *J'aime la **saveur** acide du pamplemousse.* ♦ Famille du mot : savourer, savoureux.

① **savoir** verbe ▸ conjug. 28
❶ Être informé de quelque chose. ***Savez**-vous à quelle heure ferme la pharmacie ?* ❷ Avoir appris quelque chose et le garder dans sa mémoire. *Cette comédienne **sait** parfaitement son texte.* SYN connaître. CONTR ignorer. ❸ Être capable de faire quelque chose. *Irina **sait** nager, mais elle ne **sait** pas encore très bien plonger.* • **Ne pas savoir ce que l'on veut :** ne pas arriver à se décider, être hésitant dans sa conduite. • **Sans le savoir :** sans s'en rendre compte. *Elle m'a donné une information précieuse **sans le savoir**.* ♦ Famille du mot : savamment, savant, savoir-faire, savoir-vivre.

② **savoir** nom masculin
Ensemble des connaissances. *Il nous a impressionnés par son **savoir**.*

savoir-faire nom masculin invariable
Habileté acquise par la pratique. *Ce travail demande un certain **savoir-faire**.*

savoir-vivre nom masculin invariable
Connaissance des règles de la politesse. *Dire bonjour et merci sont des signes de **savoir-vivre**.*

savon nom masculin
Produit qui sert à nettoyer, à laver. • **Passer un savon à quelqu'un :** dans la langue familière, le réprimander vivement. ♦ Famille du mot : savonner, savonnette, savonneux.

savonner verbe ▸ conjug. 3
Laver avec du savon. *Léonie **savonne** la voiture.* ■ *se* **savonner** : se laver avec du savon. *Il **se savonne** les mains avant de passer à table.*

savonnette nom féminin
Petit savon pour faire sa toilette personnelle. *À l'hôtel, on nous a fourni des **savonnettes** et du shampoing.*

savonneux, savonneuse adjectif
Qui contient du savon. *Une eau **savonneuse**.*

savourer verbe ▶ conjug. 3
Manger, boire lentement et avec plaisir. *Patrick **savoure** une pêche bien juteuse.* **SYN** déguster.

savoureux, savoureuse adjectif
Qui a une saveur délicieuse. *Ces fraises des champs sont **savoureuses**.*

saxophone nom masculin
Instrument de musique à vent en cuivre. 👁p. 692. * Abréviation : *saxo*.

Un **saxophone**

saxophoniste nom
Personne qui joue du saxophone.

saynète nom féminin
Pièce de théâtre très courte. **SYN** sketch.

scabreux, scabreuse adjectif
Qui peut choquer. *Il raconte toujours des histoires **scabreuses**.*

scalp nom masculin
Peau du crâne avec les cheveux.

scalpel nom masculin
Instrument de chirurgie à lame courte, très tranchant. **SYN** bistouri.

scalper verbe ▶ conjug. 3
Arracher la peau du crâne avec les cheveux.

scandale nom masculin
Fait qui provoque la colère, la honte ou l'indignation. *Cette photo a fait **scandale**.*
♦ Famille du mot : scandaleux, scandaliser.

scandaleux, scandaleuse adjectif
Qui scandalise. *Une affaire **scandaleuse**.*

scandaliser verbe ▶ conjug. 3
Choquer profondément. *Sa conduite m'**a scandalisé**.* **SYN** indigner, offusquer.

scander verbe ▶ conjug. 3
Prononcer des mots en articulant les syllabes séparément et sur un certain rythme. ***Scander** un slogan.*

scandinave adjectif et nom
De Scandinavie. *La Suède, la Norvège et la Finlande sont des pays **scandinaves**. – Les Vikings étaient des **Scandinaves**.*
✎ Attention ! Le nom, qui désigne les habitants, s'écrit avec une majuscule.

scanner nom masculin
Appareil de radiographie relié à un ordinateur, qui permet de reproduire sur un écran les images de l'intérieur du corps.

scaphandre nom masculin
Équipement étanche qui permet de respirer sous l'eau ou dans l'espace.

scaphandrier nom masculin
Personne équipée d'un scaphandre, qui travaille sous l'eau. * Chercher aussi *homme-grenouille*.

scarabée nom masculin
Insecte au corps massif et brillant. 👁p. 570.
* Attention ! Même s'il se termine en *ée*, ce mot est du genre masculin. * Chercher aussi *coléoptère*, *élytre*.

Un **scarabée**

scarlatine nom féminin
Maladie contagieuse qui se manifeste par de la fièvre et des plaques rouges sur le corps.

sceau, sceaux nom masculin
Cachet gravé en creux, permettant de faire une marque avec de la cire. *On a apposé un **sceau** sur ce diplôme.* * Ne pas confondre *sceau*, *saut*, *seau* et *sot*.

sceller verbe ▶ conjug. 3
❶ Fermer avec un sceau. *La notaire **a scellé** le testament.* * Ne pas confondre avec *cacheter*. ❷ Fermer de façon hermétique. *Ma tante **a scellé** ses conserves.* ❸ Fixer avec du plâtre ou du ciment. *Le maçon **a scellé** les crochets dans le mur.* * Ne pas confondre *sceller* et *seller*.

scénario nom masculin
Texte qui décrit les différentes scènes d'un film, d'une émission, d'une bande dessinée, etc.
✎ Pluriel : *des **scénarios***.

scénariste nom
Personne qui écrit des scénarios.

a b c d e f g h i j k l m n o p q r s t u v w x y z

scène nom féminin
❶ Partie surélevée d'un lieu où se produisent des artistes. *À la fin de la pièce, tous les comédiens se rassemblent sur la **scène** pour saluer.* ❷ Partie d'une pièce de théâtre. *Acte III, **scène** 2.* ❸ Action d'une pièce ou d'un film. *La première **scène** du film se passe dans une forêt.* ❹ Situation, lieu où survient un évènement. *La **scène** d'un accident.* ❺ Violente colère. *Félix a fait une **scène** quand on lui a dit qu'il serait privé de sortie.* • **Scène de ménage**: dispute entre époux ou conjoints.

scepticisme nom masculin
Attitude d'une personne sceptique. *Alexia m'a écouté avec **scepticisme**.*

sceptique adjectif
Qui doute de quelque chose. *Il m'a assuré qu'il savait piloter un avion, mais je suis **sceptique**.* **SYN** incrédule. * Ne pas confondre *sceptique* et *septique*.

sceptre nom masculin
Bâton qui est le symbole de l'autorité royale. *Les monarques sont souvent représentés un **sceptre** à la main.*

schéma nom masculin
Dessin très simple qui explique quelque chose. *Ce **schéma** explique comment monter la bibliothèque.*
♦ Famille du mot: schématique, schématiser.

schématique adjectif
Qui est très simplifié. *Magalie a fait un dessin **schématique** d'un train.*

Un **sceptre**

schématiser verbe ▸ conjug. 3
Représenter de façon schématique. *Cette carte de la région **est** très **schématisée**.*

sciage nom masculin
Action de scier. *Le menuisier procède au **sciage** des planches.*

scie nom féminin
Outil muni d'une lame dentée qui sert à couper du bois, du métal. *Mon père se sert d'une **scie** pour couper les branches mortes.* ♦ Famille du mot: sciage, scier, scierie, sciure. * Chercher aussi *égoïne*. * Ne pas confondre *scie*, *ci*, *si* et *six*.

sciemment adverbe
En sachant ce que l'on fait. *Victor a **sciemment** bousculé sa petite sœur.* **SYN** volontairement. * Attention! La terminaison *emment* se prononce *amant*.

science nom féminin
❶ Ensemble des connaissances humaines. *La **science** n'arrête pas de progresser.* ❷ Ensemble de connaissances dans un domaine. *La physique, la chimie, la biologie et la sociologie sont des **sciences**.* **SYN** savoir.

science-fiction nom féminin
Histoire qui se déroule dans un monde futur tel qu'on peut l'imaginer avec les progrès scientifiques. *Un film de **science-fiction**.*
* Chercher aussi *anticipation*.

scientifique adjectif
❶ Qui concerne la science ou les sciences. *La recherche **scientifique**.* ❷ Qui est conforme aux méthodes rigoureuses et précises des sciences. *Une expérience **scientifique**.*
■ **scientifique** nom Savant spécialiste d'une science. *Un, une **scientifique**.*

scier verbe ▸ conjug. 10
Couper avec une scie. *Cette planche est trop longue, il faut la **scier**.*

scierie nom féminin
Usine où l'on scie le bois.

scinder verbe ▸ conjug. 3
Diviser, séparer. *Pour faire un tournoi, nous allons **scinder** la classe en quatre équipes.*
■ se **scinder**: se diviser. *Le groupe de joueurs **s'est scindé** en deux.* **SYN** se fractionner.

scintillant, scintillante adjectif
Qui scintille. *Jennifer a des yeux **scintillants** de malice.* **SYN** pétillant.

scintillement nom masculin
Éclat de ce qui scintille. *Le **scintillement** d'un diamant, du cristal.*

scintiller verbe ▸ conjug. 3
Briller d'un éclat irrégulier et tremblant. *Les étoiles **scintillent**.* ♦ Famille du mot: scintillant, scintillement.

sciure nom féminin
Poussière qui tombe quand on scie du bois. **SYN** bran* de scie.

sclérose nom féminin
Maladie qui se manifeste par le durcissement d'un organe, d'un tissu ou d'une artère.

se **scléroser** verbe ▸ conjug. 3
❶ Être atteint de sclérose. *Cette artère est en train de* ***se scléroser***. ❷ Au sens figuré, être incapable d'évoluer, de s'adapter ou de progresser. *Ce parti politique* ***s'est sclérosé***.

scolaire adjectif
Qui a un rapport avec l'école ou l'enseignement. *Les écoles et les cégeps sont des établissements* ***scolaires***. ♦ Famille du mot : scolariser, scolarité.

scolariser verbe ▸ conjug. 3
Faire suivre un enseignement scolaire. *Dans certains pays, on ne* ***scolarise*** *pas systématiquement les enfants.*

scolarité nom féminin
Période pendant laquelle on va à l'école. *Au Québec, la* ***scolarité*** *est obligatoire jusqu'à 16 ans.*

scoliose nom féminin
Déformation de la colonne vertébrale.

scooter nom masculin
Véhicule à moteur à deux petites roues, sur lequel le conducteur est assis et non à califourchon. ✎ On peut écrire aussi ***scooteur***.

scorbut nom masculin
Maladie due à un manque de vitamines. *Autrefois, les marins qui entreprenaient de longs voyages souffraient souvent du* ***scorbut***.

score nom masculin
Nombre de points obtenus dans un jeu, un match ou une élection. *Quel a été le* ***score*** *final du match ?* **SYN** marque, pointage, résultat.

scorpion nom masculin
Petit animal des régions chaudes qui porte un aiguillon venimeux au bout de la queue.

scout, scoute nom
Garçon, fille qui fait partie d'un mouvement de scoutisme. *Un camp de* ***scouts*** *s'est installé près de la forêt.* * Attention ! Le *t* du mot *scout* se prononce.
* Chercher aussi *cheftaine*, ② *guide*, *jeannette*, *louveteau*.

scoutisme nom masculin
Mouvement qui réunit des jeunes pour des activités en commun destinées à développer le corps et l'esprit par des activités de groupe, souvent en plein air.

scrabble nom masculin
Jeu de société qui consiste à former des mots sur une grille, à l'aide de jetons portant une lettre de l'alphabet. * *Scrabble* est le nom d'une marque.

scribe nom masculin
Dans l'Antiquité, personne qui avait la charge de rédiger les actes administratifs ou religieux. *Le* ***scribe*** *égyptien écrivait sur un papyrus.*

script nom masculin
Écriture manuscrite proche des caractères d'imprimerie. * Ne pas confondre *script* et *scripte*.

scripte nom
Personne qui assiste le réalisateur d'un film et qui doit noter les détails de chaque prise de vue pendant le tournage. * Ne pas confondre *scripte* et *script*.

scrupule nom masculin
Doute et hésitation que l'on éprouve quand on a peur de mal agir. *Xavier a des* ***scrupules*** *à jouer ce mauvais tour à Arielle.* ♦ Famille du mot : scrupuleusement, scrupuleux.

scrupuleusement adverbe
De façon scrupuleuse. *Il faut suivre* ***scrupuleusement*** *le mode d'emploi.*
SYN fidèlement, rigoureusement.

scrupuleux, scrupuleuse adjectif
❶ Qui a souvent des scrupules. *C'est un homme très* ***scrupuleux*** *en affaires.*
❷ Consciencieux, méticuleux. *Elle a fait une révision* ***scrupuleuse*** *du texte.*

scruter verbe ▸ conjug. 3
Observer avec beaucoup d'attention pour essayer de découvrir quelque chose. *Les matelots* ***scrutent*** *l'horizon dans l'espoir de voir la terre.*

scrutin nom masculin
Vote au cours duquel chaque électeur met son bulletin dans une urne.

Un **scorpion**

a b c d e f g h i j k l m n o p q r s t u v w x y z

sculpter verbe ▸ conjug. 3
Représenter des formes en taillant une matière dure. *Cet artiste* ***sculpte*** *surtout la pierre et le marbre.* ♦ Famille du mot : sculpteur, sculpture. * Attention ! Le *p* du verbe *sculpter* ne se prononce pas.

sculpteur, sculptrice nom
Artiste qui sculpte. *Un* ***sculpteur*** *sur bois.* * Attention ! Le *p* du mot *sculpteur* ne se prononce pas.

sculpture nom féminin
❶ Art de sculpter. *Cet atelier donne des cours de* ***sculpture***. ❷ Œuvre d'art sculptée (statue, bas-relief, etc.). *Dans ce musée, il y a des* ***sculptures*** *très anciennes.* 👁p. 74. * Attention ! Le *p* du mot *sculpture* ne se prononce pas.

Une **sculpture**

se pronom
Pronom personnel de la troisième personne du singulier et du pluriel qui sert à compléter le verbe. *Éloi* ***se*** *regarde dans le miroir. Ils* ***se*** *sont déjà rencontrés.* * ***Se*** devient ***s'*** devant une voyelle ou un « h » muet : *Ils* ***s'embrassent****. Gabriel* ***s'habille****.* * Chercher aussi *me, te, nous, vous*. * Ne pas confondre *se* et *ce*.

séance nom féminin
❶ Réunion d'une assemblée où l'on discute. *La prochaine* ***séance*** *du conseil municipal aura lieu dans un mois.* • **Séance tenante :** aussitôt, immédiatement. *Elle s'est mise au travail* ***séance tenante****.* SYN immédiatement, sur-le-champ. ❷ Moment consacré à une activité. *Une* ***séance*** *d'entraînement.* SYN période. ❸ Représentation d'un film à une heure précise. *La prochaine* ***séance*** *est à dix-neuf heures.*

seau, seaux nom masculin
Récipient muni d'une anse. *Un* ***seau*** *d'eau.* * Ne pas confondre *seau, saut, sceau* et *sot*.

sec, sèche adjectif
❶ Qui n'est pas mouillé. *Il n'a pas plu depuis longtemps : la terre est* ***sèche****.* ❷ Qui n'est pas humide. *Aujourd'hui, le temps est très* ***sec****.* ❸ Que l'on a fait sécher pour la conservation. *Des fruits et des légumes* ***secs****.* CONTR frais. ❹ Qui manifeste un manque d'amabilité ou de douceur. *Il m'a répondu d'un ton* ***sec****.* SYN dur, froid. * Ne pas confondre *sèche* et *seiche*. ■ **sec** nom masculin Endroit qui est à l'abri de l'humidité. *Il faut conserver ces biscuits au* ***sec****.* • **À sec :** où il n'y a pas d'eau. *Nettoyage* ***à sec****. La rivière est totalement* ***à sec****.* ♦ Famille du mot : assécher, dessécher, séchage, sèchement, sécher, sécheresse, sécheuse, séchoir.

sécateur nom masculin
Outil de jardinage qui ressemble à de gros ciseaux. *Lorenzo se sert du* ***sécateur*** *pour couper une branche de lilas.*

sécession nom féminin
Fait de se séparer d'un groupe ou d'un pays. *Après avoir fait* ***sécession****, cette région est devenue indépendante.*

séchage nom masculin
Action de sécher ou de faire sécher. *Les pêcheurs tendent des fils pour le* ***séchage*** *des poissons.*

sèchement adverbe
Avec dureté et froideur. *Répondre* ***sèchement****.*

sécher verbe ▸ conjug. 8
Devenir sec. *Océane fait* ***sécher*** *les draps au soleil.* ■ *se* **sécher** : se rendre sec. *En sortant de l'eau, le chien se secoue pour* ***se sécher****.* ✎ On peut écrire aussi, au futur, *il* ***(se) sèchera*** ; au conditionnel, *elle* ***(se) sècherait****.*

sécheresse nom féminin
Longue période où il ne pleut pas. *Les récoltes sont peu abondantes à cause de la* ***sécheresse****.* CONTR humidité. ✎ On peut écrire aussi ***sècheresse****.*

sécheuse nom féminin
Machine électrique pour sécher le linge.

séchoir nom masculin
Appareil sur lequel on met du linge à sécher. *Zoé étend ses vêtements mouillés sur le* ***séchoir****.* • **Séchoir à cheveux :** appareil électrique pour sécher les cheveux.

second, seconde adjectif et nom
Qui vient juste après le premier. *Il y a une* ***seconde*** *place sur cette moto. – C'est la* ***seconde*** *de mes deux tâches.* SYN deuxième. ■ **second** nom masculin Personne qui seconde quelqu'un. *Il est le* ***second*** *du commandant.*

secondaire adjectif
Qui n'est pas le plus important. *Cet acteur n'a qu'un rôle **secondaire**.* **SYN** accessoire, mineur.
• **Enseignement secondaire :** enseignement qui dure généralement cinq ans et se situe entre le primaire et le collégial. * Chercher aussi *primaire, collégial, supérieur, universitaire.*
• **Ère secondaire :** période géologique au cours de laquelle sont apparus les reptiles et les premiers mammifères. ■ **secondaire** nom masculin Enseignement secondaire. *Duong enseigne au **secondaire**.*

seconde nom féminin
❶ Soixantième partie d'une minute. *Dans une heure, il y a 3600 **secondes**.* ❷ Temps très court. *J'arrive dans une **seconde** !* **SYN** instant.

seconder verbe ▸ conjug. 3
Aider quelqu'un dans son travail. *Plusieurs collaborateurs **secondent** cet avocat.*

secouer verbe ▸ conjug. 3
❶ Agiter fortement. *Les cahots de la route **secouent** la voiture.* ❷ Ébranler quelqu'un physiquement ou moralement. *Sa maladie l'**a** beaucoup **secoué**.* ■ se **secouer** : au sens figuré, faire un effort pour bouger, pour agir. *Ne restons pas sans rien faire, **secouons-nous** !*

secourir verbe ▸ conjug. 16
Aller au secours de quelqu'un qui est en danger ou en difficulté. *Les pompiers **ont secouru** les locataires de l'immeuble en flammes.* ♦ Famille du mot : secourisme, secouriste, secours.

secourisme nom masculin
Méthode pour porter secours aux blessés. *Mon grand frère suit des cours de **secourisme**.*

secouriste nom
Personne qui pratique le secourisme. *Les **secouristes** sont intervenus tout de suite après l'accident.*

secours nom masculin
Aide que l'on apporte à quelqu'un qui est en danger ou dans le besoin. *Porter **secours** à un blessé, à une personne en détresse.*
• **Au secours ! :** cri pour appeler à l'aide.
• **De secours :** que l'on utilise en cas de danger ou de panne. *Une sortie **de secours**. En cas de crevaison, on utilise la roue **de secours**.*

secousse nom féminin
❶ Mouvement qui secoue. *Impossible d'écrire dans le train, il y a trop de **secousses**.* ❷ Tremblement et vibration du sol lors d'un séisme. *La **secousse** a été ressentie dans toute la région.*

secret, secrète adjectif
❶ Qui est connu de très peu de gens et qui doit rester caché. *Il y a une porte **secrète** derrière la bibliothèque.* ❷ Qui ne se confie pas facilement. *Anaïs est très **secrète** et n'exprime pas ses sentiments.* **SYN** discret, réservé. **CONTR** communicatif, expansif. ■ **secret** nom masculin Chose que l'on ne doit dire à personne. *Arnaud m'a confié un **secret**.*
• **En secret :** en cachette, secrètement.

secrétaire nom
Dans un bureau, personne chargée du courrier, du classement, etc. *Cette entreprise ne recrute que des **secrétaires** bilingues.* ■ **secrétaire** nom masculin Meuble à tiroirs qui comporte un panneau mobile sur lequel on peut écrire.

*Un **secrétaire***

secrétariat nom masculin
❶ Métier de secrétaire. *Une école de **secrétariat**.* ❷ Bureau où travaillent des secrétaires. *Si vous arrivez en retard, vous devez passer par le **secrétariat** avant d'aller en classe.*

secrètement adverbe
De façon secrète. *Ils se sont rencontrés **secrètement** pendant la nuit.* **SYN** en cachette, clandestinement.

sécréter verbe ▸ conjug. 8
Produire des substances liquides. *Les glandes salivaires **sécrètent** la salive.* ✎ On peut écrire aussi, au futur, *je **sécrèterai*** ; au conditionnel, *nous **sécrèterions***.

sécrétion nom féminin
Liquide sécrété. *La sueur, la salive et les larmes sont des **sécrétions**.*

a b c d e f g h i j k l m n o p q r s t u v w x y z

secte nom féminin
Groupe de personnes vivant en communauté sous l'influence d'un guide spirituel. *Certaines **sectes** sont considérées comme dangereuses.*

secteur nom masculin
Partie d'un territoire ou d'une région. *Tout un **secteur** de la ville a été privé d'électricité.* • **Le secteur privé:** l'ensemble des entreprises qui ne dépendent pas de l'État. • **Le secteur public:** l'ensemble des entreprises qui dépendent de l'État (par ex.: la poste, les transports en commun).

section nom féminin
Partie d'un ensemble. *Une **section** de l'autoroute a été fermée à cause des travaux.*

sectionner verbe ▸ conjug. 3
Couper net. *Quelqu'un **a sectionné** le fil du téléphone.*

séculaire adjectif
Qui existe depuis au moins un siècle. *Un arbre **séculaire**.* * Chercher aussi *centenaire*.

sécuriser verbe ▸ conjug. 3
Donner un sentiment de sécurité. *La présence d'un gardien **sécurise** les habitants de l'immeuble.* SYN rassurer.

sécurité nom féminin
Tranquillité ressentie quand on est à l'abri du danger. *Se sentir en **sécurité** dans un pays en paix.* SYN sûreté.

sédentaire adjectif
❶ Qui vit toujours au même endroit. *Une tribu **sédentaire**.* CONTR nomade. ❷ Qui ne nécessite pas de déplacement. *Ce travail **sédentaire** l'ennuie, il rêvait de voyager.* ❸ Se dit d'une personne physiquement inactive. *Trop de gens sont **sédentaires**.* ■ **sédentaire** nom
Personne qui vit toujours au même endroit ou qui fait peu d'exercices physiques. *Une **sédentaire**.* CONTR nomade.

sédiment nom masculin
Dépôt laissé par les eaux, le vent ou la glace. *Des **sédiments** fluviaux.* 👁p. 457.

sédimentaire adjectif
Qui est fait de sédiments. *L'argile et le calcaire sont des roches **sédimentaires**.* 👁p. 457.

séducteur, séductrice nom
Personne qui aime séduire. *Cet acteur est un grand **séducteur**.*

séduction nom féminin
Pouvoir de séduire. *Camille use de sa **séduction** pour amadouer ses parents.* SYN charme.

séduire verbe ▸ conjug. 43
Plaire beaucoup à quelqu'un. *Cette chanteuse québécoise **a séduit** le public français.* ♦ Famille du mot: séducteur, séduction, séduisant.

séduisant, séduisante adjectif
Qui séduit beaucoup. *Un homme **séduisant**.* SYN attirant, désirable. *Un projet **séduisant**.* SYN attrayant, intéressant.

segment nom masculin
❶ Fraction, partie d'un tout. *Un **segment** de route, un **segment** de chanson.* ❷ Portion de ligne droite entre deux points.

segmenter verbe ▸ conjug. 3
Couper, diviser en segments.

ségrégation nom féminin
Fait de mettre à part une certaine catégorie de personnes et de leur ôter leurs droits. *La **ségrégation** raciale est inadmissible.* SYN discrimination. * Chercher aussi *racisme*.

seiche nom féminin
Mollusque marin comestible. *La **seiche** projette une encre noire quand on l'attaque.* * Ne pas confondre *seiche* et *sèche* (féminin de *sec*).

*Une **seiche***

seigle nom masculin
Céréale aux épis barbus. *Le pain de **seigle** est de couleur brune.*

seigneur nom masculin
Au Moyen Âge, noble qui était maître d'une terre et de ses habitants. 👁p. 936. • **Le Seigneur:** Dieu.

seigneurie nom féminin
Terre gouvernée par un seigneur. 👁p. 936.

sein nom masculin
Chacune des deux mamelles de la femme. *Le nouveau-né tète le **sein** de sa mère.* * Chercher aussi *poitrine*. • **Au sein de quelque chose:** à l'intérieur. *De gros problèmes ont éclaté **au sein de** l'équipe.* **SYN** dans. * Ne pas confondre *sein*, *sain* et *saint*.

séisme nom masculin
Tremblement de terre. **SYN** secousse sismique*.

seize déterminant invariable
Dix plus six (16). *Il y a vingt-huit élèves dans la classe de Mélissa: douze garçons et **seize** filles.* ■ **seize** nom masculin invariable Nombre seize. *Il est né le **16** mars.*

seizième adjectif
Qui occupe le rang numéro seize. *La **seizième** candidate.* ■ **seizième** nom masculin Ce qui est contenu seize fois dans un tout. *Quel est le **seizième** de trente-deux?*

séjour nom masculin
Fait de séjourner quelque part. *Ce **séjour** dans sa famille lui a fait du bien.* • **Salle de séjour:** pièce d'une maison ou d'un appartement où la famille se réunit le plus souvent.

séjourner verbe ▶ conjug. 3
Rester un certain temps dans un endroit. *Ils **ont séjourné** une semaine dans la Beauce.*

sel nom masculin
Substance blanche provenant de l'eau de mer qui sert à assaisonner ou à conserver les aliments. *Ma mère a mis du **sel** dans l'eau de cuisson des pâtes.* • **Mettre son grain de sel:** intervenir dans une discussion sans y avoir été invité. ♦ Famille du mot: dessaler, salaison, salé, saler, salière, salin. * Ne pas confondre *sel*, *celle* et *selle*.

sélectif, sélective adjectif
Qui se fait par sélection. *Le recrutement dans cette école d'ingénieurs est très **sélectif**.*

sélection nom féminin
Choix des personnes ou des choses qui présentent les caractéristiques recherchées. *Le jury fait une première **sélection** parmi les candidats.* ♦ Famille du mot: sélectif, sélectionner.

sélectionner verbe ▶ conjug. 3
Choisir par sélection. *Le jury du festival **a sélectionné** ce film.*

selle nom féminin
❶ Pièce de cuir que l'on place sur le dos d'un cheval et sur laquelle le cavalier s'assoit. ❷ Siège d'un véhicule à deux roues. *La **selle** du vélo est trop haute pour Liam.* 👁p. 117. ❸ Excréments des êtres humains. *Le bébé a fait une **selle** dans sa couche.* • **Aller à la selle:** expulser ses excréments. ♦ Famille du mot: desseller, seller. * Ne pas confondre *selle*, *celle* et *sel*.

seller verbe ▶ conjug. 3
Mettre une selle à un cheval. **CONTR** desseller. * Ne pas confondre *seller* et *sceller*.

sellette nom féminin
• **Être sur la sellette:** être accusé ou critiqué. *Compte tenu de la défaite de l'équipe, l'entraîneur **est sur la sellette**.*

selon préposition
Sert à indiquer… ❶ le rapport à quelque chose. *Laurence s'habille **selon** le temps qu'il fait.* **SYN** en fonction de, suivant. ❷ le point de vue de. ***Selon** lui, il faut aller de l'avant avec ce projet.* **SYN** d'après. ❸ la référence. *Il faut monter ce meuble **selon** les instructions.*

semailles nom féminin pluriel
Action de semer des graines. *Les **semailles** suivent le labourage.*

Des **semailles**

semaine nom féminin
❶ Période de sept jours qui va du dimanche au samedi. ❷ Durée de sept jours. *En hiver, ma marraine part deux **semaines** dans le Sud.* ❸ Partie de la semaine pendant laquelle on travaille. *En **semaine**, il n'y a pas beaucoup de monde au cinéma.* • **Fin de semaine:** le congé du samedi et du dimanche.

La société canadienne en Nouvelle-France vers 1745

Le territoire

En 1745, le vaste territoire de la colonie française comprend trois régions : l'Acadie, le Canada et la Louisiane. Les terres qui longent le fleuve Saint-Laurent et certains de ses affluents sont divisées en seigneuries. Des forts sont construits pour protéger le territoire.

Les ressources naturelles

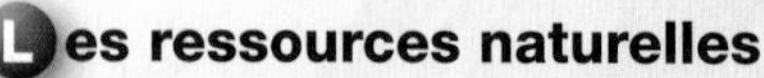

L'agriculture et l'élevage sont des activités importantes. En effet, vers 1745, 75 % de la population de la vallée du Saint-Laurent travaille la terre. Le commerce entre la France, les Antilles et la Nouvelle-France permet d'exporter des fourrures et différentes ressources. La transformation du minerai de fer se fait notamment aux Forges du Saint-Maurice, près de Trois-Rivières.

La population

En 1750, la Nouvelle-France compte environ 59 400 habitants, majoritairement installés au Canada. Les habitants d'origine française de la vallée du Saint-Laurent s'appellent les « Canadiens ».

Le mode de vie

L'agriculture est l'activité première dans la colonie, principalement la culture des céréales. Vers 1745, les familles de la Nouvelle-France comptent en moyenne neuf enfants.

L'alimentation

Le pain constitue l'aliment de base en Nouvelle-France. Les Canadiens mangent également de la viande, du poisson, des légumes et des fruits.

L'organisation sociale

Vivre sous un régime seigneurial signifie que le territoire est divisé en seigneuries, afin que les responsabilités soient partagées entre l'intendant, les seigneurs et les censitaires.

Les croyances et les coutumes

L'Église catholique est très présente dans la colonie. Pour que les habitants aient accès aux services religieux, des paroisses sont établies et plusieurs églises sont construites dans la vallée du Saint-Laurent.

a b c d e f g h i j k l m n o p q r s t u v w x y z

sémaphore nom masculin
Appareil qui sert à envoyer des signaux aux bateaux ou aux trains.

semblable adjectif
Qui ressemble beaucoup à une autre chose ou à une autre personne. *Ma tuque est **semblable** à la tienne.* CONTR différent. ■ **semblable** nom
Être humain, par rapport aux autres êtres humains. *Aider ses **semblables**.*
SYN ② prochain.

semblant nom masculin
• **Faire semblant :** faire croire aux autres que l'on fait quelque chose. *Charles **fait semblant** de dormir.* SYN feindre, simuler.

sembler verbe ▸ conjug. 3
Avoir l'air, paraître. *Ce livre **semble** intéressant.* • **Il me semble :** j'ai l'impression. ***Il me semble** que je l'ai déjà vu quelque part.*

semelle nom féminin
❶ Dessous de la chaussure. *Le cordonnier a changé les **semelles** de mes chaussures.*
❷ Pièce (de cuir, de feutre, etc.) que l'on met à l'intérieur d'une chaussure. *Pour avoir plus chaud l'hiver, je mets des **semelles** dans mes bottes.* • **Ne pas quitter quelqu'un d'une semelle :** le suivre de près et partout.

semence nom féminin
Graines que l'on sème. *Ce petit sachet contient des **semences** de fleurs.*

semer verbe ▸ conjug. 8
❶ Mettre des graines dans la terre pour faire pousser des plantes. ***Semer** du blé. Karina **a semé** des fines herbes dans le jardin.*
SYN ensemencer. ❷ Répandre çà et là. ***Semer** des cailloux pour retrouver son chemin.*
❸ Faire régner. ***Semer** la discorde, **semer** la joie.* ❹ Distancer. *Matéo **a semé** ses concurrents dans la dernière ligne droite.*
♦ Famille du mot : ensemencer, semailles, semence, semis.

semestre nom masculin
Période de six mois. * Chercher aussi *trimestre*.

semestriel, semestrielle adjectif
Qui paraît ou se produit chaque semestre. *Une revue **semestrielle**.*

semi- préfixe
Placé au début d'un mot pour former un autre mot, *semi-* signifie « à demi » (***semi**-ouvert*, ***semi**-remorque*). ✎ Attention ! *Semi-* est invariable et toujours suivi d'un trait d'union.

séminaire nom masculin
❶ Établissement qui prépare les jeunes hommes à devenir prêtres. ❷ Réunion de spécialistes qui travaillent sur des questions particulières. *Participer à un **séminaire** sur l'écologie.*
* Chercher aussi *colloque*, *congrès*, *table ronde*.

semi-remorque nom masculin
Gros camion composé d'une partie où se trouvent le moteur et la cabine du chauffeur, et d'une remorque. ✎ Pluriel : *des **semi-remorques***.

*Un **semi-remorque***

semis nom masculin
Endroit où l'on a semé des graines. *Des **semis** de fines herbes.*

semonce nom féminin
Avertissement accompagné de reproches. *Béatrice a reçu une **semonce** de ses parents pour son travail bâclé.*

semoule nom féminin
Blé moulu en petits grains. *Le couscous est un plat à base de **semoule**.*

Sénat nom masculin
L'une des deux chambres du Parlement fédéral. *Au Canada, la Chambre des communes et le **Sénat** sont les deux assemblées qui votent les lois fédérales.* ✎ Attention ! Ce mot s'écrit avec une majuscule. * Chercher aussi *parlement*.

sénateur, sénatrice nom
Membre du Sénat.

sénégalais, sénégalaise
➜Voir tableau, p. 1319.

sénile adjectif
❶ Qui est atteint de sénilité. *Ce pauvre homme perd la tête et devient **sénile**.* ❷ Qui est propre à la vieillesse. *Un tremblement **sénile**.*

sénilité nom féminin
État d'une personne affaiblie par la vieillesse.

① **sens** nom masculin
❶ Signification. *Juliette se sert de son dictionnaire pour comprendre le* ***sens*** *des mots.* • **Sens propre, sens figuré.** *Au* ***sens propre****, un renard est un animal; au* ***sens figuré****, c'est une personne rusée.* ❷ Connaissance intuitive. *Loïc a le* ***sens*** *de l'orientation.* • **Bon sens:** capacité à juger raisonnablement et sagement. *Dina a beaucoup de* ***bon sens****.* **SYN** jugeote. • **Sans bon sens:** à un degré excessif. *Il fait chaud* ***sans bon sens****.* ❸ Ce qui permet de connaître les choses qui nous entourent, de recevoir des sensations. *La vue, l'ouïe, l'odorat, le goût, le toucher sont nos cinq* ***sens****.*
♦ Famille du mot: insensé, sensé, sensuel.

② **sens** nom masculin
Direction dans laquelle se déplace quelqu'un ou quelque chose. *Dans ce* ***sens****-là, le train va à Candiac.* • **Sens unique:** voie de circulation dans laquelle les véhicules ne peuvent rouler que dans une seule direction. • **Sens dessus dessous:** dans un grand désordre. *La chambre de Nathan est* ***sens dessus dessous****.*
* Attention! Le *s* final de *sens* se prononce, sauf dans l'expression *sens dessus dessous*.

sensation nom féminin
❶ Ce que l'on ressent avec son corps. *J'aime la* ***sensation*** *du vent dans mes cheveux. La faim est une* ***sensation*** *désagréable.* ❷ Impression ou sentiment. *Une* ***sensation*** *de malaise.* • **Faire sensation:** provoquer une forte impression, un grand intérêt. *Ce film* ***a fait sensation****.*

sensationnel, sensationnelle adjectif
Qui fait sensation. *Gravir l'Everest est un exploit* ***sensationnel****.* **SYN** extraordinaire, remarquable.

sensé, sensée adjectif
Qui est plein de bon sens, raisonnable. *Sa réponse est très* ***sensée****.* **CONTR** insensé.
* Ne pas confondre *sensé* et *censé*.

sensibilisation nom féminin
Action de sensibiliser. *Une émission de* ***sensibilisation*** *à l'alcoolisme.*

sensibiliser verbe ▸ conjug. 3
Rendre quelqu'un sensible et attentif à quelque chose. *Le gouvernement veut* ***sensibiliser*** *la population au problème des déchets électroniques.*

sensibilité nom féminin
❶ Caractère d'une personne sensible. *Nora est d'une telle* ***sensibilité*** *que tout l'émeut.* ❷ Fait d'être sensible à quelque chose. *La* ***sensibilité*** *au froid varie selon les gens.* ❸ Propriété d'un appareil ou d'un instrument sensible. *Cette balance est d'une grande* ***sensibilité****.*

sensible adjectif
❶ Qui est facilement ému. *Rachid est très* ***sensible*** *à la beauté des paysages.* ❷ Qui est fragile et qui réagit facilement. *Les peaux claires sont généralement* ***sensibles*** *au soleil.* ❸ Qui réagit à la moindre variation. *Cette balance est très* ***sensible****.* ❹ Qui est assez important pour qu'on le remarque. *Une baisse* ***sensible*** *des températures est annoncée pour demain.* **SYN** notable. ♦ Famille du mot: insensibiliser, insensibilité, insensible, insensiblement, sensibilisation, sensibiliser, sensibilité, sensiblement.

sensiblement adverbe
❶ De façon sensible, notable. *Le prix des denrées a* ***sensiblement*** *augmenté.* ❷ À peu près. *Olivier et Antoine ont* ***sensiblement*** *la même taille.* **SYN** presque.

sensoriel, sensorielle adjectif
Qui a un rapport avec les sens. *Les oreilles, les yeux, le nez et la langue sont des organes* ***sensoriels****.*

sensuel, sensuelle adjectif
Qui concerne les plaisirs procurés par les sens. *Bien manger, écouter de la musique et faire des caresses sont des plaisirs* ***sensuels****.*

sentence nom féminin
Jugement. *L'accusé attend la* ***sentence*** *du tribunal.* **SYN** verdict.

senteur nom féminin
Odeur, bonne ou mauvaise. *La* ***senteur*** *du lilas, la* ***senteur*** *des poubelles.*

sentier nom masculin
Chemin étroit. *Un* ***sentier*** *longe la rivière.*

sentiment nom masculin
❶ Ce que l'on éprouve, ce que l'on ressent. *Le désir, l'amour, la peine et la joie sont des* ***sentiments****.* ❷ Impression ou intuition. *J'ai le* ***sentiment*** *qu'il nous cache quelque chose.*

a b c d e f g h i j k l m n o p q r s t u v w x y z

sentimental, sentimentale, sentimentaux adjectif
Qui donne beaucoup d'importance aux sentiments, en particulier à l'amour. *Pénélope est très **sentimentale** : elle s'attendrit facilement.*

sentinelle nom féminin
Soldat armé qui monte la garde. *Il y a des **sentinelles** à l'entrée du camp militaire.*
* Chercher aussi *guérite*.

Une **sentinelle**

sentir verbe ▸ conjug. 15
❶ Distinguer une odeur par l'odorat. ***Sentez** ce parfum délicat !* ❷ Avoir, répandre une odeur caractéristique. *Ce miel **sent** la lavande. Ce poisson **sent** mauvais.* ❸ Éprouver une sensation physique. *Fabrice **a senti** une vive douleur dans le dos.* ❹ Avoir une impression ou une intuition. *Tu **avais senti** qu'il y aurait des protestations.* **SYN** deviner. • **Se faire sentir** : se manifester. *L'effet de ce médicament ne tardera pas à **se faire sentir**.* ■ *se* **sentir** : avoir telle impression, tel sentiment. *Maëlie **se sent** parfois triste.*

sépale nom masculin
Chacune des parties vertes situées à la base des pétales d'une fleur. *L'ensemble des **sépales** forme le calice.* 👁p. 446.

séparation nom féminin
❶ Action de séparer. *Une haie sert de **séparation** entre les deux jardins.* **SYN** démarcation. ❷ Fait de se séparer. *Malgré leur **séparation**, ses parents se parlent souvent.*

séparatiste adjectif et nom
Qui souhaite séparer sa région, sa province ou son État de l'État plus grand qui l'inclut. *Un parti politique **séparatiste**. – Une fervente **séparatiste**.* **SYN** indépendantiste, souverainiste.
* Chercher aussi *fédéraliste*.

séparément adverbe
À part l'un de l'autre. *Les deux témoins ont été entendus **séparément**.* **CONTR** ensemble.

séparer verbe ▸ conjug. 3
❶ Éloigner une personne d'une autre. *Le surveillant **a séparé** les deux élèves qui se battaient.* **CONTR** rassembler, réunir. ❷ Diviser un espace en deux ou en plusieurs parties. *Des cloisons coulissantes **séparent** ces pièces.* ❸ Ne pas mélanger les choses. *Il **sépare** sa vie privée de sa vie professionnelle.* **SYN** dissocier. ■ *se* **séparer** : se quitter, cesser d'être ensemble. *Ses parents **se sont séparés** dernièrement.* **SYN** rompre. ♦ Famille du mot : inséparable, séparation, séparatiste, séparément.

sept déterminant invariable
Six plus un (7). *Une semaine a **sept** jours.* ■ **sept** nom masculin Chiffre ou nombre sept. *Ton **sept** ressemble à un un.* * Attention ! Le *p* du mot *sept* ne se prononce pas.

septembre nom masculin
Neuvième mois de l'année, qui compte trente jours. *Fin **septembre**, c'est le début de l'automne.* ✎ Attention ! Le nom des mois s'écrit avec une minuscule.

septentrional, septentrionale, septentrionaux adjectif
Qui est situé au nord. *Le Danemark et la Suède font partie de l'Europe **septentrionale**.* **SYN** nordique. **CONTR** méridional.

septième adjectif et nom
Qui occupe le rang numéro sept. *Juillet est le **septième** mois de l'année. – Elle est la **septième** d'une famille de huit enfants.* ■ **septième** nom masculin Ce qui est contenu sept fois dans un tout. *Il y a sept enfants, chacun aura un **septième** de son héritage.* * Attention ! Le *p* du mot *septième* ne se prononce pas.

septique adjectif
• **Fosse septique** : réservoir enfoui dans le sol, qui reçoit les eaux usées d'une maison non raccordée aux égouts. * Ne pas confondre *septique* et *sceptique*.

septuagénaire adjectif et nom
Qui a entre soixante-dix et soixante-dix-neuf ans.

sépulture nom féminin
Lieu où est enterré un mort. **SYN** tombe, tombeau.

séquelle nom féminin
Trouble qui persiste après une maladie ou un accident. *Samuel n'a aucune **séquelle** de sa fracture.*

séquence nom féminin
❶ Suite ordonnée. *Une **séquence** aux cartes.* ❷ Suite d'images constituant une scène d'un film. *La première **séquence** de ce film est superbe.*

séquestration nom féminin
Action de séquestrer. *Cet otage a réussi à s'échapper après trois jours de **séquestration**.*

séquestrer verbe ▸ conjug. 3
Garder quelqu'un enfermé de façon illégale. *Ses ravisseurs l'**ont séquestré** dans une maison isolée.*

séquoia nom masculin
Très grand conifère originaire de Californie. *Certains **séquoias** ont près de cent cinquante mètres de haut.* * Attention! Le mot *séquoia* se prononce *sékoya*.

séraphin nom masculin
Avare, grippe-sou. *Mon oncle Martin est un vrai **séraphin**.*

serbe
→Voir tableau, p. 1319.

serein, sereine adjectif
❶ Qui ne montre aucune inquiétude. *Un visage **serein**.* SYN calme, paisible. CONTR anxieux, inquiet. ❷ Se dit d'un ciel clair et pur. CONTR menaçant, nuageux. ♦ Famille du mot: sereinement, sérénité. * Ne pas confondre *serein* et *serin*.

Un **séquoia**

sereinement adverbe
D'une manière sereine, paisible. *Il a accueilli **sereinement** la nouvelle.*

sérénade nom féminin
Petit concert qui se donnait la nuit sous les fenêtres de la femme que l'on aimait.

sérénité nom féminin
État d'une personne sereine. *Elle attend avec **sérénité** les résultats de son examen.*

serf nom masculin
Au Moyen Âge, paysan qui dépendait du seigneur sur les terres duquel il travaillait.
* Attention! Le *f* du mot *serf* ne se prononce pas.
* Ne pas confondre *serf*, *cerf*, *serre* et *serres*.

sergent, sergente nom
Sous-officier dans l'armée ou dans la police.

série nom féminin
❶ Ensemble de choses qui se suivent ou qui vont ensemble. *Cette équipe a subi une **série** de défaites.* ❷ À la radio ou à la télévision, suite d'épisodes de même durée dans lesquels jouent les mêmes personnages. • **Séries éliminatoires:** rencontres éliminatoires d'un championnat. *Les **séries éliminatoires** de la coupe Stanley.* • **En série:** en grand nombre et sur le même modèle. *Cette usine fabrique des voitures **en série**.*

sérieusement adverbe
D'une façon sérieuse. *Alexis ne travaille pas **sérieusement**.* SYN consciencieusement. *Émilie est **sérieusement** malade.* SYN gravement.

sérieux, sérieuse adjectif
❶ Qui ne plaisante pas. *Ce n'est pas pour rire que je te dis ça, je suis **sérieux**!* ❷ Qui est consciencieux et appliqué. *Laure est une élève **sérieuse**.* ❸ Qui peut avoir des conséquences importantes. *Le blessé est dans un état **sérieux**.* SYN grave, inquiétant.
■ **sérieux** nom masculin Qualité d'une personne ou d'une chose sérieuse. *Son travail manque de **sérieux**.* • **Garder son sérieux:** se retenir de rire. • **Prendre au sérieux:** considérer comme important. • **Se prendre au sérieux:** se croire très important.

serin nom masculin
Petit oiseau jaune, élevé en cage. *Le canari est le **serin** des îles Canaries.* * Ne pas confondre *serin* et *serein*.

seringue nom féminin
Petite pompe terminée par une aiguille, qui sert à injecter un liquide dans le corps ou à prélever un liquide du corps. *L'infirmière prépare la **seringue** pour le vaccin.*

serment nom masculin
Promesse solennelle. • **Prêter serment:** jurer de dire la vérité. *Au tribunal, les témoins doivent **prêter serment**.*

sermon nom masculin
❶ Discours prononcé par un prêtre. *Les fidèles écoutent le **sermon** du curé.* ❷ Discours ennuyant et moralisateur. *Le directeur a fait un **sermon** aux élèves sur les règles de la politesse.*

sermonner verbe ▸ conjug. 3
Faire un sermon. *Mes parents m'**ont sermonné**.* **SYN** faire la morale*.

séropositif, séropositive adjectif et nom
Qui a dans le sang le virus du sida.

serpe nom féminin
Outil à manche court, à lame large et recourbée. *Le jardinier coupe les branches des arbustes avec une **serpe**.*

Une **serpe**

serpent nom masculin
Reptile au corps long et couvert d'écailles, qui se déplace en rampant. *Les vipères sont des **serpents** venimeux.* 👁p. 892. • **Serpent à lunettes:** cobra. • **Serpent à sonnette:** crotale.

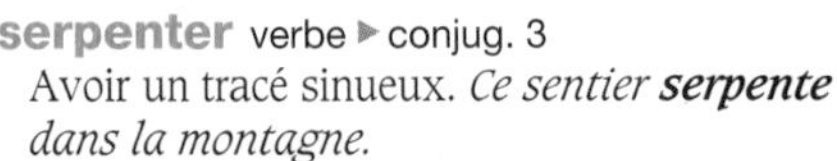

serpenter verbe ▸ conjug. 3
Avoir un tracé sinueux. *Ce sentier **serpente** dans la montagne.*

serpentin nom masculin
Petit rouleau de papier coloré qui se déroule quand on le lance.

serre nom féminin
Bâtiment vitré, parfois chauffé, où l'on fait pousser des plantes à l'abri du froid. *Ces fleurs fragiles sont cultivées dans des **serres**.*
* Ne pas confondre *serre*, *cerf*, *serf* et *serres*.

Une **serre**

serré, serrée adjectif
❶ Dont les éléments sont très rapprochés. *Marcher en rangs **serrés**.* ❷ Moulant. *Le funambule portait un pantalon **serré**.* **SYN** ajusté. **CONTR** ample. ❸ Où les adversaires sont de même force. *Aux échecs, Franck et Daniela ont joué une partie **serrée**.* ❹ Qui manque d'argent. *Je suis un peu **serré** ces temps-ci.*

serrement nom masculin
• **Serrement de cœur:** sensation pénible provoquée par l'angoisse ou la tristesse.

serrer verbe ▸ conjug. 3
❶ Tenir très fort. *Il **serre** une bille dans sa main. Ophélie **serre** son petit frère dans ses bras.* • **Serrer la main de quelqu'un:** lui donner une poignée de main. ❷ Tirer fort sur les extrémités d'un lien. ***Serre** bien le nœud, sinon il risque de se défaire.* ❸ Tourner un mécanisme à fond. *Il me faut une clé pour **serrer** cet écrou.* ❹ Être trop près du corps. *Il a du mal à marcher avec ces chaussures qui lui **serrent** les pieds.* ■ se **serrer**: se rapprocher. *Si les gens **se serraient**, il y aurait encore de la place dans l'autobus.* • **Se serrer les coudes:** s'aider mutuellement, s'entraider.
♦ Famille du mot: desserrer, resserrer, serré, serrement, serre-tête.

serres nom féminin pluriel
Griffes recourbées et puissantes des rapaces. *L'aigle emporte sa proie dans ses **serres**.*
* Ne pas confondre *serres*, *cerf*, *serf* et *serre*.

Des **serres**

serre-tête nom masculin
Bandeau servant à retenir les cheveux.
✎ Pluriel: *des **serre-têtes***.

serrure nom féminin
Mécanisme dans lequel on introduit une clé pour ouvrir ou fermer une porte ou un tiroir. *Ataneq a perdu les clés, il va falloir changer la **serrure**.* ♦ Famille du mot: serrurerie, serrurier.

serrurerie nom féminin
Boutique ou métier du serrurier.

serrurier, serrurière nom
Personne qui pose et répare les serrures, et qui fabrique les clés.

sertir verbe ▸ conjug. 11
Fixer une pièce précieuse sur un support. ***Sertir** un diamant sur une bague.* **SYN** enchâsser.

sérum nom masculin
❶ Liquide jaunâtre qui se sépare du sang coagulé. ❷ Liquide tiré du sang d'un animal immunisé, qui sert à lutter contre certains microbes. * Attention ! La deuxième syllabe du mot *sérum* se prononce *rome*. * Chercher aussi *vaccin*.

servante ↠Voir **serviteur**

① **serveur, serveuse** nom
Personne qui sert les clients dans un café ou un restaurant. *La **serveuse** nous a apporté le menu.*

② **serveur** nom masculin
Gros ordinateur qui gère un réseau informatique.

serviable adjectif
Qui est toujours prêt à rendre service. *Justin est très **serviable**.* **SYN** complaisant, obligeant.

service nom masculin
❶ Manière de servir les clients. *Le **service** est très rapide dans ce restaurant.* ❷ Pourcentage d'une note d'hôtel ou de restaurant destiné au personnel. *Le **service** n'est pas compris dans l'addition.* * Chercher aussi *pourboire*. ❸ Assortiment de vaisselle. *Carolina a cassé une tasse du **service** à café.* ❹ Branche d'activité d'une administration ou d'une entreprise. *Le **service** de la comptabilité.* • **Rendre service à quelqu'un** : l'aider, lui être utile. • **Être de service** : travailler à telle heure, tel jour. *Cette infirmière **sera de service** dimanche.* • **Hors service** : qui ne fonctionne plus. *Ce distributeur de boissons est **hors service**.*

serviette nom féminin
❶ Pièce de tissu qui sert à s'essuyer le corps ou la bouche. *Une **serviette** de table, de plage, de bain.* • **Serviette hygiénique** : bande de matière absorbante utilisée par les femmes pendant leurs règles. ❷ Sac plat à compartiments. *Ma mère transporte ses documents dans une **serviette**.*

servile adjectif
Qui est trop soumis et trop respectueux. *Se montrer **servile** envers ses supérieurs.*
♦ Famille du mot : servilement, servilité.

servilement adverbe
De façon servile. *Obéir **servilement**.*

servilité nom féminin
État d'une personne servile.

servir verbe ▸ conjug. 15
❶ Donner à quelqu'un ce qu'il demande. *Mon père m'**a servi** une crème glacée.* ❷ Être utile pour faire quelque chose. *Un marteau **sert** à enfoncer les clous. Ton sécateur m'**a** beaucoup **servi** pour tailler les rosiers.* ■ se **servir** : prendre soi-même quelque chose. *Si vous voulez boire quelque chose, **servez-vous**.*
• **Se servir de quelque chose** : l'utiliser. *Léa **se sert de** son couteau pour couper sa viande.*
♦ Famille du mot : desservir, resservir, serveur, serviable, service, serviteur.

serviteur, servante nom
Autrefois, personne employée dans une maison pour servir. **SYN** domestique. **CONTR** maître.

servitude nom féminin
Chose ennuyeuse ou pénible à laquelle on ne peut pas échapper. *Les déplacements sont une des **servitudes** de cette profession.*
SYN contrainte.

ses ↠Voir ① **son**

Un plant de **sésame**

sésame nom masculin
Plante dont les graines fournissent une huile alimentaire. *En Extrême-Orient, on utilise beaucoup l'huile de **sésame**.*

session nom féminin
❶ Temps pendant lequel siège une assemblée ou un tribunal. *La **session** parlementaire.*
❷ Division de l'année scolaire d'une durée d'environ quatre mois. *Nous partirons en vacances à la fin de la **session** de ma sœur aînée.* ❸ Période d'une durée variable au cours de laquelle se déroulent une formation, un examen. *Une **session** de perfectionnement intensif en anglais.*

seuil nom masculin
❶ Entrée d'une maison ou d'une pièce. *Les enfants ont laissé leurs bottes pleines de boue sur le **seuil** de la maison.* ❷ Dans la langue littéraire, début. *Le **seuil** de l'automne.* • **Seuil de pauvreté:** limite de revenu en dessous de laquelle une personne est considérée comme pauvre.

seul, seule adjectif
❶ Qui est sans personne pour l'accompagner ou pour l'aider. *Weil est assez grand pour rentrer **seul** de l'école. Tu n'arriveras jamais à porter **seule** ces valises!* ❷ Seulement un. *Luigi a un **seul** crayon.* **SYN** unique. ❸ En excluant tous les autres. ***Seuls** les adultes peuvent apprécier ce spectacle.* ■ **seul, seule** nom La seule personne. *Anick est la **seule** à me croire.*

seulement adverbe
❶ Uniquement. *On ne peut pas faire d'omelette, il reste **seulement** un œuf.* ❷ À l'instant. *Élodie vient **seulement** de rentrer de l'école.* ❸ Toutefois, mais. *C'est possible, **seulement** je dois réfléchir.* • **Si seulement:** si au moins. ***Si seulement** il pouvait m'écouter!*

sève nom féminin
Liquide qui circule dans les plantes et les arbres, et qui les nourrit. 👁p. 12.

sévère adjectif
❶ Qui est exigeant et qui punit facilement. *Les parents de Gaëlle sont très **sévères** avec elle.* **SYN** strict. **CONTR** indulgent. ❷ Qui est important ou grave. *Notre équipe a subi une défaite **sévère**.* ♦ Famille du mot: sévèrement, sévérité.

sévèrement adverbe
Avec sévérité, durement. *La conduite en état d'ébriété est **sévèrement** punie par la loi.*

sévérité nom féminin
Caractère d'une personne sévère. *Sa **sévérité** est connue des élèves.* **CONTR** indulgence.

sévices nom masculin pluriel
Mauvais traitements exercés sur quelqu'un. *Des **sévices** peuvent provoquer un traumatisme psychologique.*

sévir verbe ▶ conjug. 11
❶ Intervenir en punissant très sévèrement. *Le directeur a décidé de **sévir** contre les graffiteurs.* ❷ Faire des ravages ou des victimes. *Le sida **sévit** particulièrement en Afrique.*

sevrage nom masculin
Action de sevrer. *Le **sevrage** d'un nourrisson.*

sevrer verbe ▶ conjug. 8
Cesser progressivement d'allaiter un bébé. *Ma tante a décidé de **sevrer** son bébé de six mois.*

sexagénaire adjectif et nom
Qui a entre soixante et soixante-neuf ans. * Chercher aussi *soixantaine*.

sexe nom masculin
❶ Organes génitaux d'une personne ou d'un animal. *Le **sexe** de l'homme et le **sexe** de la femme sont différents.* ❷ Ensemble des caractères physiques qui différencient un homme d'une femme ou un mâle d'une femelle. *Les garçons sont de **sexe** masculin et les filles, de **sexe** féminin.* ♦ Famille du mot: hétérosexuel, homosexuel, sexisme, sexiste, sexualité, sexuel.

sexisme nom masculin
Attitude d'une personne qui pense que les hommes sont supérieurs aux femmes. *Le **sexisme** est fréquent dans les publicités.*

sexiste adjectif et nom
Qui fait preuve de sexisme. *Le directeur de cette entreprise est très **sexiste**: il donne de plus gros salaires aux hommes qu'aux femmes.*

sextant nom masculin
Instrument de navigation qui sert à mesurer la hauteur des astres au-dessus de l'horizon. *Grâce au **sextant**, les navigateurs peuvent déterminer la position de leur bateau.*

sexualité nom féminin
Ensemble des comportements qui poussent une personne à l'union sexuelle avec une autre personne pour éprouver un plaisir physique ou pour concevoir un enfant.

*Un **sextant***

sexuel, sexuelle adjectif
❶ Qui concerne le sexe. *L'homme et la femme ont des organes **sexuels** différents.* **SYN** génital. ❷ Qui se rapporte à la sexualité. *Des relations **sexuelles**.*

seyant, seyante adjectif
Qui va bien à quelqu'un. *Mei porte une robe très **seyante**.*

seychellois, seychelloise
➔Voir tableau, p. 1319.

shampoing ou **shampooing** nom masculin
❶ Liquide moussant pour se laver les cheveux. *C'est un **shampoing** doux qui ne pique pas les yeux.* ❷ Lavage des cheveux. *Se faire un **shampoing**.*

shérif nom masculin
❶ Officier de justice qui exécute certains jugements et qui dresse la liste des jurés dans les procès avec jury. ❷ Aux États-Unis, chef de la police d'une ville. *L'insigne du **shérif** est une étoile.*

Shoah nom féminin
Extermination des Juifs par les nazis. *La **Shoah** s'est produite pendant la Seconde Guerre mondiale.* ✎ Attention ! *Shoah* s'écrit avec une majuscule. * *Shoah* a remplacé le mot *Holocauste* pour désigner le génocide des Juifs.

short nom masculin
Culotte courte. *Ce coureur porte un **short** bleu.* * Chercher aussi *bermuda*.

① **si** conjonction
Sert à introduire une condition ou une possibilité. *Nous partirons **si** le brouillard se dissipe.* * ***Si*** devient ***s'*** devant *il* ou *ils* : *Je ne sais pas **s'ils** viendront.* * Ne pas confondre *si*, *ci*, *scie* et *six*.

② **si** adverbe
❶ Tellement. *Ne criez pas **si** fort !* ❷ À un tel point. *Philippe n'est pas **si** âgé que tu penses.* **SYN** aussi. ❸ Sert à affirmer quelque chose en réponse à une question négative. *Ne viendra-t-il pas ? – **Si**, il viendra.* **SYN** oui. * Ne pas confondre *si*, *ci*, *scie* et *six*.

③ **si** nom masculin
Septième note de musique de la gamme de do. * Ne pas confondre *si*, *ci*, *scie* et *six*.

SI
Sigle de ***s**ystème **i**nternational d'unités (de mesures). Le **SI** a remplacé le système impérial au Québec depuis 1970.*

siamois, siamoise adjectif et nom
Se dit d'une race de chat aux yeux bleus et au pelage ras brun et beige. • **Frères siamois, sœurs siamoises :** jumeaux ou jumelles qui naissent attachés par une partie du corps.

*Un chat **siamois***

sida nom masculin
Maladie très grave due à un virus qui se transmet par le sang ou au cours des rapports sexuels. *Le **sida** détruit les mécanismes de défense naturels de l'organisme.*

sidatique adjectif et nom
Atteint du sida. **SYN** sidéen.

sidéen, sidéenne adjectif et nom
Atteint du sida. **SYN** sidatique.

sidérer verbe ▸ conjug. 8
Renverser, stupéfier. *Son exploit nous **a sidérés**.* **SYN** ébahir. ✎ On peut écrire aussi, au futur, *elle **sidèrera*** ; au conditionnel, *il **sidèrerait***.

sidérurgie nom féminin
Industrie qui transforme le minerai de fer en fonte, en fer et en acier. * Chercher aussi *laminoir*, *métallurgie*.

siècle nom masculin
❶ Durée de cent ans. *Ce chêne a plus d'un **siècle**.* ❷ Période de cent ans correspondant à une date. *L'aventure spatiale a commencé au 20e **siècle**.*

① **siège** nom masculin
❶ Meuble qui sert à s'asseoir. *Un fauteuil, une chaise, un tabouret sont des **sièges**.* ❷ Fonction d'une personne élue dans une assemblée. *Ce parti politique a gagné dix **sièges** aux dernières élections.* • **Siège social :** lieu où est établie la direction d'une entreprise ou d'un organisme. *Cette société a une usine à Sherbrooke, mais son **siège social** est à Montréal.*

a b c d e f g h i j k l m n o p q r s t u v w x y z

② **siège** nom masculin
Opération militaire qui consiste à encercler un lieu pour s'en emparer. *L'ennemi a fait le **siège** de la ville.*

siéger verbe ▸ conjug. 5 et 8
Se réunir en assemblée. *Le Parlement fédéral **siège** à Ottawa.* ✎ On peut écrire aussi, au futur, *nous **siègerons***; au conditionnel, *vous **siègeriez***.

le **sien**, *la* **sienne** pronom
Pronom possessif qui réfère à un possesseur à la troisième personne du singulier, qui désigne ce qui est à lui, ce qui lui appartient. *Je n'aime pas mon blouson, je préfère **le sien**.* * Chercher aussi *mien, tien, nôtre, vôtre, leur*. ■ **sien** nom masculin • **Y mettre du sien :** faire des efforts. *S'il veut réussir, il faudra qu'il **y mette du sien**.* ■ *les* **siens** nom masculin pluriel
La famille et les amis de quelqu'un. *Après une longue séparation, il a retrouvé **les siens**.* ■ **siennes** nom féminin pluriel • **Faire des siennes :** faire des bêtises. *Cédric **a** encore **fait des siennes** !*

Un **siffleux**

sierraléonais, sierraléonaise
➛Voir tableau, p. 1319.

sieste nom féminin
Moment de repos après le repas de midi. *Mon grand-père fait toujours une petite **sieste** après le dîner.* **SYN** somme.

sifflement nom masculin
Son produit par quelqu'un ou quelque chose qui siffle. *Il entendait le **sifflement** du vent dans la cheminée.*

siffler verbe ▸ conjug. 3
❶ Produire un son aigu en chassant l'air par la bouche ou en soufflant dans un sifflet. *David **siffle** un air connu. L'arbitre **siffle** la fin du match.* ❷ Pour certains animaux, émettre un son qui ressemble à un sifflement. *Le merle **siffle**.* ❸ Appeler en sifflant. *Le maître **a sifflé** son chien pour qu'il revienne.* ❹ Produire un son aigu. *Le vent **siffle** dans les mâts du voilier.* ♦ Famille du mot : sifflement, sifflet, siffleux, siffloter.

sifflet nom masculin
Petit instrument avec lequel on siffle. *La professeure d'éducation physique arbitre la partie avec un **sifflet**.*

siffleux nom masculin
Dans la langue familière, marmotte. *Le **siffleux** émet un sifflement vigoureux quand il flaire le danger.*

siffloter verbe ▸ conjug. 3
Siffler doucement. *Il **sifflote** en marchant.*

sigle nom masculin
Abréviation formée des initiales de plusieurs mots. *OVNI est le **sigle** de « **o**bjet **v**olant **n**on **i**dentifié ».*

signal, signaux nom masculin
❶ Bruit ou signe qui sert à avertir ou à transmettre une information. *Un coup de sifflet donne le **signal** du départ.* ❷ Système ou appareil qui sert à alerter ou à informer. *Un **signal** d'alarme. Des **signaux** lumineux.* ♦ Famille du mot : signalement, signaler, signalisation.

signalement nom masculin
Description détaillée d'une personne qui permet de la reconnaître. *La victime a donné le **signalement** de son agresseur à la police.*

signaler verbe ▸ conjug. 3
Faire remarquer ou annoncer par un signal. *Ce panneau **signale** un sens interdit. L'arbitre **signale** une punition.* ■ *se* **signaler** : se faire remarquer par sa conduite. *Cet élève **se signale** par son intelligence et sa créativité.*

signalisation nom féminin
• **Signalisation routière :** ensemble des signaux qui servent à régler la circulation sur les routes. *Les panneaux de **signalisation routière**.*

Des panneaux de **signalisation**

signataire nom
Personne qui a signé quelque chose. *Les **signataires** d'une pétition.*

signature nom féminin
Nom d'une personne écrit par elle-même à la main, pour confirmer ou approuver un document. *N'oubliez pas d'apposer votre **signature** au bas du chèque.*

signe nom masculin
❶ Ce qui donne une indication. *Mon chien remue la queue, c'est le **signe** qu'il est content.* ❷ Geste ou expression destinés à faire connaître quelque chose. *Faire un **signe** de la main. Son sourire est un beau **signe** de bienvenue.* ❸ Ce qui représente quelque chose par l'écriture ou le dessin. *En arithmétique, + est le **signe** de l'addition.* SYN symbole. *La virgule est un **signe** de ponctuation.* ❹ Chacune des douze divisions du zodiaque. *Éliane est née en décembre, elle est du **signe** du Sagittaire.* * Chercher aussi *astrologie*. • **Ne pas donner signe de vie :** ne donner aucune nouvelle. *Cela fait plus d'un mois qu'il **n'a pas donné signe de vie**.* • **Signe de la croix :** geste de piété des chrétiens en souvenir de la mort du Christ sur la croix, consistant à toucher successivement son front, sa poitrine et ses épaules. * Ne pas confondre *signe* et *cygne*.

signer verbe ▸ conjug. 3
Mettre une signature au bas d'un document ou d'un tableau. *Il a rempli le chèque, mais il a oublié de le **signer**.* ♦ Famille du mot : signataire, signature.

signet nom masculin
Petit ruban ou bande de carton qui sert à marquer la page d'un livre. *Si tu t'arrêtes de lire, mets un **signet** dans ton livre pour pouvoir retrouver la page.*

significatif, significative adjectif
Qui est le signe de quelque chose. *Elle nous a répondu d'un ton **significatif**.* SYN révélateur.

signification nom féminin
Ce que signifie un mot, une phrase ou un geste. *Le dictionnaire permet de chercher la **signification** d'un mot.* SYN sens.

signifier verbe ▸ conjug. 10
❶ Avoir un sens, vouloir dire quelque chose. *Que **signifie** cette expression ?* ❷ Faire connaître de manière très claire ce que l'on veut. *Il m'**a signifié** qu'il refusait de me recevoir.* SYN annoncer, aviser. ♦ Famille du mot : significatif, signification.

silence nom masculin
❶ Absence de bruit. *Un **silence** profond régnait dans la salle.* ❷ Fait de se taire. *Le **silence** est de rigueur à la bibliothèque.* • **Garder le silence :** se taire. ♦ Famille du mot : silencieusement, silencieux.

silencieusement adverbe
De façon silencieuse, sans bruit. *Le chat s'est faufilé **silencieusement** dans la chambre.* SYN en silence. CONTR bruyamment.

silencieux, silencieuse adjectif
❶ Sans bruit. *La nuit tombée, le quartier devient **silencieux**.* ❷ Qui garde le silence. *Chiara semble préoccupée, elle est restée **silencieuse** toute la soirée.* ❸ Qui se fait ou qui fonctionne sans bruit. *Ce lave-vaisselle est vraiment **silencieux**.* ■ **silencieux** nom masculin Dispositif qui diminue le bruit d'un moteur ou d'une arme à feu. *Le **silencieux** de cette voiture est brisé : elle fait un bruit énorme en roulant.*

silex nom masculin
Roche très dure dont les éclats sont coupants. *Les outils préhistoriques étaient taillés dans du **silex**.*

silhouette nom féminin
❶ Forme vague ou contour d'une personne ou d'une chose. *On aperçoit la **silhouette** des montagnes à travers le brouillard.* ❷ Aspect physique général d'une personne. *Il a reconnu de loin la **silhouette** élancée de sa cousine.*

sillage nom masculin
Trace qu'un bateau en marche laisse derrière lui. *Des dauphins bondissaient dans le **sillage** du paquebot.*

sillon nom masculin
Longue tranchée tracée dans la terre par le soc d'une charrue. *Le cultivateur creuse de larges **sillons** pour y semer des pommes de terre.*

Des **sillons**

a b c d e f g h i j k l m n o p q r s t u v w x y z

sillonner verbe ▸ conjug. 3
Parcourir dans tous les sens. *Ce vieux marin **a sillonné** toutes les mers du monde.*

silo nom masculin
Grand réservoir où l'on stocke les produits agricoles. *Mettre du fourrage dans un **silo**. Un **silo** à blé.*

Un **silo**

s'il vous plaît ou **s'il vous plait**
Formule de politesse que l'on utilise généralement pour demander quelque chose.
* Abréviation : ***SVP*** ou ***svp***.

simagrées nom féminin pluriel
❶ Manières ridicules d'une personne qui veut attirer l'attention. *Faire des **simagrées**.* ❷ Grimaces. *Il nous amuse avec ses **simagrées**.*

similaire adjectif
Qui est à peu près pareil à autre chose. *Sandrine et Édouard travaillent de façon différente, mais ils obtiennent des résultats **similaires**.* **SYN** analogue, semblable.

similitude nom féminin
Ressemblance. *Il y a une grande **similitude** entre ces deux dessins.*

simple adjectif
❶ Qui n'est pas formé de plusieurs parties ou de plusieurs éléments. *Les temps **simples** du verbe s'écrivent sans auxiliaire.* **CONTR** composé. ❷ Qui est facile à comprendre ou à faire. *Cet exercice de calcul est très **simple**.* **SYN** facile. **CONTR** compliqué. ❸ Qui est sans ornements ou sans complications inutiles. *Sa cuisine est **simple**, mais fonctionnelle.* **SYN** sobre. ❹ Qui a un comportement naturel. *Il est devenu riche et célèbre, mais il est resté **simple**.* **SYN** modeste. **CONTR** prétentieux. ❺ Qui est seulement comme on le dit et rien de plus. *Il a réglé cette affaire d'un **simple** coup de fil.*
• **Pur et simple :** qui est tel et rien d'autre. *C'est un mensonge **pur et simple**.* ♦ Famille du mot : simplement, simplicité, simplifier.

simplement adverbe
❶ De façon simple, sans prétention. *Elle s'habille **simplement**, mais avec élégance.* ❷ Seulement. *Vous pouvez vous baigner, je vous demande **simplement** d'être prudents.*
• **Purement et simplement :** sans discussion. *On l'a renvoyé **purement et simplement**.*

simplicité nom féminin
❶ Caractère de ce qui est simple, facile à comprendre. *Le fonctionnement de cette machine est d'une grande **simplicité**.* **SYN** facilité. **CONTR** complication. ❷ Comportement d'une personne simple, naturelle. *Nos amis nous ont accueillis avec **simplicité**.*

simplifier verbe ▸ conjug. 10
Rendre plus simple. *Tu devrais acheter un lave-vaisselle, cela te **simplifierait** la vie.* **CONTR** compliquer.

simulacre nom masculin
Ce qui a l'apparence du réel, mais qui est simulé. *Dans ce film, on voit le naufrage d'un bateau, mais c'est un **simulacre**.*

simulateur, simulatrice nom
Personne qui simule, qui feint. *Il dit qu'il est malade, mais c'est un **simulateur**.*
■ **simulateur** nom masculin Appareil qui simule. *Un **simulateur** de vol.*

simulation nom féminin
❶ Action de simuler un sentiment, un état. *Il veut nous faire croire qu'il est malade, mais c'est de la **simulation** !* **SYN** comédie, feinte. ❷ Action de simuler un fonctionnement ou une réalité. *Une **simulation** par ordinateur.*

simuler verbe ▸ conjug. 3
❶ Faire semblant. *Elle **a simulé** un mal de tête pour ne pas aller à l'école.* **SYN** feindre. ❷ Reproduire un fonctionnement artificiellement. *Cet appareil permet de **simuler** la gravité.*
♦ Famille du mot : dissimulation, dissimuler, simulacre, simulateur, simulation.

simultané, simultanée adjectif
Qui se produit en même temps. *L'arrivée du printemps et le retour des bernaches ont été **simultanés**.* ♦ Famille du mot : simultanéité, simultanément.

simultanéité nom féminin
Caractère simultané. *Les gymnastes exécutent leurs acrobaties avec une parfaite **simultanéité**.*

simultanément adverbe
De façon simultanée. *À la fin de la panne de courant, toutes les lumières se sont rallumées **simultanément**.* SYN ensemble. CONTR successivement.

sincère adjectif
❶ Qui exprime honnêtement ses sentiments et dit ce qu'il pense. *Enzo est souvent un peu brusque, mais il est très **sincère**.* SYN ① franc. CONTR hypocrite, menteur. ❷ Que l'on ressent ou que l'on pense réellement. *Mes amis m'ont accueilli avec une joie **sincère**.* SYN réel, véritable. ♦ Famille du mot : sincèrement, sincérité.

sincèrement adverbe
De façon sincère. *Il a **sincèrement** reconnu qu'il avait tort.*

sincérité nom féminin
Caractère d'une personne ou d'une chose sincère. *Ève nous a tout raconté avec **sincérité**. Je doute de la **sincérité** de ses sentiments.*

sinécure nom féminin
Emploi où l'on est bien payé sans travailler beaucoup. • **Ne pas être une sinécure** : être difficile, pénible.

singapourien, singapourienne
➜Voir tableau, p. 1319.

singe nom masculin
❶ Mammifère primate capable de se servir de ses mains et de ses pieds pour saisir les objets. *La guenon est la femelle du **singe**. Les gorilles et les orangs-outans sont des **singes** de grande taille.* ❷ Dans la langue familière, personne qui fait des singeries. *Arrêtez de faire le **singe** !* ♦ Famille du mot : singer, singerie.

Un **singe**

singer
verbe ▸ conjug. 5
Imiter quelqu'un pour se moquer de lui. *Il **singe** l'enseignante quand elle a le dos tourné !*

singerie nom féminin
Grimace, mimique ou attitude comique. *Noam nous amuse avec ses **singeries**.* SYN pitrerie, simagrées.

singularité nom féminin
Caractère singulier. *Mon chat a la **singularité** de ne pas craindre l'eau.* SYN originalité, particularité.

① **singulier, singulière** adjectif
Que l'on remarque pour son aspect étonnant ou inhabituel. *Des fleurs exotiques aux formes **singulières**.* SYN étonnant, étrange. ♦ Famille du mot : singularité, singulièrement.

② **singulier** nom masculin
Forme d'un mot utilisée quand on parle d'une seule personne ou d'une seule chose. *« Cheval » est un nom au **singulier**, « chevaux » est un nom au pluriel.*

singulièrement adverbe
❶ De manière singulière, inhabituelle. *Il lui arrive de se comporter **singulièrement**.* SYN bizarrement, étrangement. ❷ D'une manière importante. *Il manque **singulièrement** d'initiative.* SYN particulièrement.

① **sinistre** adjectif
❶ Qui fait craindre un malheur. *Perdu dans un souterrain, il entendit un bruit **sinistre**.* SYN effrayant. ❷ Qui est lugubre. *Dans la brume, ce village est **sinistre**.* ❸ Qui est très ennuyant ou très triste. *Une commémoration **sinistre**.*

② **sinistre** nom masculin
Catastrophe qui entraîne des dégâts très importants. *Les sauveteurs se sont rendus sur les lieux du **sinistre**.*

sinistré, sinistrée
adjectif et nom
Qui a été victime d'un sinistre. *Des secours ont été envoyés dans les zones **sinistrées**. – On a installé des abris provisoires pour les **sinistrés**.*

sinon conjonction
❶ Sans cela. *Il viendra sûrement, **sinon** il aurait téléphoné.* ❷ Excepté, sauf. *Dans les embouteillages, que faire **sinon** patienter ?*

sinueux, sinueuse adjectif
Qui fait de nombreuses courbes. *Un sentier **sinueux**.* **SYN** tortueux.

Une route **sinueuse**

sinuosité nom féminin
Courbe que forme une ligne sinueuse. *La barque avançait lentement en suivant les **sinuosités** de la rivière.* **SYN** méandre.

sinus nom masculin
Cavité qui se trouve à l'intérieur de certains os de la face. * Attention ! Le *s* final du mot *sinus* se prononce.

sinusite nom féminin
Inflammation des sinus situés au-dessus ou à côté du nez. *Ce rhume mal soigné risque de se transformer en **sinusite**.*

siphon nom masculin
❶ Tuyau recourbé, placé sous un évier, un lavabo ou la cuvette des toilettes pour empêcher la remontée des mauvaises odeurs. *Le plombier a dévissé le **siphon** afin de déboucher l'évier.* ❷ Tube recourbé qui permet de transvaser un liquide d'un récipient à un autre. *Le garagiste a utilisé un **siphon** pour vider le réservoir d'essence.*

sire nom masculin
Titre que l'on donnait à un roi quand on s'adressait à lui.

① **sirène** nom féminin
Créature imaginaire qui a un buste de femme prolongé par une queue de poisson.

② **sirène** nom féminin
Appareil qui produit un son puissant et prolongé pour donner un signal ou avertir d'un danger. *On entend la **sirène** du bateau qui avance à travers le brouillard.*

sirop nom masculin
❶ Médicament de consistance liquide, au goût sucré. *Un **sirop** contre la toux.* ❷ Liquide épais et très sucré qui se boit mélangé à de l'eau. *Du **sirop** de framboise.* • **Sirop d'érable** : produit obtenu par la transformation de l'eau d'érable. *Des crêpes au **sirop d'érable**.* 👁p. 12.

siroter verbe ▸ conjug. 3
Boire à petites gorgées en prenant son temps. *Après le souper, ma grand-mère **sirote** une infusion.*

sirupeux, sirupeuse adjectif
Qui a la consistance épaisse du sirop. *Une boisson **sirupeuse**.*

sismique adjectif
Qui concerne les séismes. • **Secousse sismique** : tremblement de terre. *De violentes **secousses sismiques** ont été enregistrées.*

sismographe nom masculin
Appareil qui enregistre les mouvements sismiques.

site nom masculin
❶ Lieu qui offre un intérêt particulier. *Nous avons campé dans un **site** pittoresque.* ❷ Lieu voué à une activité particulière. *Le rocher Percé est un **site** touristique très visité.* • **Site Internet** : ensemble de pages Web regroupées sous une même adresse.

sitôt adverbe
Aussitôt. ***Sitôt** levé, il a pris sa douche.* • **De sitôt** : d'ici longtemps. *Après cette dispute, tu ne le reverras pas **de sitôt**.*

situation nom féminin
❶ Emplacement d'une ville, d'un terrain ou d'un bâtiment. *Connais-tu la **situation** géographique de Chisasibi ?* ❷ Ensemble des conditions dans lesquelles se trouve une personne ou un pays. *Depuis qu'il a changé d'emploi, sa **situation** s'est améliorée.*

situer verbe ▸ conjug. 3
Déterminer la place de quelque chose dans l'espace ou dans le temps. *Je n'arrive pas à **situer** cette rue sur le plan de la ville.*
■ *se* **situer** : se trouver dans un lieu ou dans un espace. *L'action de ce roman **se situe** à Joliette.*

six déterminant invariable
Cinq plus un (6). *On trouve au maximum **six** points sur la face d'un dé ordinaire.*
■ **six** nom masculin Chiffre ou nombre six. *Mon numéro de téléphone commence par un **six**.*

sixième adjectif et nom
Qui occupe le rang numéro six. *Léa a gagné le **sixième** prix à ce concours. – Il est le **sixième** à accomplir cet exploit.* ■ **sixième** nom masculin Ce qui est contenu six fois dans un tout. *Trois est le **sixième** de dix-huit.*

sketch nom masculin
Courte pièce généralement comique. *Ce comédien a écrit lui-même son **sketch**.* **SYN** saynète. ✎ Pluriel : *des **sketchs**.*

ski nom masculin
Sorte de planche longue et étroite, relevée à l'avant, que l'on chausse pour glisser sur la neige ou sur l'eau. *Une paire de **skis**.* • **Ski alpin :** sport pratiqué à l'aide de ces planches sur des pentes enneigées. *Faire du **ski alpin**.* • **Ski de fond :** ski pratiqué sur des pistes plates ou présentant peu de relief et sur d'assez longues distances. • **Ski nautique :** sport qui consiste à glisser sur l'eau, en étant tiré par un bateau. ♦ Famille du mot : monoski, skiable, skier, skieur.

*Du **ski***

skiable adjectif
Où l'on peut skier. *À cause du manque de neige, les pistes ne sont pas **skiables**.*

skier verbe ▸ conjug. 10
Faire du ski. *Abdel a appris à **skier** l'année dernière.*

skieur, skieuse nom
Personne qui fait du ski. *Charlotte est une **skieuse** débutante.*

slalom nom masculin
Épreuve de ski sur un parcours sinueux jalonné de piquets.

slogan nom masculin
Phrase courte et frappante qui sert à retenir l'attention. *Un **slogan** publicitaire.*

slovaque
➜Voir tableau, p. 1319.

slovène
➜Voir tableau, p. 1319.

smog nom masculin
Brouillard très dense constitué de fines particules d'eau, de fumées d'usines et de polluants atmosphériques.

smoked meat nom masculin
❶ Sorte de bœuf fumé et épicé. ❷ Sandwich de pain de seigle constitué de plusieurs fines tranches de ce bœuf fumé et de moutarde. *J'aime bien manger un **smoked meat** à l'occasion.*

smoking nom masculin
Costume de soirée pour homme dont la veste est ornée de revers de soie. *Les femmes étaient en robe longue et les hommes en **smoking**.*

snob adjectif et nom
Qui veut avoir l'air distingué, qui se donne des manières hautaines. *Elle est très **snob**. – À cette soirée, il n'y avait que des **snobs**.*

snobisme nom masculin
Comportement d'une personne snob. *Il est d'un **snobisme** insupportable.*

sobre adjectif
❶ Qui est simple, sans ornements. *Elle porte des tenues **sobres** et élégantes.* **SYN** discret. ❷ Qui évite de trop boire et de trop manger. *Il reste **sobre**, car c'est lui qui conduit.* ♦ Famille du mot : sobrement, sobriété.

sobrement adverbe
De manière sobre. *Une pièce **sobrement** meublée.*

sobriété nom féminin
❶ Qualité d'une personne sobre. *Cette vedette fait preuve d'une extrême **sobriété**.* **SYN** modération. ❷ Caractère de ce qui est sobre, discret. *Elle portait une robe d'une grande **sobriété**.*

sobriquet nom masculin
Surnom familier, affectueux ou moqueur. *On lui a donné le **sobriquet** de « bleuet » parce qu'il est originaire du Lac-Saint-Jean.*

soc nom masculin
Lame large et pointue d'une charrue, qui creuse des sillons dans les champs.

a b c d e f g h i j k l m n o p q r s t u v w x y z

soccer nom masculin
Sport opposant deux équipes de onze joueurs qui doivent envoyer le ballon dans le but adverse, sans se servir de leurs mains.

Le **soccer**

sociable adjectif
Qui recherche la compagnie des gens. *Elle sera heureuse de faire ta connaissance: elle est très* ***sociable****.* CONTR misanthrope, solitaire.

social, sociale, sociaux adjectif
❶ Qui concerne la vie en société. *Les changements* ***sociaux*** *prennent du temps.* ❷ Qui a pour but d'améliorer les conditions de vie des gens. *Des services* ***sociaux****, une aide* ***sociale****.* ❸ Qui concerne une société commerciale. *Un siège* ***social****.* ♦ Famille du mot: socialisme, socialiste.

socialisme nom masculin
Doctrine qui a pour but de rendre la société plus juste en donnant davantage de pouvoir et d'argent à la collectivité. * Chercher aussi *capitalisme*, *communisme*.

socialiste adjectif
Qui concerne le socialisme. *Il y a des partis* ***socialistes*** *en Europe.* ■ **socialiste** nom
Partisan du socialisme.

société nom féminin
❶ Ensemble des personnes qui vivent sur le même territoire, ont les mêmes lois, les mêmes institutions. *La* ***société*** *canadienne.* SYN collectivité. ❷ Ensemble d'êtres qui vivent en groupe organisé. *Les abeilles vivent en* ***société****.* ❸ Entreprise constituée par l'ensemble des gens qui y travaillent. *Benjamin vient d'être embauché par une* ***société*** *de transports.* SYN compagnie, firme. ❹ Organisation ou association. *Une* ***société*** *secrète. Une* ***société*** *de protection de la nature.* • **Jeu de société:** jeu auquel on joue à plusieurs.

socioculturel, socioculturelle adjectif
Qui concerne un groupe social et sa culture. *Les bibliothèques municipales, les conservatoires de musique, les musées font partie des équipements* ***socioculturels*** *d'une ville.*

sociologie nom féminin
Science qui étudie les sociétés humaines.

sociologue nom
Spécialiste de la sociologie.

socle nom masculin
Partie sur laquelle repose un objet. *La statue est posée sur un* ***socle*** *de bronze.*

soda nom masculin
Boisson gazeuse aromatisée. *Il boit souvent du* ***soda*** *à l'épinette.*

sœur nom féminin
❶ Fille qui a les mêmes parents qu'une autre personne. *Raphaël a une* ***sœur*** *plus jeune que lui.* ❷ Titre donné à certaines religieuses. *Les* ***sœurs*** *se consacraient autrefois à l'enseignement.*

sofa nom masculin
Siège à trois places comportant un dossier et des accoudoirs. *Ma grand-mère se repose sur le* ***sofa*** *du salon.* * Chercher aussi *canapé*, *divan*.

Un **sofa**

soi pronom
Pronom personnel de la troisième personne du singulier qui sert à compléter le verbe. *Chaque voyageur doit avoir son passeport sur* ***soi****.* • **Cela va de soi:** c'est tout naturel, c'est évident. *Tu restes souper avec nous,* ***cela va de soi****.* * Ne pas confondre *soi*, *soie* et *soit*.

soi-disant adjectif invariable
Qui prétend être ainsi. *Ce* ***soi-disant*** *peintre sait à peine dessiner.* * Attention! Comme adjectif, *soi-disant* ne se dit que d'une personne. ■ **soi-disant** adverbe D'après ce que l'on prétend. *Il devait* ***soi-disant*** *venir m'aider.*

soie nom féminin
❶ Tissu souple et brillant fabriqué avec des fils produits par une chenille appelée «ver à soie». *Une robe en **soie**.* ❷ Poil long et dur du porc et du sanglier. *Les **soies** servent à fabriquer des brosses.* * Ne pas confondre *soie*, *soi* et *soit*.

Un ver à **soie**

soif nom féminin
❶ Besoin et envie de boire. *Cette chaleur nous a donné **soif**.* ❷ Désir très fort de quelque chose. *Elle a **soif** d'aventures.*

soigné, soignée adjectif
❶ Exécuté avec soin et application. *C'est un bon ébéniste qui fait toujours un travail très **soigné**.* SYN consciencieux. ❷ Qui prend soin de son physique et de sa tenue. *C'est une jeune femme élégante et très **soignée**.* CONTR négligé.

soigner verbe ▸ conjug. 3
❶ Donner des soins médicaux à quelqu'un. *Mon père **a soigné** mes écorchures.* ❷ Prendre soin de quelqu'un ou de quelque chose. *Ce commerçant **soigne** sa clientèle.* CONTR négliger. ❸ Faire quelque chose avec soin. *Florence **a soigné** la présentation de sa recherche.* CONTR bâcler. ♦ Famille du mot: soigné, soigneur, soigneusement, soigneux, soin.

soigneur, soigneuse nom
Personne qui donne des soins aux sportifs. *Pendant le match, le **soigneur** reste sur le bord du terrain.*

soigneusement adverbe
De manière soigneuse. *Chung a classé **soigneusement** ses timbres.*

soigneux, soigneuse adjectif
Qui fait tout avec soin. *Sa chambre est toujours rangée; c'est une enfant très **soigneuse**.* SYN méticuleux, ordonné. CONTR négligent.

soin nom masculin
❶ Application que l'on met à faire quelque chose. *Anton recopie avec **soin** le brouillon de son devoir.* ❷ Tâche que l'on doit accomplir. *Elle m'a laissé le **soin** de préparer le dessert.* ■ **soins** nom masculin pluriel Ensemble des moyens utilisés pour soigner un malade ou un blessé. *L'accidenté a reçu les premiers **soins** dans l'ambulance.* • **Être aux petits soins pour quelqu'un**: s'en occuper avec beaucoup d'attention. • **Prendre soin de quelqu'un, de quelque chose**: le soigner, s'en occuper. *Je **prendrai soin de** tes plantes pendant ton absence.*

soir nom masculin
Fin du jour quand le soleil se couche. *Je ne serai pas là cet après-midi, passe me voir ce **soir**.*

soirée nom féminin
❶ Espace de temps entre le repas du soir et le moment où l'on se couche. *J'ai passé une très bonne **soirée** chez mes amis.* ❷ Réunion ou réception qui a lieu le soir. *On a organisé une **soirée** pour la fête de mon père.*

soit conjonction
❶ Sert à exprimer deux possibilités. *Je viendrai **soit** demain, **soit** la semaine prochaine.* SYN ou. ❷ Annonce une explication. *Je te dois un repas, **soit** quinze dollars.* SYN c'est-à-dire. ■ **soit** adverbe Sert à marquer son accord. * Ne pas confondre *soit*, *soi* et *soie*.

soixantaine nom féminin
❶ Nombre d'environ soixante. *Il y avait une **soixantaine** d'invités au mariage.* ❷ L'âge compris entre soixante et soixante-neuf ans. *Je ne sais pas exactement son âge, mais il a sûrement dépassé la **soixantaine**.* * Chercher aussi *sexagénaire*.

soixante déterminant invariable
Six fois dix (60). *Les **soixante** concurrents attendent le départ de la course.* ■ **soixante** nom masculin invariable Le nombre soixante. ♦ Famille du mot: soixantaine, soixante-dix, soixante-dixième, soixantième.

soixante-dix déterminant invariable
Sept fois dix (70). *Je te dois **soixante-dix** dollars.* ■ **soixante-dix** nom masculin invariable Le nombre soixante-dix.

soixante-dixième adjectif et nom
Qui occupe le rang numéro 70. *Vous êtes la **soixante-dixième** personne à vous inscrire.*

soixantième adjectif et nom
Qui occupe le rang numéro 60. *Le **soixantième** concurrent vient de franchir la ligne d'arrivée.*

soja ➔Voir **soya**

① **sol** nom masculin
❶ Surface de la terre. *Le parachutiste descend lentement vers le **sol**.* ❷ Terrain qui a certaines qualités ou qui produit certaines cultures. *Dans cette région, le **sol** est calcaire.* * Ne pas confondre *sol* et *sole*.

② **sol** nom masculin
Cinquième note de musique de la gamme de do. * Ne pas confondre *sol* et *sole*.

solage nom masculin
Partie enterrée d'un bâtiment qui en supporte le poids et en assure la stabilité.

solaire adjectif
❶ Qui concerne le Soleil. *Le Soleil et les planètes forment le système **solaire**.* ❷ Qui provient du soleil. *Ce chauffage fonctionne à l'énergie **solaire**.* ❸ Qui protège du soleil. *Une crème **solaire**.*

solarium nom masculin
Endroit aménagé pour faire entrer dans un bâtiment le plus possible de lumière du soleil. * Attention ! La dernière syllabe du mot *solarium* se prononce *riome*.

*Un **solarium***

soldat, soldate nom
Militaire sans grade. *Une armée se compose de **soldats** commandés par des officiers.*

solde nom masculin
Ce qui reste à payer sur la totalité de ce que l'on doit. *J'ai versé un acompte de cent dollars et je paierai le **solde** à la fin du mois.* • **En solde** : vendu à prix réduit. *Ces manteaux sont **en solde**.* ■ **soldes** nom masculin pluriel Articles vendus moins cher, à rabais, à certaines périodes. *Ashley attend les **soldes** pour acheter des vêtements.*

solder verbe ▸ conjug. 3
Vendre en solde. *Les commerçants commencent à **solder** les vêtements d'été.* ■ *se* **solder** : avoir comme résultat. *Les négociations risquent de **se solder** par un échec.*

sole nom féminin
Poisson de mer plat et ovale, à la chair appréciée. *Des filets de **sole**.* * Ne pas confondre *sole* et *sol*.

soleil nom masculin
❶ Astre qui produit la lumière et la chaleur nécessaires à la Terre. *La Terre et les planètes du système solaire tournent autour du **Soleil**.* 👁p. 956. ❷ Rayonnement de cet astre, lumière et chaleur qu'il produit. *Installons-nous au **soleil**.* CONTR ombre. *Il n'y a pas beaucoup de **soleil** aujourd'hui.* ✎ Attention ! Au sens 1, ce mot s'écrit avec une majuscule. ♦ Famille du mot : ensoleillé, ensoleillement, solaire, solarium.

solennel, solennelle adjectif
❶ Qui est célébré en public, avec beaucoup d'éclat. *L'équipe victorieuse a reçu la coupe au cours d'une cérémonie **solennelle**.* ❷ Que l'on fait de façon sérieuse et réfléchie. *Le parrain et la marraine ont fait la promesse **solennelle** de toujours s'occuper de leur filleul.* * Attention ! La deuxième syllabe du mot *solennel* se prononce *la*.

solennellement adverbe
De façon solennelle. *La reine a été accueillie **solennellement** à sa descente d'avion.* * Attention ! La deuxième syllabe du mot *solennellement* se prononce *la*.

solfège nom masculin
Lecture et écriture des notes de musique. *Julianne suit des cours de **solfège**.*

solidaire adjectif
❶ Se dit de personnes qui s'aident mutuellement. *Dans cette équipe, les joueurs restent **solidaires** dans le succès comme dans la défaite.* ❷ Se dit de choses qui dépendent les unes des autres pour pouvoir fonctionner. *Les pédales d'un vélo sont **solidaires** du pédalier.* ♦ Famille du mot : se solidariser, solidarité.

se **solidariser** verbe ▸ conjug. 3
Se déclarer solidaire de quelqu'un. *Les étudiants **se solidarisent** pour protester contre la hausse des droits de scolarité.*

solidarité nom féminin
Lien qui unit des personnes solidaires. *Par **solidarité**, nous les avons aidés et soutenus.*

solide adjectif
❶ Qui a une consistance dure et qui n'est ni liquide ni gazeux. *Quand l'eau gèle, elle se transforme en glace et devient **solide**.* ❷ Qui résiste aux chocs ou à l'usure. *Cette vieille table en chêne est très **solide**.* CONTR fragile. ❸ Qui a de la force, de la vigueur. *Nous avons besoin de bras **solides** pour déménager ces meubles.* SYN fort, robuste. ■ **solide** nom masculin ❶ Corps ou matière solide. *Le fer est un **solide**, l'eau est un liquide.* ❷ Figure de géométrie qui a un volume. *Le cube, la sphère, le cylindre, le prisme sont des **solides**.* 👁p. 484. ♦ Famille du mot : consolidation, consolider, solidement, se solidifier, solidité.

solidement adverbe
De façon solide. *Leurs vélos sont **solidement** fixés sur le toit de la voiture.*

se **solidifier** verbe ▸ conjug. 10
Devenir solide. *En séchant, le ciment **se solidifie**.* SYN durcir. CONTR se liquéfier.

solidité nom féminin
Qualité de ce qui est solide. *Le vendeur nous a garanti la **solidité** de ces meubles.* SYN robustesse. CONTR fragilité.

soliste nom
Personne qui exécute ou qui chante un morceau de musique en solo ou qui présente un numéro seule. *Le chœur s'arrête et c'est au tour de la **soliste** de chanter.*

*Une **soliste***

solitaire adjectif
❶ Qui est seul ou qui aime être seul. *Le tigre est un animal **solitaire**.* ❷ Qui est isolé, éloigné de tout. *Ils se sont donné rendez-vous dans un lieu **solitaire**.* ■ **solitaire** nom masculin ❶ Diamant monté seul sur une bague. *Mon cousin a offert un **solitaire** à sa fiancée.* ❷ Jeu qui se joue seul et qui consiste à disposer des cartes selon certaines combinaisons.

solitude nom féminin
Fait d'être seul. *Quand la **solitude** lui pèse, il va à la maison des jeunes.* SYN isolement.

solive nom féminin
Barre de bois ou de métal qui soutient un plancher, un plafond ou un toit. *Des **solives** en chêne.*

sollicitation nom féminin
❶ Action de solliciter. *La **sollicitation** est interdite dans ce centre commercial.* ❷ Demande insistante. *Elle a fini par céder aux **sollicitations** de ses amies.*

solliciter verbe ▸ conjug. 3
Demander avec respect. *Les parents d'élèves **ont sollicité** un rendez-vous avec le directeur de l'école.* ♦ Famille du mot : sollicitation, sollicitude.

sollicitude nom féminin
Attitude bienveillante et attentionnée. *L'infirmière s'occupe de ses patients avec beaucoup de **sollicitude**.*

solo nom masculin
Morceau de musique joué par un ou une soliste. *Un **solo** de guitare.* ■ **solo** adjectif En tant qu'artiste seul. *Faire un concert **solo**.* • **En solo** : de manière individuelle. *Un voyage **en solo**.*

solstice nom masculin
Chacun des deux moments de l'année où la durée du jour par rapport à celle de la nuit atteint son maximum ou son minimum. *Dans l'hémisphère Nord, le **solstice** d'été tombe le 21 ou le 22 juin et le **solstice** d'hiver, le 21 ou le 22 décembre.* 👁p. 804. * Chercher aussi *équinoxe*.

soluble adjectif
❶ Qui peut se dissoudre dans un liquide. *Le sel est **soluble** dans l'eau.* CONTR insoluble. ❷ Qui peut se résoudre. *Un problème **soluble**.*

Le Soleil

Le Soleil est l'une des 200 milliards d'étoiles que compte notre galaxie, la Voie lactée. Il est l'étoile centrale de notre système solaire et l'objet le plus brillant du ciel.

Autour de lui gravitent huit planètes – dont la Terre –, cinq planètes naines, des astéroïdes, des comètes et une bande de poussières. Le Soleil représente 99,86 % de la masse totale du système solaire.

Le Soleil, c'est la vie

Le Soleil est la principale source d'énergie de la Terre. Ce sont sa lumière et sa chaleur qui font que la vie est possible sur notre planète. C'est aussi au Soleil que nous devons le phénomène des saisons ainsi que la diversité des climats.

Le système Soleil-Terre-Lune

Puisque le Soleil est le centre du système solaire et que les planètes orbitent autour de lui, il fait partie du système Soleil-Terre-Lune dans lequel nous vivons.

Rappelons d'abord que la Terre tourne sur elle-même, c'est ce qu'on appelle une « rotation ». Elle effectue cette rotation en vingt-quatre heures, c'est-à-dire en une journée et une nuit.

Ensuite, la Lune, satellite naturel de la Terre, tourne autour de la Terre, c'est ce qu'on appelle une « révolution ». Sa révolution complète se produit en une période d'environ quatre semaines (29,5 jours), c'est-à-dire près d'un mois.

Enfin, la Terre tourne autour du Soleil. Elle effectue une révolution complète en 365,25 jours, c'est-à-dire en un an.

Les trajectoires de la Terre et de la Lune.

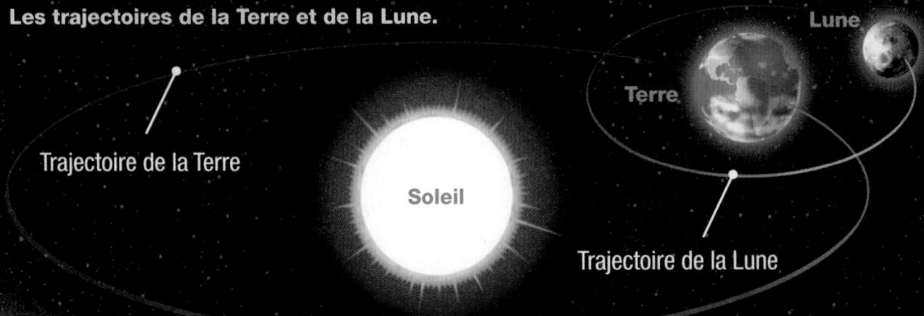

Le Soleil pour s'orienter

Le Soleil peut servir à se repérer dans l'espace. En effet, l'astre du jour se lève toujours à l'est et se couche toujours à l'ouest. Au Québec, il faut regarder vers le sud pour apercevoir le Soleil à son zénith, c'est-à-dire au plus haut point de sa trajectoire. Le déplacement du Soleil est cependant une illusion, puisque c'est la Terre qui tourne sur elle-même alors que le Soleil, lui, demeure immobile.

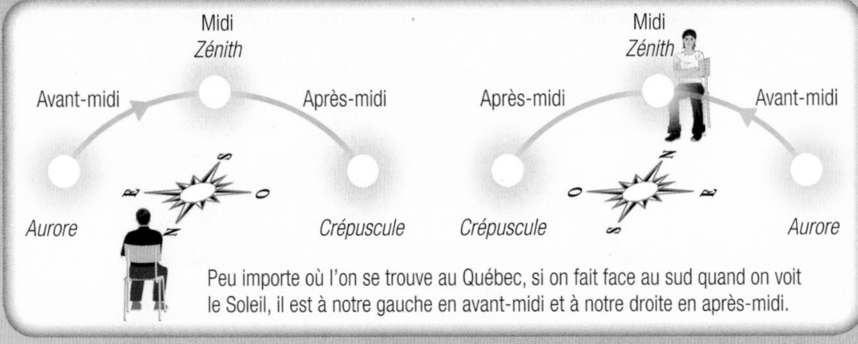

Peu importe où l'on se trouve au Québec, si on fait face au sud quand on voit le Soleil, il est à notre gauche en avant-midi et à notre droite en après-midi.

a b c d e f g h i j k l m n o p q r s t u v w x y z

① solution nom féminin
❶ Réponse à un problème. *William essaie de trouver la* ***solution*** *de son exercice de calcul.* ❷ Ce qui permet de résoudre une difficulté. *Si tu as perdu tes clés, appelle un serrurier, je ne vois pas d'autre* ***solution****.*

② solution nom féminin
Liquide qui contient un corps dissous. *Une* ***solution*** *de sel, une* ***solution*** *désinfectante.*

solutionnaire nom masculin
Livre ou document dans lequel figurent les corrigés des problèmes donnés dans un manuel ou un cahier d'exercices. * Chercher aussi *corrigé*.

solvable adjectif
Qui a assez d'argent pour payer ce qu'il doit. *Ce commerçant est ruiné, il n'est plus* ***solvable****.*

solvant nom masculin
Produit utilisé pour dissoudre certaines substances. **SYN** dissolvant.

somalien, somalienne
➔Voir tableau, p. 1319.

sombre adjectif
❶ Où il y a très peu de lumière. *Cette pièce est plutôt* ***sombre****.* **SYN** obscur. **CONTR** clair, ensoleillé. ❷ Qui est d'une couleur tirant sur le noir. *Il porte toujours des costumes* ***sombres****.* **SYN** foncé. **CONTR** clair. ❸ Qui est marqué par la tristesse ou l'inquiétude. *Boris a vraiment une mine* ***sombre*** *aujourd'hui.* **SYN** morose, triste.

sombrer verbe ▸ conjug. 3
❶ S'engloutir au fond de l'eau. *Le navire* ***a sombré*** *dans la tempête.* **SYN** couler. ❷ Au sens figuré, s'enfoncer dans un état, une situation. ***Sombrer*** *dans le sommeil,* ***sombrer*** *dans la misère.*

sommaire adjectif
❶ Qui est abrégé, peu détaillé. *Le journaliste a fait un récit* ***sommaire*** *des évènements.* **SYN** bref. **CONTR** détaillé. ❷ Qui est fait trop rapidement. *Il a été condamné après un jugement* ***sommaire****.* **SYN** expéditif. ■ **sommaire** nom masculin Liste des parties d'un document. *Lucas a retrouvé l'article qu'il cherchait dans le* ***sommaire*** *de son magazine.*

sommairement adverbe
De façon sommaire. *Elle nous a expliqué* ***sommairement*** *son projet.* **SYN** brièvement.

sommation nom féminin
Action de signifier à quelqu'un l'obligation de s'arrêter, de se rendre. *Après deux* ***sommations****, le fuyard s'est rendu.*

① somme nom masculin
Sommeil de courte durée. *J'ai réussi à faire un* ***somme*** *pendant le voyage.* **SYN** sieste.

② somme nom féminin
❶ Résultat d'une addition. *20 est la* ***somme*** *de 15 plus 5.* **SYN** total. ❷ Quantité d'argent. *Il a perdu des* ***sommes*** *considérables à la Bourse.* • **En somme** ou **somme toute :** en résumé, tout compte fait. ***En somme****, malgré quelques petits incidents, notre voyage s'est bien passé.*

sommeil nom masculin
❶ État d'une personne qui dort. *Marion a un* ***sommeil*** *très agité.* * Chercher aussi ② *veille*. ❷ Envie ou besoin de dormir. *Avoir* ***sommeil****, tomber de* ***sommeil****.* ❸ État provisoire d'inactivité. *Un volcan en* ***sommeil****.* ♦ Famille du mot : ensommeillé, ① somme, sommeiller.

sommeiller verbe ▸ conjug. 3
Dormir d'un sommeil léger. *La malade* ***sommeille****.* * Chercher aussi *somnoler*.

sommelier, sommelière nom
Personne qui s'occupe des vins et des alcools dans un restaurant. *Pour le choix des vins, le* ***sommelier*** *va vous conseiller.*

sommer verbe ▸ conjug. 3
Donner à quelqu'un l'ordre de faire quelque chose. *Le juge* ***a sommé*** *le prévenu de répondre aux questions.* **SYN** ordonner.

sommet nom masculin
❶ Partie la plus élevée d'un lieu ou d'une chose. *Le* ***sommet*** *du mont Jacques-Cartier s'élève à 1268 m.* * Chercher aussi *culminant*. ❷ Degré le plus haut. *L'année dernière, ce champion était au* ***sommet*** *de sa forme.* **SYN** apogée, faîte. ❸ Point où se rencontrent deux côtés d'une figure géométrique. *Un triangle a trois* ***sommets****.* * Chercher aussi *base*.

Le **sommet** d'une montagne

sommier nom masculin
Partie du lit sur laquelle on place le matelas. *Les ressorts de ce vieux **sommier** sont cassés.*

somnambule adjectif et nom
Qui se déplace pendant son sommeil. *Les personnes **somnambules** ne se souviennent pas de ce qu'elles ont fait quand elles se réveillent.* – *Une **somnambule**.*

somnambulisme nom masculin
État d'une personne somnambule.

somnifère nom masculin
Médicament qui provoque le sommeil. *Le médecin lui a prescrit un léger **somnifère**.*
* Chercher aussi *insomnie*.

somnolence nom féminin
État d'une personne somnolente. *Les camionneurs qui conduisent la nuit doivent prendre garde au risque de **somnolence**.*

somnolent, somnolente adjectif
Qui somnole. *Ce médicament l'a rendu **somnolent**.*

somnoler verbe ▸ conjug. 3
Dormir à moitié. *Au retour de la promenade, les enfants **somnolaient** dans l'autobus.* **SYN** s'assoupir. ♦ Famille du mot : somnolence, somnolent. * Chercher aussi *sommeiller*.

somptueusement adverbe
D'une manière somptueuse. *Un appartement **somptueusement** meublé.*

somptueux, somptueuse adjectif
Qui est très beau et très luxueux. *Un hôtel **somptueux**.*

① **son, sa, ses** déterminant
Déterminant possessif qui réfère à un possesseur à la troisième personne du singulier ou du pluriel. *Jacob a perdu **ses** crayons, **sa** gomme à effacer et **son** stylo.* * Attention ! On emploie *son* au lieu de *sa* devant un nom féminin commençant par une voyelle ou un « h » muet : ***son** épaule, **son** habitude.*
* Chercher aussi *mon*, *ton*, *notre*, *votre*, *leur*.

② **son** nom masculin
Ce que l'on entend. *On entend le **son** aigu de la sirène d'une ambulance. Ils dansent au **son** du violon.*

③ **son** nom masculin
Enveloppes des grains de céréales qui restent quand on les a moulus. *Un pain au **son**.*

sonar nom masculin
Appareil qui détecte les obstacles sous l'eau en produisant des ondes sonores. *Grâce au **sonar** du bateau, on a repéré l'épave recherchée.*
* Chercher aussi *radar*.

sonate nom féminin
Morceau de musique pour un ou deux instruments. *Une **sonate** pour violon et piano.*

sondage nom masculin
❶ Série de questions que l'on pose à un certain nombre de personnes pour connaître l'opinion générale de la population. *Avant les élections, on a effectué des **sondages** d'opinion.*
❷ Action de sonder la mer ou le sous-sol. *À la suite de **sondages**, on a découvert du pétrole dans certains fonds marins.*

sonde nom féminin
Instrument qui sert à mesurer la profondeur de l'eau ou à connaître la nature du sous-sol.
• **Sonde spatiale** : engin non habité que l'on envoie dans l'espace pour recueillir des informations scientifiques. ♦ Famille du mot : insondable, sondage, sonder.

sonder verbe ▸ conjug. 3
❶ Explorer un lieu à l'aide d'une sonde. *Des ingénieurs **ont sondé** le sous-sol du désert à la recherche de pétrole.* ❷ Chercher à connaître les intentions secrètes d'une personne. *Je vais le **sonder** pour savoir ce qui lui ferait plaisir pour son anniversaire.* **SYN** tâter* le terrain.

songe nom masculin
Dans la langue littéraire, rêve. *Cette nuit-là, le chevalier vit en **songe** un dragon à sept têtes.*
♦ Famille du mot : songer, songeur.

songer verbe ▸ conjug. 5
❶ Penser ou réfléchir à quelque chose. *Tisha **songe** à son voyage au Manitoba.* ❷ Avoir l'intention de faire quelque chose. *Ils **songent** à déménager l'an prochain.* **SYN** envisager.

songeur, songeuse adjectif
Qui est perdu dans ses pensées. *Tu sembles bien **songeur** aujourd'hui.* **SYN** pensif, rêveur.

sonner verbe ▸ conjug. 3
❶ Produire un son. *Le téléphone **sonne**. Les cloches **sonnent**.* **SYN** résonner, tinter.
❷ Mettre en action une sonnette, une sonnerie ou un signal. *On **sonne** à la porte d'entrée.*
♦ Famille du mot : son, sonnerie, sonnette, supersonique, ultrason.

sonnerie nom féminin
Son produit par quelque chose qui sonne. *Elle a été tirée du sommeil par la* ***sonnerie*** *du réveille-matin.*

sonnet nom masculin
Poème de quatorze vers répartis en quatre strophes.

sonnette nom féminin
Mécanisme qui déclenche une sonnerie. *Il hésitait à appuyer sur la* ***sonnette****.*

sono ➜Voir **sonorisation**

sonore adjectif
❶ Qui produit un son. *Un signal* ***sonore*** *se déclenche si l'on essaie de forcer la serrure de la voiture.* ❷ Qui a un son puissant, éclatant. *On entendait son rire* ***sonore*** *dans tout l'appartement.* ❸ Qui résonne, renvoie les sons. *Ses pas résonnaient sur les dalles* ***sonores****.* ♦ Famille du mot : insonorisation, insonoriser, sono, sonorisation, sonoriser, sonorité.

sonorisation nom féminin
Ensemble d'appareils servant à amplifier les sons. *Avant le concert, les techniciens s'occupent de la* ***sonorisation****.* * Abréviation familière : ***sono***.

sonoriser verbe ▸ conjug. 3
Équiper un lieu d'un matériel de sonorisation. *La propriétaire* ***a*** *bien* ***sonorisé*** *la salle de danse.* **CONTR** insonoriser.

sonorité nom féminin
Qualité des sons. *Mathilde aime la* ***sonorité*** *du violoncelle.* * Chercher aussi *timbre*.

sophistiqué, sophistiquée adjectif
❶ Qui est recherché, très raffiné. *Une décoration très* ***sophistiquée****.* ❷ Qui est très perfectionné. *Cet appareil photo est tellement* ***sophistiqué*** *que je ne suis pas sûr de savoir m'en servir !*

soprano nom
Chanteuse ou chanteur ayant une voix qui peut produire des sons très aigus. * Chercher aussi *basse*, *ténor*.

sorbet nom masculin
Dessert glacé sans crème, à base de jus de fruits. *Un* ***sorbet*** *à la fraise.*

Un **sorbet**

sorbier nom masculin
Arbre cultivé pour ses fruits et son bois dur. *Le fruit du* ***sorbier*** *est une petite baie orange que mangent les oiseaux.* **SYN** cormier.

Un **sorbier**

sorcellerie nom féminin
Pratiques magiques des sorciers. *Au Moyen Âge, toute personne accusée de* ***sorcellerie*** *était brûlée vive.*

sorcier, sorcière nom
Personne qui prétend posséder des pouvoirs magiques, savoir jeter des sorts. *La* ***sorcière*** *prononça une formule mystérieuse censée éloigner les mauvais esprits.* **SYN** magicien. * Chercher aussi *chaman*, *enchanteur*, *ensorceler*, *sortilège*. • **Ce n'est pas sorcier :** dans la langue familière, ce n'est pas compliqué à faire ou à comprendre. ***Ce n'est pas sorcier*** *de faire cuire des œufs.*

sordide adjectif
❶ Qui est d'une saleté repoussante. *Un logement* ***sordide****.* ❷ Qui est répugnant moralement. *Une histoire* ***sordide****.*

sorgho ou **sorgo** nom masculin
Céréale cultivée en Afrique et qui ressemble au mil.

sornettes nom féminin pluriel
Paroles qui ne reposent sur rien de vrai. *Ne l'écoute pas, il raconte des* ***sornettes*** *!* **SYN** balivernes.

sort nom masculin
❶ Manière dont se passe la vie d'une personne. *Il n'est pas très riche, mais il est heureux de*

son ***sort***. **SYN** destin. ❷ Puissance mystérieuse qui semble diriger l'existence humaine. *Il pensait que le* ***sort*** *l'avait désigné comme victime.* **SYN** hasard. ❸ Résultat d'un acte de sorcellerie. *On racontait dans le village que le fermier était malade parce qu'on lui avait jeté un* ***sort***. **SYN** maléfice, sortilège. • **Tirer au sort :** choisir en laissant jouer le hasard. *Le gros lot* ***sera tiré au sort***.

sortable adjectif
Présentable, convenable, correct.

sorte nom féminin
❶ Ensemble de personnes, d'animaux ou de choses qui ont en commun certaines caractéristiques. *Il y a plusieurs* ***sortes*** *de fruits.* **SYN** catégorie, genre, variété. *Marie collectionne toutes* ***sortes*** *d'insectes.* **SYN** espèce, genre. ❷ Chose qui ressemble plus ou moins à une autre chose. *L'actrice portait une* ***sorte*** *de tunique longue et plissée.* • **De la sorte :** de cette manière. *Quand on est bien élevé, on n'agit pas* ***de la sorte***. **SYN** ainsi. • **De sorte que** ou **de telle sorte que :** d'une façon telle que. *Il s'exprime* ***de telle sorte qu'****on comprend toujours clairement ce qu'il dit.* • **Faire en sorte :** faire ce qui est nécessaire. ***Fais en sorte*** *d'être prêt au moment du départ.* • **En quelque sorte :** pour ainsi dire. *Il restait immobile,* ***en quelque sorte*** *engourdi.*

sortie nom féminin
❶ Endroit par où l'on sort. *Les spectateurs se dirigent vers la* ***sortie***. *Une* ***sortie*** *de secours.* **SYN** issue. ❷ Action de sortir. *Rendez-vous chez Tristan à la* ***sortie*** *de l'école.* ❸ Parution et mise en vente. *La* ***sortie*** *de son nouveau CD est prévue pour le mois prochain.*

sortilège nom masculin
Acte magique destiné à ensorceler quelqu'un. *La princesse fut délivrée du* ***sortilège*** *par le baiser du prince.* **SYN** charme, envoûtement. * Chercher aussi *enchanteur, ensorceler, sorcier.*

sortir verbe ▸ conjug. 15
❶ Aller de l'intérieur vers l'extérieur. *Il* ***est sorti*** *de l'école vers trois heures.* **CONTR** entrer. ❷ Se distraire en faisant des promenades, en allant voir un spectacle ou chez des amis. *Mes parents* ***sortent*** *ce soir avec des amis.* ❸ S'échapper d'un endroit et se répandre à l'extérieur. *La fumée* ***sort*** *de la cheminée.* ❹ Commencer à pousser, à apparaître. *Au printemps, on voit des bourgeons qui commencent à* ***sortir***. ❺ Être présenté au public. *Son dernier roman vient de* ***sortir***. **SYN** paraître. ❻ Faire faire une promenade. *Notre voisine* ***sort*** *son chien tous les jours.* ❼ Mettre à l'extérieur. *Si vous voulez faire de l'exercice,* ***sortez*** *vos vélos.* • **S'en sortir :** se tirer d'une situation difficile. *C'est un travail complexe, mais je pense* ***m'en sortir***. * Attention ! *Sortir* se conjugue avec l'auxiliaire *être* sauf quand il a un complément (sens 6 et 7).
♦ Famille du mot : ressortir, sortable, sortie.

SOS nom masculin
Signal de détresse transmis par radio. *Perdu dans le brouillard, le pilote de l'avion a lancé un* ***SOS***. * Attention ! Dans le mot *SOS*, chaque lettre se prononce séparément.

sosie nom masculin
Personne qui ressemble exactement à une autre. *Cette actrice est doublée par un* ***sosie*** *dans certaines scènes dangereuses du film.*

sot, sotte adjectif et nom
Qui manque d'intelligence ou de réflexion. *Tu as été assez* ***sot*** *pour écouter ses mauvais conseils. – Une* ***sotte***. **SYN** bête, idiot, stupide. **CONTR** intelligent. * Ne pas confondre *sot, saut, sceau* et *seau*.

sottise nom féminin
❶ Caractère d'une personne sotte. *C'est de la* ***sottise*** *de se fâcher pour si peu !* **SYN** bêtise, stupidité. ❷ Parole ou action sotte. *Elle raconte des* ***sottises***. **SYN** ânerie, bêtise.

sou nom masculin
Pièce d'un cent. ■ **sous** nom masculin pluriel Dans la langue familière, argent. *Il a beaucoup de* ***sous***. • **Être près de ses sous :** être avare, chiche. * Ne pas confondre *sou, soûl* et *sous*.

soubresaut nom masculin
❶ Secousse d'un véhicule. ❷ Mouvement brusque du corps. *Gabriela a eu un* ***soubresaut*** *en apercevant une araignée.* **SYN** sursaut.

souche nom féminin
❶ Ce qui reste d'un arbre coupé, c'est-à-dire le bas du tronc et les racines. *Des* ***souches*** *nous ont servi de sièges pour le pique-nique.* ❷ Origine d'une famille. *Aldo est de* ***souche*** *italienne.*

Une ***souche***

souci nom masculin
❶ Ce qui inquiète quelqu'un. *En ce moment, tout va bien, je n'ai vraiment aucun **souci**.* SYN ennui, tourment, tracas. ❷ Importance accordée à ce que l'on fait. *Elle a le **souci** du détail.* • **Se faire du souci :** s'inquiéter. *Mes parents **se font du souci** quand je suis en retard.* ♦ Famille du mot : insouciance, insouciant, se soucier, soucieux.

se **soucier** verbe ▸ conjug. 10
S'inquiéter à propos de quelqu'un ou de quelque chose. *Inutile de **vous soucier** de ce problème, je m'en charge.* SYN se préoccuper.

soucieux, soucieuse adjectif
Qui a des soucis. *Mon oncle est **soucieux** à cause de son travail.* SYN inquiet, préoccupé.

soucoupe nom féminin
Petite assiette qui se met sous une tasse. *La cuillère est sur le bord de la **soucoupe**.* • **Soucoupe volante :** objet volant mystérieux qui serait piloté par des extraterrestres. * Chercher aussi *ovni*.

Un **soufflé**

soudain, soudaine adjectif
Subit. *Il a ressenti une douleur **soudaine** à l'estomac.* SYN brusque. ■ **soudain** adverbe
Subitement. ***Soudain**, l'orage a éclaté.* SYN soudainement.

soudainement adverbe
De manière soudaine. *Josh s'est **soudainement** souvenu qu'il avait rendez-vous chez le dentiste à midi.* SYN soudain.

soudanais, soudanaise
➔Voir tableau, p. 1319.

souder verbe ▸ conjug. 3
Joindre entre elles des pièces métalliques en faisant fondre leurs extrémités ou en les recouvrant de métal fondu. ***Souder** des tuyaux au chalumeau.* ♦ Famille du mot : soudeur, soudure.

soudeur, soudeuse nom
Personne qui fait de la soudure. *Les **soudeurs** doivent porter des lunettes de protection.*

soudure nom féminin
Action de souder des éléments métalliques. *La plombière a fait une **soudure** à l'étain.*

soue nom féminin
❶ Porcherie. ❷ Dans la langue familière, endroit sale et désordonné. *Cette chambre est une vraie **soue** à cochons !*

souffle nom masculin
❶ Air que l'on rejette quand on respire. *Maïa nage sous l'eau en retenant son **souffle**.* • **À bout de souffle :** épuisé au point d'avoir du mal à respirer. • **Couper le souffle :** au sens figuré, surprendre énormément. *Cette nouvelle nous **a coupé le souffle**.* SYN stupéfier. ❷ Mouvement de l'air. *Le **souffle** du vent agite les branches des arbres.*

soufflé nom masculin
Plat léger fait d'une pâte qui gonfle beaucoup à la cuisson. *Un **soufflé** au chocolat.*

souffler verbe ▸ conjug. 3
❶ Rejeter de l'air par la bouche. *Zacharie **souffle** sur les bougies pour les éteindre.* ❷ Produire un souffle. *Le vent **souffle**.* ❸ Reprendre sa respiration après un effort. *Les hockeyeurs profitent de la mi-temps pour **souffler** un peu.* ❹ Dire à voix basse quelque chose à quelqu'un sans que les autres l'entendent. *Ne **soufflez** pas la réponse au candidat.* • **Ne pas souffler mot :** se taire. ♦ Famille du mot : essoufflement, essouffler, souffle, soufflé, soufflet, souffleur, souffleuse.

soufflet nom masculin
Instrument qui sert à attiser le feu en soufflant de l'air. *Judith se sert du **soufflet** pour raviver le feu.*

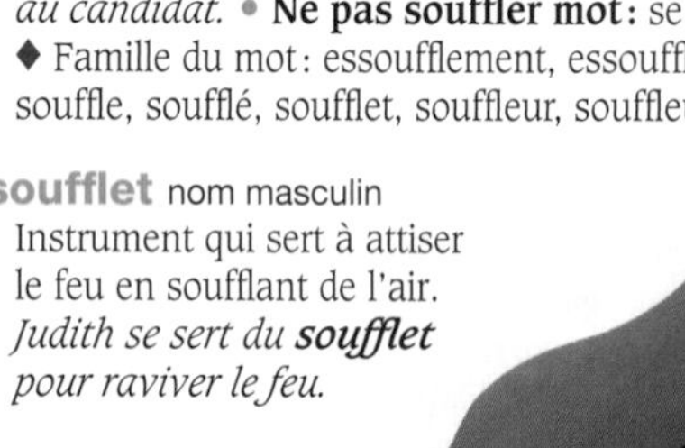
Un **soufflet**

souffleur, souffleuse nom
Au théâtre, personne chargée de souffler son texte à un acteur qui ne s'en souvient plus.

souffleuse nom féminin
Chasse-neige (véhicule lourd ou appareil pour une personne) qui souffle la neige plus loin sur le sol ou dans un camion. *La **souffleuse** est passée cette nuit dans la rue. Mon frère a passé la **souffleuse** dans notre cour, ce matin.*

souffrance nom féminin
Fait de souffrir. *Justine a supporté la **souffrance** sans se plaindre.* **SYN** douleur. • **En souffrance :** en attente, sans que l'on s'en occupe.

souffrant, souffrante adjectif
Légèrement malade. *Harry n'est pas venu à l'école hier, car il était **souffrant**.*

souffre-douleur nom masculin
Personne qui subit de mauvais traitements et des moqueries. *Lan est devenue le **souffre-douleur** de tout le groupe.* ✎ Pluriel : *des **souffre-douleur*** ou *des **souffre-douleurs***.

souffrir verbe ▸ conjug. 12
❶ Éprouver une sensation douloureuse ou pénible. *Cet hiver a été rude, nous **avons souffert** du froid.* ❷ Être endommagé. *Les arbres fruitiers **ont souffert** de la grêle.* • **Souffrir le martyre :** souffrir terriblement. *J'**ai souffert le martyre** à cause de mes dents.* ♦ Famille du mot : souffrance, souffrant, souffre-douleur.

soufre nom masculin
Substance jaune et cassante qui brûle en dégageant un gaz suffocant. *Des vapeurs de **soufre** s'échappent du cratère du volcan.*

souhait nom masculin
Désir d'obtenir ou de voir se réaliser quelque chose. *Tous nos **souhaits** de bonheur aux jeunes mariés !* **SYN** vœu. ♦ Famille du mot : souhaitable, souhaiter.

souhaitable adjectif
Que l'on peut souhaiter. *Elle a toutes les qualités **souhaitables** pour devenir une grande championne de natation.*

souhaiter verbe ▸ conjug. 3
❶ Désirer la réalisation de quelque chose. *Je vous **souhaite** une guérison rapide.* ❷ Présenter ses vœux à quelqu'un. *Frédéric m'a appelé pour me **souhaiter** une bonne année.*

souiller verbe ▸ conjug. 3
Dans la langue littéraire, salir. *La boue **a souillé** son manteau.*

souillon, souillonne nom
Personne malpropre et peu soigneuse.

souk nom masculin
Marché couvert dans certains pays arabes. *À Tunis, nous nous sommes perdus dans les ruelles du **souk**.*

soûl, soûle adjectif
Ivre. ✎ On peut écrire aussi ***soul***, ***soule***. * Attention ! Le *l* du masculin *soûl* ne se prononce pas. * Ne pas confondre *soûl*, *sou* et *sous*.

soulagement nom masculin
Fait d'être soulagé. *On a appris avec **soulagement** que l'accident n'avait fait aucune victime.*

soulager verbe ▸ conjug. 5
❶ Rendre une douleur moins pénible. *Ce médicament **soulage** les maux de tête.* **SYN** calmer, diminuer. ❷ Arrêter l'inquiétude. *La bonne nouvelle **a soulagé** ma sœur.* **SYN** apaiser.

soûler verbe ▸ conjug. 3
Au sens figuré, fatiguer, faire tourner la tête. *Cette musique me **soûle**.* ■ *se* **soûler** : s'enivrer. *Il **s'est soûlé** en buvant trop de bière.* ✎ On peut écrire aussi ***(se) souler***.

soulèvement nom masculin
❶ Fait de se soulever. *Le **soulèvement** des côtes pendant la respiration.* ❷ Mouvement de révolte. *Les décisions prises par ce dictateur ont provoqué le **soulèvement** de la population.* **SYN** insurrection, révolte.

soulever verbe ▸ conjug. 8
❶ Lever à une faible hauteur. *Nous n'arrivons pas à **soulever** cette grosse boîte en carton.* ❷ Provoquer une réaction ou un sentiment. *La victoire de cette équipe **a soulevé** l'enthousiasme de tous ses partisans.* **SYN** déclencher, provoquer. ❸ Faire monter. *En roulant, cette voiture **soulève** des nuages de poussière.* • **Soulever le cœur :** dégoûter, écœurer. *Tous les massacres d'animaux me **soulèvent le cœur**.* ■ *se* **soulever** : se révolter. *Les esclaves **se sont soulevés** contre leur maître.* **SYN** s'insurger, se rebeller.

soulier nom masculin
Chaussure. *Des **souliers** de marche.* • **Être dans ses petits souliers :** être mal à l'aise, gêné.

soulignement nom masculin
❶ Action de souligner. ❷ Trait avec lequel on souligne.

souligner verbe ▸ conjug. 3
❶ Tirer un trait sous un mot, un groupe de mots ou une phrase. *Adam **souligne** les groupes du nom dans son texte.* ❷ Faire remarquer en insistant. *Elle **a souligné** l'importance de cette décision.*

a b c d e f g h i j k l m n o p q r s t u v w x y z

soumettre verbe ▸ conjug. 33
❶ Obliger quelqu'un à obéir. *Le tyran avait réussi à **soumettre** le pays tout entier.* ❷ Exposer quelque chose à quelqu'un pour qu'il donne son avis. *Je vais vous **soumettre** le dossier de cette affaire.* ■ se **soumettre** : accepter d'obéir, de se plier. *Nous **nous soumettons** à la décision de la majorité.* ♦ Famille du mot : soumis, soumission.

soumis, soumise adjectif
Qui se soumet. *Jusque-là **soumise**, la population s'est soulevée.*

soumission nom féminin
Fait de se soumettre. *Ces soldats adoraient leur commandant ; leur **soumission** était sans borne.* **SYN** obéissance.

soupape nom féminin
Pièce mobile d'un mécanisme qui règle la circulation d'un gaz ou d'un liquide.

① **soupçon** nom masculin
Sentiment qui pousse à croire quelqu'un coupable. *La police n'a pas de preuves contre cet homme, elle n'a que des **soupçons**.* ♦ Famille du mot : soupçonner, soupçonneux.

② **soupçon** nom masculin
Très petite quantité. *Rosalie a ajouté un **soupçon** de sel dans le potage.*

soupçonner verbe ▸ conjug. 3
Avoir des soupçons. *On **soupçonne** le chat d'avoir mangé le poisson rouge.* **SYN** suspecter.

soupçonneux, soupçonneuse adjectif
Qui a des soupçons. *Elle m'a lancé un regard **soupçonneux**.* **SYN** méfiant.

soupe nom féminin
Bouillon qui contient divers ingrédients solides. *Une **soupe** aux légumes.*

① **souper** verbe ▸ conjug. 3
Prendre le repas du soir. *Hier soir, nous **avons soupé** au restaurant.*

② **souper** nom masculin
Repas du soir. *C'est l'heure du **souper**.*

soupeser verbe ▸ conjug. 8
❶ Soulever quelque chose pour en évaluer le poids. *Mon sac à dos est très lourd, **soupèse**-le.* ❷ Au sens figuré, évaluer. ***Soupeser** le pour et le contre.*

soupière nom féminin
Récipient creux utilisé pour servir la soupe. *Une bonne odeur s'échappe de la **soupière**.*

*Une **soupière***

soupir nom masculin
❶ Respiration bruyante et prolongée. *Sébastien est fatigué et pousse de gros **soupirs**.* ❷ En musique, signe qui indique un silence. • **Rendre le dernier soupir** : mourir.

soupirail, soupiraux nom masculin
Ouverture située au bas du mur extérieur d'un bâtiment qui sert à éclairer et à aérer une cave, un sous-sol.

soupirant nom masculin
Homme amoureux d'une femme et qui lui fait la cour. *Cette jeune fille a de nombreux **soupirants**.*

soupirer verbe ▸ conjug. 3
Pousser des soupirs. *Béa s'ennuie et ne cesse de **soupirer**.* ♦ Famille du mot : soupir, soupirail, soupirant.

souple adjectif
❶ Qui se plie ou se courbe sans se casser. *Mégane a fabriqué un arc avec un morceau de bois **souple**.* **SYN** flexible. **CONTR** raide, rigide. ❷ Qui peut se mouvoir avec aisance et agilité. *Les acrobates sont **souples** et musclés.* ❸ Qui s'adapte facilement. *C'est une enfant **souple** qui s'entend bien avec tout le monde.* ♦ Famille du mot : assouplir, assouplissement, assouplisseur, souplesse.

souplesse nom féminin
❶ Qualité d'une personne souple. *Laurent a sauté du muret avec **souplesse**.* **SYN** agilité. **CONTR** raideur. ❷ Caractère souple. *En refusant de céder, Alan a manqué de **souplesse**.* **SYN** diplomatie. **CONTR** intransigeance, rigidité.

source nom féminin
❶ Eau qui sort du sol. *Cette **source** fournit en eau tout le village.* • **Prendre sa source :** naître, en parlant d'un cours d'eau. *Le fleuve Saint-Laurent **prend sa source** dans les Grands Lacs.* ❷ Point de départ ou origine de quelque chose. *La naissance de ce bébé a été une **source** de joie pour ses parents.* • **Couler de source :** aller de soi. *Si tu te couches tard, demain tu auras du mal à te lever ; cela **coule de source**.* • **Source d'énergie :** ce qui produit de l'énergie. *Le pétrole et le gaz sont des **sources d'énergie**.*

Une **source**

sourcier, sourcière nom
Personne qui recherche des sources souterraines à l'aide d'une baguette ou d'un pendule.

sourcil nom masculin
Poils qui poussent au-dessus des yeux. *Mia fronce les **sourcils** quand elle réfléchit.* 👁p. 246. ♦ Famille du mot : sourcilière, sourciller. * Attention ! Le *l* du mot *sourcil* ne se prononce pas.

sourcilière →Voir **arcade**

sourciller verbe ▸ conjug. 3
• **Sans sourciller :** sans laisser voir son émotion. *Il a accepté sa punition **sans sourciller**.*

sourd, sourde adjectif et nom
❶ Qui n'entend pas. *Parle plus fort, il est un peu **sourd**. – Les **sourds** utilisent un langage par signes pour communiquer.* * Chercher aussi *malentendant*. • **Faire la sourde oreille :** faire semblant de ne pas entendre. ❷ Qui refuse d'entendre. *Il est resté **sourd** à mes plaintes.* ■ **sourd, sourde** adjectif ❶ Qui manque de sonorité. *Des bruits **sourds** semblent venir de la cave.* **SYN** étouffé. **CONTR** sonore. ❷ Qui ne se manifeste pas nettement. *Dang ressent une douleur **sourde** dans le dos.* **CONTR** aigu. ♦ Famille du mot : assourdir, assourdissant, sourdement, sourdine, sourd-muet.

sourdement adverbe
En faisant un bruit sourd. *Le chien s'est mis à grogner **sourdement**.*

sourdine nom féminin
Dispositif qui assourdit le son d'un instrument de musique. *Pour jouer du violon sans gêner les voisins, Annabelle met la **sourdine**.* • **En sourdine :** très doucement. *J'entends le voisin qui joue du piano **en sourdine**.*

sourd-muet, sourde-muette nom et adjectif
Personne à la fois sourde et muette. *On communique avec les **sourds-muets** grâce au langage des signes. – Des écoliers **sourds-muets**.* ✎ Pluriel : *des **sourds-muets**, des **sourdes-muettes***.

souriant, souriante adjectif
Qui est aimable et sourit souvent. *Cette vendeuse est toujours **souriante**.*

souriceau, souriceaux nom masculin
Petit de la souris.

souricière nom féminin
❶ Piège à souris. ❷ Au sens figuré, piège que l'on tend. *Tomber dans une **souricière**.*

① **sourire** verbe ▸ conjug. 48
❶ Faire un sourire. *L'hôtesse **sourit** en accueillant ses invités.* ❷ Être favorable. *Alexane gagne toutes les parties, la chance lui **sourit**.* **SYN** favoriser. ❸ Être agréable à quelqu'un. *L'idée de faire un si long voyage ne me **sourit** pas.*

② **sourire** nom masculin
Mouvement de la bouche et des yeux qui exprime la gaieté ou la sympathie. *Le bébé fait des **sourires** quand on lui parle.*

souris nom féminin
❶ Petit mammifère rongeur au pelage gris ou parfois blanc. ❷ Petit dispositif mobile sur lequel on clique pour intervenir sur l'écran d'un ordinateur.

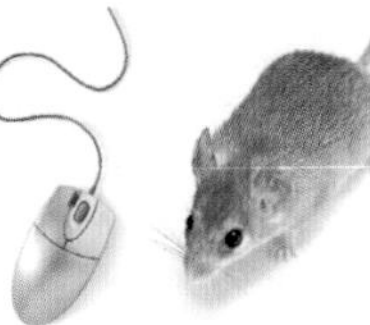

Des **souris**

sournois, sournoise adjectif
Qui cache ses sentiments, souvent dans de mauvaises intentions. *Je me méfie de lui, il a un regard **sournois**.* **SYN** faux, hypocrite. **CONTR** franc.

sournoisement adverbe
De façon sournoise, hypocrite. *Il a **sournoisement** attaqué son adversaire par derrière.*

sous préposition
Sert à indiquer… ❶ un lieu situé plus bas ou à l'intérieur. *Le ballon a roulé **sous** la table. Nous avons dormi **sous** la tente.* ❷ la cause. *Noah a le dos courbé **sous** le poids de la caisse.* ❸ une époque. *Cette histoire s'est passée **sous** Duplessis.* ❹ la dépendance. *Le malade est **sous** la surveillance des médecins.* * Ne pas confondre *sous*, *sou* et *soûl*.

sous- préfixe
Placé au début d'un mot pour former un autre mot, *sous-* indique la position (***sous**-sol*), l'insuffisance (***sous**-développé*).

sous-alimentation nom féminin
Fait d'avoir une alimentation insuffisante. *En Afrique, certaines populations souffrent de **sous-alimentation**.* * Chercher aussi *malnutrition*.

sous-alimenté, sous-alimentée adjectif
Qui souffre de sous-alimentation. *Dans ce pays pauvre, j'ai vu des enfants **sous-alimentés**.*

sous-bois nom masculin
Partie d'un bois ou d'une forêt où la végétation pousse sous les arbres. *Allons cueillir des champignons dans le **sous-bois**.*

souscrire verbe ▸ conjug. 47
❶ S'engager à payer une certaine somme pour un abonnement, une assurance, etc. *Il **a souscrit** une encyclopédie en plusieurs volumes.* ❷ Se déclarer d'accord. *Nous **souscrivons** aux décisions de la présidente de notre association.*

sous-entendre verbe ▸ conjug. 31
Faire comprendre quelque chose sans le dire vraiment. *Quand je vous ai dit de venir ce soir, cela **sous-entendait** que je vous invitais à souper.*

sous-entendu nom masculin
Ce que l'on sous-entend. *Son courriel est plein de **sous-entendus**.* **SYN** insinuation.

sous-estimer verbe ▸ conjug. 3
Estimer quelqu'un ou quelque chose au-dessous de ses capacités ou de sa valeur. *Ne **sous-estimons** pas l'adversaire.* **CONTR** surestimer.

sous-main nom masculin
Plaque de cuir ou de carton sur un bureau, sur laquelle on dépose le papier pour écrire ou qui sert à protéger le meuble. ✎ Pluriel : *des **sous-mains**.* • **En sous-main :** en secret. *Ce journaliste a obtenu des informations confidentielles **en sous-main**.*

sous-marin, sous-marine adjectif
Qui est situé sous la mer. *Les fonds **sous-marins**. Faire de la plongée **sous-marine**.*
■ **sous-marin** nom masculin Navire qui peut naviguer sous l'eau. **SYN** submersible. ✎ Pluriel : *des **sous-marins**.*

Un **sous-marin**

sous-officier, sous-officière nom
Militaire qui a un grade inférieur à celui d'officier. *Les sergents sont des **sous-officiers**.*

sous-produit nom masculin
Produit qui provient d'un autre produit. *Le plastique est un **sous-produit** du pétrole.* ✎ Pluriel : *des **sous-produits**.*

sous-sol nom masculin
❶ Partie d'un bâtiment située au-dessous du niveau du sol. *Le stationnement se trouve au **sous-sol** du centre commercial.* ❷ Partie du sol au-dessous de la surface de la terre. *Cette région a un **sous-sol** très riche en uranium.* ✎ Pluriel : *des **sous-sols**.*

sous-titre nom masculin
❶ Deuxième titre d'un livre ou d'un texte. *Le **sous-titre** précise le contenu de l'article.* * Chercher aussi *intertitre*. ❷ Traduction des paroles d'un film, qui apparaît au bas de l'écran. *Nous avons vu un film japonais en version originale avec **sous-titres** français.*

sous-titrer verbe ▸ conjug. 3
❶ Mettre un sous-titre à un titre. ❷ Mettre des sous-titres à un film. *Ce film italien **est sous-titré** en français.* * Chercher aussi *doubler*.

soustraction nom féminin
Opération qui consiste à retrancher un nombre d'un autre nombre. *Une **soustraction** s'écrit avec le signe « – » entre les deux nombres.*

soustraire verbe ▸ conjug. 40
❶ Faire une soustraction. *Quand tu **soustrais** trois de cinq, il reste deux.* **SYN** déduire, ôter, retrancher. ❷ Enlever habilement. *Le voleur m'**a soustrait** mon portefeuille sans que je m'en aperçoive.* ■ *se* **soustraire à quelque chose** : s'arranger pour ne pas le faire. *Tu as promis de nous aider, n'essaie pas de **te soustraire à** ton engagement.*

sous-traiter verbe ▸ conjug. 3
❶ Se charger de tâches confiées par un entrepreneur principal. ❷ Confier une partie ou l'ensemble d'un travail à un autre entrepreneur.

sous-vêtement nom masculin
Vêtement qui se porte sous d'autres vêtements. *Les soutiens-gorges, les camisoles et les culottes sont des **sous-vêtements**.* * Chercher aussi *dessous*.

soutane nom féminin
Longue robe boutonnée devant que portent les prêtres catholiques.

soute nom féminin
Partie d'un bateau ou d'un avion destinée à entreposer les bagages et les marchandises.

*Une **soute***

soutenir verbe ▸ conjug. 19
❶ Servir de support, d'appui. *Des pylônes d'acier **soutiennent** le pont.* **SYN** maintenir. ❷ Prendre le parti de quelqu'un. *Olivia **soutient** toujours son petit frère quand on le dispute.* ❸ Affirmer quelque chose avec force. *Le suspect **soutient** qu'il est innocent.* ❹ Faire durer ou empêcher quelque chose de diminuer. *Cette écrivaine sait **soutenir** l'attention des lecteurs.* ♦ Famille du mot : insoutenable, soutenu, soutien.

soutenu, soutenue adjectif
❶ Que l'on fait sans faiblir, sans se laisser aller. *Il a réussi grâce à des efforts **soutenus**.* ❷ Relevé, recherché. *Une langue **soutenue**, un vocabulaire **soutenu**.*

souterrain, souterraine adjectif
Qui est sous la surface de la terre. *Une mine **souterraine**.* ■ **souterrain** nom masculin Galerie creusée sous le sol. *Les bâtiments de cette université communiquent par des **souterrains**.*

soutien nom masculin
Action de soutenir quelqu'un. *Si tu as des problèmes, tu peux compter sur mon **soutien**.* **SYN** aide, appui.

soutien-gorge nom masculin
Sous-vêtement féminin qui couvre et soutient la poitrine. ✎ Pluriel : *des **soutien-gorges*** ou *des **soutiens-gorges***.

soutirer verbe ▸ conjug. 3
Obtenir quelque chose par ruse ou en insistant. *Elle a essayé de leur **soutirer** de l'argent.* **SYN** extorquer.

① *se* **souvenir** verbe ▸ conjug. 19
Garder dans sa mémoire. *Vincent **se souvient** de son ancienne école.* **SYN** se rappeler. **CONTR** oublier.

② **souvenir** nom masculin
❶ Ce dont on se souvient. *Véronique garde un bon **souvenir** de son voyage en Italie.* ❷ Objet que l'on garde pour se souvenir. *Ces coquillages sont des **souvenirs** de vacances.* • **Ce n'est plus qu'un mauvais souvenir** : c'est un évènement passé dont je me souviens, mais qui ne me fait plus de mal. *Mon accident ? **Ce n'est plus qu'un mauvais souvenir** !*

souvent adverbe
À de nombreuses reprises. *Il va **souvent** à Toronto.* **SYN** fréquemment. **CONTR** rarement. • **Le plus souvent** : la plupart du temps. ***Le plus souvent**, nous déjeunons à sept heures.* **SYN** généralement, habituellement.

souverain, souveraine nom
Chef suprême d'un royaume ou d'un empire. *Le **souverain** du Maroc.* **SYN** monarque. ■ **souverain, souveraine** adjectif ❶ Qui exerce le pouvoir et qui décide. *Dans une démocratie, c'est le peuple qui est **souverain**.* ❷ Qui est très efficace. *Ce remède est **souverain** contre le mal de tête.* **SYN** excellent, parfait.

souveraineté nom féminin
❶ Pouvoir suprême. *En démocratie, la **souveraineté** appartient au peuple.* ❷ Capacité de se gouverner. *Plusieurs Québécois espèrent qu'un jour le Québec obtiendra la **souveraineté**.* **SYN** indépendance.

a b c d e f g h i j k l m n o p q r s t u v w x y z

souverainiste nom
Personne qui appuie l'indépendance d'un État et en fait un objectif. **SYN** indépendantiste, séparatiste. * Chercher aussi *fédéraliste*.

souvlaki nom masculin
Brochette de viande à la grecque. ✎ Pluriel : *des **souvlakis***.

soya ou **soja** nom masculin
Plante grimpante proche du haricot, que l'on cultive pour ses graines. *Le **soya** sert à faire de l'huile, de la farine, du tofu, etc.*

Du **soya**

soyeux, soyeuse adjectif
Qui est léger, doux et brillant comme de la soie. *Des cheveux **soyeux**.*

spacieux, spacieuse adjectif
Où il y a beaucoup d'espace. *Cette voiture est très **spacieuse**.*

spaghetti nom masculin
Pâte alimentaire fine et longue. *Alexandre enroule les **spaghettis** autour de sa fourchette.*

spasme nom masculin
Contraction brusque et involontaire des muscles. *L'anxiété peut provoquer des **spasmes** de l'estomac.*

spatial, spatiale, spatiaux adjectif
Qui concerne l'espace interplanétaire. *Le vaisseau **spatial** se dirige vers Vénus.*

spatule nom féminin
Instrument aplati à un bout, utilisé pour étaler, mélanger ou prélever. *Pour boucher les trous du mur, le peintre applique de l'enduit avec une **spatule**. Retirer l'œuf de la poêle à l'aide d'une **spatule**.*

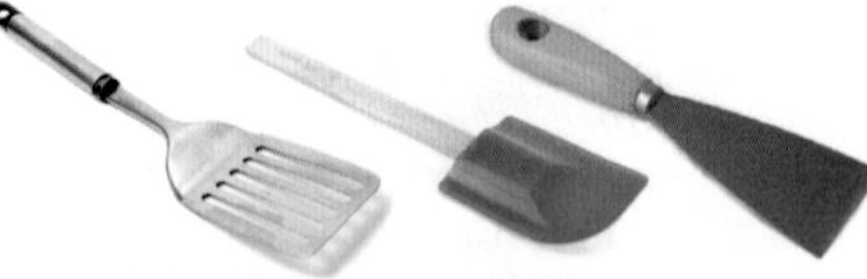
Des **spatules**

spécial, spéciale, spéciaux adjectif
❶ Fait exprès pour une activité ou une personne. *Pour faire de l'escrime, on porte une tenue **spéciale**.* **SYN** particulier. ❷ Qui sort de l'ordinaire. *Il ne s'est rien passé de **spécial** depuis votre départ.* **SYN** exceptionnel. ♦ Famille du mot : spécialement, spécialisation, spécialisé, se spécialiser, spécialiste, spécialité.

spécialement adverbe
❶ D'une manière spéciale. *Ce socle a été fabriqué **spécialement** pour cette sculpture.* **SYN** exprès. ❷ En particulier. *Vous remercierez Cherry tout **spécialement**.* **SYN** particulièrement.

spécialisation nom féminin
Fait de se spécialiser. *Julia fait des études de médecine, mais elle n'a pas encore choisi de **spécialisation**.*

spécialisé, spécialisée adjectif
❶ Qui se consacre à un domaine particulier. *Ce magasin est **spécialisé** dans les articles de pêche.* ❷ Qui a une spécialité. *Une ouvrière **spécialisée**.*

se **spécialiser** verbe ▸ conjug. 3
Se consacrer à un domaine particulier. *Ce mécanicien **s'est spécialisé** dans la restauration des vieilles voitures.*

spécialiste nom
Personne spécialisée dans un domaine. *Cette docteure est une **spécialiste** du système digestif.*

spécialité nom féminin
❶ Domaine dans lequel on s'est spécialisé. *Elle connaît très bien la musique tsigane, c'est sa **spécialité**.* ❷ Produit spécifique d'une région. *Le canard est la **spécialité** de la région du lac Brome.*

spécifier verbe ▸ conjug. 10
Indiquer de façon précise. *Dans son courriel, il **a** bien **spécifié** la date de son retour.* **SYN** préciser.

spécifique adjectif
Qui est particulier à une personne, à un animal ou à une chose. *L'odeur **spécifique** de l'ail.* **SYN** typique.

spécimen nom masculin
Exemple type d'une espèce d'animal, de personne ou d'objet. *Au zoo, il y a un beau **spécimen** d'ours polaire.* **SYN** échantillon. * Attention ! La dernière syllabe du mot *spécimen* se prononce *mène*.

spectacle nom masculin
❶ Représentation donnée au public. *Étienne et Coralie ont vu un **spectacle** de variétés.* ❷ Ce qui attire le regard et l'attention. *Ce coucher de soleil est un **spectacle** magnifique.*

spectaculaire adjectif
Qui impressionne les spectateurs. *Jérémie a fait une pirouette **spectaculaire**.*

spectateur, spectatrice nom
❶ Personne qui assiste à un spectacle. *Les **spectateurs** ont applaudi debout les comédiens.* ❷ Personne qui assiste à un évènement quelconque. *La journaliste interroge les **spectateurs** de l'accident.* SYN témoin.

spectre nom masculin
❶ Fantôme. *Il a raconté des histoires de **spectres** et de maisons hantées.* ❷ Ensemble des couleurs de l'arc-en-ciel. *Le **spectre** résulte de la décomposition de la lumière solaire.*

spéculateur, spéculatrice nom
Personne qui spécule. *Des **spéculateurs** ont fait monter le prix de certaines actions.*

spéculation nom féminin
Action de spéculer.

spéculer verbe ▸ conjug. 3
Jouer sur les variations des prix pour en tirer profit. *Il s'est enrichi en **spéculant** en Bourse.*
♦ Famille du mot : spéculateur, spéculation.

spéléologie nom féminin
Exploration scientifique ou sportive des grottes et des cours d'eau souterrains.

spéléologue nom
Spécialiste de la spéléologie.

spermatozoïde nom masculin
Cellule reproductrice mâle qui se trouve dans le sperme. *Les **spermatozoïdes** peuvent féconder les ovules lors des rapports sexuels.*

La ***spéléologie***

sperme nom masculin
Liquide blanchâtre et visqueux produit par les organes sexuels mâles adultes et contenant les spermatozoïdes.

sphère nom féminin
❶ Objet qui a la forme d'une boule. *La Terre est une **sphère** aplatie aux pôles.* ❷ Milieu social ou milieu de travail. *On parle beaucoup de cette découverte dans les **sphères** scientifiques.*

sphérique adjectif
En forme de sphère. *Les boules de billard sont parfaitement **sphériques**.* SYN rond.

sphinx nom masculin
Monstre de la mythologie qui a une tête humaine, un corps de lion et des ailes d'aigle.

spirale nom féminin
Ligne courbe qui tourne sur elle-même. *La coquille de l'escargot dessine une **spirale**. Un ressort en **spirale**.* • **Escalier en spirale :** dont les marches sont disposées autour d'un axe. SYN en colimaçon. • **Cahier à spirale :** cahier muni d'un fil de fer qui tient les feuilles ensemble en formant une spirale.

spiritisme nom masculin
Science occulte qui permettrait d'entrer en communication avec les esprits des morts.

spirituel, spirituelle adjectif
❶ De l'esprit ou de l'âme. *La vie **spirituelle**.* CONTR corporel. * Chercher aussi *matériel*, *physique*. ❷ Qui est drôle et plein d'esprit. *Greg a donné une réponse très **spirituelle** à cette question embarrassante.*

splendeur nom féminin
Chose splendide. *Ce bouquet de lys est une **splendeur** !*

splendide adjectif
Très beau. *Il fait un temps **splendide** aujourd'hui !* SYN magnifique, superbe.

spongieux, spongieuse adjectif
Qui est mou et retient l'eau comme une éponge. *Les explorateurs pataugeaient dans le sol **spongieux** du marécage.*

spontané, spontanée adjectif
❶ Qui agit de façon naturelle et sans arrière-pensée. *Maïka est une enfant directe et **spontanée**.* SYN franc. ❷ Que l'on fait très librement et sans y être obligé. *Loukian a eu un sourire **spontané** quand il m'a reconnu.* SYN sincère. CONTR forcé.
♦ Famille du mot : spontanéité, spontanément.

spontanéité nom féminin
Qualité de ce qui est spontané. *Alice a répondu avec **spontanéité**.* SYN franchise, naturel.

spontanément adverbe
De façon spontanée. *Il s'est proposé **spontanément** comme bénévole.* SYN naturellement. CONTR à contrecœur.

sporadique adjectif
Qui se produit de manière irrégulière. *Les crises d'asthme sont souvent **sporadiques**.*

spore nom féminin
Élément reproducteur de certains végétaux. *Les champignons, les fougères, les mousses produisent des **spores**.*

sport nom masculin
❶ Activité physique qui est pratiquée régulièrement pour le plaisir ou la compétition. *Faire du **sport** est bon pour la santé.* ❷ Activité physique particulière. *Le football, le hockey et le volleyball sont des **sports** d'équipe; le cyclisme, le saut et la natation sont des **sports** individuels.* * Chercher aussi *athlétisme*.

sportif, sportive adjectif
Qui concerne le sport. *Une compétition **sportive**.* ■ **sportif, sportive** adjectif et nom Qui aime le sport et en fait régulièrement. *Raphaëlle est une fille **sportive**: elle fait de la natation trois fois par semaine. – Ce **sportif** s'entraîne pour une compétition.*

spot nom masculin
Petit projecteur. *De nombreux **spots** éclairent la vitrine.* * Attention! Le *t* du mot *spot* se prononce.

*Un **spot***

sprint nom masculin
Accélération de l'allure en fin de course. *Kirsten a été battue au **sprint**.* ♦ Famille du mot: sprinter, sprinteur.

sprinter verbe ▸ conjug. 3
Faire un sprint. *Manolo **a sprinté** sur les cinquante derniers mètres.*

sprinteur, sprinteuse nom
Athlète qui excelle au sprint.

square nom masculin
Petit jardin public. *Les enfants jouent dans les allées du **square**.*

squash nom masculin
Sport pratiqué en salle entre deux joueurs, avec une raquette et une petite balle qui rebondit contre les quatre murs. * Attention! Le mot *squash* se prononce *skoiche*.

squatter verbe ▸ conjug. 3
Occuper sans autorisation un logement vide. *Des jeunes **squattent** un entrepôt désaffecté.* * Attention! Le mot *squatter* se prononce *skoiter*.

squatteur, squatteuse nom
Personne qui squatte un logement. *La police a chassé les **squatteurs**.* * Attention! Le mot *squatteur* se prononce *skoiteur*.

squelette nom masculin
Ensemble des os du corps d'un être humain ou d'un animal. *Le **squelette** humain pèse de trois à six kilos et comprend environ deux cents os.*

*Un **squelette***

squelettique adjectif
Très maigre. *Ce chat errant est **squelettique**.*

srilankais, srilankaise
➔Voir tableau, p. 1319.

stabiliser verbe ▸ conjug. 3
Rendre stable. ***Stabiliser** les exportations.* ■ **se stabiliser**: devenir stable. *Depuis quelques jours, le temps **s'est stabilisé**.*

stabilité nom féminin
Qualité de ce qui est stable. *Cet escabeau manque de **stabilité**.*

stable adjectif
❶ Qui est bien en équilibre sur sa base. *Pour monter si haut, il me faudrait une échelle bien **stable**.* CONTR bancal, branlant, instable. ❷ Qui ne change pas. *Ce pays a un régime **stable** depuis de nombreuses années.* CONTR instable. ❸ Qui est dans un état durable. *Elle a un emploi **stable**.* CONTR précaire. ♦ Famille du mot: déstabiliser, instabilité, instable, stabiliser, stabilité.

① **stade** nom masculin
Terrain aménagé pour la pratique des sports. *Les tribunes du **stade** sont remplies de spectateurs.*

*Un **stade***

② stade nom masculin
Moment dans une évolution. *Il apprend à jouer du piano, mais il en est encore au **stade** des débutants. Les **stades** du développement des têtards.* SYN étape, phase.

stage nom masculin
Période de formation pendant laquelle on met en pratique quelque chose que l'on apprend. *Un **stage** en médecine générale. Un **stage** en entreprise.*

stagiaire adjectif et nom
Qui fait un stage. *Il est **stagiaire** dans une banque. – Cette entreprise a accueilli une **stagiaire**.*

stagnant, stagnante adjectif
Qui stagne. *L'eau **stagnante** d'une mare.* SYN dormant. CONTR courant. * Attention ! Dans le mot *stagnant*, les lettres *g* et *n* se prononcent distinctement.

stagnation nom féminin
Fait de stagner. *Les affaires ne marchent pas bien, c'est une période de **stagnation**.* SYN marasme. * Attention ! Dans le mot *stagnation*, les lettres *g* et *n* se prononcent distinctement.

stagner verbe ▸ conjug. 3
❶ Rester immobile sans s'écouler. *L'eau qui **stagne** encrasse le bassin.* * Chercher aussi *croupir*. ❷ Rester dans le même état sans évoluer. *La production industrielle **stagne**.* CONTR prospérer. * Attention ! Dans le verbe *stagner*, les lettres *g* et *n* se prononcent distinctement. ♦ Famille du mot : stagnant, stagnation.

stalactite nom féminin
Dépôt de calcaire qui descend du plafond d'une grotte en formant une sorte de colonne.

*Des **stalactites***

stalagmite nom féminin
Dépôt de calcaire en forme de colonne qui s'élève sur le sol d'une grotte. *En s'égouttant d'une stalactite, l'eau forme une **stalagmite** au-dessous.* * Attention ! Pour distinguer *stalactite* et *stalagmite*, on peut se souvenir que « les stalac**t**ites **t**ombent » et que « les stalag**m**ites **m**ontent ».

stalle nom féminin
Compartiment pour un cheval dans une écurie.

stand nom masculin
Emplacement réservé dans une fête, une foire ou une exposition. *Au Salon des inventeurs, chaque exposant dispose d'un **stand** pour montrer ses dernières créations.* SYN kiosque.

① standard adjectif
Qui correspond au modèle courant. *Voici une télévision **standard**, mais nous avons des modèles plus perfectionnés.* ✎ Pluriel : ***standards*** ou ***standard***. ♦ Famille du mot : standardisation, standardisé, standardiser.

② standard nom masculin
❶ Norme. *C'est le **standard** dans cette industrie.* ❷ Installation qui permet de centraliser tous les appels téléphoniques de l'extérieur et de les diriger vers les différents postes d'une entreprise.

standardisation nom féminin
Normalisation. *Mon père ne trouve pas de pièces de rechange, parce qu'il n'y a pas de **standardisation** entre les marques.*

standardisé, standardisée adjectif
Conforme à un modèle standard. *Les tailles de vêtements sont **standardisées**.*

standardiser verbe ▸ conjug. 3
Normaliser. *L'industrie de la chaussure **a standardisé** les pointures.*

standardiste nom
Personne qui s'occupe d'un standard téléphonique. *La **standardiste** achemine les appels.* SYN téléphoniste. * Chercher aussi *opérateur*.

star nom féminin
Vedette. *De nombreuses **stars** du cinéma ont assisté à la remise des prix.* SYN étoile.

station nom féminin
❶ Endroit où s'arrêtent certains véhicules de transport. *Je descends à la prochaine **station** de métro.* SYN arrêt. *Je vais me diriger vers la **station** de taxi.* ❷ Fait de se tenir de telle

a b c d e f g h i j k l m n o p q r s t u v w x y z

façon. *La **station** debout est parfois pénible pour les personnes âgées.* ❸ Lieu de séjour. *Une **station** de ski. Une **station** balnéaire.* ❹ Installation destinée à faire des observations scientifiques. *Une **station** météorologique.* ❺ Centre à partir duquel sont transmis des programmes de radio ou de télévision. ♦ Famille du mot : stationnaire, stationnement, stationner, station-service.

stationnaire adjectif
Qui ne bouge pas ou n'évolue pas. *L'état du blessé est **stationnaire**.* **SYN** stable.

stationnement nom masculin
❶ Espace où l'on peut garer sa voiture. *Dans les centres commerciaux, il y a de grands **stationnements**.* **SYN** parc* de stationnement. ❷ Action de stationner. *On ne peut pas se garer ici, il y a un panneau de **stationnement** interdit.*

stationner verbe ▸ conjug. 3
❶ Ranger son véhicule dans un stationnement. *Elle **stationne** sa voiture dans le garage.* ❷ S'arrêter et rester au même endroit. *Le camion **stationne** en double file pour effectuer une livraison.*

station-service nom féminin
Endroit où l'on peut acheter de l'essence et de l'huile, faire laver sa voiture, etc. *À la **station-service**, mon père a gonflé les pneus de sa voiture.* ✎ Pluriel : *des **stations-services*** ou *des **stations-service***. * Chercher aussi *garage*.

statistique nom féminin
Chiffres que l'on enregistre à propos de faits précis pour faire des comparaisons et en tirer des conclusions. *Les **statistiques** montrent que plus du tiers des Canadiens pratiquent régulièrement un sport.*

statue nom féminin
Figure sculptée représentant en entier un être réel ou imaginaire. *Dans le parc, il y a des **statues** en pierre.* * Chercher aussi *buste*, *sculpture*. * Ne pas confondre *statue* et *statut*.

statuer verbe ▸ conjug. 3
Prendre une décision officielle. *Les responsables vont **statuer** demain sur cette affaire de dopage.*

statuette nom féminin
Petite statue. *Une **statuette** de bronze.* **SYN** figurine.

statu quo nom masculin invariable
État actuel des choses. *Les négociations n'ont pas avancé du tout, on en est toujours au **statu quo**.* ✎ On peut écrire aussi *un **statuquo**, des **statuquos***. * Attention ! Le mot *statu quo* se prononce *statu kwo*.

stature nom féminin
Taille d'une personne. *C'est un homme d'une **stature** imposante.*

statut nom masculin
Situation spéciale fixée par des lois. *Le **statut** des diplomates.* ■ **statuts** nom masculin pluriel Règles qui fixent le but et le fonctionnement d'un groupe. *Les **statuts** d'une association sportive.* * Ne pas confondre *statut* et *statue*.

steak nom masculin
Tranche de bœuf à griller ou grillée. *Au restaurant, j'ai commandé un **steak** et une salade.* **SYN** bifteck.

stèle nom féminin
Pierre dressée portant une inscription. *Dans le cimetière, il y a des **stèles** funéraires.*

steppe nom féminin
Vaste plaine herbeuse presque désertique. *Les Mongols sont des nomades des **steppes** d'Asie.* * Chercher aussi *brousse*, *pampa*, *savane*.

stère nom masculin
Unité de volume égale au mètre cube. *Le **stère** n'est utilisé que pour mesurer le bois.*

stéréo →Voir **stéréophonie, stéréophonique**

stéréophonie nom féminin
Procédé de reproduction du son qui donne une impression de relief sonore. *Quand on écoute de la musique en **stéréophonie**, on se croirait dans une salle de concert.* * Abréviation : ***stéréo***.

stéréophonique adjectif
Qui utilise la stéréophonie. *Ce disque est un enregistrement **stéréophonique**.* * Abréviation : ***stéréo***.

stéréotype nom masculin
Opinion toute faite. *Dire que « les jeunes passent trop de temps devant la télévision » est un **stéréotype**.* **SYN** cliché.

stéréotypé, stéréotypée adjectif
Qui est toujours le même en toute circonstance, qui est tout fait ou figé. *Des formules **stéréotypées**.*

stérile adjectif
❶ Qui ne peut pas se reproduire. *Les animaux castrés sont **stériles**.* CONTR fécond. ❷ Où rien ne peut pousser. *Les déserts sont des étendues **stériles**.* CONTR fertile. ❸ Au sens figuré, qui n'aboutit à rien. *Des discussions **stériles**.* SYN inutile, vain. CONTR fécond, fructueux. ❹ Où il n'y a pas de microbes. *Une compresse **stérile**.*
♦ Famille du mot : stérilisation, stérilisé, stériliser, stérilité.

stérilisation nom féminin
Action de stériliser. *La **stérilisation** a été une révolution en médecine.*

stérilisé, stérilisée adjectif
Dont on a détruit tous les microbes. *Du lait **stérilisé**.* * Chercher aussi *pasteurisé*. *Un contenant **stérilisé**.*

stériliser verbe ▶ conjug. 3
❶ Rendre incapable de se reproduire. *Mes grands-parents ont fait **stériliser** leur petite chatte.* ❷ Débarrasser des microbes. *On **stérilise** le lait en le faisant bouillir.* * Chercher aussi *pasteuriser*. ***Stériliser** des instruments chirurgicaux.* SYN aseptiser.

stérilité nom féminin
Fait d'être stérile. *La **stérilité** d'un couple.* CONTR fécondité. *La **stérilité** d'un sol.* CONTR fertilité.

sternum nom masculin
Os plat du milieu de la poitrine. *Les côtes supérieures et les clavicules s'articulent au **sternum**.* * Attention ! La deuxième syllabe du mot *sternum* se prononce *nome*.

stéthoscope nom masculin
Appareil qui sert à ausculter, à écouter les bruits à l'intérieur du corps. *Le **stéthoscope** amplifie les bruits du cœur.*

Un **stéthoscope**

stimulant, stimulante adjectif
Qui stimule. *Les bravos de leurs partisans sont très **stimulants** pour les joueurs.* SYN encourageant.
■ **stimulant** nom masculin Produit qui donne de l'énergie, de l'entrain. *Le café et le thé sont des **stimulants**.* SYN excitant.

stimuler verbe ▶ conjug. 3
❶ Donner envie d'agir. *Cet enseignant sait **stimuler** la curiosité des élèves.* SYN encourager, exciter. ❷ Redonner des forces. *Le grand air m'**a stimulé**.*

stock nom masculin
Quantité de marchandises en réserve. *Ce commerçant cherche à écouler son **stock**.*

stocker verbe ▶ conjug. 3
Mettre en réserve. ***Stocker** le blé dans des silos.* SYN emmagasiner, entreposer.

stoïque adjectif
Qui souffre sans rien dire. *Quand on lui a fait des reproches, Nabil est resté **stoïque**.* SYN impassible.

stop ! interjection
Sert à donner l'ordre de s'arrêter. ***Stop !** On ne passe pas !* ■ **stop** nom masculin Panneau de signalisation qui indique que l'on doit s'arrêter. *L'automobiliste n'a pas respecté le **stop**.* SYN arrêt.

stopper verbe ▶ conjug. 3
Arrêter. *Le conducteur a réussi à **stopper** le train juste à temps.*

store nom masculin
Rideau souple qui s'enroule ou se replie. *J'ai baissé le **store**, car le soleil était éblouissant.*

strabisme nom masculin
Fait de loucher.

strangulation nom féminin
Action d'étrangler une personne.

stratagème nom masculin
Manœuvre habile. *Naomie imagine toutes sortes de **stratagèmes** pour ne pas aller chez le dentiste.* SYN ruse, subterfuge.

strate nom féminin
Chacune des couches superposées d'un terrain. *Quand on a creusé le sol pour faire le nouveau métro, on voyait nettement les **strates** d'argile et de calcaire.*

Des **strates**

a b c d e f g h i j k l m n o p q r **s** t u v w x y z

stratégie nom féminin
Organisation d'un ensemble d'opérations dans le but d'atteindre un objectif précis. *Une **stratégie** militaire.*

stratégique adjectif
Qui a un intérêt selon une stratégie déterminée d'avance. *L'aviation a bombardé des points **stratégiques**.*

stratifié, stratifiée adjectif
Disposé en strates. *Une roche **stratifiée**.*

stratosphère nom féminin
Couche de l'atmosphère située entre 10 km et 50 km au-dessus de la surface terrestre. *La **stratosphère** contient la couche d'ozone.*

stress nom masculin
État de tension nerveuse et d'anxiété. *La conduite en ville est souvent une source de **stress** pour les automobilistes.*

stresser verbe ▶ conjug. 3
Provoquer du stress. *Ce type de travail le **stresse** énormément.* SYN angoisser. CONTR détendre.

strict, stricte adjectif
❶ Qui doit être absolument respecté. *Les consignes de sécurité sont très **strictes** dans une centrale nucléaire.* SYN rigoureux. ❷ Qui n'accepte aucun écart par rapport à la règle. *Ma mère est très **stricte** sur la propreté.* SYN sévère. ❸ Que l'on ne peut changer. *C'est la **stricte** vérité.* • **Strict nécessaire :** seulement ce qu'il faut et rien de plus. *N'emportez que le **strict nécessaire**.*

strictement adverbe
De façon stricte. *Il est **strictement** interdit de fumer dans les restaurants.* SYN absolument, rigoureusement.

strident, stridente adjectif
Se dit d'un bruit à la fois aigu et perçant. *Durant la récréation, on entend des cris **stridents**.*

strie nom féminin
Chacune des lignes parallèles d'une surface. *Les **stries** d'un coquillage.* SYN rayure.

strié, striée adjectif
Qui présente des stries. *Les ongles sont légèrement **striés**.*

Les **stries** d'un coquillage

strophe nom féminin
Partie d'un poème ayant un certain nombre de vers. *Ce poème a cinq **strophes** de quatre vers.* * Chercher aussi *couplet*.

structure nom féminin
Organisation des différentes parties d'un tout, que ce soit une bâtisse, un élément naturel ou un système. *Ces ruines nous permettent d'imaginer la **structure** du temple. La **structure** d'une cellule.*

structuré, structurée adjectif
Qui a une structure. *C'est un texte bien **structuré**.* SYN organisé.

stuc nom masculin
Matière qui imite le marbre. *Le plafond est décoré avec des moulures en **stuc**.*

studieux, studieuse adjectif
Qui aime l'étude. *Octavio est un garçon **studieux**.* CONTR dissipé, paresseux.

studio nom masculin
❶ Petit logement d'une pièce. *Pendant deux ans, elle a vécu dans un **studio**.* ❷ Local aménagé pour tourner un film ou enregistrer des émissions. *Nous avons visité les **studios** de Radio-Canada.*

stupéfaction nom féminin
État d'une personne stupéfaite. *À la **stupéfaction** générale, le favori a été battu.* SYN stupeur, surprise.

stupéfait, stupéfaite adjectif
Étonné au point de ne pouvoir réagir. *Je suis **stupéfait** d'un tel exploit.* SYN éberlué.

① **stupéfiant, stupéfiante** adjectif
Qui stupéfie. *Le numéro de ce trapéziste est **stupéfiant**.* SYN ahurissant, extraordinaire, renversant.

② **stupéfiant** nom masculin
Drogue. *La police l'a arrêtée pour trafic de **stupéfiants**.* * Chercher aussi *haschisch*, ① *héroïne*, *marijuana*.

stupéfier verbe ▶ conjug. 10
Remplir de stupeur. *Son culot me **stupéfie**.* SYN abasourdir, ébahir, sidérer. ♦ Famille du mot : stupéfaction, stupéfait, stupéfiant, stupeur.

stupeur nom féminin
Étonnement qui ôte toute possibilité de réagir. *La nouvelle les a frappés de **stupeur**.* **SYN** stupéfaction.

stupide adjectif
Qui manque d'intelligence. *Une remarque **stupide**.* **SYN** ① bête, idiot. **CONTR** intelligent, sensé.

stupidité nom féminin
❶ Caractère stupide. *Ce film est d'une **stupidité** totale.* **SYN** bêtise, idiotie. **CONTR** intelligence. ❷ Chose stupide. *Elle n'a dit que des **stupidités**.* **SYN** absurdité, ânerie, sottise.

style nom masculin
❶ Manière d'écrire. *Un **style** élégant. Écrire en **style** télégraphique.* ❷ Traits particuliers des œuvres d'une époque. *Une église de **style** gothique.* ❸ Manière d'être et d'agir de quelqu'un. *Cette tenue correspond tout à fait à son **style**.* **SYN** genre. ❹ Manière particulière et élégante de pratiquer un sport. *Cette joueuse de tennis a un beau **style**.* ♦ Famille du mot : stylé, stylisé, styliste.

stylé, stylée adjectif
Qui fait son service dans les règles et avec élégance. *Le personnel du restaurant est **stylé**.*

stylisé, stylisée adjectif
❶ Qui a un style particulier. *Une robe **stylisée**.* ❷ Dessiné de manière simplifiée. *Cette nappe est imprimée de fleurs **stylisées**.*

styliste nom
Personne qui crée des modèles pour l'habillement, l'ameublement, etc. *La mère de Cynthia est **styliste** de mode.*

stylo nom masculin
Instrument pour écrire contenant un réservoir d'encre. • **Stylo à bille** ou **stylo-bille** : stylo dont l'encre s'écoule par une bille de métal. • **Stylo à plume** : stylo muni d'un réservoir d'encre. *Vania écrit toujours avec un stylo à bille, mais sa grand-mère préfère les **stylos à plume**.*

Des **stylos**

suave adjectif
D'une douceur exquise. *Brenda aime l'odeur **suave** du lilas.*

sub- préfixe
Placé au début d'un mot pour former un autre mot, *sub-* signifie « sous » (***sub**division*, ***sub**merger*).

subalterne adjectif et nom
Subordonné. *Elle est toujours très polie avec ses **subalternes**.* **CONTR** supérieur.

subdiviser verbe ▸ conjug. 3
Diviser les parties d'un tout en parties plus petites. *Arthur a divisé la feuille en deux par un trait, puis **a subdivisé** chaque partie en trois.*

subdivision nom féminin
Partie d'un tout subdivisé. *Ce ruban à mesurer a des **subdivisions** en millimètres.*

subir verbe ▸ conjug. 11
❶ Supporter. *J'en ai assez de **subir** ses reproches.* ❷ Se soumettre à une intervention chirurgicale. *M. Lépine **a subi** une opération à cœur ouvert.*

subit, subite adjectif
Qui arrive de façon brusque et inattendue. *Je ne sais quelle rage **subite** l'a pris.* **SYN** soudain.
* Attention ! Le *t* du masculin *subit* ne se prononce pas.

subitement adverbe
De façon subite. *La voiture a **subitement** changé de direction.* **SYN** brusquement, soudainement, tout à coup.

subjectif, subjective adjectif
Qui dépend de la personnalité et des goûts de chacun. *C'est un avis **subjectif**.* **CONTR** objectif.

subjectivité nom féminin
Caractère de ce qui est subjectif. *La **subjectivité** de ce journaliste est inacceptable.* **CONTR** objectivité.

subjonctif nom masculin
Mode du verbe qui sert à exprimer le souhait, la possibilité, le doute, la nécessité. *Dans la phrase « Il est possible qu'il pleuve », « pleuvoir » est conjugué au **subjonctif** parce que « Il est possible que » exprime la possibilité.*
* Chercher aussi *impératif, indicatif, infinitif, participe*.

subjuguer verbe ▸ conjug. 3
Tenir quelqu'un sous son charme. *Ce professeur très aimé **subjugue** ses élèves.* **SYN** fasciner, séduire.

a b c d e f g h i j k l m n o p q r s t u v w x y z

sublime adjectif
Qui provoque l'admiration. *Cette cantatrice est* ***sublime*** *dans le rôle qu'elle interprète.* SYN admirable, extraordinaire.

submerger verbe ▸ conjug. 5
❶ Recouvrir d'eau. *Le fleuve a débordé et* ***a submergé*** *les champs.* SYN inonder. ❷ Au sens figuré, accabler. *Son travail la* ***submerge***.

submersible nom masculin
Sous-marin. *Ce* ***submersible*** *est utilisé à des fins d'espionnage.*

subordination nom féminin
Fait d'être subordonné à quelqu'un ou à quelque chose. *La* ***subordination*** *est exigée pour plusieurs emplois.*

subordonné, subordonnée nom et adjectif
Qui dépend de quelqu'un ou de quelque chose. *Ses* ***subordonnés*** *lui ont apporté une aide précieuse.* SYN subalterne. CONTR supérieur.

subsistance nom féminin
Fait de pourvoir à ses besoins, d'assurer l'existence matérielle d'une personne. *Elle assure la* ***subsistance*** *de sa famille.*

subsister verbe ▸ conjug. 3
❶ Continuer d'exister malgré le passage du temps. *De ce temple de l'Antiquité, il ne* ***subsiste*** *que quelques ruines.* SYN rester.
❷ Avoir de quoi vivre. *Son salaire lui permet tout juste de* ***subsister***. SYN survivre.

substance nom féminin
❶ Ce en quoi une chose est faite. *Le verre est une* ***substance*** *cassante.* SYN corps, matière.
❷ Ce qu'il y a de plus important, d'essentiel. *Éric m'a résumé la* ***substance*** *de son discours.*
• **En substance :** en résumé. *Voilà,* ***en substance***, *ce qu'il nous a raconté.*

substantiel, substantielle adjectif
❶ Qui n'est pas négligeable. *Elle a obtenu des bénéfices* ***substantiels***. SYN important.
❷ Qui est consistant. *Quand on fait beaucoup de sport, on a besoin d'une alimentation* ***substantielle***. SYN nourrissant. * Attention ! Le deuxième *t* du mot *substantiel* se prononce comme un *s*.

substituer verbe ▸ conjug. 3
Mettre une personne ou une chose à la place d'une autre. *L'escroc* ***avait substitué*** *un faux au tableau original.*

substitut nom masculin
Ce qui remplace une chose en jouant le même rôle. *Cette tablette vitaminée est un* ***substitut*** *de repas.*

substitution nom féminin
Action de substituer. *L'histoire commence par une* ***substitution*** *de valise.*

subterfuge nom masculin
Moyen rusé pour se tirer d'affaire. *Pour éviter ses admirateurs, la star a eu recours à un habile* ***subterfuge***. SYN artifice, ruse, stratagème.

subtil, subtile adjectif
❶ Qui a beaucoup de finesse. *Kim est une enfant* ***subtile*** *et perspicace.* ❷ Qu'il est difficile de distinguer. *Entre ces deux teintes, la différence est* ***subtile***. SYN ténu.

subtiliser verbe ▸ conjug. 3
Voler quelque chose habilement. *On lui* ***a subtilisé*** *son portefeuille.* SYN dérober.

subtilité nom féminin
Caractère subtil. *Cette remarque est pleine de* ***subtilité***. SYN finesse.

subvenir verbe ▸ conjug. 19
Fournir ce qu'il faut pour payer les frais pour vivre. *Tu n'es pas assez grande pour* ***subvenir*** *à tes besoins.* SYN pourvoir.

subvention nom féminin
Aide financière. *Sans les* ***subventions*** *de l'État, le théâtre aurait fermé.*

subventionner verbe ▸ conjug. 3
Accorder une subvention. *La municipalité* ***subventionne*** *cet établissement.*

subversif, subversive adjectif
Qui menace l'ordre établi. *Le dictateur a fait arrêter les opposants pour propos* ***subversifs***.

suc nom masculin
Liquide que l'on peut extraire d'une plante. *Certains insectes se nourrissent du* ***suc*** *des fleurs.* • **Suc gastrique :** liquide sécrété par l'estomac, qui permet la digestion.

succédané nom masculin
Produit que l'on peut substituer à un autre. *À cause de son diabète, il met un* ***succédané*** *de sucre dans son café.*

succéder verbe ▸ conjug. 8
Venir après quelqu'un ou quelque chose. *Cette pharmacienne* ***a succédé*** *à son père.*

■ *se* **succéder** : venir l'un après l'autre. *Les visites* ***se sont succédé*** *sans interruption dans la loge de la chanteuse.* ✎ On peut écrire aussi, au futur, *ils* ***(se) succèderont*** ; au conditionnel, *elles* ***(se) succèderaient***. ♦ Famille du mot : successeur, successif, succession, successivement.

succès nom masculin
❶ Bon résultat. *Le* ***succès*** *de l'opération a été complet.* **SYN** réussite. **CONTR** échec. ❷ Fait de plaire au public. *Ce livre a eu beaucoup de* ***succès***.

successeur, successeure nom
Personne qui succède à une autre. *Son* ***successeur*** *vient d'être nommé. Sa* ***successeure*** *sera une autre élève.* **CONTR** prédécesseur.

successif, successive adjectif
Se dit de choses qui se succèdent, se suivent de près. *Emma a gagné trois parties* ***successives***.

succession nom féminin
❶ Fait de succéder à quelqu'un. *C'est son fils qui a pris sa* ***succession*** *à la tête de l'entreprise.* ❷ Série de personnes ou de choses qui se succèdent. *Il y a eu une* ***succession*** *de coups de téléphone.* **SYN** suite. ❸ Biens laissés par une personne à ses héritiers. *Chacun des héritiers a reçu une part de la* ***succession***. **SYN** héritage.

successivement adverbe
L'un après l'autre. *Il a visité* ***successivement*** *la France, l'Italie et l'Espagne.*

succinct, succincte adjectif
Qui est réduit à l'essentiel. *Faites une description* ***succincte*** *de vos vacances.* **SYN** bref, concis. **CONTR** détaillé. * Attention ! Le troisième *c* du mot *succinct* ne se prononce pas.

succinctement adverbe
De manière succincte. *Léo nous a expliqué* ***succinctement*** *la situation.* **SYN** brièvement. * Attention ! Le troisième *c* du mot *succinctement* ne se prononce pas.

succomber verbe ▸ conjug. 3
❶ Mourir. *La blessée* ***a succombé*** *à ses blessures.* ❷ Ne pas résister. *Jules* ***a succombé*** *à l'envie de manger un gâteau.*

succulent, succulente adjectif
Très bon. *Ce jambon à l'érable est* ***succulent***. **SYN** excellent, savoureux.

succursale nom féminin
Établissement commercial qui dépend d'un autre. *Ce grand magasin a des* ***succursales*** *dans plusieurs villes.*

sucer verbe ▸ conjug. 4
❶ Laisser fondre dans la bouche. *Antonella* ***suce*** *un bonbon à la menthe.* ❷ Mettre dans la bouche et aspirer comme pour téter. ***Sucer*** *son pouce.*

suçon nom masculin
Bonbon à sucer fixé au bout d'un bâtonnet. *Un* ***suçon*** *à saveur de cerise.*

sucre nom masculin
❶ Substance alimentaire de saveur douce, tirée de la betterave à sucre ou de la canne à sucre. *Le* ***sucre*** *est brun quand il n'est pas raffiné. Du* ***sucre*** *en poudre.* ❷ Morceau de sucre. *Il met deux* ***sucres*** *dans son café.* • **Sucre d'érable** : produit obtenu par l'évaporation du sirop d'érable. • **Saison des sucres** ou **temps des sucres** : époque du printemps pendant laquelle on prépare les produits de l'érable à la cabane à sucre. 👁p. 12. • **Aller aux sucres** : aller à la cabane à sucre. • **Partie de sucre** : dégustation des produits de l'érable à la cabane à sucre. • **Sucre à la crème** : friandise fabriquée avec du sirop d'érable ou de la cassonade que l'on fait bouillir avec de la crème jusqu'à ce que l'on obtienne une substance solide. ♦ Famille du mot : sucré, sucrer, sucreries, sucrier.

La saison des ***sucres***

sucré, sucrée adjectif
Qui contient du sucre ou en a le goût. *Du raisin très* ***sucré***.

sucrer verbe ▸ conjug. 3
Mettre du sucre. *Ma mère ne* ***sucre*** *pas son café.*

a b c d e f g h i j k l m n o p q r s t u v w x y z

sucreries nom féminin pluriel
Friandises faites avec du sucre. *Manger trop de* ***sucreries*** *est mauvais pour les dents.* SYN confiserie. ■ **sucrerie** nom féminin Usine où l'on fabrique le sucre.

sucrier, sucrière adjectif
Qui produit du sucre. *L'industrie* ***sucrière****.* ■ **sucrier** nom masculin Récipient pour le sucre. *Le* ***sucrier*** *est vide.*

sud nom masculin
❶ Celui des quatre points cardinaux qui s'oppose au nord. *Les maisons exposées plein* ***sud*** *ont le soleil presque toute la journée.* ❷ Partie qui se situe au sud d'un pays ou d'une région. *À Noël, Alek fera une croisière dans le* ***Sud****.* ■ **sud** adjectif invariable Qui est situé au sud. *La rive* ***sud*** *du fleuve Saint-Laurent. Le Pacifique* ***Sud****.* ✎ Attention ! Le point cardinal s'écrit avec une minuscule quand il désigne une orientation. Il s'écrit avec une majuscule quand il désigne un pays, une région.

sud-africain, sud-africaine
➜Voir tableau, p. 1319.

sud-américain, sud-américaine adjectif et nom
De l'Amérique du Sud. *La géographie* ***sud-américaine****. – Les* ***Sud-Américains****, les* ***Sud-Américaines****.* ✎ Attention ! Le nom, qui désigne les habitants, s'écrit avec une majuscule.

sud-coréen, sud-coréenne
➜Voir tableau, p. 1319.

suédois, suédoise
➜Voir tableau, p. 1319.

suer verbe ▸ conjug. 3
Rejeter de la sueur. *Les boxeurs* ***suent*** *à grosses gouttes.* SYN transpirer. • **Suer sang et eau :** se donner beaucoup de mal.

sueur nom féminin
Transpiration. *Veronica a de la* ***sueur*** *sur le front parce qu'elle vient de courir.* • **Être en sueur :** avoir beaucoup de sueur sur le corps. *Loïc* ***était en sueur*** *après son entraînement.* • **Avoir des sueurs froides :** avoir très peur.

suffire verbe ▸ conjug. 44
Être en quantité assez grande. *Ce plat* ***suffira*** *bien pour six.* • **Il suffit de :** il faut seulement. *Pour arriver à 13 heures,* ***il suffit de*** *partir à midi.* • **Cela suffit, ça suffit :** c'en est assez. *Cessez de vous chamailler !* ***Ça suffit*** *!*
♦ Famille du mot : insuffisamment, insuffisance, insuffisant, suffisamment, suffisant.

suffisamment adverbe
De façon suffisante. *Tu as* ***suffisamment*** *travaillé ce soir, tu devrais te détendre.* SYN assez. CONTR insuffisamment.

suffisant, suffisante adjectif
❶ Qui suffit. *Il reste du lait en quantité* ***suffisante*** *pour ce matin.* CONTR insuffisant. ❷ Trop sûr de soi. *C'est un garçon* ***suffisant*** *et arrogant.* SYN prétentieux, vaniteux.

suffixe nom masculin
Élément qui s'ajoute à la fin d'un mot de base pour former un mot dérivé. *Dans le mot « difficilement », « ment » est un* ***suffixe****.*

suffocant, suffocante adjectif
Qui fait suffoquer, qui empêche de bien respirer. *Une chaleur* ***suffocante****.* SYN étouffant.

suffocation nom féminin
Fait de suffoquer. SYN étouffement. * Chercher aussi *asphyxie*.

suffoquer verbe ▸ conjug. 3
❶ Respirer avec difficulté au point d'étouffer. *La fumée qui emplissait la salle nous* ***suffoquait****.* ❷ Couper le souffle de surprise. *Cette nouvelle surprenante m'****a suffoquée****.*
♦ Famille du mot : suffocant, suffocation.

suffrage nom masculin
❶ Système de vote. *Dans le* ***suffrage*** *universel, tous les citoyens majeurs peuvent voter.* ❷ Voix. *Ce candidat a recueilli la majorité des* ***suffrages****.* SYN vote.

suggérer verbe ▸ conjug. 8
Donner une idée à quelqu'un. *Je vous* ***suggère*** *d'aller jouer dehors.* SYN proposer. ✎ On peut écrire aussi, au futur, *je* ***suggèrerai*** ; au conditionnel, *tu* ***suggèrerais***.

suggestion nom féminin
Chose suggérée. *Les clients du magasin sont invités à faire part de leurs* ***suggestions****.* SYN proposition.

suicidaire adjectif
Qui peut mener à la mort. *C'est* ***suicidaire*** *de faire ce type de cascades.*

suicide nom masculin
Fait de se suicider. *La police ne sait pas encore si c'est un meurtre ou un* ***suicide****.*

se **suicider** verbe ▸ conjug. 3
Se tuer volontairement. *Il a tenté de **se suicider**.* ♦ Famille du mot : suicidaire, suicide.

suie nom féminin
Dépôt noir laissé par la fumée dans les cheminées. *Le ramoneur est noir de **suie**.*

suintement nom masculin
Écoulement d'un liquide qui suinte. *Le **suintement** de l'eau sur les parois d'une grotte.*

suinter verbe ▸ conjug. 3
S'écouler goutte à goutte, d'une manière presque imperceptible. *Il doit y avoir une fuite, l'eau **suinte** du plafond.*

① **suisse** adjectif et nom
De Suisse. *L'horlogerie **suisse**. – Un **Suisse**, une **Suisse*** ou *une **Suissesse**.* ✎ Attention ! Le nom, qui désigne les habitants, s'écrit avec une majuscule.

② **suisse** nom masculin
Petit écureuil terrestre que l'on appelle aussi « tamia rayé ».

Un **suisse**

suite nom féminin
❶ Ce qui suit, qui vient après quelque chose. *Vous saurez la **suite** de l'histoire demain.* ❷ Ensemble d'évènements qui se suivent. *Il y a eu une **suite** d'imprévus ce matin.* SYN série, succession. ❸ Conséquence d'un évènement. *Il est mort des **suites** d'une pneumonie mal soignée.* ❹ Personnes qui suivent un haut personnage dans ses déplacements. *La reine est arrivée avec sa **suite**.* • **À la suite de :** après, en conséquence. *Il s'est cassé la jambe **à la suite** d'une chute.* • **De suite :** successivement. *Il a été absent trois jours **de suite**.* • **Par la suite :** plus tard. SYN ensuite. • **Ainsi de suite :** en continuant de la même manière. *Après l'incident, il a fallu avertir ses parents, ses amis, son école et **ainsi de suite**.* * Chercher aussi *tout de suite*.

① **suivant** préposition
Selon. ***Suivant** l'avis de certains experts, la planète se réchauffe.*

② **suivant, suivante** adjectif et nom
Qui suit. *Le mois **suivant**, Matéo est allé à Trois-Rivières. – Au **suivant** !*
CONTR précédent.

suivi, suivie adjectif
Qui se poursuit régulièrement. *Ces deux personnes ont des relations très **suivies**.*
SYN continu, régulier. ■ **suivi** nom masculin
Action de suivre. *Assurer le **suivi** d'un dossier.*

suivre verbe ▸ conjug. 49
❶ Marcher derrière. ***Suivez** le guide !* CONTR précéder. ❷ Accompagner quelqu'un. *Mon chien voudrait me **suivre** partout.* ❸ Venir après. *Le calme **suit** la tempête.* SYN succéder. CONTR précéder. ❹ Aller dans la même direction. ***Suivez** la route jusqu'au village. Ce sentier **suit** le fleuve.* ❺ Agir en se laissant guider ou influencer. *Elle ne **suit** jamais la mode. J'aurais dû **suivre** vos conseils.* ❻ Aller régulièrement quelque part pour apprendre. *Le grand frère de Marisa **suit** des cours de piano.* ❼ Écouter attentivement. *Je **suis** cette émission chaque semaine.* ❽ Bien comprendre la logique de ce qui se dit. *Raphaël a un peu de mal à **suivre** en mathématique.* ♦ Famille du mot : s'ensuivre, suite, suivant, suivi.

① **sujet** nom masculin
❶ Ce dont on parle. *Le **sujet** du livre est le dressage des chiens.* SYN thème. • **Au sujet de :** à propos de. *Ils se sont disputés **au sujet du** match.* ❷ Mot ou groupe de mots avec lesquels le verbe s'accorde. *Dans la phrase « Lidie joue », « Lidie » est le **sujet** du verbe « jouer ».* ❸ Cause de quelque chose. *Sa distraction est devenue un **sujet** de plaisanterie.* SYN motif, occasion.

② **sujet** nom masculin
Personne soumise à l'autorité d'un roi ou ressortissant d'un pays. *Les **sujets** de la reine Élisabeth II d'Angleterre.*

③ **sujet, sujette** adjectif
Qui souffre souvent de telle chose. *Liam est **sujet** au rhume des foins.*

sultan nom masculin
Titre de certains souverains musulmans. *Le **sultan** d'Oman.* * Chercher aussi *émir*.

summum nom masculin
Plus haut point ou plus haut degré. *Cette athlète est au **summum** de sa forme.*
SYN maximum. * Attention ! Le mot *summum* se prononce *somome*.

sumo nom masculin
❶ Lutte japonaise traditionnelle. *Les lutteurs de **sumo** sont énormes.* ❷ Le lutteur lui-même. ✎ Pluriel : *des **sumos**.*

*Un **sumo***

① **super-** préfixe
Placé au début d'un mot pour former un autre mot, *super-* signifie « supérieur », « très grand », « très fort », etc. (un ***super**champion* ; elle est ***super**gentille*).

② **super** adjectif invariable
Dans la langue familière, très bien. *Camille vient avec nous, c'est **super** !* SYN formidable.

③ **super** nom masculin
Abréviation de *supercarburant*. *Faire le plein de **super**.*

superbe adjectif
Très beau. *Il fait un temps **superbe**.* SYN magnifique, splendide.

supercarburant nom masculin
Carburant dont l'indice d'octane est plus élevé que celui de l'essence ordinaire.

supercherie nom féminin
Tromperie ou fraude. *Ce produit miracle n'était qu'une **supercherie**.*

superficie nom féminin
Étendue d'une surface. *La **superficie** du Canada est de 9 984 670 km².* ♦ Famille du mot : superficiel, superficiellement.

superficiel, superficielle adjectif
❶ Qui est à la surface. *Une blessure **superficielle**.* ❷ Qui manque de profondeur, de consistance, de réflexion. *C'est un homme **superficiel**. Une analyse **superficielle**.*

superficiellement adverbe
De manière superficielle. *La balle l'a atteint **superficiellement**. J'ai parcouru ce dossier **superficiellement**.*

superflu, superflue adjectif
Dont on pourrait se passer. *Ce deuxième dessert est **superflu**.* CONTR indispensable, nécessaire. ■ **superflu** nom masculin Ce qui n'est pas vraiment indispensable. *Il a gardé le nécessaire pour vivre, mais il s'est débarrassé de tout le **superflu**.* CONTR nécessaire.

supérieur, supérieure adjectif
❶ Qui est placé au-dessus. *M. Roy a une blessure sur la lèvre **supérieure**.* CONTR inférieur. ❷ Qui est plus grand. *David a une taille **supérieure** à celle d'Oscar.* ❸ Qui est meilleur. *Le vainqueur avait une technique nettement **supérieure** à celle des autres concurrents.* ■ **supérieur, supérieure** nom Au travail, personne d'un rang plus élevé que les autres. *Il doit rendre compte à ses **supérieurs**.* SYN chef. CONTR subalterne, subordonné.

supériorité nom féminin
Fait d'être supérieur. *La **supériorité** d'Éloïse aux échecs est incontestable.* CONTR infériorité.

supermarché nom masculin
Très grand magasin de nourriture surtout, où l'on se sert soi-même.

superposer verbe ▸ conjug. 3
Poser des choses les unes sur les autres. *Ils **ont superposé** des casiers pour fabriquer une bibliothèque.* • **Lits superposés :** lits placés l'un au-dessus de l'autre ; on accède au lit supérieur par une échelle.

*Des lits **superposés***

supersonique adjectif
D'une vitesse supérieure à celle du son. *Un avion **supersonique**.*

superstitieux, superstitieuse adjectif
Qui fait preuve de superstition. *Ça m'est égal de voyager un vendredi 13, je ne suis pas **superstitieuse**.*

superstition nom féminin
Fait de croire à l'influence de certains signes ou de certains faits. *Croire que les trèfles à quatre feuilles portent bonheur est une **superstition**.*

superviser verbe ▸ conjug. 3
Contrôler un travail sans entrer dans les détails. *Le directeur* ***supervise*** *tous les services.*

superviseur, superviseure nom
Personne qui supervise le travail du personnel subalterne.

supplanter verbe ▸ conjug. 3
Prendre la place de quelque chose ou de quelqu'un. *L'ordinateur* ***a supplanté*** *la machine à écrire dans les bureaux.*

suppléant, suppléante nom et adjectif
Qui supplée, remplace une autre personne. *Quand l'enseignante est tombée malade, c'est un* ***suppléant*** *qui l'a remplacée.* **SYN** remplaçant. – *Un professeur* ***suppléant.*** * Chercher aussi *titulaire.*

suppléer verbe ▸ conjug. 3
❶ Remplacer quelqu'un dans ses fonctions. *C'est l'adjointe qui* ***supplée*** *le maire en son absence.* ❷ Remédier à un manque, à un défaut. *Sa prodigieuse mémoire* ***supplée*** *à sa paresse.* **SYN** compenser.

supplément nom masculin
Ce qui vient s'ajouter à quelque chose. *Pour ce plat, il y a un* ***supplément*** *de cinq dollars.* • **En supplément :** en sus. *Le dessert n'est pas compris dans le menu, il est* ***en supplément.***

supplémentaire adjectif
Qui vient en supplément. *Obtenir un rabais* ***supplémentaire.***

supplication nom féminin
Paroles d'une personne qui supplie. *Enzo est resté insensible aux* ***supplications*** *de Hadija.*

supplice nom masculin
❶ Autrefois, châtiment décidé par un tribunal qui consistait à tuer le condamné en le faisant souffrir. *Les* ***supplices*** *ont été supprimés à la fin du 18e siècle.* ❷ Cause de souffrance. *Pour un timide comme lui, les présentations orales sont un véritable* ***supplice.*** **SYN** torture.

supplier verbe ▸ conjug. 10
Prier quelqu'un avec insistance. *Elle* ***a supplié*** *sa mère de la croire.* **SYN** implorer.

support nom masculin
Objet sur lequel repose un autre objet. *Il a reposé le téléphone sur son* ***support.***

supportable adjectif
Que l'on peut supporter. *À cette heure matinale, la chaleur est tout à fait* ***supportable.*** **CONTR** insupportable.

supporter verbe ▸ conjug. 3
❶ Servir de support. *Ces poutres* ***supportent*** *le plancher.* **SYN** porter, soutenir. ❷ Accepter une chose pénible sans se plaindre. *Je* ***supporte*** *sa mauvaise humeur depuis longtemps.* **SYN** tolérer. ❸ Bien résister à quelque chose. *Les poissons rouges* ***supportent*** *bien l'eau froide.* ♦ Famille du mot : insupportable, support, supportable.

supposer verbe ▸ conjug. 3
❶ Penser que quelque chose est probable. *On* ***suppose*** *qu'il reviendra.* **SYN** présumer. ❷ Avoir comme condition nécessaire. *Ce travail* ***suppose*** *beaucoup de patience.* **SYN** exiger, réclamer.

supposition nom féminin
Chose supposée. *Je n'en suis pas certain, ce n'est qu'une* ***supposition.*** **SYN** hypothèse.

suppositoire nom masculin
Médicament que l'on introduit dans le rectum.

suppression nom féminin
Action de supprimer. *La* ***suppression*** *de la peine de mort.* **SYN** abolition.

supprimer verbe ▸ conjug. 3
❶ Faire disparaître quelque chose. *On* ***a supprimé*** *cette ligne de chemin de fer.* **CONTR** maintenir. ❷ Enlever une partie d'un ensemble. *Andy* ***a supprimé*** *quelques répétitions dans son texte.* **SYN** ôter.

suppurer verbe ▸ conjug. 3
Laisser écouler du pus. *Alex a une blessure qui* ***suppure.***

suprématie nom féminin
Situation dominante. *La* ***suprématie*** *économique des États-Unis.* * Attention ! Le *t* du mot *suprématie* se prononce comme un *s.*

suprême adjectif
Au-dessus de tout ou de tous. *Le pape est le chef* ***suprême*** *de l'Église catholique.*

① **sur** préposition
Sert à indiquer… ❶ un lieu situé plus haut. *Le chat est monté* ***sur*** *la table.* ❷ un endroit d'une surface variable. *Il y a une affiche* ***sur*** *le mur.* ❸ la proportion. *Dans ma classe, deux élèves* ***sur*** *cinq sont des allophones.* ❹ le sujet. *C'est un livre* ***sur*** *la Grèce.* * Ne pas confondre *sur* et *sûr.*

② sur, sure adjectif
Qui a un goût aigre, acide. *Une pomme **sure**.*
* Ne pas confondre *sur* et *sûr*.

③ sur- préfixe
Placé au début d'un mot pour former un autre mot, *sur-* signifie «très», «trop» (***sur**chauffer*, ***sur**estimer*).

sûr, sûre adjectif
❶ Qui est persuadé de quelque chose. *Il est **sûr** de ce qu'il avance.* SYN certain, convaincu. ❷ Dont on ne peut douter. *Élodie viendra demain, c'est **sûr**.* SYN certain, évident. ❸ Qui ne présente aucun risque. *Mia a mis son sac en lieu **sûr**.* ❹ Digne de confiance. *Le journal l'a appris de source **sûre**.* • **Bien sûr :** c'est évident, naturellement. ✎ On peut écrire aussi le masculin pluriel et le féminin singulier et pluriel sans accent circonflexe (***surs***, ***sure***, ***sures***). ♦ Famille du mot : sûrement, sûreté.
* Ne pas confondre *sûr* et *sur*.

surabondance nom féminin
Trop grande abondance. *Ces inondations sont causées par la **surabondance** des pluies.*

surabondant, surabondante adjectif
Qui est en trop grande abondance. *Cette année, la récolte de fruits a été **surabondante**.*

suranné, surannée adjectif
Qui est ancien et démodé. *La vieille boutique avait un charme **suranné**.* SYN désuet. CONTR récent.

surcharge nom féminin
Fait d'être trop chargé. *Les compagnies aériennes exigent un supplément pour les bagages en **surcharge**.*

surcharger verbe ▸ conjug. 5
Charger de façon excessive. *Si l'on **surcharge** la barque, elle risque de caler. Certains se plaignent de ce que leur travail les **surcharge**.* SYN accabler, écraser.

surchauffé, surchauffée adjectif
❶ Excessivement chauffé. *Un appartement **surchauffé**.* ❷ Qui est surexcité. *Les partisans **surchauffés** applaudissaient à tout rompre.*

surclasser verbe ▸ conjug. 3
Être d'un niveau nettement supérieur. *Cet athlète **a surclassé** tous ses concurrents.* SYN surpasser.

surcroît nom masculin
Ce qui vient s'ajouter à quelque chose. *Les périodes de fêtes donnent un **surcroît** de travail aux vendeurs.* SYN supplément.
• **De surcroît, par surcroît :** en plus, en outre.
✎ On peut écrire aussi ***surcroit***.

surdité nom féminin
Fait d'être sourd. *Sa **surdité** l'oblige à porter un appareil auditif.* * Chercher aussi *malentendant*.

surdose nom féminin
Dose excessive de drogue. *Ce toxicomane est mort d'une **surdose**.*

surdoué, surdouée adjectif et nom
Qui est exceptionnellement doué et intelligent. *Un enfant **surdoué**. – Cette **surdouée** ira loin.*

sureau, sureaux nom masculin
Arbuste aux fleurs blanches et aux baies noires ou rouges.

surélever verbe ▸ conjug. 8
Augmenter la hauteur de quelque chose. *On **a surélevé** la maison d'un étage.*

sûrement adverbe
De façon sûre, certaine. *Éloi nous rejoindra **sûrement**.* SYN certainement. ✎ On peut écrire aussi ***surement***.

surenchère nom féminin
Offre supérieure à la précédente. *Pour acheter ce tableau, il a fait de la **surenchère**.*

surestimer verbe ▸ conjug. 3
Estimer au-dessus de sa valeur réelle. *Emmanuel **a surestimé** ses forces : il ne peut pas lever ces poids.* CONTR sous-estimer.

sûreté nom féminin
État de ce qui est sûr, sans risque. *Pour plus de **sûreté**, Danya a fait installer un système d'alarme.* SYN sécurité. ✎ On peut écrire aussi ***sureté***.

surexcitation nom féminin
État d'une personne surexcitée. *Quand James a marqué un but, la **surexcitation** était à son comble dans les gradins.*

surexcité, surexcitée adjectif
Très excité. *Les enfants sont **surexcités** à l'idée de l'excursion de demain.*

surf nom masculin
Sport qui consiste à glisser sur les vagues tout en étant en équilibre sur une planche. *Le **surf** a été inventé par les Polynésiens.* • **Surf des neiges :** planche à neige.

*Du **surf***

surface nom féminin
❶ Partie extérieure visible de quelque chose. *La pierre que lance William fait des ricochets à la **surface** de l'eau.* ❷ Mesure d'une étendue. *Cette pièce a douze mètres carrés de **surface**.* 👁p. 484. **SYN** aire, superficie.

surfait, surfaite adjectif
Qui n'est pas à la hauteur de sa réputation. *La réputation de ce restaurant est **surfaite**.*

surfeur, surfeuse nom
Personne qui pratique le surf. • **Surfeur des neiges :** personne qui pratique la planche à neige.

surgelé, surgelée adjectif et nom masculin
Produit alimentaire surgelé. *Des fraises **surgelées**. – Ma mère a mis les **surgelés** dans le congélateur.*

surgeler verbe ▸ conjug. 8
Congeler un aliment rapidement et à très basse température afin de le conserver. *Du poisson **surgelé**.*

surgir verbe ▸ conjug. 11
Apparaître brusquement. *Un chevreuil **a surgi** de la forêt. Des difficultés imprévues **ont surgi**.*

surhumain, surhumaine adjectif
Qui paraît être au-dessus des capacités humaines. *Laure a fait un effort **surhumain** pour ne pas rire.*

surinamien, surinamienne
➻Voir tableau, p. 1319.

sur-le-champ adverbe
Sans attendre. *Elle est partie **sur-le-champ**.* **SYN** aussitôt, immédiatement, séance* tenante.

surlendemain nom masculin
Jour qui suit le lendemain. *C'est samedi qu'il est arrivé ; le **surlendemain**, donc lundi, il est reparti.* * Chercher aussi *après-demain*.

surligner verbe ▸ conjug. 3
Marquer avec un surligneur.

surligneur nom masculin
Feutre à encre transparente et lumineuse qui sert à attirer l'attention sur certains passages d'un texte.

surmenage nom masculin
Fait d'être surmené. *Son **surmenage** le rend très nerveux.*

surmener verbe ▸ conjug. 8
Excéder de fatigue. *L'entraînement **a surmené** les athlètes.* ■ *se* **surmener** : se fatiguer par un excès de travail. *Claudie **s'est surmenée**, elle devrait se reposer.*

surmontable adjectif
Que l'on peut surmonter. *Le trac est une angoisse difficilement **surmontable**.* **CONTR** insurmontable.

surmonter verbe ▸ conjug. 3
❶ Venir à bout de quelque chose. *Cassandre a réussi à **surmonter** sa peur de l'eau.* **SYN** dominer, maîtriser, vaincre. ❷ Être placé au-dessus. *Une girouette **surmonte** le toit de la maison.*

surnaturel, surnaturelle adjectif
Que l'on ne peut pas expliquer par les lois de la science. *Les guérisons miraculeuses sont des phénomènes **surnaturels**.*

surnom nom masculin
Nom que l'on donne à quelqu'un en plus de son vrai nom. *Ma grande-tante Lucienne a pour **surnom** « Lulu ».* * Chercher aussi *sobriquet*.

surnombre nom masculin
• **En surnombre :** qui dépasse le nombre permis. *Le conducteur de l'autobus refuse de transporter des voyageurs **en surnombre**.*

surnommer verbe ▸ conjug. 3
Donner un surnom. *On l'**a surnommée** « la tornade » à cause de son énergie débordante.*

surpasser verbe ▸ conjug. 3
L'emporter sur d'autres. *Olivier **a surpassé** tous ses concurrents.* **SYN** dépasser, surclasser.

■ *se* **surpasser**: faire mieux que d'habitude. *La pianiste **s'est surpassée** ce soir.*

surpeuplé, surpeuplée adjectif
Où la population est trop nombreuse. *Il vit dans un quartier pauvre et **surpeuplé**.*

surpeuplement nom masculin
État d'un endroit surpeuplé. *On déplore souvent le **surpeuplement** des grandes capitales.* **SYN** surpopulation.

surplace nom masculin
• **Faire du surplace**: ne pas avancer.

surplomb nom masculin
Partie d'une construction ou d'une paroi qui dépasse par rapport à la base. *Le **surplomb** du toit.* • **En surplomb**: dont le haut dépasse par rapport à la base. *Par rapport à la façade, ce balcon est **en surplomb**.* **SYN** en saillie.

surplomber verbe ▸ conjug. 3
Dominer, se trouver au-dessus de. *Cette ferme sur la colline **surplombe** la vallée.*

surplus nom masculin
Ce qu'il y a en plus de la quantité voulue. *Cette commerçante est débordée par un **surplus** de commandes.* **SYN** excédent.

surpopulation nom féminin
Surpeuplement.

surprenant, surprenante adjectif
Qui surprend. *Quelle nouvelle **surprenante**!* **SYN** étonnant.

surprendre verbe ▸ conjug. 32
❶ Étonner. *Sa réponse m'**a surpris**.* ❷ Arriver sans qu'on s'y attende. *La tempête **a surpris** les marins.* ❸ Prendre sur le fait. *J'**ai surpris** Sarah en train de lire dans son lit au lieu de dormir.* ♦ Famille du mot: surprenant, surprise.

surprise nom féminin
❶ Sensation causée par quelque chose d'inattendu. *À la **surprise** générale, c'est Justin qui a gagné.* **SYN** étonnement. ❷ Plaisir fait à quelqu'un de manière à ce qu'il soit agréablement surpris. *Vous ici? Quelle **surprise**! Viens vite! Il y a une **surprise** pour toi.* • **Par surprise**: d'une manière inattendue. *L'orage les a pris **par surprise**.* **SYN** à l'improviste.

surprotéger verbe ▸ conjug. 5 et 8
Protéger de façon excessive.

sursaut nom masculin
Mouvement brusque dû à la surprise. *En entendant ce cri, il a eu un **sursaut**.* **SYN** soubresaut. • **En sursaut**: brusquement. *Un coup de tonnerre l'a réveillé **en sursaut**.*

sursauter verbe ▸ conjug. 3
Avoir un sursaut. *Eva **a sursauté** quand la porte a claqué.*

sursis nom masculin
❶ Délai. *Il a un **sursis** de quelques jours pour rendre son travail.* ❷ Délai pendant lequel une peine est suspendue. *Être condamné à la prison avec **sursis** veut dire qu'on ne va en prison que si l'on commet un nouveau délit.*

surtaxe nom féminin
Taxe supplémentaire. *Antoine n'avait pas assez affranchi sa lettre, le destinataire a eu une **surtaxe** à payer.*

surtout adverbe
❶ Sert à insister, à renforcer un conseil, une recommandation. ***Surtout**, soyez prudents!* ❷ Par-dessus tout. *Léa aime tous les jeux, mais **surtout** les échecs.* **SYN** principalement.

surveillance nom féminin
Action de surveiller. *Ce bébé demande une **surveillance** de tous les instants.*

surveillant, surveillante nom
Personne dont le rôle est de surveiller. *Il y a deux **surveillants** dans la cour de l'école.*

surveiller verbe ▸ conjug. 3
❶ Observer avec attention pour contrôler. *L'architecte **surveille** la construction de l'édifice.* ❷ Faire attention à ce que l'on fait. ***Surveiller** sa santé.* ♦ Famille du mot: surveillance, surveillant.

survenir verbe ▸ conjug. 19
Arriver soudain de façon imprévue. *Si un accident **survient**, gardez votre sang-froid.* * Attention! *Survenir* se conjugue avec l'auxiliaire *être*: *un évènement **est survenu**.*

survêtement nom masculin
Blouson et pantalon que l'on met par-dessus une tenue de sport. *Quand Édouard va au soccer, il emporte toujours son **survêtement**.*

survie nom féminin
❶ Fait de survivre, de se maintenir en vie. *L'eau est indispensable à la **survie**.* ❷ Fait de survivre, en parlant d'un sentiment, d'une

institution. *Ce musée régional doit sa **survie** à la détermination de la ministre de la Culture.*

survivance nom féminin
Fait de survivre, pour une pratique, une institution. *La **survivance** du français au Canada. Cette tradition est une **survivance** des habitudes de vie au siècle dernier.*

survivant, survivante nom
Personne qui survit à d'autres. *Les sauveteurs ont trouvé plusieurs **survivants**.* SYN rescapé.

survivre verbe ▸ conjug. 50
❶ Rester en vie après la mort de quelqu'un ou après de graves évènements. *Il n'**a** pas **survécu** longtemps à sa femme.* ❷ Échapper à la mort. *Ils **ont survécu** à la catastrophe ferroviaire.* ❸ Vivre dans des conditions difficiles. *Son salaire lui permet à peine de **survivre**.*

survol nom masculin
Fait de survoler. *Mon parrain a fait le **survol** du Grand Canyon en hélicoptère.*

survoler verbe ▸ conjug. 3
❶ Voler au-dessus d'un lieu. *Notre avion **survole** actuellement l'Atlantique.* ❷ Regarder superficiellement. *Il **a survolé** son journal.*

sus adverbe
• **En sus :** en plus. *Les frais de transport sont **en sus**.* SYN en supplément. * Attention ! Le *s* final du mot *sus* se prononce ou non.

susceptibilité nom féminin
Caractère d'une personne susceptible. *Sa **susceptibilité** le rend malheureux.*

susceptible adjectif
❶ Qui se vexe facilement. *Océane est très **susceptible**.* SYN chatouilleux, irritable. ❷ Qui peut éventuellement se produire. *J'ai trouvé des livres **susceptibles** de t'intéresser.*

susciter verbe ▸ conjug. 3
Provoquer quelque chose. *Le projet d'Ali **a suscité** l'enthousiasme de sa classe.*

sushi nom masculin
❶ Mets japonais constitué d'une boule de riz garnie de poisson cru. ❷ Nom donné à une variété de bouchées semblables aux sushis, incluant les sashimis (poisson cru seul) et les makis (rouleaux entourés d'une feuille d'algue). *Marianne raffole des **sushis**.*

suspect, suspecte adjectif
Qui éveille la méfiance. *Nous informons les voyageurs que tout bagage **suspect** sera immédiatement inspecté.* ■ **suspect, suspecte** adjectif et nom Personne que l'on soupçonne. *La police interroge le **suspect**.* * Attention ! Les lettres *ct* du masculin *suspect* ne se prononcent pas.

suspecter verbe ▸ conjug. 3
Tenir pour suspect. *Éléonore **suspecte** Harry de lui raconter des histoires.* SYN soupçonner.

① **suspendre** verbe ▸ conjug. 31
Accrocher de manière à laisser pendre. *Félix **a suspendu** sa lampe de poche au mât de la tente.* CONTR décrocher.

② **suspendre** verbe ▸ conjug. 31
❶ Arrêter momentanément. *Les autorités **ont suspendu** les travaux en raison des intempéries.* ❷ Interdire à quelqu'un d'exercer ses fonctions pour quelque temps. *La ligue **a suspendu** le hockeyeur brutal pour trois matchs.*

suspendu, suspendue adjectif
❶ Accroché par le haut. *Le tableau **suspendu** au-dessus du bahut est une nature morte.* • **Pont suspendu :** pont dont la plateforme est soutenue par des câbles. ❷ Interrompu. *Les travaux **suspendus** le mois dernier reprendront bientôt.*

*Un pont **suspendu***

en **suspens** adverbe
Momentanément interrompu. *Les travaux de l'autoroute sont **en suspens**.*

suspense nom masculin
Moment d'une histoire où l'on attend la suite avec angoisse et impatience. *J'ai lu un roman policier plein de **suspense**.*

① **suspension** nom féminin
Système de ressorts destinés à amortir les cahots. *Cette moto a une excellente **suspension**.* * Chercher aussi *amortisseur*.

② suspension nom féminin
❶ Fait de suspendre ou d'être suspendu. *La députée a proposé une **suspension** de séance.* SYN arrêt, interruption. ❷ Fait de retirer ses fonctions à quelqu'un. *Ce fonctionnaire a fait l'objet d'une **suspension** pour faute grave.*
• **Points de suspension :** signe de ponctuation (...) montrant qu'il reste des choses à dire, mais qu'on ne les dit pas.

suspicion nom féminin
Fait de suspecter. *Jasmine regardait le nouveau venu avec **suspicion**.* SYN défiance, méfiance.

susurrer verbe ▸ conjug. 3
Dire doucement à voix basse. *Viera **susurre** quelques mots à l'oreille de Thomas.* SYN chuchoter, murmurer.

suture nom féminin
Opération qui consiste à recoudre les bords d'une plaie. *Yaël s'est fendu le menton : elle a eu trois points de **suture**.*

suzerain, suzeraine nom
Seigneur du Moyen Âge qui accordait des terres et sa protection à un vassal en échange de sa loyauté.

svelte adjectif
Qui est mince et élancé. *Mon grand-père est **svelte** malgré son âge.* CONTR massif, trapu.

SVP ➛Voir **s'il vous plaît**

swazi, swazie
➛Voir tableau, p. 1319.

syllabe nom féminin
Voyelle ou groupe de consonnes et de voyelles que l'on prononce toutes ensemble en une fois. *Le mot « chat » n'a qu'une **syllabe**, le mot « otarie » en a trois.*

sylvestre adjectif
Qui est propre à la forêt.

sylviculteur, sylvicultrice nom
Personne qui exploite une forêt.

sylviculture nom féminin
Science qui étudie la culture et la conservation des forêts. SYN foresterie.

symbiose nom féminin
❶ Association de deux êtres vivants d'espèces différentes. *Le lichen est fait d'une algue et d'un champignon qui vivent en **symbiose**.* ❷ Union parfaite entre deux êtres. *Ces amoureux vivent en **symbiose**.*

symbole nom masculin
❶ Figure qui représente une idée. *Le blanc est le **symbole** de la pureté.* SYN emblème, image, signe. ❷ Signe utilisé pour représenter quelque chose. *Le **symbole** de l'amour est un cœur.*
♦ Famille du mot : symbolique, symboliser.

symbolique adjectif
Qui a la valeur d'un symbole. *La balance est la représentation **symbolique** de la justice.*

symboliser verbe ▸ conjug. 3
Être le symbole de quelque chose. *La colombe **symbolise** la paix.*

symétrie nom féminin
Similitude exacte par rapport à un axe entre deux parties d'un espace. *Il y a une **symétrie** plus ou moins parfaite entre les deux côtés du visage et du corps humain.* ♦ Famille du mot : asymétrie, asymétrique, symétrique, symétriquement.

symétrique adjectif
Qui présente une symétrie. *Les lits des jumeaux sont placés de façon **symétrique** par rapport à la fenêtre.* CONTR asymétrique.

symétriquement adverbe
De manière symétrique. *Dans le jeu du solitaire, les pions sont placés **symétriquement** par rapport au centre.*

sympathie nom féminin
Sentiment spontané d'attirance envers quelqu'un. *Jonathan a de la **sympathie** pour le fils de ses voisins.* SYN amitié. CONTR antipathie.
♦ Famille du mot : sympathique, sympathiser.

sympathique adjectif
❶ Qui attire la sympathie. *Émile est un garçon très **sympathique**.* SYN agréable, aimable, attachant. CONTR antipathique. ❷ Très agréable. *Une soirée **sympathique**.*

sympathiser verbe ▸ conjug. 3
Éprouver une sympathie réciproque. *Chloé **a sympathisé** avec Ahmad.*

symphonie nom féminin
Composition musicale à plusieurs mouvements et exécutée par un grand orchestre. *Une **symphonie** de Beethoven.*

symphonique adjectif
Qui est en lien avec la symphonie. *La musique **symphonique**.* • **Orchestre symphonique**: orchestre qui comprend le nombre de musiciens nécessaire pour jouer des symphonies.

symptôme nom masculin
Signe caractéristique d'une maladie. *Le nez qui coule et les yeux qui piquent sont des **symptômes** du rhume des foins.*

synagogue nom féminin
Lieu de culte des Juifs. 👁p. 270. * Chercher aussi *église, mosquée, pagode, temple.*

Une **synagogue**

synchronisé, synchronisée adjectif
• **Nage synchronisée**: sport nautique où plusieurs nageuses exécutent simultanément des mouvements identiques, au rythme de la musique.

synchroniser verbe ▸ conjug. 3
❶ Faire coordonner dans le temps. *La ville **a synchronisé** les feux de circulation.* ❷ Faire concorder les images et les sons d'un film. *Le studio **a** mal **synchronisé** ce film, le son est décalé par rapport à l'image.*

syncope nom féminin
Perte de connaissance. *Quand on a une **syncope**, le cœur et la respiration ralentissent.* **SYN** évanouissement.

syndical, syndicale, syndicaux adjectif
Du syndicat. *Les délégués ont exposé les revendications **syndicales** au patron.*

syndicaliste nom
Personne qui milite dans un syndicat. *Les **syndicalistes** ont entamé des négociations pour éviter les licenciements.* ■ **syndicaliste** adjectif Relatif aux syndicats. *Un mouvement **syndicaliste**.*

syndicat nom masculin
Association de personnes qui se groupent pour défendre leurs droits et leurs intérêts au travail. *Ces ouvriers sont affiliés à un **syndicat**.*

se **syndiquer** verbe ▸ conjug. 3
Adhérer à un syndicat.

synonyme nom masculin et adjectif
Mot qui a un sens identique ou très proche d'un autre et qui appartient à la même classe de mots. *« Manière » et « façon » sont deux mots **synonymes**. – « Trouer » est le **synonyme** de « percer ».* **CONTR** antonyme, contraire.

syntaxe nom féminin
Partie de la grammaire qui permet de comprendre les règles de construction des phrases.

synthèse nom féminin
❶ Opération consistant à résumer clairement les idées principales d'un sujet. *Faire la **synthèse** d'un exposé.* ❷ Production d'une substance artificielle en combinant des éléments par une réaction chimique. *Le polystyrène est un produit de **synthèse**.*

synthétique adjectif
Fabriqué par synthèse. *Le nylon est une fibre **synthétique**.* **SYN** artificiel. **CONTR** naturel.

synthétiseur nom masculin
Instrument électronique capable de reproduire et de créer des sons ou d'imiter des instruments de musique.

syrien, syrienne
➔Voir tableau, p. 1319.

systématique adjectif
❶ Organisé de manière logique. *Les douaniers ont fait des fouilles **systématiques** (et non au hasard).* **SYN** méthodique. ❷ Qui ne varie pas, quelles que soient les circonstances. *À toutes les propositions, il a opposé un refus **systématique**.*

systématiquement adverbe
De manière systématique. *Ma mère met **systématiquement** les prospectus publicitaires au recyclage.*

systématiser verbe ▸ conjug. 3
Faire un système de quelque chose, rendre systématique. *La direction de l'école **a systématisé** le contrôle des présences.*

système nom masculin
❶ Ensemble organisé qui constitue un tout. *Le **système** solaire. Le **système** métrique.* ❷ Moyen souvent très ingénieux d'arriver à un but. *J'ai trouvé un **système** pour programmer l'éclairage de ma chambre.* **SYN** méthode. ♦ Famille du mot: systématique, systématiquement, systématiser.

Les systèmes cardiovasculaire et respiratoire

Le système cardiovasculaire

Le rôle du système cardiovasculaire est d'assurer la circulation du sang dans tout l'organisme.

Le système cardiovasculaire est, en effet, responsable de la distribution de tous les éléments biochimiques nécessaires au fonctionnement du corps. Il est constitué d'une pompe double (le cœur) et de deux types de vaisseaux (les artères et les veines) pour le transport du sang.

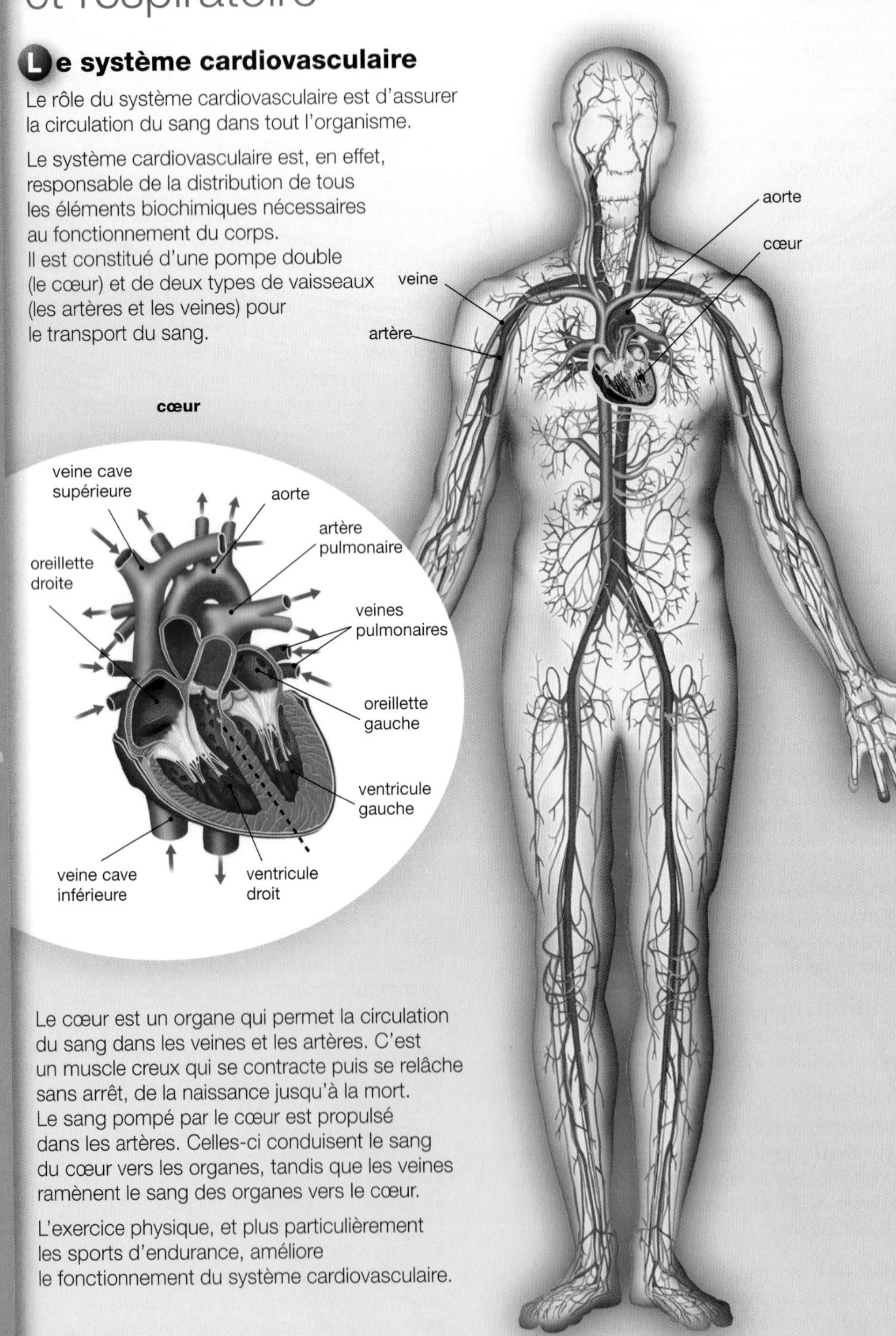

Le cœur est un organe qui permet la circulation du sang dans les veines et les artères. C'est un muscle creux qui se contracte puis se relâche sans arrêt, de la naissance jusqu'à la mort. Le sang pompé par le cœur est propulsé dans les artères. Celles-ci conduisent le sang du cœur vers les organes, tandis que les veines ramènent le sang des organes vers le cœur.

L'exercice physique, et plus particulièrement les sports d'endurance, améliore le fonctionnement du système cardiovasculaire.

Le système respiratoire

Le rôle du système respiratoire est d'introduire dans l'organisme l'oxygène nécessaire au bon fonctionnement des cellules et de rejeter les déchets gazeux. Le système respiratoire est constitué des **fosses nasales**, du **pharynx**, du **larynx**, de la **trachée**, des **bronches** et des **poumons**. Le **diaphragme** est le muscle principal de la respiration.

L'air pénètre dans les fosses nasales par les narines. Les **fosses nasales,** qui sont deux couloirs creusés dans l'os, sont tapissées d'une muqueuse visqueuse qui capture la poussière. Leur rôle est de filtrer, de réchauffer et d'humidifier l'air, d'assurer l'odorat et de permettre le drainage des sinus et des larmes.

Le **pharynx** est un tube qui relie les fosses nasales au larynx. C'est le point de rencontre entre les voies digestives et les voies respiratoires.

Le **larynx** relie le pharynx à la trachée. Le rôle du larynx est de produire la voix, de laisser passer l'air inspiré et expiré, et de diriger l'air et la nourriture vers les conduits appropriés.

La **trachée** relie le larynx aux **bronches**, lesquelles pénètrent dans les **poumons**. Ainsi, l'air que l'on inspire entre par la trachée une fois réchauffé, humidifié et purifié par les fosses nasales. Il passe ensuite par les bronches pour gagner les alvéoles pulmonaires, où l'oxygène qu'il contient est enfin absorbé dans le sang.

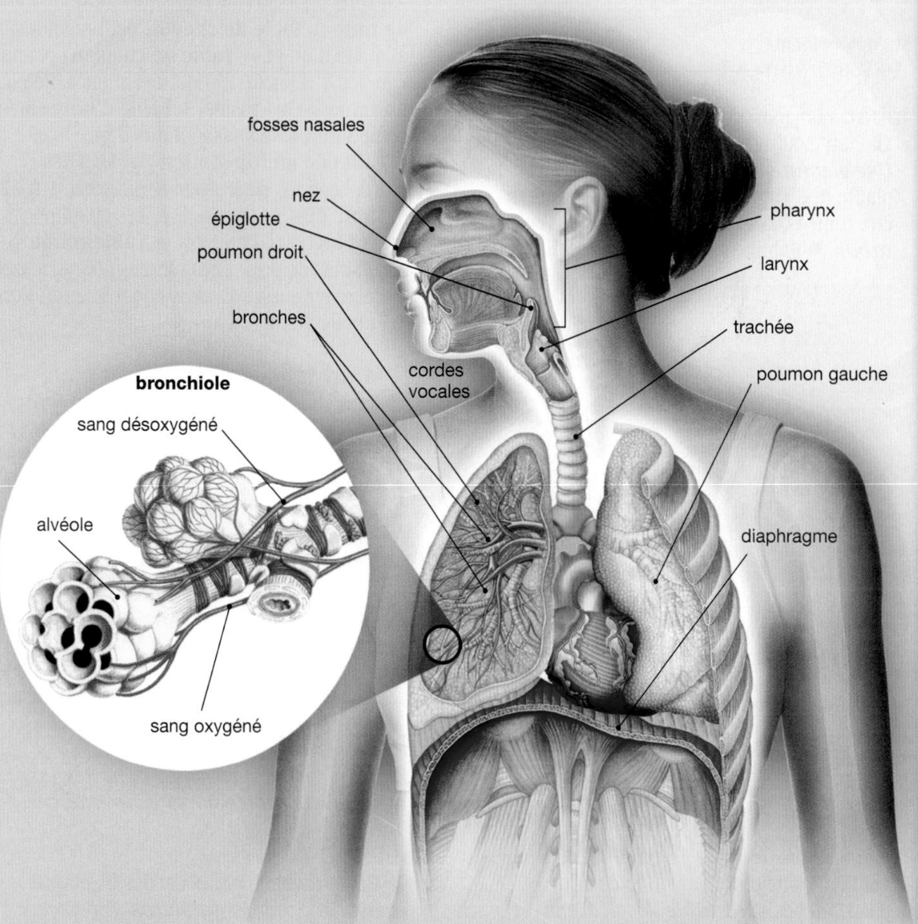

t nom masculin invariable
Vingtième lettre de l'alphabet. *Le **t** est une consonne.*

t' ➔Voir **te**

ta déterminant
➔Voir ① **ton**

tabac nom masculin
❶ Plante cultivée pour ses grandes feuilles. *Une plantation de **tabac**.* ❷ Feuilles de cette plante que l'on a séchées et préparées pour être fumées. *Les cigarettes sont faites avec du **tabac**.* ♦ Famille du mot : tabagie, tabagisme.

Des plants de **tabac**

tabagie nom féminin
Établissement où l'on vend du tabac, des cigarettes, des articles de fumeurs et, souvent, des journaux et des revues.

tabagisme nom masculin
Intoxication causée par l'abus de tabac. *Le **tabagisme** provoque le cancer du poumon.*

table nom féminin
Meuble formé d'un plateau fixé sur un ou plusieurs pieds. *La **table** de la cuisine est assez grande pour y manger à quatre.* • **Mettre la table** : disposer les assiettes, les couverts, les verres, etc., sur une table avant le repas. SYN mettre le couvert*. • **Se mettre à table** : s'installer autour d'une table pour manger. Au sens figuré, avouer quelque chose. • **Table de nuit** ou **table de chevet** : petit meuble placé à la tête d'un lit. • **Table de cuisson** : plaque équipée d'éléments chauffants et encastrée dans un comptoir de cuisine. • **Table d'hôte** : menu comportant divers plats offerts à prix fixe. • **Table de multiplication** : tableau des multiplications de tous les nombres de 1 à 12. • **Table des matières** : liste des chapitres ou des sections d'un livre. • **Table ronde** : assemblée de personnes réunies pour discuter. * Chercher aussi *colloque*, *congrès*, *séminaire*. ♦ Famille du mot : s'attabler, tablette.

tableau, tableaux nom masculin
❶ Panneau fixé au mur sur lequel on écrit. *Dans chaque classe de l'école, il y a un **tableau**.* ❷ Liste de renseignements rangés de façon méthodique. *Pour conjuguer correctement les verbes, Anna regarde le **tableau** des conjugaisons.* ❸ Peinture faite par un artiste. *Ce peintre expose ses **tableaux** dans une galerie.* SYN toile. ❹ Description ou évocation de quelque chose. *Ce récit est un **tableau** de la vie en Nouvelle-France.* • **Tableau de bord** : partie d'un véhicule où sont réunis les compteurs, les commandes, les voyants, etc.

tabler verbe ▸ conjug. 3
Compter sur quelque chose. *Tu ne devrais pas toujours **tabler** sur sa générosité.*

tablette nom féminin
❶ Petite étagère pour poser des objets. *Ce commis regarnit les **tablettes** de l'épicerie.* ❷ Aliment présenté sous forme de plaquette.

*Rebecca mange une **tablette** de chocolat.* • **Tablette de lecture :** tablette électronique sur l'écran de laquelle on peut lire en version numérique un livre que l'on télécharge. **SYN** livre numérique. * Chercher aussi *lecteur* électronique*. • **Être mis sur une tablette :** dans la langue familière, être mis à l'écart. *Ce rapport **a été mis sur une tablette**. Cette employée **sera mise sur une tablette**.*

tablier nom masculin
Vêtement que l'on met par-dessus les autres pour les protéger. *Le boucher porte un grand **tablier** blanc.*

tabou, taboue adjectif
Dont il est interdit de parler. *Pour certaines personnes, la politique est un sujet **tabou**.* ■ **tabou** nom masculin Chose dont on ne doit pas parler. *Dans cette culture, la mort est un **tabou**.*

taboulé nom masculin
Plat composé de semoule, de persil, de menthe, de tomates et d'oignons, et assaisonné d'huile et de jus de citron.

tabouret nom masculin
Petit siège sans bras ni dossier. *La pianiste s'est assise sur son **tabouret**.*

tac nom masculin
• **Répondre du tac au tac :** répondre aussitôt et sur le même ton à une remarque désagréable.

tache nom féminin
❶ Marque de saleté. *Benjamin a fait une **tache** de graisse sur son cahier.* ❷ Marque de couleur sur le corps d'un être vivant. *Ce papillon a des **taches** bleues sur les ailes.* ♦ Famille du mot : détachant, détacher, tacher, tacheté. * Ne pas confondre *tache* et *tâche*.

tâche nom féminin
Travail que l'on a à faire. *Faire le ménage est une **tâche** ingrate.* **SYN** besogne. * Ne pas oublier l'accent circonflexe qui distingue *tâche* de *tache*.

tacher verbe ▸ conjug. 3
Faire une ou des taches. *J'ai **taché** ma veste.* ■ *se* **tacher** : faire des taches sur ses vêtements, sur soi. *Ravi **s'est taché** les mains avec des crayons-feutres.* * Ne pas confondre *tacher* et *tâcher*.

tâcher verbe ▸ conjug. 3
S'efforcer. ***Tâche** de nous prévenir la prochaine fois !* **SYN** essayer. * Ne pas confondre *tâcher* et *tacher*.

tacheté, tachetée adjectif
Qui a de petites taches de couleur. *Un pelage blanc **tacheté** de noir.* **SYN** moucheté.

tacite adjectif
Qui n'est pas exprimé par des mots, qui est sous-entendu. *Il y a une complicité **tacite** entre eux.* * Chercher aussi *implicite*.

taciturne adjectif
Qui parle peu. *Une voisine **taciturne**.* **SYN** renfermé. **CONTR** communicatif, expansif.

tacot nom masculin
Dans la langue familière, vieille voiture en mauvais état. *Ce **tacot** est bon pour la ferraille.* * Attention ! Le *t* final du mot *tacot* ne se prononce pas.

tact nom masculin
Qualité d'une personne qui fait preuve de délicatesse. *Charlotte a beaucoup de **tact** quand elle parle aux autres.* **SYN** doigté.

tactile adjectif
Relatif au toucher. • **Écran tactile :** écran muni d'un dispositif réagissant au simple contact du doigt.

tactique nom féminin
Moyen employé pour obtenir ou réussir quelque chose. *L'entraîneur a conseillé aux joueurs de changer de **tactique**.* **SYN** stratégie.

tadjik, tadjike
➔Voir tableau, p. 1319.

taekwondo nom masculin
Art martial d'origine coréenne s'apparentant au karaté. *Tous les samedis, Karina suit des cours de **taekwondo**.*

taffetas nom masculin
Tissu de soie. *Des tentures en **taffetas** rouge.*

tagliatelle nom féminin
Pâte alimentaire longue et mince. ✎ Pluriel : *des **tagliatelles***. * Attention ! Le *g* du mot *tagliatelle* ne se prononce pas. ✎ On peut écrire aussi ***taliatelle***.

taï-chi nom masculin
Gymnastique d'origine chinoise consistant en un enchaînement de mouvements très lents et précis.

Une posture de **taï-chi**

a b c d e f g h i j k l m n o p q r s t u v w x y z

taie nom féminin
Enveloppe de tissu dont on recouvre un oreiller pour le protéger.

taïga nom féminin
Forêt de conifères des régions nordiques. 👁p. 454.

La **taïga**

① **taille** nom féminin
❶ Hauteur du corps. *Kevin et Rania ont exactement la même **taille** : 1,60 m.* ❷ Mesure d'un vêtement. *Aurélie aime la robe qui est en vitrine, mais il n'y a plus sa **taille**.* ❸ Partie du corps qui est entre les côtes et les hanches. *Avoir la **taille** fine.* 👁p. 246. ❹ Dimension d'une chose. *Il est tombé des grêlons de la **taille** d'une noisette.* • **De taille :** important. *Un argument **de taille**.* • **Être de taille à faire quelque chose :** en être capable. *Elle n'**est** pas **de taille à** lutter contre une telle adversaire.*

② **taille** nom féminin
Action de tailler un arbre ou une pierre. *Mon père a confié la **taille** de la haie de cèdres à mon frère. Un immeuble en pierre de **taille**.*

taille-crayon nom masculin
Instrument servant à tailler les crayons. SYN aiguise-crayon. ✎ Pluriel : *des **taille-crayons**.*

tailler verbe ▸ conjug. 3
❶ Couper quelque chose pour lui donner une certaine forme. *Chaque année, ma mère **taille** les rosiers.* ❷ Découper un tissu afin de le transformer en vêtement. *La couturière **taille** une robe.* ♦ Famille du mot : entaille, entailler, taille, taille-crayon, tailleur.

tailleur nom masculin
❶ Personne qui fait des vêtements sur mesure pour hommes. ❷ Costume de femme composé d'une veste et d'une jupe ou d'un pantalon assortis. *Ma tante porte un **tailleur** en lin.* ❸ Ouvrier ou artisan qui taille une matière. *Un **tailleur** de pierres, de diamants.* • **S'asseoir en tailleur :** s'asseoir avec les jambes repliées et les genoux écartés.

tain nom masculin
Couche de métal que l'on applique derrière une plaque de verre pour la transformer en miroir. *Le **tain** du miroir est très abîmé.* * Ne pas confondre *tain*, *teint* et *thym*.

taire verbe ▸ conjug. 41
Ne pas parler de quelque chose. *La personne interrogée a préféré **taire** son nom.* CONTR dire.
■ *se* **taire** : ne pas parler, garder le silence. *Quand le cours commence, tous les élèves **se taisent** pour écouter.*
✎ Attention ! *Taire* se conjugue comme le verbe *plaire*, mais à la troisième personne du singulier, il ne prend jamais l'accent circonflexe : *il **tait**.*

talc nom masculin
Poudre blanche très fine utilisée pour calmer certaines irritations de la peau. * Attention ! Le mot *talc* se prononce *talque*.

talent nom masculin
Disposition naturelle ou acquise qui permet à quelqu'un de réussir dans une activité ou dans un art. *Ce jeune comédien a beaucoup de **talent**.* SYN aptitude, ② don.

talentueux, talentueuse adjectif
Qui a beaucoup de talent. *Une artiste **talentueuse**.*

talisman nom masculin
Objet auquel on attribue un pouvoir magique. SYN amulette, grigri, porte-bonheur. * Attention ! La dernière syllabe du mot *talisman* se prononce *ment*.

talle nom féminin
❶ Groupe serré de plantes, d'arbustes ou d'arbres de la même espèce que l'on trouve dans la nature. *Une **talle** de bouleaux au milieu d'une érablière.* ❷ Grande quantité. *J'ai trouvé une **talle** de bleuets.* SYN amas.

talon nom masculin
❶ Partie arrière du pied. *Ses chaussures neuves lui ont fait une ampoule au **talon**.* 👁p. 246. ❷ Partie arrière d'une chaussure, située sous le talon du pied. *Elle a du mal à marcher avec des **talons** hauts.* ❸ Partie d'un feuillet qui reste attachée à un carnet ou à un registre. *Éliane note ses dépenses sur les **talons** de son chéquier.* • **Le talon d'Achille de quelqu'un :** son point faible. • **Avoir l'estomac dans les talons :** avoir très faim. • **Être sur les talons de quelqu'un :** le suivre de très près.

talonner verbe ▸ conjug. 3
Poursuivre ou suivre quelqu'un de très près. *Le coureur qui était en tête **est** maintenant **talonné** par le peloton.*

talus nom masculin
Terrain en pente le long d'une route, d'un chemin ou d'une voie ferrée. * Attention ! Le *s* du mot *talus* ne se prononce pas.

tamanoir nom masculin
Grand fourmilier d'Amérique du Sud.

*Un **tamanoir***

tambour nom masculin
❶ Instrument de musique composé d'une caisse ronde fermée de chaque côté par une peau tendue sur laquelle on tape avec des baguettes. *Maxime joue du **tambour**.* ❷ Personne qui bat du tambour. ❸ Pièce cylindrique qui tourne dans une machine. *Le **tambour** d'une laveuse.* • **Sans tambour ni trompette :** sans attirer l'attention, sans bruit. • **Tambour battant :** très rapidement. SYN rondement. ♦ Famille du mot : tambourin, tambouriner.

*Un **tambour***

tambourin nom masculin
Petit tambour fermé d'un seul côté et muni de grelots. *Hélène chante tout en s'accompagnant d'un **tambourin**.* 👁p. 692.

*Un **tambourin***

tambouriner verbe ▶ conjug. 3
❶ Jouer du tambourin. ❷ Frapper sur quelque chose à petits coups répétés. *Juan **tambourine** sur la table.*

tamia rayé ➔Voir ② **suisse**

tamis nom masculin
Instrument formé d'un grillage fin, qui permet de retenir les éléments les plus gros d'une matière en poudre ou d'un liquide. *Le maçon passe le sable au **tamis** pour éliminer les graviers.* SYN crible, passoire.

tamisé, tamisée adjectif
Passé au tamis. *De la farine **tamisée**.* • **Lumière tamisée :** lumière atténuée et adoucie. CONTR ① cru.

tampon nom masculin
❶ Petite plaque de caoutchouc gravée que l'on imprègne d'encre pour imprimer. *Les enfants impriment des dessins avec des **tampons**, puis les colorient.* ❷ Cachet imprimé. *Les livres de la bibliothèque portent un **tampon**.* ❸ Morceau de tissu ou d'ouate qui sert à essuyer une surface. *Elle se sert d'un **tampon** pour se démaquiller.* • **Tampon hygiénique :** tampon de matière stérile servant à l'hygiène féminine. ♦ Famille du mot : tamponner, tamponneur.

tamponner verbe ▶ conjug. 3
❶ Faire une marque avec un tampon. *Le douanier **a tamponné** nos passeports.* ❷ Essuyer une surface avec un tampon. *Élise **tamponne** ses écorchures avec un coton imbibé d'alcool.* ❸ Heurter violemment. *Cette voiture **a tamponné** une camionnette.* ■ *se* **tamponner** : se heurter violemment. *Plusieurs voitures **se sont tamponnées** sur l'autoroute.*

tamponneur, tamponneuse adjectif
• **Autos tamponneuses :** petites voitures spéciales avec lesquelles on s'amuse à se tamponner sur une piste spécialement aménagée, dans un parc d'attractions.

tam-tam nom masculin
Sorte de tambour sur lequel on frappe avec les mains. *En Afrique, le **tam-tam** sert aussi à envoyer des messages.* ✎ Pluriel : *des **tam-tams***. On peut écrire aussi ***tamtam***.

tandem nom masculin
❶ Bicyclette à deux places, avec deux sièges et deux pédaliers. ❷ Association de deux personnes qui travaillent ensemble. *Ces deux acteurs forment un **tandem** formidable.*

tandis que conjonction
❶ Pendant que. *Mon père prépare le dîner, **tandis que** nous mettons la table.* ❷ Alors que. *Norbert aime le football, **tandis que** Julie déteste ce sport.*

tangage nom masculin
Mouvement d'un bateau qui tangue, qui se balance d'avant en arrière. *Les passagers ont mal au cœur à cause du **tangage**.* * Chercher aussi *roulis*.

tangerine nom féminin
Variété de mandarine à l'écorce rougeâtre.

tangible adjectif
Qui est réel, évident. *On a des preuves **tangibles** de son innocence.*

tango nom masculin
Danse au rythme lent, originaire d'Argentine. *Ce couple danse bien le **tango**.*

a b c d e f g h i j k l m n o p q r s t u v w x y z

tanguer verbe ▸ conjug. 3
Avoir un mouvement de balancement de l'avant vers l'arrière, en parlant d'un bateau. *Le voilier **tangue** dans la tempête.*

tanière nom féminin
Trou où s'abrite un animal sauvage. *Le renard s'est réfugié dans sa **tanière**.* **SYN** antre, repaire. * Chercher aussi ① *gîte, terrier.*

tank nom masculin
Char d'assaut. *Les **tanks** sont équipés de chenilles et sont blindés.*

tannage nom masculin
Action de tanner. *L'écorce de chêne sert au **tannage** des peaux.*

tannant, tannante adjectif et nom
Dans la langue familière, agaçant, fatigant. **SYN** achalant. *Une enfant **tannante**. – Cette classe compte plusieurs **tannants**.*

tanné, tannée adjectif
❶ Qui a été soumis au tannage. *Une peau **tannée**.* ❷ Dans la langue familière, agacé, à bout de patience. *Je suis **tanné** de devoir toujours te prêter ma bicyclette.* ❸ Hâlé par le soleil. *Un visage **tanné**.*

tanner verbe ▸ conjug. 3
❶ Préparer une peau d'animal pour la transformer en cuir. *On utilise l'écorce de chêne pour **tanner** les peaux.* ❷ Dans la langue familière, agacer quelqu'un en lui demandant quelque chose avec insistance. *Myriam **tanne** ses parents pour qu'ils lui achètent un lecteur MP3.* ❸ Donner du hâle. *La vie au grand air **a tanné** sa peau.* ■ **se tanner**: se fatiguer, se lasser. *Mélanie **se tanne** vite de l'hiver.*
♦ Famille du mot: tannage, tannerie, tanneur.

tannerie nom féminin
❶ Usine où l'on tanne les peaux. ❷ Industrie du tannage.

tanneur, tanneuse nom
Personne dont le métier est de tanner les peaux.

tant adverbe
❶ En si grande quantité. *Il y avait **tant** de monde devant le cinéma qu'on n'a pas pu entrer.* **SYN** tellement. ❷ Autant. *Je ne crains pas **tant** la chaleur que le froid.* ❸ Exprime une somme que l'on ne précise pas. *Le voyage leur a coûté **tant**.* * Ne pas confondre *tant* et *temps*. • **En tant que:** en qualité de. ***En tant que** délégué, William a parlé au nom de ses camarades.* • **Tant bien que mal:** à peu près, difficilement. *Liam a fini la course **tant bien que mal**.* ■ **tant que** conjonction Aussi longtemps que. *Mon grand-père fera du vélo **tant qu'**il se sentira en forme.*

tante nom féminin
Sœur du père ou de la mère, ou femme ou conjointe de l'oncle. *Ma **tante** Julia est la sœur de ma mère.* * Chercher aussi *neveu, nièce, oncle*. * Ne pas confondre *tante* et *tente*.

tant mieux adverbe
Marque la satisfaction. *Il fait beau? **Tant mieux**! On va pouvoir aller se baigner.* **CONTR** tant pis.

tantôt adverbe
❶ Tout à l'heure. *J'irai vous voir **tantôt**.* ❷ Il y a peu de temps. *Il est venu **tantôt**.* • **Tantôt... tantôt:** à un moment..., à un autre moment... *Le temps est changeant: **tantôt** il pleut, **tantôt** il fait beau.* • **À tantôt:** au revoir, à plus tard.

tant pis adverbe
Marque le regret, le dépit ou l'indifférence. *Sarah ne veut pas de fraises, **tant pis** pour elle, car elles sont délicieuses.* **CONTR** tant mieux.

tanzanien, tanzanienne
➔Voir tableau, p. 1319.

taon nom masculin
Grosse mouche. *La femelle du **taon** pique et suce le sang des mammifères.*
* Attention! Le *a* du mot *taon* ne se prononce pas.
* Ne pas confondre *taon*, *thon* et *ton*.

*Un **taon***

tapage nom masculin
Bruits et cris violents de personnes qui s'agitent. *Le **tapage** nocturne est interdit.* **SYN** tintamarre, vacarme.

tapageur, tapageuse adjectif
Qui cherche à attirer l'attention. *Des affiches aux couleurs **tapageuses**.*

tape nom féminin
Petit coup donné avec la main. *Xavier a donné une **tape** amicale à Nabil.*

tape-à-l'œil adjectif et nom invariables
Qui est clinquant, criard. *Des vêtements **tape-à-l'œil**.* **SYN** voyant. *– Ce **tape-à-l'œil**, c'est pour nous impressionner.*

taper verbe ▸ conjug. 3
❶ Donner des tapes ou des coups. *Zoé pleure, car son frère l'**a tapée**. Fabienne **tape** sur un clou avec un marteau.* ❷ Écrire en frappant les touches d'un clavier. *Yann essaie de **taper** sa lettre à l'ordinateur.* SYN dactylographier, saisir. ❸ Plomber. *Le soleil **tape** aujourd'hui.* • **Taper dans le mille :** deviner juste. ■ *se* **taper**
❶ Dans la langue familière, faire une tâche désagréable. *Je **me suis** encore **tapé** la vaisselle.* ❷ Dans la langue familière, s'offrir quelque chose pour se faire plaisir. *Nous **nous sommes tapé** un bon souper au restaurant.*
♦ Famille du mot : tape, tape-à-l'œil, tapoter.

tapioca nom masculin
Fécule extraite de la racine de manioc. *On peut épaissir le bouillon de légumes avec du **tapioca**. Catherine aime le dessert au **tapioca**.*

se **tapir** verbe ▸ conjug. 11
Se blottir dans une cachette. *Le chat **s'est tapi** sous le divan.*

tapir nom masculin
Mammifère herbivore d'Amérique tropicale et d'Asie, dont le museau se prolonge par une courte trompe.

*Un **tapir***

tapis nom masculin
Grand morceau de tissu épais ou d'un autre textile souple qui sert à recouvrir le sol d'une pièce. *Ma mère veut acheter un **tapis** pour le salon.* • **Tapis roulant :** longue bande souple qui se déplace sans arrêt sur des rouleaux pour transporter des objets ou des personnes. *À l'aéroport, nous avons récupéré nos valises sur un **tapis roulant**. Mes parents se sont équipés d'un **tapis roulant** pour pouvoir marcher et courir même par mauvais temps.*
• **S'enfarger dans les fleurs du tapis :** s'empêtrer dans des explications, des détails inutiles.

tapisser verbe ▸ conjug. 3
Revêtir les murs d'une pièce avec du papier peint ou du tissu. ♦ Famille du mot : tapisserie, tapissier.

tapisserie nom féminin
❶ Papier peint, tissu qui sert à décorer les murs. ❷ Ouvrage à l'aiguille fait sur un canevas. *Pour s'occuper, ma marraine fait de la **tapisserie**.*

tapissier, tapissière nom
Personne qui vend et pose du papier peint, ou recouvre des meubles.

taponnage nom masculin
Dans la langue familière, hésitation, tergiversation, fonctionnement par essais et erreurs. *À force de **taponnage**, on a fini par y arriver.*

taponner verbe ▸ conjug. 3
Dans la langue familière, hésiter, tergiverser, tâtonner. *Ils **ont taponné** une heure avant de trouver la cause de la panne.*

tapoter verbe ▸ conjug. 3
Donner de petites tapes. *Enrico **tapote** doucement la joue de Mila pour la réveiller.*

taquet nom masculin
Petite pièce de bois qui sert à caler ou à bloquer quelque chose.

taquin, taquine adjectif et nom
Qui aime bien taquiner les gens. *Élodie est très **taquine**. – Un **taquin**.* ♦ Famille du mot : taquiner, taquinerie.

taquiner verbe ▸ conjug. 3
S'amuser à agacer ou à contrarier quelqu'un, sans vouloir être méchant. *Samuel adore **taquiner** sa petite sœur.*

taquinerie nom féminin
Action ou parole d'une personne taquine. *Ce n'est pas bien méchant, c'est juste une **taquinerie** !*

tarabiscoté, tarabiscotée adjectif
❶ Qui est surchargé d'ornements compliqués. *Fatima trouve le style baroque trop **tarabiscoté**.* ❷ Compliqué. *Un texte **tarabiscoté**.*

tard adverbe
Après le moment habituel. *David est arrivé **tard** à l'école.* CONTR tôt. • **Plus tard :** à un autre moment, dans le futur. ***Plus tard**,*

Christophe veut devenir vétérinaire. • **Tôt ou tard :** à un moment impossible à préciser, mais qui arrivera forcément. *Inutile de lui cacher cette nouvelle, il l'apprendra* ***tôt ou tard.*** • **Au plus tard :** pas après. *Elle devrait arriver mardi* ***au plus tard.*** ♦ Famille du mot : s'attarder, tarder, tardif.

tarder verbe ▸ conjug. 3
❶ Mettre trop de temps pour faire quelque chose. *Si l'autobus* ***tarde*** *à venir, prenons le métro, nous irons plus vite !* ❷ Mettre trop de temps à venir. *Sa réaction n'****a*** *pas* ***tardé.*** • **Il me tarde de :** j'ai hâte de. ***Il me tarde de*** *voir le dernier film de ce metteur en scène.* • **Sans tarder :** vite, rapidement.

tardif, tardive adjectif
❶ Qui a lieu tard. *Sa visite* ***tardive*** *nous a dérangés.* ❷ Qui arrive plus tard que d'habitude. *Le printemps est* ***tardif*** *cette année.* CONTR hâtif, précoce.

tare nom féminin
Défaut héréditaire très grave d'une personne ou d'un animal. *Ce cheval a une* ***tare****, il galope mal.*

taré, tarée adjectif
❶ Qui présente une tare. *Ce chat est* ***taré****, il est sourd.* ❷ Dans la langue familière, qui est un peu fou ou stupide. *Il faut être* ***taré*** *pour vouloir sauter d'aussi haut !*

tarentule nom féminin
Grosse araignée venimeuse des pays chauds.

Une **tarentule**

targette nom féminin
Petit verrou plat. *La porte du grenier se ferme avec une* ***targette.***

se **targuer** verbe ▸ conjug. 3
Dans la langue littéraire, se vanter. *Bianca* ***se targue*** *d'être très forte en mathématique.*

tarif nom masculin
❶ Prix à payer. *On a réussi à avoir des places à* ***tarif*** *réduit.* ❷ Tableau des prix. *Les* ***tarifs*** *postaux.*

tarification nom féminin
Action de fixer les prix selon un tarif.

tarir verbe ▸ conjug. 11
Mettre à sec. *La sécheresse* ***a tari*** *le puits.* • **Ne pas tarir d'éloges sur quelqu'un :** ne pas cesser d'en faire. ■ se **tarir** : cesser de couler, s'assécher. *Cette source* ***s'est*** *peu à peu* ***tarie.***

tarot nom masculin
Ensemble de 78 cartes servant au jeu et à la prédiction. *La cartomancienne se sert des* ***tarots*** *pour prédire l'avenir.*

Un **tarot**

tartare adjectif
• **Sauce tartare :** mayonnaise avec de la moutarde, des épices et des fines herbes. • **Steak tartare :** bœuf haché cru, assaisonné et mélangé avec un œuf cru et des câpres. ■ **tartare** nom masculin Chair crue apprêtée. *Un* ***tartare*** *de saumon, de bœuf.*

tarte nom féminin
Pâtisserie plate composée d'une croûte de pâte garnie de fruits, de crème, etc. *Cette* ***tarte*** *aux canneberges est délicieuse.*

tartelette nom féminin
Petite tarte pour une personne. *Ma grand-mère a préparé des* ***tartelettes*** *au citron.*

tartine nom féminin
Tranche de pain recouverte d'un autre aliment. *Le matin, Arielle mange deux* ***tartines*** *avec du beurre d'arachide.*

tartiner verbe ▸ conjug. 3
Étaler quelque chose sur du pain. *Andreas* ***a tartiné*** *du beurre sur son pain.*

tartre nom masculin
❶ Dépôt jaunâtre qui se forme sur les dents. *Pour éviter le* ***tartre****, il faut bien se brosser les dents.* ❷ Dépôt calcaire laissé par l'eau. *L'intérieur de la bouilloire est couvert de* ***tartre.*** ♦ Famille du mot : détartrer, entartrer.

tas nom masculin
❶ Choses posées les unes sur les autres, avec plus ou moins d'ordre, qui forment un monticule. *Un **tas** de linge, un **tas** de bois, un **tas** de cailloux.* ❷ Dans la langue familière, grande quantité. *Pierre a eu un **tas** de cadeaux à Noël.* **SYN** ② masse. ♦ Famille du mot: entassement, entasser, tasser.

tasse nom féminin
❶ Petit récipient avec une anse. *Des **tasses** à thé et des **tasses** à café.* * Chercher aussi *bol.* ❷ Contenu d'une tasse. *Après le repas, ils aiment bien boire une **tasse** de café.*
• **Boire la tasse** ou **une tasse:** dans la langue familière, avaler de l'eau en se baignant.
❸ Unité de mesure de volume utilisée en cuisine. *Une **tasse** équivaut à 225 ml.*
• **Tasse à mesurer:** ustensile de cuisine gradué servant à mesurer le volume des ingrédients d'une recette.

tasseau, tasseaux nom masculin
Petite pièce de bois qui sert de support ou de cale. *La tablette est posée sur des **tasseaux**.*

tasser verbe ▸ conjug. 3
Presser ou serrer pour que quelque chose prenne moins de place. *Laura est obligée de **tasser** ses affaires pour qu'elles tiennent toutes dans son sac.* **SYN** comprimer. ■ se **tasser**: se serrer les uns contre les autres. *Si les gens **se tassaient**, il y aurait encore des places dans l'autobus.*

tatami nom masculin
Tapis en paille de riz sur lequel on pratique le judo et le karaté. ✎ Pluriel: *des **tatamis**.*

tâter verbe ▸ conjug. 3
Toucher avec les doigts pour évaluer quelque chose. *Jasmine **tâte** les abricots pour voir s'ils sont mûrs.* **SYN** palper. • **Tâter le terrain:** étudier discrètement la situation avant d'entreprendre quelque chose. **SYN** sonder.
♦ Famille du mot: tâtonnement, tâtonner, à tâtons.

tâtonnement nom masculin
Fait de tâtonner. *Il a fallu plusieurs **tâtonnements** avant de trouver le bon réglage de la machine.*

tâtonner verbe ▸ conjug. 3
❶ Toucher les objets autour de soi pour se guider ou pour trouver quelque chose. *Éloi **tâtonne** dans l'obscurité pour essayer de trouver l'interrupteur.* ❷ Faire des essais successifs et sans méthode précise pour chercher. *Les médecins **ont** longtemps **tâtonné** avant de trouver la nature du virus.*

à **tâtons** adverbe
En tâtonnant. *Dans l'obscurité, le campeur cherche sa lampe de poche **à tâtons**.*

tatou nom masculin
Mammifère d'Amérique du Sud, au corps couvert d'une carapace.

*Un **tatou***

tatouage nom masculin
Dessin à l'encre indélébile incrusté dans la peau. *Ce boxeur a des **tatouages** sur le bras.*

tatouer verbe ▸ conjug. 3
Faire un tatouage. *Elle s'est fait **tatouer** une fleur de lys sur l'épaule.*

taudis nom masculin
Logement misérable et insalubre. *Ce bidonville est constitué de **taudis**.*

taupe nom féminin
❶ Petit mammifère au pelage noir, qui vit sous terre où il creuse des galeries. ❷ Dans la langue familière, personne qui s'infiltre dans un milieu pour l'espionner.

*Une **taupe***

taupinière nom féminin
Petit tas de terre que fait la taupe quand elle repousse la terre en creusant des galeries.

a b c d e f g h i j k l m n o p q r s **t** u v w x y z

taureau, taureaux nom masculin
Mâle de la vache. *Le **taureau** mugit.* * Chercher aussi *bœuf, meugler.*

*Un **taureau***

tauromachie nom féminin
Art de combattre des taureaux dans une arène. *Les Espagnols sont traditionnellement amateurs de **tauromachie**.*

taux nom masculin
Rapport de quantité exprimé en pourcentage. *Dans ce pays, le **taux** de chômage est le plus élevé d'Amérique latine.*

taverne nom féminin
Lieu où l'on peut boire de la bière et manger. *Les **tavernes** étaient autrefois réservées aux hommes.* * Chercher aussi *brasserie.*

taxable adjectif
Qui est soumis au moins à une taxe. *Les vêtements sont **taxables**.*

taxage nom masculin
Pratique de chantage et d'intimidation souvent exercée par des jeunes envers d'autres jeunes, qui consiste à s'approprier des biens ou de l'argent en ayant parfois recours à la violence. *Cette école tente de sensibiliser ses élèves au caractère inacceptable du **taxage**.*

taxe nom féminin
Nom donné à certains impôts. *Des **taxes** sont applicables sur la plupart des marchandises que l'on achète.* **SYN** ③ droit.

taxer verbe ▸ conjug. 3
Faire payer une taxe sur quelque chose. *Les villes **taxent** les propriétaires de maisons.*
◆ Famille du mot : surtaxe, taxage, taxe.

taxi nom masculin
Voiture conduite par un chauffeur que l'on paie pour faire un trajet. *Mon père a pris un **taxi** pour aller à l'aéroport.*

taxidermiste nom
Personne qui empaille les animaux morts pour les naturaliser.

tchadien, tchadienne
➔Voir tableau, p. 1319.

tchador nom masculin
Voile qui recouvre la tête et une partie du visage de certaines musulmanes. * Chercher aussi *bourka, foulard, hijab, niqab.*

tchèque
➔Voir tableau, p. 1319.

te pronom
Pronom personnel de la deuxième personne du singulier qui sert à compléter le verbe. *Je **te** félicite.* * Chercher aussi *me, se, nous, vous.*
* ***Te*** devient ***t'*** devant une voyelle ou un « h » muet : *il **t'**aime, elle **t'**héberge.*

technicien, technicienne nom
Personne qui connaît bien une technique. *Pour réparer cette machine, il vaut mieux faire appel à un **technicien**.* * Attention ! La première syllabe du mot *technicien* se prononce *tek*.

technique nom féminin
❶ Ensemble des méthodes et des procédés employés pour fabriquer des objets. *Les progrès de la **technique** ont libéré l'être humain de certaines tâches pénibles.* ❷ Procédé particulier utilisé pour une activité. *Le pastel est une **technique** difficile. Quelle **technique** utilises-tu pour pêcher ?* ■ **technique** adjectif
❶ Qui concerne la technique ou une technique. *À la suite d'un incident **technique**, ce quotidien n'a pas paru ce matin.* ❷ Qui prépare à un métier. *Jean fait des études **techniques**.*
* Attention ! La première syllabe du mot *technique* se prononce *tek*. ◆ Famille du mot : technicien, technologie.

technologie nom féminin
Science ou étude des techniques. *La **technologie** de l'information.* * Attention ! La première syllabe du mot *technologie* se prononce *tek*.

teck ou **tek** nom masculin
Arbre des régions tropicales, qui fournit un bois très dur et inaltérable. *Des meubles en **teck**.*

teckel nom masculin
Petit chien à pattes très courtes.

Un **teckel**

tee-shirt ou **T-shirt** nom masculin
Maillot en forme de T à manches courtes. *L'été, mon frère s'habille toujours en **tee-shirt** et en short.* ✎ Pluriel: *des **tee-shirts**, des **T-shirts**.* ✎ On peut écrire aussi ***teeshirt***.

teindre verbe ▸ conjug. 35
Colorer à l'aide d'une teinture. *Elle s'est fait **teindre** les cheveux en blond.* ♦ Famille du mot: déteindre, teint, teinte, teinter, teinture.

teint nom masculin
Couleur du visage. *Marilou est rentrée de vacances avec un joli **teint** hâlé.* ■ **teint, teinte** adjectif Qui a été coloré à l'aide d'une teinture. *Ce patio en bois **teint** est très joli.* • **Fond de teint:** produit cosmétique qui donne une couleur uniforme au visage. * Ne pas confondre *teint*, *tain* et *thym*.

teinte nom féminin
Nuance d'une couleur. *Cet été, la mode est aux **teintes** claires.* **SYN** ton.

teinter verbe ▸ conjug. 3
Donner une teinte. *Il a fait **teinter** les vitres de sa voiture.* ■ *se* **teinter**: prendre une teinte. *Au coucher du soleil, le ciel **s'est teinté** de rose.* * Ne pas confondre *teinter* et *tinter*.

teinture nom féminin
Produit spécial que l'on utilise pour changer la couleur de quelque chose.

tel, telle adjectif
❶ De cette sorte. *On ne pensait pas que la tempête atteindrait une **telle** violence.* **SYN** pareil. ❷ Si grand. *Il y a un **tel** bruit que l'on ne s'entend plus.* ■ **tel, telle** déterminant Dont l'identité n'est pas définie. ***Tel** enfant sera grand, **tel** enfant sera petit.* • **Tel quel:** sans modification. *Personne n'a touché à ses affaires, elle les a retrouvées **telles quelles**.* • **Rien de tel:** rien de si efficace. *Prends ce sirop, il n'y a **rien de tel** pour calmer la toux.*

télé- préfixe
Placé au début d'un mot pour former un autre mot, *télé-* signifie «au loin» (***télé**gramme*), «à distance» (***télé**guidé*).

télé nom féminin
Abréviation familière de *téléviseur* et de *télévision*. *Allumer la **télé**. Passer à la **télé**.*

téléavertisseur nom masculin
Récepteur de radiomessagerie portatif qui permet à un abonné de recevoir de brefs messages, souvent numériques, à l'intérieur d'une zone donnée.

télécommande nom féminin
Dispositif qui permet de faire fonctionner un appareil à distance. *Avec la **télécommande**, Sonia baisse ou monte le son.*

télécommandé, télécommandée adjectif
Qui fonctionne avec une télécommande. *Thomas joue avec sa voiture **télécommandée**.* **SYN** téléguidé.

télécommunication nom féminin
Ensemble des moyens et techniques qui permettent de communiquer à distance.

télécopie nom féminin
❶ Moyen de télécommunication qui permet d'envoyer à distance des copies d'écrits ou d'images. *Il a envoyé son rapport par **télécopie**.* ❷ Copie envoyée par télécopieur. *J'ai reçu une **télécopie** ce matin.*

télécopieur nom masculin
Appareil qui permet de transmettre des copies d'écrits ou d'images par le réseau téléphonique. *Au bureau, on a un nouveau **télécopieur**.*

télédiffuser verbe ▸ conjug. 3
Diffuser au moyen de la télévision. ***Télédiffuser** un match de soccer.*

télégramme nom masculin
Message très bref transmis par télégraphie. *Nous avons reçu un **télégramme** nous annonçant la naissance d'Emma.*

télégraphie nom féminin
Système qui permet de transmettre très rapidement par signaux des messages écrits.

télégraphique adjectif
• **Style télégraphique:** manière d'écrire qui n'utilise que les mots essentiels pour la compréhension.

téléguidé, téléguidée adjectif
Télécommandé. *Un robot **téléguidé**.*

a b c d e f g h i j k l m n o p q r s t u v w x y z

télémarketing nom masculin
Procédé de commercialisation d'un produit ou d'un service qui utilise les télécommunications.

télématique nom féminin et adjectif
Ensemble des techniques qui utilisent en même temps l'informatique et les télécommunications pour transmettre des données textuelles, graphiques ou sonores de manière interactive ou unilatérale. *On lui a confié la mise à jour de tout le système* ***télématique****.*

téléobjectif nom masculin
Objectif qui permet de photographier des objets éloignés. *Ce gros* ***téléobjectif*** *nous permettra de photographier de loin des animaux sauvages.*

télépathie nom féminin
Transmission de pensée à distance entre deux personnes.

téléphérique nom masculin
Système constitué de cabines suspendues à un câble, qui sert à transporter des personnes sur une hauteur ou une montagne. *Dans cette station de ski, il y a plusieurs* ***téléphériques****.* ✎ On peut écrire aussi ***téléférique***.

téléphone nom masculin
❶ Système de télécommunication qui transmet la parole à distance. *Le* ***téléphone*** *a été inventé à la fin du 19e siècle.* ❷ Appareil qui permet cette transmission. *Ma mère vient de remplacer son* ***téléphone*** *cellulaire.* ♦ Famille du mot : téléphoner, téléphonique, téléphoniste.

téléphoner verbe ▸ conjug. 3
Parler à quelqu'un au téléphone. *Yohan* ***a téléphoné*** *à son amie pour l'inviter à souper.*

téléphonique adjectif
Qui concerne le téléphone. *Il y a eu un appel* ***téléphonique*** *pendant ton absence.*

téléphoniste nom
Personne chargée d'assurer les appels téléphoniques.

téléréalité nom féminin
Type d'émission de télévision qui filme en direct ou en différé des gens connus ou non dans leurs activités quotidiennes.

téléroman nom masculin
Feuilleton télévisé. *Marianne regarde son* ***téléroman*** *préféré.* * Chercher aussi *télésérie*.

télescope nom masculin
Instrument optique pour observer les astres. *Cet observatoire possède un* ***télescope*** *géant.* 👁p. 575.

télescopique adjectif
❶ Relatif au télescope. *Des images* ***télescopiques****.* ❷ Dont les éléments se plient en s'emboîtant les uns dans les autres. *Un parapluie* ***télescopique****.*

télésérie nom féminin
Série d'émissions de télévision conçues pour former un ensemble, une suite. * Chercher aussi *téléroman*.

Un **téléphérique**

télésiège nom masculin
Remontée mécanique faite d'un câble auquel sont suspendus des sièges.

téléspectateur, téléspectatrice nom
Personne qui regarde la télévision. *Des millions de* ***téléspectateurs*** *regardent les Jeux olympiques.*

téléthon nom masculin
Spectacle télévisé de longue durée dont l'objectif est de recueillir des fonds pour une cause.

télévisé, télévisée adjectif
Transmis par la télévision. *Le journal* ***télévisé****.*

téléviseur nom masculin
Poste de télévision. *Ils se sont acheté un* ***téléviseur*** *à écran géant.* * Abréviation familière : ***télé***.

télévision nom féminin
❶ Système qui permet la transmission à distance des images. *La* ***télévision*** *par câble, par satellite.* ❷ Dans la langue familière, téléviseur. *Une* ***télévision*** *à écran plat.* * Abréviation familière : ***télé***. ♦ Famille du mot : téléroman, télésérie, téléspectateur, téléthon, télévisé, téléviseur.

tellement adverbe
Avec intensité. *Amélie a été* ***tellement*** *gentille avec moi ! Il fait* ***tellement*** *chaud que Philippe transpire.* **SYN** si.

tellurique adjectif
Qui concerne la Terre. • **Secousse tellurique:** tremblement de terre. *Ce séisme était faible: personne n'a ressenti les* ***secousses telluriques****.*

téméraire adjectif
Qui s'expose au danger. *On lui demande d'être courageux, pas* ***téméraire****.* SYN hardi, imprudent.

témérité nom féminin
Caractère téméraire. *Partir en mer par ce temps, c'est de la* ***témérité****.*

témiscabitibien, témiscabitibienne adjectif et nom
De la région de l'Abitibi-Témiscamingue. *L'industrie* ***témiscabitibienne****. – Les* ***Témiscabitibiens****, les* ***Témiscabitibiennes****.* ✎ Attention! Le nom, qui désigne les habitants, s'écrit avec une majuscule.

témoignage nom masculin
❶ Déclaration faite par un témoin. *Les policiers ont recueilli le* ***témoignage*** *d'une femme qui a assisté à l'incident.* ❷ Marque, preuve de quelque chose. *Il m'a offert un livre en* ***témoignage*** *de son amitié.* SYN gage.

témoigner verbe ▸ conjug. 3
❶ Faire une déclaration en tant que témoin de quelque chose. *Mon père a vu comment l'accident s'est produit et il va* ***témoigner****.* ❷ Manifester un sentiment. *Pour nous* ***témoigner*** *sa reconnaissance, elle nous a envoyé des fleurs.* ❸ Révéler. *Ses succès* ***témoignent*** *de ses efforts assidus.*

témoin nom masculin
Personne qui a assisté à un évènement. *Un* ***témoin*** *de l'accident a raconté ce qui s'est passé.* ♦ Famille du mot: témoignage, témoigner.

tempe nom féminin
Chacun des côtés de la tête entre l'œil et l'oreille. *Mes nouvelles lunettes me serrent un peu les* ***tempes****.* 👁p. 246.

tempérament nom masculin
Caractère ou nature d'une personne. *Fatima est calme de* ***tempérament****, tandis que son frère est plutôt nerveux.* SYN caractère, humeur, naturel.

température nom féminin
❶ Mesure du froid ou de la chaleur d'un lieu. *Le thermomètre indique la* ***température*** *qu'il fait dehors. Il faut surveiller la* ***température*** *du four.* ❷ Degré de chaleur du corps, qui indique si on est malade ou non. *La pédiatre prend la* ***température*** *du bébé.* • **Avoir de la température:** avoir de la fièvre, c'est-à-dire plus de 37 °C. * Chercher aussi *thermomètre.*

tempéré, tempérée adjectif
Qui n'est ni très chaud ni très froid. *Un climat* ***tempéré****.*

tempérer verbe ▸ conjug. 8
Rendre moins violent. *Vous devriez* ***tempérer*** *un peu vos propos.* SYN modérer. ✎ On peut écrire aussi, au futur, *je* ***tempèrerai***; au conditionnel, *tu* ***tempèrerais****.*

tempête nom féminin
Vent très violent souvent accompagné d'orages, de pluie ou de neige. *À cause de la* ***tempête****, les bateaux de pêche ont dû rester au port.* • **Tempête de neige:** blizzard.

tempêter verbe ▸ conjug. 3
Exprimer violemment son mécontentement. *Il* ***tempête*** *contre la lenteur de la circulation.*

temple nom masculin
❶ Bâtiment consacré à un culte religieux, au culte d'une divinité. *En Grèce, Xavier a visité les ruines d'un* ***temple*** *dédié à Zeus.* ❷ Bâtiment où les protestants vont prier. * Chercher aussi *église, mosquée, pagode, synagogue.*

Un ***temple***

temporaire adjectif
Qui ne dure pas longtemps. *Le grand frère de Bernardo n'a trouvé pour l'instant qu'un travail* ***temporaire****.* SYN momentané, provisoire. CONTR définitif, permanent.

a b c d e f g h i j k l m n o p q r s t u v w x y z

temporairement adverbe
De façon temporaire. *Le magasin est fermé **temporairement** pour travaux.* **SYN** momentanément, provisoirement. **CONTR** définitivement.

① **temps** nom masculin
❶ Durée mesurée en secondes, minutes, heures, jours, semaines, mois, années, siècles. *Combien de **temps** mets-tu pour aller à l'école ?* ❷ Moment libre. *Yaël a une recherche à terminer: elle n'a pas le **temps** de jouer ce soir.* ❸ Moment de l'histoire à une certaine époque. *Au **temps** de la préhistoire, les humains vivaient dans des cavernes.* ❹ Forme du verbe qui indique si l'action est passée, présente ou future. *Alex apprend à conjuguer le verbe « aimer » à tous les **temps** de l'indicatif.* ❺ Division d'une mesure musicale, qui sert à régler le rythme. *Le tango est une danse à deux **temps**.* • **À temps:** à l'heure, au moment voulu. *Arriverons-nous **à temps** pour prendre le train ?* • **Dans le temps:** dans le passé, autrefois, jadis. ***Dans le temps**, on s'éclairait à la bougie.* • **Temps partiel:** période de travail dont la durée est inférieure à la moyenne hebdomadaire. • **Temps plein:** période de travail, chez un même employeur, qui correspond à la moyenne hebdomadaire chez cet employeur ou dans les entreprises du même secteur d'activités. • **De temps en temps:** pas très souvent. *On se voit **de temps en temps**.* **SYN** parfois, quelquefois. • **En temps utile:** quand il le faudra. *Prévenez-moi **en temps utile**.* • **En temps voulu:** au moment fixé, dans les délais convenus. *La réparation a été terminée **en temps voulu**.* • **En deux temps, trois mouvements:** très rapidement. *Léa s'est préparée **en deux temps, trois mouvements**.* • **En même temps:** au même moment. • **Il est temps de:** c'est le moment de. *Il est 8 heures: pour ma mère, **il est temps de** partir au bureau.* • **Prendre son temps:** ne pas se presser. • **Tout le temps:** sans arrêt. *Laurent a **tout le temps** faim.* ♦ Famille du mot: temporaire, temporairement. * Ne pas confondre *temps* et *tant*.

② **temps** nom masculin
Conditions atmosphériques (pluie, vent, ensoleillement, etc.). *Beau **temps**. Mauvais **temps**.* * Chercher aussi *météorologie*. • **Faire la pluie et le beau temps:** être très puissant, avoir beaucoup d'influence.

tenable adjectif
Que l'on peut supporter. *Il fait trop chaud dans cette pièce, ce n'est pas **tenable**.* **SYN** supportable, tolérable. **CONTR** insupportable, intenable.

tenace adjectif
❶ Qui persévère dans ce qu'il entreprend. *Ce chercheur est **tenace**, il sait que ses recherches vont aboutir.* **SYN** obstiné, opiniâtre, persévérant. ❷ Dont on se débarrasse très difficilement. *Cette tache d'encre est **tenace**. Une migraine **tenace**.*

ténacité nom féminin
Caractère d'une personne tenace. *Il persévère dans son projet avec **ténacité**.* **SYN** détermination, obstination.

tenailler verbe ▸ conjug. 3
Faire cruellement souffrir. *Ses remords la **tenaillent**: elle n'aurait pas dû mentir à ses parents.* **SYN** torturer, tourmenter.

tenailles nom féminin pluriel
Outil qui ressemble à une grosse pince. *Paul se sert de **tenailles** pour arracher les clous.*

Des **tenailles**

① **tenant, tenante** adjectif
• **Séance tenante:** immédiatement, sur-le-champ. *Elle s'est mise au travail **séance tenante**.*

② **tenant, tenante** nom
Personne qui détient un titre sportif. *C'est le **tenant** du record qui a remporté la course.* ■ **tenant** nom masculin • **D'un seul tenant:** en un seul morceau. *Ce cultivateur possède un domaine de trente hectares **d'un seul tenant**.*

tendance nom féminin
❶ Mouvement, orientation. *Les **tendances** de la mode.* ❷ Force qui pousse quelqu'un à avoir un certain comportement. *Bernard a **tendance** à critiquer tout le monde.*

tendancieux, tendancieuse adjectif
Qui a tendance à déformer les faits réels. *Ce journal est très **tendancieux**.* **SYN** partial. **CONTR** impartial, objectif.

tendinite nom féminin
Inflammation d'un tendon. *En jouant au tennis, David s'est fait une **tendinite**.*

tendon nom masculin
Extrémité d'un muscle. *Ce sont les **tendons** qui rattachent les muscles aux os.*

① **tendre** verbe ▸ conjug. 31
❶ Tirer sur quelque chose pour l'allonger. *Cet élastique a cassé quand je l'**ai tendu**.* ❷ Recouvrir un mur de tissu ou de papier. *On **a tendu** du tissu sur les murs de cette pièce.* ❸ Présenter quelque chose en l'avançant. *Fiona **tend** son assiette pour qu'on la serve. Il m'**a tendu** la main.* ❹ Évoluer dans un certain sens. *Depuis quelques mois, le chômage **tend** à baisser.* ❺ Avoir pour objectif. *Ces mesures **tendent** à limiter le nombre des accidents de la route.* ❻ Disposer pour prendre, pour surprendre. ***Tendre** un piège, une embuscade.* • **Tendre l'oreille**: écouter avec attention. • **Tendre la perche à quelqu'un**: lui offrir de l'aide alors qu'il est dans l'embarras (comme on fait lorsqu'on tend une perche à quelqu'un qui se noie). ■ *se* **tendre**: devenir difficile à cause d'une mauvaise entente. *Leurs relations **se sont tendues** après cet incident.*

② **tendre** adjectif
❶ Qui est doux et affectueux. *Elle caresse la tête de sa petite-fille d'un geste **tendre**.* ❷ Que l'on peut facilement couper et mâcher. *Ce rôti est très **tendre**.* **CONTR** coriace, dur. ♦ Famille du mot: attendrir, attendrissant, attendrissement, tendrement, tendresse.

tendrement adverbe
Avec tendresse. *S'embrasser **tendrement**.* **SYN** affectueusement.

tendresse nom féminin
Caractère d'une personne tendre. *Elle s'occupe de son bébé avec **tendresse**.* **SYN** affection.

tendu, tendue adjectif
❶ Allongé, étiré. *Une corde à linge **tendue**.* ❷ Difficile. *Une situation **tendue**.* ❸ Nerveux, stressé. *Une personne **tendue**.*

ténèbres nom féminin pluriel
Dans la langue littéraire, profonde obscurité. *Elle ne voyait rien dans les **ténèbres**.*

ténébreux, ténébreuse adjectif
Dans la langue littéraire, qui est difficile à comprendre. *Cet homme est mêlé à une **ténébreuse** affaire.* **SYN** mystérieux.

teneur nom féminin
Proportion d'une substance contenue dans un corps ou un mélange. *Cette confiture a une faible **teneur** en sucre.*

ténia nom masculin
Long ver qui vit en parasite dans l'intestin des mammifères. *Le **ténia** peut atteindre plusieurs mètres de long.* **SYN** ver* solitaire.

tenir verbe ▸ conjug. 19
❶ Serrer dans sa main ou dans ses bras. *Félix **tient** son petit frère par la main pour traverser la rue.* ❷ Être fixé ou accroché. *Ce tableau **tient** grâce à un crochet.* ❸ Maintenir. ***Tenir** sa chambre propre.* ❹ Occuper un espace. *Tout ce monde ne **tiendra** jamais dans l'autobus!* ❺ S'occuper d'un magasin. *Le père de Noémie **tient** une épicerie.* ❻ Être très attaché à quelqu'un ou à quelque chose. *Ma mère **tient** beaucoup à cette photo. Aurélie **tient** à ses amis.* ❼ Désirer fortement quelque chose. *Émile **tenait** à nous accompagner.* • **Tenir compte de quelque chose**: le prendre en considération, s'en soucier. *Il n'**a** pas **tenu compte de** mes conseils.* • **Tenir sa langue**: se retenir de dire ce qu'il ne faut pas dire ni répéter. • **Tenir bon** ou **tenir le coup**: résister, ne pas abandonner. • **Tenir de quelqu'un**: lui ressembler. *Cédric **tient** plutôt **de** sa mère.* • **Tenir la route**: bien garder sa trajectoire sur une route. *Cette voiture ne dérape pas dans les virages: elle **tient** bien **la route**.* Au sens figuré, être réalisable. *Ce projet ne **tient** pas **la route**.* • **Tenir parole**: faire ce que l'on avait promis. ■ *se* **tenir** ❶ S'appuyer ou s'accrocher à quelque chose. *Dans le métro, je **me tenais** à la barre pour ne pas tomber.* ❷ Avoir telle attitude, telle position. ***Se tenir** debout. Lorenzo **se tient** droit. Camille **se tient** bien en toute circonstance.* • **S'en tenir à quelque chose**: s'en contenter. *Brian **s'en est tenu à** ce qu'il avait décidé.* ♦ Famille du mot: intenable, tenable, tenue.

tennis nom masculin
Sport dans lequel les joueurs, au nombre de deux ou de quatre, se renvoient une balle par-dessus un filet, en se servant d'une raquette. *Chaque samedi, Sun-Wei joue au **tennis**.* • **Tennis de table**: ping-pong.

*Un joueur de **tennis***

ténois, ténoise adjectif et nom
Des Territoires du Nord-Ouest. *Le gouvernement **ténois**. – Les **Ténois**, les **Ténoises**.*
✎ Attention! Le nom, qui désigne les habitants, s'écrit avec une majuscule.

ténor nom masculin
Chanteur qui a une voix haute. *L'oncle d'Arthur est un **ténor**.* * Chercher aussi *baryton, basse*.

tension nom féminin
❶ Manière dont une chose est tendue. *La **tension** des cordes d'une raquette de tennis.*
❷ Relations tendues entre des personnes ou des pays. *La **tension** est si grande entre ces deux pays que l'on craint une guerre.* **CONTR** détente.
❸ Pression du sang dans les artères. *Ma grand-mère prend des médicaments, car sa **tension** est trop élevée.*

tentacule nom masculin
Membre allongé de certains mollusques. *Les pieuvres et les calmars ont des **tentacules** qui leur permettent de capturer leurs proies.* * Attention! On dit ***un** tentacule*.

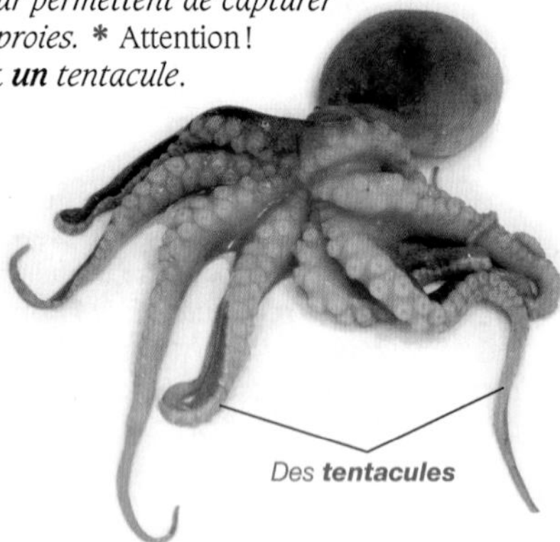
Des **tentacules**

tentant, tentante adjectif
Qui tente, qui fait envie. *Ces chocolats sont **tentants**.*

tentation nom féminin
Fait d'être tenté par quelque chose. *Mia n'a pas pu résister à la **tentation** de s'acheter un nouveau chemisier.* **SYN** envie.

tentative nom féminin
Action de tenter, d'essayer quelque chose. *Le sauteur a franchi la barre à la première **tentative**.* **SYN** essai.

tente nom féminin
Abri en toile qui se monte et se démonte facilement. *Les campeurs ont monté leurs **tentes** dans une clairière.*
* Ne pas confondre *tente* et *tante*.

Une **tente**

tente-roulotte nom féminin
Tente tractée par une voiture, installée sur une remorque de façon que ses parois de toile puissent se replier au moment du transport.
* On dit aussi ***tente-caravane***.

tenter verbe ▸ conjug. 3
❶ Donner envie à quelqu'un. *Cette jolie robe me **tente** beaucoup.* ❷ Essayer de faire quelque chose avec l'espoir de réussir. *Cette athlète **a tenté** de battre le record du monde.* • **Tenter sa chance**: essayer de gagner, de réussir.
♦ Famille du mot: tentant, tentation, tentative.

tenture nom féminin
Grand morceau de tissu qui décore une fenêtre, un mur. *Ces **tentures** ont déteint au soleil.*

ténu, ténue adjectif
❶ Qui est très fin, très mince. *Les fils de la toile d'araignée sont **ténus**.* ❷ Qui est à peine perceptible. *La différence entre ces deux qualités de papier est **ténue**.* **SYN** subtil.

tenue nom féminin
❶ Manière de se tenir, de se conduire. *Julien s'est fait gronder pour sa mauvaise **tenue**.*
❷ Manière de s'habiller. *Le directeur exige des élèves une **tenue** correcte.* • **Tenue de route**: manière dont une voiture tient la route.

tergiversations nom féminin pluriel
Fait de tergiverser, d'hésiter à se décider. *À force de **tergiversations**, il a raté cette bonne affaire.* **SYN** hésitation.

tergiverser verbe ▸ conjug. 3
Dans la langue littéraire, hésiter longuement avant de se décider. *Rachida a accepté mon offre sans **tergiverser**.*

① **terme** nom masculin
❶ Fin d'une période ou d'une action. *Cette sportive est arrivée au **terme** de sa carrière.*
❷ Moment où un accouchement doit se produire. *Elle a accouché à **terme**. Ce bébé est né avant **terme**.* • **À court terme, à long terme**: sur une courte période ou sur une longue période de temps. *La banque nous a accordé un prêt **à long terme** pour acheter une maison.*

② **terme** nom masculin
Mot, groupe de mots ou expression. *Je ne comprends pas le mode d'emploi de cet appareil, il y a trop de **termes** techniques.* • **Être en bons** ou **en mauvais termes avec quelqu'un**: avoir de bonnes ou de mauvaises relations avec lui.

terminaison nom féminin
❶ État de ce qui se termine. *La **terminaison** d'un contrat.* ❷ Dernière partie d'un mot, qui peut varier. *Quand on conjugue un verbe, sa **terminaison** change. La **terminaison** habituelle du féminin est « e ».*

terminal, terminaux nom masculin
❶ Appareil relié à un ordinateur central. ❷ Point de départ et d'arrivée des passagers dans un aéroport. ■ **terminal, terminale, terminaux** adjectif Qui termine. *Notre projet a atteint sa phase **terminale**.*

terminer verbe ▸ conjug. 3
❶ Finir une action. *Tu n'**as** pas **terminé** ton devoir.* SYN achever. ❷ Former la dernière partie de quelque chose. *Décembre est le mois qui **termine** l'année.* ■ se **terminer** : s'achever, finir. *Notre voyage **se termine** là. Au pluriel, beaucoup de noms **se terminent** par un « s ».*
♦ Famille du mot : interminable, terminaison, terminal, terminus.

terminus nom masculin
Dernière station d'une ligne de transport en commun. * Attention ! Le *s* du mot *terminus* se prononce.

termite nom masculin
Insecte qui ronge le bois pour s'en nourrir. *Une colonie de **termites** a creusé des galeries dans les poutres.* * Attention ! On dit ***un** termite.*

Des **termites**

termitière nom féminin
Nid de termites. *Les **termitières** atteignent parfois plusieurs mètres de hauteur.*

terne adjectif
Qui manque d'éclat. *Je n'aime pas ce chandail gris, il est trop **terne**.* CONTR brillant, éclatant, vif.

ternir verbe ▸ conjug. 11
Rendre terne. *La poussière **a terni** le brillant du métal.* ■ se **ternir** : devenir terne. *Les couleurs vives des rideaux **se ternissent** au soleil.*

terrain nom masculin
❶ Le sol, caractérisé par son relief ou sa composition. *Un **terrain** plat, accidenté. Un **terrain** argileux.* ❷ Espace délimité. *Il est propriétaire d'un **terrain** au bord du lac.* ❸ Espace extérieur aménagé pour certaines activités. *Un **terrain** de camping, de tennis, de jeu.* • **Terrain d'entente** : base sur laquelle on se met d'accord. *Après une longue discussion, les adversaires ont fini par trouver un **terrain d'entente**.*

terrarium nom masculin
❶ Miniserre où pousse un jardin miniature sous vide dans un récipient de verre ou de plastique. ❷ Installation destinée à l'élevage de petits animaux terrestres ou d'insectes qui ont besoin de chaleur, de pierres et de plantes pour survivre. * Attention ! La dernière syllabe du mot *terrarium* se prononce *riome*.

terrasse nom féminin
❶ Sorte de grand balcon. *La salle de séjour de cet appartement donne sur une **terrasse**.* ❷ Partie d'un trottoir occupée par les tables et les chaises d'un café, d'un restaurant. *On a mangé à la **terrasse** d'une brasserie.* ❸ Toiture plate de certains bâtiments, accessible à leurs occupants. *En été, les locataires de cet immeuble sont ravis d'avoir accès à la **terrasse**.* • **Cultures en terrasses** : cultures en étages à flanc de colline. *Dans certaines régions, on cultive le riz **en terrasses**.*

Des **cultures en terrasses**

terrassement nom masculin
Opérations qui consistent à aménager un terrain. *Les travaux de **terrassement** de leur nouvelle propriété ont pris plus de temps que prévu.*

a b c d e f g h i j k l m n o p q r t u v w x y z

terrasser verbe ▸ conjug. 3
❶ Renverser quelqu'un au cours d'une lutte. ***Terrasser** un adversaire.* ❷ Abattre quelqu'un physiquement ou moralement. *La fatigue et l'émotion l'**ont terrassé**.*

terre nom féminin
❶ Planète du système solaire, habitée entre autres êtres vivants par l'espèce humaine. *La **Terre** est située à 150 millions de kilomètres du Soleil, dont elle fait le tour en une année.* ❷ Surface de cette planète. *Creuser une galerie sous la **terre**. Un tremblement de **terre**. L'hélicoptère s'approche de la **terre**.* ❸ Matière qui recouvre cette surface. *Les récoltes seront abondantes si la **terre** est bien irriguée.* ❹ Région, terrain ou territoire. *En Amazonie, il y a des **terres** qui n'ont pas encore été explorées.* SYN zone. ❺ Matière qui sert à fabriquer des objets. *Des statuettes en **terre** cuite.* ❻ Surface du globe qui n'est pas recouverte par les mers et les océans. *Le voilier approchait de la **terre**.* • **Par terre :** sur le sol. *Être assis **par terre**.* • **Terre à terre :** qui sait agir et prendre des décisions utiles. *Son esprit **terre à terre** lui a fait choisir le modèle le plus pratique.* ✎ Attention ! Au sens 1, *Terre* s'écrit avec une majuscule. ♦ Famille du mot : déterrer, enterrement, enterrer, terreau, terre-plein, terrestre, terreux, terrien.

terreau, terreaux nom masculin
Terre mélangée de matières végétales en décomposition, que l'on utilise comme engrais. SYN humus.

terre-neuve nom masculin invariable
Chien au long poil noir originaire de Terre-Neuve. *Lisa promène ses deux **terre-neuve**.*

Un **terre-neuve**

terre-neuvien, terre-neuvienne adjectif et nom
De la province de Terre-Neuve-et-Labrador. *Les francophones **terre-neuviens**. – Les **Terre-Neuviens**, les **Terre-Neuviennes**.* ✎ Attention ! Le nom, qui désigne les habitants, s'écrit avec des majuscules.

terre-plein nom masculin
Surface surélevée qui sépare deux parties d'une route. *L'autoroute est séparée en deux par un **terre-plein**.* ✎ Pluriel : *des **terre-pleins**.* ✎ On peut écrire aussi ***terreplein***.

se **terrer** verbe ▸ conjug. 3
Se cacher dans un lieu couvert ou souterrain. *Le chien **s'est terré** dans sa niche dès les premiers éclairs.*

terrestre adjectif
❶ Relatif à la Terre. *La surface **terrestre**. L'écorce **terrestre**.* ❷ Qui vit sur la terre et non dans l'eau. *On distingue les animaux aquatiques des animaux **terrestres**.*

terreur nom féminin
Peur très violente qui empêche d'agir. SYN épouvante, frayeur. • **Semer la terreur :** faire naître la terreur par ses agissements. *Des voyous **semaient la terreur** dans le quartier.* ♦ Famille du mot : terrible, terriblement, terrifiant, terrifier, terroriser, terrorisme, terroriste.

terreux, terreuse adjectif
❶ Qui a la couleur terne et grisâtre de la terre. *Ce malade a le teint **terreux**.* ❷ Qui est couvert de terre. *Des chaussures **terreuses**.*

terrible adjectif
❶ Qui inspire de la terreur. *Il vient d'échapper à un danger **terrible**.* SYN effrayant, épouvantable, terrifiant. ❷ Qui est très violent, très intense ou très grand. *Un incendie **terrible**.* ❸ Qui est insupportable, turbulent. *Des enfants **terribles**.* ❹ Dans la langue familière, excellent, remarquable. *Ce film n'était pas **terrible**.*

terriblement adverbe
Extrêmement, très. *Ce film est **terriblement** ennuyant.*

terrien, terrienne nom
Habitant de la Terre. *Ce roman raconte l'histoire de **terriens** perdus dans le cosmos.* ■ **terrien, terrienne** adjectif Qui possède des terres. *Un riche propriétaire **terrien**.*

terrier nom masculin
Abri que certains animaux creusent sous la terre. *Le lapin s'est réfugié dans son **terrier**.* * Chercher aussi ① *gîte, tanière.*

terrifiant, terrifiante adjectif
Qui terrifie. *Des hurlements **terrifiants**.* SYN effrayant, épouvantable, terrible.

terrifier verbe ▸ conjug. 10
Provoquer de la terreur. *L'orage **a terrifié** mon petit frère.* SYN épouvanter, terroriser.

terrine nom féminin
❶ Récipient en terre muni d'un couvercle. ❷ Pâté cuit dans ce récipient. *Une **terrine** de canard au poivre vert.*

territoire nom masculin
Étendue de terre dont les limites correspondent à des divisions connues (pays, province, ville, quartier) ou imaginaires. *Le **territoire** québécois est divisé en régions administratives. Le chat défend son **territoire** contre les autres chats.*

territorial, territoriale, territoriaux adjectif
Qui concerne un territoire ou qui en fait partie. *Les frontières sont des limites **territoriales**.*

terroir nom masculin
Région rurale qui garde certaines traditions. *Les produits du **terroir**.*

terroriser verbe ▸ conjug. 3
Provoquer de la terreur. *Un lion échappé du cirque **terrorise** la région.* **SYN** épouvanter, terrifier.

terrorisme nom masculin
Fait d'utiliser la terreur pour imposer ses idées politiques ou ses revendications. *Après cette série d'attentats, le gouvernement a pris des mesures contre le **terrorisme**.*

terroriste nom et adjectif
Qui commet des actes de terrorisme. *On a arrêté le **terroriste** responsable de l'attentat. – Une organisation **terroriste** a détourné un avion.*

tertiaire adjectif
• **Ère tertiaire** : ère géologique qui a suivi l'ère secondaire, il y a environ 70 millions d'années. *C'est à l'**ère tertiaire** que sont apparus les premiers primates.*

tes ↠Voir ① **ton**

tesson nom masculin
Débris de verre ou de poterie. *Adam s'est blessé en marchant sur un **tesson** de bouteille.* * Attention ! La première syllabe du mot *tesson* se prononce *té*.

test nom masculin
❶ Épreuve qui sert à évaluer les capacités ou les connaissances d'une personne. *L'enseignante nous a fait passer un **test** d'anglais.* ❷ Épreuve qui permet de vérifier le bon fonctionnement d'un appareil ou la bonne qualité d'un produit. *Des **tests** effectués en laboratoire ont démontré que ce produit n'est pas nocif pour la santé.*

testament nom masculin
Texte dans lequel une personne indique à qui elle veut laisser ses biens après sa mort. *Mon grand-père a fait son **testament** et il l'a déposé chez une notaire.* * Chercher aussi *héritage, héritier.*

tester verbe ▸ conjug. 3
❶ Faire passer un test à quelqu'un. *L'entraîneur **a testé** chaque joueur de l'équipe.* ❷ Contrôler par un test. ***Tester** un nouveau produit avant de le commercialiser.*

testicule nom masculin
Glande génitale des hommes et des animaux mâles, qui produit les spermatozoïdes. *L'homme a deux **testicules**.*

tétanos nom masculin
Grave maladie qui produit des contractions musculaires intenses et douloureuses. *Il existe un vaccin contre le **tétanos**.* * Attention ! Le *s* du mot *tétanos* se prononce.

têtard nom masculin
Larve de la grenouille, qui vit dans l'eau. *Le **têtard** s'est métamorphosé en grenouille.* 👁p. 46.

*Un **têtard***

tête nom féminin
❶ Partie du corps qui comprend le visage et le crâne. *Il porte une casquette sur la **tête**. Prends une aspirine si tu as mal à la **tête**.* 👁p. 246. ❷ Visage. *Ton ami a une **tête** sympathique.* **SYN** figure. ❸ Centre de la mémoire, de la pensée et de l'intelligence. *Il a plein de projets dans la **tête**.* **SYN** cerveau, esprit. ❹ Partie supérieure d'une chose, d'un objet. *Une **tête** d'épingle.* **CONTR** pointe. *La **tête** d'un lit.* **CONTR** pied. ❺ Partie qui est devant. *Notre wagon est en **tête** du train.* **CONTR** queue. ❻ Position de commandement. *Quand mon oncle a pris sa retraite, sa fille l'a remplacé à la **tête** de son entreprise.* • **Coup de tête** : décision prise sans réfléchir. • **Avoir toute sa tête** : être complètement lucide. • **De tête** : qui a de l'intelligence et de la volonté pour agir. *Une femme **de tête**.* • **À tête reposée** : en prenant son temps pour réfléchir. • **En avoir par-dessus la tête** : dans la langue familière, être excédé. • **En tête à tête** : seul avec une autre personne. *Nous avons soupé **en tête à tête**.* • **En tête** : dans la position la meilleure. *Ce candidat est **en tête** dans les sondages.* • **Faire la tête** : bouder. • **Une tête brûlée** : une personne qui aime le risque et l'aventure. • **Crier à tue-tête** : crier très fort. • **N'en faire qu'à sa tête** : agir comme on veut, sans se préoccuper de ce que disent les autres. *Tu n'arriveras pas à le convaincre, il **n'en fait qu'à sa tête**.* • **Perdre la tête** : s'affoler. • **Se mettre dans la tête** : s'imaginer. • **Tenir tête à quelqu'un** : lui résister, refuser de lui céder.
◆ Famille du mot : en-tête, entêté, entêtement, s'entêter, tête-à-queue, tête-à-tête, têtu.

La Terre

La Terre, troisième planète du système solaire, est située entre Vénus et Mars. Elle possède un satellite naturel : la Lune. Comme les océans recouvrent la majeure partie de la surface du globe, on l'appelle souvent la « planète bleue ».

La vie sur Terre

La vie a pu se développer sur la Terre grâce à des conditions particulièrement favorables. Il y a d'abord la température, qui n'est ni trop chaude ni trop froide. Puis l'atmosphère, qui protège les êtres vivants des rayons nocifs du Soleil et sans laquelle la vie serait impossible. Et également la présence d'eau, essentielle à l'apparition de la vie telle qu'on la connaît sur notre planète.

Le jour et la nuit

La Terre est une sphère. C'est pourquoi seule une moitié du globe est éclairée au même moment par le Soleil. C'est le jour dans la partie qui fait face au Soleil, tandis que c'est la nuit dans la partie opposée. C'est donc le mouvement de rotation de la Terre qui est responsable de l'alternance du jour et de la nuit.

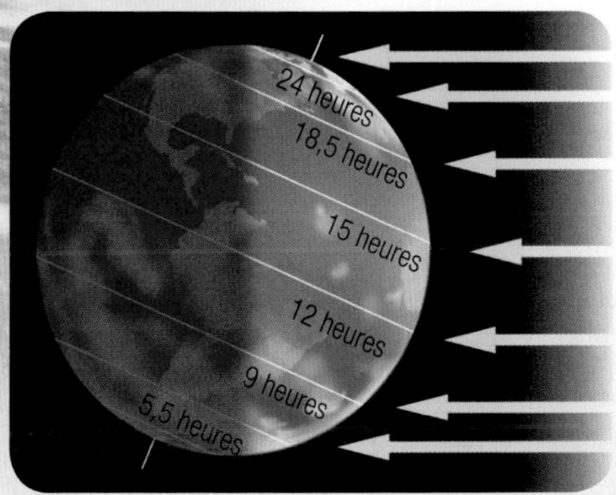

La durée du jour et de la nuit varie selon la position du Soleil par rapport à l'équateur et aux pôles, et aussi selon la période de l'année. Au-delà des cercles polaires, il y a des journées sans jour ainsi que des journées sans nuit, selon les saisons !

Cette illustration montre que la durée des jours durant l'été au Québec est d'environ 18 heures.

Les saisons

En même temps qu'elle tourne sur elle-même en un jour, la Terre se déplace autour du Soleil en une année. Durant sa trajectoire autour du Soleil, la Terre garde toujours la même inclinaison. C'est à ce mouvement de révolution de la Terre inclinée que l'on doit la succession des saisons.

Dans l'hémisphère Nord, l'été est le moment de l'année où l'inclinaison de la Terre fait en sorte qu'on reçoit plus de chaleur pendant plus longtemps. Inversement, l'hiver est le moment de l'année où la Terre est le moins exposée au Soleil et donc où il fait le plus froid. Et les saisons sont inversées entre l'hémisphère Nord et l'hémisphère Sud.

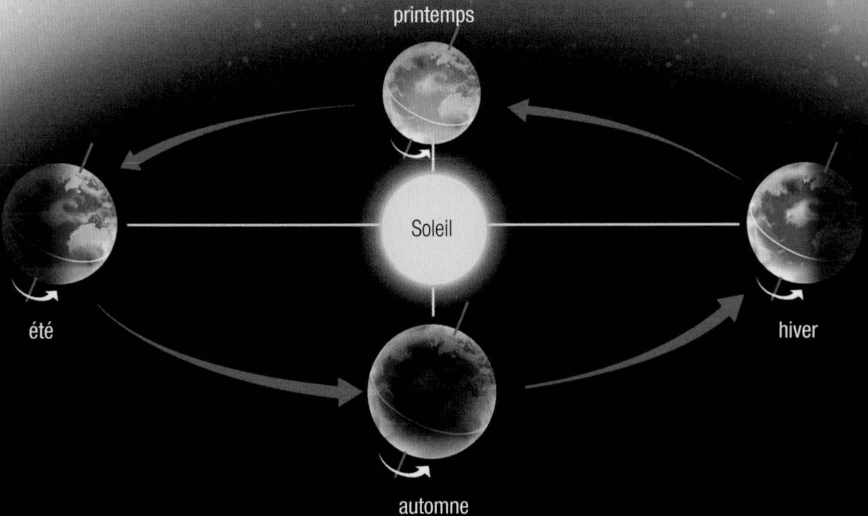

Les saisons dans l'hémisphère Nord

a b c d e f g h i j k l m n o p q r s t u v w x y z

tête-à-queue nom masculin invariable
Demi-tour complet qu'un véhicule fait en glissant sur lui-même. *La moto a fait un* ***tête-à-queue*** *sur la route mouillée.*

tête-à-tête nom masculin invariable
Situation où se trouvent deux personnes seules l'une avec l'autre. *Un* ***tête-à-tête*** *est prévu entre les premiers ministres des deux pays.*

tétée nom féminin
Quantité de lait que boit un bébé en un repas. *C'est l'heure de la* ***tétée****.*

téter verbe ▸ conjug. 8
Sucer le sein de sa mère ou la tétine d'un biberon. *L'agneau* ***tète*** *la brebis.* ✎ On peut écrire aussi, au futur, *il* ***tètera***; au conditionnel, *elle* ***tèterait****.* ♦ Famille du mot : tétée, tétine.

tétine nom féminin
Bouchon de caoutchouc ou de silicone percé d'un trou, que l'on met sur un biberon.

tétras nom masculin
Sorte de perdrix commune dans les forêts de conifères.

Un **tétras**

têtu, têtue adjectif
Qui refuse avec obstination de changer d'avis. *Danaé est* ***têtue****.* **CONTR** influençable.

texte nom masculin
Ensemble de mots ou de phrases écrits ou imprimés. *Chloé regarde les images de la BD, puis elle lit le* ***texte****.*

textile adjectif
Qui concerne les tissus. *Le coton est une fibre* ***textile****.* ■ **textile** nom masculin Matière servant à faire des tissus. *La soie est un* ***textile*** *naturel, le nylon, un* ***textile*** *synthétique.*

texto nom masculin
Court message écrit acheminé par cellulaire. **SYN** message* texte.

textuellement adverbe
Exactement, mot pour mot. *Je vais vous dire* ***textuellement*** *ce qu'il m'a répondu.* **SYN** mot à mot.

thaïlandais, thaïlandaise
➔Voir tableau, p. 1319.

thé nom masculin
❶ Feuilles séchées d'un arbuste d'Extrême-Orient. *Mon père a acheté du* ***thé*** *en sachets.* ❷ Boisson faite avec ces feuilles que l'on fait infuser. *Je prendrais bien une tasse de* ***thé****.*

Du **thé**

théâtral, théâtrale, théâtraux adjectif
Qui concerne le théâtre. *Une représentation* ***théâtrale****.*

théâtre nom masculin
❶ Art de jouer des pièces devant un public. *Cette ancienne comédienne a mis en scène plusieurs pièces de* ***théâtre****.* ❷ Bâtiment où l'on donne des représentations théâtrales. *Ce* ***théâtre*** *a été construit au 19e siècle.* ❸ Lieu où se déroule un évènement. *Cette région a été le* ***théâtre*** *de terribles combats.* • **Coup de théâtre** : évènement brusque et inattendu qui bouleverse tout. *Sa déclaration à la radio a été un véritable* ***coup de théâtre****.* ♦ Famille du mot : amphithéâtre, théâtral.

théière nom féminin
Récipient spécial pour préparer et servir le thé.

thématique adjectif
Qui concerne un thème, un sujet. *Une encyclopédie* ***thématique****.*

thème nom masculin
Sujet d'un ouvrage, d'un texte ou d'une discussion. *Le* ***thème*** *de cette réunion est la protection des droits de l'enfant.*

théologie nom féminin
Étude de la religion et des textes religieux.

théorème nom masculin
Règle de mathématique qui peut être démontrée.

théorie nom féminin
❶ Ensemble d'idées qui donnent une explication possible de quelque chose. *D'après certaines **théories** scientifiques, la vie a peut-être existé sur la planète Mars.* ❷ Manière abstraite de voir les choses, parfois éloignée de la réalité. *Au hockey, il y a une grande différence entre la **théorie** et la pratique.*
• **En théorie** : en voyant les choses de manière abstraite. ***En théorie**, ils pourraient réussir, mais en réalité ce sera difficile.* ♦ Famille du mot : théorique, théoriquement.

théorique adjectif
Qui concerne la théorie et non pas la pratique. *Pour être bon mécanicien, les connaissances **théoriques** ne sont pas suffisantes.*

théoriquement adverbe
De façon théorique. ***Théoriquement**, l'alarme aurait dû fonctionner.* **SYN** en principe.

thérapeute nom
Personne qui fait appel à divers moyens pour lutter contre la maladie ou la guérir.

thérapeutique adjectif
Qui permet de guérir les maladies. *Ce nouveau médicament a une action **thérapeutique** très efficace.*

thermal, thermale, thermaux adjectif
Qui concerne les eaux de source chaudes. *Les eaux **thermales** ont de nombreuses propriétés thérapeutiques.*

thermique adjectif
Qui concerne la chaleur. *En brûlant, le bois dégage de l'énergie **thermique**.*

thermomètre nom masculin
Instrument qui sert à mesurer la température. *Hier, le **thermomètre** indiquait dix degrés (10 °C).* 👁p. 575.

thermopompe nom féminin
Dispositif de chauffage ou de climatisation.

thermos nom masculin ou féminin
Bouteille isolante qui conserve un liquide à la même température pendant plusieurs heures. *Si tu veux du thé bien chaud, il y en a dans le **thermos**.* * *Thermos* est le nom d'une marque. * Chercher aussi *isotherme*.

thermostat nom masculin
Appareil qui sert à maintenir une température à un niveau constant. *Mon père a réglé le **thermostat** pour qu'il fasse à peu près 20 degrés dans l'appartement.* * Attention ! Le *t* final du mot *thermostat* ne se prononce pas.

thèse nom féminin
Point de vue sur une question. *L'enquêteur soutient la **thèse** du meurtre, alors que la famille appuie celle de l'accident.*

thon nom masculin
Grand poisson de mer à la chair appréciée. *Les **thons** se déplacent en bancs.* * Ne pas confondre *thon*, *taon* et *ton*.

Un **thon**

thoracique adjectif
• **Cage thoracique** : thorax. *La **cage thoracique** renferme le cœur et les poumons.*

thorax nom masculin
Partie du corps humain située entre le cou et l'abdomen. *En inspirant, on gonfle son **thorax**.* **SYN** poitrine, torse. 👁p. 246.
* Attention ! Le *x* du mot *thorax* se prononce.

thuya nom masculin
Grand arbre de la famille des conifères. *Le **thuya** est mieux connu au Québec sous le nom de cèdre.* 👁p. 126.

Un **thuya**

thym nom masculin
Plante aromatique. *Ma mère met toujours une branche de **thym** quand elle prépare de la sauce tomate.* * Ne pas confondre *thym*, *tain* et *teint*.

Du **thym**

thyroïde nom féminin
Glande située dans le cou, qui joue un rôle important dans la croissance et le développement intellectuel.

tibia nom masculin
Os du devant de la jambe. *Allan m'a donné un coup de pied sur le **tibia**.* * Chercher aussi *péroné*.

① **tic** nom masculin
❶ Geste ou mouvement nerveux que l'on fait involontairement. *Mon grand-père a un **tic** : il fronce tout le temps le sourcil droit.* ❷ Manie. *Elle commence toutes ses phrases par « alors » ; c'est devenu un **tic**.* * Ne pas confondre *tic* et *tique*.

② **TIC** nom féminin pluriel
Sigle de ***t**echnologies de l'**i**nformation et de la **c**ommunication. Les **TIC** font désormais partie des outils d'apprentissage dans les écoles.*

a b c d e f g h i j k l m n o p q r s t u v w x y z

ticket nom masculin
Petit carton donnant droit à l'entrée dans un lieu. *Un **ticket** de métro.* SYN billet. • **Ticket de caisse :** petit reçu prouvant que l'on a payé.

tic-tac nom masculin invariable
Bruit régulier d'un mécanisme. *Je n'entends plus le **tic-tac** de la pendule.* * *Tic-tac* est une onomatopée. ✎ On peut écrire aussi *un **tictac**, des **tictacs**.*

tiède adjectif
Qui n'est ni chaud ni froid. *Fanny se rince les cheveux à l'eau **tiède**.*
♦ Famille du mot : tiédeur, tiédir.

tiédeur nom féminin
Température de ce qui est tiède. *En plongeant dans la piscine, j'ai été surprise par la **tiédeur** de l'eau.*

tiédir verbe ▸ conjug. 11
Devenir tiède. *Rosalie laisse un peu **tiédir** son thé avant de le boire.*

le **tien**, *la* **tienne** pronom
Pronom possessif qui réfère à un possesseur à la deuxième personne du singulier, qui désigne ce qui est à toi, ce qui t'appartient. *Je n'aime pas ma veste, je préfère **la tienne**.* * Chercher aussi *mien*, *sien*, *nôtre*, *vôtre*, *leur*. ■ *les* **tiens** nom masculin pluriel Tes parents, ta famille. *Même quand tu es loin, n'oublie pas **les tiens**.*

tiens ! interjection
Exprime l'étonnement. ***Tiens !** Il est déjà midi.*

tiers nom masculin
❶ Partie contenue trois fois dans un tout. *Si tu partages ces trente bonbons entre nous trois, chacun en aura dix, c'est-à-dire le **tiers** du paquet.* ❷ Troisième personne et, par extension, personne qui ne fait pas partie d'un groupe. *Cette histoire ne concerne que toi et moi, n'en parlons pas devant des **tiers**.* ■ **tiers, tierce** adjectif • **Une tierce personne :** une troisième personne. *Gabriel et Diego ont des avis différents, il faudrait l'opinion d'**une tierce personne** pour les mettre d'accord.*

tiers-monde nom masculin
Ensemble des pays en voie de développement.

tige nom féminin
❶ Partie mince et allongée d'un végétal, qui porte les feuilles. *Les **tiges** des rosiers ont des épines.* 👁p. 435, 792. ❷ Objet rigide, long et mince. *Une **tige** de fer.* * Chercher aussi *barre*, *tringle*.

tignasse nom féminin
Dans la langue familière, chevelure épaisse et mal coiffée. *Quand il réfléchit, il passe toujours la main dans sa **tignasse**.*

tigre nom masculin
Grand félin d'Asie au pelage jaune rayé de bandes noires. *Le **tigre** feule.* 👁p. 432, 638.
♦ Famille du mot : tigré, tigresse.

Un **tigre**

tigré, tigrée adjectif
Qui a des rayures semblables à celles du tigre. *Un chat **tigré**.*

tigresse nom féminin
Femelle du tigre.

tilapia nom masculin
Poisson d'eau douce originaire d'Afrique, dont la chair est estimée.

tilleul nom masculin
❶ Arbre à fleurs blanches ou jaunes très odorantes. *Une allée de **tilleuls**.* 👁p. 126. ❷ Infusion faite avec les fleurs séchées du tilleul. *Avant de dormir, j'ai bu une tisane de **tilleul**.*

Un **tilleul**

timbale nom féminin
❶ Gobelet en métal. ❷ Sorte de tambour constitué d'un caisson de cuivre recouvert d'une peau. 👁p. 692. * Chercher aussi *percussion*. ❸ Mets composé d'une croûte à pâtisserie dans laquelle sont ajoutés divers ingrédients (poulet, poisson, etc.) qui sont nappés de sauce. *Des **timbales** au poulet.*

① timbre nom masculin
❶ Vignette ayant valeur d'affranchissement, que l'on colle sur une lettre ou un paquet et qui correspond au prix de l'envoi. *Yann a commencé une collection de* ***timbres****.* ❷ Marque qui doit figurer sur certains papiers officiels. *Ce document porte le* ***timbre*** *du ministère de la Justice.* **SYN** cachet, tampon. * Au sens 1, ***timbre*** est l'abréviation de *timbre-poste*. ✎ Pluriel : *des* ***timbres-poste****.* ♦ Famille du mot : timbré, timbrer.

② timbre nom masculin
Qualité particulière d'un son ou d'une voix. *On entendait le* ***timbre*** *aigu d'une flûte.* * Chercher aussi *sonorité*.

timbré, timbrée adjectif
Qui porte un timbre-poste. *Envoyez votre réponse dans l'enveloppe* ***timbrée*** *ci-jointe.*

timbrer verbe ▸ conjug. 3
Coller un timbre qui couvre le prix d'un envoi. *J'ai oublié de* ***timbrer*** *ma carte postale avant de la poster.* **SYN** affranchir.

timide adjectif
Qui manque d'assurance et de confiance en soi. *Elle est trop* ***timide*** *pour prendre la parole en public.* **CONTR** audacieux, hardi. ♦ Famille du mot : intimidation, intimider, timidement, timidité.

timidement adverbe
De façon timide. *Elle nous a abordés* ***timidement****.*

timidité nom féminin
Fait d'être timide. *Alexandre a réussi à vaincre sa* ***timidité****.*

timorais, timoraise
➔Voir tableau, p. 1319.

timoré, timorée adjectif
Qui a peur des risques et de la nouveauté. *Ce n'est pas lui qui cherchera les aventures, il est bien trop* ***timoré****.* **SYN** craintif, peureux. **CONTR** audacieux, hardi.

tintamarre nom masculin
Vacarme. *Le voisin rénove sa maison ; ses outils font tout un* ***tintamarre****.* **SYN** tapage.

tintement nom masculin
Son clair et musical d'un objet qui tinte. *Le* ***tintement*** *des clochettes des chèvres.*

tinter verbe ▸ conjug. 3
Produire un son clair et léger. *Les verres de cristal* ***tintent*** *quand on les entrechoque.* * Ne pas confondre *tinter* et *teinter*.

tipi nom masculin
Tente amérindienne de forme conique, recouverte de peaux ou d'écorce d'arbres. * Chercher aussi *wigwam*.

Un ***tipi***

Une ***tique***

tique nom féminin
Insecte parasite de certains mammifères, comme les vaches, les moutons, les chiens. * Ne pas confondre *tique* et *tic*.

tir nom masculin
❶ Action de tirer avec une arme. *Faire du* ***tir*** *à l'arc, du* ***tir*** *au revolver.* ❷ Action de lancer la rondelle ou le ballon directement vers le but. *Bravo ! Ce joueur de hockey a réussi son* ***tir*** *au but.* • **Tir au poignet :** épreuve de force dans laquelle chaque adversaire tient la main de l'autre en ayant le coude appuyé sur une table et tente de la rabattre jusqu'à ce qu'elle touche la table. * Ne pas confondre *tir* et *tire*.

tirade nom féminin
Au théâtre, suite de phrases qu'un acteur dit sans s'interrompre.

tirage nom masculin
❶ Action de tirer au sort des noms, des numéros gagnants d'une loterie. *Les gagnants ont été désignés par* ***tirage*** *au sort.* ❷ Nombre d'exemplaires de livres ou de journaux imprimés en une seule fois. *Le* ***tirage*** *de ce livre est de 20 000 exemplaires.* ❸ Mouvement de l'air chaud qui s'élève dans une cheminée. *La pièce est enfumée, car la cheminée manque de* ***tirage****.*

tiraillement nom masculin
❶ Sensation de contraction très douloureuse. *Charlotte ressent des* ***tiraillements*** *à l'épaule depuis sa chute.* ❷ Conflit dans un groupe. *Des questions d'argent ont provoqué des* ***tiraillements*** *entre eux.*

a b c d e f g h i j k l m n o p q r s t u v w x y z

tirailler verbe ▸ conjug. 3
❶ Tirer à petits coups et dans tous les sens. *Mon oncle Réal **tiraille** constamment sa moustache.* ❷ Au sens figuré, faire hésiter entre deux solutions ou deux possibilités. *L'envie de faire du vélo et la nécessité de finir ses devoirs **tiraillent** Julie.*

tire nom féminin
Confiserie qui résulte de l'épaississement du sirop d'érable ou de la mélasse lors de l'ébullition. *Pendant la saison des sucres, les enfants se régalent de **tire**.* 👁p. 12.
* Ne pas confondre *tire* et *tir*.

tire-bouchon ou **tirebouchon**
nom masculin
Instrument qui sert à déboucher les bouteilles fermées par un bouchon de liège. ✎ Pluriel : *des **tire-bouchons*** ou *des **tirebouchons***.

à **tire-d'aile** adverbe
En battant rapidement des ailes. *Des moineaux s'enfuient **à tire-d'aile** à notre approche.*
✎ On écrit aussi ***à tire d'ailes***.

tirelire nom féminin
Contenant muni d'une fente où l'on introduit l'argent que l'on veut économiser. *Édouard a cassé sa **tirelire** pour offrir un cadeau à sa sœur.*

tirer verbe ▸ conjug. 3
❶ Déplacer en amenant vers soi ou en traînant derrière soi. ***Tire** la poignée pour ouvrir le tiroir. Des chiens **tirent** le traîneau sur la piste enneigée.* CONTR pousser. ❷ Déplacer en faisant aller d'un côté ou d'un autre. ***Tirer** les rideaux.* ❸ Faire sortir quelque chose d'un endroit. *Il **a tiré** quelques pièces de son porte-monnaie.* ❹ Extraire une substance d'une autre. *On **tire** le caoutchouc de la sève de l'hévéa.* ❺ Prendre au hasard. ***Tirer** le numéro gagnant.* SYN piger. ❻ Tendre vers quelque chose, s'en rapprocher. *Ce jaune **tire** sur l'orange.* ❼ Envoyer un projectile en se servant d'une arme. *Le chasseur **a tiré** sur le chevreuil.* ❽ Lancer un ballon ou une rondelle vers le but adverse. *Il **a tiré** en direction du but.* ❾ Tracer quelque chose sur du papier. *Ibrahim **a tiré** un trait sous le titre de son poème.* ❿ Imprimer un livre ou un journal. *On **a tiré** cet ouvrage à 50 000 exemplaires.* • **Tirer le diable par la queue :** avoir des difficultés financières. • **Être tiré à quatre épingles :** être habillé avec beaucoup de soin. • **Tirer au clair quelque chose :** l'éclaircir, lui trouver une explication. • **Tirer à sa fin :** être sur le point de finir. *Nous allons partir, la soirée **tire à sa fin**.* SYN toucher* à sa fin. • **Tirer les cartes :** prédire l'avenir de quelqu'un en se servant d'un jeu de cartes. ■ se **tirer de** : se sortir d'une situation difficile. • **Se tirer d'affaire** ou **s'en tirer :** s'en sortir. ♦ Famille du mot : tir, tirage, tire, tirebouchon, à tire-d'aile, tireur.

tiret nom masculin
Trait horizontal qui sert entre autres à distinguer les interlocuteurs dans un dialogue.

tireur, tireuse nom
Personne qui tire avec une arme à feu. *Le **tireur** était dissimulé derrière un arbre.* • **Tireuse de cartes :** cartomancienne.

tiroir nom masculin
Casier de rangement qui s'emboîte dans un meuble et que l'on ouvre en tirant. *Federica range ses crayons dans le **tiroir** de son bureau.*

tiroir-caisse nom masculin
Tiroir où un commerçant range l'argent qu'il reçoit. *Quand la caissière appuie sur un bouton, le **tiroir-caisse** s'ouvre automatiquement.*
✎ Pluriel : *des **tiroirs-caisses***.

tisane nom féminin
Boisson chaude que l'on prépare en faisant infuser des plantes. *Une **tisane** de camomille, de menthe.*

tison nom masculin
Morceau de bois à moitié consumé, encore rouge et brûlant. *Il faut souffler sur les **tisons** pour ranimer le feu.* * Chercher aussi *braise*.

tisonnier nom masculin
Tige de fer qui sert à attiser un feu. *Olivier remue les braises avec un **tisonnier**.*

tissage nom masculin
Action de tisser un textile. *Le **tissage** d'un tapis se fait sur un métier à tisser.*

Le **tissage**

tisser verbe ▸ conjug. 3
Fabriquer un tissu en entrecroisant des fils. *Cet artisan **tisse** de la soie sur son métier à tisser.*
♦ Famille du mot : tissage, tisserand, tissu, tissu-éponge. * Chercher aussi *navette*, *trame*.

tisserand, tisserande nom
Personne qui tisse des étoffes et des tapis.

tissu nom masculin
❶ Matière souple fabriquée avec des fils textiles entrecroisés. *Katia aime les **tissus** brillants et légers comme la soie ou le satin.* **SYN** étoffe. ❷ Ensemble de cellules de notre corps qui ont la même fonction. *Tous nos os sont constitués par du **tissu** osseux.* • **Un tissu de mensonges:** un ensemble de mensonges enchevêtrés les uns dans les autres.

tissu-éponge nom masculin
Étoffe de coton qui absorbe l'eau. *Des débarbouillettes en **tissu-éponge**.* ✎ Pluriel: *des **tissus-éponges**.*

titan nom masculin
Dans la langue littéraire, géant. *La construction de ce barrage a été un travail de **titan**.*

titiller verbe ▸ conjug. 3
❶ Dans la langue littéraire, chatouiller agréablement. ❷ Au sens figuré et dans la langue familière, démanger. *L'envie de manger une crème glacée la **titille**.*

titre nom masculin
❶ Énoncé qui sert à désigner un livre, un film, une chanson, etc. ❷ Énoncé en gros caractères pour présenter un article. *« Victoire du Canadien », c'est un **titre** du journal de ce matin.* ❸ Poste ou rang qui fait honneur à quelqu'un. *Elle détient le **titre** de championne du Canada de patinage artistique. Son **titre** professionnel est « directrice générale ».* ❹ Document officiel qui prouve un droit. *Un **titre** de transport. Un **titre** de propriété.* • **À juste titre:** avec raison. *Il a été blâmé **à juste titre**.* • **À titre de:** en tant que, comme. *Je vous lis cette phrase **à titre d'**exemple.* • **Au même titre:** autant ou de la même manière. *Il a droit à une partie de l'héritage de son père, **au même titre** que ses frères et sœurs.* ♦ Famille du mot: intertitre, sous-titre, sous-titrer, titrer.

titrer verbe ▸ conjug. 3
Donner un titre à un article. *Ce matin, tous les quotidiens **titrent**: « Nouvelle hausse du prix de l'essence ».*

tituber verbe ▸ conjug. 3
Marcher de travers, en chancelant. *Assommé par le choc, il s'est relevé en **titubant**.* **SYN** vaciller.

titulaire adjectif et nom
❶ Qui a obtenu un titre officiel et définitif pour occuper un poste. *Un professeur **titulaire**.* * Chercher aussi *suppléant*. ❷ Qui détient officiellement quelque chose. *Sacha est **titulaire** d'un permis de conduire.*

① **toast** nom féminin
Tranche de pain grillée. *Il prépare des **toasts** avec du beurre et de la confiture pour le déjeuner.* **SYN** rôtie.

② **toast** nom masculin
• **Porter un toast:** lever son verre et boire en l'honneur d'une personne ou d'un évènement.

toboggan nom masculin
❶ Traîneau à neige plat, sans patins, dont la partie avant est recourbée. **SYN** traîne* sauvage. ❷ Piste en pente le long de laquelle on glisse pour s'amuser. *Lucas va au parc pour faire du **toboggan**.* **SYN** glissade, glissoire.

*Un **toboggan***

toc nom masculin
Imitation sans valeur de quelque chose qui en a habituellement. *Cette grosse pierre rouge et brillante n'est pas un vrai rubis, c'est du **toc**.* **SYN** faux. * Chercher aussi *pacotille*.

tofu nom masculin
Produit alimentaire à base de soya qui ressemble à du fromage. *Le **tofu** est d'origine japonaise.*

toge nom féminin
❶ Grand morceau de tissu dans lequel les Romains de l'Antiquité se drapaient. ❷ Robe que porte un magistrat ou un avocat pendant les séances du tribunal.

togolais, togolaise
➔Voir tableau, p. 1319.

toi pronom
Pronom personnel de la deuxième personne du singulier qui sert à compléter un verbe. *C'est à **toi** de mettre la table. Elle parle toujours de **toi**.*

toile nom féminin
❶ Tissu épais et résistant. *Des chaises longues en **toile** à rayures bleues et blanches.*
❷ Tableau peint par un peintre. *Ce musée possède plusieurs **toiles** de Riopelle.* • **Toile d'araignée :** réseau de fils tissés par l'araignée pour capturer des insectes. • **La Toile :** le réseau Internet.

toilettage nom masculin
Soins de propreté donnés à un animal de compagnie. *Ma tante a ouvert un salon de **toilettage**.*

toilette nom féminin
❶ Soins de propreté et d'hygiène du corps. *Victor fait sa **toilette** avant de s'habiller.*
❷ Ensemble des vêtements portés par une femme. *Les jeunes filles avaient mis leur plus belle **toilette** pour le bal de fin d'études.*
■ **toilettes** nom féminin pluriel Petite pièce où l'on fait ses besoins. *Où sont les **toilettes**, s'il vous plaît ?*

toise nom féminin
Règle verticale graduée pour mesurer la taille d'une personne. *Les enfants passent sous la **toise** chez le médecin.*

toiser verbe ▸ conjug. 3
Examiner quelqu'un de haut en bas, avec mépris. *Il m'**a toisé** de la tête aux pieds, sans dire un mot.*

toison nom féminin
Poil épais et laineux de certains animaux. *On tond la **toison** des moutons tous les ans.*

toit nom masculin
❶ Partie supérieure d'un bâtiment, qui le couvre et le protège. *Notre maison a un **toit** en bardeaux de cèdre.* ❷ Partie supérieure de la carrosserie d'un véhicule. *Le **toit** de la voiture est équipé d'un porte-bagages. Une voiture à **toit** ouvrant.* ❸ Maison ou logement. *Cette famille nouvellement arrivée cherche un **toit**.*
• **Crier quelque chose sur les toits, sur tous les toits :** faire connaître cette chose à tout le monde, de façon indiscrète.

toiture nom féminin
Toit d'un bâtiment. *La **toiture** de cette maison est en mauvais état.*

tôle nom féminin
Mince plaque métallique. *La toiture du hangar est en **tôle** ondulée.*

tolérable adjectif
❶ Que l'on peut tolérer. *Sa conduite n'est pas très correcte, mais elle est **tolérable**.* CONTR inadmissible, intolérable. ❷ Que l'on peut supporter. *Une douleur **tolérable**.*

tolérance nom féminin
❶ Fait d'accepter et de respecter les opinions des autres. *Ces deux peuples voisins ne vivront pas en paix s'ils ne font pas preuve de plus de **tolérance**.* CONTR intolérance. ❷ Fait de se montrer compréhensif, indulgent. *Mes parents font généralement preuve de **tolérance**.*

tolérant, tolérante adjectif
❶ Qui témoigne de la tolérance, de la largeur d'esprit. *Des idées **tolérantes**.* ❷ Qui est compréhensif, indulgent. *Sois **tolérant** avec ton petit frère, il ne se rend pas compte qu'il fait une bêtise.* CONTR intolérant.

tolérer verbe ▸ conjug. 8
❶ Accepter quelque chose qui n'est pas permis sans l'autoriser réellement. *Mes parents **tolèrent** que je m'attarde parfois à lire le soir dans mon lit.* ❷ Supporter quelque chose sans ressentir des effets désagréables. *Marie **tolère** bien l'aspirine.* ✎ On peut écrire aussi, au futur, il ***tolèrera*** ; au conditionnel, elle ***tolèrerait***. ♦ Famille du mot : intolérable, intolérance, intolérant, tolérable, tolérance, tolérant.

tollé nom masculin
Cris de protestation générale. *Cette déclaration a provoqué un véritable **tollé** dans la presse.*

tomahawk nom masculin
Arme amérindienne constituée d'une grosse pierre solidement fixée à un manche en bois.
✎ On peut écrire aussi ***tomawak***.
* Attention ! La dernière syllabe de ce mot se prononce *oque* ou *ouaque*.

tomate nom féminin
❶ Plante potagère que l'on cultive pour son fruit rouge et charnu. ❷ Fruit de cette plante. *Une salade de **tomates**. De la sauce **tomate**.*

Des **tomates**

tombal, tombale, tombaux adjectif
• **Pierre tombale:** dalle placée sur une tombe et qui porte le nom de la personne décédée.

tombant, tombante adjectif
En ligne descendante. *Des épaules **tombantes**.*

tombe nom féminin
Fosse creusée dans le sol pour enterrer une personne morte. *Elle est venue déposer des fleurs sur la **tombe** de son mari.* • **Se retourner dans sa tombe:** se dit d'une personne morte qu'on imagine outrée par quelque chose. *S'il voyait ses enfants se disputer son héritage, mon grand-père **se retournerait dans sa tombe**.* ♦ Famille du mot: tombal, tombeau.

tombeau, tombeaux nom masculin
Monument élevé au-dessus d'une tombe. *Les pyramides d'Égypte sont les **tombeaux** des anciens pharaons.* • **Rouler à tombeau ouvert:** rouler à toute allure et en prenant des risques mortels.

tombée nom féminin
• **À la tombée de la nuit, du jour:** au moment où la nuit tombe. *Nous sommes arrivés **à la tombée de la nuit**.* SYN brunante, crépuscule.

tomber verbe ▸ conjug. 3
❶ Faire une chute. *Charlotte **est tombée** de l'arbre sans se blesser.* ❷ Descendre du haut vers le bas. *La pluie **tombe**.* ❸ Se détacher de son support. *Les pommes sont mûres: elles commencent à **tomber**.* ❹ Perdre de la valeur ou de l'intensité. *Le vent commence à **tomber**.* SYN faiblir. ❺ Baisser. *L'aspirine a fait **tomber** sa fièvre.* SYN apaiser, calmer. ❻ Se trouver brusquement dans tel état ou dans telle situation. ***Tomber** malade. **Tomber** en panne.* ❼ Se produire ou arriver à tel moment. *Cette année, mon anniversaire **tombe** un samedi.* ❽ Avoir du mal à se tenir debout. ***Tomber** de sommeil. **Tomber** de fatigue. Une vieille maison qui **tombe** en ruine.* SYN s'écrouler. • **Laisser tomber:** dans la langue familière, abandonner. *Brian **a laissé tomber** ses cours de tennis au bout de deux mois.* • **Tomber bien, tomber mal:** arriver au bon moment, au mauvais moment. *Tu **tombes bien**, nous avons besoin d'aide.* • **Tomber sur quelqu'un:** le rencontrer par hasard. *En sortant du cinéma, il **est tombé sur** un de ses amis d'enfance.* * Attention! *Tomber* se conjugue avec l'auxiliaire *être*: *les pommes **sont tombées** de l'arbre.* ♦ Famille du mot: retombées, retomber, tombant, tombée, tombereau.

tombereau, tombereaux nom masculin
❶ Charrette ou camion à benne basculante montée sur deux roues. ❷ Contenu de ce véhicule. *Le jardinier a déchargé un **tombereau** de terre dans le jardin.*

tombola nom féminin
Loterie où l'on gagne des objets et non de l'argent. *Enzo a gagné un ballon de soccer à la **tombola**.*

tome nom masculin
Chaque volume d'un ouvrage. *Cette encyclopédie comporte quinze **tomes**.*

① **ton, ta, tes** déterminant
Déterminant possessif qui réfère à un possesseur à la deuxième personne du singulier. *Prends **ton** blouson, **ta** casquette et **tes** gants.* * Attention! On emploie *ton* au lieu de *ta* devant un nom féminin commençant par une voyelle ou un «h» muet: ***ton** armoire, **ton** horloge.* * Chercher aussi *mon, son, notre, votre, leur.*

② **ton** nom masculin
❶ Manière d'exprimer ce que l'on ressent par la voix. *Il a parlé d'un **ton** sévère.* SYN intonation. ❷ Hauteur et intensité de la voix quand on chante. *Reprenez la chanson au début, sur le même **ton**.* • **Donner le ton:** indiquer sur quelle note il faut commencer. ❸ Couleur. *Cette année, la mode est aux **tons** clairs.* SYN nuance, teinte. * Ne pas confondre *ton, taon* et *thon*.

tonalité nom féminin
❶ Son continu que l'on entend quand on décroche le téléphone. *Le téléphone est en panne, il n'y a pas de **tonalité**.* ❷ Qualité du son émis par un instrument, un appareil ou une voix. *Ce lecteur de CD a une très bonne **tonalité**.*

tondeuse nom féminin
❶ Machine qui sert à tondre le gazon. ❷ Instrument qui sert à raser les cheveux.

tondre verbe ▸ conjug. 31
❶ Couper l'herbe à l'aide d'une tondeuse. ***Tondre** le gazon.* ❷ Couper à ras les cheveux d'une personne ou les poils d'un animal. ***Tondre** un mouton, un caniche.*

tonguien, tonguienne
➔Voir tableau, p. 1319.

tonifiant, tonifiante adjectif
Qui tonifie. *Cette promenade en montagne est très **tonifiante**.* SYN vivifiant.

a b c d e f g h i j k l m n o p q r s t u v w x y z

a b c d e f g h i j k l m n o p q r s t u v w x y z

tonifier verbe ▸ conjug. 10
Rendre plus vigoureux ou plus dynamique. *L'air de la mer nous **a tonifiés**.* **SYN** fortifier.

tonique adjectif
Qui donne du tonus à notre organisme. *Le Canada a un climat froid mais **tonique**.* **SYN** stimulant, vivifiant. ■ **tonique** nom masculin
Médicament qui fortifie. *Prendre un **tonique** tous les matins.* **SYN** fortifiant, remontant.

tonnage nom masculin
Volume de marchandises que peut transporter un bateau. *Le **tonnage** d'un navire se mesure en tonneaux.* **SYN** jauge.

tonne nom féminin
❶ Unité de poids équivalant à mille kilos.
❷ Unité de poids équivalant à deux mille livres.
❸ Dans la langue familière, grande quantité. *Nous avons acheté des **tonnes** de provisions pour Noël.*

tonneau, tonneaux nom masculin
❶ Grand récipient fait de planches de bois courbées, assemblées par des anneaux de fer. *Ce vin est conservé dans des **tonneaux** de chêne.* * Chercher aussi *baril*, *barrique*, *fût*.
❷ Tour complet qu'un véhicule fait en roulant sur lui-même lors d'un accident. *La voiture a fait deux **tonneaux** avant de s'immobiliser.*
❸ Unité de mesure du volume d'un navire.

tonnelle nom féminin
Toit de treillis couvert de feuillage. *Allons nous asseoir sous la **tonnelle** du jardin.*

tonner verbe ▸ conjug. 3
• **Il tonne :** le tonnerre se fait entendre.
* Attention ! *Tonner* ne s'emploie qu'à la troisième personne du singulier.

tonnerre nom masculin
❶ Grondement de la foudre qui accompagne l'éclair pendant un orage. *On a entendu un coup de **tonnerre** au loin, puis la pluie s'est mise à tomber.* ❷ Grand bruit qui éclate brusquement. *Le chanteur a salué sous un **tonnerre** d'applaudissements.*

tonsure nom féminin
Petite partie rasée, en forme de cercle, au sommet du crâne. *Certains moines portent la **tonsure**.*

*Une **tonsure***

tonte nom féminin
Action de tondre les moutons. *Le troupeau de moutons est rassemblé pour la **tonte**.*

tonus nom masculin
Vitalité et dynamisme de quelqu'un. *Malgré son âge, ma grand-mère a gardé un **tonus** incroyable.* * Attention ! Le *s* du mot *tonus* se prononce.

topaze nom féminin
Pierre précieuse transparente, de teinte variée, le plus souvent jaune.

topo nom masculin
Dans la langue familière, exposé. *L'enseignante nous a fait un petit **topo** sur les activités prévues pendant la classe de neige.*

topographie nom féminin
Relief d'une région. *La **topographie** des Laurentides est accidentée.*

topographique adjectif
Qui concerne la topographie. *Une carte **topographique**.*

toponyme nom masculin
Nom désignant les lieux habités et les réalités géographiques.

toque nom féminin
Coiffe ronde et haute, sans bords. *La **toque** d'un cuisinier. Une **toque** de fourrure.*

Torah nom féminin
Ensemble des cinq premiers livres de la Bible, où se trouvent les fondements de la religion juive. 👁p. 270.

torche nom féminin
Sorte de flambeau fait d'un bâton enduit de résine. *La fête s'est terminée dans la nuit, à la lueur des **torches**.*
• **Torche électrique :** lampe portative de forme cylindrique. **SYN** lampe* de poche.

*Une **torche** électrique*

*Des **torches***

torchon nom masculin
Morceau de tissu qui sert à essuyer la vaisselle ou à nettoyer.

tordant, tordante adjectif
Dans la langue familière, très amusant. *Mon cousin nous a raconté des histoires **tordantes**.*

tordeuse des bourgeons nom féminin
Chenille qui se nourrit de bourgeons et de jeunes pousses, ravageant ainsi les forêts d'épinettes de l'Amérique du Nord. *Les **tordeuses des bourgeons** font tomber les aiguilles des épinettes.*

tordre verbe ▸ conjug. 31
❶ Tourner en sens contraire les deux extrémités d'une chose. *Elle **tord** la serviette mouillée pour l'essorer.* ❷ Plier en déformant. *Le tremblement de terre **a tordu** les rails de la voie ferrée.* ■ se **tordre** ❶ Se tourner une partie du corps par accident. *Melissa **s'est tordu** le poignet.* **SYN** se fouler. ❷ Se plier en deux à cause d'une émotion ou d'une sensation violente. *Le malade **se tordait** de douleur.* • **Se tordre (de rire) :** dans la langue familière, rire énormément.

torero, torera ou **toréro, toréra** nom
Personne qui affronte les taureaux dans une corrida. * Chercher aussi *matador*, *picador*.

Un **torero**

tornade nom féminin
Tourbillon de vent très violent. *La **tornade** a déraciné des arbres et arraché quelques toits.* * Chercher aussi *cyclone*, *ouragan*, *typhon*.

torpeur nom féminin
État d'une personne engourdie, à moitié endormie. *Après ce bon repas, il a glissé dans une agréable **torpeur**.* **SYN** assoupissement.

torpille nom féminin
Engin explosif qui se propulse sous l'eau. *Le porte-avion a été touché par la **torpille** du sous-marin.*

torpiller verbe ▸ conjug. 3
Faire sauter quelque chose à la torpille.

torréfaction nom féminin
Action de torréfier. *La **torréfaction** du café.*

torréfier verbe ▸ conjug. 10
Faire griller. *On **torréfie** les grains de café, les graines de cacao et les feuilles de tabac.*

torrent nom masculin
Cours d'eau au débit rapide, qui dévale une montagne. • **Pleuvoir à torrents :** pleuvoir très fort.

Un **torrent**

torrentiel, torrentielle adjectif
Qui coule avec violence, comme l'eau d'un torrent. *Une pluie **torrentielle**.* * Attention ! Le deuxième *t* du mot *torrentiel* se prononce comme un *s*.

torride adjectif
Extrêmement chaud. *La pluie va nous rafraîchir après cette journée **torride**.* **SYN** brûlant.

torsade nom féminin
Assemblage de fils enroulés en spirale. *Des **torsades** de fils dorés ornent le sapin de Noël.*

torsadé, torsadée adjectif
Qui est enroulé en torsade. *Des cheveux **torsadés**.*

torse nom masculin
Haut du corps humain, qui va des épaules à la ceinture. *Nicolas est resté **torse** nu à cause de la chaleur.* 👁p. 246.

torsion nom féminin
Action de tordre quelque chose. *Le lutteur a immobilisé son adversaire par une violente **torsion** du bras.*

tort nom masculin
❶ Fait de mal agir ou de se tromper. *Ce serait un **tort** de ne pas le dénoncer.* **SYN** erreur.
❷ Mal que l'on fait à quelqu'un ou peine qu'on

lui cause. *Ne raconte pas n'importe quoi sur elle, tu lui fais du **tort**.* • **À tort :** injustement ou par erreur. *Je suis sûre que tout va bien, tu t'inquiètes **à tort**.* • **À tort et à travers :** sans réfléchir. *Il parle **à tort et à travers**.* • **Avoir tort :** mal agir ou se tromper. *Il **a tort** de refuser cette offre.* **CONTR** avoir raison. • **Donner tort à quelqu'un :** déclarer que l'on désapprouve sa conduite, ses actions. • **Être en tort** ou **être dans son tort :** être coupable d'une mauvaise action ou d'une action illégale. *Il a traversé hors des passages pour piétons ; il **était dans son tort**.* • **À tort ou à raison :** avec ou sans raison valable. *On la considère **à tort ou à raison** comme un génie.*

torticolis nom masculin
Contraction musculaire douloureuse qui raidit le cou.

tortiller verbe ▸ conjug. 3
Tordre quelque chose dans tous les sens. *L'enfant intimidé récitait sa comptine en **tortillant** une mèche de ses cheveux.* ■ se **tortiller** : s'agiter dans tous les sens. *Maria n'arrête pas de **se tortiller** sur sa chaise.*

tortionnaire nom
Personne qui fait subir des tortures. *Ce pauvre chien s'est sauvé pour échapper à son **tortionnaire**.*

tortue nom féminin
Reptile dont le corps est entouré d'une carapace et qui se déplace très lentement sur ses courtes pattes. 👁p. 892. • **Comme une tortue** ou **à pas de tortue :** très lentement.

*Une **tortue***

tortueux, tortueuse adjectif
Qui fait des tours et des détours. *Les touristes se promenaient dans les ruelles étroites et **tortueuses** de la vieille ville.* **SYN** sinueux. **CONTR** droit.

torture nom féminin
❶ Souffrance physique que l'on fait subir volontairement à quelqu'un. *Parler, avouer sous la **torture**.* ❷ Grande souffrance morale. *Ils sont sans nouvelles de leur fils ; leur inquiétude est une **torture**.* **SYN** tourment. ♦ Famille du mot : tortionnaire, torturer.

torturer verbe ▸ conjug. 3
❶ Faire subir des tortures. *Vous pouvez la **torturer**, elle n'avouera jamais.* ❷ Causer une vive souffrance. *Sa responsabilité dans l'accident le **torture**.* **SYN** tenailler, tourmenter.

tôt adverbe
De bonne heure ou avant le moment habituel. *Nadine s'est couchée **tôt** hier soir.* **CONTR** tard. • **Pas de si tôt :** pas avant très longtemps. *Il est au Japon, on ne le reverra **pas de si tôt**.* • **Tôt ou tard :** à un moment ou à un autre. *Nous nous reverrons **tôt ou tard**.* • **Le plus tôt possible :** dès que possible.

total, totale, totaux adjectif
❶ Qui est tout à fait complet. *Il y avait un silence **total** dans la classe.* **SYN** absolu, parfait. ❷ Qui regroupe la totalité sans rien laisser de côté. *La facture **totale** de nos achats monte à deux cents dollars.* **SYN** global. ■ **total, totaux** nom masculin Résultat d'une addition. *Le **total** de 10 plus 10 est 20.* **SYN** somme. • **Au total :** tout compte fait, en somme. ***Au total**, il est très satisfait.* ♦ Famille du mot : totalement, totaliser, totalité.

totalement adverbe
Complètement, entièrement. *Les travaux sont **totalement** terminés.*

totaliser verbe ▸ conjug. 3
Obtenir comme total. *C'est Jules qui **a totalisé** le maximum de points dans la dernière partie de scrabble.*

totalité nom féminin
Réunion de tous les éléments d'un tout. *Il a vendu la **totalité** de ses biens.* **SYN** ensemble. **CONTR** partie.

totem nom masculin
Chez les Amérindiens, sorte de statue représentant l'animal ou la plante qui protège leur tribu. *Mes parents ont visité les **totems** du parc Stanley, à Vancouver.*
* Attention ! Le *m* du mot *totem* se prononce.

*Un **totem***

toucan nom masculin
Oiseau d'Amérique du Sud au bec énorme et au plumage coloré. 👁p. 720.

Un **toucan**

touchant, touchante adjectif
Qui touche les gens, les attendrit. *La scène où l'enfant retrouve sa mère est **touchante**.* **SYN** attendrissant, émouvant.

touche nom féminin
❶ Chacune des pièces qui forment un clavier. *Il faut appuyer sur la **touche** rouge de la télécommande pour éteindre la télé. Les **touches** du piano sont blanches ou noires.* ❷ Couleur appliquée par un coup de pinceau très léger. *Quelques **touches** de blanc autour des yeux rendraient ce portrait plus lumineux.* ❸ Petite secousse qui fait bouger la ligne quand le poisson mord à l'hameçon. *Remonte ta ligne, je crois que tu as une **touche**.* ❹ Au rugby et au football, fait pour le ballon de sortir des limites du terrain. *L'arbitre a sifflé une **touche**.*

touche-à-tout nom masculin invariable
❶ Enfant qui touche à tout ce qu'il voit. ❷ Au sens figuré, personne qui disperse son activité en s'occupant de beaucoup de choses différentes.

① **toucher** verbe ▸ conjug. 3
❶ Mettre la main sur quelqu'un ou quelque chose. *Ne **touche** pas ce fer, il est brûlant!* ❷ Atteindre, entrer en contact ou blesser. *La flèche **a touché** la cible.* * Attention! Aux sens 1 et 2, le verbe *toucher* se construit avec ou sans la préposition *à*. ❸ Émouvoir ou attendrir quelqu'un. *Sa générosité nous **a** beaucoup **touchés**.* ❹ Mettre la main sur quelque chose pour le prendre. *Dans les musées, il est interdit de **toucher** aux œuvres exposées.* ❺ Recevoir une somme d'argent. *Combien **a**-t-il **touché** pour ce travail?* • **Toucher à sa fin**: être près de finir. *Il est tard, la soirée **touche à sa fin**.* **SYN** tirer* à sa fin. ■ se **toucher**: être placé à côté ou contre. *Nos deux bureaux **se touchent**.* ♦ Famille du mot: retouche, retoucher, touchant, touche.

② **toucher** nom masculin
L'un des cinq sens, qui nous permet de reconnaître les choses grâce au contact avec la peau. * Chercher aussi *goût*, *odorat*, *ouïe*, *vue*.

touffe nom féminin
Petit assemblage de choses qui poussent serrées les unes contre les autres. *Une **touffe** de cheveux. Une **touffe** d'herbe.*

touffu, touffue adjectif
Qui est épais et serré comme une touffe. *Des buissons **touffus**.* **SYN** dense, dru. **CONTR** clairsemé.

toujours adverbe
❶ Chaque fois ou dans tous les cas. *Samuel est **toujours** prêt à rendre service.* ❷ Encore maintenant. *Nabila travaille **toujours** au même endroit. Je l'attends depuis une heure et il n'est **toujours** pas là.* ❸ De tout temps ou sans cesse. *On peut **toujours** trouver des gens aimables autour de soi.* • **Pour toujours**: définitivement. *Il aimerait s'installer ici **pour toujours**.* **SYN** à (tout) jamais*.

touladi nom masculin
Poisson d'eau douce d'assez grande taille, souvent appelé *truite grise*.

toundra nom féminin
Steppe des régions arctiques, à la végétation maigre et clairsemée. 👁p. 804.

La **toundra**

toupet nom masculin
❶ Frange. *Vanessa s'est coupé le **toupet** très court.* ❷ Dans la langue familière, audace excessive. *Tu ne manques pas de **toupet** de fouiller dans mon sac!* **SYN** audace, culot. * Attention! Le *t* final du mot *toupet* ne se prononce pas.

toupie nom féminin
Jouet qui tourne sur lui-même en retombant sur sa pointe quand on le lance. *Nathan essaie de faire tourner sa **toupie** le plus longtemps possible.*

① **tour** nom masculin
❶ Mouvement effectué en tournant. *N'oublie pas de donner un **tour** de clé en partant.* ❷ Circonférence de quelque chose. *Stanislas a mesuré son **tour** de taille.* ❸ Parcours que l'on fait autour d'un endroit. *On a fait le **tour***

a b c d e f g h i j k l m n o p q r s t u v w x y z

du lac. ❹ Petite promenade. *Tu viens avec moi faire un **tour**?* ❺ Exercice qui demande beaucoup d'adresse. *La prestidigitatrice nous a montré quelques **tours**.* ❻ Ordre dans lequel on fait une chose. *C'est au **tour** de Sébastien de distribuer les cartes.* • **Chacun son tour, à tour de rôle:** les uns après les autres, toujours dans le même ordre. ❼ Tournure. *Les derniers évènements prennent un **tour** dramatique.* **SYN** aspect. • **Au quart de tour:** immédiatement et sans difficulté. *Ce moteur démarre **au quart de tour**.* • **À double tour:** en tournant deux fois la clé dans la serrure. • **En un tour de main:** très rapidement. **SYN** en un tournemain. • **Jouer un tour à quelqu'un:** lui faire une farce. • **Tour du chapeau:** exploit qui consiste à compter trois buts au cours du même match de hockey. *Jaroslav a complété son **tour du chapeau** en troisième période.* • **Tour de chant:** récital d'un chanteur.

② **tour** nom féminin
❶ Construction élevée de forme ronde ou carrée. *La **tour** de ce château est occupée par un musée.* 👁p. 185, 512. ❷ Immeuble construit en hauteur. *Clément habite dans une **tour** de trente étages.* **SYN** gratte-ciel. • **Tour de contrôle:** bâtiment qui domine un aéroport, où se fait le contrôle du trafic aérien.

③ **tour** nom masculin
Machine qui tourne régulièrement et permet de façonner des pièces de bois ou de métal, ou de modeler des poteries. *À l'école, il y a un atelier de poterie avec un **tour**.*

tourbe nom féminin
Matière noirâtre constituée par des végétaux qui se décomposent dans les milieux humides. *Le jardinier a étalé de la **tourbe** dans les plates-bandes.*

tourbière nom féminin
Milieu humide où des matières organiques, partiellement décomposées, fournissent un engrais idéal pour les jardins.

tourbillon nom masculin
Masse d'air, d'eau, de sable, etc., qui tourne rapidement sur elle-même. *L'endroit où le torrent forme des **tourbillons** est dangereux pour les kayaks.*

Un **tourbillon**

tourbillonner verbe ▸ conjug. 3
Former un tourbillon. *En automne, les feuilles mortes tombent en **tourbillonnant**.* **SYN** tournoyer.

tourisme nom masculin
❶ Activité qui consiste à voyager et à visiter des lieux par plaisir. *Après son voyage d'affaires en Italie, elle a fait du **tourisme**.* ❷ Ensemble des activités liées au séjour des touristes. *Cette région vit principalement du **tourisme**.*

touriste nom
Personne qui fait du tourisme. *Cette superbe région attire beaucoup de **touristes**.* ♦ Famille du mot: tourisme, touristique.

touristique adjectif
❶ Qui concerne le tourisme. *Ce guide **touristique** est très bien fait.* ❷ Qui est fréquenté par les touristes. *Québec est une ville très **touristique**.*

tourment nom masculin
Grande inquiétude. *Ces problèmes lui ont donné du **tourment**.* **SYN** souci, tracas.

tourmente nom féminin
Agitation, troubles. ***Tourmente** politique.*

tourmenter verbe ▸ conjug. 3
❶ Causer du tourment. *Ses problèmes de santé me **tourmentent**.* **SYN** tracasser.
❷ Faire souffrir. *Si vous continuez à **tourmenter** ce chat, il va finir par vous griffer!*
■ *se* **tourmenter**: se faire du tourment. *Lara **se tourmente** pour un rien.* **SYN** se tracasser.

tournage nom masculin
Action de tourner un film. *Une partie du **tournage** a eu lieu à Toronto.*

tournant nom masculin
Endroit où une route tourne. *Il est prudent de ralentir avant les **tournants**.* **SYN** virage.

tournebroche nom masculin
Dispositif pour faire tourner automatiquement une broche à rôtir. *Ce four est équipé d'un **tournebroche** électrique.*

tournedos nom masculin
Tranche de filet de bœuf bardée ou non. *Au menu, il y a des **tournedos** au poivre.*

tournée nom féminin
Déplacement ou voyage fait selon un itinéraire précis, en s'arrêtant à divers endroits. *Le facteur fait sa **tournée** à pied. Cette troupe de théâtre est partie en **tournée** pendant deux mois.*

en un **tournemain** adverbe
Très rapidement, en un instant. *Miguel a fait une omelette **en un tournemain**.* SYN en un tour* de main.

tourner verbe ▸ conjug. 3
❶ Se déplacer autour d'un axe ou en décrivant une courbe. *Louis regarde le manège qui **tourne**. La Lune **tourne** autour de la Terre.* ❷ Diriger dans un autre sens. *Farah **a tourné** la tête au moment où l'on prenait la photo.* ❸ Changer de direction. *Au croisement, il faut **tourner** à gauche.* SYN virer. ❹ Rabattre l'un sur l'autre. *Tanya **tourne** les pages de son dictionnaire.* ❺ Fabriquer au tour. *Le potier **tourne** un bol.* ❻ Faire un film. *Cette réalisatrice **a tourné** son film à Montréal.* ❼ Évoluer d'une certaine façon. *Cette affaire **a tourné** à la catastrophe.* ❽ Devenir aigre. *Le lait n'est plus bon, il **a tourné**.* • **Avoir la tête qui tourne :** avoir des vertiges. • **Tourner la page :** oublier le passé, passer à autre chose. ■ *se* **tourner** : changer de direction, de position. *Anaïs **s'est tournée** vers nous.* • **Se tourner les pouces :** rester sans rien faire. ♦ Famille du mot : tournage, tournant, tournebroche, tournedos, tournée, en un tournemain, tournesol, tournevis, tournoi, tournoyer, tournure.

tournesol nom masculin
Plante à grosses fleurs jaunes qui s'orientent toujours vers le soleil. *Avec les graines de **tournesol**, on fait de l'huile.*

*Des **tournesols***

tournevis nom masculin
Outil qui sert à serrer ou à desserrer les vis.

tourniquet nom masculin
Dispositif de clôture qui tourne et qui ne laisse passer qu'une personne à la fois. *Pour entrer dans la station de métro, il faut franchir un **tourniquet**.*

tournoi nom masculin
❶ Au Moyen Âge, combat opposant des chevaliers armés de lances. 👁p. 190.
❷ Compétition qui comprend plusieurs matchs. *Christos s'est inscrit au **tournoi** de ping-pong.*

tournoyer verbe ▸ conjug. 6
❶ Voler en décrivant des cercles, sans s'éloigner. *Les mouettes **tournoient** autour du dépotoir.* ❷ Tourbillonner. *Les feuilles tombent des arbres en **tournoyant**.*

tournure nom féminin
❶ Façon d'évoluer en parlant d'un évènement ou d'une situation. *Cette discussion prend une **tournure** désagréable.* SYN tour. ❷ Agencement des groupes de mots dans une phrase. *Une **tournure** compliquée.* • **Tournure d'esprit :** façon de voir, de juger les choses. *Mickaël a une **tournure d'esprit** originale.*

tourterelle nom féminin
Oiseau qui ressemble à un petit pigeon. *Les **tourterelles** roucoulent.*

tourtière nom féminin
Tarte salée recouverte de pâte, que l'on garnit d'une ou de plusieurs sortes de viande. *On sert traditionnellement de la **tourtière** pendant la période des fêtes.*

tous ➔Voir **tout**

tousser verbe ▸ conjug. 3
Être pris d'un accès de toux. *Ariane a le nez qui coule et elle **tousse** beaucoup.*

toussoter verbe ▸ conjug. 3
Tousser légèrement, sans faire beaucoup de bruit. *Antoine **a toussoté** pour attirer l'attention de Sonia.*

tout, toute, tous, toutes déterminant
❶ Qui représente la totalité. *Il a neigé **toute** la nuit. **Tous** les toits de ce village sont en tuiles.* ❷ N'importe lequel, chaque. *Il peut arriver à **tout** moment. **Toutes** les semaines, Francis suit un cours de judo.* ■ **tout, tous, toutes** pronom La totalité des choses ou des personnes. ***Tout** est bon dans ce restaurant. **Tous** sont partis en classe de neige.* ■ **tout** adverbe ❶ Complètement, entièrement, tout à fait. *Ton pantalon est **tout** sale.* ❷ Très. *Ce chat est encore **tout** jeune.* • **En tout :** au total. ***En tout**, on a payé quinze dollars.* ■ **tout** nom masculin Ensemble ou totalité des choses. *Il veut se débarrasser de sa collection de timbres et va donner le **tout** à son cousin.* • **Pas du tout :** absolument pas. *Je ne dors **pas du tout**.*

a b c d e f g h i j k l m n o p q r s t u v w x y z

tout à coup adverbe
Brusquement, soudain. *On soupait dehors quand **tout à coup** l'orage a éclaté.* **SYN** subitement, tout d'un coup.

tout à fait adverbe
Entièrement, totalement. *Le gâteau n'est pas encore **tout à fait** cuit.* **SYN** complètement.

tout-à-l'égout nom masculin invariable
Système d'évacuation des eaux sales dans les égouts. *Cette ferme éloignée n'est pas raccordée au **tout-à-l'égout**.*

tout à l'heure adverbe
❶ Il y a peu de temps. *Il fait beau maintenant, mais **tout à l'heure**, il a plu.* ❷ Dans un moment. *Nous irons à l'épicerie **tout à l'heure**.*

tout de suite adverbe
Sans attendre. *Dahlia a reçu un courriel de sa grand-mère et lui a **tout de suite** répondu.* **SYN** immédiatement.

toutefois adverbe
Indique une opposition. *Sigrid n'est toujours pas arrivée, **toutefois** elle peut encore venir.* **SYN** cependant, néanmoins, pourtant.

toutou nom masculin
❶ Chien, dans le langage des tout-petits. ❷ Dans le langage des tout-petits, animal en peluche. **SYN** peluche.

tout-petit nom masculin
Très jeune enfant. *Ce **tout-petit** va déjà à la garderie.* ✎ Pluriel : *des **tout-petits**.*

tout-terrain adjectif et nom
Se dit d'un véhicule adapté à tous les terrains, même accidentés. *Un camion **tout-terrain**. – Des **tout-terrains**.* * Chercher aussi *VTT*.

*Un **tout-terrain***

toux nom féminin
Expiration bruyante et saccadée visant à dégager les voies respiratoires. *Pour calmer sa **toux**, Marc prend du sirop.* ♦ Famille du mot : tousser, toussoter. * Chercher aussi *accès*, *quinte*.

toxicomane nom
Personne qui se drogue. *Cette bénévole vient en aide aux **toxicomanes**.* **SYN** drogué.

toxicomanie nom féminin
Fait de se droguer. *Cette brochure explique les dangers de la **toxicomanie**.*

toxique adjectif
Qui est dangereux pour la santé. *Certains champignons sont **toxiques**.* ♦ Famille du mot : désintoxiquer, intoxication, intoxiquer, toxicomane, toxicomanie.

trac nom masculin
Angoisse que l'on ressent avant de faire quelque chose en public. *Chaque fois qu'il entre en scène, ce chanteur a le **trac**.*

tracas nom masculin
Souci. *Ses **tracas** l'empêchent de dormir.* **SYN** difficulté, ennui.

tracasser verbe ▸ conjug. 3
Causer du tracas. *Sa santé nous **tracasse**.* **SYN** tourmenter. ■ se **tracasser** : se donner du tracas, se faire du souci. *Ne **te tracasse** pas pour lui, il saura se débrouiller tout seul.* **SYN** s'inquiéter, se tourmenter. ♦ Famille du mot : tracas, tracasserie.

tracasserie nom féminin
Ennui ou désagrément causés par des choses peu importantes. *Tous ces formulaires à remplir sont des **tracasseries** inutiles.*

trace nom féminin
❶ Marque laissée par un animal, une personne ou une chose. *Des **traces** de pas dans la neige.* **SYN** empreinte. ❷ Marque laissée par une action ou un évènement passés. *Les enquêteurs n'ont relevé aucune **trace** d'effraction sur les lieux du cambriolage.* ❸ Très petite quantité. *En analysant l'eau, on a découvert des **traces** de pétrole. Ce produit peut contenir des **traces** de noix.*

tracé nom masculin
Ensemble de lignes représentant quelque chose. *Sur cette carte, on distingue le **tracé** des fleuves et des rivières.*

tracer verbe ▸ conjug. 4
Dessiner à l'aide de traits. *Sur le trottoir, les enfants **ont tracé** des carreaux à la craie pour jouer à la marelle.*

trachée nom féminin
Conduit situé entre la gorge et les bronches, qui sert au passage de l'air que l'on respire. 👁p. 988. * On dit aussi ***trachée-artère***.

tract nom masculin
Feuille de papier contenant des opinions, des revendications ou des propositions. *Les manifestants distribuent des **tracts** aux passants.*

tracter verbe ▸ conjug. 3
Remorquer à l'aide d'un véhicule. *Cette voiture est assez puissante pour **tracter** un bateau.*

tracteur nom masculin
Véhicule à moteur utilisé pour tirer une remorque ou une machine agricole. *Le cultivateur laboure son champ à l'aide de son **tracteur**.*

*Un **tracteur***

traction nom féminin
❶ Force qui permet de tirer quelque chose. *Les trains sont aujourd'hui à **traction** électrique. Une voiture à **traction** avant, à **traction** arrière.* ❷ Exercice de gymnastique où l'on soulève le corps par la force des bras. *Pour amener les épaules jusqu'au niveau du trapèze, Jonathan fait une **traction** des bras.*

tradition nom féminin
Manière de faire très ancienne, qui se transmet de génération en génération. *C'est la **tradition** de manger du chocolat à Pâques.* * Chercher aussi *coutume, habitude.* ♦ Famille du mot : traditionnel, traditionnellement.

traditionnel, traditionnelle adjectif
Qui est fondé sur une tradition. *Laura souffle les bougies du **traditionnel** gâteau d'anniversaire.* **SYN** rituel.

traditionnellement adverbe
De façon traditionnelle. *Le 1er juillet, il y a **traditionnellement** des feux d'artifice.*

traducteur, traductrice nom
Personne qui traduit des textes, des ouvrages d'une langue dans une autre. *Son père est **traducteur** pour une maison d'édition.*

traduction nom féminin
❶ Le fait de traduire, de donner l'équivalent d'un texte dans une autre langue. *La **traduction** est une activité qui demande beaucoup de connaissances.* ❷ Manière dont un texte est traduit. *La **traduction** de ce roman est excellente.* ❸ Texte traduit. *Ce livre est la **traduction** d'un roman chilien.*

traduire verbe ▸ conjug. 43
❶ Écrire ou dire la même chose avec des mots d'une langue différente. *Une maison d'édition vient de **traduire** ce roman anglais en français.* ❷ Exprimer ou manifester quelque chose d'une certaine façon. *Les manifestations **traduisent** le mécontentement des ouvriers.*
• **Traduire quelqu'un en justice :** le faire passer devant un tribunal. ♦ Famille du mot : intraduisible, traducteur, traduction.

① **trafic** nom masculin
Circulation de véhicules. *Pour cette longue fin de semaine, on prévoit un **trafic** important sur les routes.*

② **trafic** nom masculin
Commerce interdit par la loi. *Les policiers ont démantelé un **trafic** d'armes.* ♦ Famille du mot : trafiquant, trafiquer.

trafiquant, trafiquante nom
Personne qui fait du trafic. *Le tribunal a condamné des **trafiquants** de drogue.*

trafiquer verbe ▸ conjug. 3
❶ Faire du trafic. *C'est en **trafiquant** que cet homme s'est enrichi.* ❷ Modifier dans l'intention de tromper. *Quelqu'un **a trafiqué** ce compteur d'électricité.* **SYN** falsifier.

tragédie nom féminin
❶ Pièce de théâtre dont le sujet est grave et qui se termine mal. * Chercher aussi *comédie, drame.* ❷ Évènement terrible et dramatique. *Sa mort a été une **tragédie** pour toute la famille.* **SYN** drame. ♦ Famille du mot : tragique, tragiquement.

tragique adjectif
Qui a des conséquences très graves. *Un **tragique** accident.* **SYN** effroyable, terrible.
■ **tragique** nom masculin • **Prendre quelque chose au tragique :** s'en inquiéter de façon excessive, se tourmenter alors que la chose n'en vaut pas la peine.

tragiquement adverbe
De manière tragique. *Des pêcheurs ont péri **tragiquement** dans la tempête.*

trahir verbe ▸ conjug. 11
❶ Abandonner ou tromper quelqu'un qui avait confiance en vous, en se mettant du côté de ses

ennemis. *En vendant des secrets militaires à un pays étranger, il **a trahi** son pays.* ❷ Montrer ce que l'on voulait cacher. *Ses tremblements **trahissent** son émotion.* • **Trahir un secret :** le divulguer alors qu'on avait promis de ne pas le répéter. ■ *se* **trahir** : laisser voir ou échapper ce que l'on voulait cacher. *Mariève **s'est trahie** en rougissant.*

trahison nom féminin
Action de trahir. *Il a été condamné pour **trahison**.*

① **train** nom masculin
Ensemble de wagons tirés par une locomotive. *Je prendrai le **train** qui part à six heures.* • **Train d'atterrissage :** système qui permet à un avion de rouler au sol au moment de l'atterrissage et du décollage.

*Un **train***

② **train** nom masculin
Allure ou vitesse de quelqu'un ou de quelque chose. *Au **train** où tu vas, tu n'auras pas fini ton travail à temps.* • **À fond de train :** à toute vitesse. • **Être en train de :** exprime le déroulement d'une action. *Noémie **est en train de** prendre son déjeuner.* • **Train de vie :** manière de vivre par rapport à ses revenus.

③ **train** nom masculin
Vacarme, tapage. *Vous faites trop de **train**, vous allez réveiller le bébé.*

traîne nom féminin
Partie d'un vêtement qui traîne par terre. *La mariée portait une robe blanche avec une **traîne**.* • **À la traîne :** en retard sur les autres. *Arrêtons-nous pour l'attendre, elle est encore **à la traîne**.* • **Traîne sauvage :** traîneau à neige généralement en bois, sans patins et recourbé à l'avant. SYN toboggan. ✎ On peut écrire aussi ***traine***.

*Une **traîne sauvage***

traîneau, traîneaux nom masculin
Véhicule à patins conçu pour glisser sur la neige ou sur la glace. ✎ On peut écrire aussi *un **traineau**, des **traineaux**.*

*Un **traîneau***

traînée nom féminin
Longue trace laissée par quelque chose. *La **traînée** blanche d'un avion dans le ciel bleu.* ✎ On peut écrire aussi ***trainée***.

traîner verbe ▸ conjug. 3
❶ Tirer une chose sans la soulever. *La locomotive **traîne** une dizaine de wagons de marchandises.* ❷ Pendre jusqu'à terre. *Ton ourlet est défait et ton pantalon **traîne** par terre.* ❸ Être en désordre. *Ma mère nous a demandé de ranger tout ce qui **traîne**.* ❹ Rester trop longtemps quelque part. *Ne **traînez** pas en route !* SYN s'attarder. ❺ Durer vraiment trop longtemps. *Les travaux **traînent** depuis des mois.* SYN s'éterniser. • **Traîner la jambe** ou **la patte :** avancer péniblement. ■ *se* **traîner** : se déplacer en rampant. *Le bébé **se traîne** par terre.* ✎ On peut écrire aussi ***(se) trainer***. ♦ Famille du mot : traîne, traîneau, traînée, traînerie, traîneux.

traînerie nom féminin
Dans la langue familière, objet laissé à l'abandon, à la traîne. *Mon père m'a demandé de ramasser mes **traîneries**.* ✎ On peut écrire aussi ***trainerie***.

traîneux, traîneuse adjectif
Dans la langue familière, qui laisse ses choses en désordre. ✎ On peut écrire aussi ***traineux***, ***traineuse***.

train-train ou **traintrain**
nom masculin invariable
Dans la langue familière, routine. *La visite de ses amis a rompu son **train-train** quotidien.*

traire verbe ▸ conjug. 40
Tirer sur les mamelles d'un mammifère en pressant le pis, pour faire sortir le lait. *On **trait** les vaches, les chèvres et les brebis.*

Traire *une vache*

trait nom masculin
❶ Courte ligne droite. *Mylène trace des **traits** à la craie pour jouer au tic-tac-to.* ❷ Action de tirer une charrue ou un chariot. *Les chevaux de **trait** tirent des carrioles.* ❸ Élément distinctif. *La chaleur humide est un **trait** dominant du climat équatorial.* • **Avoir trait à quelque chose :** avoir un rapport avec cette chose. *Tout ce qui **a trait au** sport passionne Veronica.* **SYN** concerner. • **D'un (seul) trait :** en une seule fois, sans s'arrêter. *Le bébé a bu son biberon **d'un seul trait**.* * Chercher aussi *d'une (seule) traite*. • **Un trait de génie :** une idée géniale. ■ **traits** nom masculin pluriel Ce qui forme le visage. *Florence a les mêmes **traits** que sa mère.*

traitant, traitante adjectif
• **Médecin traitant :** médecin qui traite quelqu'un habituellement.

trait d'union nom masculin
Signe en forme de petit trait qui sert à réunir les éléments de certains mots composés (ex. : *raz-de-marée*), le verbe et le pronom placé après (ex. : *levez-vous*, *donnes-en*, *dis-le*) et à marquer qu'un mot a été coupé en fin de ligne et se termine à la ligne suivante. ✎ Pluriel : *des **traits d'union***.

① **traite** nom féminin
Trafic et commerce d'êtres humains. *À l'époque de la **traite** des Noirs, beaucoup d'Africains ont été vendus comme esclaves en Amérique.* * Chercher aussi *négrier*. • **Traite des fourrures :** commerce, échange de marchandises contre des fourrures. *Les coureurs des bois faisaient la **traite des fourrures** avec les Amérindiens.*

② **traite** nom féminin
Action de traire. *C'est une machine qui effectue la **traite** des vaches.*

③ **traite** nom féminin
• **D'une (seule) traite :** en une seule fois, sans s'arrêter. *On a fait le parcours en voiture **d'une seule traite**.* * Chercher aussi *d'un (seul) trait*.

traité nom masculin
❶ Ouvrage qui traite d'une matière ou d'un sujet. *Ce **traité** de physique me semble compliqué.* ❷ Accord officiel entre des États. *Signer un **traité** de paix.*

traitement nom masculin
❶ Façon de traiter une personne ou un animal. *Cet homme est soupçonné de faire subir de mauvais **traitements** à ses chiens.* ❷ Ensemble des moyens utilisés pour soigner une maladie. *Le médecin a prescrit un nouveau **traitement** à sa patiente.* ❸ Ensemble des opérations ou des procédés destinés à modifier une chose. *Le **traitement** de l'eau la rend potable.* • **Traitement de texte :** programme informatique qui permet de saisir, de corriger, de mettre en pages et d'imprimer des documents.

traiter verbe ▸ conjug. 3
❶ Agir d'une certaine façon envers une personne ou un animal. *Ce restaurateur **traite** ses clients comme des amis.* ❷ Donner un qualificatif injurieux à quelqu'un. *Amina s'est fâchée quand Alek l'**a traitée** de niaiseuse.* ❸ Appliquer un traitement à une maladie. *Hugo a pris des antibiotiques pour **traiter** sa bronchite.* ❹ Enseigner quelque chose ou parler de quelque chose. *Ce matin, l'enseignante **a traité** avec les élèves des problèmes de l'intimidation à l'école.* ❺ Soumettre une chose à un traitement qui la modifie. *C'est une usine où l'on **traite** le bois pour qu'il soit résistant aux intempéries.* ♦ Famille du mot : intraitable, maltraiter, traitant, traité, traitement, traiteur.

traiteur nom masculin
Entreprise qui prépare et vend des repas à emporter. *Pour mon souper d'anniversaire, mes parents ont fait appel à un **traiteur**.* ■ **traiteur, traiteuse** nom Personne qui travaille dans cette entreprise.

traître, traîtresse nom
Personne qui trahit. *Cet homme est passé dans le camp ennemi, c'est un **traître**.* ■ **traître, traîtresse** adjectif ❶ Qui trahit ou peut trahir. *Elle a été **traîtresse** envers ceux qui pensaient être ses amis.* ❷ Qui est plus dangereux qu'il n'en a l'air. *Méfions-nous des petites routes de montagnes : elles sont **traîtresses**.* • **En traître :** de façon perfide, déloyale. *Prendre quelqu'un **en traître** en l'attaquant par derrière.* • **Pas un traître mot :** pas un seul mot. *Je n'ai **pas** compris **un traître mot** de son discours.* ✎ On peut écrire aussi ***traitre***, ***traitresse***.

a b c d e f g h i j k l m n o p q r s t u v w x y z

traîtrise nom féminin
Comportement d'un traître ou d'une traîtresse. *On lui a reproché sa **traîtrise**.* SYN trahison.
✎ On peut écrire aussi ***traitrise***.

trajectoire nom féminin
Chemin suivi par un corps en mouvement. *La fusée a dévié de la **trajectoire** prévue.*

trajet nom masculin
Chemin à parcourir pour aller d'un point à un autre. *Comme son école n'est pas loin, Alice fait le **trajet** à pied.* SYN itinéraire, parcours.

tram ➔Voir **tramway**

trame nom féminin
❶ Ensemble des fils d'un tissu qui sont tissés dans le sens de la largeur. ❷ Au sens figuré, ce qui constitue le fond ou la structure de quelque chose. *Ce romancier a refusé de révéler la **trame** de son prochain livre.*

tramer verbe ▸ conjug. 3
Comploter, manigancer quelque chose. *Ces voyous **trament** un mauvais coup.*
■ se **tramer** : se préparer secrètement. *Je sens qu'il **se trame** quelque chose.*

trampoline nom masculin
Grande toile tendue sur un cadre par des ressorts, sur laquelle on rebondit. *Les enfants regardent Manolo qui saute et rebondit sur le **trampoline**.*

tramway nom masculin
Sorte de train électrique pour le transport des voyageurs dans les rues de certaines villes.
* Abréviation familière : ***tram***.

Un **tramway**

tranchant, tranchante adjectif
❶ Qui tranche bien. *Le boucher aiguise ses couteaux pour les rendre plus **tranchants**.* SYN coupant. ❷ Au sens figuré, qui est brusque et dur. *Un ton **tranchant**.* ■ **tranchant** nom masculin Partie tranchante d'une lame. *Le **tranchant** d'une hache.*

tranche nom féminin
Morceau plus ou moins mince d'un aliment que l'on a tranché. *Pour les sandwichs, on a acheté de fines **tranches** de jambon.*

tranchée nom féminin
Trou étroit et long que l'on creuse dans le sol. *Les ouvriers font des **tranchées** pour enterrer les câbles électriques.*

Une **tranchée**

trancher verbe ▸ conjug. 3
❶ Couper en plusieurs portions ou en tranches. ***Trancher** un oignon, du pain.* ❷ Couper d'un seul coup. *La bouchère **a tranché** la tête du poulet.* ❸ Faire un choix catégorique et décisif pour régler quelque chose. *On a assez hésité, maintenant il faut **trancher**.* ❹ Faire un contraste. *La couleur sombre de sa cravate **tranche** sur sa chemise blanche.* SYN ressortir.
♦ Famille du mot : tranchant, tranche, tranchée.

tranquille adjectif
❶ Où il n'y a ni agitation ni bruit. *Nous avons campé dans un coin **tranquille**.* SYN calme, paisible. CONTR bruyant. ❷ Qui ne bouge pas beaucoup. *Les enfants sont **tranquilles**, on ne les entend pas.* SYN sage. ❸ Qui est sans inquiétude. *Sois **tranquille**, il n'y a aucun danger.* • **Laisser quelqu'un tranquille** : ne pas le déranger. ***Laisse**-nous **tranquilles**, nous travaillons !* ♦ Famille du mot : tranquillement, tranquilliser, tranquillité.

tranquillement adverbe
D'une manière tranquille, sans s'agiter. *Mathieu lit **tranquillement** dans sa chambre.* SYN calmement, paisiblement.

tranquilliser verbe ▸ conjug. 3
Rassurer. *Nous avons eu enfin de ses nouvelles, ce qui nous **a tranquillisés**.* CONTR inquiéter.

tranquillité nom féminin
État de ce qui est tranquille et calme. *Ce qu'ils apprécient dans ce village, c'est la **tranquillité**.* SYN calme.

trans- préfixe
Placé au début d'un mot pour former un autre mot, *trans-* signifie « à travers » (***trans**canadien*).

transaction nom féminin
Opération boursière ou commerciale.

transatlantique adjectif
Qui traverse l'océan Atlantique. *Cette course **transatlantique** va du Havre à New York.*
■ **transatlantique** nom masculin Navire transatlantique.

*Un **transatlantique***

transcanadien, transcanadienne adjectif
Qui traverse le Canada de l'océan Atlantique à l'océan Pacifique. *Pour se rendre à Regina, ils prendront le chemin de fer **transcanadien**.*
■ **Transcanadienne** nom féminin La route qui traverse le Canada. *La **Transcanadienne**.*
* Attention ! Le nom féminin s'écrit avec une majuscule.

transcription nom féminin
Action de transcrire. *La **transcription** de cette séance de clavardage sera publiée demain.*

transcrire verbe ▸ conjug. 47
❶ Reproduire un message écrit sous une autre forme. ***Transcrire** un texte au propre, **transcrire** un livre en braille.* ❷ Reproduire à l'écrit un message oral. *On lui a confié la tâche de **transcrire** ce débat télévisé.*

transférer verbe ▸ conjug. 8
Faire passer quelqu'un ou quelque chose d'un lieu à un autre. *La banque **a transféré** ses locaux de l'autre côté de la rue.* ✎ On peut écrire aussi, au futur, *ils **transfèreront***; au conditionnel, *elles **transfèreraient***.

transfert nom masculin
Action de transférer quelqu'un ou quelque chose. *Le blessé est soigné dans l'ambulance pendant son **transfert** à l'hôpital.*

transformateur nom masculin
Appareil qui permet de transformer la force du courant électrique.

transformation nom féminin
❶ Action de transformer quelque chose. *La **transformation** des matières premières en produits industriels.* ❷ Ce qui a été transformé. *Katerina a fait des **transformations** dans sa chambre.* SYN changement, modification.

transformer verbe ▸ conjug. 3
Changer l'aspect ou la forme de quelque chose ou de quelqu'un. *La ville va **transformer** ce terrain vague en parc.* ■ se **transformer** : changer de forme. *Le têtard **se transforme** en grenouille, la chenille **se transforme** en papillon.* SYN se métamorphoser. ♦ Famille du mot : transformateur, transformation.

transfusion nom féminin
Fait d'injecter dans les veines d'une personne le sang d'une autre personne de groupe sanguin compatible. *Ce blessé a été sauvé grâce à une **transfusion**.*

transgénique adjectif
Se dit d'un organisme végétal ou animal dont les cellules ont été modifiées par l'introduction de gènes étrangers. * Chercher aussi *OGM*.

transgresser verbe ▸ conjug. 3
Ne pas respecter un ordre, une loi, etc. *Elle a été punie pour **avoir transgressé** le règlement.*

transi, transie adjectif
Engourdi par le froid. *Les randonneurs sont rentrés **transis**.* SYN gelé.

transiger verbe ▸ conjug. 5
Faire des concessions pour trouver un accord. *Ils ne sont pas d'accord sur le prix, ils vont devoir **transiger**.* SYN s'arranger. ♦ Famille du mot : intransigeance, intransigeant.

transistor nom masculin
Poste de radio portatif. *Mickaël a acheté des piles pour son **transistor**.*

transit nom masculin
Fait de s'arrêter dans un lieu, avant d'atteindre sa destination finale, sans avoir à passer la douane. *Ces marchandises sont en **transit** à Montréal.* * Attention ! Le *t* final du mot *transit* se prononce.

transiter verbe ▸ conjug. 3
Être en transit. *Quand nous sommes allés en Allemagne, nous **avons transité** par Paris.*

transitif, transitive adjectif
Se dit d'un verbe qui est suivi d'un complément direct ou indirect. *« Faire » est un verbe **transitif** direct et « aller » est un verbe **transitif** indirect.* CONTR intransitif.

transition nom féminin
Moment qui constitue un stade intermédiaire. *L'adolescence fait la **transition** entre l'enfance et l'âge adulte.*

transitoire adjectif
Qui forme une transition. *Des mesures **transitoires**.* SYN provisoire, temporaire. CONTR définitif.

translucide adjectif
Qui est presque transparent. *Le blanc d'œuf cru est **translucide**.* CONTR opaque.

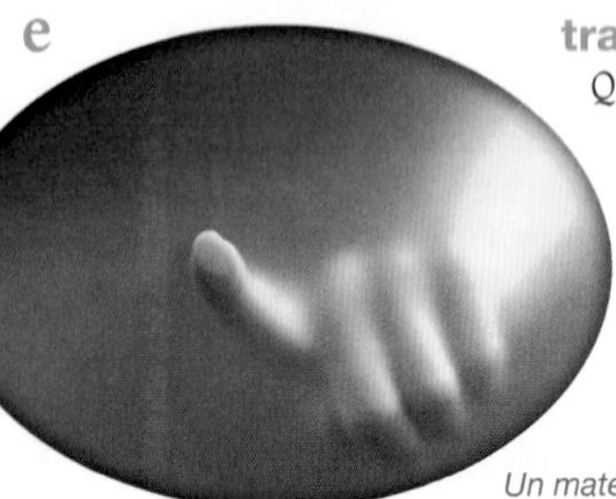

Un matériau **translucide**

transmettre verbe ▸ conjug. 33
Communiquer quelque chose à quelqu'un ou à quelque chose. *C'est Vincent qui m'**a transmis** ton message. Sur une bicyclette, la chaîne **transmet** le mouvement du pédalier à la roue arrière.* ■ se **transmettre** ❶ Passer d'une personne à une autre. *La varicelle **se transmet** très facilement.* ❷ Faire passer d'un endroit à un autre. *Les vibrations de la perceuse **se transmettent** dans toute la maison.* ♦ Famille du mot: retransmettre, retransmission, transmissible, transmission.

transmissible adjectif
Qui peut se transmettre. *Le sida est une maladie **transmissible**.* SYN contagieux.

transmission nom féminin
Action de transmettre. *La **transmission** d'une maladie. La courroie de **transmission** de la voiture s'est cassée.*

transparaître verbe ▸ conjug. 37
Devenir visible sur une surface. *Son émotion **transparaît** sur son visage.* ✎ On peut écrire aussi, à l'infinitif, ***transparaitre***; au présent, *il **transparait***; au futur, *elle **transparaitra***; au conditionnel, *ils **transparaitraient***.
♦ Famille du mot: transparence, transparent.

transparence nom féminin
Qualité de ce qui est transparent. *La **transparence** de l'eau pure.* SYN limpidité.

transparent, transparente adjectif
Qui laisse passer la lumière et permet de voir distinctement à travers. *Les vitres de la voiture sont **transparentes**.* CONTR opaque.

transpercer verbe ▸ conjug. 4
❶ Percer de part en part. *La vis **a transpercé** le mur: on la voit sortir de l'autre côté.*
❷ Passer au travers de quelque chose. *La pluie **a transpercé** son manteau.* SYN traverser.
❸ Au sens figuré, ressentir une sensation intense associée à la douleur. *Le froid nous **transperçait**. La nouvelle lui **a transpercé** le cœur.*

transpiration nom féminin
Sécrétion de la sueur à travers les pores de la peau. *Sa camisole est humide de **transpiration**.* SYN sueur.

transpirer verbe ▸ conjug. 3
Avoir la peau couverte de transpiration. *Virginie a couru en plein soleil et elle **a** beaucoup **transpiré**.* SYN suer.

transplantation nom féminin
Action de transplanter un organe. *Une **transplantation** cardiaque.* SYN greffe.

transplanter verbe ▸ conjug. 3
❶ Sortir une plante de terre pour la replanter ailleurs. *Le jardinier **a transplanté** ces arbustes.* ❷ Greffer un organe. *On doit lui **transplanter** un rein.*

transport nom masculin
Action de transporter. *Les traversiers assurent le **transport** des voyageurs et de leur voiture.*
• **Transport scolaire:** transport par autobus des élèves qui habitent loin de l'école.
• **Transport en commun:** véhicules publics. *Le train, le métro, l'autobus sont des **transports en commun**.* ■ **transports** nom masculin pluriel Ensemble des moyens qui permettent de transporter des personnes ou des marchandises. *Les **transports** routier, maritime et terrestre.*

transporter verbe ▸ conjug. 3
Porter d'un lieu dans un autre. *Ce camion frigorifique **transporte** du poisson.* ♦ Famille du mot: transport, transporteur.

transporteur nom masculin
Entreprise qui s'occupe de transport. *Un **transporteur** régional. Notre déménagement entre Ottawa et Montréal a été effectué par un **transporteur** routier d'expérience.*

transposer verbe ▸ conjug. 3
Présenter quelque chose sous une autre forme ou dans un autre contexte. *Le réalisateur de ce film **a transposé** une histoire médiévale à l'époque actuelle.*

transvaser verbe ▶ conjug. 3
Faire passer un liquide d'un récipient dans un autre. *Sofia **a transvasé** le jus de fruits dans une carafe.*

transversal, transversale, transversaux adjectif
Qui coupe quelque chose perpendiculairement. *Cette rue est **transversale**.*

trapèze nom masculin
❶ Figure géométrique qui a quatre côtés, dont deux sont parallèles et de longueur inégale. 👁p. 484. ❷ Appareil de gymnastique formé d'une barre horizontale suspendue à deux cordes. *L'acrobate a saisi le **trapèze** au vol.*

trapéziste nom
Personne qui fait des acrobaties au trapèze. *Les spectateurs du cirque ont applaudi les **trapézistes**.*

Un **trapéziste**

trappe nom féminin
❶ Ouverture dans un plancher ou au plafond, fermée par un panneau mobile. *Une **trappe** donne accès à notre grenier.* ❷ Trou recouvert de branchages, servant à piéger les animaux sauvages. *Les chasseurs ont trouvé un renard pris dans la **trappe**.*

trappeur, trappeuse nom
Personne qui piège les animaux à fourrure pour faire le commerce de leur peau. *Certaines personnes gagnent encore leur vie comme **trappeurs** au 21e siècle.* **SYN** coureur* des bois.

trapu, trapue adjectif
Qui est petit et large de carrure. *Ce boxeur est **trapu**.* **SYN** râblé. **CONTR** élancé.

traquenard nom masculin
Piège tendu à quelqu'un. *Les malfaiteurs sont tombés dans un **traquenard** tendu par la police.*

traquer verbe ▶ conjug. 3
Pourchasser sans relâche et avec acharnement un gibier ou une personne. *Les chasseurs **ont traqué** un chevreuil.*

traumatiser verbe ▶ conjug. 3
Causer un traumatisme, un choc. *Ce film violent risque de **traumatiser** les enfants.*

traumatisme nom masculin
Choc provoqué par un coup ou une émotion violente. *Un **traumatisme** crânien. Le divorce de ses parents a été un **traumatisme** pour elle.*

travail, travaux nom masculin
❶ Activité professionnelle qui permet de gagner sa vie. *Sa mère vient de changer de **travail**.* **SYN** emploi. ❷ Activité accomplie en vue d'un résultat. *Il lui a fallu plusieurs heures de **travail** pour monter la bibliothèque.* **CONTR** inaction, repos. ❸ Tâche à faire. *Marie n'a pas fini son **travail** pour demain.*
■ **travaux** nom masculin pluriel ❶ Ensemble d'opérations qui exigent de la main-d'œuvre et des moyens techniques. *Ce village se consacre entièrement aux **travaux** agricoles. Il y a des **travaux** sur l'autoroute.* ❷ Réparation, aménagement. *Le magasin sera fermé pendant les **travaux**.* ❸ Ensemble des recherches d'un intellectuel. *Les **travaux** de cette chercheuse ont été récompensés.*

travaillant, travaillante adjectif
Personne qui met beaucoup d'efforts dans son travail. *Cette nouvelle employée est très **travaillante**.*

travailler verbe ▶ conjug. 3
❶ Exercer son métier. *La mère de Mathis **travaille** dans cette caserne de pompiers.* ❷ Faire des efforts pour obtenir un résultat. *Justin **a travaillé** des mois pour faire sa maquette.* ❸ Modifier quelque chose par son action. *Le menuisier **travaille** le bois.* ❹ Se déformer sous l'effet d'un phénomène. *Sous l'effet de la chaleur, le bois de ce meuble **a travaillé**.* ❺ Dans la langue familière, inquiéter, préoccuper. *Cette affaire me **travaille**.*
♦ Famille du mot: travail, travaillant, travailleur.

travailleur, travailleuse nom
Personne qui travaille. *Les artisans sont des **travailleurs** manuels.* • **Travailleur social, travailleuse sociale:** personne chargée d'assister les gens aux prises avec des problèmes pour leur permettre d'améliorer leurs conditions de vie. • **Travailleur, travailleuse autonome:** personne qui travaille à son compte.

travée nom féminin
❶ Rangée de sièges ou de tables dans une salle de spectacle, une église. *Les **travées** du théâtre étaient pleines de monde.* ❷ Espace entre deux points d'appui d'une construction. *Un pont à quatre **travées**.*

① **travers** nom masculin
• **À travers**: en traversant une étendue ou une épaisseur. *Marcher **à travers** champs. Qu'est-ce que tu vois **à travers** la vitre?*
• **Au travers**: en traversant de part en part. *Cette toile de tente n'est plus imperméable, la pluie passe **au travers**.* • **De travers**: qui n'est pas droit ou pas correct. *Redresse ce tableau, il est **de travers**.* • **Comprendre de travers**: mal comprendre. *Il **comprend** tout **de travers**.* • **En travers**: au milieu, dans le sens de la largeur. *Des troncs d'arbres **en travers** de la route empêchent la circulation.* • **Passer au travers de quelque chose**: se sortir d'une situation difficile.
• **Regarder quelqu'un de travers**: le regarder avec antipathie ou malveillance. • **À tort et à travers**: sans raison, n'importe comment, sans faire attention. *Il dépense son argent **à tort et à travers**.*

② **travers** nom masculin
Petit défaut. *Il est très gourmand, mais on lui pardonne ce **travers**.*

① **traverse** nom féminin
Grosse pièce de bois disposée en travers d'une voie ferrée, et sur laquelle les rails sont fixés.

② **traverse** nom féminin
Lieu de passage d'une étendue d'eau où l'on exploite un service de traversier. *La **traverse** de Lévis.*

traversée nom féminin
Trajet fait quand on traverse un espace. *Elle a fait la **traversée** du lac Saint-Jean.*

traverser verbe ▸ conjug. 3
❶ Passer d'un côté à l'autre. *Les enfants ont construit un radeau pour **traverser** la rivière.* **SYN** franchir. ❷ Croiser. *Il y a un passage à niveau à l'endroit où la route **traverse** la voie ferrée.* ❸ Pénétrer et passer au travers de quelque chose. *Il y a eu un tel orage que la pluie **a traversé** mon anorak.* ❹ Passer soudainement par l'esprit. *Une idée lui **a traversé** l'esprit.* ♦ Famille du mot: travers, traverse, traversée, traversier, traversière.

traversier nom masculin
Navire servant au transport des passagers et des véhicules d'une rive à l'autre d'une étendue d'eau. 👁p. 108.

Un **traversier**

traversière adjectif féminin
• **Flûte traversière**: flûte que l'on tient parallèlement à la bouche. 👁p. 692.

travestir verbe ▸ conjug. 11
Dénaturer quelque chose, le rendre faux. ***Travestir** des faits.* ■ se **travestir** ❶ Se déguiser avec les habits de l'autre sexe, d'une autre époque ou d'une autre fonction. *Il **s'est travesti** en pompier.* ❷ Prendre l'apparence du sexe opposé.

trayeuse nom féminin
Machine servant à traire les vaches.

trébucher verbe ▸ conjug. 3
❶ Perdre l'équilibre après avoir heurté quelque chose en marchant. *Valérie **a trébuché** sur un caillou.* **SYN** buter. ❷ Buter sur une difficulté. *Miroslav peut lire un texte en français, mais il **trébuche** encore sur quelques mots.*

trèfle nom masculin
❶ Petite plante fourragère aux feuilles composées de trois parties. *Des abeilles butinent le **trèfle** en fleurs.* ❷ Une des quatre couleurs du jeu de cartes, représentée par un trèfle noir. * Chercher aussi *carreau*, *cœur*, *pique*.

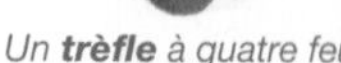

Un **trèfle** à quatre feu

treille nom féminin
Vigne qui pousse sur un treillage. *Sous la **treille** de la terrasse, on est à l'abri du soleil.*

treillis nom masculin
Assemblage de lattes ou de fils métalliques. *Les cages à lapins sont fermées par un **treillis**.*

treize déterminant invariable
Dix plus trois (13). *La fermière a ajouté un œuf à la douzaine d'œufs : on a donc **treize** œufs.* ■ **treize** nom masculin invariable Nombre treize. *Certains disent que le **treize** porte malheur.*

treizième adjectif et nom
Qui occupe le rang numéro treize. *Ursula habite au **treizième** étage. – Marco est arrivé le **treizième**.* ■ **treizième** nom masculin Ce qui est contenu treize fois dans un tout.

tréma nom masculin
Signe formé de deux points (¨) que l'on met sur les voyelles *e, i, u* pour indiquer que cette voyelle doit être prononcée seule, indépendamment de la lettre qui précède ou qui suit. *« Noël », « haïr », « maïs » portent un **tréma**.*

tremble nom masculin
Variété de peuplier au feuillage très léger, qui tremble au moindre vent.

Des **trembles**

tremblement nom masculin
Suite de mouvements brusques et involontaires du corps. *Le malade a tellement de fièvre qu'il est pris de **tremblements**.* SYN frémissement. • **Tremblement de terre :** violente secousse qui fait trembler la terre. *Un **tremblement de terre** a dévasté cette région.* SYN séisme.

trembler verbe ▸ conjug. 3
❶ Être agité par des tremblements. *Couvre-toi, tu **trembles** de froid !* SYN frissonner, grelotter. ❷ Être ébranlé par de violentes secousses. *La terre **a** encore **tremblé** en Haïti.* ❸ Au sens figuré, avoir peur. *Il **tremble** à l'idée de perdre son emploi.* ♦ Famille du mot : tremble, tremblement, trembloter, trémolo.

trembloter verbe ▸ conjug. 3
Trembler légèrement. *Les personnes très âgées ont parfois les mains qui **tremblotent**.*

trémolo nom masculin
Tremblement de la voix dû à une grande émotion. *Chloé nous a annoncé la triste nouvelle avec des **trémolos** dans la voix.*

se **trémousser** verbe ▸ conjug. 3
S'agiter dans tous les sens. *Le bébé **se trémousse** quand on le chatouille.* SYN gigoter.

tremper verbe ▸ conjug. 3
❶ Imbiber d'un liquide. *Marek a marché sous l'averse : l'eau l'**a trempé**.* ❷ Plonger dans un liquide. *Avant d'entrer dans la piscine, Kelly **a trempé** sa main dans l'eau.* ❸ Rester dans un liquide. *Il faut laisser **tremper** ce linge sale avant de le laver. Les cornichons **trempent** dans le vinaigre.* SYN baigner. ❹ Au sens figuré, participer à une action répréhensible. *On le soupçonne d'**avoir trempé** dans une affaire de trafic d'armes.*

trempette nom féminin
Sauce froide dans laquelle on trempe des crudités, des croustilles, du pain, etc. *Ma mère a préparé une **trempette** aux épinards pour le repas communautaire de l'école.*

tremplin nom masculin
Endroit d'où l'on prend son élan pour plonger ou pour sauter. *Pour le concours de saut, les skieurs partent du haut du **tremplin**.* 👁p. 60.

trentaine nom féminin
Nombre d'environ trente. *Il y a une **trentaine** d'élèves dans cette classe.*

trente déterminant invariable
Trois fois dix (30). *Les mois d'avril, de juin, de septembre et de novembre ont **trente** jours.* ■ **trente** nom masculin invariable Nombre trente. *Le **trente** est son nombre chanceux.* ♦ Famille du mot : trentaine, trentième.

trentième adjectif et nom
Qui occupe le rang numéro trente. *Le **trentième** jour d'avril est le dernier jour de ce mois.* – Personne, chose qui occupe le rang numéro trente. ■ **trentième** nom masculin Ce qui est contenu trente fois dans un tout.

trépasser verbe ▸ conjug. 3
Dans la langue littéraire, mourir. *Le vieux curé du village **a trépassé**.* SYN décéder.

trépidant, trépidante adjectif
Qui est agité et fébrile. *Ils ont déménagé en banlieue, car ils ne supportaient plus la vie **trépidante** de la ville.*

trépidation nom féminin
Fait de trépider. *Les **trépidations** du marteau-piqueur font trembler les vitres.*
SYN secousse, vibration.

Un *trépied*

trépider verbe ▸ conjug. 3
Être agité de petites secousses brèves. *On sent le sol **trépider** quand le métro passe.*
SYN trembler, vibrer. ♦ Famille du mot : trépidant, trépidation.

trépied nom masculin
Support qui repose sur trois pieds. *François pose sa caméra sur un **trépied**.*

trépigner verbe ▸ conjug. 3
Frapper des pieds par terre, à coups rapides et répétés. *Le chanteur est très en retard, et son public **trépigne** d'impatience.*

très adverbe
Modifie le sens de l'adjectif ou de l'adverbe qui le suit en indiquant un degré élevé. *Elsie est **très** gentille. Benoît s'est couché **très** tard hier soir.*

trésor nom masculin
Ensemble d'objets précieux. *Ce livre raconte l'histoire de pirates à la recherche d'un **trésor**.*
♦ Famille du mot : trésorerie, trésorier.

trésorerie nom féminin
Ressources financières dont une entreprise, une organisation publique ou privée peut disposer. *La **trésorerie** d'un commerce.*

trésorier, trésorière nom
Personne qui gère les finances d'une société, d'un club ou d'une association. *Ma mère est **trésorière** de l'Association de soccer de la municipalité.*

tressaillement nom masculin
Fait de tressaillir. *Un **tressaillement** de surprise.*

tressaillir verbe ▸ conjug. 14
Trembler un bref instant, sursauter, sous l'effet d'une surprise, d'une émotion ou d'une douleur. *Le coup de sonnette l'a fait **tressaillir**.*
SYN frémir, sursauter.

tresse nom féminin
Coiffure faite dans des cheveux partagés en trois mèches que l'on entrelace. *Qiong se fait une **tresse** avec ses longs cheveux noirs.* **SYN** natte.

tresser verbe ▸ conjug. 3
❶ Entrelacer pour faire une tresse. *Gabrielle **tresse** ses cheveux.* ❷ Fabriquer un objet en entrelaçant des fils, des brins, etc. *Ma sœur **tresse** un panier d'osier.*

tréteau, tréteaux nom masculin
Support composé d'une barre horizontale portée par quatre pieds. *On a fait une table avec deux **tréteaux** et une planche.*

Un *tréteau*

treuil nom masculin
Appareil de levage constitué d'une grosse roue autour de laquelle s'enroule un câble.

Un *treuil*

trêve nom féminin
Période d'arrêt provisoire d'un conflit. *La **trêve** n'a pas duré longtemps, les combats ont repris.*
SYN cessez-le-feu. * Chercher aussi *armistice*.
• **Trêve de :** assez de. ***Trêve de** plaisanteries, reprenons le travail !*

tri nom masculin
Action de trier des choses. *Le **tri** des déchets ménagers permet leur recyclage.*

tri- préfixe
Placé au début d'un mot pour former un autre mot, *tri-* signifie « trois » (***tri**angle*, ***tri**dent*).

triage nom masculin
• **Gare de triage :** gare où les wagons sont séparés, puis regroupés pour former de nouveaux convois.

triangle nom masculin
❶ Figure géométrique qui a trois côtés et trois angles. 👁p. 484. ❷ Instrument de musique à percussion fait d'une tige d'acier en forme de triangle, sur laquelle on frappe avec une baguette. 👁p. 692.

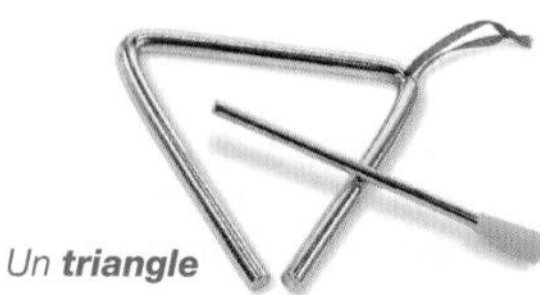
Un *triangle*

triangulaire adjectif
Qui est en forme de triangle. *Un panneau de signalisation **triangulaire**.*

tribord nom masculin
Côté droit d'un bateau quand on regarde vers l'avant. *Le voilier vire à **tribord**.* **CONTR** bâbord.

tribu nom féminin
Groupe de familles appartenant au même peuple et qui sont sous l'autorité d'un même chef. *Cet ethnologue étudie les coutumes d'une **tribu** africaine.*

tribunal, tribunaux nom masculin
❶ Endroit où l'on rend la justice. *Le jour du procès, les témoins ont été convoqués au **tribunal**.* ❷ Ensemble des magistrats. *Le **tribunal** a rendu son verdict.*

tribune nom féminin
❶ Ensemble de gradins réservés au public ou à certaines personnes. *Les **tribunes** du stade étaient pleines à craquer. La **tribune** de la presse.* ❷ Estrade d'où un orateur s'adresse au public. *Trois ministres se sont succédé à la **tribune**.* • **Tribune téléphonique :** émission qui permet à des auditeurs de communiquer par téléphone avec un animateur de radio ou de télévision.

tributaire adjectif
Qui dépend de quelqu'un ou de quelque chose. *Pour cette promenade en montgolfière, nous sommes **tributaires** de la météo.*

triceps nom masculin
Muscle qui se sépare en trois faisceaux à son extrémité.

tricher verbe ▸ conjug. 3
Agir de façon malhonnête en ne respectant pas les règles du jeu. *Julien **a triché** aux cartes.* **SYN** frauder. ♦ Famille du mot : tricherie, tricheur.

tricherie nom féminin
Action de tricher.

tricheur, tricheuse nom
Personne qui triche. *Éliane a regardé mes cartes, c'est une **tricheuse** !*

tricolore adjectif
Qui a trois couleurs. *Un chien **tricolore**.* * Chercher aussi *bicolore*, *multicolore*.

tricot nom masculin
❶ Action de tricoter. *Faire du **tricot**.* ❷ Vêtement tricoté. *Linh a mis un **tricot** chaud sous son anorak.*

tricoter verbe ▸ conjug. 3
Fabriquer un vêtement en faisant des mailles avec de la laine et de grandes aiguilles. *Laura **tricote** une tuque.*

tricycle nom masculin
Petit vélo à trois roues. *Le petit frère de Tristan se promène sur son **tricycle**.*

trident nom masculin
❶ Fourche à trois pointes. ❷ Harpon à trois pointes. *Pour la pêche sous-marine, on utilise un **trident**.*

trier verbe ▸ conjug. 10
❶ Choisir certaines choses dans un ensemble, en éliminant ce qui ne convient pas. *Il faut **trier** les pommes et jeter celles qui sont pourries.* ❷ Classer des choses pour les répartir ou les ranger. *Au bureau de poste, on **trie** les lettres selon leur code postal.* ♦ Famille du mot : tri, triage.

trilingue adjectif
Qui parle trois langues. *Un traducteur **trilingue**.*

trimaran nom masculin
Voilier à trois coques. * Chercher aussi *catamaran*.

*Un **trimaran***

trimbaler verbe ▸ conjug. 3
Dans la langue familière, emporter partout avec soi. *Charles **trimbale** toujours avec lui sa console de jeu portative.*

trimer verbe ▸ conjug. 3
Dans la langue familière, travailler durement. *Il **a trimé** dur pour pouvoir s'offrir une voiture.*

trimestre nom masculin
Période de trois mois. *L'année est composée de quatre **trimestres**.* * Chercher aussi *semestre*.

a b c d e f g h i j k l m n o p q r s t u v w x y z

trimestriel, trimestrielle adjectif
❶ Qui paraît ou qui a lieu chaque trimestre. *Une revue **trimestrielle**. Une réunion **trimestrielle**.* ❷ Qui dure trois mois. *Un contrat **trimestriel**.*

tringle nom féminin
Tige servant à accrocher des rideaux ou des cintres. *Mon père a installé les nouveaux rideaux sur les **tringles**.*

trinidadien, trinidadienne
➛Voir tableau, p. 1319.

trinquer verbe ▸ conjug. 3
Boire ensemble, après avoir cogné légèrement les verres les uns contre les autres. *Les membres de l'équipe **trinquent** pour fêter leur victoire.*

trio nom masculin
Groupe de trois personnes ou de trois musiciens. *Laurent, Enzo et Sophie forment un **trio** inséparable.*

triomphal, triomphale, triomphaux adjectif
Qui constitue un triomphe. *Ce réalisateur a reçu un accueil **triomphal** à l'étranger.*

triomphant, triomphante adjectif
Qui exprime une très grande satisfaction après un succès. *Un air **triomphant**.* SYN victorieux.

triomphe nom masculin
Victoire éclatante, succès extraordinaire. *Ce candidat a remporté un **triomphe** aux dernières élections. Ce film a reçu un **triomphe** inattendu.* • **Porter quelqu'un en triomphe**: le porter au-dessus de la foule afin de le faire acclamer. ♦ Famille du mot: triomphal, triomphant, triompher.

triompher verbe ▸ conjug. 3
❶ Vaincre une difficulté ou l'emporter sur un adversaire. *Elle **a triomphé** de tous les obstacles.* ❷ Manifester bruyamment sa joie après un succès. *Aujourd'hui, il **triomphe**, mais attention à la revanche.*

tripes nom féminin pluriel
❶ Intestins des animaux. ❷ Plat fait de morceaux d'estomac et d'intestin d'animaux de boucherie. ❸ Dans la langue familière et au sens figuré, le ventre d'une personne, son courage, ses sentiments profonds. *Ça prend des **tripes** pour relever un tel défi.*

triple adjectif
Qui est fait de trois éléments. *Un document en **triple** exemplaire.* ■ **triple** nom masculin Quantité trois fois plus grande. *J'ai dépensé le **triple** de ce que j'avais prévu.* ♦ Famille du mot: tripler, triplés.

tripler verbe ▸ conjug. 3
Multiplier par trois. *Le prix de l'essence **a triplé** en quelques années.*

triplés, triplées nom pluriel
Trois enfants nés d'un même accouchement. * Chercher aussi *jumeau*, *quadruplés*, *quintuplés*.

triporteur nom masculin
Tricycle muni d'une caisse à l'avant pour les marchandises.

*Un **triporteur***

tripoter verbe ▸ conjug. 3
Dans la langue familière, toucher sans arrêt. *Mon oncle ne cesse de **tripoter** sa moustache.*

trisomique adjectif
Relatif à une personne atteinte d'une maladie génétique du nom de « trisomie 21 » ou aux caractéristiques de cette maladie. *Un enfant **trisomique**.* ■ **trisomique** nom Personne atteinte de trisomie 21. *Cette travailleuse sociale s'occupe de **trisomiques**.*

triste adjectif
❶ Qui a de la peine. *Ève est **triste** de savoir sa mère malade.* CONTR gai, joyeux. ❷ Qui rend malheureux. *La fin de ce film est bien **triste**.* CONTR heureux. ♦ Famille du mot: tristement, tristesse.

tristement adverbe
Avec tristesse. *Ce chien nous regarde **tristement**.* CONTR gaiement.

tristesse nom féminin
❶ État d'une personne triste. *Il a dit cela avec beaucoup de **tristesse**.* SYN chagrin, peine. CONTR gaieté, joie. ❷ Caractère de ce qui est triste. *La **tristesse** d'un adieu.*

triton nom masculin
Petit amphibien à queue plate, qui ressemble à la salamandre. 👁p. 46.

Un **triton**

triturer verbe ▸ conjug. 3
❶ Broyer. *Les molaires **triturent** les aliments.* ❷ Tordre en tous sens entre ses doigts. *Il **triturait** nerveusement sa cravate.*

trivial, triviale, triviaux adjectif
Grossier et vulgaire. *Des plaisanteries **triviales**.*

troc nom masculin
Échange d'un objet contre un autre, sans se servir d'argent. *Faire du **troc**.* * Attention ! Le *c* du mot *troc* se prononce.

troglodyte nom masculin
Personne qui vit dans une grotte. *Dans certains pays, des **troglodytes** vivent dans des demeures creusées dans la roche.* 👁p. 512.

trognon nom masculin
Partie centrale non comestible d'un fruit à pépins ou d'un légume. *Un **trognon** de pomme, un **trognon** de chou.*

trois déterminant invariable
Deux plus un (3). *Un triangle a **trois** côtés et **trois** angles.* ■ **trois** nom masculin invariable
Chiffre ou nombre trois. *Quand il s'agit de prévisions météorologiques, on dit que « le **trois** fait le mois ».*

troisième adjectif et nom
Qui occupe le rang numéro trois. *Leur appartement est au **troisième** étage. – Sur la photo, Élise est la **troisième** à partir de la gauche.* • **Le troisième âge** : l'âge de la retraite.

troisièmement adverbe
En troisième lieu.

trombe nom féminin
• **En trombe** : très vite. *Loïc est passé **en trombe** à la maison.* • **Trombe d'eau** : pluie torrentielle.

trombone nom masculin
❶ Attache en fil de fer servant à assembler des feuilles de papier. ❷ Instrument de musique à vent en cuivre. *Ce musicien de jazz joue du **trombone**.*

Un **trombone**

trompe nom féminin
❶ Long prolongement du nez et de la lèvre supérieure de l'éléphant. *L'éléphant se sert de sa **trompe** pour saisir les objets.* ❷ Instrument à vent dont se servent les chasseurs.

trompe-l'œil nom masculin invariable
Peinture donnant de loin l'illusion de la réalité. *Certaines fenêtres de cette façade sont peintes en **trompe-l'œil**.*

tromper verbe ▸ conjug. 3
❶ Induire volontairement quelqu'un en erreur. *On nous **a trompés** sur la qualité de ce produit.* SYN berner, duper. ❷ Être infidèle en amour. *Elle le **trompe** avec son meilleur ami.* ■ se **tromper** : faire une erreur. *Je **me suis trompée** de numéro de téléphone.* ♦ Famille du mot : détromper, trompe-l'œil, tromperie, trompeur.

tromperie nom féminin
Action de tromper quelqu'un. *Il y a eu **tromperie** sur la marchandise.* SYN escroquerie, supercherie.

trompette nom féminin
Instrument de musique à vent en cuivre. 👁p. 692.

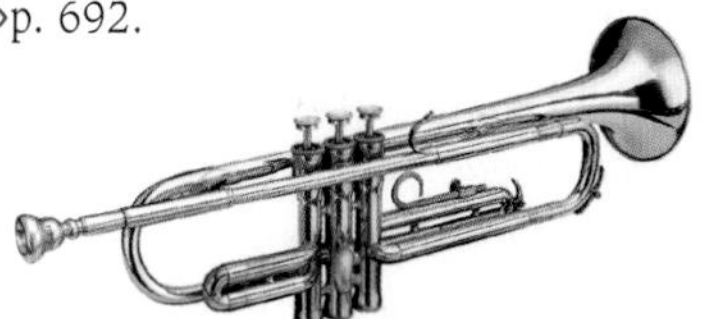

Une **trompette**

trompettiste nom
Personne qui joue de la trompette.

trompeur, trompeuse adjectif
Qui trompe. *Ce soleil est **trompeur** : on gèle dehors.*

tronc nom masculin
❶ Partie de l'arbre qui va des racines aux premières branches. *Un camion chargé de **troncs** d'arbres arrive à la scierie.* 👁p. 66. ❷ Partie centrale du corps sur laquelle s'attachent la tête et les membres. *De cette statue, il ne reste que le **tronc**.*

tronçon nom masculin
❶ Morceau coupé d'un objet long. *Au cours des fouilles, on a mis au jour des **tronçons** de colonnes.* ❷ Partie d'une route. *Ce nouveau **tronçon** d'autoroute n'est pas encore ouvert à la circulation.*
♦ Famille du mot : tronçonner, tronçonneuse.

tronçonner verbe ▸ conjug. 3
Couper en tronçons. *Les bûcherons **tronçonnent** l'arbre abattu.*

tronçonneuse nom féminin
Machine servant à tronçonner le bois. *Les bûcherons sont au travail, on entend la **tronçonneuse**.*

trône nom masculin
❶ Siège élevé où s'assoient les souverains pour les cérémonies officielles. ❷ Au sens figuré, fonction de roi. *Ce roi a perdu son **trône**.*

trôner verbe ▸ conjug. 3
❶ Être placé bien en vue. *La pièce montée **trône** au centre de la table.* ❷ Être assis à la place d'honneur. *Quand mon grand-père mange avec nous, il **trône** au bout de la table.*

tronquer verbe ▸ conjug. 3
Supprimer certains passages d'un texte. *Le journaliste **a tronqué** les déclarations de la ministre.*

trop adverbe
Plus qu'il ne faudrait. *Ce livre est **trop** gros. Antoine a **trop** mangé.* SYN excessivement.
• **De trop, en trop :** au-delà du nécessaire. *Pour le pique-nique, nous avions de la nourriture **en trop**.*

trophée nom masculin
Objet qui témoigne d'une victoire ou d'un succès. *Des **trophées** sportifs.* * Attention ! Même s'il se termine en *-ée*, ce mot est du genre masculin.

tropical, tropicale, tropicaux adjectif
De la région des tropiques. *Le baobab est un arbre **tropical**. Une chaleur **tropicale**.* SYN torride.

Une forêt **tropicale**

tropique nom masculin
Chacun des deux cercles imaginaires qui font le tour de la Terre un peu au-dessus et un peu en dessous de l'équateur. *Le **tropique** du Cancer est au nord de l'équateur, le **tropique** du Capricorne, au sud.* ■ **tropiques** nom masculin pluriel Région comprise entre les deux tropiques. *Il est allé vivre au soleil, sous les **tropiques**.*

trop-plein nom masculin
❶ Liquide qui est en trop et déborde d'un récipient. *Le **trop-plein** du bassin se déverse dans un conduit spécial.* ❷ Dispositif permettant d'écouler l'eau en trop. *Grâce au **trop-plein**, la baignoire n'a pas débordé.*
✎ Pluriel : *des **trop-pleins**.*

troquer verbe ▸ conjug. 3
Faire du troc. *Karine **a troqué** un jeu vidéo contre trois BD.* SYN échanger.

trot nom masculin
Allure du cheval entre le pas et le galop. *Le cavalier avance au **trot**.* * Attention ! Le *t* final du mot *trot* ne se prononce pas.

trotte nom féminin
Dans la langue familière, chemin assez long à parcourir à pied. *Il y a une bonne **trotte** de chez moi à l'aréna.*

trotter verbe ▸ conjug. 3
❶ Aller au trot. *La cavalière fait **trotter** sa monture.* ❷ Marcher vite et beaucoup. *Les deux amies **ont trotté** toute la matinée pour dénicher des soldes intéressants.* ❸ Revenir sans cesse à l'esprit. *Ce projet me **trotte** dans la tête depuis longtemps.* ♦ Famille du mot : trot, trotte, trotteuse, trottiner, trottinette.

trotteuse nom féminin
Petite aiguille d'une montre qui marque les secondes.

trottiner verbe ▸ conjug. 3
Marcher à petits pas pressés. *La petite sœur de Maïa **trottine** à côté de sa maman.*

trottinette nom féminin
Jouet formé d'une planchette montée sur deux roues et d'une barre verticale munie d'un guidon. *Gabriel fait avancer sa **trottinette** en poussant du pied par terre.*

Une **trottinette**

trottoir nom masculin
Partie surélevée sur le côté d'une rue, aménagée pour les piétons.

trou nom masculin
❶ Cavité dans le sol ou à la surface de quelque chose. *Les ouvriers creusent un **trou** dans la chaussée.* ❷ Ouverture qui traverse quelque

chose de part en part. *Le **trou** d'une serrure.* ♦ Famille du mot : trouée, trouer.

troublant, troublante adjectif
Qui trouble, déroute. *Cette coïncidence est **troublante**.* SYN déconcertant, inquiétant. CONTR rassurant.

trouble adjectif
❶ Qui n'est pas limpide. *Une eau **trouble**.* CONTR clair, transparent. ❷ Qui n'est pas net. *L'image est **trouble**, il faut régler le téléviseur.* SYN flou. ❸ Qui est suspect, louche. *C'est une personne au passé **trouble**.* ■ **trouble** adverbe • **Voir trouble** : voir mal, voir flou. ■ **trouble** nom masculin État d'émotion inquiète. *Le **trouble** se lisait sur son visage.* • **Trouble déficitaire de l'attention avec ou sans hyperactivité** : ensemble de symptômes se traduisant habituellement par des actes impulsifs, une incapacité à se concentrer et parfois une agitation difficile à contrôler. * Abréviation : ***TDAH***. ■ **troubles** nom masculin pluriel ❶ Fonctionnement anormal du corps ou de l'esprit. *Il souffre de **troubles** digestifs.* ❷ Agitation politique ou sociale. *Des **troubles** ont éclaté dans le pays.* * Chercher aussi *agitation*, *émeute*, *mutinerie*.

trouble-fête nom
Rabat-joie. *Cette **trouble-fête** est venue nous dire de chanter moins fort.* ✎ Pluriel : *des **trouble-fêtes***.

troubler verbe ▸ conjug. 3
❶ Rendre trouble. *L'orage **a troublé** l'eau de la rivière.* ❷ Perturber le déroulement de quelque chose. *Des mécontents sont venus **troubler** la cérémonie.* SYN déranger. ❸ Mettre quelqu'un dans l'embarras. *Cette question directe l'**a** beaucoup **troublé**.* SYN déconcerter, décontenancer. ■ se **troubler** : montrer de l'embarras, de l'émotion. *Vincent est timide, il **se trouble** pour un rien.* ♦ Famille du mot : troublant, trouble, trouble-fête.

trouée nom féminin
Ouverture dans un bois, une haie, le ciel. *Par une **trouée** de la forêt, on aperçoit un lac. Il y a une **trouée** de ciel bleu entre les nuages.*

trouer verbe ▸ conjug. 3
Faire un trou. *Karim finit toujours par **trouer** le bout de ses chaussures.* SYN percer, perforer.

trouille nom féminin
Dans la langue familière, peur. *Il avoue qu'il a la **trouille** quand il marche dans des rues désertes la nuit.*

troupe nom féminin
❶ Groupe de personnes ou d'animaux. *Une **troupe** de touristes s'engouffre dans la cathédrale.* ❷ Groupe de comédiens jouant ensemble. *Cette **troupe** d'amateurs joue une pièce de Michel Tremblay.* ❸ Groupe de soldats. *Des **troupes** alliées.*

troupeau, troupeaux nom masculin
Groupe d'animaux vivant ensemble. *Le berger garde son **troupeau**.*

trousse nom féminin
Étui pour ranger certains objets ou instruments usuels. *Une **trousse** de chirurgien. Une **trousse** de toilette.* • **Aux trousses de quelqu'un** : à sa poursuite. *Les prisonniers évadés ont la police **à leurs trousses**.*

trousseau, trousseaux nom masculin
Anciennement, ensemble des vêtements, literie et linge de maison que l'on donnait à une jeune fille sur le point de se marier. • **Trousseau de clés** : clés attachées ensemble par un anneau.

trouvaille nom féminin
Découverte ou idée inattendue et intéressante. *Il a fait une **trouvaille** chez une antiquaire.*

trouver verbe ▸ conjug. 3
❶ Découvrir ce que l'on cherchait. *Quelqu'un **aurait**-il **trouvé** mes lunettes ?* ❷ Découvrir par hasard, sans l'avoir cherché. *Abby **a trouvé** un joli coquillage sur la plage.* CONTR perdre. ❸ Découvrir par son intelligence et son imagination. *Les savants **ont trouvé** un nouveau remède contre cette maladie.* ❹ Avoir telle ou telle opinion. *Je **trouve** que ce chapeau te va bien.* ❺ Éprouver une sensation ou un sentiment. *Elle **trouve** très agréable de n'avoir plus rien à faire.* ■ se **trouver** : être situé à tel endroit. *Moncton **se trouve** à l'est du Nouveau-Brunswick.* • **Se trouver mal** : avoir un malaise. ♦ Famille du mot : introuvable, retrouvailles, retrouver, trouvaille.

truand, truande nom
Individu qui gagne de l'argent par des moyens très malhonnêtes : en volant, en escroquant, etc. SYN bandit, gangster, malfaiteur.

truc nom masculin
❶ Dans la langue familière, sert à désigner une chose sans la nommer. *J'ai oublié un **truc** à la maison.* SYN chose, machin. ❷ Moyen astucieux pour faire quelque chose. *J'ai trouvé un **truc** pour me rappeler son numéro de téléphone.* SYN astuce. ♦ Famille du mot : truquage, truquer.

trucage →Voir **truquage**

truchement nom masculin
• **Par le truchement de :** par l'intermédiaire de.

truelle nom féminin
Outil de maçon formé d'une lame et d'un manche coudé. *On applique le ciment ou le plâtre à la **truelle**.*

*Une **truelle***

truffe nom féminin
❶ Champignon noir qui se développe sous la terre. *Les **truffes** ont un goût très délicat.* ❷ Petit chocolat en forme de truffe. ❸ Nez du chien et du chat. *La **truffe** d'un chien en bonne santé est froide.*

truffé, truffée adjectif
❶ Garni de truffes. *Du pâté de foie gras **truffé**.* ❷ Au sens figuré, qui est rempli de choses diverses. *Son discours était **truffé** d'anecdotes.*

truie nom féminin
Femelle du porc. * Chercher aussi *goret*, *grogner*, *porcelet*.

truite nom féminin
Poisson d'eau douce proche du saumon. *Felipe a pêché une **truite** mouchetée.*

*Une **truite** mouchetée*

truquage nom masculin
❶ Procédé technique utilisé dans un spectacle ou au cinéma pour créer une illusion. ❷ Procédé malhonnête, trompeur. *Le **truquage** du vote.* ✎ On écrit aussi ***trucage***.

truquer verbe ▸ conjug. 3
Modifier artificiellement ou frauduleusement quelque chose. *Cette photo **est truquée**. Les sondages **ont été truqués**.*

trust nom masculin
Groupement d'entreprises dont le but est d'avoir le monopole sur un produit ou sur un secteur d'activités.

tsar nom masculin
Titre que l'on donnait autrefois à l'empereur de Russie.

tsé-tsé nom féminin
• **Mouche tsé-tsé :** mouche d'Afrique dont la piqûre provoque la maladie du sommeil. ✎ Pluriel : *des mouches **tsé-tsés**.* ✎ On peut écrire aussi *une mouche **tsétsé**, des mouches **tsétsés**.*

T-shirt →Voir **tee-shirt**

tsigane adjectif
Qui appartient aux Tsiganes, peuple de nomades appelés aussi « bohémiens » ou « gitans ». *Un disque de musique **tsigane**.* ✎ On écrit aussi ***tzigane***.

tsunami nom masculin
Vague immense causée par un séisme ou une éruption volcanique sous l'océan. * Chercher aussi *raz-de-marée*.

tu pronom
Pronom personnel de la deuxième personne du singulier qui sert à conjuguer le verbe. *On dit « **tu** » aux personnes que l'on connaît bien et « vous » quand on s'adresse aux autres.*

tuant, tuante adjectif
Dans la langue familière, très fatigant. *Faire des courses le samedi, c'est **tuant** !* **SYN** épuisant, exténuant.

tuba nom masculin
❶ Gros instrument à vent. *Le tuyau du **tuba** est replié sur lui-même et se termine par un pavillon.* 👁 p. 692. ❷ Tube qui permet de respirer quand on nage la tête sous l'eau. *Raphaëlle prend ses palmes, son masque et son **tuba**.*

*Un **tuba***

tube nom masculin
❶ Long cylindre creux et rigide de petit diamètre. *Un **tube** de néon.* ❷ Conduit naturel. *Le **tube** digestif.* ❸ Récipient cylindrique fermé par un bouchon. *Un **tube** de dentifrice.*

tubercule nom masculin
Renflement de la racine de certaines plantes. *Les pommes de terre et les patates douces sont des **tubercules** comestibles.*

tuberculeux, tuberculeuse
adjectif et nom
Qui est atteint de la tuberculose. *Cette femme est **tuberculeuse**. – Au 19e siècle, on ne savait pas encore comment soigner les **tuberculeux**.*

tuberculose nom féminin
Maladie infectieuse et contagieuse, qui atteint surtout les poumons.

tuer verbe ▸ conjug. 3
❶ Faire mourir. *Le chat **a tué** plusieurs souris dans la ferme.* ❷ Dans la langue familière, épuiser quelqu'un physiquement ou moralement. *Faire l'épicerie me **tue**.* **SYN** exténuer. ■ *se* **tuer** ❶ Se donner volontairement la mort. **SYN** se suicider. ❷ Mourir accidentellement. *Il **s'est tué** en moto.* ♦ Famille du mot : tuant, tuerie, tueur.

tuerie nom féminin
Massacre. *Cette **tuerie** a été condamnée par tous.* **SYN** carnage.

à **tue-tête** adverbe
D'une voix très forte. *Dans l'autobus, les enfants chantaient **à tue-tête**.*

tueur, tueuse nom
Personne qui en tue une autre. • **Tueur à gages :** personne que l'on paye pour assassiner quelqu'un. **SYN** assassin.

tuile nom féminin
Plaque de terre cuite servant à couvrir les toits. *Le vent a arraché des **tuiles** du toit.*

tulipe nom féminin
Plante ornementale à bulbe et à haute tige, ne portant qu'une fleur. *Au mois de mai, les **tulipes** d'Ottawa attirent des milliers de visiteurs.*

*Une **tulipe***

tulle nom masculin
Tissu léger et transparent. *La mariée avait un voile en **tulle**.*

tuméfié, tuméfiée adjectif
Qui est anormalement gonflé. *Alexis s'est cogné : il a la paupière **tuméfiée**.*

tumeur nom féminin
Lésion qui provoque une augmentation anormale du volume d'un organe. *Il a été opéré d'une **tumeur**.*

tumulte nom masculin
Agitation bruyante. *Le soir de la Saint-Jean, il y avait du **tumulte** dans les rues.* **SYN** vacarme.

tumultueux, tumultueuse adjectif
Qui a lieu dans le tumulte. *La réunion a été **tumultueuse**.* **SYN** agité, bruyant, houleux.

tunique nom féminin
Sorte de chemise longue. *Léa porte une **tunique** jaune avec son pantalon.*

tunisien, tunisienne
➻Voir tableau, p. 1319.

tunnel nom masculin
Galerie souterraine destinée à faire passer une voie ferrée, une route. *On va percer de nouveaux **tunnels** pour le prolongement du métro.*

*Un **tunnel***

tuque nom féminin
Bonnet d'hiver, généralement en laine, avec ou sans pompon. • **Attache ta tuque ! :** dans la langue familière, prépare-toi.

turban nom masculin
Coiffure masculine faite d'une longue pièce d'étoffe enroulée autour de la tête. *Les hommes originaires de certains pays d'Orient portent le **turban**.*

turbine nom féminin
Moteur fait d'une roue actionnée par un liquide ou un gaz. *Les **turbines** de la centrale électrique tournent grâce à l'eau du barrage.*

turbo nom masculin
Moteur à turbine. *Cette voiture est équipée d'un moteur **turbo**.*

turbot nom masculin
Poisson de mer au corps plat, à la chair très appréciée.

turbulence nom féminin
❶ Agitation. *Sa **turbulence** me fatigue.* **CONTR** calme. ❷ Agitation de l'atmosphère. *Vous êtes priés d'attacher vos ceintures, l'avion entre dans une zone de **turbulences**.*

turbulent, turbulente adjectif
Qui a tendance à s'agiter et à faire du bruit. *Les enfants sont très **turbulents** aujourd'hui.* **CONTR** calme, silencieux, tranquille.

turc, turque
➻Voir tableau, p. 1319.

turkmène
➻Voir tableau, p. 1319.

turlupiner verbe ▸ conjug. 3
Dans la langue familière, préoccuper. *Cette histoire le **turlupine**.* **SYN** préoccuper, tourmenter, tracasser.

turluter verbe ▸ conjug. 3
Dans la langue familière, fredonner, chantonner un air sans paroles. *La Bolduc était une artiste qui **turlutait**.*

a b c d e f g h i j k l m n o p q r s t u v w x y z

turquoise nom féminin
Pierre précieuse de couleur bleu-vert.
■ **turquoise** adjectif invariable Qui a la couleur de la turquoise. *Des chemisiers **turquoise**.*
■ **turquoise** nom masculin La couleur turquoise. *Le **turquoise** est ma couleur préférée.*

tutelle nom féminin
Pouvoir donné par la loi de s'occuper d'une personne et de ses biens. *Après la disparition des parents, la **tutelle** des enfants a été confiée à leur oncle.*

tuteur, tutrice nom
Personne chargée d'une tutelle. *Un **tuteur** a été désigné pour s'occuper des deux orphelins jusqu'à leur majorité.* * Chercher aussi *pupille*.
■ **tuteur** nom masculin Piquet servant à soutenir ou à redresser une plante. *Les pieds de tomate sont maintenus par des **tuteurs**.*

tutoiement nom masculin
Fait de tutoyer ou de se tutoyer. *Autrefois, le **tutoiement** entre parents et enfants était rare.* * Chercher aussi *vouvoiement*.

tutoyer verbe ▸ conjug. 6
Dire « tu » à quelqu'un. *Marilou **tutoie** ses grands-parents.* * Chercher aussi *vouvoyer*.

tutu nom masculin
Jupe très courte des danseuses de ballet. *Un **tutu** est fait de plusieurs jupes de tulle superposées.*

*Un **tutu***

tuvalais, tuvalaise
➔Voir tableau, p. 1319.

tuyau, tuyaux nom masculin
Tube souple ou rigide servant à l'écoulement d'un liquide ou d'un gaz. *Un **tuyau** d'arrosage. Un **tuyau** de gaz.* **SYN** canalisation, conduite.

tuyauterie nom féminin
Ensemble des tuyaux d'une installation. *Il faudrait remplacer cette **tuyauterie** en plomb.*

tweed nom masculin
Tissu de laine épais et souple. *Un costume en **tweed**.*

tympan nom masculin
Membrane située au fond du conduit de l'oreille et que les sons font vibrer.

type nom masculin
❶ Modèle possédant des caractères particuliers. *Ce **type** d'ordinateur est déjà désuet.* **SYN** genre. ❷ Ensemble des caractéristiques permettant de reconnaître et de classer quelqu'un ou quelque chose. *Jérémie est le **type** même du sportif.* ❸ Dans la langue familière, individu. *C'est un drôle de **type**.* ♦ Famille du mot : typique, typiquement.

typhon nom masculin
Cyclone des mers d'Extrême-Orient. *Les **typhons** peuvent détruire des maisons.*

typique adjectif
Qui est caractéristique de quelqu'un ou de quelque chose. *Cette façon d'arriver sans prévenir est **typique** d'Anaëlle.*

typiquement adverbe
D'une manière typique. *Le pow-wow est une cérémonie **typiquement** amérindienne.*

typographie nom féminin
❶ Aspect d'un texte imprimé. *La **typographie** de ce livre est très agréable.* ❷ Art de composer, de présenter un texte imprimé. *Les règles de **typographie**.*

typographique adjectif
Qui concerne la typographie. *Le traitement de texte propose de nombreux choix **typographiques**.*

tyran nom masculin
❶ Souverain absolu qui gouverne par la force. *Le **tyran** a fait emprisonner les chefs de l'opposition.* **SYN** oppresseur. ❷ Personne qui abuse de son autorité. *Cet homme est un **tyran***

pour sa famille. ♦ Famille du mot : tyrannie, tyrannique, tyranniser.

tyrannie nom féminin
Domination d'un tyran. *Ce peuple s'est révolté contre la* ***tyrannie*** *du dictateur.* **SYN** oppression.

tyrannique adjectif
Qui relève de la tyrannie, qui abuse de son pouvoir. *Cet enfant est* ***tyrannique*** *avec ses parents.*

tyranniser verbe ▸ conjug. 3
Traiter une personne, un animal de manière tyrannique. *Olivier ne cesse de* ***tyranniser*** *le chat.* **SYN** opprimer.

tyrannosaure nom masculin
Grand dinosaure carnivore, long d'environ quinze mètres.

tzigane ➔Voir **tsigane**

Un ***tyrannosaure***

u nom masculin invariable
Vingt et unième lettre de l'alphabet. *Le **u** est une voyelle.*

ukrainien, ukrainienne
→Voir tableau, p. 1319.

ulcère nom masculin
Plaie qui ne se cicatrise pas et qui a tendance à s'étendre. *Olivier a un **ulcère** à l'estomac.*

ulcérer verbe ▸ conjug. 8
Faire naître de l'amertume et de la rancune. *Sa conduite m'**a ulcéré**.* ✎ On peut écrire aussi, au futur, *j'**ulcèrerai***; au conditionnel, *tu **ulcèrerais***.

ULM nom masculin
Sigle de ***u**ltra **l**éger **m**otorisé*, avion très léger, propulsé par un petit moteur.

ultérieur, ultérieure adjectif
Qui vient après dans le temps. *La fête est remise à une date **ultérieure**.* **SYN** postérieur. **CONTR** antérieur.

ultérieurement adverbe
Plus tard. *On vous fera connaître **ultérieurement** la date des inscriptions.* **CONTR** antérieurement.

ultimatum nom masculin
Ultime proposition accompagnée de menaces. *Le rejet d'un **ultimatum** entraîne souvent la guerre ou l'exécution immédiate des menaces.* * Attention ! La dernière syllabe du mot *ultimatum* se prononce *tome*.

ultime adjectif
Qui vient en tout dernier. *Avant de partir, il a fait ses **ultimes** recommandations à ses enfants.*

ultramoderne adjectif
Très moderne. *Cette clinique dentaire est **ultramoderne**.*

ultrason nom masculin
Son si aigu que l'oreille humaine ne peut l'entendre. *Les chiens entendent les **ultrasons**.*

ultraviolet, ultraviolette adjectif
Se dit d'un rayon lumineux invisible à l'œil humain. ■ **ultraviolet** nom masculin Rayon lumineux invisible à l'humain. *Ce sont les **ultraviolets** des radiations solaires qui font bronzer.* * Abréviation : ***UV***.

ululement →Voir **hululement**

ululer →Voir **hululer**

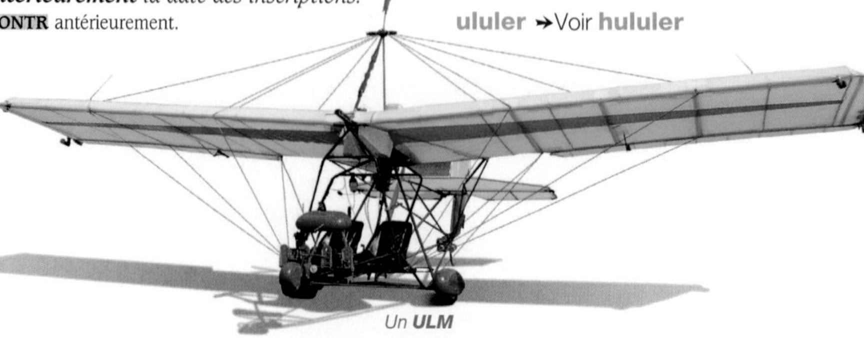
*Un **ULM***

① **un, une** déterminant
Nombre exprimant l'unité (1). *Aurais-tu* ***un*** *dollar ? Ça a duré* ***une*** *minute.* ■ **un** nom masculin invariable Chiffre ou nombre 1. *C'est le* ***un*** *qui est mon chiffre favori.*

② **un, une, des** déterminant
Déterminant. *Voici* ***un*** *sac à dos et* ***une*** *collation. Anna a vu* ***des*** *outardes.* ■ **un, une** pronom Pronom indéfini. ***Un*** *des enfants est enrhumé. Trente filles ont participé,* ***une*** *n'a pas terminé le trajet.* • **L'un et l'autre :** tous les deux. • **Ni l'un ni l'autre :** aucun des deux.

③ **une** nom féminin
Première page d'un journal. *La victoire de l'équipe nationale de hockey a fait la* ***une*** *des journaux.*

unanime adjectif
Qui exprime un accord collectif. *Tous sont* ***unanimes*** *: Gabriel est le meilleur.* ♦ Famille du mot : unanimement, unanimité.

unanimement adverbe
De manière unanime. *Quand il a pris sa retraite, il a été* ***unanimement*** *regretté.*

unanimité nom féminin
Caractère unanime de quelque chose. *Sa proposition a été acceptée à l'****unanimité****.*

uni, unie adjectif
❶ Qui s'entend bien. *C'est un couple très* ***uni****.* ❷ D'une seule couleur. *Farah porte un chemisier* ***uni****.* CONTR bigarré, multicolore.

uni- préfixe
Placé au début d'un mot pour former un autre mot, *uni-* signifie « un » (***unijambiste***).

unifamilial, unifamiliale, unifamiliaux adjectif
Conçu pour abriter une seule famille. *Une maison* ***unifamiliale****.*

unification nom féminin
Action d'unifier, fait de s'unifier. *L'****unification*** *de l'Europe.*

unifier verbe ▸ conjug. 10
Donner une unité à quelque chose. ***Unifier*** *des méthodes de fabrication.* CONTR diviser.

unifolié, unifoliée adjectif
Qui n'a qu'une seule feuille, en parlant d'un végétal. ■ **unifolié** nom masculin • **L'unifolié :** le drapeau canadien.

uniforme nom masculin
Costume imposé dans certaines professions, certaines écoles. *Les militaires et les policiers portent un* ***uniforme****.* ■ **uniforme** adjectif
Qui présente la même forme ou le même aspect. *On a peint ces nouveaux bâtiments d'une couleur* ***uniforme****.* ♦ Famille du mot : uniformément, uniformiser, uniformité.

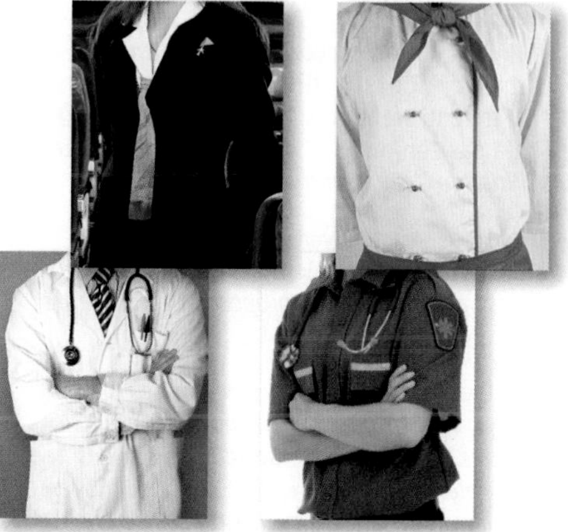
Des ***uniformes***

uniformément adverbe
De façon uniforme. *La région des Prairies est* ***uniformément*** *plate.*

uniformiser verbe ▸ conjug. 3
Rendre uniforme, régulier. *On a passé une deuxième couche de peinture pour* ***uniformiser*** *la couleur.*

uniformité nom féminin
Caractère de ce qui est uniforme. *L'****uniformité*** *d'un paysage de plaine.* CONTR diversité, variété.

unijambiste nom
Personne qui n'a qu'une seule jambe.

unilatéral, unilatérale, unilatéraux adjectif
Qui se fait sans demander l'avis de l'autre partie concernée. *On lui reproche d'avoir pris une décision* ***unilatérale****.* • **Stationnement unilatéral :** autorisé d'un seul côté. *Dans cette rue, le* ***stationnement unilatéral*** *est contraignant pour les résidants.*

unilingue adjectif et nom
Qui parle une seule langue. *Des immigrants* ***unilingues****. – Des* ***unilingues*** *francophones.*
* Chercher aussi *bilingue, polyglotte.*

a b c d e f g h i j k l m n o p q r s t u v w x y z

union nom féminin
❶ Fait d'être unis. *L'**union** règne dans cette famille.* SYN accord, entente. CONTR désunion, mésentente. ❷ Fait de s'unir. *L'**union** de deux pays en un seul.* SYN réunion. CONTR séparation. ❸ Association de personnes ou de pays qu'unissent des intérêts communs. *Une **union** de consommateurs, de partis politiques.*

unique adjectif
❶ Seul de son espèce. *C'est mon **unique** cousin.* • **Enfant, fille, fils unique**: qui n'a ni frère ni sœur. *Marie est **fille unique**.* ❷ Qui n'a pas son pareil. *C'est un fait **unique** dans l'histoire de l'humanité.* SYN exceptionnel.

uniquement adverbe
Exclusivement, seulement. *C'est **uniquement** pour t'aider qu'il t'a proposé de te conduire.*

unir verbe ▸ conjug. 11
❶ Créer un lien entre des personnes ou des pays. *Une grande conformité **unit** ces deux amies. Ces deux pays **sont unis** par des liens commerciaux.* SYN lier. ❷ Établir un moyen de communication. *Un pont **unit** les deux rives du fleuve.* SYN relier. ❸ Mettre ensemble. ***Unissons** nos efforts pour réussir.* SYN joindre, réunir. ❹ Réunir en soi-même des qualités différentes. *Cette femme **unit** l'intelligence à la bonté.* ■ s'**unir** ❶ Former une union. *Il **se sont unis** à l'hôtel de ville.* ❷ S'allier dans un but commun. *Les travailleurs **s'unissent** pour défendre leurs droits.*

unisexe adjectif
Qui convient aussi bien aux femmes qu'aux hommes. *Cette boutique vend des vêtements **unisexes**.*

à l'**unisson** adverbe
Tous ensemble, avec un accord parfait. *Ils ont agi **à l'unisson**.*

unité nom féminin
❶ Caractère de ce qui est uni. *Certains partisans regrettent le manque d'**unité** de l'équipe.* SYN cohésion. ❷ Exemplaire d'un produit, d'un objet. *Quel est le prix des bouteilles d'eau à l'**unité** ?* ❸ Élément composant un nombre. *Le nombre huit est formé de huit **unités**.* ❹ Grandeur de base choisie pour mesurer les autres grandeurs de la même espèce. *Le mètre est une **unité** de longueur.* * Chercher aussi *SI*. ❺ Groupe de soldats. *Une compagnie, un bataillon, un régiment sont des **unités**.*

univers nom masculin
❶ L'ensemble de tout ce qui existe dans l'espace. *Avec les navettes spatiales et les sondes, l'être humain essaye de découvrir l'**Univers**.* ✎ Attention ! Dans ce sens, *Univers* s'écrit avec une majuscule. ❷ La terre entière. *Grâce à son métier, il a parcouru tout l'**univers**.* SYN monde. ♦ Famille du mot : universel, universellement.

universel, universelle adjectif
Qui concerne tout l'univers, l'ensemble des êtres humains. *La musique est un art **universel**.*

universellement adverbe
De façon universelle. *Einstein est un génie **universellement** reconnu.* SYN mondialement.

universitaire adjectif
Qui concerne l'université. *Il poursuit des études **universitaires**.* ■ **universitaire** nom
Personne qui enseigne dans une université. *Cette **universitaire** enseigne la littérature.*

université nom féminin
Établissement d'enseignement supérieur. *Après son DEC, ma sœur ira à l'**université**.*

uranium nom masculin
Métal gris et dur utilisé dans l'industrie nucléaire. *Un gisement d'**uranium**.*
* Attention ! La dernière syllabe du mot *uranium* se prononce *niome*.

urbain, urbaine adjectif
Qui est de la ville ou qui concerne la ville. *Les transports **urbains**.* CONTR rural.

urbanisation nom féminin
Pour une zone géographique, fait d'acquérir des caractéristiques urbaines. ♦ Famille du mot : interurbain, urbanisme, urbaniste.

urbanisme nom masculin
Science de l'aménagement des villes.

urbaniste nom
Spécialiste de l'aménagement des espaces urbains.

urgence nom féminin
Caractère de ce qui est urgent, qui presse. *En cas d'**urgence**, téléphone-moi à ce numéro.*
• **Service des urgences**: service d'un hôpital qui accueille les malades ou les blessés dont l'état nécessite une intervention immédiate. *Le blessé a été admis au **service des urgences**.*

urgent, urgente adjectif
Dont on doit s'occuper sans tarder. *Je voudrais lui parler, c'est* ***urgent****.* SYN pressé.

urinaire adjectif
Qui concerne l'urine. *L'urine est évacuée par les voies* ***urinaires****.*

urine nom féminin
Liquide jaune sécrété par les reins. *L'****urine*** *évacue les déchets du sang, que les reins ont filtrés.* SYN pipi.

uriner verbe ▸ conjug. 3
Évacuer l'urine. SYN faire pipi*. ♦ Famille du mot : urinaire, urine, urinoir.

urinoir nom masculin
Appareil sanitaire où les hommes peuvent uriner.

URL nom féminin
Adresse d'un site Internet.

urne nom féminin
❶ Boîte dans laquelle on dépose un bulletin de vote. *L'****urne*** *comporte une fente dans le couvercle.* ❷ Vase contenant les cendres d'un mort qui a été incinéré.

Des ***urnes***

urticaire nom féminin
Éruption subite de petits boutons qui démangent. *Juliane a eu une crise d'****urticaire*** *après avoir mangé des fraises.*

uruguayen, uruguayenne
→Voir tableau, p. 1319.

us nom masculin pluriel
• **Us et coutumes :** usages hérités du passé.
* Attention ! Le *s* du mot *us* se prononce.

usage nom masculin
❶ Fait de se servir de quelque chose. *Ce tissu est solide ; il va durer longtemps si vous en faites bon* ***usage****. C'est une lotion à* ***usage*** *externe.* SYN emploi, utilisation. ❷ Possibilité d'utiliser quelque chose. *Ce blessé a perdu l'****usage*** *de la parole.* ❸ Habitude traditionnelle. *C'est l'****usage*** *d'offrir des friandises aux enfants à l'Halloween.* • **À l'usage :** lorsque l'on s'en sert. *Vous verrez que cet outil est pratique* ***à l'usage****.* • **À l'usage de :** destiné à. *Elle a écrit un livre* ***à l'usage des*** *jeunes.*

usagé, usagée adjectif
Qui est plus ou moins usé, mais encore en bon état. *Pour jardiner, il porte un pantalon* ***usagé****.* CONTR neuf.

usager, usagère nom
Personne qui utilise un service public. *Les* ***usagers*** *du métro.* SYN utilisateur.

usé, usée adjectif
Abîmé par l'utilisation. *Ces chaussures sont* ***usées****.* SYN détérioré. CONTR neuf. • **Eaux usées :** eaux qui ont servi à un usage ménager, industriel, etc. *Les égouts recueillent les* ***eaux usées****.*

user verbe ▸ conjug. 3
❶ Détériorer quelque chose à force de s'en servir. *Jonathan* ***use*** *trois paires de chaussures de sport par an.* SYN abîmer. ❷ Avoir recours à quelque chose. *Olivia* ***a usé*** *de son charme pour qu'on nous laisse entrer.* SYN employer, utiliser.

usine nom féminin
Établissement industriel où l'on utilise des machines pour fabriquer des objets. *Une* ***usine*** *de chaussures.*

Une ***usine***

a b c d e f g h i j k l m n o p q r s t u v w x y z

usiner verbe ▶ conjug. 3
❶ Fabriquer au moyen d'une machine.
❷ Fabriquer dans une usine.

usité, usitée adjectif
Employé couramment. *L'imparfait du subjonctif n'est plus **usité** de nos jours.* **SYN** courant, usuel. **CONTR** inusité.

ustensile nom masculin
Objet ou instrument d'usage quotidien. *Les casseroles sont des **ustensiles** de cuisine.*

usuel, usuelle adjectif
Qui est fréquemment utilisé. *« Vélo » est un synonyme **usuel** de « bicyclette ».* **SYN** courant.

① **usure** nom féminin
État de ce qui est usé. *Les draps sont déchirés à cause de l'**usure**.*

② **usure** nom féminin
Action de prêter de l'argent à un taux exorbitant. *L'**usure** est illégale.*

usurier, usurière nom
Personne qui pratique l'usure.

usurpateur, usurpatrice nom
Personne qui usurpe un pouvoir, un titre, un bien. *Cet homme qui utilise un titre auquel il n'a pas droit est un **usurpateur**.*

ut nom masculin
Autre nom de la note de musique *do*.
* Attention ! Le *t* du mot *ut* se prononce.

utérus nom masculin
Organe où se forme et se développe l'embryon chez la femme et chez les femelles des mammifères. * Attention ! Le *s* du mot *utérus* se prononce.

utile adjectif
Qui sert à quelque chose, rend service. *La chouette est un oiseau **utile**, car elle chasse les animaux nuisibles. Mon père voyage beaucoup ; son téléphone portable lui est **utile**.* **CONTR** inutile. ♦ Famille du mot : inutile, inutilisable, inutilité, utilisable, utilisateur, utilisation, utiliser, utilitaire, utilité.

utilisable adjectif
Qui peut être utilisé. *Cette vieille valise est encore **utilisable**.* **CONTR** inutilisable.

utilisateur, utilisatrice nom
Personne qui utilise quelque chose, qui s'en sert. *Le mode d'emploi explique le fonctionnement de l'appareil aux **utilisateurs**.*

utilisation nom féminin
Action d'utiliser. *L'**utilisation** de ce local est réservée au personnel.* **SYN** emploi, usage.

utiliser verbe ▶ conjug. 3
Se servir de quelque chose. *Bianca **utilise** des pastels pour dessiner.* **SYN** employer.

utilitaire adjectif
• **Véhicule utilitaire :** camion, autobus, autocar ou tracteur, par opposition à véhicule de tourisme. ■ **utilitaire** nom masculin En informatique, programme destiné à augmenter les caractéristiques de base du système d'exploitation.

utilité nom féminin
Fait d'être utile. *Cet outil est d'une grande **utilité**.*

utopie nom féminin
Projet considéré comme irréalisable. *Comment peux-tu croire à cette **utopie** ?* **SYN** illusion, rêve.

utopique adjectif
Qui relève de l'utopie. *Il semble **utopique** que l'être humain puisse un jour avoir son habitat dans l'eau.* **SYN** irréalisable.

v nom masculin invariable
Vingt-deuxième lettre de l'alphabet. *Le **v** est une consonne.*

vacances nom féminin pluriel
Période de congé. *Emmanuelle va en **vacances** chez sa grand-mère.*

vacancier, vacancière nom
Personne qui est en vacances. *Cette région attire de nombreux **vacanciers**.* * Chercher aussi *estivant*, *hivernant*.

vacant, vacante adjectif
Qui n'est pas occupé. *Dans cet immeuble, il y a de nombreux appartements* ***vacants***. **SYN** disponible, libre. **CONTR** occupé.

vacarme nom masculin
Bruit assourdissant. *Ferme la fenêtre, il y a trop de* ***vacarme*** *dans la rue.* **SYN** tapage, tintamarre. **CONTR** silence.

vaccin nom masculin
Produit que l'on injecte à une personne pour la protéger d'une maladie déterminée. *Un* ***vaccin*** *contre la grippe.* ♦ Famille du mot: vaccination, vacciner. * Chercher aussi *sérum*.

vaccination nom féminin
Action de vacciner. *La* ***vaccination*** *contre la grippe est recommandée aux aînés.*

vacciner verbe ▸ conjug. 3
Faire un vaccin. *Il s'est fait* ***vacciner*** *contre le choléra avant de partir en Afrique.* * Chercher aussi *immuniser*.

① **vache** nom féminin
Mammifère ruminant, femelle du taureau. *On élève la* ***vache*** *pour son lait et sa viande. Le cheddar est un fromage au lait de* ***vache***.
♦ Famille du mot: vacherie, vachette.
* Chercher aussi *beugler*, *bœuf*, *meugler*, *mugir*, *veau*.

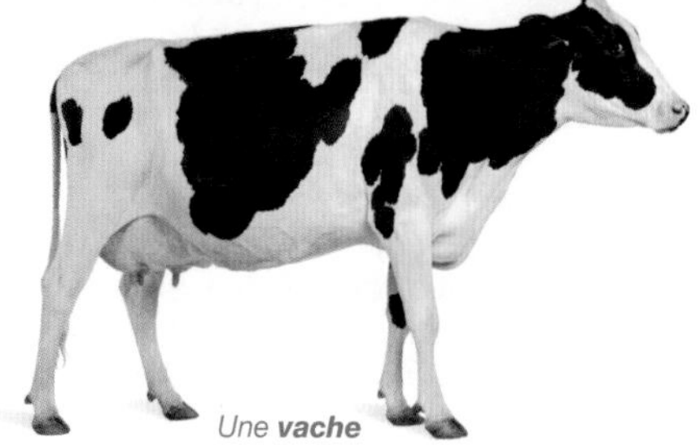
Une ***vache***

② **vache** adjectif
Dans la langue familière, méchant, sévère. *Il a été* ***vache*** *avec toi.*

vacherie nom féminin
Dans la langue familière, parole ou action méchante. *Elle m'a fait une* ***vacherie*** *que je ne lui pardonne pas.*

vacillant, vacillante adjectif
Qui vacille. *Le bébé est encore un peu* ***vacillant*** *sur ses jambes.* **SYN** chancelant.

vaciller verbe ▸ conjug. 3
❶ Osciller, se balancer sur ses jambes. *Quand la malade s'est levée, elle* ***vacillait***. **SYN** chanceler. ❷ Trembloter, quand il s'agit d'une lumière. *Les courants d'air font* ***vaciller*** *la flamme de la bougie.*

vadrouille nom féminin
Instrument formé d'un long manche et d'une petite masse de cordages, utilisé pour ramasser la poussière sur les planchers.

va-et-vient nom masculin invariable
❶ Mouvement incessant de gens qui passent. *Le long du port, le* ***va-et-vient*** *des nombreux promeneurs est constant.* **SYN** allées et venues.
❷ Branchement électrique qui permet d'allumer ou d'éteindre les mêmes lumières depuis deux interrupteurs différents.

vagabond, vagabonde nom
Personne sans maison ni travail. *Un* ***vagabond*** *demande l'aumône aux passants.* **SYN** clochard.
♦ Famille du mot: vagabondage, vagabonder.

vagabondage nom masculin
Fait d'être vagabond, habitude de vagabonder.

vagabonder verbe ▸ conjug. 3
Errer à l'aventure, sans but. *Le chien* ***vagabonde*** *dans le village.*

vagin nom masculin
Organe qui relie la vulve à l'utérus chez la femme et les femelles des mammifères.

① **vague** nom féminin
❶ Mouvement de la mer qui s'abaisse et se soulève. *Allongée au fond du bateau, elle se laisse bercer par le clapotis des* ***vagues***. *Les* ***vagues*** *déferlent sur la plage.* **SYN** lame.
❷ Au sens figuré, ce qui évoque le va-et-vient des vagues. *Des* ***vagues*** *de touristes.* • **Vague de froid, de chaleur**: période de froid, de chaleur.

Une ***vague***

a b c d e f g h i j k l m n o p q r s t u v w x y z

② vague adjectif
Qui manque de précision. *Les indications qu'il m'a données sont assez **vagues**.* **SYN** flou, imprécis. **CONTR** net, précis. • **Terrain vague :** terrain à l'abandon dans une ville. ■ **vague** nom masculin • **Regarder dans le vague :** regarder dans le vide. • **Vague à l'âme :** mélancolie.

vaguelette nom féminin
Petite vague. *La brise forme des **vaguelettes** sur le lac.*

vaguement adverbe
De façon vague, imprécise. *Je me souviens **vaguement** de mes très jeunes années.* **CONTR** clairement, nettement.

vaillamment adverbe
Dans la langue littéraire, de façon vaillante. *Xavier a résisté **vaillamment** à ceux qui tentaient de lui voler son sac à dos.* **SYN** bravement, courageusement.

vaillance nom féminin
Dans la langue littéraire, qualité d'une personne vaillante. *Combattre avec **vaillance**.* **SYN** bravoure, courage.

vaillant, vaillante adjectif
Dans la langue littéraire, courageux. *Dollard des Ormeaux était un **vaillant** combattant.* **SYN** brave, valeureux. • **N'avoir pas un sou vaillant :** être sans argent. ♦ Famille du mot : vaillamment, vaillance.

vain, vaine adjectif
❶ Qui est sans effet. *Tous nos efforts sont restés **vains**.* **SYN** infructueux, inutile, stérile. **CONTR** utile. ❷ Qui n'est fondé sur rien. *Tes craintes sont **vaines**.* **SYN** inutile. **CONTR** réel. • **En vain :** inutilement. **SYN** vainement.

vaincre verbe ▸ conjug. 36
❶ Remporter une victoire. *Les Américains **ont vaincu** les Espagnols en 1898.* **SYN** battre, écraser, triompher de. ❷ Venir à bout de quelque chose. *Sarah a réussi à **vaincre** sa peur de l'eau.* **SYN** dominer, surmonter. ♦ Famille du mot : invaincu, vaincu, vainqueur.

vaincu, vaincue adjectif et nom
Qui a subi une défaite. *Le champion **vaincu** a félicité le vainqueur.* **CONTR** victorieux. – *Les **vaincus** doivent se soumettre.* **SYN** perdant. **CONTR** gagnant, vainqueur.

vainement adverbe
En vain. *Franco a **vainement** tenté de réparer son vélo.*

vainqueur nom
Personne qui a remporté la victoire. *On a remis une coupe à la **vainqueur**.* **SYN** gagnant. **CONTR** perdant.

vaisseau, vaisseaux nom masculin
❶ Conduit servant à la circulation du sang. *Les **vaisseaux** sanguins comprennent les veines, les artères et les **vaisseaux** capillaires.* 👁p. 988. ❷ Autrefois, grand navire de guerre à voiles. *Le corsaire a attaqué un **vaisseau** de la flotte ennemie.* • **Vaisseau spatial :** engin servant à voyager dans l'espace. * Chercher aussi *navette spatiale*.

Un **vaisselier**

vaisselier nom masculin
Meuble dans lequel on range la vaisselle.

vaisselle nom féminin
Ensemble des récipients et des couverts qui servent à table. *De la **vaisselle** sale s'amoncelle dans l'évier.* • **Faire la vaisselle :** laver la vaisselle qui a servi.

valable adjectif
❶ Qui est en règle. *Ce passeport est **valable** cinq ans.* **SYN** valide. **CONTR** périmé. ❷ Qui a une valeur suffisante. *Cet argument **valable** a fini par me convaincre.* **SYN** acceptable, sérieux.

valet nom masculin
❶ Anciennement, serviteur, domestique. *Un **valet** de chambre.* ❷ L'une des figures du jeu de cartes, qui représente un valet. *Le **valet** de pique.*

valeur nom féminin
❶ Ce que vaut quelque chose. *Ces faux diamants n'ont aucune **valeur**.* **SYN** prix. ❷ Qualité d'une personne sur le plan moral ou intellectuel. *C'est un savant d'une grande **valeur**.* **SYN** mérite. ❸ Importance que l'on accorde à quelque chose. *Ce médaillon a pour moi une grande **valeur** sentimentale.* ❹ Quantité approximative. *Ajoutez la **valeur***

d'une cuiller à thé. **SYN** équivalent. • **Mettre quelqu'un** ou **quelque chose en valeur :** faire ressortir ses qualités, ses avantages. ♦ Famille du mot : dévaloriser, revaloriser, valorisant, valorisation, valoriser.

valeureux, valeureuse adjectif
Dans la langue littéraire, courageux. *Une policière **valeureuse**.* **SYN** brave, vaillant.

valide adjectif
❶ En bonne santé. *Le blessé essaie de se relever en s'aidant de son bras **valide**.* **CONTR** invalide. ❷ Qui a une valeur légale. *Cette carte bancaire n'est plus **valide**.* **SYN** valable. ♦ Famille du mot : invalide, invalidité, valider, validité.

valider verbe ▸ conjug. 3
Rendre valide. *Vous devez **valider** ce document en le signant.*

validité nom féminin
Qualité de ce qui est valide. *La durée de **validité** du passeport canadien est de cinq ans.*

valise nom féminin
Bagage de forme rectangulaire, muni d'une poignée. • **Faire sa valise** ou **ses valises :** se préparer à partir. * Chercher aussi *malle*.

vallée nom féminin
❶ Couloir plus ou moins large entre des montagnes ou des collines, creusé par un cours d'eau ou par un glacier. *Le torrent s'écoule dans une **vallée** profonde.* * Chercher aussi *canyon, défilé, gorge*. ❷ Région arrosée par un fleuve. *La **vallée** du Saint-Laurent.*

Une **vallée**

vallon nom masculin
Petite vallée.

vallonné, vallonnée adjectif
Où il y a des collines et des vallons. *L'Estrie est une région **vallonnée**.*

valoir verbe ▸ conjug. 25
❶ Avoir un certain prix. *Ce tableau **vaut** des millions.* **SYN** coûter. ❷ Avoir une certaine qualité, un certain intérêt. *Ce spectacle **vaut** vraiment le déplacement.* ❸ Être équivalent à quelque chose. *En musique, une blanche **vaut** deux noires.* **SYN** égaler, équivaloir. ❹ Procurer quelque chose à quelqu'un. *Son action lui **a valu** des compliments.* • **Valoir la peine** ou **le coup :** mériter l'attention ou l'intérêt. • **Valoir mieux :** être préférable. *Quand elle est en colère, il **vaut mieux** s'éloigner.* ■ se **valoir** : avoir la même valeur. *Les deux solutions **se valent**.*

valorisant, valorisante adjectif
Qui valorise. *Dans son métier, c'est **valorisant** de parler plusieurs langues.*

valorisation nom féminin
Action de valoriser. *La **valorisation** de cette région a résulté de la création d'entreprises.*

valoriser verbe ▸ conjug. 3
Donner une valeur plus grande. *Le prolongement du métro **a valorisé** ce quartier.* **CONTR** déprécier, dévaloriser.

valse nom féminin
Danse à trois temps où le couple de danseurs se déplace en tournant sur lui-même. *Les mariés ont ouvert la danse au son d'une **valse**.* ♦ Famille du mot : valser, valseur.

valser verbe ▸ conjug. 3
Danser la valse. *Quelques couples **valsent** sur la piste.*

valseur, valseuse nom
Personne qui danse la valse. *Mon grand-père est un bon **valseur**.*

valve nom féminin
Dispositif qui permet l'entrée d'un gaz ou d'un liquide, mais qui ne le laisse pas ressortir. *Il faut dévisser la **valve** de la chambre à air pour regonfler le pneu.*

vampire nom masculin
❶ Mort qui, d'après certaines superstitions, sort de son tombeau pour boire le sang des gens.
❷ Chauve-souris d'Amérique du Sud qui suce le sang d'animaux endormis.

Un **vampire**

vandale nom
Personne qui abîme ou détruit par bêtise ou par méchanceté. *Des **vandales** ont cassé les vitres des fenêtres de ce nouvel immeuble.*

vandalisme nom masculin
Comportement d'un vandale. *Les graffitis sont considérés comme un acte de **vandalisme**.*

vanille nom féminin
Substance aromatique extraite du fruit d'une orchidée tropicale. *Une crème glacée à la **vanille**.*

De la **vanille**

vanité nom féminin
Défaut d'une personne vaniteuse. *C'est un excellent marqueur, mais il n'en tire aucune **vanité**.* **SYN** orgueil, prétention. **CONTR** humilité, modestie.

vaniteux, vaniteuse adjectif et nom
Prétentieux. *Elle est très **vaniteuse**. – Ce **vaniteux** ne cesse de parler de ses talents.* **SYN** orgueilleux. **CONTR** modeste.

vanne nom féminin
Panneau mobile vertical servant à régler le débit de l'eau. *Les **vannes** d'une écluse.*

vannerie nom féminin
Fabrication d'objets tressés avec des fibres végétales. *En **vannerie**, on utilise l'osier ou la paille pour faire des paniers.*

vanouatais, vanouataise
➞Voir tableau, p. 1319.

vantard, vantarde adjectif et nom
Qui se vante souvent. *Ce garçon **vantard** dit qu'il est le meilleur joueur de son équipe. – C'est une **vantarde**.* **SYN** fanfaron.

vantardise nom féminin
Défaut d'une personne vantarde. *Tout ce qu'il raconte, c'est de la **vantardise**.*

vanter verbe ▸ conjug. 3
Dire du bien de quelqu'un ou de quelque chose. *La vendeuse nous **a vanté** les qualités de ce nouveau shampooing.* * Ne pas confondre *vanter* et *venter*.
■ **se vanter** ❶ Se flatter, se glorifier de quelque chose. *Amélie **s'est vantée** d'avoir obtenu des billets gratuits pour ce spectacle.*
❷ Exagérer ses mérites, se prétendre capable de faire quelque chose. *Alexis **se vante** de pouvoir traverser la rivière à la nage.*
SYN se flatter, se glorifier. ♦ Famille du mot : vantard, vantardise.

va-nu-pieds nom invariable
Dans la langue familière, personne qui vit dans une grande misère. *Une **va-nu-pieds**.*
✎ On peut écrire aussi *un **vanupied**, des **vanupieds**.*

vapeur nom féminin
❶ Fines gouttelettes d'eau en suspension dans l'air. *De la **vapeur** s'échappe de la casserole quand l'eau bout.* ❷ Énergie produite par la vapeur d'eau. *Une locomotive à **vapeur**.*
❸ Volutes de brume résultant de l'évaporation. *En été, après un orage, on peut voir des **vapeurs** monter du sol chaud et humide.*
❹ Gaz qui se dégage d'un liquide. *Les **vapeurs** d'essence sont toxiques.* ♦ Famille du mot : vaporeux, vaporisateur, vaporiser.

vaporeux, vaporeuse adjectif
Fin, léger et transparent. *Une robe de soie **vaporeuse**.*

vaporisateur nom masculin
Appareil qui sert à vaporiser un liquide. *Un désodorisant en **vaporisateur**.*
SYN atomiseur.

vaporiser verbe ▸ conjug. 3
Projeter un liquide en fines gouttelettes. *Ma mère **a vaporisé** de l'insecticide sur ses plantes.* ■ **se vaporiser** : passer de l'état liquide à l'état gazeux. *À très basse température, l'oxygène est liquide ; au contact de l'air, il **se vaporise**.* * Chercher aussi *s'évaporer*.

vaquer verbe ▸ conjug. 3
• **Vaquer à ses occupations, à ses affaires** : s'occuper de ce que l'on a à faire. *Mon père est dans le garage et **vaque à ses occupations**.*

varech nom masculin
Algue brune rejetée par la mer. *Le **varech** est utilisé comme engrais.* **SYN** goémon.

variable adjectif
Qui peut varier, changer. *Un temps **variable**.* SYN changeant, incertain.

variante nom féminin
Forme légèrement différente d'une chose. *Il existe plusieurs **variantes** de ce jeu de cartes.*

variation nom féminin
Fait de varier. *Ces **variations** de température sont mauvaises pour les récoltes.* SYN changement.

varice nom féminin
Gonflement anormal des veines. *Cette dame âgée marche difficilement à cause de ses **varices** aux jambes.*

varicelle nom féminin
Maladie contagieuse au cours de laquelle le corps se couvre de boutons qui démangent.

varié, variée adjectif
❶ Qui présente des aspects ou des éléments divers. *Ce commerce de quartier offre des produits **variés**.* ❷ Qui présente plusieurs teintes, qui n'est pas de couleur unie. *Dans le jardin, on a planté des fleurs aux couleurs **variées**.*

varier verbe ▸ conjug. 10
❶ Apporter des changements. *La nutritionniste lui a recommandé de **varier** son alimentation.* SYN diversifier. ❷ Être différent. *Le temps **varie** suivant les saisons.* SYN changer. ♦ Famille du mot : invariable, variable, variante, variation, varié, variété.

variété nom féminin
❶ Caractère de ce qui est varié. *Dans ce magasin de chaussures, vous trouverez une grande **variété** de modèles.* SYN diversité. ❷ Division à l'intérieur d'une espèce. *La McIntosh, la Cortland, la Spartan et la Golden sont des **variétés** de pommes.* ■ **variétés** nom féminin pluriel Spectacle qui comporte des attractions, des sketchs ou des chansons.

variole nom féminin
Maladie grave et contagieuse due à un virus. *La **variole** a aujourd'hui disparu.*

vasculaire adjectif
Qui concerne les vaisseaux sanguins. *Les varices sont causées par des troubles **vasculaires**.*

① **vase** nom masculin
Récipient que l'on utilise pour mettre des fleurs. *Rania dispose des fleurs dans un **vase**.*

② **vase** nom féminin
Boue qui se dépose au fond des eaux stagnantes. *Les enfants ont marché dans la **vase**.* ♦ Famille du mot : s'envaser, vaseux.

vaseline nom féminin
Sorte de pommade grasse obtenue à partir du pétrole. *Un pot de **vaseline**.*

vaseux, vaseuse adjectif
❶ Rempli de vase. *Josh a glissé sur le sol **vaseux**.* ❷ Embrouillé, confus. *Il a présenté une explication **vaseuse** en guise de justification.*

vasistas nom masculin
Petit panneau mobile au-dessus d'une fenêtre ou d'une porte. *Pour aérer la cuisine, j'ai ouvert le **vasistas**.* * Attention ! Le *s* final du mot *vasistas* se prononce.

vasque nom féminin
Bassin peu profond comportant parfois une fontaine.

*Une **vasque***

vassal, vassale, vassaux nom
Au Moyen Âge, personne liée à un seigneur par un serment de fidélité. *Le suzerain devait protection à ses **vassaux**.*

vaste adjectif
Très grand. *On peut recevoir une centaine d'invités dans cette **vaste** salle de réception.* SYN immense. CONTR exigu.

vaudou adjectif invariable
Relatif au culte, aux pratiques vaudou. *Une cérémonie **vaudou**.* ■ **vaudou** nom masculin Culte des Antilles où se mêlent des pratiques de sorcellerie et certains rites du christianisme. *Il existe différents **vaudous**.*

vaurien, vaurienne nom
Dans la langue littéraire, voyou. *Des **vauriens** ont lancé des cailloux dans les vitres.*
SYN chenapan, garnement.

vautour nom masculin
Grand oiseau de proie à la tête et au cou déplumés. *Les **vautours** sont des charognards.* * Chercher aussi *condor, rapace.*

se **vautrer** verbe ▸ conjug. 3
S'étendre et se rouler sur quelque chose. *Le chien **se vautre** dans l'herbe.*

à la **va-vite** adverbe
Vite et sans soin. *Il s'est douché et s'est habillé **à la va-vite**.*

veau, veaux nom masculin
❶ Petit de la vache et du taureau. * Chercher aussi *beugler, bœuf, meugler, mugir.* ❷ Chair de cet animal. *Un rôti de **veau**.*

Un **vautour**

vécu, vécue adjectif
Qui s'est passé réellement. *Ce film raconte une histoire **vécue**.* SYN vrai.

① **vedette** nom féminin
Acteur ou chanteur célèbre. *Ma sœur collectionne les photos de **vedettes**.* SYN étoile, star. * Attention ! On dit ***une** vedette*, que l'on parle d'une femme ou d'un homme.
• **Se mettre en vedette :** chercher à attirer l'attention sur soi, à se faire remarquer.

② **vedette** nom féminin
Petit bateau à moteur. *Une **vedette** de la Garde côtière.*

végétal, végétaux nom masculin
Être vivant fixé au sol. *Les arbres, les fleurs, les champignons et les ronces sont des **végétaux**.*
SYN plante. 👁p. 792. ■ **végétal, végétale, végétaux** adjectif Qui est tiré des végétaux. *L'huile de tournesol est une huile **végétale**.*
♦ Famille du mot : végétalien, végétarien, végétatif, végétation, végéter. * Chercher aussi *animal, minéral.*

végétalien, végétalienne adjectif et nom
Qui ne mange aucune viande ni aliment d'origine animale. *Les principes **végétaliens** n'admettent pas la consommation de produits laitiers. – Des **végétaliens** de longue date.* ■ **végétalien, végétalienne** adjectif Qui exclut toute viande et tout produit d'origine animale. *Une conception **végétalienne** de l'alimentation.*

végétarien, végétarienne adjectif et nom
Qui ne mange aucune viande. *Cette famille **végétarienne** trouve dans le tofu, les noix, les œufs et les produits laitiers ses sources de protéines. – Une **végétarienne** convaincue.* ■ **végétarien, végétarienne** adjectif Qui exclut toute viande de son alimentation. *Une recette **végétarienne**.*

végétatif, végétative adjectif
Qui semble vivre sans bouger, comme un végétal. *Mener une existence **végétative**.*

végétation nom féminin
Ensemble des végétaux qui poussent dans un lieu. *La **végétation** est clairsemée dans les régions désertiques.* ■ **végétations** nom féminin pluriel Petites peaux qui apparaissent en arrière du nez, au fond de la gorge, et qui gênent la respiration.

végéter verbe ▸ conjug. 8
Mener une vie médiocre et peu intéressante. *Il préférerait voyager plutôt que de **végéter** dans ce coin perdu.* ✎ On peut écrire aussi, au futur, *tu **végèteras*** ; au contitionnel, *vous **végèteriez**.*

véhémence nom féminin
Attitude d'une personne véhémente. *Accusé à tort, il s'est défendu avec **véhémence**.*
SYN emportement, fougue.

véhément, véhémente adjectif
Qui s'exprime avec force. *Il nous a fait des reproches **véhéments**.* SYN violent.

véhicule nom masculin
Engin que l'on utilise pour se déplacer. *Les voitures, les motos et les camions sont des **véhicules** à moteur.*

véhiculer verbe ▸ conjug. 3
Transporter dans un véhicule. *Ce camionneur **véhicule** des produits surgelés.*

① veille nom féminin
Jour qui précède un autre. *Le 31 décembre, c'est la* ***veille*** *du jour de l'An.* • **À la veille de:** sur le point de. *Ils sont* ***à la veille de*** *déménager.*

② veille nom féminin
Fait de rester sans dormir. *Nous avons passé une longue nuit de* ***veille*** *à attendre son retour.*

veillée nom féminin
❶ Moment de la soirée entre le souper et le moment de se coucher. *Ils sont venus passer la* ***veillée*** *avec nous.* ❷ Soirée qui réunit beaucoup d'invités. *Pendant la période de Noël, mes parents organisent toujours une grosse* ***veillée****.* ❸ Action de rester près de quelqu'un et de s'en occuper.

veiller verbe ▸ conjug. 3
❶ Rester volontairement éveillé pendant la nuit. *Au réveillon de Noël, on* ***a veillé*** *jusqu'à deux heures du matin.* ❷ Rester près de quelqu'un et s'en occuper. *Un infirmier* ***veille*** *la malade.* ❸ Prendre soin de quelque chose ou y faire attention. ***As****-tu* ***veillé*** *à verrouiller la porte avant de partir?* ♦ Famille du mot: surveillance, surveillant, surveiller, veille, veillée, veilleur, veilleuse.

veilleur nom masculin
• **Veilleur de nuit:** homme chargé de surveiller un lieu pendant la nuit.

veilleuse nom féminin
Lampe qui éclaire faiblement. *Une* ***veilleuse*** *éclaire le corridor de l'appartement, la nuit.*

veinard, veinarde adjectif et nom
Dans la langue familière, chanceux. *Sophie est* ***veinarde****. – Ce* ***veinard*** *a gagné à la loterie.*

① veine nom féminin
❶ Vaisseau sanguin qui ramène le sang vers le cœur. *Il faut piquer la* ***veine*** *du bras avec une seringue pour faire une prise de sang.* * Chercher aussi *artère*. 👁p. 988. ❷ Ligne étroite et colorée qui forme des dessins sur le bois ou la pierre. *Ce marbre blanc a des* ***veines*** *bleutées.* ♦ Famille du mot: intraveineux, veiné.

Des ***veines***

② veine nom féminin
Dans la langue familière, chance. *Tu as de la* ***veine*** *d'avoir eu des places pour ce concert.*

veiné, veinée adjectif
Qui est sillonné de veines. *Ce marbre noir est* ***veiné*** *de rose.*

velcro nom masculin invariable
Ensemble de deux bandes de matière synthétique qui s'agrippent au contact. *Je peux mettre mes chaussures rapidement parce qu'elles se ferment avec du* ***velcro****.*

vêler verbe ▸ conjug. 3
Donner naissance à un veau. *Le fermier a appelé la vétérinaire quand la vache s'est couchée pour* ***vêler****.*

véliplanchiste nom
Planchiste. *Cette habile* ***véliplanchiste*** *se maintient en équilibre sur la vague.*

Une ***véliplanchiste***

vélo nom masculin
Dans la langue familière, bicyclette. *Karen et son cousin sont allés faire une randonnée à* ***vélo*** *le long du canal Rideau.* 👁p. 117.

Un ***vélo***

vélocité nom féminin
Dans la langue littéraire, rapidité et grande agilité dans les mouvements. *Mon professeur de piano m'a fait faire des exercices de* ***vélocité****.*

a b c d e f g h i j k l m n o p q r s t u v w x y z

vélodrome nom masculin
Piste aménagée pour les courses cyclistes.

velours nom masculin
Étoffe dont l'endroit est fait de poils courts et serrés, très doux au toucher. *Un pantalon en **velours**.* • **Marcher à pas de velours:** marcher sans faire de bruit. • **Faire patte de velours:** rentrer ses griffes. *La chatte **fait patte de velours** quand Marco la caresse.*

velouté, veloutée adjectif
❶ Doux au toucher, comme le velours. *Des pêches à la peau **veloutée**.* ❷ Onctueux et doux au goût. *Une crème à la vanille épaisse et **veloutée**.* ■ **velouté** nom masculin Potage onctueux. *Un **velouté** aux champignons.*

velu, velue adjectif
Poilu. *Des jambes **velues**.*

venant nom masculin
• **À tout venant:** à n'importe qui, au premier venu. *Il n'est pas méfiant et offre son hospitalité **à tout venant**.*

vendange nom féminin
Cueillette du raisin destiné à la fabrication du vin. *On fait les **vendanges** au début de l'automne.*

vendangeur, vendangeuse nom
Personne qui fait les vendanges. *Les **vendangeurs** coupent les grappes de raisin avec un sécateur.*

vendeur, vendeuse nom
❶ Personne qui vend des marchandises dans un magasin. *La **vendeuse** présente plusieurs modèles de robes à sa cliente.* ❷ Personne qui vend ce qui lui appartient. *L'acheteur a négocié le prix de l'appartement avec le **vendeur**.* CONTR acheteur, acquéreur.

vendre verbe ▸ conjug. 31
❶ Échanger quelque chose contre de l'argent. *Ma tante **a vendu** sa maison.* CONTR acheter, acquérir. ❷ Trahir quelqu'un. *Ce traître **a vendu** ses amis.* ♦ Famille du mot: invendable, revendre, vendeur, vente.

vendredi nom masculin
Jour de la semaine entre le jeudi et le samedi. *Florence rentre de voyage **vendredi** soir.*

vénéneux, vénéneuse adjectif
Se dit d'une plante qui contient un poison. *Il faut savoir reconnaître les champignons **vénéneux**.* CONTR comestible. * Ne pas confondre *vénéneux* et *venimeux*.

vénérable adjectif
Qui mérite d'être vénéré. *La Grande bibliothèque de Montréal est désormais reconnue comme une institution **vénérable**.*

vénération nom féminin
Profond respect et affection admirative à l'égard de quelqu'un ou de quelque chose. *Il a toujours eu de la **vénération** pour son grand-père.*

vénérer verbe ▸ conjug. 8
Avoir de la vénération pour quelqu'un ou pour quelque chose. *Les hindous **vénèrent** de nombreux dieux.* SYN adorer. ✎ On peut écrire aussi, au futur, *vous **vénèrerez***; au conditionnel, *tu **vénèrerais***. ♦ Famille du mot: vénérable, vénération.

vénézuélien, vénézuélienne
adjectif et nom
Du Venezuela. *La fédération **vénézuélienne**. – Les **Vénézuéliens**, les **Vénézuéliennes**.* ✎ Attention! Le nom, qui désigne les habitants, s'écrit avec une majuscule.

vengeance nom féminin
Fait de se venger. *Vous l'avez insulté, méfiez-vous de sa **vengeance**!*

venger verbe ▸ conjug. 5
Réparer les torts causés à quelqu'un en punissant le coupable. *Si tu fais du mal à mon amie, je la **vengerai**.* ■ *se* **venger**: punir quelqu'un pour le mal qu'il vous a fait. *Si vous vous moquez de lui, il **se vengera**.* ♦ Famille du mot: vengeance, vengeur.

vengeur, vengeresse adjectif
Qui exprime un désir de vengeance. *Elle a prononcé des paroles **vengeresses**.* ■ **vengeur, vengeresse** nom Personne qui venge ceux qui sont attaqués. *Il a été le **vengeur** de son frère.*

venimeux, venimeuse adjectif
❶ Qui a du venin. *Une araignée **venimeuse**. Un serpent **venimeux**.* ❷ Qui est rempli de malveillance. *Elles se sont lancé des regards **venimeux**.* * Attention! On dit *un animal venimeux*, mais *une plante vénéneuse*.

venin nom masculin
Substance toxique sécrétée par certains animaux. *Les scorpions injectent leur **venin** par piqûre.*

venir verbe ▸ conjug. 19
❶ Se déplacer vers un lieu. *Kevin n'**est** pas **venu** chez moi.* ❷ Partir d'un endroit vers un autre. *Cette lettre **vient** d'Espagne.* ❸ Avoir pour cause ou pour origine. *Je me demande d'où **vient** cette erreur.* **SYN** provenir. ❹ Arriver ou se produire. *L'orage **est venu** brusquement.* **SYN** survenir. • **À venir :** qui arrivera dans un avenir proche. *Il faut s'attendre à un refroidissement de la température dans les jours **à venir**.* • **En venir à quelque chose :** en arriver à tel point ou à tel sujet. *Nous allons **en venir à** une question importante.* • **En venir aux mains :** se battre. *La discussion a mal tourné et ils **en sont venus aux mains**.* • **Venir au monde :** naître. • **Venir de faire quelque chose :** l'avoir fait depuis peu de temps. *Nos voisins **viennent de** déménager.* * Attention ! *Venir* se conjugue avec l'auxiliaire *être* : *nous **étions venus** en janvier.* ♦ Famille du mot : bienvenu, venu, venue.

vent nom masculin
Mouvement naturel de l'air qui se déplace. *Le voilier est poussé par le **vent**.* 👁p. 372. • **C'est du vent :** ce n'est pas sérieux, on ne peut pas s'y fier. *Il promet des tas de choses, mais **c'est du vent** !* • **Dans le vent :** à la mode. *Elle a une coiffure **dans le vent**.* • **Avoir vent de quelque chose :** en être informé. • **Instrument à vent :** instrument de musique dans lequel on souffle. *La trompette, la clarinette sont des **instruments à vent**.* 👁p. 692. • **Passer en coup de vent :** aller quelque part et repartir aussitôt. ♦ Famille du mot : coupe-vent, éventail, s'éventer, venter, venteux, ventilateur, ventilation, ventiler.

vente nom féminin
Action de vendre. *Le libraire prend sa retraite, il a mis son magasin en **vente**.*

venter verbe ▸ conjug. 3
• **Il vente :** il y a du vent, le vent souffle. ***Il a venté** toute la nuit.* • **Qu'il pleuve ou qu'il vente :** quel que soit le temps. * Attention ! *Venter* ne s'emploie qu'à la troisième personne du singulier. * Ne pas confondre *venter* et *vanter*.

venteux, venteuse adjectif
Où le vent souffle souvent. *Les éoliennes sont installées dans des régions très **venteuses**.*

ventilateur nom masculin
Appareil électrique dont l'hélice produit un courant d'air.

Un **ventilateur**

ventilation nom féminin
Action de ventiler un endroit. *Il faudrait une meilleure **ventilation** dans la cuisine pour évacuer les odeurs.* **SYN** aération.

ventiler verbe ▸ conjug. 3
Faire circuler l'air dans un endroit, le renouveler. **SYN** aérer.

ventouse nom féminin
❶ Organe de certains animaux qui leur permet de se fixer. *Les tentacules des pieuvres et des calmars ont des **ventouses**.* ❷ Rondelle de caoutchouc qui se fixe sur une surface plane quand on appuie dessus.

Des **ventouses**

ventral, ventrale, ventraux adjectif
Qui est situé sur le ventre. *Certains poissons ont une nageoire **ventrale**.*

ventre nom masculin
Partie du corps située au bas du tronc et qui renferme les intestins. *Élodie préfère dormir sur le **ventre**.* 👁p. 246. • **À plat ventre :** allongé sur le ventre. *Il s'est couché **à plat ventre** sur l'herbe.* ♦ Famille du mot : éventrer, ventral, ventriloque.

ventricule nom masculin
Chacune des deux cavités de la partie inférieure du cœur. 👁p. 988.

ventriloque nom et adjectif
Personne capable de parler sans remuer les lèvres et dont la voix semble venir du ventre.

venu, venue adjectif
• **Bien venu** ou **mal venu :** qui tombe bien ou qui tombe mal. *C'est une réunion sérieuse, vos plaisanteries sont **mal venues**.* * Ne pas confondre *bien venu* et *bienvenu*. ■ **venu, venue** nom
• **Le premier venu :** n'importe qui. *Je n'ai pas l'habitude de raconter mes secrets **au premier venu**.* • **Nouveau venu :** personne qui vient d'arriver.

a b c d e f g h i j k l m n o p q r s t u v w x y z

venue nom féminin
Fait de venir dans un lieu. *Je me réjouis de sa **venue**.*

ver nom masculin
❶ Petit animal au corps mou et allongé, dépourvu de pattes. *Le **ver** de terre creuse des galeries dans le sol.* SYN lombric. ❷ Larve de certains insectes. *Le **ver** à soie est une larve de papillon.* • **Ver solitaire :** long ver qui vit en parasite dans l'intestin des mammifères. SYN ténia. • **Tirer les vers du nez à quelqu'un :** dans la langue familière, l'amener à dire ce que l'on veut savoir.
* Ne pas confondre *ver*, *verre*, *vers* et *vert*.

véracité nom féminin
Caractère de ce qui est vrai. *La **véracité** de son témoignage ne fait pas de doute.* SYN authenticité, exactitude.

véranda nom féminin
Galerie couverte qui longe une maison. *L'été, nous mangeons sur la **véranda**.*

Une **véranda**

verbal, verbale, verbaux adjectif
❶ Qui se fait par la parole et non par écrit. *Passer un accord **verbal** avec un vendeur.* SYN oral. ❷ Qui concerne le verbe. *« Laisser à désirer » est une locution **verbale**.*

verbalement adverbe
En se servant de la parole. *Il nous a donné sa réponse **verbalement**.* SYN oralement, de vive voix*.

verbe nom masculin
Mot qui exprime l'état ou l'action du sujet dans la phrase. *Le **verbe** s'accorde toujours avec son sujet et varie selon la personne et le nombre de celui-ci.* ♦ Famille du mot : verbal, verbalement, verbiage.

verbiage nom masculin
Grande quantité de mots qui ne disent pas grand-chose. *Ce discours n'est que du **verbiage**.*

verdâtre adjectif
Qui tire sur le vert. *L'eau du lac est **verdâtre**.*

verdict nom masculin
Décision d'un tribunal. *Les jurés ont rendu leur **verdict**.* SYN sentence.

verdir verbe ▸ conjug. 11
Devenir vert. *Les champs commencent à **verdir**.*

verdoyant, verdoyante adjectif
Qui est couvert de verdure. *Au printemps, la campagne est **verdoyante**.*

verdure nom féminin
Ensemble de végétaux de couleur verte. *Ils habitent une maison enfouie dans la **verdure**.*

véreux, véreuse adjectif
❶ Qui contient des vers. *Des pommes **véreuses**.* ❷ Au sens figuré, malhonnête. *Un homme d'affaires **véreux** les a escroqués.*

① **verge** nom féminin
❶ Baguette de bois souple. ❷ Organe sexuel de l'homme et du mâle des mammifères. SYN pénis.

② **verge** nom féminin
Dans le système impérial, unité de longueur valant un peu moins d'un mètre (0,914 m). *Dans ce magasin, le tissu se vend à la **verge**.*
* Chercher aussi ② *livre*, ③ *mille*, ② *pied*, ② *pouce*.

verger nom masculin
Terrain planté d'arbres fruitiers. *Dans le **verger** de ma grand-mère, il y a des pommiers et des poiriers.*

verglacé, verglacée adjectif
Qui est recouvert de verglas. *Une route **verglacée**.*

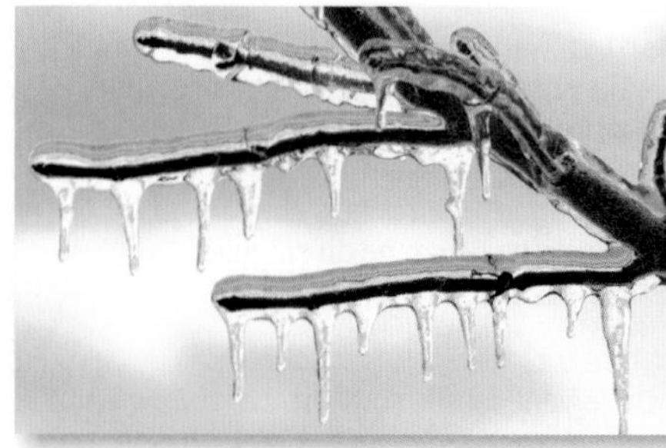

Des branches d'arbre **verglacées**

verglas nom masculin
Mince couche de glace qui se forme sur le sol. *Les voitures roulent lentement à cause du **verglas**.*

vergogne nom féminin
• **Sans vergogne :** sans aucun scrupule. *Malgré l'évidence, il a nié **sans vergogne**.*

véridique adjectif
Qui est conforme à la vérité. *Ce récit est **véridique**.* SYN authentique, exact. CONTR faux, mensonger.

vérification nom féminin
Action de vérifier. *À la fermeture du magasin, la caissière fait la **vérification** des comptes de la journée.* SYN contrôle, examen.

vérifier verbe ▸ conjug. 10
Contrôler l'exactitude ou le bon état de quelque chose. ***Vérifier** un calcul. Ma mère a fait **vérifier** le moteur de sa voiture.*

véritable adjectif
❶ Qui est conforme à la vérité. *Il s'est présenté sous un faux nom ; je connais sa **véritable** identité.* SYN réel. CONTR faux. ❷ Qui est vraiment digne de ce que l'on dit de lui. *Cette île est un **véritable** paradis.* SYN vrai.

véritablement adverbe
Vraiment, réellement. *Il ne faisait pas semblant d'être désolé, il l'était **véritablement**.*

vérité nom féminin
Qualité de ce qui est vrai, conforme à ce qui est. *Pedro a fini par avouer la **vérité** : c'est lui le responsable de cette mauvaise plaisanterie.* CONTR mensonge. • **À la vérité** ou **en vérité :** en fait. ***En vérité**, je ne suis pas très sûr d'avoir raison.* ♦ Famille du mot : véritable, véritablement.

① **vermeil, vermeille** adjectif
De couleur rouge vif. *Les enfants avaient les joues **vermeilles** à cause du froid.*

② **vermeil** nom masculin
Argent recouvert d'or. *Ces petites cuillers sont en **vermeil**.*

vermicelle nom masculin
Petite pâte très mince que l'on met dans le potage. *Ma mère a ajouté des **vermicelles** dans le bouillon.*

vermifuge nom masculin
Médicament qui sert à éliminer les vers de l'intestin.

vermillon adjectif invariable
Qui est de couleur rouge vif tirant sur l'orangé.

vermine nom féminin
Ensemble des insectes parasites de l'être humain et des animaux, comme les poux, les puces ou les punaises.

vermisseau, vermisseaux nom masculin
Petit ver. *La poule et ses poussins picorent des **vermisseaux**.*

vermoulu, vermoulue adjectif
Dont le bois est rongé par les vers. *Les meubles anciens sont souvent **vermoulus**.*

verni, vernie adjectif
Recouvert de vernis. *Des meubles en bois **verni**. Des chaussures **vernies**.*

vernir verbe ▸ conjug. 11
Enduire de vernis. *La manucure **vernit** les ongles de sa cliente.*

vernis nom masculin
Produit brillant que l'on applique sur un objet pour le protéger ou le décorer. *Il a passé une couche de **vernis** sur la coque du bateau.* ♦ Famille du mot : verni, vernir, vernissage.

vernissage nom masculin
Réception organisée à l'occasion de l'inauguration d'une exposition de peinture.

verrat nom masculin
Porc mâle qui sert à la reproduction. * Chercher aussi *goret, grogner, porcelet*.

verre nom masculin
❶ Matière dure, transparente et cassante. *La vitre s'est cassée, attention aux morceaux de **verre** !* ❷ Récipient dans lequel on boit. *Des **verres** en cristal, en plastique.* ❸ Contenu d'un verre. *J'ai soif, je voudrais un **verre** d'eau.* ❹ Morceau de verre destiné à corriger la vue. *Justin a cassé la monture de ses lunettes, mais les **verres** sont intacts.* ❺ Petite plaque de verre. *Tara a perdu le **verre** de sa montre.* • **Papier de verre :** papier très rugueux où sont collés de tout petits morceaux de verre. SYN papier* d'émeri. ♦ Famille du mot : sous-verre, verrerie, verrier, verrière, verrine, verroterie. * Ne pas confondre *verre*, *ver*, *vers* et *vert*.

verrerie nom féminin
Usine où l'on fabrique du verre ou des objets en verre.

verrier nom masculin
❶ Ouvrier qui travaille dans une verrerie. ❷ Artisan du verre, du vitrail.

verrière nom féminin
Toit ou panneau vitré. *La véranda est protégée par une **verrière**.*

verrine nom féminin
Préparation culinaire présentée en portion individuelle dans un petit verre.

verroterie nom féminin
Petits morceaux de verre coloré dont on fait des bijoux, des ornements sans valeur. *Un collier en **verroterie**.*

verrou nom masculin
Dispositif de fermeture constitué d'une barre en métal que l'on fait coulisser. *La porte de la remise se ferme avec un **verrou**.* * Chercher aussi *targette*. • **Sous les verrous :** en prison.

verrouillage nom masculin
Action de verrouiller.

verrouiller verbe ▸ conjug. 3
Fermer à l'aide d'un verrou. *Cette maison est très isolée ; il vaut mieux **verrouiller** la porte pendant la nuit.*

verrue nom féminin
Petite excroissance dure qui se forme sur la peau. *La dermatologue lui a enlevé une **verrue** à la main droite.*

① **vers** préposition
Sert à indiquer… ❶ la direction. *Quand je l'ai rencontrée, elle allait **vers** le lac.* ❷ un moment approximatif. *Le matin, je me lève **vers** 7 h 30.* ❸ les environs. *Nous sommes tombés en panne **vers** Rimouski.* * Ne pas confondre *vers*, *ver*, *verre* et *vert*.

② **vers** nom masculin
Suite rythmée de mots formant une ligne d'un poème. *La poésie de cet auteur classique est écrite en **vers**.* CONTR prose. * Chercher aussi *pied*, *rime*, *strophe*. * Ne pas confondre *vers*, *ver*, *verre* et *vert*.

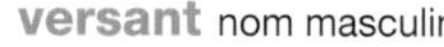

versant nom masculin
Pente d'une montagne. *Nous avons décidé de redescendre par le **versant** sud de la montagne.*

versatile adjectif
Qui change souvent d'avis. *Je n'ai pas envie de faire des projets de vacances avec Jade : elle est trop **versatile**.* SYN inconstant, lunatique.

à **verse** adverbe
Beaucoup, en abondance. *Il pleuvait **à verse** quand on est sortis du cinéma.*

versement nom masculin
Action de verser de l'argent. *Il a payé son téléviseur par **versements** mensuels de cent dollars.*

Le **verrier** étire le verre.

verser verbe ▸ conjug. 3
❶ Faire couler un liquide d'un récipient dans un autre. *Anouk **a versé** un peu d'huile sur la salade.* ❷ Remettre une somme d'argent. *À la commande, vous devrez **verser** un acompte de cent dollars.* ❸ Tomber sur le côté. *La voiture **a versé** dans le fossé.* SYN basculer. ♦ Famille du mot : déverser, versement, verseur.

verset nom masculin
Petit paragraphe numéroté dans un livre sacré. *Les **versets** du Coran.*

verseur adjectif masculin
• **Bec verseur :** bec d'un récipient qui permet de verser un liquide. *Une bouilloire à **bec verseur**.*

version nom féminin
Façon de raconter le déroulement des évènements. *Les deux témoins ont donné des **versions** différentes de l'accident.* • **Film en version originale :** film qui passe dans la langue étrangère d'origine avec des sous-titres, qui n'est pas doublé.

verso nom masculin
Envers d'une feuille de papier écrite. *La suite de ce texte est au **verso**.* SYN dos. CONTR recto.

vert, verte adjectif
❶ Qui est de la couleur de l'herbe. *Pour ta collation, aimerais-tu une pomme **verte** ?* ❷ Qui n'est pas encore mûr. *Ces fruits sont encore **verts**.* ❸ Qui a encore de la sève. *Le bois **vert** brûle moins bien que le bois sec.* **CONTR** sec. ❹ Qui demeure très vigoureux malgré son âge. *À quatre-vingts ans, mon grand-père est toujours **vert**.* ■ **vert** nom masculin La couleur verte. *En mélangeant du jaune et du bleu, on obtient du **vert**.* 👁p. 74. ♦ Famille du mot : verdâtre, verdir, verdoyant, verdure, vert-de-gris, vertement. * Ne pas confondre *vert*, *ver*, *verre* et *vers*.

vert-de-gris nom masculin invariable
Dépôt verdâtre qui se forme sur le cuivre au contact de l'humidité.

vertébral, vertébrale, vertébraux adjectif
Qui concerne les vertèbres. * Chercher aussi *colonne* *vertébrale*.

vertèbre nom féminin
Chacun des os superposés et articulés qui forment la colonne vertébrale. ♦ Famille du mot : invertébré, vertébral, vertébré.

vertébré, vertébrée adjectif
Qui a une colonne vertébrale. ■ **vertébré** nom masculin Animal qui a une colonne vertébrale. *Les mammifères, les reptiles, les oiseaux, les poissons et les amphibiens sont des **vertébrés**.* **CONTR** invertébré.

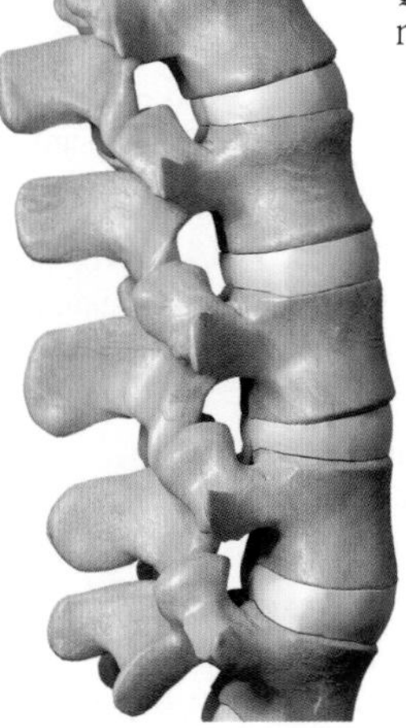
*Des **vertèbres***

vertement adverbe
De façon vive et rude. *Il lui a **vertement** répondu de s'occuper de ses affaires.*

vertical, verticale, verticaux adjectif
Qui est perpendiculaire à la ligne d'horizon. *Tracez une ligne **verticale** du haut en bas de la page.* * Chercher aussi *horizontal*, *oblique*. ■ **verticale** nom féminin Ligne verticale. *En tombant, une pierre suit la **verticale**.*

verticalement adverbe
De manière verticale. *Les livres sont rangés **verticalement** dans la bibliothèque.* **SYN** debout. **CONTR** horizontalement.

vertige nom masculin
❶ Sensation de perte d'équilibre que l'on ressent quand on regarde le vide. *Mon oncle habite au 10e étage de l'immeuble ; j'ai le **vertige** quand je vais sur son balcon.* ❷ Malaise donnant l'impression que tout tourne autour de soi. **SYN** étourdissement.

vertigineux, vertigineuse adjectif
Qui donne le vertige. *Le skieur descend la pente à une vitesse **vertigineuse**.*

vertu nom féminin
❶ Qualité morale d'une personne. *La générosité et la sincérité sont les deux grandes **vertus** de Thomas.* **CONTR** vice. ❷ Pouvoir de produire certains effets. *Le tilleul est une plante qui a des **vertus** calmantes.* **SYN** propriété.
• **En vertu de** : conformément à. *Elle a été expulsée **en vertu du** règlement.*

vertueux, vertueuse adjectif
Qui possède des vertus, des qualités morales. *Des personnes **vertueuses**.*

verve nom féminin
Manière de s'exprimer pleine de fantaisie et de brio. *Elle a fait un discours plein de **verve**.*

verveine nom féminin
Plante dont on fait de la tisane.

vésicule nom féminin
• **Vésicule biliaire** : petite poche qui contient la bile sécrétée par le foie. 👁p. 320.

vessie nom féminin
Organe en forme de poche dans laquelle s'accumule l'urine arrivant des reins.

veste nom féminin
Vêtement à manches longues qui couvre le torse et s'ouvre sur le devant. *Cette **veste** est usée aux coudes.* * Chercher aussi *veston*.

vestiaire nom masculin
❶ Dans certains établissements (restaurants, théâtres, musées, etc.), endroit où l'on dépose son manteau, son parapluie, etc. ❷ Lieu où l'on se change pour pratiquer un sport. *Les **vestiaires** d'un aréna.*

vestibule nom masculin
Pièce d'entrée d'une maison ou d'un appartement.

a b c d e f g h i j k l m n o p q r s t u v w x y z

a b c d e f g h i j k l m n o p q r s t u v w x y z

vestiges nom masculin pluriel
Ce qui reste de ce qui a été détruit. *En Italie, Frédéric a vu des* ***vestiges*** *de temples romains.* SYN ruine.

Des ***vestiges***

vestimentaire adjectif
Qui concerne les vêtements. *Isabelle soigne sa tenue* ***vestimentaire****.*

veston nom masculin
Veste d'homme faisant partie d'un complet.

vêtement nom masculin
Ce qui sert à s'habiller, à couvrir son corps. *Les* ***vêtements*** *pour enfants sont au premier étage.* SYN habit.

vétéran nom masculin
❶ Soldat qui a longtemps servi dans l'armée. ❷ Personne qui a une longue expérience dans un métier, une profession. *M. Jutras est un* ***vétéran*** *de la politique.*

vétérinaire nom
Médecin qui soigne les animaux.

vêtir verbe ▸ conjug. 15
Dans la langue littéraire, habiller. *On* ***avait vêtu*** *les enfants de costumes de fête.* CONTR dévêtir. ■ *se* **vêtir** : s'habiller. CONTR se dévêtir. ✎ Attention ! *Vêtir* s'écrit *vêts* aux deux premières personnes du singulier du présent de l'indicatif. ♦ Famille du mot : dévêtir, revêtement, revêtir, sous-vêtement, survêtement, vêtement.

veto nom masculin invariable
• **Mettre** ou **opposer son veto** : exprimer un refus. *Elle* ***a mis son veto*** *aux dépenses que nous voulions faire.* ✎ On peut écrire aussi *un* ***véto****, des* ***vétos****.*

vétuste adjectif
Qui est vieux et abîmé. *Cet immeuble est* ***vétuste*** *; il faudrait le détruire ou le rénover.* SYN délabré.

veuf, veuve adjectif et nom
Dont la femme ou le mari est mort. *Elle est* ***veuve****. – Ce* ***veuf*** *va bientôt se remarier.*

veuvage nom masculin
Fait d'être veuf ou veuve. *Elle s'est remariée après plusieurs années de* ***veuvage****.*

vexant, vexante adjectif
❶ Qui vexe ou humilie. *Une remarque* ***vexante****.* SYN blessant. ❷ Qui contrarie, irrite. *Tomber malade le premier jour des vacances, c'est* ***vexant****.*

vexer verbe ▸ conjug. 3
Blesser quelqu'un dans son amour-propre. *Noah* ***a vexé*** *sa tante en lui disant que sa nouvelle coupe de cheveux ne lui allait pas bien.* SYN froisser.

via préposition
En passant par tel lieu. *Cet autobus va de Montréal à Toronto* ***via*** *Ottawa.*

viabilité nom féminin
❶ Aptitude à vivre d'un fœtus, d'un nouveau-né. ❷ Possibilité de développement ou de réussite. *Nous allons étudier la* ***viabilité*** *de ce projet.*

viable adjectif
❶ Qui peut vivre. *Ce bébé prématuré est* ***viable****.* ❷ Qui a des chances de réussir, de durer. *La création de ce parc de loisirs est un projet* ***viable****.*

viaduc nom masculin
Grand pont servant au passage d'une route ou d'une voie ferrée par-dessus une vallée. * Attention ! Le *c* du mot *viaduc* se prononce.

Un ***viaduc***

viande nom féminin
Chair des mammifères et des volailles qui sert d'aliment. *On achète de la **viande** chez le boucher.* • **Viande rouge :** chair du bœuf, de l'agneau, du cheval, etc. • **Viande blanche :** chair du veau, du porc et des volailles.

vibrant, vibrante adjectif
Très émouvant. *Jérémie a adressé des remerciements **vibrants** à ses sauveteurs.*

vibration nom féminin
Mouvement et bruit produits par quelque chose qui vibre. *Les **vibrations** d'une perceuse.*

vibrer verbe ▸ conjug. 3
❶ Être agité de tremblements ou d'oscillations. *Les vitres de la maison **vibrent** quand un gros camion passe dans la rue.* **SYN** trembler. ❷ Être vivement ému. *Cette musique me fait **vibrer**.* **SYN** émouvoir. ♦ Famille du mot : vibrant, vibration.

vice nom masculin
❶ Grave défaut ou mauvaise habitude. *La paresse est son seul **vice**.* **CONTR** vertu. ❷ Défaut qui rend une chose inutilisable. *Cette lampe ne fonctionne pas, elle doit avoir un **vice** de fabrication.* ♦ Famille du mot : vicié, vicieux.

vice-présidence nom féminin
Fonction occupée par un vice-président ou une vice-présidente. ✎ Pluriel : *des **vice-présidences**.*

vice-président, vice-présidente nom
Personne chargée d'aider le président ou la présidente dans ses fonctions et d'assurer son remplacement en cas de nécessité. ✎ Pluriel : *des **vice-présidents**, des **vice-présidentes**.*

vice versa adverbe
Inversement. *C'est ma mère qui conduit quand mon père est fatigué, et **vice versa**.* * Attention ! Le *e* de *vice* ne se prononce pas. ✎ On écrit aussi ***vice-versa***.

vicié, viciée adjectif
• **Air vicié :** air pollué et malsain. *L'**air vicié** peut provoquer des allergies.* **CONTR** pur.

vicieux, vicieuse adjectif et nom
Qui a une tendance au vice, qui a de mauvais penchants. *Cette personne **vicieuse** s'amuse à faire du mal aux animaux. – C'est un **vicieux**.*

victime nom féminin
❶ Personne qui a été tuée ou blessée. *Le cyclone a fait plusieurs **victimes**.* ❷ Personne qui subit les mauvais traitements de quelqu'un, les conséquences d'un évènement déplaisant. *Noémie est **victime** du mauvais caractère de son frère.*

victoire nom féminin
Fait de vaincre un ennemi ou un adversaire. *Le match s'est terminé par la **victoire** de notre équipe.* **SYN** triomphe. **CONTR** défaite.

victorieux, victorieuse adjectif
Qui a remporté une victoire. *On a remis une coupe à l'équipe **victorieuse**.* **SYN** gagnant. **CONTR** perdant, vaincu.

victuailles nom féminin pluriel
Provisions, nourriture. *Nous sommes partis en pique-nique chargés de **victuailles**.*

vidange nom féminin
Action de vider un récipient pour le nettoyer. *Il faut faire la **vidange** de ce réservoir d'huile.*

vidanger verbe ▸ conjug. 5
Faire une vidange. *Avant de la réparer, il faudra **vidanger** la chaudière.*

vide adjectif
❶ Qui ne contient rien. *La boîte de chocolats est **vide**.* **CONTR** plein. ❷ Où il n'y a personne. *Tous les élèves sont dans la cour ; les classes sont **vides**.* ❸ Sans intérêt. *Depuis que tu es parti, la vie me semble **vide**.* • **Vide de :** dépourvu de. *Cette phrase est **vide de** sens.* ■ **vide** nom masculin ❶ Espace vide. *Pour faire du parachutisme, il faut oser se lancer dans le **vide**.* ❷ Espace où il n'y a pas d'air. *Certains aliments sont emballés sous **vide** pour être conservés.* ❸ Espace qui n'est pas occupé. *On a laissé des **vides** entre les tables pour pouvoir circuler dans la classe.* • **À vide :** sans rien ni personne à l'intérieur. *Ce train circule presque **à vide**.* ♦ Famille du mot : évider, vide-poche, vider.

vidéo adjectif invariable
Qui permet d'enregistrer des images et des sons, et de les retransmettre sur un écran de visualisation. *Ce magasin vend des équipements **vidéo**.* • **Jeu vidéo :** jeu qui utilise un écran de visualisation et une télécommande électronique. • **Club vidéo :** magasin où l'on peut louer ou acheter des jeux vidéo, des DVD, etc. ■ **vidéo** nom féminin Technique

d'enregistrement du son et de l'image sur un support magnétique. *Mon père a filmé le mariage de mon cousin en **vidéo**.* ♦ Famille du mot : vidéocassette, vidéoclip, vidéosurveillance.

vidéocassette nom féminin
Cassette utilisée pour l'enregistrement en vidéo. *Ce film existe en **vidéocassette**.*

vidéoclip nom masculin
Film court qui illustre une chanson. SYN clip. ✎ Pluriel : *des **vidéoclips**.*

vidéosurveillance nom féminin
Surveillance de certains lieux par caméras vidéo.

vide-poche nom masculin
Récipient dans lequel on dépose les petits objets que l'on a dans ses poches ou que l'on ne veut pas ranger tout de suite. *Les clés de la voiture sont dans le **vide-poche**.* ✎ Pluriel : *des **vide-poches**.*

vider verbe ▸ conjug. 3
❶ Rendre vide un lieu ou un récipient. *Maria **a vidé** son sac à dos en rentrant de sa randonnée.* CONTR remplir. ❷ Enlever les entrailles d'un poisson ou d'une volaille. *Il faut **vider** les poissons avant de les faire cuire.* ■ *se* **vider** : devenir vide. *La baignoire met longtemps à **se vider**.* CONTR se remplir.

vie nom féminin
❶ Ensemble des phénomènes qui assurent le développement des êtres vivants de la naissance jusqu'à la mort. *Ce savant étudie la **vie** des animaux marins.* ❷ Fait de vivre. *Les pompiers ont sauvé la **vie** de plusieurs personnes.* ❸ Ensemble des faits qui se produisent au cours de l'existence d'une personne. *L'enseignante nous a raconté la **vie** de Jeanne Mance.* ❹ Façon de vivre. *Yann rêve d'une **vie** aventureuse.* ❺ Énergie et entrain. *Sarah est une enfant pleine de **vie**.* SYN vitalité. • **Gagner sa vie :** travailler pour subvenir à ses besoins. *Il a fini ses études et il commence à **gagner sa vie**.* • **Niveau de vie :** quantité d'argent dont les gens disposent en moyenne pour vivre. *Dans ce pays, le **niveau de vie** est très bas.*

vieil, vieille ➔Voir **vieux**

vieillard nom masculin
Homme très vieux. *Ce **vieillard** va fêter ses cent ans.* ■ **vieillards** nom masculin pluriel Personnes très âgées. *Cette résidence accueille les **vieillards**.*

vieillerie nom féminin
Objet usé ou démodé. *Le sous-sol est plein de **vieilleries**.*

vieillesse nom féminin
Dernière période de la vie quand on est devenu vieux. *Mes grands-parents vivent une **vieillesse** heureuse aux Îles-de-la-Madeleine.* CONTR jeunesse.

vieillir verbe ▸ conjug. 11
❶ Devenir vieux. *Il **a** beaucoup **vieilli** depuis sa maladie.* ❷ Faire paraître plus vieux. *Cette coiffure la **vieillit**.* CONTR rajeunir.

vieillissement nom masculin
Fait de vieillir. *Les rides sont dues au **vieillissement** de la peau.*

vieillot, vieillotte adjectif
Vieux, démodé. *Des meubles **vieillots**.*

vielle nom féminin
Ancien instrument de musique dont les cordes sont frottées par une roue actionnée par une manivelle.

*Une **vielle***

viennoiserie nom féminin
Produits de boulangerie, excepté le pain. *Les brioches et les croissants sont des **viennoiseries**.*

vierge adjectif
❶ Qui n'a jamais eu de relations sexuelles. ❷ Qui ne porte aucune inscription ou aucun enregistrement. *Il me faut un CD **vierge** pour ces photos numériques.* • **Forêt vierge:** forêt impénétrable, restée à l'état sauvage.

vietnamien, vietnamienne adjectif et nom
Du Vietnam. *La cuisine **vietnamienne**. – Les **Vietnamiens**, les **Vietnamiennes**.* ✎ Attention! Le nom, qui désigne les habitants, s'écrit avec une majuscule. ■ **vietnamien** nom masculin Langue parlée par les Vietnamiens.

vieux, vieil, vieille adjectif
❶ Qui a vécu longtemps. *Une **vieille** dame aux cheveux blancs.* SYN âgé. CONTR jeune. ❷ Qui a plus d'années de vie que quelqu'un d'autre. *Mon oncle est plus **vieux** que mon père.* ❸ Abîmé par le temps ou par l'usage. *Tu peux jeter cette **vieille** paire de chaussures.* SYN usé. ❹ Qui existe depuis longtemps. *Nous avons visité un **vieux** moulin.* SYN ancien. CONTR neuf, récent. ❺ Qui est ainsi depuis longtemps. *Nos voisins sont de **vieux** amis de mes parents.* * Attention! On emploie ***vieil*** devant un nom masculin commençant par une voyelle ou un «h» muet: un ***vieil** arbre*, un ***vieil** homme*. ■ **vieux, vieille** nom Personne âgée. *Tout le monde s'est amusé à ce mariage, les **vieux** comme les jeunes.* • **Mon vieux, ma vieille:** dans la langue familière, manière de s'adresser à un ami, une amie, sans rapport avec l'âge. ■ **vieux** nom masculin • **Prendre un coup de vieux:** vieillir brusquement. *Depuis sa maladie, il **a pris un coup de vieux**.* ♦ Famille du mot: vieillard, vieillerie, vieillesse, vieillir, vieillissement, vieillot.

vif, vive adjectif
❶ Qui est rapide et énergique dans ses mouvements. *Ce garçon est **vif** comme l'éclair.* ❷ Qui comprend vite. *Inutile de lui donner tant d'explications, il a l'esprit **vif**.* ❸ Qui exprime de l'énervement. *Elle lui a fait de **vifs** reproches.* SYN violent. ❹ Qui est très fort, très intense. *Elle éprouve un **vif** plaisir à retrouver ses amis.* ❺ Qui a beaucoup d'éclat, d'intensité. *Un rouge **vif**.* • **Brûler vif:** brûler vivant. *Elle a failli **brûler vive** dans cet incendie.* • **De vive voix:** oralement. ■ **vif** nom masculin • **Entrer dans le vif du sujet:** commencer à parler de l'essentiel d'une question. *Après une brève introduction, la conférencière **est entrée dans le vif du sujet**.* • **Piquer** ou **toucher quelqu'un au vif:** l'atteindre au point le plus sensible. • **Prendre sur le vif:** au moment où l'on est le plus naturel. *Cette photo **a été prise sur le vif**.*

vigie nom féminin
Marin chargé de surveiller la mer. *Du haut du mât, la **vigie** a crié: «Terre en vue!»*

vigilance nom féminin
Fait de surveiller avec beaucoup d'attention. *Le gardien du musée a manqué de **vigilance**: un tableau a été volé.*

vigilant, vigilante adjectif
Qui montre de la vigilance. *Des sauveteurs **vigilants** surveillent la baignade des enfants.* SYN attentif.

vigile nom masculin
Personne chargée de la surveillance de certains lieux. *Un **vigile** fait des rondes dans le centre commercial.*

vigne nom féminin
❶ Arbuste dont le fruit est le raisin. *La **vigne** pousse sur des terrains secs et ensoleillés.* ❷ Terrain planté de vignes. *Les **vignes** de la Californie produisent de très bons vins.* SYN vignoble. * Chercher aussi *viticulture*. ♦ Famille du mot: vigneron, vignoble.

vigneron, vigneronne nom
Personne qui cultive la vigne et fait du vin. SYN viticulteur.

vignette nom féminin
❶ Motif qui orne un texte, un livre. ❷ Petite étiquette collante émise par un établissement ou une municipalité et que l'on appose sur la lunette arrière de sa voiture pour attester un droit de stationnement.

vignoble nom masculin
Champ de vignes. *Nous avons visité les principaux **vignobles** du Québec.*

*Un **vignoble***

a b c d e f g h i j k l m n o p q r s t u v w x y z

a b c d e f g h i j k l m n o p q r s t u v w x y z

vigoureusement adverbe
De façon vigoureuse. *Elle frotte **vigoureusement** le linoléum de la cuisine.* **SYN** énergiquement.

vigoureux, vigoureuse adjectif
Qui a de la vigueur. *Nous avons besoin de bras **vigoureux** pour déplacer ces meubles.* **SYN** fort, robuste. **CONTR** chétif, faible.

vigueur nom féminin
Force physique. *Cet athlète a la **vigueur** de la jeunesse.* **SYN** énergie, vitalité. • **En vigueur :** en usage, en application. *Ce nouveau règlement entrera **en vigueur** dans quelques jours.* ♦ Famille du mot : revigorer, vigoureusement, vigoureux.

viking adjectif
Qui concerne les Vikings et leur civilisation. ■ **Viking** nom Ancien marin issu d'un peuple nordique et considéré à la fois comme explorateur, navigateur guerrier, pilleur et commerçant.

vil, vile adjectif
Dans la langue littéraire, méprisable. *Une action **vile**.* **SYN** abject.

vilain, vilaine adjectif
❶ Qui n'est pas joli à regarder. *Elle portait une **vilaine** robe grisâtre.* **SYN** laid. **CONTR** beau. ❷ Qui n'est pas gentil. *Un **vilain** petit garçon.*

vilebrequin nom masculin
Outil à manivelle au bout duquel est fixée une mèche de métal. *Gabrielle perce un trou dans une planche avec un **vilebrequin**.* * Chercher aussi *perceuse*.

villa nom féminin
Maison individuelle avec un jardin. *Ils ont acheté une **villa** au bord de la mer.*

village nom masculin
Ensemble d'habitations situées à la campagne. *Mon oncle vit dans une ferme à l'entrée du **village**.*

villageois, villageoise nom
Habitant d'un village. *Beaucoup de jeunes **villageois** veulent quitter leur village pour s'installer en ville.*

ville nom féminin
Agglomération formée d'un grand nombre de rues et peuplée de beaucoup d'habitants. *Montréal, Toronto et Vancouver sont les trois plus grandes **villes** du Canada.*

villégiature nom féminin
Séjour de vacances ou de repos. *Claudia a passé quelques jours dans ce centre de **villégiature**.*

vin nom masculin
Boisson alcoolisée obtenue en faisant fermenter du jus de raisin. *Du **vin** rouge, du **vin** blanc.* ♦ Famille du mot : vinicole, vinification.

vinaigre nom masculin
Condiment liquide obtenu à partir de vin ou d'autres alcools que l'on a fait aigrir. *Les cornichons sont conservés dans du **vinaigre**.* • **Tourner au vinaigre :** mal tourner. *La discussion **a tourné au vinaigre** : elle s'est transformée en dispute.* ♦ Famille du mot : vinaigré, vinaigrette.

vinaigrette nom féminin
Sauce à base de vinaigre et d'huile. *Mathieu prépare une **vinaigrette** pour la salade.*

vindicatif, vindicative adjectif
Qui cherche à se venger. *Un tempérament **vindicatif**.* **SYN** rancunier.

vingt déterminant
Deux fois dix (20). *Il y a **vingt** élèves dans la classe d'Élodie.* ■ **vingt** nom masculin Nombre vingt. *Mégane est née le **vingt** du mois d'avril.* ♦ Famille du mot : quatre-vingts, quatre-vingt-dix, vingtaine, vingtième.

vingtaine nom féminin
Quantité d'environ vingt. *Alex a invité une **vingtaine** d'amis pour son anniversaire.*

vingtième adjectif et nom
Qui occupe le rang numéro vingt. *Elle fêtera son **vingtième** anniversaire dans trois mois. – Il est le **vingtième** à remporter ce tournoi.* ■ **vingtième** nom masculin Ce qui est contenu vingt fois dans un tout. *Quatre est le **vingtième** de quatre-vingts.*

vinicole adjectif
Qui concerne la production de vin. *Le sud de l'Ontario est une région **vinicole**.*

vinification nom féminin
Transformation du jus de raisin en vin.

vinyle nom masculin
Sorte de matière plastique. *Une nappe en **vinyle**.*

viol nom masculin
Action de violer quelqu'un. *Cette jeune fille a été victime d'un **viol**.*

violacé, violacée adjectif
Qui tire sur le violet. *Malika a si froid qu'elle a les mains **violacées**.*

violation nom féminin
Action de violer quelque chose. *La **violation** de ce traité a eu des conséquences graves.*

viole nom féminin
Ancien instrument à cordes antérieur au violon.

violemment adverbe
De façon violente. *Les deux voitures se sont heurtées **violemment**.* SYN brutalement.
* Attention ! La terminaison *emment* se prononce *amant*.

violence nom féminin
❶ Manière d'agir brutale et agressive. *On a arrêté le match, car des partisans ont commis des actes de **violence**.* SYN brutalité. ❷ Force intense d'un phénomène ou d'un sentiment. *La **violence** de l'orage a surpris tout le monde.*

violent, violente adjectif
❶ Qui agit avec violence. *Sous l'effet de la colère, cet homme peut devenir **violent**.* CONTR calme, doux. ❷ Qui est très fort. *De **violentes** chutes de neige ont paralysé la circulation.* ♦ Famille du mot : non-violence, non-violent, violemment, violence.

violer verbe ▸ conjug. 3
❶ Ne pas respecter quelque chose. *On lui reproche d'**avoir violé** la loi.* SYN enfreindre, transgresser. ❷ Faire subir à quelqu'un des actes de violence sexuelle. *Durant cette guerre, des femmes **ont été violées**.* ♦ Famille du mot : viol, violation.

violet, violette adjectif
Qui est d'une couleur faite d'un mélange de bleu et de rouge.
■ **violet** nom masculin Couleur violette. *Le **violet** est une des couleurs de l'arc-en-ciel.*

violette nom féminin
Petite fleur printanière de couleur violette. *Ces **violettes** sentent très bon.*

Des **violettes**

violon nom masculin
Instrument de musique à quatre cordes. *On joue du **violon** avec un archet.* 👁p. 692.

violoncelle nom masculin
Instrument de musique à quatre cordes, semblable à un grand violon. *Le son du **violoncelle** est plus grave que celui du violon.* 👁p. 692.

violoncelliste nom
Personne qui joue du violoncelle. *Cette **violoncelliste** joue assise, en tenant son violoncelle entre les jambes.*

violoniste nom
Personne qui joue du violon.

vipère nom féminin
Serpent venimeux à tête triangulaire. *La morsure de la **vipère** est très dangereuse.*

Une **vipère**

virage nom masculin
Tournant. *Il y a beaucoup de **virages** sur cette petite route de montagne.*

viral, virale, viraux adjectif
Qui est dû à un virus. *Une maladie **virale**.*

virement nom masculin
Fait de transférer d'un compte à un autre de l'argent. *Son salaire est payé par **virement** automatique.*

virer verbe ▸ conjug. 3
❶ Faire passer de l'argent d'un compte à un autre. *Tous les mois, mes parents **virent** cent dollars à mon compte.* ❷ Changer de direction. *La moto **a viré** brusquement à gauche.* SYN tourner. ❸ Changer de couleur. *Selon la lumière, la mer **vire** du bleu au vert.* ♦ Famille du mot : virage, virement.

virevolter verbe ▸ conjug. 3
Tourner rapidement sur soi. *Les patineurs **virevoltent** sur la glace de la patinoire.*

a b c d e f g h i j k l m n o p q r s t u v w x y z

a b c d e f g h i j k l m n o p q r s t u v w x y z

virginité nom féminin
État d'une personne qui est vierge.

virgule nom féminin
❶ Signe de ponctuation (,) que l'on emploie à l'intérieur d'une phrase pour séparer des mots, des groupes de mots ou des phrases. *La **virgule** sert à séparer les éléments d'une énumération. Ajoute une **virgule** dans ta phrase.* * Chercher aussi *point-virgule*. ❷ Dans un nombre décimal, signe qui précède la première décimale.

viril, virile adjectif
Qui a les caractéristiques que l'on attribue d'habitude aux hommes. *L'énergie, le courage ne sont pas seulement des qualités **viriles**.* **SYN** mâle, masculin.

virilité nom féminin
Ensemble de qualités qui sont censées être spécifiquement masculines. *Cet homme a fait preuve d'énergie et de **virilité**.*

virtuel, virtuelle adjectif
Qui pourrait exister, mais qui n'est encore ni effectif ni réel. *Ce projet est encore à l'état **virtuel**.* **SYN** potentiel. • **Réalité virtuelle :** réalité simulée, qui n'existe pas matériellement, mais à laquelle on accède par des images dans le cyberespace.

virtuellement adverbe
Presque, pratiquement. *Le match n'est pas fini, mais notre équipe a **virtuellement** gagné.*

virtuose nom
Personne qui joue d'un instrument de musique avec talent. *Ce guitariste est un **virtuose**.*

virtuosité nom féminin
Talent d'un, d'une virtuose. *Elle joue du violon avec une **virtuosité** remarquable.* **SYN** brio.

virulence nom féminin
Caractère virulent, violent. *La **virulence** de ses propos nous a consternés.*

virulent, virulente adjectif
Qui manifeste de l'âpreté et de la violence. *Ce livre a reçu des critiques **virulentes**.*

virus nom masculin
❶ Organisme microscopique qui cause des maladies. *Ce laboratoire fait de nombreuses recherches sur le **virus** du sida.* * Chercher aussi *bactérie, germe, microbe*. ❷ En informatique, instructions parasites pouvant entraîner des perturbations dans le fonctionnement d'un ordinateur.

vis nom féminin
Petite tige de métal pointue en forme de spirale. *Chang enfonce la **vis** à l'aide d'un tournevis.* • **Serrer la vis à quelqu'un :** être très sévère avec lui. * Attention ! Le *s* du mot *vis* se prononce. ♦ Famille du mot : dévisser, visser.

visa nom masculin
Cachet officiel que l'on doit faire mettre sur un passeport pour pouvoir entrer dans certains pays.

visage nom masculin
❶ Partie avant de la tête. *Le nez est au milieu du **visage**.* **SYN** figure. ❷ Au sens figuré, aspect de quelque chose. *Son voyage au Japon lui a permis de découvrir le vrai **visage** de ce pays.*

vis-à-vis de préposition
❶ En face de. *Dans l'autobus, Amélie s'est assise **vis-à-vis de** Fabio.* ❷ Dans la langue familière, envers, à l'égard de. *Se montrer sévère **vis-à-vis des** graffiteurs.* ■ **vis-à-vis** nom masculin Personne ou chose placée en face d'une autre. *Cette maison n'a pas de **vis-à-vis**.* * Attention ! Le mot *vis-à-vis* se prononce *vizavi*.

viscéral, viscérale, viscéraux adjectif
Qui vient du plus profond de soi. *Elle a une aversion **viscérale** pour le mensonge.*

viscères nom masculin pluriel
Organes mous situés dans le crâne, le thorax et l'abdomen. *Le cerveau, le cœur, le foie, l'estomac sont des **viscères**.*

viscosité nom féminin
État de ce qui est visqueux. *La **viscosité** du latex.*

visées nom féminin pluriel
Ce que l'on a comme but ou comme ambition. *Ma mère a des **visées** sur un poste important.*

viser verbe ▸ conjug. 3
❶ Diriger une arme ou un objectif photographique en fixant avec attention ce que l'on veut atteindre. *Laurent **vise** le centre de la cible avant d'envoyer la fléchette.* ❷ Chercher à atteindre quelque chose. *Ce député **vise** un poste de ministre.* ❸ Concerner quelqu'un. *Ces critiques la **visent** directement.* ♦ Famille du mot : visées, viseur.

viseur nom masculin
Dispositif qui permet de cadrer ou de mettre au point l'image à enregistrer. *Abdel nettoie le **viseur** du caméscope.*

visibilité nom féminin
Possibilité de voir plus ou moins loin. *Le brouillard diminue la **visibilité**.*

visible adjectif
❶ Que l'on peut voir. *Certaines étoiles sont **visibles** à l'œil nu, d'autres pas.* CONTR invisible. ❷ Qui est évident. *Son émotion était **visible**, car elle s'est mise à rougir.* SYN manifeste. ♦ Famille du mot : invisible, visibilité, visiblement.

visiblement adverbe
De manière visible. ***Visiblement**, ce bébé a sommeil.* SYN manifestement.

visière nom féminin
Partie large et arrondie sur le devant d'une coiffure, qui protège les yeux du soleil.

vision nom féminin
❶ Vue. *Il devient presbyte, sa **vision** de près est mauvaise.* ❷ Au sens figuré, façon de voir ou de concevoir quelque chose. *Avoir une **vision** pessimiste de l'avenir.* • **Avoir des visions** : s'imaginer voir des choses alors qu'elles n'existent pas. SYN hallucination. ♦ Famille du mot : visionnaire, visionnement.

visionnaire nom
Personne qui a une vision juste de l'avenir ou de certaines réalités. *En imaginant l'hélicoptère, Léonard de Vinci a été un **visionnaire**.*

visionnement nom masculin
Fait de regarder un film ou une émission de télévision.

visite nom féminin
❶ Action de visiter un lieu. *La **visite** de ce site n'est possible qu'en été.* ❷ Action d'aller voir quelqu'un chez lui. *Ma grand-mère aime avoir la **visite** de ses petits-enfants.* ❸ Consultation donnée par un médecin. *Dans cet hôpital, les médecins font la **visite** des patients de bonne heure.* • **Visite médicale** : examen médical fait par un médecin pour voir si tout va bien.

visiter verbe ▸ conjug. 3
❶ Parcourir un lieu pour voir ce qui est intéressant. *Lara **a** déjà **visité** cette église.* ❷ Rendre visite à quelqu'un. *Je **visite** ma marraine régulièrement.* ♦ Famille du mot : visite, visiteur.

visiteur, visiteuse nom
❶ Personne qui visite un lieu. *Le rocher Percé attire beaucoup de **visiteurs**.* SYN touriste. ❷ Personne qui rend visite à quelqu'un chez lui. *Mon père a offert du thé à ses **visiteurs**.*

vison nom masculin
Petit mammifère carnivore dont la fourrure est très recherchée.

Un **vison**

visqueux, visqueuse adjectif
Qui est collant ou poisseux. *Les poissons ont la peau **visqueuse**.* SYN gluant.

visser verbe ▸ conjug. 3
❶ Fixer avec des vis. *Je me suis servi d'un tournevis pour **visser** ces planches.* ❷ Serrer en tournant pour fermer un récipient. ***Visse** bien le couvercle du bocal.* CONTR dévisser.

visualiser verbe ▸ conjug. 3
Rendre quelque chose visible. *Le scanner permet de **visualiser** l'intérieur de notre corps.*

visuel, visuelle adjectif
Qui concerne la vue. *Cette maladie peut causer de graves troubles **visuels**.*

vital, vitale, vitaux adjectif
❶ Qui est indispensable à la vie. *Le cœur est un organe **vital**.* ❷ Qui est d'une importance très grande. *Retrouver du travail est **vital** pour ces chômeurs.* SYN fondamental.

vitalité nom féminin
Énergie et dynamisme. *Caroline est pleine de **vitalité**.* SYN vie, vigueur.

vitamine nom féminin
Substance qui se trouve dans certains aliments et qui est indispensable à la santé. *Les fruits et les légumes contiennent des **vitamines**.*
👁p. 36.

vitaminé, vitaminée adjectif
Se dit d'un produit alimentaire qui contient des vitamines ou auquel on en a incorporé. *Du lait **vitaminé**.*

a b c d e f g h i j k l m n o p q r s t u v w x y z

vite adverbe
❶ En se dépêchant ou en mettant peu de temps. *Tu marches trop **vite**, je n'arrive pas à te suivre!* **SYN** rapidement. **CONTR** lentement. ❷ D'ici peu. *S'il se repose, il va **vite** se remettre.* **SYN** bientôt.

vitesse nom féminin
❶ Rapidité à se déplacer ou à faire quelque chose. *Dans la plupart des agglomérations, la **vitesse** est limitée à 40 km/h.* ❷ Mécanisme qui permet de régler l'effort du moteur dans un véhicule à boîte de vitesse manuelle. *Quand le moteur tourne trop vite, on doit changer de **vitesse**.* • **À toute vitesse** ou **en vitesse**: très vite. • **Vitesse de croisière**: vitesse moyenne à laquelle un véhicule peut normalement se déplacer. • **En perte de vitesse**: qui est en déclin, qui perd de sa popularité.

viticole adjectif
Où l'on cultive la vigne pour produire du vin. *La Californie est une région **viticole**.*

viticulteur, viticultrice nom
Personne qui cultive la vigne. *Ce **viticulteur** produit du vin blanc.* **SYN** vigneron.

viticulture nom féminin
Culture de la vigne. ♦ Famille du mot: viticole, viticulteur.

vitrail, vitraux nom masculin
Panneau constitué de petits morceaux de verre colorés qui forment une décoration. *Les **vitraux** de cette cathédrale sont magnifiques.* 👁p. 170.

Un **vitrail**

vitre nom féminin
Plaque de verre fixée sur une fenêtre, une porte ou une portière. *Éric regarde la neige tomber à travers la **vitre**.* **SYN** carreau. ♦ Famille du mot: vitrail, vitré, vitreux, vitrier, vitrine.

vitré, vitrée adjectif
Qui est garni d'une vitre. *Une porte **vitrée**.*

vitreux, vitreuse adjectif
❶ Qui a l'aspect du verre. *Près des volcans, on trouve des roches **vitreuses**.* ❷ Qui est terne et sans éclat. *Le chien malade avait les yeux **vitreux**.*

vitrier, vitrière nom
Personne dont le métier est de tailler et de poser des vitres.

vitrine nom féminin
❶ Partie vitrée d'un magasin où sont exposées les marchandises à vendre. *Roxane a vu une jolie montre dans la **vitrine** de cette bijouterie.* **SYN** devanture. ❷ Meuble vitré dans lequel on expose des objets pour les protéger. *Certaines **vitrines** de ce musée sont mal éclairées.*

vivable adjectif
Que l'on peut supporter facilement. *Ce climat de tension n'est pas **vivable**.* **CONTR** invivable.

vivace adjectif
❶ Se dit d'une plante qui vit plusieurs années. *Cette rocaille est bordée de plantes **vivaces**.* ❷ Qui dure depuis longtemps et qui est tenace. *Cette croyance est très **vivace** dans la région.* **SYN** tenace.

vivacité nom féminin
❶ Qualité de quelqu'un qui est vif, rapide. *Cet élève a une grande **vivacité** d'esprit.* **CONTR** lourdeur. ❷ Caractère d'une couleur vive. *Les couleurs de ce tapis ont perdu leur **vivacité**.*

vivant, vivante adjectif
❶ Qui vit. *Les êtres humains, les animaux et les plantes sont des êtres **vivants**.* ❷ Qui est en vie. *Les alpinistes disparus ont été retrouvés **vivants**.* **CONTR** mort. ❸ Qui est vif et plein d'énergie. *Ofelia est une enfant très **vivante**.* ❹ Où il y a beaucoup d'activité, d'animation. *Ce quartier commerçant est très **vivant**.* **SYN** animé. **CONTR** mort. ■ **vivants** nom masculin pluriel Personnes qui sont en vie. *Odile préfère penser aux **vivants** plutôt qu'aux morts.* ■ **vivant** nom masculin • **Bon vivant**: personne qui sait apprécier les plaisirs de la vie. • **Du vivant de quelqu'un**: du temps où il vivait.

vivarium nom masculin
Cage vitrée où on élève de petits animaux. * Attention! La dernière syllabe du mot *vivarium* se prononce *riome*.

vive! interjection
Exprime l'admiration, l'enthousiasme. ***Vive** la mariée!* CONTR à bas!

vivement adverbe
❶ D'une façon vive, rapide. *Le chat s'est enfui **vivement**.* SYN rapidement. ❷ De façon brusque. *Il a répliqué **vivement** qu'il savait ce qu'il faisait.* ❸ Avec une grande intensité. *On souhaite **vivement** que tu réussisses.* SYN ardemment.

vivier nom masculin
Bassin aménagé pour élever des poissons ou pour les conserver vivants. *Chez le poissonnier, il y a des homards vivants dans un **vivier**.*

vivifiant, vivifiante adjectif
Qui vivifie. *Un climat **vivifiant**.* SYN stimulant, tonique.

vivifier verbe ▸ conjug. 10
Donner plus de vigueur et de vitalité. *L'air marin nous **a vivifiés**.*

vivipare adjectif
Se dit d'un animal dont les petits naissent après s'être entièrement développés dans le ventre de leur mère. *La plupart des mammifères sont **vivipares**.* * Chercher aussi *ovipare*.

vivisection nom féminin
Dissection d'animaux vivants pour faire des expériences de laboratoire. *Certains laboratoires pratiquent la **vivisection**.*

vivoter verbe ▸ conjug. 3
Vivre difficilement, faute d'argent. *Depuis qu'il est au chômage, il **vivote**.*

vivre verbe ▸ conjug. 50
❶ Être en vie. *L'arrière-grand-mère de Chloé **vit** toujours.* CONTR mourir. ❷ Passer sa vie d'une certaine façon. *Elle **a** toujours **vécu** honnêtement. Il **a vécu** des moments difficiles pendant sa maladie.* ❸ Passer un certain temps de sa vie dans un endroit. *Guillaume **a vécu** deux ans à New York.* SYN habiter. ❹ Avoir de quoi manger, s'habiller, se loger. *Ils ont tout juste de quoi **vivre**.* ❺ Avoir une expérience de la vie. *Ce vieux marin **a** beaucoup **vécu**.* • **Se laisser vivre**: ne pas faire d'efforts, ne pas se tracasser. ♦ Famille du mot: invivable, qui-vive, revivre, survivance, survivant, survivre, vivable, vivace, vivant, vive!, vivoter, vivres, vivrier.

vivres nom masculin pluriel
Provisions de nourriture. *Pour la randonnée, on a prévu des **vivres** pour trois jours.* • **Couper les vivres à quelqu'un**: ne plus lui donner d'argent, ne plus l'entretenir.

vivrier, vivrière adjectif
• **Cultures vivrières**: cultures destinées à l'alimentation.

vlan! interjection
Onomatopée qui imite le bruit d'un coup violent. *Et **vlan!** Il a claqué la porte.*

vocabulaire nom masculin
❶ Ensemble des mots d'une langue. *Le **vocabulaire** s'enrichit sans cesse de mots nouveaux.* ❷ Ensemble des mots employés par quelqu'un. *Mon père a un **vocabulaire** très étendu.*

vocal, vocale, vocaux adjectif
Qui concerne la voix. *Les chanteurs font des exercices **vocaux**.* • **Cordes vocales**: organes qui se trouvent dans la gorge et qui produisent les sons.

vocalise nom féminin
Exercice vocal qui consiste à chanter une suite de notes sur une seule voyelle. *La chanteuse fait des **vocalises**.*

vocation nom féminin
Vive attirance et aptitude pour une activité. *Alain a choisi le métier d'enseignant par **vocation**.*

vociférer verbe ▸ conjug. 8
Parler en criant pour exprimer sa colère. *Calme-toi et arrête de **vociférer** comme ça!* SYN hurler. ✎ On peut écrire aussi, au futur, *il **vocifèrera***; au conditionnel, *elle **vocifèrerait***.

vodka nom féminin
Eau-de-vie d'origine russe, fabriquée avec de l'orge ou du seigle.

vœu, vœux nom masculin
Souhait que l'on fait pour qu'une chose se réalise. *Nous avons tous fait le **vœu** qu'il remporte la médaille d'or. Son **vœu** le plus cher est de retrouver du travail.* ■ **vœux** nom masculin pluriel Souhaits de bonheur. *Le jour de l'An, on présente ses **vœux** à ses amis.*

vogue nom féminin
Succès passager auprès du public. *C'était la **vogue** des jupes longues.* • **En vogue**: à la mode. *Cet acteur est très **en vogue** en ce moment.*

voguer verbe ▸ conjug. 3
Dans la langue littéraire, se déplacer sur l'eau. *Des voiliers* ***voguent*** *sur le lac.* **SYN** naviguer.

voici préposition
Sert à montrer ce qui est proche. *Tiens,* ***voici*** *des roses pour toi.* * Chercher aussi *voilà*.

voie nom féminin
❶ Chemin pour aller d'un lieu à un autre. *Cette* ***voie*** *d'accès à l'autoroute est fermée à cause des travaux.* ❷ Espace aménagé pour la circulation, les transports. *Le fleuve Saint-Laurent est l'une des grandes* ***voies*** *de communication du Canada.* ❸ Chacune des parties séparées d'une route où roule une file de voitures. *Nous avons pris une route à trois* ***voies****.* ❹ Mode de transport. *Certaines marchandises sont transportées par* ***voie*** *aérienne, d'autres par* ***voie*** *maritime.* ❺ Au sens figuré, direction que l'on suit dans la vie. *Chacun doit trouver sa* ***voie*** *dans l'existence.* • **Être en voie de:** être en train de ou sur le point de. *Cette espèce animale* ***est en voie de*** *disparition.* • **Mettre quelqu'un sur la voie:** lui donner des indications pour le guider dans ses recherches. • **Voie ferrée:** double ligne de rails sur laquelle circulent les trains. • **Voie de garage:** voie où l'on gare les trains et qui ne mène nulle part. *Le train est sur une* ***voie de garage****.* * Ne pas confondre *voie* et *voix*.

Une ***voie*** *ferrée*

Des ***voies*** *routières*

Une ***voie*** *fluviale*

Des ***voies*** *de communication*

voilà préposition
Sert à montrer ce qui est éloigné. *Voici ma chambre et, au fond du couloir,* ***voilà*** *la chambre de Florence.* * Chercher aussi *voici*.

voilage nom masculin
Rideau léger et transparent.

① **voile** nom masculin
❶ Grand morceau de tissu recouvrant la tête et, parfois, cachant le visage. *Certaines religieuses portent un* ***voile****. Cette musulmane porte le* ***voile****.* * Chercher aussi *bourka*, *foulard*, *hidjab*, *niquab*, *tchador*. ❷ Ce qui empêche de bien voir. *Il y a un léger* ***voile*** *de brouillard ce matin.* ♦ Famille du mot: dévoiler, voilage, voiler.

② **voile** nom féminin
❶ Grande pièce de tissu fixée sur le mât de certains bateaux, qui leur permet d'utiliser la force du vent pour avancer. *Ce bateau a deux* ***voiles****.* ❷ Sport qui consiste à naviguer sur un bateau à voiles. *Christopher fait de la* ***voile****.*
♦ Famille du mot: voilier, voilure.

① **voiler** verbe ▸ conjug. 3
Rendre moins visible. *Un nuage* ***voile*** *la lune.*
■ *se* **voiler** ❶ Se couvrir d'un voile. *Certaines musulmanes* ***se voilent*** *le visage pour des motifs religieux.* ❷ Se couvrir de nuages. *Le ciel* ***se voile****.*

② **voiler** verbe ▸ conjug. 3
Déformer ou tordre quelque chose. *L'accident* ***a voilé*** *la roue avant de la moto.*

voilier nom masculin
Bateau à voiles. 👁p. 108.

voilure nom féminin
Ensemble des voiles d'un voilier. *La tempête a endommagé la* ***voilure****.*

voir verbe ▸ conjug. 22
❶ Percevoir ce qui nous entoure grâce à nos yeux. *William ne* ***voit*** *pas bien, car il est myope.* ❷ Rencontrer quelqu'un ou lui rendre visite. ***J'ai vu*** *Marie à l'aréna. Xavier aime bien aller* ***voir*** *ses cousines.* ❸ Être spectateur ou témoin de quelque chose. *Hier soir, nous sommes allés* ***voir*** *une pièce de théâtre. Comme Carlo* ***a vu*** *l'accident, il a pu témoigner.* **SYN** assister. ❹ Se rendre compte de quelque chose. *On* ***a*** *bien* ***vu*** *qu'il était ivre.*
❺ Examiner attentivement quelque chose. *Nous* ***verrons*** *cette question plus tard.*
❻ Comprendre quelque chose. *Je* ***vois*** *très*

bien ce que tu veux dire. ❼ Se faire telle idée de quelque chose. *Toi et moi, nous n'avons pas la même façon de **voir** les choses.* ♦ Famille du mot: entrevoir, malvoyant, non-voyant, revoir, voyant, vu, vue. * Ne pas confondre *voir* et *voire*.

voire adverbe
Dans la langue littéraire, sert à renforcer ce que l'on vient de dire. *Cette maladie est très grave, **voire** mortelle.* **SYN** même. * Ne pas confondre *voire* et *voir*.

voirie nom féminin
Service municipal chargé de l'entretien et du nettoyage des rues et des routes. *Les éboueurs et les déneigeurs font partie du personnel de la **voirie**.*

voisin, voisine adjectif
❶ Qui se trouve tout à côté. *Élodie habite la maison **voisine** de la nôtre.* ❷ Qui n'est pas très différent. *Le mauve et le violet sont des couleurs **voisines**.* **SYN** proche, similaire. ■ **voisin, voisine** nom Personne qui habite tout près ou qui se trouve à côté. *Fatima est la **voisine** de classe de Maxime.* ♦ Famille du mot: avoisinant, voisinage, voisiner.

voisinage nom masculin
❶ Ensemble des voisins. *Tout le **voisinage** se plaint des aboiements du chien.* ❷ Lieu voisin. *Il y a eu un incendie dans le **voisinage**.* **SYN** alentours, environs.

voisiner verbe ▸ conjug. 3
Être voisin. *Dans cette forêt, le hêtre **voisine** avec le chêne.*

voiture nom féminin
❶ Véhicule à roues qui sert à transporter des personnes ou des choses. *Une poussette est une **voiture** d'enfant. La charrette est une **voiture** à deux roues tirée par un cheval.* ❷ Wagon de voyageurs. *Ce train se compose d'une locomotive et de huit **voitures**.* ❸ Automobile. *Ma grande sœur va remplacer sa **voiture**.* 👁p. 88.

voix nom féminin
❶ Ensemble des sons produits par une personne quand elle parle, chante ou crie. *Cette chanteuse a une très belle **voix**. À la bibliothèque, nous devons parler à **voix** basse.* ❷ Avis manifesté par un vote, suffrage. *Pour être élu, un candidat doit avoir la majorité des **voix**.* ❸ Appel qui nous avertit intérieurement. *La **voix** de la sagesse, la **voix** de la raison.* • **De vive voix:** verbalement. *Au lieu de lui écrire, je préfère lui dire **de vive voix** ce que je pense.* • **Être** ou **rester sans voix:** rester muet sous l'effet de l'émotion ou de l'étonnement. *Samuel **est resté sans voix** devant son idole.* * Ne pas confondre *voix* et *voie*.

① **vol** nom masculin
❶ Façon dont les oiseaux et certains insectes se déplacent dans l'air en agitant leurs ailes. *Le **vol** léger d'un papillon.* ❷ Groupe d'oiseaux qui volent ensemble. *À l'époque de leur migration, on voit des **vols** d'outardes.* ❸ Trajet en avion. *Cette pilote a effectué de nombreux **vols**.* • **Attraper quelque chose au vol:** l'attraper en l'air, avant qu'il tombe par terre. • **À vol d'oiseau:** en ligne droite.

② **vol** nom masculin
❶ Action de voler quelque chose à quelqu'un. *Il a été victime d'un **vol**.* ❷ Fait de vendre une marchandise, un produit trop cher. *Vendre des marchandises à ce prix-là, c'est du **vol**.* **SYN** escroquerie.

volage adjectif
Qui n'est pas très fidèle en amour. *Ce jeune homme est **volage**.* **SYN** infidèle.

volaille nom féminin
❶ Ensemble des oiseaux de basse-cour qui sont élevés pour être mangés (poules, canards, dindons, etc.). 👁p. 720. ❷ Chair d'un oiseau de basse-cour. *Au menu, il y a toujours de la **volaille** et du poisson.*

① **volant, volante** adjectif
Qui peut voler dans l'air. *Des fourmis **volantes**.* • **Feuille volante:** feuille de papier qui n'est pas attachée à un bloc. **SYN** feuille mobile*.

② **volant** nom masculin
❶ Pièce circulaire placée devant le conducteur qui lui permet de diriger les roues de son véhicule. *En Angleterre, le **volant** est à droite.* 👁p. 88. ❷ Bande d'étoffe froncée, cousue en bas d'un vêtement ou d'un rideau. *Cette danseuse porte une jupe à **volants**.*

③ **volant** nom masculin
Au badminton, petite pièce faite à l'origine d'un morceau de liège garni de plumes en couronne qu'on lance et qu'on renvoie avec une raquette.

a b c d e f g h i j k l m n o p q r s t u v w x y z

volatil, volatile adjectif
Qui se transforme facilement en vapeur ou en gaz. *L'essence est un produit **volatil**.*

volatile nom masculin
Oiseau (de basse-cour, en général). *La poule est un **volatile**.* 👁p. 720.

se **volatiliser** verbe ▸ conjug. 3
❶ S'évaporer. *L'alcool à 90° **se volatilise** facilement.* ❷ Au sens figuré, disparaître soudainement. *Je ne trouve plus mon livre, il **s'est volatilisé** !*

vol-au-vent nom masculin invariable
Croûte de pâte feuilletée garnie de morceaux de viande ou de poisson et de sauce. *Un **vol-au-vent** au poulet.*

volcan nom masculin
Montagne qui peut projeter de la lave et des gaz venant de l'intérieur de la Terre. *Un **volcan** éteint, un **volcan** en activité.* 👁p. 1076.
♦ Famille du mot : volcanique, volcanologie, volcanologue. * Chercher aussi *cratère*, *lave*.

volcanique adjectif
Relatif à un volcan. *L'ancienne ville romaine de Pompéi a été détruite par une éruption **volcanique**.*

volcanologie nom féminin
Étude scientifique des volcans.

volcanologue nom
Spécialiste de la volcanologie.

volée nom féminin
❶ Bande d'oiseaux qui volent ensemble. *Une **volée** de moineaux s'est précipitée sur les miettes de pain que j'avais lancées.* ❷ Dans la langue familière, raclée. *Recevoir une **volée**.*
• **À toute volée** : avec force. *David a renvoyé la balle **à toute volée**.*

① **voler** verbe ▸ conjug. 3
❶ Se déplacer dans l'air. *Les hirondelles **volent** bas, c'est signe de pluie. Cet avion ne **vole** pas très haut, car il va bientôt se poser.*
❷ Être soulevé par le vent. *Les longs cheveux de Tanya **volent** au vent.* ❸ Aller très vite. *Dès qu'il a vu sa mère, l'enfant **a volé** vers elle.* **SYN** s'élancer, se précipiter. ♦ Famille du mot : envol, s'envoler, survol, survoler, vol, volant, volée, voleter, volière.

② **voler** verbe ▸ conjug. 3
❶ Prendre de manière frauduleuse quelque chose qui appartient à une autre personne. *Diego s'est fait **voler** sa bicyclette.* **SYN** dérober.
❷ Faire payer trop cher ce que l'on vend. *Cette commerçante **vole** ses clients.* **SYN** escroquer.
♦ Famille du mot : antivol, vol, voleur.

volet nom masculin
❶ Panneau de bois ou de métal que l'on rabat devant une fenêtre. ❷ Partie mobile d'un objet qui peut se rabattre. *Un triptyque est composé de trois **volets**.*

*Des **volets***

voleter verbe ▸ conjug. 9
Voler à petits coups d'ailes sur de petites distances. *Le papillon **volette** d'une fleur à l'autre.* ✎ On peut écrire aussi, au présent, *il **volète*** ; au futur, *il **volètera*** ; au conditionnel, *elle **volèterait***.

voleur, voleuse nom
❶ Personne qui a volé quelque chose. *Les **voleurs** ont été pris en flagrant délit.*
❷ Personne qui fait payer trop cher ce qu'elle vend. *Ce restaurateur est un **voleur**.*

volière nom féminin
Grande cage à oiseaux. *Dans ce zoo, il y a une **volière** avec des oiseaux de toutes les couleurs.*

volleyball nom masculin
Sport dans lequel deux équipes de six joueurs se renvoient un ballon au-dessus d'un filet.
* Abréviation : ***volley***.

*Du **volleyball***

volleyeur, volleyeuse nom
Personne qui joue au volleyball.

volontaire adjectif
❶ Que l'on a vraiment voulu faire. *Il ne voulait pas venir: son absence est **volontaire**.* CONTR involontaire. ❷ Qui a beaucoup de volonté. *Manolo est trop **volontaire** pour se laisser décourager.* ■ **volontaire** nom Personne qui veut bien faire quelque chose sans y être contrainte. *L'enseignante cherche des **volontaires** pour l'aider à déplacer les pupitres.*

volontairement adverbe
De façon volontaire. *Ils ont évité **volontairement** d'aborder ce problème.* SYN exprès, intentionnellement. CONTR involontairement.

volonté nom féminin
❶ Qualité d'une personne qui est capable de faire de gros efforts. *Julie a suffisamment de **volonté** pour finir ce qu'elle entreprend.* ❷ Faculté de décider soi-même de ce que l'on veut faire. *C'est de sa propre **volonté** qu'il est parti.* ❸ Souhait ou désir. *Sébastien veut imposer ses **volontés** à ses amis.* • **À volonté**: autant que l'on veut. *Dans ce restaurant, on peut prendre des salades **à volonté**.* • **Bonne** ou **mauvaise volonté**: disposition à faire ou à ne pas faire volontiers quelque chose. *Tristan a mis de la **bonne volonté** à faire le ménage.* ♦ Famille du mot: involontaire, involontairement, volontaire, volontairement, volontiers.

volontiers adverbe
Avec plaisir. *Amir prête **volontiers** ses BD.* SYN de bon cœur*. CONTR à contrecœur*.

volt nom masculin
Unité de mesure de l'intensité d'un courant électrique. *Dans la plupart des maisons, le courant est de 110 **volts**.*

voltage nom masculin
Intensité en volts d'un courant électrique.

volte-face nom féminin invariable
❶ Brusque demi-tour sur soi-même. *Pour m'éviter, Alex a fait **volte-face**.* ❷ Au sens figuré, brusque changement d'opinion. *Au début, elle était favorable à ce projet, puis elle a fait **volte-face**.* ✎ On peut écrire aussi *une **volteface**, des **voltefaces**.*

voltige nom féminin
Acrobatie au-dessus du vide. *Au cirque, le numéro de **voltige** était très impressionnant.*

*Un numéro de **voltige***

voltiger verbe ▸ conjug. 5
Voler dans tous les sens. *Des abeilles **voltigent** au-dessus du parterre de tulipes.*

volubile adjectif
Qui parle beaucoup et très vite. *Cynthia était très **volubile** pour raconter ses vacances.* SYN bavard. CONTR muet, taciturne.

volume nom masculin
❶ Place qu'un objet occupe dans l'espace. *Cette table prend trop de **volume** dans cette petite cuisine.* 👁p. 484. ❷ Capacité d'un contenant. *Le **volume** de la citerne est de 3000 litres.* ❸ Quantité totale. *Le **volume** des ventes a augmenté.* ❹ Puissance d'un son. *Cette commande permet de régler le **volume** de la télévision.* ❺ Livre. *Un **volume** relié en cuir.* ❻ Tome d'un ouvrage. *Une encyclopédie en dix-sept **volumes**.*

volumineux, volumineuse adjectif
Qui prend ou occupe beaucoup de place. *Dans ce petit appartement, on ne peut pas mettre des meubles **volumineux**.* SYN gros.

volupté nom féminin
Grand plaisir sensuel. *Mathis avait très soif; il a bu un verre d'eau avec **volupté**.*

voluptueux, voluptueuse adjectif
Qui procure de la volupté. *Myriam apprécie la sensation **voluptueuse** d'un bon bain chaud.*

Les volcans

Un volcan est constitué de trois parties : le réservoir de magma, qui se trouve en profondeur ; une ou plusieurs cheminées, qui font communiquer l'intérieur de la Terre avec la surface ; et la montagne volcanique.

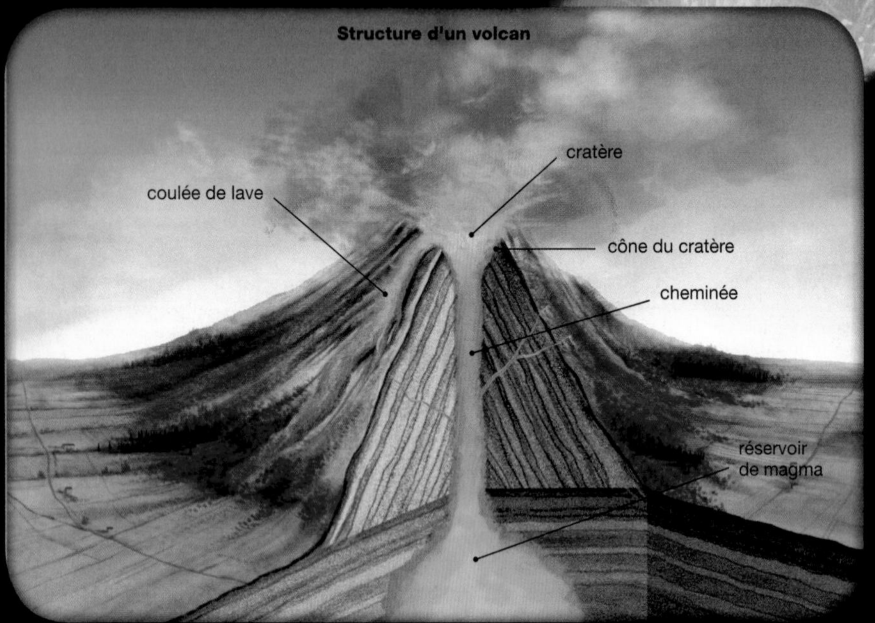

Les volcans peuvent être terrestres ou sous-marins. Ils peuvent ressembler à des cônes ou à des fossés, et peuvent avoir ou non un cratère. Il y a des milliers de volcans sur la Terre. Certains sont éteints, tandis que d'autres sont actifs. Les volcans actifs le sont soit de façon permanente, soit de façon discontinue avec des phases où on les dit « assoupis ».

Les éruptions volcaniques

Les éruptions volcaniques sont provoquées par les mouvements des plaques tectoniques. Elles consistent en une montée de magma à partir des profondeurs de la Terre. Le magma peut atteindre des températures supérieures à 1000 °C.

Le volcan entre en éruption lorsqu'il commence à cracher du feu ou de la lave. Mais les éruptions volcaniques peuvent aussi s'accompagner d'émissions de gaz, de nuages de gaz chauds, de projections de débris rocheux, de glissements de terrain ou de tsunamis.

Quelques volcans célèbres

Le Vésuve

Le volcan italien *Vésuve* est situé aux abords de Naples. Comme plus de 700 000 personnes habitent sur ses pentes et que les vulcanologues prédisent une éruption violente dans les années à venir, il est considéré comme dangereux.

En l'an 79, la ville de Pompéi ainsi que sept autres villes voisines ont été ensevelies sous la lave du Vésuve.

Le Parinacota

Le volcan chilien *Parinacota* est situé à la frontière de la Bolivie. Il a une forme conique presque parfaite et culmine à 6342 m.

Le Fuji-Yama

Le volcan japonais *Fuji-Yama* est le volcan le plus visité du monde ; en effet, chaque année, huit millions de personnes viennent le contempler. Sa dernière éruption remonte à 1707.

a b c d e f g h i j k l m n o p q r s t u v w x y z

vomir verbe ▸ conjug. 11
Rejeter par la bouche ce que l'on a mangé. *Sacha a mangé trop de chocolat, il a envie de* ***vomir****.* **SYN** rendre.

vomissement nom masculin
Fait de vomir. *Ses* ***vomissements*** *répétés inquiètent ses parents.*

vorace adjectif
Qui mange beaucoup et vite. *Le requin est un animal* ***vorace****.* **SYN** glouton.

voracité nom féminin
Fait d'être vorace. *Nathan a mangé avec* ***voracité****.* **SYN** gloutonnerie, goinfrerie.

vos ➔Voir **votre**

votant, votante nom
Personne qui vote. *Les* ***votants*** *doivent être majeurs.* * Chercher aussi *électeur*.

vote nom masculin
❶ Acte par lequel les électeurs donnent leur avis. *Les élections municipales approchent; le* ***vote*** *aura lieu dimanche prochain.* ❷ Avis d'une personne qui vote. *Au moment du dépouillement, on compte le nombre des* ***votes****.* **SYN** suffrage, voix. * Chercher aussi *abstention*.
♦ Famille du mot: votant, voter.

voter verbe ▸ conjug. 3
❶ Prendre part à une élection en mettant un bulletin de vote dans une urne. *Le grand frère de Yasmina a dix-huit ans; il peut désormais* ***voter****.* ❷ Approuver quelque chose par un vote. *Ce projet de loi doit* ***être voté*** *par l'Assemblée nationale du Québec.*

votre, vos déterminant
Déterminant possessif qui réfère à un possesseur à la deuxième personne du pluriel. *Vous voulez bien me prêter* ***votre*** *parapluie? N'oubliez pas* ***vos*** *clés!* * Chercher aussi *mon, ton, son, notre, leur*. ✎ Attention! Il n'y a pas d'accent circonflexe sur *votre*, déterminant.

le **vôtre**, *la* **vôtre** pronom
Pronom possessif qui réfère à un possesseur à la deuxième personne du pluriel, qui désigne ce qui est à vous, ce qui vous appartient. *Si vous me rendez mes CD, je vous rendrai* ***les vôtres****.* * Chercher aussi *mien, tien, sien, nôtre, leur*. ✎ Attention! Ne pas oublier l'accent circonflexe qui distingue *vôtre*, pronom, de *votre*, déterminant.

vouer verbe ▸ conjug. 3
❶ Témoigner à quelqu'un un sentiment durable. *Véronique* ***voue*** *une véritable adoration à son grand frère.* ❷ Consacrer son existence ou son énergie à quelque chose. *Cette scientifique* ***a voué*** *sa vie à la recherche médicale.* ❸ Destiner à subir quelque chose. *Sa tentative* ***est vouée*** *à l'échec.*

vouloir verbe ▸ conjug. 26
❶ Désirer fortement quelque chose. *Christos travaille beaucoup parce qu'il* ***veut*** *réussir. Je* ***voudrais*** *bien partir avec vous en vacances.* **SYN** souhaiter. ❷ Demander. *Mon père* ***veut*** *que je participe aux tâches ménagères.* **SYN** exiger.
• **En vouloir à quelqu'un:** être fâché et avoir de la rancune contre lui. *Je lui* ***en veux*** *de m'avoir caché la vérité.* • **Vouloir bien:** accepter ou être d'accord. *Tu* ***veux bien*** *me prêter ton vélo?* **SYN** consentir. • **Vouloir du bien** ou **du mal à quelqu'un:** avoir l'intention de lui faire du bien ou du mal. • **Vouloir dire:** signifier. *Quand Sarah ne sait pas ce que* ***veut dire*** *un mot, elle le cherche dans le dictionnaire.*

vous pronom
❶ Pronom personnel de la deuxième personne du pluriel qui sert à conjuguer ou à compléter le verbe. ***Vous*** *arrivez tard. Il* ***vous*** *aime beaucoup.* * Chercher aussi *me, te, se, nous, je, tu, il, le, la, les, lui, leur*. ❷ Pronom personnel singulier employé par politesse quand on vouvoie quelqu'un. *Monsieur, voulez-****vous*** *du café?*

voûte nom féminin
Plafond courbe. *On a découvert des peintures rupestres sur la* ***voûte*** *de cette grotte.*
✎ On peut écrire aussi ***voute***.

Une ***voûte***

voûté, voûtée adjectif
❶ Qui a une voûte. *Cette grotte est **voûtée**.* ❷ Qui a le dos courbé. *Mon grand-père est tout **voûté**.* ✎ On peut écrire aussi ***vouté***, ***voutée***.

vouvoiement nom masculin
Action de vouvoyer. *Dans cette école, le **vouvoiement** des enseignants est obligatoire.* * Chercher aussi *tutoiement*.

vouvoyer verbe ▸ conjug. 6
Employer le pronom « vous » pour s'adresser à une personne. *Ludovic tutoie ses amis, mais **vouvoie** son enseignante.* * Chercher aussi *tutoyer*.

voyage nom masculin
❶ Fait d'aller dans un lieu éloigné de celui où l'on réside. *Léo a déjà fait plusieurs **voyages** en Europe.* ❷ Chacune des allées et venues que l'on fait pour transporter quelque chose. *Il a dû faire plusieurs **voyages** pour déménager.* ♦ Famille du mot : voyager, voyageur.

voyager verbe ▸ conjug. 5
Faire un voyage ou des voyages. *Aurélie adore **voyager** en avion.*

voyageur, voyageuse nom
Personne qui voyage. *Les **voyageurs** attendent le train sur le quai. Son père a fait plusieurs fois le tour du monde, c'est un grand **voyageur**.*

① **voyant, voyante** adjectif
Qui attire la vue par son éclat ou ses couleurs vives. *Il porte toujours des chemises très **voyantes**.* CONTR discret.

② **voyant** nom masculin
Petit signal lumineux sur un appareil, qui sert à avertir. *Quand ce **voyant** s'allume, cela signifie que le réservoir d'essence est presque vide.*

③ **voyant, voyante** nom
Personne qui prétend voir l'avenir et le passé de quelqu'un. *La **voyante** regarde dans une boule de cristal.*

voyelle nom féminin
Son du langage que l'on peut prononcer quand il est seul, contrairement aux consonnes. *Les six **voyelles** de l'alphabet sont « a », « e », « i », « o », « u », « y ».*

voyou nom masculin
Mauvais garçon. *Des **voyous** du quartier ont volé des bicyclettes.*

en **vrac** adverbe
❶ Sans emballage. *Acheter des épices **en vrac**.* ❷ Sans ordre. *Tommy a mis ses vêtements **en vrac** sur son lit.* SYN pêle-mêle.

vrai, vraie adjectif
❶ Qui existe ou qui s'est réellement passé. *Cette histoire est **vraie**.* SYN exact, véridique. CONTR faux, mensonger. ❷ Qui n'est pas une imitation. *C'est un **vrai** sapin, il n'est pas artificiel.* SYN naturel, véritable. CONTR artificiel, factice. ❸ Réel. *Ce sorbet est un **vrai** délice.* SYN véritable. ■ **vrai** nom masculin Ce qui est vrai. *Il est parfois difficile de distinguer le **vrai** du faux.* • **À vrai dire** : pour parler sincèrement. ***À vrai dire**, je n'ai pas confiance en lui.* • **Être dans le vrai** : avoir raison, ne pas se tromper. *Justin **est dans le vrai** quand il affirme que la tour du CN à Toronto mesure 553 mètres.*

vraiment adverbe
❶ Effectivement ou réellement. *As-tu **vraiment** fermé la porte à clé ?* SYN véritablement. ❷ Sert à renforcer une affirmation. *C'est **vraiment** dommage que tu ne puisses pas venir.*

vraisemblable adjectif
Qui paraît vrai ou qui pourrait être vrai. *Il est **vraisemblable** que Guillaume ait raison.* CONTR invraisemblable. ♦ Famille du mot : invraisemblable, invraisemblance, vraisemblablement, vraisemblance.

vraisemblablement adverbe
De façon vraisemblable. *Le ciel s'assombrit, il va **vraisemblablement** pleuvoir.* SYN probablement, sans doute.

vraisemblance nom féminin
Caractère de ce qui est vraisemblable. *Geneviève doute de la **vraisemblance** de cette histoire.* CONTR invraisemblance.

vrille nom féminin
❶ Organe de fixation de certaines plantes grimpantes, qui s'enroule en spirale autour d'un support. *Les **vrilles** de la vigne, du lierre.* ❷ Outil fait d'une tige de métal pointue en forme de vis. *Le menuisier se sert d'une **vrille** pour percer des trous dans le bois.* ❸ Mouvement accompli en tournoyant la tête en bas. *La plongeuse a réussi une double **vrille**.* ❹ Mouvement d'un avion en perte de vitesse qui descend en tournant sur lui-même.

vrombir verbe ▸ conjug. 11
Faire entendre un son rapide qui vibre. *Au départ de la course, les moteurs des voitures* ***vrombissaient****.*

vrombissement nom masculin
Bruit de ce qui vrombit. *L'avion décolle dans le* ***vrombissement*** *de ses réacteurs.*

VTT nom masculin
Abréviation de ***v****éhicule* ***t****out* ***t****errain. Nous avons fait un tour en* ***VTT*** *dans la forêt.*

Un ***VTT***

① vu, vue adjectif
• **Être bien vu** ou **mal vu :** jouir ou non de la considération des autres.

② vu nom masculin
• **Au vu et au su de tous :** ouvertement, sans se cacher.

③ vu préposition
Étant donné. ***Vu*** *la forte chaleur, Jasmine a décidé d'aller à la piscine.*

vue nom féminin
❶ Celui des cinq sens qui permet de voir. *Eva n'a pas besoin de lunettes, car elle a une excellente* ***vue****.* **SYN** vision. * Chercher aussi *goût, odorat, ouïe, toucher.* ❷ Fait de voir quelque chose. *La* ***vue*** *d'une coquerelle l'a remplie de dégoût.* ❸ Choses que l'on peut voir de l'endroit où l'on est. *De cette chambre, il y a une* ***vue*** *magnifique sur le lac.* ❹ Façon de voir les choses. *Ils ont des* ***vues*** *très différentes sur l'éducation des enfants.* **SYN** conception, idée. ❺ Image ou photo. *Dans son bureau, il a mis une* ***vue*** *de Venise.* • **À perte de vue :** aussi loin qu'il est possible de voir. *La plaine s'étend* ***à perte de vue****.* • **À première vue :** au premier coup d'œil. • **À vue d'œil :** de façon visible ou très rapidement. *La rivière est en crue ; l'eau monte* ***à vue d'œil****.* • **En vue :** dans un endroit visible ou de premier plan. *Il faut mettre cet avis bien* ***en vue****. C'est une personnalité* ***en vue****.* • **En vue de :** afin de. *Ils font des économies* ***en vue d'****acheter une maison.*

vulgaire adjectif
❶ Qui a de mauvaises manières, qui manque de distinction. *C'est* ***vulgaire*** *de parler la bouche pleine.* **SYN** grossier. **CONTR** distingué, élégant, raffiné. ❷ Qui est ce qu'il y a de plus ordinaire. *Faute de vase, Ingrid a mis ses fleurs dans un* ***vulgaire*** *pot de marinades.* ❸ Qui appartient à la langue courante et non pas à la langue scientifique. *« Ver solitaire » est le nom* ***vulgaire*** *du ténia.* **SYN** courant. **CONTR** savant.
♦ Famille du mot : vulgairement, vulgarisation, vulgariser, vulgarité.

vulgairement adverbe
❶ De façon vulgaire. *Cet homme parle* ***vulgairement****.* **SYN** grossièrement. ❷ Dans la langue courante. *La renoncule à fleurs jaunes est* ***vulgairement*** *appelée « bouton d'or ».*

vulgarisation nom féminin
Fait de vulgariser des connaissances, de les mettre à la portée de tout le monde.

vulgariser verbe ▸ conjug. 3
Mettre des connaissances à la portée de tout le monde. *Ce livre* ***vulgarise*** *les dernières découvertes scientifiques.*

vulgarité nom féminin
Caractère vulgaire, manque de distinction. *La* ***vulgarité*** *de son langage choque son entourage.* **SYN** grossièreté. **CONTR** distinction.

vulnérable adjectif
❶ Qui peut être facilement blessé ou tué. *Les oisillons sont très* ***vulnérables*** *quand ils sortent de l'œuf.* **CONTR** invulnérable. ❷ Au sens figuré, qui résiste mal sur le plan psychologique. *Cette jeune fille émotive est* ***vulnérable****.* **SYN** fragile, sensible.

vulve nom féminin
Organe génital externe de la femme et de la femelle des mammifères.

*Dans les mots précédés d'un astérisque, le *w* se prononce comme un *v*.

w nom masculin invariable
Vingt-troisième lettre de l'alphabet. *Le* ***w*** *est une consonne.*

***wagon** nom masculin
Voiture d'un train. *Les* ***wagons*** *d'un train sont tirés par la locomotive.*

***wagon-lit** nom masculin
Wagon dont les compartiments sont équipés de couchettes. ✎ Pluriel : *des* ***wagons-lits***.

***wagon-restaurant** nom masculin
Wagon dans lequel on sert des repas aux voyageurs. ✎ Pluriel : *des* ***wagons-restaurants***.

wapiti nom masculin
Grand cerf d'Amérique du Nord au pelage brun.

Un ***wapiti***

wasabi nom masculin
Condiment japonais en pâte que l'on sert avec les sushis. *Elle aime le goût fort du* ***wasabi***.

water-polo ou **waterpolo** nom masculin
Jeu de ballon qui se pratique dans l'eau entre deux équipes de sept joueurs. *Les règles du* ***water-polo*** *sont les mêmes que celles du handball.* ✎ Pluriel : *des* ***water-polos*** ou ***waterpolos***.

watt nom masculin
Unité servant à mesurer la production ou la consommation d'électricité. *Une ampoule de 60* ***watts***. * Abréviation : ***W***.

Web nom masculin
Système qui permet de rechercher de l'information dans Internet et d'y accéder.

webcam nom féminin
Petite caméra numérique installée sur un ordinateur et permettant de diffuser sur le Web des données en temps réel. **SYN** caméra* Web.

webmestre nom
Personne responsable de l'administration et de la maintenance d'un site Web, d'un serveur Web.

western nom masculin
Film d'aventures mettant en scène des cow-boys, des pionniers américains au temps des guerres contre les Amérindiens.

whisky nom masculin
Eau-de-vie de grain faite avec de l'orge, du seigle ou de l'avoine. ✎ Pluriel : *des* ***whiskys***.

WiFi nom masculin invariable
Technique qui permet la communication sans fil entre ordinateurs, téléviseurs, etc. * *WiFi* est le nom d'une marque.

wigwam nom masculin
Tente ou hutte amérindienne de forme conique ou arrondie. 👁p. 34. * Chercher aussi *tipi*.

wok nom masculin
Espèce de poêle à bords hauts et à fond arrondi que l'on utilise pour préparer des plats asiatiques.

x nom masculin invariable
Vingt-quatrième lettre de l'alphabet. *Le **x** est une consonne.*

xéno- préfixe
Placé au début d'un mot pour former un autre mot, *xéno-* signifie « étranger » (***xéno**phobe*).

xénophobe adjectif et nom
Qui manifeste de la xénophobie. *Une personne **xénophobe**. – Les **xénophobes**.*

xénophobie nom féminin
Hostilité ou haine envers les étrangers. *Cette association lutte contre le racisme et la **xénophobie**.*

xylophone nom masculin
Instrument de musique formé de lames de bois ou de métal de longueur inégale, sur lesquelles on frappe avec deux baguettes. 👁p. 692.

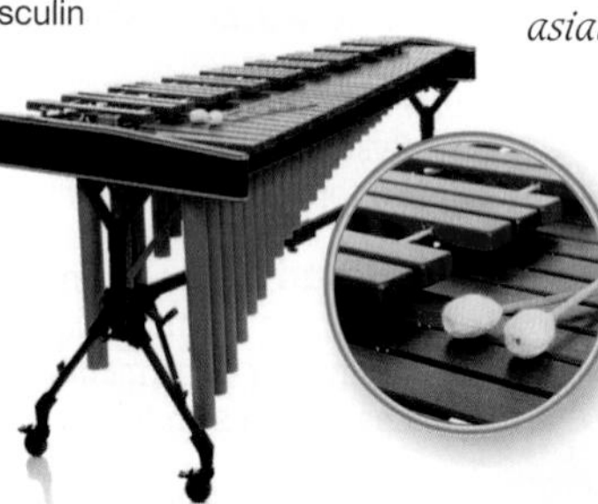

Un **xylophone**

Y y

① **y** nom masculin invariable
Vingt-cinquième lettre de l'alphabet. *Le **y** est une voyelle.*

② **y** pronom
❶ Sert à indiquer le lieu où l'on est ou le lieu où l'on va. *J'aime cette maison, je m'**y** sens bien. Tu viens de l'épicerie ? – Non, j'**y** vais.* ❷ Remplace un complément généralement introduit par « à ». *Cette histoire, je n'**y** comprends rien !*

yacht nom masculin
Bateau de plaisance à voiles ou à moteur. *Les promeneurs admirent le **yacht** qui vient de s'amarrer.* 👁p. 108. * Attention ! Le mot *yacht* se prononce *iote*.

yack ou **yak** nom masculin
Gros bovidé des montagnes de l'Asie centrale. *Les **yacks** servent de bêtes de somme.*

Un **yack**

yéménite
➜Voir tableau, p. 1319.

yen nom masculin
Monnaie utilisée au Japon.

yeti nom masculin
Animal légendaire de l'Himalaya, appelé aussi « l'abominable homme des neiges ». ✎ On peut écrire aussi ***yéti***.

yeux ➜Voir **œil**

yoga nom masculin
Sorte de gymnastique d'origine hindoue qui permet de se relaxer, de se maîtriser et de méditer. *Elle fait du **yoga** avec un professeur asiatique.*

yogourt nom masculin
Lait caillé par un ferment. *Du **yogourt** aux bleuets.* * Attention ! Le *t* du mot *yogourt* ne se prononce pas.

yole nom féminin
Embarcation légère, de forme étroite et allongée, que l'on propulse à l'aviron.

yourte nom féminin
Tente faite de peau ou de feutre qui sert d'habitation aux nomades de Mongolie.

Une **yourte**

yoyo nom masculin
Jouet que l'on fait monter et descendre le long d'une ficelle. ✎ On écrit aussi ***yo-yo***. * *Yoyo* est le nom d'une marque.

yucca nom masculin
Plante ornementale à longues feuilles pointues, originaire de l'Amérique centrale.

yukonais, yukonaise adjectif et nom
Du Yukon. *Les gisements miniers **yukonais**. – Les **Yukonais**, les **Yukonaises**.* ✎ Attention ! Le nom, qui désigne les habitants, s'écrit avec une majuscule.

Zz

z nom masculin invariable
Vingt-sixième lettre de l'alphabet. *Le **z** est une consonne.*

zambien, zambienne
➜Voir tableau, p. 1319.

zappage nom masculin
Action de zapper. *William fait du **zappage** entre l'émission de jeux et le film.*

zapper verbe ▸conjug. 3
Changer de canal de télévision à l'aide de la télécommande. *Marianne **zappe** pour trouver une émission intéressante.* **SYN** pitonner.

zèbre nom masculin
Sorte de cheval sauvage d'Afrique, au pelage clair à rayures sombres. *Les **zèbres** vivent en troupeaux dans les steppes.* ♦ Famille du mot : zébré, zébrure.

*Un **zèbre***

zébré, zébrée adjectif
Qui a des rayures comme celles d'un zèbre. *Un tissu **zébré**.*

zébrure nom féminin
Rayure du pelage du zèbre, du tigre.

zébu nom masculin
Sorte de grand bœuf d'Asie et d'Afrique caractérisé par une bosse sur le dos.

*Un **zébu***

zèle nom masculin
Ardeur, application ou enthousiasme à faire quelque chose. *Ibrahim a mis beaucoup de **zèle** dans l'organisation de sa fête d'anniversaire.* **SYN** empressement. • **Faire du zèle :** faire davantage que ce qui est demandé. *Ces employés **font du zèle**.*

zélé, zélée adjectif
Qui est plein de zèle. *Elle a trouvé un assistant **zélé**.*

zen nom masculin
Doctrine religieuse japonaise issue du bouddhisme. *Le **zen** prône surtout la méditation et la pureté.* ■ **zen** adjectif invariable Dans la langue familière, calme, décontracté. *Une attitude **zen**.* * Attention ! Le mot *zen* se prononce *zène*.

zénith nom masculin
❶ Point le plus haut que le Soleil peut atteindre au-dessus de l'horizon. *C'est au moment où le Soleil est au **zénith** qu'il fait le plus chaud.* ❷ Au sens figuré, sommet. *Cette artiste est au **zénith** de sa carrière.* **SYN** apogée, faîte.

zéro nom masculin
❶ Chiffre (0) qui, placé derrière un autre chiffre, le multiplie par dix. *Si tu mets un **zéro** après deux (2), tu obtiens le nombre vingt (20).* ❷ Nombre qui indique une valeur nulle. *Quatre moins quatre égale **zéro**.* ❸ Température au-dessous de laquelle il commence à geler. *Au-dessous de **zéro**, l'eau se transforme en*

glace. ■ **zéro** déterminant Pas un seul. *Bravo ! Tu as fait **zéro** faute.* **SYN** aucun.

zeste nom masculin
Morceau de peau d'une orange ou d'un citron. *Mon père a mis un **zeste** de citron dans son eau gazeuse.*

zézaiement nom masculin
Défaut de prononciation d'une personne qui zézaie.

zézayer verbe ▸ conjug. 7
Prononcer les sons « j » comme des « z » et les sons « ch » comme des « s ». *Loïc a un défaut de prononciation, il **zézaie**.* **SYN** zozoter.

zibeline nom féminin
Petit mammifère carnivore au pelage très fin, noir ou brun. *Les **zibelines** vivent dans les forêts de Sibérie.*

*Une **zibeline***

zigzag nom masculin
Ligne constituée d'une suite de petits traits qui forment des angles aigus. *Cette route de montagne est en **zigzags**.* **SYN** ligne brisée.

zigzaguer verbe ▸ conjug. 3
Faire des zigzags. *La moto **zigzague** entre les voitures arrêtées.*

zimbabwéen, zimbabwéenne
➜Voir tableau, p. 1319.

zinc nom masculin
Métal grisâtre qui sert à faire des toitures, des gouttières, etc.

zizanie nom féminin
• **Semer la zizanie :** dans la langue familière, provoquer la discorde. *Il a suffi qu'il arrive pour **semer la zizanie** dans notre groupe.*

zodiac nom masculin
Canot pneumatique à moteur. * *Zodiac* est le nom d'une marque.

zodiaque nom masculin
Zone du ciel partagée en douze parties égales, dans laquelle le Soleil et la Lune se déplacent au cours d'une année. • **Signes du zodiaque :** les douze parties du zodiaque utilisées en astrologie. ✎ Attention ! Le nom des signes du zodiaque s'écrit avec une majuscule.

zona nom masculin
Maladie virale très douloureuse, caractérisée par une éruption de plaques ou de boutons sur la peau.

zone nom féminin
Partie d'un espace ou d'un lieu. *Cette rue piétonne est une **zone** interdite aux voitures et aux vélos.*

zoo nom masculin
Forme abrégée de *jardin* zoologique*.

zoologie nom féminin
Science qui étudie les animaux. ♦ Famille du mot : zoo, zoologique, zoologiste. * Chercher aussi *entomologie*.

zoologique adjectif
Qui a trait aux animaux.

zoologiste nom
Spécialiste de la zoologie.

zoom nom masculin
Objectif d'une caméra ou d'un appareil photo qui permet de changer à volonté le cadrage de l'image. *Ma mère a utilisé un **zoom** pour photographier un orignal qui se baignait dans le lac.* * Attention ! Le mot *zoom* se prononce *zoum*.

*Un **zoom***

zouave nom masculin
• **Faire le zouave :** dans la langue familière, faire l'imbécile ou le pitre.

zozoter verbe ▸ conjug. 3
Dans la langue familière, zézayer. *Quand quelqu'un **zozote**, on dit qu'il a un cheveu sur la langue.*

zut ! interjection
Exclamation familière qui exprime la déception ou l'impatience. ***Zut !** Il n'y a plus d'encre dans l'imprimante !*

Noms propres

A a

Abbott (Maude, née Maude Elizabeth Seymour Babin)
Femme médecin née à Saint-André-d'Argenteuil en 1869 et morte à Montréal en 1940. Déterminée à devenir médecin, Maude Abbott s'inscrit en 1890 à la faculté de médecine de l'Université Bishop de Lennoxville, où elle est la seule femme, et obtient son diplôme en 1894. Elle se consacre à l'étude du cœur et devient une spécialiste mondialement reconnue des maladies cardiovasculaires congénitales.

Maude **Abbott**

Abénaquis
Nation amérindienne dont le nom signifie *pays qui est à l'est*. Au 17e siècle, les Abénaquis vivaient sur un vaste territoire allant des États actuels de la Nouvelle-Angleterre, aux États-Unis, jusqu'aux Provinces maritimes. Aux 17e et 18e siècles, ils étaient les alliés des Français dans leurs luttes contre les Anglais. Aujourd'hui, au Québec, les Abénaquis vivent notamment dans les communautés d'Odanak et de Wôlinak, dans la région du Centre-du-Québec. Le français est la langue d'usage de la majorité des Abénaquis. Une minorité d'entre eux parle l'anglais. [➔Carte 5]

Abidjan
Abidjan est la principale ville de la Côte d'Ivoire, un pays d'Afrique de l'Ouest. Elle en a aussi été la capitale jusqu'en 1983. Considérée comme un important carrefour culturel africain, cette ville côtière connaît une industrialisation croissante. Sa population est de 1 929 100 habitants.

Abitibi (région)
L'Abitibi est une région de l'ouest du Québec, habitée pendant plusieurs siècles par les Algonquins. À partir du moment où les premiers colons s'y sont installés, en 1912, la région est rapidement devenue la principale productrice de bois de sciage de la province. Au début des années 1920, la découverte de gisements de cuivre et d'or provoque une ruée vers les mines de la région. L'Abitibi, qui est généralement associée à la région du Témiscamingue, compte 24 280 habitants.

Abitibi (rivière)
La rivière Abitibi est située dans l'est de l'Ontario, une province canadienne. D'une longueur de 547 km, elle prend sa source dans le lac Abitibi, dont la partie orientale est au Québec. La rivière Abitibi coule vers le nord et se jette dans la rivière Moose, près de la baie James.

Abitibi-Témiscamingue
L'Abitibi-Témiscamingue est la région administrative la plus à l'ouest du Québec. Voisine de l'Ontario, elle est l'une des principales régions forestières et minières du Québec. Ses trois villes principales sont Val-d'Or, Rouyn-Noranda et Amos. Ce territoire de 57 340 km² compte 145 900 habitants. Ceux-ci vivent de l'agriculture, de l'industrie forestière et de l'exploitation minière. [➔Carte 5]

Abou Dhabi
Abou Dhabi est la capitale des Émirats arabes unis, un pays du Moyen-Orient. Elle est bâtie sur une île du golfe Persique. Abou Dhabi compte 527 000 habitants. [➔Carte 9]

Abuja
Abuja est la capitale du Nigeria, un pays de l'Afrique de l'Ouest. Sa population est de 378 700 habitants. [➔Carte 7]

Acadie
Nom géographique qui désignait, aux 17e et 18e siècles, toute la région comprise entre le golfe du Saint-Laurent et l'océan Atlantique, soit la Gaspésie, le Nouveau-Brunswick, la Nouvelle-Écosse et l'Île-du-Prince-Édouard. C'est d'abord en Acadie que les Français se sont établis au début du 17e siècle. La France a cédé l'Acadie à l'Angleterre en 1713, à la suite de la signature du traité d'Utrecht [➔Utrecht, traité d']. Aujourd'hui encore, la partie du Nouveau-Brunswick et de la Nouvelle-Écosse peuplée d'Acadiens s'appelle l'Acadie.

Acadiens (déportation des)
À la suite de la cession de l'Acadie à l'Angleterre en 1713, la majorité des Acadiens refusent de prêter le serment d'allégeance à l'Angleterre. En 1755, au moment où éclate la guerre de la Conquête [➔Conquête], l'Angleterre décide de déporter les Acadiens dans les colonies anglaises de la Nouvelle-Angleterre.

Plusieurs d'entre eux se réfugient en Louisiane [➔Louisiane]. On évalue à 6000 ou 7000 le nombre d'Acadiens déportés au cours de la seule année 1755. Plus tard, après le traité de Paris [➔Paris, traité de], certains Acadiens reviennent dans leur pays et d'autres s'établissent au Québec. La déportation des Acadiens, que l'on a appelée le « Grand Dérangement », connaît en partie son dénouement en 1764, quand les Acadiens recouvrent le droit de posséder des terres en Nouvelle-Écosse. Plusieurs reviendront s'y établir.

La déportation des ***Acadiens***

Accra

Accra est la capitale et la ville la plus peuplée du Ghana, un pays de l'ouest de l'Afrique. Elle compte 1 658 900 habitants. [➔Carte 7]

Achgabat

Achgabat est la capitale et la ville principale du Turkménistan, un pays de l'Asie centrale. Elle est située dans une oasis du désert de Karakoum, près de la frontière iranienne. Achgabat compte 407 000 habitants. [➔Carte 9]

Açores (les)

Les Açores sont un groupe de neuf îles portugaises qui se trouvent dans l'océan Atlantique, à environ 1500 km de Lisbonne, la capitale du Portugal. Grâce à son climat océanique chaud, cet archipel est un haut lieu du tourisme. D'une superficie de 2500 km², les Açores comptent 244 400 habitants.

Acropole

L'Acropole est un site de la Grèce antique situé sur une colline qui domine la ville d'Athènes, en Grèce. Au 5e siècle avant notre ère, on y a construit deux temples, le Parthénon et l'Érechthéion, ainsi que leurs monumentales entrées, les Propylées. « Acropole » vient du grec ancien « akropolis », qui signifie *ville haute*.

*L'****Acropole***

Acte constitutionnel de 1791

Loi adoptée par le Parlement de la Grande-Bretagne en 1791, laquelle crée le Haut-Canada et le Bas-Canada, avec la rivière des Outaouais comme frontière. Cette loi crée aussi une Assemblée élue dans chacune des deux provinces. Elle a été remplacée par l'Acte d'union en 1840.

Acte de l'Amérique du Nord britannique

Loi adoptée par le Parlement de la Grande-Bretagne en 1867. C'est cette loi qui a créé la Confédération du Canada. Lors de son entrée en vigueur, le 1er juillet 1867, le Canada ne comprenait que quatre provinces : le Québec, l'Ontario, le Nouveau-Brunswick et la Nouvelle-Écosse.

Acte de Québec

Loi adoptée par le Parlement de la Grande-Bretagne en 1774. L'Acte de Québec a fait tripler le territoire du Québec, a garanti aux catholiques qu'ils pourraient pratiquer leur religion et a reconnu les lois civiles françaises. Il a été remplacé par l'Acte constitutionnel en 1791.

Acte d'union

Loi adoptée par le Parlement de la Grande-Bretagne en 1840. L'Acte d'union a réuni sous un même gouvernement le Haut-Canada et le Bas-Canada, et a banni le français comme langue officielle. Les institutions d'enseignement ont été supprimées, et le droit civil français, suspendu. C'est par cette loi que les Britanniques ont réagi aux rébellions de 1837 et 1838. [➔Rébellions de 1837-1838].

Action démocratique du Québec (ADQ)

Parti politique québécois fondé en 1994 par les libéraux Mario Dumont et Jean Allaire. Ce nouveau parti se présentait comme une troisième voie entre le Parti libéral et le Parti québécois. Mario Dumont en a été le chef de 1994 jusqu'à sa démission, en 2009. Il a été remplacé par Gérard Deltell.

Addis Abeba

Addis Abeba est la capitale de l'Éthiopie, un pays du nord-est de l'Afrique. Elle est l'une des grandes villes du continent africain, avec une population de 2 646 000 habitants. [➔Carte 7]

Adriatique (mer)

La mer Adriatique est une partie de la Méditerranée. Cette mer de forme allongée sépare la péninsule italienne de la péninsule des Balkans. Elle borde l'Italie, la Slovénie, la Croatie, la Bosnie-Herzégovine, la République fédérale de Yougoslavie et l'Albanie.

Afghanistan

Nom local	Afghānestān, Afghānistān
Capitale	Kaboul
Superficie	650 000 km²
Population	27 659 000
Habitants	Afghans, Afghanes

L'Afghanistan est un État montagneux de l'Asie centrale. En 1997, un mouvement ultrareligieux, les talibans, a conquis presque tout le pays et y a instauré un régime très rigoureux. Depuis les attentats du 11 septembre 2001 [➔Onze septembre 2001], ce mouvement a été renversé, mais le pays vit toujours dans un climat d'instabilité et d'insécurité. Les Afghans font l'élevage de moutons et cultivent le raisin, la grenade et le blé. Ils vivent également de l'artisanat, notamment de la fabrication de tapis. Les langues officielles de l'Afghanistan sont le dari et le pachtou. [➔Carte 9]

Afrique

L'Afrique est l'un des six continents. D'une superficie de 30 500 000 km², elle compte environ 1 033 043 000 habitants, soit près de 20 % de la population mondiale. Elle abrite le plus grand désert chaud du monde, le Sahara. Les plus grands pays en superficie sont le Soudan, l'Algérie et la République démocratique du Congo. Les plus peuplés sont le Nigeria, l'Éthiopie et l'Égypte. La population africaine se divise en deux groupes: le groupe noir, majoritaire, et le groupe blanc, limité aux pays de l'Afrique du Nord. [➔Carte 7]

Afrique du Nord

L'Afrique du Nord est une région de l'Afrique qui comprend le Maroc, l'Algérie, la Tunisie, la Libye et la Mauritanie. Cette région, qui porte aussi le nom de Maghreb [➔Maghreb], compte 85 393 900 habitants. [➔Carte 7]

Afrique du Sud

Nom local	Suid-Afrika, South Africa
Capitale	Pretoria et Le Cap
Superficie	1 221 037 km²
Population	48 687 000
Habitants	Sud-Africains, Sud-Africaines

L'Afrique du Sud est un État situé à l'extrémité sud du continent africain. On y trouve d'immenses richesses minières telles que l'or, le platine, le chrome (premier rang mondial), les diamants, le charbon et l'uranium. Le pays s'est doté d'une industrie moderne. Les Sud-Africains pratiquent l'élevage de moutons, pour la laine, et de bovins. Ils cultivent le maïs, la vigne, le blé et la canne à sucre. Les Noirs représentent 75 % de la population, les Blancs 12 %, les Métis 8 %, les Indiens et les Asiatiques 5 %. Ce n'est qu'en 1994 que les Noirs et les Blancs de ce pays ont pu voter ensemble lors de la même élection. Les langues officielles de l'Afrique du Sud sont l'afrikaans et l'anglais. [➔Carte 7]

Akulivik

Akulivik est un village inuit situé sur les rives de la baie d'Hudson, à l'embouchure de la rivière Illukotat, au Québec. Ses 510 habitants, les Akulivimmiuqs, parlent l'inuktitut et l'anglais. [➔Carte 5]

Akwesasne

Akwesasne est une réserve mohawk située à la fois au Québec, en Ontario et dans l'État

A B C D E F G H I J K L M N O P Q R S T U V W X Y Z

de New York, aux États-Unis. La réserve compte 4220 habitants et 50 personnes hors réserve. Les Akwesashronons parlent le mohawk et l'anglais. [➔Carte 5]

Alaska

L'Alaska est l'un des 50 États des États-Unis. Sa superficie de 1 518 775 km² en fait le plus grand du pays. Cette vaste région très froide du nord-ouest de l'Amérique du Nord est séparée géographiquement du reste des États-Unis par le Canada. Les Alaskiens vivent surtout de la pêche et de la chasse. Le territoire recèle de grandes richesses minières telles que l'or et, surtout, le pétrole. L'Alaska compte 686 300 habitants.

Albanel (lac)

Le lac Albanel s'étend sur 445 km² et est situé dans la municipalité de la Baie-James, dans la région administrative du Nord-du-Québec. Son nom rappelle le missionnaire jésuite Charles Albanel, qui a exploré la région en 1671-1672.

Albani (Emma, née Emma Lajeunesse)

Cantatrice, née à Chambly en 1847 et morte à Londres en 1930. Après des études de chant à Paris et à Milan, elle entreprend une carrière internationale qui la mène entre autres à New York, à Paris, à Londres, à Turin, à Florence et à Saint-Pétersbourg. Elle est la première chanteuse d'opéra canadienne à avoir connu une renommée mondiale.

Emma **Albani**

Albanie

Nom local	Shqipëria
Capitale	Tirana
Superficie	29 000 km²
Population	3 143 300
Habitants	Albanais, Albanaises

L'Albanie est un État du sud-est de l'Europe situé au nord de la Grèce, en bordure de la mer Adriatique. La population y est majoritairement musulmane. Elle se compose de 90 % d'Albanais et de 8 % de Grecs. La principale activité de l'Albanie est l'agriculture. La langue officielle y est l'albanais. [➔Carte 8]

Albany (rivière)

La rivière Albany, d'une longueur de 982 km, est située dans le nord-ouest de l'Ontario et se jette dans la baie James. Du 17e au 19e siècle, ce cours d'eau a été une voie de communication importante pour la traite des fourrures.

Albert (mont)

Le mont Albert, une montagne de 1151 m située dans la partie ouest de la Gaspésie, appartient à la chaîne des Appalaches. Il porte ce nom en l'honneur du prince Albert, époux de la reine Victoria de Grande-Bretagne.

Le mont **Albert**

Alberta

L'Alberta est une province du Canada située entre la Saskatchewan et la Colombie-Britannique. Sa capitale est Edmonton. L'Alberta est entrée dans la Confédération en 1905. Son nom rappelle le prince Albert, époux de la reine Victoria de Grande-Bretagne. Les villes touristiques de Banff, Jasper et Lac Louise sont situées dans les montagnes Rocheuses. L'Alberta, la plus riche des dix provinces canadiennes, fournit 70 % du pétrole et du gaz naturel exploités dans le pays. Elle occupe une superficie de 661 848 km², ce qui représente 6,6 % du territoire canadien, et sa population est de 3 290 400 habitants. [➔Carte 4]

Alexandrie

Alexandrie est une ville d'Égypte fondée par Alexandre le Grand, en 332 avant notre ère. Dans l'Antiquité, elle était l'un des plus importants foyers culturels de la Méditerranée. Elle est aujourd'hui la deuxième ville du pays, après Le Caire. C'est un port actif sur la Méditerranée et un grand centre industriel. Alexandrie compte 4 084 700 habitants.

A B C D E F G H I J K L M N O P Q R S T U V W X Y Z

Alger

Alger est la capitale et la plus grande ville d'Algérie, un pays du Maghreb [➔Maghreb]. Située sur la Méditerranée, elle est un port industriel très actif. Un quartier historique du nom de « casbah » donne son caractère distinctif à la ville. Alger compte 1 569 900 habitants. [➔Carte 7]

Alger

Algérie

Nom local	El Djezâir
Capitale	Alger
Superficie	2 381 741 km²
Population	34 361 800
Habitants	Algériens, Algériennes

L'Algérie est un État du Maghreb, en Afrique du Nord. Le désert du Sahara occupe plus de 80 % de sa superficie. Une grande partie des revenus de l'Algérie provient de l'exportation de gaz et de pétrole. Le pays doit cependant importer de la nourriture, car la production céréalière et l'élevage y sont peu développés. La langue officielle de l'Algérie est l'arabe, mais on y parle aussi le berbère et le français. [➔Carte 7]

Algonquins

Nation amérindienne qui vivait autrefois le long de la vallée de la rivière des Outaouais et au nord du lac Huron. Excellents chasseurs et pêcheurs, les Algonquins servaient d'intermédiaires dans le commerce des fourrures. Au 17e siècle, ils ont soutenu les Français dans leurs luttes contre les Anglais et les Iroquois. Aujourd'hui, on compte neuf communautés algonquines au Québec : Kebaowek, Lac-Rapide, Lac-Simon, Kitigan Zibi, Pikogan, Timiskaming, Kitcisakik, Winneway et Hunter's Point. Dans ces communautés, la langue d'usage est soit le français, soit l'anglais, mais la langue algonquine est toujours vivante. Plusieurs Algonquins vivent hors de ces communautés. [➔Carte 5]

Allemagne

Nom local	Deutschland
Capitale	Berlin
Superficie	356 000 km²
Population	82 143 000
Habitants	Allemands, Allemandes

L'Allemagne est un État de l'Europe de l'Ouest qui a formé, de 1949 à 1990, deux États indépendants : la République fédérale d'Allemagne à l'ouest, avec Bonn comme capitale, et la République démocratique allemande à l'est, avec Berlin-Est comme capitale. Réunifiée depuis 1990, l'Allemagne est la quatrième puissance économique du monde. Les industries de pointe, comme l'électronique et l'informatique, la chimie et l'automobile y dominent. La langue officielle de l'Allemagne est l'allemand. [➔Carte 8]

Alma

Alma est une ville du Québec située dans la région administrative du Saguenay–Lac-Saint-Jean. Autrefois petite colonie agricole, Alma est devenue une ville industrielle depuis qu'on y a construit une centrale hydroélectrique, en 1973. Alma produit principalement de l'aluminium et du papier. La ville compte 30 000 habitants. [➔Carte 5]

Alpes (les)

Les Alpes sont la principale chaîne de montagnes d'Europe. En forme d'arc de cercle, elles s'étendent sur 1000 km de long et 250 km de large, de la Méditerranée jusqu'à Vienne, en Autriche. Le point culminant est le mont Blanc, qui atteint 4807 m. On y a créé de nombreuses stations de sports d'hiver.

A B C D E F G H I J K L M N O P Q R S T U V W X Y Z

Amazone (fleuve)
L'Amazone est un fleuve de l'Amérique du Sud. Il prend sa source dans les Andes, au Pérou. Après avoir traversé le Brésil, il se jette dans l'océan Atlantique. C'est le fleuve le plus important du monde par son débit. Sa longueur de 6400 km le place au deuxième rang après le Nil.

Amazonie
L'Amazonie est une immense région forestière de l'Amérique du Sud, au climat chaud et humide. Elle couvre une partie du Pérou, de la Colombie, du Venezuela et une grande partie du Brésil. L'Amazonie est traversée par le fleuve Amazone et ses affluents.

*Forêt tropicale d'**Amazonie***

Amérindiens
Ce terme désigne l'ensemble des populations autochtones de l'Amérique – à l'exception des Inuits – auxquelles on donnait autrefois le nom d'Indiens.

Amérique
L'Amérique est le deuxième plus grand continent après l'Asie. D'une superficie de 40 440 049 km², elle compte 864 522 700 habitants. L'Amérique s'étend de l'océan Arctique jusqu'aux mers australes et de l'océan Pacifique à l'océan Atlantique. Le continent comprend l'Amérique du Nord, l'Amérique centrale et l'Amérique du Sud. [➔Cartes 3 et 6]

Amérique centrale
L'Amérique centrale est l'un des sous-continents de l'Amérique. Elle se situe entre le Mexique, au nord, et la Colombie, au sud. L'Amérique centrale comprend sept pays : le Guatemala, le Bélize, le Honduras, le Salvador, le Nicaragua, le Costa Rica et le Panama. Elle couvre une superficie de 522 000 km² et compte 35 282 700 habitants. [➔Carte 3]

Amérique du Nord
L'Amérique du Nord est l'un des sous-continents de l'Amérique. Comme son nom l'indique, elle se trouve dans la partie nord du continent. L'Amérique du Nord comprend trois pays : le Canada, les États-Unis et le Mexique. Elle couvre une superficie de 22 078 049 km² et compte 445 300 000 habitants. [➔Carte 3]

Amérique du Sud
L'Amérique du Sud est l'un des sous-continents de l'Amérique. Comme son nom l'indique, elle se trouve dans la partie sud du continent. L'Amérique du Sud comprend douze pays : la Colombie, le Venezuela, la Guyana, le Suriname, l'Équateur, le Pérou, le Brésil, la Bolivie, le Paraguay, le Chili, l'Argentine et l'Uruguay, ainsi qu'une région, la Guyane française, un département de la France. Elle couvre une superficie de 17 840 000 km² et compte 383 940 000 habitants. [➔Carte 6]

Amérique latine
L'Amérique latine regroupe tous les pays d'Amérique situés au sud des États-Unis. L'espagnol y est la langue officielle, sauf au Brésil où l'on parle le portugais, et au Bélize dont la langue officielle est l'anglais. L'Amérique latine couvre une superficie d'environ 20 010 600 km² et compte 568 296 000 habitants. [➔Cartes 3 et 6]

Amherst (Jeffery)
Général anglais, né en Angleterre en 1717 et mort au même endroit en 1797. Nommé major général en Amérique, il dirige la prise de la forteresse de Louisbourg [➔Louisbourg] en 1758 et devient commandant en chef des forces britanniques en Amérique du Nord. Le 8 septembre 1760, il reçoit du gouverneur Vaudreuil, à Montréal, la capitulation de la Nouvelle-France. Il a été gouverneur général de l'Amérique du Nord britannique de 1760 à 1763.

Amman
Amman est la capitale de la Jordanie, un pays du Moyen-Orient. Située dans le nord-ouest du pays, Amman compte 1 204 100 habitants. [➔Carte 9]

Amnistie internationale
Association internationale basée à Londres, fondée en mai 1961 par Peter Benenson, un avocat britannique, pour lutter contre la violation des droits de la personne et la répression politique dans le monde. Cette organisation a obtenu le prix Nobel de la paix en 1977.

Amos

Amos est une ville du Québec située dans la région administrative de l'Abitibi-Témiscamingue. Les premiers habitants s'y sont installés en 1910. Ses principales ressources sont les produits forestiers et l'agriculture. La ville compte 12 580 habitants. [➔Carte 5]

Amsterdam

La ville d'Amsterdam est la capitale des Pays-Bas, un pays du nord-ouest de l'Europe, conjointement avec La Haye où siège le gouvernement. Construite en grande partie le long de canaux, la ville d'Amsterdam est un centre touristique, industriel et économique. La taille de diamants y tient une place importante. La ville s'est dotée de nombreux musées réputés. Elle compte 742 880 habitants. [➔Carte 8]

Amsterdam

Andes (cordillère des)

La cordillère des Andes est une chaîne de hautes montagnes de l'Amérique du Sud. Elle s'étend, du nord au sud, sur 8000 km le long de l'océan Pacifique et traverse plusieurs pays. Situé au Chili, son point culminant, l'Ojos del Salado, atteint 7084 m.

Andorre (principauté d')

Nom local	Andorra
Capitale	Andorre-la-Vieille
Superficie	465 km^2
Population	83 100
Habitants	Andorrans, Andorranes

Andorre est un État d'Europe situé dans les Pyrénées, entre la France et l'Espagne. C'est un des plus petits États du monde. Le tourisme en est la principale activité. La langue officielle d'Andorre est le catalan. [➔Carte 8]

Andorre-la-Vieille

Andorre-la-Vieille est la capitale de l'Andorre, un pays d'Europe. La ville compte 24 570 habitants. [➔Carte 8]

André (Frère, né Alfred Bessette)

Religieux, né à Saint-Grégoire-d'Iberville en 1845 et mort à Montréal en 1937. Frère de la Congrégation de Sainte-Croix, il propage la dévotion à saint Joseph et fait construire un sanctuaire dédié à ce saint sur les flancs du mont Royal. L'Oratoire Saint-Joseph, construit à l'emplacement du sanctuaire, est devenu un lieu de pèlerinage important au Canada. Le frère André a été canonisé le 17 octobre 2010.

Angers (Félicité) ➔Voir Conan (Laure)

Angleterre

L'Angleterre est la plus grande des régions du Royaume-Uni. Elle couvre les deux tiers de l'île de Grande-Bretagne, entre l'Écosse et le pays de Galles. Son économie est basée sur l'élevage, les technologies de pointe, la sidérurgie ainsi que sur les activités bancaires et financières. Londres en est la ville principale.

Angola

Nom local	Angola
Capitale	Luanda
Superficie	1 246 700 km^2
Population	18 020 700
Habitants	Angolais, Angolaises

L'Angola est un État du sud-ouest de l'Afrique. Ancienne colonie portugaise, le pays est indépendant depuis 1975. L'Angola vit de l'élevage de bovins et de chèvres, de la pêche, de l'extraction de diamants et, surtout, du pétrole. Malgré tout, c'est un pays très pauvre, en partie parce qu'il a été ravagé par la guerre civile. La langue officielle de l'Angola est le portugais. [➔Carte 7]

Ankara

Ankara

La ville d'Ankara est la capitale de la Turquie, un pays situé à cheval sur l'Europe et l'Asie. Elle est la deuxième plus grande ville turque après Istanbul. Ankara compte 3 953 300 habitants. [➔Carte 9]

Annapolis (vallée d')

La vallée d'Annapolis est située dans le nord-ouest de la Nouvelle-Écosse, au Canada. Elle est baignée par la rivière Annapolis. L'agriculture y est une activité importante. La vallée compte 21 440 habitants.

Antarctique

L'Antarctique est l'un des six continents. Situé au pôle Sud, il est recouvert en permanence d'une couche de glace d'une épaisseur moyenne de 1,6 km, mais que les changements climatiques tendent à réduire. L'Antarctique est le plus froid, le plus sec et le plus venteux de tous les continents. C'est probablement la raison pour laquelle nulle population ne s'y est jamais établie. L'Antarctique a une superficie de 14 000 000 de km². Son point culminant, le mont Vinson, atteint 5140 m. [➔Carte 11]

*Paradise Bay, en **Antarctique***

Anticosti (île d')

L'île d'Anticosti est située dans le golfe du Saint-Laurent, dans la région administrative de la Côte-Nord, au Québec. Découverte par Jacques Cartier en 1534, c'est la plus grande île du Québec avec 7923 km². Elle est faiblement peuplée : 280 habitants seulement y vivent. Sa ville principale est Port-Menier. [➔Carte 5]

Antigua-et-Barbuda

Nom local	Antigua and Barbuda
Capitale	Saint John's
Superficie	445 km²
Population	85 540
Habitants	Antiguayens, Antiguayennes

Antigua-et-Barbuda est un État des Petites Antilles formé de trois îles : Antigua, Barbuda et Redonda, qui vivent essentiellement du tourisme. On y cultive la banane, le coton et la noix de coco. La langue officielle d'Antigua-et-Barbuda est l'anglais. [➔Carte 3]

Antilles (les)

Les Antilles sont un vaste archipel de l'océan Atlantique. Les principales îles sont Cuba, Haïti, la Jamaïque, Porto Rico, la Guadeloupe et la Martinique. Christophe Colomb est le premier Européen à y avoir abordé, en 1492. Les Antilles ont été colonisées par les Espagnols. Elles vivent aujourd'hui principalement du tourisme et de la culture de la canne à sucre. Ce territoire de 250 000 km² compte environ 41 600 000 habitants.

Apennin (l')

L'Appenin (ou les Apennins) est une chaîne de montagnes qui traverse l'Italie du nord au sud. Le point culminant est le Gran Sasso, qui atteint 2914 m.

Apia

Apia est la capitale des Samoa, un archipel polynésien de l'Océanie. La ville est située sur l'île d'Upolu, l'une des deux principales îles des Samoa. La population d'Apia est de 38 840 habitants. [➔Carte 10]

Appalaches (les)

Les Appalaches sont une chaîne de montagnes du Canada et des États-Unis qui s'étendent de la Gaspésie, au Québec, jusqu'à l'État de l'Alabama, dans le sud-est des États-Unis. Les monts Notre-Dame, Sutton et les montagnes Blanches en font partie. Leur point culminant est le mont Mitchell, dont l'altitude est de 2038 m. Le plus haut sommet au Québec, le mont Jacques-Cartier, atteint 1268 m.

Arabie

L'Arabie est une vaste péninsule désertique située au Moyen-Orient, entre la mer Rouge et le golfe Persique. Elle englobe l'Arabie saoudite, le Yémen, le Bahreïn, le Koweït, le Qatar, Oman et les Émirats arabes unis. L'Arabie abrite les principaux lieux saints de l'islam que sont La Mecque et Médine. Ce territoire de 3 000 000 de km² compte 58 889 100 habitants.

Arabie saoudite

Nom local	As Su'ūdīyah
Capitale	Riyad
Superficie	2 150 000 km²
Population	24 645 700
Habitants	Saoudiens, Saoudiennes

L'Arabie saoudite est un État du Moyen-Orient et le plus grand pays d'Arabie. Le territoire est en majeure partie un désert, ce qui fait que 75 % de la population vit dans les villes. L'Arabie saoudite possède plus du quart des réserves mondiales de pétrole et de gaz, et occupe également le premier rang mondial dans l'exportation de ces ressources. La langue officielle y est l'arabe. [➔Carte 9]

Arctique

L'Arctique est une vaste région qui entoure le pôle Nord. Elle est composée des terres les plus au nord de l'Amérique, de l'Europe et de l'Asie. Les différentes populations qui y vivent, dont les Lapons et les Inuits, subsistent de la chasse, de la pêche et de l'élevage de rennes. Les conditions climatiques de l'Arctique sont extrêmes : au Groenland, il fait autour de – 28 °C en hiver. La banquise arctique est considérablement affectée par les changements climatiques : elle a déjà perdu 30 % de sa superficie depuis les trente dernières années. La possibilité d'accès par les passages du Nord-Ouest et du Nord-Est du fait de la fonte progressive de la banquise fait de cette région du monde un enjeu entre les pays riverains, lesquels convoitent ses ressources en pétrole, en gaz et en minerais.

Arctique (océan)

L'océan Arctique est le plus petit des océans. Il est formé des mers situées entre le pôle Nord et le nord de l'Asie, de l'Europe et de l'Amérique. Ces mers sont presque entièrement recouvertes de glace toute l'année. L'océan Arctique a une superficie de 12 257 000 km².

Argentine

Nom local	Argentina
Capitale	Buenos Aires
Superficie	2 766 889 km²
Population	39 876 100
Habitants	Argentins, Argentines

L'Argentine est un vaste État de l'Amérique du Sud qui s'étend de la Bolivie au cap Horn. Fortement marquée par son héritage culturel européen, l'Argentine est une grande puissance agricole et l'un des pays les plus développés de l'Amérique latine. Le pays exporte du blé, du soja, de la viande, du cuir et de la laine. Ses industries alimentaire et textile sont prospères, et ses ressources énergétiques relativement abondantes. La langue officielle de l'Argentine est l'espagnol. [➔Carte 6]

La pampa ***argentine***

Arménie

Nom local	Hayastan
Capitale	Erevan
Superficie	29 800 km^2
Population	3 077 100
Habitants	Arméniens, Arméniennes

L'Arménie, une ancienne république soviétique (1920 à 1991), est un État de l'ouest de l'Asie. Le pays s'est récemment développé grâce à l'aménagement de systèmes d'irrigation des sols. C'est ainsi qu'on y cultive le coton et le tabac, et qu'on y exploite des vignobles. Le sous-sol recèle du cuivre, du plomb, de la bauxite, du manganèse et du marbre. La langue officielle de l'Arménie est l'arménien. [➔Carte 9]

Armstrong (Neil)

Astronaute américain, né à Wapakoneta, en Ohio, en 1930. Il est le premier homme à avoir posé le pied sur la Lune, le 21 juillet 1969, au cours de la mission Apollo 11.

Neil **Armstrong**

Aruba (île d')

Aruba est une île des Petites Antilles située dans la mer des Caraïbes, au nord du Venezuela. Dépendante des Pays-Bas, l'île a d'abord été peuplée par des Amérindiens venus du Venezuela avant de devenir le refuge des pirates et boucaniers espagnols entre les 16e et 17e siècles. Elle s'est ensuite transformée en un immense ranch que les Espagnols ont peuplé de chevaux, de moutons, de chèvres et de cochons. Avec ses plages de sable blanc, l'île d'Aruba, qui s'étend sur 180 km^2, attire de nombreux touristes. La ville principale est Oranjestad. La population de l'île est de 103 100 habitants.

Asie

L'Asie est l'un des six continents. C'est le plus étendu (44 millions de km^2) et le plus peuplé (3 902 404 200 habitants), avec près de 60 % de la population mondiale. C'est en Asie que sont situés le plus vaste pays, la Russie (dont une partie s'étend en Europe), et le plus peuplé, la Chine. L'Asie est le domicile de deux grands pays émergents, la Chine et l'Inde. Sur le plan géographique, on distingue l'Asie du Sud (constituée du Pakistan, de l'Inde, du Népal, du Bangladesh), l'Asie centrale (avec notamment l'Ouzbékistan, l'Afghanistan, l'Iran, le sud de la Russie), l'Asie de l'Est (comprenant la Chine, le Japon, la Corée du Nord, la Corée du Sud), l'Asie du Sud-Est (avec le Myanmar, le Cambodge, l'Indonésie, les Philippines et le Vietnam) et l'Asie de l'Ouest, aussi appelée le Moyen-Orient [➔Moyen-Orient]. Sauf au Japon, l'agriculture est la principale activité des Asiatiques. Depuis la fin des années 1990, l'Asie connaît un développement économique considérable, mais certains pays, comme le Népal et le Bangladesh, restent très pauvres. [➔Carte 9]

Asmara

Asmara est la capitale de l'Érythrée, un État de l'Afrique du Nord-Est. La ville compte 358 100 habitants. [➔Carte 7]

Assemblée législative de la province de Québec

Assemblée créée en 1867 par l'Acte de l'Amérique du Nord britannique pour étudier et adopter des lois pour la province de Québec. L'Assemblée a porté ce nom jusqu'en 1968. Elle est désignée depuis sous le nom d'Assemblée nationale du Québec.

Assemblée nationale du Québec

Nom donné depuis 1968 à l'Assemblée législative de la province de Québec. En 2010, l'Assemblée nationale comptait 125 députés.

Assemblée des Premières Nations (APN)

Organisation politique représentant les Premières Nations du Canada. Créée en 1980, elle est composée des chefs des Premières Nations, soit d'environ 630 personnes. L'APN se réunit au moins une fois par an.

Astana

Astana est la capitale du Kazakhstan, un pays de l'Asie centrale. La ville, inaugurée en 1997, a remplacé l'ancienne capitale, Almaty. Sa population est de 574 000 habitants.
[➔Carte 9]

Asuncion

Asuncion est la capitale du Paraguay, un pays de l'Amérique du Sud. Port fluvial important, la ville compte 513 400 habitants. [➔Carte 6]

Athabasca (lac)

Le lac Athabasca, d'une superficie de 8081 km², est situé dans le nord de l'Alberta et de la Saskatchewan, au Canada. Il a été découvert, en 1771, par l'explorateur anglais Samuel Hearne.

Athabasca (rivière)

La rivière Athabasca, longue de 1231 km, coule dans le nord-est de l'Alberta, au Canada. Elle prend sa source dans les montagnes Rocheuses et se jette dans le lac Athabasca.

Athènes

Athènes est la capitale de la Grèce, un pays du sud de l'Europe. Cette ville de 789 200 habitants abrite des vestiges de l'Antiquité, dont le Parthénon, ainsi que de nombreux musées. Athènes est l'un des centres touristiques les plus visités au monde. Elle est, avec son port, le Pirée, le principal centre industriel du pays. C'est à Athènes que se sont déroulés les tout premiers Jeux olympiques de l'ère moderne, en 1896.
[➔Carte 8]

Atlantique (océan)

L'océan Atlantique, qui s'étend sur plus de 100 millions de km², est le deuxième plus grand du monde, après l'océan Pacifique. Il sépare l'Amérique de l'Europe et de l'Afrique. Une longue chaîne de montagnes sous-marines le traverse et certains sommets y forment des îles, comme les Açores et l'île Sainte-Hélène.

Attikameks

Nation amérindienne apparentée aux Algonquins, qui vivait autrefois dans la région de la Haute-Mauricie. Excellents chasseurs et pêcheurs, les Attikameks entretenaient d'étroites relations commerciales avec les Algonquins, les Cris, les Hurons et les Innus (Montagnais). Leurs luttes contre les Iroquois et les épidémies de maladies apportées par les Européens les ont presque complètement décimés entre 1670 et 1680. Au Québec, trois communautés attikameks regroupent presque toute cette population: Manawan, Wemotaci et Obedjiwan. Les Attikameks parlent l'attikamek et ont le français pour langue seconde. [➔Carte 5]

Aupaluk

Le village inuit d'Aupaluk est situé dans une crique sur la côte ouest de la baie d'Ungava. Il se trouve à 80 km au sud de Kangirsuk. Le nom Aupaluk signifie *là où la terre est rouge*, à cause du sol ferrugineux du site. Les 160 habitants de ce lieu propice à la pêche et à la chasse parlent l'inuktitut et l'anglais.
[➔Carte 5]

Australie

Nom local	Australia
Capitale	Canberra
Superficie	7 687 000 km²
Population	21 374 000
Habitants	Australiens, Australiennes

L'Australie est un État de l'Océanie. Cette île de l'hémisphère Sud, la plus grande du monde, est majoritairement constituée de déserts. Le pays est vaste et peu peuplé. Il occupe le premier rang mondial pour l'élevage des moutons. Son agriculture moderne produit, pour l'exportation, du blé, de l'orge et de la canne à sucre. Le pays détient de grandes richesses minières: charbon, pétrole, gaz, fer, bauxite, or, uranium, argent, zinc et cuivre. La langue officielle de l'Australie est l'anglais. [➔Carte 10]

Melbourne, en ***Australie***

A B C D E F G H I J K L M N O P Q R S T U V W X Y Z

Autriche

Nom local	Österreich
Capitale	Vienne
Superficie	8500 km²
Population	8 344 300
Habitants	Autrichiens, Autrichiennes

L'Autriche est un État du centre de l'Europe. C'est un territoire montagneux où dominent les Alpes. L'agriculture (pomme de terre, betterave) y est développée. L'économie du pays repose principalement sur l'hydroélectricité et le tourisme, lequel est axé surtout sur les sports d'hiver. La langue officielle de l'Autriche est l'allemand. [➔Carte 8]

Azerbaïdjan

Nom local	Azərbaycan
Capitale	Bakou
Superficie	86 600 km²
Population	8 922 300
Habitants	Azerbaïdjanais, Azerbaïdjanaises

L'Azerbaïdjan est un État de l'Asie de l'Ouest bordé à l'est par la mer Caspienne. Son économie est étroitement liée à l'exploitation du pétrole de la mer Caspienne. L'agriculture se concentre sur le coton, le riz et le raisin. L'élevage de bœufs et de moutons y est important, de même que la pêche à l'esturgeon. Les industries métallurgique, chimique, mécanique, textile et alimentaire y sont également développées. Le sous-sol est riche en fer, en cuivre et en pétrole. La langue officielle de l'Azerbaïdjan est l'azéri. [➔Carte 9]

Aztèques

Peuple amérindien du Mexique. Vers 1325, les Aztèques ont installé leur capitale à l'emplacement actuel de la ville de Mexico et y ont fondé un puissant empire. Mais, en 1521, le conquérant espagnol Cortés fit assassiner le dernier souverain aztèque et mit fin à l'empire en 1524. Les Aztèques avaient conçu une société très organisée. Des vestiges de monuments, de sculptures et de peintures témoignant de la vitalité de cette civilisation ont été retrouvés.

Bb

Bach (Jean-Sébastien)

Compositeur allemand, né à Eisenach en 1685 et mort à Leipzig en 1750. Issu d'une famille de musiciens, Jean-Sébastien Bach a appris très jeune à jouer du clavecin, du violon et de l'orgue. Il a composé de nombreuses œuvres musicales, le plus souvent d'inspiration religieuse. Citons notamment les *Concertos brandebourgeois* (1721), la *Passion selon saint Jean* (1722), la *Passion selon saint Matthieu* (1729), *l'Art de la fugue* (inachevé). De ses vingt enfants, quatre sont devenus de célèbres musiciens.

Baden-Powell

(baron, né Robert)

Général anglais et fondateur du scoutisme, né à Londres en 1857 et mort à Nyeri, au Kenya, en 1941. Militaire en Inde, en Afghanistan et en Afrique du Sud, il s'inspire des éclaireurs qu'il a formés pendant la guerre des Boers pour fonder, en 1908, le mouvement du scoutisme pour garçons. Deux ans plus tard, il mit sur pied, avec sa sœur Agnès, le mouvement des guides pour les filles.

Robert **Baden-Powell**

Baffin (baie de)

La baie de Baffin est située dans le nord-est du Canada, entre les Territoires du Nord-Ouest et le Groenland. Elle est recouverte de glace presque toute l'année. Son nom rappelle William Baffin, qui a exploré cette région au début du 17e siècle.

Baffin (île de)

L'île de Baffin, qui couvre une superficie de 507 451 km², est la plus grande du Canada. Située à l'est du Nunavut, elle est séparée du Groenland par le détroit de Davis et la baie de Baffin. Sa population est de 15 770 habitants et sa ville principale est Iqaluit.

Bagdad

Bagdad, que traverse la rivière du Tigre, est la capitale et la plus grande ville d'Irak, un pays du Moyen-Orient. C'est aussi la deuxième plus grande ville du monde arabe, après Le Caire, en Égypte. Cette métropole de 5 054 000 habitants est l'une des villes fondatrices de l'islam. [➔Carte 9]

Bahamas (les)

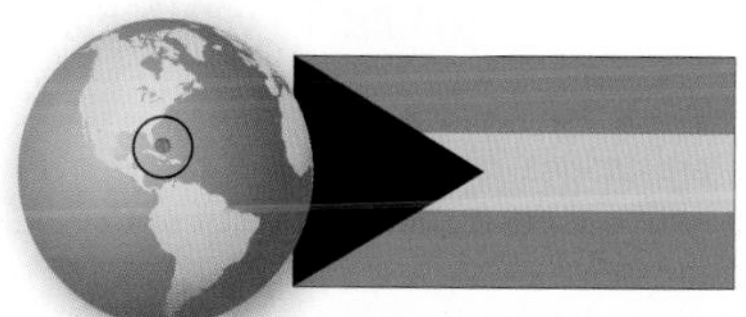

Nom local	The Bahamas
Capitale	Nassau
Superficie	13 930 km²
Population	335 000
Habitants	Bahaméens, Bahaméennes

Les Bahamas sont un archipel des Antilles constitué d'environ 700 îles et un État de l'océan Atlantique situé à l'est de la Floride. Presque toute la population y est d'origine africaine. L'économie de cette ancienne colonie anglaise repose sur le tourisme et l'activité bancaire. [➔Carte 3]

Bahreïn

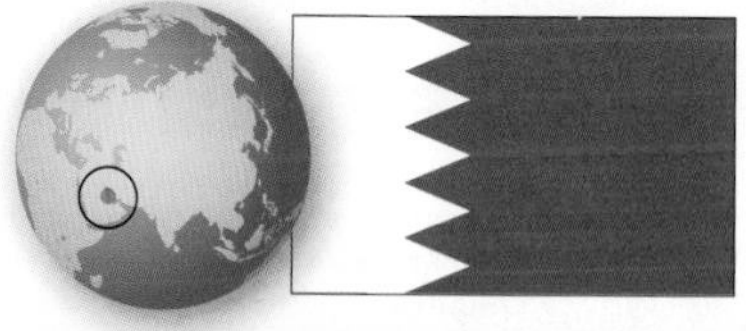

Nom local	Al Bahrayn
Capitale	Manama
Superficie	620 km²
Population	766 900
Habitants	Bahreïniens, Bahreïniennes

Le Bahreïn est un État insulaire du golfe Persique, au Moyen-Orient. Il est relié à l'Arabie saoudite par un pont de 30 km appelé la « chaussée du roi Fahd ». Le tourisme y est en voie de développement, mais le pétrole demeure la ressource principale du pays. Le Bahreïn est également un grand centre bancaire et financier. La langue officielle y est l'arabe. [➔Carte 9]

Baie-Comeau

Baie-Comeau est une ville du Québec située sur le fleuve Saint-Laurent, dans la région administrative de la Côte-Nord. Son activité économique est fondée sur l'aluminium et le papier. C'est aussi un port important. Baie-Comeau compte 22 560 habitants. [➔Carte 5]

Baie-James

La municipalité de Baie-James, située dans la région administrative du Nord-du-Québec, est la plus grande du Canada avec une superficie de 333 656 km². Elle compte 1390 habitants. C'est là que se trouvent les plus importants aménagements hydroélectriques du monde. [➔Carte 5]

Baie-James (centrales de la)

Les centrales hydroélectriques de la Baie-James sont situées dans la région administrative du Nord-du-Québec. Cet ensemble de centrales hydroélectriques a été construit à partir de 1979, sur les rivières qui se jettent dans la baie James, principalement la Grande Rivière.

Baie-Saint-Paul

Baie-Saint-Paul est une ville du Québec située dans la région touristique de Charlevoix et la région administrative de la Capitale-Nationale. Elle a été fondée en 1670. C'est un centre culturel important. Le tourisme, l'industrie forestière et l'agriculture y sont les principales activités économiques. La ville compte 7290 habitants. [➔Carte 5]

Baie-Saint-Paul

Baïkal (lac)

Le lac Baïkal, en Sibérie (une région de la Russie), est le plus profond du monde (1741 m). Il est prisonnier des glaces six mois par année. Sa superficie est de 31 500 km².

Bairiki →Voir **Tarawa**

Bakou

Bakou est la capitale de l'Azerbaïdjan, un pays d'Asie de l'Ouest et un port sur la mer Caspienne. La ville compte 1 905 200 habitants. [→Carte 9]

Baléares (îles)

Les îles Baléares, une communauté autonome et une région espagnole, ont une superficie de 5000 km^2. La capitale de cet archipel de la mer Méditerranée est Palma de Majorque, ville située sur l'île Majorque. Les autres îles de cet archipel hautement touristique sont Minorque, Ibiza et Formentera.

Baleine (Grande rivière de la)

La Grande rivière de la Baleine est située au Québec, dans le nord de la région administrative du Nord-du-Québec. D'une longueur de 726 km, elle prend sa source près du réservoir de Caniapiscau et se jette dans la baie d'Hudson, à la hauteur de la réserve crie de Whapmagoostui et du village inuit de Kuujjuarapik.

Baleine (rivière à la)

La rivière à la Baleine est située dans l'est de la région administrative du Nord-du-Québec. D'une longueur de 428 km, elle se jette dans la baie d'Ungava.

Bali (île de)

L'île de Bali est une province de l'Indonésie située entre les îles de Java et de Lombok. D'une superficie de 5632 km^2, l'île de Bali fait partie des Petites îles de la Sonde. Sa population d'environ 3 500 000 habitants est majoritairement hindouiste, bien que l'Indonésie soit un pays islamique. Le tourisme constitue la principale activité économique de Bali.

*Le lac Bratan, à **Bali***

Balkans (péninsule des)

La péninsule des Balkans est située dans le sud de l'Europe. Elle comprend la Slovénie, la Croatie, la Bosnie-Herzégovine, la Serbie, la Macédoine, le Kosovo, l'Albanie, la Bulgarie, la Grèce et la Turquie d'Europe. Des peuples d'origines très diverses se partagent cette grande péninsule. L'éclatement de la Yougoslavie en 1991-1992 a provoqué de graves tensions entre les différentes ethnies. Ces tensions ont mené à des guerres en Croatie, en Bosnie et au Kosovo.

Baltique (mer)

La mer Baltique est une mer intérieure de l'océan Atlantique. Elle borde la Suède, la Finlande, l'Estonie, la Lettonie, la Lituanie, la Russie, la Pologne, l'Allemagne et le Danemark.

Bamako

Bamako est la capitale du Mali, un pays de l'ouest de l'Afrique. La ville compte 1 494 000 habitants. [→Carte 7]

Bandar Seri Begawan

Bandar Seri Begawan est la capitale du Brunei, un pays de l'Asie du Sud-Est. La ville compte 27 300 habitants. [→Carte 9]

Banff (Parc national du Canada)

Le Parc national du Canada Banff est situé dans le sud des montagnes Rocheuses, dans la province de l'Alberta. Créé en 1885, c'est le plus ancien Parc national canadien. D'une superficie de 6640 km^2, il compte des stations de sports d'hiver parmi les plus importantes du pays. La ville de Banff s'y trouve.

Bangkok

Bangkok est la capitale de la Thaïlande, un pays de l'Asie du Sud-Est. Elle est le premier port et le principal centre industriel du pays. Son économie repose largement sur le tourisme. Bangkok compte 6 842 000 habitants. [→Carte 9]

Bangladesh

Nom local	Bāṅlādesh
Capitale	Dacca
Superficie	143 000 km^2
Population	160 000 100
Habitants	Bangladais, Bangladaises

Le Bangladesh est un État de l'Asie du Sud situé au nord-est de l'Inde. Surpeuplé et peu industrialisé, le Bangladesh est au nombre des pays les plus pauvres de la planète. On y cultive le riz et le jute dans un climat chaud où surviennent fréquemment des cyclones et des inondations parfois catastrophiques. La langue officielle du Bangladesh est le bengali. [➔Carte 9]

Bangui

Bangui est la capitale de la Centrafrique, un pays de l'Afrique centrale. Elle compte 451 700 habitants. [➔Carte 7]

Banjul

Banjul est la capitale de la Gambie, un pays anglophone de l'Afrique de l'Ouest. Elle est la principale ville du pays, avec 42 330 habitants. Son agglomération urbaine, quant à elle, compte 406 000 habitants. [➔Carte 7]

Banting (Frederick Grant)

Médecin et biologiste, né à Alliston (Ontario) en 1891 et mort près de Musgrave Harbour (Terre-Neuve) en 1941. En 1921-1922, il s'associe aux chercheurs Charles H. Best, James B. Collip et John J. R. Macleod. À partir d'une de ses idées, l'équipe met au point l'insuline, une substance qui permet de traiter le diabète. En 1923, Banting est le premier Canadien à obtenir le prix Nobel de médecine. Il meurt dans un accident d'avion en 1941.

Barbade

Nom local	Barbados
Capitale	Bridgetown
Superficie	430 km²
Population	255 200
Habitants	Barbadiens, Barbadiennes

La Barbade est une île et un État des Petites Antilles situé entre la mer des Caraïbes et l'océan Atlantique. Ancienne colonie britannique, la Barbade est indépendante depuis 1966. On y trouve des plantations de canne à sucre et de coton ainsi qu'une petite industrie de fabrication de rhum. Son climat tropical et ses plages attirent de nombreux touristes. La langue officielle de la Barbade est l'anglais. [➔Carte 3]

Barbel (Marie-Anne)

Femme d'affaires, née à Québec en 1704 et morte au même endroit en 1793. Mariée à Louis Fornel, marchand et entrepreneur, elle a eu quatorze enfants dont sept seulement sont parvenus à l'âge adulte. À la mort de son mari, elle prit la direction de ses affaires et devint l'une des plus importantes chefs d'entreprise de son époque. En plus de gérer de nombreuses propriétés, Marie-Anne Barbel s'est occupée de la chasse aux phoques et a fondé un atelier de poterie.

Barcelone

Barcelone est une ville d'Espagne, sur la Méditerranée, qui compte 1 605 600 habitants. C'est un port important et le plus grand centre industriel du pays. Y sont fabriqués, entre autres, des automobiles et des textiles. Son quartier historique, ses musées et les édifices remarquables de l'architecte Antoni Gaudí, dont l'église de la Sagrada Familia, constituent autant d'attraits touristiques.

Barrette (Antonio)

Homme politique, né à Joliette en 1899 et mort à Montréal en 1968. Chef de l'Union nationale [➔Union nationale], député de 1936 à 1960 et ministre du Travail de 1944 à 1960, il a été premier ministre du Québec pendant quelques mois, en 1960.

Bas-Canada

Nom donné à la province de Québec de 1791 (Acte constitutionnel) à 1840 (Acte d'union). [➔Acte constitutionnel de 1791 ; Acte d'union]

Baskatong (réservoir)

Le réservoir Baskatong est un immense plan d'eau situé au nord de Maniwaki et de Mont-Laurier, au Québec. Il se jette dans la rivière Gatineau. La construction d'un important barrage hydroélectrique a transformé le lac d'origine en un réservoir de 413 km².

Bas-Saint-Laurent

Le Bas-Saint-Laurent, parfois appelé Bas-du-Fleuve, est une région administrative du Québec. Celle-ci est située au nord-est de la ville de Québec, entre le fleuve Saint-Laurent et les frontières du Maine et du Nouveau-Brunswick. Cette région s'est véritablement peuplée au 19e siècle, lorsque les habitants des paroisses surpeuplées, situées plus au sud, s'y sont installés. Le Bas-Saint-Laurent couvre une superficie de 22 185 km² et compte 200 800 habitants. Ses villes principales sont Rimouski, Rivière-du-Loup et Kamouraska. La région vit principalement de l'exploitation forestière et de l'agriculture. [➔Carte 5]

Basseterre

Basseterre est la capitale de Saint-Christophe-et-Niévès, un pays des Antilles. Sa population est de 13 000 habitants. [➔Carte 3]

Batiscan (rivière)

La rivière Batiscan est située près de la ville de Champlain, au Québec, dans la région administrative de la Mauricie. Elle se jette dans le fleuve Saint-Laurent, près de la localité de Batiscan. D'une longueur totale de 177 km, la rivière Batiscan prend sa source dans les Laurentides et reçoit les eaux d'une centaine de lacs.

Beauce

La Beauce est une région du sud-est du Québec, arrosée par la rivière Chaudière. À l'origine rurale et agricole, la Beauce s'est urbanisée et industrialisée surtout à partir de 1960. Son territoire de 4143 km^2 s'étend de la ville de Québec, au nord, jusqu'aux États-Unis, au sud. La Beauce compte 238 500 habitants.

Beaufort (mer de)

La mer de Beaufort, d'une superficie de 476 000 km^2, constitue une partie de l'océan Arctique. Elle est située au nord du Canada, entre l'Alaska (États-Unis) et les îles Arctiques.

Beauharnois de la Boische (Charles de)

Officier de marine, né en France en 1671 et mort dans le même pays en 1749. Gouverneur général de la Nouvelle-France de 1726 à 1747, il améliore le système défensif du pays en faisant construire le fort Saint-Frédéric, aux sources du lac Champlain. Il a encouragé Pierre Gaultier de Varennes et de La Vérendrye dans ses voyages d'exploration des Rocheuses. [➔La Vérendrye (Pierre Gaultier de Varennes et de)]

Beauport (lac)

Le lac Beauport est situé près de la ville de Québec, dans la région administrative de la Capitale-Nationale, au cœur d'une zone montagneuse et boisée. D'importantes infrastructures récréotouristiques ont été bâties à proximité du lac.

Bécancour (rivière)

La rivière Bécancour est située sur la rive sud du fleuve Saint-Laurent, dans la région administrative du Centre-du-Québec. Elle prend sa source dans les Appalaches et se jette dans le fleuve Saint-Laurent, à la hauteur de la ville de Bécancour.

Beethoven (Ludwig van)

Ludwig van ***Beethoven***

Compositeur allemand, né à Bonn en 1770 et mort à Vienne (Autriche) en 1827. Beethoven a reçu dès son plus jeune âge une éducation musicale. Enfant prodige, il a donné son premier concert à l'âge de huit ans. Devenu sourd à l'âge de quarante-sept ans, il a quand même continué à composer jusqu'à sa mort. Doté d'une extraordinaire créativité, Beethoven a laissé une œuvre immense constituée de sonates, de symphonies et de concertos.

Bégon (Élisabeth)

Écrivaine, née à Montréal en 1696 et morte en France en 1755. Marie-Isabelle Rocbert de la Morandière a épousé en 1718 Claude-Michel Bégon, frère de l'intendant Bégon, et se fit alors connaître sous le nom d'Élisabeth Bégon. Elle a laissé une volumineuse correspondance qui nous permet de mieux connaître la vie en Nouvelle-France au milieu du 18e siècle. On l'a surnommée la « madame de Sévigné » du Canada.

Beijing ➔Voir **Pékin**

Belgique

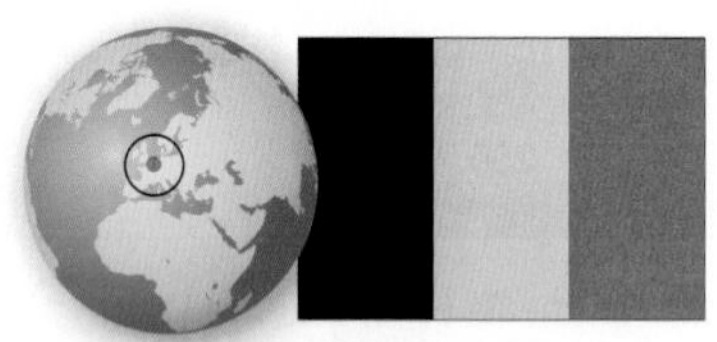

Nom local	België/Belgien
Capitale	Bruxelles
Superficie	30 500 km^2
Population	10 704 000
Habitants	Belges

La Belgique est un État de l'Europe de l'Ouest situé au nord de la France. Elle est l'un des six pays fondateurs de l'Union européenne. Sa population est composée de francophones, de néerlandophones et de germanophones.

L'agriculture s'y spécialise dans la culture céréalière et l'élevage bovin et porcin. La Belgique exporte notamment des produits alimentaires, des diamants, du fer et de l'acier. Les langues officielles y sont le français, le néerlandais et l'allemand. [➔Carte 8]

Belgrade

Belgrade est la capitale et la plus grande ville de la Serbie, un pays des Balkans situé dans le sud-est de l'Europe. Centre économique du pays, Belgrade compte 1 314 000 habitants. [➔Carte 8]

Béliveau (Jean)

Hockeyeur, né à Trois-Rivières en 1931. Après une remarquable carrière avec les As de Québec, il s'est joint au Canadien de Montréal en 1953. En dix-huit saisons, il a compté 507 buts et obtenu 1219 points. Il a permis à son équipe de remporter dix coupes Stanley. Jean Béliveau a pris sa retraite en 1971. Il a été intronisé au Temple de la renommée des sports du Canada en 1975.

Bélize

Nom local	Belize
Capitale	Belmopan
Superficie	23 000 km²
Population	310 500
Habitants	Béliziens, Béliziennes

Le Bélize est un État de l'Amérique centrale situé au sud du Mexique et à l'est du Guatemala. Ancienne colonie britannique, le Bélize a obtenu son indépendance en 1981. Ses principales ressources sont l'agriculture et l'exploitation forestière. Le Bélize étant le seul pays anglophone de l'Amérique latine, la langue officielle y est l'anglais. [➔Carte 3]

Bell (Alexander Graham)

Physicien américain d'origine britannique, né à Édimbourg (Écosse) en 1847 et mort près de Baddeck (Canada) en 1922. Après avoir travaillé à la fabrication d'une oreille artificielle destinée aux sourds, il a déposé, en 1876, un brevet pour l'invention du téléphone. On sait toutefois aujourd'hui que c'est à Antonio Meucci que l'on doit cette invention.

*Alexander Graham **Bell***

Belle Isle (détroit de)

Le détroit de Belle Isle est un bras de mer situé entre l'île de Terre-Neuve et le Labrador, dans l'est du Canada. Il relie le golfe du Saint-Laurent à la mer du Labrador, dans l'Atlantique Nord.

Belmopan

Belmopan est la capitale du Bélize, un pays situé au nord-est de l'Amérique centrale. Avec une population de 8300 habitants, c'est l'une des plus petites capitales du monde. [➔Carte 3]

Bénin

Nom local	Bénin
Capitale	Porto-Novo
Superficie	112 000 km²
Population	8 662 100
Habitants	Béninois, Béninoises

Le Bénin est un État de l'Afrique de l'Ouest situé à l'ouest du Nigeria. Il a été une colonie française jusqu'en 1960 sous le nom de Dahomey. Le Bénin est un producteur de coton, d'huile de palme, de maïs, de manioc. Il exporte un peu de pétrole. La langue officielle du Bénin est le français. [➔Carte 7]

Bennett (Richard Bedford)

Homme politique, né au Nouveau-Brunswick en 1870 et mort en Angleterre en 1941. Chef du Parti conservateur de 1927 à 1938 et premier ministre du Canada de 1930 à 1935, il a dû faire face à une grave crise économique. Malgré les réformes qu'il a proposées pour lutter contre le chômage, le Parti conservateur a été battu par les libéraux aux élections de 1935.

Benoît XVI (né Joseph Ratzinger)

Pape, né à Marktl am Inn (Allemagne) en 1927. Avant de devenir pape en 2005, il a été archevêque de Munich et cardinal. Il affirme un profond respect des traditions catholiques.

Béring (détroit de)
Le détroit de Béring est un bras de mer qui sépare l'Amérique du Nord de l'Asie. Il relie l'océan Arctique à l'océan Pacifique. Il a été découvert vers 1725 par le navigateur danois Vitus Béring.

Berlin
Berlin est la capitale de l'Allemagne, un pays de l'Europe de l'Ouest. À la fin de la Seconde Guerre mondiale, la ville a été divisée en deux: Berlin-Ouest, située en République fédérale allemande, et Berlin-Est, en République démocratique allemande. Un mur avait été érigé entre les deux Berlin pour empêcher la population de l'Est d'émigrer à l'Ouest. Ce mur a été démoli en 1990 et la ville unifiée de Berlin est redevenue la capitale de l'Allemagne. La ville compte 3 386 700 habitants. [➔Carte 8]

*Le pont Oberbaum, à **Berlin***

Bermudes (les)
Les Bermudes sont un archipel britannique de l'océan Atlantique situé à l'est des États-Unis. L'archipel est composé de 300 îles qui couvrent un territoire de 54 km². La population totale est de 67 840 habitants. La ville principale des Bermudes est Hamilton. Les Bermudes sont un lieu touristique réputé pour son climat et ses plages. [➔Carte 3]

Berne
Berne est la capitale de la Suisse, un pays situé en Europe centrale. Elle est aussi le chef-lieu du canton de Berne et le siège du gouvernement suisse. Ses 122 300 habitants parlent majoritairement l'allemand. [➔Carte 8]

Bernier (Joseph-Elzéar)
Explorateur et capitaine, né à l'Islet en 1852 et mort à Lévis en 1934. Fils et petit-fils de marins, il a entrepris plusieurs voyages d'exploration dans l'océan Arctique pour le compte du gouvernement du Canada, lequel a pu faire valoir ainsi ses droits sur cette région. Bernier a fait la traversée de l'Atlantique 269 fois.

Bertrand (Jean-Jacques)
Homme politique, né à Sainte-Agathe-des-Monts en 1916 et mort à Montréal en 1973. Il a été chef de l'Union nationale [➔Union nationale] de 1968 à 1971 et premier ministre du Québec de 1968 à 1970. Sous son gouvernement, une commission a étudié la situation de la langue française au Québec, le Conseil législatif a été aboli et l'Assemblée législative est devenue l'Assemblée nationale.

Bessette (Alfred)
➔Voir **André** (Frère)

Bethune (Norman)
Médecin, né à Gravenhurst (Ontario) en 1890 et décédé en Chine en 1939. Il a créé plusieurs instruments chirurgicaux et réalisé la première ablation d'un poumon au Canada. En 1936, il a dirigé une mission médicale pendant la guerre civile en Espagne. Il a ensuite œuvré comme chirurgien militaire au sein de l'armée chinoise.

Betsiamites (rivière)
La rivière Betsiamites coule dans les régions administratives du Saguenay–Lac-Saint-Jean et de la Côte-Nord. Elle prend sa source dans les monts Otish et se jette dans le fleuve Saint-Laurent, après un parcours de 444 km.

Beyrouth
Beyrouth est la capitale du Liban, un État du Moyen-Orient, et un port sur la Méditerranée. Cette ville de 361 400 habitants a connu en 1975 et 1976 une guerre civile qui a opposé les chrétiens aux musulmans et aux Palestiniens. On y trouve beaucoup de commerces et de banques. Avec sa banlieue, la ville compte 1 846 000 habitants. [➔Carte 9]

Bhoutan

Nom local	Druk-Yul
Capitale	Thimphou
Superficie	47 000 km²
Population	686 800
Habitants	Bhoutanais, Bhoutanaises

Le Bhoutan est un État d'Asie situé entre la Chine et l'Inde, sur le versant sud de l'Himalaya. Sa population vit dans les vallées. Elle y cultive le riz, le maïs et les fruits, et s'adonne à l'élevage bovin. La langue officielle du Bhoutan est le dzongkha. [➔Carte 9]

Bichkek

Bichkek est la capitale et la principale ville du Kirghizstan, un pays de l'Asie centrale. Elle compte 798 300 habitants. [➔Carte 9]

Biélorussie

Nom local	Bielarous, Belarous
Capitale	Minsk
Superficie	207 600 km²
Population	9 702 000
Habitants	Biélorusses

La Biélorussie, aussi appelée le Bélarus, est un État de l'est de l'Europe situé entre la Lettonie, la Lituanie, la Pologne, l'Ukraine et la Russie. La Biélorussie a été une république soviétique jusqu'en 1991. L'agriculture y est très importante : élevage ainsi que cultures du lin, de la pomme de terre, de la betterave à sucre et du tabac. Les langues officielles de la Biélorussie sont le biélorusse et le russe. [➔Carte 8]

Bienville (lac)

Le lac Bienville, d'une superficie de 1248 km², est situé dans une zone peu peuplée de la région administrative du Nord-du-Québec. Il a été nommé ainsi en l'honneur de Jean-Baptiste Le Moyne de Bienville qui a accompagné son frère, Pierre Le Moyne d'Iberville, à la baie d'Hudson, en 1697.

Birmanie ➔Voir Myanmar

Bissau

Bissau est la capitale de la Guinée-Bissau, un pays de l'Afrique de l'Ouest. C'est la plus grande ville du pays avec 197 600 habitants. [➔Carte 7]

Blanc (mont)

Le mont Blanc, situé entre la France et l'Italie, est le point culminant de la chaîne des Alpes. Avec une altitude de 4807 m, il est la plus haute montagne de l'Europe de l'Ouest. Son sommet a été atteint pour la première fois en 1786.

Blanches (montagnes)

Les montagnes Blanches forment une chaîne de montagnes située dans le sud-est du Québec et dans le nord-est des États-Unis. Leur point culminant, le mont Gosford, au Québec, atteint 1186 m.

*Les **montagnes Blanches**, dans le New Hampshire*

Bloc québécois

Parti politique canadien, fondé en 1991, qui soutient le projet de faire accéder le Québec à l'indépendance. En 1993, le Bloc québécois est devenu le premier parti souverainiste à siéger à la Chambre des communes. Gilles Duceppe a été le chef de ce parti jusqu'en 2011.

Bogota

Bogota est la capitale et la plus grande ville de la Colombie, un pays de l'Amérique du Sud. Perchée à 2650 m d'altitude, Bogota compte une population de 7 050 200 habitants. [➔Carte 6]

Bois (lac des)
Le lac des Bois est situé à l'ouest de l'Ontario et en partie aux États-Unis. Il s'étend sur 4349 km², dont 3149 km² sont en territoire canadien.

Bois-Francs
Les Bois-Francs sont une région du centre-sud du Québec, dans la région administrative du Centre-du-Québec. Leur nom évoque les essences d'arbres à bois dur qui y poussent en abondance. Les villes principales sont Drummondville, Bécancour et Victoriaville. La superficie de la région des Bois-Francs est de 6921 km² et sa population, de 230 700 habitants.

Bolduc
(La, née Mary Rose-Anna Travers)
Auteure, compositrice et interprète canadienne, née à Newport (Québec) en 1894 et morte à Montréal en 1941. Elle a quitté sa famille à l'âge de treize ans pour aller travailler à Montréal. Alors qu'elle était employée comme domestique, elle a épousé Édouard Bolduc en 1914. La crise économique et le chômage l'ont obligée à se trouver un emploi mieux rémunéré. Habile musicienne, elle a accompagné Ovila Légaré et a joué du violon pour l'animateur des «Veillées du bon vieux temps». En 1927, elle a amorcé une carrière de chanteuse. Ses compositions, qui parlent de l'actualité et du quotidien, dépeignent bien la société québécoise des années 1930. Son style unique, son «turlutage» et son humour ont fait de la Bolduc la première chansonnière du Québec.

La ***Bolduc***

Bolivie

Nom local	Bolivia, Bulibya
Capitales	Sucre et La Paz
Superficie	1 098 581 km²
Population	9 684 100
Habitants	Boliviens, Boliviennes

La Bolivie est un État de l'Amérique du Sud. Sa population est surtout composée d'Amérindiens descendant des Incas et de Métis. La cordillère des Andes traverse le pays et le lac Titicaca s'y trouve en partie. L'agriculture repose sur le soja, le café et le coton. Le pays exporte du gaz naturel, de l'étain, du zinc et de l'argent. Les langues officielles de la Bolivie sont l'espagnol, l'aymara et le quechua. [➔Carte 6]

Bombardier (Joseph-Armand)
Inventeur et homme d'affaires, né à Valcourt en 1907 et mort à Sherbrooke en 1964. En 1959, il mit en marché son premier modèle de motoneige, le Ski-Doo, qui connaîtra un immense succès commercial et qui changera considérablement les habitudes de vie des habitants des régions nordiques.

Bombay ➔Voir **Mumbai**

Bonaventure (île)
L'île Bonaventure est située à l'entrée de la baie des Chaleurs, en Gaspésie, au Québec. Elle se trouve au large de la ville de Percé et non loin du rocher du même nom. L'île Bonaventure abrite des centaines de milliers d'oiseaux, surtout des fous de Bassan. Avec la ville de Percé et le rocher du même nom, elle constitue une attraction touristique réputée.

Bonne-Espérance (cap de)
Le cap de Bonne-Espérance est un promontoire rocheux situé sur la côte atlantique, à l'extrême sud de l'Afrique. Il a été découvert en 1488 par le navigateur Bartolomeu Dias. Les navires de l'expédition de Vasco de Gama, en route vers les Indes, l'ont franchi en 1497.

Borden (Robert Laird)
Homme politique, né à Grand-Pré (Nouvelle-Écosse) en 1854 et mort à Ottawa en 1937. Chef du Parti conservateur, il a été premier ministre du Canada de 1911 à 1920. En 1917, au cours de la Première Guerre mondiale, il fit voter la loi sur le service militaire obligatoire. C'est sous son gouvernement que les femmes ont obtenu le droit de vote aux élections fédérales.

Borduas (Paul-Émile)
Peintre, né à Saint-Hilaire en 1905 et mort à Paris en 1960. Apprenti dans l'atelier d'Ozias Leduc dès l'âge de quinze ans, il a étudié par la suite à l'École des Beaux-Arts de Montréal de 1923 à 1927, puis à Paris jusqu'en 1930.

De retour à Montréal, il a enseigné dans des écoles primaires et, en 1937, à l'École du meuble de Montréal. En 1947, Borduas a pris la tête du mouvement automatiste et a exercé une profonde influence sur ses élèves et amis. En 1948, il a publié *Refus global*, manifeste qui lui a fait perdre son poste de professeur. Il s'est consacré alors totalement à son art. Après avoir vécu à New York, il s'est établi à Paris où il a fini ses jours de plus en plus isolé. Borduas est l'un des peintres qui ont le plus contribué au développement de l'art moderne au Québec.

Bornéo (île)

Bornéo est une île très vaste d'Asie, partagée entre l'Indonésie, la Malaisie et le Brunei. Ses 750 000 km² en font la troisième île du monde pour la superficie. Elle est peuplée d'environ 10 000 000 d'habitants.

Le mont Kinabalu, à ***Bornéo***

Bosnie-Herzégovine

Nom local	Bosna i Hercegovina
Capitale	Sarajevo
Superficie	51 129 km²
Population	3 773 100
Habitants	Bosniens, Bosniennes

La Bosnie-Herzégovine est un État du sud-est de l'Europe situé dans les Balkans. Sa population est constituée de Bosniaques musulmans, de Serbes orthodoxes et de Croates catholiques. La Bosnie-Herzégovine, une ancienne république de la Yougoslavie, a proclamé son indépendance en 1992. De 1992 à 1995, le démembrement de la Yougoslavie a provoqué une guerre civile entre les différentes ethnies, qui a fait plus de 90 000 victimes. Les activités économiques de la Bosnie-Herzégovine reposent sur l'élevage, l'exploitation minière et l'industrie manufacturière. Les langues officielles y sont le bosniaque, le serbe et le croate. [➔Carte 8]

Botswana

Nom local	Botswana
Capitale	Gaborone
Superficie	600 000 km²
Population	1 905 000
Habitants	Botswanais, Botswanaises

Le Botswana est un État du sud de l'Afrique situé entre la Namibie, le Zimbabwe et l'Afrique du Sud. Le désert du Kalahari occupe la majeure partie de son territoire, et un grand désert de sel, le Makgadikgadi Pan, est situé dans le nord du pays. La principale richesse naturelle du Botswana est le diamant. Ses activités économiques sont dominées par l'exploitation minière et l'agriculture. Les langues officielles y sont le tswana et l'anglais. [➔Carte 7]

Bouchard (Lucien)

Homme politique, né à Saint-Cœur-de-Marie en 1938. Avocat de formation, il a œuvré sur la scène politique fédérale et fondé le Bloc québécois [➔Bloc québécois] en 1991. En 1995, il a quitté la politique fédérale et a pris la tête du Parti québécois [➔Parti québécois] lors de la démission de Jacques Parizeau [➔Parizeau, Jacques] en 1996, avant de devenir premier ministre du Québec. Lucien Bouchard s'est retiré de la vie politique en 2001.

Boucher (Pierre)

Seigneur, officier civil et militaire, né en France en 1622 et mort à Boucherville en 1717. Arrivé en Nouvelle-France vers 1635, il a appris les langues amérindiennes et a servi d'interprète pendant plusieurs années. De 1654 à 1667, il a été gouverneur de la ville de Trois-Rivières, avant d'aller fonder Boucherville. Il est l'auteur d'une *Histoire véritable et naturelle des mœurs et productions du pays de la Nouvelle-France*, publiée à Paris en 1664.

A B C D E F G H I J K L M N O P Q R S T U V W X Y Z

Bouclier canadien
Le Bouclier canadien est la région géographique la plus étendue du Canada. C'est un vaste territoire qui couvre presque toute la partie est et le centre-nord du pays, sur une large bande autour de la baie d'Hudson. Cette région est parsemée de lacs et de cours d'eau. Elle est riche en minerais et en forêts de conifères, mais elle est peu peuplée et peu propice à l'agriculture.

Bouddha (né Siddharta Gautama)
Fondateur du bouddhisme, né vers 560 et décédé vers 480 avant notre ère. À l'âge de vingt-neuf ans, Bouddha s'enfuit de son palais pour se mettre en quête de la Vérité. De la période où il méditait sous l'arbre de la Sagesse jusqu'à la fin de sa vie, il a enseigné et voyagé à travers l'Inde du Nord, où il a fait de nombreux disciples.

Boullé (Hélène)
Née à Paris en 1598 et morte à Meaux (France) en 1654. À l'âge de douze ans, elle a épousé Samuel de Champlain. Elle n'a séjourné en Nouvelle-France que de 1620 à 1624. Elle a vécu les neuf dernières années de sa vie comme religieuse ursuline, sous le nom de sœur Hélène de Saint-Augustin. Son prénom a été donné à l'île située dans le fleuve Saint-Laurent, en face de Montréal.

Bourassa (Henri)
Journaliste et homme politique, né à Montréal en 1868 et mort à Outremont en 1952. Petit-fils de Louis-Joseph Papineau [➔Papineau, Louis-Joseph], il a été le chef du mouvement nationaliste au Québec. Il a fondé le journal *Le Devoir* en 1910.

Bourassa (Robert)
Homme politique, né à Montréal en 1933 et mort au même endroit en 1996. Chef du Parti libéral, il a été premier ministre du Québec de 1970 à 1976 et de 1985 à 1994. C'est au cours de son premier mandat que s'est amorcée la construction des centrales hydroélectriques de la baie James. La centrale LG-2 a été rebaptisée centrale Robert-Bourassa en son honneur.

Robert ***Bourassa***

Bourgeoys (Marguerite)
Religieuse, née en France en 1620 et morte à Montréal en 1700. Elle est la fondatrice de la Congrégation de Notre-Dame de Montréal, communauté de religieuses qui se consacrent à l'enseignement. Arrivée à Montréal en 1653, Marguerite Bourgeoys y a ouvert la première école quatre ans plus tard. Elle a été canonisée en 1982.

Marguerite ***Bourgeoys***

Brasilia
Brasilia est la capitale du Brésil, le pays le plus vaste de l'Amérique du Sud. Située à 1100 m d'altitude, elle est reconnue pour son architecture moderne. Brasilia compte 2 383 800 habitants. [➔Carte 6]

La cathédrale de ***Brasilia***

Bratislava
Bratislava est la capitale de la Slovaquie, un pays de l'Europe centrale. Un des plus grands fleuves d'Europe, le Danube, traverse cette ville de 426 800 habitants. [➔Carte 8]

Brazzaville
Brazzaville est la capitale du Congo, un pays de l'Afrique centrale. La ville est bordée par le fleuve Congo et compte une population de 1 355 000 habitants. [➔Carte 7]

Brébeuf (Jean de)
Prêtre jésuite, l'un des saints martyrs canadiens, né en France en 1593 et mort au pays des Hurons en 1649. Il a commencé sa vie de

missionnaire auprès des Amérindiens en 1625. Il a été assassiné par les Iroquois en 1649.

Brésil

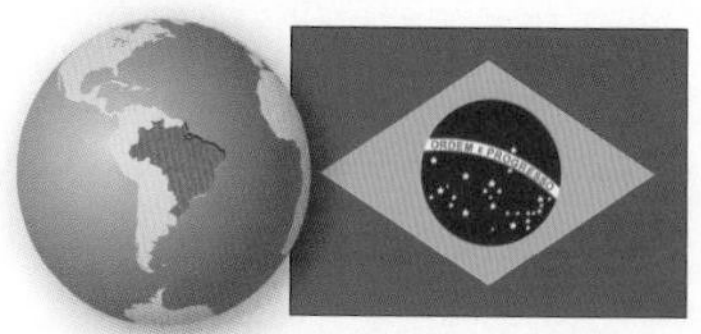

Nom local	Brasil
Capitale	Brasilia
Superficie	8 511 965 km²
Population	191 971 500
Habitants	Brésiliens, Brésiliennes

Le Brésil est le plus grand État de l'Amérique du Sud en termes de superficie, de population et d'économie. Sa population est composée de Blancs, de Noirs, d'Asiatiques, d'Amérindiens et de Métis. Le Brésil comprend trois grands ensembles naturels : l'Amazonie, qui est recouverte d'une forêt extrêmement dense ; la côte atlantique, où vit près de 90 % de la population ; et l'intérieur, qui est aride et peu peuplé. Pays émergent, le Brésil occupe le huitième rang mondial dans le classement des économies. Premier producteur mondial de café, le Brésil est aussi un grand pays agricole (cacao, canne à sucre, maïs, soja, élevage). Ses ressources naturelles sont abondantes : bois, hydroélectricité, pétrole, fer, étain, or et pierres précieuses. La langue officielle du Brésil est le portugais. [➔Carte 6]

Bridgetown

La ville de Bridgetown est la capitale de la Barbade, un pays des Petites Antilles. Sa population est de 116 000 habitants. [➔Carte 3]

*La rue des bouchers, à **Bruxelles***

Brome (mont)

Avec ses 553 m d'altitude, le mont Brome est la plus élevée des neuf collines montérégiennes. Il est situé dans la ville de Bromont, dans la région administrative de la Montérégie.

Brossard

Brossard est une ville du Québec située sur la rive sud du fleuve Saint-Laurent, face à l'île de Montréal et dans la région administrative de la Montérégie. Sa population est de 71 160 habitants. [➔Carte 5]

Brûlé (Étienne)

Explorateur et interprète, né en France vers 1592 et mort au Canada en 1633. Il a été le premier Blanc à se rendre au lac Supérieur et le premier Français à vivre avec les Amérindiens dès 1610. Il a été assassiné par un Huron.

Brunei

Nom local	Brunei
Capitale	Bandar Seri Begawan
Superficie	5 765 km²
Population	396 700
Habitants	Brunéiens, Brunéiennes

Le Brunei est un petit État de l'Asie du Sud-Est, situé sur l'île de Bornéo. Ce royaume de plus de mille ans est dirigé par un sultan. L'économie du pays est fondée presque exclusivement sur le pétrole et le gaz naturel. La langue officielle du Brunei est le malais. [➔Carte 9]

Bruxelles

Bruxelles est la capitale de la Belgique, un pays de l'Europe de l'Ouest. Sa population compte 144 800 habitants (plus de 1 000 000 avec la banlieue), qui parlent le français et le néerlandais. Grande métropole industrielle, Bruxelles est aussi une ville universitaire et culturelle dotée de nombreux monuments et musées. Elle est l'un des sièges de l'Union européenne. Plusieurs institutions internationales, dont l'OTAN, s'y trouvent. [➔Carte 8]

Bucarest

Bucarest est la capitale de la Roumanie, un pays du sud-est de l'Europe. Cette ville de 1 931 800 habitants est située sur un affluent du Danube, le deuxième plus long fleuve européen. Bucarest est un grand centre industriel. Ses quartiers historiques, ses musées et son université en font aussi un centre culturel actif. [➔Carte 8]

Le jardin Cismigiu, à ***Bucarest***

Budapest

Budapest, surnommée la « perle du Danube », est la capitale de la Hongrie, un pays de l'est de l'Europe. Considérée comme un centre industriel important, la ville offre de nombreux attraits touristiques. Elle compte 1 699 200 habitants. [➔Carte 8]

Buenos Aires

Buenos Aires est la capitale et la ville la plus importante d'Argentine, un pays de l'Amérique du Sud. Buenos Aires est un port très actif et un centre politique, économique et culturel important. C'est aussi la deuxième ville sud-américaine la plus peuplée avec 2 965 400 habitants. Si l'on tient compte de la banlieue de Buenos Aires, les habitants sont au nombre de 11 298 000. [➔Carte 6]

Le quartier de la Boca, à ***Buenos Aires***

Bujumbura

Bujumbura est la capitale du Burundi, un pays de l'Afrique centrale. Sa population est estimée à 235 400 habitants. [➔Carte 7]

Bulgarie

Nom local	Balgaria
Capitale	Sofia
Superficie	110 900 km²
Population	7 623 300
Habitants	Bulgares

La Bulgarie est un État du sud-est de l'Europe, situé dans les Balkans. Ses principales ressources sont l'agriculture, l'exploitation minière, la pêche et l'hydroélectricité. La langue officielle de la Bulgarie est le bulgare. [➔Carte 8]

Burkina

Nom local	Burkina
Capitale	Ouagadougou
Superficie	275 000 km²
Population	15 208 600
Habitants	Burkinabés, Burkinabées

Le Burkina est un État de l'Afrique de l'Ouest. Sa population vit en majorité à la campagne, où le sol est pauvre et sec. Malgré cela, le Burkina est le premier producteur africain de coton, et ses activités agricoles se concentrent sur l'élevage et la culture de céréales, d'arachides et de riz. La langue officielle du Burkina est le français. [➔Carte 7]

Burundi

Nom local	Burundi
Capitale	Bujumbura
Superficie	27 850 km^2
Population	8 074 300
Habitants	Burundais, Burundaises

Le Burundi est un État de l'Afrique centrale situé sur les rives du lac Tanganyika. C'est un pays très peuplé, principalement agricole, qui exporte surtout du café, du thé et des bananes. Les langues officielles du Burundi sont le français et le kirundi. [➔Carte 7]

Cabonga (réservoir)

Le réservoir Cabonga est un lac artificiel situé dans les régions administratives de l'Abitibi-Témiscamingue et de l'Outaouais, au Québec. Cet immense réservoir, parmi les plus grands du Québec, a une superficie de 454 km^2.

Cabot (détroit de)

Le détroit de Cabot est un bras de mer situé entre l'île de Terre-Neuve et l'île du Cap-Breton, au Canada. Il relie le golfe du Saint-Laurent à l'océan Atlantique.

Cabot (Jean)

Explorateur, né en Italie vers 1461 et mort après 1499. Il a effectué pour le compte du roi d'Angleterre deux voyages en Amérique du Nord, en 1497 et en 1498. Au cours du premier, il aurait pris possession de l'île de Terre-Neuve. Pour cette raison, certains le considèrent comme le découvreur du Canada.

Caïmans (îles)

Les îles Caïmans sont un territoire anglais d'outre-mer, situé dans les Caraïbes. La superficie totale de ces îles est de 264 km^2 et elles comptent 49 040 habitants. La principale ville est Georgetown. La pêche et le tourisme constituent les deux plus importantes activités économiques des îles Caïmans.

Caire (Le)

Le Caire est la capitale de l'Égypte, un pays du Moyen-Orient. Située au bord du Nil, cette ville compte 6 758 600 habitants, ce qui fait d'elle la plus peuplée d'Afrique. Si l'on tient compte de sa banlieue, Le Caire compte 11 893 000 habitants. Centre culturel de premier plan, la ville accueille un grand nombre de touristes. On trouve notamment de nombreuses mosquées anciennes, des musées d'antiquités égyptiennes et d'art arabe. [➔Carte 7]

*Le souk de Khan El Khalili, au **Caire***

Caisses Desjardins (Mouvement des)

➔ **Desjardins** (Alphonse)

Cajuns

Groupe ethnique formé entre autres des descendants des Acadiens déportés durant la deuxième moitié du 18e siècle [➔Acadiens, déportation des]. Même si l'on trouve ces descendants un peu partout en Amérique du Nord, c'est en Louisiane qu'ils se manifestent le plus, malgré leur petit nombre, dans leur volonté de rester francophones. Mentionnons, entre autres, Zacharie Richard, qui affirme à travers sa musique sa fierté d'être Cajun.

Calcutta (ou Kolkata)

Calcutta est une ville de l'Inde située dans le delta du Gange, dans la région du Bengale.

Premier port du pays, elle compte 4 572 900 habitants, généralement très pauvres. Si l'on inclut la banlieue, le nombre d'habitants s'élève à 13 205 700, ce qui fait de Calcutta une ville particulièrement surpeuplée.

Calgary

Calgary est la plus grande ville de la province canadienne de l'Alberta. Elle est située dans le sud-est de la province, à la jonction des montagnes Rocheuses et des Grandes Plaines. En 1875, Calgary n'était qu'un fort de la Gendarmerie royale du Canada du Nord-Ouest. La découverte de gisements de pétrole en 1947 a contribué à son développement. Calgary détient des industries alimentaires et minières, des raffineries ainsi qu'un centre ferroviaire important. La ville compte 988 200 habitants.

Calgary

Callière (Louis-Hector de)

Administrateur, né en France en 1648 et mort à Québec en 1703. Il a été gouverneur intérimaire de la Nouvelle-France de 1698 à 1699, puis gouverneur en titre de 1699 à 1703. Il a négocié la paix avec les Iroquois et signé avec eux le traité de la Grande Paix de Montréal en 1701. [➔Grande Paix de Montréal]

Cambodge

Nom local	Kâmp chéa
Capitale	Phnom Penh
Superficie	180 000 km²
Population	14 699 900
Habitants	Cambodgiens, Cambodgiennes

Le Cambodge est un État de l'Asie du Sud-Est. La grande majorité de la population vit à la campagne et cultive le riz, une ressource économique importante pour le pays. La langue officielle du Cambodge est le khmer. [➔Carte 9]

Cameroun

Nom local	Cameroun, Cameroon
Capitale	Yaoundé
Superficie	475 000 km²
Population	18 897 900
Habitants	Camerounais, Camerounaises

Le Cameroun est un État de l'ouest de l'Afrique. Ses principales activités économiques sont les cultures du café, du cacao et du coton. Le sol est riche en bauxite et en fer, mais ces ressources sont encore peu exploitées. Les langues officielles du Cameroun sont le français et l'anglais. [➔Carte 7]

Campbell (Kim)

Femme politique, née à Port Alberni (Colombie-Britannique) en 1947. Le 25 juin 1993, elle devient la première femme à occuper le poste de premier ministre du Canada, jusqu'à la défaite de son parti, le Parti progressiste-conservateur, en octobre 1993. [➔Parti progressiste-conservateur du Canada]

Kim ***Campbell***

Canada

Nom local	Canada
Capitale	Ottawa
Superficie	9 984 670 km²
Population	33 311 300
Habitants	Canadiens, Canadiennes

Le Canada est un État de l'Amérique du Nord bordé au sud par les États-Unis, à l'ouest par l'océan Pacifique et l'Alaska, à l'est par l'océan Atlantique et au nord par l'océan Arctique. C'est le deuxième plus grand pays du monde. Très étendu, son territoire présente une végétation et un climat variés. Le Canada est constitué de dix provinces et de trois territoires. Les régions du nord sont moins peuplées que le reste du pays. Découvert par Jacques Cartier en 1534, le Canada, alors nommé Nouvelle-France, est demeuré une colonie française jusqu'en 1763, avant de passer sous l'autorité britannique. Le 1er juillet 1867, l'Acte de l'Amérique du Nord britannique a créé la Confédération canadienne. La construction d'une voie ferroviaire d'est en ouest a contribué au développement du pays. Les Canadiens ont un niveau de vie parmi les plus élevés du monde. Le Canada possède d'immenses forêts, des ressources minières importantes, des ressources énergétiques nombreuses: gaz naturel, pétrole, charbon, hydroélectricité et gaz de schiste. Il est l'un des principaux producteurs mondiaux de blé, d'uranium, d'or et de fer. Toronto, Montréal, Calgary et Vancouver sont les grandes métropoles du pays. Les langues officielles du Canada sont l'anglais et le français, cette dernière langue étant parlée par environ 23 % de la population. [➔Carte 4]

Canada-Uni

Nom donné de 1840 à 1867 au Bas-Canada et au Haut-Canada, c'est-à-dire au Québec et à l'Ontario, qui avaient été réunis sous un même gouvernement. [➔Acte d'union]

Canadien National (Compagnie des chemins de fer nationaux du Canada – CN)

En nationalisant plusieurs entreprises ferroviaires, le gouvernement du Canada a constitué cette entreprise en 1919. Son réseau de chemins de fer traverse le Canada d'est en ouest et dessert aussi plusieurs villes des États-Unis. Le CN assure le transport d'une vaste gamme de marchandises (produits industriels, produits forestiers, céréales, charbon, engrais, automobiles). C'est aujourd'hui une entreprise privée dont le siège social est à Montréal.

Canadien Pacifique (Compagnie du Canadien Pacifique – CP)

Entreprise ferroviaire fondée en 1881 à Montréal par un groupe d'hommes d'affaires d'origine écossaise. Son réseau de chemins de fer relie Montréal à Vancouver et dessert également plusieurs villes des États-Unis. Les activités du CP touchent aussi le transport maritime, l'exploitation de ressources naturelles (pétrole, gaz naturel, charbon), l'hôtellerie et l'immobilier. Le siège social du CP est à Calgary, en Alberta.

Canadiens

Nom donné aux habitants du Canada. La signification de ce mot a changé au cours des siècles. Avant 1760 environ, on appelait « Canadiens » les personnes qui parlaient le français. Par la suite, on a utilisé l'expression « Canadiens français », car peu à peu le mot « Canadiens » s'est appliqué aussi bien aux anglophones qu'aux francophones. Aujourd'hui, le mot « Canadien » désigne toute personne ayant la citoyenneté canadienne, quelle que soit sa langue.

Canadiens anglais

Nom sous lequel on désigne les anglophones du Canada. Les premiers Canadiens anglais ont émigré du Royaume-Uni après la Conquête, et de la Nouvelle-Angleterre pendant et après la guerre de l'Indépendance américaine. [➔Loyalistes; Guerre de l'Indépendance américaine]

Canadiens français

Nom sous lequel on désigne les francophones du Canada. Depuis les années 1960, on utilise surtout le mot « Québécois » pour nommer les francophones qui habitent le Québec, de préférence à « Canadiens français ». Aujourd'hui, le mot « Québécois » inclut toute personne issue des communautés culturelles établies au Québec.

Canaries (îles)

Les îles Canaries sont un archipel espagnol de l'océan Atlantique, situé près du Maroc. Le tourisme et l'agriculture y sont les principales activités économiques. Ce territoire composé de sept îles s'étend sur 7275 km² et compte 1 694 500 habitants.

*Ténérife, aux **Canaries***

A B C D E F G H I J K L M N O P Q R S T U V W X Y Z

Canberra

Canberra est la capitale de l'Australie, un pays de l'Océanie. Le développement économique de la ville repose principalement sur le secteur des services. Canberra compte 339 600 habitants. [➔Carte 10]

Caniapiscau (réservoir de)

Le réservoir de Caniapiscau est le plus grand lac artificiel du Québec. D'une superficie de 5223 km², il est situé dans la région administrative du Nord-du-Québec. Né du détournement de la rivière Caniapiscau, ce réservoir sert à alimenter les centrales hydroélectriques du complexe La Grande.

Cantons-de-l'Est

Les Cantons-de-l'Est sont une région touristique du Québec. Ils couvrent un territoire plus vaste que la région administrative de l'Estrie. L'expression « Cantons-de-l'Est » est une traduction de l'appellation anglaise *Eastern Townships*.

Bromont, dans les ***Cantons-de-l'Est***

Cap-Breton (île du)

L'île du Cap-Breton est située à l'extrémité nord de la Nouvelle-Écosse, au Canada. Cette partie de la province occupe un territoire de 10 311 km² et compte 170 000 habitants.

Capitale-Nationale

La Capitale-Nationale est une région administrative du Québec située sur la rive sud du fleuve Saint-Laurent, en face de la région Chaudière-Appalaches. Son nom indique qu'elle inclut la ville de Québec, capitale nationale de la province de Québec. Dans cette région d'une superficie de 18 639 km² se trouvent les plus anciennes villes de l'Amérique du Nord et d'importants lieux historiques. La région de la Capitale-Nationale compte 687 800 habitants. [➔Carte 5]

Cap-Saint-Georges

Cap-Saint-Georges est un village situé au sud-ouest de l'île de Terre-Neuve. Il fait partie du district bilingue de Port-au-Port. Ce centre de la vie francophone compte 890 habitants.

Cap-Vert

Nom local	Cabo Verde
Capitale	Praia
Superficie	4033 km²
Population	498 700
Habitants	Capverdiens, Capverdiennes

Le Cap-Vert est un archipel de l'Atlantique et un État insulaire de l'Afrique situé à l'ouest du Sénégal. C'est un pays très pauvre, dont les activités économiques reposent sur l'agriculture, la pêche et l'exploitation des salines, bassins où est recueilli le sel de mer. D'origine volcanique, les îles sont pour la plupart recouvertes de cendres. La langue officielle du Cap-Vert est le portugais, mais les Capverdiens parlent majoritairement le créole capverdien. [➔Carte 7]

Caracas

Caracas est la capitale et la plus grande ville du Venezuela, un pays de l'Amérique du Sud, avec une population de 1 975 300 habitants. Son port est important et contribue à l'essor économique du pays. Caracas s'est beaucoup développée sous l'impulsion de l'industrie pétrolière. Elle est le centre financier et commercial du pays. [➔Carte 6]

Caraïbes (mer des)

La mer des Caraïbes, ou mer des Antilles, est une partie de l'océan Atlantique située à l'est de l'Amérique centrale et au sud-est du golfe du Mexique.

Caraquet

Caraquet est une ville du Nouveau-Brunswick, une province du Canada. Cet important foyer de vie acadienne est situé dans la baie des Chaleurs. La ville compte 4160 habitants. On y trouve un musée et un village historique acadiens.

Cariboo (monts)
Les monts Cariboo sont une chaîne de montagnes de la Colombie-Britannique, la province la plus à l'ouest du Canada. Située à l'ouest du fleuve Fraser, cette chaîne fait partie des monts Columbia. Son point culminant est le mont Sir-Wilfrid-Laurier, qui atteint 3444 m.

Carignan-Salières (régiment de)
Corps militaire composé de 1200 soldats que le roi Louis XIV a envoyés en Nouvelle-France en 1665 pour mettre fin aux guerres avec les Iroquois. Une fois leur mission accomplie, environ 400 soldats et officiers ont choisi de s'établir en Nouvelle-France. Ils sont à l'origine de plusieurs familles pionnières. La ville de Carignan, dans la vallée du Richelieu, rappelle le souvenir de ce régiment. Par ailleurs, plusieurs officiers de ce même régiment ont laissé leur nom à des localités du Québec : Berthier, Chambly, Contrecœur, La Durantaye, Lavaltrie, Sorel (Saurel), Saint-Ours, Varennes et Verchères.

Carillon (bataille de)
Bataille entre Français et Britanniques qui a eu lieu en 1758, lors de la guerre de la Conquête, à l'extrémité sud du lac Champlain. C'est la dernière grande victoire française de l'histoire de la Nouvelle-France. Le site de cette bataille dans l'actuel État de New York porte aujourd'hui le nom de Ticonderoga.

Carleton (Guy, premier baron de Dorchester)
Administrateur et militaire, né en Irlande en 1724 et mort en Angleterre en 1808. Gouverneur de la province de Québec puis du Bas-Canada de 1768 à 1778 et de 1786 à 1796, il s'est continuellement efforcé de gagner la confiance des Canadiens français.

Cartier (George-Étienne)
Homme politique, né à Saint-Antoine-sur-Richelieu en 1814 et mort à Londres (Angleterre) en 1873. Il a participé à la Rébellion de 1837 [➔Rébellions de 1837-1838] du côté des Patriotes [➔Patriotes]. Il a été premier ministre conjoint du Canada-Uni avec John A. Macdonald, de 1858 à 1862, et l'un des pères de la Confédération [➔Confédération]. De 1867 à 1872, il a occupé le poste de ministre de la Milice du Canada. Un monument situé au pied du mont Royal, à Montréal, rappelle son souvenir.

Cartier (Jacques)
Explorateur, né à Saint-Malo (France) en 1491 et mort au même endroit en 1557. Il a pris possession du territoire du Canada en 1534 pour le compte du roi de France, François Ier. À ce titre, plusieurs le considèrent comme le découvreur du Canada. L'année suivante, Jacques Cartier découvre le fleuve Saint-Laurent dont il remonte le cours jusqu'à Hochelaga, aujourd'hui Montréal. En 1541-1542, il conduit une opération de colonisation près de l'actuelle ville de Québec, sous les ordres de Jean-François de la Rocque de Roberval. Après être rentré à Saint-Malo en 1542, il a cessé tout voyage en Amérique.

*Jacques **Cartier***

Casablanca
Casablanca est la ville la plus peuplée du Maroc, un pays du Maghreb, et un grand port sur l'océan Atlantique. Principal centre industriel et commercial du pays, la ville compte 2 995 000 habitants.

Cascapédia (rivière)
La rivière Cascapédia est située dans l'est du Québec. Elle prend sa source dans le parc de la Gaspésie et se jette dans la baie des Chaleurs, en Gaspésie.

Casgrain (Thérèse, née Forget)
Féministe et femme politique, née à Montréal en 1896 et morte au même endroit en 1981. En 1921, elle fonde le Comité provincial pour le suffrage des femmes. De 1951 à 1957,

elle dirige l'aile québécoise de la Cooperative Commonwealth Federation (CCF) et devient ainsi la première femme chef d'un parti politique. En 1966, elle crée la Fédération des femmes du Québec. Nommée sénatrice en 1970, Thérèse Casgrain prend sa retraite l'année suivante.

Thérèse **Casgrain**

Caspienne (mer)

La mer Caspienne, d'une superficie de 430 000 km², est la plus grande mer intérieure du monde. Ses eaux très salées se situent au-dessous du niveau des océans. Enclavée entre l'Europe et l'Asie, la mer Caspienne est principalement alimentée par la Volga et l'Oural. On y trouve des esturgeons (caviar) et du pétrole.

Castries

Castries est la capitale de Sainte-Lucie, un pays insulaire des Antilles. Elle est le centre commercial du pays et son port est l'un des plus importants des Antilles. La ville compte 11 900 habitants. [➔Carte 3]

Caucase (le)

Le Caucase est une chaîne de montagnes qui traverse le sud de la Russie, la Géorgie, l'Arménie et l'Azerbaïdjan. Il est situé entre la mer Noire et la mer Caspienne et est bordé par la Turquie et l'Iran. Son point culminant est l'Elbrouz, qui atteint 5633 m.

Cavelier de La Salle (René-Robert)

Explorateur, né en France en 1643 et mort assassiné au Texas (États-Unis) en 1687. Après avoir fondé le village de Lachine, sur l'île de Montréal, en 1667, il entreprend plusieurs voyages d'exploration et atteint, en 1682, l'embouchure du fleuve Mississippi. Au nom du roi de France, Louis XIV, Cavelier de La Salle prend possession de cette région, qu'il nomme Louisiane en l'honneur de son souverain. [➔Louisiane]

Celsius (Anders)

Physicien et astronome suédois, né à Uppsala (Suède) en 1701 et mort au même endroit en 1744. Il crée, en 1742, une échelle thermométrique qui situe le point de congélation de l'eau à 0 °C et le point d'ébullition à 100 °C. Le degré Celsius, unité de mesure de la température, porte son nom.

Centrafrique

Nom local	Ködörösêse tî Bêafrîka
Capitale	Bangui
Superficie	622 984 km²
Population	4 423 500
Habitants	Centrafricains, Centrafricaines

La Centrafrique, aussi appelée République centrafricaine, est un État de l'Afrique centrale. Le pays vit de l'agriculture et de l'exploitation forestière et minière (diamants). Les langues officielles de la Centrafrique sont le français et le sango. [➔Carte 7]

Centre-du-Québec

Le Centre-du-Québec est une région administrative située au sud du fleuve Saint-Laurent. Il est délimité par les régions administratives de l'Estrie, de la Montérégie et de Chaudière-Appalaches. Son territoire d'une superficie de 6921 km² compte 230 700 habitants. On y trouve les villes de Drummondville, Bécancour et Victoriaville. L'agriculture, les industries du meuble, de la chimie, de la métallurgie et de la haute technologie sont les principales activités économiques de cette région administrative. [➔Carte 5]

Chaleurs (baie des)

La baie des Chaleurs est située dans le golfe du Saint-Laurent entre la Gaspésie et le Nouveau-Brunswick, dans l'est du Québec. Elle doit son nom à Jacques Cartier qui l'a explorée en 1534.

Chambre des communes du Canada

Corps législatif composé de députés élus par les Canadiens et Canadiennes. La Chambre des communes forme, avec le Sénat, le Parlement du Canada. Les débats de la Chambre des communes peuvent se tenir dans l'une ou l'autre des deux langues officielles, et un système de traduction simultanée permet à chaque personne de suivre les débats dans sa propre langue. En 2010, la Chambre des communes comptait 307 députés.

Champlain (rivière)
La rivière Champlain coule à l'est de Trois-Rivières, dans la région administrative de la Mauricie. Elle se jette dans le fleuve Saint-Laurent, à la hauteur de la municipalité de Champlain. Son nom rappelle Samuel de Champlain, un des pères de la Nouvelle-France.

Champlain (Samuel de)
Explorateur et colonisateur, né en France vers 1570 et mort à Québec en 1635. Géographe de métier, il a exploré l'Acadie et découvert le lac qui porte aujourd'hui son nom. En 1608, il fonde la ville de Québec et, l'année suivante, il fait la guerre aux Iroquois. Avec lui commence une occupation continue de la vallée du Saint-Laurent par les Français. On a surnommé Champlain « le père de la Nouvelle-France ». Un monument sur la terrasse Dufferin à Québec rappelle son souvenir.

Charest (Jean)
Homme politique, né à Sherbrooke en 1958. Après avoir pratiqué le droit, il fait ses débuts en politique comme député fédéral du Parti progressiste-conservateur du Canada en 1984. Il prend la tête de ce parti en 1993, après avoir occupé plusieurs fonctions au sein du gouvernement fédéral. Élu chef du Parti libéral du Québec en 1998, il devient le 29e premier ministre du Québec en avril 2003.

Jean ***Charest***

Charlevoix
La région de Charlevoix est située au Québec sur la rive nord du fleuve Saint-Laurent, à l'ouest de la rivière Saguenay. Elle a une superficie de 3715 km^2 et compte 13 200 habitants. Sa ville principale est Baie-Saint-Paul. L'agriculture, l'exploitation forestière et le tourisme constituent les principales activités économiques de Charlevoix.

Charlottetown
Charlottetown est la capitale de l'Île-du-Prince-Édouard, une province canadienne. Cette ville compte 32 250 habitants. [➔Carte 4]

Charte canadienne des droits et libertés
La Charte canadienne des droits et libertés est entrée en vigueur le 17 avril 1982. Elle garantit au peuple canadien, entre autres choses, la liberté d'expression, le droit de vote, le droit de vivre dans l'endroit de son choix au Canada, le droit à la vie, à la liberté et à la sécurité.

Charte de la langue française
Cette législation linguistique a été élaborée par le Parti québécois en 1977 sous la forme du projet de loi 101. Elle a fait du français la langue officielle du Québec et des cours de justice provinciales, ainsi que la langue normale et habituelle au travail, dans l'enseignement, les communications, le commerce et les affaires. Au cours des années suivantes, la Charte de la langue française subira de nombreuses modifications.

Charte québécoise des droits et libertés de la personne
Adoptée en 1975, la Charte québécoise des droits et libertés de la personne affirme et protège les droits et libertés de toute personne vivant au Québec. Comme la Charte canadienne [➔Charte canadienne des droits et libertés], elle assure à tous les Québécois le respect de leurs droits et libertés relativement à la dignité, à l'égalité entre les sexes, au bien-être général, à la justice, etc.

Châteauguay (rivière)
La rivière Châteauguay prend sa source dans l'État de New York, aux États-Unis, et se jette dans le fleuve Saint-Laurent, à l'ouest de l'île de Montréal. En 1813, pendant la guerre entre les États-Unis et l'Angleterre, des miliciens canadiens-français y ont remporté une importante victoire contre l'armée américaine.

Chats (lac des)
Le lac des Chats est situé dans la région administrative de l'Outaouais. Il est formé par un élargissement de la rivière des Outaouais.

Chaudière (rivière)
La rivière Chaudière baigne la région administrative de Chaudière-Appalaches. Elle prend sa source dans le lac Mégantic, en Estrie, et se jette dans le fleuve Saint-Laurent, aux abords de la ville de Québec. Sa longueur est de 193 km.

Chaudière-Appalaches
La région administrative de Chaudière-Appalaches est située sur la rive sud du fleuve Saint-Laurent. Elle est délimitée par l'État du Maine, aux États-Unis, et par les régions administratives du Centre-du-Québec, de l'Estrie et du Bas-Saint-Laurent. Cette région couvre

une superficie de 15 071 km² et compte 403 000 habitants. On y trouve les villes de Lévis, Montmagny et Lac-Etchemin. L'économie de cette région repose sur l'industrie du bois, l'agriculture et l'exploitation minière. [➔Carte 5]

Chénier (Jean-Olivier)

Patriote, né à Lachine en 1806 et mort à Saint-Eustache en 1837. Médecin, il pratique dans la région du lac des Deux-Montagnes. Il a été tué alors qu'il commandait les Patriotes à la bataille de Saint-Eustache. Un monument au square Viger, à Montréal, rappelle son souvenir. [➔Patriotes]

Chéticamp

Chéticamp est une ville située dans le nord-ouest de l'île du Cap-Breton, dans la province canadienne de la Nouvelle-Écosse. Elle est un important foyer de la vie acadienne. La pêche au homard est l'une de ses principales activités économiques.

Chibougamau

Chibougamau est une ville située dans la région administrative du Nord-du-Québec, à la frontière de la région du Saguenay–Lac-Saint-Jean. Elle est la plus grande ville non autochtone du Nord-du-Québec. Le lieu a été fréquenté dès le 17e siècle, mais ce n'est qu'au début des années 1950 que cette ville a été fondée. Chibougamau compte 7560 habitants, lesquels vivent presque exclusivement de l'exploitation forestière et minière. Toutefois, la présence d'Hydro-Québec dans le secteur génère d'importantes retombées pour la population. [➔Carte 5]

Chicago

Chicago est la troisième plus grande ville des États-Unis. Située sur le lac Michigan, dans l'État de l'Illinois, elle est traversée par deux rivières : Chicago et Calumet. Cette ville très active vient au premier rang mondial pour son trafic aérien et ferroviaire ainsi que pour son marché de céréales et de bétail. De nombreuses industries très puissantes y sont installées. La ville compte 2 836 700 habitants.

Chicago

Chic-Chocs (monts)

Les monts Chic-Chocs, une chaîne de montagnes, font partie des Appalaches. Ils sont situés en Gaspésie, dans l'est du Québec. Leur sommet le plus élevé est le mont Jacques-Cartier, qui culmine à 1268 m.

Chili

Nom local	Chile
Capitale	Santiago
Superficie	740 000 km²
Population	16 758 100
Habitants	Chiliens, Chiliennes

Le Chili est un État de l'Amérique du Sud bordé par l'océan Pacifique. Ce pays étroit et de forme allongée est très montagneux. Principalement urbaine, sa population est constituée de Métis, de Blancs, d'Amérindiens et d'immigrants européens. Les Chiliens ont longtemps vécu sous le seuil de la pauvreté, mais le pays connaît aujourd'hui un essor remarquable. Son économie repose sur une agriculture et un élevage intensifs, une pêche active, et sur l'exploitation de ses ressources naturelles telles que le cuivre, le fer, les nitrates, l'argent, l'or, le pétrole et le gaz. La plus grande ville du pays est Santiago, la capitale, qui abrite 16 758 100 habitants. La langue officielle du Chili est l'espagnol. [➔Carte 6]

Chine

Nom local	Zhongguo
Capitale	Pékin
Superficie	9 650 000 km²
Population	1 325 640 000
Habitants	Chinois, Chinoises

La Chine est un État de l'Asie de l'Est et le pays le plus peuplé du monde. C'est surtout dans l'est et dans le sud de son territoire que se concentre la population. Au sud du pays, on cultive du riz (premier producteur mondial) et au nord, du blé. La Chine produit du charbon, du pétrole, de l'hydroélectricité et des minerais. Depuis 1978, le développement de la Chine ne cesse de s'accélérer. En 2009, le pays était au deuxième rang des puissances économiques mondiales et au premier rang des exportateurs (principalement les produits manufacturés). Shanghai et Hong Kong en sont les centres économiques. La langue officielle de la Chine est le mandarin. [➔Carte 9]

Chisasibi

Chisasibi est une réserve crie située sur la côte est de la baie James, dans la région administrative du Nord-du-Québec. Sa population est de 3970 habitants; 200 personnes vivent hors de la réserve. Les Chisasibiens parlent le cri, l'anglais et le français.

Chisinau

Chisinau est la capitale de la Moldavie, un pays de l'Europe de l'Est. Avec ses 660 700 habitants, c'est la plus grande ville du pays et un centre industriel important. [➔Carte 8]

Chopin (Frédéric)

Pianiste et compositeur polonais, né en Pologne en 1810 et mort à Paris en 1849. Son œuvre pour piano est immense: études, polonaises, nocturnes, ballades, sonates, préludes. Énergique, brillante ou mélancolique, sa musique exprime les émotions humaines les plus profondes.

Frédéric **Chopin**

Chouart Des Groseilliers (Médard)

Explorateur et coureur des bois, né en France en 1618 et mort probablement à la baie d'Hudson vers 1696. Il est l'un des premiers Blancs à s'aventurer dans le Nord-Ouest. En 1670, passé au service des Britanniques, il contribue à fonder la Hudson's Bay Company [➔Compagnie de la Baie d'Hudson] qui établit, entre autres, plusieurs postes de traite des fourrures dans la région de la baie d'Hudson. Il quitte cette compagnie en 1675 et se remet par la suite pour quelque temps au service de la France.

Chrétien (Jean)

Homme politique, né à Shawinigan en 1934. Il est député libéral pour la première fois en 1963. Élu chef du Parti libéral en 1990, il est premier ministre du Canada de 1993 à 2003.

Christ ➔Voir Jésus

Churchill (fleuve)

Le fleuve Churchill coule dans le sud du Labrador, au Canada. D'une longueur de 856 km, il est le plus long cours d'eau du Labrador. Il prend sa source dans la rivière Ashuanipi et se jette dans la mer du Labrador, dans l'océan Atlantique.

Churchill Falls

Churchill Falls est le nom d'une centrale hydroélectrique située sur le fleuve Churchill, dans le Labrador terreneuvien. Sa capacité est de 5430 mégawatts.

Chypre

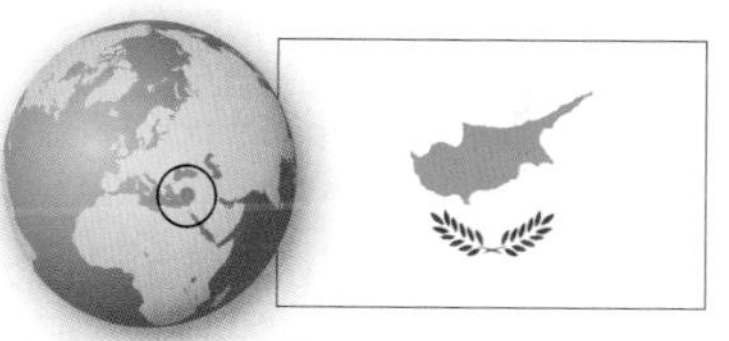

Nom local	Kýpros ou Kibris
Capitale	Nicosie
Superficie	9250 km²
Population	863 600
Habitants	Chypriotes ou Cypriotes

Chypre est un État insulaire du sud-est de la mer Méditerranée. La population se compose d'une majorité de Grecs dans le sud de l'île et d'une minorité de Turcs dans la partie nord. Indépendant depuis 1960, Chypre est le théâtre d'un conflit qui oppose les Grecs et les Turcs. Ces derniers ont proclamé leur territoire « République turque de Chypre du Nord » en 1983. L'île a été totalement bouleversée par cette division, mais la population a rejeté le projet de réunification proposé par référendum. Les Chypriotes vivent principalement de l'agriculture (vigne, olives, agrumes et orge) et de l'exploitation du cuivre. Les langues officielles de Chypre sont le grec et le turc. [➔Carte 9]

Cinq-Nations

Regroupement de cinq grandes nations iroquoises qui vivaient au 16e siècle au sud du lac Ontario et dans le territoire de l'actuel État de New York. Ces nations ont formé une alliance politique et militaire principalement pour unir leurs forces dans les guerres contre les autres groupes.

A B C D E F G H I J K L M N O P Q R S T U V W X Y Z

Cisjordanie

La Cisjordanie est une région du Moyen-Orient située à l'ouest du Jourdain, en Palestine. Depuis 1967, cette région est occupée par Israël qui voudrait y implanter des colonies juives. Des affrontements meurtriers s'y produisent entre Israéliens et Palestiniens. Israël a construit une clôture de sécurité le long de sa frontière avec la Cisjordanie.

Clark (Joe)

Homme politique, né en Alberta en 1939. Chef du Parti progressiste-conservateur, il a été premier ministre du Canada de 1979 à 1980. En 1993, il quitte la vie politique, mais y revient en 1998 et reprend la direction du Parti progressiste-conservateur jusqu'en 2003.

CN →Voir Canadien National

Colborne (John, premier baron Seaton)

Militaire et administrateur, né en Angleterre en 1778 et mort dans le même pays en 1863. En 1835, il est nommé commandant en chef des forces britanniques en Amérique du Nord. Il a été administrateur du Bas-Canada en 1837 et gouverneur général du Canada de 1838 à 1839. Il a écrasé les rebelles lors des Rébellions de 1837 et 1838. [→Rébellions de 1837-1838]

Colisée

Célèbre amphithéâtre de Rome, que l'on appelle aussi amphithéâtre Flavien, le Colisée a été commencé par Vespasien et achevé sous Titus, en 80 après notre ère. Il pouvait accueillir 50 000 spectateurs.

*Le **Colisée**, à Rome*

Colomb (Christophe)

Explorateur, né en Italie en 1451 et mort en Espagne en 1506. En 1492, il dirige un voyage, pour le compte des souverains espagnols, en vue de trouver une nouvelle route vers les Indes par l'ouest. Sans le savoir, il découvre un nouveau continent, l'Amérique, dont il prend possession au nom du roi Ferdinand d'Aragon et de la reine Isabelle de Castille. Christophe Colomb fera trois autres voyages en Amérique.

Colombie

Nom local	Colombia
Capitale	Bogota
Superficie	1 138 914 km^2
Population	44 534 000
Habitants	Colombiens, Colombiennes

La Colombie est un État du nord-ouest de l'Amérique du Sud. Elle est bordée par la mer des Caraïbes, au nord, et par l'océan Pacifique, à l'ouest. Sa population est en majorité métisse et vit principalement en milieu urbain. La Colombie est le deuxième producteur mondial de café. Ses autres ressources sont le pétrole, l'or et les pierres précieuses. Le pays souffre du trafic de drogues, des guérillas et de la corruption. La langue officielle y est l'espagnol. [→Carte 6]

Colombie-Britannique

La Colombie-Britannique, la province la plus à l'ouest du Canada, est bordée par l'océan Pacifique. Son territoire couvre une superficie de 944 735 km^2, soit 9,5 % du territoire du Canada. Les industries forestière et minière y sont importantes, ainsi que les pêcheries. On y trouve aussi des usines de mise en conserve et d'électronique. La capitale de la province, Victoria, est située sur l'île de Vancouver, au large de la ville du même nom. Vancouver, Kelowna, Prince George et Kamloops comptent parmi les grandes villes de la province. La Colombie-Britannique a une population de 4 113 200 habitants. [→Carte 4]

Colombo

Colombo est la capitale et la ville la plus peuplée du Sri Lanka, un pays du sud de l'Asie, dans l'océan Indien. Grâce à sa position stratégique sur les voies maritimes commerciales, Colombo est le centre de l'activité économique du pays. Sa population s'élève à 615 000 habitants. [→Carte 9]

Columbia (chaîne)

La chaîne de montagnes Columbia est située dans le sud-est de la Colombie-Britannique, au Canada. Cet ensemble comprend la chaîne Monashee, la chaîne Selkirk, les chaînons Purcell et les monts Cariboo. Le point culminant de la chaîne Columbia est le mont Sir Sandford, qui fait partie de la chaîne Selkirk et qui atteint 3522 m.

Columbia (fleuve)

Le fleuve Columbia coule en Colombie-Britannique, au Canada, et aux États-Unis. Il prend sa source dans les monts Columbia et se jette dans l'océan Pacifique. Sa longueur est de 2000 km, dont 801 km en territoire canadien.

Commonwealth

Organisation politique regroupant des pays qui ont déjà fait partie de l'Empire britannique et dont le chef symbolique est le souverain de Grande-Bretagne. Connue sous le nom de Commonwealth of Nations, l'association a été fondée lors de la conférence impériale de 1931. Le Canada est membre du Commonwealth.

Comores (les)

Nom local	El Qomor, Komori
Capitale	Moroni
Superficie	2300 km^2
Population	643 600
Habitants	Comoriens, Comoriennes

Les Comores constituent un archipel et un État de l'océan Indien. Au nombre de quatre, les îles Comores sont situées au nord-ouest de Madagascar et face au Mozambique. Les Comoriens vivent principalement de la pêche et du tourisme. Les langues officielles y sont l'arabe et le français. [➜Carte 7]

Compagnie de la Baie d'Hudson

Compagnie anglaise fondée en 1670 à Londres. Le territoire qui lui a été alors octroyé comprenait une partie du Canada actuel. La compagnie faisait essentiellement la traite des fourrures.

Compagnie des Cent-Associés

Aussi appelée Compagnie de la Nouvelle-France, cette compagnie, fondée par le cardinal de Richelieu en 1627, se composait théoriquement de cent associés. Elle a reçu en propriété le territoire de la Nouvelle-France, qu'elle devait administrer et où elle devait envoyer 4000 colons au cours des quinze premières années de son existence. Elle obtient le monopole de la traite des fourrures et, pendant quinze ans, celui du commerce. Elle échouera dans la plupart de ses activités et sera dissoute en 1663. La Nouvelle-France sera alors rendue au roi de France.

Compagnie des Habitants

Aussi appelée Communauté des Habitants, cette compagnie, fondée en 1645, regroupait les principaux seigneurs et colons de la Nouvelle-France. Elle s'était fait céder par la Compagnie de la Nouvelle-France le monopole de la traite des fourrures en Amérique du Nord, sauf en Acadie. La compagnie devait veiller à la défense du territoire et assumer le coût de l'administration. Elle a cessé d'exister en 1664.

Compagnie du Nord-Ouest

Fondée à Montréal en 1784, cette compagnie de traite des fourrures devait concurrencer la Compagnie de la Baie d'Hudson. La rivalité entre les deux compagnies a parfois été sanglante. En 1821, les deux compagnies fusionnent, poursuivant leurs activités sous le nom de Compagnie de la Baie d'Hudson.

Conakry

Conakry est la capitale de la Guinée, un pays de l'Afrique de l'Ouest. L'économie de la ville repose principalement sur l'activité portuaire. La ville compte 1 091 500 habitants. [➜Carte 7]

Laure ***Conan***

Conan (Laure)

Auteure canadienne-française, née à La Malbaie en 1845 et morte à Québec en 1924. De son vrai nom Félicité Angers, c'est sous le pseudonyme de Laure Conan qu'elle a publié ses romans. Elle est considérée comme la première romancière canadienne-française.

Confédération

Nom donné au type d'union qui existe entre les provinces du Canada depuis l'Acte de l'Amérique du Nord britannique, en 1867. La fête de la Confédération est célébrée le 1er juillet. [➜Acte de l'Amérique du Nord britannique]

Congo (République démocratique du)

Nom local	Congo (la République démocratique du)
Capitale	Kinshasa
Superficie	2 344 885 km²
Population	62 636 000
Habitants	Congolais, Congolaises

La République démocratique du Congo est un État de l'Afrique centrale. C'est le troisième pays d'Afrique du point de vue de la superficie. Colonie de la Belgique en 1908, le Congo belge est devenu indépendant en 1960. Après une période de troubles, il est devenu le Congo-Kinshasa, puis le Zaïre, en 1971. Depuis 1997, le pays porte le nom de République démocratique du Congo. Il est producteur de café, mais les principales cultures vivrières sont réservées à la consommation locale. Bien que ses richesses minières – cuivre, diamants et or – soient considérables, son économie est faible et son taux de chômage très élevé. Largement répandu, le sida fait de nombreuses victimes au sein de la population. La langue officielle du Congo est le français. [➔Carte 7]

Congo (République du)

Nom local	Congo
Capitale	Brazzaville
Superficie	340 000 km²
Population	3 615 200
Habitants	Congolais, Congolaises

Le Congo, ou République du Congo, est un État de l'Afrique centrale. Il est entouré par le Gabon, le Cameroun, la Centrafrique et la République démocratique du Congo. Autrefois colonie française, le Congo est indépendant depuis 1960. Il porte le nom de République du Congo, ou Congo-Brazzaville, pour se distinguer de son voisin, la République démocratique du Congo. La grande ressource du pays est le pétrole, mais on exploite aussi le bois de la forêt tropicale. La langue officielle y est le français. [➔Carte 7]

Conquête

Nom donné à la guerre au terme de laquelle la Nouvelle-France est devenue une colonie britannique. Ce nom s'applique aussi à la cession de la Nouvelle-France à la Grande-Bretagne, avec la signature du traité de Paris en 1763.

Conseil exécutif

Nom de l'organisme chargé de faire exécuter les lois. Au Québec, on désigne sous ce nom le Conseil des ministres ou Cabinet. Sous l'Acte de Québec (1774) et jusqu'au début de l'Acte d'union (1840), le Conseil exécutif se composait de membres nommés par le gouverneur ou par le roi.

Conseil législatif

Organisme composé de personnes non élues, mais désignées par le gouvernement pour étudier et approuver les lois. Au Bas-Canada, le Conseil législatif partageait avec la Chambre d'Assemblée le pouvoir de faire des lois, et ce, de l'Acte constitutionnel de 1791 à l'entrée en vigueur de l'Acte de l'Amérique du Nord britannique de 1867. De 1867 à 1968, le Québec a eu un Conseil législatif qui était l'équivalent du Sénat canadien.

Conseil privé de Londres

Organisme britannique créé par l'Acte de l'Amérique du Nord britannique de 1867 pour conseiller la Couronne. Jusqu'en 1949, le Conseil privé de Londes était le plus haut tribunal du Canada. Il a ensuite cédé ce titre à la Cour suprême du Canada.

Conseil souverain

Organisme créé en 1663 pour veiller à l'administration civile, judiciaire et criminelle de la Nouvelle-France, sous la direction d'un gouverneur et d'un intendant.

Convention de la Baie-James et du Nord québécois

Entente conclue en 1975 entre les Cris, les Inuits, le gouvernement du Québec et le gouvernement du Canada, à la suite de négociations déclenchées par l'annonce de la construction de barrages hydroélectriques dans le Nord du Québec. La Convention de la Baie-James et du Nord québécois est le premier traité signé par le gouvernement du Québec avec les Autochtones. En échange de la cession de leurs droits ancestraux sur un large territoire, les Cris et les Inuits ont obtenu des responsabilités importantes en matière d'éducation, de services de santé et de services sociaux, d'administration, de chasse, de pêche et de piégeage, ainsi que les structures administratives et les moyens financiers pour assumer ces responsabilités.

Convention du Nord-Est québécois

Entente conclue en 1978 pour permettre aux Naskapis de Kawawachikamach de se joindre à la Convention de la Baie-James et du Nord québécois. [➔voir ci-dessus]

Cook (îles)

Les îles Cook sont situées dans l'océan Pacifique, à mi-chemin entre Hawaii et la Nouvelle-Zélande. Composées de quinze îles, dont huit sont volcaniques, elles forment une région autonome dépendant de la Nouvelle-Zélande, un État d'Océanie. Leur superficie est de 236 km² et elles comptent 11 870 habitants.

Coon Come (Matthew)

Homme politique et activiste cri, né près de Mistassini en 1957. Il est un chef de file national et international pour la défense des droits fondamentaux des Autochtones. Il a été chef national de l'Assemblée des Premières Nations de 2000 à 2003. [➔Assemblée des Premières Nations]

Copenhague

Copenhague est la capitale du Danemark, un pays scandinave du nord de l'Europe. Grand port de commerce sur la mer Baltique, elle est la métropole industrielle du pays. Copenhague est aussi un centre universitaire et culturel. Sa population est de 505 100 habitants. [➔Carte 8]

Copenhague

Corée du Nord

Nom local	Chosŏn
Capitale	Pyongyang
Superficie	120 000 km²
Population	23 858 300
Habitants	Nord-Coréens, Nord-Coréennes

La Corée du Nord est un État de l'Asie de l'Est. Quand la péninsule de Corée a été divisée en deux après la Seconde Guerre mondiale, la partie nord est devenue un État communiste du nom de Corée du Nord. Les relations entre les deux Corée ont toujours été très tendues. La Corée du Nord a le régime politique le plus fermé de la planète. Ses dirigeants isolent le pays du reste du monde, le maintenant dans une situation sanitaire et économique désastreuse. Sa capitale, Pyongyang, est de loin la ville la plus peuplée avec plus de 3 000 000 d'habitants. La langue officielle de la Corée du Nord est le coréen. [➔Carte 9]

Corée du Sud

Nom local	Hanguk
Capitale	Séoul
Superficie	100 000 km²
Population	48 607 000
Habitants	Sud-Coréens, Sud-Coréennes

La Corée du Sud est un État de l'Asie de l'Est. Elle a été fondée après la Seconde Guerre mondiale. Entre 1970 et 1990, la Corée du Sud est devenue un grand pays industriel, notamment parce qu'elle disposait d'une main-d'œuvre abondante et bon marché. Elle est aujourd'hui un gros exportateur d'automobiles, de navires, d'équipements électroniques, de métaux, de bijoux. Les Coréens cultivent le riz, l'orge, les fruits et le tabac, mais consomment également beaucoup de produits alimentaires importés. La langue officielle de la Corée du Sud est le coréen. [➔Carte 9]

Corse (île)

La Corse est une île française de la mer Méditerranée. Elle est formée de deux départements : la Corse-du-Sud et la Haute-Corse. Les Corses vivent de l'agriculture, mais surtout du tourisme. Plus de la moitié des 294 100 habitants vivent dans les villes d'Ajaccio et de Bastia.

*Speloncato, en **Corse***

Costa Rica

Nom local	Costa Rica
Capitale	San José
Superficie	51 000 km²
Population	4 526 500
Habitants	Costaricains, Costaricaines

Le Costa Rica est un État de l'Amérique centrale situé entre le Nicaragua et le Panama. Le pays est traversé par des chaînes de montagnes. À l'est de ces montagnes se trouve la mer des Caraïbes et à l'ouest, l'océan Pacifique. Le climat, tropical et tempéré en altitude, favorise la culture du café, du cacao, de la canne à sucre et des bananes, produits qui sont exportés. Très touristique, le Costa Rica est l'un des pays les plus riches de l'Amérique latine. La langue officielle y est l'espagnol. [➔Carte 3]

Côte d'Ivoire

Nom local	Côte d'Ivoire
Capitale	Yamoussoukro
Superficie	320 000 km²
Population	20 591 300
Habitants	Ivoiriens, Ivoiriennes

La Côte d'Ivoire est un État de l'ouest de l'Afrique situé sur le golfe de Guinée. La population y est surtout rurale. Les Ivoiriens cultivent les produits alimentaires de base tels le café, le cacao et la banane. C'est dans le port d'Abidjan, la plus grande ville du pays et sa capitale économique, que la majorité des activités industrielles sont concentrées. La langue officielle de la Côte d'Ivoire est le français. [➔Carte 7]

Côte-Nord

La Côte-Nord est une région administrative du Québec qui s'étend de la rivière Saguenay jusqu'au Labrador. Située sur la rive nord du fleuve Saint-Laurent, la région a été le royaume des chasseurs innus jusqu'au 20e siècle. C'est autour des années 1950 et 1960 que la région a pris un essor considérable avec l'exploitation des mines de fer. L'économie de la Côte-Nord repose particulièrement sur l'exploitation forestière, sur les mines de fer et de titane, sur l'hydroélectricité et sur l'important port de Sept-Îles. Ce territoire d'une superficie de 236 700 km² compte 95 700 habitants. Sept-Îles et Baie-Comeau en sont les principales villes. [➔Carte 5]

Coudres (île aux)

L'île aux Coudres est une île du fleuve Saint-Laurent située dans la région touristique de Charlevoix. C'est Jacques Cartier qui l'a ainsi baptisée à cause de l'abondance de coudriers (sorte de noisetiers) qui poussaient sur l'île. La pêche et le tourisme y sont les deux principales activités.

Cour suprême du Canada

Créée en 1875, la Cour suprême est, depuis 1949, le plus haut tribunal du pays. Elle est composée de neuf juges nommés par le gouvernement.

CP →Voir Canadien Pacifique

Cracovie

Cracovie est l'une des villes les plus anciennes de la Pologne, un pays de l'Europe centrale. Autrefois capitale polonaise, elle est toujours considérée comme le véritable centre du pays, avec ses traditions et son passé vieux de plus de 1000 ans. Son patrimoine architectural est d'ailleurs très bien conservé et l'industrie touristique y est importante. La ville de Cracovie compte 756 300 habitants.

Crète (île)

La Crète est une grande île de la mer Méditerranée. Elle est située au sud de la Grèce, à laquelle elle appartient. La ville principale est Héraklion. Les Crétois vivent de l'agriculture, de la pêche, de l'élevage et, surtout, du tourisme. Le patrimoine archéologique, qui comprend des vestiges de l'ancienne cité de Cnossos, est très riche. La Crète couvre une superficie de 8300 km² et compte 601 100 habitants.

Arkadi, en **Crète**

Cris

Nation amérindienne établie surtout dans la région de la baie d'Hudson et dans les provinces de l'ouest du Canada. Excellents chasseurs, les Cris étaient parmi les principaux fournisseurs de fourrures des compagnies de traite. Aujourd'hui, les Cris au Québec se trouvent principalement dans la région administrative du Nord-du-Québec. Les villages cris sont Chisasibi, Eastmain, Mistissini, Nemiscau, Oujé-Bougoumou, Waskaganish, Waswanipi, Wemindji et Whapmagoostui. La population parle le cri et a l'anglais pour langue seconde. [→Carte 5]

Crise d'Octobre

Période d'agitation terroriste qui s'est déroulée du mois d'octobre au mois de décembre 1970. Des membres d'un mouvement clandestin pour l'indépendance du Québec, le Front de libération du Québec (FLQ), enlèvent un diplomate britannique, James Richard Cross, et un ministre du gouvernement québécois, Pierre Laporte, qui est assassiné. À la suite d'une décision du gouvernement fédéral, des centaines de personnes sont arrêtées et les libertés civiles sont suspendues.

Crise d'Oka

Crise politique qui a opposé la nation mohawk aux gouvernements québécois et canadien au cours de l'été 1990. La crise d'Oka a mis en lumière l'incompréhension réciproque entre les Blancs et les Autochtones. Une Commission royale d'enquête sur les Autochtones est créée à la suite de cet évènement.

Croatie

Nom local	Hrvatska
Capitale	Zagreb
Superficie	56 538 km²
Population	4 434 800
Habitants	Croates

Zagreb, en **Croatie**

La Croatie est un État du sud-est de l'Europe bordé par la mer Adriatique. La Croatie est née en 1991, à la suite de l'éclatement de la Yougoslavie. Le conflit qui a opposé les Serbes et les Croates de 1991 à 1995 a considérablement mis à mal l'économie du pays. La Croatie tire ses principales ressources de l'agriculture et de l'exploitation de son sous-sol. La langue officielle y est le croate. [→Carte 8]

Croix-Rouge

Organisation internationale pour la protection des victimes de guerres fondée en 1863 par Henri Dunant. Basé à Genève, le Comité international de la Croix-Rouge a reçu le prix Nobel de la paix en 1917, 1944 et 1963. Son nom officiel est « Mouvement international de la Croix-Rouge et du Croissant-Rouge ».

Cuba

Nom local	Cuba
Capitale	La Havane
Superficie	115 000 km²
Population	11 247 300
Habitants	Cubains, Cubaines

Cuba est un État et la plus grande île des Antilles. Depuis 1959, Cuba est une république socialiste, c'est-à-dire que la propriété y est collective et qu'on y prône l'absence de classes sociales. Le climat de cette île, située à l'entrée du golfe du Mexique, est tropical et humide, et les cyclones y sont fréquents. Le pays vit de la culture de la canne à sucre, du tabac et des fruits. Le tourisme joue un rôle très important dans son économie. Le taux de chômage est cependant élevé. Les villes principales sont La Havane, Santiago de Cuba et Camagüey. La langue officielle de Cuba est l'espagnol. [➔Carte 3]

Curie (Pierre et Marie)

Physicien français (1859-1906) et physicienne française d'origine polonaise (1867-1934). Les deux époux ont découvert le radium en 1898 et reçu le prix Nobel de physique en 1903. Marie Curie a poursuivi ses recherches après la mort de son mari. Elle a reçu le prix Nobel de chimie en 1911.

*Pierre et Marie **Curie***

Cyr (Louis)

Athlète, né à Napierville en 1863 et mort à Montréal en 1912. Considéré comme l'homme le plus fort de son époque, il a fait des tournées en Europe et aux États-Unis. Il a été intronisé au Temple de la renommée des sports du Canada en 1955.

D d

Dacca

Dacca est la capitale et la plus grande ville du Bangladesh, un État de l'Asie du Sud situé à l'est de l'Inde. Dacca est densément peuplée, avec une population de 5 333 600 habitants. La production de textile y est importante. [➔Carte 9]

Dakar

Dakar est la capitale du Sénégal, un pays de l'Afrique de l'Ouest. La ville est le premier port du pays et compte 1 075 600 habitants. [➔Carte 7]

Dalaï-lama

Le dalaï-lama est un moine qui incarne au plus haut degré les valeurs bouddhistes. Il est le chef spirituel du Tibet et, depuis 1642, également le chef politique. Le premier dalaï-lama a fondé un monastère en 1447. Ses successeurs sont considérés comme ses réincarnations successives. L'actuel dalaï-lama, prix Nobel de la paix en 1989, a été contraint de s'exiler en Inde. Il prône pacifiquement la libération de son pays du joug chinois.

*Le **dalaï-lama***

Dalhousie (George Ramsay)

Militaire et administrateur, né en Écosse en 1770 et mort au même endroit en 1838. Après une longue carrière militaire, il devient lieutenant-gouverneur de la Nouvelle-Écosse en 1816 puis, trois ans plus tard, gouverneur général du Canada, poste qu'il a occupé jusqu'en 1828. Une ville du Nouveau-Brunswick rappelle son souvenir.

Damas

Damas est la capitale de la Syrie, un pays du Moyen-Orient. Cette ville compte 1 658 000 habitants. [➔Carte 9]

Danemark

Nom local	Danmark
Capitale	Copenhague
Superficie	43 000 km^2
Population	5 497 500
Habitants	Danois, Danoises

Le Danemark est un État de la Scandinavie, une région du nord de l'Europe. Les principales activités économiques du pays sont l'élevage de porcs et de bovins, l'agriculture, la pêche et la fabrication de produits manufacturés. Les plus grandes villes, après Copenhague, sont Aarhus et Odense. La langue officielle du Danemark est le danois. [➔Carte 8]

Danube (fleuve)

Le Danube est un fleuve d'Europe. D'une longueur de 2850 km, il prend sa source en Allemagne et forme un vaste delta en se jetant dans la mer Noire. C'est le deuxième plus grand fleuve européen après la Volga. Le trafic de marchandises y est important, mais moindre que sur le Rhin.

Dansereau (Pierre)

Écologiste, né à Montréal en 1911. Après avoir étudié à l'Institut agricole d'Oka et à Genève (Suisse), il a travaillé au Jardin botanique de Montréal avec le frère Marie-Victorin. Il a fait carrière à Montréal et aux États-Unis, et gagné une renommée internationale. Depuis 1971, il enseigne l'écologie à l'Université du Québec à Montréal. Compagnon de l'Ordre du Canada (1969), Pierre Dansereau est considéré comme l'un des pionniers de l'écologie au Canada et aux États-Unis.

Darwin (Charles)

Naturaliste anglais, né en Angleterre en 1809 et mort dans le même pays en 1882. À la suite d'un long voyage d'exploration des côtes de l'Amérique du Sud, où il a examiné des fossiles et toutes sortes d'animaux, il a élaboré la notion de « sélection naturelle », qui veut que seuls les individus qui parviennent à s'adapter à leur milieu survivent dans la nature.

Charles **Darwin**

Daumont de Saint-Lusson (Simon-François)

Explorateur, né en France vers 1643 et mort probablement dans le même pays vers 1677. En 1670, il est chargé par l'intendant Jean Talon d'explorer la région du lac Supérieur, à la recherche de mines de cuivre. L'année suivante, il prend possession de la région des Grands Lacs au nom du roi de France et soumet à l'autorité de ce dernier les quatorze nations amérindiennes qui y vivaient.

Davis (John)

Explorateur, né en Angleterre vers 1550 et mort en Asie en 1605. À la recherche d'un passage vers l'Asie par le nord-ouest, il entreprend trois voyages dans les régions arctiques du Canada et découvre un détroit auquel il a donné son nom. Il a été tué par des pirates japonais lors d'un voyage dans les mers du Sud.

Déportation des Acadiens
➔Voir **Acadiens**

Desjardins (Alphonse)

Journaliste, fonctionnaire et fondateur des caisses populaires, né à Lévis en 1854 et mort au même endroit en 1920. C'est au cours d'un débat sur l'usure, à la Chambre des communes, qu'il prend conscience de l'ampleur du problème. Il fonde en décembre 1900 la Caisse populaire de Lévis – la

Alphonse **Desjardins**

première coopérative d'épargne et de crédit en Amérique. Son épouse Dorimène, qui assume la gérance de cette première caisse populaire à ses débuts, apportera une telle contribution au mouvement qu'on la considère aujourd'hui comme la cofondatrice des caisses populaires. À la mort d'Alphonse Desjardins, on compte quelque 140 caisses populaires au Québec.

Desjardins (Mouvement des caisses)
Mouvement coopératif issu de la fondation des caisses populaires par Alphonse et Dorimène Desjardins en 1900 et de leur réseau à l'échelle du Québec. Il offre aujourd'hui de nombreux services financiers à travers plusieurs composantes, notamment Développement international Desjardins (DID). Le Mouvement des caisses Desjardins est actuellement le plus important groupe financier coopératif du Québec et le huitième en importance au Canada.

Desmarteau (Étienne)
Athlète, né à Boucherville en 1873 et mort à Montréal en 1905. En 1904, aux Jeux olympiques de St. Louis, aux États-Unis, il termine premier lors de la compétition de lancer du poids. Il devient ainsi le premier Canadien français à obtenir une médaille d'or aux Jeux olympiques.

Desportes (Hélène)
Née à Québec vers 1620 et morte en 1675. Elle est considérée comme le premier enfant blanc né en Nouvelle-France.

Deux-Montagnes (lac des)
Le lac des Deux-Montagnes est un élargissement naturel de la rivière des Outaouais, au Québec. Il est situé à l'ouest de l'île de Montréal. Une écluse de 60 m de long, située à Sainte-Anne-de-Bellevue, permet de passer du lac des Deux-Montagnes au lac Saint-Louis.

Diamond (Billy)
Homme politique cri, né en 1949 à Rupert House (aujourd'hui Waskaganish) et mort le 30 septembre 2010. Grand chef du Grand Conseil des Cris de 1974 à 1984, il a été un dirigeant important et le principal négociateur cri dans la Convention de la Baie-James et du Nord québécois. [➔Convention de la Baie-James et du Nord québécois]

Diamant (cap)
Le cap Diamant est un promontoire rocheux situé sur la rive nord du fleuve Saint-Laurent, à la hauteur de Québec. C'est le point naturel le plus élevé de la ville. Sur ce cap se trouve la Citadelle de Québec, la plus importante forteresse britannique construite en Amérique du Nord, ainsi que le Château Frontenac, un hôtel célèbre qui a ouvert ses portes en 1893.

*Vue du **cap Diamant***

Diefenbaker (John George)
Homme politique, né à Neustadt (Ontario) en 1895 et mort à Ottawa en 1979. Chef du Parti progressiste-conservateur, il a mené son parti à la victoire en 1957 après vingt-deux ans de gouvernement libéral. Il a été premier ministre du Canada de 1957 à 1963, date à laquelle les libéraux ont repris le pouvoir. C'est sous son gouvernement que les Autochtones ont obtenu le droit de vote au fédéral. [➔Parti progressiste-conservateur du Canada]

Dieppe (raid de)
Important combat de la Seconde Guerre mondiale. Le 19 août 1942, près de 5000 soldats canadiens et 1100 soldats britanniques tentent un débarquement sur la plage de Dieppe, en Normandie (France). Mais les Allemands les attendent de pied ferme. C'est un massacre. Plus de 900 soldats canadiens y ont laissé leur vie.

Dili
La ville de Dili est la capitale du Timor oriental, un pays de l'Asie du Sud-Est. Sa population est d'environ 150 000 habitants. [➔Carte 9]

Disney (Walt)
Producteur et réalisateur américain de dessins animés, né à Chicago en 1901 et mort à Los Angeles en 1966. En 1928, il crée le personnage de la souris Mickey. En 1938, il réalise un premier long métrage, *Blanche-Neige et les sept nains*, qui a été suivi de beaucoup d'autres, dont *Pinocchio* en 1939, *Fantasia* en 1940 et *Cendrillon* en 1950. Créateur et homme d'affaires, Walt Disney a érigé un immense empire dont font partie les célèbres parcs à thème Disneyland et Disneyworld.

Djibouti (État)

Nom local	Djiboûtî, Djibouti
Capitale	Djibouti
Superficie	22 000 km²
Population	365 000
Habitants	Djiboutiens, Djiboutiennes

Djibouti est un État de l'Afrique de l'Est bordé par la mer Rouge. Il est situé entre l'Érythrée, l'Éthiopie et la Somalie. C'est un pays désertique et très pauvre, où il ne pleut presque jamais. Djibouti a été une colonie française en 1896 et un territoire français d'outre-mer en 1946 avant d'accéder à l'indépendance en 1977. Deux langues officielles s'y côtoient : l'arabe et le français. [➔Carte 7]

Djibouti (ville)

Djibouti est la capitale du pays du même nom, avec une population de 350 000 habitants. Son port sur la mer Rouge est important, particulièrement pour la France, qui y a conservé une base militaire.

Dodoma

Dodoma est la capitale de la Tanzanie, un pays de l'Afrique de l'Est. La ville compte 203 800 habitants. [➔Carte 7]

Doha

Doha est la capitale du Qatar, un émirat du Moyen-Orient, en Arabie. Cette ville, la plus grande du pays, est construite dans une baie du golfe Persique et compte 635 200 habitants. [➔Carte 9]

***Doha**, au Qatar*

Dolbeau-Mistassini

Dolbeau-Mistassini est une ville située au confluent de trois rivières situées au nord du lac Saint-Jean. Elle fait d'ailleurs partie de la région administrative du Saguenay–Lac-Saint-Jean. La majeure partie de son activité industrielle repose sur l'exploitation forestière. La ville de Dolbeau-Mistassini est née de la fusion des anciennes villes de Dolbeau et de Mistassini. [➔Carte 5]

Dollard des Ormeaux (Adam)

Militaire, né en France en 1635 et mort à Long Sault (Ontario) en 1660. Il a été commandant de la garnison du fort de Ville-Marie (Montréal). En 1660, il organise une expédition en vue de s'emparer des fourrures transportées par des Iroquois qui descendaient la rivière des Outaouais. Il est surpris avec ses seize compagnons par des ennemis plus nombreux que prévu. Réfugiés dans un fort, les Français et les quarante Hurons qui les accompagnent subissent un siège de plusieurs jours, au terme duquel la plupart des Français, dont Dollard des Ormeaux, sont tués.

Dominicaine (République)

Nom local	República Dominicana
Capitale	Saint-Domingue
Superficie	48 500 km²
Population	9 837 700
Habitants	Dominicains, Dominicaines

*Saint-Domingue, en République **dominicaine***

La République dominicaine est un État des Antilles, dans la mer des Caraïbes. Elle est située dans la partie est de l'île d'Hispaniola qu'elle partage avec Haïti (partie occidentale). L'économie de la République dominicaine est principalement tournée vers l'agriculture (fruits tropicaux et sucre) et le tourisme. La langue officielle y est l'espagnol. [➔Carte 3]

Dominique

Nom local	Dominica
Capitale	Roseau
Superficie	750 km^2
Population	73 200
Habitants	Dominiquais, Dominiquaises

La Dominique est un État des Petites Antilles. Cette île volcanique de la mer des Caraïbes est située entre la Guadeloupe et la Martinique. L'économie du pays dépend surtout du tourisme et de l'agriculture, particulièrement les agrumes. La langue officielle de la Dominique est l'anglais. [➔Carte 3]

Donnacona

Chef iroquois de la bourgade de Stadaconé, au Québec, qui a rencontré Jacques Cartier lors de son premier voyage au Canada en 1534. L'année suivante, l'explorateur français l'emmène en France où il mourra, vraisemblablement en 1539. Surnommé «le roi de Canada», Donnacona a réussi à convaincre les Français qu'il y avait des richesses à exploiter en Nouvelle-France.

Dorval

Dorval est une ville du Québec située dans la partie ouest de l'île de Montréal. La ville possède un aéroport international, l'aéroport Montréal-Trudeau, l'un des plus importants du Canada. Sa population est de 18 100 habitants. [➔Carte 5]

Douchanbé

Douchanbé est la capitale du Tadjikistan, un État de l'Asie centrale. Son nom signifie *lundi* en persan. Il rappelle que la ville a été fondée à l'emplacement d'une petite localité où le marché se tenait ce jour-là. Douchanbé est un centre industriel, scientifique et culturel qui compte 670 200 habitants. Une très célèbre fabrique de broderies au fil d'or s'y trouve. [➔Carte 9]

Drapeau (Jean)

Homme politique, né à Montréal en 1916 et mort au même endroit en 1999. Il est maire de Montréal de 1954 à 1957 et de 1960 à 1986, soit pendant 29 ans. Sous son administration, Montréal devient une métropole de premier rang et se fait connaître dans le monde. C'est sous son mandat que la ville construit son métro et accueille l'Exposition universelle en 1967, un club de baseball des ligues majeures – les Expos – en 1969, les Jeux olympiques d'été en 1976, et les premières Floralies internationales tenues en Amérique du Nord en 1980. Après s'être retiré de la politique municipale, Jean Drapeau a été ambassadeur du Canada à l'UNESCO de 1986 à 1991.

Jean ***Drapeau***

Drummond (Gordon)

Administrateur, né à Québec en 1771 et mort à Londres en 1854. Après une carrière militaire, il a été administrateur du Haut-Canada de 1813 à 1815, puis du Bas-Canada de 1815 à 1816. Il a laissé son nom à la ville de Drummondville.

Drummondville

Drummondville est une ville du Québec située sur la rivière Saint-François. Elle se trouve dans la région administrative du Centre-du-Québec. En 1993, la municipalité de Grantham a fusionné avec Drummondville. La municipalité de Drummondville compte 67 400 habitants. Un festival mondial de folklore s'y tient chaque année. [➔Carte 5]

Dubaï

Dubaï est à la fois une ville et un émirat des Émirats arabes unis. Dubaï compte 1 089 000 habitants et est renommé pour ses gigantesques projets touristiques et immobiliers. Le pétrole et le gaz naturel sont ses principales richesses.

Dublin

Dublin est la capitale de l'Irlande, un pays de l'Europe de l'Ouest. Elle est située sur la côte est de l'île. Sa population est de 495 800 habitants, mais elle atteint 1 004 600 habitants si l'on prend en compte la vaste banlieue de Dublin. [➔Carte 8]

*Le pont Ha'penny, à **Dublin***

Dufrost de Lajemmerais (Marie-Marguerite) ➔Voir **Youville** (Marie-Marguerite d')

Duplessis (Maurice le Noblet)
Homme politique, né à Trois-Rivières en 1890 et mort à Schefferville en 1959. Chef de l'Union nationale, il a été premier ministre du Québec de 1936 à 1939 et de 1944 à 1959. Parmi ses principales réalisations, mentionnons l'électrification des milieux ruraux, la construction de routes, d'écoles et d'hôpitaux. Un monument rappelle son souvenir à l'extérieur du Parlement de Québec et au centre-ville de Trois-Rivières. [➔Union nationale]

*Maurice **Duplessis***

Durham (John George Lambton, premier comte de)
Homme politique, né en Angleterre en 1792 et mort dans le même pays en 1840. En 1838, il est nommé gouverneur du Canada avec mission d'enquêter sur la situation résultant de la Rébellion de 1837 [➔Rébellions de 1837-1838] et de proposer des solutions. Dans son rapport, Durham conseillait l'instauration de la responsabilité ministérielle et préconisait l'assimilation des Canadiens français pour mettre fin aux problèmes du Bas-Canada. En ce sens, il a recommandé l'union du Bas-Canada et du Haut-Canada, à majorité anglophone.

Durocher (Marie-Rose, née Eulalie)
Religieuse, née à Saint-Antoine-sur-Richelieu en 1811 et morte à Longueuil en 1849. En 1843, elle fonde la congrégation des Sœurs des Saints Noms de Jésus et de Marie, qui se consacre à l'éducation des jeunes filles. Elle a été béatifiée en 1982 par le pape Jean-Paul II. On peut voir une statue de Marie-Rose Durocher à l'arrière de la basilique Notre-Dame, à Montréal.

Duvernay (Ludger)
Journaliste, né à Verchères en 1799 et mort à Montréal en 1852. Il a fondé plusieurs journaux, dont *La Minerve*. Il est considéré comme le fondateur de la Société Saint-Jean-Baptiste, association patriotique dont il s'est occupé jusqu'à sa mort. [➔Société Saint-Jean-Baptiste]

D'Youville (monts)
Cette chaîne de montagnes peu élevées est située dans la péninsule d'Ungava, au nord du Québec. Son point culminant atteint 371 m.

Eastmain (réserve)
Eastmain est une réserve crie située sur la côte est de la baie James, dans la région administrative du Nord-du-Québec. La communauté compte 650 personnes dans la réserve et 40 hors réserve. Les Cris d'Eastmain parlent l'anglais. [➔Carte 5]

Eastmain (rivière)
La rivière Eastmain est située dans la région administrative du Nord-du-Québec. Elle prend sa source dans les mots Otish et se jette dans la baie James. D'une longueur de 756 km, ce cours d'eau est une composante de l'aménagement hydroélectrique des centrales de la Baie-James.

Eau Claire (lac à l')
Le lac à l'Eau Claire est situé dans le Nunavik, dans la région administrative du Nord-du-Québec. Cet impressionnant lac couvre une superficie de 1383 km².

Écosse

L'Écosse est située au nord-ouest de l'Europe et constitue une région du Royaume-Uni comme l'Angleterre, l'Irlande du Nord et le Pays de Galles. L'Écosse s'étend sur 77 773 km² et compte 5 144 200 habitants. Pôle financier important, cette région se distingue par ses nombreuses industries technologiques. Dans le centre, on pratique l'élevage de moutons et de bœufs ainsi que la culture de céréales. L'exploitation du pétrole de la mer du Nord représente par ailleurs une richesse importante.

Le château Eilean Donan, en ***Écosse***

Edison (Thomas Alva)

Inventeur et industriel américain, né en Ohio en 1847 et mort au New Jersey en 1931. Parmi ses nombreuses inventions, les plus connues sont celles du phonographe, en 1877, un appareil mécanique servant à reproduire les sons, et de l'ampoule électrique, en 1879.

Edmonton

Edmonton est la capitale de la province canadienne de l'Alberta. La ville est située au centre de la province, sur les rives de la rivière Saskatchewan Nord. Avec une population de 730 400 habitants, c'est la deuxième plus grande ville de l'Alberta, après Calgary. Les puits de pétrole, les raffineries et les industries alimentaires sont les grands secteurs de l'économie d'Edmonton.
[➔Carte 4]

Égée (mer)

La mer Égée est une partie de la Méditerranée située entre la Grèce, la Turquie et la Crète. Cette mer de 170 000 km² est parsemée d'un très grand nombre d'îles, dont beaucoup constituent des sites touristiques.

Égypte

Nom local	Mişr
Capitale	Le Caire
Superficie	1 001 449 km²
Population	81 527 200
Habitants	Égyptiens, Égyptiennes

L'Égypte est un État situé au Moyen-Orient. Il est limité par la mer Rouge, la Méditerranée, la Libye et le Soudan. Une grande partie du territoire, soit 70 %, est aride. Les terres sont fertiles dans la vallée inondable du Nil, où se concentre la population. Les villes d'Égypte sont surpeuplées, particulièrement Le Caire. De ce fait, même si l'agriculture est développée, la production locale ne suffit pas à nourrir tout le pays. L'Égypte vit de l'exportation du pétrole, du coton et d'articles textiles ainsi que du tourisme. La langue officielle y est l'arabe.
[➔Carte 7]

Eiffel (Gustave)

Ingénieur français, né à Dijon (France) en 1832 et mort à Paris en 1923. Considéré comme l'un des premiers maîtres de l'architecture du fer, c'est lui qui a érigé l'armature métallique de la statue de la Liberté, à New York, et celle de la tour Eiffel, à Paris.

Eiffel (tour)

Elle a été construite sur la partie du Champ-de-Mars qui borde la Seine, à Paris, à l'occasion de l'Exposition universelle de 1889. Entièrement métallique, la tour Eiffel comporte trois plates-formes, et sa hauteur totale est de 320 m.

Albert ***Einstein***

Einstein (Albert)

Physicien et mathématicien allemand, né en Allemagne en 1879 et mort aux États-Unis en 1955. Considéré comme le savant le plus illustre du 20e siècle, il a proposé une théorie générale de l'Univers, appelée « théorie de la relativité », qui explique les phénomènes observés à l'échelle

atomique ou astronomique. Sa théorie est résumée dans une formule devenue célèbre : $E = mc^2$. Grâce à ses travaux, on a réussi à maîtriser l'énergie nucléaire. Cependant, le pacifiste qu'était Einstein a farouchement lutté contre le danger de la bombe atomique. Il a reçu le prix Nobel de physique en 1921.

El-Aïun

El-Aïun est la plus grande ville du Sahara occidental, un territoire de l'ouest de l'Afrique bordé par l'Atlantique. Cette ville compte 183 700 habitants.

Elgin (James Bruce, huitième comte d')

Administrateur, né à Londres (Angleterre) en 1811 et mort en Inde en 1863. Gouverneur général du Canada-Uni de 1847 à 1854, il y a appliqué pour la première fois, en 1848, le principe de gouvernement responsable. Gendre de Lord Durham [➔Durham, John George Lambton], Elgin était favorable aux revendications des Canadiens français.

Elizabeth II

Reine du Royaume-Uni et du Canada, chef du Commonwealth depuis 1952, née à Londres en 1926. La reine est représentée au Canada par le gouverneur général.

Elizabeth II

Émirats arabes unis

Nom local	Al Imārāt
Capitale	Abou Dhabi
Superficie	83 600 km²
Population	4 484 200
Habitants	Émiriens, Émiriennes

Les Émirats arabes unis sont un État du Moyen-Orient né de la réunion de sept émirats, lesquels sont des parcelles du désert Arabique. Avant de devenir une zone pétrolière particulièrement riche (10 % des réserves mondiales s'y trouvent), les Émirats arabes unis vivaient de l'élevage nomade, de la pêche et de la vente de perles. Le développement très rapide du pays a attiré plus d'un million de travailleurs étrangers. La fédération des Émirats arabes unis est l'un des États les plus riches du monde. [➔Carte 9]

Empress of Ireland

Paquebot de la compagnie Canadien Pacifique. Le 29 mai 1914, au large des côtes de Rimouski, il est éperonné par un bateau norvégien, le *Storstad*. L'*Empress of Ireland* coule en quatorze minutes, entraînant la mort de 1014 passagers. Il s'agit de la plus grande catastrophe maritime survenue au Canada et du troisième plus important naufrage civil de l'histoire. [➔ *Titanic*]

Équateur

Nom local	Ecuador
Capitale	Quito
Superficie	280 000 km²
Population	1 478 600
Habitants	Équatoriens, Équatoriennes

L'Équateur est un État de l'Amérique du Sud bordé par l'océan Pacifique et traversé par la cordillère des Andes. La population est composée de Métis, de Noirs, d'Autochtones et de descendants d'Espagnols. La région de la côte du Pacifique regroupe plus de la moitié des habitants, la région de l'est étant occupée par la forêt amazonienne. L'Équateur exporte des bananes (dont il est le premier producteur du monde), du cacao et du café. Le pétrole génère des revenus, mais le pays reste pauvre et endetté. La langue officielle y est l'espagnol. [➔Carte 6]

Erevan

Erevan est la capitale et la plus grande ville d'Arménie, un pays de l'ouest de l'Asie. Sa population de 1 106 400 habitants représente environ 40 % de la population totale du pays. [➔Carte 9]

Érié (lac)

Le lac Érié est le quatrième des Grands Lacs de l'Amérique du Nord. Il est situé à l'extrémité sud de l'Ontario. Sa superficie est de 25 812 km², dont 12 880 km² sont en territoire canadien.

Erik le Rouge

Explorateur, né en Norvège vers 940 et mort vers 1030. Il est le premier Européen connu à s'établir au Groenland vers 985. Son fils, Leif Eriksson, est considéré comme le premier Européen à avoir vécu sur le territoire canadien. Son établissement était situé sur l'île de Terre-Neuve. Aujourd'hui, le lieu historique national de L'Anse aux Meadows met en valeur les vestiges de cet établissement. [➔Vikings]

Erik le Rouge

Érythrée

Nom local	Êrtra, Irītrīyā
Capitale	Asmara
Superficie	121 320 km²
Population	4 996 200
Habitants	Érythréens, Érythréennes

L'Érythrée est un État de l'Afrique du Nord-Est, sur la mer Rouge. Il est entouré par le Soudan et l'Éthiopie. L'histoire de l'Érythrée n'est pas banale : ce pays a d'abord appartenu à l'Éthiopie, puis il est devenu une colonie italienne en 1889. En 1941, il a été placé sous contrôle britannique et, en 1962, il a été réintégré à l'Éthiopie avant d'obtenir son indépendance en 1993. La guerre avec l'Éthiopie (1998 à 2000) a été désastreuse pour son économie. L'Érythrée reçoit une aide économique internationale importante. Les langues officielles y sont le tigrigna et l'arabe. [➔Carte 7]

Esclaves (Grand lac des)

Le Grand lac des Esclaves est situé dans les Territoires du Nord-Ouest, près de la frontière de l'Alberta, au Canada. D'une superficie de 28 570 km², ce lac est le troisième plus grand du Canada et le cinquième de l'Amérique du Nord.

Espagne

Nom local	España
Capitale	Madrid
Superficie	505 000 km²
Population	45 568 200
Habitants	Espagnols, Espagnoles

L'Espagne est un État du sud-ouest de l'Europe. Son économie repose sur l'agriculture, la pêche, le tourisme et les industries. Barcelone est le plus grand centre industriel du pays. Madrid, la capitale, et Barcelone sont les seules villes dont la population dépasse le million. L'espagnol (le castillan), utilisé par la grande majorité de la population, constitue la langue officielle. D'autres langues sont également parlées dans le pays, dont le catalan, le galicien et le basque. [➔Carte 8]

*La place d'**Espagne**, à Séville*

Essipit

Autrefois nommée Les Escoumins, la réserve innue d'Essipit est située à 40 km de Tadoussac, dans la région administrative de la Côte-Nord, au Québec. La communauté compte 180 personnes dans la réserve et 190 hors réserve. Les Innus d'Essipit parlent l'innu et le français. [➔Carte 5]

Estonie

Nom local	Eesti
Capitale	Tallinn
Superficie	45 100 km^2
Population	1 340 600
Habitants	Estoniens, Estoniennes

L'Estonie est un État du nord-est de l'Europe situé sur la mer Baltique. Le paysage de l'Estonie est constitué de bas plateaux, de forêts, de montagnes et de lacs glaciaires. En plus d'être à l'avant-garde dans le domaine des nouvelles technologies (téléphonie, informatique), les Estoniens pratiquent l'élevage bovin et porcin ainsi que la culture du lin. La population est composée majoritairement d'Estoniens, mais les Russes et les Ukrainiens en représentent 33 %. La langue officielle de l'Estonie est l'estonien. [➔Carte 8]

Estrie

L'Estrie est une région administrative du Québec située dans le sud de la province. La région a été colonisée à la fin du 18e siècle par des Loyalistes qui avaient fui les États-Unis à la suite de la guerre de l'Indépendance. D'abord nommée « Cantons-de-l'Est », cette région a ensuite pris le nom d'Estrie en 1946. Parmi les villes estriennes figurent Sherbrooke, Magog et Coaticook. La région produit des textiles, de la pâte à papier et des appareils électroniques. On y pratique aussi l'agriculture. L'Estrie a une superficie de 10 195 km^2 et compte 307 400 habitants. [➔Carte 5]

Le lac Massawippi (North Hatley), en ***Estrie***

États-Unis d'Amérique

Nom local	United States
Capitale	Washington
Superficie	9 629 021 km^2
Population	304 060 000
Habitants	Américains, Américaines

Les États-Unis sont un État de l'Amérique du Nord situé entre les océans Atlantique et Pacifique, le Canada et le Mexique. Ils sont constitués de 50 États, dont l'Alaska et les îles Hawaii, auxquels s'ajoute le District de Columbia, où se trouve la capitale, Washington. Considérés comme la plus grande puissance économique du monde, les États-Unis d'Amérique produisent plus de 30 % des richesses de la planète. Le pays occupe le premier, le deuxième ou le troisième rang mondial dans plusieurs domaines : la culture du maïs, de l'orge, des agrumes, des céréales, du blé et du coton ; l'élevage de porcs et de bovins ; les ressources naturelles telles que le charbon, le pétrole, le gaz naturel, le cuivre et l'uranium. De très puissantes industries y sont installées : production d'électricité, d'aluminium, d'avions civils, d'ordinateurs, d'automobiles, de téléviseurs, d'acier brut, en plus des industries agroalimentaires, électroniques, mécaniques et aérospatiales. L'influence des États-Unis est très grande dans les domaines de l'information, de la télévision et du cinéma. La langue officielle y est l'anglais. [➔Carte 3]

Etchemin (lac)

Le lac Etchemin est situé sur la rive sud du fleuve Saint-Laurent, dans la région administrative de Chaudière-Appalaches, au Québec.

Etchemin (rivière)

La rivière Etchemin est située dans la région administrative de Chaudière-Appalaches, au Québec. Elle prend sa source dans le lac du même nom et se jette dans le fleuve Saint-Laurent, à l'ouest de la ville de Lévis. Son nom, donné par Samuel de Champlain, vient de ce que les Autochtones des Etchemins l'empruntaient pour se rendre à Québec.

Éthiopie

Nom local	Ītyop'iya
Capitale	Addis Abeba
Superficie	1 127 127 km²
Population	80 713 400
Habitants	Éthiopiens, Éthiopiennes

L'Éthiopie est un État du nord-est de l'Afrique autrefois appelé « Abyssinie ». Ce pays est l'un des plus pauvres du monde. La guerre civile et les sécheresses périodiques y causent de grandes famines. La population, surtout rurale, pratique une agriculture de subsistance et s'adonne aussi à l'élevage. L'industrie est très peu développée, mais l'hydroélectricité est abondante. La langue officielle de l'Éthiopie est l'amharique, mais environ 70 langues et 200 dialectes y sont aussi parlés. [➔Carte 7]

Europe

L'Europe est l'un des six continents. L'Europe géographique est délimitée à l'est par le fleuve et le massif de l'Oural, au sud-est par la mer Caspienne, le massif du Caucase, la mer Noire et le détroit du Bosphore. Il ne faut pas confondre ce continent avec l'Europe politique, qui correspond aux 27 pays membres de l'Union européenne. L'Europe occupe un territoire de 10 519 793 km² et compte 830 400 000 habitants. [➔Carte 8]

Everest (mont)

Le mont Everest est la montagne la plus haute du monde avec 8848 m. Il est situé dans l'Himalaya, à la frontière entre le Népal et le Tibet. Son sommet a été atteint pour la première fois en 1953, par l'alpiniste Edmund Hillary et le sherpa Tensing.

Expo 67

Exposition universelle tenue à Montréal d'avril à octobre 1967, à l'occasion du centenaire de la Confédération canadienne. Plus de 50 millions de personnes ont visité Expo 67, dont le thème était « Terre des Hommes ».

Extrême-Orient

L'Extrême-Orient est la partie est de l'Asie. Il comprend la Chine, le Japon, la Corée, le Vietnam, le Cambodge, le Laos, l'Indonésie, les Philippines et l'extrémité est de la Russie.

Féroé (îles)

Les îles Féroé sont situées dans le nord de l'océan Atlantique, entre l'Écosse et l'Islande. Elles appartiennent au Danemark, un pays du nord de l'Europe. L'économie de cet archipel est fondée sur la pêche et l'hydroélectricité. D'une superficie totale de 1399 km², les îles Féroé comptent 48 900 habitants. Les langues parlées y sont le féroïen et le danois.

Ferron (Marcelle)

Peintre et artiste verrier, née à Louiseville en 1924 et morte à Montréal en 2001. Elle étudie à Montréal et à l'École des Beaux-Arts de Québec sous la direction de Jean-Paul Lemieux. En 1947, elle se joint au groupe des Automatistes et signe le manifeste *Refus global*. Adepte de la peinture non figurative, elle participe à de nombreuses expositions internationales et séjourne à Paris de 1953 à 1966. De retour au Québec, elle se consacre principalement au travail du verre. Parmi ses œuvres, soulignons les verrières des stations de métro Champ-de-Mars et Vendôme, à Montréal.

Marcelle ***Ferron***

Feuilles (lac aux)

Le lac aux Feuilles est situé au sud de la baie d'Ungava, dans la région administrative du Nord-du-Québec. Ce lac de 611 km² est reconnu pour ses marées exceptionnelles.

Feuilles (rivière aux)

La rivière aux Feuilles est située dans la péninsule d'Ungava, dans la région administrative du Nord-du-Québec. Elle prend sa source dans le lac Minto et se jette dans la baie d'Ungava, après un parcours de 480 km.

Fidji (îles)

Nom local	Fiji, Viti
Capitale	Suva
Superficie	18 300 km^2
Population	838 700
Habitants	Fidjiens, Fidjiennes

Les îles Fidji sont un État de l'Océanie (Mélanésie). Cet archipel compte 332 îles, dont une centaine sont habitées. La culture de la canne à sucre et la fabrication du sucre constituent les principales activités du pays. Outre la pêche, on y pratique aussi la culture du riz, du manioc et de la noix de coco, et on y exploite les gisements d'or et de manganèse. Le tourisme, toujours croissant, génère des revenus importants. Les langues officielles des Fidji sont l'anglais, le fidjien et l'hindoustani. [➔Carte 10]

Filles du Roy

Nom donné aux jeunes filles qui immigraient en Nouvelle-France au 17e siècle. Entre 1663 et 1673, environ 800 jeunes filles sont arrivées en Nouvelle-France afin d'y fonder une famille. Originaires de Paris et de l'ouest de la France et à la charge du roi Louis XIV, ces jeunes filles, pour la plupart orphelines, veuves de militaires ou mendiantes, permettent à la population de la Nouvelle-France de doubler sous l'administration Talon, de 1665 à 1672.

Les **Filles du Roy**

Finlande

Nom local	Suomi, Finland
Capitale	Helsinki
Superficie	337 000 km^2
Population	5 312 800
Habitants	Finlandais, Finlandaises

La Finlande est un État scandinave du nord de l'Europe situé sur la mer Baltique. On y trouve des milliers de lacs et d'innombrables îles en font partie. Le climat finlandais est très rude : les hivers sont longs et rigoureux, les étés courts et humides. C'est dans les régions côtières du sud que vit la population, à l'exception des Lapons qui occupent une région du nord. Comme les forêts de conifères recouvrent plus de la moitié du pays, on y a développé l'exploitation forestière et la fabrication du papier, faisant de la Finlande l'un des premiers producteurs de papier au monde. Le pays doit aussi sa richesse à son expertise en téléphonie, en chimie et en construction navale. Les langues officielles de la Finlande sont le finnois et le suédois. [➔Carte 8]

Florence

Florence est une ville du nord de l'Italie et la capitale de la région de la Toscane. D'une grande richesse artistique, cette ville attire chaque année des millions de touristes venus du monde entier. Elle abrite d'innombrables trésors du Moyen Âge et de la Renaissance derrière les murs de ses églises, de ses palais et de ses musées. Florence compte 366 400 habitants.

Forillon (Parc national du Canada)

Le Parc national du Canada Forillon est situé à l'extrémité est de la péninsule de la Gaspésie, au Québec. On peut y observer plusieurs centaines d'espèces d'oiseaux de mer, ainsi que des baleines et des phoques. Ses paysages grandioses, constitués de mer, de falaises et de montagnes, s'étendent sur une superficie de 244 km^2.

Fortin (Marc-Aurèle)

Peintre et graveur, né à Sainte-Rose en 1888 et mort à Macamic (Abitibi) en 1970. De retour au Québec après avoir étudié aux États-Unis, il se consacre à la peinture des paysages, des maisons rustiques et des grands ormes qui se trouvent à Sainte-Rose et à Pont-Viau. À partir de 1940, il visite la Gaspésie, Charlevoix, Baie-Saint-Paul, et ses expositions d'œuvres inspirées de ces paysages obtiennent un certain succès. Dès 1950, le diabète réduit considérablement ses activités et Marc-Aurèle Fortin doit subir l'amputation des jambes. Aveugle et oublié, il finit ses jours dans un sanatorium, à Macamic. Brillant coloriste, Fortin est considéré comme l'un des grands peintres paysagistes du Québec.

Foulon (anse au)

L'anse au Foulon est une petite baie située au pied des plaines d'Abraham, dans la ville de Québec. En 1759, les soldats britanniques commandés par James Wolfe y débarquent pour livrer la bataille des Plaines d'Abraham. Le nom de l'anse viendrait du fait qu'un moulin où on foulait la laine existait à cet endroit, au début du 18e siècle.

Fox (Terry)

Athlète, né à Winnipeg (Manitoba) en 1958 et mort à New Westminster (Colombie-Britannique) en 1981. En 1977, atteint d'un cancer des os, il doit se faire amputer de la jambe droite. Il décide alors de traverser le Canada d'est en ouest, à la course, afin de recueillir des fonds pour la lutte contre le cancer. Il amorce ce projet, nommé « Marathon de l'espoir », à Saint John's (Terre-Neuve) le 12 avril 1980. Il doit y mettre fin le 1er septembre à Thunder Bay (Ontario), car le cancer a atteint ses poumons. Il a alors parcouru plus de 5000 km. Depuis, une course du nom de Terry Fox pour la recherche sur le cancer se tient chaque année dans plusieurs pays. Terry Fox a été intronisé au Temple de la renommée des sports du Canada en 1981.

France

Nom local	France
Capitale	Paris
Superficie	547 030 km^2
Population	62 042 500
Habitants	Français, Françaises

La France est un État de l'Europe de l'Ouest. Le pays est divisé en 96 départements, auxquels s'ajoutent quatre départements d'outre-mer (la Guadeloupe, la Guyane, la Martinique et la Réunion). Les paysages de la France sont très variés : des massifs anciens, deux bassins sédimentaires, de grandes plaines et des chaînes de montagnes. Son économie repose sur diverses sources : une très importante production de céréales, la pêche, l'exploitation forestière, les industries chimiques, pharmaceutiques, aéronautiques et électroniques, de même que la production d'objets de luxe. La France étant l'un des pays les plus visités au monde, le tourisme y génère d'importants revenus. Marseille, Lyon, Lille, Bordeaux et Toulouse sont quelques-unes de ses villes principales. La langue officielle de la France est le français. [➔Carte 8]

*Le musée du Louvre (Paris), en **France***

François Ier

Roi de France de 1515 à 1547, né à Cognac en 1494 et mort à Rambouillet en 1547. C'est lui qui a autorisé Jacques Cartier à effectuer des voyages d'exploration et c'est en son nom que Cartier a pris possession du Canada en 1534.

Frappier (Armand)

Médecin et microbiologiste, né à Salaberry-de-Valleyfield en 1904 et mort à Montréal en 1991. Diplômé en médecine de l'Université de Montréal, il poursuit sa formation à l'Institut Pasteur de Paris. Il est l'un des pionniers de l'utilisation du vaccin contre la tuberculose en Amérique du Nord. En 1938, il fonde l'Institut de microbiologie et d'hygiène de Montréal, lequel devient, en 1975, l'Institut Armand-Frappier (rattaché à l'Université du Québec). Cet établissement de recherche est le premier à avoir produit des vaccins au Québec. En 1945, Armand Frappier met sur pied la première école d'hygiène de langue française au monde et il en est le doyen jusqu'en 1965. Armand Frappier était aussi compagnon de l'Ordre du Canada et grand officier de l'Ordre national du Québec.

Fraser (fleuve)
Le fleuve Fraser coule en Colombie-Britannique, la province la plus à l'ouest du Canada. D'une longueur de 1370 km, ce fleuve prend sa source dans les montagnes Rocheuses et se jette dans l'océan Pacifique, près de la ville de Vancouver.

*Le canyon du fleuve **Fraser***

Fraser (Simon)
Commerçant et explorateur, né en Nouvelle-Angleterre en 1776 et mort dans l'Ouest canadien en 1862. En 1808, Fraser a exploré le fleuve de la Colombie-Britannique qui porte aujourd'hui son nom.

Fredericton
Fredericton est la capitale du Nouveau-Brunswick, une province de l'est du Canada. Cette ville de 85 700 habitants, fondée en 1785 par des Loyalistes américains, doit son nom au prince Frederick, fils du roi George III du Royaume-Uni. Dans cet ancien fort acadien, qui compte une minorité d'origine francophone, la langue maternelle de la majorité est l'anglais. [➔Carte 4]

Freetown
Freetown est la capitale et la plus grande ville de la Sierra Leone, un pays de l'Afrique de l'Ouest sur l'océan Atlantique. L'économie de cette ville de 827 000 habitants repose principalement sur ses activités portuaires. [➔Carte 7]

Front de libération du Québec (FLQ)
➔Voir **Crise d'Octobre**

Frontenac (Louis de Buade, comte de)
Militaire et administrateur, né en France en 1622 et mort à Québec en 1698. Gouverneur général de la Nouvelle-France de 1672 à 1682 et de 1689 à 1698, il a cherché à mettre fin par la diplomatie aux attaques iroquoises. En 1690, il a organisé la défense de Québec contre une attaque britannique. Il est célèbre pour la réponse qu'il a donnée à l'officier britannique qui lui demandait de se rendre: «Je vais répondre à votre maître par la bouche de mes canons.»

Fundy (baie de)
La baie de Fundy est un bras de mer situé sur la côte atlantique du Canada, entre les provinces du Nouveau-Brunswick et de la Nouvelle-Écosse. Ses marées sont parmi les plus hautes du monde (14,25 m).

*Hall's Harbour, dans la baie de **Fundy***

Fundy (Parc national du Canada)
Le Parc national du Canada Fundy est situé sur la baie de Fundy, dans la province du Nouveau-Brunswick. Sa superficie est de 206 km².

Gabon

Nom local	Gabon
Capitale	Libreville
Superficie	270 000 km²
Population	1 448 200
Habitants	Gabonais, Gabonaises

Le Gabon est un État de l'Afrique centrale bordé par l'océan Atlantique. Les trois quarts du pays étant couverts d'une forêt dense et humide, sa principale richesse est le bois, l'acajou et l'ébène en particulier. Le sous-sol du Gabon est très riche : manganèse, pétrole, or et gaz. La langue officielle de cette ancienne colonie française est le français. [➔Carte 7]

Gaborone
Gaborone, capitale du Botswana, un pays du sud de l'Afrique, est situé à proximité de la frontière sud-africaine. Cette ville compte 186 000 habitants. [➔Carte 7]

Gaboury (Marie-Anne)
Née au Québec en 1780 et morte à Saint-Boniface (Manitoba) en 1874. Elle est considérée comme la première femme blanche à s'être établie dans l'Ouest canadien. Elle a épousé Jean-Baptiste Lagemodière, qui faisait le commerce des fourrures. Elle est la grand-mère de Louis Riel. [➔ Riel, Louis]

Gagarine (Youri)
Aviateur et cosmonaute soviétique, né en Russie en 1934 et mort au cours d'une mission d'entraînement, en 1968. À la fin de la Seconde Guerre mondiale, il se passionne pour l'espace. Il est sélectionné par les autorités russes en vue du premier vol autour de la Terre, lequel dure 1 heure 48 minutes. En avril 1961, Gagarine devient le premier homme à avoir voyagé dans l'espace.

Gagnon (Clarence)
Graveur et peintre, né à Montréal en 1881 et mort au même endroit en 1942. Il étudie le dessin et la peinture à Montréal et à Paris. La qualité de ses gravures est rapidement reconnue sur la scène internationale et Clarence Gagnon obtient plusieurs distinctions. Il partage ensuite son temps entre Montréal et Baie-Saint-Paul, où il puise l'inspiration pour ses paysages. Parmi ses œuvres, mentionnons l'illustration de romans, dont *Le Grand Silence blanc* (1929), et une édition de luxe de *Maria Chapdelaine* (1933).

Galapagos (îles)
Les îles Galapagos, d'une superficie de 7812 km², sont situées dans l'océan Pacifique. Elles appartiennent à l'Équateur. C'est un archipel célèbre pour sa faune variée : tortues géantes, iguanes, otaries, pingouins. Le tourisme et la pêche à la langouste constituent les principales ressources des Galapagos. [➔Carte 6]

Galilée

Galilée (né Galileo Galilei)
Physicien et astronome italien, né à Pise en 1564 et mort près de Florence en 1642. C'est à lui que l'on doit l'invention du thermomètre. Il a aussi perfectionné une lunette astronomique pour pouvoir observer les planètes, ce qui l'a conduit à affirmer que la Terre tourne autour du Soleil.

Galles (pays de)
Le pays de Galles est une région du Royaume-Uni située à l'ouest de la Grande-Bretagne. De nombreuses stations balnéaires bordent les côtes de cette région au climat océanique. L'élevage de moutons et l'industrie métallurgique constituent les principales activités de ce pays. Traditionnellement, le fils aîné du roi ou de la reine du Royaume-Uni porte le titre de prince de Galles.

Gambie

Nom local	The Gambia
Capitale	Banjul
Superficie	11 300 km²
Population	1 660 200
Habitants	Gambiens, Gambiennes

La Gambie est un petit État de l'Afrique de l'Ouest sur l'océan Atlantique. Presque enclavé dans le Sénégal, ce pays s'étend de part et d'autre du fleuve Gambie. La culture des arachides et le tourisme en constituent les principales activités. Cependant, la Gambie demeure l'un des pays les plus pauvres du monde. Cette ancienne colonie britannique a l'anglais comme langue officielle. [➔Carte 7]

Gamelin (Émilie, née Tavernier)
Religieuse, née à Montréal en 1800 et morte au même endroit en 1851. Elle a fondé la communauté des Sœurs de la Charité de la Providence et en a été la première supérieure générale. Avant la fondation de la communauté en 1844, Émilie Gamelin s'occupait des pauvres et des malades.

Gandhi (Mohandas Karamchand)
Homme politique indien, né en Inde en 1869 et assassiné à Delhi en 1948. Il était appelé le Mahatma (la Grande Âme). Pour libérer son pays de la domination du Royaume-Uni, il instaure une façon de lutter non violente en organisant des marches et des grèves de la faim. En 1947, il participe aux négociations qui mèneront à l'indépendance de l'Inde.

Gandhi

Gange
Le Gange est un fleuve de l'Inde et du Bangladesh, long de 2700 km. Ce cours d'eau prend sa source dans l'Himalaya et se jette dans le golfe du Bengale. Il est considéré comme sacré par les hindouistes, qui y dispersent notamment les cendres des morts et se purifient dans ses eaux.

Garakontié
Chef iroquois, né vers 1654 et mort en 1678. Il a été l'un des principaux négociateurs de la paix entre Iroquois et Français. Ami de ces derniers, il a été baptisé en 1669 par monseigneur François de Laval et a alors reçu le prénom de Daniel.

Garneau (François-Xavier)
Historien, né à Québec en 1809 et mort au même endroit en 1866. En 1845, il a rédigé *Histoire du Canada depuis sa découverte jusqu'à nos jours*, une œuvre qui a fait de lui le plus important historien canadien-français du 19e siècle.

Gaspé (ville)
Gaspé est une ville du Québec située dans l'est de la Gaspésie, dans la région administrative de la Gaspésie–Îles-de-la-Madeleine. C'est à cet endroit, en 1534, que Jacques Cartier prend possession du territoire au nom du roi de France, en y plantant une croix. Gaspé compte 14 800 habitants, dont 450 Micmacs. Son économie repose principalement sur la pêche et le tourisme. [➔Carte 5]

Gaspé (baie de)
La baie de Gaspé, située dans le fleuve Saint-Laurent, se trouve à l'extrémité de la péninsule de la Gaspésie, à l'entrée de la baie des Chaleurs.

Gaspésie (région)
La Gaspésie est une région de l'est du Québec. Elle forme une péninsule qui s'avance dans le fleuve Saint-Laurent et le golfe du même nom. Hautement touristique, elle vit également de la pêche et de l'exploitation forestière et minière.

*Le cap Bon-Ami, en **Gaspésie***

Gaspésie (parc national de la)
Le parc national de la Gaspésie est situé dans la chaîne des Appalaches. Le mont Jacques-Cartier et le mont Albert en sont les principaux sommets. Créé par le gouvernement du Québec en 1937, ce parc est réputé pour ses sentiers de randonnée pédestre et de ski. Il est l'habitat de nombreux caribous, chevreuils et orignaux.

Gaspésie–Îles-de-la-Madeleine
La Gaspésie–Îles-de-la-Madeleine, région administrative du Québec, comprend la Gaspésie et l'archipel des Îles-de-la-Madeleine, comme son nom l'indique. D'une superficie de 10 272 km^2, cette région compte 94 100 habitants. Ses principales activités se concentrent dans les secteurs des pêches, de la forêt et du tourisme. [➔Carte 5]

Gatineau (ville)
Gatineau est une ville du Québec située sur la rive nord de la rivière des Outaouais, à l'embouchure de la rivière Gatineau. La construction d'une usine de pâtes et papiers, en 1927, est à l'origine du développement de la ville qui compte maintenant 242 100 habitants. Les principales activités de Gatineau se concentrent dans les secteurs du papier, du bois, des produits chimiques et des matériaux de construction. [➔Carte 5]

A B C D E F G H I J K L M N O P Q R S T U V W X Y Z

Gatineau (rivière)
La rivière Gatineau coule dans la région de l'Outaouais et se jette dans la rivière des Outaouais, à l'est de Hull.

Genève
La ville de Genève est située en Suisse, sur les rives du lac Léman. Elle est réputée pour ses industries de luxe, son horlogerie de précision, son orfèvrerie et ses banques. De nombreuses organisations internationales, dont la Croix-Rouge, y ont leur siège. La ville compte 178 600 habitants.

La cathédrale Saint-Pierre, à ***Genève***

George III
Roi de Grande-Bretagne et d'Irlande de 1760 à 1820, né à Londres en 1738 et mort à Windsor en 1820. Sous son règne, la Nouvelle-France est cédée définitivement à la Grande-Bretagne par le traité de Paris de 1763.

Georgetown
La ville de Georgetown est la capitale, la plus grande ville et le principal port de la Guyana, un pays de l'Amérique du Sud. Exportatrice de sucre et de bauxite, cette ville compte 280 000 habitants. [➔Carte 6]

Géorgie

Nom local	Sakartvelo
Capitale	Tbilissi
Superficie	69 700 km^2
Population	4 364 500
Habitants	Géorgiens, Géorgiennes

La Géorgie est un État d'Asie situé dans le Caucase, sur la ligne de division entre l'Europe et l'Asie. Ce pays voisin de la Turquie est bordé par la mer Noire. Les cultures dominantes de la Géorgie sont le riz, le coton, le tabac, la vigne, les agrumes et le thé. Mais le pays produit également du charbon, de l'acier et de l'hydroélectricité. La langue officielle de la Géorgie est le géorgien. [➔Carte 9]

Gérin-Lajoie (Paul)
Avocat et homme politique, né à Montréal en 1920. Il est élu député libéral provincial pour la première fois en 1960. Ministre de l'Éducation de 1964 à 1966, il a joué un rôle clé dans la réforme de l'éducation au Québec. En 1977, il crée la Fondation Paul Gérin-Lajoie, afin de contribuer à l'éducation des enfants des pays les plus pauvres. Une des activités les plus connues de la fondation est sa dictée annuelle, à laquelle des centaines de milliers d'écoliers canadiens du primaire participent chaque année.

Gesgapegiag
La réserve micmaque de Gesgapegiag, au Québec, est située sur la rive nord de la baie des Chaleurs, en Gaspésie. La réserve elle-même abrite 490 personnes, mais on dénombre 550 Micmacs hors de la réserve. Les Micmacs parlent le micmac, l'anglais et le français. [➔Carte 5]

Ghana

Nom local	Ghana
Capitale	Accra
Superficie	240 000 km^2
Population	23 350 900
Habitants	Ghanéens, Ghanéennes

Le Ghana est un État de l'ouest de l'Afrique sur l'océan Atlantique, voisin de la Côte d'Ivoire, du Burkina et du Togo. En raison de ses nombreuses mines d'or, il s'appelait autrefois la Côte-de-l'Or. Le sud du Ghana est constitué de forêts tropicales denses, alors que la savane occupe le nord. À l'est, un barrage retient les eaux du fleuve Volta et forme l'un des plus grands lacs artificiels du monde. Le pays vit principalement de l'exportation de cacao, dont il est le premier producteur mondial, et de l'exploitation d'importantes ressources minières. L'anglais est la langue officielle du Ghana. [➜Carte 7]

Gibraltar

Gibraltar est un territoire britannique situé à l'extrémité sud de l'Espagne, en face du détroit de Gibraltar. Ce petit territoire de 6,5 km² est en partie occupé par le rocher de Gibraltar, haut de 423 m. On y trouve également un port et une base militaire. Gibraltar compte 28 800 habitants.

Le rocher de ***Gibraltar***

Glaciers (Parc national des)

Le Parc national des Glaciers, situé dans le sud-est de la Colombie-Britannique, au Canada, compte une centaine de glaciers. Créé en 1886, le parc est accessible par la route transcanadienne et par le chemin de fer.

Godbout (Joseph-Adélard)

Agronome et homme politique, né à Saint-Éloi en 1892 et mort à Montréal en 1956. Il a été premier ministre de la province de Québec en 1936 et de 1939 à 1944. Parmi les lois adoptées par son gouvernement, les plus importantes sont l'instruction obligatoire, le droit de vote des femmes et la création de la Commission hydroélectrique de Québec. [➜Hydro-Québec]

Gouin (Jean-Lomer)

Homme politique, né à Grondines, au Québec, en 1861 et mort à Québec en 1929. Il a été premier ministre de la province de Québec de 1905 à 1920, ministre à Ottawa sous le gouvernement King et lieutenant-gouverneur de la province de Québec en 1929.

Gouin (réservoir)

Le réservoir Gouin est un lac artificiel du Québec situé dans le nord-ouest de la région administrative de la Mauricie. Sa superficie de 1869 km² en fait le troisième plus grand lac du Québec. Il a été créé en 1918 pour mieux contrôler le débit de la rivière Saint-Maurice, sur laquelle ont été construits plusieurs barrages pour la production d'énergie hydroélectrique. Le nom du réservoir rappelle Jean-Lomer Gouin, premier ministre du Québec de 1905 à 1920.

Grande-Bretagne

La Grande-Bretagne est une île du nord-ouest de l'Europe située au nord de la Manche et à l'ouest de la mer du Nord. Elle constitue la majeure partie du territoire du Royaume-Uni et réunit l'Angleterre, le pays de Galles et l'Écosse. Cette île de 230 000 km² compte 59 216 200 habitants.

Grande Muraille de Chine
➜Voir **Muraille de Chine**

Grande Paix de Montréal (traité de la)

Signé le 4 août 1701 à la Pointe à Callière, à Montréal, ce traité de paix a mis fin à un siècle de conflits entre les Français, les Iroquois et une trentaine de nations amérindiennes. Il était rare, à cette époque, que les Autochtones et les colonisateurs acceptent de signer de tels traités.

Grande Rivière

La Grande Rivière est située dans la région administrative du Nord-du-Québec. Elle prend sa source dans le lac Naococane et se jette dans la baie James. En 1972, le gouvernement du Québec a décidé de l'utiliser pour produire de l'hydroélectricité. L'aménagement du complexe La Grande, l'un des plus importants au monde, a comporté la construction de plusieurs centrales et postes de transformation, et le détournement partiel des rivières Eastmain et Caniapiscau.

Grand-Pré

Village de l'Acadie situé dans la baie de Fundy, en Nouvelle-Écosse. Au début de la guerre de la Conquête, en 1755, la plupart des habitants de Grand-Pré ont été déportés. Plusieurs d'entre eux sont revenus vivre dans cette région après la signature du traité de Paris en 1763. Depuis 1961, Grand-Pré est un lieu historique qui rappelle la vie acadienne avant la Déportation. [➜Acadiens [déportation des] ; Conquête]

Grands Lacs

Les Grands Lacs de l'Amérique du Nord forment un ensemble de cinq vastes lacs (Supérieur, Michigan, Huron, Érié et Ontario) reliés entre eux. Ils composent la plus importante étendue d'eau douce au monde. Situés dans la zone frontalière entre le Canada et les États-Unis, ils forment la route fluviale la plus importante depuis l'Atlantique jusque vers l'intérieur du continent. Les Grands Lacs se jettent dans le fleuve Saint-Laurent.

Grasset (André)

Religieux, né à Montréal en 1758 et mort à Paris en 1792. Après la guerre de la Conquête, en 1755, il quitte la Nouvelle-France et s'établit en France, où il est ordonné prêtre. Lors de la Révolution française, commencée en 1789, il est emprisonné à Paris. Grasset est du nombre des 190 prêtres issus de toute la France qui refusent de prêter serment à l'État et qui seront donc massacrés en 1792. Considérés comme des martyrs, ils ont été béatifiés en 1926.

Grèce

Nom local	Ellás ou Elláda
Capitale	Athènes
Superficie	132 000 km^2
Population	11 238 200
Habitants	Grecs, Grecques

La Grèce est un État du sud de l'Europe situé dans l'extrême sud des Balkans. Bordée par la mer Méditerranée et par la mer Égée, la Grèce possède l'une des plus grandes flottes maritimes du monde. Ses principales ressources économiques reposent sur l'agriculture (fruits, olives et tabac), les mines de bauxite et le tourisme, très actif. Les sites et les monuments de la Grèce antique attirent, en effet, des millions de visiteurs. La langue officielle de la Grèce est le grec. [➔Carte 8]

Greene (Nancy)

Skieuse canadienne, née à Ottawa en 1943. Elle a décroché la médaille d'or aux Jeux olympiques de Grenoble en 1968 et a été désignée athlète féminine canadienne du 20e siècle. En 1967, elle a été intronisée au Temple de la renommée des sports du Canada. En 2009, Nancy Greene a été nommée sénatrice.

Greenpeace

Cet organisme de pression indépendant, voué à la défense de l'environnement, a été fondé à Vancouver en 1971. Greenpeace est aujourd'hui un organisme international présent dans une quarantaine de pays. Il se distingue par ses actions d'éclat non violentes.

Grenade

Nom local	Grenada
Capitale	Saint-Georges
Superficie	320 km^2
Population	105 560
Habitants	Grenadiens, Grenadiennes

La Grenade est un État des Petites Antilles formé de l'île de la Grenade et des petites îles Grenadines. Elle a été surnommée « l'île aux épices » pour sa production de plusieurs épices, dont la noix de muscade. La culture de la banane et du cacao, de même que la pêche et le tourisme assurent son économie. La langue officielle de la Grenade est l'anglais. [➔Carte 3]

Gretzky (Wayne)

Hockeyeur canadien, né à Brantford (Ontario) en 1961. Au cours de sa carrière, qui s'étendra de 1979 à 2000, il joue pour les Oilers d'Edmonton, les Kings de Los Angeles, les Blues de St. Louis et les Rangers de New York.
Il a remporté de nombreux trophées et battu d'innombrables records. Les exploits du célèbre no 99 sont inégalés dans le monde du sport. Wayne Gretzky est considéré par plusieurs comme le meilleur joueur de hockey de tous les temps. Il a été intronisé au Temple de la renommée des sports du Canada en 2000.

Wayne ***Gretzky***

Greysolon Dulhut (Daniel)

Explorateur, né en France vers 1635 et mort à Montréal en 1710. Intéressé par la traite des fourrures, il prend possession en 1679 de la région du lac Supérieur au nom du roi de France, Louis XIV. L'année suivante, il fait un voyage d'exploration dans le Haut-Mississippi. Par la suite, il s'efforce de convaincre les Amérindiens de ne pas vendre leurs fourrures aux postes anglais établis à la baie d'Hudson.

Groenland

Le Groenland est une immense île recouverte de glace située dans le nord de l'océan Atlantique, près du Canada. État autonome dépendant du Danemark, ce territoire de 2 175 600 km² compte 58 000 habitants qui vivent principalement de la pêche. La langue officielle du Groenland est le danois, mais on y parle aussi l'inuktitut et l'anglais.

Grondin (Pierre)

Chirurgien, né à Québec en 1925 et mort en Mauricie en 2006. Diplômé en médecine de l'Université Laval en 1951, Pierre Grondin poursuit sa formation en chirurgie aux États-Unis et, en 1959, obtient un certificat de spécialiste en chirurgie. C'est en 1968, à l'Institut de cardiologie de Montréal, qu'il réalise avec son équipe la première transplantation cardiaque au Canada. De 1978 à 1989, Pierre Grondin a dirigé un centre cardiovasculaire en Floride (États-Unis). De 1990 à 1995, il a été attaché au Service de chirurgie cardiaque de l'Hôtel-Dieu de Québec. Il a été décoré de l'Ordre du Canada en 1968.

Groulx (Lionel)

Prêtre, écrivain et historien, né à Vaudreuil en 1878 et mort au même endroit en 1967. Professeur d'histoire à l'Université de Montréal, il a été, avec Henri Bourassa, l'un des plus ardents défenseurs du nationalisme canadien-français et de la religion catholique.

Lionel **Groulx**

Groulx (monts)

Les monts Groulx, chaîne de montagnes faisant partie des Laurentides, sont situés dans la région administrative de la Côte-Nord, au Québec. Leur point culminant est le mont Veyrier, qui s'élève à 1104 m. Le nom des monts rappelle le chanoine Lionel Groulx, un historien québécois.

Guadeloupe

La Guadeloupe est un petit archipel des Antilles, dans la mer des Caraïbes. Ses deux îles principales, Basse-Terre et Grande-Terre, sont séparées par un étroit bras de mer. C'est un département français d'outre-mer où le tourisme est très développé. La culture de la canne à sucre et de la banane, ainsi que la fabrication de sucre et de rhum constituent ses principales activités. Ce territoire de 1705 km² compte 445 000 habitants. [➔Carte 3]

Guam

Guam est une île du Pacifique Nord, en Océanie. Elle appartient aux États-Unis qui y possèdent une installation militaire stratégique. Grâce notamment au tourisme et à la pêche, Guam jouit d'une économie florissante. Cette île de 544 km² compte 178 400 habitants.

Guatemala (État)

Nom local	Guatemala
Capitale	Guatemala
Superficie	110 000 km²
Population	13 675 700
Habitants	Guatémaltèques

Le Guatemala est un État de l'Amérique centrale. Son économie repose sur la culture de la canne à sucre, du café, de la banane, du coton, de l'avocat et de l'ananas. L'espagnol y est la seule langue officielle, mais tous les Autochtones ne le comprennent pas. Les langues autochtones les plus parlées sont le quiché, le mam, le cakchiquel et le kekchi. [➔Carte 3]

Guatemala (ville)

La ville de Guatemala est la capitale du Guatemala, un pays de l'Amérique centrale. Elle compte 1 022 000 habitants. [➔Carte 3]

Guerre de Corée

Conflit qui, de 1950 à 1953, s'inscrit dans le contexte de la Guerre froide [➔Guerre froide]. Il oppose les troupes nord-coréennes, communistes, à l'ONU, alors boycottée par l'URSS. Le contingent international est majoritairement fourni par les États-Unis. Plus de 20 000 Canadiens ont servi dans l'armée au cours de ce conflit.

Guerre de l'Indépendance américaine

Conflit qui éclate en 1775, au moment où les Américains décident de devenir indépendants de la Grande-Bretagne. Il se termine en 1783 par la signature du traité de Versailles, qui reconnaît l'indépendance des États-Unis. Au cours de ce conflit, des insurgés américains envahissent la province de Québec dans l'espoir de s'en emparer.

Guerres du Golfe (golfe Persique)

Première guerre du Golfe

Aussi appelée guerre Iran-Irak, elle a opposé ces deux pays de septembre 1980 à août 1988. Cette longue guerre a fait entre 500 0000 et 1 200 000 victimes.

Deuxième guerre du Golfe

Aussi appelée guerre du Koweït, elle a opposé l'Irak à un regroupement de 34 États soutenus par l'ONU, dont les États-Unis, la France, le Royaume-Uni et le Canada, de janvier à mars 1991. Cette guerre a mené à la libération du Koweït, qui avait été envahi par l'armée irakienne.

Troisième guerre du Golfe

Aussi appelée guerre d'Irak, elle a été menée par les États-Unis et la Grande-Bretagne contre l'Irak, accusé de détenir des armes de destruction massive. À la fin du conflit armé, qui a duré de mars à mai 2003, les troupes américaines et britanniques occupent le pays, mais l'Irak reste dans une situation de guerre civile.

Guerre du Vietnam

Guerre déclenchée en 1954 à la suite de la guerre d'Indochine (1946 à 1954) qui mettait fin à la domination française au Vietnam et avait abouti à la division de ce pays. De 1954 à 1975, le Vietnam est le théâtre d'un conflit entre les forces communistes (Vietcong) et celles du régime du Vietnam du Sud soutenu par les États-Unis. En tout, 10 000 Canadiens ont combattu au sein des forces armées américaines.

Guerre en Afghanistan

Intervention militaire menée par la coalition occidentale et l'Alliance du Nord contre le régime taliban, à partir de l'automne 2001. Elle s'inscrit dans la guerre au terrorisme déclarée par les États-Unis à la suite des attentats du 11 septembre 2001. Le Canada est présent en Afghanistan dans le cadre d'une mission autorisée par l'ONU et dirigée par l'OTAN. [➔Onze septembre 2001 (attentats du) ; ONU ; OTAN]

Guerre froide

Période d'affrontement stratégique, idéologique et politique entre le bloc occidental (les États-Unis et leurs alliés, dont le Canada) et le bloc soviétique (l'URSS et les pays communistes). La Guerre froide commence en 1947, à la suite de la Seconde Guerre mondiale, et se termine en 1991, avec l'effondrement de l'URSS. La Guerre froide a connu des périodes de grande tension ainsi que des moments d'accalmie.

Guerres mondiales

Première Guerre mondiale

Conflit armé qui éclate en 1914 et se termine en 1918. Au début, la France, la Grande-Bretagne et la Russie s'opposent à l'Allemagne, à l'Autriche et à la Hongrie. En 1917, les États-Unis entrent en guerre aux côtés des Alliés. Les soldats canadiens ont activement participé à plusieurs batailles importantes.

Seconde Guerre mondiale

Conflit armé qui éclate en 1939 et se termine en 1945. Au début, la France et la Grande-Bretagne déclarent la guerre à l'Allemagne qui vient d'envahir la Pologne. Rapidement, la plupart

*Soldats canadiens, Première **Guerre mondiale***

des autres pays prennent position pour l'un ou l'autre camp. Les soldats canadiens se sont distingués sur plusieurs champs de bataille, particulièrement en France et en Italie.

Guinée

Nom local	Guinée
Capitale	Conakry
Superficie	250 000 km²
Population	9 833 100
Habitants	Guinéens, Guinéennes

La Guinée est un État de l'Afrique de l'Ouest sur l'océan Atlantique. C'est une ancienne colonie française devenue indépendante en 1958. La culture du riz, du manioc et du maïs ne suffit pas à nourrir la population. Malgré un sous-sol très riche en bauxite et des ressources hydroélectriques importantes, la Guinée est l'un des pays les plus pauvres du monde. Sa langue officielle est le français. [➔Carte 7]

Guinée-Bissau

Nom local	Guiné-Bissau
Capitale	Bissau (ou Bissao)
Superficie	36 000 km²
Population	1 575 400
Habitants	Bissaoguinéens, Bissaoguinéennes

La Guinée-Bissau est un État de l'Afrique de l'Ouest bordé par l'océan Atlantique et voisin du Sénégal et de la Guinée. Ancienne colonie portugaise, ce pays est devenu indépendant en 1974. Son activité économique repose principalement sur la culture du riz, du maïs, de l'arachide et, surtout, de la noix de cajou. La Guinée-Bissau est l'un des pays les plus pauvres du monde. Sa langue officielle est le portugais. [➔Carte 7]

Guinée équatoriale

Nom local	Guinea Ecuatorial
Capitale	Malabo
Superficie	28 000 km²
Population	659 200
Habitants	Équatoguinéens, Équatoguinéennes

La Guinée équatoriale est un État de l'Afrique de l'Ouest bordé par l'océan Atlantique et voisin du Cameroun et du Gabon. Cette ancienne colonie espagnole comprend une partie continentale et diverses îles, dont l'île de Bioko où se trouve la capitale Malabo. Les principales ressources de la Guinée équatoriale sont le pétrole, les produits de la pêche et le bois. Comme elle est située entre deux pays francophones, le français a été adopté comme seconde langue officielle du pays, la première langue étant l'espagnol. [➔Carte 7]

Gulf Stream

Le Gulf Stream est un courant marin chaud de l'océan Atlantique. Il naît dans le golfe du Mexique, près de la Floride, longe les côtes américaines et remonte vers le Canada. À la hauteur de l'île de Terre-Neuve, il se sépare en plusieurs courants dont certains vont réchauffer les côtes européennes.

Gutenberg (Johannes)

Imprimeur allemand, né à Mayence (Allemagne) vers 1399 et mort au même endroit en 1468. Ayant été le premier à utiliser des caractères d'imprimerie en métal au lieu de caractères en bois, il est considéré comme l'inventeur de l'imprimerie typographique. Il a été le maître d'œuvre de la première Bible, appelée *Bible de Gutenberg* ou Bible *à quarante-deux lignes*, publiée en 1455.

Johannes ***Gutenberg***

Guyana

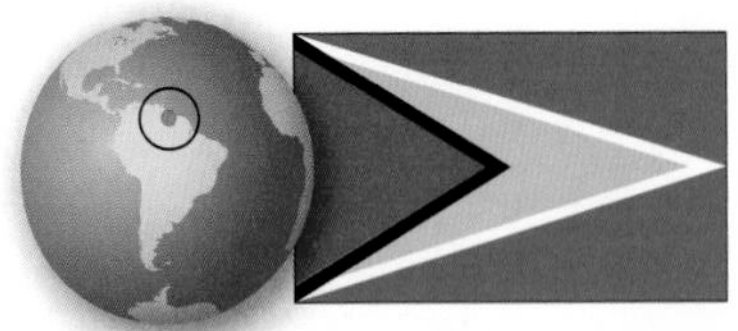

Nom local	Guyana
Capitale	Georgetown
Superficie	215 000 km²
Population	763 400
Habitants	Guyaniens, Guyaniennes

La Guyana est un État du nord de l'Amérique du Sud. Elle est bordée par l'océan Atlantique, et entourée par le Suriname, le Brésil et le Venezuela. D'abord possession hollandaise, le pays devient une colonie anglaise en 1931, puis il obtient son indépendance en 1966. On y cultive principalement le riz, la canne à sucre, le café et les agrumes. Le pays exporte de la bauxite, des pierres précieuses et du rhum. [➔Carte 6]

Guyane française

La Guyane française est un département français d'outre-mer situé au nord de l'Amérique du Sud. Elle est bordée par l'océan Atlantique et est comprise entre le Suriname et le Brésil. La principale ville de ce département est Cayenne. Un centre spatial, installé en 1967 à Kourou, sert au lancement de fusées et de satellites. Ce territoire de 91 000 km² compte 202 000 habitants. [➔Carte 6]

Guyart (Marie)

➔Voir **Incarnation** (Marie de l')

Haida Gwaii

L'archipel Haida Gwaii, anciennement connu sous le nom d'îles de la Reine-Charlotte, est situé au large de la Colombie-Britannique, au Canada. L'archipel se compose de 150 îles. Séparées par un étroit chenal, les deux principales sont l'île Graham au nord, d'une superficie de 6361 km², et l'île Moresby au sud, d'une étendue de 2608 km².

Haïti

Nom local	Ayiti
Capitale	Port-au-Prince
Superficie	28 000 km²
Population	9 780 100
Habitants	Haïtiens, Haïtiennes

Haïti est un État des Antilles, dans la mer des Caraïbes. Elle est située dans la partie ouest de l'île d'Hispaniola qu'elle partage avec la République dominicaine (partie est). Même si Haïti dispose des ressources de la culture du café, du cacao et de la canne à sucre, une grande partie de sa population est très pauvre. En 2010, un violent tremblement de terre y a fait plus de 200 000 morts, 300 000 blessés et environ 1 000 000 de sans-abri. Les langues officielles d'Haïti sont le français et le créole haïtien. [➔Carte 3]

Halifax

Halifax est la capitale de la Nouvelle-Écosse, une province canadienne bordée par l'océan Atlantique. C'est la plus grande municipalité de l'est du Canada de même qu'un important centre économique et administratif. Halifax est l'un des plus grands ports de pêche du monde et la plus grande base navale militaire canadienne. Cette ville compte 385 500 habitants. [➔Carte 4]

Hamilton

Hamilton est une ville de la province de l'Ontario, au Canada. Située à l'extrémité ouest du lac Ontario, cette ville est l'un des ports les plus importants des Grands Lacs. Premier centre de l'acier au Canada, Hamilton possède

L'archipel ***Haida Gwaii***

des usines de fabrication d'automobiles, de machinerie lourde et d'appareils électriques. On y pratique aussi la culture fruitière. Hamilton compte 720 400 habitants.

Hanoi

Hanoi est la capitale du Vietnam, un pays de l'Asie du Sud-Est. Sa population est estimée à 3 145 000 habitants. On y trouve une importante communauté occidentale. [➔Carte 9]

Harare

Harare est le centre économique et la capitale du Zimbabwe, un pays du sud de l'Afrique. C'est une métropole de 1 435 800 habitants. [➔Carte 7]

Harper (Stephen)

Stephen ***Harper***

Économiste et politicien, né à Toronto en 1959. Il joue un rôle majeur dans la formation du Parti réformiste du Canada en 1987. De 1993 à 1997, il est député de ce parti à la Chambre des communes. Il s'engage ensuite dans la National Citizens Coalition (NCC), puis dans l'Alliance canadienne, dont il devient le chef en 2002. L'année suivante, l'Alliance canadienne fusionne avec le Parti progressiste-conservateur dont Harper est élu chef en 2004. En 2006, il devient premier ministre du Canada.

Harricana (rivière)

La rivière Harricana coule dans les régions administratives du Nord-du-Québec et de l'Abitibi-Témiscamingue. Longue de 533 km, elle prend sa source dans le lac Obalski, près de Val-d'Or, et se jette dans la baie James.

Haut-Canada

Nom donné à la province de l'Ontario de 1791 (Acte constitutionnel) à 1840 (Acte d'union). [➔Acte constitutionnel de 1791 ; Acte d'union]

Hawaii (îles)

Hawaii est un archipel volcanique situé dans l'océan Pacifique et un État des États-Unis, dont la capitale est Honolulu. La canne à sucre, l'ananas et le tourisme surtout constituent ses principales ressources. Cet archipel, composé de vingt îles dont la plus grande est Hawaii, compte une population de 1 288 200 habitants. [➔Carte 10]

Hébert (Anne)

Poète et romancière, née à Sainte-Catherine-de-Fossambault en 1916 et morte à Montréal en 2000. Fort nombreux, tous ses romans ont connu un grand succès. Deux d'entre eux ont été adaptés au cinéma : *Kamouraska*, en 1970, et *Les fous de Bassan*, en 1982, roman pour lequel elle a remporté le prix Femina.

Anne ***Hébert***

Hébert (Louis)

Cultivateur, né à Paris vers 1575 et mort à Québec en 1627. Il est le premier colon de la Nouvelle-France à vivre du produit de sa terre. D'abord établi à Port-Royal, en Acadie, il s'installe par la suite sur une terre qui lui avait été concédée dans l'actuelle Haute-Ville de Québec.

Helsinki

Helsinki est la capitale et la plus grande ville de la Finlande, un pays scandinave du nord de l'Europe. Cette ville portuaire s'étend sur une presqu'île entourée d'un grand nombre d'îles. Principal centre industriel du pays, Helsinki compte 566 500 habitants. [➔Carte 8]

Henri IV

Roi de France de 1589 à 1610, né à Pau en 1553 et mort à Paris en 1610. C'est sous son règne qu'il y a eu une tentative de colonisation française à l'île de Sable, en Nouvelle-Écosse, et que les établissements de Port-Royal et de Québec ont été fondés.

Henry (Alexander)
Explorateur, né au New Jersey – alors colonie britannique et futur État des États-Unis – en 1739 et mort à Montréal en 1824. Il a fait le commerce des fourrures et il est l'un des premiers Britanniques à s'être rendu dans la région du lac Huron après la Conquête.

Himalaya (l')
L'Himalaya est la plus haute chaîne de montagnes du monde. Située en Asie, elle s'étend entre l'Inde et la Chine sur une longueur de 2800 km. Son sommet le plus élevé, l'Everest, a une altitude de 8848 m.

Hiroshima
Hiroshima se trouve dans le sud-ouest du Japon, un pays d'Asie. Le 6 août 1945, l'aviation américaine y a lâché la première bombe atomique, anéantissant la ville et faisant près de 150 000 victimes. Aujourd'hui, Hiroshima est un centre industriel et portuaire important. On y compte 1 170 600 habitants.

Le dôme de Genbaku (mémorial de la paix), à ***Hiroshima***

Hochelaga (archipel d')
L'archipel d'Hochelaga comprend, entre autres, l'île de Montréal, l'île Jésus, l'île Perrot et l'île Bizard, au Québec. Son nom, proposé par le frère Marie-Victorin, un botaniste québécois, a été officiellement adopté en 1985.

Hochelaga (ancien village)
Ancien village iroquois situé dans l'île de Montréal, près de l'emplacement de l'actuel campus de l'Université McGill, et que Jacques Cartier a visité en 1535. Ce village n'existait plus lorsque Samuel de Champlain est arrivé sur l'île, au début du 17e siècle.

Hocquart (Gilles)
Administrateur, né en France en 1694 et mort dans le même pays en 1783. En tant qu'intendant de la Nouvelle-France, de 1731 à 1748, il a veillé à développer la colonie dans tous les domaines: peuplement, industrie, commerce extérieur, agriculture, etc. Il est considéré, avec Jean Talon, comme l'un des meilleurs administrateurs de la Nouvelle-France.

Hollande
La Hollande est une région des Pays-Bas, au bord de la mer du Nord, en Europe. À tort, on donne souvent ce nom aux Pays-Bas. La Hollande est la région la plus riche et la plus peuplée du pays. Amsterdam en est la ville principale. On y pratique la culture et l'élevage. Composée de deux provinces, Noord-Holland et Zuid-Holland, la Hollande compte 6 087 600 habitants.

Honduras

Nom local	Honduras
Capitale	Tegucigalpa
Superficie	112 000 km^2
Population	7 241 500
Habitants	Honduriens, Hondurienne

Le Honduras est un État de l'Amérique centrale. Voisin du Guatemala, du Salvador et du Nicaragua, il s'ouvre sur la mer des Caraïbes et comprend de nombreuses îles dont les plus importantes sont les Islas de la Bahía et les îles du Cygne. Les ressources naturelles du pays sont notamment l'or, l'argent, le cuivre, le plomb, le zinc. Grâce à son accès à la mer, la pêche y est une activité importante. Les principales exportations sont le café, les bananes, la canne à sucre, le maïs, les oranges et les crustacés. L'espagnol est la langue officielle du Honduras. [➔Carte 3]

Hong Kong
Hong Kong est la plus grande et la plus peuplée des deux régions administratives de la Chine, l'autre étant Macao. Colonie britannique de 1842 à 1997, Hong Kong est différente du reste de la Chine puisqu'elle jouit d'un statut particulier qui lui donne une certaine autonomie politique. C'est un très grand centre commercial, industriel et financier dont le port, Victoria, est extrêmement actif. D'une superficie de 1054 km^2, Hong Kong compte 7 055 100 habitants.

Hongrie

Nom local	Magyarország
Capitale	Budapest
Superficie	93 000 km²
Population	10 037 600
Habitants	Hongrois, Hongroises

La Hongrie est un pays de l'est de l'Europe. Outre le tourisme, qui est très actif, l'industrie de l'aluminium est bien développée. La culture des céréales, l'élevage et la construction mécanique constituent également des activités économiques de premier plan pour la Hongrie. La langue officielle y est le hongrois. Le pays est membre de l'Union européenne depuis 2004. [➔Carte 8]

Honguedo (détroit d')

Le détroit d'Honguedo est un bras du Saint-Laurent situé entre l'île d'Anticosti et la péninsule de la Gaspésie, au Québec. À l'époque de Jacques Cartier, Honguedo désignait l'établissement de Gaspé et les monts Notre-Dame.

Honiara

La ville de Honiara est la capitale des îles Salomon, un pays de l'Océanie (Mélanésie). Située sur l'île de Guadalcanal, la ville compte 49 100 habitants. [➔Carte 10]

Honolulu

Honolulu est la capitale et la plus grande ville d'Hawaii, un État des États-Unis. C'est une ville très touristique située sur la côte sud-est de l'île d'Oahu. Grâce à sa célèbre plage de Waikiki, au cratère volcanique du Diamond Head et à son climat tropical, Honolulu jouit d'une renommée mondiale. La ville compte 375 600 habitants, mais la population atteint près de 1 000 000 d'habitants avec sa banlieue.

Horn (cap)

Le cap Horn est une pointe de terre située à l'extrémité sud de l'Amérique du Sud, dans l'archipel chilien de la Terre de Feu. Pendant de nombreuses années, les navires commerciaux et les voiliers ont dû contourner ce cap pour se rendre de l'Europe vers l'Asie et vice versa. On l'a surnommé « cap dur », « cap redouté » ou « cap des tempêtes » en raison du danger que représentent les eaux à cet endroit : tempêtes violentes et fréquentes, courant fort et présence d'icebergs. Aujourd'hui, grâce au canal de Panama, les bateaux n'ont plus à contourner le cap Horn.

Houde (Camilien)

Homme politique, né à Montréal en 1889 et mort au même endroit en 1958. Il a été élu député conservateur aux élections provinciales de 1923 et a été chef provincial de son parti de 1929 à 1932. Il a aussi été maire de Montréal pendant une quinzaine d'années, entre 1928 et 1954. En 1940, on l'emprisonne pour s'être prononcé publiquement contre le service militaire obligatoire. Il sera toutefois réintégré dans sa fonction de maire en 1944. En 1949, il est élu à la Chambre des communes comme candidat indépendant. Camilien Houde aura été l'un des rares hommes politiques canadiens à être actif sur les scènes municipale, provinciale et fédérale.

Howe (Gordon, dit Gordie)

Hockeyeur, né à Floral (Saskatchewan) en 1928. Joueur étoile des Red Wings de Detroit (LNH) de 1946 à 1971, il joue avec ses deux fils pendant six saisons, à compter de 1973, dans l'Association mondiale de hockey. En 1980, soit à l'âge de 52 ans, il termine sa carrière dans la LNH. Meilleur marqueur et joueur le plus utile en six occasions, il fait partie de l'équipe d'étoiles de la LNH à 21 occasions. Doté d'une force physique et d'une endurance peu communes, il est l'un des athlètes les plus doués dans ce sport. Il a participé à 2421 parties, incluant les séries éliminatoires, a obtenu 1071 buts et 2589 points, et a établi de nombreux records tout au long d'une carrière de 32 saisons.

Huang He (fleuve)

Aussi appelé « fleuve Jaune » en raison de sa couleur, le Huang He est le deuxième fleuve de Chine avec ses 5200 km.

Hudson (baie d')

La baie d'Hudson est une vaste mer intérieure située au centre du Canada. Elle est bornée au nord et à l'ouest par le Nunavut et le Manitoba, et au sud par l'Ontario et le Québec. Reliée à l'océan Atlantique par le détroit d'Hudson, la baie d'Hudson doit son nom à Henry Hudson qui l'a découverte en 1610. Sa superficie couvre 819 000 km².

A B C D E F G H I J K L M N O P Q R S T U V W X Y Z

Hudson (détroit d')
Le détroit d'Hudson est un bras de mer situé entre l'île de Baffin et la péninsule d'Ungava, dans le nord du Québec. Long de 724 km, il relie la baie d'Hudson à l'océan Atlantique. Martin Frobisher aurait été le premier explorateur anglais à y pénétrer en 1578.

Hudson (Henry)
Explorateur, né en Angleterre vers 1570 et mort vraisemblablement à la baie d'Hudson vers 1611. Il a exploré la côte de la Nouvelle-Angleterre et laissé son nom au fleuve Hudson, situé dans l'État de New York. Il a aussi exploré le détroit et la baie d'Hudson. L'équipage de son navire, qui s'était mutiné, l'a abandonné dans ces régions.

Hunter's Point
Hunter's Point, anciennement Wolf Lake, est un établissement algonquin situé à 37 km de Témiscamingue, au Québec. Une trentaine de personnes vivent à l'intérieur de cet établissement, et 230 à l'extérieur. Sa population parle l'algonquin, l'anglais et le français. [➔Carte 5]

Huron (lac)
Le lac Huron est l'un des cinq Grands Lacs de l'Amérique du Nord. Deuxième en importance, il est situé au sud de l'Ontario, entre les lacs Supérieur, Michigan et Érié. Il couvre une superficie de 63 096 km², dont plus de la moitié est située en territoire canadien.

*Le lac **Huron***

Hurons-Wendats
Nation amérindienne apparentée par la langue aux Iroquois, qui vivait autrefois dans la région du lac Huron. Commerçants et cultivateurs, les Hurons-Wendats entretenaient d'étroites relations commerciales avec les tribus algonquines. Ils se sont également alliés aux Français, dont ils étaient les principaux partenaires commerciaux, suscitant ainsi une constante rivalité avec les Iroquois. Ces derniers les ont partiellement anéantis à la fin des années 1640. Les rares Hurons-Wendats qui ont survécu aux attaques iroquoises se sont réfugiés dans la région de Québec, auprès des Français. Aujourd'hui, moins de la moitié de la population huronne-wendate vit à Wendake. Les Hurons-Wendats parlent le français, mais des efforts sont entrepris pour faire revivre la langue huronne-wendate. [➔Carte 5]

Hydro-Québec
Société appartenant à l'État, créée en 1944 sous le nom de Commission hydroélectrique de Québec. Elle est chargée de produire, de vendre, de transporter et de distribuer l'énergie électrique dans toute la province de Québec. À la suite de la nationalisation de l'électricité, en 1963, Hydro-Québec a acquis la majeure partie des compagnies privées d'hydroélectricité. En 1999, elle exportait 15 % de sa production à l'extérieur de la province. Depuis 1998, elle a développé une expertise dans le domaine de la production d'énergie éolienne.

I i

Île d'Orléans (chenal de l')
Ce bras du fleuve Saint-Laurent est situé à l'est de Québec, entre la rive nord du fleuve et l'île d'Orléans.

Île-du-Prince-Édouard (province)
L'Île-du-Prince-Édouard est une province de l'est du Canada située sur le golfe du Saint-Laurent, dont la capitale est Charlottetown. Cette île, qui fait partie des trois provinces maritimes, s'étend sur 5660 km², ce qui représente 0,06 % du territoire canadien. Les terres de l'Île-du-Prince-Édouard étant très fertiles, l'agriculture en est la principale ressource économique (la culture de la pomme de terre représente la moitié de la production agricole). La pêche, principalement côtière, est la seconde activité économique de l'île et le homard, l'espèce la plus lucrative. Depuis 1997, le pont de la Confédération a remplacé le traversier. Ce pont de 12 900 m, le plus long du monde, relie l'Île-du-Prince-Édouard au

continent (Nouveau-Brunswick). La province compte 135 900 habitants. [➔Carte 4]

Île-du-Prince-Édouard (Parc national du Canada de l')

Le Parc national du Canada de l'Île-du-Prince-Édouard a été créé en 1937 par le gouvernement du Canada. Situé sur le versant nord de l'île du Prince-Édouard, on y trouve de très belles plages de sable. Le parc couvre une superficie de 18 km².

Îles-du-Saint-Laurent (Parc national du Canada des)

Le Parc national du Canada des Îles-du-Saint-Laurent a été créé en 1914 par le gouvernement du Canada. Il est situé sur les rives du fleuve Saint-Laurent, dans le sud-est de l'Ontario. Sa superficie de 4 km² inclut plusieurs îles et îlots.

Incarnation (Marie de l', née Marie Guyart)

Religieuse, née en France en 1599 et morte à Québec en 1672. Devenue veuve, elle émigre à Québec et fonde la congrégation des Ursulines de la Nouvelle-France, en 1639. Elle a été supérieure du couvent des Ursulines de Québec jusqu'à sa mort. Marie de l'Incarnation a été béatifiée en 1980.

Incas

Ancien peuple du Pérou. Vers 1200, la dynastie inca a fondé un puissant empire qui, au 15e siècle, englobait les territoires actuels du Pérou, de l'Équateur, de la Bolivie, du nord de l'Argentine et du Chili. Il a été anéanti en quelques années, de 1527 à 1533, par les conquistadors espagnols. Les Incas pratiquaient le culte du Soleil. Grands architectes, ils ont bâti des aqueducs, des forteresses et des palais, dont il ne reste plus aujourd'hui que quelques ruines.

*Les ruines **incas** du Machu Picchu*

Inde

Nom local	Bhārat, India
Capitale	New Delhi
Superficie	3 287 800 km²
Population	1 139 964 900
Habitants	Indiens, Indiennes

L'Inde est un État de l'Asie du Sud. Avec une population qui augmente très rapidement, c'est le pays le plus peuplé du monde après la Chine. Une partie du territoire du nord et du nord-est de l'Inde se trouve dans le massif de l'Himalaya, lequel regroupe les plus hautes montagnes du monde. Plus de 70 % des Indiens vivent dans les campagnes, mais la pauvreté les incite à se déplacer vers les villes qui deviennent alors surpeuplées. Après s'être ouverte aux investissements étrangers, l'Inde connaît depuis le début des années 1990 un essor économique important. Ses secteurs les plus développés sont ceux de l'automobile et de l'électronique. Bien que l'Inde fasse partie des dix économies mondiales les plus prospères, 400 millions d'Indiens vivent encore sous le seuil de la pauvreté. Les langues officielles de l'Inde sont l'hindi et l'anglais. [➔Carte 9]

*Le Taj Mahal, à Agra, en **Inde***

Indien (océan)

L'océan Indien est situé entre l'Afrique, l'Inde et l'Australie. Par sa superficie de 74 900 000 km², il se classe troisième au monde. Parmi les nombreuses îles qui s'y trouvent, mentionnons Madagascar, La Réunion, l'île Maurice et les Comores.

A B C D E F G H I J K L M N O P Q R S T U V W X Y Z

Indiens

Nom donné autrefois aux Amérindiens.

Indonésie

Nom local	Indonesia
Capitale	Jakarta
Superficie	1 919 270 km²
Population	228 248 500
Habitants	Indonésiens, Indonésiennes

L'Indonésie est un État de l'Asie du Sud-Est constitué d'un archipel de plus de 17 500 îles, dont Sumatra, Java, Bornéo, les Célèbes et les Moluques. Ce pays s'étend entre l'océan Indien et l'océan Pacifique. Son économie repose sur l'agriculture : riz, café, thé, canne à sucre, tabac, huile et épices. Premier exportateur mondial de bois tropicaux, l'Indonésie produit aussi du caoutchouc, du pétrole et du gaz naturel. Bien que son sous-sol recèle de grandes richesses minières, celles-ci sont peu exploitées. La langue officielle du pays est l'indonésien. [➔Carte 9]

Innus

Nation amérindienne apparentée aux Algonquins. Autrefois, les Innus étaient appelés Montagnais (« peuple des montagnes ») par les Français, auxquels ils s'étaient alliés dès l'arrivée de ces derniers en Nouvelle-France. Aujourd'hui, la plupart des Innus sont regroupés dans neuf villages, dont sept se trouvent sur la Côte-Nord : Pessamit, Unamen Shipi, Ekuantshit, Nutukuan, Pakua Shipi, Uashat Mak et Mani-Utenam ; un au Lac-Saint-Jean : Mashteuiatsh ; et un près de Schefferville : Matimekosh. La majorité des Innus parlent l'innu ainsi que le français. [➔Carte 5]

Inuits

Nation autochtone de l'Alaska, du Groenland et des régions arctiques du Canada. Les Inuits font partie des premiers groupes à s'installer dans les régions nordiques du Canada. Bien adaptés aux conditions climatiques, ils vivaient de chasse, de pêche et de cueillette, déplaçant leurs campements selon les saisons. Bien qu'ils aient perdu certains traits de leur culture traditionnelle, les Inuits tentent de conserver leur spécificité identitaire. L'art inuit jouit d'une grande renommée. La population inuite du Québec se répartit principalement dans 14 villages situés sur le territoire du Nunavik : Kuujjuarapik, Umiujaq, Inukjuak, Puvirnituq, Akulivik, Ivujivik, Salluit, Kangipsujjuaq, Quaqtaq, Kangirsuk, Aupaluk, Tasiujaq, Kuujjuaq et Kangiqsualujjuaq. La langue maternelle, l'inuktitut, est parlée par la presque totalité des Inuits. La langue seconde est l'anglais, bien que le français soit de plus en plus parlé. [➔Carte 5]

Inukjuak

Inukjuak est un village nordique inuit situé sur la côte est de la baie d'Hudson, à l'embouchure de la rivière Innuksuac, au Québec. Ses 1210 habitants, les Inukjuamiuqs, parlent l'inuktitut et l'anglais. [➔Carte 5]

Iqaluit

Iqaluit est la capitale du territoire du Nunavut, le plus grand des territoires canadiens, provinces incluses. La ville est située dans le sud de l'île de Baffin, en bordure de l'océan Arctique. Sa population compte 4220 habitants. [➔Carte 4]

*Une mère **inuite** et son enfant*

Irak

Nom local	Al 'Irāq
Capitale	Bagdad
Superficie	440 000 km²
Population	32 254 300
Habitants	Irakiens, Irakiennes

L'Irak est un État du Moyen-Orient situé entre l'Iran et l'Arabie saoudite. Majoritairement arabe, la population de l'Irak occupe une grande partie de la plaine de Mésopotamie. Une minorité de Kurdes vit dans le nord du pays. Le climat irakien est torride en été et froid en hiver. Premier producteur mondial de dattes, le pays possède 10 % des réserves mondiales de pétrole. Trois guerres consécutives l'ont cependant plongé dans le chaos : la guerre contre l'Iran (1980-1988), la guerre du Golfe qui l'a opposé à un regroupement de 34 pays (1991) et l'offensive qui a mené à la chute du régime de Saddam Hussein (2003). La langue officielle de l'Irak est l'arabe. [➔Carte 9]

Iran

Nom local	Irān
Capitale	Téhéran
Superficie	1 648 000 km²
Population	71 956 300
Habitants	Iraniens, Iraniennes

L'Iran est un État du Moyen-Orient. Autrefois appelé Perse, le pays a pris le nom d'Iran en 1925, l'année où Reza Khan, le shah (souverain), entreprend de moderniser le pays. Sa capitale, Téhéran, est la ville la plus peuplée. Les Iraniens vivent en partie de l'agriculture et de l'élevage, mais la grande richesse du pays repose sur les importantes réserves de pétrole et de gaz de son sous-sol. La fabrication de tapis et la production de caviar y constituent également une ressource économique. La langue officielle de l'Iran est le persan. [➔Carte 9]

Irlande (île)

L'Irlande, la plus à l'ouest des îles Britanniques, est séparée de la Grande-Bretagne par la mer d'Irlande. L'île est divisée en deux parties : la république d'Irlande (ou Eire) au sud, et l'Irlande du Nord (ou Ulster) qui fait partie du Royaume-Uni.

Irlande (État)

Nom local	Éire, Ireland
Capitale	Dublin
Superficie	70 000 km²
Population	4 459 500
Habitants	Irlandais, Irlandaises

L'Irlande est un État de l'Europe de l'Ouest situé dans la partie sud de l'île d'Irlande. L'Irlande du Nord, quant à elle, fait partie du Royaume-Uni. C'est à la suite d'un long conflit opposant les Anglais aux Irlandais que l'île d'Irlande a été divisée en deux territoires. La population de l'Irlande, majoritairement catholique, vit de l'agriculture – en particulier de l'élevage – de la pêche, du tourisme, des industries minières (acier, plomb, argent, zinc, aluminium, baryte) et du secteur industriel des hautes technologies (matériel électronique, pharmacie, chimie). Les langues officielles de l'Irlande sont l'irlandais et l'anglais. [➔Carte 8]

Irlande du Nord

L'Irlande du Nord, ou Ulster, est la partie nord de l'île d'Irlande. Son territoire couvre une superficie de 14 000 km² et compte plus de 1 759 100 habitants. Cette région, dont la capitale est Belfast, est majoritairement protestante. Un violent et long conflit (1968-1998) a opposé sa majorité protestante à la minorité catholique de l'Ulster. Les deux parties ont conclu un accord de paix en avril 1998. Un gouvernement composé de catholiques et de protestants siège depuis 2007 en Irlande du Nord. Les principales ressources de la région viennent de l'élevage bovin, de la culture de la pomme de terre, des industries textiles et de la construction navale. [➔Carte 8]

Iroquois

Ensemble de tribus amérindiennes apparentées par la langue, les coutumes et le mode de gouvernement. Ces tribus, qui vivaient surtout dans le centre de l'actuel État de New York, formaient les Cinq-Nations. [➔Cinq-Nations] Alliées des Anglais, elles ont fait la guerre aux Français pendant presque tout le 17e siècle. Au 18e siècle, leur structure sociale a fait l'admiration de philosophes français, qui y voyaient les fondements de la démocratie.

Islamabad

Islamabad est la capitale du Pakistan, un pays de l'Asie du Sud. En 1967, Islamabad a été choisi pour remplacer Karachi comme capitale. La ville compte des édifices remarquables comme le Parlement et la maison du Pakistan, résidence du président. Sa population est estimée à 529 200 habitants. [➔Carte 9]

Islande

Nom local	Island
Capitale	Reykjavik
Superficie	100 000 km^2
Population	317 000
Habitants	Islandais, Islandaises

L'Islande est un État insulaire du nord de l'Europe situé dans l'océan Atlantique. C'est une île volcanique où l'on trouve des volcans actifs, des geysers et des sources chaudes. Reykjavik, la capitale, en est la ville la plus peuplée. Après avoir été colonisée par les Vikings, l'Islande est passée sous l'autorité de la Norvège, puis du Danemark. Indépendante depuis 1918, l'Islande a été le premier pays du monde à élire une femme comme présidente de la République de 1980 à 1996. Son économie repose sur la pêche, l'élevage ovin et le tourisme. La langue officielle de l'Islande est l'islandais. [➔Carte 8]

Reykjavik, en ***Islande***

Israël

Nom local	Yisra'el, Isrā'īl
Capitale	Jérusalem
Superficie	21 000 km^2
Population	7 308 100
Habitants	Israéliens, Israéliennes

Israël est un État du Moyen-Orient bordé par la mer Méditerranée. La capitale est Jérusalem. La population, constituée d'une majorité de Juifs et d'une minorité d'Arabes, vit principalement dans les villes côtières. Israël est le seul État au monde dont la population est majoritairement juive. Depuis son indépendance, en 1948, l'État d'Israël a été engagé dans plusieurs conflits armés avec les pays arabes voisins. Le pays tire ses revenus de l'exportation d'agrumes et de produits chimiques, du tourisme et des industries de précision (taille de diamants, électronique, fibre optique). Les langues officielles d'Israël sont l'hébreu et l'arabe. [➔Carte 9]

Le monument d'Absalom (vallée du Cédron), en ***Israël***

Istanbul

Istanbul est la plus grande ville, le port principal et la métropole économique de la Turquie, un pays qui s'étend à la fois en Asie et en Europe. Située sur le détroit du Bosphore, Istanbul a d'abord porté le nom de Byzance, puis de Constantinople. La ville renferme de nombreux monuments antiques et de remarquables mosquées. Avec ses 10 822 800 habitants, Istanbul constitue la plus grande agglomération d'Europe.

Italie

Nom local	Italia
Capitale	Rome
Superficie	300 000 km²
Population	59 854 900
Habitants	Italiens, Italiennes

L'Italie est un État du sud de l'Europe, sur la mer Méditerranée. Ce pays comprend une partie continentale, qui est une longue péninsule, et deux grandes îles : la Sicile et la Sardaigne. On y trouve trois volcans actifs : le Vésuve près de Naples, l'Etna en Sicile et le Stromboli dans les îles Éoliennes. L'Italie est l'un des six pays fondateurs de l'Union européenne et le deuxième pays agricole d'Europe après la France. Son agriculture est dominée par la culture de légumes, de fruits, de céréales et de vignes (le pays occupe le premier rang mondial pour la production de vin). Le secteur industriel est également important (sidérurgie, industries chimiques, construction d'automobiles, industrie textile, industries de luxe), ainsi que le tourisme. La langue officielle de l'Italie est l'italien. [➔Carte 8]

Ivujivik

Ce village inuit, le plus nordique du Québec, est situé à la limite de la baie et du détroit d'Hudson. Ses 350 habitants, les Ivujivimmiuqs, parlent l'inuktitut et l'anglais. [➔Carte 5]

J j

Jacques-Cartier (détroit de)

Le détroit de Jacques-Cartier est un bras de mer du golfe du Saint-Laurent. Il est situé entre l'île d'Anticosti et la rive nord du Saint-Laurent, à la hauteur de Havre-Saint-Pierre, au Québec.

Jacques-Cartier (mont)

Le mont Jacques-Cartier est situé dans le Parc national de la Gaspésie, au Québec. Son point culminant est de 1268 m. Il a été nommé ainsi en l'honneur de Jacques Cartier.

Jacques-Cartier (parc de conservation de la)

Le parc de conservation de la Jacques-Cartier est situé au nord de la ville de Québec, dans les Laurentides. D'une superficie de 670 km², il offre aux visiteurs la possibilité de chasser, de pêcher, de faire du ski de randonnée et de l'escalade.

Jacques-Cartier (rivière)

La rivière Jacques-Cartier prend sa source dans les Laurentides et se jette dans le fleuve Saint-Laurent, à la hauteur de Donnacona, en amont de la ville de Québec. Une partie de son cours traverse le parc de conservation de la Jacques-Cartier.

Jakarta

Jakarta est la capitale de l'Indonésie, un pays de l'Asie du Sud-Est. Port actif, la ville est située sur l'île de Java, une des 17 500 îles qui composent l'archipel de l'Indonésie. Fondée en 1619 par les Hollandais sous le nom de Batavia, Jakarta compte 8 820 600 habitants, originaires de toutes les régions de l'Indonésie. [➔Carte 9]

Jamaïque

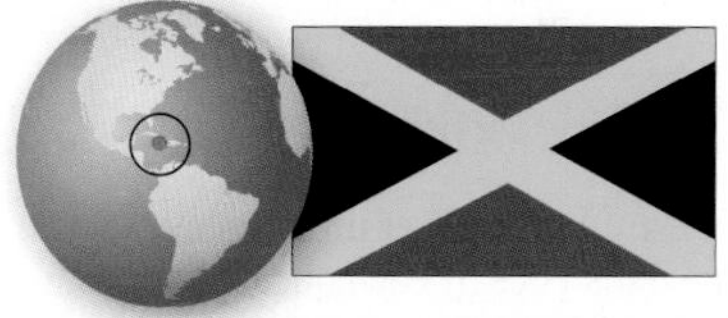

Nom local	Jamaica
Capitale	Kingston
Superficie	11 000 km²
Population	2 689 100
Habitants	Jamaïcains, Jamaïcaines

La Jamaïque est une île et un État des Grandes Antilles situé au sud de Cuba. Découverte par Christophe Colomb en 1494 et occupée par les Espagnols, la Jamaïque devient ensuite une colonie anglaise prospère. Elle est indépendante depuis 1962. Son économie repose sur le tourisme et sur ses exportations de sucre, de bananes, de rhum, de café et de bauxite. La population de la Jamaïque est composée aux trois quarts de Noirs d'origine africaine. La langue officielle y est l'anglais. [➔Carte 3]

A B C D E F G H I J K L M N O P Q R S T U V W X Y Z

James (baie)
La baie James est un prolongement de la baie d'Hudson, au Québec. Les rivières qui se jettent dans la baie James ont un énorme potentiel hydroélectrique. Certaines sont exploitées par la société d'État québécoise, Hydro-Québec, pour la production d'électricité. Découverte par Henry Hudson en 1610, la baie James doit son nom à l'explorateur Thomas James, un capitaine anglais qui a exploré la région plus à fond.

James (Thomas)
Explorateur, né en Angleterre vers 1593 et mort vraisemblablement dans ce même pays vers 1635. En 1631, il entreprend un voyage d'exploration à la baie d'Hudson, à la recherche d'un passage vers l'Asie par le nord-ouest. Il hiverne, avec ses hommes, dans une baie à laquelle il a donné son nom. Cette équipe aurait été la première à hiverner volontairement dans le Nord canadien.

Japon

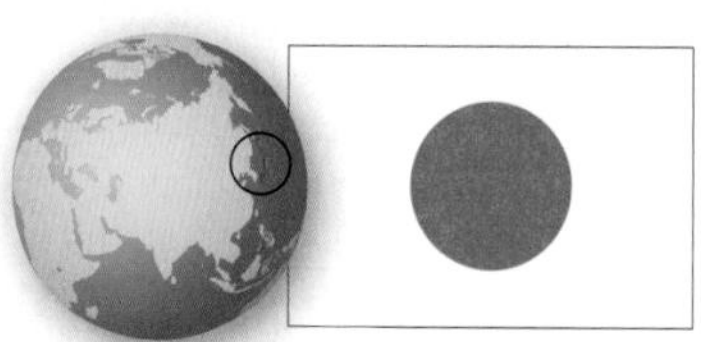

Nom local	Nihon, Nippon
Capitale	Tokyo
Superficie	377 744 km²
Population	127 704 000
Habitants	Japonais, Japonaises

Le Japon est un archipel et un État de l'Asie de l'Est situé dans l'océan Pacifique. Il est formé de 3400 îles et îlots dispersés en arc de cercle au large des côtes orientales de l'Asie. Les quatre plus grandes îles sont Honshu, Hokkaido, Kyushu et Shikoku. La culture du riz et la pêche y sont importantes. Le pays est l'une des grandes puissances économiques mondiales, mais il dépend d'autres pays pour le pétrole, le charbon, les métaux et les produits alimentaires. Il occupe le deuxième rang mondial pour sa pêche et sa sidérurgie ultramoderne, et le premier rang pour sa production de motocyclettes. Ses industries de précision (électronique, radio, photo) sont mondialement réputées. Le pays occupe également une place enviable dans la construction navale et l'industrie automobile. La langue officielle y est le japonais. [➔Carte 9]

Jasper (Parc national du Canada)
Le Parc national du Canada Jasper est situé dans le sud de l'Alberta, dans les montagnes Rocheuses. Créé en 1907, il couvre une superficie de 10 878 km². Il sert de refuge à de nombreux animaux et ses champs de glace sont spectaculaires.

Le lac Patricia, dans le Parc national du Canada ***Jasper***

Jaune (fleuve) ➔Voir **Huang He**

Java
Java est l'île la plus peuplée de l'Indonésie, un pays de l'Asie du Sud-Est. C'est sur cette île de 132 000 km² qu'est située la capitale du pays, Jakarta. L'île de Java compte 121 352 600 habitants.

Jean-Baptiste
Surnom donné aux Canadiens français au 19e siècle. Les Canadiennes françaises étaient, quant à elles, surnommées les Josephtes.

Jérusalem
Jérusalem est la capitale de l'État d'Israël, un pays du Moyen-Orient. Elle est considérée comme une ville sainte par les juifs, les chrétiens et les musulmans. En 1948, Jérusalem a été partagée entre l'État d'Israël, qui venait d'être fondé, et la Jordanie. En 1967, l'armée israélienne reprend la partie est de la ville. Le tourisme de Jérusalem est particulièrement actif, compte tenu des milliers de pèlerins qui la visitent. Sa population est de 740 500 habitants. [➔Carte 9]

Jésus (ou Jésus-Christ)
Fondateur de la religion chrétienne. Juif de Palestine, Jésus est né à Bethléem 4 ou 5 ans avant notre ère et est mort vers l'an 30 à Jérusalem. Il a passé son enfance à Nazareth. Les Évangiles racontent sa vie, les miracles qu'il a accomplis et l'enseignement qu'il prêchait.

Jésus (île)
L'île Jésus est située au nord de la ville de Montréal, au Québec, entre la rivière des Prairies et la rivière des Mille Îles. C'est sur cette île de 245 km², de 32 km de longueur et de 11 km de largeur que se trouve la ville de Laval. L'île a été donnée aux pères jésuites en 1636, d'où son nom d'île Jésus.

Jeux olympiques
Évènement international fondé par le Français Pierre de Coubertin en 1894, au cours duquel des milliers d'athlètes représentant leur pays prennent part à diverses compétitions sportives. Les Jeux olympiques d'été comme les Jeux d'hiver ont lieu tous les quatre ans. Le Canada a été l'hôte de trois olympiades : en 1976, à Montréal (Québec) [Jeux d'été] ; en 1988, à Calgary (Alberta) [Jeux d'hiver] ; en 2010, à Vancouver (Colombie-Britannique) [Jeux d'hiver].

Jogues (Isaac)
Missionnaire jésuite, né en France en 1607 et mort en pays iroquois en 1646. Arrivé en Nouvelle-France en 1636, il a consacré sa vie à convertir les Amérindiens, dont il a appris plusieurs langues. En 1646, il se rend en pays iroquois ; il est le premier Européen à atteindre le lac George, qu'il nomme lac Saint-Sacrement. Il meurt assassiné. Isaac Jogues fait partie du groupe des Saints Martyrs canadiens canonisés en 1930. [➔Saints Martyrs canadiens]

Johannsen (Herman Smith)
Pionnier du ski de fond, né à Horten (Norvège) en 1875 et mort à Tønsberg (Norvège) en 1987. Champion de ski dans son pays, il s'établit à Montréal en 1919 pour y être vendeur. En 1932, il déménage à Piedmont dans les Laurentides et ouvre de nombreux sentiers de ski de fond. Il continue, passé l'âge de 90 ans, à œuvrer dans ce domaine à titre de professeur, d'entraîneur et d'organisateur de compétitions. Surnommé « Chief Jackrabbit », il devient membre de l'Ordre du Canada en 1973 et il est intronisé au Temple de la renommée des sports du Canada en 1982. Il meurt à l'âge de 111 ans, peu après son retour dans son pays natal.

Johnson (Daniel)
Homme politique, né à Danville en 1915 et mort à Manicouagan en 1968. Chef de l'Union nationale [➔Union nationale], il a été premier ministre du Québec de 1966 à 1968. C'est lui qui a créé le ministère des Affaires intergouvernementales, chargé de s'occuper des relations du Québec avec le gouvernement du Canada ainsi qu'avec les pays où le Québec a des délégations.

Daniel ***Johnson***

Johnson (Daniel)
Homme politique, fils du précédent, né à Montréal en 1944. Après la démission de Robert Bourassa, il lui succède comme chef du Parti libéral. Daniel Johnson a été premier ministre du Québec de janvier à septembre 1994.

Johnson (Pierre-Marc)
Homme politique, frère du précédent, né à Montréal en 1946. Chef du Parti québécois de 1985 à 1987, Pierre-Marc Johnson a été premier ministre du Québec pendant quelques mois, en 1985.

Jolliet (Louis)
Explorateur et cartographe, né à Québec en 1645 et mort vraisemblablement sur une des îles du Saint-Laurent en 1700. En 1673, il découvre, avec Jacques Marquette, le fleuve Mississippi. Six ans plus tard, il se rend à la baie d'Hudson, probablement pour y établir des postes de traite des fourrures. Il explore par la suite les côtes du Labrador.

Joliette (ville)
La ville de Joliette est située sur la rive nord du fleuve Saint-Laurent, au Québec, dans la région administrative de Lanaudière. Elle a été fondée en 1823 par Barthélemy Joliette. Ses principales industries sont reliées au tabac, aux vêtements, aux aliments et aux boissons. [➔Carte 5]

Jordanie

Nom local	Al Urdun
Capitale	Amman
Superficie	100 000 km^2
Population	5 906 000
Habitants	Jordaniens, Jordaniennes

La Jordanie est un État du Moyen-Orient voisin d'Israël, de la Syrie, de l'Irak et de l'Arabie saoudite. La population est composée pour près de la moitié par des réfugiés palestiniens. Les Jordaniens cultivent le blé, les légumes, les fruits (agrumes, tomates) et les olives. Les nomades s'adonnent à l'élevage de chèvres et de moutons. Les principales exportations du pays sont le phosphate et les engrais. La langue officielle de la Jordanie est l'arabe. [➔Carte 9]

Le monastère Petra, en ***Jordanie***

Jura

Le Jura est une chaîne de montagnes de l'Europe qui s'élève en France, en Suisse et en Allemagne. Elle a donné son nom au département français du Jura et au canton suisse du Jura. Son point culminant atteint 1723 m.

K k

Kaboul

Kaboul est la capitale de l'Afghanistan, un État de l'Asie centrale, et un centre commercial important. La ville de 1 424 400 habitants est entourée de chaînes montagneuses. Des mausolées, des mosquées, des palais et des musées ont été détruits au cours de guerres qui secouent le pays depuis 1979, et dont la population a énormément souffert. L'artisanat (soieries, tapis, pierres précieuses) et les industries textiles et alimentaires en sont les principales ressources économiques. Avec la banlieue, la population de Kaboul est de 2 536 300 habitants. [➔Carte 9]

Kahnawake

La réserve mohawk de Kahnawake est située sur la rive sud du fleuve Saint-Laurent, au sud-ouest de la ville de Montréal, au Québec. 6840 Kahnawakeronons vivent dans la réserve et 1660 à l'extérieur. Ces Autochtones parlent le mohawk et l'anglais. [➔Carte 5]

Kampala

Kampala est la capitale et la plus grande ville de l'Ouganda, un pays de l'est de l'Afrique. Elle est située près du lac Victoria. Bien que l'on y trouve des industries agroalimentaires et mécaniques, Kampala connaît un haut taux de pauvreté et de chômage. Sa population est de 1 208 500 habitants. [➔Carte 7]

Kanesatake

Kanesatake est un établissement mohawk qui se trouve à Oka, une ville du Québec située à l'ouest de Montréal. 1290 Mohawks vivent dans cet établissement, et 590 à l'extérieur. Ces Autochtones parlent le mohawk et l'anglais. [➔Carte 5]

Kangiqsualujjuaq

Le village inuit de Kangiqsualujjuaq est situé sur la côte est de la baie d'Ungava, dans la région administrative du Nord-du-Québec. Ses 740 habitants parlent l'inuktitut et l'anglais. [➔Carte 5]

Kangiqsujuaq

Le village inuit de Kangiqsujuaq est situé au sud du détroit d'Hudson, dans la région administrative du Nord-du-Québec. Ses 610 habitants parlent l'inuktitut et l'anglais. [➔Carte 5]

Kangirsuk

Le village inuit de Kangirsuk est situé sur la côte ouest de la baie d'Ungava, à l'embouchure de la rivière Arnaud. Il fait partie de la région administrative du Nord-du-Québec. Ses 470 habitants parlent l'inuktitut et l'anglais. [➔Carte 5]

Katmandou

Katmandou est la capitale du Népal, un pays de l'Asie du Sud situé entre l'Inde et la Chine. Cette ville connaît un tourisme important. Sa population est de 671 800 habitants. [➔Carte 9]

Kawawachikamach

Kawawachikamach est une réserve naskapie située au nord de Schefferville, dans la région administrative du Nord-du-Québec. 570 Naskapis habitent dans la réserve, et 50 à l'extérieur. Ces Autochtones parlent le naskapi et l'anglais. [➔Carte 5]

Kazakhstan

Nom local	Qazaqstan
Capitale	Astana
Superficie	2 715 000 km²
Population	15 674 800
Habitants	Kazakhs, Kazakhes

Le Kazakhstan est un État de l'Asie centrale situé entre la mer Caspienne et la Chine. Ancienne république fédérée de l'URSS, le Kazakhstan est devenu indépendant en 1991. Il produit de l'uranium et exporte du blé, des textiles et du bétail, mais principalement du pétrole, lequel constitue sa plus grande ressource. Les langues officielles du Kazakhstan sont le kazakh et le russe. [➔Carte 9]

Kebaowek

La réserve algonquine de Kebaowek est située dans la région administrative de l'Abitibi-Témiscamingue, au Québec. 270 Algonquins habitent dans la réserve, et 360 à l'extérieur. Ces Autochtones parlent l'algonquin, l'anglais et le français. [➔Carte 5]

Kennedy (centre spatial J.F.)

Le centre spatial américain J.F. Kennedy est une base de lancement d'engins spatiaux. Il est situé à Cap Canaveral, aux États-Unis, sur la côte est de la Floride.

Kénogami (lac)

Le lac Kénogami est situé à l'ouest de la ville de Chicoutimi, dans la région administrative du Saguenay–Lac-Saint-Jean, au Québec. En langue amérindienne montagnaise, son nom signifie *lac en long*. En effet, il mesure 27 km de long, et seulement 8 km dans sa partie la plus large.

Kenya

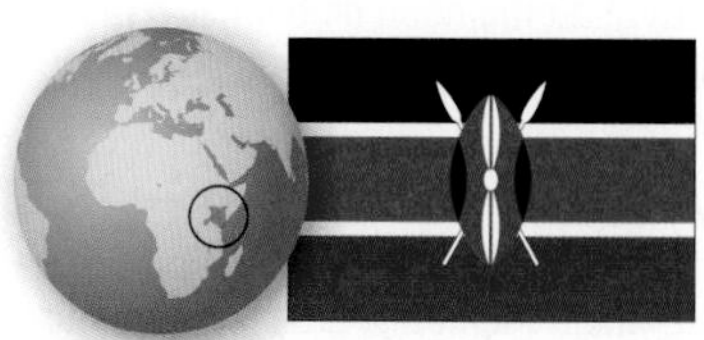

Nom local	Kenya
Capitale	Nairobi
Superficie	580 000 km²
Population	38 534 100
Habitants	Kényans, Kényanes

Le Kenya est un État de l'est de l'Afrique bordé par l'océan Indien. Les paysages y sont diversifiés : terres volcaniques, forêts, savane et steppe. La population, principalement rurale, compte environ 40 ethnies. Le pays vit essentiellement de la culture du maïs, du café et du thé, de l'élevage, de l'exploitation forestière et du tourisme. Ses parcs naturels, où vivent des animaux sauvages, attirent de nombreux visiteurs. Les langues officielles du Kenya sont le swahili et l'anglais. [➔Carte 7]

Khartoum

Khartoum est la capitale du Soudan, un pays de l'est de l'Afrique. Elle est située au confluent du Nil Blanc, venant de l'Ouganda, et du Nil Bleu, venant d'Éthiopie. La ville de Khartoum compte 947 500 habitants, population qui s'élève à 2 919 800 habitants avec la banlieue. [➔Carte 7]

Kiev

Kiev est la capitale et la plus grande ville de l'Ukraine, un vaste pays de l'Europe de l'Est. Considérée comme l'une des villes les plus anciennes du pays, Kiev s'étend sur les deux rives du fleuve Dniepr et compte 2 676 300 habitants. [➔Carte 8]

Kigali

Kigali est la capitale du Rwanda, un petit pays de l'Afrique centrale, et son centre économique et administratif. Kigali compte 233 600 habitants. [➔Carte 7]

A B C D E F G H I J K L M N O P Q R S T U V W X Y Z

King (William Lyon Mackenzie)
Homme politique, né à Berlin (Ontario) en 1874 et mort près d'Ottawa en 1950. Chef du Parti libéral, il a été premier ministre du Canada de 1921 à 1926, de 1926 à 1930 et de 1935 à 1948. Il a participé à plusieurs conférences où il affirmait l'indépendance du Canada. Mackenzie King a œuvré au maintien de bonnes relations entre les francophones et les anglophones du Canada.

King (Martin Luther)
Pasteur noir américain, né à Atlanta en 1929 et mort assassiné à Memphis, en 1968. Adepte de la non-violence, il a lutté toute sa vie contre la discrimination raciale. En 1963, il organise une marche pacifique sur Washington pour réclamer une loi sur l'égalité entre les races. Le discours qu'il prononce ce jour-là est demeuré très célèbre. Martin Luther King a obtenu le prix Nobel de la paix en 1964.

*Martin Luther **King***

Kingston
Kingston est la capitale de la Jamaïque, un État des Grandes Antilles. C'est l'une des agglomérations antillaises qui se développe le plus rapidement. Kingston compte 579 100 personnes. [➔Carte 3]

Kingstown
Kingstown est la capitale de Saint-Vincent-et-les-Grenadines, un État des Antilles. La ville, qui compte 15 500 habitants, est située sur l'île Saint-Vincent. [➔Carte 3]

Kinshasa
Kinshasa est la capitale et la plus grande ville de la République démocratique du Congo, un pays de l'Afrique centrale. Cette ville est située sur la rive sud du fleuve Congo, face à Brazzaville, la capitale du Congo. Kinshasa est une ville multiethnique de 7 843 000 d'habitants. [➔Carte 7]

Kirghizstan

Nom local	Kyrgyzstan
Capitale	Bichkek
Superficie	198 500 km^2
Population	5 277 900
Habitants	Kirghiz, Kirghizes

Le Kirghizstan est un État de l'Asie centrale situé à l'ouest de la Chine. Ancienne république fédérée de l'URSS, le Kirghizstan est devenu indépendant en 1991. Son économie est essentiellement tournée vers l'agriculture (blé, coton, tabac, légumes et fruits) et l'élevage du bétail. Son sous-sol renferme de l'antimoine, du mercure, de l'uranium et du charbon.
Ce pays attire les amateurs d'alpinisme, de trekking, de randonnées à cheval et de rafting, entre autres sports. Les langues officielles du Kirghizstan sont le kirghiz et le russe.
[➔Carte 9]

Kiribati

Nom local	Kiribati
Capitale	Tarawa
Superficie	700 km^2
Population	96 600
Habitants	Kiribatiens, Kiribatiennes

Les Kiribati sont un État insulaire de l'Océanie. Elles sont composées de 33 îles regroupées en trois archipels principaux. Leur économie est basée sur les exportations de coprah (l'amande de la noix de coco décortiquée) et de poissons, incluant les poissons d'aquarium. Découvertes en 1606, les Kiribati deviennent une colonie britannique en 1915, puis accèdent à l'indépendance en 1979. La langue officielle y est l'anglais. [➔Carte 10]

Kirkland-Casgrain (Claire)
Avocate, juge et femme politique, née dans le Massachusetts (États-Unis) en 1924. Elle étudie à l'Université McGill et accède au barreau en 1952. En 1961, elle est la première Québécoise à être élue députée à l'Assemblée législative. Elle se voit confier de nombreux ministères jusqu'à sa retraite en 1973. Elle est alors nommée juge à la Cour provinciale. Durant toute sa carrière, Claire Kirkland-Casgrain s'est préoccupée des droits des femmes. Elle est fondatrice et présidente de la section canadienne de l'Alliance internationale des femmes. En 1985, elle obtient la distinction de chevalier de l'Ordre national du Québec.

Claire ***Kirkland-Casgrain***

Kirouac (Conrad)
➔Voir **Marie-Victorin** (Frère)

Kitchener
Kitchener est une ville de l'Ontario, une province du Canada. Fondée par des immigrants allemands vers 1807, elle est située dans le sud de la province. On y trouve des industries alimentaires, manufacturières et de transport. Kitchener compte 468 000 habitants.

Kitcisakik
L'établissement algonquin de Kitcisakik portait autrefois le nom de Grand-Lac-Victoria. Il est situé au sud de la ville de Val-d'Or, dans la région administrative de l'Abitibi-Témiscamingue, au Québec. Dans cet établissement habitent 290 Algonquins, et 30 à l'extérieur de celui-ci. Ces Autochtones parlent l'algonquin, le français et l'anglais. [➔Carte 5]

Kitigan Zibi
Kitigan Zibi est une réserve algonquine qui portait autrefois le nom de Maniwaki. Elle est située au nord de Gatineau, dans la région administrative de l'Outaouais, au Québec. 1170 Algonquins vivent dans la réserve, et 930 à l'extérieur de celle-ci. Ils parlent l'algonquin, le français et l'anglais. [➔Carte 5]

Kolkata ➔Voir **Calcutta**

Koksoak (rivière)
La rivière Koksoak coule dans la région administrative du Nord-du-Québec. Elle naît de la jonction entre la rivière Caniapiscau et la rivière aux Mélèzes, et se jette dans le sud de la baie d'Ungava après un parcours de 137 km.

Kondiaronk (dit Le Rat)
Chef huron, né vers 1649 et mort à Montréal en 1701. Habile diplomate, il a travaillé à ramener la paix entre les Amérindiens d'une part, et entre les Cinq-Nations iroquoises et les Français, d'autre part. Il est mort au cours des négociations de paix qui se sont conclues par la signature du traité de la Grande Paix de Montréal en 1701. [➔Grande Paix de Montréal]

Kosovo

Nom local	Kosova, Kosovë
Capitale	Pristina
Superficie	10 887 km^2
Population	1 804 800
Habitants	Kosovars, Kosovares

Le Kosovo est un État du sud-est de l'Europe situé entre la Macédoine et la Serbie. Indépendant de la Serbie depuis 2008, il n'est cependant pas encore reconnu par tous les pays. Le Kosovo possède d'importantes ressources minières (nickel, plomb, zinc, magnésium). Sa population, qui se compose d'une majorité d'Albanais et d'une minorité de Serbes, parle l'albanais et le serbe. [➔Carte 8]

Koweït (État)

Nom local	Al Kuwayt
Capitale	Koweït
Superficie	18 000 km^2
Population	2 728 000
Habitants	Koweïtiens, Koweïtiennes

Le Koweït est un petit État du Moyen-Orient et un émirat sur le golfe Persique. Situé dans le nord de la péninsule arabique, il a pour voisins l'Arabie saoudite et l'Irak. Sa production de pétrole en fait un pays très riche, et le revenu par habitant est l'un des plus élevés au monde. En 1990, l'Irak a envahi le Koweït, déclenchant ainsi la guerre du Golfe. Le Koweït a été libéré en 1991 et sa langue officielle est l'arabe. [➔Carte 9]

Koweït (ville)
Koweït est la capitale du Koweït, un émirat du Moyen-Orient. La ville compte 199 000 habitants. [➔Carte 9]

Kuala Lumpur
Kuala Lumpur est la capitale de la Malaisie, un pays de l'Asie du Sud-Est. Sa population est estimée à 1 145 000 habitants. [➔Carte 9]

***Kuala Lumpur**, en Malaisie*

Kuujjuaq
Kuujjuaq, anciennement appelé Fort Chimo, est un village nordique du Québec situé au sud de la baie d'Ungava. Il se trouve dans la région administrative du Nord-du-Québec. Ses 2130 habitants, les Kuujjuamiuts, sont presque tous des Inuits. Ils parlent l'inuktitut et l'anglais. [➔Carte 5]

Kuujjuarapik
Kuujjuarapik est un village nordique situé sur la côte est de la baie d'Hudson, à l'embouchure de la Grande rivière de la Baleine. Il se trouve dans la région administrative du Nord-du-Québec. Ses 570 habitants, dont la très grande majorité sont des Inuits, parlent l'inuktitut et l'anglais. [➔Carte 5]

Kyoto
Kyoto est une ville japonaise située au sud-ouest du pays. Elle accueille de nombreux touristes et constitue aujourd'hui l'une des grandes villes de la zone métropolitaine Osaka-Kobe-Kyoto. Sa population est de 1 474 800 habitants.

L

Labelle (Antoine)
Prêtre et colonisateur, né à Sainte-Rose-de-Laval en 1833 et mort à Québec en 1891. Surnommé « le roi du Nord » et « l'apôtre de la colonisation », il a œuvré au développement de la région des Laurentides que l'on a, grâce à lui, reliée à Montréal par un chemin de fer. De 1888 à 1890, Antoine Labelle a été sous-ministre de l'Agriculture et de la Colonisation dans le gouvernement d'Honoré Mercier.

Labrador (péninsule)
Le Labrador est une péninsule située au nord-est de la province de Québec. Malgré sa position géographique, il fait officiellement partie de la province de Terre-Neuve depuis 1927. Son nom d'origine portugaise signifie *laboureur* ou *terre du laboureur*. Sur cette péninsule de 292 218 km² vivent 26 360 habitants.

Labrador (mer du)
La mer du Labrador est la partie de l'océan Atlantique qui baigne les côtes de la péninsule du Labrador et de l'île de Terre-Neuve.

Lac-Rapide
La réserve algonquine de Lac-Rapide est située dans la région administrative de l'Outaouais, au Québec. Ce sont 410 Algonquins qui vivent dans la réserve et 120 à l'extérieur de celle-ci. Ces Autochtones parlent l'algonquin, l'anglais et le français. [➔Carte 5]

Lac Saint-Pierre (archipel du)
L'archipel du lac Saint-Pierre comprend environ cent îles qui se trouvent dans le lac Saint-Pierre. On appelle îles de Sorel les îles de cet archipel situées près de la rive sud du Saint-Laurent, et îles Berthier celles qui se trouvent près de la rive nord.

Lac-Simon
La réserve algonquine de Lac-Simon est située au sud-est de la ville de Val-d'Or, dans la région administrative de l'Abitibi-Témiscamingue. Dans cet établissement vivent 1170 Algonquins, et 210 à l'extérieur de celui-ci. Ces Autochtones parlent l'algonquin, le français et l'anglais. [➔Carte 5]

Lacoste-Beaubien (Justine)
Fondatrice de l'Hôpital Sainte-Justine, née à Montréal en 1877 et morte à Outremont en

1967. Épouse de Louis de Gaspé Beaubien, un homme d'affaires de Montréal, elle fonde, avec l'aide de plusieurs amies et connaissances, l'Hôpital Sainte-Justine. Cet hôpital pour enfants malades et handicapés, qui voit le jour en 1907, est une idée d'Irma Le Vasseur, première femme médecin du Québec. De 1907 à 1966, Justine Lacoste-Beaubien s'occupe activement de toutes les questions relatives à l'hôpital, qu'elle dirige et agrandit en en faisant un des centres pédiatriques les plus importants au Canada.

Lafleur (Guy)
Hockeyeur, né à Thurso en 1951. Remarquable patineur doté d'un formidable lancer, il est le premier choix du Canadien de Montréal en 1971. Celui que l'on appelle «le démon blond» permet au Canadien de remporter la coupe Stanley à cinq reprises. Il annonce sa retraite en 1984, mais il effectue un retour avec les Rangers de New York en 1988 et termine sa carrière avec les Nordiques de Québec en 1991. Guy Lafleur a été intronisé au Temple de la renommée des sports du Canada en 1996.

Guy **Lafleur**

La Fontaine (Louis-Hippolyte)
Homme politique, né à Boucherville en 1807 et mort à Montréal en 1864. Au moment de l'Acte d'union [➔Acte d'union], en 1840, il était l'un des dirigeants politiques des Canadiens français. Avec Robert Baldwin, il a été deux fois chef du gouvernement du Canada-Uni, en 1842-1843 et de 1848 à 1851. Un pont-tunnel reliant Montréal à la rive sud du fleuve Saint-Laurent rappelle son souvenir.

La Havane
La Havane est la capitale de Cuba, un pays des Antilles. Ses industries alimentaires sont nombreuses et ses manufactures de tabac produisent des cigares réputés. La Havane possède également un port important. Cette ville compte 2 162 500 habitants. [➔Carte 3]

La place de la Cathédrale, à ***La Havane***

La Haye
La Haye est, avec Amsterdam, la capitale des Pays-Bas, un pays du nord-ouest de l'Europe. Dans cette ville siègent le gouvernement des Pays-Bas et la Cour internationale de justice. Dans La Haye se dressent des monuments historiques et des musées. Cette ville et sa banlieue regroupent 619 400 habitants. [➔Carte 8]

La Mecque
La Mecque est une ville de l'Arabie saoudite, un pays du Moyen-Orient. Dans sa mosquée Al-Haram se trouve la Kaaba, un immense cube qui symbolise l'unité des musulmans. La présence de la Kaaba sur le territoire de La Mecque en fait la ville la plus sacrée de l'islam. Les musulmans sont invités à y faire un pèlerinage au moins une fois dans leur vie, de sorte que des millions de pèlerins s'y rendent chaque année. La population de La Mecque est estimée à 1 294 200 habitants.

Lanaudière
Lanaudière est une région administrative du Québec. Elle est située entre le fleuve Saint-Laurent et les régions administratives des Laurentides et de la Mauricie. La région se partage en deux ensembles : les hautes terres des Laurentides au nord, et les basses terres du Saint-Laurent au sud. Lanaudière vit principalement de l'exploitation forestière et de l'agriculture. Son industrie manufacturière est très active. Joliette et Terrebonne sont des villes importantes de Lanaudière. Cette région de 12 313 km^2 compte 458 000 habitants. [➔Carte 5]

Landry (Bernard)
Homme politique, né à Saint-Jacques en 1937. Avocat de formation, il est élu député du Parti québécois pour une première fois en 1976. Il est chef du Parti québécois de 2001 à 2005 et premier ministre du Québec de 2001 à 2003. En 2005, Bernard Landry a reçu le prix Louis-Joseph-Papineau pour avoir consacré plus de 35 ans à la cause souverainiste.

Bernard ***Landry***

Laos

Nom local	Lao
Capitale	Vientiane
Superficie	240 000 km²
Population	6 205 300
Habitants	Laotiens, Laotiennes

Le Laos est un État de l'Asie du Sud-Est situé au sud de la Chine. Les terres cultivables sont essentiellement consacrées à la culture du riz et du maïs, aliments de base des Laotiens. L'hydroélectricité, le café, les bois précieux, le gypse, l'étain, l'industrie textile et l'opium sont les principales ressources du pays. La langue officielle du Laos est le lao. [➔Carte 9]

La Paz
La Paz est la capitale administrative de la Bolivie, un pays de l'Amérique du Sud, alors que Sucre en est la capitale constitutionnelle. Située à une altitude de 3700 m, La Paz compte 835 300 habitants, population qui atteint 1 710 800 habitants avec son importante banlieue. [➔Carte 6]

La Peltrie (Marie-Madeleine de Gruel de, née Chauvigny)
Bienfaitrice née en France en 1603 et morte à Québec en 1671. Devenue veuve à 22 ans, elle décide de consacrer sa vie aux bonnes œuvres. C'est ainsi qu'elle finance en grande partie l'établissement des religieuses ursulines à Québec. À ce titre, elle est considérée comme la cofondatrice, avec Marie de l'Incarnation et deux autres ursulines, de cet ordre en Nouvelle-France.

La Rocque de Roberval (Jean-François de)
➔Voir **Roberval** (Jean-François de La Rocque de)

La Romaine
La Romaine est une réserve innue (montagnaise) située à 400 km au nord-est de Sept-Îles. Elle se trouve dans la région administrative de la Côte-Nord, au Québec. On dénombre 930 Innus dans cette réserve et environ 10 à l'extérieur de celle-ci. Ces Autochtones parlent l'innu et le français. [➔Carte 5]

La Sarre
La Sarre est une ville du Québec qui fait partie de la région administrative de l'Abitibi-Témiscamingue. Elle est située au nord de la ville de Rouyn-Noranda, près de la frontière ontarienne. Cet ancien poste de traite de la Compagnie de la Baie d'Hudson s'est développé au début du 20e siècle grâce à la construction du chemin de fer transcontinental. La ville compte 7340 habitants. [➔Carte 5]

L'Assomption (rivière)
La rivière L'Assomption prend sa source dans les Laurentides, dans le lac L'Assomption, et se jette dans le fleuve Saint-Laurent, près de Repentigny. Elle est longue de plus de 160 km.

La Tuque
La Tuque est une ville du Québec qui fait partie de la région administrative de la Mauricie. Située au bord de la rivière Saint-Maurice, elle doit son nom à un rocher en forme de tuque qui se dresse sur la rive nord. Anciennement poste de traite, La Tuque est devenue un important centre de commerce du bois depuis 1908. La ville compte 11 820 habitants. [➔Carte 5]

Laurentides (région administrative des)
La région administrative des Laurentides est située au nord de la ville de Montréal, au Québec. Plusieurs centres de villégiature et de nombreux lacs en font un lieu touristique très fréquenté, notamment pour la chasse, la pêche et le ski. La région doit son nom à la chaîne de montagnes qui la traverse. La région des Laurentides, d'une superficie de 20 560 km², compte 542 400 habitants. [➔Carte 5]

Laurentides (les)
La chaîne de montagnes des Laurentides correspond à la limite sud-est du Bouclier canadien. Elle s'élève le long de la rive nord du fleuve Saint-Laurent, au Québec. C'est l'historien François-Xavier Garneau qui lui a donné son nom, en 1845. Le point culminant des Laurentides est le mont Raoul-Blanchard, qui atteint 1166 m.

Laurier (Wilfrid)
Homme politique, né à Saint-Lin en 1841 et mort à Ottawa en 1919. Chef du Parti libéral, il a été premier ministre du Canada de 1896 à 1911. Il a cherché à rapprocher les francophones et les anglophones, profondément divisés à la suite de l'affaire Louis Riel [➔Riel, Louis] et d'un problème scolaire au Manitoba. Sous son gouvernement, le Canada participe à la guerre des Boers en Afrique, les provinces de l'Alberta et de la Saskatchewan sont créées, et l'Ouest canadien commence à se développer.

Wilfrid **Laurier**

Laval (François de)
Prêtre, né en France en 1623 et mort à Québec en 1708. Il a été le premier évêque de Québec, de 1674 à 1688. Membre du Conseil souverain [➔Conseil souverain] pendant un certain temps, il affirme l'autorité de l'Église face à celle du roi. Il s'est opposé à la vente de boissons alcooliques aux Amérindiens et a fondé le Séminaire de Québec. François de Laval a été béatifié en 1980.

Laval (ville)
Laval est une ville du Québec née de la fusion de 14 municipalités indépendantes. Elle est également une municipalité régionale de comté. Son nom rappelle l'évêque François de Laval, seigneur de l'île au 17e siècle. La ville de Laval est presque entièrement située sur l'île Jésus, entre la rivière des Mille Îles et la rivière des Prairies, au nord de la ville de Montréal. Avec ses 368 700 habitants, Laval est l'une des villes les plus peuplées du Québec. [➔Carte 5]

Laval (région administrative de)
Laval est aussi une région administrative fondée en 1966. Après la Seconde Guerre mondiale, cette région se développe rapidement. On y trouve de nombreuses entreprises des secteurs de la haute technologie et des services. [➔Carte 5]

La Valette
La Valette est la capitale de Malte, un petit pays d'Europe au centre de la mer Méditerranée. C'est également un carrefour maritime. La Valette compte 6320 habitants. [➔Carte 8]

La Vérendrye (Pierre Gaultier de Varennes et de)
Explorateur, né à Trois-Rivières en 1685 et mort à Montréal en 1749. En tant que membre des troupes de la marine du roi de France, il participe à plusieurs engagements armés, aussi bien en Europe qu'en Amérique. De retour en Nouvelle-France, il commence à faire la traite des fourrures. À la fin des années 1720, il décide de chercher la mer de l'Ouest (l'océan Pacifique), qui conduit en Chine et au Japon. Il entreprend alors de longs voyages où exploration et commerce des fourrures sont étroitement mêlés. Ses fils ont découvert les montagnes Rocheuses et pris possession du territoire au nom du roi de France, Louis XV.

Laviolette
Fondateur de la ville de Trois-Rivières. On sait peu de choses sur lui sinon qu'il était un employé du poste de traite de Québec. En 1634, Samuel de Champlain l'envoie fonder à l'embouchure de la rivière Saint-Maurice un établissement que l'on appelle Trois-Rivières. Laviolette en est le commandant de 1634 à 1636. Il rentre vraisemblablement en France après ce mandat.

Lavoisier (Antoine Laurent de)
Chimiste français, né à Paris en 1743 et mort au même endroit en 1794. Son utilisation rigoureuse de la balance et l'application du principe de conservation de la masse et des éléments chimiques (principe de Lavoisier) en font le fondateur de la chimie moderne. Il établit avec d'autres chercheurs une nomenclature basée sur le concept d'élément chimique. Il a identifié les composantes de l'air, de l'eau, du gaz carbonique et des acides. Les travaux de Lavoisier ont permis de faire progresser les concepts théoriques en chimie.

A B C D E F G H I J K L M N O P Q R S T U V W X Y Z

LeBlanc (Roméo)
Homme politique, né à Memramcook (Nouveau-Brunswick) en 1927 et mort à Grande-Digue (même province) en 2009. D'abord journaliste à Radio-Canada, il est élu député libéral à la Chambre des communes en 1972. Réélu plusieurs fois, il a été tour à tour ministre des Pêches et ministre des Travaux publics. Nommé sénateur en 1994, Roméo Leblanc a été gouverneur général du Canada de 1995 à 1999.

Le Caire →Voir **Caire**

Le Cap
Le Cap est une ville de l'Afrique du Sud située près du cap de Bonne-Espérance. Cette ville est la capitale parlementaire du pays, alors que Pretoria en est la capitale administrative. Le Cap possède un port actif et un centre industriel important. La ville compte 987 000 habitants et une banlieue de 2 893 300 habitants regroupés dans ce qui est considéré comme le plus grand bidonville de l'Afrique du Sud. [→Carte 7]

Leclerc (Félix)
Auteur, compositeur et interprète, poète, romancier, dramaturge et comédien, né à La Tuque en 1914 et mort à l'île d'Orléans en 1988. Il est à l'origine de l'essor de la chanson canadienne-française et a été l'inspiration de toute une génération de chansonniers. Félix Leclerc a connu une carrière internationale.

Félix ***Leclerc***

Léman (lac)
Le lac Léman est un lac d'origine glaciaire qui est surtout alimenté par un fleuve, le Rhône. Situé entre la Suisse et la France, il occupe une superficie de 582 km².

Lemieux (Mario)
Hockeyeur, né à Montréal en 1965. Il joue pour les Penguins de Pittsburgh de 1984 à 1997, année où il annonce sa retraite. Toutefois, il fait un retour au jeu lors de la saison 2000 et poursuivra sa carrière de joueur jusqu'en 2006. Il a remporté de nombreux trophées et reçu plusieurs mentions honorifiques. Surnommé « le magnifique », Mario Lemieux est considéré comme l'un des plus grands joueurs de hockey de tous les temps. Il a été intronisé au Temple de la renommée des sports du Canada en 1998.

Le Royer de La Dauversière (Jérôme)
Né en France en 1597 et mort dans ce même pays en 1659. Il est l'un des principaux fondateurs de la Société Notre-Dame de Montréal, qui est à l'origine de la colonisation de l'île et de la fondation de la ville de Montréal.

Lesage (Jean)
Homme politique, né à Montréal en 1912 et mort à Québec en 1980. Chef du Parti libéral, il a été premier ministre du Québec de 1960 à 1966. Sous son gouvernement, marqué par la Révolution tranquille [→Révolution tranquille], la réforme du système scolaire est instaurée, l'électricité est nationalisée [→Hydro-Québec] et le Québec ouvre un réseau de délégations à l'étranger.

Jean ***Lesage***

Lesotho

Nom local	Lesotho
Capitale	Maseru
Superficie	30 500 km²
Population	2 016 800
Habitants	Lesothiens, Lesothiennes

Le Lesotho est un État montagneux entièrement enclavé dans l'Afrique du Sud. Ses habitants vivent surtout de l'élevage et du travail dans les mines sud-africaines. Sous domination britannique depuis 1868, le Lesotho obtient son indépendance en 1966. Les langues officielles y sont l'anglais et le sotho. [➔Carte 7]

Lettonie

Nom local	Latvija
Capitale	Riga
Superficie	63 700 km²
Population	2 266 000
Habitants	Lettons, Lettones

La Lettonie est un État du nord-est de l'Europe, sur la mer Baltique. Avec l'Estonie et la Lituanie, la Lettonie fait partie des pays baltes. L'économie de ce pays couvert de forêts repose sur le bois et le papier, ainsi que sur la culture (lin, pomme de terre, céréales) et l'élevage. La langue officielle de la Lettonie est le letton. [➔Carte 8]

Lévesque (René)

Journaliste et homme politique, né à New Carlisle en 1922 et mort à Montréal en 1987. Chef du Parti québécois, il a été premier ministre du Québec de 1976 à 1985, année où il démissionne à la fois comme député, comme chef du parti et donc comme premier ministre. En 1980, le référendum sur la souveraineté du Québec – qu'il avait organisé – a été rejeté par une majorité de Québécois.

*René **Lévesque***

Lévis (François-Gaston, duc de)

Militaire, né en France en 1719 et mort dans le même pays en 1787. Il a participé activement à la guerre de la Conquête et pris le commandement de l'armée française après la mort de Montcalm, en 1759. L'année suivante, Lévis remporte à Sainte-Foy la dernière victoire française en terre canadienne.

Lévis (ville)

Lévis est une ville du Québec située sur la rive sud du fleuve Saint-Laurent, en face de la ville de Québec. Elle fait partie de la région administrative de Chaudière-Appalaches, dont elle est le plus grand centre industriel. Fondé en 1647, l'établissement a adopté le nom de Lévis en 1861 pour rendre hommage à François-Gaston, duc de Lévis et vainqueur de la bataille de Sainte-Foy en 1760. En 1900, Alphonse Desjardins et son épouse Dorimène fondent à Lévis le mouvement des caisses Desjardins, l'un des principaux employeurs de la grande région de Québec. Cette ville compte 130 000 habitants. [➔Carte 5]

Liban

Nom local	Loubnâne
Capitale	Beyrouth
Superficie	10 400 km²
Population	4 139 300
Habitants	Libanais, Libanaises

Le Liban est un État du Moyen-Orient bordé par la mer Méditerranée. De 1975 à 1990, le pays traverse une longue guerre civile opposant des groupes politiques et religieux. Comme la paix n'a jamais été signée entre le Liban et Israël, les attaques et les attentats entre les deux pays sont encore fréquents. Dans la plaine côtière du Liban, on cultive des agrumes ; sur les pentes en terrasse des montagnes, des arbres fruitiers et de la vigne ; dans les régions irriguées, des céréales, de la vigne, de la betterave et des fruits. Avec le tourisme, les activités commerciales et bancaires constituent les piliers de l'économie du Liban. La langue officielle y est l'arabe. [➔Carte 9]

Libéria

Nom local	Liberia
Capitale	Monrovia
Superficie	110 000 km²
Population	3 793 400
Habitants	Libériens, Libériennes

Le Libéria est un État de l'Afrique de l'Ouest baigné par l'océan Atlantique. Ce pays est voisin de la Guinée, de la Côte d'Ivoire et de la Sierra Leone. En 1822, une société américaine de colonisation fonde le Libéria pour y installer des esclaves noirs libérés. Première nation de l'Afrique à accéder à l'indépendance en 1847, le Libéria est aussi le premier pays africain dirigé par une femme. Le territoire est couvert d'une forêt dense et humide. Le Libéria tire ses revenus de ses plantations tropicales et de ses produits miniers. La langue officielle y est l'anglais. [➔Carte 7]

Liberté (statue de la)

La statue de la Liberté est l'un des monuments les plus célèbres de la ville de New York. Portant également le nom de « La Liberté éclairant le monde », elle a été offerte en 1886 par la France pour célébrer le centenaire de l'indépendance américaine et en signe d'amitié entre les deux nations. Située sur l'île Liberty, au large de la ville de New York, c'est la première vision de l'Amérique qu'avaient les immigrants au terme de leur longue traversée de l'Atlantique.

*La statue de la **Liberté***

Libreville

Libreville est la capitale du Gabon, un pays de l'Afrique centrale bordé par l'océan Atlantique. Cette ville portuaire traite et exporte des bois tropicaux comme l'okoumé et l'ébène. Libreville compte 362 400 habitants. [➔Carte 7]

Libye

Nom local	Lībyah
Capitale	Tripoli
Superficie	1 759 540 km²
Population	6 276 200
Habitants	Libyens, Libyennes

La Libye est un État du Maghreb bordé par la mer Méditerranée. Comme les neuf dixièmes du pays s'étendent sur une des parties les plus arides du désert du Sahara, on a créé en 1991 une grande rivière artificielle pour fertiliser le nord du territoire. Les richesses du pays proviennent presque uniquement des gisements de pétrole, qui ont permis de développer l'agriculture et l'industrie du pays. Conquise par les Turcs puis par les Italiens, la Libye obtient finalement son indépendance en 1951. Un coup d'État militaire a permis à Mu'ammar Al Kadhafi d'accéder au pouvoir en 1969. L'autorité de ce dernier est aujourd'hui contestée. La langue officielle de la Libye est l'arabe. [➔Carte 7]

Liechtenstein

Nom local	Liechtenstein
Capitale	Vaduz
Superficie	160 km²
Population	35 520
Habitants	Liechtensteinois, Liechtensteinoises

Le Liechtenstein est une principauté de l'ouest de l'Europe, située dans les Alpes, entre l'Autriche et la Suisse. Son climat montagneux

est favorable aux herbages et à l'élevage laitier. On y cultive la pomme de terre, l'orge et le blé. Les impôts très faibles y ont attiré de nombreuses sociétés étrangères. Le Liechtenstein est un important centre touristique, industriel, financier et commercial. La langue officielle y est l'allemand. [➔Carte 8]

Ligue nationale de hockey (LNH)

Association sportive professionnelle nord-américaine regroupant des équipes de hockey sur glace du Canada et des États-Unis. La première équipe américaine à se joindre à la LHN est les Bruins de Boston, en 1924. La ligue connaît sa première grande expansion en 1967, alors que six équipes américaines se joignent aux six équipes du moment. La LNH compte actuellement six équipes canadiennes : le Canadien de Montréal et les Maple Leafs de Toronto qui font partie des équipes d'origine, les Canuks de Vancouver (1970), les Jets de Winnipeg (1979), les Oilers d'Edmonton (1979) et les Flames de Calgary (1980). La coupe Stanley est remise chaque année à l'équipe championne. Le Canadien de Montréal a remporté ce trophée en 24 occasions, ce qui constitue un record.

Lilongwe

Lilongwe est la capitale du Malawi, un pays du sud-est de l'Afrique. Elle est située près de la frontière avec le Mozambique et la Zambie. Avec une population de 744 400 habitants, c'est la ville la plus peuplée du pays. [➔Carte 7]

Lima

Lima est la capitale du Pérou, un pays de l'Amérique du Sud. Baignée par l'océan Pacifique, cette ville a conservé un patrimoine architectural important. On y trouve de nombreux musées et monuments. En 1991, son centre-ville est d'ailleurs classé patrimoine mondial de l'UNESCO. La population de Lima compte 8 445 200 habitants. [➔Carte 6]

Lisbonne

Lisbonne est la capitale du Portugal, un pays du sud-ouest de l'Europe. C'est le principal port et le centre industriel du pays. La ville compte 504 700 habitants, mais cette population s'élève à 2 812 000 habitants avec la banlieue. [➔Carte 8]

*Le funiculaire da Bica, à **Lisbonne***

Listuguj

La réserve micmaque de Listuguj avait anciennement pour nom Restigouche. Elle est située au sud-ouest de la ville de Bonaventure, dans la région administrative de la Gaspésie–Îles-de-la-Madeleine, au Québec. On dénombre 1480 Micmacs dans cette réserve, et 810 à l'extérieur de celle-ci. Ces Autochtones parlent le micmac, l'anglais et le français. [➔Carte 5]

Lituanie

Nom local	Lietuva
Capitale	Vilnius
Superficie	65 200 km²
Population	3 358 400
Habitants	Lituaniens, Lituaniennes

La Lituanie est un État du nord-est de l'Europe, sur la mer Baltique. Voisine de la Pologne, de la Russie, de la Biélorussie et de la Lettonie, la Lituanie est le plus grand des trois États baltes. Ce pays boisé compte près de 3000 lacs. Son économie repose sur la culture des céréales, de la pomme de terre et du lin, ainsi que sur la pêche, l'élevage de porcs et de bœufs, et les industries mécanique et textile. La langue officielle de la Lituanie est le lituanien. [➔Carte 8]

Ljubljana

Ljubljana est la capitale et la ville principale de la Slovénie, un petit pays du centre de l'Europe. Cette ville de 252 600 habitants possède diverses industries (métallurgie, chimie, textile, nucléaire et tabac). [➔Carte 8]

Logan (mont)

Le mont Logan fait partie de la chaîne de montagnes des Appalaches. Il est situé près de la ville de Matane, au Québec, dans la région administrative du Bas-Saint-Laurent. Son point culminant est de 1135 m. Son nom lui a été donné en hommage à William Edmond Logan, premier directeur du Service de géologie du Canada.

Logan (mont)

Le mont Logan fait partie du massif de Saint-Élie, au Yukon. D'une hauteur de 6050 m, c'est le deuxième sommet le plus élevé en Amérique du Nord.

Loi 101 ➔Voir **Charte de la langue française**

Loi constitutionnelle de 1982

Loi du Parlement canadien qui apporte deux modifications essentielles à l'Acte de l'Amérique du Nord britannique de 1867. D'une part, elle donne au Parlement canadien le droit d'amender lui-même la Constitution, sans passer par le Parlement britannique. D'autre part, elle inclut dans la Constitution une Charte des droits et libertés, qui s'applique à tous les Canadiens.

Loire

La Loire est le plus long fleuve de France. Elle prend sa source dans l'est du Massif central et parcourt 1012 km avant de se jeter dans l'océan Atlantique. La Loire n'est navigable qu'à son embouchure.

Lomé

Lomé est la capitale du Togo, un pays de l'Afrique de l'Ouest. Dans cette ville de 1 452 000 habitants se côtoient des marchés traditionnels et des hôtels ultramodernes. [➔Carte 7]

London

London est une ville de l'Ontario, une province du Canada. Elle est située au centre de la presqu'île de Niagara. London tire ses revenus de diverses branches de l'industrie telles que l'alimentation, les produits électriques, le plastique et l'acier. Cette ville compte 469 700 habitants.

Londres

Londres est la capitale du Royaume-Uni, un État de l'Europe de l'Ouest. La ville possède des monuments et des musées célèbres, dont l'horloge Big Ben, les palais de Buckingham et de Westminster, et le British Museum. Son port sur la Tamise est l'un des plus importants au monde. Londres est aussi le plus grand centre industriel du pays: toutes les industries, sauf la sidérurgie, y sont présentes. Ses banques et ses compagnies d'assurance font de Londres le siège d'une intense activité financière internationale. La population de Londres et sa banlieue est de 8 567 000 habitants. [➔Carte 8]

Longueuil

Longueuil est située sur la rive sud du fleuve Saint-Laurent, en face de la ville de Montréal. La construction de pièces d'avion et de meubles, de même que les industries alimentaire et textile sont parmi les principales activités économiques de Longueuil. Cette ville compte 229 300 habitants. [➔Carte 5]

Los Angeles

Los Angeles est une ville des États-Unis située en Californie, sur l'océan Pacifique. Mondialement connue pour son activité scientifique et culturelle (cinéma), la ville est aussi un grand centre industriel et commercial. Elle a été l'hôte des Jeux olympiques en 1932 et en 1984. Sa population de 3 834 300 habitants atteint12 872 808 avec sa banlieue.

Louis XIII

Roi de France de 1610 à 1643, né à Fontainebleau en 1601 et mort à Saint-Germain-en-Laye en 1643. Sous son règne, et grâce au travail du cardinal de Richelieu, est fondée la Compagnie de la Nouvelle-France, laquelle a pour mission de coloniser la Nouvelle-France.

Louis XIV

Roi de France de 1643 à 1715 et fils du précédent, né à Saint-Germain-en-Laye en 1638 et mort à Versailles en 1715. Il est surnommé le « Roi-Soleil » à cause de son goût pour le luxe et parce qu'il a pris le Soleil pour emblème. Sous son règne, la Nouvelle-France se développe rapidement avec Jean Talon comme intendant. Mais après 1672, les guerres que doit mener Louis XIV en Europe détournent son intérêt de la colonie, qui finit par perdre de son importance à ses yeux.

Louis XIV

Louis XV

Roi de France de 1715 à 1774, né à Versailles en 1710 et mort au même endroit en 1774. Sous le long règne de ce roi surnommé le « Bien Aimé », la Nouvelle-France a subi plusieurs guerres, dont celle de la Conquête qui a mené la Nouvelle-France à devenir une colonie britannique.

Louisbourg

Forteresse construite par les Français sur l'île du Cap-Breton (Nouvelle-Écosse) à partir de 1720. Elle est tombée définitivement aux mains des Britanniques en 1758, après quoi elle a été partiellement démolie. Devenue Parc national historique en 1940, la forteresse de Louisbourg a été reconstruite selon les plans d'origine.

Louisiane

Ancienne colonie française située à l'embouchure du fleuve Mississippi (États-Unis). Son nom lui a été donné par Cavelier de La Salle, qui avait découvert ce territoire en 1682 et en avait pris possession au nom du roi Louis XIV. Plusieurs Acadiens s'y sont installés après leur déportation [➔Acadiens, déportation des]. La Louisiane a été tour à tour possession française, espagnole, puis française à nouveau. À court d'argent, l'empereur Napoléon Ier l'a vendue au gouvernement des États-Unis en 1803. Les descendants des 4000 Acadiens qui se sont établis en Louisiane entre 1755 et 1785 sont plus d'un million aujourd'hui. On les appelle les Cajuns.

Loup (rivière du)

La rivière du Loup est située au Québec, sur la rive sud du fleuve Saint-Laurent. Elle se jette dans le fleuve Saint-Laurent à la hauteur de la ville de Rivière-du-Loup, après un parcours d'environ 80 km.

Loyalistes

Nom donné aux habitants de la Nouvelle-Angleterre qui, lors de la guerre de l'Indépendance américaine [➔Guerre de l'Indépendance américaine], sont demeurés loyaux à la Grande-Bretagne. Environ 30 000 d'entre eux se sont établis dans la partie nord de la Nouvelle-Écosse et sont à l'origine de la création du Nouveau-Brunswick en 1784. Environ 6000 Loyalistes se sont établis dans la région des Cantons-de-l'Est (ou Estrie), au sud-est de Montréal, mais la plupart ont émigré à l'ouest de Vaudreuil, territoire qui deviendra le Haut-Canada, puis l'Ontario.

Luanda

Luanda est la capitale de l'Angola, un pays du sud-ouest de l'Afrique. La ville est située dans le nord-ouest du pays, sur l'océan Atlantique. Luanda compte 4 000 000 d'habitants. [➔Carte 7]

Lusaka

Lusaka est la capitale et la plus grande ville de la Zambie, un pays du sud de l'Afrique. Elle est considérée comme le centre commercial de la Zambie. La population de Lusaka est estimée à 1 328 000 habitants. [➔Carte 7]

Luxembourg (État)

Nom local	Lëtzebuerg, Luxemburg
Capitale	Luxembourg
Superficie	2600 km²
Population	487 800
Habitants	Luxembourgeois, Luxembourgeoises

Le Luxembourg est un petit État de l'Europe de l'Ouest situé entre la Belgique, l'Allemagne et la France. L'économie du pays repose sur l'élevage bovin et l'agriculture. L'industrie sidérurgique y est puissante et les activités financières du pays en font un centre bancaire international de premier plan. Le Luxembourg est également l'un des six pays fondateurs de l'Union européenne. Les langues officielles y sont le luxembourgeois, le français et l'allemand. [➔Carte 8]

Luxembourg (ville)

La ville de Luxembourg, capitale du pays du même nom, est le siège d'institutions européennes et internationales. Cette ville, la plus peuplée du pays, compte 84 640 habitants, dont près de 50 % sont des étrangers. [➔Carte 8]

Lyon

Lyon est une ville du sud-est de la France située au confluent de deux cours d'eau importants, le Rhône et la Saône. Elle bénéficie de nombreuses voies de communication terrestres, ferroviaires et aériennes. Sa situation privilégiée en fait un important centre de commerce et le deuxième centre industriel du pays. Ses principales industries sont la chimie, les textiles et la mécanique. La ville compte 444 900 habitants, mais cette population atteint 1 417 500 en incluant la banlieue.

Mm

Macdonald (John Alexander)

Homme politique, né en Écosse en 1815 et mort à Ottawa en 1891. Chef du Parti conservateur, il a été premier ministre du Canada de 1867 à 1873 et de 1878 à 1891. Auparavant, il avait été premier ministre du Canada-Uni en 1857-1858. John Alexander Macdonald est l'un des pères de la Confédération.

John Alexander ***Macdonald***

Macédoine

Nom local	Republika Makedonija
Capitale	Skopje
Superficie	25 713 km^2
Population	2 037 700
Habitants	Macédoniens, Macédoniennes

La Macédoine est un État du sud-est de l'Europe situé dans la péninsule des Balkans. Son économie repose principalement sur la culture du coton, du tabac et du pavot, ainsi que sur l'extraction ou la production de fer, de chrome, de plomb et de zinc. La langue officielle y est le macédonien. [➔Carte 8]

Le monastère de Saint-Pantelejmon (Skopje), en ***Macédoine***

Machu Picchu

Le Machu Picchu est un site archéologique situé à 2045 m d'altitude, dans les Andes péruviennes. Considéré comme l'une des sept merveilles du monde moderne, ce site représente les vestiges d'une ancienne cité inca du 15e siècle. Il est constitué de 172 constructions qui s'étendent sur une superficie de 1 km^2.

Mackenzie (Alexander)

Explorateur et commerçant de fourrures, né sur l'île de Lewis (près de l'Écosse) en 1764 et mort en Écosse en 1820. Membre fondateur de la Compagnie du Nord-Ouest, Alexander Mackenzie participe activement à la traite des fourrures. Il découvre le fleuve qui porte son nom et il devient le premier Européen à atteindre l'océan glacial Arctique.

Mackenzie (fleuve)

Le fleuve Mackenzie est situé au nord du Canada. Découvert par l'explorateur canadien Alexander Mackenzie en 1789, il prend sa source dans le Grand lac des Esclaves et se jette dans la mer de Beaufort. Avec ses 4241 km, c'est le plus long fleuve de l'Amérique du Nord.

Macphail (Agnès Campbell)

Femme politique et réformatrice, née à Proton Township (Ontario) en 1890 et morte à Toronto en 1954. Professeure en milieu rural, elle adhère à des mouvements coopératifs et elle entre en politique pour représenter les fermiers. Elle appuie le mouvement en faveur du droit de vote des femmes et elle est élue à la Chambre des communes en 1921, lors de la première élection fédérale pour laquelle les femmes avaient le droit de voter. Agnès Campbell Macphail est la première femme élue au Parlement canadien et la seule jusqu'en 1940.

Madagascar

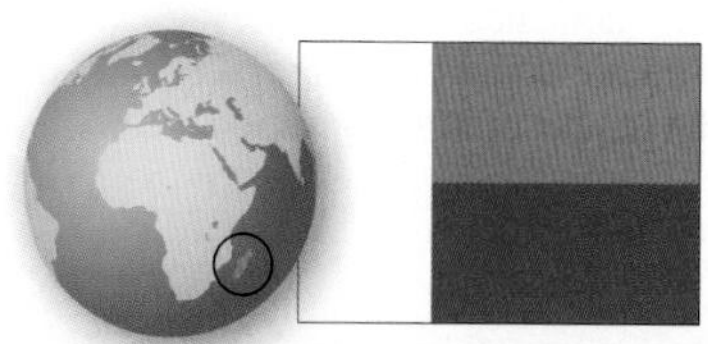

Nom local	Madagasikara
Capitale	Tananarive
Superficie	590 000 km²
Population	19 110 900
Habitants	Malgaches

L'île de Madagascar est un État de l'Afrique de l'Est situé dans l'océan Indien. Ses principales activités économiques sont la culture du riz et du manioc, l'élevage bovin, la pêche et l'industrie forestière. La population se concentre dans le centre et sur la côte est de l'île. Les langues officielles y sont le malgache et le français. [➔Carte 7]

Madeleine (îles de la)

Au nombre de douze, les îles de la Madeleine sont un archipel québécois du golfe du Saint-Laurent, situé entre l'Île-du-Prince-Édouard et l'île de Terre-Neuve. Bien que visitées par Jacques Cartier en 1535, elles doivent leur nom à Samuel de Champlain. Après 1760, plusieurs Acadiens sont venus s'y établir. La population de 13 050 habitants, établie sur sept de ces îles, vit principalement de la pêche et de l'activité touristique. L'archipel couvre 64 km². Les îles principales sont Havre-Aubert, Cap-aux-Meules, Havre-aux-Maisons, Grande-Entrée et Île-d'Entrée. [➔Carte 5]

Madrid

La ville de Madrid est la capitale de l'Espagne, un pays du sud-ouest de l'Europe. Reconnue comme centre intellectuel et artistique, la ville a pour attraits de nombreux musées, dont le célèbre musée du Prado. Cet important centre industriel compte 3 128 600 habitants. [➔Carte 8]

Magellan (détroit de)

Le détroit de Magellan relie l'océan Atlantique et l'océan Pacifique, à l'extrémité sud du continent américain. Il permet d'éviter de passer par le cap Horn [➔Horn, cap], considéré comme particulièrement dangereux pour la navigation maritime.

Maghreb

Le Maghreb est une région de l'Afrique du Nord [➔Afrique du Nord] qui regroupe cinq pays – le Maroc, l'Algérie, la Tunisie, la Libye et la Mauritanie – et qui compte une population totale de 85 393 900 habitants. Le désert du Sahara couvre une grande partie de ce territoire. Les principales villes du Maghreb sont Casablanca (Maroc), Alger (Algérie) et Tripoli (Libye). Les Maghrébins parlent surtout l'arabe. [➔Carte 7]

Magog (lac)

Le lac Magog est situé au Québec, dans la région administrative de l'Estrie. Long de 11 km et large de 2 km, il est le prolongement de la rivière du même nom. Le lac Magog communique avec le lac Memphrémagog [➔Memphrémagog, lac].

Mahomet (ou Muhammad)

Prophète de l'islam, né à La Mecque (Arabie saoudite) vers 570 et mort à Médine (même pays) en 632. Mahomet est le fondateur de la religion musulmane. Au cours de méditations religieuses, il a des songes et des visions qui lui révèlent la mission dont Dieu le charge. Il prêche alors la croyance en un dieu unique, Allah, et transmet les messages divins qui formeront ensuite les textes du Coran. Mais les riches commerçants de La Mecque forcent Mahomet à émigrer. En 622, il part avec ses disciples pour un exil qui les mènera à Médine. Cette émigration, du nom d'hégire, marque le point de départ de l'ère musulmane. Mahomet organise à Médine une communauté de croyants vivant selon les préceptes de l'islam.

Maillet (Antonine)

Écrivaine acadienne, née à Bouctouche (Nouveau-Brunswick) en 1929. Elle trouve son inspiration dans la vie des gens de l'Acadie. Leur parler original, leur culture et leur folklore marquent toute son œuvre littéraire. Elle obtient son premier grand succès en 1971 avec la pièce de théâtre *La Sagouine*, monologue d'une Acadienne de 72 ans sur les souvenirs et les anecdotes qui ont jalonné sa vie. Avec son roman *Pélagie-la-Charrette*, en 1979, elle devient la première Canadienne à

Antonine **Maillet**

obtenir le prix Goncourt. Parmi ses œuvres, soulignons : *Don l'orignal*, prix du Gouverneur général en 1972, *Évangéline Deusse* (1975), *Les Cordes-de-bois* (1977) et *Le Huitième Jour* (1986).

Maisonneuve (Paul de Chomedey de)
Militaire et administrateur, né en France en 1612 et mort dans le même pays en 1676. En 1641, il se voit confier la mission d'accompagner un groupe de colons désireux de s'établir dans l'île de Montréal. À ce titre, il est considéré comme le fondateur de Ville-Marie, établissement qui allait devenir Montréal. Maisonneuve a été gouverneur de l'île jusqu'en 1665, date à laquelle il rentre en France.

Majuro
La ville de Majuro est la capitale et la plus grande ville des îles Marshall, un pays de l'Océanie. Elle est située sur l'île Majuro. Elle compte une population de 28 000 habitants.

Malabo
La ville de Malabo est la capitale de la Guinée équatoriale, un État de l'Afrique de l'Ouest constitué d'une partie continentale et de diverses îles. Malabo est située dans l'île de Bioko et compte 60 060 habitants. [➔Carte 7]

Malaisie

Nom local	Malaysia
Capitale	Kuala Lumpur
Superficie	333 000 km²
Population	26 992 600
Habitants	Malais, Malaises

La Malaisie est un État de l'Asie du Sud-Est constitué d'une partie continentale et d'une partie de l'île de Bornéo. Premier producteur mondial de caoutchouc naturel (hévéa), ce pays est aussi un important producteur d'étain et de pétrole. La langue officielle y est le malais. [➔Carte 9]

*Kuala Lumpur, en **Malaisie***

Malawi

Nom local	Malaŵi
Capitale	Lilongwe
Superficie	118 484 km²
Population	14 278 400
Habitants	Malawites

Le Malawi est un État du sud-est de l'Afrique. Principalement agricoles, ses ressources sont axées sur le maïs, le riz et le manioc, ainsi que sur l'exportation de tabac, de thé, de café et de sucre. Les langues officielles y sont le chichewa et l'anglais. [➔Carte 7]

Maldives (îles)

Nom local	Dhivehi Raajje
Capitale	Malé
Superficie	300 km²
Population	310 500
Habitants	Maldiviens, Maldiviennes

Les îles Maldives sont un État insulaire de l'océan Indien dont seules 200 des 1200 îles sont habitées. Le tourisme et la pêche y sont les principales ressources. Les Maldiviens ont pour langue officielle le dhivehi maldivien, mais ils parlent aussi l'anglais. [➔Carte 9]

Malé
La ville de Malé est la capitale des Maldives, un archipel de l'océan Indien. Elle compte une population de 103 700 habitants. [➔Carte 9]

Malécites
Nation amérindienne apparentée aux Algonquins. À l'époque de la Nouvelle-France, les Malécites étaient un peuple nomade peu

nombreux. Selon les saisons, ils se déplaçaient de la pointe de Lévis à la péninsule gaspésienne, et du fleuve Saint-Laurent à la baie de Fundy. Ils échangeaient, avec les tribus sédentaires du sud-est et avec les Français, de la viande et des fourrures contre des légumes et des céréales. Aujourd'hui, les Malécites ne sont pas regroupés en une communauté, mais ils possèdent un petit lot à Cacouna et disposent d'un territoire à Whitworth, près de Rivière-du-Loup. Ce n'est qu'en 1989 que l'Assemblée nationale du Québec a reconnu officiellement les Malécites comme la onzième nation autochtone du Québec. Au Québec, les Malécites parlent le français et l'anglais. [➔Carte 5]

Mali

Nom local	Mali
Capitale	Bamako
Superficie	1 240 000 km²
Population	12 711 100
Habitants	Maliens, Maliennes

Le Mali est un État de l'ouest de l'Afrique dont le tiers se situe dans le désert du Sahara. Au sud du pays, où le climat est plus humide et le sol plus propice à l'agriculture, on pratique la culture du riz, du mil, de l'arachide et du coton. La principale ville après Bamako est Tombouctou. La langue officielle du Mali est le français. [➔Carte 7]

Malte

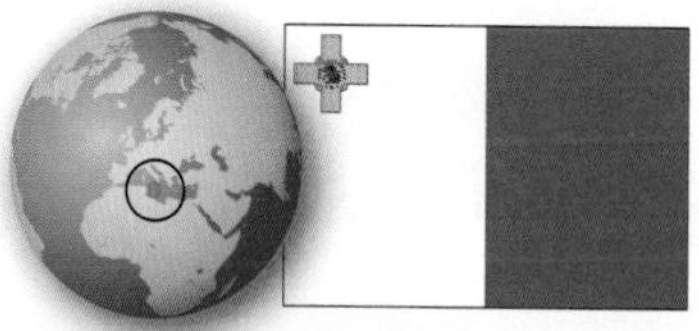

Nom local	Malta
Capitale	La Valette
Superficie	315 km²
Population	411 500
Habitants	Maltais, Maltaises

Malte est un État insulaire de la mer Méditerranée constitué de huit îles, dont l'île de Malte. L'eau douce, produite par des usines de dessalement de l'eau de mer, sert à la consommation et à la culture des céréales, des fruits et des légumes. L'économie de Malte repose également sur le tourisme. Les langues officielles y sont le maltais et l'anglais. [➔Carte 8]

Managua

La ville de Managua est la capitale du Nicaragua, un pays de l'Amérique centrale. Située sur la rive sud du lac Managua, le long de failles sismiques, elle a subi de nombreux tremblements de terre, dont celui de 1972 qui l'a presque entièrement détruite. Managua et sa banlieue comptent une population de 908 900 habitants. [➔Carte 3]

Manama

La ville de Manama est la capitale et la plus grande ville du Bahreïn, un pays du Moyen-Orient. Elle compte 176 900 habitants, soit le quart de la population totale du pays. [➔Carte 9]

Manawan

Manawan est une réserve attikamek située dans le nord-ouest de la région administrative de Lanaudière, au Québec. Ses 1840 habitants parlent l'attikamek et le français. [➔Carte 5]

Mance (Jeanne)

Fondatrice de l'Hôtel-Dieu à Montréal, née en France en 1606 et morte à Montréal en 1673. Elle émigre en Nouvelle-France en 1641 et, l'année suivante, elle s'installe à Ville-Marie, sur l'île de Montréal. Après avoir fondé l'Hôtel-Dieu en 1643, elle en confie l'administration aux religieuses Hospitalières de Saint-Joseph.

Jeanne ***Mance***

A B C D E F G H I J K L M N O P Q R S T U V W X Y Z

Manche (la)
La Manche est la partie de l'océan Atlantique située entre la France et la Grande-Bretagne. Depuis 1994, un tunnel ferroviaire creusé sous la mer relie les deux pays.

Mandela (Nelson)
Homme politique sud-africain, né à Mvezo (Afrique du Sud) en 1918. Militant de la cause des Noirs, Mandela lutte contre la ségrégation raciale en Afrique du Sud. Incarcéré en 1962 et condamné à la prison à vie en 1964, il a été libéré en 1990. Il négocie alors la fin de l'apartheid avec le président du pays, Frederic De Klerk. Il a reçu, conjointement avec ce dernier, le prix Nobel de la paix en 1993. En 1994, Mandela devient le premier président noir de l'Afrique du Sud.

Manicouagan (réservoir)
Le réservoir Manicouagan est un lac artificiel de 2072 km^2, situé dans la région administrative de la Côte-Nord, au Québec. Il a été créé à l'occasion de la construction du barrage Daniel-Johnson sur la rivière Manicouagan.

Manicouagan (rivière)
La rivière Manicouagan, longue de 560 km, est située dans la région administrative de la Côte-Nord, au Québec. Elle prend sa source dans les monts Otish et se jette dans le fleuve Saint-Laurent, à l'ouest de Baie-Comeau.

Manille
La ville de Manille est la capitale des Philippines, un pays de l'Asie du Sud-Est. Principal centre commercial et industriel du pays, Manille compte une très forte densité de population avec 1 581 100 habitants concentrés sur une superficie d'à peine 38,5 km^2. [➔Carte 9]

Manitoba (province)
Le Manitoba est une province du centre du Canada. Son territoire couvre une superficie de 650 087 km^2, soit 6,5 % du territoire canadien. La culture du blé et l'élevage de bovins et de vaches laitières y sont importants, tout comme l'industrie forestière et l'exploitation minière. Outre Winnipeg, la capitale du Manitoba, Brandon, Thompson et Flin Flon y sont au nombre des villes importantes. La province a une population de 1 148 000 habitants. [➔Carte 4]

Manitoba (lac)
Le lac Manitoba, d'une superficie de 4659 km^2, est situé dans la province du même nom, au nord-ouest de Winnipeg. Il a été découvert en 1738 par Pierre Gaultier de Varennes et de La Vérendrye qui lui a donné le nom de « lac des Prairies ». Le nom amérindien Manitoba a ensuite été adopté pour désigner le lac, puis choisi en 1870 pour nommer également la province.

Maniwaki ➔Voir **Kitigan Zibi**

Maputo
La ville de Maputo est la capitale du Mozambique, un pays du sud-est de l'Afrique. Elle compte 966 800 habitants. [➔Carte 7]

Mariannes du Nord (îles)
Les îles Mariannes du Nord forment un archipel de 15 îles volcaniques situées dans l'océan Pacifique, au sud du Japon. Ces îles sous le protectorat des États-Unis comptent une population de 86 620 habitants. [➔Carte 10]

Marie-Victorin
(Frère, né Conrad Kirouac)
Naturaliste, né à Kingsey Falls en 1885 et mort à Saint-Hyacinthe en 1944. Il est le fondateur du Jardin botanique de Montréal et de l'Institut botanique de l'Université de Montréal. Le frère Marie-Victorin a exercé une profonde influence sur la recherche scientifique au Québec.

Frère ***Marie-Victorin***

Maroc

Nom local	El Maghreb
Capitale	Rabat
Superficie	450 000 km^2
Population	31 229 000
Habitants	Marocains, Marocaines

Le Maroc est un État du Maghreb, en Afrique du Nord. Producteur d'importantes quantités de fruits et légumes destinés à l'exportation, ce pays pratique la pêche et exploite des mines de phosphate. L'économie marocaine repose aussi sur le tourisme, qui connaît un développement considérable. Casablanca est la plus grande ville du Maroc, suivie de Fès, Marrakech et Tanger. Les langues officielles y sont l'arabe et le français. [➔Carte 7]

Marquette (Jacques)
Religieux et explorateur, né en France en 1637 et mort au Michigan (États-Unis) en 1675. Avec Louis Jolliet, il découvre le fleuve Mississippi en 1673.

Marseille
La ville de Marseille est située dans le sud de la France, sur la côte méditerranéenne. Premier port de France, la ville est également un grand centre industriel où dominent les industries pétrolière, chimique, alimentaire et navale. Marseille compte 796 500 habitants.

Marshall (îles)

Nom local	The Marshall Islands Aolepân Aorôkin Majel
Capitale	Majuro
Superficie	181 km^2
Population	65 240
Habitants	Marshallais, Marshallaises

Les îles Marshall sont un État de l'Océanie. Elles forment un archipel constitué de 32 îles principales et de nombreux îlots qui se trouvent entre l'Australie et les îles Hawaii. L'agriculture (noix de coco) et le tourisme sont les principales ressources économiques du pays. Les deux tiers des habitants vivent sur les îles Majuro et Ebeye. La langue officielle des îles Marshall est l'anglais, bien que la majorité de la population parle le marshallais. [➔Carte 10]

Martin (Paul)
Dirigeant d'entreprises et homme politique, né à Windsor (Ontario) en 1938. En 1988, il se lance en politique et est élu député libéral à la Chambre des communes. Paul Martin a été chef du Parti libéral du Canada et premier ministre du Canada de 2003 à 2006.

Martinique (île)
La Martinique est une île volcanique des Antilles de 1100 km^2. Découverte par Christophe Colomb en 1502 et colonisée par la France au 17e siècle, elle est un département français d'outre-mer. L'économie de l'île est essentiellement axée sur la culture de la banane et de la canne à sucre, sur la production de rhum ainsi que sur le tourisme. Fort-de-France est la ville principale et le chef-lieu de la Martinique. L'île compte une population de 429 500 habitants. La langue officielle y est le français. [➔Carte 3]

Mascate
La ville de Mascate est la capitale d'Oman, un pays du Moyen-Orient. Elle compte 24 890 habitants. [➔Carte 9]

Maseru
La ville de Maseru est la capitale du Lesotho, un pays enclavé dans l'Afrique du Sud. Elle compte 197 900 habitants. [➔Carte 7]

Mashteuiatsh
Mashteuiatsh est une réserve montagnaise située dans la région administrative du Saguenay–Lac-Saint-Jean, au Québec. Ses 1790 habitants, les Piekuakamiulnus, parlent l'innu et le français. [➔Carte 5]

La réserve de ***Mashteuiatsh***

Massawippi (lac)
Le lac Massawippi est situé dans la région administrative de l'Estrie, au Québec. Il tient son nom d'un mot abénaquis qui signifie *entre les eaux*. Le lac Massawippi s'étend sur 19 km^2.

Massey (Vincent)
Administrateur, né à Toronto en 1887 et mort à London (Ontario) en 1967. Il a été gouverneur général du Canada de 1952 à 1959, poste qu'il est le premier à occuper. En 1949, il a présidé

une commission royale d'enquête sur les arts, les lettres et les sciences au Canada.

Matagami (ville)

La ville de Matagami est située au Québec, dans la région administrative du Nord-du-Québec. Fondée en 1957 par suite de la découverte et de l'exploitation de mines de cuivre et de zinc, elle est considérée comme la porte d'entrée de la baie James. Matagami compte 1560 habitants. [➔Carte 5]

Matagami (lac)

Le lac Matagami est situé au Québec, dans la région administrative du Nord-du-Québec. Il a une superficie de 236 km². La rivière Nottaway y prend sa source.

Matane

La ville de Matane est située dans l'est du Québec, dans la région administrative du Bas-Saint-Laurent. Les activités économiques de ce port fluvial important sont axées sur la pêche au saumon et à la crevette nordique, l'exploitation du bois, la transformation d'aliments et le tourisme. Matane compte 14 740 habitants. [➔Carte 5]

Matimekosh

La réserve montagnaise de Matimekosh est située à Schefferville, au Québec, dans la région administrative du Nord-du-Québec. Ses 530 habitants, les Naplekinnus, parlent l'innu et le français. [➔Carte 5]

Maurice (île)

Nom local	Mauritius
Capitale	Port-Louis
Superficie	1870 km²
Population	1 268 800
Habitants	Mauriciens, Mauriciennes

L'île Maurice est un État de l'océan Indien situé à l'est de Madagascar. L'économie de l'île repose sur la culture de la canne à sucre et le tourisme. Sa population est issue de plusieurs vagues d'immigration, ce qui explique sa diversité ethnique. La langue officielle de l'île Maurice est l'anglais, mais on y parle aussi le français et le créole. [➔Carte 7]

Mauricie (région administrative)

La Mauricie est une région administrative du Québec, située au nord de Trois-Rivières, à la jonction de la rivière Saint-Maurice et du fleuve Saint-Laurent. La région s'est d'abord développée autour de Trois-Rivières, ville située à l'embouchure de la rivière Saint-Maurice, laquelle a été une voie de navigation stratégique pour le commerce de la fourrure. À partir du 19e siècle, les ressources forestières et l'industrie papetière ont assuré le développement économique de la Mauricie. Trois-Rivières, Cap-de-la-Madeleine et Shawinigan sont les villes les plus importantes de la région. La Mauricie occupe un vaste territoire de 35 452 km² et compte 262 400 habitants. [➔Carte 5]

Mauricie (Parc national du Canada de la)

Le Parc national du Canada de la Mauricie est situé au Québec, sur les rives de la rivière Saint-Maurice. Créé en 1970, il occupe une superficie de 536 km². On peut y observer une faune et une flore variées, représentatives des forêts de l'est du Canada.

Mauritanie

Nom local	Moūrītāniyā
Capitale	Nouakchott
Superficie	1 030 700 km²
Population	3 200 300
Habitants	Mauritaniens, Mauritaniennes

La Mauritanie est un État du Maghreb, en Afrique du Nord. La plus grande partie du territoire se trouve dans le désert du Sahara. Du fait de l'extrême aridité du climat, ce vaste pays est faiblement peuplé. Il tire sa principale richesse de l'exploitation de mines de fer. La langue officielle de la Mauritanie est l'arabe, mais on y parle aussi le français. [➔Carte 7]

Mayas

Les Mayas ont fondé une brillante civilisation, qui s'est développée du 6e au 9e siècle. Ils avaient des connaissances en mathématique et en astronomie, et utilisaient une écriture très structurée. Des sites archéologiques, tels des cités, des pyramides, des temples et des objets d'art témoignent de la civilisation de ce peuple disparu.

Mbabane
La ville de Mbabane est la capitale du Swaziland, un pays situé au sud de l'Afrique. Elle compte 58 990 habitants. [➔Carte 7]

Méditerranée (mer)
La mer Méditerranée est située entre le sud de l'Europe, l'Afrique du Nord et le Moyen-Orient. D'une superficie de 2 966 000 km^2, elle communique avec l'océan Atlantique par le détroit de Gibraltar.

Mégantic (lac)
Le lac Mégantic est situé au Québec, dans la région administrative de l'Estrie. Il couvre une superficie de 26 km^2. La rivière Chaudière y prend sa source.

Meighen (Arthur)
Homme politique, né en Ontario en 1874 et mort dans la même province en 1960. Chef du Parti progressiste-conservateur, Arthur Meighen a été premier ministre du Canada en 1920-1921 et en 1926.

Mélanésie
La Mélanésie, l'une des parties de l'Océanie, comprend la Papouasie–Nouvelle-Guinée, l'archipel Bismarck, les îles Salomon, la Nouvelle-Calédonie, Vanuatu et les îles Fidji.

Melekeok
La ville de Melekeok est la capitale des îles Palaos, un pays de l'Océanie. Sa population est d'environ 250 habitants.

Memphrémagog (lac)
Le lac Memphrémagog est situé en partie au Québec, dans la région administrative de l'Estrie, et en partie aux États-Unis, dans l'État du Vermont. Ce lac de 95 km^2 tient son nom d'un mot abénaquis qui signifie *vaste étendue d'eau*. La ville de Magog est située à l'extrémité nord du lac.

Le lac ***Memphrémagog***

Menchu (Rigoberta)
Femme politique guatémaltèque, née à Chimel, petit village du Guatemala, en 1959. Issue d'un milieu pauvre, elle a hérité de son père le devoir de se porter à la défense des droits des peuples autochtones. En 1992, à l'âge de 33 ans, Rigoberta Menchu est devenue la plus jeune lauréate du prix Nobel de la paix.

Mercier (Honoré)
Homme politique, né à Saint-Athanase en 1840 et mort à Montréal en 1894. Chef du Parti libéral et fondateur du Parti national qui voulait regrouper les nationalistes conservateurs et libéraux, il a été premier ministre de la province de Québec de 1887 à 1891. Il s'est fait le défenseur des droits des provinces face au gouvernement fédéral. Honoré Mercier s'est occupé de la colonisation et de l'instruction.

Honoré ***Mercier***

Métis
Au Canada, nom donné à une personne issue d'une union entre un Blanc et une Amérindienne ou entre un Amérindien et une Blanche. Au cours de la seconde moitié du 19e siècle, les Métis habitaient surtout la région des Prairies (où ils ont été momentanément majoritaires), c'est-à-dire les provinces actuelles du Manitoba, de la Saskatchewan et de l'Alberta. Ils se sont soulevés contre le gouvernement du Canada pour faire valoir leurs droits à deux reprises: en 1870, au Manitoba, et en 1885, en Saskatchewan. En 2006, on comptait un peu plus de 409 000 Métis au Canada. [➔Riel, Louis]

Mexico
La ville de Mexico est la capitale du Mexique, un pays de l'Amérique du Nord. Située à 2300 m d'altitude sur le site d'une ancienne capitale aztèque, Mexico est le plus grand centre industriel et culturel du pays. Ses églises du 16e siècle et ses monuments de l'époque coloniale attirent de nombreux touristes. Très fortement peuplée avec ses 8 463 900 habitants, cette ville est considérée comme la plus polluée du monde. [➔Carte 3]

Mexique

Nom local	México
Capitale	Mexico
Superficie	1 972 600 km²
Population	106 350 500
Habitants	Mexicains, Mexicaines

Le Mexique est un État de l'Amérique du Nord bordé par les océans Atlantique et Pacifique, et voisin des États-Unis. Du fait de son climat tropical et des nombreux vestiges des grandes civilisations qui y ont vécu, le Mexique accueille près de 5 000 000 de touristes par an. L'économie du pays repose principalement sur la culture du maïs, de la canne à sucre et du coton, ainsi que sur l'élevage bovin. Deuxième producteur mondial d'argent, le Mexique dispose également d'importantes ressources pétrolières. Depuis les années 1990, le pays connaît un développement industriel très rapide. La langue officielle y est l'espagnol. [➔Carte 3]

Miami

Miami est une ville située en Floride, aux États-Unis. Bien connue comme centre balnéaire, elle compte 409 700 habitants. Cette population passe à 5 547 100 habitants avec l'impressionnante banlieue qui s'est développée autour de Miami.

Michel-Ange

Sculpteur, peintre, architecte et poète italien, né en 1475 au château de Caprese, en Toscane, et décédé à Rome en 1564. Michel-Ange a étudié l'art antique à Florence. Sculpteur de génie, il a réalisé des chefs-d'œuvre comme *la Pietà*, à la basilique Saint-Pierre de Rome. En 1508, le pape lui confie la décoration de la voûte de la chapelle Sixtine, dans le palais du Vatican, où il a peint des fresques sur la Création du monde et le Jugement dernier. À la fin de sa vie, le génie de Michel-Ange s'est aussi exprimé en architecture avec, entre autres, l'aménagement de la place du Capitole, à Rome.

*La statue de **Michel-Ange**, à Florence*

Michigan (lac)

Le lac Michigan, l'un des cinq Grands Lacs, est entièrement situé aux États-Unis. Découvert par l'explorateur Jean Nicolet en 1634, il a une superficie de 57 757 km².

Micmacs

Nation amérindienne apparentée aux Algonquins. À l'époque de la Nouvelle-France, les Micmacs occupaient le territoire formant actuellement le Nouveau-Brunswick, la Nouvelle-Écosse et l'Île-du-Prince-Édouard. Ils faisaient le commerce des fourrures avec leurs alliés, les Français. Aujourd'hui, la majorité des Micmacs du Québec vivent en Gaspésie, dans les communautés de Listuguj et Gesgapegiag. La langue micmaque est encore parlée à Listuguj et Gesgapegiag. La langue seconde y est l'anglais. Les Micmacs de Gaspé parlent le français. [➔Carte 5]

Micronésie (partie de l'Océanie)

La Micronésie, l'une des parties de l'Océanie, comprend notamment les archipels suivants : les Mariannes, les Palaos, les Carolines, les Marshall et Kiribati. Son territoire de 2700 km² est peuplé de 400 000 habitants. [➔Carte 10]

Micronésie (États fédérés de)

Nom local	Federated States of Micronesia
Capitale	Palikir
Superficie	702 km²
Population	111 300
Habitants	Micronésiens, Micronésiennes

La Micronésie est un État fédéral de l'Océanie formé par un ensemble d'îles du Pacifique et composé de quatre États : Chuuk, Kosrae, Pohnpei et Yap. Son économie repose principalement sur la pêche. La langue officielle y est l'anglais. [➔Carte 10]

Milan
La ville de Milan est située au nord de l'Italie, un pays du sud de l'Europe. Centre industriel et culturel très développé, Milan est la capitale économique du pays et se distingue aussi par ses attraits touristiques. C'est la deuxième ville la plus peuplée d'Italie, avec 1 306 100 habitants.

Mille Îles (rivière des)
La rivière des Mille Îles est située au Québec, dans la région de Laval. Elle prend sa source dans le lac des Deux-Montagnes, coule au nord de l'île Jésus et se jette dans le fleuve Saint-Laurent à l'est de cette même île.

Mingan (réserve)
La réserve montagnaise de Mingan est située au Québec, près de Havre-Saint-Pierre, dans la région administrative de la Côte-Nord. Ses 410 habitants, les Akwaniciwinnus, parlent l'innu et le français. [➔Carte 5]

Mingan (rivière)
La rivière Mingan est située au Québec, dans la région administrative de la Côte-Nord. Elle se jette dans le fleuve Saint-Laurent à l'est de Sept-Îles, en face de la pointe ouest de l'île d'Anticosti.

Minsk
La ville de Minsk est la capitale de la Biélorussie, un pays de l'est de l'Europe. Elle compte 1 798 100 habitants. [➔Carte 8]

Miron (Gaston)
Poète, né à Sainte-Agathe-des-Monts en 1928 et mort à Montréal en 1996. Pendant plusieurs années, il publie sa poésie par tranches, dans des revues et des journaux. Ses écrits épars sont rassemblés en un volume, *L'homme rapaillé*, qui paraît en 1970. L'œuvre de Miron est reconnue internationalement. C'était un poète engagé, qui a milité au sein de plusieurs organisations sociales et politiques.

Gaston ***Miron***

Mississippi (fleuve)
Le fleuve Mississippi est situé aux États-Unis. D'une longueur de 3779 km, cette importante voie navigable prend sa source près des Grands Lacs et se jette dans le golfe du Mexique. Découvert par Louis Jolliet [➔Jolliet, Louis] et Jacques Marquette [➔Marquette, Jacques] en 1673, le Mississippi joue un rôle économique de premier plan.

Mistassini (lac)
Le lac Mistassini est situé au Québec, dans la région administrative du Nord-du-Québec, près de Chibougamau. Avec une superficie de 2336 km^2, c'est le plus grand lac du Québec. Il tient son nom d'un mot montagnais qui signifie *grosse roche* ou *rocher en arrière.*

Mistissini (village)
Mistissini, anciennement nommé Mistassini, est un village cri situé au sud-est du lac Mistassini, dans la région administrative du Nord-du-Québec. Il se trouve à environ 130 km au nord-est de Chibougamau. Sa population de 3150 personnes, dont 2880 résidents, parle le cri et l'anglais. Les activités économiques de Mistissini sont principalement axées sur les secteurs du commerce et des services, de la foresterie, du piégeage, des pourvoiries, de la construction et du transport. [➔Carte 5]

Mogadiscio ➔Voir **Muqdisho**

Mohawks
Les Mohawks, une des grandes nations iroquoïennes, sont établis depuis le 18e siècle aux abords des rapides de Lachine et près du lac des Deux-Montagnes. D'abord agriculteurs, ils délaissent peu à peu la terre, à l'arrivée des Européens, pour se consacrer à la traite des fourrures. Au Québec, deux réserves mohawks, Akwesasne et Kahnawake, et un établissement, Kanesatake (à Oka), regroupent 14 640 habitants. [➔Carte 5]

Moïse
Prophète d'Israël, né vers 1200 avant notre ère en Égypte, sous le règne du pharaon Ramsès II. Les Hébreux subissaient alors les persécutions des Égyptiens. Moïse a échappé à l'extermination des nouveau-nés mâles hébreux et il a été élevé à la cour du pharaon. Selon la Bible, Yahvé lui est apparu dans le désert du Sinaï et lui a ordonné de faire sortir les Hébreux d'Égypte et de les conduire vers la «Terre promise». Après la traversée de la mer Rouge,

Moïse a reçu de Dieu les Dix Commandements inscrits dans la Torah, texte fondateur du judaïsme.

Moisie (rivière)
La rivière Moisie est située au Québec, dans la région administrative de la Côte-Nord, à l'est de Sept-Îles. Elle prend sa source dans les monts Severson et se jette dans le fleuve Saint-Laurent.

Moldavie

Nom local	Moldova
Capitale	Chisinau
Superficie	33 700 km²
Population	3 633 400
Habitants	Moldaves

La Moldavie est un État de l'Europe de l'Est situé entre la Roumanie et l'Ukraine. Ancienne république soviétique, la Moldavie est devenue indépendante en 1991. Son économie repose principalement sur la culture des céréales, des betteraves, des fruits et de la vigne. L'élevage ainsi que les industries alimentaires et du cuir y tiennent aussi une grande place. La langue officielle de la Moldavie est le roumain. [➔Carte 8]

Molson (John)
Homme d'affaires né en Angleterre en 1763 et mort au Québec en 1836. Immigré au Canada à l'âge de 18 ans, John Molson fait l'acquisition en 1786 d'une petite brasserie montréalaise. Avec ses trois fils, il forme peu après une entreprise qui financera la construction du premier navire à vapeur canadien et du premier chemin de fer. À sa mort, ses descendants continuent de diversifier les intérêts de la compagnie. En 1998, après avoir dix ans plus tôt fusionné avec O'Keefe, le groupe Molson étend ses activités de brasseur et fait l'acquisition du club de hockey Canadien de Montréal. C'est aujourd'hui la plus grosse brasserie de l'Amérique du Nord. John Molson est considéré comme l'un des entrepreneurs canadiens les plus importants de son époque.

Monaco (principauté de)

Nom local	Monaco
Capitale	Monaco
Superficie	2 km²
Population	32 800
Habitants	Monégasques

La principauté de Monaco est un tout petit État d'Europe, situé au bord de la Méditerranée, sur la Côte d'Azur. L'économie de la principauté repose principalement sur le tourisme de luxe, qui attire les gens fortunés. La langue officielle y est le français. [➔Carte 8]

Monck (Charles Stanley, vicomte)
Administrateur, né en Irlande en 1819 et mort dans le même pays en 1894. Il a été gouverneur général du Canada-Uni de 1861 à 1867, puis gouverneur général du Canada de 1867 à 1868. Charles Monck a favorisé la naissance de la Confédération.

Mongolie

Nom local	Mongol
Capitale	Oulan-Bator
Superficie	1 565 000 km²
Population	2 632 400
Habitants	Mongols, Mongoles

La Mongolie est un État de l'Asie centrale, situé entre la Russie et la Chine. C'est un vaste pays au climat rude et au sol aride. L'élevage ovin et les richesses minières (cuivre, uranium, charbon) y sont les principales ressources économiques. La langue officielle de la Mongolie est le mongol. [➔Carte 9]

Monrovia

La ville de Monrovia est la capitale du Libéria, un pays de l'Afrique de l'Ouest. Ce centre industriel est aussi le plus grand port du pays. Monrovia compte 720 000 habitants. [➔Carte 7]

Montagnais ➔Voir Innus

Montcalm (Louis-Joseph, marquis de)

Militaire, né en France en 1712 et mort à Québec en 1759. Militaire de carrière, il a reçu en 1756 le commandement des troupes françaises en Amérique du Nord. Il a remporté quelques victoires contre l'armée britannique lors de la guerre de la Conquête, mais il a été défait par l'armée de James Wolfe à la bataille des Plaines d'Abraham, le 13 septembre 1759. Montcalm est mort des blessures subies lors de cet affrontement.

Monténégro

Nom local	Crna Gora
Capitale	Podgorica
Superficie	13 812 km²
Population	622 300
Habitants	Monténégrins, Monténégrines

Le Monténégro est un État du sud-est de l'Europe situé dans les Balkans, au sud de la Serbie. En 1992, le Monténégro formait, avec la Serbie, la République fédérale de Yougoslavie. En 2006, par suite des relations difficiles entre les deux régions, le Monténégro est devenu indépendant. Le pays tire ses principales ressources de la culture des agrumes et des olives, de l'élevage ovin ainsi que de ses mines de bauxite et de zinc. La langue officielle y est le serbe. [➔Carte 8]

Le monastère d'Ostrog, au ***Monténégro***

Montérégie

La Montérégie est une région administrative du Québec, située dans le sud-ouest de la province. Elle est bordée à l'ouest par l'Ontario et au sud par les États-Unis. C'est la région agricole la plus vaste de la province avec une superficie de 11 110 km². Son économie repose aussi sur les secteurs agroalimentaire, chimique, métallurgique et biotechnologique. Grâce à son patrimoine historique, la Montérégie offre de nombreux attraits touristiques. S'y trouvent les villes de Longueuil, Varennes, Chambly et Saint-Hyacinthe. La population montérégienne est de 1 428 500 habitants. [➔Carte 5]

Montérégiennes (collines)

Les collines montérégiennes se situent dans la plaine de Montréal, sur la rive sud du fleuve Saint-Laurent. Elles comprennent les monts Brome, Shefford, Yamaska, Saint-Hilaire, Rougemont, Saint-Grégoire, Royal et Saint-Bruno. La plus élevée de ces collines est le mont Brome, qui culmine à 553 m.

Montevideo

La ville de Montevideo est la capitale de l'Uruguay, un pays de l'Amérique du Sud. Principal port et plus grande ville du pays, Montevideo est située sur la rive nord du fleuve Rio de la Plata. Elle compte 1 345 000 habitants, soit 40 % de la population de l'Uruguay. [➔Carte 6]

Mont-Laurier

La ville de Mont-Laurier est située au Québec, dans la région administrative des Laurentides. Son nom rappelle Wilfrid Laurier, premier ministre du Canada de 1896 à 1911. Mont-Laurier compte 13 410 habitants. [➔Carte 5]

Montmagny

La ville de Montmagny est située au Québec, dans la région administrative de Chaudière-Appalaches, sur la rive sud du fleuve Saint-Laurent et à l'est de Lévis. Fondée en 1678, son nom rappelle Charles Huault de Montmagny, gouverneur de la Nouvelle-France de 1636 à 1648. Montmagny compte 11 350 habitants. [➔Carte 5]

Mont-Mégantic (parc national du)

Le parc national du Mont-Mégantic est situé au Québec, dans la région administrative de l'Estrie. Il couvre un territoire de 55 km². On peut y pratiquer différentes activités de plein air, telle la randonnée pédestre. Le mont Mégantic, dont l'altitude est de 1105 m, est réputé pour son observatoire astronomique, l'un des plus performants du Canada.

Montmorency (rivière)
La rivière Montmorency est située au Québec, dans la région administrative de la Capitale-Nationale, sur la rive nord du fleuve Saint-Laurent et à l'est de la ville de Québec. Elle prend sa source dans la réserve faunique des Laurentides et se jette dans le fleuve Saint-Laurent, sous la forme d'une chute spectaculaire de 83 m de hauteur : la chute Montmorency.

Mont-Orford (parc national du)
Le parc national du Mont-Orford, d'une superficie de 60 km^2, est situé au Québec, dans la région administrative de l'Estrie. On peut y pratiquer différentes activités de plein air tels le ski, la randonnée pédestre, la baignade et le camping. Le plus haut sommet du massif du mont Orford a 740 m d'altitude.

Montréal (ville de)
La ville de Montréal est située au Québec, sur l'île de Montréal. Fondée en 1642 sous le nom de Ville-Marie, elle était à l'époque le siège d'une importante bourgade iroquoise du nom d'Hochelaga, que Jacques Cartier a visitée en 1535. La ville est dominée par le mont Royal, qui culmine à 234 m. Son port, situé à l'entrée de la voie maritime du Saint-Laurent, est le plus grand port intérieur du Canada et le deuxième de l'Amérique du Nord. Montréal est également un centre commercial et financier très actif. Y sont établis des industries textiles, ferroviaires, aéronautiques, alimentaires, chimiques et pétrolières, ainsi que des laboratoires pharmaceutiques et des compagnies de tabac. Centre culturel de la vie française en Amérique du Nord, Montréal offre à ses citoyens et à ses nombreux touristes une diversité de lieux et d'évènements culturels, dont le célèbre Festival de jazz de Montréal. Deuxième plus grande ville francophone après Paris, elle compte 1 620 700 habitants. [➔Carte 5]

Montréal

Montréal (région administrative de)
La région administrative de Montréal est une région administrative du Québec constituée principalement par l'île de Montréal. Centre industriel, financier et culturel très actif, on y trouve la majorité des établissements universitaires de la province, ainsi que d'importantes infrastructures de transport (aéroport international, port et voie maritime, centre ferroviaire) au service de ses échanges commerciaux avec l'intérieur et l'extérieur du pays. Les secteurs du textile, de l'aéronautique, du jeu vidéo, ainsi que les industries alimentaire, pharmaceutique, chimique et pétrolière contribuent à l'économie de la région. D'une superficie de 498 km^2, la région administrative de Montréal, la plus peuplée de la province, compte 1 906 800 habitants. [➔Carte 5]

Montréal (île de)
L'île de Montréal, située dans le fleuve Saint-Laurent, est la deuxième île du Québec pour sa taille après Anticosti. On y trouve plusieurs villes importantes telles que Montréal, Mont-Royal, Beaconsfield, Pointe-Claire, Dorval, Westmount. Elle mesure 48 km de long sur 16 km de large et compte 1 906 800 habitants, soit environ le quart de la population québécoise. [➔Carte 5]

Mont-Saint-Bruno (parc national du)
Le parc national du Mont-Saint-Bruno est situé au Québec, dans la région administrative de la Montérégie. Il s'étend sur une superficie de 7,9 km^2. On peut y pratiquer des activités de plein air tels la marche et le ski. Le mont Saint-Bruno, l'une des collines montérégiennes, culmine à 208 m.

Mont-Saint-Hilaire (centre de la Nature du)
Le centre de la Nature du Mont-Saint-Hilaire est situé au Québec, dans la région administrative de la Montérégie. On peut y pratiquer la randonnée pédestre et le ski de randonnée. En 1978, le mont Saint-Hilaire a été reconnu par l'UNESCO comme la première réserve canadienne de la biosphère pour la qualité de sa faune. Le mont Saint-Hilaire, l'une des collines montérégiennes, culmine à 414 m.

Mont-Tremblant (parc national du)
Le parc national du Mont-Tremblant est situé au Québec, dans la région administrative des Laurentides. Il s'étend sur une superficie de 1510 km^2. On peut y pratiquer différentes activités de plein air tels la randonnée, le ski, le camping, la pêche et la baignade. Le parc

compte environ 400 lacs et ruisseaux ainsi que six grandes rivières. Le mont Tremblant culmine à 968 m.

Moose (rivière)

La rivière Moose est située au Canada, dans le nord-est de l'Ontario. Née de la jonction des rivières Matagami et Missinaibi, elle se jette dans la baie James.

Moroni

La ville de Moroni est la capitale des Comores, un pays de l'océan Indien. Elle compte 30 370 habitants. [➔Carte 7]

Morte (mer)

La mer Morte, située au-dessous du niveau moyen des océans, est une mer fermée très salée du Moyen-Orient. D'une superficie de 1049 km², elle est bordée par Israël et la Jordanie.

Moscou

La ville de Moscou est la capitale de la Russie, un pays de l'Europe. Situé sur la rivière Moskova, ce centre économique, le plus dynamique du pays, compte de nombreuses industries, en particulier textiles et mécaniques (locomotives, tracteurs). Ses nombreux monuments, musées et théâtres font de Moscou le principal centre culturel du pays. Sa population est de 10 456 500 habitants. [➔Carte 8]

Moses (Ted)

Ted **Moses**

Né en 1950 à Eastmain, à la Baie-James. Il est le grand chef du Grand Conseil des Cris de la Baie-James depuis 1984. Il est actif sur les scènes nationale et internationale afin de faire reconnaître et respecter les droits des peuples autochtones. Il a notamment joué un rôle important dans la négociation de la Convention de la Baie-James et du Nord québécois en 1975, ainsi que dans celle de la Paix des Braves, en 2002. [➔Convention de la Baie-James et du Nord québécois; Paix des Braves]

Moyen-Orient

Le Moyen-Orient est une région qui comprend la Turquie, le Liban, la Syrie, Israël, la Jordanie, la Libye, l'Iran, l'Irak, l'Égypte et les pays de l'Arabie (Arabie saoudite, Bahreïn, Émirats arabes unis, Koweït, Oman, Qatar, Yémen). [➔Cartes 7, 8 et 9]

Mozambique

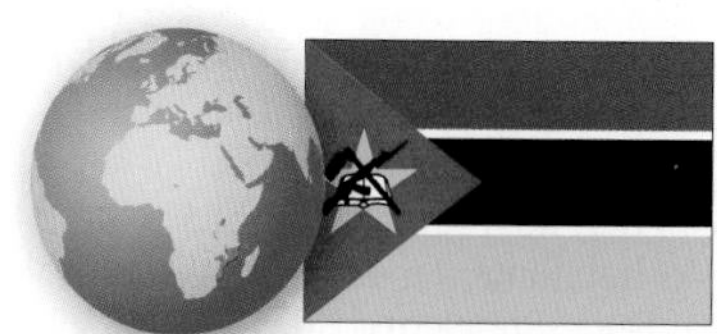

Nom local	Moçambique
Capitale	Maputo
Superficie	785 000 km²
Population	21 780 600
Habitants	Mozambicains, Mozambicaines

Le Mozambique est un État du sud-est de l'Afrique. Ses activités économiques reposent principalement sur la culture du coton et la production de sucre. Cette ancienne colonie portugaise a pour langue officielle le portugais. [➔Carte 7]

Mozart (Wolfgang Amadeus)

Compositeur autrichien, né à Salzbourg en 1756 et mort à Vienne en 1791. Mozart a composé ses premières œuvres dès l'âge de six ans. Il est l'un des plus grands maîtres de l'opéra avec *Les Noces de Figaro* (1786), *Don Giovanni* (1787), *La Flûte enchantée* (1791). Ses dons exceptionnels s'expriment également dans ses concertos, ses symphonies et dans la musique religieuse, comme en témoigne son *Requiem*, composé en 1791. À sa mort, à 36 ans, il laisse une œuvre considérable.

Muhammad ➔Voir Mahomet

Mulroney (Brian)

Brian **Mulroney**

Homme politique, né à Baie-Comeau en 1939. Chef du Parti progressiste-conservateur, il a été premier ministre du Canada de 1984 à 1993. Sur le plan politique, il a cherché à réconcilier les provinces anglophones et le Québec, qui avait refusé de signer la Loi constitutionnelle de 1982. [➔Loi constitutionnelle de 1982] Malgré ses efforts (accord du lac Meech et accord de Charlottetown), le Québec est resté en dehors de la Constitution de 1982. Sur le plan économique, Brian Mulroney a signé en 1992 l'Accord de libre-échange nord-américain (ALENA) pour permettre au Canada d'avoir accès aux marchés internationaux.

Mumbai
La ville de Mumbai (aussi nommée Bombay) est la ville la plus peuplée de l'Inde et la capitale de l'État du Maharashtra. Elle compte 11 978 500 habitants, 16 434 400 habitants avec sa banlieue. Premier port de l'Inde, Mumbai est un très grand centre économique et le siège de nombreuses industries textiles et chimiques ainsi que de raffineries de pétrole.

Muqdisho
La ville de Muqdisho (aussi appelée Mogadiscio) est la capitale et la plus grande ville de la Somalie, un pays de l'est de l'Afrique, sur l'océan Indien. Elle compte 1 212 000 habitants. [➔Carte 7]

Muraille de Chine (ou Grande Muraille de Chine)
Immense mur de défense en Chine, long de plus de 5000 km. La Grande Muraille sépare la Chine de la Mongolie. Sa construction a débuté au 3e siècle avant notre ère pour protéger le pays des invasions turques et mongoles. Elle a été achevée sous la dynastie Ming, du 15e au 17e siècle.

*La Grande **Muraille de Chine***

Murray (James)
Administrateur, né en Écosse en 1721 et mort en Angleterre en 1794. Il a été gouverneur de la province de Québec de 1763 à 1768. Lors de la bataille des Plaines d'Abraham, en 1759, il était l'un des trois généraux de Wolfe. De 1760 à 1763, il a été gouverneur militaire de la région de Québec. James Murray était considéré comme bienveillant à l'égard des Canadiens français, appelés alors « les nouveaux sujets ».

Myanmar

Nom local	Myanma
Capitale	Naypyidaw
Superficie	680 000 km²
Population	49 189 812
Habitants	Birmans ou Myanmarais, Birmanes ou Myanmaraises

Le Myanmar est un État de l'Asie du Sud-Est, qui portait autrefois le nom de Birmanie. Ce pays, dont les ressources sont essentiellement agricoles, est un grand producteur de riz. Rangoun est la plus grande ville du Myanmar et son ancienne capitale. La langue officielle du pays est le birman. [➔Carte 9]

Nn

Nahanni (Parc national du Canada)
Le Parc national du Canada Nahanni est situé dans les Territoires du Nord-Ouest. Il est inscrit sur la liste du patrimoine mondial de l'UNESCO en raison de ses caractéristiques naturelles uniques. On y trouve des rivières, des canyons et des gorges impressionnantes, ainsi qu'une flore et une faune variées. Ce parc s'étend sur une superficie de 4766 km².

Nahanni Sud (rivière)
La rivière Nahanni Sud est située dans les Territoires du Nord-Ouest. D'une longueur de 563 km, elle traverse le Parc national du Canada Nahanni.

Nairobi
La ville de Nairobi est la capitale du Kenya, un pays de l'est de l'Afrique. Elle est le siège du Programme des Nations unies pour l'environnement, première agence de l'ONU [➔Organisation des Nations Unies] établie dans un pays en développement. Nairobi est l'une des plus grandes villes du continent africain, avec 2 948 100 habitants. [➔Carte 7]

Namibie

Nom local	Namibia
Capitale	Windhoek
Superficie	824 000 km²
Population	2 114 200
Habitants	Namibiens, Namibiennes

La Namibie est un État du sud-ouest de l'Afrique. Son économie repose principalement sur ses ressources minières (uranium, cuivre, argent et diamants) ainsi que sur la pêche. La langue officielle y est l'anglais, mais on y parle aussi l'afrikaans. [➔Carte 7]

Naococane (lac)

Le lac Naococane est situé dans la municipalité de Baie-James, dans la région administrative du Nord-du-Québec. Sa superficie est de 353 km².

Naskapis

Nation amérindienne établie dans le nord du Québec, dans la région de Schefferville. À l'origine, les Naskapis étaient nomades et ils se déplaçaient selon la migration des caribous dont ils tiraient presque toute leur subsistance. Puis ils ont délaissé la chasse au caribou pour se consacrer à la traite des fourrures. Il y a un seul village naskapi au Québec, Kawawachikamach, situé à proximité de Schefferville. On y parle le naskapi et l'anglais. [➔Carte 5]

Nassau

La ville de Nassau est la capitale des Bahamas, un archipel des Antilles situé dans l'océan Atlantique. Très étendue, la ville occupe presque toute l'île de New Providence. Sa population est de 210 800 habitants. [➔Carte 3]

Natashquan (réserve)

Natashquan est une réserve montagnaise située au Québec, dans la région administrative de la Côte-Nord. Ses 810 habitants, les Nutaskuaniunnus, parlent l'innu et le français. [➔Carte 5]

Natashquan (rivière)

La rivière Natashquan est située au Québec, dans la région administrative de la Côte-Nord. D'une longueur de 410 km, elle prend sa source au Labrador et se jette dans le fleuve Saint-Laurent, à la hauteur de la pointe est de l'île d'Anticosti. Elle tient son nom d'un mot innu qui signifie *lieu où l'on chasse l'ours*.

La rivière ***Natashquan***

Nauru

Nom local	Naoero
Capitale	Yaren
Superficie	22 km²
Population	14 000
Habitants	Nauruans, Nauruanes

Le Nauru est une petite île et un État de l'Océanie. Ses principales ressources proviennent de ses mines de coprah et de phosphate. Les langues officielles y sont le nauruan et l'anglais. [➔Carte 10]

Naypyidaw

La ville de Naypyidaw est la capitale du Myanmar, un pays de l'Asie du Sud-Est. Elle compte 418 000 habitants. [➔Carte 9]

N'Djamena

La ville de N'Djamena est la capitale du Tchad, un pays de l'Afrique centrale. Elle compte 993 500 habitants. [➔Carte 7]

Nelligan (Émile)

Poète, né à Montréal en 1879 et mort au même endroit en 1941. Nelligan a écrit toute son œuvre – quelque 160 poèmes – avant l'âge de 20 ans. Il était fortement influencé par les romantiques Verlaine, Baudelaire et Chopin, et sa poésie est marquée par la souffrance et la solitude. *Soir d'hiver* et *Le Vaisseau d'or* lui ont valu une grande renommée. Nelligan est hospitalisé en 1899 pour maladie nerveuse et il demeure interné jusqu'à sa mort. Il est considéré comme l'un des plus célèbres poètes canadiens.

Émile ***Nelligan***

Nelson (fleuve)

Le fleuve Nelson est situé dans la province du Manitoba, au Canada. D'une longueur de 650 km, il prend sa source dans le lac Winnipeg et se jette dans la baie d'Hudson. On y a construit d'importants barrages hydroélectriques.

Nelson (Wolfred)

Homme politique, né à Montréal en 1792 et mort au même endroit en 1863. Un des chefs du Parti patriote, il commandait les Canadiens lors de la bataille de Saint-Denis contre l'armée britannique, en 1837. Après avoir été exilé aux Bermudes en 1838, il revient au Bas-Canada en 1843. Élu maire de Montréal en 1854, Wolfred Nelson a occupé ce poste pendant deux ans. [➔Patriotes]

Nemaska

Nemaska, autrefois nommé Nemiscau, est une réserve crie située dans la région administrative du Nord-du-Québec. Ses 640 habitants parlent le cri et l'anglais. [➔Carte 5]

Népal

Nom local	Nepāl
Capitale	Katmandou
Superficie	140 800 km²
Population	28 581 700
Habitants	Népalais, Népalaises

Le Népal est un État de l'Asie du Sud situé au cœur de l'Himalaya, entre l'Inde et la Chine. On y trouve les deux plus hautes montagnes du monde : l'Everest et l'Annapurna, qui attirent de nombreux alpinistes. L'économie du pays repose sur la culture céréalière, l'élevage et le tourisme. La langue officielle y est le népalais. [➔Carte 9]

New Delhi

New Delhi, une zone de la ville de Delhi, est la capitale de l'Inde, un pays de l'Asie du Sud. New Delhi compte 302 400 habitants, Delhi 9 879 200. [➔Carte 9]

Newton (Isaac)

Mathématicien, physicien et astronome anglais, né en Angleterre en 1642 et mort dans le même pays en 1727. En plus d'avoir découvert la loi de la gravitation universelle, il a mené des expériences de décomposition de la lumière et démontré que la lumière blanche est formée de plusieurs couleurs. Les travaux de Newton dans de nombreux domaines constituent un jalon important dans l'avancement des sciences au 17e siècle.

Isaac ***Newton***

New York

New York est la plus grande ville des États-Unis. Elle est située sur la côte atlantique, à l'embouchure du fleuve Hudson. Fondée par les Hollandais au 17e siècle, elle a accueilli d'importantes vagues migratoires successives qui ont contribué à lui donner son caractère cosmopolite. Ses activités financières et commerciales sont parmi les plus importantes du monde. Principal centre industriel des États-Unis, on y trouve les secteurs des produits de luxe, de la mode et des technologies de pointe. Ses monuments et édifices, tels la statue de la Liberté [➔Liberté, statue de la] et l'Empire State Building, ses musées, son opéra et ses activités culturelles sont mondialement reconnus et attirent chaque année des milliers de touristes. New York est également le siège de l'ONU [➔Organisation des Nations Unies]. Les attentats terroristes du 11 septembre 2001, qui ont fait 2995 victimes lors de la destruction des tours du World Trade Center, ont profondément marqué la ville et le monde. New York compte une population de 8 274 500 habitants.

Central Park, à ***New York***

Niagara (presqu'île du)

La presqu'île du Niagara est située dans la partie la plus au sud du Canada, en Ontario, entre les lacs Érié et Ontario. Son climat favorise la culture de la vigne et des fruits (pêches, nectarines, pommes et poires). Les chutes Niagara, parmi les plus hautes au monde, attirent de nombreux visiteurs et contribuent au développement touristique de la région.

Niamey

La ville de Niamey est la capitale du Niger, un pays de l'Afrique de l'Ouest. La ville est située sur la rive gauche du fleuve Niger et compte 708 000 habitants. [➜Carte 7]

Nicaragua

Nom local	Nicaragua
Capitale	Managua
Superficie	130 000 km^2
Population	5 677 800
Habitants	Nicaraguayens, Nicaraguayennes

Le Nicaragua est un État de l'Amérique centrale, situé entre le Honduras et le Costa Rica. Il est bordé par la mer des Caraïbes à l'est et l'océan Pacifique à l'ouest. L'agriculture et la pêche représentent les principales activités économiques du pays. La langue officielle y est l'espagnol. [➜Carte 3]

Nicolet (Jean)

Explorateur, né en France vers 1598 et mort noyé près de Sillery en 1642. À la recherche d'une route vers la Chine, il découvre le lac Michigan en 1634 et en explore la région. Jean Nicolet est considéré comme le premier Européen à avoir exploré le Nord-Ouest américain.

Nicolet (rivière)

La rivière Nicolet est située dans la région administrative du Centre-du-Québec, sur la rive sud du fleuve Saint-Laurent. Elle prend sa source dans le lac du même nom et se jette dans le lac Saint-Pierre après un parcours de 129 km. Son nom rappelle Jean Nicolet [➜Nicolet, Jean], un explorateur français.

Nicosie

La ville de Nicosie est la capitale de l'île de Chypre, un pays du sud-est de la mer Méditerranée. Elle compte 224 500 habitants. [➜Carte 9]

Niger (État)

Nom local	Niger
Capitale	Niamey
Superficie	1 300 000 km^2
Population	14 668 700
Habitants	Nigériens, Nigériennes

Le Niger est un État de l'Afrique de l'Ouest, dont 90 % du territoire se trouve dans le désert du Sahara. L'uranium est la principale ressource du pays. Sa population, établie surtout dans le sud, vit de la culture céréalière et de l'élevage. La langue officielle y est le français. [➜Carte 7]

Niger (fleuve)

Le fleuve Niger est un fleuve d'Afrique d'une longueur de 4200 km. Il traverse la Guinée, le Mali, le Niger et le Nigeria.

A B C D E F G H I J K L M N O P Q R S T U V W X Y Z

Nigeria

Nom local	Nigeria
Capitale	Abuja
Superficie	924 000 km²
Population	151 319 500
Habitants	Nigérians, Nigérianes

Le Nigeria est l'État de l'Afrique de l'Ouest le plus peuplé du continent. Ce pays est le premier producteur mondial de cacao. On y cultive aussi les arachides et le coton. Son sous-sol est aussi riche en étain et en pétrole. La langue officielle y est l'anglais. [➔Carte 7]

Nil (fleuve)
Le Nil, d'une longueur de 6700 km, est le plus long fleuve d'Afrique. Il traverse l'Ouganda, le Soudan, l'Égypte et se jette dans la mer Méditerranée par un immense delta.

*Le **Nil**, au Caire*

Nobel (Alfred)
Chimiste suédois, né à Stockholm (Suède) en 1833 et mort à San Remo (Italie) en 1896. Inventeur de la dynamite, il a créé plusieurs prix qui portent son nom [➔Nobel].

Nobel (prix)
Nom de prix qui récompensent, depuis 1901, les bienfaiteurs de l'humanité dans les domaines suivants : physique, chimie, physiologie et médecine, littérature, amélioration des relations entre les peuples (prix Nobel de la paix) et, depuis 1969, sciences économiques.

Noire (mer)
La mer Noire se situe entre l'Europe et l'Asie. Elle communique avec la mer Méditerranée par les détroits du Bosphore et des Dardanelles.

Noix (île aux)
L'île aux Noix est une île de la rivière Richelieu, au sud de Saint-Jean-sur-Richelieu, au Québec. Ainsi nommée par Samuel de Champlain, cette île est rapidement devenue un lieu stratégique pour les Français et les Britanniques. Les Britanniques y ont construit le fort Lennox, de 1819 à 1829, pour se protéger de l'invasion américaine.

Nord (mer du)
La mer du Nord, une partie de l'océan Atlantique, est entourée par la Grande-Bretagne, la Belgique, les Pays-Bas, l'Allemagne, le Danemark et la Norvège. Depuis 1983, on exploite dans ses eaux très poissonneuses de nombreux gisements de pétrole et de gaz naturel. Le trafic maritime y est le plus dense du monde.

Nord-du-Québec
Le Nord-du-Québec est une région administrative occupant 60 % du Québec. C'est la plus vaste des régions de la province, avec une superficie de 718 228 km². C'est aussi la moins peuplée avec 41 480 habitants, qui proviennent des communautés crie, inuite et jamésienne (résidents non autochtones). On y trouve d'importantes ressources hydroélectriques. [➔Carte 5]

Nord-Ouest (Territoires du)
Les Territoires du Nord-Ouest font partie du Canada. Ils sont situés au nord de la Colombie-Britannique, de l'Alberta et de la Saskatchewan. Limités à l'est par le Nunavut et à l'ouest par le Yukon, ils s'étendent sur 1 479 684 km². On y trouve d'importants gisements miniers (or, uranium, charbon, argent, cuivre, zinc), du pétrole et du gaz naturel. Les Territoires du Nord-Ouest accueillent des touristes de partout dans le monde, attirés par la nature et les grands espaces. Yellowknife est la capitale et la plus grande ville des Territoires, qui comptent 41 460 habitants. [➔Carte 4]

Northumberland (détroit de)
Le détroit de Northumberland est un bras de mer situé à l'est du Canada, dans le golfe du Saint-Laurent. Il sépare l'Île-du-Prince-Édouard de la Nouvelle-Écosse et du Nouveau-Brunswick.

Norvège

Nom local	Norge
Capitale	Oslo
Superficie	325 000 km²
Population	4 769 300
Habitants	Norvégiens, Norvégiennes

La Norvège est un État de la Scandinavie, une région du nord de l'Europe. Elle est bordée par l'océan Atlantique et la mer du Nord. Plusieurs îles font partie de son territoire. L'économie du pays repose sur la pêche, le pétrole et le gaz naturel. Les chantiers navals y sont aussi très importants. La Norvège possède la troisième flotte de commerce du monde. La langue officielle y est le norvégien. [➔Carte 8]

Les îles Lofoten, en ***Norvège***

Notre-Dame (monts)

Les monts Notre-Dame sont un prolongement des Appalaches au Québec, dans la région administrative de la Gaspésie–Îles-de-la-Madeleine. Ils comprennent les monts McGerrigle et Chic-Chocs, ainsi que le mont Jacques-Cartier, dont le sommet atteint 1268 m.

Nottaway (rivière)

La rivière Nottaway est située dans la région administrative du Nord-du-Québec. Elle prend sa source dans le lac Matagami et termine sa course de 776 km dans le sud de la baie James. Cette rivière présente un grand potentiel hydroélectrique.

Nouakchott

La ville de Nouakchott est la capitale de la Mauritanie, un pays du Maghreb, en Afrique du Nord. Sa population est de 558 200 habitants. [➔Carte 7]

Nouméa

La ville de Nouméa est la capitale de la Nouvelle-Calédonie, un archipel de l'Océanie situé dans l'océan Pacifique. Elle est la plus grande ville francophone d'Océanie avec 76 290 habitants. [➔Carte 10]

Nouveau-Brunswick

Le Nouveau-Brunswick est l'une des trois provinces maritimes, à l'est du Canada, dans le golfe du Saint-Laurent. Il a été la patrie de quelques milliers d'Acadiens déportés à la fin des années 1750 [➔Acadiens, déportation des] et fait partie des quatre provinces fondatrices du Canada en 1867. Ses principales ressources sont la pêche, l'industrie forestière, l'agriculture et l'industrie minière. Le Nouveau-Brunswick occupe une superficie de 73 436 km², qui correspond à 0,7 % du territoire canadien, et compte 729 000 habitants, dont le tiers environ est francophone. Sa capitale est Fredericton, et ses deux autres villes principales sont Saint-Jean et Moncton. [➔Carte 4]

Nouveau Parti Démocratique (NPD)

Parti politique canadien fondé à Ottawa en 1961. Il préconise une planification de l'économie par l'État et des mesures sociales touchant entre autres les soins de santé et l'assurance emploi. Jack Layton est à la tête de ce parti depuis 2003.

Nouveau-Québec (région)

Le Nouveau-Québec est une région nordique qui occupe plus de la moitié du territoire du Québec. Les Cris et les Inuits forment la grande majorité de sa population, dont les principales activités sont la chasse et la pêche. L'exploitation des mines et des ressources hydroélectriques dans les années 1970 a attiré une population non autochtone, venue du sud de la province, que l'on appelle les « Jamésiens ».

Nouveau-Québec (cratère du)

Le cratère du Nouveau-Québec est situé dans la péninsule d'Ungava, au nord de la région administrative du Nord-du-Québec. Découvert en 1943, il a un diamètre de 3,5 km et une circonférence de 11 km. La chute d'une météorite pourrait être à l'origine de sa formation. Son appellation inuite, Pingualuk, signifie *le grand bouton éruptif*.

Nouvelle-Angleterre

La Nouvelle-Angleterre est une région du nord-est des États-Unis qui regroupe les États du Connecticut, du Maine, du Massachusetts, du New Hampshire, du Rhode Island et du

Vermont. Elle correspond aux colonies anglaises fondées au 17e siècle sur la côte atlantique. Une population de 14 000 000 d'habitants vit sur ce territoire de 181 437 km². Les villes principales de la Nouvelle-Angleterre sont Boston, Hartford et Providence.

Nouvelle-Calédonie

La Nouvelle-Calédonie est une île et un territoire français d'outre-mer situé en Océanie (Mélanésie). Malgré un climat tropical, l'agriculture y est peu développée à cause de ses nombreuses montagnes. De riches mines de nickel sont la principale ressource du pays. D'une superficie de 20 000 km², la Nouvelle-Calédonie compte 224 800 habitants. La ville de Nouméa en est la capitale et la langue officielle y est le français. [➔Carte 10]

Nouvelle-Écosse

La Nouvelle-Écosse, située à l'est du Canada, est l'une des trois provinces maritimes sur la côte atlantique. Elle occupe une superficie de 55 491 km², soit 0,6 % du territoire canadien. La Nouvelle-Écosse fait partie des quatre provinces fondatrices du Canada en 1867. Ses principales activités économiques sont la pêche, qui est très importante, l'agriculture, l'élevage de vaches laitières, les industries forestière, minière, navale, aéronautique et alimentaire. La capitale de la Nouvelle-Écosse est Halifax, et ses deux autres villes principales sont Dartmouth et Sydney. Cette province compte 913 460 habitants. [➔Carte 4]

Peggy's Cove, en ***Nouvelle-Écosse***

Nouvelle-France

Nom donné aux possessions françaises en Amérique du Nord avant 1760.

Nouvelle-Guinée (île)

La Nouvelle-Guinée est une vaste île de l'Océanie, dans l'océan Pacifique, au nord de l'Australie. Cette île volcanique, aux forêts denses, compte 7 500 000 habitants. D'une superficie de 786 000 km², la Nouvelle-Guinée est divisée en deux États : l'ouest fait partie de l'Indonésie alors que l'est constitue l'État de la Papouasie–Nouvelle-Guinée. [➔Carte 10]

Nouvelle-Orléans

La Nouvelle-Orléans est une ville du sud des États-Unis, dans l'État de la Louisiane. Elle a été fondée par les Français au 18e siècle. C'est dans cette ville très touristique, située sur le fleuve Mississippi, qu'a pris naissance le jazz. En 2005, un ouragan a dévasté la ville, faisant plus d'un millier de victimes. La Nouvelle-Orléans compte 239 100 habitants.

Nouvelle-Zélande

Nom local	New Zealand
Capitale	Wellington
Superficie	270 000 km²
Population	4 268 600
Habitants	Néo-Zélandais, Néo-Zélandaises

La Nouvelle-Zélande est un État de l'Océanie, situé au sud-est de l'Australie. Elle est constituée de deux îles principales, l'île du Nord et l'île du Sud, et de nombreuses îles beaucoup plus petites. Les principales ressources du pays sont l'élevage bovin et ovin. Important producteur de beurre, de fromage et de laine, la Nouvelle-Zélande exporte une grande partie de sa production. Les langues officielles y sont l'anglais et le maori. [➔Carte 10]

Nuku'alofa

Nuku'alofa est la capitale de l'archipel des Tonga, en Polynésie. Elle est située sur l'île de Tongatapu et compte 21 500 habitants. [➔Carte 10]

Nunavik

Le Nunavik est un territoire inuit situé au Canada, au nord du 55e parallèle. Les Inuits sont établis dans 14 villages, la plupart très éloignés les uns des autres, sur une superficie de 507 000 km². Le climat y est rigoureux et le sol demeure gelé en permanence. Les Inuits vivent de la chasse, de la pêche et du tourisme. Kuujjuak est la principale ville du Nunavik, territoire qui compte 11 000 habitants.

Nunavut

Le Nunavut est un territoire inuit situé au Canada, au nord du Québec. Il est limité à l'ouest par les Territoires du Nord-Ouest et à l'est par la baie d'Hudson. L'industrie minière, le tourisme, la chasse et la pêche sont les principales activités économiques de cette région. Le Nunavut s'étend sur 2 000 000 km², ce qui représente 24 % du territoire canadien. Le Nunavut compte 29 480 habitants. Iqaluit, la capitale, se trouve sur l'île de Baffin. [➔Carte 4]

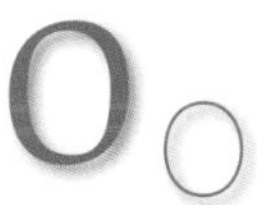

Obedjiwan

Obedjiwan est une réserve attikamek située au sud de Chibougamau, dans la région administrative de la Mauricie, au Québec. Ses 1780 habitants, les Upatshuniulnus, parlent l'attikamek et le français. [➔Carte 5]

Océanie

L'Océanie, le plus petit des continents, a une superficie de 9 008 458 km² et une population de 32 000 000 d'habitants. Cette partie du monde comprend l'Australie, la Papouasie–Nouvelle-Guinée, la Nouvelle-Zélande et des milliers d'îles dans l'océan Pacifique. Ces dernières forment trois groupes : la Micronésie, la Mélanésie et la Polynésie. [➔Carte 10]

Odanak

Odanak est une réserve abénaquise située à l'embouchure de la rivière Saint-François, dans la région administrative du Centre-du-Québec. Ses 470 habitants parlent le français et l'anglais. [➔Carte 5]

Odawas ➔Voir **Outaouais**

Office national du film (ONF)

Entreprise de production et de distribution de films. Créé à Ottawa en 1939, l'ONF a pour mandat de participer à la diffusion et à la production d'œuvres cinématographiques canadiennes. Déménagé à Montréal en 1956, l'ONF produit de plus en plus de documentaires en français et, à partir de 1964, on y établit officiellement une section de production française autonome. Reconnu à l'échelle internationale pour la qualité de ses documentaires et de ses films d'animation, l'ONF a permis à plusieurs jeunes cinéastes canadiens d'acquérir une solide expérience. L'ONF a obtenu plus de 3500 prix internationaux, dont dix Oscars.

Oman

Nom local	'Umān
Capitale	Mascate
Superficie	213 000 km²
Population	2 785 400
Habitants	Omanais, Omanaises

Oman est un État du Moyen-Orient, situé en Arabie. Il est gouverné par un sultan et ses principales ressources sont les gisements de pétrole et de gaz. Le tourisme et l'agriculture (arbres fruitiers) contribuent également à son développement économique. La langue officielle y est l'arabe. [➔Carte 9]

Ontario (province)

L'Ontario est une province du centre-est du Canada. Sa superficie de 1 068 582 km², qui correspond à 10,8 % du territoire canadien, en fait la deuxième plus vaste province du Canada. Sa population est de 12 160 300 habitants et sa capitale est Toronto. L'Ontario a été fondée en 1791 sous le nom de Haut-Canada et elle est l'une des quatre provinces fondatrices du Canada, en 1867. L'Ontario possède de très nombreuses industries (automobile, chimie, foresterie, matériel agricole et ferroviaire, métallurgie, mines) ainsi que des raffineries de pétrole. Sa production minière est la plus importante du Canada. L'agriculture y est axée sur les fruits, les légumes, le tabac et l'élevage de vaches laitières. [➔Carte 4]

Ontario (lac)

Le lac Ontario est le plus petit des Grands Lacs. Il est situé au sud-est de l'Ontario. Il couvre une superficie de 19 001 km², dont un peu plus de la moitié se trouve en territoire canadien et l'autre partie, dans l'État de New York, aux États-Unis. Samuel de Champlain et l'explorateur Étienne Brûlé ont visité la région en 1615.

A B C D E F G H I J K L M N O P Q R S T U V W X Y Z

Onze septembre 2001 (attentats du)
Attaques terroristes qui ont frappé les États-Unis le 11 septembre 2001 et au cours desquelles quatre avions ont été détournés par des terroristes islamistes. Deux avions ont percuté les tours jumelles du World Trade Center, à New York, un troisième s'est écrasé sur le Pentagone, à Washington, et le dernier s'est écrasé en Pennsylvanie sans atteindre sa cible. Les attentats ont été revendiqués par le réseau Al-Qaïda ayant à sa tête Oussama ben Laden. Près de 3000 personnes ont perdu la vie dans ces attentats, qui ont marqué le début de la guerre au terrorisme.

Orford (mont)
Le mont Orford, dans la région administrative de l'Estrie, au Québec, fait partie de la chaîne des Appalaches. D'une hauteur de 792 m, il est situé dans le Parc national du Mont-Orford.

Organisation des Nations Unies (ONU)
Organisation internationale créée en 1945 avec pour objectif de maintenir la paix et la sécurité dans le monde. Elle vise aussi à créer entre les nations une coopération économique, sociale et culturelle. En 2010, l'ONU comptait 192 États membres.

Organisation des Nations Unies pour l'éducation, la science et la culture (UNESCO)
Fondée en 1946, l'UNESCO est un organisme international qui permet la coopération entre les États dans le domaine de la culture. Son siège est à Paris.

Organisation du traité de l'Atlantique Nord (OTAN)
Alliance militaire défensive signée en 1949, dans le contexte de la Guerre froide [➔Guerre froide], par les États-Unis, la Grande-Bretagne, le Canada et les nations de l'Europe de l'Ouest. Elle s'est élargie depuis et comptait 28 États membres en 2010.

Orléans (île d')
L'île d'Orléans, dans le fleuve Saint-Laurent, se situe à 8 km à l'est de Québec. D'une superficie de 195 km^2, elle compte 7000 habitants, mais ce nombre double l'été avec la venue de vacanciers et de travailleurs saisonniers. En 1535, Jacques Cartier l'a d'abord nommée «île de Bacchus», avant de la renommer «île d'Orléans» en mai 1536. Cette île est l'un des plus anciens lieux de peuplement de la Nouvelle-France. Les nombreuses fermes et maisons de pierres datant de cette époque en témoignent.

Oslo
La ville d'Oslo est la capitale de la Norvège, un pays scandinave du nord de l'Europe. Oslo est le premier port et centre industriel du pays. On y trouve d'importants chantiers navals. La population d'Oslo est de 554 600 habitants. [➔Carte 8]

Otish (monts)
Les monts Otish forment, dans la région administrative du Nord-du-Québec, un massif montagneux dont le point culminant est le mont Yapeitso, qui s'élève à 1128 m. Otish, en langue amérindienne montagnaise, signifie *petite montagne*. Quant à Yapeitso, il se traduit par *caribou mâle*.

Ottawa
La ville d'Ottawa est située en Ontario, au confluent des rivières Rideau et des Outaouais. Fondée en 1826 sous le nom de Bytown, elle est la capitale du Canada depuis 1867. Sa population est de 812 129 habitants. On y trouve le Parlement du Canada, plusieurs ambassades et de nombreux musées. Des industries forestières, alimentaires, chimiques et électrométallurgiques y sont également installées. [➔Carte 4]

Ouagadougou
Ouagadougou est la capitale du Burkina, un pays de l'Afrique de l'Ouest. Elle est la plus grande ville du pays ainsi que son centre économique, culturel et administratif. Les industries alimentaire, textile (coton) et mécanique y sont importantes. La population de Ouagadougou est de 1 474 800 habitants. [➔Carte 7]

Ouareau (lac)
Le lac Ouareau est situé dans la région administrative de Lanaudière, au nord de Sainte-Agathe-des-Monts, au Québec. Le lac Ouareau est un endroit de villégiature très apprécié. Son nom, en langue amérindienne algonquine, signifie *au lointain*.

Ouelle (rivière)
La rivière Ouelle est située sur la rive sud du fleuve Saint-Laurent, à l'ouest de Rivière-du-Loup, au Québec. Elle prend sa source dans le lac Therrien et parcourt 72 km jusqu'à son embouchure dans le Saint-Laurent. Le saumon de l'Atlantique a été réintroduit avec succès dans la rivière Ouelle.

Ouganda

Nom local	Uganda
Capitale	Kampala
Superficie	236 000 km²
Population	31 656 900
Habitants	Ougandais, Ougandaises

L'Ouganda est un État de l'est de l'Afrique. Les Ougandais vivent principalement de l'agriculture et de l'élevage. Ils produisent du thé, du coton, de la canne à sucre et surtout du café pour l'exportation. La langue officielle de l'Ouganda est l'anglais. [➔Carte 7]

Oujé-Bougoumou

Oujé-Bougoumou est une réserve crie située à l'ouest de Chibougamau, dans la région administrative du Nord-du-Québec. Ses 610 habitants parlent le cri et l'anglais. [➔Carte 5]

*La réserve d'**Oujé-Bougoumou***

Oulan-Bator

Oulan-Bator est la capitale de la Mongolie, un pays de l'Asie centrale situé entre la Russie et la Chine. Sa population de 1 012 700 habitants représente plus du tiers de la population du pays. [➔Carte 9]

Oural (monts)

Les monts Oural forment une chaîne de montagnes, généralement peu élevées, séparant l'Europe de l'Asie, dont le point culminant atteint 1894 m. Ils s'étendent sur 2000 km du nord au sud de la Russie, entre l'océan Arctique et la mer Caspienne. Le sous-sol y est extrêmement riche en fer et en charbon.

Ours (Grand lac de l')

Le Grand lac de l'Ours est situé dans les Territoires du Nord-Ouest, au Canada. Sa superficie de 31 792 km² en fait le deuxième plus grand lac du Canada. Il constitue l'une des plus importantes réserves d'eau douce du monde.

Outaouais (ou Odawas)

Nom donné au 17ᵉ siècle à des tribus amérindiennes apparentées aux Algonquins et vivant surtout dans la région de la rivière des Outaouais. Après la dispersion des Hurons, à la fin des années 1640, les Outaouais étaient les principaux intermédiaires entre les Français et les autres tribus pour la traite des fourrures. Aujourd'hui, les Outaouais vivent principalement dans des communautés mixtes, en Ontario et aux États-Unis.

Outaouais (région administrative de l')

L'Outaouais est une région administrative du Québec, dans le sud-ouest de la province, tout près de l'Ontario. Cette région d'une superficie de 30 504 km² est arrosée par la rivière des Outaouais. Elle compte une population de 358 900 habitants. Un Américain, Philemon Wright, est reconnu comme le père de la colonisation de cette région. Attiré par l'exploitation de la forêt, il s'y est installé en 1800 avec des colons venus du Massachusetts (États-Unis). La région pratique toujours l'exploitation forestière, et des industries de pâte et papier s'y sont installées. [➔Carte 5]

Outaouais (rivière des)

La rivière des Outaouais se trouve dans la région administrative du même nom, à l'ouest du Québec. Avec ses 1271 km, c'est la plus longue rivière du Québec. Elle prend sa source au nord du réservoir Cabonga et se jette dans le fleuve Saint-Laurent, en amont de Montréal. Elle délimite la frontière entre le Québec et l'Ontario. Elle a été découverte en 1613 par Samuel de Champlain, qui l'a ainsi nommée du fait de la présence de la tribu des Outaouais dans cette région.

Outardes (rivière aux)

La rivière aux Outardes est située dans la région administrative de la Côte-Nord, au Québec. Elle prend sa source à environ 20 km des monts Otish et se jette dans le fleuve Saint-Laurent, au terme d'un parcours d'environ 400 km, en amont de Baie-Comeau. Elle alimente plusieurs centrales hydroélectriques importantes.

Ouzbékistan

Nom local	O'zbekiston
Capitale	Tachkent
Superficie	449 600 km^2
Population	27 313 700
Habitants	Ouzbeks, Ouzbekes

L'Ouzbékistan est un État de l'Asie centrale qui s'ouvre sur la mer d'Aral, au nord-ouest. Il occupe une plaine désertique, qui est cependant irriguée par deux fleuves venant des montagnes. C'est ainsi qu'on y cultive des fruits, des légumes, du riz et, surtout, du coton. Les Ouzbeks font aussi l'élevage de moutons astrakans. Le sous-sol du pays fournit du charbon, du pétrole, du gaz naturel, de l'uranium et du cuivre. La langue officielle de l'Ouzbékistan est l'ouzbek. [➔Carte 9]

Pacifique (océan)

Le Pacifique, le plus vaste des océans, est situé entre l'Arctique et l'Antarctique, les Amériques, l'Asie et l'Australie. Il a une superficie de 166 millions de km^2. Il a été découvert par l'explorateur espagnol Vasco Nunez de Balboa en 1513.

Paix (rivière de la)

La rivière de la Paix, qui est située à l'ouest du Canada, a une longueur de 1923 km. Elle prend sa source dans les Rocheuses de la Colombie-Britannique et se jette dans le fleuve Mackenzie, dans les Territoires du Nord-Ouest.

Paix des Braves

Entente politique et économique signée en 2002, de nation à nation, entre les Cris et le gouvernement du Québec. Elle a pour principes le renforcement de la relation politique, économique et sociale entre les Cris et le Québec, de même que la coopération, le partenariat et le respect mutuel.

Pakistan

Nom local	Pākistān
Capitale	Islamabad
Superficie	800 000 km^2
Population	166 036 900
Habitants	Pakistanais, Pakistanaises

Le Pakistan est un État de l'Asie du Sud, situé au nord-ouest de l'Inde. La population est regroupée dans la vallée du fleuve Indus, à l'est du pays. Le climat est aride, mais d'importants travaux d'irrigation permettent la culture du blé, du riz et du coton, lequel est exporté. Ces cultures alimentent les industries textiles (tapis) et agroalimentaires. Les langues officielles du Pakistan sont l'ourdou et l'anglais. [➔Carte 9]

Pakuashipi

Pakuashipi est un établissement innu situé à 550 km au nord-est de Sept-Îles, dans la région administrative de la Côte-Nord, au Québec. Ses 290 habitants, les Pakuashipunnus, parlent le montagnais, l'anglais et le français. [➔Carte 5]

Palaos

Nom local	Palau, Belau
Capitale	Melekeok
Superficie	459 km^2
Population	20 280
Habitants	Palaois, Palaoises

Les îles Palaos sont un État de l'Océanie (Micronésie), situé au nord de l'Australie. Ces îles forment un archipel de plus de 300 îles. L'économie nationale dépend essentiellement du tourisme et de la pêche. Les langues officielles des îles Palaos sont le palauan et l'anglais. [➔Carte 10]

Palestine

La Palestine est une région du Moyen-Orient, bordée par la mer Méditerranée. Elle comprenait l'actuel État d'Israël, la Cisjordanie et la bande de Gaza jusqu'à la création de l'État d'Israël en 1948. Il s'en est suivi de nombreux affrontements entre Palestiniens et Israéliens. En 1988, la Palestine, désormais constituée de la Cisjordanie et de la bande de Gaza, qui couvrent 6520 km^2, a été proclamée État indépendant. Un processus de paix est engagé depuis 1993 entre Israël et l'Organisation de libération de la Palestine (OLP). La population palestinienne est de 1 416 500 habitants.

Palikir

Palikir est la capitale des États fédérés de Micronésie, en Océanie. Cette ville de 6230 habitants est située sur l'île de Pohnpei. [➔Carte 10]

Panama

Nom local	Panamá
Capitale	Panama
Superficie	78 200 km^2
Population	3 394 500
Habitants	Panaméens, Panaméennes

Le Panama, un État du sud de l'Amérique centrale, forme une bande étroite qui rejoint le nord de la Colombie. Le pays est traversé par le canal de Panama, long de 80 km, qui permet aux navires de passer de l'océan Atlantique à l'océan Pacifique sans avoir à contourner l'Amérique du Sud. Le pays tire d'ailleurs l'essentiel de ses revenus des péages de ce canal. Le Panama exporte de plus des bananes, des crevettes, du café et du sucre. La langue officielle y est l'espagnol. [➔Carte 3]

Panthéon

Le Panthéon est un temple que les Grecs et les Romains consacraient à certains de leurs dieux. Le Panthéon de Rome, bâti au 1er siècle avant notre ère, était dédié à tous les dieux. Au 7e siècle, il a été converti en église chrétienne. C'est le plus grand monument de l'Antiquité romaine encore pratiquement intact du fait qu'il n'a jamais été laissé à l'abandon.

*Le **Panthéon**, à Rome*

Papineau (Louis-Joseph)

Homme politique, né à Montréal en 1786 et mort à Montebello en 1871. À partir des années 1815, il est le chef du Parti patriote qui regroupe les nationalistes canadiens-français. Il a d'ailleurs été l'un des principaux chefs de file de la Rébellion de 1837 [➔Rébellions de 1837-1838]. Mais, dès la première bataille, il se réfugie aux États-Unis, puis en France. Il ne revient au Bas-Canada qu'en 1844. Par la suite, sa participation à la vie politique a été de peu d'importance.

Papouasie–Nouvelle-Guinée

Nom local	Papuaniugini
Capitale	Port Moresby
Superficie	462 000 km^2
Population	6 488 900
Habitants	Papouasiens ou Néo-Guinéens, Papouasiennes ou Néo-Guinéennes

La Papouasie–Nouvelle-Guinée est un État de l'Océanie (Mélanésie) qui comprend la moitié est de l'île de la Nouvelle-Guinée ainsi que d'innombrables îles et archipels. Une forêt très dense recouvre la majeure partie du territoire. Le pays vit surtout de l'agriculture (café, cacao). De nombreuses ressources naturelles se trouvent dans son sous-sol, mais, en raison du terrain accidenté et des coûts exorbitants de leur extraction, elles sont peu exploitées. La langue officielle de la Papouasie–Nouvelle-Guinée est l'anglais et on y parle également le tok pisin et le hiri motu. [➔Carte 10]

Pâques (île de)
L'île de Pâques est une île isolée de l'Océanie (Polynésie), dans le sud-est de l'océan Pacifique. Cette île d'une superficie de 162 km² a été découverte en 1772, le jour de Pâques, par le Hollandais Roggeveen. Située à près de 4000 km du Chili, elle lui appartient depuis 1888. L'île est particulièrement connue pour ses immenses statues de pierre, vestiges des premières civilisations qui l'ont habitée. La population de l'île de Pâques est de 3790 habitants.

Paraguay

Nom local	Paraguay
Capitale	Asuncion
Superficie	406 752 km²
Population	6 226 800
Habitants	Paraguayens, Paraguayennes

Le Paraguay est un État de l'Amérique du Sud, situé au nord de l'Argentine. Le pays est traversé par le fleuve Paraguay, qui délimite la frontière avec le Brésil et l'Argentine. La population se concentre à l'est du pays. À l'ouest, une vaste plaine, sèche et presque déserte, permet l'élevage. Les exportations agricoles sont importantes (soja, maïs, coton, viande). Les ressources hydroélectriques sont considérables. Les langues officielles du Paraguay sont l'espagnol et le guarani. [➔Carte 6]

Paramaribo
Paramaribo est la capitale du Suriname, un pays de l'Amérique du Sud. Cette ville qui abrite 242 900 habitants est inscrite au patrimoine mondial de l'UNESCO. Le centre historique de Paramaribo a conservé de nombreuses traces de son héritage hollandais. [➔Carte 6]

Parent (Simon-Napoléon)
Homme politique, né à Beauport en 1855 et mort à Montréal en 1920. Libéral, il a été premier ministre de la province de Québec de 1900 à 1905.

Paris (ville)
Paris est la capitale de la France et la ville la plus peuplée de ce pays. La ville compte 2 125 000 habitants et ce nombre s'élève à 11 600 000 habitants si l'on tient compte de son imposante banlieue. Paris est formée de 20 arrondissements et couvre une superficie de 105 km². Il s'agit du centre industriel le plus important de France. Il s'y trouve, entre autres, des industries automobiles, pharmaceutiques, de haute technologie (électronique, informatique) et de fabrication d'articles de luxe. Paris, dont le rayonnement culturel est mondial, est l'une des villes les plus visitées du monde. Ses musées et ses monuments (cathédrale Notre-Dame de Paris, tour Eiffel, Louvre, etc.) sont célèbres dans le monde entier. [➔Carte 8]

Paris (traité de)
Traité intervenu en 1763 entre la France, la Grande-Bretagne et l'Espagne, par lequel la Nouvelle-France était cédée définitivement à la Grande-Bretagne. Ce traité a ouvert la vallée du Saint-Laurent à la colonisation britannique.

Parizeau (Jacques)
Économiste et homme politique, né à Montréal en 1930. Élu député du Parti québécois en 1976, il devient chef de son parti en 1988, occupe pendant plusieurs années le poste de ministre des Finances, puis devient premier ministre du Québec en 1994. En 1996, il démissionne de ses fonctions à la suite de l'échec du référendum de 1995 sur la souveraineté du Québec. [➔Référendum de 1995]

Jacques ***Parizeau***

Parlement
Au Canada, la Chambre des communes, le Sénat et le souverain de Grande-Bretagne, représenté par le gouverneur général, forment le Parlement. Au Québec, le Parlement n'est composé que de l'Assemblée nationale. Avant 1968, il comprenait aussi le Conseil législatif. [➔Assemblée nationale du Québec; Chambre des communes du Canada; Sénat]

Le **Parlement** canadien

Parti conservateur du Canada (PCC)
Parti politique canadien né en 2003 de la fusion des deux partis de la droite canadienne, soit le Parti progressiste-conservateur du Canada et l'Alliance canadienne. Le Parti conservateur a été élu en 2006, et réélu en 2008 et en 2011. Le 6 février 2006, Stephen Harper a été assermenté à titre de 22e premier ministre du Canada.

Parti libéral du Canada (PLC)
Parti politique canadien qui prend le pouvoir pour la première fois en 1873. Il est issu du Parti rouge, lui-même héritier des Patriotes de 1837. Les rouges défendaient les principes démocratiques et républicains – la souveraineté populaire, le suffrage universel, la séparation de l'Église et de l'État – ainsi que diverses réformes, et se sont opposés à la Confédération. [➔Confédération] Traditionnellement, le Parti libéral du Canada se veut davantage réformiste que conservateur. Michael Ignatieff a été chef de ce parti jusqu'en 2011.

Parti libéral du Québec (PLQ)
Parti politique québécois qui se structure surtout après 1887, avec Wilfrid Laurier. D'abord connu sous le nom de Parti rouge, il s'est opposé au clergé catholique pour avoir réclamé la liberté d'expression. Apparenté originellement au Parti libéral du Canada, il en est aujourd'hui complètement indépendant. Sous sa bannière, Jean Charest est devenu le 29e premier ministre du Québec le 26 mars 2007 et occupe cette fonction depuis.

Parti progressiste-conservateur du Canada (PC)
Parti politique canadien né vers 1850 sous le nom de Parti libéral conservateur, ou Parti bleu, lequel a pris le nom de Parti conservateur vers 1860. Ses partisans sont en faveur de la Confédération [➔Confédération] et du maintien de l'ordre établi. Au cours des années 1940, il devient le Parti progressiste-conservateur. En 2003, le Parti progressiste-conservateur fusionne avec l'Alliance canadienne pour former le Parti conservateur. [➔Parti conservateur du Canada]

Parti québécois (PQ)
Parti politique fondé en 1968 avec pour objectifs la souveraineté, le progrès social et la primauté de la langue française au Québec. Il a été au pouvoir de 1976 à 1985 et de 1994 à 2003. En 2007, Pauline Marois est devenue la première femme à diriger ce parti.

Parti vert du Canada
Parti politique canadien né en 1983 avec pour objectif la protection de l'environnement. Elizabeth May est élue à la tête de ce parti au mois d'août 2006.

Parti vert du Québec
Parti politique québécois né en 1985 avec pour objectif la protection de l'environnement. Le 29 mars 2008, Guy Rainville est élu chef de ce parti.

Pasteur (Louis)
Chimiste et biologiste français, né à Dole (France) en 1822 et mort à Marnes-la-Coquette en 1895. Après avoir découvert l'existence de microbes responsables de la fermentation et de maladies, il élabore une technique de conservation des liquides, la pasteurisation. La mise au point, en 1885, du vaccin contre la rage l'a rendu célèbre. Louis Pasteur a fondé en 1888 un institut qui porte son nom.

Louis **Pasteur**

Pasteur (Institut)
Institut de recherche biologique et médicale fondé en 1888 par Louis Pasteur [➔Pasteur, Louis]. Il est notamment chargé de la mise au point et de la diffusion des vaccins et sérums.

Patriotes
Nom que l'on donne, à partir des années 1820, aux Canadiens francophones et anglophones qui adhèrent au parti dirigé par Louis-Joseph Papineau et qui, lors des Rébellions de 1837 et de 1838, participeront activement aux

mouvements de révolte. [➔Rébellions de 1837-1838]

Paul (Vincent de, saint)
Prêtre canonisé, né à Ranguines, en France, en 1581 et mort à Paris, en 1660. Après avoir été aumônier, curé et précepteur, il décide en 1617 de consacrer sa vie au service des pauvres. Dès lors, il fonde de nombreuses organisations de charité, des hôpitaux et des ordres religieux, en plus de mettre sur pied des missions et d'organiser des secours.

Payne (lac)
Le lac Payne est situé dans la région administrative du Nord-du-Québec, dans la péninsule d'Ungava. Il a une superficie de 534 km².

Pays-Bas

Nom local	Nederland
Capitale	Amsterdam
Superficie	41 526 km²
Population	16 443 300
Habitants	Néerlandais, Néerlandaises

Les Pays-Bas sont un État du nord-ouest de l'Europe, ouvert sur la mer du Nord et bordé par la Belgique et l'Allemagne. La Hollande, nom par lequel cet État est couramment désigné, n'en est en réalité qu'une partie abritant les grandes villes de Amsterdam, La Haye et Rotterdam. Le tiers du pays, sur la zone côtière, est constitué de terrains empiétant sur la mer (les polders). Les Néerlandais pratiquent une agriculture très moderne et de haute qualité: légumes en serre, tulipes – l'une des plus importantes exportations du pays – élevage bovin pour la production de fromages. Les principales industries sont axées sur l'agroalimentaire, la chimie et les produits de haute technologie. On y exploite également un important gisement de gaz naturel. La langue officielle des Pays-Bas est le néerlandais. [➔Carte 8]

Pearson (Lester Bowles)
Homme politique, né à Toronto en 1897 et mort à Ottawa en 1972. Chef du Parti libéral, il a été premier ministre du Canada de 1963 à 1968. C'est lui qui a fait adopter le drapeau du Canada en 1965. Lester B. Pearson a reçu le prix Nobel de la paix en 1957.

Pékin
La ville de Pékin est la capitale et le centre politique et culturel de la Chine. Elle est située dans le nord-est du pays et occupe un territoire de près de 17 000 km². Il s'y trouve de nombreux monuments et bâtiments historiques, dont la Cité interdite, ancien palais impérial, et le Temple du ciel, tous deux inscrits au patrimoine mondial de l'UNESCO. C'est dans cette ville de 11 509 600 habitants qu'ont eu lieu les Jeux olympiques d'été, en 2008. Le nom chinois de cette ville est Beijing. [➔Carte 9]

Péladeau (Pierre)
Homme d'affaires, né à Montréal en 1925 et mort au même endroit en 1997. Pierre Péladeau fait ses débuts dans le domaine de l'édition en faisant l'acquisition du *Journal de Rosemont* en 1950. Entrepreneur visionnaire, il acquiert sa première imprimerie en 1953. En 1964, il lance *Le Journal de Montréal*, qui deviendra le quotidien francophone le plus important d'Amérique, et, trois ans plus tard, *Le Journal de Québec*. En 1965, il fonde Quebecor, une entreprise de communication qui, sous son règne, deviendra l'une des plus grandes entreprises d'impression commerciale au monde. Homme engagé, Pierre Péladeau a soutenu tout au long de sa vie de nombreux organismes et a été un généreux mécène pour le domaine des arts. Nommé membre de l'Ordre du Canada en 1987, il est reçu officier de l'Ordre national du Québec en 1989 et officier de l'Ordre national de la légion d'honneur (France) en 1997.

Pellan (Alfred)
Peintre, né à Québec en 1906 et mort au même endroit en 1988. Après des études à l'École des Beaux-Arts de Québec, de 1920 à 1925, Pellan poursuit sa formation en France. Il réside à Paris jusqu'en 1940. Sous l'influence des grands maîtres européens, son art devient de plus en plus abstrait et lui vaut l'éloge de la critique européenne. De retour au Canada, Pellan ne peut vivre de son art. De 1943 à 1952, il enseigne à l'école des Beaux-Arts de Montréal, où il réussit à imposer ses idées. De retour à Paris au début des années 1950, il est le premier artiste canadien à obtenir la présentation d'une rétrospective de ses œuvres au Musée national d'art moderne de Paris. Revenu au Canada une fois de plus, Pellan fait l'objet de nombreuses expositions, qui viennent confirmer son immense talent.

Percé

La ville de Percé est située à l'extrémité de la région administrative de la Gaspésie–Îles-de-la-Madeleine, au Québec. Son nom lui a été donné en 1603 par Samuel de Champlain, à cause des deux trous qu'il y avait alors dans le rocher Percé. Cette ville est l'une des stations touristiques les plus importantes du Québec. On y visite surtout le rocher Percé, qui n'a plus qu'un trou, et l'île Bonaventure, qui abrite une colonie impressionnante de fous de Bassan. La ville de Percé compte 3420 habitants. [➔Carte 5]

Le rocher ***Percé***

Péribonka (rivière)

La rivière Péribonka est située dans la région administrative du Saguenay–Lac-Saint-Jean, au Québec. Elle prend sa source dans les monts Otish et se jette, après une course de 547 km, dans le lac Saint-Jean. Quatre centrales hydroélectriques y ont été aménagées.

Pérou

Nom local	Perú
Capitale	Lima
Superficie	1 285 215 km^2
Population	28 836 700
Habitants	Péruviens, Péruviennes

Le Pérou est un État situé à l'ouest de l'Amérique du Sud, sur l'océan Pacifique. La côte Pacifique est désertique et le centre du pays est traversé par la cordillère des Andes. C'est au Pérou que prend naissance l'un des plus longs fleuves au monde, l'Amazone. La pêche constitue une importante ressource naturelle du Pérou, qui est aussi une puissance minière (cuivre, zinc, plomb, argent). Comme le pays se trouve sur une faille sismique, quelques faibles tremblements de terre s'y font sentir chaque année. Les langues officielles y sont l'espagnol, le quechua et l'aymara. [➔Carte 6]

Perrot (île)

L'île Perrot est une île du fleuve Saint-Laurent située dans la région administrative de la Montérégie, entre le lac des Deux-Montagnes et le lac Saint-Louis. Elle a déjà servi de poste de traite des fourrures.

Persique (golfe)

Le golfe Persique est un bras de mer situé entre l'Iran et l'Arabie. Très peu profond et d'une salinité élevée, il communique avec l'océan Indien. Les États qui l'entourent disposent d'importantes ressources pétrolières.

Pessamit

Pessamit, anciennement nommé Betsiamites, est une réserve amérindienne habitée par des Innus (Montagnais). Elle est située au sud-ouest de la ville de Baie-Comeau, dans la région administrative de la Côte-Nord, au Québec. On dénombre 2360 personnes qui vivent dans la réserve et 430 qui vivent à l'extérieur de celle-ci. Les Pessiamiulnus parlent l'innu et le français. [➔Carte 5]

Petitclerc (Chantal)

Athlète québécoise, née à Saint-Marc-des-Carrières en 1969. Elle a pratiqué la course en fauteuil roulant sur toutes les distances. Elle a remporté des médailles à chacune de ses participations aux Jeux paralympiques: Barcelone en 1992, Atlanta en 1996, Sydney en 2000, Athènes en 2004 et Pékin en 2008. Au cours de sa fructueuse carrière, elle a remporté une médaille olympique et 21 médailles paralympiques.

Chantal ***Petitclerc***

Philippines

Nom local	Pilipinas
Capitale	Manille
Superficie	300 000 km^2
Population	90 348 400
Habitants	Philippins, Philippines

Les Philippines, un État de l'Asie du Sud-Est, forment un archipel de plus de 7000 îles et îlots. Entre Luçon – l'île la plus vaste où se situe la capitale Manille – et Mindanao – la deuxième île en superficie – se trouve le groupe des îles Visayas. D'origine volcanique, les Philippines ont subi d'importants séismes. Près de la moitié de la population vit de l'agriculture (tabac, riz, café, canne à sucre, cocotier). C'est Magellan qui a découvert les Philippines en 1521. Les langues officielles y sont le tagalog et l'anglais. [➔Carte 9]

Phnom Penh

La ville de Phnom Penh est la capitale du Cambodge, un pays de l'Asie du Sud-Est. Elle est située sur les rives du fleuve Mékong et occupe une superficie de 290 km^2. Sa population est de 1 234 400 habitants. [➔Carte 9]

Pikogan

Pikogan est une réserve algonquine située à 3 km d'Amos, dans la région administrative de l'Abitibi-Témiscamingue, au Québec. Ses 490 habitants, les Abitiwinis, parlent l'algonquin, le français et l'anglais. [➔Carte 5]

Pipmuacan (réservoir)

Le réservoir Pipmuacan est un lac artificiel situé dans la région administrative du Saguenay–Lac-Saint-Jean, au Québec. Il a une superficie de 979 km^2.

Plaines d'Abraham

Plateau situé en dehors des murs fortifiés de la ville de Québec. Les plaines d'Abraham ont été le théâtre de la bataille du 13 septembre 1759 (qui porte leur nom) entre l'armée britannique, conduite par James Wolfe, et l'armée française, commandée par le marquis de Montcalm. C'est l'armée britannique qui a remporté cette bataille, victoire qui a constitué un évènement déterminant de la Conquête [➔Conquête]. Depuis 1908, les plaines d'Abraham sont la propriété du gouvernement du Canada et portent le nom de parc des Champs de bataille.

*Les **plaines** d'Abraham*

Plante (Jacques)

Hockeyeur, né à Mont-Carmel en 1929 et mort à Genève (Suisse) en 1986. Il a joué 17 saisons dans la Ligue nationale de hockey. À titre de gardien de but du Canadien de Montréal, il a remporté six coupes Stanley ainsi que le trophée Vézina pendant cinq saisons consécutives. En 1959, il devient le premier gardien de but à porter régulièrement un masque protecteur. Jacques Plante a été intronisé au Temple de la renommée des sports du Canada en 1981.

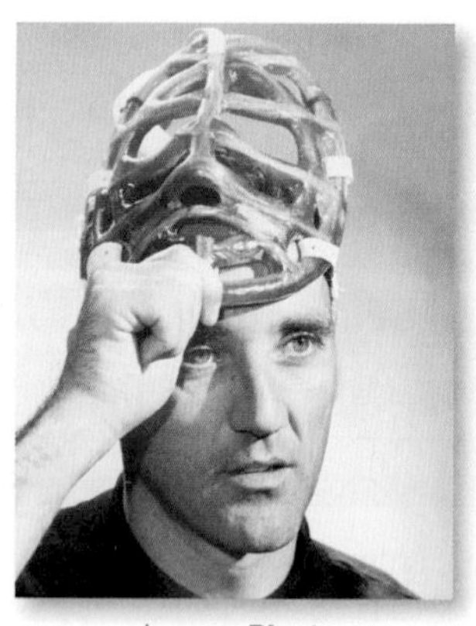

*Jacques **Plante***

Podgorica

Podgorica, anciennement Titograd, est la capitale du Monténégro, un pays du sud-est de l'Europe. L'économie de la ville est axée sur les industries mécaniques et alimentaires et sur les alumineries. Sa population est de 176 570 habitants. [➔Carte 8]

Pointe-Pelée (Parc national du Canada de la)

Le Parc national du Canada de la Pointe-Pelée a été créé en 1918. Il est situé dans le sud-ouest de l'Ontario, sur le lac Érié. D'une superficie de 16 km², il est le point le plus au sud du Canada. C'est un refuge d'animaux sauvages et un lieu de halte pour les oiseaux migrateurs. On y a recensé 336 espèces d'oiseaux, soit 60 % des espèces connues au Canada.

Politique nationale

Politique mise de l'avant en 1878 par le premier ministre du Canada, John Alexander Macdonald, pour relancer l'économie du Canada, mise à mal par une grave crise économique. Les trois principales mesures proposées alors sont la hausse des tarifs douaniers, le prolongement du chemin de fer vers l'ouest et la stimulation de l'immigration.

Polo (Marco)

Voyageur, né à Venise (Italie) en 1254 et mort au même endroit en 1324. De 1271 à 1275, il traverse l'Asie et le désert de Gobi, puis séjourne seize ans à la cour de l'empereur mongol de Chine, qui lui confie de nombreuses missions. Ses souvenirs sont rassemblés dans *Le Livre des merveilles du monde*, édité en 1298.

Pologne

Nom local	Polska
Capitale	Varsovie
Superficie	310 000 km²
Population	38 123 000
Habitants	Polonais, Polonaises

La Pologne est un État de l'Europe centrale, sur la mer Baltique. C'est l'un des pays où la Seconde Guerre mondiale a fait le plus de victimes (6 millions de Polonais, dont 3 millions de Juifs). Attaquée par l'armée allemande en 1939, la Pologne a été entièrement soumise à l'Allemagne de 1941 à 1944 et Varsovie, sa capitale, a été détruite. Aujourd'hui, l'économie polonaise est l'une des plus dynamiques d'Europe. L'agriculture y occupe une place importante (pomme de terre, seigle, betterave à sucre). Son industrie repose sur les mines (charbon, cuivre, zinc, plomb). La langue officielle de la Pologne est le polonais. [➔Carte 8]

Polynésie

La Polynésie correspond à la partie est de l'Océanie. Elle est constituée par les îles du Pacifique situées à l'est de l'Australie. Elle comprend des territoires français (Polynésie française, Wallis-et-Futuna), anglais (Pitcairn), américains (Hawaii, Samoa orientales) et chiliens (île de Pâques) ainsi que des États indépendants (Nouvelle-Zélande, Samoa occidentales, Tuvalu, Nauru, Tonga). Les îles polynésiennes, le plus souvent d'origine volcanique, ont un climat tropical océanique.

Polynésie française

La Polynésie française est une collectivité française d'outre-mer comprenant cinq archipels situés à l'est de l'Australie, en Océanie : l'archipel de la Société (incluant Tahiti, l'île la plus peuplée), les archipels des Tuamotu et des Gambier, les îles Australes et les îles Marquises. La Polynésie française occupe une superficie de 4167 km² et sa ville principale est Papeete. La langue officielle y est le français. [➔Carte 10]

Pontiac

Pontiac

Chef amérindien de la tribu des Outaouais (ou Odawas), né entre 1712 et 1725 et mort en 1769 dans l'État de l'Illinois. Ami des Français, il dirige en 1763, contre le gouvernement britannique, un soulèvement que l'on a appelé « le soulèvement de Pontiac » ou « la conspiration de Pontiac ». Cette guerre prend fin en 1766 avec la signature d'un traité de paix. Trois ans plus tard, Pontiac meurt assassiné.

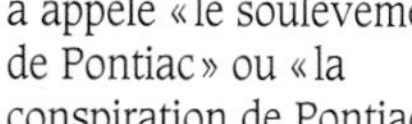

Port-au-Port

Port-au-Port est une péninsule située dans le sud-ouest de l'île de Terre-Neuve. Elle forme, depuis 1971, le seul district bilingue de cette province. En effet, c'est sur cette péninsule que sont venus s'installer les premiers pêcheurs français. La péninsule compte 750 habitants qui parlent le français et qui représentent environ 15 % de la population.

Port-au-Prince

La ville de Port-au-Prince est la capitale et le centre économique d'Haïti, un pays des Antilles, dans la mer des Caraïbes. Le 12 janvier 2010, la ville a été dévastée par un important tremblement de terre. Le séisme a fait des milliers de morts et de blessés, et un million de sans-abri. Avec ses 876 000 habitants, Port-au-Prince est la ville la plus peuplée d'Haïti. En incluant son imposante banlieue, elle compte plus de 2 000 000 d'habitants. [➔Carte 3]

Port-Cartier

Port-Cartier est une ville du Québec située à l'ouest de Sept-Îles, dans la région administrative de la Côte-Nord, sur la rive nord du fleuve Saint-Laurent. Port important, la ville vit principalement de l'industrie forestière. Sa population est de 6760 habitants. [➔Carte 5]

Port-Louis

Port-Louis est la capitale et la plus grande ville de l'île Maurice, un pays de l'océan Indien. La plus grande partie des revenus de Port-Louis provient de ses activités portuaires. Le tourisme y est également important ainsi que les activités liées à la finance. La population de Port-Louis compte 148 900 habitants. [➔Carte 7]

Port Moresby

Port Moresby est la capitale de la Papouasie–Nouvelle-Guinée, un pays de l'Océanie (Micronésie). Cette ville portuaire de 254 160 habitants exporte du cuivre, de l'or et de l'argent. [➔Carte 10]

Portneuf (rivière)

La rivière Portneuf est située dans la région administrative de la Capitale-Nationale, sur la rive nord du fleuve Saint-Laurent, au Québec. Elle prend sa source dans le lac Sept-Îles, environ à mi-chemin entre Trois-Rivières et Québec, et se jette dans le Saint-Laurent, à l'ouest de la ville de Québec.

Port of Spain

Port of Spain est la capitale de Trinité-et-Tobago, un pays des Antilles situé au nord du Vénézuela. Elle se trouve dans l'île de la Trinité et compte 43 400 habitants. [➔Carte 3]

Porto-Novo

Porto-Novo est la capitale du Bénin, un pays de l'Afrique de l'Ouest. Elle compte 232 800 habitants. [➔Carte 7]

Porto Rico

Nom local	Puerto Rico
Capitale	San Juan
Superficie	8870 km²
Population	3 958 100
Habitants	Portoricains, Portoricaines

Porto Rico est un État des Antilles, étroitement associé aux États-Unis. Son territoire englobe l'île même de Porto Rico ainsi que plusieurs petites îles. La surpopulation de l'île a entraîné une émigration massive des Portoricains. C'est ainsi que 2 millions d'entre eux vivent maintenant aux États-Unis. Grâce aux investissements américains, Porto Rico bénéficie d'une économie plus prospère que les autres îles des Antilles. C'est aussi une destination touristique importante. Les langues officielles y sont l'espagnol (parlé par 98 % de la population) et l'anglais. [➔Carte 3]

*Le quartier la Perla (San Juan), à **Porto Rico***

Port-Royal

Établissement français d'Acadie, situé dans la baie de Fundy. Il a été fondé en 1605 par Samuel de Champlain et François Gravé Du Pont. Aujourd'hui connu sous le nom d'Annapolis Royal, Port-Royal est un lieu historique national depuis 1940.

Portugal

Nom local	Portugal
Capitale	Lisbonne
Superficie	92 391 km²
Population	10 624 700
Habitants	Portugais, Portugaises

Le Portugal est un État du sud-ouest de l'Europe, situé dans l'ouest de la péninsule ibérique, sur l'océan Atlantique. Le Portugal comprend également les Açores, un groupe d'îles situées en plein océan Atlantique, à 1500 km de Lisbonne, ainsi que l'archipel de Madère, situé au large du Maroc. Lisbonne et Porto sont les deux grands centres industriels du pays, qui exporte du liège et du vin. Ses industries sont spécialisées dans le textile, le matériel de transport, l'agroalimentaire, la pêche et la chaussure. Le Portugal, dont la langue officielle est le portugais, est un haut lieu touristique. [➔Carte 8]

Le village médiéval de Obidos, au ***Portugal***

Port-Vila

Port-Vila est la capitale de Vanuatu, un pays de l'Océanie (Mélanésie). La ville est située dans l'île de Vaté et compte 29 360 habitants. [➔Carte 10]

Prague

La ville de Prague est la capitale de la République tchèque, un pays de l'Europe centrale. En plus d'être le principal centre industriel et commercial du pays, Prague est un important centre culturel. Surnommée «la ville au cent clochers», on y trouve de nombreux monuments anciens, gothiques et baroques, ainsi que plusieurs musées. Sa population est de 1 188 100 habitants. [➔Carte 8]

Praia

Praia est la plus grande ville et la capitale de l'archipel du Cap-Vert, situé dans l'Atlantique, à l'ouest de l'Afrique. La population, qui s'élève à 125 150 habitants, vit principalement de la pêche. [➔Carte 7]

Prairies (les)

Les Prairies sont des plaines du sud-ouest du Canada. Elles s'étendent sur trois provinces: l'Alberta, la Saskatchewan et le Manitoba (entre la région des Grands Lacs et les Rocheuses). On y trouve des cultures céréalières parmi les plus extensives du monde.

Prairies (rivière des)

La rivière des Prairies prend sa source dans la rivière des Outaouais et se jette dans le fleuve Saint-Laurent, séparant l'île Jésus de l'île de Montréal.

Pretoria

Pretoria est, avec Le Cap, la capitale de l'Afrique du Sud. Elle en est la capitale administrative, où siège le gouvernement. La population, majoritairement blanche, compte 1 104 480 habitants. [➔Carte 7]

Pristina

Pristina est la capitale et la plus grande ville du Kosovo, un pays du sud-est de l'Europe. Bombardée à de très nombreuses reprises durant les conflits entre l'Armée de libération du Kosovo et les forces yougoslaves (1996-1999), la ville a été largement détruite. Pristina compte environ 475 000 habitants. [➔Carte 8]

Proclamation royale

Document officiel dont le plus célèbre est celui que signe, le 7 octobre 1763, le roi George III et qui constitue en quelque sorte la première constitution canadienne. Le territoire de la province de Québec correspond alors à une infime partie de la Nouvelle-France, et des structures civiles remplacent les structures militaires mises en place avec la capitulation de la Nouvelle-France à Montréal, en 1760.

Puvirnituq (village)
Puvirnituq est un village nordique inuit situé dans la région administrative du Nord-du-Québec, sur la côte est de la baie d'Hudson. Ses 1460 habitants, les Puvirniturmiuqs, parlent l'inuktitut et l'anglais. [➔Carte 5]

Puvirnituq (monts de)
Les monts de Puvirnituq forment une chaîne de montagnes située dans la région administrative du Nord-du-Québec, dans la péninsule d'Ungava, sur la rive nord de la rivière du même nom. Leur point culminant atteint 488 m.

Pyongyang
Pyongyang est la capitale de la Corée du Nord, un pays de l'Asie du Sud-Est. Plusieurs industries sidérurgiques, métallurgiques et chimiques sont établies dans cette capitale de 2 741 300 habitants. [➔Carte 9]

Pyramides d'Égypte
L'ensemble des trois pyramides qui se dressent à Gizeh, près du Caire (Égypte), est la plus ancienne et la seule survivante des sept merveilles du monde antique. Ces trois pyramides, qui se nomment Khéops, Képhren et Mykerinos, ont été construites à la demande de pharaons pour qu'on y enferme leurs tombeaux. Des dizaines de milliers d'ouvriers ont travaillé à leur édification pendant de nombreuses générations.

*Les **pyramides** d'Égypte*

Pyrénées (les)
Les Pyrénées sont une chaîne de montagnes de l'Europe qui sépare la France de l'Espagne. Leur point culminant est le pic d'Aneto, en Espagne, haut de 3404 m. Les Pyrénées possèdent de nombreuses sources thermales. De plus, on y pratique l'élevage. Les industries qui s'y trouvent sont alimentées par l'hydroélectricité produite grâce aux torrents.

Q q

Qatar

Nom local	Qatar
Capitale	Doha
Superficie	11 500 km²
Population	1 280 900
Habitants	Qatariens, Qatariennes

Le Qatar est un État du Moyen-Orient situé en Arabie, sur une presqu'île du golfe Persique. Les principales ressources du pays sont le pétrole et le gaz naturel. La langue officielle du Qatar est l'arabe. [➔Carte 9]

Quaqtaq
Quaqtaq est un village inuit situé au Québec, sur la côte ouest de la baie d'Ungava, dans la région administrative du Nord-du-Québec. Ses 320 habitants, les Quaqtamiuqs, parlent l'inuktitut et l'anglais. [➔Carte 5]

Québec (province)
Le Québec est une province de l'est du Canada. Son territoire couvre une superficie de 1 547 370 km², soit 15 % du territoire canadien. Elle est l'une des quatre provinces fondatrices du Canada, en 1867. Les activités économiques liées à l'industrie forestière (bois, pâtes et papiers), aux ressources minières (zinc, argent, cuivre), à l'hydroélectricité ainsi qu'à l'élevage de vaches laitières et de porcs y sont importantes. L'économie québécoise repose aussi sur d'autres industries, telles que l'aéronautique, la pétrochimie, le pharmaceutique et l'aluminerie. Outre Québec, la capitale de la province, Montréal, Laval, Longueuil, Sherbrooke, Saguenay et Trois-Rivières sont au nombre des villes importantes. Le Québec compte 7 546 100 habitants, dont 83 % parlent le français. [➔Cartes 4 et 5]

Québec (ville)
La ville de Québec est la capitale de la province de Québec. Elle est située sur la rive nord du fleuve Saint-Laurent, en amont de l'île

d'Orléans, là où le fleuve rétrécit. Importante bourgade iroquoise, d'abord appelée Stadaconé à l'époque de Jacques Cartier, Québec a été fondée en 1608 par Samuel de Champlain. Son nom, d'origine amérindienne, signifierait *rétrécissement*. C'est la plus ancienne ville du Canada et la seule ville fortifiée en Amérique du Nord. Elle est inscrite au patrimoine mondial de l'UNESCO et constitue un attrait touristique important pour ses fortifications et sa vieille ville. La ville compte 491 100 habitants. [➔Carte 5]

La rue Christie, dans le Vieux-**Québec**

Québécois ➔Voir **Canadiens français**

Québec solidaire

Parti politique québécois né en 2006 de la fusion du mouvement politique Option citoyenne et du parti politique Union des forces progressistes. Lors de sa création, c'est Françoise David qui en devient la porte-parole. Québec solidaire fait primer l'intérêt de la collectivité sur l'intérêt d'une minorité possédante. Amir Khadir est le premier député de Québec solidaire à avoir été élu lors de l'élection de 2008.

Quinze (lac des)

Le lac des Quinze est situé au Québec, au sud de Rouyn-Noranda, dans la région administrative de l'Abitibi-Témiscamingue. Ce lac d'une superficie de 145 km^2 alimente les rapides des Quinze qui se jettent dans le lac Témiscamingue.

Quito

La ville de Quito est la capitale de l'Équateur, un pays de l'Amérique du Sud. Elle est nichée dans la cordillère des Andes, à 2850 m d'altitude. Elle compte 1 559 300 habitants. [➔Carte 6]

Rr

Rabat

La ville de Rabat est la capitale du Maroc, un pays du Maghreb en Afrique du Nord. Rabat compte 642 000 habitants, population qui passe à 1 622 900 habitants si l'on tient compte de son imposante banlieue. [➔Carte 7]

Radisson (village)

Le village de Radisson est situé au Québec dans la région du Nord-du-Québec. Il a été bâti en 1973, dans le cadre du développement des ressources hydroélectriques de la baie James. Nommé en l'honneur de l'explorateur Pierre-Esprit Radisson [➔Radisson, Pierre-Esprit], le village abrite 350 habitants. [➔Carte 5]

Radisson (Pierre-Esprit)

Explorateur et coureur des bois, né en France vers 1640 et mort en Angleterre en 1710. Il s'établit à Trois-Rivières en 1651 et, l'année suivante, il est fait prisonnier par les Iroquois dont il apprend la langue. Après s'être échappé, il explore en 1659-1660, en compagnie de son beau-frère, Médard Chouart Des Groseilliers, la région du lac Supérieur. En 1670, il est l'un des fondateurs de la Compagnie de la Baie d'Hudson. Il revient par la suite travailler pour la France avant de passer définitivement sous l'autorité britannique.

Pierre-Esprit **Radisson**

Ramezay (Louise de)

Femme d'affaires, née à Montréal en 1705 et morte à Chambly en 1776. Elle a dirigé plusieurs scieries ainsi qu'un moulin à farine. Elle possédait aussi une tannerie sur l'île de Montréal.

Ratzinger (Joseph) ➔Voir **Benoît XVI**

Rébellions de 1837-1838

Nom donné à deux mouvements de révolte populaire au Bas-Canada, faisant suite à une grave crise parlementaire. En 1837, des

Patriotes [➔Patriotes] s'opposent à l'avance de l'armée britannique à Saint-Denis, à Saint-Charles et à Saint-Eustache. L'année suivante, le mouvement prend des allures de révolution : on déclare l'indépendance du Bas-Canada, on tente d'organiser une armée, mais les Patriotes sont écrasés au mois de novembre 1838. À la suite de procès, 12 Patriotes seront pendus et 58, exilés en Australie.

Rébellions de 1837-1839 : la bataille de Saint-Eustache (décembre 1837)

Red Deer (rivière)
La rivière Red Deer est située au Canada, dans le sud-est de l'Alberta. Longue de 724 km, elle prend sa source dans les Rocheuses et se jette dans la rivière Saskatchewan.

Reeves (Hubert)
Astrophysicien et écrivain, né à Montréal en 1932. Il a connu une carrière internationale couronnée par de nombreux prix et distinctions : en 1999, l'Union astronomique internationale a donné son nom à l'astéroïde (9631) 1993 SL6 et, en 2003, il a été promu Commandeur de la Légion d'honneur et Compagnon de l'Ordre du Canada. En plus de faire de la recherche, Hubert Reeves s'implique beaucoup dans la vulgarisation scientifique.

Référendum de 1980
Référendum organisé par le gouvernement du Parti québécois qui proposait à la population du Québec d'adopter une souveraineté-association, c'est-à-dire une souveraineté accompagnée d'un partenariat avec le Canada. La campagne du « oui » a été menée par le premier ministre du Québec, René Lévesque, et celle du « non » par les libéraux Claude Ryan et Pierre E. Trudeau. La population s'est prononcée à 60 % contre la souveraineté-association.

Référendum de 1995
Référendum organisé par le gouvernement du Parti québécois qui proposait à nouveau à la population de se prononcer en faveur de la souveraineté du Québec. La campagne du « oui » a été menée par le premier ministre du Québec, Jacques Parizeau, ainsi que par le chef du Bloc québécois, Lucien Bouchard, tandis que celle du « non » était menée par le libéral Jean Chrétien. La population s'est prononcée à 51 % contre la souveraineté du Québec.

Refus global
Manifeste rédigé en 1948 par le peintre Paul-Émile Borduas et le poète Claude Gauvreau, et signé par une quinzaine d'artistes. On y contestait les valeurs traditionnelles du Québec, notamment la toute-puissance de l'Église catholique, on s'opposait à toute contrainte artistique et on prônait la liberté sous toutes ses formes. Malgré l'impact relativement limité qu'il a pu avoir, ce manifeste a constitué l'une des premières manifestations d'opposition au régime de Duplessis [➔Duplessis, Maurice Le Noblet] et a annoncé la Révolution tranquille [➔Révolution tranquille].

Regina
La ville de Regina est la capitale de la Saskatchewan, une province du Canada. Fondée en 1872, elle est nommée Regina, mot latin qui signifie *reine*, en l'honneur de la reine Victoria. Elle est devenue la capitale de la Saskatchewan lors de la création de cette province, en 1905. Son économie repose principalement sur l'industrie agroalimentaire et les raffineries de pétrole. Regina compte 179 200 habitants. [➔Carte 4]

Reine-Charlotte (îles de la)
➔Voir **Haida Gwaii**

Reine-Élisabeth (archipel de la)
L'archipel de la Reine-Élisabeth, que se partagent les Territoires du Nord-Ouest et le Nunavut, est situé au nord du Canada. D'abord nommé archipel des îles Parry, c'est en 1953 qu'il change de nom en l'honneur de la reine Élisabeth II. Les îles Ellesmere et Devon sont les plus grandes îles de cet archipel.

Réunion (La)
La Réunion est un département français d'outre-mer situé dans l'océan Indien, à l'est de Madagascar. Son économie repose principalement sur la culture de la canne à sucre, de la vanille ainsi que sur le tourisme. La population de cette

île de 2507 km² est de 766 200 habitants. La langue officielle y est le français.

Révolution tranquille
Période qui s'étend de 1960 à 1966 et qui coïncide avec le gouvernement libéral de Jean Lesage, qui succédait à celui de Maurice Duplessis. Cette période est caractérisée par une modernisation de la société québécoise et une affirmation de son identité. C'est aussi à ce moment-là que l'électricité a été nationalisée et que le ministère de l'Éducation a vu le jour.

Reykjavik
La ville de Reykjavik est la capitale de l'Islande, un pays insulaire du nord de l'Europe. La pêche, les conserveries de poisson et la construction navale constituent ses principales activités économiques. Reykjavik a une population de 117 600 habitants. [➔Carte 8]

Rhin
Le Rhin est un fleuve situé en Europe. D'une longueur de 1250 km, il prend sa source dans les Alpes suisses, traverse l'Allemagne, puis les Pays-Bas où il se jette dans la mer du Nord. Le Rhin est une voie navigable très fréquentée qui joue un rôle économique important pour le commerce et le transport en Europe.

Rhône
Le Rhône est un fleuve situé en Europe. D'une longueur de 812 km, il prend sa source dans les Alpes suisses, traverse la France et se jette dans la Méditerranée. Le Rhône est une importante voie navigable sur laquelle ont été érigés des barrages hydroélectriques.

Richard (Maurice)
Hockeyeur, né à Montréal en 1921 et mort dans la même ville en 2000. Plus qu'une légende du hockey, il est un héros national. Surnommé «le rocket» (la fusée), il a été le joueur le plus spectaculaire de sa génération. De 1942 à 1960, il a conduit le Canadien de Montréal à huit coupes Stanley. Maurice Richard était membre de l'Ordre du Canada et du Conseil privé de la Reine. Il a été intronisé au Temple de la renommée des sports du Canada en 1975.

*Maurice **Richard***

Richelieu (rivière)
La rivière Richelieu est située au sud du Québec, en Montérégie. Elle prend sa source dans le lac Champlain et se jette dans le fleuve Saint-Laurent, après avoir parcouru 171 km. Elle a été explorée en 1609 par Samuel de Champlain, alors qu'elle s'appelait rivière des Iroquois. En 1642, on lui a donné le nom de Richelieu en l'honneur du cardinal du même nom qui avait fondé la Compagnie de la Nouvelle-France.

Riel (Louis)
Métis [➔Métis], né à Saint-Boniface (Manitoba) en 1844 et mort à Regina (Saskatchewan) en 1885. En 1870, il dirige la révolte des Métis du Manitoba, qui protestaient contre la façon dont le gouvernement fédéral divisait les terres sans tenir compte de leur occupation. En 1885, il prend la tête d'une révolte des Métis de la Saskatchewan. Fait prisonnier, Riel est accusé de haute trahison et pendu. Son exécution a eu pour effet d'exacerber le nationalisme des Canadiens français, qui s'identifiaient à Louis Riel, francophone et catholique comme eux.

Riga
Riga est la capitale de la Lettonie, un pays du nord-est de l'Europe. C'est l'une des plus anciennes villes des pays baltes et le plus grand port de la mer Baltique, après Saint-Pétersbourg. Riga est également un centre industriel axé sur les industries pétrolière et chimique ainsi que sur la construction navale. Elle compte 719 900 habitants. [➔Carte 8]

Rimouski
La ville de Rimouski est située dans la région administrative du Bas-Saint-Laurent, sur la rive

*Le phare de Pointe-au-Père, à **Rimouski***

sud du fleuve Saint-Laurent, au Québec. Centre administratif important de la région, la ville est également un centre économique où dominent les industries forestière, alimentaire et touristique. La population de Rimouski s'élève à 42 240 habitants. [➔Carte 5]

Rio de Janeiro
La ville de Rio de Janeiro est située au Brésil, un pays de l'Amérique du Sud. Deuxième ville du pays, elle est un centre industriel et touristique important. Rio de Janeiro est reconnue pour son carnaval, ses plages et pour sa statue du Christ rédempteur, située au sommet d'un pic de 710 m. Elle compte 6 093 500 habitants, population qui passe à 11 571 600 habitants si l'on tient compte de sa banlieue importante.

Rio Grande (fleuve)
Le fleuve Rio Grande est situé en Amérique du Nord. Il forme une frontière naturelle entre les États-Unis et le Mexique, où il est appelé Rio Bravo. Long de 3060 km, le Rio Grande prend sa source au Colorado, aux États-Unis, et se jette dans le golfe du Mexique.

Riopelle (Jean-Paul)
Peintre et sculpteur, né à Montréal en 1923 et mort à l'Île aux Grues le 12 mars 2002. Élève de Paul-Émile Borduas à l'École du meuble de Montréal, Riopelle se joint au groupe des Automatistes et participe en 1946 aux premières expositions de peinture abstraite au Canada. Signataire du manifeste du *Refus global*, qu'il orne d'un de ses dessins, Riopelle s'établit à Paris en 1947. En 1962, l'UNESCO lui décerne un prix pour souligner l'ensemble de son œuvre. De retour au Québec, Riopelle s'installe dans les Laurentides, où il continue à peindre. Il est le peintre non figuratif canadien le plus connu sur la scène internationale.

Jean-Paul ***Riopelle***

Ristigouche (rivière)
La rivière Ristigouche est située au Québec dans la région administrative de la Gaspésie–Îles-de-la-Madeleine, à la frontière du Nouveau-Brunswick. Cette rivière à saumons prend sa source un peu au nord-est d'Edmundston, au Nouveau-Brunswick, et se jette dans la baie des Chaleurs, au Québec.

Rive-Sud
La Rive-Sud est une région située aux environs de Montréal, sur la rive sud du fleuve Saint-Laurent. Les premiers colons français s'y sont établis dès le 17e siècle. Comme ce territoire était alors sous le contrôle des Iroquois, de nombreux affrontements ont opposé ces derniers aux colons envahisseurs. Riche en terres agricoles, cette région s'est aussi développée avec la présence d'industries telles que l'équipement de transport, l'aéronautique, la machinerie et la microélectronique.

Rivière-du-Loup
La ville de Rivière-du-Loup est située au Québec dans la région administrative du Bas-Saint-Laurent, sur la rive sud du fleuve Saint-Laurent. Fondée en 1683, elle a pris le nom de Fraserville vers 1834 pour revenir au nom de Rivière-du-Loup en 1919. Les industries du bois et de l'alimentation constituent les principales activités économiques de Rivière-du-Loup. Sa population est de 18 590 habitants. [➔Carte 5]

Riyad
La ville de Riyad est la capitale de l'Arabie saoudite, le plus grand pays d'Arabie. Avec sa population de 4 087 200 habitants, elle est la ville la plus peuplée du pays. [➔Carte 9]

Roberval (ville)
La ville de Roberval est située au Québec dans la région administrative du Saguenay–Lac-Saint-Jean, sur la rive ouest du lac Saint-Jean. Son économie repose sur la pêche, la culture de la pomme de terre, l'industrie laitière et l'industrie du bois. Roberval compte 10 540 habitants. [➔Carte 5]

Roberval (Jean-François de La Rocque de)
Gentilhomme, né en France vers 1500 et mort à Paris en 1560. En 1540, le roi François Ier l'envoie au Canada avec mission d'y établir une colonie. L'explorateur Jacques Cartier devient, en quelque sorte, son second. La Rocque de Roberval séjourne en Nouvelle-France de 1542 à 1543, mais, devant l'hostilité des Amérindiens et aussi à cause du scorbut qui sévissait alors parmi les membres de son expédition, il ordonne le retour en France de tous les survivants.

Rocheuses (les)
Les Rocheuses sont une chaîne de montagnes située dans l'ouest du Canada et des États-Unis, à cheval sur la frontière de l'Alberta et de la

Colombie-Britannique. Elles ont été découvertes en 1743 par les fils de La Vérendrye [➔La Vérendrye, Pierre Gaultier de Varennes et de]. On y trouve, entre autres, les parcs nationaux de Banff et de Jasper, inscrits au patrimoine mondial de l'UNESCO pour leurs paysages uniques (lacs, canyons, grottes, glaciers). Deux montagnes des Rocheuses font partie des plus hauts sommets au Canada: le mont Robson (3954 m) et le mont Colombia (3747 m).

Romaine (rivière)

La rivière Romaine est située au Québec dans la région administrative de la Côte-Nord. Elle se jette dans le fleuve Saint-Laurent à la hauteur de l'île d'Anticosti. Son nom serait une déformation du mot «ouramane» ou «alomane», en langue amérindienne montagnaise, qui signifie *peinture*. Il lui aurait été donné à cause des dépôts d'ocre qui s'y trouvent. L'ocre est une terre argileuse jaune brunâtre dont les Amérindiens se servaient pour peindre certaines parties de leur corps.

Rome

La ville de Rome est la capitale de l'Italie, un pays du sud de l'Europe. Ce centre administratif et touristique important est le site de vestiges antiques tels le Colisée et le Forum, de célèbres monuments, dont la basilique Saint-Pierre, et de nombreux musées. Rome abrite aussi le siège de l'Église catholique romaine et la Cité du Vatican, où vit le pape. La ville compte 2 626 600 habitants. [➔Carte 8]

Roseau

La ville de Roseau est la capitale de la Dominique, un pays des Caraïbes. Sa population est de 16 040 habitants. [➔Carte 3]

Rotterdam

La ville de Rotterdam est située aux Pays-Bas, un pays du nord-ouest de l'Europe. Centre industriel de premier plan pour le pays, Rotterdam est aussi le deuxième port du monde. Son économie repose principalement sur les activités portuaires, dont la construction navale, et les raffineries de pétrole. La ville compte 584 100 habitants.

Rouge (mer)

La mer Rouge est située au Moyen-Orient, entre l'Égypte et l'Arabie. Elle communique avec la mer Méditerranée par le canal de Suez, ainsi qu'avec l'océan Indien.

Rouge (rivière)

La rivière Rouge est située au Manitoba, une province du centre du Canada. Elle prend sa source dans le Dakota du Nord, aux États-Unis, et se jette dans le lac Winnipeg après avoir parcouru 877 km. Elle doit son nom à Pierre Gaultier de Varennes et de La Vérendrye [➔La Vérendrye, Pierre Gaultier de Varennes et de], qui l'a explorée en 1732-1733 et nommée ainsi à cause du limon rougeâtre qu'elle charrie.

Rougemont (mont)

Le mont Rougemont est situé au Québec dans la région administrative de la Montérégie, au sud de Saint-Hyacinthe. L'une des neuf collines montérégiennes, le mont Rougemont culmine à 381 m.

Roumanie

Nom local	România
Capitale	Bucarest
Superficie	237 000 km²
Population	21 512 600
Habitants	Roumains, Roumaines

La Roumanie est un État du sud-est de l'Europe, situé au nord de la Bulgarie. Son économie repose sur une agriculture très variée (maïs, blé, vigne, tournesol, fruits, légumes), sur ses ressources en pétrole et en gaz naturel ainsi que sur son secteur industriel en pleine expansion (sidérurgie, chimie, alimentation, textile). La langue officielle y est le roumain. [➔Carte 8]

Rouyn-Noranda

La ville de Rouyn-Noranda est située au Québec dans la région administrative de l'Abitibi-Témiscamingue, dont elle est la ville la plus importante. Fondée dans les années 1920, avec le début de l'exploitation de mines d'or et de cuivre dans la région, Rouyn-Noranda compte 39 920 habitants. [➔Carte 5]

Roy (Gabrielle)

Écrivaine, née à Saint-Boniface (Manitoba) en 1909 et morte à Québec en 1983. Institutrice au Manitoba jusqu'en 1937, elle visite ensuite l'Europe pour finalement s'établir à Montréal en 1939 et exercer le métier de journaliste. En 1945, elle publie *Bonheur d'occasion*, roman pour lequel elle obtient le prix Femina. Gabrielle Roy a été, en 1947, la première femme à être admise à la Société royale du Canada.

*Gabrielle **Roy***

Royal (mont)

Le mont Royal, situé sur l'île de Montréal, est l'une des neuf collines montérégiennes. Son nom lui a été donné par Jacques Cartier en 1535. Le mont Royal culmine à 233 m.

Royaume-Uni

Nom local	United Kingdom
Capitale	Londres
Superficie	245 000 km²
Population	61 399 100
Habitants	Britanniques

Le Royaume-Uni est un État de l'Europe de l'Ouest qui comprend la Grande-Bretagne (Angleterre, pays de Galles, Écosse) et l'Irlande du Nord ainsi que 14 territoires d'outre-mer. Les technologies de pointe et les industries chimique, automobile, navale, textile et sidérurgique y sont très développées. On y pratique aussi de façon importante l'élevage du mouton (laine) et la pêche. Le Royaume-Uni possède également des richesses énergétiques, dont le charbon et le pétrole. Le pays fait partie de l'Union européenne, mais il n'a pas adopté l'euro comme monnaie. La langue officielle du Royaume-Uni est l'anglais. [➔Carte 8]

Rupert (rivière)

La rivière Rupert, longue de 566 km, est l'une des dix plus grandes rivières du Québec. Située dans la région administrative du Nord-du-Québec, elle prend sa source dans le lac Mistassini et se jette dans le sud de la baie James. De puissants rapides la jalonnent. Elle a été découverte par l'explorateur anglais Henry Hudson, en 1610. On l'a nommée rivière Rupert en l'honneur du prince Rupert, premier gouverneur de la Compagnie de la Baie d'Hudson.

Rupert (Terre de)

Nom donné à partir de 1670 à la partie nord-ouest du Canada qui avait été concédée par Charles II, roi d'Angleterre, à la Compagnie de la Baie d'Hudson. Ce territoire a été acheté à la Compagnie de la Baie d'Hudson par le Canada en 1869.

Russie

Nom local	Rossiïa
Capitale	Moscou
Superficie	17 045 400 km²
Population	141 800 000
Habitants	Russes

La Russie, État le plus vaste du monde, couvre d'ouest en est un territoire de 17 millions de km². Faisant partie de l'Union des républiques socialistes soviétiques (URSS) de 1922 à 1990, la Russie est redevenue un État indépendant en 1991. Premier producteur et exportateur de gaz naturel du monde, important

*Saint-Pétersbourg, en **Russie***

producteur d'orge et de blé, la Russie est l'une des grandes puissances mondiales. Son économie repose aussi sur la sidérurgie et les industries mécanique, chimique et textile. C'est en Russie que se trouve la ville la plus froide du monde (–50 °C), Verkhoïansk, en Sibérie. La langue officielle du pays est le russe. [➔Cartes 8 et 9]

Rwanda

Nom local	Rwanda
Capitale	Kigali
Superficie	26 500 km²
Population	9 720 700
Habitants	Rwandais, Rwandaises

Le Rwanda est un État de l'Afrique centrale. En 1994, une très violente guerre civile entre Tutsis et Hutus a ruiné l'économie du pays et a conduit au génocide du peuple tutsi, faisant plus de 800 000 morts. L'agriculture est la principale ressource du Rwanda, en particulier la culture du coton, du café et du thé. Les langues officielles y sont le kinyarwanda, le français et l'anglais. [➔Carte 7]

S s

Sable (île de)

L'île de Sable est une réserve écologique située dans l'est du Canada, à 160 km au large des côtes de la Nouvelle-Écosse. Entre 200 et 350 chevaux sauvages y vivent en liberté. Cette île d'une superficie de 24 km² est aussi l'habitat de milliers de phoques qui s'y reproduisent.

Saguenay (ville)

La ville de Saguenay est située au Québec le long de la rivière Saguenay, dans la région administrative du Saguenay–Lac-Saint-Jean. Elle est formée des arrondissements de Chicoutimi, de Jonquière et de La Baie. La véritable colonisation du Saguenay a commencé en 1837 avec la création de la Société des Vingt-et-un, association de citoyens de La Malbaie dont le but était de défricher le sol. Aujourd'hui, l'économie de Saguenay repose sur l'industrie de l'aluminium, l'industrie forestière ainsi que sur ses commerces et ses institutions. Saguenay, qui compte 146 000 habitants, couvre une superficie de 1165 km². [➔Carte 5]

Saguenay (rivière)

La rivière Saguenay, d'une longueur de 172 km, est située dans la région administrative du Saguenay–Lac-Saint-Jean. Elle prend sa source dans le lac Saint-Jean et se jette dans le fleuve Saint-Laurent, à la hauteur de Tadoussac.

Saguenay–Lac-Saint-Jean (région administrative du)

Le Saguenay–Lac-Saint-Jean est une région administrative du centre du Québec partagée en deux grands ensembles : au nord et à l'ouest, un territoire de rivières, de lacs et de forêts autour du lac Saint-Jean ; dans la partie supérieure du Saguenay, des basses terres vouées à l'agriculture. L'économie de cette région de 95 893 km² repose principalement sur l'industrie forestière, les alumineries et le tourisme. La population du Saguenay–Lac-Saint-Jean s'élève à 273 300 habitants. [➔Carte 5]

Sahara

D'une superficie de 10 000 000 de km², le Sahara est le plus grand désert du monde. Il s'étend sur 10 États du nord de l'Afrique : le Maroc, l'Algérie, la Tunisie, la Libye, l'Égypte, la Mauritanie, le Mali, le Niger, le Tchad et le Soudan. Le Sahara est riche en pétrole et en gaz naturel (Algérie, Libye) ainsi qu'en fer (Mauritanie).

Sahara occidental

Le Sahara occidental est un territoire de l'ouest de l'Afrique, bordé par l'océan Atlantique. Il est revendiqué par l'Algérie, le Maroc et la Mauritanie. Selon les estimations, entre 150 000 et 400 000 habitants vivent sur ce territoire de 266 000 km². La langue officielle y est l'arabe. [➔Carte 7]

Saint-Albert

Saint-Albert est une ville résidentielle de l'Alberta située en banlieue d'Edmonton. Fondée en 1861 par des francophones, la ville compte 57 720 habitants. Les francophones y sont en minorité depuis les 50 dernières années.

Saint-Augustin (lac)

Le lac Saint-Augustin est situé dans la région administrative de la Capitale-Nationale, à l'ouest de la ville de Québec. Ce lac peu profond a 2 km de long et 400 m de large.

Saint-Boniface

Saint-Boniface est une banlieue de la ville de Winnipeg, au Manitoba. Situé sur les bords de la rivière Rouge, l'endroit a jadis été occupé par des coureurs des bois. Cette ville est le centre de la vie francophone au Manitoba.

Saint Catharines-Niagara Falls

Saint Catharines-Niagara Falls est une ville de l'Ontario. Située sur la rive sud du lac Ontario, cette importante ville loge plusieurs industries (pâtes et papiers, automobile et textile).
La culture de fruits et légumes ainsi que la production de vin font aussi partie de son économie. Saint Catharines-Niagara Falls compte 132 000 habitants.

Saint-Charles (rivière)

La rivière Saint-Charles est située dans la région administrative de la Capitale-Nationale, au Québec. Elle prend sa source dans le lac Saint-Charles et se jette dans le fleuve Saint-Laurent à Québec, après un parcours d'environ 35 km.

Saint-Christophe-et-Niévès

Noms locaux	Saint Kitts and Nevis
Capitale	Basseterre
Superficie	260 km²
Population	49 190
Habitants	Christophiens, Christophiennes

Saint-Christophe-et-Niévès est un État des Antilles situé dans la mer des Caraïbes. Il est formé des îles Saint-Christophe et Niévès. Indépendantes du Royaume-Uni depuis 1983, ces îles ont été parmi les premières des Caraïbes à être colonisées par les Européens. L'économie de Saint-Christophe-et-Niévès est axée sur le tourisme et l'agriculture (canne à sucre). La langue officielle y est l'anglais. [➔Carte 3]

Saint-Clair (lac)

Le lac Saint-Clair, situé au centre du Canada, forme une partie de la frontière entre l'État du Michigan, aux États-Unis, et l'Ontario. Il a une superficie de 1270 km². Il aurait été découvert par Louis Jolliet en 1669, mais ce sont les explorateurs Cavelier de La Salle et Louis Hennepin qui lui ont donné son nom, en 1679.

Saint-Domingue

Saint-Domingue est la capitale de la République dominicaine, un pays des Antilles. Cette ville est inscrite au patrimoine mondial de l'UNESCO pour ses constructions espagnoles les plus anciennes du Nouveau Monde. On y trouve, entre autres, la première cathédrale du continent américain et la maison de Christophe Colomb. La ville compte 2 169 300 habitants.
[➔Carte 3]

Sainte-Anne (mont)

Le mont Sainte-Anne, une montagne de la chaîne des Laurentides, est situé au nord-est de la ville de Québec, dans le parc du Mont-Sainte-Anne. Un important centre de ski y est installé.

Sainte-Anne (rivière)

La rivière Sainte-Anne est située dans la région administrative de la Mauricie, au Québec.
Elle se jette dans le fleuve Saint-Laurent, à la hauteur du village de Sainte-Anne-de-la-Pérade, après un parcours de 120 km. C'est dans cette rivière que se pratique, sur la glace, la pêche aux poulamons, mieux connus sous le nom de « petits poissons des chenaux ».

Sainte-Anne-des-Monts

Sainte-Anne-des-Monts est une ville du Québec située à l'est de Matane, sur le Saint-Laurent, dans la région administrative de la Gaspésie–Îles-de-la-Madeleine. Ses principales activités commerciales sont la pêche et l'industrie du bois. Sa population compte 6770 habitants.
[➔Carte 5]

Sainte-Hélène (île)

L'île Sainte-Hélène est située dans le fleuve Saint-Laurent, en face de l'île de Montréal. C'est Samuel de Champlain qui l'a ainsi nommée en hommage à son épouse, Hélène Boullé [➔Boullé, Hélène]. Au début du 19e siècle, cette île a été une importante base militaire ; c'est pourquoi on y a construit un musée militaire, le Musée Stewart. Elle est devenue en 1874 un parc public dont la Ville de Montréal est propriétaire depuis 1908. En 1967, elle a été le site d'une partie de l'exposition universelle *Terre des Hommes*.
Il existe une autre île Sainte-Hélène, qui se trouve dans l'océan Atlantique ; elle appartient au Royaume-Uni.

Sainte-Lucie

Nom local	Saint Lucia
Capitale	Castries
Superficie	620 km²
Population	170 000
Habitants	Luciens, Luciennes

Sainte-Lucie est une île et un État des Antilles. L'île a été française pendant près de 140 ans et ensuite anglaise durant 15 ans. Elle a acquis son indépendance du Royaume-Uni en 1979. Son climat tropical attire de nombreux touristes, qui visitent notamment son volcan. La langue officielle de Sainte-Lucie est l'anglais, mais une majorité des habitants parle le créole antillais. [➔Carte 3]

La baie de Castries, à ***Sainte-Lucie***

Saint-Élie (massif de)

Le massif de Saint-Élie est un massif montagneux situé à l'extrémité ouest du Canada, à cheval entre le Canada et l'Alaska. Les plus hauts sommets du Canada s'y trouvent: le mont Logan (5951 m), le mont Saint-Élie (5489 m) et le mont Lucania (5226 m).

Saint-Félicien

Saint-Félicien est une ville du Québec située à l'ouest du lac Saint-Jean, dans la région administrative du Saguenay–Lac-Saint-Jean. La ville accueille un grand nombre de touristes grâce au zoo sauvage de Saint-Félicien. Sa population compte 10 500 habitants. [➔Carte 5]

Saint-François (lac)

Le lac Saint-François est situé en amont de l'île de Montréal, dans la région administrative de la Montérégie, au Québec. Il est formé par un élargissement du fleuve Saint-Laurent qui s'étend sur 50 km, entre Salaberry-de-Valleyfield et Akwesasne.

Saint-Georges (ville de la Grenade)

Saint-Georges est la capitale de la Grenade, un pays des Antilles. Cette ville portuaire compte 3900 habitants. [➔Carte 3]

Saint-Georges (ville du Québec)

Saint-Georges est une ville du Québec située dans la région administrative de Chaudière-Appalaches. Métropole économique de la Beauce, Saint-Georges est baigné par la rivière Chaudière. Son économie repose sur les industries laitière, forestière, textile et agricole ainsi que sur la fabrication de la machinerie forestière lourde. La population de Saint-Georges est de 29 620 habitants. [➔Carte 5]

Saint-Grégoire (mont)

Le mont Saint-Grégoire, haut de 267 m, est l'une des neuf collines montérégiennes. Il est situé au Québec, sur la rive sud du fleuve Saint-Laurent, à l'est de la municipalité de Saint-Jean-sur-Richelieu.

Saint-Hilaire (mont)

Le mont Saint-Hilaire, haut de 411 m, est l'une des neuf collines montérégiennes. Il est situé dans la vallée du Richelieu. Le centre de la Nature du Mont-Saint-Hilaire renferme l'une des dernières forêts anciennes intactes du sud du Québec. Un réseau de 25 km de sentiers y est aménagé.

Saint-Jean (ville)

Saint-Jean est la ville la plus importante du Nouveau-Brunswick. Elle est située sur la rive nord de la baie de Fundy, à l'embouchure du fleuve Saint-Jean. Cette ville s'est développée avec l'arrivée des Loyalistes [➔Loyalistes], après 1783. Avec son port et ses industries alimentaires et forestières, Saint-Jean occupe une place importante dans l'économie des Maritimes. Sa population est de 68 040 habitants.

Saint-Jean (fleuve)

Le fleuve Saint-Jean est situé dans l'est du Canada et constitue le plus important cours d'eau du Nouveau-Brunswick. Il prend sa source dans les Appalaches, aux États-Unis, et se jette dans la baie de Fundy, à Saint-Jean, après un parcours de 673 km. Il sert en partie de frontière entre le Canada et les États-Unis. Il a été découvert en 1604 par Samuel de Champlain et l'explorateur français Pierre de Gua de Monts.

Saint-Jean (Idola)
Professeure, née à Montréal en 1880 et morte en 1945. En 1927, elle fonde l'Alliance canadienne pour le vote des femmes. Elle multiplie les interventions auprès du gouvernement de la province de Québec en faveur du droit de vote des femmes, droit qui ne leur sera accordé qu'en 1940.

Saint-Jean (lac)
Le lac Saint-Jean est un immense lac de 1002 km^2 situé au Québec, dans la région administrative du Saguenay–Lac-Saint-Jean. Jean de Quen, un missionnaire jésuite, l'a découvert en 1647 et lui a donné son nom. Chaque année, la Traversée du lac Saint-Jean met en compétition des nageurs du monde entier.

Saint-Jean-sur-Richelieu
Saint-Jean-sur-Richelieu est une ville du Québec située sur la rive gauche de la rivière Richelieu, dans la région administrative de la Montérégie. Un fort a été construit à cet endroit en 1666 pour assurer la défense de la colonie. Un collège militaire y est installé aujourd'hui. Saint-Jean-sur-Richelieu accueille chaque été l'International de montgolfières. Sa population compte 87 480 habitants. [➔Carte 5]

Saint-Jérôme
Saint-Jérôme est une ville du Québec située dans le sud de la région administrative des Laurentides. Le travail d'Antoine Labelle, curé de Saint-Jérôme pendant 22 ans à la fin du 19e siècle, a largement aidé à la colonisation et au développement de la région. Lui-même surnommé «le roi du Nord», le curé Labelle a fait de Saint-Jérôme «la reine du Nord». La population de Saint-Jérôme est de 63 730 habitants. [➔Carte 5]

Saint John's (ville de Terre-Neuve-et-Labrador)
Saint John's est la capitale de la province de Terre-Neuve-et-Labrador. La ville est située sur la côte est de l'île de Terre-Neuve. Son nom rappelle que c'est le 24 juin 1497, jour de la Saint-Jean, que l'explorateur Jean Cabot aurait pris possession du territoire au nom du roi d'Angleterre, Henri VII. Cette capitale vit de ses brasseries, de la construction navale, de la pêche et de ses activités portuaires. La population de Saint John's est de 100 600 habitants. [➔Carte 4]

***Saint John's**, à Terre-Neuve*

Saint John's (ville d'Antigua-et-Barbuda)
La ville de Saint John's est la capitale des îles Antigua-et-Barbuda, un pays des Petites Antilles. Elle est le centre commercial du pays et le principal port de l'île d'Antigua. Cette ancienne colonie britannique est devenue indépendante en novembre 1981. Cette ville touristique compte 24 450 habitants. [➔Carte 3]

Saint-Joseph (lac)
Le lac Saint-Joseph est situé à l'ouest de la ville de Québec, dans la région administrative de la Capitale-Nationale. Ce lac d'un peu plus de 7 km de long est le site d'un centre de villégiature qui comprend un centre nautique et une plage de sable fin.

Saint-Laurent (fleuve)
Le fleuve Saint-Laurent, long de 1167 km, est le troisième fleuve en importance du Canada. Il est navigable sur tout son cours. Il prend sa source dans les Grands Lacs et se jette dans l'océan Atlantique par le détroit de Cabot, entre l'île de Terre-Neuve et la Nouvelle-Écosse. Avec les Grands Lacs et le golfe du Saint-Laurent, il forme un système hydrographique qui pénètre à près de 4000 km à l'intérieur de l'Amérique du Nord. Principal axe de la route des explorateurs au temps de la Nouvelle-France, le fleuve Saint-Laurent joue un rôle de premier plan dans l'économie canadienne.

Saint-Laurent (golfe du)
Le golfe du Saint-Laurent est formé par l'élargissement du fleuve Saint-Laurent, qui commence à la hauteur de Tadoussac. Il est bordé au nord par le Québec (Côte-Nord), au sud par l'Île-du-Prince-Édouard et l'île du

Cap-Breton, à l'est par l'île de Terre-Neuve et à l'ouest par le Nouveau-Brunswick et la Gaspésie.

Saint-Laurent (Louis Stephen)
Homme politique, né à Compton en 1882 et mort à Québec en 1973. Chef du Parti libéral du Canada, il a été premier ministre du Canada de 1948 à 1957. Sous son gouvernement, le Parlement a créé le Conseil des arts du Canada, a entrepris de financer les universités et a admis Terre-Neuve au sein de la Confédération.

Saint-Laurent (vallée du)
La vallée du Saint-Laurent longe d'est en ouest le fleuve Saint-Laurent, entre les Laurentides, au nord, et les Appalaches, au sud.

*La **vallée du Saint-Laurent**, dans la région de Kamouraska*

Saint-Laurent (voie maritime du)
La voie maritime du Saint-Laurent correspond à l'ensemble des canaux et écluses qui relient les Grands Lacs et le fleuve Saint-Laurent à l'océan Atlantique. La voie maritime du Saint-Laurent s'étend sur 3769 km, de l'océan Atlantique jusqu'à l'extrémité ouest du lac Supérieur. Elle comprend 16 écluses, qui permettent de franchir les 184 m de dénivellation entre l'océan Atlantique et le lac Supérieur. Cette voie maritime constitue la plus grande artère fluviale du monde. Réalisée conjointement par les gouvernements des États-Unis et du Canada, elle a été ouverte à la navigation en 1959.

Saint-Louis (lac)
Le lac Saint-Louis est formé par un élargissement du fleuve Saint-Laurent, au sud-ouest de l'île de Montréal, dans la région administrative de la Montérégie. Il est situé entre les rapides de Lachine, à l'est, et le canal Soulanges, à l'ouest. Le lac Saint-Louis s'étend sur environ 24 km.

Saint-Marin (État)

Nom local	San Marino
Capitale	Saint-Marin
Superficie	61 km^2
Population	31 000
Habitants	Saint-Marinais, Saintes-Marinaises

Saint-Marin est un tout petit État d'Europe enclavé dans l'Italie. L'économie de Saint-Marin est principalement axée sur ses vignes et son tourisme. On y cultive aussi les céréales, les olives et les fruits, et on y pratique l'élevage bovin et porcin. La langue officielle de Saint-Marin est l'italien. [➔Carte 8]

Saint-Marin (ville)
La ville de Saint-Marin est la capitale du pays du même nom enclavé dans l'Italie. Bâtie sur le versant sud-ouest du mont Titano, elle offre un panorama unique. La ville reçoit plus de trois millions de touristes par an. Sa population compte 4460 habitants. [➔Carte 8]

Saint-Maurice (rivière)
La rivière Saint-Maurice est située dans la région administrative de la Mauricie. Elle a été un des moyens de communication des Amérindiens bien avant l'arrivée des Européens. Cette rivière longue de 378 km prend sa source dans le réservoir Gouin, un lac artificiel créé en 1918, et se jette dans le fleuve Saint-Laurent, à la hauteur de Trois-Rivières. Elle a été découverte par Jacques Cartier en 1535.

Saint-Pétersbourg
Saint-Pétersbourg est une ville de Russie située sur la mer Baltique. Elle a été la capitale de la Russie de 1712 à 1918. Elle a conservé de cette époque une architecture unique. Ses palais, ses églises, ses monuments et son célèbre musée de l'Ermitage en font une destination touristique très prisée. Saint-Pétersbourg a changé plusieurs fois de nom : elle s'est appelée Petrograd de 1914 à 1924, puis Leningrad de 1924 à 1991. En 1991, elle a retrouvé son nom d'origine à la suite d'un référendum. Avec ses

4 569 600 habitants, Saint-Pétersbourg est la deuxième ville la plus peuplée de Russie, après Moscou.

Saint-Pierre (lac)
Le lac Saint-Pierre, d'une superficie de 353 km², est situé un peu en amont de Trois-Rivières. Il est formé par un élargissement du fleuve Saint-Laurent. Ce site est une réserve mondiale de la biosphère du fait de la présence de nombreux marais où s'arrêtent des centaines de milliers d'oiseaux aquatiques migrateurs. Son nom lui a été donné par Samuel de Champlain en 1603.

Saint-Pierre-et-Miquelon
Saint-Pierre-et-Miquelon est un archipel de l'océan Atlantique situé au sud de l'île de Terre-Neuve. Saint-Pierre-et-Miquelon est le seul département français en Amérique du Nord. Son territoire de 242 km² est composé de trois îles principales : Saint-Pierre, la plus petite mais la plus peuplée, Miquelon et Langlade, qui sont reliées par une bande de sable. La population, qui est de 7470 habitants, vit surtout de la pêche et du tourisme. La langue officielle de Saint-Pierre-et-Miquelon est le français.

Saints Martyrs canadiens (Les)
Groupe de huit missionnaires catholiques établis au pays des Hurons entre 1642 et 1649, qui ont été tués par les Iroquois lors des guerres entre Hurons et Iroquois. Ils ont été béatifiés en 1925 et canonisés en 1930. Ces missionnaires sont Jean de Brébeuf, Gabriel Lalemant, Isaac Jogues, Charles Garnier, Antoine Daniel, Noël Chabanel, René Goupil et Jean de La Lande.

Saint-Vincent-et-les-Grenadines

Nom local	Saint Vincent and the Grenadines
Capitale	Kingstown
Superficie	390 km²
Population	109 100
Habitants	Vincentais, Vincentaises

Saint-Vincent-et-les-Grenadines est un État des Grandes Antilles. Il est constitué de l'île principale de Saint-Vincent et d'îles plus petites, qui forment une partie des Grenadines. L'économie repose principalement sur l'agriculture, les bananeraies en particulier, et le tourisme. La langue officielle de Saint-Vincent-et-les-Grenadines est l'anglais. [➔Carte 3]

Sakami (lac)
Le lac Sakami, d'une superficie de 593 km², est situé dans la municipalité de la Baie-James, dans la région administrative du Nord-du-Québec.

Salluit
Salluit est un village inuit situé sur le détroit d'Hudson, dans la région administrative du Nord-du-Québec. Ses 1240 habitants, les Sallumiuqs, parlent l'inuktitut et l'anglais. [➔Carte 5]

Salomon (îles)

Nom local	Solomon Islands
Capitale	Honiara
Superficie	30 000 km²
Population	507 000
Habitants	Salomonais, Salomonaises

Les îles Salomon forment un État et un archipel de l'Océanie (Mélanésie) situé à l'est de la Papouasie–Nouvelle-Guinée. Elles sont constituées d'une multitude d'îles et d'îlots. Les îles Salomon exportent des produits de la pêche et du bois. La langue officielle y est l'anglais. [➔Carte 10]

Salvador

Nom local	El Salvador
Capitale	San Salvador
Superficie	21 000 km²
Population	6 133 900
Habitants	Salvadoriens, Salvadoriennes

Le Salvador est un petit État de l'Amérique centrale. Situé entre le Guatemala et le Honduras, il est bordé au sud par l'océan Pacifique. Le Salvador est un pays essentiellement agricole qui exporte du café, de la canne à sucre, du coton et du bois. La langue officielle y est l'espagnol. [➔Carte 3]

Samoa occidentales (les)

Nom local	Samoa
Capitale	Apia
Superficie	2850 km²
Population	181 500
Habitants	Samoens, Samoennes

Les Samoa occidentales constituent un archipel et un État polynésien de l'Océanie. Les principales activités économiques de ce pays sont la pêche, l'agriculture (noix de coco) et le tourisme. Les Samoa occidentales se distinguent des Samoa orientales, qui sont une possession américaine. Les langues officielles y sont le samoan et l'anglais. [➔Carte 10]

Sanaa

Sanaa est la capitale du Yémen, un pays du Moyen-Orient. Aux 7e et 8e siècles, Sanaa est devenue le centre de propagation de l'islam. Encore aujourd'hui, on peut y voir de nombreuses mosquées et 6000 habitations construites avant le 11e siècle. En 2004, la vieille ville de Sanaa a été désignée Capitale culturelle du monde arabe par l'UNESCO. Cette ville située à 2200 m d'altitude compte 1 707 500 habitants. [➔Carte 9]

San José

San José est la capitale et la plus grande ville du Costa Rica, un pays de l'Amérique centrale. Elle est située au centre du pays, presque à mi-chemin entre la côte du Pacifique et celle des Caraïbes. La population de San José s'élève à 348 600 habitants. [➔Carte 3]

San Juan

San Juan, située dans la baie de San Juan, est la capitale de Porto Rico, un pays des Antilles. La vieille ville est une cité fortifiée entourée de remparts et protégée par deux forts. San Juan compte 425 000 habitants, mais sa population s'élève à 2 216 600 habitants avec sa banlieue. [➔Carte 3]

San Salvador

San Salvador est la capitale du Salvador, un pays de l'Amérique centrale. Fondée en 1525 par l'espagnol Pedro de Alvarado, elle est la ville principale du pays et la deuxième ville de l'Amérique centrale avec ses 507 700 habitants. [➔Carte 3]

Santiago

Santiago est la capitale et le principal centre urbain du Chili, un pays de l'Amérique du Sud. Elle abrite 4 960 800 habitants, soit environ le tiers de la population chilienne. [➔Carte 6]

Sao Paulo

Sao Paulo est la plus grande ville du Brésil, le pays le plus vaste et le plus peuplé de l'Amérique du Sud. Elle est la capitale culturelle et industrielle du Brésil. On y trouve des industries textiles, métallurgiques, chimiques et alimentaires. Sao Paulo compte 11 016 700 habitants, mais ce nombre s'élève à 19 223 900 habitants avec sa banlieue.

Sao Tomé-et-Principe

Nom local	São Tomé e Príncipe
Capitale	Sao Tomé
Superficie	965 km²
Population	161 000
Habitants	Santoméens, Santoméennes

Sao Tomé-et-Principe est un État de l'océan Atlantique, dans le golfe de Guinée. Cet archipel comprend deux îles principales, Sao Tomé et Principe, et plusieurs îlots. Les principales ressources de ce pays, l'un des plus petits d'Afrique, sont le cacao, le café et la noix de coco. Sao Tomé-et-Principe étant une ancienne colonie portugaise, la langue officielle y est le portugais. [➔Carte 7]

Sarajevo

La ville de Sarajevo est la capitale de la Bosnie-Herzégovine, un État du sud-est de l'Europe situé dans les Balkans. La ville a été assiégée et en partie détruite par les forces serbes durant la guerre civile entre 1992 et 1995. La majeure partie de la ville a été reconstruite. Sarajevo a été l'hôte des Jeux olympiques d'hiver en 1984. La ville compte 393 000 habitants. [➔Carte 8]

A B C D E F G H I J K L M N O P Q R S T U V W X Y Z

Sargasses (mer des)
La mer des Sargasses est le nom donné à une zone de l'océan Atlantique située entre les Antilles et la Floride, à l'est des Bahamas. Elle tient sa désignation des algues du nom de sargasses qui s'accumulent à sa surface. D'autres végétaux charriés par les courants marins s'y amassent aussi. Cette mer a pour autres particularités de ne recevoir aucun vent et de n'être agitée par aucune vague. Ces caractéristiques attirent notamment les anguilles, qui vont s'y reproduire.

Saskatchewan (province)
La Saskatchewan est une province du centre du Canada située entre le Manitoba et l'Alberta. Son nom lui vient de la rivière Saskatchewan qui la traverse. Elle a appartenu à la Compagnie de la Baie d'Hudson jusqu'en 1869, sous le nom de Terre de Rupert. La Saskatchewan est entrée dans la Confédération [➔Confédération] en 1905. Son économie repose sur les industries forestière, minière et métallurgique ainsi que sur l'élevage bovin et l'agriculture ; cette province est le plus important producteur de blé du Canada. On y produit également en grande quantité du pétrole et du gaz naturel. La Saskatchewan a une population de 968 200 habitants répartis sur un territoire de 651 900 km^2, soit 6,6 % du territoire canadien. Sa capitale est Regina et ses villes principales sont Saskatoon, Moose Jaw et Prince Albert. [➔Carte 4]

Saskatchewan (rivières)
Les rivières Saskatchewan traversent les provinces canadiennes de l'Alberta et de la Saskatchewan sur une longueur de 1939 km. Les rivières Saskatchewan Nord (1287 km) et Saskatchewan Sud (1392 km) prennent leur source dans les Rocheuses. Elles se rencontrent au centre de la Saskatchewan et forment la rivière Saskatchewan (547 km), laquelle se jette dans le lac Winnipeg.

Saskatoon
Saskatoon est une ville canadienne située dans le centre-sud de la Saskatchewan, sur les rives de la rivière Saskatchewan Sud. Fondée en 1883, elle est la ville principale de la Saskatchewan et un important centre ferroviaire. Des industries alimentaires et chimiques ainsi que des raffineries y sont installées. La ville compte 202 300 habitants.

Sault-Sainte-Marie
Sault-Sainte-Marie est une ville du Canada située à l'extrémité est du lac Supérieur, en Ontario. Site d'une mission jésuite dès 1669, la ville s'est rapidement développée à la fin du 19e siècle. Sault-Sainte-Marie est le deuxième centre de l'acier au Canada, après Hamilton, et un port important. Elle compte 74 900 habitants.

Sauvé (Jeanne)
Journaliste et femme politique, née à Prud'homme (Saskatchewan) en 1922 et morte à Montréal en 1993. Elle a été gouverneure générale du Canada de 1984 à 1989. Elle est la première femme à avoir occupé ce poste.

Jeanne ***Sauvé***

Sauvé (Paul)
Homme politique, né à Saint-Benoît, au Québec, en 1907 et mort à Saint-Eustache en 1960. Chef de l'Union nationale [➔Union nationale], il a été premier ministre du Québec de 1959 jusqu'à sa mort. Il est considéré comme l'un des principaux précurseurs de la Révolution tranquille [➔Révolution tranquille].

Scandinavie
La Scandinavie est une région du nord de l'Europe qui comprend la Norvège, la Suède, la Finlande, le Danemark, les îles Féroé et l'Islande. Les pays scandinaves sont caractérisés par une nature sauvage et une faune très bien conservées. Même si les langues parlées sont différentes d'un pays à l'autre, elles ont une racine commune, de sorte que les habitants d'un pays peuvent comprendre la langue de leurs voisins. Les Scandinaves sont au nombre de 27 555 300 et vivent sur un territoire d'une superficie de 1 480 789 km^2.

Seguin (Fernand)
Biochimiste et journaliste scientifique, né à Montréal en 1922 et mort au même endroit en 1988. Chercheur à Paris et à Chicago, puis professeur à l'Université de Montréal de 1945 à 1950, il met sur pied le département de

recherche en biochimie de l'Hôpital Saint-Jean-de-Dieu. En 1954, il décide d'orienter sa carrière vers la vulgarisation scientifique. Habile communicateur, Fernand Seguin a suscité la vocation de plusieurs chercheurs québécois. Animateur à la radio et à la télévision, il a également publié plusieurs ouvrages. En 1977, l'UNESCO lui décerne le prix Kalinga, la plus haute récompense internationale dans le domaine de la vulgarisation scientifique.

Seine

La Seine est un fleuve de France long de 776 km, qui constitue une importante voie de navigation. Elle prend sa source en Champagne, traverse Paris et se jette dans la Manche en atteignant la ville du Havre, en Normandie.

Selkirk (chaîne)

La chaîne Selkirk est une chaîne de montagnes de l'ouest du Canada, située dans le sud-est de la Colombie-Britannique. Elle fait partie de la chaîne Columbia, qui s'étend entre le fleuve Columbia et le lac Kootenay. Son point culminant est le mont Sir Sandford, qui atteint 3522 m.

Sénat (ou Chambre haute)

Le Sénat est une des chambres formant le Parlement du Canada. Il se compose de 104 sénateurs et sénatrices nommés par le gouverneur général, sur recommandation du gouvernement. Le Sénat a été institué par l'Acte de l'Amérique du Nord britannique de 1867.

Sénégal

Nom local	Sénégal
Capitale	Dakar
Superficie	200 000 km^2
Population	12 211 200
Habitants	Sénégalais, Sénégalaises

Le Sénégal est un État de l'Afrique de l'Ouest bordé par l'océan Atlantique. L'économie du pays repose sur la culture des arachides, du coton et de la canne à sucre ainsi que sur la pêche. Ses exportations se font surtout vers la France. Le tourisme du Sénégal est en plein essor. La langue officielle y est le français. [➔Carte 7]

Séoul

Séoul est la capitale de la Corée du Sud et la plus grande ville de la péninsule coréenne, en Asie de l'Est. Cette ville a accueilli les Jeux olympiques d'été en 1988. La population de Séoul compte 10 020 123 habitants. [➔Carte 9]

Sept-Îles

Sept-Îles est une ville du Québec située sur la rive nord du golfe Saint-Laurent, dans la région administrative de la Côte-Nord. Cet endroit n'était qu'un poste de traite à partir de 1650 mais, après 1950, Sept-Îles s'est rapidement développée. L'industrie minière y est dynamique et son port est l'un des plus actifs du Canada. La ville compte 25 500 habitants. [➔Carte 5]

Serbie

Nom local	Srbija
Capitale	Belgrade
Superficie	88 361 km^2
Population	7 350 200
Habitants	Serbes

La Serbie est un État du sud-est de l'Europe, dans les Balkans. Elle a été l'une des six républiques de la Yougoslavie de 1945 à 1992. La Serbie est traversée par le Danube et elle comprend les territoires autonomes de Vojvodine et du Kosovo. L'économie de la Serbie repose principalement sur l'agriculture (culture des céréales, élevage). La langue officielle y est le serbe. [➔Carte 8]

*Le Danube, à la frontière de la **Serbie** et de la Roumanie*

Severson (monts)
Les monts Severson forment une chaîne de montagnes située dans la région administrative de la Côte-Nord, au Québec. Le point culminant en est le mont Wright, qui s'élève à 917 m.

Séville
Séville est une ville du sud de l'Espagne, située au cœur d'une vaste région agricole. Elle est la capitale de l'Andalousie. Son patrimoine artistique est extrêmement riche, ce qui en fait une ville très touristique. La population de Séville est de 704 400 habitants.

Les jardins de L'Alcazar de ***Séville***

Seychelles (les)

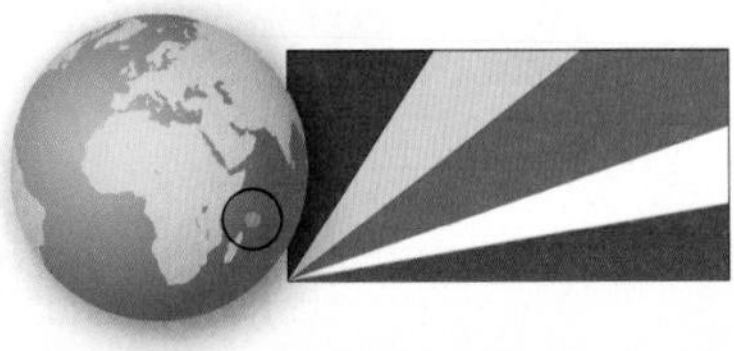

Nom local	Sesel
Capitale	Victoria
Superficie	454 km²
Population	86 300
Habitants	Seychellois, Seychelloises

Les Seychelles sont un archipel et un État d'Afrique situé dans l'océan Indien, au nord-est de Madagascar. L'archipel est composé d'environ 115 petites îles, dont la principale est Mahé. L'économie du pays repose sur le tourisme et la pêche au thon. Les langues officielles y sont l'anglais, le créole et le français. [➔Carte 7]

Shanghai
Shanghai est la plus grande ville de Chine et le port le plus important du pays, qui se classe parmi les principaux ports du monde. C'est aussi un grand centre industriel aux activités variées : chimie, textile, métallurgie, alimentation, électromécanique. Shanghai compte une population de 14 348 500 habitants.

Shediac
Shediac est une ville située sur le détroit de Northumberland, au sud-est du Nouveau-Brunswick, au Canada. Elle a été fondée par les Acadiens au 17e siècle et est demeurée un important foyer de la vie acadienne. Considérée comme la capitale mondiale du homard, Shediac compte 5500 habitants.

Shefford (mont)
Le mont Shefford est l'une des neuf collines montérégiennes. Situé près de la ville de Granby, au Québec, il s'élève à 526 m. Son nom rappelle celui d'une ville d'Angleterre.

Sherbrooke (ville)
Sherbrooke est une ville du Québec située au confluent des rivières Magog et Saint-François, dans la région administrative de l'Estrie. Elle est la ville la plus importante de cette région. Sherbrooke a d'abord porté le nom de Grandes-Fourches, puis elle est devenue Hyatt's Mill, à l'arrivée des Loyalistes [➔Loyalistes]. C'est à ce moment qu'elle a commencé à se développer. Sherbrooke, dont le nom rappelle le gouverneur John Coape Sherbrooke, est surnommée « la reine de l'Estrie ». La ville compte 147 400 habitants. [➔Carte 5]

Sherbrooke (John Coape)
Administrateur, né en Angleterre en 1764 et mort dans le même pays en 1830. Au cours de son mandat de gouverneur général du Canada, de 1816 à 1818, il a effectué un rapprochement avec les députés canadiens-français. La ville de Sherbrooke rappelle son souvenir.

Shippagan
Shippagan est une ville située près de l'entrée sud de la baie des Chaleurs, au nord-est du Nouveau-Brunswick, au Canada. C'est un important foyer de la vie acadienne. Shippagan compte 5370 habitants.

Le phare de ***Shippagan***

Sibérie
La Sibérie est une vaste région de Russie, située entre les monts Oural et l'océan Pacifique, en Asie. Même si la Sibérie est désertique et que le climat y est glacial en hiver, cette région est en pleine expansion économique. En effet, son sous-sol recèle de considérables ressources minières, pétrolières et gazières. De plus, la région est recouverte d'immenses forêts. La Sibérie compte 39 000 000 d'habitants répartis sur un territoire de 12 765 000 km².

Sicile

La Sicile est une île de la Méditerranée qui appartient à l'Italie. Située au sud du pays, elle est la plus vaste et la plus peuplée des îles méditerranéennes. Sur les côtes, les Siciliens pratiquent l'agriculture et la pêche ainsi que la culture de la vigne. À l'intérieur de l'île, ils cultivent les céréales, les olives et les amandes. C'est sur cette île que s'élève l'Etna, le volcan le plus haut d'Europe et le plus actif du monde. La Sicile compte 5 141 300 habitants répartis sur un territoire de 25 700 km^2.

Sierra Leone

Nom local	Sierra Leone
Capitale	Freetown
Superficie	72 000 km^2
Population	5 559 900
Habitants	Sierraléonais, Sierraléonaises

La Sierra Leone est un État de l'Afrique de l'Ouest situé entre la Guinée et le Libéria. Presque tout le pays est recouvert d'une forêt dense. On en a cependant défriché une partie pour permettre la culture du riz et du manioc, qui sont à la base de la nourriture locale, du café et du cacao, qui sont exportés. Le pays exporte de plus ses ressources minières (diamants, bauxite, or). La langue officielle y est l'anglais. [➔Carte 7]

Sinaï

Le Sinaï est une presqu'île du Moyen-Orient, située en Égypte, à l'est du canal de Suez. Seuls de rares nomades vivent dans cette région désertique de 60 000 km^2. Le sous-sol du Sinaï renferme des gisements de pétrole. Selon la Bible, l'un des sommets du mont Sinaï, dans le sud de la presqu'île, serait la montagne où Moïse a reçu de Dieu les Tables de la Loi, sur lesquelles étaient gravés les Dix Commandements. Cela fait du Sinaï une destination touristique très populaire.

Singapour (ville)

Singapour est la capitale du pays du même nom situé en Asie du Sud-Est. Sa population est de 3 500 000 habitants environ. [➔Carte 9]

Singapour (État)

Nom local	Singapura, Xīnjīapō, Singapore, Ciṅgkappūrā
Capitale	Singapour
Superficie	581 km^2
Population	4 839 400
Habitants	Singapouriens, Singapouriennes

Singapour est un petit État de l'Asie du Sud-Est formé de l'île de Singapour et d'autres îlots. L'île n'a aucun lac ni aucune rivière. Un aqueduc venant de Malaisie couvre la majorité de ses besoins en eau. Singapour est un port très actif et le principal centre financier de cette région d'Asie. Il possède de plus des industries pétrolières, un chantier naval et il fait le commerce du caoutchouc. Les langues officielles y sont le malais, le chinois, l'anglais et le tamoul. [➔Carte 9]

Skopje

Skopje est la capitale de la Macédoine, un pays du sud-est de l'Europe situé dans la péninsule des Balkans. Cette ville existe depuis l'Antiquité romaine. Sa population compte 524 500 habitants. [➔Carte 8]

Slovaquie

Nom local	Slovensko
Capitale	Bratislava
Superficie	49 025 km^2
Population	5 406 000
Habitants	Slovaques

La Slovaquie est un État de l'Europe centrale, voisin de la Pologne, de l'Ukraine, de la Hongrie, de la République tchèque et de l'Autriche. La Slovaquie a fait partie de la Tchécoslovaquie de 1918 à 1993. Ses principales activités économiques sont

A B C D E F G H I J K L M N O P Q R S T U V W X Y Z

l'exploitation forestière, l'agriculture, l'élevage et l'extraction du fer. On y trouve aussi des industries sidérurgiques, mécaniques et textiles. La langue officielle de la Slovaquie est le slovaque. [➔Carte 8]

Slovénie

Nom local	Slovenija
Capitale	Ljubljana
Superficie	20 251 km^2
Population	2 039 400
Habitants	Slovènes

La Slovénie est un État du centre de l'Europe, voisin de l'Autriche, de la Croatie, de la Hongrie et de l'Italie. La Slovénie a fait partie de l'Autriche au 13e siècle et de la Yougoslavie de 1918 à 1991. On y cultive principalement la pomme de terre, en plus d'y faire l'élevage de bœufs et de moutons. Le pays s'est développé grâce à ses ressources hydroélectriques et minières. La langue officielle y est le slovène. [➔Carte 8]

La commune de Kanal, en ***Slovénie***

Smallwood (réservoir)

Le réservoir Smallwood est un immense lac artificiel situé dans le Labrador. Ce réservoir d'eau douce de 6475 km^2 a été créé par la construction de barrages sur le fleuve Churchill.

Société Saint-Jean-Baptiste (SSJB)

Association culturelle canadienne-française, fondée à Montréal en 1834 par Ludger Duvernay, et qui s'est par la suite implantée dans plusieurs régions francophones de l'Amérique du Nord. Elle a pour objectif de favoriser le maintien et l'épanouissement des droits linguistiques et culturels des Canadiens français. Dès sa fondation, elle proclame le 24 juin fête nationale des Canadiens français. Chaque année, la Société Saint-Jean-Baptiste de Montréal attribue des prix à des personnalités qui s'illustrent dans divers domaines, tels la littérature, le journalisme, la musique, le théâtre, les arts plastiques, les sciences humaines, le sport et l'athlétisme.

Sœurs (île des)

L'île des Sœurs est située dans le fleuve Saint-Laurent, au sud de la ville de Verdun, dans la région administrative de Montréal, au Québec. L'île des Sœurs est surtout résidentielle. Des commerces et des bureaux d'affaires y sont aussi installés. La Congrégation religieuse de Notre-Dame, fondée par Marguerite Bourgeoys, a été l'unique propriétaire de l'île pendant plus de deux siècles et demi, jusqu'en 1956, année où elle l'a vendue. C'est ce qui explique l'origine du nom de cette île.

Sofia

Sofia est la capitale de la Bulgarie, un pays du sud-est de l'Europe situé dans les Balkans. Elle est la plus grande ville du pays et son centre économique et social. Sofia est aussi le centre universitaire de la Bulgarie. La ville compte 1 155 400 habitants. [➔Carte 8]

Somalie

Nom local	Soomaaliya, Aş Şūmāl
Capitale	Muqdisho
Superficie	650 000 km^2
Population	8 953 900
Habitants	Somaliens, Somaliennes

La Somalie est un État de l'est de l'Afrique. La population vit surtout dans la plaine côtière du pays et cultive le maïs, la canne à sucre, le sorgho et la banane. Les Somaliens pratiquent aussi l'élevage nomade – la première activité du pays – et la pêche, et exploitent par ailleurs des mines de sel. Les langues officielles de la Somalie sont le somali et l'arabe. [➔Carte 7]

Sommet des Amériques

Réunissant 34 pays démocratiques des Amériques, ce processus amorcé en 1994 s'est donné pour objectif de trouver des solutions aux problèmes communs (politiques, économiques et sociaux). Quatre Sommets ont eu lieu jusqu'à présent (1998, 2001, 2004 et 2005). Le Sommet des Amériques de 2001 s'est tenu à Québec. Il a été le lieu des pourparlers concernant la proposition de la Zone de libre-échange des Amériques (ZLÉA). Il a suscité d'importantes manifestations altermondialistes contre la mondialisation.

Soudan

Nom local	As Sūdān
Capitale	Khartoum
Superficie	2 505 813 km²
Population	41 347 800
Habitants	Soudanais, Soudanaises

Le Soudan, situé à l'est de l'Afrique, est le plus vaste État de ce continent. Ce pays désertique est traversé par le Nil. Après avoir été sous la domination de l'Égypte jusqu'en 1956, le Soudan a subi des périodes de guerre civile, notamment dans la région du Darfour. Les Soudanais vivent surtout de la culture du mil, du sorgho, de la patate douce et du manioc, qui sont à la base de leur alimentation. Ils cultivent également le coton, l'arachide et la canne à sucre pour l'exportation. Le Soudan possède d'importants gisements de pétrole. La langue officielle y est l'arabe. [➔Carte 7]

*Les pyramides de Méroé, au **Soudan***

Sphinx (le)

Monstre de la mythologie grecque. Dans la légende d'Œdipe, le Sphinx posait une énigme aux voyageurs qui voulaient aller à Thèbes, et les dévorait s'ils ne pouvaient la résoudre. Œdipe l'ayant résolue, le Sphinx, furieux, s'est précipité dans le vide du haut d'un rocher.

Sri Lanka

Nom local	Shrī Lamkā, Ilańkai
Capitale	Colombo
Superficie	65 000 km²
Population	20 156 200
Habitants	Srilankais, Srilankaises

Le Sri Lanka est un État du sud de l'Asie, correspondant à l'île de Ceylan, au sud de l'Inde. C'est pendant que le Sri Lanka était une colonie britannique que la culture du thé y a été implantée. Aujourd'hui, ce pays est le deuxième producteur mondial de thé. Les Srilankais cultivent également du riz, des patates douces ainsi que la noix de coco, qu'ils exportent. La population se compose d'une majorité de Cingalais, qui sont bouddhistes, et de Tamouls, qui sont hindouistes. Les langues officielles du Sri Lanka sont le cingalais et le tamoul. [➔Carte 9]

Stadaconé

Nom donné à la ville de Québec à l'époque de Jacques Cartier. C'était alors un important établissement iroquois.

Statue de la Liberté

➔Voir **Liberté** (statue de la)

Stockholm

La ville de Stockholm est la capitale de la Suède, un pays scandinave du nord de l'Europe. C'est dans cette grande ville que se trouvent le siège du gouvernement, le Parlement du pays ainsi que la résidence du roi. Située au bord de la mer Baltique, Stockholm est un port et un centre industriel important. Sa population de 789 000 habitants passe à 2 019 200 habitants avec sa banlieue. [➔Carte 8]

Sucre

La ville de Sucre est, avec La Paz, la capitale de la Bolivie, un pays de l'Amérique du Sud. La ville abrite le siège de la Cour suprême. Elle doit son nom à Antonio José de Sucre, président de la Bolivie de 1826 à 1828 et lieutenant de Bolivar. La ville compte 256 200 habitants. [➔Carte 6]

Sudbury (Grand)

Le Grand Sudbury s'appelait Sudbury avant sa fusion avec d'autres municipalités en 2000. La ville est située au nord du lac Huron, dans le centre-est de l'Ontario, au Canada. On y trouve des fonderies et des mines. Les francophones représentent près du tiers de la population de 157 900 habitants.

Suède

Nom local	Sverige
Capitale	Stockholm
Superficie	450 000 km²
Population	9 221 000
Habitants	Suédois, Suédoises

La Suède est un État scandinave du nord de l'Europe. Grâce à ses immenses forêts, la Suède fabrique de la pâte à papier et des meubles. Le pays possède aussi de grandes ressources de fer, c'est pourquoi son industrie sidérurgique est réputée. L'agriculture et l'élevage bovin y sont très développés. Les Suédois vivent surtout dans les villes et leur niveau de vie est l'un des plus élevés du monde. La langue officielle de la Suède est le suédois. [➔Carte 8]

***Stockholm**, en Suède*

Suez (canal de)

Le canal de Suez, situé en Égypte, a été creusé entre la mer Méditerranée et la mer Rouge. Réalisé par le Français Ferdinand de Lesseps en 1869, il relie l'Europe et l'Asie, ce qui permet aux navires de ne pas avoir à contourner l'Afrique.

Suisse

Nom local	Schweiz, Svizzera, Svizra
Capitale	Berne
Superficie	40 000 km²
Population	7 630 600
Habitants	Suisses

La Suisse est un État de l'ouest de l'Europe situé entre la France, l'Italie, l'Allemagne, le Liechtenstein et l'Autriche. Le pays est connu pour ses banques, son horlogerie, son chocolat, ses sports d'hiver, ses produits de luxe et sa technologie de pointe. Malgré son niveau de vie le plus élevé d'Europe compte tenu de ses activités bancaires, il ne fait pas partie de l'Union européenne. Les langues officielles de la Suisse sont le français, l'allemand, l'italien et le romanche. [➔Carte 8]

*Lucerne, en **Suisse***

Sumatra

Sumatra est une île indonésienne située sur l'équateur. Avec ses 443 065 km², elle est l'une des plus grandes îles du monde. Elle compte 45 000 000 d'habitants.

Supérieur (lac)

Le lac Supérieur est le plus étendu des Grands Lacs de l'Amérique du Nord. Il est situé sur la frontière des États-Unis et du Canada. D'une superficie de 84 243 km², dont 29 888 km² en territoire canadien, il constitue la plus grande étendue d'eau douce du monde. Cette région a été pendant longtemps un centre important de traite des fourrures. Étienne Brûlé [➔Brûlé, Étienne] aurait été le premier Européen à s'y rendre, en 1622.

Suriname

Nom local	Suriname
Capitale	Paramaribo
Superficie	165 000 km²
Population	515 100
Habitants	Surinamiens, Surinamiennes

Le Suriname, un État du nord du Brésil, est le plus petit pays de l'Amérique du Sud. Il vit de la pêche, de l'exploitation forestière et de l'agriculture (riz, canne à sucre, bananes, oranges). Le Suriname est le deuxième producteur mondial de bauxite. Le pays portait auparavant le nom de Guyane néerlandaise, car il appartenait aux Pays-Bas. La langue officielle y est le néerlandais. [➔Carte 6]

Sutton (monts)

Les monts Sutton forment une chaîne de montagnes qui font partie des montagnes Vertes, dans les Appalaches. Les monts Sutton se situent à la frontière du Québec et des États-Unis, dans la région administrative de la Montérégie et dans l'État du Vermont. Leur point culminant est le sommet Rond, haut de 972 m.

Suva

Suva est la capitale des îles Fidji, un pays de l'Océanie (Mélanésie). Située dans l'île de Viti Levu, Suva est le principal port des Fidji et compte une population de 74 500 habitants. [➔Carte 10]

*Une ruelle de Damas, en **Syrie***

Swaziland

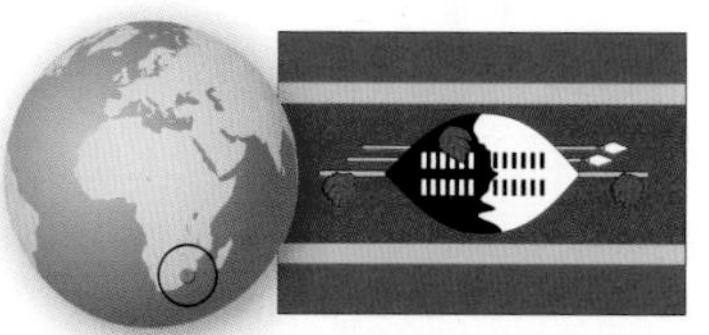

Nom local	eSwatini
Capitale	Mbabane
Superficie	17 400 km²
Population	1 167 800
Habitants	Swazis, Swazies

Le Swaziland est un État du sud de l'Afrique situé entre le Mozambique et l'Afrique du Sud. Dans ce pays tropical, les cultures sont axées sur la canne à sucre, les fruits, le maïs et le coton. Les forêts y sont exploitées et l'amiante, le charbon et les diamants sont extraits du sous-sol. De nombreux Swazis travaillent en Afrique du Sud. Les langues officielles du Swaziland sont l'anglais et le swati. [➔Carte 7]

Sydney

Sydney est la ville principale et le premier port d'Australie, un pays de l'Océanie. Elle est une destination touristique mondialement connue pour son opéra et le Harbour Bridge, le pont le plus large du monde. Sa population est de 4 336 400 habitants.

Syrie

Nom local	Soûrûyeh
Capitale	Damas
Superficie	185 000 km²
Population	21 226 900
Habitants	Syriens, Syriennes

La Syrie est un État du Moyen-Orient. Situé entre la mer Méditerranée et la vallée du fleuve Euphrate, le pays est principalement constitué par un vaste plateau désertique. La majeure partie de la population vit non loin de l'Euphrate, sur une bande de terre fertile. L'économie repose surtout sur la culture des céréales, des arbres fruitiers et du coton ainsi que sur l'extraction du pétrole. La langue officielle de la Syrie est l'arabe. [➔Carte 9]

Tt

Tachkent
La ville de Tachkent est la capitale de l'Ouzbékistan, un pays de l'Asie centrale. Elle compte 2 137 200 habitants. [➔Carte 9]

Tadjikistan

Nom local	Todjikiston
Capitale	Douchanbé
Superficie	143 100 km²
Population	6 836 100
Habitants	Tadjiks, Tadjikes

Le Tadjikistan est un État de l'Asie centrale, situé entre l'Afghanistan, l'Ouzbékistan, le Kirghizstan et la Chine. La culture du coton, des céréales, du riz et des fruits ainsi que l'élevage des moutons constituent les principales activités économiques du pays. La langue officielle y est le tadjik. [➔Carte 9]

Tadoussac
Le village de Tadoussac est situé au Québec dans la région administrative de la Côte-Nord, à l'embouchure de la rivière Saguenay. Tadoussac a été, aux 18e et 19e siècles, un important centre de traite des fourrures. Aujourd'hui, ce centre de villégiature attire de nombreux touristes, entre autres pour l'observation de baleines et la découverte du fjord du Saguenay. Tadoussac compte 850 habitants. [➔Carte 5]

Tahiti
L'île de Tahiti, située dans l'océan Pacifique, est la plus grande des îles de la Polynésie française. D'une superficie de 1042 km², elle est formée de deux volcans éteints et entourée d'un récif de corail. La ville principale est Papeete. L'économie de Tahiti repose surtout sur l'agriculture, la pêche et le tourisme. La population de Tahiti est de 178 100 habitants. [➔Carte 10]

Taipei
La ville de Taipei est la capitale de Taiwan, une île située au sud-est de la Chine. Elle compte 2 607 400 habitants.

Taiwan
Taiwan est une île située au sud-est de la Chine continentale. Elle a une superficie de 32 260 km² et sa capitale est Taipei. Taiwan a proclamé son indépendance en 1949 et se comporte comme un État bien que la Chine n'ait pas officiellement accepté son indépendance. L'économie de l'île est axée sur l'exportation de produits électroniques, l'industrie textile, la culture du riz et la pêche. La population de Taiwan s'élève à 22 920 900 habitants. La langue officielle de Taiwan est le chinois. [➔Carte 9]

Taj Mahal (le)
Monument funéraire indien. Construit entre 1630 et 1652 à Âgra, en Inde, ce mausolée en marbre blanc incrusté de pierres semi-précieuses est situé au centre d'un vaste jardin. Des artisans de plusieurs pays ont participé à sa construction et à sa décoration. Le Taj Mahal est considéré comme l'un des plus beaux monuments du monde.

Tallinn
La ville de Tallinn est la capitale de l'Estonie, un pays du nord-est de l'Europe. Elle compte 397 200 habitants. [➔Carte 8]

Talon (Jean)
Administrateur, né en France vers 1626 et mort dans le même pays en 1694. Intendant de la Nouvelle-France de 1665 à 1668 et de 1670 à 1672, il s'est occupé du peuplement de la

Tadoussac

colonie, de l'exploration du territoire et de son développement. Jean Talon a aussi mis sur pied une brasserie et un chantier de construction navale.

*L'intendant Jean **Talon** rend visite à une famille de la Nouvelle-France*

Tananarive

La ville de Tananarive est la capitale de Madagascar, un pays de l'Afrique de l'Est situé dans l'océan Indien. Elle compte 1 015 100 habitants. [➔Carte 7]

Tanzanie

Nom local	Tanzania
Capitale	Dodoma
Superficie	940 000 km^2
Population	42 483 900
Habitants	Tanzaniens, Tanzaniennes

La Tanzanie est un État de l'Afrique de l'Est, situé en bordure de l'océan Indien. On y trouve le Kilimandjaro, la plus haute montagne du continent africain. L'économie de la Tanzanie repose principalement sur la culture du coton, de la canne à sucre et des épices. Son sol est aussi riche en diamants et en or. Les langues officielles y sont le swahili et l'anglais. [➔Carte 7]

Taschereau (Louis-Alexandre)

Homme politique, né à Québec en 1867 et mort au même endroit en 1952. Chef du Parti libéral, il a été premier ministre du Québec de 1920 à 1936.

Tasiujaq

Tasiujaq est un village inuit du Québec, situé sur la côte ouest de la baie d'Ungava, dans la région administrative du Nord-du-Québec. Ses 250 habitants, les Tasiujarmiuqs, parlent l'inuktitut et l'anglais. [➔Carte 5]

Tbilissi

La ville de Tbilissi est la capitale de la Géorgie, un pays d'Asie. La ville compte 1 108 600 habitants. [➔Carte 9]

Tchad

Nom local	Tchād
Capitale	N'Djamena
Superficie	1 284 000 km^2
Population	11 067 400
Habitants	Tchadiens, Tchadiennes

Le Tchad est un État désertique de l'Afrique centrale. Ancienne colonie française, le pays a obtenu son indépendance en 1960. La culture du coton et l'exportation de pétrole constituent ses principales activités économiques. Les langues officielles y sont le français et l'arabe. [➔Carte 7]

Tchécoslovaquie

La Tchécoslovaquie est un ancien État de l'Europe centrale, situé entre l'Allemagne, la Pologne, l'Ukraine, la Hongrie et l'Autriche, et constitué par les États tchèque et slovaque. Sa capitale était Prague. Elle avait été créée en 1918. En 1993, la Slovaquie est devenue indépendante, et La Bohême et la Moravie se sont unies pour former la République tchèque.

*Prague, capitale de l'ancienne **Tchécoslovaquie**, aujourd'hui celle de la République tchèque.*

A B C D E F G H I J K L M N O P Q R S T U V W X Y Z

Tchèque (République)

Nom local	Česko
Capitale	Prague
Superficie	78 862 km²
Population	10 427 900
Habitants	Tchèques

La République tchèque est un État de l'Europe centrale formé de la Bohême et de la Moravie. C'était l'une des deux républiques fédérées de la Tchécoslovaquie de 1918 à 1992. Son économie repose sur l'agriculture (céréales, vigne, betteraves sucrières), l'élevage (bœufs, porcs), les industries (sidérurgie, métallurgie, textile, alimentation) et sur les mines (charbon, lignite). La langue officielle y est le tchèque. [➔Carte 8]

Teasdale (Lucille)

Médecin et missionnaire québécoise, née à Montréal en 1929 et morte en Italie en 1996. Elle est l'une des rares femmes de son époque à avoir fait des études de médecine et, plus particulièrement, à s'être spécialisée en chirurgie. Avec son mari, Pietro Corti, elle fonde en Ouganda un hôpital de 400 lits où elle pratique au fil des ans de très nombreuses interventions chirurgicales. C'est au cours de l'une d'elles qu'elle contracte le sida qui l'emportera. L'Organisation mondiale de la santé lui a décerné le prix Sasakawa. Lucille Teasdale est également récipiendaire de l'Ordre du Canada et de l'Ordre national du Québec.

Lucille ***Teasdale***

Tegucigalpa

La ville de Tegucigalpa est la capitale du Honduras, un pays de l'Amérique centrale. Elle compte 858 400 habitants. [➔Carte 3]

Téhéran

La ville de Téhéran est la capitale de l'Iran, un pays du Moyen-Orient. Grand centre commercial, cette ville possède aussi de riches musées. Sa population s'élève à 7 088 300 habitants. [➔Carte 9]

Tekakouitha (Kateri)

Amérindienne, née dans l'État de New York en 1656 et morte près de Montréal en 1680. Ayant choisi de se convertir à la religion chrétienne, elle a reçu, lors de son baptême en 1676, le prénom de Kateri (Catherine). Béatifiée en 1980, elle est la première Amérindienne déclarée bienheureuse par l'Église catholique.

Témiscamie (monts)

Les monts Témiscamie sont situés à l'est du lac Mistassini, dans la région administrative du Nord-du-Québec. Le point culminant de cet ensemble de montagnes est de 686 m.

Témiscamingue (région)

Le Témiscamingue est une région du Québec située dans l'ouest de la province, près de la frontière ontarienne. Importante région pour la traite des fourrures dès le 17e siècle, le Témiscamingue a été ouvert à la colonisation à la fin du 19e siècle. Ses principales activités économiques sont l'agriculture et l'exploitation forestière. Ce territoire de 16 328 km² compte 16 580 habitants.

Témiscamingue (lac)

Le lac Témiscamingue est situé au Québec, près de la frontière avec l'Ontario, dans la région administrative de l'Abitibi-Témiscamingue. Le nom Témiscamingue, d'origine amérindienne, signifie *eau profonde*. La superficie du lac Témiscamingue est de 280 km².

Témiscouata (région)

Le Témiscouata est une région du Québec située sur la rive sud du fleuve Saint-Laurent, au sud de Rivière-du-Loup, près du lac Témiscouata. Cette région couvre 3899 km² et compte 21 540 habitants.

Témiscouata (lac)

Le lac Témiscouata est situé au sud-est de Rivière-du-Loup, sur la rive sud du fleuve Saint-Laurent, au Québec. Il fait partie de la région administrative du Bas-Saint-Laurent. Ce lac d'une superficie de 66 km² et d'une longueur de 40 km est le plus grand de la région. Il se déverse dans la rivière Madawaska, qui se jette à son tour dans le fleuve Saint-Jean, au Nouveau-Brunswick. Le nom Témiscouata, d'origine amérindienne, signifie *lac profond*.

Terrebonne

La ville de Terrebonne est située au Québec sur les rives de la rivière des Mille-Îles, dans la région administrative de Lanaudière. Son nom vient de la seigneurie de Terrebonne, ainsi baptisée en raison de la fertilité de ses terres. La ville compte 94 700 habitants. [➔Carte 5]

Terre-Neuve (île de)

L'île de Terre-Neuve est située dans l'est du Canada. Elle forme, avec le Labrador, la province de Terre-Neuve-et-Labrador. Séparée du continent par le détroit de Belle-Isle, elle occupe une superficie de 112 299 km². Elle aurait été découverte par Giovanni Caboto (Jean Cabot) en 1497 pour le compte de l'Angleterre. Dès le 15e siècle, elle était au centre de la pêche à la morue. La France l'a cédée à l'Angleterre en 1713. [➔Carte 4]

*Le Parc national du Canada du Gros-Morne, à **Terre-Neuve***

Terre-Neuve-et-Labrador

Terre-Neuve-et-Labrador est une province de l'est du Canada formée de l'île de Terre-Neuve et du Labrador. Son territoire couvre une superficie de 404 517 km², soit 4,1 % du territoire canadien. Cette province a été la dernière à entrer dans la Confédération, en 1949. Les habitants y vivent principalement de la pêche, des industries minières et forestières, des gisements de gaz naturel et d'une importante production d'hydroélectricité. Saint-Jean, la capitale, Corner Brook et Labrador City en sont les villes importantes. La province a une population de 505 500 habitants. [➔Carte 4]

Thaïlande

Nom local	Prathet Thai
Capitale	Bangkok
Superficie	500 000 km²
Population	67 386 400
Habitants	Thaïlandais, Thaïlandaises

La Thaïlande est un État de l'Asie du Sud-Est. L'économie du pays repose sur le tourisme, qui est très important, la culture du riz et la production de caoutchouc. La langue officielle de la Thaïlande est le thaï. [➔Carte 9]

Thetford Mines

La ville de Thetford Mines est située au Québec, au bord de la rivière Bécancour, entre Sherbrooke et Québec, dans la région administrative de Chaudière-Appalaches. Thetford Mines est l'un des plus importants producteurs d'amiante du monde. La ville compte 25 700 habitants. [➔Carte 5]

Thimphou

La ville de Thimphou est la capitale du Bhoutan, un pays d'Asie situé dans l'Himalaya. Elle compte 79 190 habitants. [➔Carte 9]

Thunder Bay

La ville de Thunder Bay est située en Ontario, au Canada, sur la rive nord du lac Supérieur. Centre de traite des fourrures au 17e siècle, elle a pris de l'importance avec la découverte de mines d'argent vers 1870. Aujourd'hui, Thunder Bay est un port actif (entreposage de céréales) ainsi qu'un centre minier, ferroviaire et forestier. La ville compte 109 100 habitants.

Tibet

Le Tibet est l'une des cinq régions autonomes de la Chine. La majeure partie de son territoire de 1 221 600 km² est situé à plus de 3500 m d'altitude. Le climat y est très froid et sec, sauf dans le sud, où se concentre la population. La région vit de la culture céréalière, de l'élevage de moutons et de l'artisanat. Les Tibétains, dont le chef spirituel est le dalaï-lama, s'opposent au gouvernement central chinois et aspirent à recouvrer leur indépendance. Lhassa est la principale ville du Tibet avec 6 000 000 d'habitants. [➔Carte 9]

Moine tibétain au monastère de Drepung

Ticonderoga ➔Voir **Carillon** (bataille de)

Timiskaming

La réserve algonquine de Timiskaming est située au Québec, au nord de Ville-Marie, dans la région administrative de l'Abitibi-Témiscamingue. Ses 500 habitants, les Timiskaminginis, parlent l'algonquin, l'anglais et le français. [➔Carte 5]

Timor oriental

Nom local	Timor-Leste, Timór Loro Sa'e
Capitale	Dili
Superficie	14 874 km²
Population	1 109 000
Habitants	Timorais, Timoraises

Le Timor oriental est un État de l'Asie du Sud-Est, situé complètement à l'est de l'archipel indonésien, sur l'île de Timor. Son économie repose principalement sur l'agriculture, la pêche et l'élevage. Les langues officielles y sont le portugais et le tétum. [➔Carte 9]

Tirana

La ville de Tirana est la capitale de l'Albanie, un pays du sud-est de l'Europe. Elle compte 392 900 habitants. [➔Carte 8]

Titanic (le)

Paquebot de la compagnie White Star Line. Réputé insubmersible, ce transatlantique, le plus luxueux et le plus grand jamais construit alors, entreprend son voyage inaugural le 10 avril 1912 en reliant Southampton (Angleterre) à New York. Quatre jours plus tard, au large des côtes de Terre-Neuve, le *Titanic* percute un iceberg aperçu trop tard. Il envoie le premier SOS de l'histoire de la marine. Il sombre quelques heures plus tard, emportant avec lui 1695 passagers qui n'avaient pas trouvé place dans les canots de sauvetage, insuffisamment nombreux. Son épave, localisée en 1985 à une profondeur de 4000 m, a été visitée en 1986-1987.

Togo

Nom local	Togo
Capitale	Lomé
Superficie	56 000 km²
Population	6 458 600
Habitants	Togolais, Togolaises

Le Togo est un État de l'Afrique de l'Ouest. Il est parmi les plus petits pays du continent africain. Ses principales richesses proviennent de l'exploitation de mines de phosphate ainsi que de la culture du café, du cacao et des palmiers à huile. La langue officielle du pays est le français. [➔Carte 7]

Tokyo

La ville de Tokyo est la capitale du Japon, un pays de l'Asie de l'Est situé dans l'océan Pacifique. Ville importante et populeuse, elle est le principal pôle financier, commercial et culturel du pays. De nombreuses usines de tous les secteurs industriels y sont installées. Sa population est de 8 489 700 habitants. [➔Carte 9]

La tour de **Tokyo**

Tonga

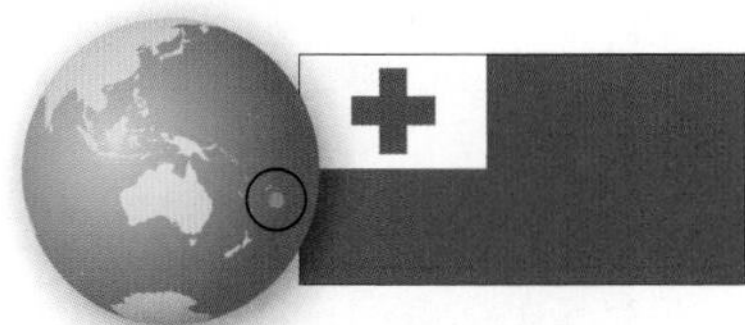

Nom local	Tonga
Capitale	Nuku'alofa
Superficie	700 km²
Population	103 600
Habitants	Tongiens, Tongiennes

Les îles Tonga sont un archipel et un État de la Polynésie situé dans l'océan Pacifique, au sud-est des îles Fidji. Cet archipel est composé d'environ 170 îles et îlots volcaniques. La culture du manioc et des bananes ainsi que la pêche et le tourisme constituent les principales activités économiques des îles Tonga. Les langues officielles y sont le tongan et l'anglais. [➔Carte 10]

Torngat (monts)

La chaîne de montagnes des monts Torngat se situe entre la région administrative du Nord-du-Québec et le Labrador, au Canada. Son point culminant au Québec est le mont D'Iberville, haut de 1622 m.

Toronto

La ville de Toronto est la capitale de l'Ontario, l'une des provinces canadiennes. Centre financier important dans le monde, Toronto est la capitale économique du Canada. C'est une ville moderne et multiculturelle, dont près de la moitié des habitants est née à l'extérieur du Canada. Son économie repose sur une industrie diversifiée (textile, télécommunication, automobile, sidérurgie), sur la culture et les arts ainsi que sur le tourisme. Toronto compte 2 503 300 habitants, population qui s'élève à 5 623 500 habitants si l'on tient compte de sa banlieue. [➔Carte 4]

Tortue (lac à la)

Le lac à la Tortue est situé au Québec, dans la région administrative de la Mauricie, près de Grand-Mère. Il a une superficie d'un peu plus de 3 km².

Transcanadienne (route)

La route Transcanadienne est une autoroute qui traverse tout le Canada, de l'Atlantique au Pacifique. Longue de 7821 km, c'est la plus longue route nationale du monde. Construite entre 1949 et 1965, elle relie Saint-Jean, capitale de Terre-Neuve-et-Labrador, à Victoria, capitale de la Colombie-Britannique. Elle a été inaugurée officiellement en 1962.

Travers (Mary Rose-Anna) ➔Voir **Bolduc** (La)

Tremblant (mont)

Le mont Tremblant est situé dans le Parc national du Mont-Tremblant, au Québec, dans la région administrative des Laurentides. Avec ses 968 m d'altitude, c'est le plus haut sommet de la chaîne des Laurentides. On y trouve un centre de villégiature et une importante station de ski alpin.

Tremblay (Michel)

Dramaturge et romancier, né à Montréal en 1942. En 1965, sa pièce de théâtre *Les Belles-Sœurs* connaît un vif succès et lui permet dès lors de se consacrer à l'écriture. Depuis, Michel Tremblay a construit une œuvre attachante et originale qui comprend plusieurs romans (*Le cœur découvert*, *Le cœur éclaté*, *La nuit des princes charmants*, *Des nouvelles d'Édouard*, etc.), des pièces de théâtre (*La duchesse de Langeais*, *Hosanna*, *À toi pour toujours, ta Marie-Lou*, *Albertine en cinq temps*), des chroniques (*Les Vues animées*, *Un ange cornu avec des ailes de tôle*, *Douze coups de théâtre*). Michel Tremblay a remporté une vingtaine de prix littéraires, dont le prix Athanase-David pour l'ensemble de son œuvre.

Michel ***Tremblay***

Trinité-et-Tobago

Nom local	Trinidad and Tobago
Capitale	Port of Spain
Superficie	5000 km²
Population	1 337 900
Habitants	Trinidadiens, Trinidadiennes

Trinité-et-Tobago est un État des Antilles situé au nord du Venezuela. Il est formé de deux îles, Trinité et Tobago, qui ont été découvertes par Christophe Colomb en 1498. L'économie du pays repose sur la pêche et la culture du cacao, de la canne à sucre et du café. La langue officielle y est l'anglais. [➔Carte 3]

Tripoli

La ville de Tripoli est la capitale de la Libye, un pays du Maghreb. La ville de Tripoli compte 591 100 habitants, population qui s'élève à 1 500 000 habitants si l'on tient compte de sa banlieue. [➔Carte 7]

Trois-Rivières

La ville de Trois-Rivières est située au Québec, à l'embouchure de la rivière Saint-Maurice, dans la région administrative de la Mauricie. Elle a été fondée en 1634 par le sieur de Laviolette et doit son nom à la division de la rivière Saint-Maurice en trois branches. Trois-Rivières est un centre industriel dont les activités se concentrent dans les secteurs des pâtes et papiers, de l'imprimerie, des produits chimiques et du textile. Sa population est de 126 320 habitants. [➔Carte 5]

Trotteur (Alexis le, né Alexis Lapointe)

Personnage légendaire du Québec, né à La Malbaie en 1860 et mort à Alma en 1924. On lui a donné le surnom de «le Trotteur» à cause de son incroyable aptitude pour la course. Il a même fait partie du folklore des régions où il a vécu. Le Trotteur pouvait courir plus de 240 km par jour et affronter à la course des chevaux et même des trains.

Trudeau (Pierre Elliott)

Homme politique, né à Montréal en 1919 et mort dans la même ville en 2000. Chef du Parti libéral, il a été premier ministre du Canada de 1968 à 1979 et de 1980 à 1984. Sous son gouvernement, l'anglais et le français ont été proclamés langues officielles du Canada.

Pierre Elliott ***Trudeau***

Tunis

La ville de Tunis est la capitale de la Tunisie, un pays du Maghreb. Port important et centre industriel du pays, Tunis compte 702 300 habitants. [➔Carte 7]

Tunisie

Nom local	Toûnis
Capitale	Tunis
Superficie	165 000 km²
Population	10 326 600
Habitants	Tunisiens, Tunisiennes

Sidi Bou Saïd, en ***Tunisie***

La Tunisie est un État du Maghreb, en Afrique du Nord, et le plus petit pays de cette région. Le désert du Sahara occupant près de la moitié de son territoire, c'est sur la côte est que se trouvent la plupart des villes et la majorité de la population. Producteur d'huile d'olive, ce pays cultive aussi les céréales et les oranges. Son économie repose également sur le tourisme, le pétrole et les mines de phosphate. La langue officielle de la Tunisie est l'arabe, mais on y parle aussi le français. [➔Carte 7]

Turkménistan

Nom local	Türkmenistan
Capitale	Achgabat
Superficie	488 100 km²
Population	5 028 000
Habitants	Turkmènes

Le Turkménistan est un État de l'Asie centrale, voisin de l'Afghanistan, de l'Iran, de l'Ouzbékistan et du Kazakhstan. Le désert du Karakoum recouvre les trois quarts du pays. Le pays possède de grandes quantités de sel, de soufre, de pétrole et, surtout, de gaz. On y pratique aussi la culture du coton et l'élevage des moutons. La langue officielle du Turkménistan est le turkmène. [➔Carte 9]

Achgabat, au ***Turkménistan***

Turner (John Napier)

Homme politique, né en Angleterre en 1929 d'un père anglais et d'une mère canadienne. Il arrive au Canada très jeune et vit d'abord en Colombie-Britannique, puis à Ottawa. Il pratique le droit à Montréal avant d'être élu au Parlement du Canada en 1962. Il a tenté à plusieurs reprises d'être élu premier ministre du Canada avant de l'être enfin en 1984. Cependant, son mandat a été parmi les plus courts de l'histoire politique canadienne : 2 mois et demi.

Turquie

Nom local	Türkiye
Capitale	Ankara
Superficie	800 000 km²
Population	73 914 300
Habitants	Turcs, Turques

La Turquie est un État du Proche-Orient bordé par trois mers : la mer Noire, la mer Égée et la mer Méditerranée. Dans la région de la ville d'Istanbul, une partie du territoire turc se situe en Asie et une autre, plus petite, en Europe. En raison de sa localisation géographique, la Turquie a longtemps fait le lien entre l'Orient et l'Occident. Son économie repose sur une agriculture diversifiée (céréales, fruits, légumes), la culture du tabac et du coton, l'élevage de moutons, l'industrie textile et l'exploitation de mines de chrome et de charbon. Le tourisme y est aussi très important. La langue officielle de la Turquie est le turc. [➔Cartes 8 et 9]

Tuvalu

Nom local	Tuvalu
Capitale	Vaiaku
Superficie	25 km²
Population	10 920
Habitants	Tuvalais, Tuvalaises

Les îles Tuvalu sont un archipel et un État de l'Océanie. Ce petit archipel de neuf îlots est au quatrième rang des plus petits pays du monde, après Nauru, Monaco et le Vatican. On y pratique surtout la pêche. Les langues officielles y sont le tuvaluan et l'anglais. [➔Carte 10]

U u

Uashat-Maliotenam

Uashat-Maliotenam est une réserve montagnaise située à quelques kilomètres de Sept-Îles, dans la région administrative de la Côte-Nord, au Québec. Ses 1190 habitants, les Uashaunnus, parlent le montagnais et le français. [➔Carte 5]

Ukraine

Nom local	Oukraïna
Capitale	Kiev
Superficie	603 700 km^2
Population	46 258 200
Habitants	Ukrainiens, Ukrainiennes

L'Ukraine est un État de l'Europe de l'Est, situé sur la mer Noire. Grand producteur de blé, ce pays cultive aussi du maïs, de la betterave à sucre et du tournesol, et fait l'élevage de bœufs, de porcs et de moutons. Le pétrole, le gaz naturel, les mines de charbon, de fer et de manganèse constituent également des ressources importantes pour l'Ukraine. La langue officielle y est l'ukrainien. [➔Carte 8]

Kiev, en ***Ukraine***

Umiujaq

Umiujaq est un village inuit situé au Québec sur la côte est de la baie d'Hudson, dans la région administrative du Nord-du-Québec. Ses 390 habitants, les Umiujarmiuqs, parlent l'inuktitut et l'anglais. [➔Carte 5]

UNESCO ➔Voir Organisation des Nations Unies pour l'éducation, la science et la culture

Ungava (baie d')

La baie d'Ungava, située à l'extrémité nord du Québec, donne sur le détroit d'Hudson. Son nom, d'origine inuite, signifie *très loin*. [➔Carte 5]

Ungava (péninsule d')

La péninsule d'Ungava est située au nord du Québec. Sa superficie est de 350 000 km^2. Elle est bordée au nord par le détroit d'Hudson, à l'est par la baie d'Ungava et à l'ouest par la baie d'Hudson. [➔Carte 5]

UNICEF

Sigle de **U**nited **N**ations **I**nternational **C**hildren's **E**mergency **F**und, en français Fonds des Nations Unies pour l'enfance. L'UNICEF est un organisme humanitaire qui relève de l'ONU et qui se consacre à faire respecter les droits des enfants partout dans le monde.

Union européenne (UE)

Union économique et politique de plusieurs pays européens (27 en 2010), entrée en vigueur en 1993. Elle a pour objectifs la paix, la prospérité et la liberté pour ses citoyens, dans un monde plus juste et plus sûr. À ce jour, l'UE a notamment permis de voyager et de travailler dans un espace sans frontières ; elle a mis en place une monnaie unique, l'euro ; elle garantit des produits alimentaires plus sûrs et un environnement mieux préservé ; elle offre un niveau de vie plus élevé aux régions défavorisées ; elle permet aux pays membres d'exercer une action commune contre la criminalité et le terrorisme.

Union nationale

Parti politique nationaliste et conservateur du Québec, fondé par Maurice Duplessis en 1936. Il a été au pouvoir pour la première fois de 1936 à 1939 puis sans interruption de 1944 à 1960. Ce parti a disparu de la scène politique en 1988.

URSS

L'Union des républiques socialistes soviétiques (URSS) formait de 1919 à 1991 le plus grand pays du monde, avec une superficie de

22 400 000 km² et une population d'environ 293 000 000 d'habitants. Répartie sur deux continents, l'Europe et l'Asie, l'URSS regroupait 15 républiques : l'Arménie, l'Azerbaïdjan, la Biélorussie, l'Estonie, la Géorgie, le Kazakhstan, le Kirghizstan, la Lettonie, la Lituanie, la Moldavie, l'Ouzbékistan, la Russie, le Tadjikistan, le Turkménistan et l'Ukraine. La plupart d'entre elles, dont la Russie, l'Ukraine, le Kazakhstan et la Moldavie, sont devenues des États indépendants.

Uruguay

Nom local	Uruguay
Capitale	Montevideo
Superficie	176 000 km²
Population	3 334 000
Habitants	Uruguayens, Uruguayennes

L'Uruguay est un État de l'Amérique du Sud situé sur l'océan Atlantique, entre le Brésil et l'Argentine. Le pays s'ouvre, au sud, sur le plus vaste estuaire du monde, le Rio de La Plata. Son économie repose principalement sur l'élevage de bœufs et de moutons ainsi que sur la culture des céréales. La langue officielle de l'Uruguay est l'espagnol. [➔Carte 6]

Utrecht (traité d')

Traité intervenu en 1713 entre la France et l'Angleterre, en vertu duquel Terre-Neuve, l'Acadie et la baie d'Hudson ont été cédées à l'Angleterre.

Vaduz

La ville de Vaduz est la capitale du Liechtenstein, un petit pays de l'ouest de l'Europe situé dans les Alpes. Elle compte 5090 habitants. [➔Carte 8]

Vaiaku

La ville de Vaiaku est la capitale des îles Tuvalu, un pays de l'Océanie. La ville se trouve sur l'îlot de Fongafale et compte 4500 habitants. [➔Carte 10]

Val-d'Or

La ville de Val-d'Or est située au Québec, au sud de la ville d'Amos, dans la région administrative de l'Abitibi-Témiscamingue. Cette ville doit sa création à la découverte de mines d'or, ce qui explique qu'on la surnomme la « reine de la vallée de l'or ». On y trouve aussi des mines d'argent, de zinc et de cuivre et l'industrie du bois y est prospère. Val-d'Or compte 31 120 habitants. [➔Carte 5]

Val-Jalbert

Village du Québec, aujourd'hui abandonné, situé sur la rive ouest du lac Saint-Jean, au sud de Roberval. Val-Jalbert a été fondé par Damase Jalbert au début des années 1900, à la suite du développement de l'industrie de la pâte à papier dans la région. Abandonné à la fin des années 1920, ce village fantôme est aujourd'hui un site historique.

*Les chutes de **Val-Jalbert***

Vancouver (ville)

La ville de Vancouver est située au Canada dans le sud-ouest de la Colombie-Britannique. Son nom lui a été donné en l'honneur du navigateur anglais George Vancouver, qui a exploré la région en 1792. Lorsque le canal de Panama a été ouvert, en août 1914, Vancouver est devenue un port d'exportation de céréales et de bois. Premier centre portuaire du Canada, la ville est aussi un centre industriel aux activités variées : chantiers navals, raffineries de pétrole et de sucre, scieries, minoteries, papeteries. Vancouver a été le site de l'exposition universelle de 1986 (Exposition internationale sur les transports et la communication). Elle compte 578 000 habitants, 2 327 000 habitants si l'on inclut sa banlieue.

Vancouver (chaîne de l'île de)
La chaîne de l'île de Vancouver est une chaîne de montagnes située dans l'ouest du Canada, en Colombie-Britannique. Elle s'étend d'une extrémité à l'autre de l'île de Vancouver. Son point culminant est le mont Golden Hinde, qui atteint 2200 m.

Vancouver (île de)
L'île de Vancouver est située au Canada, au sud-ouest de la Colombie-Britannique, dans l'océan Pacifique. D'une superficie de 32 137 km², c'est la plus grande île de l'ouest du Canada. Elle a été découverte par l'explorateur anglais James Cook, en 1778. C'est sur cette île que se trouve la ville de Victoria, capitale de la Colombie-Britannique.

Vanier (Georges-Philias)
Administrateur, né à Montréal en 1888 et mort à Ottawa en 1967. Il a été gouverneur général du Canada, et le premier Canadien français à occuper ce poste de 1959 à 1967.

Vanuatu

Nom local	Vanuatu
Capitale	Port-Vila
Superficie	12 190 km²
Population	231 100
Habitants	Vanouatais, Vanouataises

Le Vanuatu est un État de l'Océanie (Mélanésie). Cet archipel du sud de l'océan Pacifique est composé de 83 îles, dont la plupart sont volcaniques. La population vit principalement de la culture du cacao et de la pêche. Les langues officielles du Vanuatu sont le bichlamar, le français et l'anglais. [➔Carte 10]

Varsovie
La ville de Varsovie est la capitale de la Pologne, un pays de l'Europe centrale. Détruite durant la Seconde Guerre mondiale par les Allemands, elle est devenue un centre universitaire et culturel important. Varsovie est aussi un centre industriel qui regroupe des activités diversifiées : manufactures, automobile, acier, nouvelles technologies. La ville compte 1 704 700 habitants. [➔Carte 8]

Vatican
L'État de la Cité du Vatican, situé dans la ville de Rome, en Italie, est le plus petit État indépendant du monde. Un peu plus de 800 habitants y vivent, sur une superficie d'à peine un demi-kilomètre carré. Le pape, chef de l'Église catholique, en est également le chef d'État, d'où le nom de Saint-Siège donné aussi au Vatican. Le Vatican possède son drapeau, ses forces armées, sa radio et ses propres journaux. Il comprend principalement la basilique Saint-Pierre, la place Saint-Pierre, le palais pontifical, des jardins et des musées. Chaque année, de nombreux pèlerins et touristes le visitent. La langue officielle du Vatican est l'italien. [➔Carte 8]

Vaudreuil (Philippe de Rigaud, marquis de)
Administrateur, né en France vers 1643 et mort à Québec en 1725. Gouverneur de la Nouvelle-France de 1703 à 1725, il a organisé la défense de la colonie lors de la Guerre de la Succession d'Espagne, qui s'est terminée par la signature du traité d'Utrecht [➔Utrecht, traité d'] en 1713. Il a œuvré à augmenter par l'immigration la population de la Nouvelle-France et à raffermir les liens de paix avec les Amérindiens.

Vaudreuil (Pierre de Rigaud de Vaudreuil de Cavagnial, marquis de)
Administrateur, né à Québec en 1698 et mort à Paris en 1778. Fils du précédent, il a été le premier Canadien à être gouverneur de la Nouvelle-France, poste qu'il a occupé de 1755 à 1760, à l'époque de la guerre de la Conquête [➔Conquête]. C'est lui qui a signé la capitulation de la Nouvelle-France en 1760.

Venezuela

Nom local	Venezuela
Capitale	Caracas
Superficie	900 000 km²
Population	27 943 200
Habitants	Vénézuéliens, Vénézuéliennes

Le Venezuela est un État de l'Amérique du Sud, bordé au nord par la mer des Caraïbes. Le pays possède près de 70 îles dispersées dans la mer des Caraïbes et l'océan Atlantique. L'île de Margarita en est la plus grande et la plus visitée par les touristes. Le Venezuela, cinquième producteur de pétrole du monde, détient aussi d'importantes ressources de fer. La langue officielle y est l'espagnol. [➔Carte 6]

Venise

Venise est une ville située en Italie, un pays du sud de l'Europe. Bâtie sur une lagune de la mer Adriatique, la ville est parcourue par des canaux, dont le plus important est le Grand Canal, qu'enjambent une multitude de petits ponts. Venise est l'un des sites touristiques les plus connus et les plus visités du monde. Elle abrite de nombreux palais, des églises et des musées du Moyen Âge et de la Renaissance ainsi que la célèbre place Saint-Marc. Aujourd'hui, la ville est menacée par la montée des eaux et par la pollution. Venise compte 269 360 habitants.

Verchères (Marie-Madeleine Jarret de)

Née à Verchères en 1678 et morte à Sainte-Anne-de-la-Pérade en 1747. Comme plusieurs jeunes filles de son époque, elle apprend très tôt à tirer au fusil. En 1692, avec quelques personnes seulement, elle a tenu tête à un groupe d'Iroquois qui attaquaient le fort de Verchères.

Madeleine de ***Verchères***

Versailles

Versailles est une ville située en France, près de Paris. Célèbre pour son château et ses jardins, Versailles est l'un des attraits touristiques les plus visités en France. D'abord simple pavillon de chasse bâti par le roi Louis XIII, le château de Versailles a été agrandi et transformé en une résidence royale, au 17e siècle, par le roi Louis XIV. C'est de ce château qu'il a régné sur la France.

Verte (île)

L'île Verte est située au Québec dans le fleuve Saint-Laurent, au nord-est de la ville de Rivière-du-Loup, dans la région administrative du Bas-Saint-Laurent. Cette île effilée qui s'étend sur 12 km ne dépasse pas 2 km de largeur.

Vésuve

Le Vésuve est un volcan actif situé près de Naples, dans le sud de l'Italie. Il s'élève à 1270 m. Sa dernière éruption date de 1944.

Victoria (ville de la Colombie-Britannique)

La ville de Victoria est la capitale de la Colombie-Britannique, la province la plus à l'ouest du Canada. Fondée en 1843 comme poste de traite, Victoria est située au sud-est de l'île de Vancouver, dans l'océan Pacifique. Aujourd'hui, cette ville est un centre administratif important. Son économie repose sur le tourisme, les activités portuaires, la foresterie, la construction navale ainsi que sur les industries du vêtement et de l'alimentation. Victoria compte 78 060 habitants, 326 800 habitants si l'on tient compte de sa banlieue. [➔Carte 4]

Victoria (ville des Seychelles)

La ville de Victoria est la capitale des Seychelles, un archipel africain situé dans l'océan Indien. Victoria est bâtie sur la côte nord-est de l'île de Mahé, l'île principale des Seychelles. Elle compte 24 700 habitants. [➔Carte 7]

Victoria (reine)

Reine de Grande-Bretagne, d'Irlande et du Canada de 1837 à 1901, née à Londres en 1819 et morte à l'île de Wight (Angleterre) en 1901. Comme ses enfants et ses petits-enfants ont régné sur différents pays d'Europe, la reine Victoria a été surnommée « la grand-mère de l'Europe ».

Victoria (chutes)

Les chutes Victoria sont situées sur le fleuve Zambèze en Afrique, à la frontière de la Zambie et du Zimbabwe. D'une hauteur de 115 m, elles sont parmi les chutes les plus élevées du monde. Elles sont inscrites au patrimoine mondial de l'UNESCO.

Victoria (lac)

Le lac Victoria est situé à l'est de l'Afrique. D'une superficie de 68 000 km^2, c'est le plus grand lac du continent africain et l'une des sources du Nil. Entouré du Kenya, de l'Ouganda et de la Tanzanie, le lac Victoria se trouve au cœur d'une région très peuplée.

Victoriaville

La ville de Victoriaville est située au Québec sur la rivière Nicolet, dans la région administrative du Centre-du-Québec. Son économie repose principalement sur l'industrie du meuble, de l'agroalimentaire et du textile. Victoriaville compte 40 490 habitants. [➔Carte 5]

Vienne

La ville de Vienne est la capitale de l'Autriche, un pays du centre de l'Europe. Ville touristique attrayante pour ses monuments, ses églises et ses nombreux musées, Vienne est aussi un centre commercial et industriel (pétrole, chimie, machinerie lourde). Elle compte 1 664 100 habitants. [➔Carte 8]

A
B
C
D
E
F
G
H
I
J
K
L
M
N
O
P
Q
R
S
T
U
V
W
X
Y
Z

Vientiane

La ville de Vientiane est la capitale du Laos, un pays de l'Asie du Sud-Est. Elle est située sur le fleuve Mékong, près de la frontière de la Thaïlande. C'est un port fluvial et un centre commercial important (riz, soie, tabac). La population de Vientiane est de 528 100 habitants. [➔Carte 9]

Vierges américaines (îles)

Les îles Vierges américaines forment un archipel des Antilles, à l'est de Porto Rico. Cet archipel est composé de trois îles: Saint-Thomas, où se trouve la capitale (Charlotte-Amalie), Saint-John et Sainte-Croix. Sur ce territoire de 346 km² vivent 109 800 habitants. Ces îles étant une dépendance des États-Unis, la langue officielle y est l'anglais.

Vierges britanniques (îles)

Les îles Vierges britanniques sont un archipel des Antilles, à l'est de Porto Rico, et un territoire d'outre-mer du Royaume-Uni. Cet archipel comprend 36 îles, dont seulement 16 sont habitées. La capitale, qui est aussi l'unique ville de l'archipel, est Road Town, sur l'île de Tortola. La population de ce territoire de 153 km² est de 24 040 habitants. La langue officielle y est l'anglais.

Vietnam

Nom local	Việt Nam
Capitale	Hanoi
Superficie	325 000 km²
Population	86 210 800
Habitants	Vietnamiens, Vietnamiennes

Le Vietnam est un État de l'Asie du Sud-Est, voisin de la Chine, du Laos et du Cambodge. De 1965 à 1975, le pays a été en guerre contre les États-Unis [➔Guerre du Vietnam]. Presque tous les habitants vivent dans les plaines, où ils cultivent le riz, le coton et le maïs. Les autres ressources du Vietnam sont l'exploitation de mines de charbon et la production de textiles. La langue officielle du pays est le vietnamien. [➔Carte 9]

Viger (Jacques)

Écrivain et homme politique, né à Montréal en 1787 et mort à Notre-Dame-de-Grâce, sur l'île de Montréal, en 1858. Il a été le premier maire de Montréal en 1833.

Vigneault (Gilles)

Auteur-compositeur-interprète, poète et éditeur, né à Natashquan en 1928. Représentant de la génération des chansonniers, il est une figure centrale du Québec et du Canada dans le domaine de la musique et de la chanson du 20e siècle. Dans ses œuvres, il célèbre avec force et poésie l'identité culturelle du Québec. Engagé également sur les plans politique et social, il exprime ses préoccupations au sujet de l'environnement. Il est considéré comme l'un des artistes les plus importants du Québec. Gilles Vigneault a reçu de nombreuses distinctions, notamment le titre français de Chevalier de la Légion d'honneur en 1986.

Gilles ***Vigneault***

Vikings

Nom donné aux guerriers navigateurs d'origine scandinave qui, du 8e au 11e siècle, ont fait de nombreuses incursions sur les côtes de l'Europe et le long des fleuves. Appelés aussi Normands (de *Northmanni*, « hommes du Nord »), quelques-uns d'entre eux sont venus fonder une colonie à Terre-Neuve, à la fin du 10e siècle. [➔Erik le Rouge]

Ville-Marie (premier nom de Montréal)

➔Voir **Maisonneuve**

Villeneuve (Gilles)

Coureur automobile, né à Berthierville en 1950 et mort à Zolder (Belgique) en 1982. Il débute dans le domaine de la course de motoneiges et remporte le championnat nord-américain en 1971, celui du Québec en 1972 et le titre canadien en 1973. Il se joint ensuite au circuit de la course automobile formule Ford (il est champion en 1973), de la formule Atlantique (en 1976, il remporte neuf des dix courses nord-américaines) et à celui de la catégorie Can-Am qu'il domine en 1977. Ces succès attirent l'attention de la firme italienne Ferrari, qui l'engage comme pilote de Formule 1. En 1978, il remporte la première de ses six victoires sur ce circuit lors du Grand Prix de Montréal. L'année suivante, il termine au deuxième rang du classement de Formule 1. En 1982, lors des essais de qualification du Grand Prix de Belgique, Gilles Villeneuve trouve la mort dans une collision à plus de 250 km/h. Afin de rappeler sa mémoire, le circuit de Montréal a été nommé circuit Gilles-Villeneuve.

Vilnius

La ville de Vilnius est la capitale de la Lituanie, un pays du nord-est de l'Europe. Cette ville est inscrite au patrimoine mondial de l'UNESCO pour la conservation de ses monuments, de ses vestiges médiévaux et son environnement naturel. Vilnius compte 543 500 habitants. [➔Carte 8]

Vinci (Léonard de)

Peintre, architecte, sculpteur et savant italien, né en Italie en 1452 et mort en France en 1519. Sa peinture la plus célèbre est la *Joconde*, qu'il a réalisée vers 1503-1506, et qui est conservée au musée du Louvre, à Paris. À la demande du roi François Ier, Léonard de Vinci s'installe en 1517 en France, à Amboise, où il finit ses jours. Il a laissé de nombreux manuscrits et carnets de dessins.

Léonard de **Vinci**

Volga

La Volga est un fleuve situé en Russie. C'est le plus long fleuve d'Europe avec ses 3700 km. Il prend sa source près de Moscou et se jette dans la mer Caspienne.

Washington (D.C.)

La ville de Washington (D.C.) est la capitale fédérale des États-Unis et constitue le district fédéral de Columbia (D.C.), d'où son nom. Elle est située à l'est du pays. On y trouve la Maison-Blanche (résidence du président des États-Unis), le Capitole (siège du Congrès), la Cour suprême et le Pentagone (commandement militaire). Important centre administratif, la ville abrite aussi de nombreux musées qui constituent l'un de ses attraits touristiques. Elle doit son nom à George Washington, premier président des États-Unis, comme l'État américain du même nom qui se trouve sur la côte ouest. Washington compte 588 300 habitants, 5 476 200 habitants si l'on tient compte de son imposante banlieue. [➔Carte 3]

Waskaganish

Waskaganish est une réserve crie située sur la côte est de la baie James, à l'embouchure de la rivière Rupert, dans la région administrative du Nord-du-Québec. Ses 1860 habitants, les Waskahiganishiwis, parlent le cri et l'anglais. [➔Carte 5]

Waswanipi

Waswanipi est une réserve crie située au sud-ouest de Chibougamau, dans la région administrative du Nord-du-Québec. Ses 1470 habitants, les Waswanipiwilnus, parlent le cri et l'anglais. [➔Carte 5]

Watt (James)

Ingénieur, né en Écosse en 1736 et mort en Angleterre en 1819. Il possède dès son plus jeune âge une grande dextérité manuelle et une aptitude pour les mathématiques. Il apprend plus tard à fabriquer des instruments mathématiques, ce qui l'amène à réfléchir à la manière d'améliorer les machines à vapeur. Il en conçoit une à laquelle le progrès dans les transports, comme le bateau à vapeur et la locomotive, devra beaucoup. Au Royaume-Uni, plus de cinquante routes et rues portent le nom de James Watt.

Wellington

La ville de Wellington est la capitale de la Nouvelle-Zélande, un pays de l'Océanie. Ses théâtres, son orchestre symphonique, son musée national et sa compagnie de ballet en font aussi la capitale culturelle du pays. Wellington compte 187 700 habitants. [➔Carte 10]

A B C D E F G H I J K L M N O P Q R S T U V W X Y Z

Wemindji
Wemindji est une réserve crie située sur la côte est de la baie James, dans la région administrative du Nord-du-Québec. Ses 1220 habitants, les Wiiminichiiw-iiyuws, parlent le cri et l'anglais. [➔Carte 5]

Wemotaci
Wemotaci est une réserve attikamek située au nord de La Tuque, dans la région administrative du Centre-du-Québec. Ses 1070 habitants, les Uemitashiulnus, parlent l'attikamek et le français. [➔Carte 5]

Wendake
Wendake est une réserve huronne-wendate située au nord-ouest de la ville de Québec, dans la région administrative de la Capitale-Nationale. Ses 1560 habitants, les Hurons-Wendats, parlent le français. [➔Carte 5]

Westminster (statut de)
Loi du Parlement britannique adoptée en 1931, en vertu de laquelle le Canada devient indépendant, sauf qu'il ne peut modifier sa Constitution sans le consentement du Parlement britannique. Cette loi est venue corriger la Loi constitutionnelle de 1982 [➔Loi constitutionnelle de 1982].

Whapmagoostui
Whapmagoostui est une réserve crie située sur la côte est de la baie d'Hudson, à l'embouchure de la Grande rivière de la Baleine [➔Baleine, Grande rivière de la], dans la région administrative du Nord-du-Québec. Ses 812 habitants, les Wapamekustikuwinnus, parlent le cri et l'anglais. [➔Carte 5]

Whitehorse
La ville de Whitehorse est la capitale du territoire du Yukon, au Canada. Elle a été créée lorsqu'on y a découvert de l'or, à la fin du 19e siècle. Centre commercial et administratif, son économie repose aussi sur le tourisme. Whitehorse compte 20 460 habitants. [➔Carte 4]

Whitworth
Whitworth est une réserve malécite située au sud-est de Rivière-du-Loup, dans la région administrative du Bas-Saint-Laurent, au Québec. Ses 760 habitants parlent le français. [➔Carte 5]

Windhoek
La ville de Windhoek est la capitale de la Namibie, un pays du sud-ouest de l'Afrique. La ville compte 233 500 habitants. [➔Carte 7]

Windsor
La ville de Windsor est située au Canada, à l'extrémité sud de la presqu'île du Niagara, en Ontario. Elle est un centre industriel important dans les secteurs de l'automobile, des produits chimiques et de l'équipement électronique. On y exploite aussi des mines de sel. Windsor compte 216 000 habitants.

Winneway
Winneway est un établissement algonquin situé au Québec, près de Ville-Marie, dans la région administrative de l'Abitibi-Témiscamingue. Ses 190 habitants, les Winnayiiyanis, parlent l'algonquin, l'anglais et le français. [➔Carte 5]

Winnipeg (ville)
La ville de Winnipeg est la capitale de la province canadienne du Manitoba. La ville s'est développée après l'arrivée de colons, en 1811-1812. C'est la construction d'un chemin de fer transcontinental, en 1885, qui en a fait l'un des centres les plus importants de l'Ouest canadien. Son économie repose principalement sur l'industrie de l'alimentation, de la machinerie agricole et du vêtement. Saint-Boniface, une banlieue de Winnipeg, abrite l'une des plus importantes communautés francophones hors Québec. Winnipeg compte 633 500 habitants. [➔Carte 4]

Winnipeg (lac)
Le lac Winnipeg est l'un des plus grands lacs du Canada avec sa superficie de 24 390 km^2. Il est situé au centre de la province du Manitoba. Ce lac alimente le fleuve Nelson.

Winnipeg (rivière)
La rivière Winnipeg est située au Canada au sud-est du Manitoba et à l'ouest de l'Ontario, où elle prend sa source. Elle se jette dans le sud du lac Winnipeg.

Winnipegosis (lac)
Le lac Winnipegosis est situé dans l'ouest de la province du Manitoba, au Canada. Ce lac de 5374 km^2 se trouve entre le lac Winnipeg et la frontière de la Saskatchewan.

Wolfe (James)
Militaire, né en Angleterre en 1727 et mort à Québec en 1759. Il a été commandant de l'armée britannique lors de la bataille des Plaines d'Abraham, le 13 septembre 1759. Victorieux, il est mort à l'issue du combat. [➔Plaines d'Abraham]

Wôlinak
Wôlinak est une réserve abénaquise située au Québec, à l'est de Trois-Rivières, dans la région administrative du Centre-du-Québec. En langue abénaquise, Wôlinak signifie *la baie*. Ses 170 habitants parlent le français. [➔Carte 5]

Wood Buffalo (Parc national du Canada)
Le Parc national du Canada Wood Buffalo est situé en partie en Alberta et en partie dans les Territoires du Nord-Ouest, au sud du Grand lac des Esclaves. Sa superficie de 44 807 km^2 en fait le plus grand Parc national du monde. Il est l'habitat du plus grand troupeau de bisons du continent nord-américain et le seul lieu de nidification de la grue blanche d'Amérique.

Wright (Wilbur et Orville)
Pionniers américains de l'aviation. Wilbur est né à Millville (États-Unis) en 1867 et est mort à Dayton (États-Unis) en 1912. Orville est né à Dayton en 1871 et est mort au même endroit en 1948. Après avoir construit leur premier planeur en 1899, les frères Wright effectuent une série de vols en planeur en 1900 et 1902. Le 17 décembre 1903, à bord du *Flyer*, appareil équipé d'un moteur et de deux hélices, Orville réussit le premier vol mécanique d'un appareil plus lourd que l'air. Ce vol au-dessus des plages de Kitty Hawk, en Caroline du Nord, a duré 59 secondes.

Wilbur **Wright**

Yamaska (mont)
Le mont Yamaska est l'une des neuf collines montérégiennes. D'une hauteur de 416 m, il est situé à Saint-Paul-d'Abbotsford, sur la rive sud du fleuve Saint-Laurent, au Québec.

Yamaska (rivière)
La rivière Yamaska est située au Québec, dans la région administrative de la Montérégie. Elle prend sa source dans le lac Brome et se jette, après un parcours de plus de 160 km, dans le fleuve Saint-Laurent, près de Sorel, à l'extrémité ouest du lac Saint-Pierre. Son nom, en langue abénaquise, signifie *là où il y a beaucoup de joncs*.

Yamoussoukro
La ville de Yamoussoukro est la capitale de la Côte d'Ivoire, un État de l'ouest de l'Afrique. Yamoussoukro, qui a remplacé Abidjan comme capitale en 1983, compte 299 200 habitants. [➔Carte 7]

Yangzi Jiang (ou Yang-tsê kiang, fleuve bleu)
Le fleuve Yangzi Jiang est situé en Chine, un pays de l'Asie de l'Est. Ses 5800 km en font le plus long fleuve du pays. Il prend sa source au Tibet et se jette dans la mer de Chine, près de Shanghai. Il joue un rôle économique important, car il traverse des centres industriels actifs et des terres très fertiles.

Les gorges du saut du Tigre, enserrant le fleuve ***Yangzi Jiang***

Yaoundé
La ville de Yaoundé est la capitale du Cameroun, un pays de l'ouest de l'Afrique. Elle compte 1 248 200 habitants. [➔Carte 7]

Yaren
La ville de Yaren est la capitale de Nauru, un pays insulaire de l'Océanie. C'est la plus petite capitale du monde avec ses 630 habitants. [➔Carte 10]

A B C D E F G H I J K L M N O P Q R S T U V W X Y Z

Yellowknife

Yellowknife est la capitale des Territoires du Nord-Ouest, au Canada. Située sur la rive nord du Grand lac des Esclaves, cette ville a été créée à la suite de la découverte de mines d'or, en 1935. Yellowknife est le centre commercial et administratif des Territoires du Nord-Ouest et possède les gisements d'or les plus importants du Canada. Sa population est de 18 700 habitants. [➔Carte 4]

Yémen

Nom local	Al Yaman
Capitale	Sanaa
Superficie	528 000 km^2
Population	22 198 000
Habitants	Yéménites

Le Yémen est un État du Moyen-Orient situé entre l'Arabie saoudite au nord, Oman à l'est, le golfe d'Aden au sud, et la mer Rouge à l'ouest. Son territoire est en grande partie désertique. Les Yéménites y pratiquent l'élevage de moutons et de chèvres ainsi que la culture des céréales. Les ressources les plus importantes du pays sont le café et le pétrole. La langue officielle du Yémen est l'arabe. [➔Carte 9]

Yougoslavie

La Yougoslavie a été un État du sud-est de l'Europe de 1945 à 1991. Ce pays a été divisé en six États : la Serbie, la Croatie, la Slovénie, la Bosnie-Herzégovine, la Macédoine et le Monténégro. Sa capitale était Belgrade.

Young (John, baron Lisgar)

Administrateur, né à Bombay (Inde) en 1807 et mort en Irlande en 1876. Il a été gouverneur général du Canada de 1869 à 1872. Sous son administration, le Manitoba et la Colombie-Britannique sont entrés dans la Confédération.

Youville (Marie-Marguerite d', née Dufrost de Lajemmerais)

Religieuse, née à Varennes en 1701 et morte à Montréal en 1771. Petite-fille de Pierre Boucher, elle épouse, en 1722, François-Madeleine d'Youville. Devenue veuve, elle décide de fonder une communauté religieuse, la Congrégation des Sœurs de la Charité de l'Hôpital général de Montréal, appelées Sœurs Grises. Marie-Marguerite d'Youville a été canonisée en 1990.

*Marguerite d'**Youville***

Yukon (fleuve)

Le fleuve Yukon est situé au Yukon, au Canada, et en Alaska, aux États-Unis. Il prend sa source dans les monts Cassiar et se jette dans le détroit de Béring, qui sépare l'Alaska de la Sibérie. D'une longueur de 3185 km, le fleuve Yukon traverse le territoire canadien sur 1149 km.

Yukon (Territoire du)

Le Territoire du Yukon est situé au Canada, au nord de la Colombie-Britannique et à l'ouest des Territoires du Nord-Ouest. Sa superficie couvre 482 515 km^2, soit 4,9 % du territoire canadien. C'est au Yukon qu'a eu lieu la fameuse ruée vers l'or, entre 1896 et 1905. On y fait l'élevage d'animaux à fourrure, en plus d'exploiter les importants gisements miniers que recèle le sous-sol. Whitehorse, la capitale du Yukon, Dawson et Faro en sont les villes importantes. Le territoire a une population de 30 370 habitants. [➔Carte 4]

*Le lac Émeraude, au **Yukon***

Le parc national Hwange, au **Zimbabwe**

Zagreb

La ville de Zagreb est la capitale de la Croatie, un pays du sud-est de l'Europe. Elle compte 691 700 habitants. [➔Carte 8]

Zambie

Nom local	Zambia
Capitale	Lusaka
Superficie	750 000 km^2
Population	12 620 200
Habitants	Zambiens, Zambiennes

La Zambie est un État du sud de l'Afrique. Ses principales richesses sont le cuivre et l'hydroélectricité. Les touristes y sont attirés par ses parcs fauniques et les chutes Victoria. La langue officielle du pays est l'anglais. [➔Carte 7]

Zimbabwe

Nom local	Zimbabwe
Capitale	Harare
Superficie	400 000 km^2
Population	12 462 900
Habitants	Zimbabwéens, Zimbabwéennes

Le Zimbabwe est un État du sud de l'Afrique. L'économie du pays repose sur l'exploitation de mines (charbon, or, chrome), l'élevage, la culture du tabac et le tourisme (safaris, chutes Victoria). Les langues officielles du Zimbabwe sont l'anglais, le shona, le ndébélé, le venda, le nambya, le shangaan, le kalanga, le southou et le tonga. [➔Carte 7]

Zurich

La ville de Zurich est située en Suisse, un pays de l'ouest de l'Europe. Ville la plus peuplée de la Suisse, Zurich en est également le plus grand centre bancaire et financier. Elle compte 348 700 habitants. Même si l'allemand y est la langue officielle, on y parle aussi le français et l'italien.

Les premiers ministres du Canada depuis 1867

NOM	PARTI POLITIQUE	MANDAT
John Alexander Macdonald	C	1867-1873
Alexander Mackenzie	L	1873-1878
John Alexander Macdonald	C	1878-1891
John Joseph Caldwell Abbott	C	1891-1892
John Sparrow David Thompson	C	1892-1894
Mackenzie Bowell	C	1894-1896
Charles Tupper	C	1896
Wilfrid Laurier	L	1896-1911
Robert Laird Borden	C	1911-1917
Robert Laird Borden	U	1917-1920
Arthur Meighen	U	1920-1921
William Lyon Mackenzie-King	L	1921-1926
Arthur Meighen	U	1926
William Lyon Mackenzie-King	L	1926-1930
Richard B. Bennett	L	1930-1935
William Lyon Mackenzie-King	L	1935-1948
Louis Stephen Saint-Laurent	L	1948-1957
John G. Diefenbaker	PC	1957-1963
Lester B. Pearson	L	1963-1968
Pierre Elliott Trudeau	L	1968-1979
Charles Joseph Clark	PC	1979-1980
Pierre Elliott Trudeau	L	1980-1984
John Turner	L	1984
Brian Mulroney	PC	1984-1993
Kim Campbell	PC	1993
Jean Chrétien	L	1993-2003
Paul Martin	L	2003-2006
Stephen Harper	PC	2006-

C = Conservateur
L = Libéral
PC = Progressiste-conservateur
U = Unioniste

Les premiers ministres du Québec depuis 1867

NOM	PARTI POLITIQUE	MANDAT
Pierre-Joseph-Olivier Chauveau	C	1867-1873
Gédéon Ouimet	C	1873-1874
Charles-Eugène Boucher de Boucherville	C	1874-1878
Henri-Gustave Joly de Lotbinière	L	1878-1879
Joseph-Adolphe Chapleau	C	1879-1882
Joseph-Alfred Mousseau	C	1882-1884
John Jones Ross	C	1884-1887
Louis-Olivier Taillon	C	1887
Honoré Mercier	L	1887-1891
Charles-Eugène Boucher de Boucherville	C	1891-1892
Louis-Olivier Taillon	C	1892-1896
Edmund James Flynn	C	1896-1897
Félix-Gabriel Marchand	L	1897-1900
Simon-Napoléon Parent	L	1900-1905
Jean-Lomer Gouin	L	1905-1920
Louis-Alexandre Taschereau	L	1920-1936
Joseph-Adélard Godbout	L	1936
Maurice Duplessis	UN	1936-1939
Joseph-Adélard Godbout	L	1939-1944
Maurice Duplessis	UN	1944-1959
Paul Sauvé	UN	1959-1960
Antonio Barrette	UN	1960
Jean Lesage	L	1960-1966
Daniel Johnson	UN	1966-1968
Jean-Jacques Bertrand	UN	1968-1970
Robert Bourassa	L	1970-1976
René Lévesque	PQ	1976-1985
Pierre-Marc Johnson	PQ	1985
Robert Bourassa	L	1985-1994
Daniel Johnson	L	1994
Jacques Parizeau	PQ	1994-1996
Lucien Bouchard	PQ	1996-2001
Bernard Landry	PQ	2001-2003
Jean Charest	L	2003-

C = Conservateur
L = Libéral
PQ = Parti québécois
UN = Union nationale

Les gouverneurs généraux du Canada depuis 1867

NOM	MANDAT	NOM	MANDAT
Vicomte Monck	1867-1869	Baron Tweedsmuir	1935-1940
Baron Lisgar	1869-1872	Comte d'Athlone	1940-1946
Comte de Dufferin	1872-1878	Vicomte Alexander de Tunis	1946-1952
Marquis de Lorne	1878-1883	Vincent Massey	1952-1959
Marquis de Lansdowne	1883-1888	Georges-P. Vanier	1959-1967
Baron Stanley de Preston	1888-1893	Roland Michener	1967-1973
Comte d'Aberdeen	1893-1898	Jules Léger	1973-1979
Comte de Minto	1898-1904	Edward R. Schreyer	1979-1983
Comte Grey	1904-1911	Jeanne Sauvé	1983-1990
Duc de Connaught	1911-1916	Ray Hnatyshyn	1990-1995
Duc de Devonshire	1916-1921	Roméo Leblanc	1995-1999
Baron Byng de Vimy	1921-1926	Adrienne Clarkson	1999-2005
Vicomte Willingdon	1926-1931	Michaëlle Jean	2005-2010
Comte de Bessborough	1931-1935	David Johnston	2010-

Les lieutenants-gouverneurs du Québec depuis 1867

NOM	MANDAT	NOM	MANDAT
Narcisse-Fortunat Belleau	1867-1873	Jean-Lomer Gouin	1929
René-Édouard Caron	1873-1876	H. George Carroll	1929-1934
Luc Letellier de Saint-Just	1876-1879	É.-L. Patenaude	1934-1939
Thédore Robitaille	1879-1884	Eugène Fiset	1939-1950
L. F.-Rodrigue Masson	1884-1887	Gaspard Fauteux	1950-1958
Auguste-Réal Angers	1887-1892	J. Onésime Gagnon	1958-1961
Joseph-Adolphe Chapleau	1892-1898	Paul Comtois	1961-1966
Louis-Amable Jetté	1898-1908	Hugues Lapointe	1966-1978
C.-A. Pantaléon Pelletier	1908-1911	Jean-Pierre Côté	1978-1984
François-Charles-Stanislas Langelier	1911-1915	Gilles Lamontagne	1984-1990
Pierre-Évariste Leblanc	1915-1918	Martial Asselin	1990-1996
Charles Fitzpatrick	1918-1923	Jean-Louis Roux	1996-1997
Louis-Philippe Brodeur	1923-1924	Lise Thibault	1997-2007
Narcisse Perodeau	1924-1929	Pierre Duchesne	2007-

Les maires de Montréal depuis 1833

NOM	MANDAT
Jacques Viger	1833-1836
Peter McGill	1840-1842
Joseph Bourret	1842-1844
James Ferrier	1844-1846
John Easton Mills	1846-1847
Joseph Bourret	1847-1849
Édouard-Raymond Fabre	1849-1851
Charles Wilson	1851-1854
Dr Wolfred Nelson	1854-1856
Henry Starnes	1856-1858
Charles-Séraphin Rodier	1858-1862
Jean-Louis Beaudry	1862-1866
Henry Starnes	1866-1868
William Workman	1868-1871
C.-J. Coursol	1871-1873
Francis Cassidy	1873
Dr Aldis Bernard	1873-1875
Dr William Hales Hingston	1875-1877
Jean-Louis Beaudry	1877-1879
Sévère Rivard	1879-1881
Jean-Louis Beaudry	1881-1885
Honoré Beaugrand	1885-1887
J.-J.-C. Abbott	1887-1889
Jacques Grenier	1889-1891
James McShane	1891-1893
Alphonse Desjardins	1893-1894
J.-O. Villeneuve	1894-1896
Richard Wilson-Smith	1896-1898
J.-R.-F. Préfontaine	1898-1902
James Cochrane	1902-1904
Hormidas Laporte	1904-1906
Henry Archer Ekers	1906-1908
Louis Payette	1908-1910
James John Edmund Guérin	1910-1912
Louis-Arsène Lavallée	1912-1914
Médéric Martin	1914-1924
Charles Duquette	1924-1926
Médéric Martin	1926-1928
Camilien Houde	1928-1932
Fernand Rinfret	1932-1934
Camilien Houde	1934-1936
Adhémar Raynault	1936-1938
Camilien Houde	1938-1940
Adhémar Raynault	1940-1944
Camilien Houde	1944-1954
Jean Drapeau	1954-1957
Sarto Fournier	1957-1960
Jean Drapeau	1960-1986
Jean Doré	1986-1994
Pierre Bourque	1994-2001
Gérald Tremblay	2001-

Les maires de Québec depuis 1833

NOM	MANDAT
Elzéar Bédard	1833-1834
René-Édouard Caron	1834-1836
Juge de paix	1836-1840
René-Édouard Caron	1840-1846
George O'Kill Stuart	1846-1850
Narcisse Fortunat Belleau	1850-1853
Ulric-Joseph Tessier	1853-1854
Charles Alleyn	1854-1855
Dr Joseph Morrin	1855-1856
Dr Olivier Robitaille	1856-1857
Dr Joseph Morrin	1857-1858
Hector-Louis Langevin	1858-1861
Thomas Pope	1861-1863
Adolphe-Guillet Tourangeau	1863-1866
Joseph-Édouard Cauchon	1866-1868
John Lemesurier	1868-1869
William Hossack	1869-1870
Adolphe-Guillet Tourangeau	1870
Pierre Garneau	1870-1874
Owan Murphy	1874-1878
Robert Chambers	1878-1880
Jean-Docile Brousseau	1880-1882
François-Charles-Stanislas Langelier	1882-1890
Jules-Joseph Tachereau Fremont	1890-1894
Simon-Napoléon Parent	1894-1906
Georges Tanguay	1906
Jean-Georges Garneau	1906-1910
Olivier-Napoléon Drouin	1910-1916
Henri-Edgard Lavigueur	1916-1920
Joseph-Octave Samson	1920-1926
Valmont Martin	1926-1927
Télesphore Simard	1927-1928
Joseph-Oscar Auger	1928-1930
Henri-Edgard Lavigueur	1930-1934
Joseph-Ernest Grégoire	1934-1938
Lucien-Hubert Borne	1938-1953
Wilfrid Hamel	1953-1965
Jean-Gilles Lamontagne	1965-1977
Jean Pelletier	1977-1989
Jean-Paul L'Allier	1989-2005
Andrée Boucher	2005-2007
Jacques Joli-Coeur	2007
Régis Labeaume	2007-

Les prix Nobel de la paix depuis 1901

ANNÉE	LAURÉAT	PAYS
1901	Jean-Henri Dunant	Suisse
	Frédéric Passy	France
1902	Élie Ducommun	Suisse
	Charles Albert Gobat	Suisse
1903	Sir William Cremer	Royaume-Uni
1904	Institut de droit international de Gand	Belgique
1905	Bertha Kinsky, barronne Von Suttner	Autriche
1906	Theodore Roosevelt	États-Unis
1907	Ernesto Teodoro Moneta	Italie
	Louis Renault	France
1908	Klas Arnoldson	Suède
	Frederik Bajer	Danemark
1909	Auguste Beernaert	Belgique
	Paul Balluat d'Estournelles de Constant	France
1910	Bureau International de la paix	Suisse
1911	Tobias Michael Asser	Pays-Bas
	Alfred Hermann Fried	Autriche
1912	Elihu Root	États-Unis
1913	Henri La Fontaine	Belgique
1914	*Non décerné*	
1915	*Non décerné*	
1916	*Non décerné*	
1917	Comité international de la Croix-Rouge	Suisse
1918	*Non décerné*	
1919	Thomas Woodrow Wilson	États-Unis
1920	Léon Bourgeois	France
1921	Karl Hjalmar Brantin	Suède
	Christian Lange	Norvège
1922	Fridtjof Nansen	Norvège
1923	*Non décerné*	
1924	*Non décerné*	
1925	Sir Joseph Austen Chamberlain	Royaume-Uni
	Charles Gates Dawes	États-Unis
1926	Aristide Briand	France
	Gustav Stresemann	Allemagne
1927	Ferdinand Buisson	France
	Ludwig Quidde	Allemagne
1928	*Non décerné*	
1929	Frank Billings Kellog	États-Unis
1930	Nathan Soderblom	Suède
1931	Jane Adams	États-Unis
	Nicholas Murray Butler	États-Unis
1932	*Non décerné*	
1933	Sir Norman Angell	Royaume-Uni
1934	Arthur Henderson	Royaume-Uni
1935	Carl von Ossietzky	Allemagne
1936	Carlos Saavedra Lamas	Argentine
1937	Lord Robert Cecil of Chelwood	Royaume-Uni
1938	Office international Nansen pour les réfugiés	Suisse
1939	*Non décerné*	
1940	*Non décerné*	

ANNÉE	LAURÉAT	PAYS
1941	*Non décerné*	
1942	*Non décerné*	
1943	*Non décerné*	
1944	Comité international de la Croix-Rouge	Suisse
1945	Cordell Hull	États-Unis
1946	Emily Greene Balch	États-Unis
	John Raleigh Mott	États-Unis
1947	The American Friends Service Committee	États-Unis
	The British Society of Friends Service Council	Royaume-Uni
1948	*Non décerné*	
1949	Lord John Boyd Orr	Royaume-Uni
1950	Ralph Johnson Bunche	États-Unis
1951	Léon Jouhaux	France
1952	Albert Schweitzer	France
1953	George Catlett Marshall	États-Unis
1954	Haut-Commissariat des Nations Unies pour les réfugiés	Suisse
1955	*Non décerné*	
1956	*Non décerné*	
1957	Lester Bowles Pearson	Canada
1958	Dominique Pire	Belgique
1959	Philip Noel-Baker	Royaume-Uni
1960	Albert John Luthuli	Afrique du Sud
1961	Dag Hammarskjöld	Suède
1962	Linus Pauling	États-Unis
1963	Comité international de la Croix-Rouge Ligue Internationale des sociétés de la Croix-Rouge	Suisse
1964	Pasteur Martin Luther King	États-Unis
1965	UNICEF-FISE (Fonds international de secours à l'enfance)	
1966	*Non décerné*	
1967	*Non décerné*	
1968	René Cassin	France
1969	Organisation internationale du travail	
1970	Norman E. Borlaug	États-Unis
1971	Willy Brandt	République fédérale d'Allemagne
1972	*Non décerné*	
1973	Henry Kissinger	États-Unis
	Lê Duc Tho *(prix refusé)*	Vietnam
1974	Sato Eisaku	Japon
	Sean McBride	Irlande
1975	Andreï Dimitrievitch Sakharov	URSS
1976	Mairead Corrigan	Irlande du Nord
	Betty Williams	Irlande du Nord
1977	Amnesty International	
1978	Menahem Begin	Israël
	Anouar el-Sadate	Égypte
1979	Mère Teresa	Inde
1980	Adolfo Pérez Esquivel	Argentine
1981	Haut-Commissariat des Nations Unies pour les réfugiés	
1982	Alfonso Garcia Robles	Mexique
	Alva Myrdal	Suède

ANNÉE	LAURÉAT	PAYS
1983	Lech Walesa	Pologne
1984	Mgr Desmond Tutu	Afrique du Sud
1985	Association mondiale des médecins contre la guerre nucléaire	États-Unis
1986	Elie Wiesel	États-Unis
1987	Oscar Arias Sanchez	Costa Rica
1988	Organisation des Nations Unies (Casques bleus)	
1989	Dalaï-Lama	Tibet
1990	Michaïl Gorbatchev	URSS
1991	Aung San Suu Kyi	Myanmar (Birmanie)
1992	Rigoberta Menchu	Guatemala
1993	Nelson Mandela	Afrique du Sud
	Frederik Willem de Klerk	Afrique du Sud
1994	Yasser Arafat	Palestine
	Shimon Peres	Israël
	Yitzhak Rabin	Israël
1995	Joseph Rotblat Organisation Pugwash	Angleterre
1996	Carlos Filipe Ximenes Belo	Timor-Oriental
	José Ramos-Horta	Timor-Oriental
1997	Campagne internationale contre les mines (ICBL)	États-Unis
	Jody Williams	États-Unis
1998	John Home	Irlande
	David Trimble	Irlande
1999	Organisation non-gouvernementale Médecins sans frontières	France
2000	Kim Dae-jung	Corée du Sud
2001	Organisation des Nations Unies et son secrétaire général Kofi Annan	
2002	Jimmy Carter	États-Unis
2003	Chirin Ebadi	Iran
2004	Wangari Maathai	Kenya
2005	Agence internationale de l'énergie atomique et son directeur général Mohamed El-Baradeï	Égypte
2006	Muhammad Yunus et la Grameen Bank	Bangladesh
2007	Al Gore et le Groupe d'experts intergouvernemental sur l'évolution du climat	États-Unis
2008	Martti Ahtisaari	Finlande
2009	Barack Obama	États-Unis
2010	Liu Xiaobo	Chine

Les astronautes canadiens ayant effectué un vol spatial

1. Roberta Bondar	1992
2. Marc Garneau	1984, 1996, 2000
3. Chris Hadfield	1995, 2001
4. Steve Maclean	1992, 2006
5. Julie Payette	1999, 2009
6. Robert Thirsk	1996, 2009
7. Bjarni Tryggvason	1997
8. Dafydd (Dave) R. Williams	1998, 2007

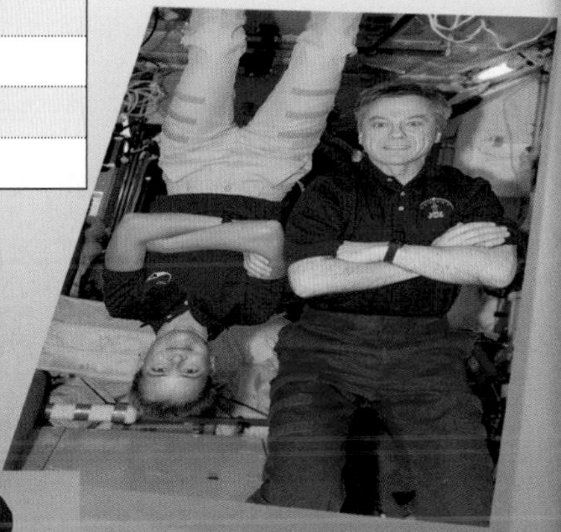

Les équipes gagnantes de la coupe Stanley depuis 1917

ANNÉE	ÉQUIPE	VILLE
1917-1918	Arenas	Toronto
1918-1919	*Aucun gagnant**	
1919-1920	Senators	Ottawa
1920-1921	Senators	Ottawa
1921-1922	St Pats	Toronto
1922-1923	Senators	Ottawa
1923-1924	Canadiens	Montréal
1924-1925	Cougars	Victoria
1925-1926	Maroons	Montréal
1926-1927	Senators	Ottawa
1927-1928	Rangers	New York
1928-1929	Bruins	Boston
1929-1930	Canadiens	Montréal
1930-1931	Canadiens	Montréal
1931-1932	Maple Leafs	Toronto
1932-1933	Rangers	New York
1933-1934	Black Hawks	Chicago
1934-1935	Maroons	Montréal
1935-1936	Red Wings	Detroit
1936-1937	Red Wings	Detroit
1937-1938	Black Hawks	Chicago
1938-1939	Bruins	Boston
1939-1940	Rangers	New York
1940-1941	Bruins	Boston
1941-1942	Maple Leafs	Toronto
1942-1943	Red Wings	Detroit
1943-1944	Canadiens	Montréal
1944-1945	Maple Leafs	Toronto
1945-1946	Canadiens	Montréal
1946-1947	Maple Leafs	Toronto
1947-1948	Maple Leafs	Toronto
1948-1949	Maple Leafs	Toronto
1949-1950	Red Wings	Detroit
1950-1951	Maple Leafs	Toronto
1951-1952	Red Wings	Detroit
1952-1953	Canadiens	Montréal
1953-1954	Red Wings	Detroit
1954-1955	Red Wings	Detroit
1955-1956	Canadiens	Montréal
1956-1957	Canadiens	Montréal
1957-1958	Canadiens	Montréal
1958-1959	Canadiens	Montréal
1959-1960	Canadiens	Montréal
1960-1961	Black Hawks	Chicago
1961-1962	Maple Leafs	Toronto
1962-1963	Maple Leafs	Toronto
1963-1964	Maple Leafs	Toronto
1964-1965	Canadiens	Montréal
1965-1966	Canadiens	Montréal
1966-1967	Maple Leafs	Toronto
1967-1968	Canadiens	Montréal
1968-1969	Canadiens	Montréal
1969-1970	Bruins	Boston
1970-1971	Canadiens	Montréal
1971-1972	Bruins	Boston
1972-1973	Canadiens	Montréal
1973-1974	Flyers	Philadelphie
1974-1975	Flyers	Philadelphie
1975-1976	Canadiens	Montréal
1976-1977	Canadiens	Montréal
1977-1978	Canadiens	Montréal
1978-1979	Canadiens	Montréal
1979-1980	Islanders	New York
1980-1981	Islanders	New York
1981-1982	Islanders	New York
1982-1983	Islanders	New York
1983-1984	Oilers	Edmonton
1984-1985	Oilers	Edmonton
1985-1986	Canadiens	Montréal
1986-1987	Oilers	Edmonton
1987-1988	Oilers	Edmonton
1988-1989	Flames	Calgary
1989-1990	Oilers	Edmonton
1990-1991	Penguins	Pittsburg
1991-1992	Penguins	Pittsburg
1992-1993	Canadiens	Montréal
1993-1994	Rangers	New York
1994-1995	Devils	New Jersey
1995-1996	Avalanche	Colorado
1996-1997	Red Wings	Detroit
1997-1998	Red Wings	Detroit
1998-1999	Stars	Dallas
1999-1997	Red Wings	Detroit
1999-2000	Devils	New Jersey
2000-2001	Avalanche	Colorado
2001-2002	Red Wings	Detroit
2002-2003	Devils	New Jersey
2003-2004	Lightning	Tempa Bay
2004-2005	*Aucun gagnant***	
2005-2006	Hurricanes	Caroline
2006-2007	Ducks	Anaheim
2007-2008	Red Wings	Detroit
2008-2009	Red Wings	Detroit
2009-2010	Black Hawks	Chicago

* Aucune équipe n'a remporté la coupe Stanley au printemps 1919 parce que la finale opposant Montréal à Seattle a dû être interrompue à cause de l'épidémie de grippe espagnole qui sévissait en Amérique du Nord.

** Lock-out

Atlas

Le planisphère

Population mondiale :
6 662 369 900 habitants

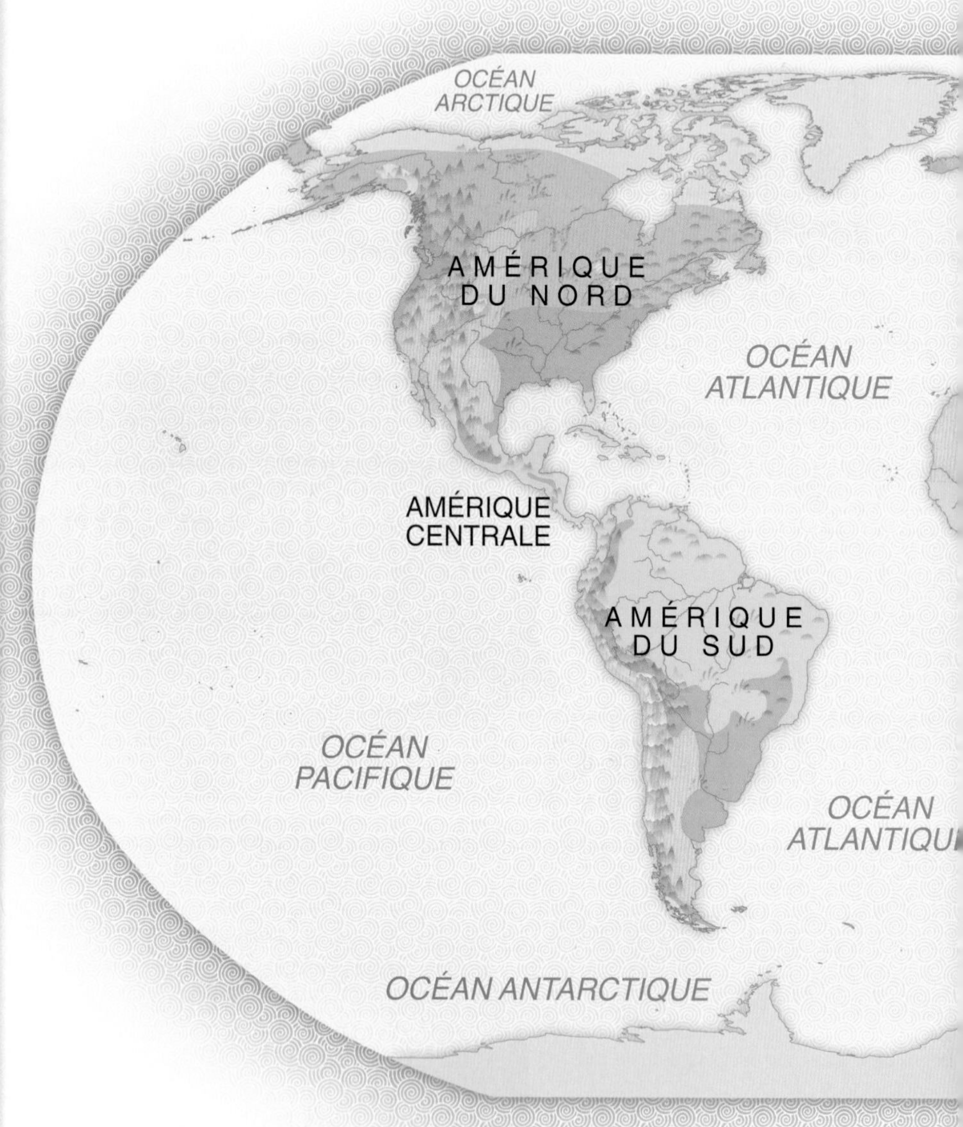

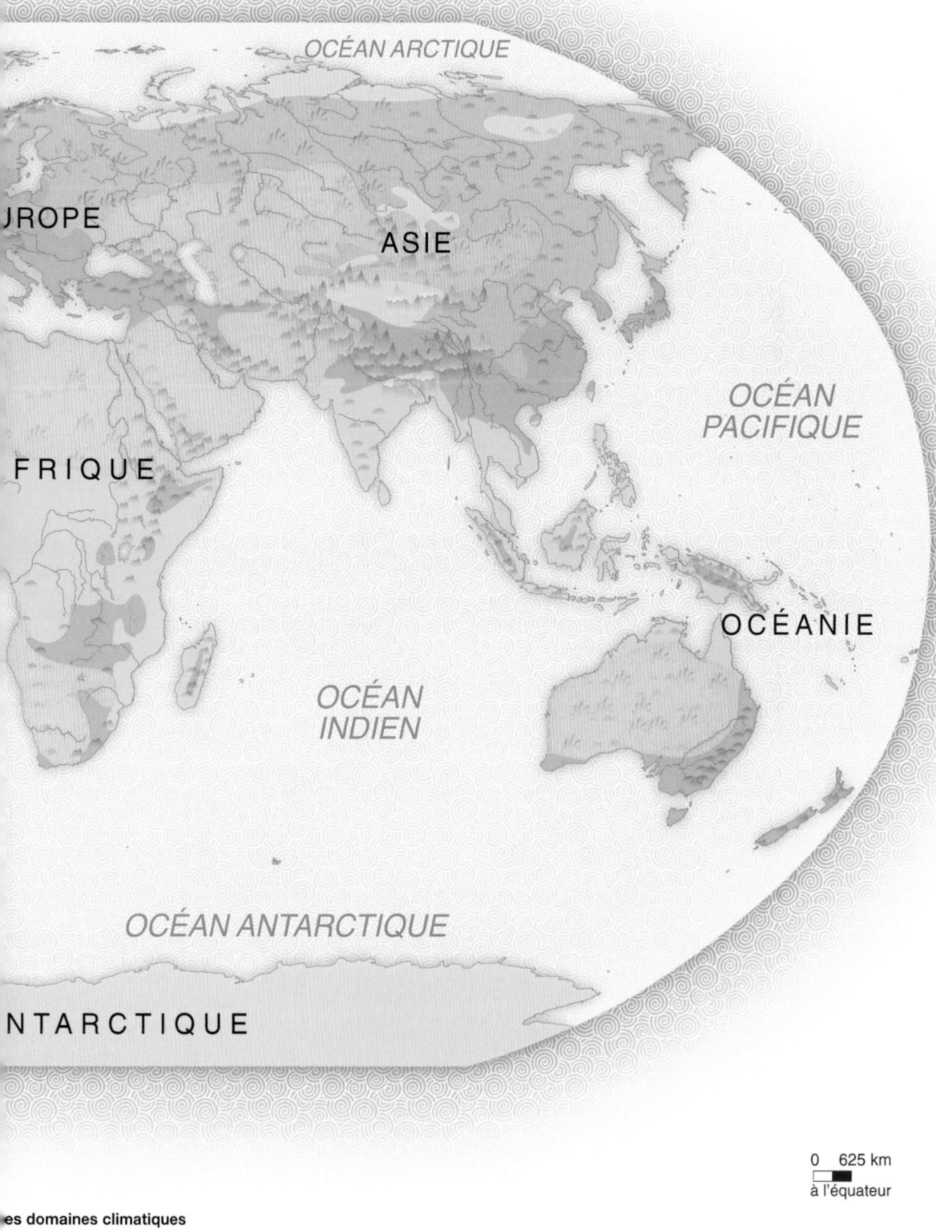

0 625 km
à l'équateur

es domaines climatiques

Climats chauds et humides · Climats chauds et secs · Climats tempérés · Climats froids · Climats polaires

Les États francophones du monde

Nombre de francophones dans le monde: 200 000 000

Europe: 42 %

Afrique sub-saharienne et océan Indien: 39 %

Afrique du Nord et Moyen-Orient: 11 %

Amérique et les Caraïbes: 7 %

Asie et Océanie: 1 %

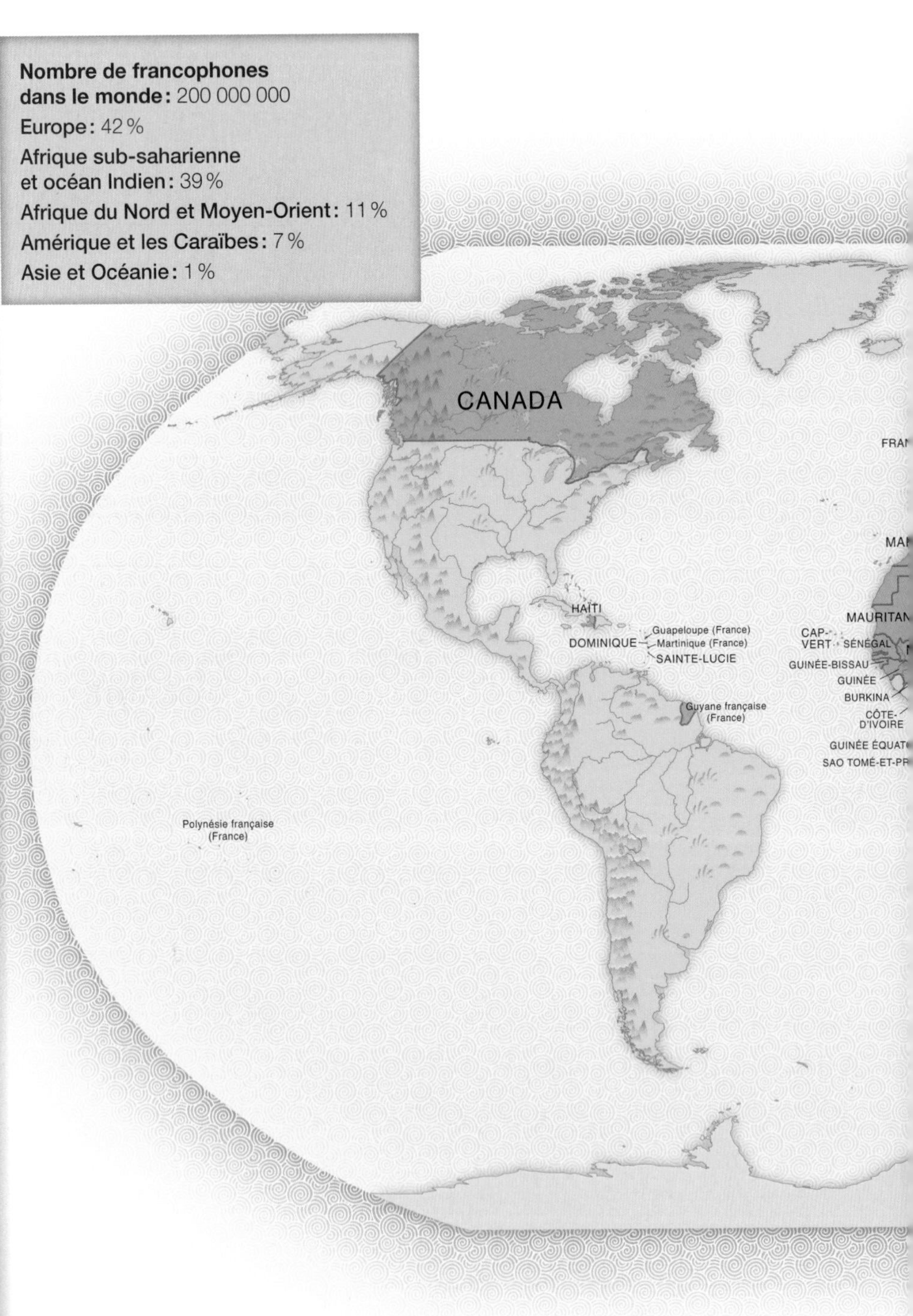

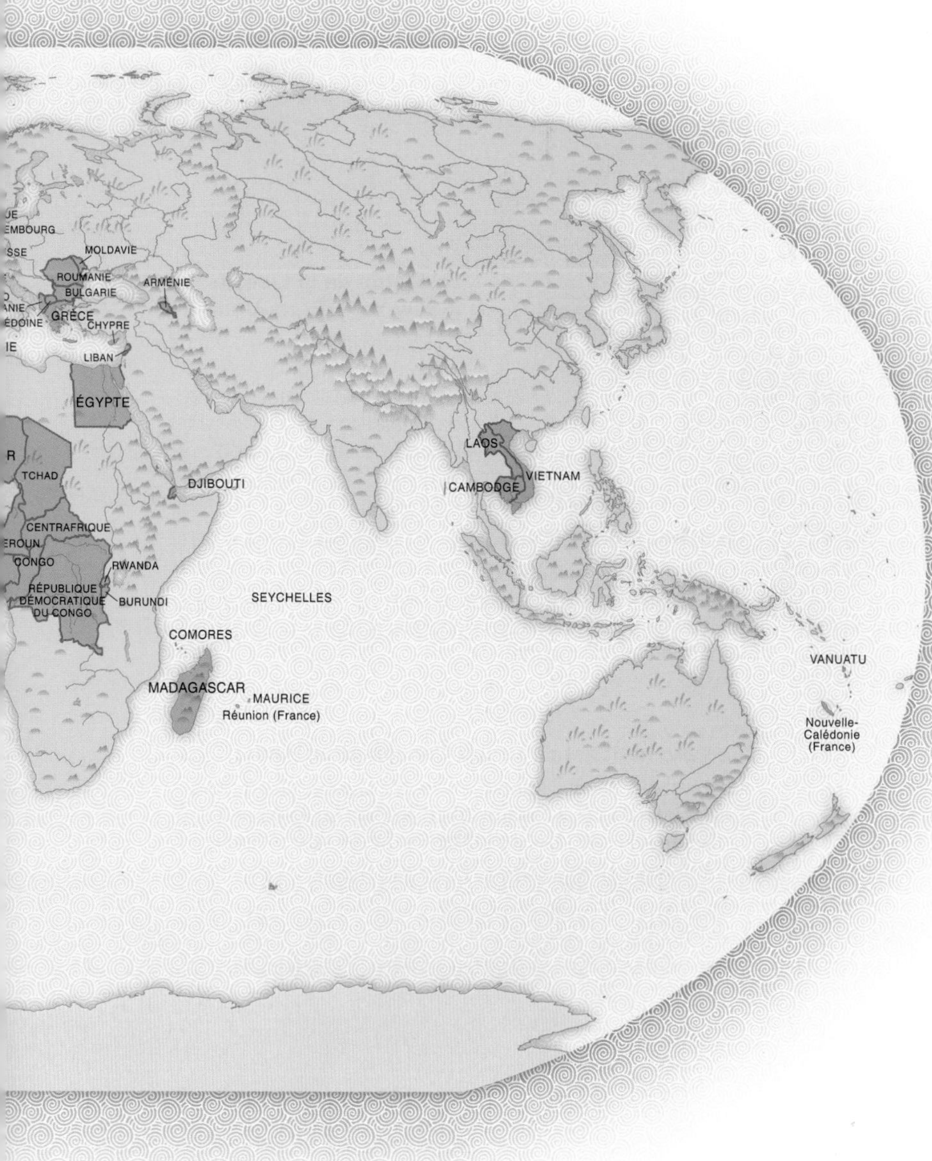

0 625 km
à l'équateur

États et gouvernements membres de l'Organisation internationale de la francophonie

L'Amérique du Nord et l'Amérique centrale

Population : 480 582 700 habitants

Superficie : 22 600 049 km²

Densité de la population : 21,3 hab./km²

É. - U.

La Statue de la Liberté à New York (États-Unis)

La Statue de la Liberté a été offerte par la France pour célébrer le centenaire de l'indépendance des États-Unis. Elle représente la liberté et l'émancipation vis-à-vis de l'oppression.

Le canal Rideau (Canada)

Le canal Rideau mesure 202 km. En hiver, la section qui traverse la ville d'Ottawa se transforme en patinoire, la plus longue du monde.

OCÉAN PACIFIQUE

Le Parc national du Grand Canyon (États-Unis)

Le Parc national du Grand Canyon, qui raconte une histoire géologique de deux milliards d'années, est sculpté par le fleuve Colorado. Le Grand Canyon atteint une profondeur de 1500 m.

La vieille ville de La Havane et ses fortifications (Cuba)

Les Espagnols ont fondé La Havane en 1519. Cette ville portuaire subissait régulièrement les attaques de pirates et de corsaires. C'est pour les contrer que les premières forteresses ont été érigées.

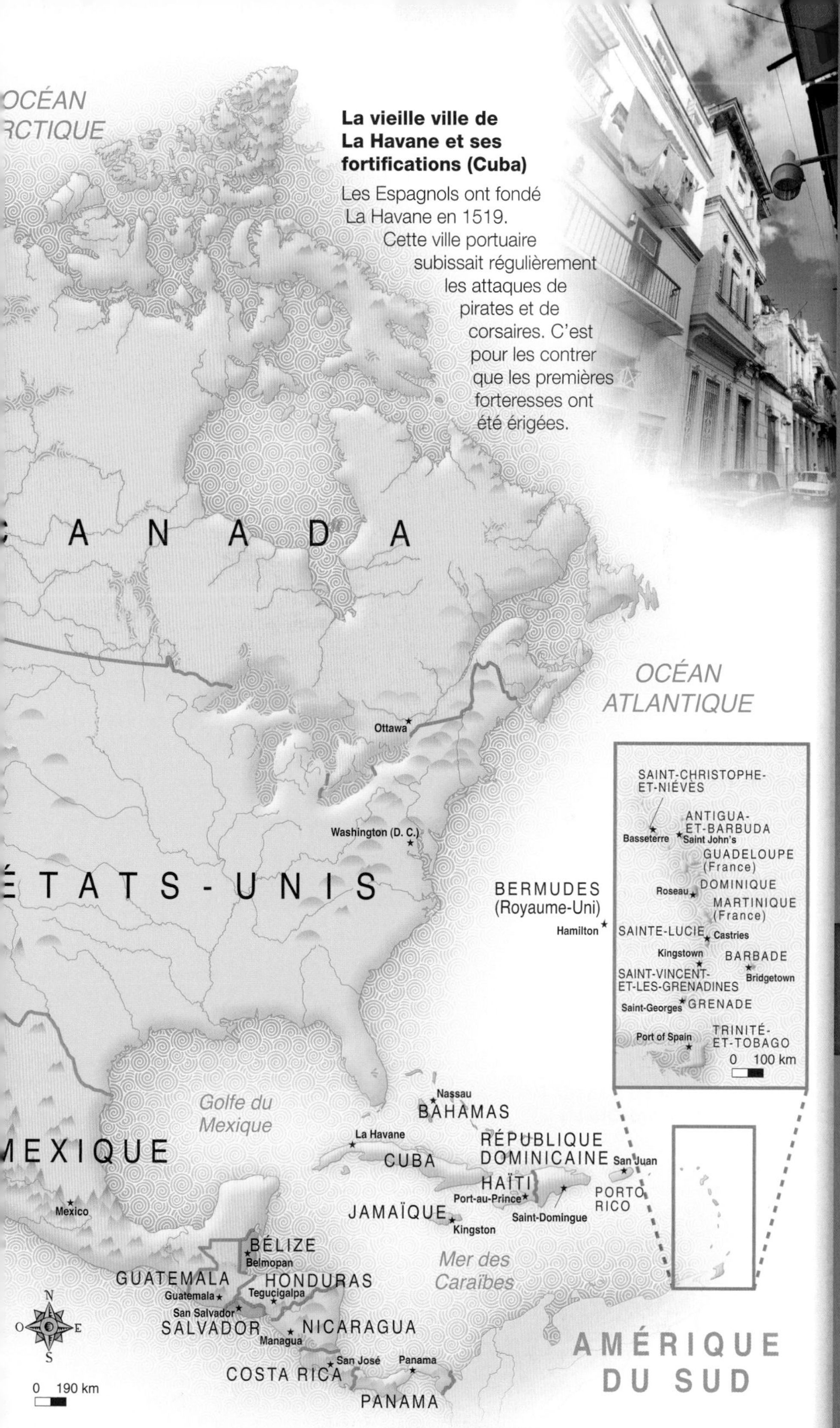

OCÉAN ARCTIQUE

CANADA

Ottawa

OCÉAN ATLANTIQUE

Washington (D. C.)

ÉTATS-UNIS

BERMUDES (Royaume-Uni)

Hamilton

SAINT-CHRISTOPHE-ET-NIÉVÈS

Basseterre

ANTIGUA-ET-BARBUDA

Saint John's

GUADELOUPE (France)

Roseau

DOMINIQUE

MARTINIQUE (France)

SAINTE-LUCIE

Castries

Kingstown

BARBADE

SAINT-VINCENT-ET-LES-GRENADINES

Bridgetown

Saint-Georges

GRENADE

Port of Spain

TRINITÉ-ET-TOBAGO

0 100 km

Golfe du Mexique

Nassau

BAHAMAS

La Havane

CUBA

RÉPUBLIQUE DOMINICAINE

San Juan

MEXIQUE

HAÏTI

Port-au-Prince

Saint-Domingue

PORTO RICO

Mexico

JAMAÏQUE

Kingston

BÉLIZE

Belmopan

Mer des Caraïbes

GUATEMALA

Guatemala

HONDURAS

Tegucigalpa

San Salvador

SALVADOR

NICARAGUA

Managua

San José

Panama

COSTA RICA

PANAMA

AMÉRIQUE DU SUD

N O E S

0 190 km

Le Canada

Population : 33 311 300 habitants

Superficie : 9 984 670 km²

Densité de la population : 3,3 hab./km²

Langues officielles : français et anglais

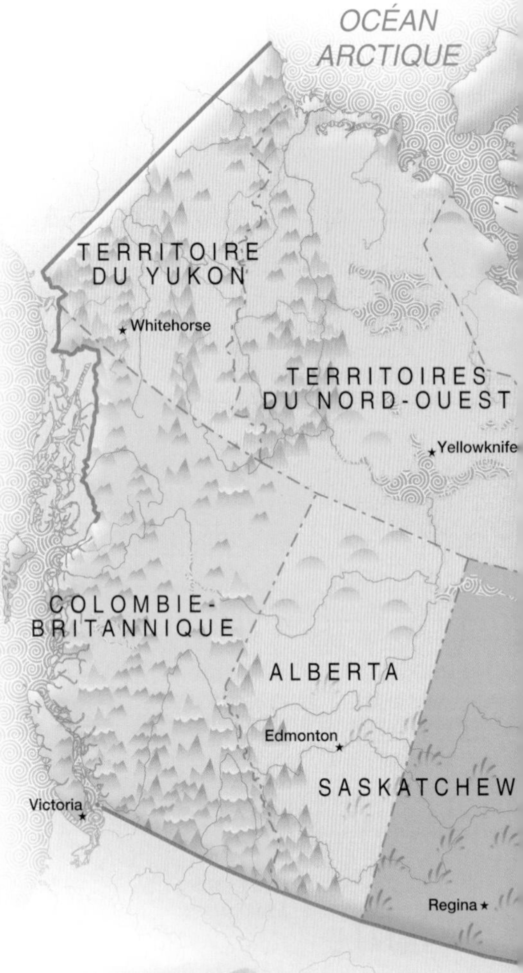

Les parcs des montagnes Rocheuses canadiennes (Colombie-Britannique et Alberta)

Les parcs des montagnes Rocheuses canadiennes sont au nombre de sept. Ils comprennent les parcs nationaux de Banff, Jasper, Kootenay et Yoho, et les parcs provinciaux du mont Robson, du mont Assiniboine et de Hamber. Ils sont parsemés de sommets pointus, de lacs, de chutes et de canyons. Le champ de glace et les cavernes Castelguard comptent parmi les sites les plus spectaculaires de ces parcs.

OCÉAN ARCTIQUE

TERRITOIRE DU YUKON

Whitehorse

TERRITOIRES DU NORD-OUEST

Yellowknife

COLOMBIE-BRITANNIQUE

ALBERTA

Edmonton

SASKATCHEW

Victoria

Regina

OCÉAN PACIFIQUE

Le Parc national du Canada Nahanni (Territoires du Nord-Ouest)

Le Parc national du Canada Nahanni est une région naturelle de plus de 30 000 km². On peut y voir des montagnes escarpées, des rivières sauvages, de profonds canyons et des cascades tumultueuses. La réserve abrite plusieurs espèces animales spécifiques des forêts boréales (loups, ours, caribous).

Le Vieux Lunenberg (Nouvelle-Écosse)

Le Vieux Lunenburg est le meilleur exemple d'établissement colonial britannique bâti en Amérique du Nord. Cette ville fondée en 1753 a conservé intacte sa structure d'origine. La plupart des édifices datent des 18e et 19e siècles. Ils sont en bois et vivement colorés.

Le Québec

Population : 7 546 100 habitants

Superficie : 1 547 370 km²

Densité de la population : 4,9 hab./km²

Capitale : Québec

Langue officielle : français

Pourcentage de la population autochtone : 1,5 %

Les régions administratives du Québec

01 Bas-Saint-Laurent
02 Saguenay–Lac-Saint-Jean
03 Capitale-Nationale
04 Mauricie
05 Estrie
06 Montréal
07 Outaouais
08 Abitibi-Témiscamingue
09 Côte-Nord
10 Nord-du-Québec
11 Gaspésie–Îles-de-la-Madeleine
12 Chaudière-Appalaches
13 Laval
14 Lanaudière
15 Laurentides
16 Montérégie
17 Centre-du-Québec

L'arrondissement historique du Vieux-Québec

Fondée par Samuel de Champlain au début du 17e siècle, Québec est la seule ville d'Amérique du Nord à avoir conservé ses fortifications et la plupart de ses ouvrages de défense. L'arrondissement historique du Vieux-Québec est constitué de deux secteurs distincts : La Haute-Ville, sur le promontoire du cap Diamant, et la Basse-Ville, avec ses quartiers anciens. Il comporte de nombreux sites archéologiques témoignant de la présence amérindienne et de celle des premiers colons européens dans ces lieux.

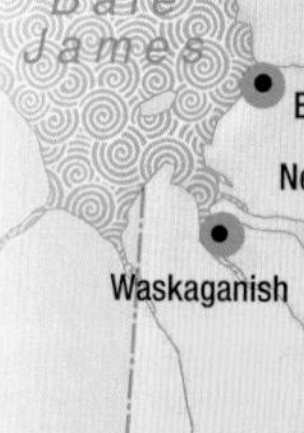

Le Château Frontenac

Surplombant le Vieux-Québec, le Château Frontenac est l'un des premiers hôtels de luxe, de style « château ». Construit pour la compagnie ferroviaire Canadien Pacifique, désireuse d'en faire une escale de choix pour ses passagers, il a été inauguré en 1893. Son architecture s'inspire des châteaux français de la Renaissance ainsi que des manoirs écossais.

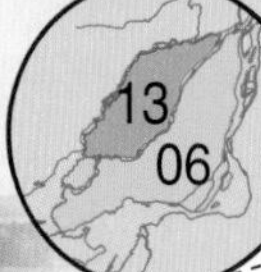

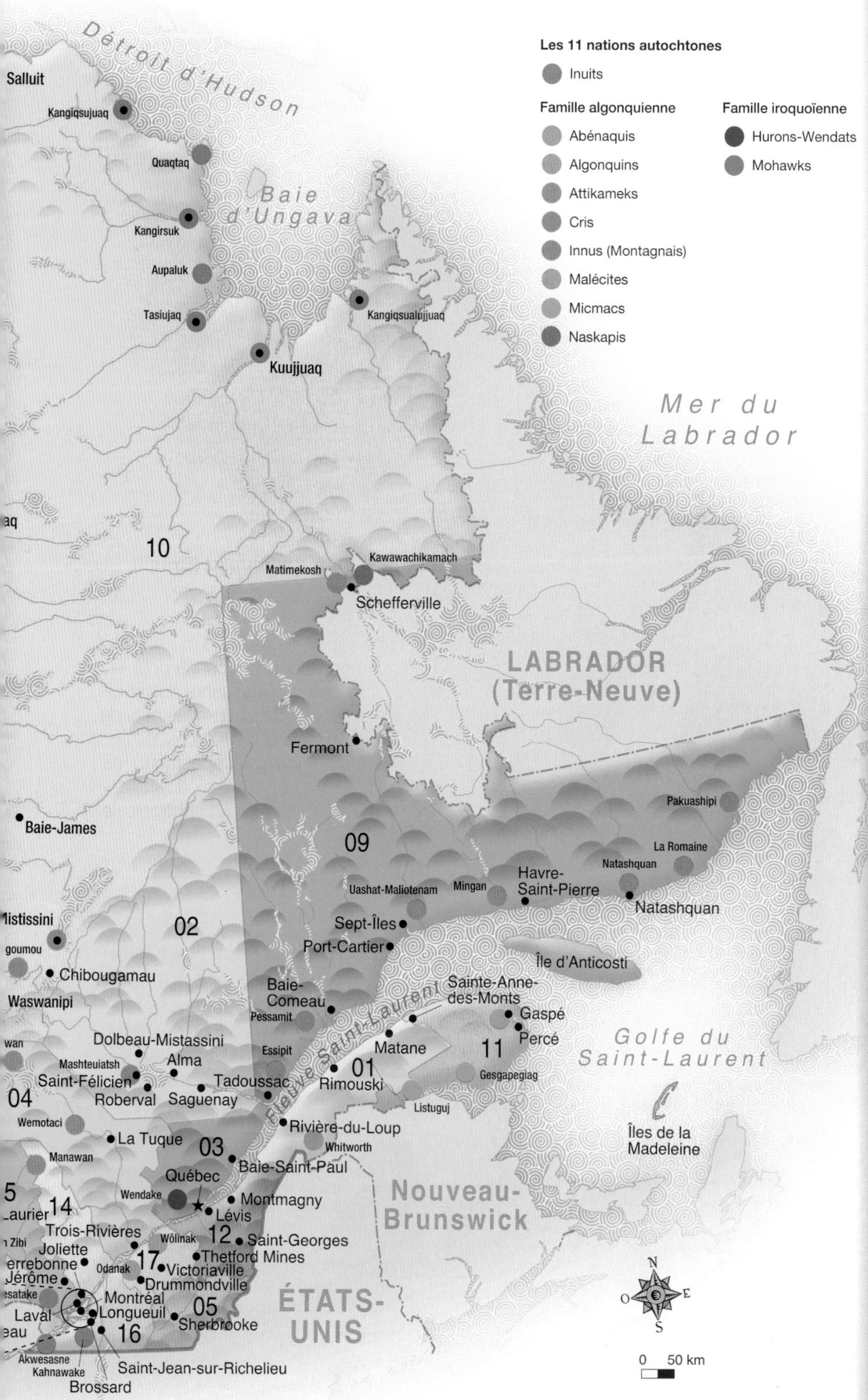
Les 11 nations autochtones
Inuits
Famille algonquienne
Abénaquis
Algonquins
Attikameks
Cris
Innus (Montagnais)
Malécites
Micmacs
Naskapis
Famille iroquoïenne
Hurons-Wendats
Mohawks
Détroit d'Hudson
Baie d'Ungava
Mer du Labrador
LABRADOR (Terre-Neuve)
Golfe du Saint-Laurent
Fleuve Saint-Laurent
Nouveau-Brunswick
ÉTATS-UNIS
Salluit
Kangiqsujuaq
Quaqtaq
Kangirsuk
Aupaluk
Tasiujaq
Kangiqsualujjuaq
Kuujjuaq
10
Matimekosh
Kawawachikamach
Schefferville
Fermont
Baie-James
09
Pakuashipi
La Romaine
Natashquan
Havre-Saint-Pierre
Mingan
Uashat-Maliotenam
Natashquan
Sept-Îles
Port-Cartier
Île d'Anticosti
02
Chibougamau
Waswanipi
Baie-Comeau
Pessamit
Sainte-Anne-des-Monts
Gaspé
Percé
11
Gesgapegiag
Matane
01
Rimouski
Listuguj
Essipit
Dolbeau-Mistassini
Mashteuiatsh
Alma
Saint-Félicien
Roberval
Saguenay
Tadoussac
04
Wemotaci
La Tuque
03
Rivière-du-Loup
Whitworth
Manawan
Québec
Baie-Saint-Paul
Wendake
Montmagny
Lévis
14
Trois-Rivières
Joliette
Wôlinak
12
Saint-Georges
Thetford Mines
Odanak
17
Victoriaville
Drummondville
Montréal
Longueuil
Laval
05
Sherbrooke
16
Akwesasne
Kahnawake
Saint-Jean-sur-Richelieu
Brossard
Îles de la Madeleine
N
O
E
S
0 50 km
Le Québec
Carte 5

L'Amérique du Sud

Population : 383 940 000 habitants

Superficie : 17 840 000 km²

Densité de la population : 21,5 hab./km²

Le Sanctuaire historique de Machu Picchu (Pérou)

Située à 2430 m d'altitude, dans un site montagneux cerné par une forêt tropicale, l'ancienne cité sacrée de Machu Picchu est probablement la création urbaine la plus stupéfiante de l'Empire inca. La ville fait partie d'un ensemble culturel et écologique d'une extraordinaire beauté, connu sous le nom de Sanctuaire historique de Machu Picchu.

Îles Galapagos (Équateur)

Le Parc national d'Iguaçu (Brésil)

Situé à la frontière de l'Argentine et du Brésil, le Parc national d'Iguaçu, d'une superficie de 550 km², est mondialement reconnu pour la beauté saisissante des chutes d'Iguaçu, un ensemble de près de 300 cascades des plus spectaculaires, et pour la biodiversité de sa forêt subtropicale.

Île de Pâques (Chili)

Le Parc national de Rapa Nui (Chili)

Rapa Nui est le nom autochtone de l'île de Pâques, une île de l'océan Pacifique d'une superficie de 160 km². Ses habitants, totalement isolés du reste du monde pendant plus de 1000 ans, y ont dressé des personnages gigantesques en pierre volcanique, les moais, qui intriguent et fascinent aujourd'hui le monde entier.

L'Amérique du Sud

Carte 6

Les îles Galapagos (Équateur)

Situées dans l'océan Pacifique, à environ 1000 km de la côte ouest de l'Équateur, cet archipel de dix-neuf îles et l'extraordinaire réserve marine qu'elles abritent constituent un musée vivant de l'évolution et un laboratoire de recherche uniques au monde.

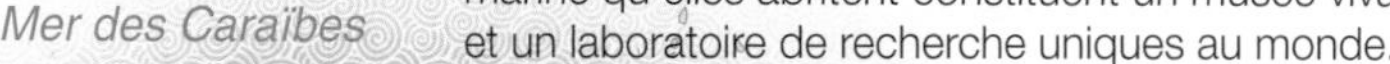

L'Afrique

Population : 1 033 043 000 habitants

Superficie : 30 500 000 km²

Densité de la population : 33,9 hab./km²

Le Parc du Drakensberg (Afrique du Sud)

Ce parc est situé dans un site naturel spectaculaire, d'une grande diversité. On y trouve l'ensemble le plus vaste et le plus dense de peintures rupestres de l'Afrique subsaharienne, remarquables tant pour leur qualité que pour la diversité des sujets représentés. Elles ont été réalisées par le peuple San, aujourd'hui disparu, qui a ainsi laissé un témoignage remarquable de son mode de vie.

Le ksar d'Aït-Ben-Haddou (Maroc)

Le ksar d'Aït-Ben-Haddou est un ensemble de bâtiments en terre rouge dans un labyrinthe de ruelles. Typiques de l'habitat traditionnel présaharien, les maisons sont protégées par de hautes murailles.

Le Parc national du Kilimandjaro (Tanzanie)

Le Parc national du Kilimandjaro abrite la plus haute montagne d'Afrique, le Kilimandjaro. Avec sa cime couverte de neiges éternelles, ce massif volcanique qui surplombe la savane environnante constitue un phénomène naturel exceptionnel.

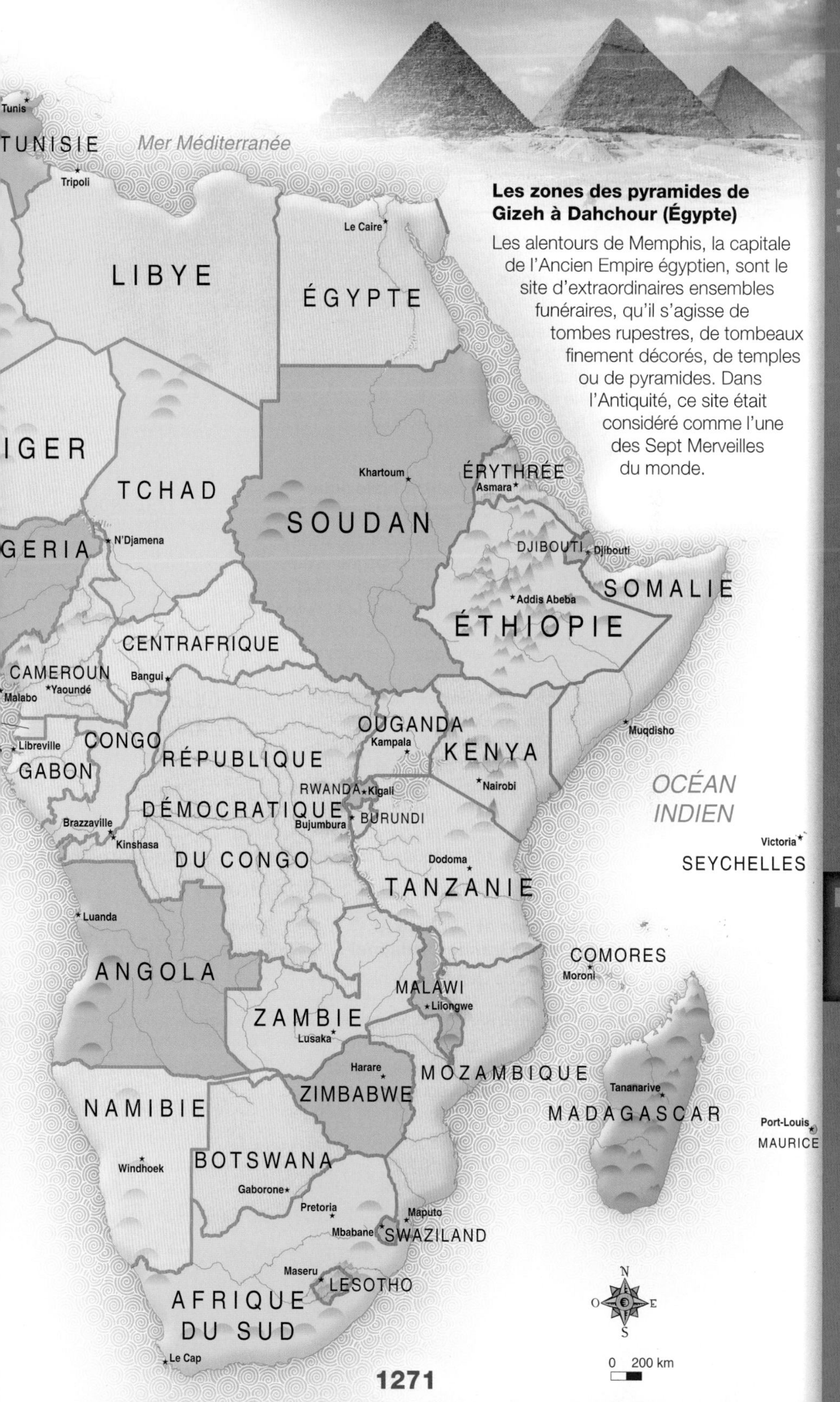

Les zones des pyramides de Gizeh à Dahchour (Égypte)

Les alentours de Memphis, la capitale de l'Ancien Empire égyptien, sont le site d'extraordinaires ensembles funéraires, qu'il s'agisse de tombes rupestres, de tombeaux finement décorés, de temples ou de pyramides. Dans l'Antiquité, ce site était considéré comme l'une des Sept Merveilles du monde.

L'Europe

Population : 830 400 000 habitants

Superficie : 10 519 793 km²

Densité de la population : 78,9 hab./km²

Le château de l'Ordre teutonique de Malbork (Pologne)

Ce monastère fortifié de l'Ordre teutonique date du 13e siècle. C'est une création architecturale unique, qui a influencé la construction des édifices gothiques qui ont suivi. Il a été restauré à quelques reprises, notamment après la Seconde Guerre mondiale.

Le centre historique de Cordoue (Espagne)

La ville de Cordoue, dans le sud de l'Espagne, a été conquise au 8e siècle par les Maures. Ils y ont construit d'innombrables palais et bains publics, ainsi que 1000 mosquées, dont la Grande Mosquée de Cordoue. Au 13e siècle, Ferdinand III de Castille s'empare de la ville et convertit en cathédrale la Grande Mosquée, joyau de l'architecture mauresque en Europe.

Reykjavik
ISLANDE
ROYAUME-
Dublin
IRLANDE
Londres
OCÉAN ATLANTIQUE
FR
Andorre-la-Vieille

PORTUGAL
Madrid
Lisbonne
ESPAGNE
AFRIQU

La cathédrale et le château de Durham (Grande-Bretagne)

La cathédrale de Durham semble être le monument le plus vaste et le plus achevé de l'architecture normande en Angleterre. Derrière se dresse le château du même nom, ancienne forteresse normande à pont-levis, qui a servi ensuite de résidence aux princes-évêques de Durham.

Le Colisée de Rome (Italie)

Le Colisée est l'une des plus grandes œuvres issues du génie architectural et de l'ingénierie romaines. Pouvant accueillir entre 50 000 et 75 000 spectateurs, cet amphithéâtre a servi principalement pour les combats de gladiateurs, mais aussi pour la chasse d'animaux sauvages, les exécutions publiques, les reconstitutions de batailles célèbres et autres spectacles publics.

L'Asie

Population : 3 902 404 200 habitants

Superficie : 44 000 000 km²

Densité de la population : 88,7 hab./km²

Le Taj Mahal (Inde)

Emblème de l'Inde, le Taj Mahal est un immense mausolée de marbre qui est considéré comme la plus belle construction humaine jamais réalisée.

La baie d'Ha-long (Vietnam)

Selon la légende du Hạ Long, le paysage de cette baie est dû au dragon, être merveilleux et bénéfique au Vietnam, qui serait descendu dans la mer pour domestiquer les courants marins.

La Grande Muraille (Chine)

Avec ses 6700 km de murs construits, la Grande Muraille est la plus longue construction humaine du monde.

La vallée de Katmandou (Népal)

Selon une légende, cette vallée était recouverte d'un lac. Avec son épée de sagesse, le Bodhisattva Manjushri aurait tranché à travers les montagnes, drainant l'eau et permettant ainsi la naissance des premiers villages.

OCÉAN ARCTIQUE

RUSSIE

MONGOLIE

Oulan-Bator

Pékin

CHINE

CORÉE-DU-NORD

Pyongyang

CORÉE-DU-SUD

Séoul

Tokyo

JAPON

OCÉAN PACIFIQUE

N O E S

0 250 km

TAIWAN

Katmandou

BHOUTAN

Thimphou

BANGLADESH

Dacca

MYANMAR (BIRMANIE)

Naypyidaw

LAOS

Vientiane

Hanoi

THAÏLANDE

Bangkok

CAMBODGE

Phnom Penh

VIETNAM

Manille

PHILIPPINES

Bandar Seri Begawan

BRUNEI

MALAISIE

Kuala Lumpur

SINGAPOUR

Singapour

INDONÉSIE

TIMOR ORIENTAL

Dili

Jakarta

OCÉAN INDIEN

L'Océanie

Population : 32 000 000 habitants

Superficie : 9 008 458 km²

Densité de la population : 3,6 hab./km²

La Grande Barrière de corail (Australie)

Située au nord-est de la côte australienne et s'étendant sur plus de 2000 km de long, la Grande Barrière de corail constitue le plus grand ensemble corallien du monde avec 400 espèces de coraux, 1500 espèces de poissons et 4000 espèces de mollusques.

Mariannes du Nord (É.-U.)
Guam (É.-U.)
PALAOS
Melekeok
Palikir
MICRONÉSI
ASIE
PAPOUASIE – NOUVELLE-GUINÉE
Port Moresby
Honiara
ÎL
MA
Nouve
Caléd
(Fran
AUSTRALIE
Canberra

Le Parc national d'Uluru-Kata Tjuta (Australie)

Ce parc, qui présente des formations géologiques spectaculaires, recèle les sites les plus sacrés de la culture aborigène. L'immense monolithe d'Uluru et les dômes rocheux de Kata Tjuta, à l'ouest d'Uluru, font partie intégrante du système de croyances traditionnelles des aborigènes, l'une des sociétés humaines les plus anciennes du monde.

L'Opéra de Sydney (Australie)

Inauguré en 1973, l'Opéra de Sydney est l'un des édifices les plus célèbres du 20e siècle. Symbole du patrimoine culturel australien, ce joyau architectural inspire depuis sa création toutes les innovations en matière d'architecture.

HAWAII (É.-U.)

HALL
Majuro
N O E S
0 400 km
Tarawa
URU
KIRIBATI
LOMON
Vaiaku
TUVALU
Îles Tokelau (N.-Z.)
SAMOA OCC.
Apia
Samoa (É.-U.)
Wallis-et-Futuna (France)
NUATU
Port-Vila
Suva
FIDJI
TONGA
Nuku'alofa
Niue (N.-Z.)
Îles Cook (N.-Z.)
Tahiti
Polynésie française (France)
uméa

Le Parc national de Tongariro (Nouvelle-Zélande)

Le Parc national de Tongariro comporte plusieurs montagnes dotées d'une profonde signification culturelle et religieuse pour le peuple maori. On y trouve également des volcans éteints et en activité, une grande variété d'écosystèmes et des panoramas particulièrement spectaculaires.

Wellington
OUVELLE-ÉLANDE

L'Antarctique

Superficie : 14 000 000 km^2

Température moyenne annuelle au pôle Sud : –49,3° C

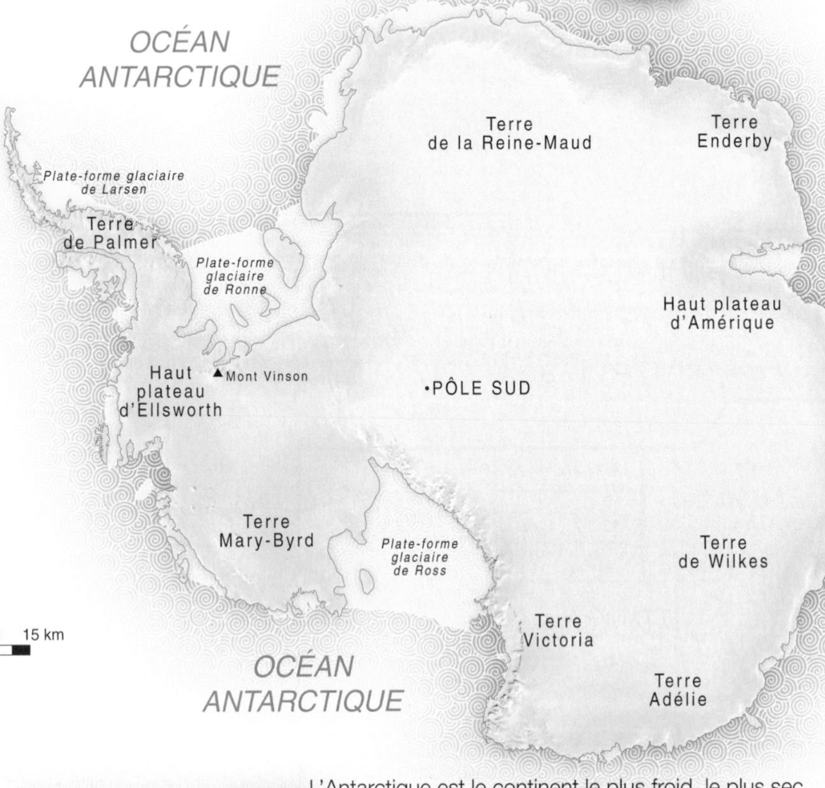

L'Antarctique est le continent le plus froid, le plus sec et le plus venteux. Il est constitué du plus grand désert glaciaire du monde. On n'y trouve pas d'habitat humain permanent et il n'y a jamais eu de population indigène. Seuls des végétaux et des animaux adaptés au froid, au manque de lumière et à l'aridité y survivent, comme des manchots, des phoques, des poissons, des crustacés, des mousses, des lichens et de nombreux types d'algues.

que nous ayons écrit
que vous ayez écrit
qu'ils / elles aient écrit

subjonctif

participe passé

présent

conditionnel

J'ai lu
tu as lu
il / elle / on a lu
nous avons lu
vous avez lu
ils / elles ont lu

plus-que-parfait

impératif

j'aurai
tu auras
il / elle / on aura
nous aurons
vous aurez
ils auront

indicatif

passé composé

futur proche

imparfait

passé

participe passé

Tableaux de conjugaison

Tableaux de conjugaison

Voici la liste des verbes modèles auxquels renvoient les verbes se trouvant dans la section *Noms communs* du dictionnaire.

Pour connaître l'orthographe rectifiée d'un verbe, consultez l'entrée de ce verbe dans la section *Noms communs*.

① Avoir

INDICATIF	
Temps simples	**Temps composés**
Présent j'ai tu as il/elle/on a nous avons vous avez ils/elles ont	**Passé composé** j'ai eu tu as eu il/elle/on a eu nous avons eu vous avez eu ils/elles ont eu
Imparfait j'avais tu avais il/elle/on avait nous avions vous aviez ils/elles avaient	**Plus-que-parfait** j'avais eu tu avais eu il/elle/on avait eu nous avions eu vous aviez eu ils/elles avaient eu
Futur simple j'aurai tu auras il/elle/on aura nous aurons vous aurez ils/elles auront	**Futur antérieur** j'aurai eu tu auras eu il/elle/on aura eu nous aurons eu vous aurez eu ils/elles auront eu
Conditionnel présent j'aurais tu aurais il/elle/on aurait nous aurions vous auriez ils/elles auraient	**Conditionnel passé** j'aurais eu tu aurais eu il/elle/on aurait eu nous aurions eu vous auriez eu ils/elles auraient eu
	Autre temps
Passé simple j'eus tu eus il/elle/on eut nous eûmes vous eûtes ils/elles eurent	**Futur proche** je vais avoir tu vas avoir il/elle/on va avoir nous allons avoir vous allez avoir ils/elles vont avoir
IMPÉRATIF	**SUBJONCTIF**
Présent aie ayons ayez	**Présent** que j'aie que tu aies qu'il/elle/on ait que nous ayons que vous ayez qu'ils/elles aient
PARTICIPE	
Présent ayant	**Passé** eu, eue
INFINITIF	
avoir	

② Être

INDICATIF	
Temps simples	**Temps composés**
Présent je suis tu es il/elle/on est nous sommes vous êtes ils/elles sont	**Passé composé** j'ai été tu as été il/elle/on a été nous avons été vous avez été ils/elles ont été
Imparfait j'étais tu étais il/elle/on était nous étions vous étiez ils/elles étaient	**Plus-que-parfait** j'avais été tu avais été il/elle/on avait été nous avions été vous aviez été ils/elles avaient été
Futur simple je serai tu seras il/elle/on sera nous serons vous serez ils/elles seront	**Futur antérieur** j'aurai été tu auras été il/elle/on aura été nous aurons été vous aurez été ils/elles auront été
Conditionnel présent je serais tu serais il/elle/on serait nous serions vous seriez ils/elles seraient	**Conditionnel passé** j'aurais été tu aurais été il/elle/on aurait été nous aurions été vous auriez été ils/elles auraient été
	Autre temps
Passé simple je fus tu fus il/elle/on fut nous fûmes vous fûtes ils/elles furent	**Futur proche** je vais être tu vas être il/elle/on va être nous allons être vous allez être ils/elles vont être
IMPÉRATIF	**SUBJONCTIF**
Présent sois soyons soyez	**Présent** que je sois que tu sois qu'il/elle/on soit que nous soyons que vous soyez qu'ils/elles soient
PARTICIPE	
Présent étant	**Passé** été
INFINITIF	
être	

3 Aimer

INDICATIF	
Temps simples	**Temps composés**
Présent j'aime tu aimes il/elle/on aime nous aimons vous aimez ils/elles aiment	**Passé composé** j'ai aimé tu as aimé il/elle/on a aimé nous avons aimé vous avez aimé ils/elles ont aimé
Imparfait j'aimais tu aimais il/elle/on aimait nous aimions vous aimiez ils/elles aimaient	**Plus-que-parfait** j'avais aimé tu avais aimé il/elle/on avait aimé nous avions aimé vous aviez aimé ils/elles avaient aimé
Futur simple j'aimerai tu aimeras il/elle/on aimera nous aimerons vous aimerez ils/elles aimeront	**Futur antérieur** j'aurai aimé tu auras aimé il/elle/on aura aimé nous aurons aimé vous aurez aimé ils/elles auront aimé
Conditionnel présent j'aimerais tu aimerais il/elle/on aimerait nous aimerions vous aimeriez ils/elles aimeraient	**Conditionnel passé** j'aurais aimé tu aurais aimé il/elle/on aurait aimé nous aurions aimé vous auriez aimé ils/elles auraient aimé
	Autre temps
Passé simple j'aimai tu aimas il/elle/on aima nous aimâmes vous aimâtes ils/elles aimèrent	**Futur proche** je vais aimer tu vas aimer il/elle/on va aimer nous allons aimer vous allez aimer ils/elles vont aimer
IMPÉRATIF	**SUBJONCTIF**
Présent aime aimons aimez	**Présent** que j'aime que tu aimes qu'il/elle/on aime que nous aimions que vous aimiez qu'ils/elles aiment
PARTICIPE	
Présent aimant	**Passé** aimé, aimée
INFINITIF	
aimer	

4 Placer

INDICATIF	
Temps simples	**Temps composés**
Présent je place tu places il/elle/on place nous plaçons vous placez ils/elles placent	**Passé composé** j'ai placé tu as placé il/elle/on a placé nous avons placé vous avez placé ils/elles ont placé
Imparfait je plaçais tu plaçais il/elle/on plaçait nous placions vous placiez ils/elles plaçaient	**Plus-que-parfait** j'avais placé tu avais placé il/elle/on avait placé nous avions placé vous aviez placé ils/elles avaient placé
Futur simple je placerai tu placeras il/elle/on placera nous placerons vous placerez ils/elles placeront	**Futur antérieur** j'aurai placé tu auras placé il/elle/on aura placé nous aurons placé vous aurez placé ils/elles auront placé
Conditionnel présent je placerais tu placerais il/elle/on placerait nous placerions vous placeriez ils/elles placeraient	**Conditionnel passé** j'aurais placé tu aurais placé il/elle/on aurait placé nous aurions placé vous auriez placé ils/elles auraient placé
	Autre temps
Passé simple je plaçai tu plaças il/elle/on plaça nous plaçâmes vous plaçâtes ils/elles placèrent	**Futur proche** je vais placer tu vas placer il/elle/on va placer nous allons placer vous allez placer ils/elles vont placer
IMPÉRATIF	**SUBJONCTIF**
Présent place plaçons placez	**Présent** que je place que tu places qu'il/elle/on place que nous placions que vous placiez qu'ils/elles placent
PARTICIPE	
Présent plaçant	**Passé** placé, placée
INFINITIF	
placer	

* Les verbes en ***-cer*** prennent une ***cédille*** sous le **ç** devant le ***a*** et le ***o***.
Exemples : *il pla**ç**ait, nous pla**ç**ons.*

5 Manger

INDICATIF	
Temps simples	**Temps composés**
Présent je mange tu manges il/elle/on mange nous mangeons vous mangez ils/elles mangent	**Passé composé** j'ai mangé tu as mangé il/elle/on a mangé nous avons mangé vous avez mangé ils/elles ont mangé
Imparfait je mangeais tu mangeais il/elle/on mangeait nous mangions vous mangiez ils/elles mangeaient	**Plus-que-parfait** j'avais mangé tu avais mangé il/elle/on avait mangé nous avions mangé vous aviez mangé ils/elles avaient mangé
Futur simple je mangerai tu mangeras il/elle/on mangera nous mangerons vous mangerez ils/elles mangeront	**Futur antérieur** j'aurai mangé tu auras mangé il/elle/on aura mangé nous aurons mangé vous aurez mangé ils/elles auront mangé
Conditionnel présent je mangerais tu mangerais il/elle/on mangerait nous mangerions vous mangeriez ils/elles mangeraient	**Conditionnel passé** j'aurais mangé tu aurais mangé il/elle/on aurait mangé nous aurions mangé vous auriez mangé ils/elles auraient mangé
	Autre temps
Passé simple je mangeai tu mangeas il/elle/on mangea nous mangeâmes vous mangeâtes ils/elles mangèrent	**Futur proche** je vais manger tu vas manger il/elle/on va manger nous allons manger vous allez manger ils/elles vont manger
IMPÉRATIF	**SUBJONCTIF**
Présent mange mangeons mangez	**Présent** que je mange que tu manges qu'il/elle/on mange que nous mangions que vous mangiez qu'ils/elles mangent
PARTICIPE	
Présent mangeant	**Passé** mangé, mangée
INFINITIF	
manger	

* Les verbes en ***-ger*** conservent le ***e*** après le ***g*** devant le ***a*** et le ***o***.
Exemples : *il mang**e**ait, nous mang**e**ons.*

6 Broyer

INDICATIF	
Temps simples	**Temps composés**
Présent je broie tu broies il/elle/on broie nous broyons vous broyez ils/elles broient	**Passé composé** j'ai broyé tu as broyé il/elle/on a broyé nous avons broyé vous avez broyé ils/elles ont broyé
Imparfait je broyais tu broyais il/elle/on broyait nous broyions vous broyiez ils/elles broyaient	**Plus-que-parfait** j'avais broyé tu avais broyé il/elle/on avait broyé nous avions broyé vous aviez broyé ils/elles avaient broyé
Futur simple je broierai tu broieras il/elle/on broiera nous broierons vous broierez ils/elles broieront	**Futur antérieur** j'aurai broyé tu auras broyé il/elle/on aura broyé nous aurons broyé vous aurez broyé ils/elles auront broyé
Conditionnel présent je broierais tu broierais il/elle/on broierait nous broierions vous broieriez ils/elles broieraient	**Conditionnel passé** j'aurais broyé tu aurais broyé il/elle/on aurait broyé nous aurions broyé vous auriez broyé ils/elles auraient broyé
	Autre temps
Passé simple je broyai tu broyas il/elle/on broya nous broyâmes vous broyâtes ils/elles broyèrent	**Futur proche** je vais broyer tu vas broyer il/elle/on va broyer nous allons broyer vous allez broyer ils/elles vont broyer
IMPÉRATIF	**SUBJONCTIF**
Présent broie broyons broyez	**Présent** que je broie que tu broies qu'il/elle/on broie que nous broyions que vous broyiez qu'ils/elles broient
PARTICIPE	
Présent broyant	**Passé** broyé, broyée
INFINITIF	
broyer	

* Les verbes en ***-oyer*** et en ***-uyer*** changent le ***y*** du radical en ***i*** devant un ***e*** muet.
Exemples : *je bro**i**e, je bro**i**erai ; j'appu**i**e, j'appu**i**erai.*

* ***Envoyer*** et ***renvoyer*** suivent cette règle, mais ils ont aussi un futur et un conditionnel irréguliers.
Exemples : *j'enverrai, j'enverrais ; je renverrai, je renverrais.*

⑦ Payer

INDICATIF	
Temps simples	**Temps composés**
Présent je paie/paye tu paies/payes il/elle/on paie/paye nous payons vous payez ils/elles paient/payent	**Passé composé** j'ai payé tu as payé il/elle/on a payé nous avons payé vous avez payé ils/elles ont payé
Imparfait je payais tu payais il/elle/on payait nous payions vous payiez ils/elles payaient	**Plus-que-parfait** j'avais payé tu avais payé il/elle/on avait payé nous avions payé vous aviez payé ils/elles avaient payé
Futur simple je paierai/payerai tu paieras/payeras il/elle/on paiera/payera nous paierons/payerons vous paierez/payerez ils/elles paieront/ payeront	**Futur antérieur** j'aurai payé tu auras payé il/elle/on aura payé nous aurons payé vous aurez payé ils/elles auront payé
Conditionnel présent je paierais/payerais tu paierais/payerais il/elle/on paierait/payerait nous paierions/payerions vous paieriez/payeriez ils/elles paieraient/ payeraient	**Conditionnel passé** j'aurais payé tu aurais payé il/elle/on aurait payé nous aurions payé vous auriez payé ils/elles auraient payé
	Autre temps
Passé simple je payai tu payas il/elle/on paya nous payâmes vous payâtes ils/elles payèrent	**Futur proche** je vais payer tu vas payer il/elle/on va payer nous allons payer vous allez payer ils/elles vont payer
IMPÉRATIF	**SUBJONCTIF**
Présent paie/paye payons payez	**Présent** que je paie/paye que tu paies/payes qu'il/elle/on paie/paye que nous payions que vous payiez qu'ils/elles paient/payent
PARTICIPE	
Présent payant	**Passé** payé, payée
INFINITIF	
payer	

* Les verbes en ***-ayer*** peuvent garder le ***y*** du radical partout ou le changer en ***i*** devant un ***e*** muet. Exemple : *je pa**y**e* ou *je pa**i**e.*

⑧ Céder

INDICATIF	
Temps simples	**Temps composés**
Présent je cède tu cèdes il/elle/on cède nous cédons vous cédez ils/elles cèdent	**Passé composé** j'ai cédé tu as cédé il/elle/on a cédé nous avons cédé vous avez cédé ils/elles ont cédé
Imparfait je cédais tu cédais il/elle/on cédait nous cédions vous cédiez ils/elles cédaient	**Plus-que-parfait** j'avais cédé tu avais cédé il/elle/on avait cédé nous avions cédé vous aviez cédé ils/elles avaient cédé
Futur simple je céderai tu céderas il/elle/on cédera nous céderons vous céderez ils/elles céderont	**Futur antérieur** j'aurai cédé tu auras cédé il/elle/on aura cédé nous aurons cédé vous aurez cédé ils/elles auront cédé
Conditionnel présent je céderais tu céderais il/elle/on céderait nous céderions vous céderiez ils/elles céderaient	**Conditionnel passé** j'aurais cédé tu aurais cédé il/elle/on aurait cédé nous aurions cédé vous auriez cédé ils/elles auraient cédé
	Autre temps
Passé simple je cédai tu cédas il/elle/on céda nous cédâmes vous cédâtes ils/elles cédèrent	**Futur proche** je vais céder tu vas céder il/elle/on va céder nous allons céder vous allez céder ils/elles vont céder
IMPÉRATIF	**SUBJONCTIF**
Présent cède cédons cédez	**Présent** que je cède que tu cèdes qu'il/elle/on cède que nous cédions que vous cédiez qu'ils/elles cèdent
PARTICIPE	
Présent cédant	**Passé** cédé, cédée
INFINITIF	
céder	

* Les verbes en ***e(-)er*** et ***é(-)er*** changent le ***e*** ou le ***é*** du radical en ***è*** devant une syllabe muette finale. Exemples : *peler, je p**è**le ; céder, je c**è**de.*

9 Appeler

INDICATIF	
Temps simples	**Temps composés**
Présent j'appelle tu appelles il/elle/on appelle nous appelons vous appelez ils/elles appellent	**Passé composé** j'ai appelé tu as appelé il/elle/on a appelé nous avons appelé vous avez appelé ils/elles ont appelé
Imparfait j'appelais tu appelais il/elle/on appelait nous appelions vous appeliez ils/elles appelaient	**Plus-que-parfait** j'avais appelé tu avais appelé il/elle/on avait appelé nous avions appelé vous aviez appelé ils/elles avaient appelé
Futur simple j'appellerai tu appelleras il/elle/on appellera nous appellerons vous appellerez ils/elles appelleront	**Futur antérieur** j'aurai appelé tu auras appelé il/elle/on aura appelé nous aurons appelé vous aurez appelé ils/elles auront appelé
Conditionnel présent j'appellerais tu appellerais il/elle/on appellerait nous appellerions vous appelleriez ils/elles appelleraient	**Conditionnel passé** j'aurais appelé tu aurais appelé il/elle/on aurait appelé nous aurions appelé vous auriez appelé ils/elles auraient appelé
	Autre temps
Passé simple j'appelai tu appelas il/elle/on appela nous appelâmes vous appelâtes ils/elles appelèrent	**Futur proche** je vais appeler tu vas appeler il/elle/on va appeler nous allons appeler vous allez appeler ils/elles vont appeler
IMPÉRATIF	**SUBJONCTIF**
Présent appelle appelons appelez	**Présent** que j'appelle que tu appelles qu'il/elle/on appelle que nous appelions que vous appeliez qu'ils/elles appellent
PARTICIPE	
Présent appelant	**Passé** appelé, appelée
INFINITIF	
appeler	

* Les verbes en ***-eler*** et ***-eter*** doublent généralement le ***l*** ou le ***t*** devant un ***e*** muet. Exemples : *appeler, j'appe**ll**e ; jeter, je je**tt**e.* Mais certains de ces verbes suivent le modèle 8 (auquel cas, l'entrée du dictionnaire renvoie à ce modèle). Exemple : *modeler, je mod**è**le.*

10 Apprécier

INDICATIF	
Temps simples	**Temps composés**
Présent j'apprécie tu apprécies il/elle/on apprécie nous apprécions vous appréciez ils/elles apprécient	**Passé composé** j'ai apprécié tu as apprécié il/elle/on a apprécié nous avons apprécié vous avez apprécié ils/elles ont apprécié
Imparfait j'appréciais tu appréciais il/elle/on appréciait nous appréciions vous appréciiez ils/elles appréciaient	**Plus-que-parfait** j'avais apprécié tu avais apprécié il/elle/on avait apprécié nous avions apprécié vous aviez apprécié ils/elles avaient apprécié
Futur simple j'apprécierai tu apprécieras il/elle/on appréciera nous apprécierons vous apprécierez ils/elles apprécieront	**Futur antérieur** j'aurai apprécié tu auras apprécié il/elle/on aura apprécié nous aurons apprécié vous aurez apprécié ils/elles auront apprécié
Conditionnel présent j'apprécierais tu apprécierais il/elle/on apprécierait nous apprécierions vous apprécieriez ils/elles apprécieraient	**Conditionnel passé** j'aurais apprécié tu aurais apprécié il/elle/on aurait apprécié nous aurions apprécié vous auriez apprécié ils/elles auraient apprécié
	Autre temps
Passé simple j'appréciai tu apprécias il/elle/on apprécia nous appréciâmes vous appréciâtes ils//elles apprécièrent	**Futur proche** je vais apprécier tu vas apprécier il/elle/on va apprécier nous allons apprécier vous allez apprécier ils/elles vont apprécier
IMPÉRATIF	**SUBJONCTIF**
Présent apprécie apprécions appréciez	**Présent** que j'apprécie que tu apprécies qu'il/elle/on apprécie que nous appréciions que vous appréciiez qu'ils/elles apprécient
PARTICIPE	
Présent appréciant	**Passé** apprécié, appréciée
INFINITIF	
apprécier	

* Les verbes en ***-ier*** ajoutent un ***i*** à celui du radical aux 1re et 2e personnes du pluriel de l'imparfait et du subjonctif présent.
Exemples : *apprécier, nous appréci**i**ons, que vous appréci**i**ez.*

11 Finir

INDICATIF	
Temps simples	**Temps composés**
Présent je finis tu finis il/elle/on finit nous finissons vous finissez ils/elles finissent	**Passé composé** j'ai fini tu as fini il/elle/on a fini nous avons fini vous avez fini ils/elles ont fini
Imparfait je finissais tu finissais il/elle/on finissait nous finissions vous finissiez ils/elles finissaient	**Plus-que-parfait** j'avais fini tu avais fini il/elle/on avait fini nous avions fini vous aviez fini ils/elles avaient fini
Futur simple je finirai tu finiras il/elle/on finira nous finirons vous finirez ils/elles finiront	**Futur antérieur** j'aurai fini tu auras fini il/elle/on aura fini nous aurons fini vous aurez fini ils/elles auront fini
Conditionnel présent je finirais tu finirais il/elle/on finirait nous finirions vous finiriez ils/elles finiraient	**Conditionnel passé** j'aurais fini tu aurais fini il/elle/on aurait fini nous aurions fini vous auriez fini ils/elles auraient fini
	Autre temps
Passé simple je finis tu finis il/elle/on finit nous finîmes vous finîtes ils/elles finirent	**Futur proche** je vais finir tu vas finir il/elle/on va finir nous allons finir vous allez finir ils/elles vont finir
IMPÉRATIF	**SUBJONCTIF**
Présent finis finissons finissez	**Présent** que je finisse que tu finisses qu'il/elle/on finisse que nous finissions que vous finissiez qu'ils/elles finissent
PARTICIPE	
Présent finissant	**Passé** fini, finie
INFINITIF	
finir	

12 Ouvrir

INDICATIF	
Temps simples	**Temps composés**
Présent j'ouvre tu ouvres il/elle/on ouvre nous ouvrons vous ouvrez ils/elles ouvrent	**Passé composé** j'ai ouvert tu as ouvert il/elle/on a ouvert nous avons ouvert vous avez ouvert ils/elles ont ouvert
Imparfait j'ouvrais tu ouvrais il/elle/on ouvrait nous ouvrions vous ouvriez ils/elles ouvraient	**Plus-que-parfait** j'avais ouvert tu avais ouvert il/elle/on avait ouvert nous avions ouvert vous aviez ouvert ils/elles avaient ouvert
Futur simple j'ouvrirai tu ouvriras il/elle/on ouvrira nous ouvrirons vous ouvrirez ils/elles ouvriront	**Futur antérieur** j'aurai ouvert tu auras ouvert il/elle/on aura ouvert nous aurons ouvert vous aurez ouvert ils/elles auront ouvert
Conditionnel présent j'ouvrirais tu ouvrirais il/elle/on ouvrirait nous ouvririons vous ouvririez ils/elles ouvriraient	**Conditionnel passé** j'aurais ouvert tu aurais ouvert il/elle/on aurait ouvert nous aurions ouvert vous auriez ouvert ils/elles auraient ouvert
	Autre temps
Passé simple j'ouvris tu ouvris il/elle/on ouvrit nous ouvrîmes vous ouvrîtes ils/elles ouvrirent	**Futur proche** je vais ouvrir tu vas ouvrir il/elle/on va ouvrir nous allons ouvrir vous allez ouvrir ils/elles vont ouvrir
IMPÉRATIF	**SUBJONCTIF**
Présent ouvre ouvrons ouvrez	**Présent** que j'ouvre que tu ouvres qu'il/elle/on ouvre que nous ouvrions que vous ouvriez qu'ils/elles ouvrent
PARTICIPE	
Présent ouvrant	**Passé** ouvert, ouverte
INFINITIF	
ouvrir	

13 Cueillir

INDICATIF	
Temps simples	**Temps composés**
Présent je cueille tu cueilles il/elle/on cueille nous cueillons vous cueillez ils/elles cueillent	**Passé composé** j'ai cueilli tu as cueilli il/elle/on a cueilli nous avons cueilli vous avez cueilli ils/elles ont cueilli
Imparfait je cueillais tu cueillais il/elle/on cueillait nous cueillions vous cueilliez ils/elles cueillaient	**Plus-que-parfait** j'avais cueilli tu avais cueilli il/elle/on avait cueilli nous avions cueilli vous aviez cueilli ils/elles avaient cueilli
Futur simple je cueillerai tu cueilleras il/elle/on cueillera nous cueillerons vous cueillerez ils/elles cueilleront	**Futur antérieur** j'aurai cueilli tu auras cueilli il/elle/on aura cueilli nous aurons cueilli vous aurez cueilli ils/elles auront cueilli
Conditionnel présent je cueillerais tu cueillerais il/elle/on cueillerait nous cueillerions vous cueilleriez ils/elles cueilleraient	**Conditionnel passé** j'aurais cueilli tu aurais cueilli il/elle/on aurait cueilli nous aurions cueilli vous auriez cueilli ils/elles auraient cueilli
	Autre temps
Passé simple je cueillis tu cueillis il/elle/on cueillit nous cueillîmes vous cueillîtes ils/elles cueillirent	**Futur proche** je vais cueillir tu vas cueillir il/elle/on va cueillir nous allons cueillir vous allez cueillir ils/elles vont cueillir
IMPÉRATIF	**SUBJONCTIF**
Présent cueille cueillons cueillez	**Présent** que je cueille que tu cueilles qu'il/elle/on cueille que nous cueillions que vous cueilliez qu'ils/elles cueillent
PARTICIPE	
Présent cueillant	**Passé** cueilli, cueillie
INFINITIF	
cueillir	

14 Assaillir

INDICATIF	
Temps simples	**Temps composés**
Présent j'assaille tu assailles il/elle/on assaille nous assaillons vous assaillez ils/elles assaillent	**Passé composé** j'ai assailli tu as assailli il/elle/on a assailli nous avons assailli vous avez assailli ils/elles ont assailli
Imparfait j'assaillais tu assaillais il/elle/on assaillait nous assaillions vous assailliez ils/elles assaillaient	**Plus-que-parfait** j'avais assailli tu avais assailli il/elle/on avait assailli nous avions assailli vous aviez assailli ils/elles avaient assailli
Futur simple j'assaillirai tu assailliras il/elle/on assaillira nous assaillirons vous assaillirez ils/elles assailliront	**Futur antérieur** j'aurai assailli tu auras assailli il/elle/on aura assailli nous aurons assailli vous aurez assailli ils/elles auront assailli
Conditionnel présent j'assaillirais tu assaillirais il/elle/on assaillirait nous assaillirions vous assailliriez ils/elles assailliraient	**Conditionnel passé** j'aurais assailli tu aurais assailli il/elle/on aurait assailli nous aurions assailli vous auriez assailli ils/elles auraient assailli
	Autre temps
Passé simple j'assaillis tu assaillis il/elle/on assaillit nous assaillîmes vous assaillîtes ils/elles assaillirent	**Futur proche** je vais assaillir tu vas assaillir il/elle/on va assaillir nous allons assaillir vous allez assaillir ils/elles vont assaillir
IMPÉRATIF	**SUBJONCTIF**
Présent assaille assaillons assaillez	**Présent** que j'assaille que tu assailles qu'il/elle/on assaille que nous assaillions que vous assailliez qu'ils/elles assaillent
PARTICIPE	
Présent assaillant	**Passé** assailli, assaillie
INFINITIF	
assaillir	

15 Dormir et ses composés

INDICATIF	
Temps simples	**Temps composés**
Présent je dors tu dors il/elle/on dort nous dormons vous dormez ils/elles dorment	**Passé composé** j'ai dormi tu as dormi il/elle/on a dormi nous avons dormi vous avez dormi ils/elles ont dormi
Imparfait je dormais tu dormais il/elle/on dormait nous dormions vous dormiez ils/elles dormaient	**Plus-que-parfait** j'avais dormi tu avais dormi il/elle/on avait dormi nous avions dormi vous aviez dormi ils/elles avaient dormi
Futur simple je dormirai tu dormiras il/elle/on dormira nous dormirons vous dormirez ils/elles dormiront	**Futur antérieur** j'aurai dormi tu auras dormi il/elle/on aura dormi nous aurons dormi vous aurez dormi ils/elles auront dormi
Conditionnel présent je dormirais tu dormirais il/elle/on dormirait nous dormirions vous dormiriez ils/elles dormiraient	**Conditionnel passé** j'aurais dormi tu aurais dormi il/elle/on aurait dormi nous aurions dormi vous auriez dormi ils/elles auraient dormi
	Autre temps
Passé simple je dormis tu dormis il/elle/on dormit nous dormîmes vous dormîtes ils/elles dormirent	**Futur proche** je vais dormir tu vas dormir il/elle/on va dormir nous allons dormir vous allez dormir ils/elles vont dormir
IMPÉRATIF	**SUBJONCTIF**
Présent dors dormons dormez	**Présent** que je dorme que tu dormes qu'il/elle/on dorme que nous dormions que vous dormiez qu'ils/elles dorment
PARTICIPE	
Présent dormant	**Passé** dormi
INFINITIF	
dormir	

* Exceptions. ***Vêtir*** (ainsi que ***dévêtir*** et ***revêtir***) à l'indicatif présent (*je vêts, tu vêts, il vêt*) et au participe passé (*vêtu, vêtue*). Les composés de *dormir*, ***endormir*** et ***rendormir***, ont un participe passé variable (*il s'est* ***endormi***, *elle s'est* ***endormie***).

16 Courir

INDICATIF	
Temps simples	**Temps composés**
Présent je cours tu cours il/elle/on court nous courons vous courez ils/elles courent	**Passé composé** j'ai couru tu as couru il/elle/on a couru nous avons couru vous avez couru ils/elles ont couru
Imparfait je courais tu courais il/elle/on courait nous courions vous couriez ils/elles couraient	**Plus-que-parfait** j'avais couru tu avais couru il/elle/on avait couru nous avions couru vous aviez couru ils/elles avaient couru
Futur simple je courrai tu courras il/elle/on courra nous courrons vous courrez ils/elles courront	**Futur antérieur** j'aurai couru tu auras couru il/elle/on aura couru nous aurons couru vous aurez couru ils/elles auront couru
Conditionnel présent je courrais tu courrais il/elle/on courrait nous courrions vous courriez ils/elles courraient	**Conditionnel passé** j'aurais couru tu aurais couru il/elle/on aurait couru nous aurions couru vous auriez couru ils/elles auraient couru
	Autre temps
Passé simple je courus tu courus il/elle/on courut nous courûmes vous courûtes ils/elles coururent	**Futur proche** je vais courir tu vas courir il/elle/on va courir nous allons courir vous allez courir ils/elles vont courir
IMPÉRATIF	**SUBJONCTIF**
Présent cours courons courez	**Présent** que je coure que tu coures qu'il/elle/on coure que nous courions que vous couriez qu'ils/elles courent
PARTICIPE	
Présent courant	**Passé** couru, courue
INFINITIF	
courir	

17 Mourir

INDICATIF	
Temps simples	**Temps composés**
Présent je meurs tu meurs il/elle/on meurt nous mourons vous mourez ils/elles meurent	**Passé composé** je suis mort/morte tu es mort/morte il/elle/on est mort/morte nous sommes morts/mortes vous êtes morts/mortes ils/elles sont morts/mortes
Imparfait je mourais tu mourais il/elle/on mourait nous mourions vous mouriez ils/elles mouraient	**Plus-que-parfait** j'étais mort/morte tu étais mort/morte il/elle/on était mort/morte nous étions morts/mortes vous étiez morts/mortes ils/elles étaient morts/mortes
Futur simple je mourrai tu mourras il/elle/on mourra nous mourrons vous mourrez ils/elles mourront	**Futur antérieur** je serai mort/morte tu seras mort/morte il/elle/on sera mort/morte nous serons morts/mortes vous serez morts/mortes ils/elles seront morts/mortes
Conditionnel présent je mourrais tu mourrais il/elle/on mourrait nous mourrions vous mourriez ils/elles mourraient	**Conditionnel passé** je serais mort/morte tu serais mort/morte il/elle/on serait mort/morte nous serions morts/mortes vous seriez morts/mortes ils/elles seraient morts/mortes
	Autre temps
Passé simple je mourus tu mourus il/elle/on mourut nous mourûmes vous mourûtes ils/elles moururent	**Futur proche** je vais mourir tu vas mourir il/elle/on va mourir nous allons mourir vous allez mourir ils/elles vont mourir
IMPÉRATIF	**SUBJONCTIF**
Présent meurs mourons mourez	**Présent** que je meure que tu meures qu'il/elle/on meure que nous mourions que vous mouriez qu'ils/elles meurent
PARTICIPE	
Présent mourant	**Passé** mort, morte
INFINITIF	
mourir	

18 Acquérir

INDICATIF	
Temps simples	**Temps composés**
Présent j'acquiers tu acquiers il/elle/on acquiert nous acquérons vous acquérez ils/elles acquièrent	**Passé composé** j'ai acquis tu as acquis il/elle/on a acquis nous avons acquis vous avez acquis ils/elles ont acquis
Imparfait j'acquérais tu acquérais il/elle/on acquérait nous acquérions vous acquériez ils/elles acquéraient	**Plus-que-parfait** j'avais acquis tu avais acquis il/elle/on avait acquis nous avions acquis vous aviez acquis ils/elles avaient acquis
Futur simple j'acquerrai tu acquerras il/elle/on acquerra nous acquerrons vous acquerrez ils/elles acquerront	**Futur antérieur** j'aurai acquis tu auras acquis il/elle/on aura acquis nous aurons acquis vous aurez acquis ils/elles auront acquis
Conditionnel présent j'acquerrais tu acquerrais il/elle/on acquerrait nous acquerrions vous acquerriez ils/elles acquerraient	**Conditionnel passé** j'aurais acquis tu aurais acquis il/elle/on aurait acquis nous aurions acquis vous auriez acquis ils/elles auraient acquis
	Autre temps
Passé simple j'acquis tu acquis il/elle/on acquit nous acquîmes vous acquîtes ils/elles acquirent	**Futur proche** je vais acquérir tu vas acquérir il/elle/on va acquérir nous allons acquérir vous allez acquérir ils/elles vont acquérir
IMPÉRATIF	**SUBJONCTIF**
Présent acquiers acquérons acquérez	**Présent** que j'acquière que tu acquières qu'il/elle/on acquière que nous acquérions que vous acquériez qu'ils/elles acquièrent
PARTICIPE	
Présent acquérant	**Passé** acquis, acquise
INFINITIF	
acquérir	

19 Tenir

INDICATIF	
Temps simples	**Temps composés**
Présent je tiens tu tiens il/elle/on tient nous tenons vous tenez ils/elles tiennent	**Passé composé** j'ai tenu tu as tenu il/elle/on a tenu nous avons tenu vous avez tenu ils/elles ont tenu
Imparfait je tenais tu tenais il/elle/on tenait nous tenions vous teniez ils/elles tenaient	**Plus-que-parfait** j'avais tenu tu avais tenu il/elle/on avait tenu nous avions tenu vous aviez tenu ils/elles avaient tenu
Futur simple je tiendrai tu tiendras il/elle/on tiendra nous tiendrons vous tiendrez ils/elles tiendront	**Futur antérieur** j'aurai tenu tu auras tenu il/elle/on aura tenu nous aurons tenu vous aurez tenu ils/elles auront tenu
Conditionnel présent je tiendrais tu tiendrais il/elle/on tiendrait nous tiendrions vous tiendriez ils/elles tiendraient	**Conditionnel passé** j'aurais tenu tu aurais tenu il/elle/on aurait tenu nous aurions tenu vous auriez tenu ils/elles auraient tenu
	Autre temps
Passé simple je tins tu tins il/elle/on tint nous tînmes vous tîntes ils/elles tinrent	**Futur proche** je vais tenir tu vas tenir il/elle/on va tenir nous allons tenir vous allez tenir ils/elles vont tenir
IMPÉRATIF	**SUBJONCTIF**
Présent tiens tenons tenez	**Présent** que je tienne que tu tiennes qu'il/elle/on tienne que nous tenions que vous teniez qu'ils/elles tiennent
PARTICIPE	
Présent tenant	**Passé** tenu, tenue
INFINITIF	
tenir	

20 Fuir

INDICATIF	
Temps simples	**Temps composés**
Présent je fuis tu fuis il/elle/on fuit nous fuyons vous fuyez ils/elles fuient	**Passé composé** j'ai fui tu as fui il/elle/on a fui nous avons fui vous avez fui ils/elles ont fui
Imparfait je fuyais tu fuyais il/elle/on fuyait nous fuyions vous fuyiez ils/elles fuyaient	**Plus-que-parfait** j'avais fui tu avais fui il/elle/on avait fui nous avions fui vous aviez fui ils/elles avaient fui
Futur simple je fuirai tu fuiras il/elle/on fuira nous fuirons vous fuirez ils/elles fuiront	**Futur antérieur** j'aurai fui tu auras fui il/elle/on aura fui nous aurons fui vous aurez fui ils/elles auront fui
Conditionnel présent je fuirais tu fuirais il/elle/on fuirait nous fuirions vous fuiriez ils/elles fuiraient	**Conditionnel passé** j'aurais fui tu aurais fui il/elle/on aurait fui nous aurions fui vous auriez fui ils/elles auraient fui
	Autre temps
Passé simple je fuis tu fuis il/elle/on fuit nous fuîmes vous fuîtes ils/elles fuirent	**Futur proche** je vais fuir tu vas fuir il/elle/on va fuir nous allons fuir vous allez fuir ils/elles vont fuir
IMPÉRATIF	**SUBJONCTIF**
Présent fuis fuyons fuyez	**Présent** que je fuie que tu fuies qu'il/elle/on fuie que nous fuyions que vous fuyiez qu'ils/elles fuient
PARTICIPE	
Présent fuyant	**Passé** fui, fuie
INFINITIF	
fuir	

(21) Recevoir

INDICATIF	
Temps simples	**Temps composés**
Présent je reçois tu reçois il/elle/on reçoit nous recevons vous recevez ils/elles reçoivent	**Passé composé** j'ai reçu tu as reçu il/elle/on a reçu nous avons reçu vous avez reçu ils/elles ont reçu
Imparfait je recevais tu recevais il/elle/on recevait nous recevions vous receviez ils/elles recevaient	**Plus-que-parfait** j'avais reçu tu avais reçu il/elle/on avait reçu nous avions reçu vous aviez reçu ils/elles avaient reçu
Futur simple je recevrai tu recevras il/elle/on recevra nous recevrons vous recevrez ils/elles recevront	**Futur antérieur** j'aurai reçu tu auras reçu il/elle/on aura reçu nous aurons reçu vous aurez reçu ils/elles auront reçu
Conditionnel présent je recevrais tu recevrais il/elle/on recevrait nous recevrions vous recevriez ils/elles recevraient	**Conditionnel passé** j'aurais reçu tu aurais reçu il/elle/on aurait reçu nous aurions reçu vous auriez reçu ils/elles auraient reçu
	Autre temps
Passé simple je reçus tu reçus il/elle/on reçut nous reçûmes vous reçûtes ils/elles reçurent	**Futur proche** je vais recevoir tu vas recevoir il/elle/on va recevoir nous allons recevoir vous allez recevoir ils/elles vont recevoir
IMPÉRATIF	**SUBJONCTIF**
Présent reçois recevons recevez	**Présent** que je reçoive que tu reçoives qu'il/elle/on reçoive que nous recevions que vous receviez qu'ils/elles reçoivent
PARTICIPE	
Présent recevant	**Passé** reçu, reçue
INFINITIF	
recevoir	

* Ne pas oublier la ***cédille*** sous le ***c*** devant les lettres ***o*** et ***u***.

* ***Devoir*** suit cette conjugaison, mais son participe passé est *dû, due*.

(22) Voir et ses composés

INDICATIF	
Temps simples	**Temps composés**
Présent je vois tu vois il/elle/on voit nous voyons vous voyez ils/elles voient	**Passé composé** j'ai vu tu as vu il/elle/on a vu nous avons vu vous avez vu ils/elles ont vu
Imparfait je voyais tu voyais il/elle/on voyait nous voyions vous voyiez ils/elles voyaient	**Plus-que-parfait** j'avais vu tu avais vu il/elle/on avait vu nous avions vu vous aviez vu ils/elles avaient vu
Futur simple je verrai tu verras il/elle/on verra nous verrons vous verrez ils/elles verront	**Futur antérieur** j'aurai vu tu auras vu il/elle/on aura vu nous aurons vu vous aurez vu ils/elles auront vu
Conditionnel présent je verrais tu verrais il/elle/on verrait nous verrions vous verriez ils/elles verraient	**Conditionnel passé** j'aurais vu tu aurais vu il/elle/on aurait vu nous aurions vu vous auriez vu ils/elles auraient vu
	Autre temps
Passé simple je vis tu vis il/elle/on vit nous vîmes vous vîtes ils/elles virent	**Futur proche** je vais voir tu vas voir il/elle/on va voir nous allons voir vous allez voir ils/elles vont voir
IMPÉRATIF	**SUBJONCTIF**
Présent vois voyons voyez	**Présent** que je voie que tu voies qu'il/elle/on voie que nous voyions que vous voyiez qu'ils/elles voient
PARTICIPE	
Présent voyant	**Passé** vu, vue
INFINITIF	
voir	

* ***Prévoir*** suit cette conjugaison, excepté au futur : *je prévoirai*, et au conditionnel : *je prévoirais*.

23 Pourvoir

INDICATIF	
Temps simples	**Temps composés**
Présent je pourvois tu pourvois il/elle/on pourvoit nous pourvoyons vous pourvoyez ils/elles pourvoient	**Passé composé** j'ai pourvu tu as pourvu il/elle/on a pourvu nous avons pourvu vous avez pourvu ils/elles ont pourvu
Imparfait je pourvoyais tu pourvoyais il/elle/on pourvoyait nous pourvoyions vous pourvoyiez ils/elles pourvoyaient	**Plus-que-parfait** j'avais pourvu tu avais pourvu il/elle/on avait pourvu nous avions pourvu vous aviez pourvu ils/elles avaient pourvu
Futur simple je pourvoirai tu pourvoiras il/elle/on pourvoira nous pourvoirons vous pourvoirez ils/elles pourvoiront	**Futur antérieur** j'aurai pourvu tu auras pourvu il/elle/on aura pourvu nous aurons pourvu vous aurez pourvu ils/elles auront pourvu
Conditionnel présent je pourvoirais tu pourvoirais il/elle/on pourvoirait nous pourvoirions vous pourvoiriez ils/elles pourvoiraient	**Conditionnel passé** j'aurais pourvu tu aurais pourvu il/elle/on aurait pourvu nous aurions pourvu vous auriez pourvu ils/elles auraient pourvu
	Autre temps
Passé simple je pourvus tu pourvus il/elle/on pourvut nous pourvûmes vous pourvûtes ils/elles pourvurent	**Futur proche** je vais pourvoir tu vas pourvoir il/elle/on va pourvoir nous allons pourvoir vous allez pourvoir ils/elles vont pourvoir
IMPÉRATIF	**SUBJONCTIF**
Présent pourvois pourvoyons pourvoyez	**Présent** que je pourvoie que tu pourvoies qu'il/elle/on pourvoie que nous pourvoyions que vous pourvoyiez qu'ils/elles pourvoient
PARTICIPE	
Présent pourvoyant	**Passé** pourvu, pourvue
INFINITIF	
pourvoir	

* ***Déchoir*** suit cette conjugaison, mais n'a ni imparfait, ni participe présent, ni impératif.

24 Mouvoir et ses composés

INDICATIF	
Temps simples	**Temps composés**
Présent je meus tu meus il/elle/on meut nous mouvons vous mouvez ils/elles meuvent	**Passé composé** j'ai mû tu as mû il/elle/on a mû nous avons mû vous avez mû ils/elles ont mû
Imparfait je mouvais tu mouvais il/elle/on mouvait nous mouvions vous mouviez ils/elles mouvaient	**Plus-que-parfait** j'avais mû tu avais mû il/elle/on avait mû nous avions mû vous aviez mû ils/elles avaient mû
Futur simple je mouvrai tu mouvras il/elle/on mouvra nous mouvrons vous mouvrez ils/elles mouvront	**Futur antérieur** j'aurai mû tu auras mû il/elle/on aura mû nous aurons mû vous aurez mû ils/elles auront mû
Conditionnel présent je mouvrais tu mouvrais il/elle/on mouvrait nous mouvrions vous mouvriez ils/elles mouvraient	**Conditionnel passé** j'aurais mû tu aurais mû il/elle/on aurait mû nous aurions mû vous auriez mû ils/elles auraient mû
	Autre temps
Passé simple je mus tu mus il/elle/on mut nous mûmes vous mûtes ils/elles murent	**Futur proche** je vais mouvoir tu vas mouvoir il/elle/on va mouvoir nous allons mouvoir vous allez mouvoir ils/elles vont mouvoir
IMPÉRATIF	**SUBJONCTIF**
Présent meus mouvons mouvez	**Présent** que je meuve que tu meuves qu'il/elle/on meuve que nous mouvions que vous mouviez qu'ils/elles meuvent
PARTICIPE	
Présent mouvant	**Passé** mû, mue
INFINITIF	
mouvoir	

* Les composés de ***mouvoir*** ne prennent pas d'***accent circonflexe*** sur le ***u*** au participe passé.
Exemple : *émouvoir*, *je suis ém**u***.

25 Valoir et ses composés

INDICATIF	
Temps simples	**Temps composés**
Présent je vaux tu vaux il/elle/on vaut nous valons vous valez ils/elles valent	**Passé composé** j'ai valu tu as valu il/elle/on a valu nous avons valu vous avez valu ils/elles ont valu
Imparfait je valais tu valais il/elle/on valait nous valions vous valiez ils/elles valaient	**Plus-que-parfait** j'avais valu tu avais valu il/elle/on avait valu nous avions valu vous aviez valu ils/elles avaient valu
Futur simple je vaudrai tu vaudras il/elle/on vaudra nous vaudrons vous vaudrez ils/elles vaudront	**Futur antérieur** j'aurai valu tu auras valu il/elle/on aura valu nous aurons valu vous aurez valu ils/elles auront valu
Conditionnel présent je vaudrais tu vaudrais il/elle/on vaudrait nous vaudrions vous vaudriez ils/elles vaudraient	**Conditionnel passé** j'aurais valu tu aurais valu il/elle/on aurait valu nous aurions valu vous auriez valu ils/elles auraient valu
	Autre temps
Passé simple je valus tu valus il/elle/on valut nous valûmes vous valûtes ils/elles valurent	**Futur proche** je vais valoir tu vas valoir il/elle/on va valoir nous allons valoir vous allez valoir ils/elles vont valoir
IMPÉRATIF	**SUBJONCTIF**
Présent vaux valons valez	**Présent** que je vaille que tu vailles qu'il/elle/on vaille que nous valions que vous valiez qu'ils/elles vaillent
PARTICIPE	
Présent valant	**Passé** valu, value
INFINITIF	
valoir	

* Exceptions. ***Prévaloir*** aux trois 1res personnes du subjonctif présent : *que je prévale*, *que tu prévales*, *qu'il prévale*. ***Falloir***, qui ne se conjugue qu'à la 3e personne du singulier et qui n'a ni impératif ni participe présent.

26 Vouloir

INDICATIF	
Temps simples	**Temps composés**
Présent je veux tu veux il/elle/on veut nous voulons vous voulez ils/elles veulent	**Passé composé** j'ai voulu tu as voulu il/elle/on a voulu nous avons voulu vous avez voulu ils/elles ont voulu
Imparfait je voulais tu voulais il/elle/on voulait nous voulions vous vouliez ils/elles voulaient	**Plus-que-parfait** j'avais voulu tu avais voulu il/elle/on avait voulu nous avions voulu vous aviez voulu ils/elles avaient voulu
Futur simple je voudrai tu voudras il/elle/on voudra nous voudrons vous voudrez ils/elles voudront	**Futur antérieur** j'aurai voulu tu auras voulu il/elle/on aura voulu nous aurons voulu vous aurez voulu ils/elles auront voulu
Conditionnel présent je voudrais tu voudrais il/elle/on voudrait nous voudrions vous voudriez ils/elles voudraient	**Conditionnel passé** j'aurais voulu tu aurais voulu il/elle/on aurait voulu nous aurions voulu vous auriez voulu ils/elles auraient voulu
	Autre temps
Passé simple je voulus tu voulus il/elle/on voulut nous voulûmes vous voulûtes ils/elles voulurent	**Futur proche** je vais vouloir tu vas vouloir il/elle/on va vouloir nous allons vouloir vous allez vouloir ils/elles vont vouloir
IMPÉRATIF	**SUBJONCTIF**
Présent veuille (veux) voulons veuillez (voulez)	**Présent** que je veuille que tu veuilles qu'il/elle/on veuille que nous voulions que vous vouliez qu'ils/elles veuillent
PARTICIPE	
Présent voulant	**Passé** voulu, voulue
INFINITIF	
vouloir	

27 Pouvoir

INDICATIF	
Temps simples	**Temps composés**
Présent je peux/puis tu peux il/elle/on peut nous pouvons vous pouvez ils/elles peuvent	**Passé composé** j'ai pu tu as pu il/elle/on a pu nous avons pu vous avez pu ils/elles ont pu
Imparfait je pouvais tu pouvais il/elle/on pouvait nous pouvions vous pouviez ils/elles pouvaient	**Plus-que-parfait** j'avais pu tu avais pu il/elle/on avait pu nous avions pu vous aviez pu ils/elles avaient pu
Futur simple je pourrai tu pourras il/elle/on pourra nous pourrons vous pourrez ils/elles pourront	**Futur antérieur** j'aurai pu tu auras pu il/elle/on aura pu nous aurons pu vous aurez pu ils/elles auront pu
Conditionnel présent je pourrais tu pourrais il/elle/on pourrait nous pourrions vous pourriez ils/elles pourraient	**Conditionnel passé** j'aurais pu tu aurais pu il/elle/on aurait pu nous aurions pu vous auriez pu ils/elles auraient pu
	Autre temps
Passé simple je pus tu pus il/elle/on put nous pûmes vous pûtes ils/elles purent	**Futur proche** je vais pouvoir tu vas pouvoir il/elle/on va pouvoir nous allons pouvoir vous allez pouvoir ils/elles vont pouvoir
IMPÉRATIF	**SUBJONCTIF**
	Présent que je puisse que tu puisses qu'il/elle/on puisse que nous puissions que vous puissiez qu'ils/elles puissent
PARTICIPE	
Présent pouvant	**Passé** pu
INFINITIF	
pouvoir	

* ***Pouvoir*** n'a pas d'impératif.

28 Savoir

INDICATIF	
Temps simples	**Temps composés**
Présent je sais tu sais il/elle/on sait nous savons vous savez ils/elles savent	**Passé composé** j'ai su tu as su il/elle/on a su nous avons su vous avez su ils/elles ont su
Imparfait je savais tu savais il/elle/on savait nous savions vous saviez ils/elles savaient	**Plus-que-parfait** j'avais su tu avais su il/elle/on avait su nous avions su vous aviez su ils/elles avaient su
Futur simple je saurai tu sauras il/elle/on saura nous saurons vous saurez ils/elles sauront	**Futur antérieur** j'aurai su tu auras su il/elle/on aura su nous aurons su vous aurez su ils/elles auront su
Conditionnel présent je saurais tu saurais il/elle/on saurait nous saurions vous sauriez ils/elles sauraient	**Conditionnel passé** j'aurais su tu aurais su il/elle/on aurait su nous aurions su vous auriez su ils/elles auraient su
	Autre temps
Passé simple je sus tu sus il/elle/on sut nous sûmes vous sûtes ils/elles surent	**Futur proche** je vais savoir tu vas savoir il/elle/on va savoir nous allons savoir vous allez savoir ils/elles vont savoir
IMPÉRATIF	**SUBJONCTIF**
Présent sache sachons sachez	**Présent** que je sache que tu saches qu'il/elle/on sache que nous sachions que vous sachiez qu'ils/elles sachent
PARTICIPE	
Présent sachant	**Passé** su, sue
INFINITIF	
savoir	

29 Asseoir

INDICATIF	
Temps simples	**Temps composés**
Présent j'assois tu assois il/elle/on assoit nous assoyons vous assoyez ils/elles assoient	**Passé composé** j'ai assis tu as assis il/elle/on a assis nous avons assis vous avez assis ils/elles ont assis
Imparfait j'assoyais tu assoyais il/elle/on assoyait nous assoyions vous assoyiez ils/elles assoyaient	**Plus-que-parfait** j'avais assis tu avais assis il/elle/on avait assis nous avions assis vous aviez assis ils/elles avaient assis
Futur simple j'assoirai tu assoiras il/elle/on assoira nous assoirons vous assoirez ils/elles assoiront	**Futur antérieur** j'aurai assis tu auras assis il/elle/on aura assis nous aurons assis vous aurez assis ils/elles auront assis
Conditionnel présent j'assoirais tu assoirais il/elle/on assoirait nous assoirions vous assoiriez ils/elles assoiraient	**Conditionnel passé** j'aurais assis tu aurais assis il/elle/on aurait assis nous aurions assis vous auriez assis ils/elles auraient assis
	Autre temps
Passé simple j'assis tu assis il/elle/on assit nous assîmes vous assîtes ils/elles assirent	**Futur proche** je vais asseoir tu vas asseoir il/elle/on va asseoir nous allons asseoir vous allez asseoir ils/elles vont asseoir
IMPÉRATIF	**SUBJONCTIF**
Présent assois assoyons assoyez	**Présent** que j'assoie que tu assoies qu'il/elle/on assoie que nous assoyions que vous assoyiez qu'ils/elles assoient
PARTICIPE	
Présent assoyant	**Passé** assis, assise
INFINITIF	
asseoir	

30 Pleuvoir

INDICATIF	
Temps simples	**Temps composés**
Présent il pleut	**Passé composé** il a plu
Imparfait il pleuvait	**Plus-que-parfait** il avait plu
Futur simple il pleuvra	**Futur antérieur** il aura plu
Conditionnel présent il pleuvrait	**Conditionnel passé** il aurait plu
	Autre temps
Passé simple il plut	**Futur proche** il va pleuvoir
IMPÉRATIF	**SUBJONCTIF**
Présent (aucun)	**Présent** qu'il pleuve
PARTICIPE	
Présent pleuvant	**Passé** plu
INFINITIF	
pleuvoir	

* Au sens figuré, ***pleuvoir*** est parfois employé au pluriel : *Les injures* ***pleuvaient***.

31 Rendre

INDICATIF	
Temps simples	**Temps composés**
Présent je rends tu rends il/elle/on rend nous rendons vous rendez ils/elles rendent	**Passé composé** j'ai rendu tu as rendu il/elle/on a rendu nous avons rendu vous avez rendu ils/elles ont rendu
Imparfait je rendais tu rendais il/elle/on rendait nous rendions vous rendiez ils/elles rendaient	**Plus-que-parfait** j'avais rendu tu avais rendu il/elle/on avait rendu nous avions rendu vous aviez rendu ils/elles avaient rendu
Futur simple je rendrai tu rendras il/elle/on rendra nous rendrons vous rendrez ils/elles rendront	**Futur antérieur** j'aurai rendu tu auras rendu il/elle/on aura rendu nous aurons rendu vous aurez rendu ils/elles auront rendu
Conditionnel présent je rendrais tu rendrais il/elle/on rendrait nous rendrions vous rendriez ils/elles rendraient	**Conditionnel passé** j'aurais rendu tu aurais rendu il/elle/on aurait rendu nous aurions rendu vous auriez rendu ils/elles auraient rendu
	Autre temps
Passé simple je rendis tu rendis il/elle/on rendit nous rendîmes vous rendîtes ils/elles rendirent	**Futur proche** je vais rendre tu vas rendre il/elle/on va rendre nous allons rendre vous allez rendre ils/elles vont rendre
IMPÉRATIF	**SUBJONCTIF**
Présent rends rendons rendez	**Présent** que je rende que tu rendes qu'il/elle/on rende que nous rendions que vous rendiez qu'ils/elles rendent
PARTICIPE	
Présent rendant	**Passé** rendu, rendue
INFINITIF	
rendre	

* Se conjuguent sur ce modèle les verbes en ***-dre*** (***-andre*** ; ***-endre*** [sauf *prendre*] ; ***-ondre*** ; ***-erdre*** ; ***-ordre***) et les verbes en ***-tre*** (sauf *mettre*).

32 Prendre et ses composés

INDICATIF	
Temps simples	**Temps composés**
Présent je prends tu prends il/elle/on prend nous prenons vous prenez ils/elles prennent	**Passé composé** j'ai pris tu as pris il/elle/on a pris nous avons pris vous avez pris ils/elles ont pris
Imparfait je prenais tu prenais il/elle/on prenait nous prenions vous preniez ils/elles prenaient	**Plus-que-parfait** j'avais pris tu avais pris il/elle/on avait pris nous avions pris vous aviez pris ils/elles avaient pris
Futur simple je prendrai tu prendras il/elle/on prendra nous prendrons vous prendrez ils/elles prendront	**Futur antérieur** j'aurai pris tu auras pris il/elle/on aura pris nous aurons pris vous aurez pris ils/elles auront pris
Conditionnel présent je prendrais tu prendrais il/elle/on prendrait nous prendrions vous prendriez ils/elles prendraient	**Conditionnel passé** j'aurais pris tu aurais pris il/elle/on aurait pris nous aurions pris vous auriez pris ils/elles auraient pris
	Autre temps
Passé simple je pris tu pris il/elle/on prit nous prîmes vous prîtes ils/elles prirent	**Futur proche** je vais prendre tu vas prendre il/elle/on va prendre nous allons prendre vous allez prendre ils/elles vont prendre
IMPÉRATIF	**SUBJONCTIF**
Présent prends prenons prenez	**Présent** que je prenne que tu prennes qu'il/elle/on prenne que nous prenions que vous preniez qu'ils/elles prennent
PARTICIPE	
Présent prenant	**Passé** pris, prise
INFINITIF	
prendre	

33 Mettre et ses composés

INDICATIF	
Temps simples	**Temps composés**
Présent je mets tu mets il/elle/on met nous mettons vous mettez ils/elles mettent	**Passé composé** j'ai mis tu as mis il/elle/on a mis nous avons mis vous avez mis ils/elles ont mis
Imparfait je mettais tu mettais il/elle/on mettait nous mettions vous mettiez ils/elles mettaient	**Plus-que-parfait** j'avais mis tu avais mis il/elle/on avait mis nous avions mis vous aviez mis ils/elles avaient mis
Futur simple je mettrai tu mettras il/elle/on mettra nous mettrons vous mettrez ils/elles mettront	**Futur antérieur** j'aurai mis tu auras mis il/elle/on aura mis nous aurons mis vous aurez mis ils/elles auront mis
Conditionnel présent je mettrais tu mettrais il/elle/on mettrait nous mettrions vous mettriez ils/elles mettraient	**Conditionnel passé** j'aurais mis tu aurais mis il/elle/on aurait mis nous aurions mis vous auriez mis ils/elles auraient mis
	Autre temps
Passé simple je mis tu mis il/elle/on mit nous mîmes vous mîtes ils/elles mirent	**Futur proche** je vais mettre tu vas mettre il/elle/on va mettre nous allons mettre vous allez mettre ils/elles vont mettre
IMPÉRATIF	**SUBJONCTIF**
Présent mets mettons mettez	**Présent** que je mette que tu mettes qu'il/elle/on mette que nous mettions que vous mettiez qu'ils/elles mettent
PARTICIPE	
Présent mettant	**Passé** mis, mise
INFINITIF	
mettre	

34 Rompre et ses composés

* Le verbe ***rompre*** se conjugue sur le modèle de ***rendre*** (31), mais il prend un ***t*** à la 3e personne du singulier du présent de l'indicatif : *il rompt*.

35 Peindre

INDICATIF	
Temps simples	**Temps composés**
Présent je peins tu peins il/elle/on peint nous peignons vous peignez ils/elles peignent	**Passé composé** j'ai peint tu as peint il/elle/on a peint nous avons peint vous avez peint ils/elles ont peint
Imparfait je peignais tu peignais il/elle/on peignait nous peignions vous peigniez ils/elles peignaient	**Plus-que-parfait** j'avais peint tu avais peint il/elle/on avait peint nous avions peint vous aviez peint ils/elles avaient peint
Futur simple je peindrai tu peindras il/elle/on peindra nous peindrons vous peindrez ils/elles peindront	**Futur antérieur** j'aurai peint tu auras peint il/elle/on aura peint nous aurons peint vous aurez peint ils/elles auront peint
Conditionnel présent je peindrais tu peindrais il/elle/on peindrait nous peindrions vous peindriez ils/elles peindraient	**Conditionnel passé** j'aurais peint tu aurais peint il/elle/on aurait peint nous aurions peint vous auriez peint ils/elles auraient peint
	Autre temps
Passé simple je peignis tu peignis il/elle/on peignit nous peignîmes vous peignîtes ils/elles peignirent	**Futur proche** je vais peindre tu vas peindre il/elle/on va peindre nous allons peindre vous allez peindre ils/elles vont peindre
IMPÉRATIF	**SUBJONCTIF**
Présent peins peignons peignez	**Présent** que je peigne que tu peignes qu'il/elle/on peigne que nous peignions que vous peigniez qu'ils/elles peignent
PARTICIPE	
Présent peignant	**Passé** peint, peinte
INFINITIF	
peindre	

* Se conjuguent sur ce modèle les verbes en ***-eindre***, ***-oindre*** et ***-aindre***.

36 Vaincre et son composé convaincre

INDICATIF	
Temps simples	**Temps composés**
Présent je vaincs tu vaincs il/elle/on vainc nous vainquons vous vainquez ils/elles vainquent	**Passé composé** j'ai vaincu tu as vaincu il/elle/on a vaincu nous avons vaincu vous avez vaincu ils/elles ont vaincu
Imparfait je vainquais tu vainquais il/elle/on vainquait nous vainquions vous vainquiez ils/elles vainquaient	**Plus-que-parfait** j'avais vaincu tu avais vaincu il/elle/on avait vaincu nous avions vaincu vous aviez vaincu ils/elles avaient vaincu
Futur simple je vaincrai tu vaincras il/elle/on vaincra nous vaincrons vous vaincrez ils/elles vaincront	**Futur antérieur** j'aurai vaincu tu auras vaincu il/elle/on aura vaincu nous aurons vaincu vous aurez vaincu ils/elles auront vaincu
Conditionnel présent je vaincrais tu vaincrais il/elle/on vaincrait nous vaincrions vous vaincriez ils/elles vaincraient	**Conditionnel passé** j'aurais vaincu tu aurais vaincu il/elle/on aurait vaincu nous aurions vaincu vous auriez vaincu ils/elles auraient vaincu
	Autre temps
Passé simple je vainquis tu vainquis il/elle/on vainquit nous vainquîmes vous vainquîtes ils/elles vainquirent	**Futur proche** je vais vaincre tu vas vaincre il/elle/on va vaincre nous allons vaincre vous allez vaincre ils/elles vont vaincre
IMPÉRATIF	**SUBJONCTIF**
Présent vaincs vainquons vainquez	**Présent** que je vainque que tu vainques qu'il/elle/on vainque que nous vainquions que vous vainquiez qu'ils/elles vainquent
PARTICIPE	
Présent vainquant	**Passé** vaincu, vaincue
INFINITIF	
vaincre	

37 Connaître

INDICATIF	
Temps simples	**Temps composés**
Présent je connais tu connais il/elle/on connaît nous connaissons vous connaissez ils/elles connaissent	**Passé composé** j'ai connu tu as connu il/elle/on a connu nous avons connu vous avez connu ils/elles ont connu
Imparfait je connaissais tu connaissais il/elle/on connaissait nous connaissions vous connaissiez ils/elles connaissaient	**Plus-que-parfait** j'avais connu tu avais connu il/elle/on avait connu nous avions connu vous aviez connu ils/elles avaient connu
Futur simple je connaîtrai tu connaîtras il/elle/on connaîtra nous connaîtrons vous connaîtrez ils/elles connaîtront	**Futur antérieur** j'aurai connu tu auras connu il/elle/on aura connu nous aurons connu vous aurez connu ils/elles auront connu
Conditionnel présent je connaîtrais tu connaîtrais il/elle/on connaîtrait nous connaîtrions vous connaîtriez ils/elles connaîtraient	**Conditionnel passé** j'aurais connu tu aurais connu il/elle/on aurait connu nous aurions connu vous auriez connu ils/elles auraient connu
	Autre temps
Passé simple je connus tu connus il/elle/on connut nous connûmes vous connûtes ils/elles connurent	**Futur proche** je vais connaître tu vas connaître il/elle/on va connaître nous allons connaître vous allez connaître ils/elles vont connaître
IMPÉRATIF	**SUBJONCTIF**
Présent connais connaissons connaissez	**Présent** que je connaisse que tu connaisses qu'il/elle/on connaisse que nous connaissions que vous connaissiez qu'ils/elles connaissent
PARTICIPE	
Présent connaissant	**Passé** connu, connue
INFINITIF	
connaître	

* Exceptions. ***Naître*** fait au passé simple *je naquis*. ***Paître*** n'a pas de passé simple. ***Croître*** prend un accent circonflexe à toutes les formes qui pourraient être confondues avec celles du verbe *croire* : *je cro**î**s*, *je cr**û**s*, *cr**û***.

38 Croire

INDICATIF	
Temps simples	**Temps composés**
Présent je crois tu crois il/elle/on croit nous croyons vous croyez ils/elles croient	**Passé composé** j'ai cru tu as cru il/elle/on a cru nous avons cru vous avez cru ils/elles ont cru
Imparfait je croyais tu croyais il/elle/on croyait nous croyions vous croyiez ils/elles croyaient	**Plus-que-parfait** j'avais cru tu avais cru il/elle/on avait cru nous avions cru vous aviez cru ils/elles avaient cru
Futur simple je croirai tu croiras il/elle/on croira nous croirons vous croirez ils/elles croiront	**Futur antérieur** j'aurai cru tu auras cru il/elle/on aura cru nous aurons cru vous aurez cru ils/elles auront cru
Conditionnel présent je croirais tu croirais il/elle/on croirait nous croirions vous croiriez ils/elles croiraient	**Conditionnel passé** j'aurais cru tu aurais cru il/elle/on aurait cru nous aurions cru vous auriez cru ils/elles auraient cru
	Autre temps
Passé simple je crus tu crus il/elle/on crut nous crûmes vous crûtes ils/elles crurent	**Futur proche** je vais croire tu vas croire il/elle/on va croire nous allons croire vous allez croire ils/elles vont croire
IMPÉRATIF	**SUBJONCTIF**
Présent crois croyons croyez	**Présent** que je croie que tu croies qu'il/elle/on croie que nous croyions que vous croyiez qu'ils/elles croient
PARTICIPE	
Présent croyant	**Passé** cru, crue
INFINITIF	
croire	

39 Boire

INDICATIF	
Temps simples	**Temps composés**
Présent je bois tu bois il/elle/on boit nous buvons vous buvez ils/elles boivent	**Passé composé** j'ai bu tu as bu il/elle/on a bu nous avons bu vous avez bu ils/elles ont bu
Imparfait je buvais tu buvais il/elle/on buvait nous buvions vous buviez ils/elles buvaient	**Plus-que-parfait** j'avais bu tu avais bu il/elle/on avait bu nous avions bu vous aviez bu ils/elles avaient bu
Futur simple je boirai tu boiras il/elle/on boira nous boirons vous boirez ils/elles boiront	**Futur antérieur** j'aurai bu tu auras bu il/elle/on aura bu nous aurons bu vous aurez bu ils/elles auront bu
Conditionnel présent je boirais tu boirais il/elle/on boirait nous boirions vous boiriez ils/elles boiraient	**Conditionnel passé** j'aurais bu tu aurais bu il/elle/on aurait bu nous aurions bu vous auriez bu ils/elles auraient bu
	Autre temps
Passé simple je bus tu bus il/elle/on but nous bûmes vous bûtes ils/elles burent	**Futur proche** je vais boire tu vas boire il/elle/on va boire nous allons boire vous allez boire ils/elles vont boire
IMPÉRATIF	**SUBJONCTIF**
Présent bois buvons buvez	**Présent** que je boive que tu boives qu'il/elle/on boive que nous buvions que vous buviez qu'ils/elles boivent
PARTICIPE	
Présent buvant	**Passé** bu, bue
INFINITIF	
boire	

40 Traire et ses composés

INDICATIF	
Temps simples	**Temps composés**
Présent je trais tu trais il/elle/on trait nous trayons vous trayez ils/elles traient	**Passé composé** j'ai trait tu as trait il/elle/on a trait nous avons trait vous avez trait ils/elles ont trait
Imparfait je trayais tu trayais il/elle/on trayait nous trayions vous trayiez ils/elles trayaient	**Plus-que-parfait** j'avais trait tu avais trait il/elle/on avait trait nous avions trait vous aviez trait ils/elles avaient trait
Futur simple je trairai tu trairas il/elle/on traira nous trairons vous trairez ils/elles trairont	**Futur antérieur** j'aurai trait tu auras trait il/elle/on aura trait nous aurons trait vous aurez trait ils/elles auront trait
Conditionnel présent je trairais tu trairais il/elle/on trairait nous trairions vous trairiez ils/elles trairaient	**Conditionnel passé** j'aurais trait tu aurais trait il/elle/on aurait trait nous aurions trait vous auriez trait ils/elles auraient trait
	Autre temps
Passé simple (aucun)	**Futur proche** je vais traire tu vas traire il/elle/on va traire nous allons traire vous allez traire ils/elles vont traire
IMPÉRATIF	**SUBJONCTIF**
Présent trais trayons trayez	**Présent** que je traie que tu traies qu'il/elle/on traie que nous trayions que vous trayiez qu'ils/elles traient
PARTICIPE	
Présent trayant	**Passé** trait, traite
INFINITIF	
traire	

41 Plaire

INDICATIF	
Temps simples	**Temps composés**
Présent je plais tu plais il/elle/on plaît nous plaisons vous plaisez ils/elles plaisent	**Passé composé** j'ai plu tu as plu il/elle/on a plu nous avons plu vous avez plu ils/elles ont plu
Imparfait je plaisais tu plaisais il/elle/on plaisait nous plaisions vous plaisiez ils/elles plaisaient	**Plus-que-parfait** j'avais plu tu avais plu il/elle/on avait plu nous avions plu vous aviez plu ils/elles avaient plu
Futur simple je plairai tu plairas il/elle/on plaira nous plairons vous plairez ils/elles plairont	**Futur antérieur** j'aurai plu tu auras plu il/elle/on aura plu nous aurons plu vous aurez plu ils/elles auront plu
Conditionnel présent je plairais tu plairais il/elle/on plairait nous plairions vous plairiez ils/elles plairaient	**Conditionnel passé** j'aurais plu tu aurais plu il/elle/on aurait plu nous aurions plu vous auriez plu ils/elles auraient plu
	Autre temps
Passé simple je plus tu plus il/elle/on plut nous plûmes vous plûtes ils/elles plurent	**Futur proche** je vais plaire tu vas plaire il/elle/on va plaire nous allons plaire vous allez plaire ils/elles vont plaire
IMPÉRATIF	**SUBJONCTIF**
Présent plais plaisons plaisez	**Présent** que je plaise que tu plaises qu'il/elle/on plaise que nous plaisions que vous plaisiez qu'ils/elles plaisent
PARTICIPE	
Présent plaisant	**Passé** plu
INFINITIF	
plaire	

* ***Taire*** se conjugue comme *plaire*, mais à la 3e personne du singulier du présent de l'indicatif il ne prend jamais l'accent circonflexe.

42 Faire et ses composés

INDICATIF	
Temps simples	**Temps composés**
Présent je fais tu fais il/elle/on fait nous faisons vous faites ils/elles font	**Passé composé** j'ai fait tu as fait il/elle/on a fait nous avons fait vous avez fait ils/elles ont fait
Imparfait je faisais tu faisais il/elle/on faisait nous faisions vous faisiez ils/elles faisaient	**Plus-que-parfait** j'avais fait tu avais fait il/elle/on avait fait nous avions fait vous aviez fait ils/elles avaient fait
Futur simple je ferai tu feras il/elle/on fera nous ferons vous ferez ils/elles feront	**Futur antérieur** j'aurai fait tu auras fait il/elle/on aura fait nous aurons fait vous aurez fait ils/elles auront fait
Conditionnel présent je ferais tu ferais il/elle/on ferait nous ferions vous feriez ils/elles feraient	**Conditionnel passé** j'aurais fait tu aurais fait il/elle/on aurait fait nous aurions fait vous auriez fait ils/elles auraient fait
	Autre temps
Passé simple je fis tu fis il/elle/on fit nous fîmes vous fîtes ils/elles firent	**Futur proche** je vais faire tu vas faire il/elle/on va faire nous allons faire vous allez faire ils/elles vont faire
IMPÉRATIF	**SUBJONCTIF**
Présent fais faisons faites	**Présent** que je fasse que tu fasses qu'il/elle/on fasse que nous fassions que vous fassiez qu'ils/elles fassent
PARTICIPE	
Présent faisant	**Passé** fait, faite
INFINITIF	
faire	

43 Cuire

INDICATIF	
Temps simples	**Temps composés**
Présent je cuis tu cuis il/elle/on cuit nous cuisons vous cuisez ils/elles cuisent	**Passé composé** j'ai cuit tu as cuit il/elle/on a cuit nous avons cuit vous avez cuit ils/elles ont cuit
Imparfait je cuisais tu cuisais il/elle/on cuisait nous cuisions vous cuisiez ils/elles cuisaient	**Plus-que-parfait** j'avais cuit tu avais cuit il/elle/on avait cuit nous avions cuit vous aviez cuit ils/elles avaient cuit
Futur simple je cuirai tu cuiras il/elle/on cuira nous cuirons vous cuirez ils/elles cuiront	**Futur antérieur** j'aurai cuit tu auras cuit il/elle/on aura cuit nous aurons cuit vous aurez cuit ils/elles auront cuit
Conditionnel présent je cuirais tu cuirais il/elle/on cuirait nous cuirions vous cuiriez ils/elles cuiraient	**Conditionnel passé** j'aurais cuit tu aurais cuit il/elle/on aurait cuit nous aurions cuit vous auriez cuit ils/elles auraient cuit
	Autre temps
Passé simple je cuisis tu cuisis il/elle/on cuisit nous cuisîmes vous cuisîtes ils/elles cuisirent	**Futur proche** je vais cuire tu vas cuire il/elle/on va cuire nous allons cuire vous allez cuire ils/elles vont cuire
IMPÉRATIF	**SUBJONCTIF**
Présent cuis cuisons cuisez	**Présent** que je cuise que tu cuises qu'il/elle/on cuise que nous cuisions que vous cuisiez qu'ils/elles cuisent
PARTICIPE	
Présent cuisant	**Passé** cuit, cuite
INFINITIF	
cuire	

44 Suffire

INDICATIF	
Temps simples	**Temps composés**
Présent je suffis tu suffis il/elle/on suffit nous suffisons vous suffisez ils/elles suffisent	**Passé composé** j'ai suffi tu as suffi il/elle/on a suffi nous avons suffi vous avez suffi ils/elles ont suffi
Imparfait je suffisais tu suffisais il/elle/on suffisait nous suffisions vous suffisiez ils/elles suffisaient	**Plus-que-parfait** j'avais suffi tu avais suffi il/elle/on avait suffi nous avions suffi vous aviez suffi ils/elles avaient suffi
Futur simple je suffirai tu suffiras il/elle/on suffira nous suffirons vous suffirez ils/elles suffiront	**Futur antérieur** j'aurai suffi tu auras suffi il/elle/on aura suffi nous aurons suffi vous aurez suffi ils/elles auront suffi
Conditionnel présent je suffirais tu suffirais il/elle/on suffirait nous suffirions vous suffiriez ils/elles suffiraient	**Conditionnel passé** j'aurais suffi tu aurais suffi il/elle/on aurait suffi nous aurions suffi vous auriez suffi ils/elles auraient suffi
	Autre temps
Passé simple je suffis tu suffis il/elle/on suffit nous suffîmes vous suffîtes ils/elles suffirent	**Futur proche** je vais suffire tu vas suffire il/elle/on va suffire nous allons suffire vous allez suffire ils/elles vont suffire
IMPÉRATIF	**SUBJONCTIF**
Présent suffis suffisons suffisez	**Présent** que je suffise que tu suffises qu'il/elle/on suffise que nous suffisions que vous suffisiez qu'ils/elles suffisent
PARTICIPE	
Présent suffisant	**Passé** suffi
INFINITIF	
suffire	

45 Lire et ses composés

INDICATIF	
Temps simples	**Temps composés**
Présent je lis tu lis il/elle/on lit nous lisons vous lisez ils/elles lisent	**Passé composé** j'ai lu tu as lu il/elle/on a lu nous avons lu vous avez lu ils/elles ont lu
Imparfait je lisais tu lisais il/elle/on lisait nous lisions vous lisiez ils/elles lisaient	**Plus-que-parfait** j'avais lu tu avais lu il/elle/on avait lu nous avions lu vous aviez lu ils/elles avaient lu
Futur simple je lirai tu liras il/elle/on lira nous lirons vous lirez ils/elles liront	**Futur antérieur** j'aurai lu tu auras lu il/elle/on aura lu nous aurons lu vous aurez lu ils/elles auront lu
Conditionnel présent je lirais tu lirais il/elle/on lirait nous lirions vous liriez ils/elles liraient	**Conditionnel passé** j'aurais lu tu aurais lu il/elle/on aurait lu nous aurions lu vous auriez lu ils/elles auraient lu
	Autre temps
Passé simple je lus tu lus il/elle/on lut nous lûmes vous lûtes ils/elles lurent	**Futur proche** je vais lire tu vas lire il/elle/on va lire nous allons lire vous allez lire ils/elles vont lire
IMPÉRATIF	**SUBJONCTIF**
Présent lis lisons lisez	**Présent** que je lise que tu lises qu'il/elle/on lise que nous lisions que vous lisiez qu'ils/elles lisent
PARTICIPE	
Présent lisant	**Passé** lu, lue
INFINITIF	
lire	

46 Dire et ses composés

INDICATIF	
Temps simples	**Temps composés**
Présent je dis tu dis il/elle/on dit nous disons vous dites ils/elles disent	**Passé composé** j'ai dit tu as dit il/elle/on a dit nous avons dit vous avez dit ils/elles ont dit
Imparfait je disais tu disais il/elle/on disait nous disions vous disiez ils/elles disaient	**Plus-que-parfait** j'avais dit tu avais dit il/elle/on avait dit nous avions dit vous aviez dit ils/elles avaient dit
Futur simple je dirai tu diras il/elle/on dira nous dirons vous direz ils/elles diront	**Futur antérieur** j'aurai dit tu auras dit il/elle/on aura dit nous aurons dit vous aurez dit ils/elles auront dit
Conditionnel présent je dirais tu dirais il/elle/on dirait nous dirions vous diriez ils/elles diraient	**Conditionnel passé** j'aurais dit tu aurais dit il/elle/on aurait dit nous aurions dit vous auriez dit ils/elles auraient dit
	Autre temps
Passé simple je dis tu dis il/elle/on dit nous dîmes vous dîtes ils/elles dirent	**Futur proche** je vais dire tu vas dire il/elle/on va dire nous allons dire vous allez dire ils/elles vont dire
IMPÉRATIF	**SUBJONCTIF**
Présent dis disons dites	**Présent** que je dise que tu dises qu'il/elle/on dise que nous disions que vous disiez qu'ils/elles disent
PARTICIPE	
Présent disant	**Passé** dit, dite
INFINITIF	
dire	

* Les composés de ***dire*** (sauf *redire*) se terminent en ***-sez*** à la 2e personne du pluriel du présent de l'indicatif et de l'impératif.
Exemple : *vous médi**sez***.

47 Écrire et ses composés

INDICATIF	
Temps simples	**Temps composés**
Présent j'écris tu écris il/elle/on écrit nous écrivons vous écrivez ils/elles écrivent	**Passé composé** j'ai écrit tu as écrit il/elle/on a écrit nous avons écrit vous avez écrit ils/elles ont écrit
Imparfait j'écrivais tu écrivais il/elle/on écrivait nous écrivions vous écriviez ils/elles écrivaient	**Plus-que-parfait** j'avais écrit tu avais écrit il/elle/on avait écrit nous avions écrit vous aviez écrit ils/elles avaient écrit
Futur simple j'écrirai tu écriras il/elle/on écrira nous écrirons vous écrirez ils/elles écriront	**Futur antérieur** j'aurai écrit tu auras écrit il/elle/on aura écrit nous aurons écrit vous aurez écrit ils/elles auront écrit
Conditionnel présent j'écrirais tu écrirais il/elle/on écrirait nous écririons vous écririez ils/elles écriraient	**Conditionnel passé** j'aurais écrit tu aurais écrit il/elle/on aurait écrit nous aurions écrit vous auriez écrit ils/elles auraient écrit
	Autre temps
Passé simple j'écrivis tu écrivis il/elle/on écrivit nous écrivîmes vous écrivîtes ils/elles écrivirent	**Futur proche** je vais écrire tu vas écrire il/elle/on va écrire nous allons écrire vous allez écrire ils/elles vont écrire
IMPÉRATIF	**SUBJONCTIF**
Présent écris écrivons écrivez	**Présent** que j'écrive que tu écrives qu'il/elle/on écrive que nous écrivions que vous écriviez qu'ils/elles écrivent
PARTICIPE	
Présent écrivant	**Passé** écrit, écrite
INFINITIF	
écrire	

48 Rire

INDICATIF	
Temps simples	**Temps composés**
Présent je ris tu ris il/elle/on rit nous rions vous riez ils/elles rient	**Passé composé** j'ai ri tu as ri il/elle/on a ri nous avons ri vous avez ri ils/elles ont ri
Imparfait je riais tu riais il/elle/on riait nous riions vous riiez ils/elles riaient	**Plus-que-parfait** j'avais ri tu avais ri il/elle/on avait ri nous avions ri vous aviez ri ils/elles avaient ri
Futur simple je rirai tu riras il/elle/on rira nous rirons vous rirez ils/elles riront	**Futur antérieur** j'aurai ri tu auras ri il/elle/on aura ri nous aurons ri vous aurez ri ils/elles auront ri
Conditionnel présent je rirais tu rirais il/elle/on rirait nous ririons vous ririez ils/elles riraient	**Conditionnel passé** j'aurais ri tu aurais ri il/elle/on aurait ri nous aurions ri vous auriez ri ils/elles auraient ri
	Autre temps
Passé simple je ris tu ris il/elle/on rit nous rîmes vous rîtes ils/elles rirent	**Futur proche** je vais rire tu vas rire il/elle/on va rire nous allons rire vous allez rire ils/elles vont rire
IMPÉRATIF	**SUBJONCTIF**
Présent ris rions riez	**Présent** que je rie que tu ries qu'il/elle/on rie que nous riions que vous riiez qu'ils/elles rient
PARTICIPE	
Présent riant	**Passé** ri
INFINITIF	
rire	

49 Suivre et ses composés

INDICATIF	
Temps simples	**Temps composés**
Présent je suis tu suis il/elle/on suit nous suivons vous suivez ils/elles suivent	**Passé composé** j'ai suivi tu as suivi il/elle/on a suivi nous avons suivi vous avez suivi ils/elles ont suivi
Imparfait je suivais tu suivais il/elle/on suivait nous suivions vous suiviez ils/elles suivaient	**Plus-que-parfait** j'avais suivi tu avais suivi il/elle/on avait suivi nous avions suivi vous aviez suivi ils/elles avaient suivi
Futur simple je suivrai tu suivras il/elle/on suivra nous suivrons vous suivrez ils/elles suivront	**Futur antérieur** j'aurai suivi tu auras suivi il/elle/on aura suivi nous aurons suivi vous aurez suivi ils/elles auront suivi
Conditionnel présent je suivrais tu suivrais il/elle/on suivrait nous suivrions vous suivriez ils/elles suivraient	**Conditionnel passé** j'aurais suivi tu aurais suivi il/elle/on aurait suivi nous aurions suivi vous auriez suivi ils/elles auraient suivi
	Autre temps
Passé simple je suivis tu suivis il/elle/on suivit nous suivîmes vous suivîtes ils/elles suivirent	**Futur proche** je vais suivre tu vas suivre il/elle/on va suivre nous allons suivre vous allez suivre ils/elles vont suivre
IMPÉRATIF	**SUBJONCTIF**
Présent suis suivons suivez	**Présent** que je suive que tu suives qu'il/elle/on suive que nous suivions que vous suiviez qu'ils/elles suivent
PARTICIPE	
Présent suivant	**Passé** suivi, suivie
INFINITIF	
suivre	

50 Vivre

INDICATIF	
Temps simples	**Temps composés**
Présent je vis tu vis il/elle/on vit nous vivons vous vivez ils/elles vivent	**Passé composé** j'ai vécu tu as vécu il/elle/on a vécu nous avons vécu vous avez vécu ils/elles ont vécu
Imparfait je vivais tu vivais il/elle/on vivait nous vivions vous viviez ils/elles vivaient	**Plus-que-parfait** j'avais vécu tu avais vécu il/elle/on avait vécu nous avions vécu vous aviez vécu ils/elles avaient vécu
Futur simple je vivrai tu vivras il/elle/on vivra nous vivrons vous vivrez ils/elles vivront	**Futur antérieur** j'aurai vécu tu auras vécu il/elle/on aura vécu nous aurons vécu vous aurez vécu ils/elles auront vécu
Conditionnel présent je vivrais tu vivrais il/elle/on vivrait nous vivrions vous vivriez ils/elles vivraient	**Conditionnel passé** j'aurais vécu tu aurais vécu il/elle/on aurait vécu nous aurions vécu vous auriez vécu ils/elles auraient vécu
	Autre temps
Passé simple je vécus tu vécus il/elle/on vécut nous vécûmes vous vécûtes ils/elles vécurent	**Futur proche** je vais vivre tu vas vivre il/elle/on va vivre nous allons vivre vous allez vivre ils/elles vont vivre
IMPÉRATIF	**SUBJONCTIF**
Présent vis vivons vivez	**Présent** que je vive que tu vives qu'il/elle/on vive que nous vivions que vous viviez qu'ils/elles vivent
PARTICIPE	
Présent vivant	**Passé** vécu, vécue
INFINITIF	
vivre	

51 Conclure

INDICATIF	
Temps simples	**Temps composés**
Présent je conclus tu conclus il/elle/on conclut nous concluons vous concluez ils/elles concluent	**Passé composé** j'ai conclu tu as conclu il/elle/on a conclu nous avons conclu vous avez conclu ils/elles ont conclu
Imparfait je concluais tu concluais il/elle/on concluait nous concluions vous concluiez ils/elles concluaient	**Plus-que-parfait** j'avais conclu tu avais conclu il/elle/on avait conclu nous avions conclu vous aviez conclu ils/elles avaient conclu
Futur simple je conclurai tu concluras il/elle/on conclura nous conclurons vous conclurez ils/elles concluront	**Futur antérieur** j'aurai conclu tu auras conclu il/elle/on aura conclu nous aurons conclu vous aurez conclu ils/elles auront conclu
Conditionnel présent je conclurais tu conclurais il/elle/on conclurait nous conclurions vous concluriez ils/elles concluraient	**Conditionnel passé** j'aurais conclu tu aurais conclu il/elle/on aurait conclu nous aurions conclu vous auriez conclu ils/elles auraient conclu
	Autre temps
Passé simple je conclus tu conclus il/elle/on conclut nous conclûmes vous conclûtes ils/elles conclurent	**Futur proche** je vais conclure tu vas conclure il/elle/on va conclure nous allons conclure vous allez conclure ils/elles vont conclure
IMPÉRATIF	**SUBJONCTIF**
Présent conclus concluons concluez	**Présent** que je conclue que tu conclues qu'il/elle/on conclue que nous concluions que vous concluiez qu'ils/elles concluent
PARTICIPE	
Présent concluant	**Passé** conclu, conclue
INFINITIF	
conclure	

52 Résoudre

INDICATIF	
Temps simples	**Temps composés**
Présent je résous tu résous il/elle/on résout nous résolvons vous résolvez ils/elles résolvent	**Passé composé** j'ai résolu/résous tu as résolu/résous il/elle/on a résolu/résous nous avons résolu/ résous vous avez résolu/résous ils/elles ont résolu/résous
Imparfait je résolvais tu résolvais il/elle/on résolvait nous résolvions vous résolviez ils/elles résolvaient	**Plus-que-parfait** j'avais résolu/résous tu avais résolu/résous il/elle/on avait résolu/ résous nous avions résolu/ résous vous aviez résolu/résous ils/elles avaient résolu/ résous
Futur simple je résoudrai tu résoudras il/elle/on résoudra nous résoudrons vous résoudrez ils/elles résoudront	**Futur antérieur** j'aurai résolu/résous tu auras résolu/résous il/elle/on aura résolu/ résous nous aurons résolu/ résous vous aurez résolu/résous ils/elles auront résolu/ résous
Conditionnel présent je résoudrais tu résoudrais il/elle/on résoudrait nous résoudrions vous résoudriez ils/elles résoudraient	**Conditionnel passé** j'aurais résolu/résous tu aurais résolu/résous il/elle/on aurait résolu/ résous nous aurions résolu/ résous vous auriez résolu/ résous ils/elles auraient résolu/ résous
	Autre temps
Passé simple je résolus tu résolus il/elle/on résolut nous résolûmes vous résolûtes ils/elles résolurent	**Futur proche** je vais résoudre tu vas résoudre il/elle/on va résoudre nous allons résoudre vous allez résoudre ils/elles vont résoudre

IMPÉRATIF	SUBJONCTIF
Présent résous résolvons résolvez	**Présent** que je résolve que tu résolves qu'il/elle/on résolve que nous résolvions que vous résolviez qu'ils/elles résolvent
PARTICIPE	
Présent résolvant	**Passé** résolu, résolue
INFINITIF	
résoudre	

53 Coudre et ses composés

INDICATIF	
Temps simples	**Temps composés**
Présent je couds tu couds il/elle/on coud nous cousons vous cousez ils/elles cousent	**Passé composé** j'ai cousu tu as cousu il/elle/on a cousu nous avons cousu vous avez cousu ils/elles ont cousu
Imparfait je cousais tu cousais il/elle/on cousait nous cousions vous cousiez ils/elles cousaient	**Plus-que-parfait** j'avais cousu tu avais cousu il/elle/on avait cousu nous avions cousu vous aviez cousu ils/elles avaient cousu
Futur simple je coudrai tu coudras il/elle/on coudra nous coudrons vous coudrez ils/elles coudront	**Futur antérieur** j'aurai cousu tu auras cousu il/elle/on aura cousu nous aurons cousu vous aurez cousu ils/elles auront cousu
Conditionnel présent je coudrais tu coudrais il/elle/on coudrait nous coudrions vous coudriez ils/elles coudraient	**Conditionnel passé** j'aurais cousu tu aurais cousu il/elle/on aurait cousu nous aurions cousu vous auriez cousu ils/elles auraient cousu
	Autre temps
Passé simple je cousis tu cousis il/elle/on cousit nous cousîmes vous cousîtes ils/elles cousirent	**Futur proche** je vais coudre tu vas coudre il/elle/on va coudre nous allons coudre vous allez coudre ils/elles vont coudre
IMPÉRATIF	**SUBJONCTIF**
Présent couds cousons cousez	**Présent** que je couse que tu couses qu'il/elle/on couse que nous cousions que vous cousiez qu'ils/elles cousent
PARTICIPE	
Présent cousant	**Passé** cousu, cousue
INFINITIF	
coudre	

54 Moudre

INDICATIF	
Temps simples	**Temps composés**
Présent je mouds tu mouds il/elle/on moud nous moulons vous moulez ils/elles moulent	**Passé composé** j'ai moulu tu as moulu il/elle/on a moulu nous avons moulu vous avez moulu ils/elles ont moulu
Imparfait je moulais tu moulais il/elle/on moulait nous moulions vous mouliez ils/elles moulaient	**Plus-que-parfait** j'avais moulu tu avais moulu il/elle/on avait moulu nous avions moulu vous aviez moulu ils/elles avaient moulu
Futur simple je moudrai tu moudras il/elle/on moudra nous moudrons vous moudrez ils/elles moudront	**Futur antérieur** j'aurai moulu tu auras moulu il/elle/on aura moulu nous aurons moulu vous aurez moulu ils/elles auront moulu
Conditionnel présent je moudrais tu moudrais il/elle/on moudrait nous moudrions vous moudriez ils/elles moudraient	**Conditionnel passé** j'aurais moulu tu aurais moulu il/elle/on aurait moulu nous aurions moulu vous auriez moulu ils/elles auraient moulu
	Autre temps
Passé simple je moulus tu moulus il/elle/on moulut nous moulûmes vous moulûtes ils/elles moulurent	**Futur proche** je vais moudre tu vas moudre il/elle/on va moudre nous allons moudre vous allez moudre ils/elles vont moudre
IMPÉRATIF	**SUBJONCTIF**
Présent mouds moulons moulez	**Présent** que je moule que tu moules qu'il/elle/on moule que nous moulions que vous mouliez qu'ils/elles moulent
PARTICIPE	
Présent moulant	**Passé** moulu, moulue
INFINITIF	
moudre	

55 Clore et ses composés

INDICATIF	
Temps simples	**Temps composés**
Présent je clos tu clos il/elle/on clôt ils/elles closent	**Passé composé** j'ai clos tu as clos il/elle/on a clos nous avons clos vous avez clos ils/elles ont clos
	Plus-que-parfait j'avais clos tu avais clos il/elle/on avait clos nous avions clos vous aviez clos ils/elles avaient clos
Futur simple je clorai tu cloras il/elle/on clora nous clorons vous clorez ils/elles cloront	**Futur antérieur** j'aurai clos tu auras clos il/elle/on aura clos nous aurons clos vous aurez clos ils/elles auront clos
Conditionnel présent je clorais tu clorais il/elle/on clorait nous clorions vous cloriez ils/elles cloraient	**Conditionnel passé** j'aurais clos tu aurais clos il/elle/on aurait clos nous aurions clos vous auriez clos ils/elles auraient clos
	Autre temps
	Futur proche je vais clore tu vas clore il/elle/on va clore nous allons clore vous allez clore ils/elles vont clore
IMPÉRATIF	**SUBJONCTIF**
Présent clos	**Présent** que je close que tu closes qu'il/elle/on close que nous closions que vous closiez qu'ils/elles closent
PARTICIPE	
Présent closant	**Passé** clos, close
INFINITIF	
clore	

56 Aller

INDICATIF	
Temps simples	**Temps composés**
Présent je vais tu vas il/elle/on va nous allons vous allez ils/elles vont	**Passé composé** je suis allé/allée tu es allé/allée il/elle/on est allé/allée nous sommes allés/allées vous êtes allés/allées ils/elles sont allés/allées
Imparfait j'allais tu allais il/elle/on allait nous allions vous alliez ils/elles allaient	**Plus-que-parfait** j'étais allé/allée tu étais allé/allée il/elle/on était allé/allée nous étions allés/allées vous étiez allés/allées ils/elles étaient allés/allées
Futur simple j'irai tu iras il/elle/on ira nous irons vous irez ils/elles iront	**Futur antérieur** je serai allé/allée tu seras allé/allée il/elle/on sera allé/allée nous serons allés/allées vous serez allés/allées ils/elles seront allés/allées
Conditionnel présent j'irais tu irais il/elle/on irait nous irions vous iriez ils/elles iraient	**Conditionnel passé** je serais allé/allée tu serais allé/allée il/elle/on serait allé/allée nous serions allés/allées vous seriez allés/allées ils/elles seraient allés/allées
	Autre temps
Passé simple j'allai tu allas il/elle/on alla nous allâmes vous allâtes ils/elles allèrent	**Futur proche** je vais aller tu vas aller il/elle/on va aller nous allons aller vous allez aller ils/elles vont aller
IMPÉRATIF	**SUBJONCTIF**
Présent va allons allez	**Présent** que j'aille que tu ailles qu'il/elle/on aille que nous allions que vous alliez qu'ils/elles aillent
PARTICIPE	
Présent allant	**Passé** allé, allée
INFINITIF	
aller	

danois, danoise

ougandais, ougandaise

papouasien, papouasienne

ces
ses
c'est
s'est
sais
sait

Quand le chat n'est pas là, les souris dansent.

Couper les cheveux en quatre.

Passer du coq à l'âne.

mexicain, mexicaine

Annexes

Des locutions illustrées

Accrocher ses patins.

Cesser une activité, prendre sa retraite.

Avoir les deux pieds dans la même bottine.

Être maladroit.

Avoir les mains pleines de pouces.

Manquer d'habileté, être très maladroit.

Avoir un mot sur le bout de la langue.

Connaître un mot,
mais ne pas s'en souvenir.

Ce n'est pas la mer à boire.

Ce n'est pas tellement difficile.

Couper la poire en deux.

Faire quelques concessions pour se mettre d'accord.

Couper les cheveux en quatre.

Entrer dans des détails inutiles.

Être cousu d'or.

Être très riche.

Être dans de beaux draps.

Être dans une situation très embarrassante.

Être dans les patates.

Être dans l'erreur, se tromper.

Jouer cartes sur table.

Agir avec franchise, sans rien dissimuler.

Mettre la puce à l'oreille de quelqu'un.

Lui inspirer des soupçons.

Mettre les points sur les i.

Expliquer les choses en insistant de telle manière que tout le monde comprenne.

Mettre quelqu'un sur un piédestal.

L'admirer énormément.

Mettre quelqu'un au pied du mur.

L'obliger à prendre immédiatement une décision.

Monter sur ses grands chevaux.

Se fâcher.

Ne pas mâcher ses mots.

Parler avec trop de franchise, sans ménager la personne à qui l'on s'adresse.

Ne pas savoir sur quel pied danser.

Ne pas savoir ce que l'on doit faire.

Passer du coq à l'âne.

Passer d'un sujet à un autre.

Perdre le fil de ses idées.

Ne plus savoir ce qu'on voulait dire.

Perdre les pédales.

Perdre la tête.

Remonter la pente.

Aller mieux après une période difficile.

Saisir la balle au bond.

Saisir l’occasion sans attendre.

Se faire passer un sapin.

Se faire duper, se faire berner.

Se faire tirer l'oreille.

N'accepter qu'après s'être fait prier.

Se laisser manger la laine sur le dos.

Se laisser abuser, exploiter sans protester.

Se mettre sur son trente-six.

Mettre ses plus beaux vêtements.

Tirer son chapeau à quelqu'un.

Lui témoigner de l'admiration.

Tendre la perche à quelqu'un.

L'aider à se tirer d'affaire.

Tomber dans le panneau.

Se laisser prendre au piège.

Tomber sur un os.

Rencontrer une difficulté.

Vendre la mèche.

Trahir un secret.

Quelques proverbes

A beau mentir qui vient de loin.

Celui qui vient de l'étranger peut raconter toutes sortes d'histoires fausses sans crainte d'être pris pour un menteur.

À cheval donné, on ne regarde pas la bride.

Il ne faut pas se montrer exigeant quand on reçoit un cadeau.

À cœur vaillant rien d'impossible.

Les forts surmontent toutes les difficultés, même les plus grandes.

Aux grands maux, les grands remèdes.

Il faut réagir avec force et énergie quand on est face à un grave danger.

Bien faire et laisser dire.

Il faut faire ce que l'on a à faire sans se préoccuper des critiques.

C'est en forgeant qu'on devient forgeron.

C'est à force de s'exercer dans un métier, dans une tâche que l'on devient expérimenté.

Chat échaudé craint l'eau froide.

Quand on s'est laissé prendre une fois, on redoute après même l'apparence de ce qui rappelle cette mésaventure.

Il faut battre le fer pendant qu'il est chaud.

Il faut se hâter de conclure une affaire dès l'instant qu'elle est en bonne voie.

Il n'est pire sourd que celui qui ne veut pas entendre.

Il est inutile d'essayer de convaincre quelqu'un qui a déjà une opinion bien arrêtée.

Il ne faut pas mettre tous ses œufs dans le même panier.

Il est très risqué de miser sur une seule et même affaire.

Il ne faut pas vendre la peau de l'ours avant de l'avoir tué.

Il ne faut pas crier victoire trop tôt.

L'appétit vient en mangeant.

Plus on a de succès, de richesse, plus on veut en avoir.

L'habit ne fait pas le moine.

Il ne faut pas juger les gens sur leur apparence.

Nul n'est prophète en son pays.

Personne n'est apprécié à sa juste valeur par les siens.

On ne fait pas d'omelette sans casser des œufs.

On n'obtient rien sans peine ni sacrifices.

Pierre qui roule n'amasse pas mousse.

On ne s'enrichit pas en changeant trop souvent de métier, de pays.

Quand le chat n'est pas là, les souris dansent.

En l'absence du maître, il n'y a plus de règles.

Qui ne risque rien n'a rien.

On n'obtient rien si l'on ne prend pas quelques risques.

Tel est pris qui croyait prendre.

On trouve toujours quelqu'un de plus malin que soi.

Tout vient à point à qui sait attendre.

La personne qui se montre patiente finit par réussir, par obtenir ce qu'elle souhaitait.

Un homme averti en vaut deux.

Il est facile d'éviter un danger quand on en est prévenu.

Les noms des habitants et les adjectifs dérivés

PAYS	NOMS DES HABITANTS	ADJECTIFS DÉRIVÉS
Afghanistan (l')	Les Afghans, les Afghanes	afghan, afghane
Afrique du Sud (l')	Les Sud-Africains, les Sud-Africaines	sud-africain, sud-africaine
Albanie (l')	Les Albanais, les Albanaises	*albanais, albanaise
Algérie (l')	Les Algériens, les Algériennes	algérien, algérienne
Allemagne (l')	Les Allemands, les Allemandes	*allemand, allemande
Andorre (l')	Les Andorrans, les Andorranes	andorran, andorrane
Angola	Les Angolais, les Angolaises	angolais, angolaise
Antigua-et-Barbuda	Les Antiguayens, les Antiguayennes	antiguayen, antiguayenne
Arabie saoudite (l')	Les Saoudiens, les Saoudiennes	saoudien, saoudienne
Argentine (l')	Les Argentins, les Argentines	argentin, argentine
Arménie (l')	Les Arméniens, les Arméniennes	*arménien, arménienne
Australie (l')	Les Australiens, les Australiennes	australien, australienne
Autriche (l')	Les Autrichiens, les Autrichiennes	autrichien, autrichienne
Azerbaïdjan (l')	Les Azerbaïdjanais, les Azerbaïdjanaises	azerbaïdjanais, azerbaïdjanaise
Bahamas (les)	Les Bahaméens, les Bahaméennes	bahaméen, bahaméenne
Bahreïn	Les Bahreïniens, les Bahreïniennes	bahreïnien, bahreïnienne
Bangladesh (le)	Les Bangladais, les Bangladaises	bangladais, bangladaise
Barbade (la)	Les Barbadiens, les Barbadiennes	barbadien, barbadienne
Belgique (la)	Les Belges	belge
Bélize (le)	Les Béliziens, les Béliziennes	bélizien, bélizienne
Bénin (le)	Les Béninois, les Béninoises	béninois, béninoise
Bhoutan (le)	Les Bhoutanais, les Bhoutanaises	bhoutanais, bhoutanaise
Biélorussie (la)	Les Biélorusses	*biélorusse
Bolivie (la)	Les Boliviens, les Boliviennes	bolivien, bolivienne
Bosnie-Herzégovine (la)	Les Bosniens, les Bosniennes	bosnien, bosnienne
Botswana (le)	Les Botswanais, les Botswanaises	botswanais, botswanaise
Brésil (le)	Les Brésiliens, les Brésiliennes	brésilien, brésilienne
Brunei (le)	Les Brunéiens, les Brunéiennes	brunéien, brunéienne
Bulgarie (la)	Les Bulgares	*bulgare
Burkina Faso (le)	Les Burkinabés, les Burkinabées	burkinabé, burkinabée
Burundi (le)	Les Burundais, les Burundaises	burundais, burundaise
Cambodge (le)	Les Cambodgiens, les Cambodgiennes	cambodgien, cambodgienne

* Certains de ces adjectifs correspondent à des noms masculins identiques pour désigner une langue. *Un restaurant* ***portugais*** (adjectif). *Il parle le* ***portugais*** (langue).

PAYS	NOMS DES HABITANTS	ADJECTIFS DÉRIVÉS
Cameroun (le)	Les Camerounais, les Camerounaises	camerounais, camerounaise
Canada (le)	Les Canadiens, les Canadiennes	canadien, canadienne
Cap-Vert (le)	Les Capverdiens, les Capverdiennes	capverdien, capverdienne
Centrafrique (la)	Les Centrafricains, les Centrafricaines	centrafricain, centrafricaine
Chili (le)	Les Chiliens, les Chiliennes	chilien, chilienne
Chine (la)	Les Chinois, les Chinoises	*chinois, chinoise
Chypre	Les Chypriotes	chypriote
Colombie (la)	Les Colombiens, les Colombiennes	colombien, colombienne
Comores (les)	Les Comoriens, les Comoriennes	comorien, comorienne
Congo (le)	Les Congolais, les Congolaises	congolais, congolaise
Congo (la République démocratique du)	Les Congolais, les Congolaises	congolais, congolaise
Corée du Nord (la)	Les Nord-Coréens, les Nord-Coréennes	nord-coréen, nord-coréenne
Corée du Sud (la)	Les Sud-Coréens, les Sud-Coréennes	sud-coréen, sud-coréenne
Costa Rica (le)	Les Costaricains, les Costaricaines	costaricain, costaricaine
Côte d'Ivoire (la)	Les Ivoiriens, les Ivoiriennes	ivoirien, ivoirienne
Croatie (la)	Les Croates	*croate
Cuba	Les Cubains, les Cubaines	cubain, cubaine
Danemark (le)	Les Danois, les Danoises	*danois, danoise
Djibouti	Les Djiboutiens, les Djiboutiennes	djiboutien, djiboutienne
Dominicaine (la République)	Les Dominicains, les Dominicaines	dominicain, dominicaine
Dominique (la)	Les Dominiquais, les Dominiquaises	dominiquais, dominiquaise
Égypte (l')	Les Égyptiens, les Égyptiennes	égyptien, égyptienne
Émirats arabes unis (les)	Les Émiriens, les Émiriennes	émirien, émirienne
Équateur (l')	Les Équatoriens, les Équatoriennes	équatorien, équatorienne
Érythrée (l')	Les Érythréens, les Érythréennes	érythréen, érythréenne
Espagne (l')	Les Espagnols, les Espagnoles	*espagnol, espagnole
Estonie (l')	Les Estoniens, les Estoniennes	*estonien, estonienne
États-Unis (les)	Les Américains, les Américaines	américain, américaine
Éthiopie (l')	Les Éthiopiens, les Éthiopiennes	éthiopien, éthiopienne
Fidji (les)	Les Fidjiens, les Fidjiennes	fidjien, fidjienne
Finlande (la)	Les Finlandais, les Finlandaises	finlandais, finlandaise
France (la)	Les Français, les Françaises	*français, française

PAYS	NOMS DES HABITANTS	ADJECTIFS DÉRIVÉS
Gabon (le)	Les Gabonais, les Gabonaises	gabonais, gabonaise
Gambie (la)	Les Gambiens, les Gambiennes	gambien, gambienne
Géorgie (la)	Les Géorgiens, les Géorgiennes	*géorgien, géorgienne
Ghana (le)	Les Ghanéens, les Ghanéennes	ghanéen, ghanéenne
Grèce (la)	Les Grecs, les Grecques	*grec, grecque
Grenade (la)	Les Grenadiens, les Grenadiennes	grenadien, grenadienne
Guatemala (le)	Les Guatémaltèques	guatémaltèque
Guinée (la)	Les Guinéens, les Guinéennes	guinéen, guinéenne
Guinée-Bissau (la)	Les Bissauguinéens, les Bissauguinéennes	bissauguinéen, bissauguinéene
Guinée équatoriale (la)	Les Équatoguinéens, les Équatoguinéennes	équatoguinéen, équatoguinéenne
Guyana (la)	Les Guyaniens, les Guyaniennes	guyanien, guyanienne
Haïti	Les Haïtiens, les Haïtiennes	haïtien, haïtienne
Honduras (le)	Les Honduriens, les Honduriennes	hondurien, hondurienne
Hongrie (la)	Les Hongrois, les Hongroises	*hongrois, hongroise
Inde (l')	Les Indiens, les Indiennes	indien, indienne
Indonésie (l')	Les Indonésiens, les Indonésiennes	*indonésien, indonésienne
Irak (l')	Les Irakiens, les Irakiennes	irakien, irakienne
Iran (l')	Les Iraniens, les Iraniennes	iranien, iranienne
Irlande (l')	Les Irlandais, les Irlandaises	*irlandais, irlandaise
Islande (l')	Les Islandais, les Islandaises	*islandais, islandaise
Israël	Les Israéliens, les Israéliennes	israélien, israélienne
Italie (l')	Les Italiens, les Italiennes	*italien, italienne
Jamaïque (la)	Les Jamaïcains, les Jamaïcaines	jamaïcain, jamaïcaine
Japon (le)	Les Japonais, les Japonaises	*japonais, japonaise
Jordanie (la)	Les Jordaniens, les Jordaniennes	jordanien, jordanienne
Kazakhstan (le)	Les Kazakhs, les Kazakhes	*kazakh, kazakhe
Kenya (le)	Les Kényans, les Kényanes	kényan, kényane
Kirghizistan (le)	Les Kirghiz, les Kirghizes	*kirghiz, kirghize
Kiribati (les)	Les Kiribatiens, les Kiribatiennes	kiribatien, kiribatienne
Kosovo (le)	Les Kosovars, les Kosovares	kosovar, kosovare
Koweït (le)	Les Koweïtiens, les Koweïtiennes	koweïtien, koweïtienne
Laos (le)	Les Laotiens, les Laotiennes	laotien, laotienne
Lesotho (le)	Les Lesothiens, les Lesothiennes	lesothien, lesothienne
Lettonie (la)	Les Lettons, les Lettones	*letton, lettone
Liban (le)	Les Libanais, les Libanaises	libanais, libanaise

PAYS	NOMS DES HABITANTS	ADJECTIFS DÉRIVÉS
Libéria (le)	Les Libériens, les Libériennes	libérien, libérienne
Libye (la)	Les Libyens, les Libyennes	libyen, libyenne
Liechtenstein (le)	Les Liechtensteinois, les Liechtensteinoises	liechtensteinois, liechtensteinoise
Lituanie (la)	Les Lituaniens, les Lituaniennes	*lituanien, lituanienne
Luxembourg (le)	Les Luxembourgeois, les Luxembourgeoises	luxembourgeois, luxembourgeoise
Macédoine (la)	Les Macédoniens, les Macédoniennes	*macédonien, macédonienne
Madagascar	Les Malgaches	*malgache
Malaisie (la)	Les Malais, les Malaises	malais, malaise
Malawi (le)	Les Malawites	malawite
Maldives (les)	Les Maldiviens, les Maldiviennes	*maldivien, maldivienne
Mali (le)	Les Maliens, les Maliennes	malien, malienne
Malte	Les Maltais, les Maltaises	*maltais, maltaise
Maroc (le)	Les Marocains, les Marocaines	marocain, marocaine
Marshall (les)	Les Marshallais, les Marshallaises	marshallais, marshallaise
Maurice	Les Mauriciens, les Mauriciennes	mauricien, mauricienne
Mauritanie (la)	Les Mauritaniens, les Mauritaniennes	mauritanien, mauritanienne
Mexique (le)	Les Mexicains, les Mexicaines	mexicain, mexicaine
Micronésie (la)	Les Micronésiens, les Micronésiennes	micronésien, micronésienne
Moldavie (la)	Les Moldaves	*moldave
Monaco	Les Monégasques	monégasque
Mongolie (la)	Les Mongols, les Mongoles	*mongol, mongole
Monténégro (le)	Les Monténégrins, les Monténégrines	*monténégrin, monténégrine
Mozambique (le)	Les Mozambicains, les Mozambicaines	mozambicain, mozambicaine
Myanmar (le)	Les Myanmarais, les myanmaraises	myanmarais, myanmaraise
Namibie (la)	Les Namibiens, les Namibiennes	namibien, namibienne
Nauru	Les Nauruans, les Nauruanes	*nauruan, nauruane
Népal (le)	Les Népalais, les Népalaises	*népalais, népalaise
Nicaragua (le)	Les Nicaraguayens, les Nicaraguayennes	nicaraguayen, nicaraguayenne
Niger (le)	Les Nigériens, les Nigériennes	nigérien, nigérienne
Nigéria (le)	Les Nigérians, les Nigérianes	nigérian, nigériane
Norvège (la)	Les Norvégiens, les Norvégiennes	*norvégien, norvégienne

PAYS	NOMS DES HABITANTS	ADJECTIFS DÉRIVÉS
Nouvelle-Zélande (la)	Les Néo-Zélandais, les Néo-Zélandaises	néo-zélandais, néo-zélandaise
Oman	Les Omanais, les Omanaises	omanais, omanaise
Ouganda (l')	Les Ougandais, les Ougandaises	ougandais, ougandaise
Ouzbékistan (l')	Les Ouzbeks, les Ouzbekes	ouzbek, ouzbeke
Pakistan (le)	Les Pakistanais, les Pakistanaises	pakistanais, pakistanaise
Palaos (les)	Les Palaois, les Palaoises	palaois, palaoise
Panama (le)	Les Panaméens, les Panaméennes	panaméen, panaméenne
Papouasie-Nouvelle-Guinée (la)	Les Papouasiens, les Papouasiennes	papouasien, papouasienne
Paraguay (le)	Les Paraguayens, les Paraguayennes	paraguayen, paraguayenne
Pays-Bas (les)	Les Néerlandais, les Néerlandaises	*néerlandais, néerlandaise
Pérou (le)	Les Péruviens, les Péruviennes	péruvien, péruvienne
Philippines (les)	Les Philippins, les Philippines	philippin, philippine
Pologne (la)	Les Polonais, les Polonaises	*polonais, polonaise
Portugal (le)	Les Portugais, les Portugaises	*portugais, portugaise
Qatar (le)	Les Qatariens, les Qatariennes	qatarien, qatarienne
Roumanie (la)	Les Roumains, les Roumaines	*roumain, roumaine
Royaume-Uni (le)	Les Britanniques	britannique
Russie (la)	Les Russes	*russe
Rwanda (le)	Les Rwandais, les Rwandaises	rwandais, rwandaise
Saint-Christophe-et-Niévès	Les Christophiens, les Christophiennes	christophien, christophienne
Sainte-Lucie	Les Luciens, les Luciennes	lucien, lucienne
Saint-Marin	Les Saint-Marinais, les Saint-Marinaises	saint-marinais, saint-marinaise
Saint-Vincent-et-les-Grenadines	Les Vincentais, les Vincentaises	vincentais, vincentaise
Salomon (les)	Les Salomonais, les Salomonaises	salomonais, salomonaise
Salvador (le)	Les Salvadoriens, les Salvadoriennes	salvadorien, salvadorienne
Samoa (les)	Les Samoens, les Samoennes	samoen, samoenne
Sao Tomé-et-Principe	Les Santoméens, les Santoméennes	santoméen, santoméenne
Sénégal (le)	Les Sénégalais, les Sénégalaises	sénégalais, sénégalaise
Serbie (la)	Les Serbes	*serbe
Seychelles (les)	Les Seychellois, les Seychelloises	*seychellois, seychelloise
Sierra Leone (la)	Les Sierraléonais, les Sierraléonaises	sierraléonais, sierraléonaise

PAYS	NOMS DES HABITANTS	ADJECTIFS DÉRIVÉS
Singapour	Les Singapouriens, les Singapouriennes	singapourien, singapourienne
Slovaquie (la)	Les Slovaques	*slovaque
Slovénie (la)	Les Slovènes	*slovène
Somalie (la)	Les Somaliens, les Somaliennes	somalien, somalienne
Soudan (le)	Les Soudanais, les Soudanaises	soudanais, soudanaise
Sri Lanka (le)	Les Srilankais, les Srilankaises	srilankais, srilankaise
Suède (la)	Les Suédois, les Suédoises	*suédois, suédoise
Suisse (la)	Les Suisses	suisse
Suriname (le)	Les Surinamiens, les Surinamiennes	surinamien, surinamienne
Swaziland (le)	Les Swazis, les Swazies	swazi, swazie
Syrie (la)	Les Syriens, les Syriennes	syrien, syrienne
Tadjikistan (le)	Les Tadjiks, les Tadjikes	*tadjik, tadjike
Tanzanie (la)	Les Tanzaniens, les Tanzaniennes	tanzanien, tanzanienne
Tchad (le)	Les Tchadiens, les Tchadiennes	tchadien, tchadienne
Tchèque (la République)	Les Tchèques	*tchèque
Thaïlande (la)	Les Thaïlandais, les Thaïlandaises	thaïlandais, thaïlandaise
Timor oriental (le)	Les Timorais, les Timoraises	timorais, timoraise
Togo (le)	Les Togolais, les Togolaises	togolais, togolaise
Tonga (les)	Les Tongiens, les Tongiennes	tongien, tongienne
Trinité-et-Tobago	Les Trinidadiens, les Trinidadiennes	trinidadien, trinidadienne
Tunisie (la)	Les Tunisiens, les Tunisiennes	tunisien, tunisienne
Turkménistan (le)	Les Turkmènes	*turkmène
Turquie (la)	Les Turcs, les Turques	*turc, turque
Tuvalu (les)	Les Tuvalais, les Tuvalaises	tuvalais, tuvalaise
Ukraine (l')	Les Ukrainiens, les Ukrainiennes	*ukrainien, ukrainienne
Uruguay (l')	Les Uruguayens, les Uruguayennes	uruguayen, uruguayenne
Vanuatu (le)	Les Vanouatais, les Vanouataises	vanouatais, vanouataise
Venezuela (le)	Les Vénézuéliens, les Vénézuéliennes	vénézuélien, vénézuélienne
Vietnam (le)	Les Vietnamiens, les Vietnamiennes	*vietnamien, vietnamienne
Yémen (le)	Les Yéménites	yéménite
Zambie (la)	Les Zambiens, les Zambiennes	zambien, zambienne
Zimbabwe (le)	Les Zimbabwéens, les Zimbabwéennes	zimbabwéen, zimbabwéenne

Quelques homophones

Les **homophones** sont des mots qui se prononcent de la même manière, mais qui n'ont ni la même orthographe ni le même sens. Pour t'aider à les distinguer et à les employer dans le contexte qui convient, voici une liste d'homophones courants.

a / à

CLASSES	COMMENT LES RECONNAÎTRE	EXEMPLES
a : verbe *avoir*	• On peut le remplacer par **avait**. • On peut l'encadrer par **n'... pas**.	Thomas **a** les yeux bleus. Thomas **avait** les yeux bleus. Thomas **n'**a **pas** les yeux bleus.
à : préposition	• On ne peut pas le remplacer par **avait**. • On ne peut pas l'encadrer par **n'... pas**.	Mia se rend **à** la patinoire. Mia se rend ~~**avait**~~ la patinoire. Mia se rend ~~**n'à pas**~~ la patinoire.

ça / sa

CLASSES	COMMENT LES RECONNAÎTRE	EXEMPLES
ça : pronom démonstratif	• En général, on peut le remplacer par **cela**.	**Ça** ne te regarde pas. **Cela** ne te regarde pas.
sa : pronom possessif	• On peut le remplacer par **une**. • On ne peut pas le remplacer par **cela**.	**Sa** chemise est déchirée. **Une** chemise est déchirée. ~~**Cela**~~ chemise est déchirée.

ce / se

CLASSES	COMMENT LES RECONNAÎTRE	EXEMPLES
ce : déterminant démonstratif	• On peut le remplacer par **un**.	**Ce** spectacle obtient du succès. **Un** spectacle obtient du succès.
ce : pronom démonstratif	• Il est souvent employé avec le verbe *être*. • En général, on peut le remplacer par **cela**.	**Ce** n'est pas croyable ! **Cela** n'est pas croyable !
se : pronom personnel	• Il accompagne toujours un verbe. • On ne peut pas le remplacer par **un** ou **cela**.	Elle **se** lève tôt durant la semaine. Elle ~~**un**~~ lève tôt durant la semaine. Elle ~~**cela**~~ lève tôt durant la semaine.

	CLASSES	COMMENT LES RECONNAÎTRE	EXEMPLES
ces ses	**ces :** déterminant démonstratif	• On peut remplacer *ces* et le nom qu'il accompagne par **ceux-ci** ou **celles-ci**.	**Ces** candidats participent au concours. **Ceux-ci** participent au concours.
	ses : déterminant possessif	• On peut le remplacer, au singulier, par **son** ou **sa**. • On ne peut pas le remplacer par **ceux-ci** ou **celles-ci**.	Raphaël lit **ses** courriels. Raphaël lit **son** courriel. Raphaël lit ~~**ceux-ci**~~ courriels.
c'est s'est	**c'est :** pronom *ce* + verbe *être*	• On peut souvent le remplacer par **cela est** ou **ce n'est pas**.	**C'est** agréable. **Cela est** agréable. **Ce n'est pas** agréable.
	s'est : pronom *se* + auxiliaire *être*	• On ne peut pas le remplacer par **cela est**.	On **s'est** rendus chez lui. On ~~**cela est**~~ rendus chez lui.
sais sait	**sais :** verbe *savoir* (1re et 2e personnes du singulier)	• Il est précédé de **je** ou **tu**. • Sa finale est **-s**.	Je **sais** où il habite. Tu **sais** son numéro de téléphone.
	sait : verbe *savoir* (3e personne du singulier)	• Il est précédé de **il**, **elle**, **on** ou d'un groupe du nom. • Sa finale est **-t**.	Maya **sait** parler l'anglais. Elle **sait** parler l'anglais.

	CLASSES	COMMENT LES RECONNAÎTRE	EXEMPLES
la l'a là	**la :** déterminant	• On peut le remplacer par **une**.	**La** fête commence. **Une** fête commence.
	l'a : pronom *le* ou *la* + verbe *avoir*	• On peut le remplacer par **l'avait**. • On ne peut pas le remplacer par **une**.	Rajika **l'a** aidé. Rajika **l'avait** aidé. Rajika ~~**une**~~ aidé.
	là : adverbe	• On peut le remplacer par **ici**. • On ne peut pas le remplacer par **une**. • On ne peut pas le remplacer par **l'avait**.	Kim habite **là**. Kim habite **ici**. Kim habite ~~**une**~~. Kim habite ~~**l'avait**~~.

	CLASSES	COMMENT LES RECONNAÎTRE	EXEMPLES
ma m'a	**ma :** déterminant possessif	• On peut le remplacer par **une**.	**Ma** chambre est en désordre. **Une** chambre est en désordre.
	m'a : pronom *me* + verbe *avoir*	• On peut le remplacer par **m'avait**. • On ne peut pas le remplacer par **une**.	Alexis **m'a** accompagné. Alexis **m'avait** accompagné. Alexis ~~**une**~~ accompagné.

mes / mais — mets / met / mets

CLASSES	COMMENT LES RECONNAÎTRE	EXEMPLES
mes : déterminant possessif	• On peut le remplacer, au singulier, par **mon** ou **ma**.	Je ne trouve plus **mes** livres. Je ne trouve plus **mon** livre.
mais : conjonction	• On peut parfois le remplacer par **cependant**. • On ne peut pas le remplacer par **mon** ou **ma**.	Elle travaille souvent, **mais** pas aujourd'hui. Elle travaille souvent, **cependant** pas aujourd'hui. Elle travaille souvent, ~~**mon**~~ pas aujourd'hui.
mets : verbe *mettre* (1re et 2e personnes du singulier)	• Il est précédé de **je** ou **tu**. • Sa finale est **-s**.	Je **mets** mon imperméable. Tu **mets** ta veste.
met : verbe *mettre* (3e personne du singulier)	• Il est précédé de **il**, **elle**, **on** ou d'un groupe du nom. • Sa finale est **-t**.	Antoine **met** la pizza au four. Il **met** la pizza au four.
mets : nom masculin	• C'est un aliment cuisiné. • On peut le remplacer par un synonyme : **plat**. • On ne peut pas le remplacer par **je**, **tu**, **il**, **elle**…	Sandrine adore les **mets** italiens. Sandrine adore les **plats** italiens. Sandrine adore les ~~**je**~~ italiens.

mon / m'ont

CLASSES	COMMENT LES RECONNAÎTRE	EXEMPLES
mon : déterminant possessif	• On peut le remplacer par **un** ou **une**.	**Mon** cousin fait du judo. **Un** cousin fait du judo.
m'ont : pronom *me* + verbe *avoir*.	• On peut le remplacer par **m'avaient**. • On ne peut pas le remplacer par **un** ou **une**.	Elles **m'ont** répondu hier. Elles **m'avaient** répondu hier. Elles ~~**un**~~ répondu hier.

nom / non

CLASSES	COMMENT LES RECONNAÎTRE	EXEMPLES
non : adverbe de négation	• C'est un mot qui exprime une négation, un refus. • On peut le remplacer par **oui**.	**Non**, je n'irai pas au cinéma. **Oui**, j'irai au cinéma.
nom : nom masculin	• C'est un mot qui désigne différentes réalités : personne, animal, objet, etc. • On ne peut pas le remplacer par **oui**.	« **Québec** » est un **nom** propre. « Québec » est un ~~**oui**~~ propre.

on / ont

CLASSES	COMMENT LES RECONNAÎTRE	EXEMPLES
on : pronom	• On peut le remplacer par **il** ou **elle**.	**On** espère vous revoir bientôt. **Il** espère vous revoir bientôt.
ont : verbe *avoir*	• On peut le remplacer par **avaient**. • On peut l'encadrer par **n'… pas**. • On ne peut pas le remplacer par **ils** ou **elles**.	Mes grands-parents **ont** un chalet. Mes grands-parents **avaient** un chalet. Mes grands-parents **n'**ont **pas** un chalet. Mes grands-parents ~~**ils**~~ un chalet.

père / paire / pair

CLASSES	COMMENT LES RECONNAÎTRE	EXEMPLES
père : nom masculin	• C'est un homme qui a un ou plusieurs enfants. • On peut le remplacer par son féminin : **mère**	Mon **père** adore la pêche. Ma **mère** adore la pêche.
paire : nom féminin	• Ce sont deux choses qui vont ensemble. • On peut le remplacer par un mot équivalent : **couple**	Pour Noël, elle a reçu une **paire** de gants. Pour Noël, elle a reçu une **couple** de gants.
pair : adjectif	• C'est un mot qui désigne une quantité divisible par deux. • On ne peut pas le remplacer par **couple**.	Deux est un nombre **pair**. Deux est un nombre ~~**couple**~~.

peut être / peut-être

CLASSES	COMMENT LES RECONNAÎTRE	EXEMPLES
peut être : verbe *pouvoir* (3e personne du singulier) + infinitif du verbe *être*	• On peut le remplacer par **pouvait**. • On peut l'encadrer par **ne … pas**.	Il **peut être** d'accord avec nous. Il **pouvait** être d'accord avec nous. Il **ne** peut **pas** être d'accord avec nous.
peut-être : adverbe	• On peut le remplacer par **possiblement**, **éventuellement**. • On ne peut pas le remplacer par **pouvait**.	Elle viendra **peut-être** à Noël. Elle viendra **possiblement** à Noël. Elle viendra ~~**pouvait**~~ à Noël.

peux / peut / peu

CLASSES	COMMENT LES RECONNAÎTRE	EXEMPLES
peux : verbe *pouvoir* (1re et 2e personnes du singulier)	• Il est précédé de **je** ou **tu**. • Sa finale est **-x**. • On peut le remplacer par **pouvais**.	Je n'y **peux** rien. Tu **peux** relever ce défi. Tu **pouvais** relever ce défi.
peut : verbe *pouvoir* (3e personne du singulier)	• Il est précédé de **il**, **elle**, **on** ou d'un groupe du nom. • Sa finale est **-t**. • On peut le remplacer par **pouvait**.	Philippe **peut** te reconduire. **Il** peut te reconduire. Il **pouvait** te reconduire.
peu : adverbe	• On ne peut pas le remplacer par **pouvait.**	Quand je suis grippé, je mange **peu**. Quand je suis grippé, je mange ~~**pouvait**~~.

sont / son

CLASSES	COMMENT LES RECONNAÎTRE	EXEMPLES
sont : verbe *être*	• On peut le remplacer par **étaient**. • On peut l'encadrer par **ne … pas**.	Mes parents **sont** en congé. Mes parents **étaient** en congé. Mes parents **ne** sont **pas** en congé.
son : déterminant possessif	• On peut le remplacer par **un** ou **une**. • On ne peut pas le remplacer par **étaient**. • On ne peut pas l'encadrer par **ne … pas**.	**Son** regard en dit long. **Un** regard en dit long. ~~**Étaient**~~ regard en dit long. ~~**Ne** son **pas**~~ regard en dit long.

sûr / sur

CLASSES	COMMENT LES RECONNAÎTRE	EXEMPLES
sûr : adjectif	• On peut souvent le remplacer par **certain**.	Il n'est pas **sûr** de pouvoir venir. Il n'est pas **certain** de pouvoir venir.
sur : préposition	• On peut souvent le remplacer par **au-dessus de, dessus, en haut de**… • On ne peut pas le remplacer par **certain**.	Tes clés se trouvent **sur** la table. Tes clés se trouvent **dessus** la table. Tes clés se trouvent ~~**certain**~~ la table.

ta / t'a

CLASSES	COMMENT LES RECONNAÎTRE	EXEMPLES
ta : déterminant possessif	• On peut le remplacer par **une**.	**Ta** sœur a téléphoné. **Une** sœur a téléphoné.
t'a : pronom *te* + verbe *avoir*	• On peut le remplacer par **t'avait**. • On ne peut pas le remplacer par **une**.	Il **t'a** promis une récompense. Il **t'avait** promis une récompense. Il ~~**une**~~ promis une récompense.

ton t'ont thon taon

CLASSES	COMMENT LES RECONNAÎTRE	EXEMPLES
ton : déterminant possessif	• On peut le remplacer par **un** ou **une**.	**Ton** avatar te ressemble. **Un** avatar te ressemble.
t'ont : pronom *te* + verbe *avoir*	• On peut le remplacer par **t'avaient**. • On ne peut pas le remplacer par **un** ou **une**.	Ils **t'ont** envoyé un texto il y a quelques minutes. Ils **t'avaient** envoyé un texto il y a quelques minutes. Ils ~~**un**~~ envoyé un texto il y a quelques minutes.
thon : nom masculin	• C'est un poisson de grande taille. • On peut le remplacer par le nom d'un autre poisson. • On ne peut pas le remplacer par **t'avaient**.	Cette salade de **thon** est délicieuse. Cette salade de **saumon** est délicieuse. Cette salade de ~~**t'avaient**~~ est délicieuse.
taon : nom masculin	• C'est un insecte au corps couvert de poils. • On peut le remplacer par le nom d'un autre insecte. • On ne peut pas le remplacer par **t'avaient**.	Je me suis fait piquer par un **taon**. Je me suis fait piquer par une **guêpe**. Je me suis fait piquer par un ~~**t'avaient**~~.

ver verre vers vert

CLASSES	COMMENT LES RECONNAÎTRE	EXEMPLES
ver : nom masculin	• C'est un petit animal allongé au corps mou.	Pêches-tu au **ver** ou à la mouche ?
verre : nom masculin	• C'est une matière dure, fragile et transparente.	Les bouteilles en **verre** sont interdites à la plage.
vers : préposition	• C'est un mot qui signifie « en direction de » ou « aux environs de ».	Nous marchons **vers** l'école. Elle viendra **vers** deux heures.
vert : adjectif	• C'est la couleur verte.	Le **vert** lui va bien.

En plus...

Des noms au genre difficile

Un abysse	Un échange	Un hôtel
Un accident	Une échelle	Une icône
Une admission	Un éclair	Une idole
Un aéroport	Une école	Une illustration
Un âge	Une écrevisse	Une impasse
Un agenda	Une édition	Un insigne
Une angoisse	Une élection	Une insulte
Un agrandissement	Une émission	Un interrogatoire
Une ancre	Une énigme	Une intrigue
Un anniversaire	Un entracte	Une molécule
Une annonce	Une épice	Une moustiquaire
Un antidote	Un équilibre	Une oasis
Une apostrophe	Un escalier	Un obélisque
Un arc	Un été	Une octave
Un aréna	Un exemple	Une offre
Une armoire	Un genre	Une omoplate
Un arpège	Une gélule	Un orage
Un arrêt	Un globule	Un orchestre
Un ascenseur	Une granule	Un oreiller
Une astuce	Un habit	Un orgueil
Une atmosphère	Un haltère	Un orteil
Une attache	Une hélice	Un ovule
Un autographe	Un hélicoptère	Un pétale
Une autoroute	Une hernie	Un pétoncle
Une automobile	Un historique	Un planisphère
Un autobus	Un hiver	Un épouvantail
Un automne	Un hôpital	Un rail
Un avenir	Un horaire	Un sandwich
Un avion	Une horloge	Un trampoline

Des abréviations courantes

adresse	adr.
appartement	app.
avenue	av.
bande dessinée	BD
bibliothèque	bibl.
boulevard	boul. ou bd
bureau	bur.
capitale	cap.
case postale	C.P.
c'est-à-dire	c.-à-d.
chapitre	chap.
chemin	ch.
compagnie	Cie ou Cie
copie conforme	c.c. ou CC
curriculum vitæ	C.V. ou CV
environ	env.
et cetera	etc.
exemple	ex.
fédéral	féd.
français	fr. ou franç.
gouvernement	gouv.
habitant(s)	hab.
heure	h
incorporée	inc.
madame / mesdames	Mme ou Mme / Mmes ou Mmes
maximum	max.
minimum	min.
monsieur / messieurs	M. / MM.
nota bene	N.B. ou NB
numéro(s)	n^{o} / n^{os}
page	p.
pièce(s) jointe(s)	p. j. ou PJ
post-scriptum	P.-S. ou PS
provincial	prov.
quelque chose	qqch.
quelqu'un	qqn
rendez-vous	r.-v.
répondez, s'il vous plaît	RSVP
télécopieur	télec.
téléphone	tél.
volume	vol.

Des pièges orthographiques liés à l'anglais

Plusieurs mots anglais présentent des ressemblances avec des mots français. Il faut alors être vigilant afin d'éviter les anglicismes orthographiques. Voici quelques mots français et anglais qui présentent des similitudes et dont il faut se méfier.

MOTS FRANÇAIS	MOTS ANGLAIS
abondance	abundance
abricot	apricot
adresse	address
ambiant	ambient
amendement	amendment
ancien	ancient
apparence	appearance
appartement	apartment
as	ace
bal	ball
ballon	balloon
bambou	bamboo
barre	bar
bazar	bazaar
billard	billiard
caféine	caffeine
campeur	camper
canari	canary
canevas	canvas
canon	cannon
cantaloup	cantaloupe
céleri	celery
choc	shock
circonstance	circumstance
clic	click
comédien	comedian
comique	comic
confort	comfort
coton	cotton
danse	dance
datte	date
défense	defence
développement	development
dîner	dinner
dynamique	dynamic
écho	echo
effet	effect
ennemi	enemy
enveloppe	envelope
équipement	equipment
exemple	example
exercice	exercise
fabrique	fabric
flamme	flame

MOTS FRANÇAIS	MOTS ANGLAIS
flûte	flute
futur	future
galant	gallant
galerie	gallery
galop	gallop
garde	guard
gaz	gas
girafe	giraffe
grappe	grape
golfe	gulf
hasard	hazard
héros	hero
hôpital	hospital
icône	icon
invalide	invalid
lac	lake
lampe	lamp
langage	language
leçon	lesson
licence	license
magique	magic
mâle	male
mariage	marriage
mai	may
marque	mark
objet	object
ombrage	umbrage
paquet	packet
peroxyde	peroxide
projet	project
réalisation	realization
recommandation	recommendation
ressemblance	resemblance
rythme	rhythm
stéroïde	steroid
tabou	taboo
tarif	tariff
tentation	temptation
théâtre	theatre
tissu	tissue
trafic	traffic
transfert	transfer
vilain	villain
zéro	zero

Des cris d'animaux

	ANIMAL	VERBE	CRI
A	– L'abeille	bourdonne (*bourdonner*).	Bourdonnement
	– L'aigle	glatit (*glatir*).	---
	– L'alouette	grisolle (*grisoller*).	---
	– L'âne	brait (*braire*).	Braiment
B	– La bécasse	croule (*crouler*).	---
	– Le bélier	blatère (*blatérer*).	---
	– Le bœuf	beugle / meugle (*beugler / meugler*).	Beuglement / Meuglement
	– Le buffle	beugle (*beugler*).	Beuglement
C	– La caille	carcaille (*carcailler*).	---
	– Le canard	cancane (*cancaner*).	Cancan
	– Le cerf	brame (*bramer*).	Bramement
	– Le chacal	aboie (*aboyer*).	Aboiement
	– Le chameau	blatère (*blatérer*).	---
	– Le chat	miaule (*miauler*).	Miaulement
	– Le chat-huant	hulule (*hululer*).	Hululement
	– Le cheval	hennit (*hennir*).	Hennissement
	– La chèvre	bêle (*bêler*).	Bêlement
	– Le chien	aboie (*aboyer*).	Aboiement
	– Le chiot	jappe (*japper*).	Jappement
	– La chouette	hulule (*hululer*).	Hululement
	– La cigale	stridule (*striduler*).	Stridulation
	– La cigogne	craquette (*craqueter*).	Craquètement
	– La colombe	roucoule (*roucouler*).	Roucoulement
	– Le coq	chante (*chanter*).	Chant / Cocorico
	– Le corbeau	croasse (*croasser*).	Croassement
	– La corneille	croasse (*croasser*).	Croassement
	– Le coucou	coucoue (*coucouer*).	---
	– Le crapaud	coasse (*coasser*).	Coassement
	– Le criquet	stridule (*striduler*).	Stridulation
	– Le crocodile	vagit (*vagir*).	Vagissement
D	– Le dindon	glousse (*glousser*).	Gloussement
E	– L'éléphant	barrit (*barrir*).	Barrissement
	– L'épervier	glapit (*glapir*).	Glapissement
F	– Le faisan	criaille (*criailler*).	Criaillement
	– Le faon	ralle (*raller*).	---
	– La fauvette	zinzinule (*zinzinuler*).	---

	ANIMAL	VERBE	CRI
G	– Le geai – La gélinotte – La grenouille – Le grillon – La grue – La guêpe	cajole (*cajoler*). glousse (*glousser*). coasse (*coasser*). --- craquette (*craqueter*). zonzonne (*zonzonner*).	--- Gloussement Coassement Grésillement Craquètement Zonzon
H	– Le hibou – L'hirondelle – L'hyène	hulule (*hululer*). gazouille (*gazouiller*). hurle (*hurler*).	Hululement Gazouillement Hurlement
J	– Le jars	criaille (*criailler*).	Criaillement
L	– Le lapin – Le lièvre – Le lion – Le loup	couine (*couiner*). couine (*couiner*). rugit (*rugir*). hurle (*hurler*).	Couinement Couinement Rugissement Hurlement
M	– La marmotte – Le merle – La mésange – Le moineau – La mouche – Le mouton	siffle (*siffler*). siffle (*siffler*). zinzinule (*zinzinuler*). pépie (*pépier*). bourdonne (*bourdonner*). bêle (*bêler*).	Sifflement Sifflement --- Pépiement Bourdonnement Bêlement
O	– L'oie – Le ouaouaron – L'ours	cacarde (*cacarder*). coasse (*coasser*). grogne (*grogner*).	--- Coassement Grognement
P	– La panthère – La perdrix – La pie – Le pigeon – Le pinson – Le porc – La poule – Le poulet – Le poussin	rugit (*rugir*). cacabe (*cacaber*). jacasse (*jacasser*). roucoule (*roucouler*). --- grogne (*grogner*). caquète / glousse (*caqueter / glousser*). piaule (*piauler*). piaille (*piailler*).	Rugissement --- Jacassement Roucoulement Ramage Grognement Caquètement / Gloussement Piaulement Piaillement
R	– Le ramier – Le renard – Le rhinocéros – Le rossignol	roucoule (*roucouler*). glapit (*glapir*). barrit (*barrir*). chante (*chanter*).	Roucoulement Glapissement Barrissement Chant
S	– Le sanglier – La sauterelle – Le serpent	grogne (*grogner*). stridule (*striduler*). siffle (*siffler*).	Grognement Stridulation Sifflement
T	– Le taureau – Le tigre – La tourterelle	mugit (*mugir*). feule (*feuler*). roucoule (*roucouler*).	Mugissement Feulement Roucoulement

Mâles, femelles et petits d'animaux

MÂLE, FEMELLE	PETIT
• l'âne, l'ânesse	l'ânon
• la baleine*	le baleineau
• le bouc, la chèvre	le chevreau
• le brochet	le brocheton
• le canard, la cane	le caneton
• le cerf, la biche	le faon
• le chat, la chatte	le chaton
• le cheval, la jument	le poulain
• le chien, la chienne	le chiot
• le chameau, la chamelle	le chamelon
• le coq, la poule	le poussin
• le dindon, la dinde	le dindonneau
• l'éléphant, l'éléphante	l'éléphanteau
• le faucon	le fauconneau
• le héron	le héronneau
• le jars, l'oie	l'oison
• le lapin, la lapine	le lapereau
• le lièvre, la hase	le levreau
• le lion, la lionne	le lionceau
• le loup, la louve	le louveteau
• le merle, la merlette	le merleau
• le mouton, la brebis	l'agneau
• l'ours, l'ourse	l'ourson
• l'outarde	l'outardeau
• le paon, la paonne	le paonneau
• le pigeon, la pigeonne	le pigeonneau
• la pintade	le pintadeau
• le porc, la truie	le porcelet
• le rat, la rate	le raton
• le renard, la renarde	le renardeau
• le sanglier, la laie	le marcassin
• la souris	le souriceau
• le taureau, la vache	le veau

* Dans le cas des mots désignant à la fois le mâle et la femelle, on dira : *une baleine mâle, une baleine femelle*.

Des suffixes

SUFFIXES	AUTRES FORMES	SENS OU FONCTION	EXEMPLES
-able	-ible	Qui peut être	*maniable, compressible*
-abond -abonde		Qui fait	*nauséabond*
-ade		Action ou résultat d'une action Chose qui se compose de Valeur collective	*glissade, promenade* *cotonnade, panade* *colonnade, peuplade*
-age		Action ou résultat d'une action État de Ensemble de	*atterrissage, barbouillage* *esclavage* *feuillage*
-aie		Lieu planté de	*boulaie, roseraie*
-aille		Valeur péjorative Valeur collective	*marmaille* *rocaille*
-ailler		Valeur discriminatoire Répétition	*criailler* *tirailler*
-ain -aine		Appartenance Groupe de	*Américain, châtelaine* *douzaine, quatrain*
-aire	-iaire	Qui a la charge de Qui contient Qui est propre à Qui a la qualité de	*missionnaire, secrétaire* *questionnaire, vestiaire* *alimentaire, polaire* *autoritaire, tubulaire*
-ais -aise		Appartenance	*Japonais, Montréalais*
aison		Action ou résultat d'une action	*combinaison, crevaison*
-al -ale -aux	-ial -iale -iaux	Propre à	*musical, vital*
-ance		Action ou résultat d'une action Qualité de	*espérance, ressemblance* *clairvoyance*
-ante -ante		Qui fait	*amusant, collant*
-ard -arde		Valeur péjorative Appartenance	*braillard, vantard* *campagnard*
-asse		Valeur péjorative	*paperasse, dégueulasse*
-asser		Répétition	*rêvasser, tracasser*

SUFFIXES	AUTRES FORMES	SENS OU FONCTION	EXEMPLES
-aste		Celui qui fait	*cinéaste, gymnaste*
-at		État Chose produite	*bénévolat* *crachat*
-ataire		Personne pour qui est faite l'action Qui fait l'action	*destinataire* *retardataire*
-ate		Composition chimique	*bicarbonate, phosphate*
-ateur -atrice		Qui fait, qui est l'agent de	*interrogateur, calculatrice*
-ateux -ateuse		Qui se rapporte à, qui est affecté de	*comateux*
-atif -ative		Qui fait, qui peut faire	*éducatif, purgatif*
-atil -atile		Qui fait, qui peut faire	*volatil*
-ation		Action ou résultat d'une action	*fabrication, interrogation*
-atique		Qui a rapport à	*systématique*
-atoire		Qui fait, qui sert à faire Lieu destiné à	*éliminatoire, interrogatoire* *laboratoire*
-âtre		Caractère approchant Nuance péjorative	*brunâtre, jaunâtre* *marâtre, saumâtre*
-ature		Ensemble de Résultat d'une action	*littérature, musculature* *filature, signature*
-aud -aude		Valeur péjorative	*lourdaud, salaud*
-ayer	-eyer	Manière d'agir	*bégayer*
-é -ée	-ié -iée	Pourvu de, avec Qui a l'aspect de	*ailé, salé* *ballonné*
-é		Juridiction	*archevêché, duché*
-eau -elle	-ereau -erelle -el	Valeur diminutive Ressemblance	*éléphanteau, ruelle* *carreau, citronnelle*
-ée		Quantité Durée	*cuillerée* *matinée*
-el -elle	-iel -ielle	Qualité	*accidentel, naturel*
-elé		Répétition	*côtelé, pommelé*
-eler		Répétition	*craqueler, marteler*

SUFFIXES	AUTRES FORMES	SENS OU FONCTION	EXEMPLES
-elet -elette		Valeur diminutive	*corselet, gouttelette*
-ème		Unité distinctive	*graphème, morphème*
-ement		Action ou résultat d'une action Chose qui se compose de	*aboiement, emportement* *ossement, empiècement*
-en -enne	-éen -éenne -ien -ienne	Origine, appartenance Propriété	*européen, pyrénéen* *herculéen*
-ence	-ience	Action ou résultat d'une action Qualité	*influence, négligence* *compétence, prudence*
-esque		À la manière de	*chevaleresque*
-esse		Désigne des femelles Désigne des femmes Qualité	*ânesse, tigresse* *hôtesse, maîtresse* *jeunesse*
-estre		Appartenance	*équestre*
-et -ette	-eret -erette	Valeur diminutive Un peu, un peu trop, assez Ressemblance, propriété, origine	*bâtonnet* *pauvret, propret* *chardonneret, livret, pommette*
-étique		Qui concerne, relatif à Qui peut faire, produire	*diététique, phonétique* *diurétique, pathétique*
-eur		Qualité Action ou résultat d'une action	*douceur* *senteur*
-eur -eure	-ieur -ieure	Qui est dans la situation, qui a la qualité	*extérieur, majeur*
-eur -euse		Qui s'adonne à Appareil, machine	*danseuse* *démarreur*
-end -ende		Destiné à faire ou à subir l'action	*légende, dividende*
-ent -ente	-ient -iente	Qui fait, qui a pour qualité de faire	*antécédent, différent, éloquent*
-er	-ier	Sert à former des verbes	*chanter, étudier*
-eraie		Lieu planté de	*fraiseraie*
-erie		Qualité de, action de Activité ou lieu Ensemble de	*broderie, étourderie* *blanchisserie, rôtisserie* *tuyauterie*

SUFFIXES	AUTRES FORMES	SENS OU FONCTION	EXEMPLES
-eron -eronne		Qui vient de Qui s'occupe de Sorte de Qui fait, qui sert à faire	*beauceron* *bûcheron* *aileron* *biberon*
-eux -euse	-ieux -ieuse	Qualité, propriété	*coléreux, mystérieux*
-eux -euse		Qui s'occupe de	*violoneux*
-ial -iale		Relatif à	*cordial*
-iaque		Propriété	*maniaque, cardiaque*
-ible		Qui peut faire ou subir l'action Qui possède	*lisible, infaillible* *paisible*
-ical -icale -icaux		Propre à, relatif à	*amical, grammatical*
-ice		Action ou résultat d'une action Qualité	*exercice, service* *avarice*
-iche		Sorte de	*potiche*
-ichon -ichonne		Assez, un peu trop	*maigrichon*
-icien -icienne		Membre de	*académicien*
-icule	-cule	Petit Qui a la qualité de Qui sert à	*monticule* *majuscule* *véhicule*
-ide		Qui est dans l'état	*liquide, splendide*
-ide	-idé	Du genre de De la famille de	*glucide* *bovidé*
-ie		Qualité de, action de Art de, science de Lieu où s'exerce l'activité du Valeur collective Propre à, relatif à Affection de État Action ou résultat d'une action	*courtoisie, inertie* *joaillerie, menuiserie* *librairie, mairie* *compagnie* *calorie, patrie* *pneumonie* *insomnie* *agronomie, démocratie*

SUFFIXES	AUTRES FORMES	SENS OU FONCTION	EXEMPLES
-ième		Qui occupe le rang de Qui s'obtient en divisant par	*troisième, deuxième* *la quinzième part, le dixième de*
-il -ile		Lieu destiné à Qui a la qualité de Qui peut faire ou subir l'action	*chenil, fenil* *infantile* *agile, fertile*
-ille		Valeur diminutive	*brindille*
-iller		Répétition	*sautiller*
-illon		Valeur diminutive	*bottillon*
-ime	-ême	Au plus haut point	*infime, extrême*
-iment		De la nature de, qui a la qualité de	*sédiment, rudiment*
-in -igne		Qui est	*bénin, maligne*
-in -ine		Appartenance, origine Valeur diminutive Rapport de ressemblance Substance	*enfantin, marin* *bottine* *crottin, tartine* *caféine, grenadine*
-ien -ienne		Qui s'occupe de, spécialiste de Propre à, relatif à Membre de Habitant de	*chirurgien, pharmacienne* *aérien, crânien* *collégien* *canadien*
-ier -ière	-etier -etière -er -ère	Qui s'occupe de Qui produit Qui sert à produire Qui a, qui dispose de Qui contient Qui a la qualité de Destiné à Valeur collective Lieu Personne appartenant	*banquier, hôtelière* *pommier* *gaufrier* *boursier, échassier* *soupière* *forestier* *visière* *dentier* *poulailler* *écolier, postière*
-if -ive		Qui fait, propre à faire Qui a la qualité de	*inventif, pensif* *captif*
-in -ine		Nuance familière Valeur collective	*plaisantin* *vermine*

SUFFIXES	AUTRES FORMES	SENS OU FONCTION	EXEMPLES
-ineux -ineuse		Qui a la qualité de	*cartilagineux*
-iole		Valeur diminutive	*bestiole*
-ion		Action ou résultat d'une action	*parution, invention*
-ique	-aïque	Propre à, relatif à Qui est dans la situation	*archaïque, atomique* *concentrique*
-ir		Sert à former des verbes	*finir, salir*
-is -isse		Valeur collective Propre à l'action Appartenance, origine	*éboulis, bâtisse* *logis* *métis, pelisse*
-isan -isane		Appartenance	*artisan*
-isant -isante		Qui a tendance à	*rhumatisant*
-ise		Qualité de, action de	*franchise, hantise*
-iser		Changement	*moderniser*
-isme		Ce qui est, le fait d'être Résultat d'une action Valeur collective Système de pensée, mouvement	*héroïsme, somnambulisme* *graphisme, néologisme* *mécanisme* *bouddhisme, marxisme*
-ison		Action ou résultat d'une action	*guérison, trahison*
-isseau		Petit, jeune	*arbrisseau, vermisseau*
-issime		Au plus haut degré	*richissime*
-iste		Qui fait, qui s'occupe de Partisan de	*dentiste, garagiste* *féministe*
-it	-ite	Action accomplie	*érudit, visite*
-ite		Propre à Appartenance Minéral, composition chimique Inflammation de	*cosmopolite* *israélite, jésuite* *calcite, dynamite* *bronchite*
-oche		Ce qui ressemble à, ce qui est caractérisé par	*épinoche, pioche*
-oir -oire		Qui fait, qui sert à	*arrosoir, parloir*

SUFFIXES	AUTRES FORMES	SENS OU FONCTION	EXEMPLES
-ois -oise		Origine, provenance	*bourgeois, chinois*
-ol -ole	-iole -erole -olet -olette	Origine, appartenance Valeur diminutive Ressemblance Maladie	*espagnole* *gloriole, cabriolet* *banderole, coupole* *rougeole*
-ol		Qui est du groupe des alcools	*menthol*
-ité	-éité	Qualité, état de ce qui est Valeur collective	*actualité, homogénéité* *natalité*
-iteur -trice		Qui fait	*compositeur, expéditrice*
-itif -itive		Qui fait, qui peut faire	*fugitif, nutritive*
-itime		Qui a la qualité de, propre à	*légitime, maritime*
-ition		Action ou résultat d'une action	*acquisition, répétition*
-itude		Qualité de État de	*aptitude* *servitude*
-ium		Chose abstraite, instrument, lieu, produit	*magnésium, médium, sanatorium*
-ment	-amment -emment	D'une manière	*grandement*
-ment	-ament -ement -iment	Action ou résultat d'une action	*ligament, licenciement, bâtiment, sédiment*
-olent		Qui présente Qui produit	*sanguinolent* *somnolent*
-ome		Production de la nature de Tumeur	*rhizome* *fibrome*
-on	-ion	Qui est du genre de, qui se caractérise par Valeur familière Valeur diminutive Augmentation Qui fait ou sert à faire Action ou résultat d'une action Valeur péjorative	*chausson, maillon, poêlon* *bedon* *chaton* *caisson, ceinturon* *pilon* *plongeon* *souillon*
-onner		Répétition	*chantonner, tâtonner*

SUFFIXES	AUTRES FORMES	SENS OU FONCTION	EXEMPLES
-oncule		Valeur diminutive	*pédoncule*
-ose		Action ou résultat d'une action État, situation	*métamorphose, symbiose* *hypnose, sclérose*
-ose		Qui a la qualité de, qui est propre à Sucre	*grandiose, morose* *glucose, lactose*
-ot -otte	-iot -iotte -ote	Qui a rapport à Valeur diminutive Assez, trop Action ou résultat d'une action Qui sert à	*cheminot* *frérot* *vieillotte* *jugeote* *roulotte*
-oter	-otter	Répétition Valeur diminutive	*tapoter* *toussoter*
-ouiller		Répétition	*mâchouiller*
-ouillet		Valeur diminutive	*grassouillet*
-oyer		Réalisation, production Manière de faire	*foudroyer* *guerroyer* *côtoyer*
-pée		Confection, mise en œuvre	*épopée, onomatopée*
-té	-tié	Qualité de ce qui est	*beauté, ancienneté*
-tère		Qui est destiné à	*baptistère*
-teur -trice		Qui fait l'action	*acteur, destructeur, exportatrice*
-tif -tive		Qui fait l'action	*diminutif*
-toire		Qui fait, qui sert à	*conservatoire, observatoire*
-ture		Action ou résultat d'une action	*clôture, nourriture*
-ude		État, qualité	*inquiétude, mansuétude*
-uel -uelle		Qui a la nature de, relatif à	*manuel, habituel*
-ueux -ueuse		Qui a la qualité de	*respectueux*
-ule		Valeur diminutive Qui a la nature de, qui ressemble à	*monticule* *lunule, ovule*

SUFFIXES	AUTRES FORMES	SENS OU FONCTION	EXEMPLES
-ulence		Ce qui présente, ce qui produit	*succulence, virulence*
-ulent		Qui présente, qui produit	*corpulent, turbulent*
-um		Chose abstraite, instrument, lieu, produit	*album, médium, minimum, sanatorium*
		Terme d'anatomie et de biologie	*rectum, sérum*
		Métal ou substance chimique	*calcium, magnésium*
-umène		Qui est dans l'état	*catéchumène*
-ument		Qui fait, qui sert à faire	*document, monument*
-un -une		Qui a la nature de	*fortune*
-ure		Action ou résultat d'une action	*écriture, moulure*
		Qualité de	*froidure*
		Valeur collective	*chevelure*
		Emplacement	*encolure, emmanchure*
		Composition chimique	*chlorure, cyanure*
-urne		Dans les conditions de	*nocturne*
-us		Qui a la qualité de, la nature de	*terminus*
		Action ou résultat d'une action	*consensus, processus*

Pour les parents

La grammaire traditionnelle et la grammaire actuelle

Introduction

Soucieuse d'actualiser le contenu du dictionnaire *CEC jeunesse* sur tous les plans, l'équipe éditoriale a tenu compte de la grammaire nouvelle, que nous préférons maintenant désigner comme « actuelle », et a intégré la terminologie qui lui est propre. Afin d'aider les parents des enfants fréquentant présentement le primaire à mieux cerner les différences entre la grammaire actuelle et la grammaire traditionnelle, ces changements sont expliqués dans leurs grandes lignes dans les pages qui suivent.

Bien qu'elle poursuive ultimement le même but que la grammaire traditionnelle, c'est-à-dire soutenir l'apprentissage de l'orthographe et des règles d'accord, la grammaire actuelle s'en distingue à maints égards. Elle fournit notamment des outils qui lui sont propres pour comprendre la structure des phrases (syntaxe) et l'organisation des textes. Cela implique bien sûr des termes différents qui désignent les notions qu'ils représentent, allant même jusqu'à remplacer *nature du mot* par *classe de mots*. En voici un exemple :

GRAMMAIRE TRADITIONNELLE	GRAMMAIRE ACTUELLE
nature du mot **votre, vos** adj. poss. ←	classe de mots **votre, vos** déterminant ←
1. Qui est à vous, qui a rapport à vous. ***Votre** maison est bien située.* 2. De vous, de votre personne. *Je fais cela pour **votre** bien.*	Déterminant possessif qui réfère à un possesseur à la deuxième personne du pluriel. *Vous voulez bien me prêter **votre** parapluie ? N'oubliez pas **vos** clés !* * Chercher aussi *mon*, *ton*, *son*, *notre*, *leur*. Attention ! Il n'y a pas d'accent circonflexe sur *votre*, déterminant.

Mais au-delà des termes, la principale différence réside dans la façon d'étudier la matière : la grammaire actuelle repose sur l'analyse de la phrase par les groupes de mots qui la composent. C'est pourquoi on parle maintenant de « groupe du nom », de « groupe du verbe », par exemple, et de leur fonction dans la phrase. L'approche employée à l'heure actuelle met donc l'accent sur la syntaxe afin de donner une vue d'ensemble de la phrase.

Les pages qui suivent permettront à ceux et celles qui ont connu la grammaire traditionnelle de découvrir la grammaire actuelle. Ils y verront ses différences avec la grammaire traditionnelle, les notions qui lui sont propres et quelques exemples d'application.

Les principales différences entre la grammaire traditionnelle et la grammaire actuelle*

1 Les classes de mots

Ce que l'on nommait traditionnellement *nature du mot* s'appelle dorénavant *classe de mots*.

GRAMMAIRE TRADITIONNELLE	GRAMMAIRE ACTUELLE
Les mots sont regroupés en neuf catégories selon leur sens: 1. Nom 2. Article 3. Adjectif 4. Pronom 5. Verbe 6. Préposition 7. Adverbe 8. Conjonction 9. Interjection[1]	Les mots sont regroupés en huit *classes* selon leurs caractéristiques: 1. Nom 2. Déterminant 3. Adjectif 4. Pronom 5. Verbe 6. Préposition 7. Adverbe 8. Conjonction
Des définitions servent à donner une nature à chaque catégorie de mots.	Différents moyens, comme les manipulations syntaxiques[2], permettent de repérer chaque classe de mots.
L'article et les adjectifs possessifs, démonstratifs, etc., constituent des catégories à part.	La classe des déterminants regroupe tous les mots ayant des caractéristiques communes, notamment celle d'introduire un nom (ex.: ***la*** *voix,* **cette** *voix,* **sa** *voix*).
On utilise les termes *adjectif possessif*, *adjectif démonstratif*, *adjectif numéral*, etc.	On utilise les termes *déterminant possessif*, *déterminant démonstratif*, *déterminant numéral*, etc., étant donné leurs caractéristiques communes.
On emploie le terme *adjectif qualificatif* ou encore *adjectif épithète* (relié au nom).	On emploie simplement le terme *adjectif* en précisant, si nécessaire, s'il est qualifiant (ex.: une **belle** aventure) ou classifiant (ex.: une piscine **municipale**).
Le participe passé employé seul (sans auxiliaire), même s'il a la valeur d'un adjectif, est analysé comme un participe passé.	Le participe passé employé seul est maintenant analysé comme un adjectif puisqu'il s'accorde comme ce dernier. Cet adjectif issu d'une forme verbale porte désormais le nom d'*adjectif participe*.
On utilise le terme *verbe d'état* pour des verbes comme *être*, *paraître*, *sembler*, etc., qui introduisent un attribut du sujet.	On utilise le terme *verbe attributif* pour des verbes comme *être*, *paraître*, *sembler*, etc., qui introduisent un attribut du sujet.

* Source: *Nouvelle grammaire pratique pour tous*, Les Éditions CEC inc., © 2011.

1. L'interjection n'est plus considérée comme une classe de mots, puisqu'elle peut appartenir à différentes classes de mots. Elle est maintenant considérée comme un mot-phrase.
   Ex.: *Parfait!* (adjectif) *Assez!* (adverbe) *Ciel!* (nom) *Voyons!* (verbe)
2. Voir page 1352.

2 Les fonctions

Certains termes ont changé pour distinguer les fonctions dans l'analyse. La façon de repérer ces fonctions a aussi changé. En voici des exemples.

<table>
<tr><th>GRAMMAIRE TRADITIONNELLE</th><th>GRAMMAIRE ACTUELLE</th></tr>
<tr><td>On utilise les termes épithète, apposition et complément déterminatif du nom pour désigner les mots servant à compléter le nom.</td><td>On utilise uniquement le terme complément du nom. La notion s'en trouve simplifiée.</td></tr>
<tr><td>On utilise les termes complément d'objet direct (COD) et complément d'objet indirect (COI).</td><td>On utilise les termes complément direct (CD) et complément indirect (CI) sans le mot objet.</td></tr>
<tr><td>On utilise des compléments circonstanciels (de lieu, de temps, de manière, de but, de cause, etc.) analysés selon le sens.</td><td>On utilise des compléments du verbe ou des compléments de phrase analysés selon des caractéristiques syntaxiques (mobile, facultatif, remplaçable, etc.).</td></tr>
<tr><td colspan="2">Les compléments circonstanciels ne sont pas tous devenus des compléments de phrase. Certains peuvent être des compléments indirects du verbe, essentiels pour que la phrase soit bien construite.

Ex.: Demain, j'irai au cinéma. ➡ Demain, j'irai ×.

Ici, le groupe « au cinéma » (ancien complément circonstanciel de lieu) est un complément indirect du verbe: il ne peut pas être effacé.

J'ai rencontré mes amis au cinéma. ➡ J'ai rencontré mes amis ×.
➡ Au cinéma, j'ai rencontré mes amis.

Ici, ce même groupe est un complément de phrase: il est facultatif (il peut être effacé) et mobile (il peut être déplacé dans la phrase).</td></tr>
<tr><th colspan="2">POUR REPÉRER LA FONCTION</th></tr>
<tr><td>Le sujet répond à la question Qui est-ce qui ? ou Qu'est-ce qui ?, tandis que le complément répond à la question Qui ? Quoi ? À qui ? À quoi ? De qui ? De quoi ?, etc.

Souvent, ces questions entraînent des erreurs si on les formule mal (par exemple avec le mauvais segment d'une phrase) ou si on utilise la même question (Quoi ? par exemple) pour trouver un complément d'objet direct ou un attribut du sujet.</td><td>Des manipulations syntaxiques[1] (effacement, remplacement, etc.) sont utilisées pour repérer les fonctions dans la phrase. Les manipulations sont des moyens plus sûrs que les questions traditionnelles. De plus, plusieurs manipulations peuvent être employées pour un même cas, ce qui permet de vérifier la réponse obtenue.</td></tr>
</table>

1. Voir page 1352.

3 La conjugaison

GRAMMAIRE TRADITIONNELLE	GRAMMAIRE ACTUELLE
Trois groupes de verbes sont distingués: – les verbes en *-er*; – les verbes en *-ir* qui se conjuguent sur le modèle de *finir*; – les autres verbes, appelés *verbes irréguliers*.	Deux grandes catégories de verbes sont distinguées: – les verbes réguliers; – les verbes irréguliers. Les verbes réguliers regroupent les verbes en *-er* ainsi que les verbes en *-ir* comme *finir*, puisque ces quelque 300 verbes présentent une régularité dans leur conjugaison.
Le conditionnel est considéré comme un mode spécifique.	Le conditionnel est considéré comme un temps du mode indicatif, puisqu'il n'exprime pas seulement la condition. Il sert, entre autres, à exprimer un futur dans le passé. Ex.: *Antoine m'a déjà dit qu'il* ***serait*** *médecin plus tard.*

4 La phrase

GRAMMAIRE TRADITIONNELLE	GRAMMAIRE ACTUELLE
Les phrases, ou les propositions, sont analysées selon ce qu'elles expriment. Ex.: *Tu aimes cette musique ?* Cette phrase est considérée comme une proposition interrogative, car elle sert à poser une question.	Il y a quatre types de phrases: déclaratif, interrogatif, exclamatif et impératif. Les phrases sont analysées d'après leur type. Ex.: *Tu aimes cette musique ?* est considérée comme une phrase de type déclaratif servant à poser une question. Alors que *Aimes-tu cette musique ?* est une phrase de type interrogatif, car elle présente l'une des structures possibles pour une phrase interrogative.
On dit que la phrase simple est généralement formée d'un sujet, d'un verbe et d'un complément. Exemple de phrase simple: *Le cuisinier prépare un plat appétissant.* Sujet + Verbe + Complément	On dit que la phrase de base est formée de deux constituants obligatoires: un groupe du nom (GN) qui est le sujet de la phrase et un groupe du verbe (GV) qui est son prédicat, auxquels peuvent s'ajouter un ou plusieurs groupes facultatifs exerçant la fonction de complément de phrase. Cette phrase de base n'a subi aucune transformation de type ou de forme. Exemple de phrase de base: GN + GV *Le cuisinier prépare un plat appétissant.* Sujet + Prédicat

5 Les manipulations syntaxiques*

Les manipulations syntaxiques sont des opérations pouvant être employées à diverses fins. Elles servent, entre autres, à distinguer les constituants obligatoires de ceux qui sont facultatifs; à repérer la classe d'un mot, un groupe de mots ou son noyau; à déterminer la fonction d'un groupe de mots; à vérifier certains accords ou encore la structure d'une phrase.

Voici les principales manipulations syntaxiques et quelques exemples de leur utilité.

5.1 L'ajout

UTILITÉ	CE QUE L'ON AJOUTE	EXEMPLES
Pour transformer une phrase déclarative en phrase interrogative	Une expression interrogative	Vous fréquentez cette maison des jeunes. ➡ **Est-ce que** vous fréquentez cette maison des jeunes?
Pour transformer une phrase déclarative en phrase exclamative	Un mot exclamatif	Cette robe est magnifique. ➡ **Comme** cette robe est magnifique!
Pour enrichir une phrase, en donnant plus d'information	Un groupe de mots ou une phrase subordonnée.	Kelly adore visionner des films. ➡ **Quand elle en a l'occasion**, Kelly adore visionner des films **d'aventures**.

5.2 Le déplacement

UTILITÉ	CE QUE L'ON DÉPLACE	EXEMPLES
Pour transformer une phrase déclarative en phrase interrogative	Le pronom sujet	**Tu** connais son adresse. ➡ Connais-**tu** son adresse?
Pour distinguer un groupe exerçant la fonction de complément de phrase d'un autre complément du verbe	Le groupe dont on veut trouver la fonction	Elle pense à lui tous les jours. GN ➡ **Tous les jours**, elle pense à lui. Complément de phrase (peut être déplacé) GPrép ➡ **~~À lui~~,** elle pense tous les jours. Complément du verbe (ne peut être déplacé)

*Source: *Grammaire jeunesse primaire,* Les Éditions CEC inc., © 2011.

5.3 L'effacement

UTILITÉ	CE QUE L'ON EFFACE	EXEMPLES
Pour repérer le noyau d'un GN	Les autres mots du GN (sauf le déterminant)	**Le chalet de tes parents** est à vendre. ➡ Le chalet × est à vendre.
Pour distinguer les constituants obligatoires des constituants facultatifs	Le groupe ou la phrase exerçant la fonction de complément de phrase	Nous avons joué toute la matinée. ➡ × avons joué toute la matinée. (effacement impossible : constituant obligatoire) ➡ Nous × toute la matinée. (effacement impossible : constituant obligatoire) ➡ Nous avons joué × . (effacement possible du complément de phrase : constituant facultatif)

5.4 L'encadrement

UTILITÉ	CE QUE L'ON ENCADRE	EXEMPLES
Pour repérer le sujet afin d'accorder le verbe	Le sujet par *C'est… qui* ou *Ce sont… qui*	Antoine souhaiterait vous rencontrer. ➡ **C'est** Antoine **qui** souhaiter**ait** vous rencontrer. Ces athlètes s'entraînent intensivement. ➡ **Ce sont** ces athlètes **qui** s'entraîn**ent** intensivement.
Pour repérer le verbe conjugué	Le verbe par *ne…pas*	Samuel viendra à la fête. ➡ Samuel **ne** viendra **pas** à la fête.
Pour repérer un groupe complément	Le complément par *C'est… que* ou *ce sont…que*	Nous avons aimé ce spectacle. ➡ **C'est** ce spectacle **que** nous avons aimé. Laurence apprécie les petites attentions. ➡ **Ce sont** les petites attentions **que** Laurence apprécie.

5.5 Le remplacement

UTILITÉ	CE QUE L'ON REMPLACE	EXEMPLES
Pour vérifier la classe des mots	Par exemple, un déterminant par un autre déterminant	**Peu de** gens savent cela. ➡ **Des** gens savent cela.
Pour repérer le sujet afin de bien accorder le verbe	Le GN sujet par *il*, *elle*, *ils* ou *elles*	**Les élèves de ce groupe** participent à l'exposition. ➡ **Ils** particip**ent** à l'exposition.
Pour délimiter un groupe de mots	Un groupe de mots par un pronom	Je pense **à m'inscrire à un cours de danse**. ➡ J'**y** pense.
Pour éviter de répéter les mêmes mots dans un texte	Un groupe de mots par un pronom	On peut entendre c**ette chanson** à toutes les stations de radio. ➡ **Celle-ci** est très populaire.

Les enfants s'y retrouvent...
Et les parents aussi !

Adaptée de la grammaire
la plus utilisée dans les écoles primaires du Québec.
Un ouvrage de référence clair et accessible qui contient :

- un guide pratique destiné aux parents qui explique les différences entre la grammaire qu'ils ont apprise et la grammaire maintenant enseignée dans les écoles et qui fournit des pistes pour aider leur enfant
- toutes les règles de grammaire à l'étude au primaire présentées en 8 grandes parties subdivisées en courts chapitres avec des explications claires et de nombreux exemples pour chaque notion
- de nombreuses annexes pour enrichir le vocabulaire de l'enfant et développer son habileté en écriture, dont plus de 80 pages de tableaux de conjugaison de verbes modèles
- une table des matières et un index bien structurés pour un repérage facile !

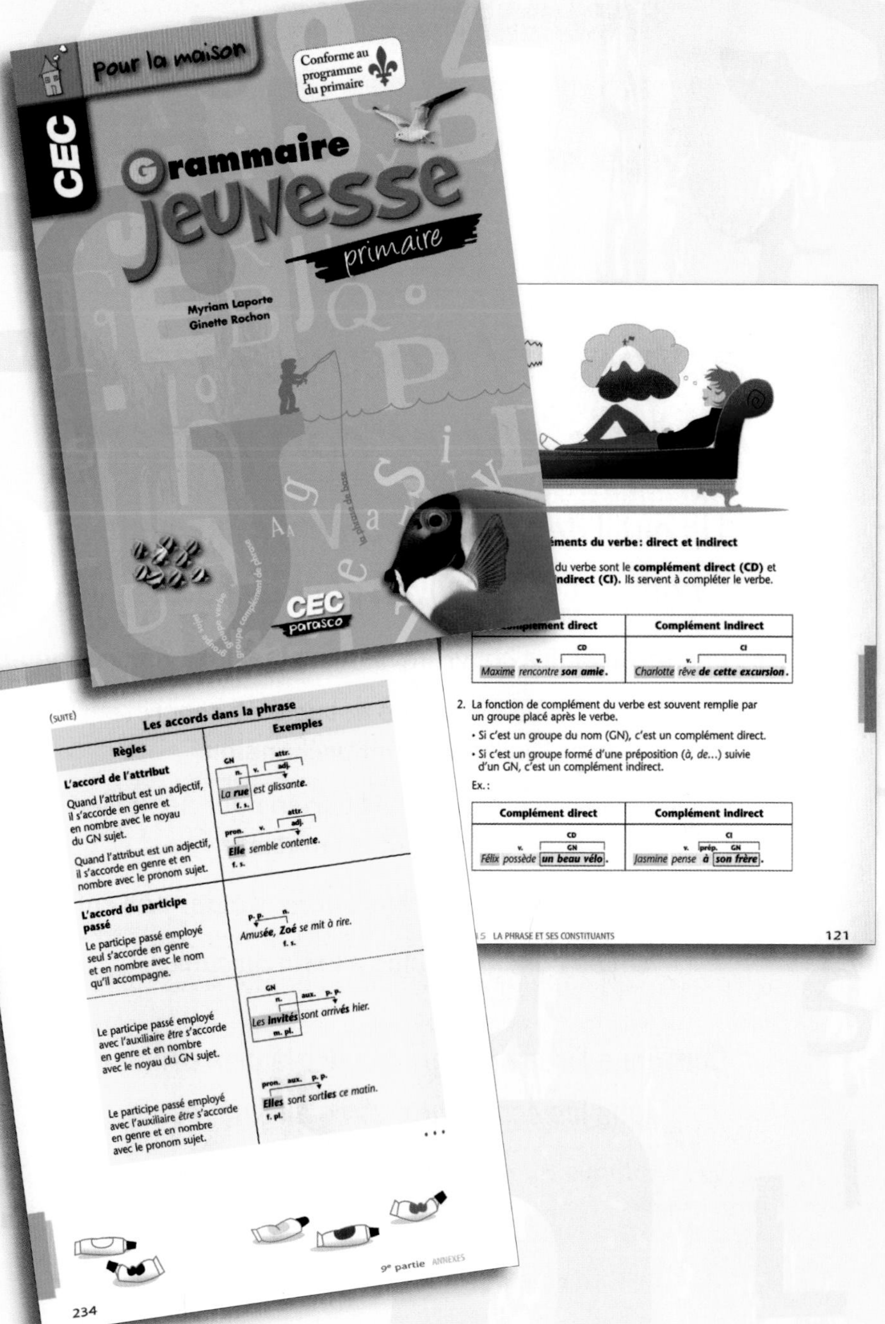
Pour la maison
Conforme au programme du primaire
CEC
Grammaire jeunesse
primaire
Myriam Laporte
Ginette Rochon
CEC parasco
(SUITE)
Les accords dans la phrase
Règles
Exemples
L'accord de l'attribut
Quand l'attribut est un adjectif, il s'accorde en genre et en nombre avec le noyau du GN sujet.
La rue est glissante.
Quand l'attribut est un adjectif, il s'accorde en genre et en nombre avec le pronom sujet.
Elle semble contente.
L'accord du participe passé
Le participe passé employé seul s'accorde en genre et en nombre avec le nom qu'il accompagne.
Amusée, Zoé se mit à rire.
Le participe passé employé avec l'auxiliaire être s'accorde en genre et en nombre avec le noyau du GN sujet.
Les invités sont arrivés hier.
Le participe passé employé avec l'auxiliaire être s'accorde en genre et en nombre avec le pronom sujet.
Elles sont sorties ce matin.
9e partie ANNEXES
234
éments du verbe : direct et indirect
du verbe sont le complément direct (CD) et indirect (CI). Ils servent à compléter le verbe.
Complément direct
Complément indirect
Maxime rencontre son amie.
Charlotte rêve de cette excursion.
2. La fonction de complément du verbe est souvent remplie par un groupe placé après le verbe.
• Si c'est un groupe du nom (GN), c'est un complément direct.
• Si c'est un groupe formé d'une préposition (à, de...) suivie d'un GN, c'est un complément indirect.
Ex. :
Complément direct
Complément indirect
Félix possède un beau vélo.
Jasmine pense à son frère.
LA PHRASE ET SES CONSTITUANTS
121

Captivant ! Encourageant !
Un allié sûr et compétent.

Un outil de révision et d'entraînement complet et convivial pour la maison

- Des encadrés clairs couvrant toutes les notions théoriques
- De multiples exemples actuels et concrets pour faciliter la compréhension
- Des exercices gradués et variés pour assimiler progressivement sa matière
- Des stratégies pour le parent qui veut aider son enfant
- Les corrigés inclus à la fin du cahier

Contenus tirés de la grammaire la plus utilisée dans les écoles primaires au Québec.

Contenu conforme au programme du primaire au Québec

S'utilise seul ou avec la *Grammaire jeunesse primaire*

Cahiers d'apprentissage Je réussis avec Super Zapp!

Collection complète pour tout le primaire:

- **1 cahier pour chaque niveau couvrant** le français, la mathématique et l'anglais
- **1 cahier pour la maternelle**
- **1 cahier d'écriture script**
- Contenu conforme au programme du primaire au Québec
- Courts textes variés pour s'améliorer en lecture
- Index conçu pour un repérage rapide
- Corrigé inclus à la fin – maternelle à 6e année

Vers la réussite scolaire

Feuilletez des extraits au www.editionscec.com - section Jeunesse

Sources iconographiques

Couvertures intérieures

© ***iStockphoto.com*** Jim Veilleux/8141116 (cornouiller) ; Canon_Bob/6312679 (geai bleu) ; Brittak/5283999 (chouette laponne) ; ***Stéphane Vallières*** (épigée rampante), © ***Shutterstock*** (drapeaux et autres)

L'iconographie de ce dictionnaire provient de Shutterstock sauf :

© ***Agence spatiale canadienne*** **1255** (m)

© ***Archives de la Commission des champs de bataille nationaux*** **1128**

© ***Archives - Ville de Montréal*** **1130** VM94-EXd10-1 ; **1241** BM1-P2190

© ***Assemblée nationale (Collection), Daniel Lessard*** **1166**

© ***Assiniboine Tipis*** **587** (mg)

© ***Bibliothèque et Archives Canada*** **1088** C-070232 (g) ; **1090** Lavigne & Lajoie/Fonds Robert James Manion/C-003307 (g) ; **1103** C-017335 ; **1106** La Bolduc : la vie de Mary Travers, 1894-1941 : biographie/AMICUS 11349098/P.112/nlc-002499 ; **1115** Théophile Hamel collection/C-011226 ; **1137** Charles W. Jefferys/Fonds Charles-William-Jefferys/C-010688 ; **1146** Collection de la Défense nationale/PA-000157 ; **1168** Fonds de l'Office national du film du Canada PA-107872 (g) ; **1181** Collection de photographies par Jules-Ernest Livernois/PA-023361 (d) ; **1190** Collection Albert-Laberge et Charles-Gill/C-088566 (h) ; **1204** Fonds Jacques et Raymonde Plante/PA-195211 (b) ; **1209** Bélier/Canadiana Views collection/C-015497 (c) ; **1211** Fonds The Gazette (Montréal)/PA-132397 (g) ; **1214** ML22064, Annette et Basil Zarov, Fonds Gabrielle Roy ; **1231** Lawrence R. Batchelor/Collection Lawrence-R.-Batchelor/C011925 (hg) ; **1236** Reproduit avec la permission du ministre des Travaux publics et Services gouvernementaux Canada (2011). Fonds des Archives nationales du Canada/PA 212560 (h)

© ***Bibliothèque et Archives nationales du Québec*** **1108** E10, S44, SS1, D74-19, CP12/Ministère des Communications/Daniel Lessard, 1974 (b) ; **1121** S4, D83, PC103 ; **1131** Fonds J.E. Livernois, ltée/BAnQ, P560, S2, D1, P1827-2 (b) ; **1159** E6, S7, SS1, P6840622/ Neuville Bazin, 24 mai 1968 ; **1163** E10, S44, SS1, D70-168, P34A/Jules Rochon, juillet 1970 ; **1168** P243-1,12/Fonds Harvey Majo (d) ; **1169** E10, S44, SS1, D81-853, P12A/Bernard Vallée, décembre 1981 ; **1177** P1000, SA, D83, PM28.1 ; **1178** P1000, S4, D83, PM39

© ***Cabinet du Premier ministre, Jason Ransom*** **1149** (g)

© ***CCDMD*** **1189** Rodrigue Gendron, le monde en images

© ***Christopher Burrows/Alamy A3X1DW 447***

© ***Claude Nadeau*** **405** ; **455** (canard, chouette, grive, martin-pêcheur, mésange, paruline, sittelle) ; 722 (geai, mésange, gros-bec, jaseur boréal, faucon), **767**

© ***Corbis*** **270** Burstein Collection/Corbis/BE087519 (md) ; **270** Musée canadien des civilisations/Corbis/CN001119(mg) ; **271** John Van Hasselt/Sygma/Corbis/DWF15-239467 (hg) ; **892** Martin Harvey, Gallo Images/AB004521(mg)

© ***Division de la gestion de documents et des archives, Université de Montréal. Fonds du Bureau de l'information (D0037)1FP03352. Le Chanoine Lionel Groulx*** **1145**

Domaine public **730** (feuilles d'orme) ; **1086** et **1098** Bibliothèque du Congrès des États-Unis ; **1102** ; **1119** ; **1126** (g) ; **1134** (g) ; **1140** ; **1141** (g) ; **1147** ; **1187** PD-USGOV-MILITARY (d) ; **1190** (b) ; **1201** (d) ; **1205** (d) ; **1245** (g)

© ***Dorling Kindersley*** (***DK Images***) **36** 50269884 (bm) ; **126** 879903 (produit L1) ; **209** 11110323 ; **717** 11110330 ; **728** 20116842 ; **988** 11965015 (g) ; 11975038 (d) ; **989** 20116989 (g) ; 11084969 (femme) ; 11453130 (système respiratoire)

© ***Flagstaffotos*** **766** (hg)

© ***Fondation Teasdale-Corti*** **1232**

© ***Gouvernement du Québec*** **1117** ; **1200**

© ***Hachette*** **24** (b) ; **28** (d) ; **31** (b) ; **38** ; **41** (md) ; **66** ; **72 ; 86** (b) ; **88 ; 99** (hg) ; **100** (bg) ; **101** (g) ; **105** (d) ; **106** (bg) ; **112** (hg, mg, b) ; **118** ; **142** (d) ; **155** (bg) ; **160** (h) ; **165** (m) ; **166** ; **170** ; **182 ; 183** (md) ; **185** ; **187** (h) ; **203** ; **207** (b) ; **214** ; **222** ; **237** ; **242** (h) ; **243** (h) ; **246** ; **259 ; 284** ; **297** (h) ; **298** (d) ; **302** ; **343** (bg) ; **344** (d) ; **351** (b) ; **354** ; **357** (b) ; **376** ; **389** (hg) ; **393** (g) ; **412** ; **421** (b) ; **428** ; **511** ; **516** (bg) ; **519 ; 522** (d) ; **524** (md) ; **531 ; 539** (bg) ; **562** ; **628** (h) ; **633** (g) ; **682** (bg) ; **687** ; **692** (bd) ; **695** (bm, bd) ; **703** (b) ; **746 ; 771 ; 779** (g) ; **781** ; **798** (g) ; **831** ; **832** ; **842** (bg) ; **851** (b) ; **852** ; **993** (g) ; **994**

© ***Interscript*** **475** (b)

© ***iStockphoto.com*** **31** GentooMultimediaLimited/11862821 (m) ; **43** James Pauls/9040479 ; **46** Christina Hanck/10667029 (bd) ; **68** Studioworxx/8597837 (h) ; **71** Eldad Carin/14504267 ; **73** Bartosz Hadyniak/13877524 (g) ; **76** Yin Yang/9093366 ; **100** Environmatic/12077177 (hd) ; Slallison/13771935 (hd) ; Jacqueline Kemp/12239471 (hd) **; 104** Penguenstok/11762547 (h) ; **113** Tyson Paul/5049794 ; **116** Don Bayley/13458090 (b) ; **133** Ivan Kmit/7075894 (bg) ; **133** Robyn Mackenzie/2725280 (bg) ; **134** Arlindo71/11806638 (b) ; **140** Claus Alwin Vogel/12169174 ; **162** pixhook/3596095 (bd) ; **163** Mikhail Kokhanchikov/14467303 (b) ; **172** Randy Romano/7714920 (h) ; **178** Damir Spanic/1256583 (h) ; **183** Benoitb/157897 (h) ; **186** Sheena Woodhead/12639071 (d) ; **198** Peter Austin/3676318 (bg) ; **199** Li Jingwang/10656362 (b) ; **221** Peter Garbet/12636642 (h) ; **226** Igor Tkachov/113999 (g) ; **229** DNY59/14487637 (g) ; **239** BanksPhotos/12925383 ; **240** Cliff Parnell/4837407 (g) ; **242** James Steidl/3820636 (g) ; **242** Rainer von Brandis/13506883 (b) ; **250** Benoît Jacquelin/13347871 ; **251** Proxyminder/8848162 (bd) ; **253** Steve Geer/16061631 ; **258** Graffissimo/14850209 (d) ; **261** Elena Schweitzer/12555411 (hg) ; TT/3258308 (hd) ; **263** Stane_c/15534318 (hd) ; **264** Gerrit David de Vries/14214114 (hg) ; Steven Wynn/6097130 (hd) ; **265** Dave Rodriguez/9874193 ; **279** Royce DeGrie/2709367 (hd) ; **281** Nikada/9718242 ; **297** Schmitz Olaf/11084066 (b) ; **300** Andreas Arnold/10723548 ; **301** Louis Carlos Torres/2519828 (d) ; **312** Svengine/13699944 ; **314** Frank Ramspott/13217463 (b) ; **317** Iconogenic/3944912 ; **342** Heinrich van den Berg/10433886 (bd) ; **353** M-Reinhardt/13112151 (hd) ; M-Reinhardt/13946707 (bd) ; **355** Pauline S Mills/10017200 (bd) ; Alistair Scott/1721796 (hd) ; **364** Rudi Gobbo/15147616 (g) ; **380** Soda fish bvba/6717730 (g) ; **389** Sharon Metson/11150783 (bg) ; Andrew Howe/ 2496896 (bd) ; **409** DNY59/9065326 (h) ; Susan Trigg/4788035 (b) ; **423** olenka222/9270918 (bg) ; **427** LindaMarieB/4386032 (b) ; **431** lucamanieri/5554148 (h) ; **432** GlobalP/10621790 (hg) ; Eric Isselée/6929880 (hcd) ; Michael Olson/11791023 (bg) ;

GlobalP/ 2878602 (hcg); **434** Susan Washinski/9768711 (hd); **448** Chris Downie/12455560 (d); **454** Gordon Tipene/9681757 (bd); Tuomas Elenius/10769018 (bd); Aimin Tang/13918337 (bd); **455** Ilias Strachinis/13101891 (mg); Philip Voystock/1701320; Breckeni/12867348; **461** MarkusSchiemann/6885469; Hulton Archive/4142552 (b); **477** Arpad Benedek/13619861 (b); **482** LivingImages/2923254 (d); **485** redmal/1109456 (d); **486** parema/12226308 (bd); **491** Justin Horrocks/7635090 (bd); **500** Ivan Burmistrov/14035863; **502** Brandon Alms/13346231; **506** Joseph White/3516933 (hd); **513** 1760375 (bd); **515** Kirsty Pargeter/ 2448552 (hg); **545** BlueOrange Studio/11967287 (h); **554** Carmen Martínez Banús/12396688 (b); **568** ep_stock/13542200 (b); **575** PeterAustin/3676318 (m); **584** Piero Malaer/10541336 (bd); **589** Don Bayley/4152824; **591** Ammit/12975815 (d); **592** Bernard Allum/10944911 (d); **595** Tamás Ambrits/4223810; **598** Dušan Kostić/10295206; **605** Danny Warren/4421538 (bd); **616** Karel Broz/ 9859346 (m); **624** Andy Gehrig/8439630; **626** Ongan/3906105; **627** Jim Kruger/14782983 (hd); **637** Antagain/15104350; **646** DNY59/ 6670455 (bd); **648** Marcus Lindström/2087576(m); **671** Antagain/7205226 (h); **681** Michel de Nijs/4513319; **684** Gregory Ritchie/ 11156376 (bg); **689** Bryan Faust/3040911 (bg); JoeBreuer /10832046 (bd); **702** Pavlo Lutsan/15677245 (bm); **711** Dave White/ 6616653 (gm); **724** Judy Ledbetter/1041012; **727** aldra/2414657; **729** Jarno Gonzalez Zarraonandia/2221719; **733** jim kruger/ 5733031 (bg); **752** Tony Tremblay/3580849 (d); **768** Marje Cannon/3079323; **783** Woraput Chawalitphon/11415020 (d); **805** Rich Phalin/10330819 (hg); Frank Leung/14987035 (hd); Dawn Nichols/4724633 (hd); **812** Andreas Kaspar/9393812 (d); **838** Giovanni Rinaldi/2607633 (hd); **841** Daniel Cooper/13644766; **855** Alain Juteau/3093633; **858** Brandon Laufenberg/3900281; **867** Maksim Harshchankou/13623311 (hd); **868** webphotographeer/6058583 (d); **869** Todd Bates/9489271 (g); **873** HultonArchive/3975009 (d); **925** PacoRomero/15664379 (bc); **967** AlexSava/14942169; **970** avajjon/4475471; **971** view portfolio/14025018; **996** Darla Hallmark/ 2483905 (d); **1013** Lezh/5817806 (m); **1014** Milous/10355049 (g); **1018** Claudia Dewald/15658909 (bg); **1031** Lise Gagne/2051830; **1034** Michael Westhoff/15859413 (hd); **1036** Rachel Jean/931417; **1042** Chris Clark/8684332; **1043** JoeLena/13172856; **1045** LSOphoto/14237677 (bd); **1047** kfletcher/574460 (gd); **1064** pappamaart/ 100410; **1065** Imageegaml/ 14420745; **1069** GlobalP/ 14671266; **1077** Tatiana Belova/3492532 (h); **1077** Bartosz Hadyniak/15204563 (m); **1135** mgobits/404650; **1154** Ryerson Clark/ 13350851; **1211** Tony Tremblay/569484 (d); **1266** Tony Tremblay/4194702 (b); **1272** Horst Puschmann/2814688 (b); **1275** Jeremy Edwards/2446436 (h); **1336** Jim Kruger/5733031 (ours)

© ***Jacques Grenier*** **1149** (d); **1183**

© ***James Duhamel*** **1203** (b)

© ***Jupiterimages Corporation et ses représentants*** **270** 36944966 (bd)

© ***Library of Congress*** **1162** Library of Congress, Prints & Photographs Division, U.S. News & World Report Magazine Collection, 2003688129

© ***L'Imagier*** **12** 18-10-P19-056 (bg); 18-10-P19-056 (bg); 12-03-P07-014 (md); 11-03-P34-120 (b); **711** 17-07-P19-005 (bg); **1179** 24-22-P126-002; **1197** 24-11-01-P170-002

© ***Louise Chabot*** **155** (md)

© ***Martin Bergeron*** **1204** (hd)

© ***Martin Dee*** **1112**

© ***Ministère des Travaux publics et Services gouvernementaux du Canada*** **37** (b) Bien manger avec le guide alimentaire canadien, Santé Canada, 2007, Reproduit avec la permission du Ministère des Travaux publics et Services gouvernementaux du Canada

© ***Monique Rosevear*** **126** (arbres L1à5); **127** (arbres L1, 3, 4, 5, 7); **575**

© ***Murielle Belley*** **126** (produit L6)

© ***2011, Musée du quai Branly***/photo Ch.Lemzaoud/Scala, Florence **587** (md)

© ***Musée McCord*** **1087** II-150659; **1108** M930.50.8.136 (h); **1167** MP-0000.373; **1172** M10018; **1174** I-7952 (g); **1210** M4777.6; **1246** M986.128 (h)

© ***Nasa*** **1096**; **1133** Bill Ingalls; **1255** (h et b)

© ***Office national du film du Canada*** **1175**

© ***2011 Photos.com, une division de Getty Images. Tous droits réservés.*** **18** 59922712 (d); **20** 97641860 (h); **49** 98254450 (g); **53** 93218186 (g); **55** 87462717 (d); **56** 87482921; **59** 11599999 (b); **74** 104787271 (cire); 106361952 (pâte); 94174594 (fusain); **99** 8053822 (d); **125** 109173882 (g); **153** 93469159 (h); **163** 87748513 (hg); **182** 88013406 (d); **186** 87655529 (g); **202** 90593064 (b); **205** 106572204 (mg); **223** 92830253 (g); **226** 92408381 (d); **257** 105079856 (h); **341** 91667167 (b); **343** 87776294 (d); **353** 93211441 (hm); **392** 87827817 (d); **403** 94455992; **429** 95292263 (hg); 87555486 (hm); **432** 200352488 (bd); **455** 200351416 (md); **464** 106523868 (g); **467** 95517331 (m); **475** 92169644 (h); **489** 92831834 (h); **493** 91749389 (h); **504** 92888855 (hd); **516** 96164843 (bd); **518** 91084309 (hd); **521** 95458279 (d); **532** 92374609 (md); **535** 106443531 (hd); **536** 91700710 (g); **540** 87684048; **544** 91742156; **547** 92834288; **584** 90280853 (bmg); **604** 98138338; **616** 90278822 (bd); **652** 93074099; **656** 93013886 (bm); **677** 92845666; **690** 93282512 (d); **697** 87721237 (hm); **699** 105641646 (bd); **731** 91056844 (dm); **760** 95717004 (g); 91351299 (d); **782** 9321444 (hg); 93214272 (bg); **853** 87808865 (g); **865** 109166258; **866** 89918211; **867** 88016350 (hm); **878** 89672448; **991** 83253332; **1026** 87462221 (b); **1264** 87738876 (h); **1336** 58002088 (3e); **1337** 48051268 (h)

© ***PetroNor*** **1187** (g)

© ***Pierre Longtin*** **1136**

© ***Ponopresse*** **1116**; **1144**; **1165** (g); **1212**; **1235**; **1242** Michel Ponomareff

© ***Roland Corporation*** 663 (g)

© ***Sailko 2007 CC-BY-SA*** **1182**

© ***Sa Majesté la Reine du chef du Canada représentée par le Bureau du secrétaire du gouverneur général (1988) Crédit: Sgt Ray Kolly, Rideau Hall. Reproduit avec la permission du Bureau du secrétaire du gouverneur général*** **1222**

© ***Science Photo Library*** **892** A.Cosmos Blank/2785236 (md)

© ***Société historique Alphonse-Desjardins (Collection), Alfred George Pittaway (1858-1930)*** **1127** (b)

© ***TidalStream Ltd*** **373** (b)